LANGENSCHEIDTS
EUROW...

D1586789

Langenscheidt
Eurodictionnaire
Allemand

Français-Allemand
Allemand-Français

Edité par la
Rédaction Langenscheidt

Edition revue et remaniée

LANGENSCHEIDT
BERLIN · MUNICH · VIENNE
ZURICH · NEW YORK

Langenscheidts
Eurowörterbuch
Französisch

Französisch-Deutsch
Deutsch-Französisch

Herausgegeben von der
Langenscheidt-Redaktion

Neubearbeitung

LANGENSCHEIDT

BERLIN · MÜNCHEN · WIEN
ZÜRICH · NEW YORK

Von Wolfgang Löffler und Kristin Waeterloos
Par Wolfgang Löffler et Kristin Waeterloos

Ergänzende Hinweise, für die wir jederzeit dankbar sind, bitten wir zu richten an:
Langenscheidt-Verlag, Postfach 40 11 20, 80711 München

© 2001 Langenscheidt KG, Berlin und München
Druck: Graph. Betriebe Langenscheidt, Berchtesgaden/Obb.
Printed in Germany · ISBN 3-468-12152-0

02 03 04 05 06 5. 4. 3. 2. 1.

Inhaltsverzeichnis
Table des matières

Préface

Nous voici à la veille d'une Europe sans frontières. Dès 1993, avec le Marché Unique, l'Europe se rapprochera tangiblement des idéaux exprimés par Jean Monnet et Robert Schuman. La connaissance des langues étrangères sera alors essentielle, pour les touristes bien sûr, mais surtout pour les hommes d'affaires, les politiciens, les techniciens et les sportifs, les artistes.

Nos rédactions ont conçu un type de dictionnaire qui tient compte de ces nouveaux besoins langagiers. La série des Eurodictionnaires est le résultat de ces travaux.

Le choix du vocabulaire les distingue de nos précédents ouvrages. La plus grande importance a été accordée, au-delà du vocabulaire général, à la terminologie de l'économie et du commerce, du tourisme et de la bureautique, sans négliger toutefois la politique, la technique et la culture: *bureautique*, *chômage partiel*, *code barre(s)*, *cybercafé*, *gestion des déchets*, *lecteur de disquettes*, *logiciel*, *maladie de la vache folle*, *sans plomb*, *pot catalytique*, *télévision câblée*, *trou d'ozone*, pour ne citer qu'eux. Nous espérons ainsi contribuer à la communication dans la nouvelle Europe.

LANGENSCHEIDT VERLAG

Vorwort

Wir stehen heute an der Schwelle zu einem Europa ohne Grenzen. Mit der Vollendung des Binnenmarktes von 1993 an ist Europa den Idealen, wie sie Jean Monnet und Robert Schuman formulierten, ein gutes Stück näher gerückt. Das bedeutet auch, dass Sprachkenntnisse an Bedeutung noch gewinnen werden. Dies gilt nicht nur für den Urlaubsreisenden, sondern insbesondere für den Geschäftsmann wie auch für den Techniker, den Politiker, den Sportler, den Künstler.

Vorausblickend wurde in der Wörterbuchredaktion von Langenscheidt ein Konzept entwickelt, das den neuen sprachlichen Bedürfnissen Europas Rechnung trägt. Das Ergebnis dieser Arbeiten liegt jetzt in der neu entwickelten Reihe der Eurowörterbücher vor.

Charakteristisches und damit wichtigstes Merkmal der Eurowörterbücher ist der dargebotene Wortschatz: Das Schwergewicht bei der Auswahl der über den allgemeinsprachlichen Wortschatz hinausgehenden Wörter und Wendungen lag dabei auf den Sachgebieten Wirtschaft, Handel, Reise und Büro, wobei aber auch so wichtige Gebiete wie Politik, Technik und Kultur gebührende Berücksichtigung fanden. Begriffe wie *Abfallmanagement*, *Internetcafé*, *Kabelanschluss*, *Ozonloch*, *Pfandflasche*, *schadstofffrei*, *Rinderwahn(sinn)*, *Telefonkarte*, *unverbleit*, *Vorruhestand* und *Wochenarbeitszeit* veranschaulichen beispielhaft die besondere Zielsetzung der Eurowörterbücher, möglichst vielen Menschen eine praktische und nützliche Hilfe bei der sprachlichen Kommunikation im neu gestalteten Europa zu bieten.

LANGENSCHEIDT VERLAG

Hinweise für die Benutzung des Wörterbuches
Indications pour l'emploi du dictionnaire

1. **Die alphabetische Reihenfolge** ist überall beachtet worden. Hierbei werden die Umlaute (ä, ö, ü) den Buchstaben a, o, u gleichgestellt. Geographische Namen und Abkürzungen sind ebenfalls an alphabetischer Stelle des Wörterverzeichnisses zu finden.

2. **Die Aussprachebezeichnung** steht in eckigen Klammern. Die Umschrift wird durch die Zeichen der „Association Phonétique Internationale" angegeben (s. S. 13).

3. **Grammatisches Geschlecht und Wortart.** Das grammatische Geschlecht der Substantive (Hauptwörter) ist bei jedem französischen Stichwort (*m, f*) und deutschen Stichwort (*m, f, n*) angegeben.

4. **Die Bedeutungsunterschiede der verschiedenen Übersetzungen** sind durch abgekürzte Bedeutungshinweise (s. Verzeichnis Seite 11) oder durch Zusätze wie *Sport, Auto* usw. oder auch durch vorangesetzte Objekte bzw. Subjekte gekennzeichnet.

5. **Grammatische Hinweise:**
   a) Beim Substantiv und beim Adjektiv wird die unregelmäßige Pluralform angegeben.
   b) Beim Adjektiv wird die weibliche Form angegeben.
   c) Beim Verb verweist die in runden Klammern hinter jedem französischen Verbum stehende Ziffer (*1a, 2f* usw.) auf die Konjugationstabelle im Anhang, in der ausführlich Aufschluss über die Bildung der Zeitformen gegeben ist.

1° **L'ordre alphabétique** a été rigoureusement observé. Les voyelles infléchies (ä, ö, ü) correspondent aux lettres a, o, u.
Les noms géographiques et les sigles se trouvent également à leur place alphabétique.

2° **La transcription phonétique** est placée dans des crochets. Cette transcription suit la notation de l'Association phonétique internationale (voir page 13).

3° **Genre grammatical et catégorie grammaticale.** Le genre grammatical des substantifs est indiqué pour tous les mots français (*m, f*) et pour les mots allemands (*m, f, n*).

4° **Les différences d'acception des différentes traductions** sont signalées par des abréviations explicatives (voir tableau page 11) ou sont indiquées par des mots collectifs tels que *Sport, Auto*, etc. ou bien par des compléments respectivement par des sujets.

5° **Remarques grammaticales:**
   a) On a indiqué les formes irrégulières du pluriel des substantifs et des adjectifs.
   b) On a indiqué les formes du féminin des adjectifs.
   c) Pour les verbes, les chiffres entre parenthèses placés derrière chaque verbe français (*1a, 2f* etc.) renvoient au tableau de conjugaison dans l'appendice, dans lequel se trouvent tous les renseignements nécessaires sur la conjugaison des verbes.

6. **Die Rektion der Verben** (Verbindung des Zeitwortes mit seinen Satzergänzungen). Stimmt sie in beiden Sprachen überein, so sind besondere Hinweise nicht gegeben. Verlangt jedoch das französische Verb einen anderen Fall als das deutsche, so ist die Rektion angegeben, z. B.:

6° **Le régime des verbes** (relation d'un verbe avec ses compléments). Lorsque le régime est identique dans les deux langues, il n'y a pas de mention; où il ne l'est pas, le régime est donné, p. ex.:

> **aider** [ɛde] (*1b*) helfen (*qn* j-m);
> **s'~ de qc** etw (*acc*) benützen

7. **Rechtschreibung.** Für die Rechtschreibung der französischen Wörter dienen als Grundlage die Regeln der *Académie française*, für die deutschen Wörter der Duden.

7° **L'orthographe.** L'orthographe des mots français est conforme aux prescriptions de *l'Académie française*, celle des mots allemands se règle sur le Duden.

8. **Grammatische Angaben**
A) **Französische Verben:** Bei jedem französischen Verb weisen die in runden Klammern stehenden Zahlen und Buchstaben auf das entsprechende Konjugationsmuster im Anhang hin s. S. 608–631.
B) **Deutsche Substantive und Verben:**
a) Bei jedem deutschen **Substantiv** wird die Genitiv- und die Pluralform angegeben:

8° **Indications grammaticales**
A) **Verbes français:** les chiffres et les lettres entre parenthèses derrière chaque verbe renvoient au tableau de conjugaison en appendice, page 608–631.
B) **Substantifs et verbes allemands:**
a) Derrière chaque **substantif** allemand on a indiqué entre parenthèses le génitif singulier et le nominatif pluriel:

> **Affe** *m* (-*n*; -*n*) = des Affen;
> die Affen

Das „*e*" in eckigen Klammern bedeutet, dass der Genitiv mit „*s*" oder mit „*es*" gebildet werden kann. Das Zeichen ⁓ bedeutet, dass in der Pluralform ein Umlaut auftritt:

Lorsque le génitif singulier est formé indifféremment avec -*s* ou -*es*, le *e* est entre crochets. Le signe ⁓ indique une voyelle infléchie (ä, ö, ü) au pluriel:

> **Blatt** *n* (-*[e]s*; ⁓*er*) = des Blatts,
> des Blattes; die Blätter

Bleibt das Substantiv im Genitiv bzw. im Plural unverändert, so wird dies mit einem Strich angegeben:

Un tiret indique un génitif singulier ou un nominatif pluriel invariables:

> **Kreisel** *m* (-*s*; -) = des Kreisels;
> die Kreisel

Diese Angaben stehen bei Grundwörtern. Bei zusammengesetzten Wörtern stehen sie nur, wenn der entsprechende Teil an alphabetischer Stelle in der Form abweicht oder wenn dort mehrere Formen angegeben sind, die für das zusammengesetzte Wort nicht alle zutreffen.

Ces indications accompagnent les mots simples. Pour les mots composés, elles sont mentionnées uniquement lorsque la partie concernée se décline de plusieurs manières possibles, suivant le cas.

Bank *f* (-; *-en bzw. ̈e*)
Datenbank *f* (-; *-en*)

b) Bei allen **deutschen Verben** wird das Hilfszeitwort „*sn*" oder „*h*" (sein oder haben) angegeben. Bei regelmäßigen Grundverben ist zusätzlich angegeben, wenn das Partizip mit „*ge*" gebildet wird:

b) Pour chaque **verbe allemand** on a indiqué l'auxiliaire „haben" (*h*) ou „sein" (*sn*) qui sert à former les temps composés. Pour les verbes réguliers simples on a indiqué en outre le participe passé formé avec „*ge*":

arbeiten (*ge-, h*) = habe gearbeitet

Bei unregelmäßigen Grundverben stehen in Klammern Imperfekt und Partizip sowie das Hilfszeitwort:

Pour les verbes irréguliers simples on a indiqué l'imparfait et le participe passé ainsi que l'auxiliaire entre parenthèses:

bringen (*brachte, gebracht, h*)

Bei zusammengesetzten Verben ist angegeben, ob im Präsens (und im Imperfekt) die Vorsilbe abgetrennt wird und ob im Partizip ein *-ge-* eingeschoben wird:

Pour les verbes réguliers à particule on a indiqué la particule séparable au présent et à l'imparfait, ainsi que le *-ge-* intercalé au participe passé:

abfassen (*sep, -ge-, h*) = fasst(e) ab, hat abgefasst

Bei unregelmäßigen zusammengesetzten Verben ist zusätzlich „*irr*" (= unregelmäßig) sowie der Verweis auf das Grundverb angegeben:

Pour les verbes irréguliers à particule, on a indiqué en outre „*irr*" (irrégulier) ainsi que la référence sur le verbe simple correspondant:

abschreiben (*irr, sep, -ge-, h* → **schreiben**)

Erklärung der im Wörterbuch verwendeten Abkürzungen
Explication des abréviations employées dans le dictionnaire

~ ♀ die Tilde (das Wiederholungszeichen) ist angewendet, um zusammengehörige und verwandte Wörter zum Zwecke der Raumersparnis zu Gruppen zu vereinigen.

~ ♀ le tilde (le signe de répétition). Afin d'épargner de la place, le tilde a été employé pour réunir par groupes les mots de la même catégorie et les mots apparentés.

Die Tilde (~) vertritt das ganze voraufgegangene Wort oder den Wortteil vor dem senkrechten Strich (|), z. B.:

Le tilde (~) remplace la totalité du mot précédent ou la partie du mot devant le trait vertical (|), p. ex.:

>aiguillon Stachel; ~ner (= **aiguillonner**) antreiben;
>contrôl|e Kontrolle; ~er (= **contrôler**) kontrollieren.

Die Tilde vertritt außerdem in den Anwendungsbeispielen das unmittelbar voraufgegangene Stichwort, das auch mit Hilfe der Tilde gebildet sein kann, z. B.:

Le tilde remplace en outre dans les exemples d'application l'en-tête précédent, parfois représenté à l'aide du tilde, p. ex.:

>abandon ... *laisser à l'*~ verwahrlosen

Die Tilde mit Kreis (♀) weist darauf hin, dass sich die Schreibung des Anfangsbuchstabens des voraufgegangenen Wortes in der Wiederholung ändert (groß in klein oder umgekehrt), z. B.:

Le tilde avec cercle (♀) indique que le mot précédent prend une majuscule ou une minuscule lorsqu'il doit être répété, p. ex.:

>**français, -e 1.** *adj.* französisch; **2.** ♀ (= **Français, -e**) *m, f* Franzose *m*, Französin *f*;
>**collège** Gremium; Kollegium; **Sacré** ♀ (= **Sacré Collège**) Kardinalskollegium;
>**Pâques** Ostern; **faire ses** ♀ (= **pâques**) zur österlichen Kommunion gehen.

Abkürzungen – Abréviations

a	auch, *aussi*	*astr*	*astronomie,* Astronomie
abr	*abréviation,* Abkürzung	*auto*	*automobile,* Kraftfahrzeug(wesen)
acc	*accusatif,* Akkusativ, Wenfall	*aviat*	*aviation,* Flugwesen
adj	*adjectif,* Adjektiv		
adv	*adverbe,* Adverb	*bes*	besonders, *particulièrement*
agr	*agriculture,* Landwirtschaft	*biol*	*biologie,* Biologie
allg	allgemein, *généralement*	*bot*	*botanique,* Botanik
anat	*anatomie,* Anatomie		
arch	*architecture,* Architektur	*cf*	*confer,* siehe
arg	*argot,* Argot, Gaunersprache	*ch*	*chasse,* Jagdwesen
		chim	*chimie,* Chemie

12

comm	commerce, Handel	m/pl	masculin pluriel, Maskulinum Plural
conj	conjonction, Konjunktion		
cuis	cuisine, Kochkunst	mus	musique, Musik
dat	datif, Dativ, Wemfall	n	neutre, sächlich, Neutrum
écon	économie, Wirtschaft	neg!	négatif, pourrait être insultant, negativ, kann auf Betroffene beleidigend wirken
EDV	elektronische Datenverarbeitung, informatique		
e-e	eine, un(e)	od	oder, ou
égl	église, Kirche	östr	österreichisch, autrichien
él	électrique, elektrisch		
e-m	einem, à un(e)	P	populaire, volkssprachlich, derb
e-n	einen, un(e)	péj	péjoratif, verächtlich
enf	langage des enfants, Kindersprache	phil	philosophie, Philosophie
		phm	pharmacie, Pharmazie
e-r	einer, d'un(e), à un(e)	phys	physique, Physik
e-s	eines, d'un(e)	pl	pluriel, Plural
etc	et cetera, und so weiter	plais	plaisant, scherzhaft
etw	etwas, quelque chose	poét	poétique, Dichtersprache
		pol	politique, Politik
f	féminin, weiblich, Femininum	p/p	participe passé, Partizip Perfekt
F	familier, umgangssprachlich	prép	préposition, Präposition
fig	figuré, bildlich, übertragen	prov	proverbe, Sprichwort
f/pl	féminin pluriel, Femininum Plural	p/s	passé simple, historisches Perfekt
		psych	psychologie, Psychologie
frz	französisch, français		
		qc	quelque chose, etwas
gén	génitif, Genitiv	qn	quelqu'un, jemand(en)
géogr	géographie, Geographie		
géol	géologie, Geologie	rel	religion, Religion
gr	grammaire, Grammatik		
		sép	séparable, trennbar
h	haben, avoir	sg	singulier, Singular
hist	histoire, Geschichte	sn	sein, être
		st/s	style soutenu, gehobener Stil
ind	indicatif, Indikativ	subj	subjonctif, Konjunktiv
inf	infinitif, Infinitiv	subst	substantif, Substantiv
iron	ironique, ironisch		
irr	irrégulier, unregelmäßig	tech	technique, Technik
		tél	télécommunication, Telekommunikation
j	jemand, quelqu'un		
j-m	jemandem, à quelqu'un	TV	télévision, Fernsehen
j-n	jemanden, quelqu'un		
j-s	jemandes, de quelqu'un	u	und, et
jur	juridique, Rechtswesen	unv	unverändert, invariable
		v/i	verbe intransitif, intransitives Verb
ling	linguistique, Sprachwissenschaft		
litt	littéraire, literatursprachlich	v/t	verbe transitif, transitives Verb
m	masculin, männlich, Maskulinum	zB	zum Beispiel, par exemple
mar	marine, Schifffahrt	zo	zoologie, Zoologie
math	mathématiques, Mathematik	Zssgn	Zusammensetzungen, composés
méd	médecine, Medizin		
mil	militaire, Militärwesen	→	siehe, confer

Zur Aussprache des Französischen
Tableau de la prononciation française

Im Wörterbuch steht die Lautschrift in eckigen Klammern direkt hinter dem französischen Stichwort.

Für das Französische gelten folgende Lautschriftzeichen:

Zeichen	Lautcharakteristik	Beispielwörter (Schreibweise der Laute)
a) Vokale		
[a]	helles a wie in „Rad"	patte, courage, noix [nwa]
[ɑ]	dunkles a wie in englisch „father" (häufig wie [a] gesprochen)	âme, phrase
[e]	geschlossenes e wie in „Leben"	léger, les, nez
[ɛ]	offenes e wie in „wärmer"	père, tête, sec, lait, neige
[ə]	kurzer, dumpfer ö-Laut	le, dehors, autrement
[i]	geschlossenes, helles i wie in „Liebe"	ici, style
[o]	geschlossenes o wie in „Not"	pot, dôme, taupe, beau
[ɔ]	offenes o wie in „Rost"	poche, Laure, album
[ø]	geschlossenes ö wie in „mögen"	chanteuse, nœud
[u]	geschlossenes, helles u wie in „nur"	souci, goût, où
[y]	geschlossenes, helles ü wie in „Tüte"	usure, sûr, eu
b) Nasalvokale		
[ɑ̃]	nasales a	dans, lampe, entrer, embêter
[ɛ̃]	nasales ɛ	vin, impair, plainte, rein, bien
[õ]	nasales o	ton, pompe
[œ̃]	nasales œ̃ (häufig wie ɛ̃ gesprochen)	lundi, parfum
c) Halbvokale		
[j]	gleitendes i wie in „Jahr"	bien, crayon, fille
[w]	gleitendes u wie in englisch „water"	oui, troi [trwa]
[ɥ]	gleitendes ü	lui, nuage
d) Konsonanten		
[p]	im Französischen nicht behaucht	paix, apporter
[t]		table, thé, patte
[k]		camp, qui, chaos, képi
[b]	im Französischen sehr stimmhaft („weich")	beau, abbé
[d]		droit, addition
[g]		gant, gueule

[s]	stimmlos („scharf") wie in „heiß"	sentir, tasse, ces, ça, section	
[z]	stimmhafter („weicher") s-Laut	maison, zéro	
[ʃ]	stimmlos wie in „**sch**ön"	**ch**anter	
[ʒ]	stimmhafter („weicher") sch-Laut	jour, cage	
[r]	Halszäpfchen-r (Zungen-r selten)	rue, barre	
[l]	wie in „legen"	long, aller	
[f]	stimmlos wie in „fein"	fuir, étoffe, photo	
[v]	stimmhaft wie in „Wand"	vent	
[m]	wie in „Mauer"	mou, somme	
[n]	wie in „Nacht"	nom, année	
[ɲ]	n mit nachklingendem j (mouilliertes n)	gagner	
[ŋ]	ng-Laut (nur in Fremdwörtern aus dem Englischen)	camping	

Das **e muet** („stummes e", Zeichen ə) wird in der Lautschrift häufig in Klammern gesetzt, z. B. **regarder** [r(ə)garde]. Dies bedeutet, dass dieser Laut nur in bestimmten Fällen gesprochen wird, etwa in der ersten Silbe einer Wortgruppe oder um eine Häufung von mehr als zwei Konsonanten zu vermeiden.

Das Französische kennt keinen h-Laut, unterscheidet aber zwischen **h aspiré** und **h muet**, was sich auf Apostrophierung und Bindung auswirkt:

(h aspiré) *la hanche*, *les hanches* [leɑ̃ʃ],
(h muet) *l'habit*, *les habits* [lezabi].

Die mit h aspiré beginnenden Stichwörter sind im Wörterbuch besonders gekennzeichnet:

'hâblerie, 'hache, 'hagard, 'haie usw.

Die Aussprache des französischen Alphabets

a [a]	h [aʃ]	o [o]	v [ve]
b [be]	i [i]	p [pe]	w [dubləve]
c [se]	j [ʒi]	q [ky]	x [iks]
d [de]	k [ka]	r [ɛr]	y [igrɛk]
e [ə]	l [ɛl]	s [ɛs]	z [zɛd]
f [ɛf]	m [ɛm]	t [te]	
g [ʒe]	n [ɛn]	u [y]	

Zur Aussprache des Deutschen
Tableau de la prononciation allemande

Lettre	Transcription	Explication	Exemple
		a) les voyelles	
a	a:	lang *long (âme)*	Abend ['a:bənt] kam [ka:m] Paar [pa:r] Laden ['la:dən]
	a	kurz *bref (patte)*	Ast [ast] Kamm [kam] Markt [markt] Matte ['matə]
ä	ɛ:	offen und lang *ouvert et long (fenêtre)*	ähnlich ['ɛ:nliç] Mähne ['mɛ:nə] Käse ['kɛ:zə] Träger ['trɛ:gər]
	ɛ	offen und kurz *ouvert et bref (ennemi)*	emsig ['ɛmsiç] Kämme ['kɛmə] Teller ['tɛlər] Herr [hɛr]
e	e:	geschlossen und lang *fermé et long (donné)*	Esel ['e:zəl] See [ze:] leben ['le:bən] nehmen ['ne:mən]
	e	geschlossen und mittellang (kurz) *fermé et moyen (défendre)*	Debatte [de'batə] Telefon ['te:lefo:n]
	ə	schwach und kurz *faible et bref (me)*	Tinte ['tintə] Rose ['ro:zə] gegeben [gə'ge:bən]
i	i:	geschlossen und lang *fermé et long (église)*	ihnen ['i:nən] Bibel ['bi:bəl] Dieb [di:p]
	i	geschlossen und mittellang (kurz) *fermé et moyen (histoire)*	in [in] binden ['bindən] Wind [vint]
o	o:	geschlossen und lang *fermé et long (rose)*	oben ['o:bən] Bote ['bo:tə] Moor [mo:r] Sohn [zo:n]

Lettre	Tran-scription	Explication	Exemple
	o	geschlossen und mittellang (kurz) *fermé et moyen (chaud)*	Tomate [to'ma:tə] Geologe [geo'lo:gə] monoton [mono'to:n]
	ɔ	offen und kurz *ouvert et bref (poste)*	offen ['ɔfən] Form [fɔrm] locken ['lɔkən]
ö	ø:	geschlossen und lang *fermé et long (jeûne)*	Öse ['ø:zə] Töne ['tø:nə] Goethe ['gø:tə]
	œ	geschlossen und kurz *fermé et bref (neuf)*	öffnen ['œfnən] Löffel ['lœfəl]
u	u:	geschlossen und lang *fermé et long (tour)*	Uhr [u:r] Mut [mu:t] Fuhre ['fu:rə] Bude ['bu:də]
	u	geschlossen und kurz *fermé et bref (moustache)*	unten ['untən] bunt [bunt] Mutter ['mutər]
ü	y:	geschlossen und lang *fermé et long (pur)*	Übel ['y:bəl] Tür [ty:r] Mühle ['my:lə]
	y	geschlossen und kurz *fermé et bref (brusque)*	üppig ['ypiç] Müll [myl] Rücken ['rykən]

b) les diphtongues

ai/ei/ey	ai	das offene und kurze [i] nähert sich dem geschlossenen und mittellangen (kurzen) [e] *l' [i] ouvert et bref se rapproche de l' [e] fermé et moyen (ail)*	Eisen ['aizən] Greise ['graizə] Mai [mai]
au	au	das offene und kurze [u] nähert sich dem geschlossenen und mittellangen (kurzen) [o] *l' [u] ouvert et bref se rapproche de l' [o] fermé et moyen (caoutchouc)*	Aufbau ['aufbau] Maus [maus] Brause ['brauzə]
äu/eu	ɔy	das offene und kurze [y] nähert sich dem geschlossenen und mittellangen (kurzen) [ø] *l' [y] ouvert et bref se rapproche de l' [ø] fermé et moyen (œil)*	euch [ɔyç] äußern ['ɔysərn] Beute ['bɔytə] läuten ['lɔytən]

c) les consonnes

g	g	comme dans le mot *gant*	geben ['ge:bən] Lage ['la:gə]
	ʒ	comme dans le mot *jupe*	Genie [ʒe'ni:] Regie [re'ʒi:] Jackett [ʒa'kɛt]

Lettre	Tran-scription	Explication	Exemple
j	j	comme dans le mot *mayonnaise*	jeder ['je:dər] gejagt [gə'ja:kt]
s	z	im Anlaut vor Vokalen und zwischen Vokalen *au début devant voyelle et entre voyelles (zèle)*	Sonne ['zɔnə] Base ['ba:zə]
	s	in allen anderen Positionen und wo ss oder ß geschrieben wird *dans tous les autres cas et pour les graphies ss ou ß (austère; sou)*	Aster ['astər] lispeln ['lispəln] Haus [haus] Messer ['mɛsər] Fuß [fu:s]
sch	ʃ	comme dans le mot *cheval*	Schein [ʃain] Asche ['aʃə] Mensch [mɛnʃ] Spiel [ʃpi:l] Stein [ʃtain] gestehen [gə'ʃte:ən]
z	ts	comme *t* et *ç* fondus	Zange ['tsaŋə] kurz [kurts] sitzen ['zitsən] Platz [plats]
v	f	comme dans le mot *faible*	Vater ['fa:tər] vergessen [fɛr'gɛsən] passiv ['pasi:f]
w	v	comme dans le mot *vendre*	Waage ['va:gə] Vampir ['vampi:r] November [no'vɛmbər]
ng	ŋ	comme dans le mot *camping*	singen ['ziŋən] Rang [raŋ] wanken ['vaŋkən] Bank [baŋk]
h	h	prononcé avec un véritable souffle	heben ['he:bən] erholen [er'ho:lən] Uhu ['u:hu]
(i)ch	ç	son qui ressemble à la semi-consonne i des mots français tels que *miel*, *sien*	ich [iç] rechnen ['rɛçnən] Teich [taiç] leuchten ['lɔyçtən] räuchern ['rɔyçərn] Bücher ['by:çər] Löcher ['lœçər] Fläche ['flɛçə] Milch [milç] horch [hɔrç] mancher ['mançər] Chemie [çe'mi:] China ['çi:na]

Lettre	Transcription	Explication	Exemple
(a)ch	x	son purement laryngal qui peut se comparer à la prononciation du r vélaire final, surtout des Parisiens, dans les mots *gare*, *guerre*	Dach [dax] Loch [lɔx] Buch [buːx] auch [aux] machen ['maxən] acht [axt]
	k	comme dans le mot *camp*	Chor [koːr] Christ [krist] Fuchs [fuks] sechs [zɛks] Hexe ['hɛksə]

Le signe [ʔ] indique un ***coup de glotte*** (Kehlkopfverschlusslaut, Knacklaut), p. ex. antarktisch [antˈʔarktiʃ], aufeinander [aufʔaiˈnandər].

L'accent tonique ['] précède la syllabe accentuée, p. ex. ändern ['ɛndərn], Tomate [toˈmaːtə].

L'emploi des majuscules en allemand

Prennent une majuscule: 1. le premier mot d'une phrase; 2. tous les substantifs; 3. tous les noms propres; 4. les adjectifs, pronoms et adjectifs numéraux ordinaux qui font partie d'un titre ou nom popre (das Schwarze Meer = la mer Noire), Heinrich der Vierte = Henri IV; 5. des mots de toute espèce employés comme substantifs (das Gute = le bon); 6. le pronom Sie (= vous) avec ses dérivés Ihnen et Ihr.

L'alphabet allemand

A	a	[aː]	J	j	[jɔt]	S	s	[ɛs]
B	b	[beː]	K	k	[kaː]	T	t	[teː]
C	c	[tseː]	L	l	[ɛl]	U	u	[uː]
D	d	[deː]	M	m	[ɛm]	V	v	[fau]
E	e	[eː]	N	n	[ɛn]	W	w	[veː]
F	f	[ɛf]	O	o	[oː]	X	x	[iks]
G	g	[geː]	P	p	[peː]	Y	y	['ypsilɔn]
H	h	[haː]	Q	q	[kuː]	Z	z	[tsɛt]
I	i	[iː]	R	r	[ɛr]			

Wörterverzeichnis Französisch-Deutsch

A

à [a] *prép* **1.** *lieu:* in (*dat*); *direction:* in (*acc*), nach (*avec villes*); **à Chypre, à Haïti** auf (nach) Zypern, Haiti; **à la campagne** auf dem Land; **à l'étranger** im Ausland; **à 20 pas d'ici** 20 Schritt von hier; **2.** *temps:* **à cinq heures** um fünf Uhr; **à demain** bis morgen; **à tout moment** jeden Augenblick; **3.** *but:* **tasse f à café** Kaffeetasse f; **à jamais** für immer; **4.** *appartenance:* **c'est à moi** das gehört mir; **un ami à moi** ein Freund von mir; **5.** *mode:* **à pied** zu Fuß; **à la russe** auf russische Art; *mus* **à quatre mains** vierhändig; **à trois francs** zu drei Franc; **goutte à goutte** tropfenweise; **mot à mot** wörtlich; **pas à pas** schrittweise; **peu à peu** allmählich, nach und nach; **6.** *objet indirect:* **donner qc à qn** j-m etw geben

abaiss|ement [abɛsmɑ̃] *m store, voile:* Herunterlassen n; *prix, niveau:* Senkung f; *humiliation* Erniedrigung f; **~er** (1b) *rideau:* herunter lassen; *prix, niveau:* senken; *fig humilier* demütigen; **s'~** sich senken; *fig* sich erniedrigen

abandon [abɑ̃dɔ̃] *m* Verlassen n; Vernachlässigung f; *cession* Verzicht m; *détente* Ungezwungenheit f; *énergie nucléaire:* Ausstieg; *sports:* Aufgabe f; **laisser à l'~** verwahrlosen lassen, vernachlässigen

abandonner [abɑ̃dɔne] (1a) im Stich lassen, verlassen; *négliger* vernachlässigen; *sport:* aufgeben; *enfant:* aussetzen; **s'~** sich hingeben, sich ergeben

abasourdir [abazurdir] (2a) betäuben, benommen machen

abat-jour [abaʒur] *m* (*pl unv*) Lampenschirm m

abattage [abataʒ] *m bois:* Holzfällen n; *animal:* Abschlachten n; *exploitation* Abbau m; *fig élan* Schwung m

abatt|ement [abatmɑ̃] *m comm* (*Steuer-*) Nachlass m, Ermäßigung f; *psych* Niedergeschlagenheit f; **~oir** *m* Schlachthof m

abattre [abatrə] (4a) *arbre:* fällen; *aviat* abschießen; *animal:* schlachten; *péj*

tuer abknallen; *fig épuiser* schwächen; *décourager* entmutigen; **je ne me laisserai pas ~** ich werde mich nicht unterkriegen lassen; **~ beaucoup de besogne** e-e Menge wegarbeiten; **s'~** einstürzen, zusammenbrechen; *vent:* sich legen

abattu, ~e [abaty] *fatigué* geschwächt; *découragé* niedergeschlagen

abbatial, ~e [abasjal] (*m/pl -aux*) Abtei..., Abts...

abbaye [abei] f Abtei f

abbé [abe] *m* Abt m; *prêtre* Pfarrer m

abbesse [abɛs] f Äbtissin f

abc [abese] *m* Fibel f; *fig* Anfangsgründe *m/pl*

abcès [apsɛ] *m* Abszess m

abdication [abdikasjɔ̃] *f trône:* Abdankung f

abdiquer [abdike] (1m) *v/i* abdanken; *v/t* verzichten auf (*acc*), aufgeben

abdomen [abdɔmɛn] *m* Unterleib m

abeille [abɛj] f Biene f

aberr|ant, ~ante [abɛrɑ̃, -ɑ̃t] absurd; **~ation** f Absurdität f

abêtir [abetir] (2a) verdummen

abêtiss|ant, ~ante [abetisɑ̃, -ɑ̃t] stumpfsinnig

abîm|e [abim] *m* Abgrund m, Tiefe f; **~er** (1a) beschädigen; **s'~** schadhaft werden; *aliments:* verderben

abject, ~e [abʒɛkt] gemein

abjection [abʒɛksjɔ̃] f Gemeinheit f

abjurer [abʒyre] (1a) abschwören (**sa foi** seinem Glauben)

ablutions [ablysjɔ̃] *f/pl* (rituelle) Waschungen *f/pl*

abnégation [abnegasjɔ̃] f Entsagung f

aboiement [abwamɑ̃] *m* Gebell n

abois [abwa] **être aux ~** in e-r verzweifelten Lage sein

abol|ir [abɔlir] (2a) abschaffen, aufheben; **~ition** f Abschaffung f

abominable [abɔminablə] abscheulich

abond|ance [abɔ̃dɑ̃s] f Überfluss m; **société f d'~** Wohlstandsgesellschaft f; **~ant, ~ante** [-ɑ̃, -ɑ̃t] reichlich; **~er** (1a) *v/i* reichlich vorhanden sein; **~ en**

Überfluss haben an (*dat*)

abonn|é [abɔne] *m* Abonnent *m*, Bezieher *m*; *tél* Teilnehmer *m*; **~ement** [-mã] *m* Abonnement *n*; *transports*: Zeitkarte *f*; *spectacle*: Dauerkarte *f*; **~ mensuel** Monatskarte *f*; **~er** (1a) **s'~ à une revue** e-e Zeitschrift abonnieren

abord [abɔr] *m* **~ facile** Zugänglichkeit *f*; **être d'un ~ facile** umgänglich sein; **d'~** zuerst; **tout d'~, dès l'~** gleich zu Anfang; **au premier ~, de prime ~** auf den ersten Blick, zunächst; **~s** *pl* Umgebung *f*

abord|able [abɔrdablə] zugänglich; **~age** *m mar collision* Zusammenstoß *m*; *assaut* Entern *n*; **~er** (1a) **1.** *mar v/t prendre d'assaut* entern; *heurter* zusammenstoßen (*qc* mit etw); *v/i* anlegen (*à* an *dat*); **2.** *fig v/t question*: anschneiden; *personne*: anreden

about|ir [abutir] (2a) *v/i projets*: erfolgreich sein; **~ à, dans, sur** enden in (*dat*); *fig* führen zu; **~issement** [-ismã] *m résultat* Ergebnis *n*; *succès* Erfolg *m*; *fin* Endpunkt *m*

aboyer [abwaje] (1h) bellen

abras|if, ~ive [abrazif, -iv] *tech* **1.** *adj* abschleifend, scheuernd; **2.** *m* Schleifmittel *n*

abrég|é [abreʒe] *m* Abriss *m*; **~er** (1g) abkürzen

abreuv|er [abrœve] (1a) tränken; F **s'~** seinen Durst löschen; **~oir** *m* Tränke *f*

abréviation [abrevjasjɔ̃] *f* Abkürzung *f*

abri [abri] *m* Obdach *n*, Unterkunft *f*; *toit*: Schutzdach *n*; *fig* Schutz *m*, Sicherheit *f*; **à l'~ de** geschützt gegen; **mettre à l'~ de** in Sicherheit bringen vor (*dat*); **être sans ~** obdachlos sein

abricot [abriko] *m* Aprikose *f*; **~ier** [abrikɔtje] *m* Aprikosenbaum *m*

abriter [abrite] (1a) *loger* beherbergen; **~ de protéger** schützen vor (*dat*); **s'~** Schutz suchen

abroger [abrɔʒe] (1l) *jur* aufheben

abrupt, ~e [abrypt] *pente*: abschüssig; *personne, ton*: schroff

abruti, ~e [abryti] *adj* abgestumpft, blöd

abrut|ir [abrytir] (2a) verdummen; **s'~** abstumpfen, verblöden; **~issant, ~issante** [-isã, -isãt] stumpfsinnig, geisttötend; **~issement** [-ismã] *m* Verdummung *f*

absence [apsãs] *f* Abwesenheit *f*

abs|ent, ~ente [apsã, -ãt] abwesend; *air, attitude*: zerstreut

absent|éisme [apsãteismə] *m* Arbeitsversäumnis *n*; **~er** (1a) **s'~** sich kurz entfernen

abside [apsid] *f arch* Apsis *f*

absinthe [apsɛ̃t] *f bot* Wermut *m*; *eau-de-vie* Absinth *m*

absolu, ~e [apsɔly] absolut; **~ment** *adv* **à tout prix** unbedingt; *tout à fait* ganz, völlig; **~tion** *f rel* Absolution *f*, Lossprechung *f*; **~tisme** [-tismə] *m pol* Absolutismus *m*

absorber [apsɔrbe] (1a) *nourriture*: zu sich nehmen; *liquide*: aufnehmen, aufsaugen; *temps, personne*: in Anspruch nehmen; **s'~ dans qc** sich in etw (*acc*) vertiefen

absorption [apsɔrpsjɔ̃] *f* Aufnahme *f*, Aufsaugen *n*

absoudre [apsudrə] (4b) **~ qn** j-n lossprechen

abstenir [apstənir] (2h) **s'~** *pol* sich der Stimme enthalten; **s'~ de qc** sich e-r Sache enthalten, auf etw (*acc*) verzichten

abstention [apstãsjɔ̃] *f* Enthaltung *f*; *pol* Stimmenthaltung *f*

abstentionniste [apstãsjɔnist] *m pol* Nichtwähler *m*

abstraction [apstraksjɔ̃] *f* abstrakter Begriff *m*; **faire ~ de qc** von etw absehen; **~ faite de** abgesehen von

abstraire [apstrɛr] (4s) abstrahieren, begrifflich erfassen; **s'~** F abschalten

abstr|ait, ~aite [apstrɛ, -ɛt] abstrakt

absurd|e [apsyrd] absurd, unsinnig; **~ité** *f* Absurdität *f*, Widersinn *m*

abus [aby] *m* Missbrauch *m*; *injustice* Missstand *m*; **~ de confiance** Veruntreuung *f*, Untreue *f*

abus|er [abyze] (1a) *v/i* das Maß überschreiten; **~ de qc** etw (*acc*) missbrauchen; **s'~** sich irren; **si je ne m'abuse** wenn ich mich nicht irre; **~if, ~ive** [-if, -iv] missbräuchlich

académi|cien [akademisjɛ̃] *m* Akademiemitglied *n* (*bes der Académie française*)

académ|ie [akademi] *f* Akademie *f*, Hochschule *f*; **~ique** Akademie...; *style*: akademisch

acajou [akaʒu] *m* Mahagoni *n*

acariâtre [akarjɑtrə] griesgrämig

accabl|ant, ~ante [akablɑ̃, -ɑ̃t] *charge*, *preuve*: erdrückend; *chaleur*: drückend; ~er (*1a*) *affliger* niederdrücken; *compliments*, *reproches*: überhäufen (*de* mit)

accalmie [akalmi] *f* Windstille *f*; *fig* Flaute *f*

accapar|er [akapare] (*1a*) *écon* aufkaufen, hamstern; *fig* in Beschlag nehmen; ~eur *m* F Hamsterer *m*

accéder [aksede] (*1f*) ~ à qc zu etw gelangen, etw (*acc*) erreichen; *chemin*: zu etw führen; *fig* etw (*acc*) erlangen; ~ à l'indépendance die Unabhängigkeit erlangen

accélér|ateur [akseleratœr] *m auto* Gaspedal *n*; ~er (*1f*) beschleunigen; *auto* Gas geben

accent [aksɑ̃] *m* Akzent *m*; *intonation* Betonung *f*; *inflexion* Tonfall *m*; *prononciation* Aussprache *f*; *fig* mettre l'~ sur qc etw (*acc*) betonen, hervorheben

accentu|ation [aksɑ̃tɥasjɔ̃] *f* Betonung *f*; *fig* Verschärfung *f*; ~er (*1n*) betonen

accept|able [akseptablə] annehmbar; ~ation *f* Annahme *f*; ~er (*1a*) annehmen; *personne*: akzeptieren; *reconnaître* anerkennen; ~ de (+ *inf*) zusagen zu (+ *inf*); ~ que (+ *subj*) *reconnaître* anerkennen, dass; ne pas ~ que *a* nicht dulden, dass

acception [aksɛpsjɔ̃] *f* (Wort-)Bedeutung *f*

accès [aksɛ] *m* 1. Zutritt *m*, Zu-, Eingang *m*; *EDV* Zugriff; 2. *méd* Anfall *m*

accessible [aksesiblə] *région*: zugänglich (à für); *lecture*, *sujet*: verständlich; *prix*: erschwinglich

accession [aksesjɔ̃] *f* Beitritt *m* (à zu)

accessoire [aksɛswar] 1. *adj* nebensächlich; 2. *m* Nebensache *f*; ~s *pl* Zubehör *n*; ~s *pl* de théâtre Theaterrequisiten *n/pl*

accident [aksidɑ̃] *m* Unfall *m*; *événement fortuit* Zufall *m*; ~ de terrain Unebenheit *f*; ~ de travail Arbeitsunfall *m*; par ~ zufällig; dans un ~ bei e-m Unfall

accident|é, ~ée [aksidɑ̃te] verunglückt; *terrain*: uneben, hügelig; voiture *f* accidentée Unfallwagen *m*; ~el, ~elle zufällig; ~ellement *adv* zufällig

acclamation [aklamasjɔ̃] *f* Beifallsruf *m*; ~er (*1a*) ~ qn j-m zujubeln

acclimat|ation [aklimatasjɔ̃] *f* Akklimatisierung *f*, Gewöhnung *f*; *personne*: Einleben *n*; ~er (*1a*) s'~ sich eingewöhnen, sich akklimatisieren

accointances [akwɛ̃tɑ̃s] *f/pl souvent péj* avoir des ~ avec qn Beziehungen zu j-m haben

accolade [akɔlad] *f* Umarmung *f*; *signe*: geschweifte Klammer *f*

accommod|ation [akɔmɔdasjɔ̃] *f* Anpassung *f*; ~ement *n*, Ausgleich *m*; ~er (*1a*) anpassen; *cuis* zubereiten; s'~ à sich richten nach; s'~ de sich abfinden mit

accompagna|teur, ~trice [akɔ̃paɲatœr, -tris] *m, f* Begleiter(in) *m(f)* (*a mus*)

accompagn|ement [akɔ̃paɲmɑ̃] *m* Begleitung *f*; ~er (*1a*) begleiten (*a mus*); accompagné de *od* par in Begleitung von

accompl|i, ~ie [akɔ̃pli] vollendet, vollkommen; ~ir (*2a*) vollenden, erledigen, ausführen; ~issement [-ismɑ̃] *m* Erfüllung *f*

accord [akɔr] *m* Übereinstimmung *f*; *pacte* Abkommen *n*; *mus* Akkord *m*; (être) d'~ einverstanden (sein); tomber d'~ übereinkommen, einig werden; avec l'~ de, en ~ avec im Einvernehmen mit; donner son ~ zustimmen

accorder [akɔrde] (*1a*) in Übereinstimmung bringen; *mus* stimmen; *crédit*, *délai*: bewilligen; s'~ sich vertragen; s'~ pour faire qc vereinbaren, etw zu tun; s'~ qc sich etw gönnen

accost|age [akɔstaʒ] *m mar* Anlegen *n*, Landen *n*; ~er (*1a*) v/i *mar* anlegen; v/t ~ qn j-n ansprechen

accotement [akɔtmɑ̃] *m* Seitenstreifen *m* (e-r Straße)

accouch|ée [akuʃe] *f* Wöchnerin *f*, ~ement [-mɑ̃] *m* Entbindung *f*, ~er (*1a*) entbinden; ~eur, ~euse *m, f* Geburtshelfer *m*, Hebamme *f*

accoud|er [akude] (*1a*) s'~ sich mit dem Ellbogen aufstützen; ~oir *m* Armlehne *f*

accoupl|ement [akupləmɑ̃] *m biol* Paarung *f*, Begattung *f*; *tech* Kupplung *f*; *él* Schaltung *f*; ~er (*1a*) tech kuppeln; *él* schalten; *fig* verbinden; *biol* s'~ sich paaren, sich begatten

accourir [akurir] (2i) herbeieilen, herbeilaufen

accoutr|ement [akutrəmᾶ] m péj Aufmachung f; **~er** (1a) **s'~** sich herausputzen

accoutum|ance [akutymᾶs] f biol Gewöhnung f; **~é, ~ée** gewohnt; **être ~ à qc** etw (acc) gewohnt sein; **~er** (1a); **qn à qc** j-n an etw (acc) gewöhnen; **s'~ à qc** sich an etw (acc) gewöhnen

accréditer [akredite] (1a) beglaubigen

accro, ~e [akro] F süchtig

accroc [akro] m déchirure Riss m; obstacle Schwierigkeit f

accroch|age [akrɔʃaʒ] m Zusammenstoß m; **~er** (1a) an-, aufhängen; heurter (leicht) zusammenstoßen (qn, qc mit j-m, etw); auto a: anfahren, streifen; regard, personne: anziehen; **s'~ à** hängen bleiben an (dat); fig sich an-, festklammern an (dat)

accroissement [akrwasmᾶ] m Zuwachs m, Vermehrung f; **~ démographique** Bevölkerungszunahme f

accroître [akrwatrə] (4w) vermehren; **s'~** (an)wachsen

accroupir [akrupir] (2a) **s'~** sich niederhocken, sich zusammenkauern

accru, ~e [akry] (p/p d'accroître) vermehrt

accu [aky] m F (abr accumulateur) Batterie f

accueil [akœj] m Aufnahme f, Empfang m

accueill|ant, ~ante [akœjᾶ, -ᾶt] freundlich; hospitalier gastlich; **~ir** (2c) aufnehmen, empfangen

accumul|ateur [akymylatœr] m Akkumulator m, Batterie f; **~ation** f Anhäufung f; **~er** (1a) anhäufen; argent: horten; énergie: speichern; **s'~** sich ansammeln

accusa|teur, ~trice [akyzatœr, -tris] m, f Ankläger(in) m(f); **~tion** f Anklage f

accus|é, ~ée [akyze] m, f 1. Angeklagte(r) m, f; 2. comm **accusé m de réception** Empfangsbescheinigung f; **~er** (1a) 1. incriminer anklagen (de wegen); 2. faire ressortir deutlich machen, betonen; comm **~ réception** den Empfang bestätigen

acerbe [asɛrb] herb, sauer; bitter (a fig)

acéré, ~e [asere] scharf (a fig)

acét|ique [asetik] Essig...; **acide m ~** Essigsäure f; **~one** [-ɔn] f chim Azeton n

achaland|age [aʃalᾶdaʒ] m Kundenstamm m; **~é, ~ée: magasin m bien achalandé** gut gehendes Geschäft n

acharn|é, ~ée [aʃarne] combat: erbittert; efforts: hartnäckig; **~ à qc** auf etw (acc) versessen; **~ement** [-əmᾶ] m Hartnäckigkeit f; **~er** (1a) **s'~ à qc** auf etw (acc) versessen sein; **s'~ sur** od **contre qn** sich wild an j-n stürzen

achat [aʃa] m Einkauf m, Kauf m; **~ à tempérament** Ratenkauf m; **pouvoir m d'~** Kaufkraft f; **prix m d'~** Kaufpreis m; **faire des ~s** einkaufen

acheminer [aʃmine] (1a) befördern; **s'~ vers** sich auf den Weg machen, sich begeben nach

achet|er [aʃte] (1e) (ein)kaufen; **~ qc à qn pour qn** j-m etw abkaufen; de qn: j-m etw abkaufen; **~ qn** j-n bestechen; **~eur, ~euse** m, f Käufer(in) m(f)

achèvement [aʃɛvmᾶ] m Vollendung f

achever [aʃve] (1d) vollenden; **~ de faire qc** vollends etw tun; **~ qn** j-m den Gnadenstoß geben; fig j-m den Rest geben; **s'~** zu Ende gehen

acid|e [asid] 1. adj sauer (a chim); 2. m chim Säure f; **~ité** f Säure f

acier [asje] m Stahl m; fig **d'~** stahlhart

aciérie [asjeri] f Stahlwerk n, -hütte f

acné [akne] f Akne f

acolyte [akɔlit] m péj Helfershelfer m

acompte [akɔ̃t] m Anzahlung f, Vorschuss m; **par ~** ratenweise

à-côté [akote] m (pl à-côtés) sekundäre Frage f; **~s** pl revenus Nebeneinnahmen f/pl; dépenses zusätzliche Ausgaben f/pl

Açores [asɔr] **les ~** die Azoren pl

à-coup [aku] m (pl à-coups) Ruck m; **par ~** ungleichmäßig

acoustique [akustik] 1. adj akustisch, Hör...; **appareil m ~** Hörgerät n; 2. f Akustik f

acquér|eur [akerœr] m Erwerber m, Käufer m; **~ir** (2t) erwerben; droit: erlangen; coutume: annehmen

acquiescer [akjese] (1k) **~ à** einwilligen in (acc)

acquis [aki] p/p d'acquérir u adj erworben; résultats: erreicht; coutume: angenommen; **c'est un point ~** das steht fest

acquisition [akizisjõ] f Erwerb m, (An-)Kauf m, Anschaffung f; fig Errungenschaft f

acquit [aki] m comm **pour ~** Betrag erhalten; **de conscience** um sein Gewissen zu beruhigen

acquitt|ement [akitmã] m Zahlung f; jur Freispruch m; **~** (1a) dette: bezahlen, begleichen; facture: quittieren; jur freisprechen; **s'~ de qc** sich e-r Sache entledigen; **s'~ d'un devoir** e-e Pflicht erfüllen

âcre [ɑkrə] beißend, ätzend; goût: scharf; fig bissig, verletzend

âcreté [ɑkrəte] f Schärfe f

acrobatie [akrɔbasi] f Akrobatik f

acte [akt] m 1. action Tat f, Handlung f; **faire ~ de présence** sich kurz sehen lassen; 2. document officiel Urkunde f; dossier Akte f; **~ de mariage, ~ de naissance** Heirats-, Geburtsurkunde f; **dresser un ~** e-e Urkunde ausstellen; **prendre ~ de qc** etw (acc) zur Kenntnis nehmen 3. théâtre: Akt m, Aufzug m

acteur, actrice [aktœr, aktris] m, f Schauspieler(in) m(f)

actif, active [aktif, aktiv] 1. adj aktiv, tätig; 2. m comm Aktivvermögen n

action [aksjõ] f Tat f, Handlung f; jur Klage f; comm Aktie f

actionn|aire [aksjɔner] m Aktionär m; **~ement** m tech Antrieb m; **~er** (1a) tech in Bewegung setzen, betätigen

activ|er [aktive] (1a) **accélérer** beschleunigen; feu: schüren; **~ité** f Aktivität f; occupation, profession Tätigkeit f

actualité [aktɥalite] f Aktualität f, Zeitgeschehen n; **d'~** aktuell; **~s** pl TV Nachrichten f/pl

actuel, ~le [aktɥel] présent gegenwärtig; d'actualité: aktuell; **~lement** adv zurzeit, momentan

acuité [akɥite] f sens: Schärfe f; douleur: Heftigkeit f

adage [adaʒ] m Sprichwort n

adapt|able [adaptablə] anpassungsfähig; **~ateur** [adaptatœr] m él Adapter m; **~ation** f Anpassung f; livre, musique: Bearbeitung f; **~er** (1a) anpassen; livre, musique: bearbeiten; **s'~ à** sich anpassen an (acc)

addition [adisjõ] f Hinzufügung f; math Addition f; restaurant: Rechnung f

additionn|el, ~elle [adisjɔnel] zusätzlich; **~er** (1a) math addieren; ajouter hinzufügen

adepte [adept] m, f Anhänger(in) m(f)

adéqu|at, ~ate [adekwa, -at] adäquat, angemessen

adhér|ence [aderãs] f (An-)Haften n; tech Reibungswiderstand m; **~ent, ~ente** [-ã, -ãt] m, f Mitglied n; **~** (1f) haften (à an dat); **~ à une doctrine** e-r Lehre anhängen; **~ à un parti** e-r Partei beitreten

adhés|if, ~ive [adezif, -iv] 1. adj klebend; 2. m Klebstoff m; **~ion** f Beitritt m; consentement Zustimmung f

adieu [adjø] 1. leb wohl!; **dire ~ à qn** sich von j-m verabschieden; 2. **~x** m/pl Abschied m; **faire ses ~x** Abschied nehmen (à qn von j-m)

adjac|ent, ~ente [adʒasã, -ãt] angrenzend; **rue l' adjacente** Nebenstraße f

adjectif [adʒektif] m gr Adjektiv n

adjoindre [adʒwɛ̃drə] (4b) **~ à** hinzufügen zu; **s'~ qn** sich j-n (zu Hilfe) nehmen

adj|oint, ~jointe [adʒwɛ̃, -ʒwɛ̃t] 1. adj stellvertretend; 2. m Stellvertreter m; **~ au maire** stellvertretender od zweiter Bürgermeister m

adjudication [adʒydikasjõ] f vente aux enchères Versteigerung f; travaux: Ausschreibung f; attribution Auftragsvergabe f

adjuger [adʒyʒe] (1l) zusprechen, zuerkennen

admettre [admetrə] (4p) autoriser zulassen; accueillir aufnehmen; reconnaître anerkennen; **~ que** (+ ind od subj) zugeben, einräumen, dass; **admettons que, admettez que, en admettant que** (+ subj) hypothétique: angenommen, dass

administra|teur, ~trice [administratœr, -tris] m, f Verwalter(in) m(f); **~ judiciaire** Konkursverwalter m; **~tif, ~tive** [-tif, -tiv] Verwaltungs...; **~tion** f Verwaltung f; autorité Verwaltungsbehörde f; direction Leitung f; méd Verabreichung f

administrer [administre] (1a) verwalten; diriger führen, leiten; méd verabreichen; sacrements: spenden

admira|ble [admirablə] bewundernswürdig; **~teur**, **~trice 1.** *adj* bewundernd; **2.** *m*, *f* Bewunderer *m*, Bewunderin *f*; **~tion** *f* Bewunderung *f*

admirer [admire] (*1a*) bewundern; **~ qn pour son courage** j-n wegen seines Mutes bewundern

admissible [admisibl] *tolérable* annehmbar

admission [admisjɔ̃] *f* Zulassung *f*; *élève, patient:* Aufnahme *f*

adolescence [adɔlɛsɑ̃s] *f* Jugendalter *n*, *-zeit f*; **~ent**, **~ente** [-ɑ̃, -ɑ̃t] *m*, *f* Jugendliche(r) *m*, *f*, junger Mann *m*, junges Mädchen *n*

adonner [adɔne] (*1a*) **s'~ à qc** sich e-r Sache hingeben

adopter [adɔpte] (*1a*) *enfant:* adoptieren; *opinion:* sich (*dat*) zu Eigen machen; *une mode:* mitmachen; *loi:* verabschieden; **~if**, **~ive** [-if, -iv] Adoptiv...; *père m* **~** Adoptivvater *m*

adoption [adɔpsjɔ̃] *f* Adoption *f*; *loi:* Verabschiedung *f*; *patrie f d'~* Wahlheimat *f*

adorable [adɔrabl] entzückend, reizend; **~teur**, **~trice** *m*, *f* Verehrer(in) *m(f)*; **~tion** *f* Anbetung *f*

adorer [adɔre] (*1a*) *rel* anbeten; *fig aimer* über alles lieben

adosser [adose] (*1a*) anlehnen; **s'~ contre** *od* **à** sich anlehnen an (*acc*)

adoucir [adusir] (*2a*) mildern; **s'~** *temps:* sich erwärmen

adresse [adrɛs] *f* **1.** *domicile:* Anschrift *f*, Adresse *f*; **à l'~ de qn** für j-n bestimmt; **2.** *habileté* Geschicklichkeit *f*; **~er** (*1b*) richten, adressieren (*à* an *acc*); **~ la parole à qn** das Wort an j-n richten; **s'~ à qn** sich an j-n wenden

Adriatique [adriatik] *f l'~* die Adria *f*

adroit, **adroite** [adrwa, adrwat] geschickt, gewandt

adulateur, **~trice** [adylatœr, -tris] *m*, *f* Schmeichler(in) *m(f)*

aduler [adyle] (*1a*) **~ qn** bei *od* vor j-m liebedienern

adulte [adylt] **1.** *adj* erwachsen; *comportement:* reif **2.** *m*, *f* Erwachsene(r) *m*, *f*

adultère [adyltɛr] **1.** *adj* ehebrecherisch; **2.** *m* Ehebruch *m*

advenir [advənir] (*2h*) geschehen; *prov* **advienne que pourra** komme, was da wolle

adverbe [advɛrb] *m gr* Adverb *n*

adversaire [advɛrsɛr] *m*, *f* Gegner(in) *m(f)*

adversité [advɛrsite] *litt f* Missgeschick *n*

aérateur [aeratœr] *m* (Be-)Lüftungsanlage *f*; **~ation** *f* (Be-, Ent-)Lüftung *f*; **~er** (*1f*) lüften

aérien, **~ienne** [aerjɛ̃, -jɛn] Luft...; *pont m* **aérien** Luftbrücke *f*

aéro... [aero] *in Zssgn* Luft..., Flug...

aérobic [aerobik] *f* Aerobic *n*

aérodrome [aerodrom] *m* Flugplatz *m*; **~dynamique** [-dinamik] stromlinienförmig; **~gare** [-gar] *f* Flughafengebäude *n*; **~glisseur** [-glisœr] *m mar* Luftkissenboot *n*; **~nautique** [-notik] **1.** *adj* Luftfahrt..., Flugzeug...; **2.** Luftfahrt *f*, Flugwesen *n*; **~nef** [-nɛf] *m* Luftfahrzeug *n*; **~port** [-pɔr] *m* Flughafen *m*; **~sol** [-sɔl] *m* Spraydose *f*; **~spatial**, **~e** [-spasjal] (*m/pl -aux*) (Luft- und) Raumfahrt...

affabilité [afabilite] *f* Leutseligkeit *f*, Umgänglichkeit *f*

affable [afabl] leutselig, umgänglich

affaiblir [afeblir] (*2a*) schwächen; **s'~** schwächer werden; **~issement** [-ismɑ̃] *m* Entkräftung *f*, Schwächung *f*; *déclin* Nachlassen *n*

affaire [afɛr] *f question* Angelegenheit *f*, Sache *f*; *comm* Geschäft *n*; *bonne occasion* günstige Gelegenheit; *jur* Sache *f*, Fall *m*; *scandale* Affäre *f*; **avoir ~ à qn** mit j-m zu tun haben; **se tirer d'~** sich aus der Klemme ziehen; **~s** *f/pl biens personnels* Sachen *f/pl*; *intérêts* Geschäfte; **ce sont mes ~s** das ist meine Sache; **le monde des ~s** die Geschäftswelt *f*; **les 2s étrangères** das Außenministerium; **~é**, **~ée** geschäftig; stark beschäftigt; **~er** (*1b*) **s'~** sich zu schaffen machen; **~iste** *m*, *f* Geschäftemacher(in) *m(f)*

affaissement [afesmɑ̃] *m* **~ de terrain** Bodensenkung *f*; **~er** (*1b*) **s'~** *terrain:* sich senken; *personne:* zusammenbrechen

affamé, **~e** [afame] hungrig; **~ de gloire** ruhmsüchtig

affectation [afɛktasjɔ̃] *f* **1.** *pose* Ziererei *f*; **2.** *destination d'une chose* Verwendung *f*; *personnel:* Dienstposten *m*; **~é**, **~ée** geziert, gekünstelt;

~er (*1a*) **1.** *simuler* vortäuschen, heucheln; **~ une forme** e-e Form annehmen; **2.** *destiner* verwenden; **~ à un poste** auf e-n Posten schicken *od* versetzen; **3.** *émouvoir* betrüben, berühren

affect|if, ~ive [afɛktif, -iv] gefühlsbetont

affection [afɛksjõ] *f* **1.** Zuneigung *f*, Liebe *f*; **2.** *méd* Erkrankung *f*

affectu|eux, ~euse [afɛktɥø, -øz] liebevoll, zärtlich

affermir [afɛrmir] (*2a*) festigen, stärken

affichage [afiʃaʒ] *m* (öffentlicher) Anschlag *m*; *EDV* Anzeige *f*, Display *n*; **montre** *f* **à ~ numérique** Digitaluhr *f*; **panneau** *m* **d'~** Anschlagtafel *f*

affich|e [afiʃ] *f* Plakat *n*; **~er** (*1a*) anschlagen; *attitude*: zur Schau tragen; *EDV* anzeigen; **~eur** *m* Plakatkleber *m*

affil|ée [afile] **d'~** ununterbrochen; **~er** (*1a*) schleifen, wetzen

affilier [afilje] (*1a*) **s'~ à** sich anschließen an (*acc*); **être affilié à un parti** e-r Partei angehören

affiner [afine] (*1a*) verfeinern, veredeln

affinité [afinite] *f* Verwandtschaft *f*, Ähnlichkeit *f*

affirmat|if, ~ive [afirmatif, -iv] *réponse*: bejahend; *personne*: entschieden; **répondre par l'affirmative** mit Ja antworten

affirm|ation [afirmasjõ] *f* Behauptung *f*; **~er** (*1a*) *prétendre* behaupten; *volonté, autorité*: geltend machen

affleurer [aflœre] (*1a*) *v/t* (ein)ebnen; *v/i* zu Tage treten *od* treten; *fig* spürbar werden, aufkommen

affliction [afliksjõ] *f* Kummer *m*

afflige|ant, ~ante [afliʒã, -ãt] traurig, schmerzlich

affliger [afliʒe] (*1l*) betrüben, bekümmern; *maladie*: heimsuchen; **s'~ de** bekümmert sein über (*acc*)

afflu|ence [aflyãs] *f* Menschenandrang *m*; **heures** *f/pl* **d'~** Stoßzeiten *f/pl*; **~ent** [-ã] *m* Nebenfluss *m*; **~er** (*1a*) zusammenströmen

afflux [afly] *m* Andrang *m*; (*a méd*) *capitaux*: Zustrom *m*, -fluss *m*

affol|ement [afolmã] *m* Aufregung *f*, Verwirrung *f*; **~er** (*1a*) aufregen; **s'~ ou être affolé** sich aufregen, den Kopf verlieren

affranch|ir [afrɑ̃ʃir] (*2a*) **1.** *libérer* freilassen; **2.** *lettre*: frankieren; **~issement** [-ismã] *m* **1.** Freilassung *f*; **2.** Frankieren *n*

affréter [afrete] (*1f*) *mar, aviat* chartern

affr|eux, ~euse [afrø, -øz] schrecklich, abscheulich

affront [afrõ] *m* grobe Beleidigung *f*, Affront *m*; **~ement** [-tmã] *m pol* Konfrontation

affronter [afrõte] (*1a*) **~ qn** j-m trotzen; **s'~** sich gegenüberstehen

affût [afy] *m fig* **être à l'~** auf der Lauer liegen

affûter [afyte] (*1a*) *tech* schleifen

afin [afɛ̃] **~ de** (*+ inf*) um zu; **~ que** (*+ subj*) damit, (auf) dass

afric|ain, ~aine [afrikɛ̃, -ɛn] **1.** *adj* afrikanisch; **2.** ♀ *m, f* Afrikaner(in) *m(f)*

Afrique [afrik] *f* **l'~** Afrika *n*

agaç|ant, ~ante [agasã, -ãt] auf die Nerven gehend, lästig

agacer [agase] (*1k*) reizen, nerven; *taquiner* necken

agate [agat] *f* Achat *m*

âge [aʒ] *m* Alter *n*; Lebensalter *n*; *époque* Zeitalter *n*; **Moyen** ♀ Mittelalter *n*; **troisième ~** (Senioren-)Alter *n*; **retour** *m* **d'~** *méd* Wechseljahre *n/pl*; **quel ~ a-t-il?** wie alt ist er?

âgé, ~e [aʒe] alt; **~ de deux ans** zwei Jahre alt

agence [aʒãs] *f* Agentur *f*; *succursale* Geschäftsstelle *f*; **~ immobilière** Maklerbüro *n*; **~ de publicité** Werbeagentur *f*; **~ de voyages** Reisebüro *n*

agenc|ement [aʒãsmã] *m* Anordnung *f*, Gestaltung *f*; **~er** (*1k*) anordnen; *appartement*: einrichten; *former* gestalten

agenda [aʒɛ̃da] *m* Taschenkalender *m*

agenouiller [aʒnuje] (*1a*) **s'~** (sich) niederknien

agent [aʒã] *m* **1.** *personne*: Agent *m*; **~ de police** Polizist *m*; **~ général** Alleinvertreter *m*; **~ d'assurance** Versicherungsvertreter *m*; **~ de change** Börsenmakler *m*; **~ secret** Geheimagent *m*; **2.** *facteur*: Mittel *n*; *chim* Wirkstoff *m*; *méd* **~ pathogène** Krankheitserreger *m*

agglomération [aglɔmerasjõ] *f* geschlossene Ortschaft *f*; *concentration* *de villes, etc* Ballungsraum *m*; *l'* ~ **parisienne** Groß-Paris *n*

aggloméré [aglɔmere] *m planche*: Spanplatte *f*; ~**er** (*1f*) zusammenballen

agglutiner [aglytine] (*1a*) ver-, zusammenkleben; *s'* ~ sich zusammenballen

aggrav|ant, ~ante [agravã, -ãt] *jur circonstances f/pl* **aggravantes** erschwerende Umstände *m/pl*; ~**er** (*1a*) verschlimmern, verschärfen; *s'* ~ sich verschlimmern, sich zuspitzen

agil|e [aʒil] behände, flink; ~**ité** *f* Gewandtheit *f*, Beweglichkeit *f*

agio [aʒjo] *m écon* Kreditkosten *pl*

agiotage [aʒjɔtaʒ] *m écon* Börsenspekulation *f*

agir [aʒir] (*2a*) handeln; ~ *sur qn* auf j-n (ein)wirken; *il s'agit de* es handelt sich um

agissements [aʒismã] *m/pl péj* Machenschaften *f/pl*, Umtriebe *m/pl*

agitation [aʒitasjõ] *f* (heftige) Bewegung *f*, *pol* Unruhe *f*; *psych* Erregung *f*

agit|é, ~ée [aʒite] unruhig; *psych* erregt; *mer*: aufgewühlt; ~**er** (*1a*) hin und her bewegen, schwenken; *préoccuper* beunruhigen; *énerver* aufregen; *s'* ~ sich hin und her bewegen; *s'énerver* sich aufregen

agneau [aɲo] *m (pl -x)* Lamm(fleisch) *n*

agonie [agɔni] *f* Todeskampf *m*

agonis|ant, ~ante [agɔnizã, -ãt] **1.** *adj* im Sterben liegend; **2.** *m, f* Sterbende(r) *m, f*; ~**er** (*1a*) mit dem Tode ringen

agraf|e [agraf] *f vêtements*: Haken *m*; *bureau*: Heftklammer *f*; *cheveux*: Spange *f*; *méd* Klammer *f*; ~**er** (*1a*) *vêtements*: zuhaken; *papier*: heften

agraire [agrɛr] *agr* Acker...; *réforme f* ~ Bodenreform *f*

agrandir [agrãdir] (*2a*) *photographie, ouverture*: vergrößern

agrandiss|ement [agrãdismã] *m* Vergrößerung *f*; ~**eur** *m* Vergrößerungsapparat *m*

agréable [agreablə] angenehm (*à qn* j-m)

agré|é, ~ée [agree] zugelassen; ~**er** (*1a*) genehmigen; *se faire* ~ *dans un milieu* in e-n Gesellschaftskreis aufgenommen werden; *veuillez* ~, *Monsieur, mes salutations distinguées* mit freundlichem Gruß

agrégation [agregasjõ] *f Prüfung für das Lehramt an höheren Schulen und Universitäten*

agréger [agreʒe] (*1g*) verbinden; *s'* ~ sich verfestigen

agrément [agremã] *m* **1.** *consentement* Genehmigung *f*; **2.** *le plus souvent au pl* **les** ~ *m attrait* der Reiz

agrémenter [agremãte] (*1a*) verzieren, ausschmücken

agress|er [agrɛse] (*1b*) überfallen, anfallen; ~**eur** *m* Angreifer *m*; ~**if, ~ive** [-if, -iv] aggressiv, angriffslustig; ~**ion** [-jõ] *f attaque non attendue* der Überfall *m*; *attaque attendue* Angriff *m*; *psych ou droit international*: Aggression *f*; ~**ivité** *f* [-ivite] Aggressivität *f*

agricole [agrikɔl] landwirtschaftlich, Landwirtschafts...; ~ **ouvrier** *m* ~ Landarbeiter *m*; **marché** *m* ~ Agrarmarkt *m*

agricult|eur [agrikyltœr] *m* Landwirt *m*; ~**ure** [-yr] *f* Landwirtschaft *f*

agripper [agripe] (*1a*) packen, an sich reißen; *s'* ~ sich festhalten (*à* an *dat*)

agronom|e [agrɔnɔm] *m* Agronom *m*; **ingénieur** *m* ~ Agraringenieur *m*; ~**ie** *f* Landwirtschaftskunde *f*

agrumes [agrym] *m/pl* Zitrusfrüchte *f/pl*

aguerrir [agerir] (*2a*) abhärten

aguets [agɛ] *être aux* ~ auf der Lauer liegen

aguicher F [agiʃe] (*1a*) anlocken; F bezirzen

ahur|i, ~ie [ayri] verblüfft, verdutzt; ~**ir** (*2a*) verblüffen; ~**issant, ~issante** [-isã, -isãt] verblüffend

aide [ɛd] **1.** *f* Hilfe *f*; *à l'* ~ *de qc* mithilfe von etw; *avec l'* ~ *de qn* mit j-s Hilfe; **2.** *m, f assistant* Gehilfe *m*, Gehilfin *f*

aide-mémoire [ɛdmemwar] *m (pl unv)* kurze Zusammenfassung *f*

aider [ɛde] (*1b*) helfen (*qn* j-m); ~ *à qc* zu etw beitragen; *s'* ~ *de qc* etw (*acc*) benützen

aïeul, ~e [ajœl] *st/s m, f* Großvater *m*, Großmutter *f*; ~**s** *pl* Großeltern *pl*

aïeux [ajø] *m/pl* Vorfahren *m/pl*, Ahnen *m/pl*

aigle [ɛglə] *m* Adler *m*

aigre [ɛgrə] sauer; *vent*: scharf; *paroles, critique*: bissig; *voix*: schrill; ~**doux, ~douce** [-du, -dus] süßsauer

aigreur [ɛgrœr] f Säure f; fig Schärfe f

aigrir [ɛgrir] (2a) säuern; fig erbittern

aigu, aiguë [egy] pointu spitz; son: schrill; douleur: stechend; conflit, intelligence: scharf; méd akut

aigue-marine [egmarin] f Aquamarin m

aiguillage [egɥijaʒ] m tech Weiche f

aiguill|e [egɥij] f à coudre: Nadel f; instrument, montre: Zeiger m; tour, montagne: Spitze f; **~er** (1a) fig lenken, leiten

aiguilleur [egijœr] m Weichensteller m; aviat: **~ du ciel** Fluglotse m

aiguill|on [egɥijõ] m Stachel m; **~onner** [-ɔne] (1a) fig anspornen

aiguiser [egize] (1a) schleifen; fig appétit: anregen

ail [aj] m (pl ails, parfois aulx [o]) Knoblauch m; **gousse** f d'~ Knoblauchzehe f

ail|e [ɛl] f Flügel m; auto Kotflügel m; arch Seitentrakt m, Flügel m; **~ avant** vorderer Kotflügel

ailier [ɛlje] m sports: **~ droit (gauche)** Rechtsaußen (Links-) m

ailleurs [ajœr] lieu: anderswo; direction: anderswohin; **d'~** übrigens; **par ~** außerdem, überdies; **nulle part ~** sonst nirgends

ailloli [ajɔli] m cuis kalte Knoblauchsoße f

aimable [ɛmablə] liebenswürdig

aim|ant[1], ~ante [ɛmã, -ãt] zärtlich

aim|ant[2] [ɛmã] m Magnet m; **~anter** [-ãte] (1a) magnetisieren

aimer [ɛme] (1b) lieben, gern haben; nourriture, boisson: gern essen, trinken; **~ mieux** lieber mögen, vorziehen; **~ faire qc** etw gern tun; **~ que** (+ subj) es gern haben, dass; **~ mieux faire qc** etw lieber tun

aine [ɛn] f anat Leistengegend f

aîné, ~e [ɛne] **1.** adj de deux: älter; älteste(r); **2.** m, f Ältere(r), Älteste(r) m, f; **il est mon aîné (de deux ans)** er ist (zwei Jahre) älter als ich

ainsi [ɛ̃si] also, so; **~ que** sowie; **~ soit-il!** amen!; **pour ~ dire** sozusagen

air [ɛr] m **1.** atmosphérique: Luft f; vent Wind m; **~ conditionné** Klimaanlage f; **mettre à l'~** ins Freie stellen; **en plein ~** im Freien, unter freiem Himmel; **menace f en l'~** leere Drohung f **2.** aspect Aussehen n; expression Ausdruck m; attitude Benehmen n, Auftreten n; **avoir l'~ de** (+ inf) so aussehen als ob ..., scheinen zu (+ inf); **se donner des ~s** vornehm tun; **3.** mus Melodie f; chant pour soliste Arie f

aire [ɛr] f domaine Gebiet n; espace libre freier Platz m; surface Fläche f; rapace: Horst m; **~ de repos** Rastplatz m (an der Autobahn)

airelle [ɛrɛl] f bot Heidelbeere f

aisance [ɛzãs] f **1.** naturel Leichtigkeit f, Ungezwungenheit f; **2.** richesse Wohlstand m, Wohlhabenheit f

aise [ɛz] f Wohlbehagen n, Bequemlichkeit f, Gemütlichkeit f; **à l'~, à son ~** bequem; **être à l'~** sich wohl fühlen; **être mal à l'~** sich nicht wohl fühlen; **se mettre à l'~** es sich bequem machen; **à votre ~!** wie es Ihnen beliebt!; **en faire à son ~** tun, wie man beliebt; **prendre ses ~s** es sich bequem machen

aisé, ~e [eze] ton: leicht, ungezwungen; assez riche wohlhabend; **~ment** adv leicht, mühelos

aisselle [ɛsɛl] f Achselhöhle f

Aix-la-Chapelle [ɛkslaʃapɛl] Aachen

ajonc [aʒõ] m bot Stechginster m

ajouré, ~e [aʒure] durchbrochen

ajourn|ement [aʒurnəmã] m Verschiebung f, Vertagung f, Aufschub m; mil Zurückstellung f; **~er** (1a) verschieben, vertagen (**d'une semaine** um e-e Woche); mil zurückstellen

ajouter [aʒute] (1a) hinzufügen; litt **~ foi à qc** e-r Sache Glauben schenken; **~ à qc** etw (acc) noch vergrößern, verschlimmern; **s'~ à** noch hinzukommen zu

ajust|ement [aʒystəmã] m Anpassung f; **~er** (1a) toilette, coiffure: in Ordnung bringen; viser zielen auf (acc); tech an-, einpassen; **~eur** m Schlosser m

alambic [alãbik] m Retorte f

alarm|ant, ~ante [alarmã, -ãt] alarmierend, beunruhigend

alarm|e [alarm] f signal Alarm m; inquiétude Unruhe f, Angst f; **~ d'ozone** Ozonalarm m; **signal m d'~** Notbremse f; **donner l'~** Alarm schlagen; **~er** (1a) prevenir alarmieren; inquiéter beunruhigen; **s'~** sich beunruhigen, sich ängstigen wegen; **~iste** m, f Gerüchtemacher(in) m(f)

Albanie [albani] f l'~ Albanien n
albâtre [albatrə] m Alabaster m
album [albɔm] m Album n
alcool [alkɔl] m Alkohol m; ~ à brûler Brennspiritus m; ~ique 1. adj alkoholisch; 2. m Alkoholiker(in) m(f); ~iser (1a) Alkohol zusetzen (dat); boisson f alcoolisée alkoholisches Getränk n; ~isme m Alkoholismus m
alco(o)test [alkɔtɛst] m Alkoholtest m
aléa [alea] m le plus souvent au pl ~s Ungewissheit f, Risiko n; ~toire [-twar] zufallsbedingt
alentour [alɑ̃tur] 1. adv ringsumher; 2. ~s m/pl Umgebung f; aux ~s (de) in der Nähe (von)
alerte [alɛrt] 1. adj rege, lebendig 2. f Alarm(signal n) m; ~ aérienne Fliegeralarm m; donner l'~ à qn j-n alarmieren (a fig); ~er (1a) alarmieren
alezan [alzɑ̃] m Fuchs m (Pferd)
algèbre [alʒɛbrə] f Algebra f
Algérie [alʒeri] f l'~ Algerien n
algér|ien, ~ienne [alʒerjɛ̃, -jɛn] 1. adj algerisch; 2. ♀ m, f Algerier(in) m(f)
algue [alg] f bot Alge f
alibi [alibi] m Alibi n
alién|able [aljenablə] veräußerlich; ~ation f jur Veräußerung f; méd Geistesgestörtheit f, phil, pol Entfremdung f
alién|é, ~ée [aljene] m, f Geistesgestörte(r) m, f; ~er (1f) jur veräußern; psych entfremden; ~iste m Psychiater m
alignement [alinmɑ̃] m Ausrichtung f; rangée Reihe f; politique, conduite: Anpassung f; écon Angleichung f
aligner [aline] (1a) ausrichten; mettre sur une ligne in e-e Reihe bringen; ~ une monnaie sur une autre e-e Währung e-r anderen anpassen; pol les pays non alignés die blockfreien Länder; s'~ sur qc sich e-r Sache anpassen, -schließen
aliment [alimɑ̃] m Nahrung(smittel) f(n)
aliment|aire [alimɑ̃tɛr] zur Ernährung gehörig; ~ation f Ernährung f; eau, électricité: Versorgung f, eau Lebensmittelhandel m; ~ en courant (électrique) Stromversorgung f, ~ énergique Energieversorgung f; ~er (1a) ernähren; eau, électricité: ver-

sorgen (en mit); conversation: in Gang halten
alinéa [alinea] m Absatz m, neue Zeile f
aliter [alite] (1a) ~ qn j-n ans Bett fesseln; être alité(e) bettlägerig sein; s'~ sich (krank) ins Bett legen
alizé [alize] (vent m) ~ m Passatwind m
allaiter [alɛte] (1b) säugen, stillen
allant [alɑ̃] m Schwung m
allécher [aleʃe] (1f) anlocken
allée [ale] f avenue Allee f; les ~s et venues die Lauferein (f/pl); une ~ et venue continuelle ein ständiges Kommen und Gehen (n)
allégation [alegasjɔ̃] f Behauptung f
alléger [aleʒe] (1g) erleichtern
allègre [alɛgrə] munter, lustig
allégrement [alegrəmɑ̃] adv frisch-fröhlich
allégresse [alegrɛs] f Freude f
alléguer [alege] (1f) texte, loi: anführen, zitieren; excuse: vorbringen
Allemagne [alman] f l'~ Deutschland n
allem|and, ~ande [almɑ̃, -ɑ̃d] 1. adj deutsch; 2. ♀ m, f Deutsche(r) m, f
aller [ale] (1o) 1. à pied: gehen; avec véhicule: fahren; voyage: reisen; ~ à cheval reiten; ~ en voiture Auto fahren; ~ à (en) bicyclette mit dem Rad fahren; je vais partir ich bin im Begriff zu gehen; j'allais dire ich wollte sagen, ich hätte beinahe gesagt; ~ chercher holen (gehen); ~ voir qn j-n besuchen; comment allez-vous? wie geht es Ihnen?; je vais bien es geht mir gut; ~ bien avec passen zu; cela me va projet, proposition: das passt mir, das ist mir recht; il y a de es handelt sich (es geht) um; F on y va! gleich!, ich komme schon!; il va sans dire selbstredend; va! meinetwegen!; allez! los!, auf geht's!; allons! vorwärts!; allons donc! stimmt das wirklich?, ist doch nicht möglich!; s'en ~ weggehen; 2. ~ à qn j-m stehen, passen; 3. m ~ et retour Hin- und Rückreise f; billet Rückfahrkarte f; match m ~ Hinspiel n; au pis ~ schlimmstenfalls
allerg|ie [alɛrʒi] f Allergie f; ~ique [-ik] 1. adj allergisch (à gegen); 2. m, f Allergiker(in) m(f)
alliage [aljaʒ] m chim Legierung f
alli|ance [aljɑ̃s] f pol Bündnis n; mariage: Ehebund m; anneau Trauring m;

tante f par ~ angeheiratete Tante *f*; *~é,*
~ée **1.** *adj* verbündet; *famille*: ver-
schwägert; **2.** *m, f* Verbündete(r) *m, f*;
famille: angeheiratete(r) Verwandte(r)
m, f; *~er (1a)* vereinigen; *tech* legieren;
s'~ à qn sich mit j-m verbünden

allocation [alɔkasjõ] *f* Beihilfe *f*, (fi-
nanzielle) Unterstützung *f*; *~s fami-*
liales Kindergeld *n*; *~ chômage* Ar-
beitslosengeld *n*

allocution [alɔkysjõ] *f* Ansprache *f*

allonger [alõʒe] *(1l)* verlängern;
membres: ausstrecken; *~ le pas*
schneller gehen; *s'~* sich hinlegen, sich
ausstrecken; *être allongé* liegen

allouer [alwe] *(1a)* bewilligen

allumage [alymaʒ] *m tech* Zündung *f*

allume-gaz [alymgaz] *m (pl unv)*
Gasanzünder *m*

allumer [alyme] *(1a)* an-, entzünden;
l'interrupteur: anknipsen; Licht machen; *~ette* [-et] *f* Streichholz *n*

allure [alyr] *f démarche* Gang *m*; *vitesse*
Tempo *n*, Geschwindigkeit *f*; *air* Aussehen *n*; *~s pl* Verhalten *n*, Auftreten *n*;
avoir de l'~ vornehm wirken, vornehm
aussehen

allusion [alyzjõ] *f* Anspielung *f*; *faire ~*
à anspielen auf

aloi [alwa] *m de bon ~* verdient; *de*
mauvais ~ geschmacklos

alors [alɔr] *à ce moment-là* damals; *par*
conséquence infolgedessen, also; *ça ~!*
na so was!; *~?* was nun?; *~ que temps*:
(damals,) als; *opposition*: während
(dagegen)

alouette [alwɛt] *f zo* Lerche *f*

alourdir [alurdir] *(2a)* schwer(er) machen

aloyau [alwajo] *m* Lendenstück *n* (vom
Ochsen)

alpage [alpaʒ] *m* Alm *f*

Alpes [alp] *f/pl les ~* die Alpen *pl*

alpestre [alpɛstrə] Alpen...

alphabet [alfabɛ] *m* Alphabet *n*

alphabétique [alfabetik] alphabetisch;
~ser [-ze] das Schreiben und Lesen
beibringen *(qn* j-m)

alpin, ~ine [alpɛ̃, -in] Alpen...

alpinisme [alpinismə] *m* Bergsport *m*,
Bergsteigen *n*; *~iste m* Alpinist *m*,
Bergsteiger *m*

Alsace [alzas] *f l'~* das Elsass *n*

alsacien, ~ienne [alzasjɛ̃, -jɛn] **1.** *adj*

elsässisch; **2.** ♀ *m, f* Elsässer(in) *m(f)*

altercation [altɛrkasjõ] *f* (heftige)
Auseinandersetzung *f*

altérer [altere] *(1f)* **1.** *denrées*: verderben; *couleur*: verändern; *vérité,*
texte: entstellen, verfälschen; *amitié*:
beeinträchtigen; **2.** *exciter la soif*
durstig machen

alternance [altɛrnɑ̃s] *f* Wechsel *m*;
~atif, ~ative [-atif, -ativ] abwechselnd;
~ative f Alternative *f*; *~er (1a)* ab-
wechseln

Altesse [altɛs] *f titre*: Hoheit *f*

altier, ~ère [altje, -ɛr] hochmütig

altimètre [altimɛtrə] *m* Höhenmesser
m; *~tude* [-tyd] *f* Höhe *f*

alto [alto] *m mus instrument*: Viola *f*;
voix: Altstimme *f*

altruisme [altryismə] *m* Uneigen-
nützigkeit *f*, Nächstenliebe *f*; *~iste* **1.**
adj uneigennützig, selbstlos; **2.** *m, f*
uneigennütziger Mensch *m*

aluminium [alyminjɔm] *m* Aluminium
n

alunir [alynir] *(2a)* auf dem Mond landen

amabilité [amabilite] *f* Liebenswürdigkeit *f*

amadou [amadu] *m* Zunder *m*

amadouer [amadwe] *(1a)* *~ qn* j-n für
sich gewinnen

amaigrir [amegrir] abgemagert, abgezehrt; *~ir (2a) maladie: ~ qn* an j-m
zehren; *s'~ devenir très maigre* abma-
gern; *perdre du poids* abnehmen; *~is-*
sement [-ismɑ̃] *m* Abmagerung *f*

amalgame [amalgam] *m* Amalgam *n*

amande [amɑ̃d] *f bot* Mandel *f*; *~ier*
[-je] *m* Mandelbaum *m*

amant [amɑ̃] *m* Geliebte(r) *m*, Liebhaber *m*

amarre [amar] *f mar* Tau *n*; *~er (1a) mar*
festmachen, vertäuen

amas [ama] *m* Anhäufung *f*; *tas* Haufen
m; *~asser* [-ase] *(1a)* anhäufen; *argent*:
scheffeln

amateur [amatœr] *m qui aime bien*
Liebhaber(in) *m(f)*; *non professionnel*
Amateur(in) *m(f)*; *~ d'art* Kunst-
liebhaber(in) *m(f)*; *péj en ~* dilet-
tantisch

Amazone [amazon] *f l'~* der Amazonas
m

ambages [ɑ̃baʒ] *f/pl sans ~* ohne

Umschweife, freiheraus

ambassa|de [ãbasad] f Botschaft f; **.deur** m, **.drice** f [-dœr, -dris] Botschafter(in) m(f)

ambiance [ãbjãs] f matériel: Umgebung f; social: Milieu n; fig atmosphère Atmosphäre f, Stimmung f, Klima n

ambigu, ambiguë [ãbigy] zweideutig

ambiguïté [ãbigчite] f Zweideutigkeit f

ambit|ieux, .ieuse [ãbisjø, -jøz] **1.** adj ehrgeizig; **2.** m, f Ehrgeizling m

ambiti|on [ãbisjõ] f Ehrgeiz m; **.onner** [-ɔne] (1a) ~ qc (ehrgeizig) nach etw streben

ambival|ence [ãbivalãs] f Ambivalenz f; **.ent, .ente** [-ã, -ãt] ambivalent

ambre [ãbrə] m ~ gris Ambra f; ~ jaune Bernstein m

ambulance [ãbylãs] f Krankenwagen m, Ambulanz f

ambul|ant, .ante [ãbylã, -ãt] umherziehend, Wander...; **marchand** m **ambulant** Straßenverkäufer m, -händler m

âme [ɑm] f Seele f; état m d'~ Stimmung f, Gemütsverfassung f; rendre l'~ den Geist aufgeben

améliorati|on [ameljɔrasjõ] f Verbesserung f; **.er** (1a) verbessern; **s'~** besser werden, sich bessern

aménagement [amenaʒmã] m Einrichtung f, Ausstattung f, transformation Umgestaltung f, agr forêt: Bewirtschaftung f; ~ du territoire Raumordnung f

aménager [amenaʒe] (1l) appartement: einrichten; terrain: anlegen; vieille maison: umbauen; forêt: bewirtschaften

amende [amãd] f Geldstrafe f; **sous peine d'~** bei Strafe; **mettre à l'~** bestrafen

amend|ement [amãdmã] m Besserung f, pol Abänderungsantrag m; **.er** (1a) verbessern; projet de loi: abändern

amener [amne] (1d) mitnehmen, mitbringen; causer zur Folge haben; ~ qn à faire qc j-n dazu bringen, etw zu tun; **s'~** kommen, F aufkreuzen

amer, amère [amer] bitter

améric|ain, .aine [amerikɛ̃, -ɛn] **1.** adj amerikanisch; **2.** ♀ m, f Amerikaner(in) m(f)

Amérique [amerik] f l'~ Amerika n; l'~

centrale Zentralamerika n; l'~ du Nord Nordamerika n; l'~ du Sud Südamerika n

amerr|ir [amerir] (2a) aviat wassern; **.issage** [-isaʒ] m Wassern n

amertume [amertym] f Bitterkeit f

ameublement [amœbləmã] m Innenausstattung f, Mobiliar n

ameuter [amøte] (1a) aufhetzen

ami, .e [ami] **1.** m, f Freund(in) m(f); **2.** adj befreundet

amiable [amjablə] à l'~ gütlich, in Güte

amiante [amjãt] m Asbest m

amical, .e [amikal] (m/pl -aux) **1.** adj freundschaftlich; **2.** f Verein m

amid|on [amidõ] m chim Stärke f; **.onner** [-ɔne] (1a) linge: stärken

amincir [amɛ̃sir] (2a) v/t chose: dünner machen; robe: schlank machen; v/i schlanker werden

amiral [amiral] m (pl -aux) Admiral m

amitié [amitje] f Freundschaft f; **.s** pl Grüße m/pl

ammoniac [amɔnjak] m Ammoniak n

ammoniaque [amɔnjak] f Salmiakgeist m

amnis|tie [amnisti] f Amnestie f; **.tier** [-tje] (1a) amnestieren

amoindr|ir [amwɛ̃drir] (2a) verringern, (ver)mindern; mérite: schmälern; **s'~** sich verringern, sich vermindern; forces: schwinden; **.issement** [-ismã] m Verringerung f, (Ver-)Minderung f

amoll|ir [amɔlir] (2a) er-, aufweichen; fig schwächen; **.issement** [-ismã] m Erschlaffung f

amoncel|er [amõsle] (1c) an-, aufhäufen **amoncellement** [amõsɛlmã] m Stapel m

amont [amõ] en ~ flussaufwärts; en ~ de oberhalb von

amoral, .e [amɔral] (m/pl -aux) amoralisch

amorc|e [amɔrs] f hameçon: Köder m; explosif: Zündpulver n; fig début Beginn m; **.er** (1k) poisson: ködern; munition: scharf machen; fig in Gang bringen; beginnen; EDV booten

amorphe [amɔrf(ə)] personne: schlapp, passiv

amort|ir [amɔrtir] (2a) choc, bruit: dämpfen; douleur: lindern; dettes: tilgen; outillage, auto: abschreiben; **.issement** [-ismã] m choc, bruit: Dämpfung *f*; *dettes*: Tilgung *f*; *outillage, auto*: Abschreibung *f*; **~ fiscal** steuerliche Abschreibung *f*; **~isseur** [-isœr] *m tech bruit*: Schalldämpfer *m*; *auto* Stoßdämpfer *m*

amour [amur] *m* Liebe *f*; **mon ~** Liebling (*m*); **~s** *pl* Liebschaften *f/pl*; **faire l'~** sich lieben

amouracher [amuraʃe] (*1a*) **s'~ de** sich verlieben in (*acc*)

amoureux, ~euse [amurø, -øz] verliebt (**de** in *acc*)

amour-propre [amurprɔprə] *m* Selbstwertgefühl *n*; Eigenliebe *f*

amovible [amɔviblə] abnehmbar

amphibie [ɑ̃fibi] **véhicule** *m* **~** Amphibienfahrzeug *n*

amphithéâtre [ɑ̃fiteatrə] *m université*: Hörsaal *m*; *théâtre classique* Amphitheater *n*

ample [ɑ̃plə] *vêtements*: weit; *sujet, matière*: umfassend; *ressources*: reichlich; **~eur** *f* Weite *f*; *fig désastre*: Ausmaß *n*; *manifestation*: Umfang *m*

amplificateur [ɑ̃plifikatœr] *m tech* Verstärker *m*; **~ation** *f tech* Verstärkung *f*; *fig* Ausweitung *f*

amplifier [ɑ̃plifje] (*1a*) *tech* verstärken; *fig* ausweiten

amplitude [ɑ̃plityd] *f phys* Amplitude *f*

ampoule [ɑ̃pul] *f peau*: Blase *f*; *médicament*: Ampulle *f*; *lampe*: Glühbirne *f*

amputation [ɑ̃pytasjɔ̃] *f* Amputation *f*; *fig* Kürzung *f*; **~er** (*1a*) amputieren

amusant, ~ante [amyzɑ̃, -ɑ̃t] unterhaltsam, belustigend

amuse-gueule [amyzgœl] *m* (*pl unv*) Appetit(s)happen *m*

amusement [amyzmɑ̃] *m plaisir* Vergnügen *n*; *divertissement* Unterhaltung *f*; **~er** (*1a*) unterhalten, belustigen; **s'~** sich unterhalten; **s'~ à (faire) qc** sich bei etw vergnügen (sich damit vergnügen, etw zu tun); **s'~ de** sich lustig machen über (*acc*)

amygdale [ami(g)dal] *f anat* Mandel *f*; **~ite** [-it] *f* Mandelentzündung *f*

an [ɑ̃] *m* Jahr *n*; **jour** *m* **de l'~** Neujahrstag *m*; **bon ~, mal ~** im Durchschnitt; **deux fois l'~** zweimal jährlich; **par ~** jährlich

anachronisme [anakrɔnismə] *m* Anachronismus *m*

analgésique [analʒezik] *m phm*

Schmerzmittel *n*

analogie [analɔʒi] *f* Ähnlichkeit *f*, Analogie *f*; **~logue** [-lɔg] analog

analyse [analiz] *f* Analyse *f*; *du sang*: Untersuchung *f*; **~er** (*1a*) analysieren; *sang*: untersuchen

analyste [analist] *m*, *f* Analytiker(in) *m(f)*; *psych* Psychoanalytiker(in) *m(f)*

analytique [analitik] analytisch

ananas [anana(s)] *m bot* Ananas *f*

anarchie [anarʃi] *f* Anarchie *f*; **~iste** *m* Anarchist *m*

anathème [anatɛm] *m* Kirchenbann *m*, Bannfluch *m*

anatomie [anatɔmi] *f* Anatomie *f*

ancêtres [ɑ̃sɛtrə] *m/pl* Vorfahren *m/pl*, Ahnen *m/pl*

anchois [ɑ̃ʃwa] *m* An(s)chovis *f*, Sardelle *f*

ancien, ~ienne [ɑ̃sjɛ̃, -jɛn] alt; *de tradition* althergebracht; *précédent* früher, ehemalig; *de l'Antiquité*: antik, alt; **les Anciens** die Alten (*Griechen u Römer*); **~iennement** [-jɛnmɑ̃] *adv* früher, einst

ancienneté [ɑ̃sjɛnte] *f* Alter *n*; *profession*: Dienstalter *n*

ancolie [ɑ̃kɔli] *f bot* Akelei *f*

ancre [ɑ̃krə] *f* Anker *m*; **~er** (*1a*) verankern; **être ancré** vor Anker liegen; *fig* verwurzelt sein

Andorre [ɑ̃dɔr] *f l'~* Andorra *n*

andouille [ɑ̃duj] *f cuis* Kaldaunenwurst *f*; F *fig* Dummkopf *m*

âne [ɑn] *m* Esel *m* (*a fig*); **dos m d'~**: *rue*: Querrinne *f*

anéantir [aneɑ̃tir] (*2a*) vernichten; **~issement** [-ismɑ̃] *m* Vernichtung *f*

anecdote [anɛgdɔt] *f* Anekdote *f*

anémie [anemi] *f méd* Blutarmut *f*

anémone [anemɔn] *f* Anemone *f*

ânerie [ɑnri] *f* Eselei *f*, große Dummheit *f*

ânesse [ɑnɛs] *f zo* Eselin *f*

anesthésie [anɛstezi] *f méd* Anästhesie *f*, Narkose *f*; **~ générale** Vollnarkose *f*; **~ locale** örtliche Betäubung *f*; **~ier** [-je] (*1a*) betäuben; **~ique 1.** *adj* schmerzausschaltend; **2.** *m* Betäubungsmittel *n*

aneth [anɛt] *m bot* Dill *m*

ange [ɑ̃ʒ] *m* Engel *m*; *fig* **être aux ~s** im siebten Himmel sein

angélique [ɑ̃ʒelik] engelhaft

angine [ãʒin] f méd Angina f; ~ de poitrine Angina pectoris f

angl|ais, ~aise [ãglɛ, -ɛz] 1. adj englisch; 2. ♀ m, f Engländer(in) m(f)

angle [ãglə] m géométrie: Winkel m; coin Ecke f; ~ droit rechter Winkel m; ~ obtus stumpfer Winkel m; ~ aigu spitzer Winkel m

Angleterre [ãglətɛr] f l'~ England n

anglican [ãglikã] anglikanisch

anglicisme [ãglisismə] m Anglizismus m

anglo|phone [ãglɔfon] Englisch sprechend; ~-saxon [-saksõ] angelsächsisch

angoiss|ant, ~ante [ãgwasã, -ãt] beängstigend, beklemmend

angoisse [ãgwas] f Angst f; ~er (1a) ängstigen

anguille [ãgij] f zo Aal m; fig il y a ~ sous roche da steckt doch was dahinter

angul|aire [ãgylɛr] Eck...; Winkel...; ~eux, ~euse [-ø, -øz] kantig, eckig

anicroche [anikrɔʃ] f Haken m, (kleine) Schwierigkeit f

animal [animal] (m/pl -aux) 1. m Tier n; 2. adj (f -e) tierisch, Tier...

anima|teur, ~trice [animatœr, -tris] m, f d'une entreprise: Triebfeder f, Motor m; TV, radio jeu: Quizmaster m, Spielleiter(in) m(f); discussion: Gesprächsleiter(in) m(f); music-hall: Conférencier m; activités culturelles: Animateur m; ~tion f vivacité Lebhaftigkeit f; mouvement Treiben n; ~ (culturelle) Freizeitgestaltung f

anim|é, ~ée [anime] rue, quartier: belebt, lebendig; conversation: lebhaft; ~er (1a) conversation, fête: beleben; stimuler animieren, anregen; quiz, discussion: leiten; être animé de qc von etw erfüllt sein; s'~ rue, quartier: sich beleben; personne, discussion: lebhaft werden

animosité [animozite] f hostilité Feindseligkeit f, amertume Groll m, Erbitterung f (envers qn gegenüber j-m)

annales [anal] f/pl Jahrbücher n/pl, Annalen pl

anneau [ano] m (pl -x) Ring m

année [ane] f Jahr n (Dauer)

annexe [anɛks] f bâtiment: Nebenge-

bäude n; document: Anhang m; lettre: Anlage f; ~er (1a) 1. document: beifügen; 2. pays: einverleiben, annektieren; ~ion f Einverleibung f, Annexion f

annihiler [aniile] (1a) vernichten

anniversaire [anivɛrsɛr] m Geburtstag m; événement: Jahrestag m

annonc|e [anõs] f nouvelle Ankündigung f; journal: Anzeige f; présage An-, Vorzeichen n; petites ~s pl Anzeigenteil m; ~er (1k) ankündigen; ~eur m journal: Inserent m; TV, radio: Ansager m

annot|ation [anɔtasjõ] f Anmerkung f; ~er (1a) mit Anmerkungen versehen

annu|aire [anɥɛr] m Jahrbuch n; ~ du téléphone Telefonbuch n; ~el, ~elle jährlich

annuité [anɥite] f Jahresrate f

annulaire [anɥlɛr] m Ringfinger m

annuler [anɥle] (1a) jugement, contrat: für nichtig erklären, annullieren; commande, écriture: stornieren; rendez-vous: absagen

anoblir [anɔblir] (2a) adeln

anod|in, ~ine [anɔdɛ̃, -in] harmlos; personne: nichts sagend, unbedeutend

anomalie [anɔmali] f Anomalie f

anonymat [anɔnima] m Anonymität f

anonyme [anɔnim] anonym; société ~ Aktiengesellschaft f

anorak [anɔrak] m Anorak m

anse [ãs] f 1. panier, etc: Henkel m, Griff m; 2. géogr kleine Bucht f

antagon|isme [ãtagɔnismə] m Gegensatz m, Widerstreit m, Antagonismus m; ~iste 1. adj gegensätzlich; 2. m, f Widersacher(in) m(f)

antan [ãtã] litt d'~ von einst, damalig

antarctique [ãtarktik] 1. adj antarktisch; pôle m ~ Südpol m; 2. m l'♀ die Antarktis f

antécédents [ãtesedã] m/pl personne: Vorleben n; événement: Vorgeschichte f

antédiluv|ien, ~ienne [ãtedilyvjɛ̃, -jɛn] F fig vorsintflutlich

antenne [ãtɛn] f 1. zo Fühler m; 2. TV, radio: Antenne f; être sur l'~ auf Sendung sein

antérieur, ~e [ãterjœr] de devant: vordere(r); d'avant: frühere(r); ~ à früher als; ~ement [-mã] adv vorher, früher

anthracite [ãtrasit] *adj* (*unv*) anthrazit(farben)

anti|aérien, ~aérienne [ãtiaerjɛ̃, -aerjɛn] *mil* Flugabwehr...; Luftschutz...; **~alcoolique** [-alkɔlik] antialkoholisch; **~biotique** [-bjɔtik] *m* Antibiotikum *n*; **~brouillard** [-brujar] *m* od **phare m** ~ Nebelscheinwerfer *m*; **~bruit** [-brɥi] Lärmschutz...; **mur m antibruit** Lärmschutzwall *m*; **~chambre** [-ʃãbra] *f* Vorzimmer *n*

anticip|ation [ãtisipasjɔ̃] *f* Vorwegnahme *f*; **~é, ~ée** vorzeitig; **~er** (*1a*) *v/t* **paiement**: vorfristig leisten; *v/i* **~ sur qc** e-r Sache vorgreifen; etw vorwegnehmen

anticlérical, ~e [ãtiklerikal] (*m/pl -aux*) kirchenfeindlich

anticonceptionnel, ~le [ãtikõsɛpsjɔnɛl] empfängnisverhütend

anticonstitutionnel, ~le [ãtikõstitysjɔnɛl] verfassungswidrig

anticorps [ãtikɔr] *m* Antikörper *m*

anti|cyclone [ãtisiklon] *m* Hoch (druckgebiet) *n*; **~dater** [-date] (*1a*) **la facture** die Rechnung rückdatieren; **~dérapant, ~dérapante** [-derapã, -derapãt] *auto* **1.** *adj* rutschfest; **2.** *m* Gleitschutz *m*; **~dote** [-dɔt] *m méd* Gegengift *n*; **~gel** [-ʒɛl] *m* Frostschutz(mittel *n*) *m*; **~grippe** [-grip] *adj* gegen Grippe

Antilles [ãtij] *f/pl* **les ~** die Antillen *pl*

anti|nucléaire [ãtinykleɛr] *m* Kernkraftgegner *m*; **~pathique** [-patik] unsympathisch, zuwider; **~pode** [-pɔd] *m* **aux ~s** *fig* weit weg; **~pollution** [-pɔlysjɔ̃] gegen Umweltverschmutzung, umweltfreundlich

antiquaire [ãtikɛr] *m* Antiquitätenhändler *m*

antique [ãtik] *de l' Antiquité*: antik; *coutume, tradition*: uralt

Antiquité [ãtikite] *f époque*: Antike *f*; Altertum *n*; **2s** *pl meubles, objets d'art*: Antiquitäten *f/pl*; *monuments, temples*: Altertümer *n/pl*

antirabique [ãtirabik] gegen Tollwut

antirouille [ãtiruj] Rostschutz...

antivol [ãtivɔl] *m* Diebstahlsicherung *f*; *auto a* Lenkradschloss *n*

antre [ãtrə] *litt m* Höhle *f*

anus [anys] *m méd* After *m*

anxi|été [ãksjete] *f* Angst *f*, Beklem-

mung *f*; **~eux, ~euse** [-ø, -øz] ängstlich; **être ~ de** (+ *inf*) sich danach sehnen zu (+ *inf*)

aorte [aɔrt] *f* Hauptschlagader *f*, Aorta *f*

août [u(t)] *m* August *m*; **en ~** im August

apais|ant, ~ante [apezã, -ãt] beruhigend, besänftigend

apais|ement [apɛzmã] *m* Beruhigung *f*, Besänftigung *f*; *douleur, faim*: Linderung *f*; **~er** (*1b*) beruhigen, besänftigen; *douleur*: lindern; *soif*: löschen; *faim*: stillen

apartheid [aparted] *m* Apartheid *f*

à partir de [a partir də] ab, von ... an

apathie [apati] *f* Apathie *f*, Teilnahmslosigkeit *f*; *indifférence* Gleichgültigkeit *f*

apathique [apatik] apathisch, teilnahmslos; *indifférent* gleichgültig

apatride [apatrid] staatenlos

apercevoir [apɛrsəvwar] (*3a*) (*qc* etw) *voir* erblicken, sehen; *percevoir* wahrnehmen; *se rendre compte* bemerken; **s'~ de qc** etw (*acc*) (be)merken

aperçu [apɛrsy] **1.** ~(**e**) *p/p* d'apercevoir; **2.** *m* Übersicht *f*; **~ des frais** Kostenüberschlag *m*

apéritif [aperitif] *m* Aperitif *m*

apéro [apero] *m* F → **apéritif**

apesanteur [apəzãtœr] *f* Schwerelosigkeit *f*

à peu près [apøprɛ] *adv* ungefähr

à-peu-près [apøprɛ] *m* (*pl unv*) Halbheit *f*

apeuré, ~e [apœre] verängstigt

aphorisme [afɔrismə] *m* Sinnspruch *m*, Aphorismus *m*

à-pic [apik] *m* (*pl à-pics*) Steilhang *m*, -wand *f*

apicult|eur [apikyltœr] *m* Imker *m*; **~ure** [-yr] *f* Bienenzucht *f*

apitoyer [apitwaje] (*1h*) **~ qn** j-n mit Mitleid erfüllen; **s'~ sur qc** Mitleid mit etw fühlen; **s'~ sur qn** j-n bemitleiden

aplan|ir [aplanir] (*2a*) (ein)ebnen, planieren; *fig différend*: schlichten; *difficultés*: beheben; **~issement** [-ismã] *m* (Ein-)Ebnen *n*, Planieren *n*; *fig* Behebung *f*

aplatir [aplatir] (*2a*) platt drücken (schlagen); **s'~ tomber** der Länge nach hinfallen; *s'écraser* prallen (**contre** gegen); **s'~ devant qn** vor j-m kriechen

aplomb [aplɔ̃] *m* senkrechte Stellung *f*;

fig confiance en soi Selbstsicherheit *f*; *audace* Dreistigkeit *f*; **d'~** être d'~ sich nicht wohl fühlen; **avec** ~ selbstsicher; dreist

apogée [apɔʒe] *m fig* Höhepunkt *m*, Gipfel *m*

apolitique [apɔlitik] unpolitisch

apologie [apɔlɔʒi] *f* Verteidigungsrede *f*, -schrift *f*

apoplexie [apɔplɛksi] *f méd* Schlaganfall *m*

apostolique [apɔstɔlik] apostolisch

apostrophe [apɔstrɔf] *f* **1.** *interpellation* F Abkanzelung *f*, Anpfiff *m*; **2.** *signe:* Apostroph *m*; **~er** (*1a*) ~ **qn** F j-n abkanzeln, anschnauzen

apôtre [apotrə] *m* Apostel *m*

apparaître [aparɛtrə] (*4z*) zum Vorschein kommen, erscheinen; **faire** ~ erkennen lassen, zeigen; ~ **à qn** im Erscheinen (**comme** wie); *il apparaît que* es zeigt sich, dass

apparat [apara] *m* Pomp *m*, Prunk *m*

appareil [aparɛj] *m* Apparat *m*, Gerät *n*; *aviat* Maschine *f*; *tél* **qui est à l'appareil?** wer ist am Apparat?

appareill|age [aparɛjaʒ] *m* **1.** *mar* Auslaufen *n*; **2.** *tech* Apparatur *f*; **~er** (*1a*) **1.** zusammenstellen, kombinieren; **2.** *mar* auslaufen (**pour** nach), in See stechen

apparemment [aparamã] anscheinend, allem Anschein nach

apparence [aparãs] *f air* Aussehen *n*, Äußere *n*; *illusion,* façade Anschein *m*; **en** ~ scheinbar; **sauver les** ~**s** den Schein wahren; **selon toute** ~ allem Anschein nach

appar|ent, ~ente [aparã, -ãt] *visible* sichtbar; *illusoire* scheinbar

apparenté, ~e [aparãte] verwandt (**à qn, à qc** mit j-m, mit etw)

apparition [aparisjɔ] *f* Erscheinung *f*

appartement [apartəmã] *m* Wohnung *f*

apparten|ance [apartənãs] *f* Zugehörigkeit *f*; *association, parti:* Mitgliedschaft *f*; **~ir** (*2h*) gehören (**à qn** j-m); *il ne m'appartient pas d'en décider* es steht mir nicht zu, darüber zu entscheiden

appas [apa] *m/pl* Reize (e-r *Frau*) *m/pl*

appât [apa] *m* Köder *m*; *fig* Verlockung *f*

appâter [apate] (*1a*) ködern

appauvr|ir [apovrir] (*2a*) arm, ärmer machen; **s'~** verarmen; **~issement** [-ismã] *m* Verarmung *f*

appel [apɛl] *m* Ruf *m*; *tél* Anruf *m*; *exhortation* Appell *m*, Aufruf *m*; *mil recrutement* Einberufung *f*; *jur* Berufung *f*; *jur* **faire** ~ Berufung einlegen; **sans** ~ unwiderruflich; **faire** ~ **à qn** an j-n appellieren

appel|é [aple] *m mil* Einberufene(r) *m*; **~er** (*1c*) *donner un nom* nennen; *à une charge, à un poste:* berufen; *tél* anrufen; *nécessiter* erfordern; **en** ~ **à qn** an j-n appellieren; **s'~** heißen

appellation [apelasjɔ] *f* Bezeichnung *f*, Benennung *f*; ~ **d'origine** Herkunftsbezeichnung *f*

appendicite [apɛ̃disit] *f méd* Blinddarmentzündung *f*

appesant|ir [apəzãtir] **s'~** schwerfällig werden; **s'~ sur** lang und breit reden über (*acc*); **~issement** [-ismã] *m* Schwerfälligkeit *f*

appétiss|ant, ~ante [apetisã, -ãt] appetitlich, lecker

appétit [apeti] *m* Appetit *m*; **bon ~!** guten Appetit!

applaudir [aplodir] (*2a*) *v/t* ~ **qn** j-m Beifall klatschen, j-m applaudieren; ~ **qc** e-r Sache (*dat*) Beifall spenden; *v/i* klatschen, applaudieren

applaudissement [aplodismã] *m le plus souvent au pl* ~**s** Applaus *m*, Beifall *m*

applica|ble [aplikablə] anwendbar; **~tion** *f tech* fixation Anbringung *f*; *emploi, destination* Anwendung *f*; *attention* Fleiß *m*

appliqu|é, ~ée [aplike] *personne:* fleißig; *science:* angewandt; **~er** (*1m*) *poser* anbringen; *mettre en pratique, rapporter* anwenden (**à** auf *acc*); **s'~** *personne:* fleißig sein; **s'~ à qc** *chose:* zu etw passen, auf etw (*acc*) zutreffen; *personne:* sich e-r Sache widmen *od* zuwenden; **s'~ à faire qc** sich bemühen, etw zu tun

appoint|ements [apwɛ̃tmã] *m/pl* Bezüge *m/pl*, Gehalt *n*; **~er** (*1a*) besolden

apport [apɔr] *m comm* Einlage *f*; *fig* Unterstützung *f* (**à** für), Beitrag *m* (**à** zu)

apporter [apɔrte] (*1a*) (mit)bringen; *fig* entraîner nach sich ziehen; ~ **du soin à**

Sorgfalt verwenden auf (*acc*); ~ *de l'attention à qc* e-r Sache Aufmerksamkeit schenken; ~ *des raisons* Gründe anführen

apposer [apoze] (*1a*) anbringen; *affiche*: ankleben; ~ *sa signature* unterzeichnen

appréci|able [apresjablə] beträchtlich, nennenswert; **~ation** *f prix, distance*: Abschätzung *f*; *jugement* Einschätzung *f*, Urteil *n*; *favorable*: Würdigung *f*; *comm* Aufwertung *f*; **~er** (*1a*) *valeur, distance*: abschätzen; *personne*: schätzen; *musique, la bonne cuisine*: würdigen, viel halten von

appréhen|der [apreãde] (*1a*) ~ *qc* etw fürchten; *jur* ~ *qn* in festnehmen; **~sion** [-sjõ] *f* Furcht *f*

apprendre [aprãdrə] (*4q*) lernen; *nouvelle*: erfahren (**par** *qn* von j-m); ~ *qc à qn* enseigner j-n etw lehren; *raconter* j-m etw mitteilen; ~ *à lire* lesen lernen

apprent|i, ~ie [aprãti] *m, f* Lehrling *m*, Auszubildende(r) *m, f*; **~issage** [-isaʒ] *m métier*: Lehre *f*; *processus psychologique*: Erlernen *n*

apprêt [aprɛ] *m* Appretur *f*; *fig* Affektiertheit *f*

apprêt|é, ~ée [aprɛte] affektiert; **~er** (*1a*) zubereiten; *s'~ à faire qc* sich anschicken, etw zu tun

apprivoiser [aprivwaze] (*1a*) zähmen

approba|teur, ~trice [aprɔbatœr, -tris] beifällig, billigend; **~tion** *f* Billigung *f*

approch|e [aprɔʃ] *f* Herannahen *n*; *fig d'un problème*: Betrachtungsweise *f*; **~er** (*1a*) *v/t* näher heranbringen (*qc de* etw an *acc*); *v/i* herankommen; sich nähern (*de qc* e-r Sache *dat*); *s'~ de qn* sich j-m nähern; *s'~ de qc* sich e-r Sache nähern

approfondir [aprɔfõdir] (*2a*) vertiefen

appropri|é, ~ée [aprɔprije] angemessen, passend; **~er** (*1a*) anpassen; *s'~ qc* sich (*dat*) etw aneignen

approuver [apruve] (*1a*) billigen (*qc* etw); *projet*: genehmigen; *loi*: annehmen; ~ *qn de faire qc* es gut finden, dass j etw tut

approvisionn|ement [aprɔvizjɔnmã] *m* Versorgung *f* (**en** mit); **~er** (*1a*) versorgen, beliefern; ~ *un compte bancaire* ein Konto auffüllen

approximat|if, ~ive [aprɔksimatif, -iv] annähernd; **~ivement** [-ivmã] *adv* schätzungsweise

appui [apɥi] *m* Stütze *f*; *fig* Unterstützung *f*; *fenêtre*: Fensterbrett *n*; *point m d'* ~ Stützpunkt *m*; *prendre* ~ *sur* sich stützen auf (*acc*); *à l'* ~ *de* zum Nachweis (*gén*); um ... zu stützen; *pièce f à l'appui* Beleg *m*, Nachweis *m*

appuyer [apɥije] (*1h*) *v/t tenir debout* stützen; ~ *qc sur, contre, à* etw stützen auf (*acc*), etw lehnen gegen (*acc*), an (*acc*); *fig candidat, idée*: unterstützen; *v/i* ~ *sur qc* auf etw drücken; *fig* etw betonen; *s'~ sur* sich stützen auf (*acc*) (*a fig*)

âpre [ɑprə] *goût*: herb; *lutte, froid*: bitter

après [aprɛ] **1.** *prép* (*espace u temps*) nach, hinter (*lieu: dat; direction: acc*); *l'un* ~ *l'* *autre* nacheinander; ~ *coup* nachträglich; ~ *quoi* worauf, darauf; ~ *tout* schließlich; *~avoir lu, il* ..., nachdem er gelesen hatte, ...; *d'* ~ (*ce que disent*) *les journaux* den Zeitungen zufolge; **2.** *adv* nachher; **3.** *conj* ~ *que* (+ *ind od subj*) nachdem

après-|demain [aprɛdmɛ̃] übermorgen; **~guerre** [-gɛr] *m od f* Nachkriegszeit *f*; **~midi** [-midi] *m od f* (*pl unv*) Nachmittag *m*; **~vente** [-vãt] *adj* (*unv*) *service* ~ Kundendienst *m*

âpreté [ɑprəte] *f goût*: Herbheit *f*; *fig* Heftigkeit *f*

apr. J.-C. (*abr* après Jésus-Christ) n.Chr. (nach Christus)

à-propos [aprɔpo] *m* Schlagfertigkeit *f*

apte [apt] fähig, geeignet (*à* zu, für)

aptitude [aptityd] *f capacité* Fähigkeit *f*, Eignung *f*; *prédisposition* Begabung *f*

aquarelle [akwarɛl] *f* Aquarell *n*

aquarium [akwarjɔm] *m* Aquarium *n*

aquatique [akwatik] Wasser...

aqueduc [akdyk] *m* Aquädukt *m*

aquilin [akilɛ̃] *nez* ~ Adlernase *f*

arabe [arab] **1.** *adj* arabisch; **2.** ♀ *m, f* Araber(in) *m(f)*

Arabie [arabi] *f l'* ~ Arabien *n*; *l'* ~ *Saoudite* Saudi-Arabien *n*

arachide [araʃid] *f bot* Erdnuss *f*

araignée [arɛɲe] *f* Spinne *f*

arbitr|age [arbitraʒ] *m* Schiedsspruch *m*; *bourse*: Arbitrage *f*; **~aire** [-ɛr] willkürlich

arbitr|e [arbitrə] *m* Schiedsrichter *m*;

~er (*1a*) als Schiedsrichter entscheiden

arbor|er [arbɔre] (*1a*) drapeau: hissen; *fig* zur Schau tragen; **~iculture** [-ikyltyr] *f agr* Baumzucht *f*

arbr|e [arbrə] *m* Baum *m*; *tech* Welle *f*; **~ généalogique** Stammbaum *m*; **~isseau** [-iso] *m* (*pl -x*) Bäumchen *n*

arbuste [arbyst] *m* Strauch *m*

arc [ark] *m* Bogen *m*

arcade [arkad] *f souvent au pl* **~s** *arch* Bogengang *m*, Arkade *f*

arc-boutant [arkbutɑ̃] *m* (*pl arcs-boutants*) *arch* Strebebogen *m*

arc-en-ciel [arkɑ̃sjɛl] *m* (*pl arcs-en-ciel*) Regenbogen *m*

archaïsme [arkaismə] *m* Archaismus *m*, altertümlicher Ausdruck *m od* Stil *m*

archange [arkɑ̃ʒ] *m rel* Erzengel *m*

arche [arʃ] *f* 1. Brückenbogen *m*; 2. *Bible*: Arche *f*

archéolo|gie [arkeɔlɔʒi] *f* Archäologie *f*; **~gique** [-ʒik] archäologisch; **~gue** *m*, *f* Archäologe *m*, Archäologin *f*

archer [arʃe] *m* Bogenschütze *m*

archet [arʃɛ] *m mus* Geigenbogen *m*

arche|vêché [arʃəveʃe] *m* Erzbistum *n*; **~vêque** [-vɛk] *m* Erzbischof *m*

archipel [arʃipɛl] *m* Archipel *n*, Inselgruppe *f*

architecte [arʃitɛkt] *m*, *f* Architekt(in) *m(f)*; **~ure** [-yr] *f* Architektur *f*

archiver [arʃive] (*1a*) archivieren

archiv|es [arʃiv] *f/pl* Archiv *n*; **~iste** *m* Archivar *m*

arctique [arktik] 1. *adj* arktisch; **le pôle ~** der Nordpol *m*; 2. *m l'*≈ die Arktis *f*

ard|ent, ~ente [ardɑ̃, -ɑ̃t] glühend, brennend; *fig* leidenschaftlich

ardeur [ardœr] *f feu*: Glut *f*, *fig ferveur*. Eifer *m*

ardoise [ardwaz] *f* Schiefer *m*

ardu, ~e [ardy] schwierig

arène [arɛn] *f* Arena *f*; **~s** *pl* römische Arena *f*

arête [arɛt] *f poisson*: Gräte *f*; *math, poutre, pierre*: Kante *f*; *montagnes*: Grat *m*

argent [arʒɑ̃] *m* Silber *m*; *monnaie*: Geld *n*; **~ liquide, comptant** Bargeld *n*; **~ de poche** Taschengeld *n*

argent|é, ~ée [arʒɑ̃te] *couvert d'argent*: versilbert; *couleur*: silberweiß; **~er** (*1a*) versilbern; **~erie** *f* Silber(besteck, -ge-

schirr) *n*; **~in, ~ine** 1. *son*: silberhell; 2. *adj argentinisch*; 3. ≈ *m*, *f* Argentinier(in) *m(f)*

Argentine [arʒɑ̃tin] *f l'*~ Argentinien *n*

argile [arʒil] *f géol* Ton *m*

argil|eux, ~euse [arʒilø, -øz] tonig, tonhaltig, Ton...

argot [argo] *m groupe social*: Jargon *m*; *voleurs*: Gaunersprache *f*

argotique [argɔtik] *mot m*, *terme m* ~ Argotwort *n*, -ausdruck *m*

arguer [argɥe] (*1n*) **~ de qc** etw (*acc*) geltend machen, etw (*acc*) als Argument anführen

argument [argymɑ̃] *m* Argument *n*; *sommaire* Inhaltsangabe *f*

argument|ation [argymɑ̃tasjõ] *f* Beweisführung *f*, Argumentation *f*; **~er** (*1a*) argumentieren

argutie [argysi] *f le plus souvent au pl* **~s** *litt* Spitzfindigkeit *f*

arid|e [arid] dürr, trocken; *personne*: gefühllos; **~ité** *f* Dürre *f*

aristo|crate [aristɔkrat] *m*, *f* Aristokrat(in) *m(f)*; **~cratie** [-krasi] *f* Aristokratie *f*; **~cratique** [-kratik] aristokratisch

arithmétique [aritmetik] 1. *adj* arithmetisch; 2. *f* Arithmetik *f*

armateur [armatœr] *m* Reeder *m*

armature [armatyr] *f* Gerüst *n* (*a fig*)

arm|e [arm] *f* Waffe *f* (*a fig*); **~s** *pl blason* Wappen *n*; **~ à feu** Feuerwaffe *f*; **~é, ~ée** bewaffnet (*de* mit); *fig* gewappnet (**contre** gegen); *fig* ~ de versehen mit, ausgestattet mit; **béton ~ armé** Eisenbeton *m*

armée [arme] *f* Heer *n*; **~ de l'air** Luftwaffe *f*

armement [arməmɑ̃] *m* Bewaffnung *f*; **~s** *pl moyens d'un pays*: Rüstung *f*; **course f aux ~s** Rüstungswettlauf *m*

armer [arme] (*1a*) bewaffnen, ausrüsten, *fig* versehen (**de** mit)

armistice [armistis] *m* Waffenstillstand *m*

armoire [armwar] *f* Schrank *m*

armoiries [armwari] *f/pl* Wappen *n*

armure [armyr] *f hist* Rüstung *f*

arnaque [arnak] F *f* Betrug *m*, Schwindel *m*

aromat|e [arɔmat] *m* Gewürz *n*; **~ique** wohlriechend, -schmeckend; **~iser** (*1a*) würzen

arome od **arôme** [arom] m Aroma n; odeur Duft m

arpent|er [arpɑ̃te] (1a) vermessen; fig salle: mit großen Schritten durchmessen; **~eur** m Feldmesser m, Geometer m

arrach|e-pied [araʃpje] **travailler d'~** unablässig arbeiten; **~er** (1a) herausreißen, -ziehen; dent: ziehen; **~ qc à qn** j-m etw entreißen (a fig); **s'~ à** od **de qc** sich von etw losreißen; **s'~ qn**, qc sich um j-n, um etw reißen

arrangeant [arɑ̃ʒɑ̃] verträglich

arrang|ement [arɑ̃ʒmɑ̃] m disposition Anordnung f, maison: Einrichtung f; accord Vereinbarung f; **~er** (1l) maison: einrichten; ranger ordnen; différend: beilegen; F **~ qn** maltraiter j-n übel zurichten; **cela m'arrange** das passt mir; **s'~ avec qn** de sich mit j-m verständigen über (acc); **tout s'arrange** alles wird wieder gut; **s'~ pour** (+ inf) es so einrichten, dass; **s'~ de qc** sich mit etw abfinden

arrestation [arɛstasjõ] f Verhaftung f

arrêt [arɛ] m Halt m; autobus: Haltestelle f; jur (endgültiges) Urteil n; tech Sperre f; **sans ~** ununterbrochen

arrêt|er [arete] m Erlass m; **~er** (1b) v/i stehen bleiben; v/t voiture, foule: anhalten; moteur: abstellen; voleur: festnehmen, verhaften; tech absperren; **~ que** (+ subj) anordnen, dass; **~ de** (+ inf) aufhören zu; **s'~** stehen bleiben; bruit, guerre, tempête: aufhören

arrhes [ar] f/pl comm Anzahlung f

arrière [arjɛr] 1. adv zurück; **en ~** rückwärts; **en ~ de** hinter; **feu ~** Schlusslicht n; **siège ~** m Rücksitz m; 3. m auto: Heck n; sports: Verteidiger m, Abwehrspieler m; **à l'~** hinten

arriéré, ~e [arjere] 1. adj paiement, idées: rückständig; enfant: geistig zurückgeblieben; 2. m comm Rückstand m

arrière|-cour [arjɛrkur] f (pl arrière-cours) Hinterhof m; **~-garde** [-gard] f mil Nachhut f; **~-goût** [-gu] m Nachgeschmack m; **~-grand-mère** [-grɑ̃mɛr] f (pl arrière-grand[s]-mères) Urgroßmutter f; **~-grand-père** [-grɑ̃pɛr] m (pl arrière-grands-pères) Urgroßvater m; **~-pays** [-pei] m Hinterland n;

~-pensée [-pɑ̃se] f (pl arrière-pensées) Hintergedanke m; **~-petit-fils** [-p(ə)tifis] m (pl arrière-petits-fils) Urenkel m; **~-plan** [-plɑ̃] m Hintergrund m; **~-saison** [-sezõ] f Nachsaison f

arrimer [arime] (1a) chargement: verstauen

arriv|age [arivaʒ] m Anlieferung f; **~ée** f Ankunft f, sports: Ziel n; **~er** (1a) ankommen; événement: geschehen; **~ à** gelangen zu; **~ à** (+ inf) es schaffen zu; **~ à qn** j-m zustoßen; **il arrive que** (+ subj od ind) es kommt vor, dass

arriviste [arivist] m, f Streber(in) m(f)

arrobe [arɔb] f EDV Klammeraffe m (@-Zeichen) m

arrog|ance [arɔgɑ̃s] f Arroganz f, Anmaßung f; **~ant, ~ante** [-ɑ̃, -ɑ̃t] anmaßend, arrogant

arroger [arɔʒe] (1l) **s'~ droit, titre:** sich (dat) anmaßen

arrond|ir [arɔ̃dir] (2a) abrunden; **~issement** [-ismɑ̃] m Arrondissement n (Unterbezirk e-s Departements); d'une ville: Stadtbezirk m

arros|er [aroze] (1a) (be)gießen; fleuve: vorbeifließen (an e-r Stadt); **~oir** m Gießkanne f

arsenal [arsənal] m (pl -aux) mar Werft f; mil Arsenal n, Waffenlager n

arsenic [arsənik] m Arsen n

art [ar] m Kunst f; **avoir l'~ de** (+ inf) die Gabe haben zu; **~s décoratifs** (od **appliqués** od **industriels**) Kunstgewerbe n; **~s plastiques** bildende Kunst f

artère [artɛr] f Pulsader f; fig Verkehrsader f

artéri|el, ~elle [arterjɛl] arteriell; **tension ~ artérielle** Blutdruck m; **~osclérose** [-ɔskleroz] f méd Arterienverkalkung f

arthrite [artrit] f Arthritis f

artichaut [artiʃo] m Artischocke f; **fond m d'~** Artischockenherz n

article [artikl] m Artikel m; jur Paragraph m; **~ de fond** presse: Leitartikel m; **~ de marque** Markenartikel m

articul|aire [artikylɛr] Gelenk...; **~ation** anat Gelenk m; son: Artikulation f; **~é, ~ée** son: artikuliert; membres: beweglich; fig gegliedert; **~er** (1a) son: artikulieren; **s'~** beweglich verbunden sein (*avec*, *sur* mit); *fig* miteinander verbunden sein

artific|e [artifis] *m* Kunstgriff *m*, Trick *m*; **~iel**, **~ielle** [-jɛl] künstlich; *péj* gekünstelt; **~ieux**, **~ieuse** [-jø, -jøz] *litt* arglistig

artill|erie [artijri] *f* Artillerie *f*; **~eur** *m* Artillerist *m*

artisan [artizã] *m* Handwerker *m*

artisan|al, **~ale** [artizanal] (*m/pl -aux*) handwerklich, Handwerks...; **~at** [-a] *m* Handwerk *n*; **~ d'art** Kunsthandwerk *n*

artist|e [artist] **1.** *m*, *f* Künstler(in) *m(f)*; **2.** *adj* künstlerisch veranlagt; **~ique** künstlerisch; Kunst...

as [as] *m* Ass *n* (a *fig*)

asbeste [asbɛst] *m* Asbest *m*

ascendance [asãdãs] *f* Vorfahren *m/pl*; **~ paternelle** väterliche Linie *f*; väterliche Abstammung *f*

ascend|ant, **~ante** [asãdã, -ãt] **1.** *adj* aufsteigend; **2.** *m* (starker) Einfluss *m* (**sur** *qn* auf j-n)

ascens|eur [asãsœr] *m* Lift *m*, Aufzug *m*, Fahrstuhl *m*; **~ion** *f* alpiniste: Besteigung *f*; *fusée*, *ballon*: Aufsteigen *n*; *fig progrès* Aufstieg *m*; **l'2** *rel* (Christi) Himmelfahrt *f*

ascèse [asɛz] *f rel* Askese *f*

ascète [asɛt] *m rel* Asket *m*

aseptique [asɛptik] aseptisch, keimfrei

asiatique [azjatik] **1.** *adj* asiatisch; **2.** **2** *m*, *f* Asiat(in) *m(f)*

Asie [azi] *f* **l'~** Asien *n*; **l'Asie Mineure** Kleinasien *n*

asile [azil] *m refuge* Zuflucht(sort) *f(m)*; *pol* Asyl *n*; **~ d'aliénés** Irrenanstalt *f*; **demande d'~** Asylantrag *m*

aspect [aspɛ] *m* **1.** *vue* Anblick *m*, Aussehen *n*; **à l'~ de** beim Anblick von; **2.** *point de vue* Gesichtspunkt *m*; **sous cet ~** unter diesem Aspekt

asperge [aspɛrʒ] *f bot* Spargel *m*

asperger [aspɛrʒe] (*1l*) besprengen, bespritzen

aspérité [asperite] *f* Unebenheit *f*

asphalte [asfalt] *m* Asphalt *m*

asphyx|ie [asfiksi] *f* Ersticken *n*; **~ier** [-je] (*1a*) ersticken

aspic [aspik] *m* **1.** *zo* Viper *f*; **2.** *cuis* Aspik *m*, Sülze *f*

aspir|ant, **~ante** [aspirã, -ãt] *m*, *f* Kandidat(in) *m(f)*; Anwärter(in) *m (f)*

aspira|teur [aspiratœr] *m* Staubsauger *m*; **~tion** *f* Einatmen *n*; *fig* Streben *n* (**à** nach)

aspirer [aspire] (*1a*) *air*: einatmen; *liquide*: auf-, einsaugen; **~ à** *qc* nach etw trachten; **~ à** (+ *inf*) danach trachten, zu (+ *inf*)

aspirine [aspirin] *f* Aspirin *n*

assagir [asaʒir] (*2a*) vernünftig machen; **s'~** vernünftig werden

assaillir [asajir] (*2c, futur 2a*) angreifen, anfallen; *fig* bestürmen

assain|ir [asenir] (*2a*) sanieren; *nettoyer* reinigen; **~issement** [-ismã] *m* Sanierung *f*

assaisonnement [asɛzɔnmã] *m action*: Würzen *n*; *huile*, *poivre*: Gewürz *n*

assaisonner [asɛzɔne] (*1a*) würzen

assassin [asasɛ̃] *m* Mörder(in) *m(f)*

assassin|at [asasina] *m* Mord *m*; **~er** ermorden

assaut [aso] *m mil* Sturm *m*, Angriff *m*

assèchement [asɛʃmã] *m* Trockenlegung *f*

assécher [aseʃe] (*1f*) trockenlegen

assembl|age [asãblaʒ] *m* Zusammenfügung *f*; Gemisch *n*; **~ée** *f* Versammlung *f*; **~er** (*1a*) *unir* verbinden; *tech* zusammensetzen; **s'~** sich versammeln

assentiment [asãtimã] *m* Einwilligung *f*

asseoir [aswar] (*3l*) hin-, niedersetzen; **faire ~** *qn* j-n Platz nehmen lassen; **s'~** sich setzen; **être assis** sitzen

assermenté, **~e** [asɛrmãte] vereidigt

assertion [asɛrsjɔ̃] *f* Behauptung *f*

asserv|ir [asɛrvir] (*2a*) unterwerfen, -jochen; **~issement** [-ismã] *m* Unterwerfung *f*, -jochung *f*

assez [ase] *adv suffisamment* genug; *plutôt* ziemlich; **~ d'argent, de moyens** genug Geld, Mittel; **avoir ~ de** etw (*acc*) satt haben

assidu, **~e** [asidy] *élève*: fleißig; *efforts*: beharrlich

assiduité [asidyite] *f* Gewissenhaftigkeit *f*; Fleiß *m*

assiéger [asjeʒe] (*1g*) belagern; *fig* **~ qn** j-n bedrängen

assiette [asjɛt] *f* Teller *m*; *fig* **n'être pas dans son ~** sich nicht wohl fühlen

assigner [asiɲe] (*1a*) *rôle*, *emploi*, *tâche*: zuweisen; *terme*, *limite*: festsetzen; *jur* vor Gericht laden

assimilation [asimilasjõ] f *comparaison* Gleichstellung f; *absorption* Assimilierung f

assimiler [asimile] (1a) *comparer* gleichsetzen; *connaissances, influences*: verarbeiten; *étrangers*: assimilieren; **s'~ à** sich anpassen an (*acc*)

ass|is, ~ise [asi, -iz] p/p d'asseoir *et adj* sitzend; *place f* **assise** Sitzplatz m; *être ~* sitzen; *fig* **bien** ~ wohlbegründet; **~ise** [-iz] f *fig* Basis f

assises [asiz] f/pl Tagung f; Kongress m; *jur* **cour f d'~** Schwurgericht n

assistance [asistãs] f **1.** *public* die Anwesenden m/pl; **2.** *aide* Unterstützung f, Hilfe f; **~ publique** öffentliche Fürsorge f; **~ du médecin** ärztliche Hilfe

assist|ant, ~ante [asistã, -ãt] m, f Assistent(in) m(f); **assistante sociale** Fürsorgerin f, Sozialarbeiterin f; **les assistants** m/pl public die Anwesenden m/pl; **~er** (1a) **~ à qc** e-r Sache beiwohnen; **~ qn** j-m beistehen, helfen

assist|er [asiste] helfen, unterstützen, assistieren; **~é, ~e par ordinateur** computergestützt, computerunterstützt

associ|ation [asɔsjasjõ] f Vereinigung f; *groupement* Verein m; **~ des consommateurs** Verbraucherzentrale f; **~ d'idées** Assoziation f; **~é, ~ée** m, f Teilhaber(in) m(f), Gesellschafter(in) m(f); **~er** (1a) verbinden; **~ qn à** j-n beteiligen an (*dat*); **s'~** sich zusammenschließen; **s'~ à** sich anschließen an (*acc*)

assoiffé, ~e [aswafe] sehr durstig; *fig* **~ de** gierig nach

assombrir [asõbrir] (2a) verdüstern

assomm|ant, ~ante [asɔmã, -ãt] F unerträglich langweilig

assommer [asɔme] (1a) totschlagen; *fig* F belästigen, tödlich langweilen

Assomption [asõpsjõ] f *rel* Mariä Himmelfahrt f

assort|i, ~e [asɔrti] passend (**à** zu); *fromages* m/pl **assortis** verschiedene Käsesorten f/pl; **~iment** [-imã] m Zusammenstellung f; *comm* Auswahl f; **~ir** (2a) passend zusammenstellen; *comm* mit Waren versehen

assoupir [asupir] (2a) v/t einschläfern; *fig douleur, sens*: betäuben; **s'~** ein-

schlummern; *fig* sich beruhigen

assouplir [asuplir] (2a) geschmeidig machen

assourdir [asurdir] (2a) *rendre comme sourd* betäuben; *bruit*: dämpfen

assouvir [asuvir] (2a) sättigen, stillen; *fig* befriedigen

assujett|ir [asyʒetir] (2a) unterwerfen; **~ qn à qc** j-n zu etw zwingen; **assujetti à l'impôt** steuerpflichtig; **~issement** [-ismã] m Unterwerfung f

assumer [asyme] (1a) auf sich (*acc*) nehmen, übernehmen

assurance [asyrãs] f *confiance en soi* Selbstsicherheit f; *promesse* Zusicherung f; *contrat* Versicherung f; **~ auto** Kfz-Versicherung f; **~ maladie** Krankenversicherung f; **~ responsabilité civile** Haftpflichtversicherung f; **~ tous risques** Vollkaskoversicherung f; **~ vol** Diebstahlversicherung f

assur|é, é [asyre] **1.** *adj* sûr sicher; **2.** m, f Versicherte(r) m, f; **~ément** [-emã] *adv* sicherlich; **~er** (1a) *victoire, succès*: sichern, Gewähr leisten; *contrat par une assurance* versichern; **~ à qn que** (+ ind) j-m versichern, dass; **~ qc à qn** j-m etw zusagen; **s'~** sich versichern (*contre* gegen); **s'~ de qc** *vérifier* sich e-r Sache vergewissern

astérisque [asterisk] m Sternchen n (*im Buchdruck*)

asthme [asmə] m Asthma n

asticot [astiko] m Made f

astiquer [astike] (1m) blank putzen, polieren

astre [astrə] m Gestirn n, Stern m

astreindre [astrɛ̃drə] (4b) nötigen, zwingen (**à qc** zu etw)

astro|naute [astronot] m, f Astronaut (-in) m(f); **~nomie** [-nɔmi] f Astronomie f

astuc|e [astys] f *ingéniosité* Schlauheit f; *truc* Kniff m; **~ieux, ~ieuse** [-jø, -jøz] *projet, réponse*: raffiniert; *personne*: einfallsreich, erfindungsreich

atelier [atəlje] m Werkstatt f; *artiste*: Atelier n

athée [ate] **1.** *adj* atheistisch; **2.** m, f Atheist(in) m(f)

athlète [atlɛt] m, f Athlet(in) m(f)

athlétisme [atletismə] m Leichtathletik f

atlantique [atlãtik] *adj* **l'océan** m ⟳

A **atlas** 40

(a l'2 m) der Atlantische Ozean m, der
Atlantik m

atlas [atlɑs] m (pl unv) Atlas m
atmosphère [atmɔsfɛr] f Atmosphäre
f; fig Stimmung f
atom|e [atom] m Atom n; **~ique**
Atom..., atomar; **bombe** f ~ Atom-
bombe f; **~iseur** [-izœr] m Zerstäuber
m
atout [atu] m Trumpf m
atroc|e [atrɔs] entsetzlich, grauenhaft;
~ité f Abscheulichkeit f; pl **~s** Gräu-
eltaten f/pl
attabler [atable] (1a) **s'~** sich an den
Tisch setzen
attach|ant, ~ante [ataʃɑ̃, -ɑ̃t] captivant
spannend; caractère, enfant: liebens-
wert
attach|e [ataʃ] f Klammer f; fig ~s f/pl
Bindung(en) f/pl, Beziehungen f/pl; **~é**
m Attaché m; **~ement** [-mɑ̃] m An-
hänglichkeit f; **~er** (1a) v/t festmachen;
animal: anbinden; prisonnier: fesseln;
chaussures: schnüren; fig ~ de l'importance à qc e-r Sache Bedeutung
beimessen; v/i cuis coller kleben; **s'~ à
qn, qc** j-n, etw lieb gewinnen; **être
attaché à qn, qc** an j-m, etw hängen
attaqu|ant, ~ante [atakɑ̃, -ɑ̃t] m, f
sports: Angreifer(in) m(f)
attaque [atak] f Angriff m; méd Anfall
m; **~er** (1m) angreifen; sentence: an-
fechten; travail, difficulté: in Angriff
nehmen; sujet: anschneiden; **s'~ à qc**
sich an etw (acc) heranwagen
attarder [atarde] (1a) **s'~** sich verspäten;
s'~ à od sur qc sich mit etw aufhalten
atteindre [atɛ̃dr] (4b) erreichen, erlangen; projectile, coup: treffen; maladie: ~ qn j-n befallen; **être atteint de**
an (dat) ... erkrankt sein
atteinte [atɛ̃t] f **1. hors d'~** unerreichbar; **2.** fig Beeinträchtigung f, Verletzung f; **porter ~ à qc** e-r Sache (dat)
schaden
attel|age [atlaʒ] m Gespann n; **~er** (1c)
cheval: anspannen; train: ankuppeln
atten|ant, ~ante [atnɑ̃, -ɑ̃t] angrenzend
(à an acc)
attendant [atɑ̃dɑ̃] **en ~** unterdessen,
inzwischen; conj **en ~ de** (+ inf), **en ~
que** (+ subj) (so lange) bis
attendre [atɑ̃dr] (4a) warten; ~ qn j-n
erwarten, auf j-n warten; **~ que** (+ subj)

warten, bis; **s'~ à qc** auf etw (acc)
gefasst sein; ~ qc de qn, qc etw von
j-m, von etw erwarten; **~ un enfant** ein
Kind erwarten
attendr|ir [atɑ̃drir] (2a) weich machen;
fig rühren; **s'~** gerührt werden (sur
von); **~issement** [-ismɑ̃] m Rührung f
attendu [atɑ̃dy] prép in Anbetracht
(gén); ~ que conj da
attentat [atɑ̃ta] m Attentat n
attent|e [atɑ̃t] f Warten n; espoir Er-
wartung f; **~er** (1a) ~ à ein Attentat
verüben auf (acc)
atten|tif, ~ive [atɑ̃tif, -iv] aufmerksam
(à auf acc); **~tion** [-sjɔ̃] f Aufmerksamkeit f; **~!** Achtung!, Vorsicht!; **faire
~ à qc** auf (acc) etw achten, aufpassen;
faire ~ (à ce) que (+ subj) aufpassen,
dass; **à l'~ de** zu Händen von
atténu|ant, ~ante [atenɥɑ̃, -ɑ̃t] mil-
dernd; jur **circonstances** f/pl **atté-
nuantes** mildernde Umstände m/pl;
~er (1n) lindern, mildern
atterr|er [atere] (1b) bestürzen, be-
troffen machen; **~ir** (2a) aviat landen;
~issage [-isaʒ] m aviat Landung f
attest|ation [atɛstasjɔ̃] f Bescheinigung
f, **~er** (1a) bestätigen, bezeugen;
prouver beweisen
attir|ail [atiraj] m F Kram m, Plunder m;
~ance f Anziehungskraft f; **~er** (1a)
anziehen; inviter à venir anlocken
attiser [atize] (1a) schüren
attitude [atityd] f corps: Haltung f;
comportement Verhalten n
attract|if, ~ive [atraktif, -iv] anziehend
attraction [atraksjɔ̃] f phys Anziehungskraft f (a fig); pour touristes:
Attraktion f
attrait [atrɛ] m Reiz m, Zauber m
attrape-nigaud [atrapnigo] m (pl at-
trape-nigauds) Bauernfängerei f,
plumper Trick m
attraper [atrape] (1a) erwischen, fangen; duper hereinlegen; maladie: bekommen; ~ un rhume sich e-n
Schnupfen holen
attray|ant, ~ante [atrɛjɑ̃, -ɑ̃t] anzie-
hend, attraktiv
attribuer [atribɥe] (1n) part: zuteilen;
prix: verleihen; rôle, tâche: zuweisen;
qualité, phénomène: zuschreiben; **s'~**
für sich in Anspruch nehmen
attribut [atriby] m Attribut n, wesent-

liches Merkmal *n*, Kennzeichen *n*
attribution [atribysjõ] *f* Zuteilung *f*;
prix: Verleihung *f*; **~s** *pl* compétence
Zuständigkeit *f*
attrister [atriste] (*1a*) betrüben
attroup|ement [atrupmã] *m* Men-
schenauflauf *m*; **~er** (*1a*) **s'~** sich zu-
sammenrotten
aubaine [oben] *f* **une bonne ~** ein
Glücksfall
aube [ob] *f* Morgengrauen *n*; *fig u st/s*
Beginn *m*; **à l'~** bei Tagesanbruch
auberge [oberʒ] *f* Gasthof *m*; **~ de
jeunesse** Jugendherberge *f*
aubergine [oberʒin] *f bot* Aubergine *f*
aubergiste [oberʒist] *m, f* Gastwirt(in)
m(f)
auc|un, ~une [okɛ̃ *od* okœ, -yn] kei-
ne(r); **plus qu'aucun autre** mehr als
jeder andere; *litt* **d'aucuns** einige,
manche; **en aucun cas** auf keinen Fall;
sans aucun doute zweifellos
aucunement [okynmã] *adv* keineswegs
audac|e [odas] *f* Kühnheit *f*; *péj*
Frechheit *f*; **~ieux, ~ieuse** [-jø, -jøz]
courageux kühn; *insolent* frech
au-dedans [odədã] *litt* innen; **~ de** innerhalb
au-dehors [odəɔr] *litt* draußen; **~ de**
außerhalb
au-delà [od(ə)la] **1.** darüber hinaus; **~
de** jenseits; **2.** *m rel* Jenseits *n*
au-dessous [odsu] unterhalb (**de** von)
au-dessus [odsy] oberhalb (**de** von)
au-devant [odvã] **aller ~ de** entgegengehen (*dat*); *fig* entgegenkommen
(*dat*)
audible [odiblə] hörbar
audience [odjãs] *f entretien* Audienz *f*;
tribunal: Verhandlung *f*
audiovisuel, ~le [odjovizɥɛl] audiovi-
suell
audi|teur, ~trice [oditœr, -tris] *m, f
conférence*: Zuhörer(in) *m(f)*; *radio*:
Hörer(in) *m(f)*; **~tion** *f ouïe* Hören *n*;
témoins: Anhörung *f*; **~toire** [-twar] *m*
Zuhörerschaft *f*, Auditorium *n*, Publikum *n*
auge [oʒ] *f* Trog *m*
augment|ation [ogmãtasjõ] *f nombre*:
Vermehrung *f*; *prix*: Erhöhung *f*; *intensité*: Zunahme *f*; *salaire*: Gehaltserhöhung *f*; **~ de la qualité** Qualitäts-
steigerung *f*; **~er** (*1a*) *v/t* erhöhen; *un*

salarié: eine Gehaltserhöhung gewähren (*dat*); *v/i* zunehmen, wachsen;
comm produit: teurer werden
augure [ogyr] *m* Omen *n*, Vorzeichen *n*;
être de bon (mauvais) ~ ein gutes
(schlechtes) Zeichen sein
aujourd'hui [oʒurdɥi] heute; **à l'époque
actuelle** heutzutage
aumôn|e [omon] *f* Almosen *n*; **~ier** [-je]
m Anstaltsgeistliche(r) *m*
auparavant [oparavã] *adv* vorher
auprès [oprɛ] *prép* **~ de** dicht bei
auréole [oreɔl] *f* Heiligenschein *m*
auriculaire [orikylɛr] **1.** *adj* Ohr...; **2.** *m*
kleiner Finger *m*
aurore [oror] *f* Morgenröte *f*
ausculter [oskylte, ɔs-] (*1a*) *méd* ab-
horchen
auspices [ospis] *m/pl* Auspizien *n/pl*;
sous de meilleurs ~ unter besseren
Umständen
aussi [osi] **1.** *adv* auch; **il est aussi
grand que moi** er ist ebenso groß wie
ich; **aussi jeune qu'elle soit** wie jung
sie auch sei; **2.** *conj* daher; **~tôt** [-to]
sogleich; **~ que** (+ *ind*) sobald
aust|ère [oster] streng; **~érité** [-erite] *f*
Strenge *f*, *politique f d'~* Sparpolitik *f*
austral, ~e [ostral] (*m/pl -s*) *géogr*
südlich
Australie [ostrali] *f l'~* Australien *n*
australi|en, ~enne [ostraljɛ̃, -jɛn] **1.**
adj australisch; **2.** ♀ *m, f* Australier(in)
m(f)
autant [otã] *tant* so viel; *comparatif*:
ebenso viel, ebenso sehr; (**pour**) **~ que**
(+ *subj*) soweit; **en faire ~** dasselbe
machen; **d'~ plus (moins, mieux)** umso mehr (weniger, besser) als
autarcie [otarsi] *f écon* Autarkie *f*
autel [otel] *m* Altar *m*
auteur [otœr] *m* Urheber(in) *m(f)*;
écrivain Autor(in) *m(f)*; *crime*: Tä-
ter(in) *m(f)*
authenticité [otãtisite] *f* Echtheit *f*
authentique [otãtik] echt; *fait, histoire*:
authentisch
auto [oto] *f* Auto *n*
auto... [oto] Selbst..., selbst...; Auto...;
~biographie [-bjɔgrafi] *f* Autobio-
grafie *f*; **~bus** [-bys] *m* (Auto-)Bus *m*;
~car [-kar] *m* Reisebus *m*
autochtone [otɔktɔn] **1.** *adj* einge-
boren; **2.** *m, f* Ureinwohner(in) *m(f)*

autocoll|ant, ~ante [otɔkɔlɑ̃, -ɑ̃t] **1.** adj selbstklebend; **2.** m Aufkleber m

auto|-couchettes [otokuʃet] train m ~ Autoreisezug m; ~critique [-kritik] f Selbstkritik f; ~cuiseur [-kɥizœr] m cuis Schnellkochtopf m; ~défense [-defɑ̃s] f Selbstverteidigung f; ~détermination [-determinasjɔ̃] f Selbstbestimmung f; ~didacte [-didakt] m, f Autodidakt(in) m(f); ~école [-ekɔl] f (pl auto-écoles) f Fahrschule f

autogéré, ~e [otoʒere] selbst verwaltet

auto|gestion [otoʒestjɔ̃] f Arbeiterselbstverwaltung f; ~graphe [-graf] m Autogramm n

automa|te [otɔmat] m Automat m (in Spielsachen); ~tique [-tik] automatisch

automne [otɔn] m Herbst m; en ~ im Herbst

automobil|e [otɔmɔbil] **1.** adj Kraftfahrzeug...; **2.** f Automobil n, Kraftfahrzeug n; ~isme m Automobilwesen n, -sport m; ~iste m, f Autofahrer(in) m(f)

automotrice [otɔmɔtris] f Triebwagen m

autonom|e [otɔnɔm] autonom, selbstständig; ~ie f Autonomie f, Selbstständigkeit f

autopsie [otɔpsi] f Autopsie f; jur Obduktion f

autorail [otoraj] m (Diesel-)Triebwagen m

autori|sation [otɔrizasjɔ̃] f Genehmigung f; ~ser [-ze] (1a) erlauben, genehmigen; ~ qn à faire qc j-m erlauben, etw zu tun; s'~ de qc sich auf etw (acc) berufen; ~taire [-ter] autoritär; ~té [-te] f pouvoir (Befehls-, Amts-)Gewalt f; ascendant Autorität f, Ansehen n; administration Behörde f

autorout|e [otorut] f Autobahn f; ~ de l'information Datenautobahn f; ~ier, ~ière [-je, -jɛr] réseau m autoroutier Autobahnnetz n

auto|-stop [otostɔp] m faire de l'~ per Anhalter fahren; ~stoppeur, ~stoppeuse [-stɔpœr, -stɔpøz] m, f (pl auto-stoppeurs, -euses) Anhalter(in) m(f)

autour¹ [otur] adv darum herum; ~ de prép um ... (herum); F environ ungefähr

autour² [otur] m zo Habicht m

autre [otr] andere(r); l'~ jour neulich; l'un (avec) l'~ (mit)einander; nous ~s Allemands wir Deutschen; d'~s andere; rien d'~ nichts anderes; ~ part anderswo; d'~ part andererseits; de temps à ~ dann und wann; quel ~? wer sonst?; l'~ année letztes Jahr; l'un l'~, les uns les ~ einander, sich; ~fois [-fwa] früher, einst, ehemals; ~ment [-mɑ̃] anders (que als); sinon sonst

Autriche [otriʃ] f l'~ Österreich n; la Basse ~ Niederösterreich n

autrich|ien, ~ienne [otriʃjɛ̃, -jɛn] **1.** adj österreichisch; **2.** 2 m, f Österreicher(in) m(f)

autruche [otryʃ] f zo Strauß m

autrui [otrɥi] (meist als Ergänzung) anderer sg, andere pl; l'opinion d'~ die Meinung der anderen

auvent [ovɑ̃] m Wetter-, Schutzdach n

auxiliaire [oksiljɛr] **1.** adj Hilfs...; **2.** m, f assistant Hilfskraft f; **3.** m gr Hilfsverb n

av. (abr avenue) Straße f

aval [aval] **1.** adv en ~ flussabwärts; prép en ~ de unterhalb von; **2.** m comm Wechselbürgschaft f

avalanche [avalɑ̃ʃ] f Lawine f

aval|er [avale] (1a) (hinunter)schlucken; dévorer verschlingen; ~iser (1a) comm als Bürge unterschreiben; fig billigen

avanc|e [avɑ̃s] f course: Vorsprung m; comm Vorschuss m; ~s pl Annäherungsversuche m/pl; à l'~, par ~, d'~ im voraus; en ~ zu früh; ~ement [-mɑ̃] m progrès Fortschritt m; promotion Beförderung f; ~er (1k) v/t vorrücken; montre: vorstellen; argent: vorschießen; date, rendez-vous: vorverlegen; proposition, thèse: vorbringen; v/i sich vorwärts bewegen; dans le travail: vorankommen; promotion: aufsteigen; montre: vorgehen; être en saillie herausragen; s'~ vers zugehen auf (acc)

avant [avɑ̃] **1.** prép temps, ordre, espace: vor (dat); mouvement: vor (acc); ~ six mois vor Ablauf von sechs Monaten; ~ tout vor allem; ~ manger vor dem Essen **2.** adv temps: vorher; espace: vorn; en ~! vorwärts!; **3.** conj ~ que (+ subj) u. de (+ inf) bevor, ehe; **4.** adj roue f ~ Vorderrad n; **5.** m Vorderteil *n*; *navire*: Bug *m*; *sports*: Stürmer *m*

avantag|e [avātaʒ] *m* Vorteil *m*; **~ compétitif** Wettbewerbsvorteil *m*; **~er** (*1l*) bevorzugen; **~eux**, **~euse** [-ø, -øz] vorteilhaft

avant|-bras [avābra] *m* (*pl unv*) Unterarm *m*; **~-coureur** [-kurœr] (*pl avant-coureurs*) **signe** *m* ~ Vorbote *m*, Vorzeichen *n*; **~-dernier**, **~-dernière** [-dɛrnje, -dɛrnjɛr] (*pl avant-derniers, avant-dernières*) vorletzte(r); **~-garde** [-gard] *f mil* Vorhut *f*; *fig* Avantgarde *f*; **~-goût** [-gu] *m fig* Vorgeschmack *m* (**de** auf *acc*); **~-guerre** [-gɛr] *m od f* Vorkriegszeit *f*; **~-hier** [avātjɛr] vorgestern; **~-poste** [-post] *m* (*pl avant-postes*) Vorposten *m*; **~-projet** [-prɔʒɛ] *m* (*pl avant-projets*) Vorentwurf *m*; **~-propos** [-prɔpo] *m* (*pl unv*) Vorwort *n*; **~-veille** [-vɛj] *f* **l'~** zwei Tage davor; **l'~ de** zwei Tage vor (*dat*)

avar|e [avar] **1.** *adj* geizig; **être ~ de qc** mit etw geizen; **2.** *m* Geizhals *m*; **~ice** [-is] *f* Geiz *m*

avar|ie [avari] *f mar, aviat* Havarie *f*; **~ié**, **~iée** [-je] beschädigt; *denrées*: verdorben

avec [avɛk] *prép* mit; *auprès de* bei; **et ~ cela** und noch dazu

aven|ant, **~ante** [avnā, -āt] *st/s* zuvorkommend, freundlich; *adv* **le reste est à l'avenant** der Rest ist (dem)entsprechend

avènement [avɛnmā] *m* **nouvelle situation**: Anbruch *m*; *roi*: Thronbesteigung *f*

avenir [avnir] *m* Zukunft *f*; **à l'~** in Zukunft; **dans un ~ prochain** in absehbarer Zeit; **d'~** viel versprechend

avent [avā] *m* Advent(szeit *f*) *m*

aventur|e [avātyr] *f* Abenteuer *n*; **à l'~** aufs Geratewohl; *st/s* **d'~, par ~** zufällig; **~er** (*1a*) aufs Spiel setzen; **s'~** sich wagen (**dans** in *acc*); **~eux**, **~euse** [-ø, -øz] *voyage*: abenteuerlich; *personne*: riskant; *personne*: abenteuerlustig; **~ier**, **~ière** [-je, -jɛr] **1.** *m*, *f* Abenteurer(in) *m(f)*; **2.** *adj* **esprit ~ aventurier** Abenteuergeist *m*

avenu [avny] **nul et non ~** null und nichtig

avenue [avny] *f* Avenue *f*, Prachtstraße *f*, Allee *f*

avérer [avere] (*1f*) **s'~** (+ *adj*) sich als ... erweisen

averse [avɛrs] *f* Platzregen *m*

aversion [avɛrsjõ] *f* Abneigung *f* (**pour** *od* **contre** gegen); **prendre qn en ~** e-e Abneigung gegen j-n bekommen

avert|ir [avɛrtir] (*2a*) *renseigner* benachrichtigen (**qn de qc** j-n von etw); *mettre en garde* warnen (**qn de qc** j-n vor etw); **~issement** [-ismā] *m* Warnung *f*; *blâme* Mahnung *f*; *livre*: Vorbemerkung *f*; **~isseur** [-isœr] *m auto* Hupe *f*; **~ d'incendie** Feuermelder *m*

aveu [avø] *m* (*pl -x*) Geständnis *n*; **de l'~ de** nach dem Zeugnis von, nach Aussagen von

aveugl|e [avœglə] **1.** *adj* blind (*a fig u arch*); **2.** *m*, *f* Blinde(r) *m*, *f*; **en ~** blindlings; **~ement** [-əmā] *m fig* Verblendung *f*; **~ément** [-emā] *adv* blindlings, unüberlegt; **~er** (*1a*) préjugés, *amour*: blind machen, verblenden; *lumière*: blenden; **~ette** [-ɛt] **à l'~** fig aufs Geratewohl

avia|teur, **~trice** [avjatœr, -tris] *m*, *f* Flieger(in) *m(f)*; **~tion** *f* Flugwesen *n*, Luftfahrt *f*

avid|e [avid] (be)gierig (**de** nach); **~ité** *f* Gier *f*, Begierde *f*

avil|ir [avilir] (*2a*) erniedrigen; *écon* entwerten; **~issant**, **~issante** [-isā, -isāt] erniedrigend

avion [avjõ] *m* Flugzeug *n*; **aller en ~** fliegen; **par ~** mit Luftpost; **~ de chasse** Jagdflugzeug *n*; **~ de combat** Kampfflugzeug *n*; **~ commercial**, **~ de ligne** Passagierflugzeug *n*; **~ supersonique** Überschallflugzeug *n*; **~ de transport** Verkehrsflugzeug *n*

aviron [avirõ] *m* Ruder *n*; *sports*: Rudersport *m*

avis [avi] **1.** *opinion* Meinung *f*, Ansicht *f*; **à mon ~** meiner Meinung nach; **de l'~ de qn** nach j-s Ansicht; **sur l'~ de qn** auf j-s Empfehlung; **être d'~ que** (+*subj*) der Meinung sein, dass; **2.** *m information* Mitteilung *f*, Bekanntmachung *f*; **lettre f d'~** Benachrichtigungsschreiben *n*; **~ de réception** Empfangsbescheinigung *f*; **sauf ~ contraire** bis auf Widerruf

avis|é, **~ée** [avize] besonnen, umsichtig; **être bien ~ de** (+ *inf*) gut beraten sein zu (+ *inf*); **~er** (*1a*) **~ qn de qc** j-n von etw benachrichtigen; **~ à qc** auf etw bedacht sein; **s'~ de qc** etw (acc) bemerken, etw (acc) gewahr werden; **s'~ de** (+ inf) sich einfallen lassen, auf den Gedanken kommen zu (+ inf)

av. J.-C. (abr avant Jésus-Christ) v. Chr. (vor Christus)

avoc|at [avɔka, -at] **1.** m, f Rechtsanwalt m, -anwältin f; **2.** m bot Avocado f

avoine [avwan] f Hafer m

avoir [avwar] (I) **1.** haben; posséder besitzen; obtenir bekommen; F fig **~ qn** j-n reinlegen; **~ à faire qc** etw zu tun haben; **~ 20 ans** 20 Jahre alt sein; **j'ai froid (chaud)** mir ist kalt (warm); **2.** auxiliaire **j'ai parlé** ich habe gesprochen; **3.** **il y a** es gibt, es ist (sind); **qu'est-ce qu'il y a?** was ist los?; **il y a un an** vor einem Jahr; **4.** m comm Guthaben n; st/s possessions Besitz m

avoisiner [avwazine] (1a) **~ qc** an etw

(acc) angrenzen

avort|ement [avɔrtəmɑ̃] m Abtreibung f; fig Fehlschlagen n; **~er** (1a) abtreiben; fig missglücken, fehlschlagen; **se faire ~** e-e Abtreibung vornehmen lassen, abtreiben

avouer [avwe] (1a) (ein)gestehen; **~ avoir fait qc** gestehen, etw getan zu haben

avril [avril] m April m

ax|e [aks] m Achse f (bes math u fig); **~er** (1a) ausrichten (**sur** auf acc); **~ial, ~iale** [-jal] (m/pl -iaux) axial, Achsen...

ayant [ejɑ̃] **1.** participe présent d'avoir; **2.** m jur **~ cause** Rechtsnachfolger m; **~ droit** Berechtigte(r) m, f

azalée [azale] f Azalee f

azimut [azimyt] m fig **tous ~s** allseitig; total, völlig

azote [azɔt] m chim Stickstoff m

azur [azyr] m couleur: Himmelblau n; ciel: tiefblauer Himmel m

B

baba [baba] **1.** m Rosinenkuchen m; **2.** F adj (unv) verblüfft, verdutzt

babeurre [babœr] m Buttermilch f

babil|lage [babijaʒ] m Schwatzen n, Plappern n; **~er** (1a) schwatzen, plaudern, plappern

babiole [babjɔl] F f Kleinigkeit f; fig Bagatelle f, Lappalie f

bâbord [babɔr] m mar Backbord n; **à ~** backbord(s)

baby-sitter [bebisitœr] m, f (pl baby-sitters) Babysitter m

bac [bak] m **1.** bateau Fähre f; **2.** auge Trog m; **3.** F (abr de baccalauréat) F Abi n

baccalauréat [bakalɔrea] m Reifeprüfung f, Abitur n

bâche [baʃ] f Plane f, Decke f

bachel|ier, ~ère [baʃəlje, -ɛr] m, f Abiturient(in) m(f)

bachot [baʃo] m F Abi(tur) n

bacille [basil] m biol, méd Bazillus m

bâcler [bakle] (1a) F schnell zusammenpfuschen

bactérie [bakteri] f biol, méd Bakterie f

badaud [bado] m Schaulustige(r) m

badge [badʒ] m Button m

badigeonner [badiʒɔne] (1a) peindre tünchen; méd bepinseln

badinage [badinaʒ] m Scherz m, Geplänkel n

badiner [badine] (1a) spaßen, schäkern; **ne pas ~ avec la discipline** in puncto Disziplin nicht mit sich spaßen lassen

baffe [baf] F f Ohrfeige f

bafouer [bafwe] (1a) verhöhnen

bafouiller [bafuje] (1a) F balbutier stammeln, stottern; radoter F faseln

bâfrer [bafre] (1a) F fressen, sich voll stopfen

bagage [bagaʒ] m Gepäckstück n; le plus souvent au pl **~s** Gepäck n; fig connaissances: Rüstzeug n; **~s à main** Handgepäck n; **~s accompagnés** Reisegepäck n; **faire ses ~s** packen

bagarre [bagar] f Rauferei f, Schlägerei f; **~er** F (1a) **se ~** sich prügeln, (sich) raufen; **~eur** F m Raufbold m

bagatelle [bagatɛl] f Kleinigkeit f
bagnard [baɲar] m Zuchthäusler m
bagne [baɲ] m Zuchthaus n
bagnole [baɲɔl] F f Auto n, F Karre f
bague [bag] f (Finger-)Ring m
baguenauder [bagnode] (1a) umherschlendern, bummeln
baguette [bagɛt] f 1. Stab m; Stäbchen n; mus Taktstock m; ~ *magique* Zauberstab m; 2. pain Stangenweißbrot n
bahut [bay] m 1. Büfett n; 2. F gros camion F dicker Brummer m
baie [bɛ] f 1. bot Beere f; 2. golfe Bucht f; 3. porte: Türöffnung f; fenêtre: große Fensternische f
baign|ade [beɲad] f endroit: Badestelle f; action: Baden n; ~**er** (1b) baden; **se** ~ sich baden; ~**eur**, ~**euse** m, f Badende(r) m, f; ~**oire** [-war] f Badewanne f
bail [baj] m (pl baux [bo]) Pacht-, Mietvertrag m
bâiller [baje] (1a) gähnen; trou: klaffen; porte: nicht fest schließen od geschlossen sein
baill|eur, ~**eresse** [bajœr, -rɛs] m, f Verpächter(in) m(f), Vermieter(in) m(f)
bâillon [bajõ] m Knebel m
bâillonner [bajɔne] (1a) knebeln (a fig)
bain [bɛ̃] m Bad n; action: Baden n; *salle f de ~s* Bad(ezimmer) n; fig *être dans le ~* Bescheid wissen; *prendre un* ~ ein Bad nehmen, (sich) baden; *prendre un* ~ *de soleil* sonnenbaden; ~**-marie** [-mari] m (pl bains-marie) cuis Wasserbad n
baïonnette [bajɔnɛt] f mil Bajonett n
baisemain [bɛzmɛ̃] m Handkuss m
baiser [beze] 1. m Kuss m; 2. verbe (1b) a) küssen, dans certaines expressions ~ *la main*, *un crucifix* die Hand, ein Kruzifix küssen; b) P *se faire* ~ P sich bescheißen lassen; c) P bumsen, obscène vögeln
baiss|e [bɛs] f Sinken n, Senkung f; Bourse: Baisse f; ~**er** (1b) v/t tête, voix: senken; yeux: niederschlagen; store, vitre: herunter lassen; prix: herabsetzen; radio: leiser stellen; v/i forces, lumière: abnehmen; niveau, température, prix: sinken; *les actions baissent* die Aktien fallen; **se** ~ sich bücken
bal [bal] m (pl bals) Ball m (Tanz)

balad|e [balad] f Spaziergang m; F Bummel m; *faire une* ~ e-n Spaziergang, F Bummel machen; ~**er** F (1a) spazieren führen; **se** ~ spazieren gehen, bummeln
baladeur [baladœr] m Walkman m
balafre [balafrə] f blessure Hiebwunde f; cicatrice Schmiss m
balai [balɛ] m Besen m; *donner un coup de* ~ ausfegen; F fig *coup m de* ~ Rausschmiss m; ~**-brosse** [-brɔs] m (pl balais-brosses) Schrubber m
balanc|e [balãs] f Waage f (a astr); comm Bilanz f; ~ *commerciale* Handelsbilanz f; ~ *des paiements* Zahlungsbilanz f; ~**er** (1k) v/t bras, jambes: baumeln lassen; chose: schwenken; F jeter (weg)schmeißen; personne: F rausschmeißen, feuern; **se** ~ schaukeln; F *je m'en balance* F das ist mir piepe; ~**ier** [-je] m pendule Pendel n; perche Balancierstange f
balançoire [balãswar] f Schaukel f
balay|er [baleje] (1i) (weg)fegen, kehren; fig gouvernement: hinwegfegen, soucis: vertreiben; chose: vertreiben; ~**ette** [-ɛt] f Handfeger m; ~**eur** [-œr] m Straßenkehrer m; ~**euse** [-øz] f Straßenkehrmaschine f; ~**ures** [-yr] f/pl Kehricht m
balbutier [balbysje] (1a) stammeln
balcon [balkõ] m Balkon m
Baléares [balear] f/pl *les* ~ die Balearen pl
baleine [balɛn] f zo Wal(fisch) m; parapluie: Speiche f
balise [baliz] f mar Bake f, Boje f; aviat Leuchtfeuer n
baliverne [balivɛrn] f le plus souvent au pl ~**s** Albernheiten f/pl, Geschwätz n
Balkans [balkã] m/pl *les* ~ die Balkanländer n/pl
ballade [balad] f Ballade f
ball|ant, ~**ante** [balã, -ãt] m schlenkernd
balle [bal] f 1. jeu: Ball m (zum Spielen); fig *renvoyer la* ~ *à qn* j-m die Antwort nicht schuldig bleiben; 2. fusil: Kugel f; 3. marchandises: Warenballen m; 4. ~**s** pl F Francs m/pl, Franken m/pl
ballerine [balrin] f Balletttänzerin f
ballet [balɛ] m Ballett n
ballon [balõ] m football, rugby, etc Ball m; pour enfants: Luftballon m; aviat (Luft-)Ballon m; chim Glaskolben m
ballonné, ~**e** [balɔne] aufgebläht

ballot 46

ballot [balo] *m* kleiner Ballen; F *fig* Dummkopf *m*

ballottage [balotaʒ] *m* (*scrutin m de*) ~ Stichwahl *f*; **~er** (*1a*) *v/t* hin und her schütteln; *v/i* hin und her rutschen

balluchon [balyʃõ] F *m* Bündel *n*

balnéaire [balneɛr] Bade...; **station** *f* ~ Seebad *n*

ballourd, ~ourde [balur, -urd] tölpelhaft; **~ourdise** [-urdiz] *f* Unbeholfenheit *f*

balte [balt] *les pays* **~s** das Baltikum

baltique [baltik] *la mer* ♀ die Ostsee

balustrade [balystrad] *f* Geländer *n*

bambin [bɑ̃bɛ̃] *m* kleiner Junge *m*

bambou [bɑ̃bu] *m bot* Bambus *m*

ban [bɑ̃] *m* **1.** ~ *s pl mariage:* Aufgebot *n*; **2.** *hist* Bann *m*, Acht *f*

banal, ~e [banal] (*m/pl* -als) banal, gewöhnlich; **~ité** [-ite] *f* Banalität *f*

banane [banan] *f* Banane *f*; **~ier** [-je] *m* Bananenbaum *m*

banc [bɑ̃] *m* **1.** (Sitz-)Bank *f*; ~ *de sable* Sandbank *f*; ~ *des accusés* Anklagebank *f*; ~ *d'essai* Prüfstand *m*; **2.** *poissons:* Schwarm *m*

bancaire [bɑ̃kɛr] Bank...; **chèque** *m* ~ Bankscheck *m*

bancal, ~e [bɑ̃kal] (*m/pl* -als) *personne:* hinkend; *table:* wackelig

bandage [bɑ̃daʒ] *m méd* Verband *m*

bande [bɑ̃d] *f tissu:* Band *n*; *méd* Binde *f*; *dessin:* Streifen *m*; *groupe* Schar *f*, Gruppe *f*; ~ *dessinée* Comics *pl*; ~ *magnétique* Tonband *n*

bandeau [bɑ̃do] *m* (*pl* -x) *front:* Stirnband *n*; *yeux:* Augenbinde *f*; **~er** (*1a*) *méd* verbinden; *corde:* spannen

banderole [bɑ̃drɔl] *f* Spruchband *n*; *petite bannière* Wimpel *m*

bandit [bɑ̃di] *m* Bandit *m*; *escroc* Gangster *m*

bandoulière [bɑ̃duljɛr] *f* Schulterriemen *m*; **en** ~ umgehängt

banlieue [bɑ̃ljø] *f* Vororte *m/pl*

banlieusard, ~arde [bɑ̃ljøzar, -ard] *m*, *f* Vorortbewohner(in) *m(f)*

bannière [banjɛr] *f* Banner *n*

bannir [banir] (*2a*) verbannen

banque [bɑ̃k] *f* Bank(haus *n*) *f*; ♀ *centrale européenne* (*abr B.C.E.*) Europäische Zentralbank *f* (*abr EZB*); ~ *de données* Datenbank *f*; ♀ *européenne d'investissement* (*abr B.E.I.*)

Europäische Investitionsbank *f* (*abr EIB*); ~ *mondiale* Weltbank *f*

banqueroute [bɑ̃krut] *f* Bankrott *m*; **~et** [-ɛ] *m* Festessen *n*; **~ette** [-ɛt] *f* (Sitz-)Bank *f*; *auto* Bank *f*; **~ier** [-je] *m* Bankier *m*; **~ise** [-iz] *f* Packeis *n*

baptême [batɛm] *m* Taufe *f*; **~iser** (*1a*) taufen (*a fig*)

baquet [bakɛ] *m* Kübel *m*, Zuber *m*

bar [bar] *m établissement* Stehkneipe *f*; Bar *f*; *meuble* Bar *f*; *comptoir* Theke *f*

baragouin [baragwɛ̃] *m* Kauderwelsch *n*

baraque [barak] *f* Baracke *f*; **~é, ~ée** F (*bien*) ~ groß und kräftig; **~ement** [-mã] *m* Barackenlager *n*

baratin [baratɛ̃] F *m* schöne Worte *n/pl*; F Schmus *m*; **~iner** [-ine] (*1a*) schöne Worte machen

barbant, ~ante [barbã, -ãt] F geisttötend, stinklangweilig

barbare [barbar] **1.** *adj* barbarisch; **2.** *m*, *f* Barbar(in) *m(f)*

barbarie [barbari] *f* Barbarei *f*

barbe [barb] *f* **1.** Bart *m*; *se faire faire la* ~ sich rasieren lassen; F *quelle* ~! jetzt langt's mir aber!; ~ *à papa* Zuckerwatte *f*; **2.** *bot* Granne *f*

barbecue [barbəkju, -ky] *m* Holzkohlengrill *m*; Grillparty *f*

barbelé [barbəle] *adj fil m de fer* ~ *od subst* ~ *m* Stacheldraht *m*

barber [barbe] F (*1a*) langweilen; F anöden; **~iche** [-iʃ] *f* Kinnbart *m*

barbiturique [barbityrik] *m phm* Barbiturat *n*

barboter [barbɔte] (*1a*) **1.** *v/i dans l'eau:* plätschern, plantschen; **2.** F *chiper* klauen; **~euse** *f* Strampelanzug *m*

barbouiller [barbuje] (*1a*) *peindre grossièrement* grob anstreichen; *couvrir, salir* beschmieren; *avoir l'estomac barbouillé* e-n verdorbenen Magen haben

barbu, ~e [barby] bärtig

barda [barda] *m* F Kram *m*, Krempel *m*; *mil* Gepäck *n*

barder [barde] (*1a*) F *ça va* ~ das gibt Ärger, F dann kracht es

barème [barɛm] *m* Skala *f*, Tabelle *f*; *école* Benotungsschema *n*

baril [baril] *m* Fass *n*

bariolé, ~e [barjɔle] bunt(scheckig)

baromètre [barɔmɛtrə] *m* Barometer *n*

baron, ~ne [barõ, -ɔn] *m, f* Baron(in) *m(f)*

baroque [barɔk] *bizarre* seltsam, wunderlich; *art, mus* Barock...

barrage [baraʒ] *m ouvrage hydraulique* Staudamm *m*, Talsperre *f*; *barrière* Sperre *f*; *route:* Straßensperre *f*; **~ de police** Polizeisperre *f*

barre [bar] *f* **1.** Stange *f*; **2.** *or:* Barren *m*; **3.** *mus* Taktstrich *m*; **4.** *mar* Ruderpinne *f*; **5.** *d'un tribunal* Schranke *f*

barreau [baro] *m (pl -x)* **1.** Gitterstange *f*; **2.** *jur* Rechtsanwaltsstand *m*, Anwaltskammer *f*

barrer [bare] *(1a)* obstruer versperren; *cocher* (aus-, durch)streichen; **chèque m barré** Verrechnungsscheck *m*

barr|ette [baret] *f cheveux:* Haarspange *f*; **~eur** *m* Steuermann *m*; **~icade** *f* [-ikad] *f* Barrikade *f*; **~icader** [-ikade] *(1a)* verrammeln; **~ière** [-jɛr] *f* Barriere *f*, Sperre *f*, Schranke *f*; *chemin de fer:* (Bahn-)Schranke *f*; **~s douanières** Zollschranken *f/pl*

barrique [barik] *f* Fass *n*

baryton [baritõ] *m* Bariton *m*

bas, basse [bɑ, bɑs] **1.** *adj* niedrig *(a fig)*; *geogr* Nieder...; Unter...; *mus* tief; *voix:* leise; **à voix basse** mit leiser Stimme; **2.** *adv* **bas** tief; niedrig; **à bas ...!** nieder mit ...!; **en bas** unten; **là-bas** dort; **3.** *m partie inférieure* Unterteil *m*; *vêtement:* *(langer)* Strumpf *m*; **au ~ de** unten an *(dat)*

basané, ~e [bazane] sonnenverbrannt

bas-bleu [bablø] *m (pl bas-bleus)* péj Blaustrumpf *m*

bas-côté [bakote] *m (pl bas-côtés)* *route:* Seitenstreifen *m*; *arch* Seitenschiff *n*

bascul|e [baskyl] *f jeu:* Schaukel(brett) *f(n)*; *balance* Brückenwaage *f*; **~er** *(1a)* umkippen; *fig* e-e andere Wendung nehmen

bas|e [baz] *f* Basis *f (a mil, fig)*; *édifice:* Fundament *n (a fig)*; *fig d'une science, de discussion:* Grundlage *f*; *chim* Base *f*, Lauge *f*; **de ~** grundlegend; **à base de lait** auf Milchbasis; **être à la base de** e-r Sache *(dat)* zu Grunde liegen; **~er** *(1a)* gründen **(sur** auf *dat)*; **se ~ sur** sich stützen auf *(acc)*

bas-fond [bafõ] *m (pl bas-fonds)* mar Untiefe *f*; *fig* **bas-fonds** *pl* Abschaum *m*

basilic [bazilik] *m bot* Basilikum *n*

basilique [bazilik] *f arch* Basilika *f*

basket(-ball) [basket(bol)] *m* Korb-, Basketball *m*

baskets [basket] *f/pl* Turnschuhe *m/pl*; Basketballschuhe *m/pl*

basque [bask] **1.** *adj* baskisch; **2.** ♀ *m, f* Baske *m*, Baskin *f*

basse [bas] *f voix:* Bass(stimme) *m(f)*; *musicien:* Bassist *m*; **~-cour** [-kur] *f (pl basses-cours)* agr Hühnerhof *m*; *animaux:* Geflügel *n*

bassement [basmɑ] *adv* auf gemeine, niederträchtige Weise

bassesse [bases] *f* Gemeinheit *f*

basset [base] *m zo* Basset *m*; **~ allemand** Dackel *m*

bassin [basẽ] *m* Becken *n (a anat)*; *mar* Hafenbecken *n*; **~ de radoub** Trockendock *n*

bassine [basin] *f* Wanne *f*; große Schüssel *f*

basson [basõ] *m mus instrument:* Fagott *n*; *musicien:* Fagottist *m*

bastide [bastid] *f* kleines Landhaus *n (in Südfrankreich)*

bastingage [bastẽgaʒ] *m mar* Reling *f*

bastion [bastjõ] *m mil u fig* Bollwerk *n*, Bastion *f*

bas-ventre [bavɑtrə] *m* Unterleib *m*

bât [ba] *m* Packsattel *m*; *fig* **c'est là que le ~ (le) blesse** da drückt (ihn) der Schuh

bataclan [bataklɑ] *m* F Kram *m*, Krempel *m*; **et tout le ~** und so weiter und so fort

bataill|e [bataj] *f* Schlacht *f*, Kampf *m*; **livrer ~** e-e Schlacht liefern; **~er** *(1a)* fig für etw kämpfen; **~eur, ~euse** streitbar, -süchtig; **~on** *m mil* Bataillon *n*

bât|ard, ~arde [batar, -ard] **1.** *adj* Bastard..., Misch...; **2.** *m* Bastard *m*

bateau [bato] *m (pl -x) mar* Schiff *n*, Boot *n*; **faire du ~** Boot fahren; *faire du yachting* segeln; *ramer* rudern; *fig* **mener qn en ~** j-m e-n Bären aufbinden; **~-mouche** [-muʃ] *m (pl bateaux-mouches)* kleiner Ausflugsdampfer *m (auf der Seine)*

bat|elier [batalje] *m* (Fluss-)Schiffer *m*; **~ellerie** [-ɛlri] *f* (Fluss-)Schifffahrt *f*

bathyscaphe

B

48

bathyscaphe [batiskaf] *m* Tiefsee-
tauchboot *n*
bâti, ~e [bati] **1.** *adj* bebaut; **bien ~
personne:** gut gebaut; **2.** *m* Gestell *n*
batifoler [batifɔle] (*1a*) herumtollen
bât|iment [batimã] *m* **1.** *édifice* Ge-
bäude *n*, Bauwerk *n*; *secteur:* Bau(gewerbe) *m*(*n*), Bauwesen *n*; **2.** *mar*
(großes) Schiff *n*; **~ir** (*2a*) bauen (*a fig*);
~isse [-is] *f souvent péj* Gebäude *n*
bâton [batõ] *m* Stock *m*; Stab *m*;
gourdin Knüppel *m*; **~ de rouge** Lippenstift *m*; **parler à ~s rompus** von
diesem und jenem reden
bâtonner [batɔne] (*1a*) verprügeln
batt|age [bataʒ] *m publicité* F Rekla-
merummel *m*; **~ant, ~ante** [-ã, -ãt] **1.**
adj pluie: prasselnd; **le cœur battant**
mit Herzklopfen; **2.** *m porte:* Türflügel
m
batt|ement [batmã] *m cœur:* Schlagen
n, Klopfen *n*; *intervalle de temps* Pause
f; **~erie** *él* Batterie *f*, *mus* Schlagzeug
n; **~eur** *m cuis* Handmixer *m*; *mus*
Schlagzeuger *m*; **~euse** *f agr* Dresch-
maschine *f*
battre [batrə] (*4a*) *v/t* schlagen; *tapis:*
klopfen; *maltraiter* verprügeln; *vaincre*
besiegen; *monnaie:* prägen; *cartes:*
mischen; **~ son plein** in vollem Gang
sein; **~ des cils** zwinkern; *v/i* schlagen,
klopfen, pochen; **se ~** kämpfen
battu, ~e [baty] *p/p de* battre *u adj*
geschlagen, besiegt
battue [baty] *f ch* Treibjagd *f*
baume [bom] *m* Balsam *m*
bav|ard, ~arde [bavar, -ard] **1.** *adj*
schwatzhaft; **2.** *m, f* Schwätzer(in) *m*(*f*)
bavard|age [bavardaʒ] *m* Geschwätz *n*;
~er (*1a*) schwatzen
bavar|ois, ~oise [bavarwa, -waz] **1.** *adj*
bay(e)risch; **2.** ♀ *m, f* Bayer(in) *m*(*f*)
bav|e [bav] *f* Speichel *m*; **~er** (*1a*) sab-
bern; *chien:* geifern; **~ette** [-ɛt] *f*
(Sabber-)Lätzchen *n*; *d'un tablier* Latz
m
Bavière [bavjɛr] **la ~** Bayern *n*
bavure [bavyr] *f fig* Missstand *m*; **sans ~**
tadellos
bazar [bazar] *m* Kramladen *m*; *en
Orient* Basar *m*
BCBG [besebeʒe] *adj* (*abr* **bon chic
bon genre**) todschick
Bd (*abr* **boulevard**) Boulevard *m*

B.D. [bede] *f* (*abr* **bande dessinée**)
Comics *pl*
béant, béante [beã, beãt] klaffend
béat, béate [bea, beat] selig; *péj* naiv
béatitude [beatityd] *f* (Glück-)Seligkeit
f
beau, bel, belle [bo, bɛl] (*m/pl beaux*)
1. *adj* schön; *personne:* gut aussehend;
élégant vornehm, fein; *réussi* gut; **il fait
beau (temps)** es ist schönes Wetter; **il
a beau dire (faire** *etc*) er mag sagen
(tun *etc*), was er will; **l'échapper belle**
mit einem blauen Auge davonkom-
men; **bel et bien** wirklich, tatsächlich;
de plus belle noch stärker; **un beau
jour** eines schönen Tages; **le beau
monde** die feine Gesellschaft; **2.** *m, f* **le
beau** das Schöne; **un vieux beau** ein
alter Schönling *m*; **une belle** ein
schönes Mädchen *n*
beaucoup [boku] *quantité:* viel; *intensité:* sehr; **~ de** (+ *subst*) viel(e)
beau|-fils [bofis] *m* (*pl beaux-fils*)
Schwiegersohn *m*; *d'un remariage:*
Stiefsohn *m*; **~frère** [-frɛr] *m* (*pl
beauxfrères*) Schwager *m*; **~père** [-per]
m (*pl beaux-pères*) Schwiegervater *m*;
d'un remariage: Stiefvater *m*
beauté [bote] *f* Schönheit *f*
beaux|-arts [bozar] *m/pl* **les ~** die schö-
nen Künste *f/pl*, die bildende Kunst;
~parents [boparã] *m/pl* Schwieger-
eltern *pl*
bébé [bebe] *m* Baby *n*; **~-éprouvette**
[-epruvɛt] *m* (*pl bébés-éprouvettes*)
Retortenbaby *n*
bec [bɛk] *m oiseau:* Schnabel *m*; *de
récipient* Ausguss *m*, Tülle *f*; *fourneau
à gaz:* Brenner *m*; *mus* Mundstück *n*; **F
un ~ fin** ein Feinschmecker; **~ de gaz**
Gaslaterne *f*
bécane [bekan] F *f* Fahrrad *n*
bécasse [bekas] *f* Schnepfe *f*
béchamel [beʃamɛl] *f cuis* (**sauce** *f*) **~**
Bechamelsoße *f*
bêch|e [bɛʃ] *f* Spaten *m*; **~er** (*1b*) um-
graben; F eingebildet sein
bécot [beko] F *m* Küsschen *n*
becqueter [bɛkte] (*1e*) an-, aufpicken, F
fig essen, F futtern
bedeau [bədo] *m* (*pl -x*) Kirchendiener
m, Küster *m*
bée [be] *adj* **bouche ~** mit offenem
Mund

beffroi [befrwa] *m* Rathaus-, Glocken-, Wachtturm *m*

bégayer [begeje] (*1i*) stottern

bègue [beg] **1.** *adj* **être** ~ stottern; **2.** *m, f* Stotterer *m*, Stotterin *f*

béguin [begɛ̃] *m* F *fig* **avoir le** ~ **pour qn** F auf j-n stehen

beige [bɛʒ] beige

beignet [bɛɲɛ] *m cuis* Krapfen *m*, (Berliner) Pfannkuchen *m*

bêler [bele] (*1b*) *mouton:* blöken; *chèvre:* meckern (*a fig*)

belette [bəlɛt] *f zo* Wiesel *n*

belge [bɛlʒ] **1.** *adj* belgisch; **2.** ♀ *m, f* Belgier(in) *m(f)*

Belgique [bɛlʒik] **la** ~ Belgien *n*

bélier [belje] *m zo* Widder *m* (*a astr*)

belle → **beau**

belle|-fille [belfij] *f* (*pl belles-filles*) Schwiegertochter *f*; *d'un remariage:* Stieftochter *f*; **~-mère** [-mɛr] *f* (*pl belles-mères*) Schwiegermutter *f*; *d'un remariage:* Stiefmutter *f*; **~-sœur** [-sœr] *f* (*pl belles-sœurs*) Schwägerin *f*

belligér|ant, ~ante [beliʒerɑ̃, -ɑ̃t] Krieg führend

belliqu|eux, ~euse [belikø, -øz] kriegerisch

belvédère [belvedɛr] *m* Aussichtspunkt *m*

bémol [bemɔl] *m mus* B *n*, Erniedrigungszeichen *n*

béné|dicité [benedisite] *m* Tischgebet *n*; **~dictin** [-diktɛ̃] *m* Benediktiner *m*; **~diction** [-diksjõ] *f* Segen *m*

bénéfic|e [benefis] *m* Vorteil *m*, Nutzen *m*; *comm* Gewinn *m*; **~iaire** [-jɛr] **1.** *adj* Gewinn bringend; **2.** *m, f* Nutznießer(in) *m(f)*; **~ier** [-je] (*1a*) *tirer profit de* profitieren (*de qc* von etw); *jouir de* genießen; *salaire, pension:* beziehen (*de qc* etw *acc*)

bénéfique [benefik] *séjour, sommeil:* wohltuend

Bénélux [benelyks] **le** ~ die Beneluxländer *n/pl*

benêt [bənɛ] *m* Dummkopf *m*

bénévole [benevɔl] freiwillig

bén|in, ~igne [benɛ̃, -iɲ] *tumeur, mal:* gutartig; *accident:* harmlos

bén|ir [benir] (*2a*) segnen; **~it, ~ite** [-i, -it] geweiht; **eau** *f* **bénite** Weihwasser *n*; **~itier** [-itje] *m* Weihwasserkessel *m*, -becken *n*

benne [bɛn] *f transport de matériaux:* Kübel *m*; *téléphérique:* Gondel *f*

benzine [bɛ̃zin] *f* Waschbenzin *n*; *chim* Benzol *n*

béot|ien, ~ienne [beɔsjɛ̃, -jɛn] *m, f* (Kultur-)Banause *m*

B.E.P. [beape] *m* (*abr brevet d'études professionnelles*) *etwa* Berufsfachschulabschluss *m*

B.E.P.C. [beapese] *m* (*abr brevet d'études du premier cycle*) *etwa* Mittlere Reife *f*

béquille [bekij] *f* Krücke *f*; *vélo:* Ständer *m*

bercail [berkaj] *m* (*sans pl*) Schoß *m* der Familie, der Kirche

berc|eau [berso] *m* (*pl -x*) Wiege *f*; **~er** (*1k*) wiegen; *fig* ~ **qn de promesses** j-n mit Versprechungen verlocken; *fig* **se** ~ **de qc** sich in etw (*dat*) wiegen; **~euse** *f* Wiegenlied *n*; *chaise à bascule* Schaukelstuhl *m*

béret [berɛ] *m* Baskenmütze *f*

berge [berʒ] *f* (Fluss-)Ufer *n*

berg|er [berʒe] *m* Schäfer *m*; *chien* Schäferhund *m*; **~ère** *f* Schäferin *f*; *fauteuil* Lehnsessel *m*; **~erie** [-əri] *f* Schafstall *m*

berline [berlin] *f auto* Limousine *f*

berlingot [berlɛ̃go] *m emballage:* Tetrapack *m* (*marque déposée*)

Bermudes [bermyd] *f/pl* **les** ~ die Bermudainseln *f/pl*, die Bermudas *pl*

bermuda(s) [bermyda] *m(pl)* Bermudashorts *pl*

berne [bern] **en** ~ (auf) halbmast

berner [berne] (*1a*) ~ **qn** j-n zum Narren halten

besogn|e [bəzɔɲ] *f* Arbeit *f*; **~eux, ~euse** [-ø, -øz] bedürftig

besoin [bəzwɛ̃] *m* **1.** Bedürfnis *n*; *écon* (*souvent au pl* **~s**) Bedarf *m* (**en** an *dat*); **avoir** ~ **de** brauchen, benötigen (*acc*); **avoir** ~ **de faire qc** etw tun müssen; **il n'est pas** ~ **de dire** es ist nicht nötig zu sagen; **au** ~ bei Bedarf; **2.** F ~ **naturel** Notdurft *f*; **3.** *pauvreté* Not *f*, Armut *f*

bestial, ~e [bestjal] (*m/pl -iaux*) bestialisch; **~ité** *f* Rohheit *f*, Bestialität *f*

bestiaux [bestjo] *m/pl* Vieh *n*

bestiole [bestjɔl] *f* Tierchen *n*

bétail [betaj] *m* (*sans pl*) Vieh *n*

bête [bɛt] **1.** *f* Tier *n*; **~s** *pl gibier* Wild *n*;

bétail Vieh *n*; *chercher la petite ~* alles bekritteln; **2.** *adj* dumm, blöd, albern; **~ment** *adv* auf dumme Weise

bêtise [betiz] *f* Dummheit *f*; *bagatelle* Lappalie *f*; *dire des ~s* Unsinn reden

béton [betõ] *m* Beton *m*; *~ armé* Stahlbeton *m*; **~ner** [betɔne] (*1a*) betonieren

bétonnière [betɔnjɛr] *f* Betonmischmaschine *f*

bette [bɛt] *f bot* Mangold *m*

betterave [betrav] *f* Rübe *f*; *~ rouge* Rote Bete *f*; *~ à sucre* Zuckerrübe *f*; *sucre m de ~s* Rübenzucker *m*

beugler [bøgle] (*1a*) *bœuf:* muhen, brüllen; F *fig* plärren

beur [bœr] *m,f* F *in Frankreich aufgewachsene(r)* Nordafrikaner(in)

beurr|e [bœr] *m* Butter *f*; *fig faire son ~* sein Schäfchen ins Trockene bringen; *petit ~* Butterkeks *m*; **~er** (*1a*) mit Butter bestreichen; **~ier** [-je] *m* Butterdose *f*

beuverie [bœvri] *f* Saufgelage *n*

bévue [bevy] *f* F Schnitzer *m*; *commettre une ~* e-n Bock schießen

biais [bjɛ] **1.** *adv* od *en ~* schief, schräg; **2.** *m obliquité* Schräge *f*; *fig* Umweg *m*; *par le ~ de* auf dem Umweg über (*acc*)

biaiser [bjɛze] (*1b*) *louvoyer* sich winden

bibelots [biblo] *m/pl* Nippsachen *f/pl*

biberon [bibrõ] *m* Saugflasche *f*

Bible [biblə] *f* Bibel *f*, Heilige Schrift *f*

biblio... [biblijo] Buch..., Bücher...; **~bus** [-bys] *m* fahrende Bücherei *f*, Bibliotheksbus *m*; **~thécaire** [-tekɛr] *m, f* Bibliothekar(in) *m(f)*; **~thèque** [-tɛk] *f* **1.** Bibliothek *f*; **2.** *meuble:* Bücherschrank *m*, -regal *n*

biblique [biblik] biblisch, Bibel...

bic [bik] *m* (*marque déposée*) Kugelschreiber *m*

bicarbonate [bikarbɔnat] *m chim ~ de soude* doppeltkohlensaures Natrium *n*; Natron *n*

bicentenaire [bisātənɛr] *m* Zweihundertjahrfeier *f*

biche [biʃ] *f zo* Hirschkuh *f*; *fig ma ~* mein Schätzchen; **~er** (*1a*) P *ça biche?* geht's gut?; **~onner** [-ɔne] (*1a*) verhätscheln

bicolore [bikɔlɔr] zweifarbig

bicoque [bikɔk] *f* F Bruchbude *f*

bicyclette [bisiklɛt] *f* (Fahr-)Rad *n*; *aller en od à ~* Rad fahren

bidet [bidɛ] *m* Bidet *n*

bidon [bidõ] *m* **1.** Kanister *m*; **2.** F *fig* Bluff *m*

bidonville [bidõvil] *m* Barackensiedlung *f*, Elendsviertel *n* (*in der Nähe e-r Großstadt*)

bielle [bjɛl] *f tech* Pleuelstange *f*

bien [bjɛ̃] **1.** *m bien-être d'une personne, d'une communauté:* Wohl *n*; *avantage* Nutzen *m*, Beste(s) *n*; *le ~ public* das Gemeinwohl; *faire du ~ à qn* j-m Gutes tun; *médicament, repos:* j-m gut tun; *dire du ~ de* Gutes sagen über (*acc*); *c'est pour son ~* es ist zu seinem Besten; **2.** *le ~ ce qui est juste* das Gute; *faire le ~* Gutes tun; *a* Gutes tun; **3.** *possession* Hab *n* und Gut *n*, Vermögen *n*; *~s pl produits* Güter; *~ de consommation* Verbrauchsgüter; **4.** *adv* gut, wohl; *très sehr*; *beaucoup* viel; *~ des fois* sehr oft; *eh ~!* nun!, na!; *je veux ~* gern; *~ comprendre* richtig verstehen; *~ sûr* natürlich; *~ jeune* sehr jung; **5.** *adj* gut, wohl; *être, se sentir ~* sich wohl fühlen; *beau il est ~* er sieht gut aus; *avoir l'air ~* gut aussehen; *des gens ~* feine Leute; *être ~ avec qn* sich mit j-m gut verstehen; **6.** *conj ~ que* (+ *subj*) obgleich, obwohl

bien-être [bjɛ̃nɛtrə] *m situation matérielle:* Wohlstand *m*; *sensation agréable:* Wohlbefinden *n*

bien|faisance [bjɛ̃fəzɑ̃s] *f* Wohltätigkeit *f*; **~fait** [-fɛ] *m* Wohltat *f*; **~faiteur, ~faitrice** [-fɛtœr, -fɛtris] *m,f* Wohltäter(in) *m(f)*; **~fondé** [-fõde] *m* Berechtigung *f*, Stichhaltigkeit *f*; **~fonds** [-fõ] *m* (*pl biens-fonds*) *jur* Grundbesitz *m*

bienheur|eux, ~euse [bjɛ̃nœrø, -øz] (glück)selig

biennal, ~e [bjenal] (*m/pl -aux*) zweijährig, alle zwei Jahre stattfindend

biensé|ance [bjɛseɑ̃s] *f* Anstand *m*; **~ant, ~ante** [-ɑ̃, -ɑ̃t] schicklich

bientôt [bjɛ̃to] bald; *à ~!* bis bald!

bienveill|ance [bjɛ̃vɛjɑ̃s] *f* Wohlwollen *n*; **~ant, ~ante** [-ɑ̃, -ɑ̃t] wohlwollend

bienvenu, ~e [bjɛ̃vny] **1.** *adj* willkommen; **2.** *m, f être le bienvenu, la* *bienvenue* willkommen sein; **3.** *f souhaiter la bienvenue à qn* j-n willkommen heißen; *bienvenue en France* willkommen in Frankreich

bière [bjɛr] *f* **1.** *boisson:* Bier *n*; ~ *blonde* helles Bier *n*; ~ *brune* dunkles Bier *n*; ~ *blanche* Weißbier *n*, Weizenbier *n*; **2.** *cercueil* Bahre *f*

biffer [bife] (*1a*) durchstreichen

bifteck [biftɛk] *m* Beefsteak *n*

bifur|cation [bifyrkasjõ] *f* Gabelung *f*, Abzweigung *f*; ~**quer** [-ke] (*1m*) sich gabeln; *voiture, train:* abbiegen; *fig* ~ *vers* überwechseln zu

bigarré, ~e [bigare] bunt(scheckig)

big|ot, ~ote [bigo, -ɔt] **1.** *adj* frömmelnd; **2.** *m, f* Frömmler(in) *m(f)*

bigotterie [bigɔtri] *f* Frömmelei *f*

bigoudi [bigudi] *m* Lockenwickler *m*

bigre [bigrə] *F* verdammt noch mal!; ~**ment** *adv* F verflixt

bijou [biʒu] *m* (*pl -x*) Juwel (*a fig*); Schmuckstück *n*

bijout|erie [biʒutri] *f* Juweliergeschäft *n*; ~**ier, ~ière** [-je, -jɛr] *m, f* Juwelier(in) *m(f)*

bikini [bikini] *m* Bikini *m*

bilan [bilã] *m* Bilanz *f* (*a fig*); *fig* Fazit *n*; *faire le ~ de* die Bilanz ziehen aus; *déposer son ~* Konkurs anmelden

bilatéral, ~e [bilateral] (*m/pl -aux*) zweiseitig

bile [bil] *f* Galle *f*; *fig* schlechte Laune *f*, Ärger *m*; F *se faire de la ~* sich Sorgen machen

bili|aire [biljer] Gallen...; ~**eux, ~euse** [-ø, -øz] Gallen...; *fig* gallig

bilingue [bilɛ̃g] zweisprachig

bilinguisme [bilɛ̃gɥismə] *m* Zweisprachigkeit *f*

billard [bijar] *m* Billard *n*

bille [bij] *f* Kugel *f*; *billard:* Billardkugel *f*; *jeu de billes:* Murmel *f*; *stylo m (à)* ~ Kugelschreiber *m*

billet [bije] *m* *bus, train:* Fahrkarte *f*; *cinéma:* Eintrittskarte *f*; *petite lettre* Briefchen *n*; *loterie:* Los *n*; *comm* Schuldschein *m*, Wechsel *m*; ~ *de banque* Banknote *f*; ~ *de faveur* Freikarte *f*; *en* ~*s* in Papiergeld, in Scheinen

billeterie [bijetri] *f* Geldautomat *m*

bimensuel, ~le [bimãsɥel] monatlich zweimal erscheinend

bimestriel, ~le [bimɛstrijel] zweimonatlich

biner [bine] (*1a*) *agr* hacken

binette [binet] *f* *agr* Gartenhacke *f*

binocle [binɔklə] *m* Kneifer *m*, Lorgnon *n*; F ~*s pl* Brille *f*

biochimique [bjoʃimik] biochemisch

biodégradable [bjodegradablə] biologisch abbaubar

biograph|ie [bjografi] *f* Biografie *f*; ~**ique** biografisch

biolog|ie [bjolɔʒi] *f* Biologie *f*; ~**iste** *m, f* Biologe *m*, Biologin *f*

biorythme [bjɔritm] *m* Biorhythmus *m*

biotope [bjɔtɔp] *m* Biotop *n*

bipartite [bipartit] *pol* Zweier..., Zweimächte...; *gouvernement m ~* Zweiparteienregierung *f*

biplace [biplas] *m* Zweisitzer *m*

biplan [biplã] *m* *aviat* Doppeldecker *m*

bipolaire [bipɔler] zweipolig

bique [bik] *f* F *zo* Ziege *f*; *fig u péj* *vieille* ~ alte Schachtel *f*

biréacteur [bireaktœr] *m* *aviat* zweistrahliges Flugzeug *n*

bis¹, bise [bi, biz] *couleur:* graubraun; *pain m bis* Graubrot *n*

bis² [bis] **1.** *adv* da capo; **2.** *m* (*pl unv*) Zugabe *f*, Wiederholung *f*

bisaïeul, ~e [bizajœl] *litt m, f* Urgroßvater *m*, Urgroßmutter *f*

bisannuel, ~le [bizanɥel] zweijährig, -jährlich

biscornu, ~e [biskɔrny] seltsam, bizarr, wunderlich

biscotte [biskɔt] *f* Zwieback *m*

biscuit [biskɥi] *m* *gateau sec* Keks *m od* *n*; Biskuit *n*; ~ *à la cuiller* Löffelbiskuit *n*

bise [biz] *f* **1.** *vent:* Nord(ost)wind *m*; **2.** F *baiser* Kuss *m*

biseau [bizo] *m* (*pl -x*) Schrägkante *f*, -fläche *f*

bison [bizõ] *m* *zo* Büffel *m*

bisque [bisk] *f* *cuis* ~ *d'écrevisses*, ~ *de homard* Krebs-, Hummersuppe *f*

bissextile [bisɛkstil] *année f* ~ Schaltjahr *n*

bistro(t) [bistro] *m* Kneipe *f*

bit [bit] *m* *EDV* Bit *n*

bitum|e [bitym] *m* Asphalt *m*; ~**er** (*1a*) asphaltieren

bivouac [bivwak] *m* Biwak *n*

bizarr|e [bizar] bizarr, seltsam; ~**erie**

B

[-əri] f Absonderlichkeit f
blackbouler [blakbule] (1a) F pol, école:
~ qn j-n (durch)fallen lassen; **se faire ~**
durchfallen
blaf|ard, ~arde [blafar, -ard] bleich, fahl
blague [blag] f **1.** tabac: Tabaksbeutel
m; **2.** plaisanterie Scherz m; histoire
amusante Witz m; farce Streich m;
sans ~! im Ernst!; **~er** F (1a) scherzen,
spaßen; **tu blagues!** nicht möglich!,
das ist nicht wahr!; **~ qn** j-n verspotten,
necken
blaireau [blɛro] m (pl -x) **1.** zo Dachs m;
2. brosse pour la barbe Rasierpinsel m
blâmable [blɑmablə] tadelnswert
blâm|e [blɑm] m Tadel m; **~er** (1a)
tadeln
blanc, blanche [blɑ̃, blɑ̃ʃ] **1.** adj weiß;
peau, raisin: a hell; feuille, page: unbeschrieben; **examen m blanc** Probeexamen n; **mariage m blanc** nicht
vollzogene Ehe f; **nuit f blanche**
schlaflose Nacht f; **(vin m) blanc m**
Weißwein m; **pain m blanc** Weißbrot
n; **en blanc** Blanko..., unausgefüllt;
chèque m en blanc Blankoscheck m;
il a gelé (à) blanc es hat gereift; **2.** m
Weiß n; textile: Weißwaren f/pl; dans un
texte: unbeschriebene Stelle f; ~
(d'œuf) Eiweiß n; **3.** ♀ m, f Weiße(r)
m, f
blanc-bec [blɑ̃bɛk] m (pl blancs-becs)
Grünschnabel m
blanchâtre [blɑ̃ʃɑtrə] weißlich
Blanche-Neige [blɑ̃ʃnɛʒ] f Schneewittchen n
blanch|eur [blɑ̃ʃœr] f Weiße n u f; **~ir**
(2a) v/t weiß machen; mur: weißen;
linge: waschen; cuis blanchieren; fig
innocenter rein waschen; v/i weiß
werden; cheveux: grau werden; **~isserie** [-isri] f Wäscherei f; **~isseur, ~isseuse** [-isœr, -isøz] m, f Wäscher(in)
m(f)
blanc-seing [blɑ̃sɛ̃] m (pl blancsseings) Blankovollmacht f
blanquette [blɑ̃kɛt] f **1.** vin: weißer
Schaumwein m (Languedoc); **2.** cuis ~
de veau Kalbsragout n
blasé, ~e [blaze] blasiert
blason [blazõ] m Wappenschild n
blasphème [blasfɛm] m Gotteslästerung f, Blasphemie f; **~émer**
[-eme] (1f) (Gott) lästern; fluchen

blatte [blat] f zo Schabe f
blé [ble] m Weizen m; céréales Getreide
n
bled [blɛd] m F péj Kaff n, Nest n
blême [blɛm] leichenblass, fahl; **~ir** (2a)
erblassen
bless|er [blɛse] (1b) verletzen (a fig); à
la guerre: verwunden; **se ~** sich verletzen; **je me suis blessé à la main** ich
habe mir die Hand verletzt; **~ure** [-yr] f
Verletzung f; plaie Wunde f; à la guerre:
Verwundung f; fig Kränkung f
blet, blette [blɛ, blɛt] fruit: matschig
bleu, ~e [blø] (m/pl -s) **1.** adj blau; **carte
f bleue** Scheckkarte f; **zone f bleue**
Kurzparkzone f; **peur f bleue** F Heidenangst f; **2.** m Blau n; marque sur la
peau: blauer Fleck m; fig novice
Neuling m; tech Blaupause f; **~ (de
travail)** blauer Arbeitsanzug m; **~
d'Auvergne** Blauschimmelkäse m; **~
marine** Marineblau n; cuis **truite f au ~**
Forelle f blau
bleu|âtre [bløɑtrə] bläulich; **~et** [-ɛ] m
bot Kornblume f
blind|age [blɛ̃daʒ] m Panzerung f, **~é,
~ée 1.** adj gepanzert, Panzer...; **2.** m mil
Panzer m; **~er** (1a) panzern; F fig
immun machen
bloc [blɔk] m Block m (auch pol); ~
monétaire Währungsblock m, -gebiet
n, -zone f; **~ de papier à lettres**
Briefblock m; **en ~** im Ganzen; **faire ~**
sich zu e-m Block zusammenschließen;
e-e geschlossene Front bilden (**contre**
gegen); **~age** m Blockieren n; d'un
compte en banque: Sperrung f; psych
innerer Widerstand m; comm **~ des
prix** Preisstopp m
bloc-moteur [blɔkmɔtœr] m (pl
blocs-moteurs) Motorblock m
bloc-notes [blɔknɔt] m (pl blocs-notes)
Notizblock m
blocus [blɔkys] m Blockade f
blond, blonde [blõ, blõd] **1.** adj cheveux: blond; bière: hell; **cigarette f
blonde** Zigarette f aus hellem Tabak;
2. m, f Blonde(r) m, f; Blondine f; **bière ~** helles Bier m
bloquer [blɔke] (1m) porte, roues, passage: blockieren; compte, crédits:
sperren; regrouper zusammenfassen
blottir [blɔtir] (2a) **se ~** sich kauern, sich
ducken

bonifier

blous|e [bluz] *f vêtement de travail* Kittel *m*; *chemisier* Bluse *f*; **~on** *m* Windjacke *f*, Blouson *m*; *fig* **~ noir** Halbstarke(r) *m*

bluff [blœf] *m* Bluff *m*, Täuschung *f*; **~er** (*1a*) bluffen, täuschen

bobard [bɔbar] *m* F Schwindel *m*; *presse*: (Zeitungs-)Ente *f*

bobinage [bɔbinaʒ] *m* él Wicklung *f*

bobin|e [bɔbin] *f* Spule *f*; **~er** (*1a*) aufwickeln, aufspulen

bocal [bɔkal] *m* (*pl -aux*) Einmachglas *n*

boche [bɔʃ] *péj* **1.** *adj* deutsch; **2.** *m, f* Deutsche(r) *m, f*

bock [bɔk] *m* **un ~** ein kleines Bier (⅛*l*)

bœuf [bœf, *pl* bø] **1.** *m mâle castré* Ochse *m*; *bétail* Rind(vieh) *n*; *viande* Rindfleisch *n*; **2.** *adj* F Bomben...; gewaltig; **succès** *m* **~** Bombenerfolg *m*

bof! [bɔf] pah!, ach was!, was soll's!

bohème [bɔɛm] *m, f* verbummeltes Genie *n*, Bohemien *m*

bohém|ien, ~ienne [bɔemjɛ̃, -jɛn] **1.** *adj* Zigeuner...; *géogr* böhmisch; **2.** *m, f* Zigeuner(in) *m(f)*; ⚹ Böhme *m*, Böhmin *f*

boire [bwar] **1.** (*4u*) trinken; *absorber* aufsaugen; F **~ un coup** e-n trinken; **2.** *m* Trinken *n*

bois [bwa] *m matière*: Holz *n*; *forêt* Wald *m*; **~ pl zo** Geweih *n*; **~ pl mus** Holzblasinstrumente *n/pl*; **en, de ~** aus Holz

bois|age [bwazaʒ] *m* Zimmerung *f*; **~é, ~ée** bewaldet; **~er** (*1a*) *terrain*: aufforsten; *chambre*: täfeln; **~erie** *f* Täfelung *f*, Holzverkleidung *f*

boisson [bwasɔ̃] *f* Getränk *n*; **~ alcoolisées** alkoholische Getränke *n/pl*

boîte [bwat] *f* **1.** Schachtel *f*; *tôle*: Büchse *f*, Dose *f*; **~ de conserves** Konservenbüchse *f*; *auto* **~ de vitesses** Getriebe *n*; **~ aux lettres** Briefkasten *m*; **~ postale** Postfach *n*; **~ noire** Flugschreiber *m*; **2.** **~** (**de nuit**) Nachtklub *m*; **3.** F *péj entreprise* Laden *m*; **sale ~** F Saftladen *m*

boit|er [bwate] (*1a*) hinken (*a fig*); **~eux, ~euse** [-ø, -øz] *personne*: hinkend; *chose*: wack(e)lig

boîtier [bwatje] *m* Gehäuse *n*

boitiller [bwatije] (*1a*) leicht hinken, humpeln

bol [bɔl] *m* (Trink-)Schale *f*

boléro [bɔlero] *m* **1.** *danse*: Bolero *m*; **2.** *vêtement*: Bolero(jäckchen) *m(n)*

bolide [bɔlid] *m* Meteorstein *m*; *auto* Rennwagen *m*

Bolivie [bɔlivi] **la ~** Bolivien *n*

bombance [bɔ̃bɑ̃s] *f* F **faire ~** schlemmen

bombard|ement [bɔ̃bardəmɑ̃] *m* Bombardierung *f*; **~er** (*1a*) bombardieren

bombe [bɔ̃b] *f mil* Bombe *f*; *fig* Spraydose *f*; *cuis* **~ glacé** Eisbombe *f*; F **faire la ~** prassen, üppig leben

bomb|é, ~e [bɔ̃be] gewölbt; **~er** (*1a*) *v/i* sich wölben

bon, bonne [bɔ̃, bɔn] **1.** *adj* gut; *qui travaille bien* tüchtig; *complaisant* gütig; *débonnaire* gutmütig; **de bonne foi** aufrichtig; **de bonne heure** frühzeitig; (**à**) **bon marché** billig (*a fig*); **il est bon de** (+ *inf*) **od que** (+ *subj*) es ist gut zu ... *od* dass ...; **à quoi bon?** wozu?; **bon mot** Witz *m*; **bon anniversaire!** alles Gute zum Geburtstag!; **bonne chance!** viel Glück!; **bonne année!** ein gutes Neues Jahr!; **2.** *adv* **trouver bon que** (+ *subj*), **juger bon de** (+ *inf*) es für richtig halten zu ... *od* dass ...; **sentir bon** gut riechen; **tenir bon** standhalten; **3.** *m comm* Gutschein *m*; **~ de caisse** Kassenbon *m*; **~ de commande** Bestellschein *m*; **~ d'essence** Benzingutschein *m*

bonasse [bɔnas] (zu) gutmütig

bon|bon [bɔ̃bɔ̃] *m* Bonbon *m od n*; **~bonne** [-bɔn] *f* Korbflasche *f*; **~bonnière** [-bɔnjɛr] *f* Konfekt-, Bonbondose *f*; F *fig petit appartement* F Schmuckkästchen *n*

bond [bɔ̃] *m* Sprung *m*; **d'un seul ~** mit e-m Satz; *fig* sofort

bond|é, ~ée [bɔ̃de] überfüllt; **~ir** (*2a*) (auf)springen

bonheur [bɔnœr] *m* Glück *n*; **par ~** zum Glück; **porter ~** Glück bringen; **au petit ~** auf gut Glück

bonhomie [bɔnɔmi] *f* Gutmütigkeit *f*

bonhomme [bɔnɔm] *m* (*pl bonshommes* [bɔ̃zɔm]) *m* F *type* Mann *m*, Mannsbild *n*; *dessin, figure*: Männchen *n*; **petit ~** Knirps *m*; **~ de neige** Schneemann *m*

boni [bɔni] *m comm* Überschuss *m*; **~fication** [-fikasjɔ̃] *f comm* Rabatt *m*; *assurance*: Bonus *m*; **~fier** [-fje] (*1a*)

B

(ver)bessern; **~ment** m *battage* marktschreierische Reklame f; F *mensonge* Märchen n

bonjour [bõʒur] m Guten Morgen, Guten Tag; F Gruß m (*à qn* an j-n); *dire ~ à qn* j-m Guten Tag sagen; *donner le ~ à qn* j-m e-n Gruß ausrichten

bonne [bɔn] f Kinder-, Haus-, Dienstmädchen n

bonnement [bɔnmã] *adv* **tout ~** ganz einfach, kurz gesagt

bonnet [bɔnɛ] m Mütze f; **~ de bain** Badekappe f, Bademütze f; F fig **gros ~** F hohes Tier n, Bonze m

bonneterie [bɔnɛtri] f Trikotagen f/pl; Wirk- und Strickwaren f/pl

bonsoir [bõswar] m guten Abend

bonté [bõte] f Güte f; **avoir la ~ de** (+ inf) so gut sein und ...

boom [bum] m Boom m

bord [bɔr] m 1. Rand m; *rive* Ufer n; **au ~ de la mer** am Meer; **être au ~ des larmes** den Tränen nahe sein; F fig **être un peu** (+ adj) **sur les ~s** ein bisschen od leicht (+ adj) sein; 2. mar Bord m; auto **tableau** m **de ~** Armaturenbrett n; **à ~ (de)** an Bord (von); **virer de ~** wenden; fig umschwenken

bordeaux [bɔrdo] 1. *vin* Bordeaux (wein) m; 2. *adj unv* weinrot

bordel [bɔrdɛl] m 1. P Puff m; 2. F *désordre* Durcheinander n

bordel|ais, ~aise [bɔrdəlɛ, -ez] aus Bordeaux

bordélique [bɔrdelik] F unordentlich

border [bɔrde] (1a) *garnir* einfassen; *être le long de* säumen

bordereau [bɔrdəro] m (pl -x) *comm* Aufstellung f; **~ d'expédition** Begleitschein m

bordure [bɔrdyr] f Einfassung f

boréal, ~e [bɔreal] (m/pl -aux) nördlich, Nord~

borgne [bɔrɲ] 1. *adj* einäugig; fig *mal famé* verrufen; 2. m, f Einäugige(r) m, f

borne [bɔrn] f 1. Grenz-, Eckstein m; **~ kilométrique** Kilometerstein m; 2. fig Grenze f, Schranke f; **sans ~s** grenzenlos; **ça dépasse les ~s** das geht zu weit; 3. *él* (Anschluss-)Klemme f

born|é, ~e [bɔrne] beschränkt, engstirnig; **~er** (1a) *terrain*: begrenzen; fig *désirs, ambitions*: zurückschrauben; **se**

~ à qc sich auf etw (*acc*) beschränken; **se ~ à faire qc** sich darauf beschränken, etw zu tun

bosquet [bɔskɛ] m Wäldchen n

bosse [bɔs] f *enflure* Beule f; *d'un bossu*: Buckel m; *terrain*: Unebenheit f; F **avoir la ~ de** e-e Begabung haben für

bosser [bɔse] (1a) F schuften

bossu, ~e [bɔsy] buck(e)lig

botanique [bɔtanik] 1. *adj* botanisch; 2. f Botanik f, Pflanzenkunde f

botte [bɔt] f 1. *carottes, radis*: Bund m, Bündel n; 2. *chaussure*: Stiefel m; 3. *escrime*: Stoß m

botter [bɔte] (1a) fig **~ le derrière à qn** F j-m e-n Tritt in den Hintern versetzen; F **ça me botte** das gefällt mir

bottin [bɔtɛ̃] m Telefonbuch n

bottine [bɔtin] f Stiefelette f

bouc [buk] m 1. *zo* (Ziegen-)Bock m; fig **~ émissaire** Sündenbock m; 2. *barbe* Spitzbart m

boucan [bukã] m F Höllenlärm m

bouche [buʃ] f *anat* Mund m; *animal*: Maul m; *ouverture* Öffnung f; *embouchure* Mündung f; **~ de métro** U-Bahn-Eingang m; **~ d'incendie** Hydrant m

bouche-à-bouche [buʃabuʃ] m *méd* Mund-zu-Mund-Beatmung f

bouché, ~e [buʃe] verstopft; *bouteille*: zugekorkt; *temps*: trüb(e); **avoir le nez bouché** eine verstopfte Nase haben

bouchée [buʃe] f Bissen m; **~ à la reine** Königinpastete f

boucher[1] [buʃe] (1a) zu-, verstopfen; *passage, vue*: versperren; **se boucher les oreilles (le nez)** sich (*dat*) die Ohren (die Nase) zuhalten

bouch|er[2], ~ère [buʃe, -ɛr] m, f Metzger m, Fleischer m, Fleischersfrau f; **~erie** f Metzgerei f, Fleischerei f

bouche-trou [buʃtru] m (pl bouche-trous) Lückenbüßer m

bouchon [buʃõ] m Pfropfen m, Stöpsel m; *de liège*: Korken m; fig *trafic*: (Verkehrs-)Stau m

boucl|e [bukl] f Schleife f (a *EDV*), Schlinge f; *ceinture, sandales*: Schnalle f; *méandre* Windung f; *cheveux*: Locke f; **~ d'oreille** Ohrring m; **~é, ~ée** lockig, gelockt; **~er** (1a) *v/t ceinture*: zuschnallen; *cheveux*: in Locken legen; *porte, magasin*: zumachen; *mil* um-

B

zingeln; F *boucle-la!* halt den Mund!

bouclier [buklije] *m hist u tech* Schild *m*; *fig* Schutzwall *m*

bouddh|isme [budismə] *m* Buddhismus *m*; **~iste** *m* Buddhist *m*

boud|er [bude] (*1a*) *v/i* schmollen; *v/t* ~ *qn* (*qc*) j-n (etw) meiden; **~eur**, **~euse** schmollend

boudin [budɛ̃] *m* Blutwurst *f*

boue [bu] *f* Schlamm *m*; F Dreck *m*

bouée [bwe] *f mar* Boje *f*; *de sauvetage*: Rettungsring *m*

bou|eux, **~euse** [bwø, -øz] **1.** *adj* schmutzig; **2.** *m* Müllmann *m*

bouff|ant, **~ante** [bufã, -ãt] bauschig

bouff|e [buf] **1.** *adj mus opéra* ~ komische Oper *f*; **2.** F *f* Essen *n*, P Fressen *n*; **~ée** *f* Lufthauch *m*; *en fumant*, *respirant*: Zug *m*; **~s** *pl* **de fumée** Qualm *m*; ~ **de vent** Windstoß *m*; ~ **de parfum** Duftwolke *f*; **~er** (*1a*) F essen, fressen

bouffi, **~e** [bufi] aufgedunsen

bouff|on, **~onne** [bufõ, -ɔn] **1.** *adj* possenhaft; **2.** *m* Possenreißer *m*

bougeoir [buʒwar] *m* Kerzenleuchter *m* (*mit Griff*)

bouger [buʒe] (*1l*) (sich) bewegen, (sich) rühren; *meuble*: (ver)rücken

bougie [buʒi] *f* Kerze *f*; *auto* Zündkerze *f*

bougonner [bugɔne] (*1a*) F murren

bougre [bugrə] *m* **1.** F Kerl *m*; **2.** *interjection*: Donnerwetter!; **~ment** *adv* F verdammt, verflixt

bouillabaisse [bujabes] *f cuis* provenzalische Fischsuppe *f*

bouill|ant, **~ante** [bujã, -ãt] *qui bout* kochend; *très chaud* siedend heiß; *fig* aufbrausend

bouilli, **~ie** [buji] *cuis* **1.** *adj* gekocht; **2.** *m* gekochtes Rindfleisch *n*

bouillie [buji] *f* Brei *m*

bouillir [bujir] (*2e*) sieden, kochen (*a fig*); *faire* ~ kochen, *liquide*: abkochen

bouilloire [bujwar] *f* Teekessel *m*

bouillon [bujõ] *m bulle* Luftblase *f*; *cuis* Fleischbrühe *f*

bouillonner [bujɔne] (*1a*) *source*: sprudeln; *liquide qui bout*: brodeln

bouillotte [bujɔt] *f* Wärmflasche *f*

boulang|er, **~ère** [bulɑ̃ʒe, -er] *m*, *f* Bäcker *m*, Bäckersfrau *f*; **~erie** *f* Bäckerei *f*

boule [bul] *f* Kugel *f*; ~ **de neige** Schneeball *m*; **faire** ~ **de neige** lawinenartig anwachsen; **jeu** *m* **de ~s** Boule(spiel) *n*, Boccia(spiel) *n*

bouleau [bulo] *m* (*pl -x*) *bot* Birke *f*

bouledogue [buldɔg] *m zo* Bulldogge *f*

bouler [bule] (*1a*) F *envoyer* ~ *qn* j-n fortjagen

boulette [bulet] *f* Kügelchen *n*; *de viande*: Fleischkloß *m*

boulevard [bulvar] *m* Boulevard *m*; ~ **périphérique** Ringstraße *f*

boulevers|ement [bulversəmã] *m pol*, *écon* Umwälzung *f*; *émotionnel*: Erschütterung *f*; **~er** (*1a*) mettre en désordre in Unordnung bringen; *vie*: gravierend verändern; *émotionnel*: erschüttern

boulimie [bulimi] *f* Heißhunger *m*

boulon [bulõ] *m tech* Schraube(nbolzen *m*) *f*

boulonner [bulɔne] (*1a*) *tech* an-, zusammenschrauben; F *fig* arbeiten, schuften

boul|ot¹, **~otte** [bulo, -ɔt] rundlich, F pummelig

boulot² [bulo] F *m* Arbeit *f*

boum [bum] F *f* Party *f*

boumer [bume] (*1a*) F **ça boume?** alles in Ordnung?

bouquet [buke] *m* (Blumen-)Strauß *m*; *vin*: Bukett *n*

bouquetin [buktɛ̃] *m zo* Steinbock *m*

bouquin [bukɛ̃] F *m* Buch *n*, F Schmöker *m*

bouquin|er [bukine] (*1a*) F schmökern; **~iste** *m*, *f* Antiquariatsbuchhändler(in) *m(f)*

bourb|e [burb] *f* Morast *m*, Schlamm *m*; **~eux**, **~euse** [-ø, -øz] schlammig; **~ier** [-je] *m* Sumpfloch *n*; *fig* üble Lage *f*

bourdon [burdõ] *m zo* Hummel *f*; **faux** ~ Drohne *f*

bourdonn|ement [burdɔnmã] *insectes*: Summen *n*; *moteur*: Brummen *n*; **~er** (*1a*) *insectes*: summen; *moteur*: brummen; *oreilles*: sausen

bourg [bur] *m* Marktflecken *m*

bourgade [burgad] *f* kleiner Marktflecken *m*

bourge|ois, **~oise** [burʒwa, -waz] **1.** *adj* bürgerlich; *péj* spießig; **esprit** *m* **bourgeois** Spießbürgertum *n*; **2.** *m*, *f* Bürger(in) *m(f)*; *péj* Spießer *m*; **~oisie**

bourgeon

[-wazi] f Bürgertum n; **haute** ~ Großbürgertum n; **petite** ~ Kleinbürgertum n

bourgeon [burʒõ] m bot Knospe f

bourgeonner [burʒɔne] (1a) Knospen treiben, ausschlagen

bourgmestre [burgmɛstrə] m en Belgique, Suisse, Allemagne, Hollande: Bürgermeister m

Bourgogne [burgɔɲ] **la** ~ Burgund n; ♀ m Burgunder(wein) m

bourguign|on, ~onne [burgiɲõ, -ɔn] **1.** adj burgundisch; cuis **bœuf** m **bourguignon** Rindsgulasch n mit Rotwein; **fondue** f **bourguignonne** Fleischfondue n od f; **2.** ♀ m, f Burgunder(in) m(f)

bourlinguer [burlɛ̃ge] (1m) viel herumziehen, -reisen

bourrade [burad] f Rippenstoß m

bourrage [buraʒ] m F ~ **de crâne** propagandistische Bearbeitung f, bewusste Irreführung f

bourrasque [burask] f Windstoß m, (Wind-)Bö f

bourré, ~e [bure] gestopft voll; F ivre voll, blau

bourreau [buro] m (pl -x) Henker m

bourrelé, ~e [burle] ~ **de remords** von Gewissensbissen geplagt

bourrelier [buralje] m Sattler m

bourrer [bure] (1a) voll stopfen; F **se** ~ **de qc** sich den Bauch mit etw voll schlagen

bourrique [burik] f Esel(in) m(f); fig Dummkopf m

bourru, ~e [bury] mürrisch

bours|e [burs] f d'études: Stipendium n; porte-monnaie Geldbeutel m, (-)Börse f; ♀ comm Börse f; ♀ **des valeurs** Wertpapierbörse f; **la** ♀ **monte** (**baisse**) die Kurse steigen (fallen); **~ier, ~ière** [-je, -jɛr] **1.** adj Börsen...; **transactions** f/pl **boursières** Börsengeschäfte n/pl; **2.** m, f Stipendiat(in) m(f); **3.** m Börsenmakler m, F Börsianer m

boursouf(f)l|é, ~ée [bursufle] geschwollen (a fig)

bouscul|ade [buskylad] f Gedränge n; **~er** (1a) heurter anrempeln; presser drängen, hetzen; fig traditions: erschüttern

bouse [buz] f ~ (**de vache**) (Kuh-)Mist

m, (Kuh-)Fladen m

boussole [busɔl] f Kompass m; F **perdre la** ~ den Kopf verlieren

bout¹ [bu] m extrémité Ende n; doigts, nez, bâton: Spitze f; morceau Stück (-chen) n; ~ **à** ~ [butabu] (mit den Enden) aneinander; **à** ~ **de bras** mit ausgestreckten Armen; **au** ~ **de** am Ende von; **au** ~ **d'une année** nach einem Jahr; **de** ~ **en** ~, **d'un** ~ **à l'autre** von Anfang bis Ende; fig **aller jusqu'au** ~ nicht aufgeben; **être à** ~ am Ende, erschöpft sein; **être à** ~ **de qc** mit etw am Ende sein; **venir à** ~ **de qc** (**de qn**) mit etw (j-m) fertig werden; **connaître qc sur le** ~ **des doigts** etw ganz genau kennen; **manger un** ~ e-n Happen essen

bout² [bu] → **bouillir**

boutade [butad] f (geistvoller) Scherz m

bouteille [butɛj] f Flasche f

boutiqu|e [butik] f allg Laden m; de mode: Boutique f; **~ier, ~ière** [-je, -jɛr] m, f péj Händler(in) m(f), Krämer(in) m(f)

bouton [butõ] m Knopf m; anat Pickel m; bot Knospe f; **~-d'or** [-dɔr] m (pl boutons-d'or) bot Butterblume f

boutonn|er [butɔne] (1a) zuknöpfen; bot Knospen treiben; **~ière** [-jɛr] f Knopfloch m

bouton-pression [butõprɛsjõ] m (pl boutons-pression) Druckknopf m

bouvreuil [buvrœj] m zo Dompfaff m, Gimpel m

bov|in, ~ine [bɔvɛ̃, -in] zo **1.** adj Rinder...; **2.** m/pl **bovins** Rinder n/pl

box [bɔks] m (pl boxes) Box f

box|e [bɔks] f Boxen n; **~er** (1a) boxen; **~eur** m Boxer m

boyau [bwajo] m (pl -x) intestin Darm m; tuyau Schlauch m

boycott|age [bɔjkɔtaʒ] m Boykott m; **~er** (1a) boykottieren

B.P. (abr boîte postale) Postfach n

bracelet [braslɛ] m Armband n; Armreif m

braconn|er [brakɔne] (1a) wildern; **~ier** [-je] m Wilddieb m, Wilderer m

brader [brade] (1a) verschleudern

braguette [bragɛt] f Hosenschlitz m

braill|ard, ~arde F [brajar, -ard] **1.** adj brüllend; **2.** m, f Schreihals m braille [brɑj] *m* Blindenschrift *f*

brailler [braje] (*1a*) brüllen, johlen, F grölen

braire [brɛr] (*4s*) *âne*: iahen; F brüllen, schreien

brais|e [brɛz] *f* Kohlenglut *f*; ~er (*1b*) *cuis* schmoren

bramer [brame] (*1a*) *cerf*: röhren

brancard [brɑ̃kar] *m* 1. *civière* Tragbahre *f*; 2. *chariot, voiture*: Gabeldeichsel *f*; tig **ruer dans les ~s** sich sträuben, sich widersetzen; ~ier, ~ière [-dje, -djer] *m, f* Krankenträger(in) *m(f)*

branchage [brɑ̃ʃaʒ] *m* Astwerk *n*

branch|e [brɑ̃ʃ] *f bot* Ast *m*; *bot u* fig Zweig *m*; *enseignement*: Fach *n*; *comm* Branche *f*; ~ement *m tech, él* Anschluss *m*; ~er (*1a*) anschließen (**sur** an *acc*); *allumer* anschalten; fig **être branché** *informé* Bescheid wissen; F **en vogue** sein

branchies [brɑ̃ʃi] *f/pl* Kiemen *f/pl*

brandir [brɑ̃dir] (*2a*) schwingen

branle [brɑ̃l] *m* **mettre en ~** in Gang bringen; **donner le ~ à qc** etw (*acc*) in Bewegung setzen; ~bas [-ba] *m mar* Klarmachen *n* (**de combat** zum Gefecht); fig Durcheinander *n*

branler [brɑ̃le] (*1a*) wackeln

braquage [brakaʒ] *m auto* Einschlagen *n*; **rayon m de ~** Wendekreis *m*

braquer [brake] (*1m*) *arme*: **~ sur** richten auf (*acc*); *auto* **~ à droite** nach rechts einschlagen; fig **~ qn contre** j-n aufbringen gegen

bras [bra, brɑ] *m* Arm *m* (*a* fig); **entre épaule et coude**: Oberarm *m*; fig Arbeitskraft *f*; **le ~ droit** fig die rechte Hand *f*; **~ de mer** Meeresarm *m*; **~ dessus ~ dessous** untergefasst; **à tour de ~, à ~ raccourcis** mit aller Gewalt; fig **avoir le ~ long** e-n langen Arm haben; F fig **avoir qn, qc sur les ~** j-n, etw am Hals haben; **accueillir à ~ ouverts** mit offenen Armen empfangen; **cela me coupe ~ et jambes** F das macht mich völlig fertig

brasier [brazje] *m* Feuersglut *f*

brassage [brasaʒ] *m* Bierbrauen *n*; fig **des races, peuples**: Rassen-, Völkervermischung *f*

brassard [brasar] *m* Armbinde *f*

brasse [bras] *f* Brustschwimmen *n*; ~

papillon Schmetterlingstil *m*

brass|er [brase] (*1a*) *bière*: brauen; ~ **des affaires** viele Geschäfte betreiben; ~erie *f usine*: Brauerei *f*; *établissement*: Bierhalle *f*; ~eur, ~euse 1. *m* Brauer *m*; 2. *m, f* Brustschwimmer(in) *m(f)*

bravade [bravad] *f obstination* Trotz *m*; *vantardise* Angeberei *f*, Prahlerei *f*

brave [brav] 1. *adj courageux* (*suit le subst*) tapfer; *bon* (*précède le subst*) rechtschaffen, anständig, ordentlich; *péj* bieder; 2. *m* un ~ein tapferer Mann

brav|er [brave] (*1a*) ~ **qn, qc** j-m, e-r Sache trotzen; ~oure [-ur] *f* Tapferkeit *f*; **morceau m de ~** fig u mus Bravurstück *n*

break [brek] *m auto* Kombi *m*

brebis [brəbi] *f* (Mutter-)Schaf *n*

brèche [brɛʃ] *f* Öffnung *f*, Loch *n*; *enceinte fortifiée*: Bresche *f*, fig **être toujours sur la ~** immer im Trab sein; fig **battre qn, qc en ~** j-n, etw heftig attackieren

bredouill|e [brəduj] *adj* **rentrer ~** unverrichteter Dinge, mit leeren Händen zurückkehren; ~er (*1a*) murmeln, stammeln

bref, brève [brɛf, brɛv] 1. *adj* kurz; 2. *adv* **bref** kurzum, mit einem Wort

breloque [brəlɔk] *f* Anhänger *m* (*am Armband*)

Brésil [brezil] **le ~** Brasilien *n*

brésil|ien, ~ienne [breziljɛ̃, -jɛn] 1. *adj* brasilianisch; 2. ♀ *m, f* Brasilianer(in) *m(f)*

Bretagne [brətaɲ] **la ~** die Bretagne

bretelle [brətɛl] *f lingerie*: Träger *m*; *autoroute*: Zubringer *m*; ~**s** *f/pl pantalons*: Hosenträger *m/pl*

bret|on, ~onne [brətɔ̃, -ɔn] 1. *adj* bretonisch; 2. ♀ *m, f* Bretone *m*, Bretonin *f*

breuvage [brœvaʒ] *m* Getränk *n*

brevet [brəvɛ] *m diplôme* Diplom *n*, (Abschluss-)Zeugnis *n*; *invention*: Patent *n*

breveter [brəvte] (*1c*) patentieren

bréviaire [brevjɛr] *m rel* Brevier *n*

bribes [brib] *f/pl* Brocken *m/pl*, Fetzen *m/pl*

bric-à-brac [brikabrak] *m* (*unv*) Trödelkram *m*

bricolage [brikɔlaʒ] *m* Basteln *n*; *travail peu soigné* Pfuscharbeit *f*

bricole

bricol|e [brikɔl] f Kleinigkeit f; **~er** (1a) basteln; **~eur**, **~euse** m, f Bastler(in) m(f), Heimwerker m

brid|e [brid] f Zaum m, Zügel m; fig **tourner ~** umkehren; fig **tenir la ~ haute à qn** bei j-m die Zügel kurz halten; **~é**, **~ée yeux** m/pl **bridés** Schlitzaugen n/pl; **~er** (1a) zäumen; zügeln (a fig)

bridge [bridʒ] m jeu: Bridge n; dents: (Zahn-)Brücke f

brièvement [brijɛvmɑ̃] adv kurz; **~té** [-te] f Kürze f

brigad|e [brigad] f mil Brigade f; d'ouvriers: Trupp m, Kolonne f; **~ier** [-je] m mil Obergefreite(r) m

brigand [brigɑ̃] m Räuber m; fig Schurke m

brigandage [brigɑ̃daʒ] m schwerer Raub m

briguer [brige] (1m) anstreben, sich bemühen um

brillamment [brijamɑ̃] adv glänzend

brill|ant, **~ante** [brijɑ̃, -ɑ̃t] 1. adj glänzend (a fig); fig brillant; **ce n'est pas ~** das ist nicht gerade glänzend; 2. m éclat Glanz m; fig Brillanz f; diamant Brillant m

briller [brije] (1a) glänzen (a fig); soleil: scheinen; **faire ~** meuble: auf Hochglanz polieren

brim|ade [brimad] f Schikane f; **~er** (1a) schikanieren

brin [brɛ̃] m Halm m; fig **un ~** (**de**) ein bisschen (+ subst); **~dille** [-dij] f Zweiglein n

bringue [brɛ̃g] f F **faire la ~** in Saus und Braus leben

brio [brijo] m **avec ~** großartig

brioche [briɔʃ] f cuis Hefegebäck n; F ventre Bauch m

brique [brik] 1. f Ziegelstein m; 2. adj inv ziegelrot

briquer [brike] (1m) auf Hochglanz polieren

briqu|et [brikɛ] m Feuerzeug n; **~ette** [-ɛt] f Presskohle f, Brikett n

brise [briz] f Brise f (a mar)

brisé, **~e** [brize] gebrochen

brise-glace(s) [brizglas] m (pl unv) Eisbrecher m; **~-lames** [-lam] m (pl unv) Wellenbrecher m

briser [brize] (1a) v/t chose: zerbrechen; résistance, grève, cœur, volonté: bre-

chen; vie, amitié, bonheur: zerstören, F kaputtmachen; fatiguer erschöpfen; v/i mer: branden; **se ~** brechen, in die Brüche gehen

brise-tout [briztu] m (pl unv) Tollpatsch m; **~eur** m **~ de grève** Streikbrecher m

britannique [britanik] 1. adj britisch; 2. **2** m, f Brite m, Britin f

broc [bro] m Kanne f, Krug m

brocant|e [brɔkɑ̃t] f (Handel m mit) Trödel m; **~er** (1a) mit Trödel handeln; **~eur**, **~euse** m, f Trödler(in) m(f)

brocart [brɔkar] m Brokat m

broch|e [brɔʃ] f cuis Bratspieß m; bijou: Brosche f; tech Dorn m, Stift m; **~er** (1a) heften

brochet [brɔʃɛ] m zo Hecht m

brochette [brɔʃɛt] f cuis kleiner Bratspieß m; plat: (Art) Schaschlik n od m

brochure [brɔʃyr] f Broschüre f

brocoli [brɔkɔli] m Brokkoli pl

brod|er [brɔde] (1a) sticken; **~erie** f Stickerei f

bronche [brɔ̃ʃ] f anat Bronchie f

broncher [brɔ̃ʃe] (1a) **ne pas ~** sich nicht rühren, keinen Laut von sich geben; **sans ~** ohne zu murren, ohne Widerworte

bronchite [brɔ̃ʃit] f méd Bronchitis f

bronz|e [brɔ̃z] m Bronze f; **~é**, **~ée** gebräunt, braun; **~er** (1a) peau: bräunen; (**se**) **~** bräunen, braun werden

bross|e [brɔs] f Bürste f; pinceau Pinsel m; **~ à dents** Zahnbürste f; **~er** (1a) bürsten; fig tableau de la situation: in groben Zügen schildern; **se ~ les dents**, **les cheveux** sich (dat) die Zähne putzen, die Haare bürsten

brouette [bruɛt] f Schubkarre f

brouhaha [bruaa] m Getöse n

brouillard [brujar] m Nebel m; comm Kladde f; **il fait du ~** es ist neblig

brouill|e [bruj] f Zwist m, Krach m; **~é**, **~ée fâché** F verkracht (**avec** qn); ciel: verhangen; teint: blass, unrein; cuis **œufs** m/pl **brouillés** Rühreier n/pl; **~er** (1a) cartes: mischen; papiers, projets: durcheinander bringen; radio: stören; amis: entzweien, auseinander bringen; **se ~ ciel:** sich bewölken; temps: sich eintrüben; vitres, lunettes: beschlagen; idées: durcheinander geraten; amis: sich entzweien

brouillon [brujõ] *m* Konzept *n;* **cahier** *m de* ~ Schmierheft *n;* **papier** *m* ~ Schmierpapier *n*

broussaill|es [brusaj] *f/pl* Gestrüpp *n;* **~eux, ~euse** *cheveux, sourcils:* buschig, struppig

brousse [brus] *f géogr* Busch *m*

brouter [brute] (*1a*) *v/t* abgrasen; *v/i* grasen

broutille [brutij] *f* Lappalie *f*

broyer [brwaje] (*1h*) zerkleinern; *fig ~* **du noir** traurig sein, Trübsal blasen

bru [bry] *f* Schwiegertochter *f*

brugnon [brynõ] *m bot* Nektarine *f*

bruin|e [brɥin] *f* Nieselregen *m;* **~er** (*1a*) nieseln; **~eux, ~euse** [-ø, -øz] nasskalt

bruissement [brɥismã] *m* Rascheln *n*

bruit [brɥi] *m* **un** ~ ein Geräusch *n;* **le** ~ der Lärm; *rumeur* das Gerücht; **faire** **du** ~ *fig* Aufsehen erregen; **faire grand** ~ **de qc** F viel Geschrei um etw machen; **le** ~ **court que** es geht das Gerücht, dass

bruitage [brɥitaʒ] *m radio, théâtre:* Geräuschkulisse *f*

brûl|ant, ~ante [brylã, -ãt] glühend, brennend heiß; *fig sujet:* heiß, heikel; **~é, ~ée** 1. *adj* verbrannt, versengt; *sentir le brûlé* brenzlig riechen; 2. *m, f* Verletzte(r) *m, f* mit Verbrennungen

brûle-pourpoint [brylpurpwɛ̃] *à ~* geradeheraus, ohne Umschweife

brûler [bryle] (*1a*) 1. *v/t* verbrennen; *d'eau bouillante:* verbrühen; *vin* anbrennen lassen; *vêtement en repassant:* an-, versengen; *charbon, électricité:* verbrauchen; *dessécher* versengen, *le sol:* ausdörren; *voiture:* durchfahren, nicht halten; ~ **le feu rouge** bei Rot über die Ampel fahren; *fig ~* **les étapes** einige Stufen überspringen; 2. *v/i* brennen; *cuis* anbrennen; ~ **de fièvre** vor Fieber glühen; **se** ~ sich verbrennen; *d'eau bouillante:* sich verbrühen; **se** ~ **la cervelle** sich e-e Kugel durch den Kopf jagen

brûleur [brylœr] *m* Brenner *m*

brûlure [brylyr] *f sensation:* Brennen *n; lésion:* Verbrennung *f,* Brandwunde *f;* **~s d'estomac** Sodbrennen *n*

brum|e [brym] *f* Nebel *m;* **~eux, ~euse** [-ø, -øz] neb(e)lig

brun, brune [brɛ̃ *od* brœ̃, bryn] 1. *adj* braun; *bière:* dunkel; 2. *m, f* Brü-

nette(r) *m, f; aux cheveux bruns:* Dunkelhaarige(r) *m, f;* 3. *m couleur:* Braun *n*

brun|âtre [brynɑtrə] bräunlich; **~ir** (*2a*) bräunen

brushing [brœʃiŋ] *m* Föhnen *n*

brusqu|e [brysk] *rude* barsch, schroff; *soudain* jäh, plötzlich; **~er** (*1m*) *personne:* (barsch) anfahren; *choses:* überstürzen; **~erie** [-əri] *f* Barschheit *f*

brut, ~e [bryt] 1. *adj* roh, unbearbeitet; *bénéfice:* Brutto...; **champagne** ~ **brut** sehr trockener Champagner *m;* **poids** *m* **brut** Bruttogewicht *n;* **revenu** *m* **brut** Bruttoeinkommen *n;* 2. *f* Rohling *m*

brutal, ~e [brytal] (*m/pl -aux*) brutal; **~iser** (*1a*) grob behandeln; **~ité** *f* Brutalität *f*

Bruxelles [bry(k)sɛl] Brüssel *n*

bruyamment [brɥijamã] *adv* laut

bruy|ant, ~ante [brɥijã, -ãt] laut, lärmend

bruyère [bryjɛr, brɥijɛr] *f bot* Heidekraut *n; terrain:* Heideland *n*

bu, bue [by] *p/p de boire*

buanderie [bɥ(y)ãdri] *f* Waschküche *f*

bûche [byʃ] *f* Scheit *n;* ~ **de Noël** Biskuitrolle *f (Weihnachtskuchen)*

bûcher¹ [byʃe] *m* Scheiterhaufen *m*

bûcher² [byʃe] (*1a*) F büffeln, pauken, schuften

bûcheron [byʃrõ] *m* Holzfäller *m*

budget [bydʒɛ] *m* Budget *n,* Haushalt *m; pol* Etat *m,* Staatshaushalt *m*

budgétaire [bydʒeter] Haushalts...; Budget...; **déficit** *m* ~ Haushaltsdefizit *n*

buée [bɥe] *f sur vitre:* Beschlag *m*

buffet [byfɛ] *m de réception:* kaltes Büfett *n; meuble:* Anrichte *f;* ~ (**de la gare**) Bahnhofswirtschaft *f*

buffle [byfl] *m zo* Büffel *m*

buis [bɥi] *m bot* Buchsbaum *m*

buisson [bɥisõ] *m* Busch *m,* Gebüsch *n*

buissonnière [bɥisɔnjer] *faire l'école* ~ die Schule schwänzen

bulbe [bylb] *f bot* Zwiebel *f,* Knolle *f*

bulldozer [buldozer] *m* Bulldozer *m,* Planierraupe *f*

bulgare [bylgar] 1. *adj* bulgarisch; 2. ♀ *m, f* Bulgare *m,* Bulgarin *f*

Bulgarie [bylgari] **la** ~ Bulgarien *n*

bulle [byl] *f* 1. Blase *f; bande dessinée:*

Sprechblase f; **~ de savon** Seifenblase f; **2.** *papale:* Bulle f

bulletin [byltɛ̃] m formulaire Zettel m, Schein m; rapport Bericht m; école: Schulzeugnis n; **(de vote)** Wahlzettel m; **~ météorologique** Wetterbericht m; **~ de salaire** Gehaltsabrechnung f; **~ d'expédition** Paketkarte f

bureau [byro] m (pl -x) **1.** *meuble:* Arbeits-, Schreibtisch m; **2.** Büro n; à la maison Arbeitszimmer n; d'un fonctionnaire: Amt(szimmer) n; avocat: Kanzlei f; **~ de change** Wechselstube f; **~ de location** Theaterkasse f; **~ de placement** Stellenvermittlungsbüro n; **~ de poste** Postamt n; **~ de tabac** Tabakladen m; **~ de traduction** Übersetzungsbüro n; **~ de vote** Wahllokal n; **~crate** [-krat] m, f Bürokrat(in) m(f); **~cratie** [-krasi] f Bürokratie f; **~cratique** [-kratik] bürokratisch

bureautique [byrotik] f Büroautomation f, elektronische Bürotechnik f

burette [byrɛt] f Kännchen n

burin [byrɛ̃] m Meißel m, Stichel m

bus [bys] m (Stadt-)Bus m

buse [byz] f zo Bussard m

busqué [byske] **nez ~** Hakennase f

buste [byst] m anat Oberkörper m; sculpture: Büste f

but [by(t)] m cible Zielscheibe f; fig objectif Ziel n, Zweck m; d'un voyage: Ziel n; sport: Tor n; **de ~ en blanc** geradeheraus; **dans le ~ de** (+ inf) in der Absicht zu (+ inf); **avoir pour ~** bezwecken; **marquer un ~** ein Tor schießen

butane [bytan] m Butan(gas) n

but|é, ~ée [byte] eigensinnig; **~er** (1a) stoßen (**contre** an acc); fig **se ~** dickköpfig werden

butin [bytɛ̃] m Beute f (e-s Diebes)

butte [byt] f colline: (Erd-)Hügel m; **être en ~ à** ausgesetzt sein (dat)

buv|able [byvablə] trinkbar; **~ard** [-ar] (papier m) ~ m Löschblatt n; **~ette** [-ɛt] f Erfrischungsraum m; Ausschank m; **~eur, ~euse** m, f Trinker(in) m(f)

C

ça [sa] das, dies, es; **~ alors!** na so was!; **~ va?** wie geht's?; **~ y est** es ist so weit; **c'est ~!** stimmt!; **et avec ~?** sonst noch was?

çà [sa] **~ et là** hier und da

cabane [kaban] f Hütte f

cabanon [kabanɔ̃] m cellule: Gummizelle f, en Provence: kleines Landhaus n

cabaret [kabarɛ] m Kabarett n

cabas [kaba] m Einkaufstasche f

cabillaud [kabijo] m zo Kabeljau m

cabine [kabin] f Kabine f; mar a Kajüte f; camion: Führerhaus n; aviat: **~ de pilotage** Cockpit m; **~ d'essayage** Anprobekabine f; **~ téléphonique** Telefonzelle f

cabinet [kabinɛ] m petite pièce Kammer f; avocat: Anwaltsbüro n; médecin: Sprechzimmer n; pol Kabinett n; **~s** pl WC n, Toilette f

câbl|e [kablə] m Kabel n (a tél); corde Seil n, Tau n; él Leitung f; **~ de remorque** Abschleppseil n; **~er** (1a) pays: verkabeln

cabosser [kabɔse] (1a) verbeulen

cabotage [kabɔtaʒ] m mar Küstenschifffahrt f

cabrer [kabre] (1a) **se ~** animal: sich bäumen; personne: sich sträuben

cabri [kabri] m Zicklein n

cabriol|e [kabrijɔl] f Luftsprung m; **~et** [-ɛ] m auto Kabriolett n

cacah(o)uete [kakawɛt, -ɥɛt] f bot Erdnuss f

cacao [kakao] m bot Kakao m

cache|-cache [kaʃkaʃ] m Verstecken n (Spiel); **~col** [-kɔl] m (pl unv) feiner Schal m; **~mire** [-mir] m tissu: Kaschmir m; **~nez** [-ne] m (pl unv) (Woll-)Schal m

cacher [kaʃe] (1a) verstecken; sentiments, pensées: verbergen; vérité, fait: verheimlichen; **se ~ de qn** sich vor j-m

C

verstecken; *il ne cache pas que* er verhehlt nicht, dass

cachet [kaʃɛ] *m* **1.** Stempel *m*, Siegel *n*; **2.** *fig caractère* Charakter *m*, Gepräge *n*; **3.** *phm* Kapsel *f*, Tablette *f*; **4.** *rétribution* Honorar *n*, Gage *f*

cacheter [kaʃte] (*1c*) (ver)siegeln

cachette [kaʃɛt] *f* Versteck *n*; *en ~* heimlich

cachot [kaʃo] *m* (finsteres) Gefängnis *n*

cachotterie [kaʃɔtri] *f* Geheimniskrämerei *f*

cactus [kaktys] *m* Kaktus *m*

c.-à-d. (*abr* c'est-à-dire) das heißt, d.h.

cadastre [kadastrə] *n* Kataster *m*; Katasteramt *n*

cadavre [kadavrə] *m personne*: Leiche *f*, *animal*: Kadaver *m*

cadeau [kado] *m* (*pl -x*) Geschenk *n*; *faire ~ de qc à qn*, *faire un ~ à qn* j-m etw (*acc*) schenken

cadenas [kadna] *m* Vorhänge-, Vorlegeschloss *n*; **~ser** [-se] (*1a*) mit e-m Vorhängeschloss verschließen; *bicyclette*: anschließen

cadenc|e [kadãs] *f* Rhythmus *m*, Takt *m*; *de travail* Tempo *n*; *mus* Kadenz *f*; **~é, ~ée** rhythmisch, taktmäßig

cad|et, ~ette [kadɛ, -ɛt] *m* jüngerer Sohn *m*, jüngere Tochter *f*; *il est mon cadet de trois ans* er ist drei Jahre jünger als ich

cadran [kadrã] *m* Zifferblatt *n*; **~ solaire** Sonnenuhr *f*

cadr|e [kadrə] *m* **1.** Rahmen *m* (*a fig*); *dans le ~ de* im Rahmen (*gén*); **2.** *d'une entreprise*: Führungskraft *f*; **~s supérieurs (moyens)** obere (mittlere) Führungskräfte *f/pl*; **~er** (*1a*) *avec* übereinstimmen mit; passen zu

cad|uc, ~uque [kadyk] veraltet; *bâtiment*: baufällig; *jur* unwirksam

cafard [kafar] *m zo* (Küchen-)Schabe *f*; *F avoir le ~* traurig, mutlos, verstimmt sein; *donner le ~ à qn* j-n trübselig machen

café [kafe] *m boisson*: Kaffee *m*; *établissement* Kaffeehaus *n*, Café *n*, Wirtshaus *n*; *~ crème (noir)* Kaffee *m* mit (ohne) Milch; *~ filtre* Filterkaffee *m*

caféine [kafein] *f* Koffein *n*

cafeteria [kafeterja] *f* Cafeteria *f*

café-théâtre [kafeteatrə] *m* (*pl ca-* *fés-théâtres*) Kleinkunsttheater *n*

cafet|ier [kaftje] *m* Cafébesitzer *m*, Wirt *m*; **~ière** [-jer] *f* Kaffeekanne *f*; **~ électrique** Kaffeemaschine *f*

cage [kaʒ] *f* Käfig *m*; *tech* Gehäuse *n*; **~ d'escalier** Treppenhaus *n*

cageot [kaʒo] *m* Lattenkiste *f*, Steige *f*

cagibi [kaʒibi] *m F* Abstellkammer *f*

cagn|eux, ~euse [kaɲø, -øz] X-beinig

cagnotte [kaɲɔt] *f* Spielkasse *f*, Gemeinschaftskasse *f*

cag|ot, ~ote [kago, -ɔt] *litt* **1.** *m*, *f* Heuchler(in) *m(f)*; **2.** *adj* heuchlerisch

cagoule [kagul] *f* Kapuze *f* (*mit Augenschlitzen*)

cahier [kaje] *m* (Schreib-)Heft *n*

cahot [kao] *m* Stoß *m*, Ruck *m*

cahoter [kaote] (*1a*) *v/t* schütteln, rütteln; *v/i auto* holpern, rumpeln

caille [kaj] *f zo* Wachtel *f*

caill|é [kaje] (*lait m*) ~ *m* Sauermilch *f*, dicke Milch *f*; **~er** (*1a*) gerinnen lassen; *se ~* gerinnen; *F fig ça caille!* es ist eiskalt!

caillot [kajo] *m ~ (de sang)* (Blut-) Gerinnsel *n*

caillou [kaju] *m* (*pl -x*) Kieselstein *m*; **~x** *pl* Schotter *m*; Kies *m*

caiss|e [kɛs] *f* **1.** *boîte* Kiste *f*, Kasten *m*; *mus grosse ~* Pauke *f*; **2.** *argent*: Kasse *f*; *tenir la ~* die Kasse führen; **~ noire** Geheimfonds *m*; **~ d'épargne** Sparkasse *f*; **~ier, ~ière** [-je, -jer] *m*, *f* Kassierer(in) *m(f)*; **~on** [-ɔ̃] *m* Kiste *f*, Behälter *m*; *arch* Kassette *f*

cajoler [kaʒole] (*1a*) liebkosen

cake [kɛk] *m* englischer Kuchen *m*

calamité [kalamite] *f* Unheil *n*

calandre [kalãdrə] *f auto* Kühlergrill *m*

calcaire [kalker] **1.** *adj* Kalk..., kalkig; *eau*: kalkhaltig; **2.** *m* Kalk(stein) *m*

calciné, ~e [kalsine] ausgebrannt, verkohlt

calcium [kalsjɔm] *m* Kalzium *n*

calcul [kalkyl] *m* **1.** Rechnung *f*, Rechnen *n*; *fig intérêt* Berechnung *f*, Kalkül *n*; **~ mental** Kopfrechnen *n*; **2.** *méd* Stein *m*; **~ biliaire** Gallenstein *m*; **~ rénal** Nierenstein *m*

calcula|teur, ~trice [kalkylatœr, -tris] **1.** *adj* (be)rechnend; **2.** *m*, *f* Rechner(in) *m(f)*; *comm* Kalkulator *m*; **3.** *m ordinateur* Rechner *m*; **4.** *f* Rechner *m*; *~ (de poche)* Taschenrechner *m*

calculer [kalkyle] *(1a)* (aus-, er-, be-) rechnen; *combiner* kalkulieren

cale [kal] *f* **1.** *mar* Kielraum *m*; **~ sèche** Trockendock *n*; **2.** *pour bloquer*: Keil *m*

calé, ~e [kale] F beschlagen (**en** in *dat*)

caleçon [kalsɔ̃] *m* Unterhose *f*; **~ de bain** Badehose *f*

calembour [kalɑ̃bur] *m* Wortspiel *n*, Kalauer *m*

calendes [kalɑ̃d] *f/pl* **renvoyer qc aux ~ (grecques)** etw auf den Sankt-Nimmerleins-Tag verschieben

calendrier [kalɑ̃drije] *m* Kalender *m*; *programme*: Zeitplan *m*

calepin [kalpɛ̃] *m* Notizbuch *n*

caler [kale] *(1a)* zustopfen, *v/t motor*. abwürgen; *tech* verkeilen; *v/i motor*: absterben

calfeutrer [kalføtre] *(1a)* zustopfen, abdichten; **se ~** zuhause bleiben; F hinter dem Ofen hocken

calibre [kalibr] *m arme*: Kaliber *n*; *tech* Stärke *f*, Durchmesser *m*; *fruits, œufs*: Größe *f*; *fig* F Format *n*, Kaliber *n*

calice [kalis] *m* Kelch *m*

califourchon [kalifurʃɔ̃] **à ~** rittlings

câl|in, ~ine [kalɛ̃, -in] **1.** *adj* zärtlich, anschmiegsam; **2.** *m* Liebkosung *f*; **~iner** [-ine] *(1a)* liebkosen; F schmusen (**qn** mit); **~inerie** [-inri] *f souvent au pl* **~s** Zärtlichkeiten *f/pl*

call|eux, ~euse [kalø, -øz] schwielig

calm|ant, ~ante [kalmɑ̃, -ɑ̃t] **1.** *adj tranquilisant* beruhigend; *douleur*: schmerzlindernd; **2.** *m* Beruhigungs-, Schmerzmittel *n*

calm|e [kalm] **1.** *adj* ruhig, still; **2.** *m* Ruhe *f*, Stille *f*; *mar* Windstille *f*; *psych* Gemütsruhe *f*; **avec ~** gelassen; **~ement** [-əmɑ̃] *adv* ruhig; **~er** *(1a) personne*: beruhigen; *douleur*: mildern, lindern; *colère* beschwichtigen; **se ~** sich beruhigen

calomn|ie [kalɔmni] *f* Verleumdung *f*; **~ier** [-je] *(1a)* verleumden

calor|ie [kalɔri] *f phys* Kalorie *f*; **~fère** [-fɛr] *m* Heizung *f*; **~fuge** [-fyʒe] wärmespeichernd, -isolierend

calotte [kalɔt] *f* **1.** Käppchen *n*; **2.** F *gifle* Ohrfeige *f*

calqu|e [kalk] *m tech* Pause *f*, Durchzeichnung *f*; *fig* Nachahmung *f*; **~er** *(1m)* durchzeichnen, -pausen; *fig* **~ qc** etw nachahmen

calvados [kalvados] *m* Apfelbranntwein *m*

calvaire [kalvɛr] *m rel* Kalvarienberg *m*; *fig* Leidensweg *m*

calvitie [kalvisi] *f* Kahlköpfigkeit *f*, Glatze *f*

camarad|e [kamarad] *m, f* Kamerad(in) *m(f)*; *pol* Genosse *m*, Genossin *f*; **~erie** [-ri] *f* Kameradschaft *f*

cambiste [kɑ̃bist(ə)] *m* Devisenhändler *m*; *touristes*: Geldwechsler *m*

Cambodge [kɑ̃bɔdʒ] **le ~** Kambodscha *n*

cambouis [kɑ̃bwi] *m* Schmieröl *n*

cambrer [kɑ̃bre] *(1a)* krümmen

cambriol|age [kɑ̃brijolaʒ] *m* Einbruch *m*; **~er** *(1a)* einbrechen (**qc** in etw *acc*, **qn** bei j-m); **~eur, ~euse** *m, f* Einbrecher(in) *m(f)*

cambrousse [kɑ̃brus] *f* F *péj* gottverlassene Gegend *f*

came [kam] *f tech* Nocken *m*; **arbre m à ~s** Nockenwelle *f*

camel|ot [kamlo] *m* Straßenhändler *m*; **~ote** [-ɔt] *f* F Schund *m*, Ramsch *m*

camembert [kamɑ̃bɛr] *m* Camembertkäse *m* (*aus der Normandie*)

caméra [kamera] *f* (Film-)Kamera *f*; **~ vidéo** Videokamera *f*

camion [kamjɔ̃] *m* Lastwagen *m*; **~-citerne** [-sitɛrn] *m* (*pl camions-citernes*) Tankwagen *m*

camionn|ette [kamjɔnɛt] *f* Lieferwagen *m*; **~eur** *m* Lastwagenfahrer *m*

camisole [kamizɔl] *f* **~ de force** Zwangsjacke *f*

camomille [kamɔmij] *f bot* Kamille *f*

camoufl|age [kamuflaʒ] *m* Tarnung *f*; **~er** *(1a)* tarnen; *fig intention, faute*: verbergen

camp [kɑ̃] *m* Lager *n* (*a mil u pol*); **~ de concentration** Konzentrationslager *n*; **~ militaire** Truppenübungsplatz *m*; **~ de réfugiés** Flüchtlingslager *n*; **~ de vacances** Ferienlager *n*; F **ficher le ~** abhauen, sich verziehen

campagn|ard, ~arde [kɑ̃paɲar, -ard] **1.** *adj* ländlich, bäuerlich; **2.** *m, f* Landbewohner(in) *m(f)*

campagne [kɑ̃paɲ] *f* **1.** Land *n* (*im Gegensatz zur Stadt*); **à la ~** auf dem Land; **en pleine ~** weit auf dem Land draußen; **2.** *mil u fig* Feldzug *m*; **~ électorale** Wahlkampf *m*; **~ pu-**

C

blicitaire Werbefeldzug *m*, -kampagne *f*

campanile [kãpanil] *m* (*einzeln stehender*) Glockenturm *m*

camp|ement [kãpmã] *m* (Feld-)Lager *n*; *~er* (*1a*) campen, zelten, kampieren; *se ~ devant* sich aufstellen vor (*dat*); *~eur*, *~euse* *m*, *f* Camper(in) *m(f)*

camphre [kãfrə] *m* Kampfer *m*

camping [kãpiŋ] *m* Camping *n*, Campen *n*, Zelten *n*; (*terrain m de*) *~* Campingplatz *m*; *faire du ~* zelten; *~car* [-kar] *m* (*pl camping-cars*) Wohnmobil *n*

Canada [kanada] *le ~* Kanada *n*

canad|ien, *~ienne* [kanadjɛ̃, -jɛn] **1.** *adj* kanadisch; **2.** ♀ *m*, *f* Kanadier(in) *m(f)*

canaille [kanaj] *f* Schurke *m*, Kanaille *f*

canal [kanal] *m* (*pl -aux*) Kanal *m*; *tuyau* Leitung *f*; *~isation* [-izasjõ] *f tuyauterie* Leitungsnetz *n*, Kanalisation *f*; *eau*, *gaz*: Leitung *f*; *fleuve*: Kanalisierung *f*

canapé [kanape] *m* Sofa *n*

canard [kanar] *m* Ente *f*; *mâle*: Enterich *m*; *fig bobard* (Zeitungs-)Ente *f*; *péj journal* Zeitung *f*; F *un froid de ~* Saukälte *f*

canari [kanari] *m* Kanarienvogel *m*

cancans [kãkã] *m/pl* Klatsch *m*

cancer [kãsɛr] *m méd, astr* Krebs *m*

cancér|eux, *~euse* [kãserø, -øz] **1.** *adj* Krebs..., krebsartig; *malade* krebskrank; **2.** *m*, *f* Krebskranke(r) *m*, *f*; *~igène*, *~ogène* [-iʒɛn, -ɔʒɛn] Krebs erregend

candeur [kãdœr] *f* Treuherzigkeit *f*

candi [kãdi] *sucre m ~* Kandiszucker *m*

candid|at, *~ate* [kãdida, -at] *m*, *f* Kandidat(in) *m(f)*; *~ature* [-atyr] *f* Kandidatur *f*; *~ spontanée* Blindbewerbung *f*; *poser sa ~ à un poste* sich für e-e Stelle bewerben

candide [kãdid] naiv, unbefangen

cane [kan] *f* (*weibliche*) Ente *f*

canevas [kanva] *m couture*: Kanevas *m*; *fig* Gerüst *n*, Entwurf *m*

caniche [kaniʃ] *m* Pudel *m*

canicule [kanikyl] *f période*: Hundstage *m/pl*; *chaleur* Gluthitze *f*

canif [kanif] *m* Taschenmesser *n*

can|in, *~ine* [kanɛ̃, -in] Hunde...

canine [kanin] *f* Eckzahn *m*

caniveau [kanivo] *m* (*pl -x*) Rinnstein *m*; *tech* Leitungskanal *m*

canne [kan] *f* Rohr *n* (*bot*); *à marcher*: Stock *m*; *~ à sucre* Zuckerrohr *n*; *~ à pêche* Angelrute *f*

cannelle [kanɛl] *f bot*, *cuis* Zimt *m*

canoë [kanɔe] *m* Kanu *n*

canon [kanõ] *m* **1.** *mil* Kanone *f*; *fusil*: Lauf *m*; *~ à eau* Wasserwerfer *m*; **2.** *mus* Kanon *m*; **3.** *rel* Kanon *m*

canoniser [kanɔnize] (*1a*) *rel* heilig sprechen

canot [kano] *m* Boot *n*; *~ de sauvetage* Rettungsboot *n*; *~ pneumatique* Schlauchboot *n*

canot|age [kanɔtaʒ] *m* Kahnfahren *n*; *~er* (*1a*) Kahn fahren

cantatrice [kãtatris] *f* Sängerin *f*

cantine [kãtin] *f* Kantine *f*

cantique [kãtik] *m rel* Kirchenlied *n*, Lobgesang *m*

canton [kãtõ] *m France, Suisse*: Kanton *m*

cantonn|er [kãtɔne] (*1a*) **1.** *mil* einquartieren; **2.** *se ~* sich zurückziehen; *fig* sich beschränken (*dans* auf *acc*); *~ier* [-je] *m* Straßenwärter *m*

canule [kanyl] *f méd* Röhrchen *n*, Kanüle *f*

caoutchouc [kautʃu] *m* Kautschuk *m*, Gummi *m od n*; *bande élastique* Gummiband *n*; *~ mousse* Schaumgummi *m*

cap [kap] *m* Kap *n*; *fig franchir le ~* die schwierige Lage überstehen; *mettre le ~ sur* Kurs auf (*acc*) ... nehmen

C.A.P. [seape] *m* (*abr certificat d'aptitude professionnelle*) *etwa* Gesellen-, Facharbeiterprüfung *f*, -brief *m*

cap|able [kapabl] fähig; *~ de* (+ *inf*) fähig, im Stande zu (+ *inf*); *~acité* [-asite] *f compétence* Fähigkeit *f*; *contenance* Kapazität *f*

cape [kap] *f* Umhang *m*; *fig rire sous ~* sich ins Fäustchen lachen

capillaire [kapilɛr] kapillar, Haar...

capitaine [kapitɛn] *m mil* Hauptmann *m*; *mar* Kapitän *m*; *sports*: Mannschaftskapitän *m*

capital, *~e* [kapital] (*m/pl -aux*) **1.** *adj* hauptsächlich; Haupt...; *il est capital que* (+ *subj*) es ist von größter Wichtigkeit, dass; *peine f capitale* Todesstrafe *f*; **2.** *m* Kapital *n*, Vermögen *n*;

capitaux pl Gelder n/pl, (Geld-)Mittel n/pl; **3.** f ville: Hauptstadt f; lettre: Großbuchstabe m; **~iser** (1a) anhäufen; **~isme** m Kapitalismus m; **~iste** 1. adj kapitalistisch; **2.** m, f Kapitalist(in) m(f)

capit|eux, ~euse [kapitø, -øz] berauschend; **~onner** [-ɔne] (1a) polstern

capit|ulation [kapitylasjɔ̃] f Kapitulation f, Übergabe f; **~uler** [-yle] (1a) kapitulieren

caporal [kapɔral] m (pl -aux) mil Gefreite(r) m

cap|ot [kapo] m auto Motorhaube f; **~ote** [-ɔt] f vêtement: Mantel m (mit Kapuze); auto Verdeck n; P **~ anglaise** P Pariser m; **~oter** [-ɔte] (1a) aviat, auto sich überschlagen

câpre [kɑprə] f cuis Kaper f

capric|e [kapris] m Laune f; **~ieux, ~ieuse** [-jø, -jøz] launisch

capricorne [kaprikɔrn] m astr Steinbock m

capsule [kapsyl] f bouteille: Kronenverschluss m; spatiale: Kapsel f

capt|er [kapte] (1a) obtenir par ruse erschleichen; attention: fesseln; source: fassen; radio, TV empfangen; courant électrique: entnehmen; **~eur** m tech ~ **solaire** Sonnenkollektor m

capt|if, ~ive [kaptif, -iv] 1. adj gefangen; **2.** m f Gefangene(r) m, f; **~iver** [-ive] (1a) fig fesseln, faszinieren; **~ivité** [-ivite] f Gefangenschaft f

captur|e [kaptyr] f saisie Gefangennahme f; butin Fang m; **~er** (1a) einfangen; personne: festnehmen

capuchon [kapyʃɔ̃] m Kapuze f

capuc|in [kapysɛ̃] m rel Kapuziner m; **~ine** f bot Kapuzinerkresse f

car¹ [kar] m Reise-, Überlandbus m

car² [kar] conj denn

carabin|e [karabin] f Karabiner m; **~é, ~ée** F heftig, stark

caractère [karaktɛr] m **1.** lettre, signe Schriftzeichen n; **en ~ gras** fett gedruckt; **~ de contrôle, de commande** EDV Steuerzeichen n; **~ spécial** Sonderzeichen n; **~s pl d'imprimerie** Druckbuchstaben m/pl, (-)Schrift f; **2.** psych Charakter m, Art f; **avoir bon ~** gutmütig sein; **avoir mauvais ~** e-n schwierigen Charakter haben

caractéris|é, ~ée [karakterize] aus-

geprägt; **~er** (1a) charakterisieren, kennzeichnen

caractéristique [karakteristik] **1.** adj charakteristisch (**de** für); **2.** f Kennzeichen n; personne: Wesenszug m

carafe [karaf] f Karaffe f

carambolage [karɑ̃bɔlaʒ] m Auffahrunfall m, Zusammenstoß m, Karambolage f

caramboler [karɑ̃bɔle] (1a) zusammenprallen, zusammenstoßen

caramel [karamɛl] m substance: Karamell m; bonbon Karamellbonbon m od f

carapace [karapas] f zo u fig Panzer m; tech Panzerung f

carat [kara] m Karat n

caravan|e [karavan] f **1.** convoi Karawane f; **2.** auto Wohnwagen m, Caravan m; **~ing** [-iŋ] m Reisen n mit e-m Wohnwagen

carbon|e [karbɔn] m chim Kohlenstoff m; papier m ~ Kohlepapier n; **~ique** chim acide m ~ Kohlensäure f; gaz m ~ Kohlendioxid n; **~iser** [-ize] (1a) verkohlen

carbur|ant [karbyrɑ̃] m Treib-, Kraftstoff m; **~ateur** [-atœr] m tech Vergaser m

carcasse [karkas] f animal: Gerippe n; tech Gestell n

cardiaque [kardjak] méd **1.** adj Herz...; malade herzkrank; **2.** m, f Herzkranke(r) m, f; **3.** m phm Herzmittel n

cardinal, ~e [kardinal] (m/pl -aux) **1.** adj hauptsächlich, Haupt...; **les points** m/pl **cardinaux** die vier Himmelsrichtungen f/pl; **2.** m égl Kardinal m

cardio|logie [kardjɔlɔʒi] f Kardiologie f, **~logue** [-lɔg] m, f Kardiologe m, Kardiologin f, Herzspezialist(in) m(f)

carême [karɛm] m rel Fastenzeit f

carence [karɑ̃s] f incompétence Unfähigkeit f, Versagen n; manque Mangel m; **~ alimentaire** mangelhafte Ernährung f, **~ de contacts** Kontaktarmut f; **maladie f par ~** Mangelkrankheit f

caress|e [karɛs] f Liebkosung f, Zärtlichkeit f; **~er** (1b) streicheln, liebkosen; projet, idée: spielen mit

cargaison [kargɛzɔ̃] f (Schiffs-)Ladung f, Fracht f; fig Repertoire n

cargo [kargo] m mar Frachtschiff n,

Frachter *m*

caricatur|e [karikatyr] Karikatur *f*, Zerrbild *n*; **~er** (*1a*) karikieren

carie [kari] *f méd* **~ dentaire** Karies *f*; **une ~** ein Loch *n* im Zahn

carié, **~e** [karje] *dent*: kariös

carillon [karijõ] *m cloches*: Glockenspiel *n*; *pendule*: Schlagwerk *n*; **~ électrique** elektrische Klingel *f*

carlingue [karlẽg] *f aviat* Kabine *f*

carme [karm] *m rel* Karmeliter *m*

carnage [karnaʒ] *m* Blutbad *n*

carnass|ier, **~ière** [karnasje, -jɛr] Fleisch fressend; **~ière** *f* Jagdtasche *f*

carnation [karnasjõ] *f* Gesichtsfarbe *f*

carnaval [karnaval] *m* (*pl* -als) Fasching *m*, Karneval *m*

carnet [karnɛ] *m* Notizbuch *n*; **~ de chèques** Scheckheft *n*; **~ d'adresses** Adressbuch *n*

carnivore [karnivɔr] **1.** *adj* Fleisch fressend; **2.** *m/pl* **~s** Fleischfresser *m/pl*

carotte [karɔt] *f* Mohrrübe *f*, Möhre *f*, Karotte *f*; **poil de ~** rothaarig, fuchsrot

carpe [karp] *f zo* Karpfen *m*

carpette [karpɛt] *f* kleiner Teppich *m*

carr|é, **~ée** [kare] **1.** *adj* quadratisch; *visage*: kantig; *fig refus, réponse*: deutlich, klar; **mètre** *m* **carré** Quadratmeter *m od* **~**; **2.** *m* Quadrat *n*; *jardin*: Beet *n*; **élever au ~** quadrieren

carreau [karo] *m* (*pl* -x) *de faïence etc*: Fliese *f*, Kachel *f*; *fenêtre*: Fensterscheibe *f*; *cartes*: Karo *n*; **à ~x** kariert

carrefour [karfur] *m* Straßenkreuzung *f*; *fig* Treffpunkt *m*

carrel|age [karlaʒ] *m* Fliesen-, Plattenbelag *m*; **~er** (*1c*) mit Fliesen auslegen; **~eur** *m* Fliesen-, Plattenleger *m*

carrément [karemã] *adv* rundweg, geradeheraus

carrière [karjɛr] *f* **1.** Steinbruch *m*; **2.** *profession*: Laufbahn *f*, Karriere *f*; **militaire** *m* **de ~** Berufssoldat *m*

carriole [karjɔl] *f péj* Karren *m*

carrossable [karɔsablə] befahrbar

carross|e [karɔs] *m* Kutsche *f*, Karosse *f*; **~erie** *f auto* Karosserie *f*

carrousel [karuzɛl] *m* Karussell *n*

carrure [karyr] *f* Schulterbreite *f*

cartable [kartablə] *m* Schulmappe *f*, -ranzen *m*

carte [kart] *f* Karte *f*; *restaurant*: Speisekarte *f*; **~ de crédit** Kreditkarte *f*; **~**

d'embarquement Bordkarte *f*; **~ d'étudiant** Studentenausweis *m*; **~ graphique** Grafikkarte *f*; *auto* **~ grise** Kraftfahrzeugschein *m*; **~ d'identité** Personalausweis *m*; **~ postale** Postkarte *f*; **~ à puce** Chipkarte *f*; **~ routière** Straßenkarte *f*; **~ son** Soundkarte *f*; **~ vermeil** Seniorenkarte *f*; **~ (de visite)** Visitenkarte *f*; **~ des vins** Weinkarte *f*; *fig* **donner ~ blanche à qn** j-m freie Hand lassen; **à la ~** nach der Karte

cartel [kartɛl] *m écon* Kartell *n*; *pol* Block *m*

carter [kartɛr] *m tech* Gehäuse *n*; *auto* **~ inférieur** Ölwanne *f*

cartilage [kartilaʒ] *m* Knorpel *m*

cartomancienne [kartɔmãsjɛn] *f* Kartenlegerin *f*

carton [kartõ] *m matériau*: Pappe *f*; *boîte* Karton *m*, (Papp-)Schachtel *f*; **~ (à dessin)** Mappe *f*; **~ ondulé** Wellpappe *f*; *football*: **~ jaune (rouge)** gelbe (rote) Karte *f*

cartonné, **~e** [kartɔne] kartoniert

cartouch|e [kartuʃ] *f* Patrone *f*, *cigarettes*: Stange *f*; **~ière** [-jɛr] *f mil, ch* Patronentasche *f*

cas [kɑ, ka] *m* Fall *m* (*a méd, gr, jur*); **en aucun ~** auf keinen Fall; **dans ce ~-là**, **en ce ~** in diesem Fall; **en tout ~** auf jeden Fall; **en aucun ~** auf keinen Fall, keinesfalls; **en ~ de** im Fall (*gén*); **au ~ où** (+ *cond*), **litt en ~ que** (+ *subj*) falls; im Falle, dass; **en ~ de besoin** notfalls; **le ~ échéant** gegebenenfalls; **faire grand ~ de qc** auf etw (*acc*) großen Wert legen; **faire peu de ~ de** sich wenig machen aus

casan|ier, **~ière** [kazanje, -jɛr] *m, f* Stubenhocker(in) *m(f)*

casaque [kazak] *f fig* **tourner ~** umschwenken

cascad|e [kaskad] *f* Wasserfall *m*; **~eur** *m* Stuntman *m*

case [kaz] *f* **1.** *hutte* Hütte *f*; **2.** *compartiment* Fach *n*; *formulaire, mots-croisés*: Kästchen *n*; *échiquier*: Feld *n*

caser [kaze] (*1a*) unterbringen; *choses*: *a* verstauen; *fig* marier verheiraten

caserne [kazɛrn] *f* Kaserne *f*

cash [kaʃ] *payer* **~** bar bezahlen

casier [kazje] *m courrier*: Fach *n*; *bouteilles, livres*: Regal *n*; **~ judiciaire**

Strafregister n

casque [kask] m (Schutz-, Sturz-)Helm m; radio: Kopfhörer m; **les ~s bleus** die Blauhelme m/pl; **~ette** [-ɛt] f (Schirm-)Mütze f

cass|able [kasablə] zerbrechlich; **~ant, ~ante** [-ɑ̃, -ɑ̃t] zerbrechlich; fig schroff; **~ation** f jur Aufhebung f; **Cour f de ~** Oberster Gerichtshof m

casse [kas] f **mettre une voiture à la ~** ein Auto verschrotten lassen; **payer la ~** den Schaden bezahlen

casse|-croûte [kaskrut] m (pl unv) Imbiss m; **~-noisettes** [-nwazɛt] m (pl unv) Nussknacker m; **~-pieds** [-pje] unv F unausstehlich

casser [kase] (1a) v/t zerbrechen; F kaputtmachen; noix: knacken; œuf: aufschlagen; jur aufheben; v/i se **~** (zer)brechen, F kaputtgehen; verre: zersplittern; fil: reißen; F ~ **les pieds à qn** F j-m auf den Wecker gehen; comm ~ **les prix** die Preise radikal senken; ~ **la croûte** e-n Imbiss einnehmen; F ~ **la figure (gueule) à qn** F j-n verdreschen, versohlen; F **se ~ la figure (gueule)** hinfallen, -schlagen; **se ~ la tête** sich nicht viel Mühe geben; F **ne pas se ~** sich nicht viel Mühe machen

casserole [kasrɔl] f Kochtopf m

casse-tête [kastɛt] m (pl unv) arme: Totschläger m; fig problème harte Nuss f

cassette [kasɛt] f bande magnétique Kassette f; **~ magnétophone** m à ~ Kassettenrekorder m

cassis [kasis] m **1.** bot schwarze Johannisbeere f; (**crème f de**) ~ Likör aus schwarzen Johannisbeeren; **2.** route: Querrinne f

cassoulet [kasulɛ] m cuis Eintopf aus Bohnen, Speck, Hammelfleisch

cassure [kasyr] f Bruch m

caste [kast] f Kaste f

castor [kastɔr] m zo Biber m

castrer [kastre] (1a) kastrieren

cata|clysme [kataklism] m (Natur-)Katastrophe f; **~logue** [-lɔg] m Katalog m; **~loguer** [-lɔge] (1m) katalogisieren; F péj etikettieren; **~lytique** [-litik] **pot** m ~ auto Katalysator m; **~racte** [-rakt] f **1.** cascade (großer) Wasserfall m, Katarakt m; **2.** méd grauer Star m

catastroph|e [katastrɔf] f Katastrophe f; **en ~** überstürzt; **~é, ~ée** F niedergeschlagen, F fertig; **~ique** katastrophal

catéchisme [kateʃismə] m enseignement: Religionsunterricht m; livre: Katechismus m

catégor|ie [kategɔri] f Kategorie f, Klasse f (a sports) **~ique** kategorisch, entschieden

cathédrale [katedral] f Dom m, Kathedrale f, Münster n

catholicisme [katɔlisismə] m Katholizismus m

catholique [katɔlik] **1.** adj katholisch; F fig **pas très ~** nicht ganz sauber; **2.** m, f Katholik(in) m(f)

catimini [katimini] F **en ~** ganz heimlich

cauchemar [koʃmar] m Albtraum m

caus|e [koz] f **1.** Ursache f, Grund m; **à ~ de, pour ~ de** wegen; **sans ~** grundlos; **pour ~** zu Recht; **2.** affaire Sache f, Angelegenheit f; **faire ~ commune avec qn** mit j-m gemeinsame Sache machen; **3.** jur Prozess m; **être en ~** zur Debatte stehen; **mettre en ~** in Frage stellen; **~er** (1a) **1.** provoquer verursachen; **2.** s'entretenir plaudern (**avec qn de** mit j-m über); **~erie** f Plauderei f

caus|eur, ~euse [kozœr, -øz] m, f Plauderer m, Plauderin f

caustique [kostik] chim ätzend; fig beißend, scharf, schneidend

cautériser [koterize] (1a) méd plaie: ausbrennen

caution [kosjõ] f Bürgschaft f, Kaution f; fig Unterstützung f

cautionner [kosjɔne] (1a) jur u fig ~ **qn** für j-n bürgen

caval|er [kavale] (1a) F ~ **après qn** j-m nachlaufen; **~erie** f Kavallerie f, Reiterei f; **~ier, ~ière** [-je, -jer] **1.** m, f cheval: Reiter(in) m(f); bal: Tanzpartner(in) m(f); Begleiter(in) m(f); **2.** m échecs: Springer m; **3.** adj impertinent vorzüglig, ungezogen

cav|e [kav] f Keller m; vin: Weinkeller m; **~eau** [-o] m (pl -x) Grabgewölbe n, Gruft f

caverne [kavɛrn] f Höhle f

caviar [kavjar] m Kaviar m

caviste [kavist] m Kellermeister m (im Restaurant)

cavité [kavite] f Hohlraum m

C.D. [sede] *m* **1.** (*abr* Corps diplomatique) Diplomatisches Korps *n*; **2.** (*abr* compact disc) Compactdisc *f*, CD *f*

ce [sə] *m* (**cet** [sɛt] *m*, **cette** [sɛt] *f*, **ces** [se] *pl*) diese(r, -s); *~ ...-ci* diese(r, -s) ... (hier); *~ ...-là* der (die, das) *od* jene(r, -s) ... (dort, da); *ce que* (*tu fais*), *ce qui* (*me plaît*) was; *c'est pourquoi* deshalb; *ce matin* heute Morgen; *ce soir* heute Abend; *c'est que* nämlich, denn; *qui est-ce?* wer ist das?; *à la porte*: wer ist da?; *c'est le voisin* das ist der Nachbar; *pour ce faire* zu diesem Zweck; *sur ce* daraufhin

ceci [səsi] dieses, dies, das; *~ ou cela* dieses oder jenes

cécité [sesite] *f* Blindheit *f*

céder [sede] (*1f*) *~ qc à qn* j-m etw überlassen, abtreten; *~ à qn* j-m nachgeben; *il ne lui cède en rien* er steht ihm in nichts nach; *~ le passage* die Vorfahrt lassen

cèdre [sɛdrə] *m bot* Zeder *f*

C.E.E. [seəa] *f* (*abr* Communauté *f* économique européenne) E(W)G *f*, Europäische (Wirtschafts-)Gemeinschaft *f*

ceindre [sɛ̃drə] (*4b*) *litt* umgürten; umgeben (*de* mit)

ceintur|e [sɛ̃tyr] *f* Gürtel *m*; *~ de sécurité* Sicherheitsgurt *m*; *~ de sauvetage* Rettungsring *m*; *à enrouleur* Automatikgurt *m*; *~ verte* Grüngürtel *m*; *fig se serrer la ~* den Gürtel enger schnallen; *~er* (*1a*) *personne*: umklammern (*in der Taille*); *ville*: umgeben

cela [s(ə)la] das (da); *il y a cinq ans de ~* das war vor fünf Jahren; *à ~ près* davon abgesehen, ansonsten

célébration [selebrasjõ] *f* Feier *f*; *~ du mariage* Trauung *f*

célèbre [selɛbrə] berühmt

célébr|er [selebre] (*1f*) feiern; *~ité* *f* Berühmtheit *f* (*a Person*)

céleri [sɛlri] *m bot* Sellerie *m od f*; *~(-rave)* (Knollen-)Sellerie *m od f*; *~ en branche* Stangensellerie *m od f*

célérité [selerite] *litt f* Schnelligkeit *f*

céleste [selɛst] Himmels...; himmlisch

célibat [seliba] *m* Ehelosigkeit *f*; *prêtre*: Zölibat *m od n*

célibataire [selibatɛr] **1.** *adj* ledig; **2.** *m*,

f Junggeselle *m*, Junggessellin *f*

celle, celles [sɛl] → *celui*

cellier [selje] *m* Wein- *od* Vorratskeller *m*

cellophane [selɔfan] *f* Zellophan *n*

cellule [selyl] *f* Zelle *f*

cellulite [selylit] *f méd* Zellulitis *f*

cellulose [selyloz] *f* Zellulose *f*

celtique [sɛltik] keltisch

celui [səlɥi] *m* (**celle** [sɛl] *f*, **ceux** [sø] *m/pl*, **celles** [sɛl] *f/pl*) der, die, das; *~-ci* [-si] diese(r, -s); *~-là* [-la] jene(r, -s); *celui dont je parle* der(jenige), von dem ich spreche

cendre [sãdrə] *f* Asche *f*

cendr|é, ~ée [sãdre] aschfarben; *~ée* *f sports*: Aschenbahn *f*; *~ier* [-ije] *m* Aschenbecher *m*

cène [sɛn] *f rel* Abendmahl *n*

cens|é, ~ée [sãse] *il est ~ être malade* man nimmt an, dass er krank ist; *~eur* *m* Zensor *m*; *fig* Kritiker *m*

censur|e [sãsyr] *f* Zensur *f*; *organe*: Zensurbehörde *f*; *pol motion f de ~* Misstrauensantrag *m*; *~er* (*1a*) zensieren; verbieten

cent [sã] **1.** *adj* hundert; **2.** *m* Hundert *n*, *f*; *pour ~* Prozent *n*

centaine [sãten] *f* Hundert *n*; *une ~ de* ungefähr hundert

centenaire [sãtner] **1.** *adj* hundertjährig; **2.** *m*/*f*: Hundertjährige *r f*

centième [sãtjɛm] **1.** hundertste(r, -s); **2.** Hundertstel *n*

centime [sãtim] *m* Centime *m*

centimètre [sãtimɛtrə] *m* Zentimeter *n od m*; *ruban*: Maßband *n*

central, ~e [sãtral] (*m/pl -aux*) **1.** *adj* zentral, Mittel-, Haupt...; *Europe f centrale* Mitteleuropa *n*; **2.** *m tél* Zentrale *f*; **3.** *f centrale* (*électrique*) Elektrizitätswerk *n*, Kraftwerk *n*; *centrale nucléaire* *od* *atomique* Atomkraftwerk *n*, Kernkraftwerk *n*; *centrale syndicale* Gewerkschaftszentrale *f*; *~isation* [-izasjõ] *f* Zentralisierung *f*; *~iser* (*1a*) zentralisieren

centr|e [sãtrə] *m* Zentrum *n*; Mittelpunkt *m* (*a math*); *milieu* Mitte *f* (*a pol*); *sports*: Mittelstürmer *m*; *football*: Flanke *f*; *~ commercial* Einkaufszentrum *n*; *~ d'accueil* Beratungs-, Informationsstelle *f*; *~ industriel* Industriezentrum *n*; *~ d'attraction* Anziehungspunkt *m*; **~ d'intérêt** Brennpunkt *m* des Interesses; **~ ville** Stadtmitte *f*; **au ~ de** in der Mitte (von); **~er** (*1a*) zentrieren

centrifuge [sãtrifyʒ] zentrifugal

centuple [sãtyplə] *m* Hundertfache(s) *n*

cep [sɛp] *m* Rebstock *m*; **~age** *m* Rebenart *f*, Rebsorte *f*

cèpe [sɛp] *m bot* Steinpilz *m*

cependant [səpãdã] *pendant ce temps* indessen; *pourtant* doch, dennoch

céramique [seramik] *f* Keramik *f*

cercle [sɛrklə] *m* Kreis *m*; *fig* Zirkel *m*, Kreis *m*; **~ vicieux** Teufelskreis *m*

cercueil [sɛrkœj] *m* Sarg *m*

céréales [sereal] *f/pl* Getreide *n*

cérébral, ~e [serebral] (*m/pl -aux*) Gehirn...

cérémo|nial [seremɔnjal] *m* Zeremoniell *n*; **~nie** [-ni] *f* Feier(lichkeit) *f*; **~s** *pl formalités* Umstände *m/pl*; **sans ~** zwanglos

cerf [sɛr] *m zo* Hirsch *m*

cerfeuil [sɛrfœj] *m bot* Kerbel *m*

cerf-volant [sɛrvolã] *m* (*pl cerfs-volants*) Papierdrachen *m*; *zo* Hirschkäfer *m*

ceris|e [s(ə)riz] *f* Kirsche *f*; **~ier** [-je] *m* Kirschbaum *m*

cerne [sɛrn] *m* Rand *m*; **~s** *pl* Ringe *m/pl* (um die Augen); **avoir les yeux ~s** Augenringe haben

cerner [sɛrne] (*1a*) *encercler* umzingeln; *fig problème:* einkreisen

cert|ain, ~aine [sɛrtɛ̃, -ɛn] *adj* **1.** (*après le subst*) bestimmt, sicher; **être ~ de qc** e-r Sache sicher sein; **2.** (*devant le subst*) gewiss (*in unbestimmtem Sinn*); **d'un certain âge** nicht mehr ganz jung; **~ainement** [-ɛnmã] *adv* sicherlich, gewiss

certes [sɛrt] *adv* sicher(lich)

certif|icat [sɛrtifika] *m* Bescheinigung *f*, Zeugnis *n*; **~ médical** ärztliches Attest *n*; **~ d'emploi** Beschäftigungsnachweis *m*; **~ de mariage** Trauschein *m*; **~ier** [-je] (*1a*) beglaubigen; **copie *f* certifiée conforme** beglaubigte Kopie *f*; **~ qc à qn** j-m etw bestätigen

certitude [sɛrtityd] *f* Gewissheit *f*

cerveau [sɛrvo] *m* (*pl -x*) Gehirn *n*

cervelas [sɛrvəla] *m etwa* Fleischwurst *f*

cervelle [sɛrvɛl] *f* Hirnsubstanz *f*; *fig*

Verstand *m*; *cuis* Hirn *n*; *fig* **se brûler la ~** sich e-e Kugel durch den Kopf jagen

Cervin [sɛrvɛ̃] **le ~** das Matterhorn

ces [se] → **ce**

césarienne [sezarjɛn] *f méd* Kaiserschnitt *m*

cessation [sɛsasjõ] *f* Einstellung *f*; **~ de commerce** Geschäftsaufgabe *f*; **~ de paiements** Zahlungseinstellung *f*

cess|e [sɛs] **sans ~** unaufhörlich; **n'avoir de ~ que** (+ *subj*) nicht ruhen, bis; **~er** (*1b*) aufhören (*qc* mit etw); **~ de** (+ *inf*) aufhören zu (+ *inf*)

cessez-le-feu [seselfø] *m* (*pl unv*) Waffenruhe *f*

c'est-à-dire [sɛtadir] das heißt

cet, cette [sɛt] → **ce**

ceux [sø] → **celui**

cf. (*abr confer* [kõfɛr]) vergleiche (*abr* vgl.)

chac|un, ~une [ʃakœ̃ *od* ʃakœ, -yn] *m, f* jede(r, -s), jeder von uns; **chacun de** (**d'entre) nous** jeder von uns

chagrin [ʃagrɛ̃] *m* Kummer *m*, Schmerz *m*; **donner du ~** Kummer bereiten; **~ d'amour** Liebeskummer *m*

chagriner [ʃagrine] (*1a*) **~ qn** j-n betrüben, bekümmern

chahut [ʃay] *m* F Radau *m*, Rabatz *m*

chai [ʃɛ] *m* Wein- und Spirituosenlager *n*

chaîne [ʃɛn] *f* Kette *f*; *radio, TV* Programm *n*; **~ hi-fi** Stereoanlage *f*; **~ (de humaine)** Menschenkette *f*; **~ (de montage)** Fließband *n*; **~ payante** Bezahlfernsehen *f*; **travail *m* à la ~** Fließbandarbeit *f*

chair [ʃɛr] *f* Fleisch *n* (*von Menschen, lebenden Tieren u Früchten*); **en ~ et en os** leibhaftig; **avoir la ~ de poule** e-e Gänsehaut haben; **être bien en ~** gut beieinander sein

chaire [ʃɛr] *f église:* Kanzel *f*; *université:* Lehrstuhl *m*

chaise [ʃɛz] *f* Stuhl *m*; **~ longue** Liegestuhl *m*

chaland [ʃalã] *m* Lastkahn *m*

châle [ʃal] *m* Umschlagtuch *n*, Stola *f*

chalet [ʃalɛ] *m* Chalet *n*; *d'un berger:* Sennhütte *f*

chaleur [ʃalœr] *f* Hitze *f*, *plus modérée:* Wärme *f*; *fig* Herzlichkeit *f*, Wärme *f*

chaleur|eusement [ʃalørøzmã] herz-

C

lich; **~eux, ~euse** [-ø, -øz] herzlich, warm

chaloupe [ʃalup] f Boot n, Schaluppe f

chalumeau [ʃalymo] m (pl -x) (Trink-)Halm m; tech **~ à souder** Schweißbrenner m

chalutier [ʃalytje] m mar Fischdampfer m, Trawler m

chamailler [ʃamaje] (1a) F **se ~** sich herumzanken

chambouler [ʃābule] (1a) durcheinander bringen, durcheinander werfen

chambranle [ʃābrāl] m Tür-, Fensterstock m

chambr|e [ʃābrə] f Zimmer n; jur, pol Kammer f; auto etc **~ à air** Luftschlauch m; ♀ **du Commerce et de l'Industrie** Industrie- und Handelskammer f; **~ à coucher** Schlafzimmer n; **~ à un lit** Einbett-, Einzelzimmer n; **~ à deux lits** Doppelzimmer n; **~er** (1a) vin: temperieren

chameau [ʃamo] m (pl -x) zo Kamel n

chamois [ʃamwa] m zo Gämse f; cuire: Gamsleder n

champ [ʃā] m Acker m, Feld n; fig Gebiet n; **à travers ~** querfeldein; **laisser le ~ libre à qn** j-m freie Hand lassen; **~ de bataille** Schlachtfeld n

champagne [ʃāpaɲ] m Champagner m

champêtre [ʃāpεtrə] ländlich

champignon [ʃāpiɲɔ̃] m bot Pilz m; **~ de Paris** Champignon m

champ|ion, ~ionne [ʃāpjɔ̃, -jɔn] m, f sports: Meister(in) m(f), Sieger(in) m(f); **~ionnat** [-jɔna] m Meisterschaft f

chance [ʃās] f Glück n; coïncidence (glücklicher) Zufall m; **~s** pl bonnes possibilités Chancen f/pl, Aussichten f/pl; **bonne ~!** viel Glück!; **mauvaise ~** Missgeschick n; **avoir de la ~** Glück haben; **c'est une ~ que** (+ subj) es ist ein Glück, dass; **il y a peu de ~s pour que** (+ subj) es besteht wenig Aussicht, dass

chanceler [ʃāsle] (1c) wanken (a fig)

chanc|elier [ʃāsəlje] m Kanzler m; **~ellerie** [-εlri] f Kanzlei f; pol Kanzleramt n

chanc|eux, ~euse [ʃāsø, -øz] **être ~** Glück haben

chandail [ʃādaj] m (pl -s) Pullover m

chandelier [ʃādəlje] m Kerzenhalter m

chandelle [ʃādεl] f Kerze f

chang|e [ʃāʒ] m Tausch m; comm (Geld-)Wechsel m; **(taux** m **du) ~** Wechselkurs m; **contrôle** m **des ~s** Devisenüberwachung f; **~ du jour** Tageskurs m; **donner le ~ à qn** j-n hinters Licht führen; **~eable** [-ablə] veränderlich; **~eant, ~eante** [-ā, -āt] veränderlich; humeur: launisch; **~ement** [-mā] m (Ver-)Änderung f; **~ de vitesse** auto Gangschaltung f

changer [ʃāʒe] (1l) **1.** v/t tauschen (**contre** gegen); marchandises: umtauschen; argent: wechseln; modifier verändern; **un enfant**: trockenlegen; transformer ver-, umwandeln (**en** in acc); **2.** v/i sich (ver)ändern; **~ de qc** etw (acc) wechseln; **~ d'adresse** umziehen; **~ d'avis** seine Meinung ändern; **~ de place avec qn** mit j-m den Platz tauschen; **~ de train** umsteigen; **~ de vitesse** schalten; **3. se ~** sich umziehen

chanoine [ʃanwan] m Domherr m

chans|on [ʃāsɔ̃] f Lied n; **~onnier** [-ɔnje] m Kabarettist m

chant [ʃā] m Gesang m; action de chanter: Singen n; d'église, folklorique: Lied n

chantage [ʃātaʒ] m Erpressung f

chanter [ʃāte] (1a) singen; coq: krähen; oiseaux: zwitschern; **~ qc** etw besingen; **faire ~ qn** j-n erpressen

chanterelle [ʃātrεl] f bot Pfifferling m

chant|eur, ~euse [ʃātœr, -øz] m, f Sänger(in) m(f)

chantier [ʃātje] m Baustelle f; **~ naval** Werft f

chantonner [ʃātɔne] (1a) vor sich hin singen

chanvre [ʃāvrə] m bot Hanf m

chao|s [kao] m Chaos n; **~tique** [-tik] chaotisch

chaparder [ʃaparde] (1a) F klauen

chapeau [ʃapo] m (pl -x) Hut m; tech Deckel m; expression: **~!** Hut ab!

chapelet [ʃaplε] m rel Rosenkranz m

chapelle [ʃapεl] f Kapelle f; **~ funéraire** Grabkapelle f

chapelure [ʃaplyr] f cuis Paniermehl n

chapiteau [ʃapito] m (pl -x) (Zirkus-) Zelt n; arch Kapitell n

chapitre [ʃapitrə] m Kapitel n; fig Thema n

chapon [ʃapɔ̃] m zo Kapaun m

chaque [ʃak] *adj* jeder, jede, jedes

char [ʃar] *m* Wagen *m*; *mil* Panzer *m*; ~ **funèbre** Leichenwagen *m*

charabia [ʃarabja] *m* F Kauderwelsch *n*

charbon [ʃarbɔ̃] *m* Kohle *f*; ~ **de bois** Holzkohle *f*

charbonnage [ʃarbɔnaʒ] *m* Kohlenbergwerk *n*, Zeche *f*

charcut|erie [ʃarkytri] *f* **1.** *cuis* Fleisch- und Wurstwaren *f/pl*; **2.** *magasin*: Metzgerei *f*, Fleischerei *f*; ~**ier** [-je] *m* Metzger *m*, Fleischer *m*

chardon [ʃardɔ̃] *m bot* Distel *f*

charge [ʃarʒ] *f fardeau* Last *f*, *fig* Bürde; *f él*, *explosif*: Ladung *f*; *mission*, *rôle*: Auftrag *m*; *poste* Amt *n*; *mil* Angriff *m*; **à la** ~ **de** zulasten von; **avoir qn à** ~ für j-n sorgen müssen; **prendre en** ~ **qc** etw in die Hand nehmen, etw übernehmen; ~**s** *pl* Kosten *pl*; *impôts*: Abgaben *f/pl*; ~**s sociales** Sozialabgaben *f/pl*

charg|é, ~ée [ʃarʒe] beladen; ~ **de** beauftragt mit; ~**ement** [-ʒmã] *m animal*, *voiture*, *navire*: Beladen *n*; *marchandises*: Verladen *n*; *arme*: Laden *n*; ~**er** (*1l*) *animal*, *voiture*, *navire*: beladen; *arme*, *batterie*: laden; *exagérer* übertreiben; *jur* belasten; *attaquer* angreifen; ~ **qn de qc** j-n mit etw beauftragen; **se** ~ **de qc** etw (*acc*) auf sich nehmen; **se** ~ **de qn** sich um j-n kümmern

chariot [ʃarjo] *m machine à écrire*: Wagen *m*; *charrette* Karren *m*; *bagages*: Kofferkuli *m*; *achats*: Einkaufswagen *m*

char|itable [ʃaritablə] mildtätig; ~**ité** *f* Nächstenliebe *f*; **fête de** ~ Wohltätigkeitsfest *n*; **faire la** ~ **à qn** j-m ein Almosen geben

charivari [ʃarivari] *m* Krach *m*, F Radau *m*

charlatan [ʃarlatã] *m péj* Quacksalber *m*, Scharlatan *m*

charm|ant, ~ante [ʃarmã, -ãt] reizend, entzückend

charme[¹][ʃarm] *m personne*: Charme *m*; *paysage*, *ville*, *musique*: Zauber *m*, Reiz *m*; ~**e**[²] *m bot* Hage-, Weißbuche *f*; ~**er** (*1a*) bezaubern

charn|el, ~elle [ʃarnɛl] körperlich, sinnlich; ~**ier** [-je] *m* Massengrab *n*; ~**ière** [-jɛr] *f* Scharnier *n*

charnu, ~e [ʃarny] fleischig

charogne [ʃarɔɲ] *f* Aas *n*

charpent|e [ʃarpãt] *f du toit*: Gebälk *n*; *à soutenir une construction*: Gerüst *n*; ~**ier** [-je] *m* Zimmermann *m*

charrette [ʃarɛt] *f* Karren *m*

charrier [ʃarje] (*1a*) *v/t apporter* anfahren; *enlever* abfahren; *fleuve*: anschwemmen; *v/i exagérer* übertreiben

charrue [ʃary] *f* Pflug *m*

charte [ʃart] *f* Charta *f*; *hist* Urkunde *f*

charter [ʃartɛr] *m* Charterflugzeug *n*

chartreuse [ʃartrøz] *f rel* Kartäuserkloster *n*

chasse [ʃas] *f* **1.** Jagd *f* (*a fig*); *poursuite* Verfolgung *f*; **prendre en** ~ verfolgen; **la** ~ **est ouverte** die Jagdsaison ist eröffnet, beginnt; **la** ~ **est fermée** es ist Schonzeit; **2.** ~ **d'eau** Wasserspülung *f*

châsse [ʃas] *f rel* Reliquienschrein *m*; ~ **de lunettes** Fassung *f*

chasse-neige [ʃasnɛʒ] *m* (*pl unv*) Schneepflug *m*

chasser [ʃase] (*1a*) *gibier*: jagen; *expulser* vertreiben; *employé*: hinauswerfen

chasseur [ʃasœr] *m* **1.** Jäger *m* (*a fig*, *mil*, *aviat*); ~ **de têtes** Kopfjäger *m*; **2.** Hotelboy *m*

châssis [ʃasi] *m* Rahmen *m*, Einfassung *f*; *auto* Fahrgestell *n*

chaste [ʃast] keusch, sittsam; ~**eté** [-əte] *f* Keuschheit *f*

chasuble [ʃazyblə] *f* Messgewand *n*

chat [ʃa] *m zo* Katze *f*; Kater *m*

châtai|gne [ʃatɛɲ] *f* Kastanie *f*; ~**gnier** [-ɲe] *m* Kastanienbaum *m*

châtain [ʃatɛ̃] *adj inv* kastanienbraun

château [ʃato] *m* (*pl* -x) Schloss *n*; ~ **fort** Burg *f*; ~ **d'eau** Wasserturm *m*; ~**briant** [-brijã] *m cuis* (*dickes gegrilltes*) Rinderfilet *n*

châtel|ain, ~aine [ʃatlɛ̃, -ɛn] *m*, *f* Schlossherr(in) *m(f)*

châtier [ʃatje] (*1a*) bestrafen (*de* mit)

châtié, ~e [ʃatje] *style*: gepflegt

châtiment [ʃatimã] *m* Bestrafung *f*; *corporel*: Züchtigung *f*

chatoiement [ʃatwamã] *m* Schillern *n*

chaton [ʃatɔ̃] *m zo u bot* Kätzchen *n*

chatouill|er [ʃatuje] (*1a*) kitzeln; ~**eux, ~euse** [-ø, -øz] kitz(e)lig; *fig* empfindlich

chatoyer [ʃatwaje] (*1h*) schillern

châtrer [ʃatre] (1a) kastrieren

chatte [ʃat] f weibliche Katze f

chaud, chaude [ʃo, ʃod] **1.** adj warm; très chaud heiß; fig hitzig, brennend; tenir ~ warm halten; il fait chaud es ist warm, heiß; j'ai chaud mir ist warm, heiß; **2.** m Wärme f

chaudière [ʃodjɛr] f Kessel m; à vapeur: Dampfkessel m

chaudron [ʃodrõ] m Kochkessel m

chauffage [ʃofaʒ] m Heizung f; ~ au gaz Gazheizung f; ~ électrique elektrische Heizung f; ~ au mazout Ölheizung f; ~ central Zentralheizung f

chauffard [ʃofar] m F rücksichtsloser Autofahrer m

chauffe-eau [ʃofo] m/t warm, heiß machen; (er)wärmen; maison: heizen; eau: erhitzen; v/i eau, four: warm werden; moteur: heißlaufen; **se** ~ sich wärmen; **~erie** f Heizkeller m; mar Kesselraum m; **~eur** m Fahrer(in) m(f); privé: Chauffeur(in) m(f); ~ de taxi Taxifahrer(in) m(f)

chaume [ʃom] m bot Halm m; agr champ Stoppelfeld n; toit m de ~ Strohdach n; **~ière** [-jer] f (strohgedeckte) Hütte f

chaussée [ʃose] f Fahrbahn f

chausse-pied [ʃospje] m (pl chausse-pieds) Schuhlöffel m; **~er** (1a) bottes, bas: anziehen; ~ qn j-m die Schuhe anziehen; **se** ~ (sich) die Schuhe anziehen; ~ du 40 Schuhgröße 40 haben

chausse-trap(p)e [ʃostrap] f (pl chausse-trap[p]es) Fußangel f; fig Falle f

chaussette [ʃosɛt] f Socke(n) f(m)

chausson [ʃosõ] m Hausschuh m; ~ (de bébé) Babyschuh m; cuis ~ aux pommes Apfeltasche f; **~ure** [-yr] f Schuh m

chauve [ʃov] kahl(köpfig)

chauve-souris [ʃovsuri] f (pl chauves-souris) zo Fledermaus f

chauvin, -ine [ʃovɛ̃, -in] **1.** adj chauvinistisch; **2.** m, f Chauvinist(in) m(f); **~inisme** [-inismə] m Chauvinismus m

chaux [ʃo] f Kalk m

chavirer [ʃavire] (1a) mar kentern; fig ~ qn j-n zutiefst berühren

---

chef [ʃɛf] m Führer(in) m(f); entreprise: Chef(in) m(f); Leiter(in) m(f); meneur Anführer m; tribu: Häuptling m; jur Hauptpunkt m; ~ **de famille** Familienoberhaupt n; ~ **d'État** Staatsoberhaupt n; ~ **d'orchestre** Dirigent(in) m(f); **au premier** ~ in erster Linie; **de mon** ~ auf eigene Faust

chef-d'œuvre [ʃedœvrə] m (pl chefs-d'œuvre) Meisterwerk n; **~-lieu** [ʃefljø] m (pl chefs-lieux) Hauptort m

chemin [ʃ(ə)mɛ̃] m Weg m (de nach); ~ **de fer** Eisenbahn f

cheminée [ʃ(ə)mine] f Kamin m (a im Zimmer), Schornstein m

chemin|ement [ʃ(ə)minmã] m Wandern n; fig ~ **de la pensée** Fortschreiten n der Gedanken, **~er** (1a) wandern; fig sich allmählich durchsetzen

cheminot [ʃ(ə)mino] m Eisenbahner m

chemis|e [ʃ(ə)miz] f **1.** Hemd n; ~ **de nuit** Nachthemd n; ~ **d'homme** Oberhemd n; **2.** dossier: Aktendeckel m; **3.** tech Mantel m; **~ette** [-ɛt] f Polohemd n; **~ier** [-je] m Hemdbluse f

chenal [ʃ(ə)nal] m (pl -aux) Fahrrinne f

chêne [ʃɛn] m bot Eiche f

chenil [ʃəni(l)] m Hundezwinger m

chenille [ʃ(ə)nij] f zo Raupe f; tech Gleiskette f; **véhicule** m **à** ~**s** Raupenfahrzeug n

chèque [ʃɛk] m comm Scheck m; ~ **barré** Verrechnungsscheck m; ~ **sans provision** ungedeckter Scheck m; ~ **au porteur** Inhaberscheck m; ~ **de voyage** Reisescheck m, Travellerscheck m; ~ **postal** Postscheck m; **centre** m **de** ~**s postaux** Postscheckamt n

chéquier [ʃekje] m Scheckbuch n, -heft n

cher, chère [ʃɛr] **1.** adj lieb (à qn j-m); coûteux teuer; **2.** adv payer, vendre cher teuer bezahlen, verkaufen; **3.** m, f mon cher, ma chère mein Lieber, meine Liebe

cherch|er [ʃɛrʃe] (1a) suchen; ~ **à** (+ inf) versuchen zu, sich bemühen zu (+ inf); aller ~ holen (gehen); venir ~ abholen; envoyer ~ holen lassen; **~eur, ~euse,** f Forscher(in) m(f)

chère [ʃɛr] f Kost f; aimer la bonne ~ gern gut essen

chéri, -e [ʃeri] geliebt; **(mon)** ~ Liebling

m; **~r** (2a) zärtlich lieben

cherté [ʃerte] *f* hoher Preis *m* (**de** für)

chétif, ~ive [ʃetif, -iv] schwächlich

cheval [ʃ(ə)val] *m* (*pl* -aux) Pferd *n*; **aller à ~** reiten; **faire du ~** *sports:* reiten; **être à ~ sur** rittlings sitzen auf (*dat*)

cheval|eresque [ʃ(ə)valresk] ritterlich; **~erie** *f* Rittertum *n*, -schaft *f*

chevalet [ʃ(ə)vale] *m peinture:* Staffelei *f*; **~ier** [-je] *m hist* Ritter *m*; **~ière** [-jer] *f* Siegelring *m*

cheval|in, ~ine [ʃ(ə)valɛ̃, -in] Pferde...; **boucherie** *f* **chevaline** Pferdemetzgerei *f*

cheval-vapeur [ʃ(ə)valvapœr] *m* (*pl chevaux-vapeur*) *tech* Pferdestärke *f*

chevaucher [ʃ(ə)voʃe] (1a) *v/t* reiten auf (*dat*); *v/i u* **se ~** sich überlappen, sich überschneiden

chevel|u, ~ue [ʃəvly] *personne:* mit dichtem Haar; *cuir m* **chevelu** Kopfhaut *f*; **~ure** [-yr] *f* Haarwuchs *m*, Haare *n/pl*

chevet [ʃəve] *m* Kopfende *n des Bettes;* *table f* **de ~** Nachttisch *m*

cheveu [ʃ(ə)vø] *m* (*pl -x*) (*Kopf-*) Haar *n*; **aux ~x courts** kurzhaarig; **avoir les ~x courts** kurze Haare haben; *fig* **couper les ~x en quatre** Haarspalterei treiben

cheville [ʃ(ə)vij] *f anat* Knöchel *m*; *tech* Dübel *m*

chèvre [ʃevrə] *f zo* Ziege *f*

chèvrefeuille [ʃevrəfœj] *m bot* Geißblatt *n*

chevreuil [ʃəvrœj] *m zo* Reh *n*, Rehbock *m*

chevronné, ~e [ʃəvrɔne] erfahren, routiniert

chewing-gum [ʃwiŋgɔm] *m* (*pl chewing-gums*) Kaugummi *m*

chez [ʃe] bei; *direction:* zu; **~ lui** bei *od* zu ihm (zu *od* nachhause); **de ~ vous** aus Ihrem Hause; **~ (*od dans*) Molière** bei Molière; **aller ~ le coiffeur** zum Friseur gehen; **~-moi** [-mwa] *m*, **~-nous** [-nu] *m*, **~-toi** [-twa] *m etc* Zuhause *n*, Heim *n*

chic [ʃik] **1.** *adj* Schick *m*; **2.** *adj* schick, hochelegant; F **~!** toll!, Klasse!

chicane [ʃikan] *f querelle* Streiterei *f*; **~r** (1a) streiten

chiche [ʃiʃ] knauserig; *bot* **pois** *m* **~** Kichererbse *f*; F **je suis ~ de** (+ *inf*) ich

trau' es mir zu, zu (+ *inf*)

chicorée [ʃikore] *f bot* Zichorie *f*; **~** (**endive**) Endivie *f*

chien [ʃjɛ̃] *m* **1.** Hund *m*; **~ de berger** Schäferhund *m*; **~ policier** Polizeihund *m*; *fig* F **~ de temps** Sauwetter *n*; **2.** *pistolet:* Hahn *m*; **~-loup** [-lu] *m* (*pl chiens-loups*) *zo* Wolfshund *m*

chienne [ʃjɛn] *f* Hündin *f*

chier [ʃje] P scheißen; **ça me fait ~** F das stinkt mir

chiffon [ʃifɔ̃] *m* Lappen *m*, Lumpen *m*

chiffonner [ʃifɔne] (1a) zerknittern; F *fig* ärgern

chiffr|e [ʃifrə] *m* Ziffer *f*, *nombre* Zahl *f*; *code* Geheimschrift *f*; *comm* **~ d'affaires** Umsatz *m*; **~er** (1a) comm beziffern (**à** auf *acc*); *encoder* chiffrieren; **se ~ à** sich beziffern auf (*acc*)

chignon [ʃiɲɔ̃] *m* Haarknoten *m*

Chili [ʃili] **le ~** Chile *n*

chilien, ~ne [ʃiljɛ̃, -ɛn] **1.** *adj* chilenisch; **2.** ⚥ *m* Chilene *m*, Chilenin *f*

chimère [ʃimer] *f* Hirngespinst *n*

chim|ie [ʃimi] *f* Chemie *f*; **~iothérapie** [-jɔterapi] *f* Chemotherapie *f*; **~ique** chemisch; **~iste** *m* Chemiker(in) *m(f)*

Chine [ʃin] **la ~** China *n*

chin|ois, ~oise [ʃinwa, -waz] **1.** *adj* chinesisch; **2.** ⚥ *m, f* Chinese *m*, Chinesin *f*

chiot [ʃjo] *m* junger Hund *m*, Welpe *m*

chiper [ʃipe] (1a) F klauen

chips [ʃip(s)] *m/pl* (Kartoffel-)Chips *m*

chique [ʃik] *f* Kautabak *m*, Priem *m*

chiromanc|ien, ~ienne [kirɔmãsjɛ̃, -jɛn] *m, f* Handleser(in) *m(f)*

chirurg|ical, ~icale [ʃiryrʒikal] (*m/pl -aux*) chirurgisch; **~ie** *f* Chirurgie *f*; **~ esthétique** plastische Chirurgie *f*; **~ien, ~ienne** *m, f* Chirurg(in) *m(f)*; **~dentiste** Zahnarzt *m*

choc [ʃɔk] *m* Stoß *m*; Zusammenstoß *m*; *méd, psych* Schock *m*; *opinions, intérêts:* Aufeinanderprallen *m*

chocolat [ʃɔkɔla] *m* Schokolade *f*; **~ au lait** Milchschokolade *f*

chœur [kœr] *m* Chor *m* (*a arch*); **en ~** im Chor, gemeinsam

choisir [ʃwazir] (2a) (aus)wählen; *nommer* wählen; *se décider* sich entscheiden; **~ de faire qc** sich dafür entscheiden, etw zu tun

choix [ʃwa] *m* Wahl *f*; *sélection, assortiment* Auswahl *f*; *au* ~ nach Wahl; *de* ~ erster Wahl, erstklassig; *avoir le choix* die Wahl haben

cholestérol [kɔlesterɔl] *m* Cholesterin *n*

chôm|age [ʃomaʒ] *m* Arbeitslosigkeit *f*; ~ *de longue durée* Langzeitarbeitslosigkeit *f*; ~ *partiel* Kurzarbeit *f*; *être au* ~ arbeitslos sein; **~er** (1a) arbeitslos sein; **~eur, ~euse** *m, f* Arbeitslose(r) *m, f*

chope [ʃɔp] *f* Bierkrug *m*

choqu|ant, ~ante [ʃɔkɑ̃, -ɑ̃t] schockierend; *injustice*: schreiend; **~er** (1a) ~ *qc* gegen etw verstoßen; ~ *qn* j-n schockieren

chor|al [kɔral] *m* (*pl* -s) Choral *m*; **~ale** *f* Chor *m*, Gesangverein *m*; **~iste** *m, f* Chorsänger(in) *m(f)*

chose [ʃoz] *f* Ding *n*; *question, matière*: Sache *f*, Angelegenheit *f*; *autre* ~ etwas anderes; *peu de* ~ wenig; *quelque* ~ etwas; *c'est* ~ *faite* die Sache ist erledigt; *voilà où en sont les choses* so liegen die Dinge

chou [ʃu] *m* (*pl* -x) *bot* Kohl *m*; ~ *de Bruxelles* Rosenkohl *m*; ~ *rouge* Rotkohl *m*; *cuis* ~ *à la crème* Windbeutel *m* mit Schlagsahne; *fig mon* (*petit*) ~ (mein) Schatz, Liebling

choucroute [ʃukrut] *f* Sauerkraut *n*

chouette [ʃwɛt] **1.** *f zo* Eule *f*; **2.** *adj* F toll, prima

chou|-fleur [ʃuflœr] *m* (*pl choux-fleurs*) Blumenkohl *m*; **~rave** [-rav] *m* (*pl choux-raves*) Kohlrabi *m*

choyer [ʃwaje] (1h) liebevoll sorgen für

chrét|ien, ~ienne [kretjɛ̃, -jɛn] **1.** *adj* christlich; **2.** *m, f* Christ(in) *m(f)*; **~ienté** [-jɛ̃te] *f* Christenheit *f*

Christ [krist] *m le* ~ Christus *m*

christian|iser [kristjanize] (1a) zum Christentum bekehren; **~isme** *m* Christentum *n*

chrome [krom] *m* Chrom *n*; **~é, ~ée** *f* [-e] verchromt

chronique [krɔnik] **1.** *adj* chronisch; **2.** *f hist* Chronik *f*; *journal*: Rubrik *f*; *la* ~ *locale* die Lokalnachrichten *f/pl*, *-teil m*; **~eur** *m hist* Chronist *m*; *journal*: Berichterstatter *m*

chronologique [krɔnɔlɔʒik] chronologisch

chrono|mètre [krɔnɔmɛtrə] *m* Stoppuhr *f*; **~métrer** [-metre] (1f) die Zeit abnehmen

chuchoter [ʃyʃɔte] (1a) flüstern

chute [ʃyt] *f* Fall *m*, Sturz *m*; *feuilles*: Fallen *n*; ~ *des cheveux* Haarausfall *m*; ~ *de pluie* Regenfall *m*; *faire une* ~ *de bicyclette* vom Rad stürzen

Chypre [ʃiprə] *la* ~, *l'île f de* ~ Zypern *n*, die Insel Zypern

ci [si] **1.** *après ce* (+ *subst*) diese(r, -s) ... (hier); *à cette heure-*~ um diese Zeit; **2.** *comme* ~ *comme ça* F soso lala; *par-*~ *par-là* hier und dort

ci-après [siaprɛ] weiter unten

cible [siblə] *f* Zielscheibe *f*

ciboire [sibwar] *m égl* Ziborium *n*

ciboulette [sibulɛt] *f bot* Schnittlauch *m*

cicatri|ce [sikatris] *f* Narbe *f* (*a fig*); **~ser** [-ze] (1a) (*se*) ~ vernarben

ci-contre [sikɔ̃trə] nebenstehend

ci-dessous [sidsu] unten stehend, weiter unten

ci-dessus [sidsy] oben stehend, weiter oben

cidre [sidrə] *m* Apfelwein *m*

ciel [sjɛl] *m* (*pl cieux* [sjø]) Himmel *m*

cierge [sjɛrʒ] *m église*: Kerze *f*

cigale [sigal] *f zo* Grille *f*, Zikade *f*

cigar|e [sigar] *m* Zigarre *f*; **~ette** [-et] *f* Zigarette *f*

ci-gît [siʒi] hier ruht (*Grabinschrift*)

cigogne [sigɔɲ] *f zo* Storch *m*

ci-inclus [siɛ̃kly] anbei

ci-joint [siʒwɛ̃] anbei

cil [sil] *m* Wimper(haar) *f* (*n*)

ciller [sije] (1a) blinzeln

cime [sim] *f montagne*: Gipfel *m*; *arbre*: Wipfel *m*

ciment [simɑ̃] *m* Zement *m*

cimenter [simɑ̃te] (1a) zementieren; *fig* festigen

cimetière [simtjɛr] *m* Friedhof *m*

ciné [sine] *m* F (*abr cinéma*) Kino *n*

cinéaste [sineast] *m* Filmemacher(in) *m(f)*

cinéma [sinema] *m* Kino *n*; **~tographique** [-tɔgrafik] Film...

cingl|é, ~ée [sɛ̃gle] F durchgedreht, behämmert; **~er** (1a) **1.** *v/t* peitschen; **2.** *v/i mar* segeln (*vers* nach)

cinq [sɛ̃k] **1.** *adj* fünf; *à* ~ *zu* fünft; *le* ~ *mai* der fünfte *od* am fünften Mai; **2.** *m* Fünf *f*

cinquantaine [sɛ̃kãtɛn] *f* etwa fünfzig; *âge:* Fünfzig *f*

cinquant|e [sɛ̃kãt] fünfzig; **~ième** [-jɛm] **1.** fünfzigste(r, -s); **2.** *m fraction:* Fünfzigstel *n*

cinquième [sɛ̃kjɛm] **1.** fünfte(r, -s); **2.** *m fraction:* Fünftel *n*

cintr|e [sɛ̃tr] *m* **1.** *arch* Bogen *m*; **2.** *vêtements:* Kleiderbügel *m*; **~é, ~ée** *veste:* tailliert; *arch* mit Rundbogen

cirage [siraʒ] *m parquet:* Bohnerwachs *n*; *chaussures:* Schuhcreme *f*

circon|cision [sirkõsizjõ] *f rel* Beschneidung *f*; **~férence** [-ferãs] *f* Umfang *m*; **~scription** [-skripsjõ] *f*; **~ électorale** Wahlkreis *m*; **~scrire** [-skrir] (*4f*) *math* umschreiben (*a fig*); **~spect, ~specte** [-spɛ, -spɛkt] umsichtig; **~spection** [-spɛksjõ] *f* Umsicht *f*; **~stance** [-stãs] *f* Umstand *m*; *dans ces ~s* unter diesen Umständen; **~stancié, ~stanciée** [-stãsje] ausführlich

circuit [sirkɥi] *m* Umkreis *m*; *voyage* Rundreise *f*; *sports:* Rennstrecke *f*; *él* Stromkreis *m*; **~ court** ~ Kurzschluss *m*

circul|aire [sirkyler] **1.** *adj* kreisförmig; **2.** *f* Rundschreiben *n*; **~ation** *f* Verkehr *m*; *argent:* Umlauf *m*; *méd ~ du sang* Blutkreislauf *m*; **libre ~** Freizügigkeit *f*; **~er** (*1a*) *personnes:* gehen, fahren; *véhicules:* verkehren; *liquide, courant:* fließen; *argent:* im Umlauf sein, zirkulieren; *bruit:* umgehen, kursieren; **faire ~** *nouvelles:* verbreiten

cir|e [sir] *f* Wachs *n*; **~é, ~ée 1.** *adj* gebohnert, poliert; **2.** *m mar* Ölzeug *n*; **~er** (*1a*) *chaussures:* wichsen, putzen; *parquet:* bohnern, wachsen

cirque [sirk] *m* Zirkus *m* (*a fig*)

cirrhose [siroz] *f* ~ **du foie** Leberzirrhose *f*

cis|aille [sizaj] *f le plus souvent au pl* **~s** große Schere *f*; **~ à tôle** Blechschere *f*; **~eau** [-o] *m* (*pl* -x) Meißel *m*; **~x** *pl* Schere *f*; **une paire de ~x** e-e Schere

ciseler [sizle] (*1d*) ziselieren; *fig* ausfeilen

citad|elle [sitadɛl] *f* Zitadelle *f*; *fig* Bollwerk *n*; **~in, ~ine** [-ɛ̃, -in] **1.** *adj* städtisch; **2.** *m, f* Städter(in) *m(f)*

citation [sitasjõ] *f* Zitat *n*; *jur* Vorladung *f*

cité [site] *f* Stadt *f*; *hist* Stadtstaat *m*; **~**

universitaire Studentenstadt *f*; **~ ouvrière** Arbeitersiedlung *f*; **droit** *m* **de ~** Bürgerrecht *n*; **~dortoir** [-dɔrtwar] *f* (*pl* cités-dortoirs) Schlafstadt *f*

citer [site] (*1a*) anführen, zitieren; *jur* vorladen

citerne [sitɛrn] *f eaux de pluie:* Zisterne *f*; *pétrole:* Tank *m*

citoy|en, ~enne [sitwajɛ̃, -ɛn] *m, f* Bürger(in) *m(f)*; *d'un état:* Staatsangehörige(r) *m, f*; **~enneté** [-ɛnte] *f* Staatsbürgerschaft *f*

citr|on [sitrõ] *m* Zitrone *f*; **~onnier** [-ɔnje] *m* Zitronenbaum *m*

citrouille [sitruj] *f* Kürbis *m*

civet [sivɛ] *m cuis* ~ **de lièvre** Hasenpfeffer *m*

civette [sivɛt] *f bot* Schnittlauch *m*

civière [sivjɛr] *f* Tragbahre *f*

civil, ~e [sivil] **1.** *adj* Bürger...; bürgerlich; *jur, non militaire:* Zivil...; *poli* höflich; **responsabilité** *f* **civile** Haftpflicht *f*; **état** *m* **civil** Familienstand *m*; **bureau** *m* **de l'état civil** Standesamt *n*; **mariage** *m* **civil** standesamtliche Trauung; **service** *m* ~ Zivildienst *m*; **2.** *m* Zivilist *m*; **habillé en civil** in Zivil; **~ement** [-mã] *adv* zivilrechtlich; *se marier:* standesamtlich

civilis|ation [sivilizasjõ] *f* Zivilisation *f*, Kultur *f*; **~er** (*1a*) zivilisieren

civ|ique [sivik] staatsbürgerlich, Bürger...; **~isme** *m* Bürgersinn *m*

clair, ~e [klɛr] **1.** *adj* klar (*a fig*); *couleur, chambre:* hell; *évident* deutlich; **vert clair** hellgrün; **2.** *adv* **voir ~** gut sehen; **3.** *m* Helle *f*; **~ de lune** Mondschein *m*

clairière [klɛrjɛr] *f* Lichtung *f*

clairon [klɛrõ] *m mus* Horn *n*

clairsemé, ~e [klɛrsəme] dünn gesät; *forêt:* hell, licht

clairvoy|ance [klɛrvwajãs] *f* Scharfblick *m*; **~ant, ~ante** [-ã, -ãt] klar blickend

clameur [klamœr] *f* Geschrei *n*

clan [klã] *m* Clan *m*; *fig* Klüngel *m*, Sippschaft *f*

clandest|in, ~ine [klãdɛstɛ̃, -in] heimlich; **passager** *m* **clandestin** blinder Passagier *m*

clapot|ement [klapɔtmã] *m od* **~is** [-i] *m* Plätschern *n*; **~er** (*1a*) plätschern

claque [klak] *m* Klaps *m*, Ohrfeige *f*; **~ment** *m* Klatschen *n*, Knallen *n*,

Schnalzen *n*

claqu|er [klake] (*1m*) *v/t porte*: zuschlagen; *argent*: F verjubeln; **faire ~ ses doigts (sa langue)** mit den Fingern (mit der Zunge) schnalzen; *v/i fouet*: knallen; *dents*: klappern; *volet*: schlagen; **~ettes** [-εt] *f/pl* Stepp(tanz) *m*

clarifier [klarifje] (*1a*) *fig* klären

clarinette [klarinεt] *f* Klarinette *f*

clarté [klarte] *f* Helle *f*; *fig* Klarheit *f*

classe [klas] *f* **1.** Klasse *f*; **~ sociale** soziale Schicht *f*; **2.** *fig* rang Rang *m*, Format *n*; **de première ~** erstklassig; **avoir de la ~** hervorragend sein; **3.** *école*: Klasse *f*; *local* Klassenzimmer *n*; **faire la ~** unterrichten, Unterricht geben; **~ de neige** Skilager *n*

classement [klasmã] *m* Klassifizierung *f*, Einordnung *f*, Einteilung *f*; *selon rang*: Einstufung *f*; *lettres*: Ablage *f*; *sports*: (Be-)Wertung *f*

class|er [klase] (*1a*) einordnen, klassifizieren, einteilen; *actes, dossiers*: ablegen; *affaire*: ad acta legen; F **~ qn** j-n abschließend beurteilen; **~eur** *m cahier*: (Akten-)Ordner *m*; *meuble*: Aktenschrank *m*

classi|cisme [klasisism∂] *m littérature*: Klassik *f*; *arch* Klassizismus *m*; **~fication** [-fikasjõ] *f* Klassifizierung *f*; **~fier** [-fje] (*1a*) klassifizieren

classique [klasik] **1.** *adj* klassisch (*a mus*); *arch, art*: klassizistisch; *traditionnel* herkömmlich, konventionell; **2.** *m littérature*: Klassiker *m*

clause [kloz] *f* Klausel *f*

clavecin [klavsε̃] *m* Cembalo *n*

clavicule [klavikyl] *f* Schlüsselbein *n*

clavier [klavje] *m machine à écrire*: Tastatur *f*; *piano*: Klaviatur *f*

clé [kle] *f* **1.** Schlüssel *m* (*a tech, fig, mus*); **~ de contact** Zündschlüssel *m*; **~ de voiture** Autoschlüssel *m*; **fermer à ~** absperren; **sous ~** unter Verschluß; *fig* **prendre la ~ des champs** das Weite suchen; **2.** *en apposition*: **mot ~** Schlüsselbegriff *m*; **position ~** Schlüsselstellung *f*

clef [kle] *f* → **clé**

clém|ence [klemãs] *st/s* Milde *f*; **~ent, ~ente** [-ã, -ãt] mild

clerc [klεr] *m* **1.** *notaire*: Schreiber *m*, Kanzlist *m*; **2.** *rel* Geistliche(r) *m*

clergé [klεrʒe] *m* Klerus *m*

clérical, ~e [klerikal] (*m/pl -aux*) geistlich, klerikal

clic *m* **~ avec la souris** *EDV* Mausklick *m*;

cliché [kliʃe] *m* Klischee *n*; *photo*: Negativ *n*

cli|ent, ~ente [klijã, -ãt] *m, f acheteur* Kunde *m*, Kundin *f*; *médecin*: Patient(in) *m(f)*; *avocat*: Klient(in) *m(f)*; **~entèle** [-ãtεl] *f* Kundschaft *f*; *médecin*: Patienten *m/pl*; *avocat*: Klientel *f*

clign|er [klipe] (*1a*) **~ (des yeux)** blinzeln; **~ de l'œil à qn** j-m zuzwinkern; **~otant** [-otã] *m* Blinklicht *n*; **~oter** [-ote] (*1a*) *feux, lumière*: blinken

climat [klima] *m* Klima *n* (*a fig*); *fig* Atmosphäre *f*

climat|ique [klimatik] klimatisch; **station** *f* **~** Luftkurort *m*; **~isation** [-izasjõ] *f* Klimaanlage *f*; **~isé, ~isée** klimatisiert; **~ologie** [-ɔlɔʒi] *f* Klimakunde *f*

clin [klε̃] *m* **~ d'œil** Augenzwinkern *n*; **en un ~ d'œil** im Nu

clinique [klinik] **1.** *adj* klinisch; **2.** *f* Klinik *f*

clique [klik] *f péj* Sippschaft *f*, Clique *f*

cliquer [klike] (*1a*) *EDV* anklicken; **en cliquant sur la souris** per Mausklick

cliquet|er [klikte] (*1c*) *assiettes*: klappern; *verres*: klirren; **~is** [-i] *m* Geklapper *n*; Geklirr *n*

clivage [klivaʒ] *m fig* Kluft *f*

cloch|ard, ~arde [klɔʃar, -ard] *m, f* Stadtstreicher(in) *m(f)*, F Penner(in) *m(f)*

cloche [klɔʃ] *f* Glocke *f*; *fig* Trottel *m*

cloch|er [klɔʃe] **1.** *m* Glocken-, Kirchturm *m*; *fig* **esprit *m* de ~** Lokalpatriotismus *m*; **2.** *verbe* (*1a*) F **ça cloche** da stimmt etwas nicht; **~ette** [-εt] *f* Glöckchen *n*

cloison [klwazõ] *f* Trennwand *f*

cloîtr|e [klwatr∂] *m* **1.** *arch* Kreuzgang *m*; **2.** Kloster *n*; **~er** (*1a*) *fig* **se ~** sich abschließen, sich zurückziehen

clope [klɔp] *m od f* F Zigarettenstummel *m*, Kippe *f*

clopin-clopant [klɔpε̃klɔpã] *adv* F humpelnd, hinkend

clopiner [klɔpine] (*1a*) humpeln

cloque [klɔk] *f* (Haut-)Blase *f*

clore [klɔr] (*4k*) *litt* (ver-, zu)schließen;

débat, compte: abschließen

Clorofluorocarbone m (**CFC**) Fluorchlorkohlenwasserstoff m (FCKW)

clos, close [klo, kloz] *p/p de clore* geschlossen; **maison f close** Freudenhaus n

clôtur|e [klotyr] f *compte, débat:* Abschluss m; *action:* Schließen n; *barrière* Umzäunung f, Einfriedigung f, Zaun m; **~er** (1a) *espace:* einzäunen, einfrieden; *débat, compte:* schließen

clou [klu] m Nagel m; *fig* Höhepunkt m; *méd* Furunkel m; F **~s** pl Fußgängerüberweg m; **~ de girofle** Gewürznelke f; **~er** (1a) (an-, auf)nageln; **~ au lit** ans Bett fesseln; **~té, ~tée** [-te] genagelt; **passage** m **clouté** Fußgängerüberweg m

clown [klun] m Clown m

club [klœb] m Klub m

coaguler [kɔagyle] (1a) *chim* gerinnen lassen; **se ~** gerinnen

coali|ser [kɔalize] (1a) *pol* **se ~** sich verbünden; **~tion** f *pol* Bündnis n, Koalition f

coasser [kɔase] (1a) quaken

cobaye [kɔbaj] m *zo* Meerschweinchen n; *fig* Versuchskaninchen n

coca [kɔka] m Cola f

cocagne [kɔkaɲ] f **pays** m **de ~** Schlaraffenland n

cocaïne [kɔkain] f Kokain n

cocasse [kɔkas] F komisch, ulkig

coccinelle [kɔksinɛl] f Marienkäfer m; F *auto* Käfer m

cocher [kɔʃe] **1.** m Kutscher m; **2.** *verbe* (1a) abhaken (*auf e-r Liste*)

cochère [kɔʃɛr] **porte** f **~** Torweg m, Einfahrt(stor n) f

cochon [kɔʃɔ̃] **1.** m *zo* Schwein n; *fig* F Ferkel m; **~ d'Inde** Meerschweinchen n; **2.** *adj* **~**, **~ne** [-ɔn] F schmutzig; *histoires:* schweinisch

cochonnerie [kɔʃɔnri] f F Schweinerei f

cocktail [kɔktɛl] m Cocktail m; *réception* Cocktailparty f

coco [kɔko] m **noix** f **de ~** Kokosnuss f

cocon [kɔkɔ̃] m *zo* Kokon m, (Seiden-)Raupengespinst n

cocotier [kɔkɔtje] m Kokospalme f

cocotte [kɔkɔt] f **1.** *cuis* Schmortopf m; **~ minute** Schnellkochtopf m; **2.** F Liebling m; *péj* Kokotte f, Halbweltdame f

cocu [kɔky] F m betrogener, gehörnter Ehemann m, Liebhaber m

code [kɔd] m **1.** *jur* Gesetzbuch n; **~ civil** BGB n (= Bürgerliches Gesetzbuch); **~ pénal** Strafgesetzbuch n; **~ de la route** Straßenverkehrsordnung f; Verkehrsregeln f/pl; **se mettre en ~** abblenden; **phares** m/pl **codes** Abblendlicht n; **3.** *symbole* Kode m; **~ (à) barres** Strichkode m; **~ postal** Postleitzahl f; **~ secret** Geheimkode m, -zahl f

cœur [kœr] m Herz n; **à ~ joie** nach Herzenslust; **au ~ de** mitten in (dat); **de bon ~** von Herzen gern; **par ~** auswendig; **j'ai mal au ~** mir ist übel; **cela lui tient à ~** das liegt ihm am Herzen; **avoir bon ~** gutherzig sein

coexist|ence [kɔɛgzistɑ̃s] f Koexistenz f; **~er** (1a) koexistieren

coffre [kɔfrə] m *meuble:* Truhe f; *auto* Kofferraum m; **~fort** [-fɔr] m (pl coffres-forts) Geldschrank m, Tresor m

coffret [kɔfrɛ] m Kästchen n

cogérer [kɔʒere] (1f) mitverwalten, -bestimmen

cogestion [kɔʒɛstjɔ̃] f *pol, jur* Mitbestimmung f

cognac [kɔɲak] m (echter) Cognac m

cogn|ée [kɔɲe] f Axt f; **~er** (1a) *moteur:* klopfen; **~ à, contre qc** auf, gegen etw (*acc*) schlagen, hämmern; **se ~ à, contre qc** sich an etw (*dat*) stoßen

cohabitation [kɔabitasjɔ̃] f Zusammenleben n; *pol* Kohabitation f

cohér|ence [kɔerɑ̃s] f Zusammenhang m; *phys* Kohärenz f; **~ent, ~ente** [-ɑ̃, -ɑ̃t] zusammenhängend

cohésion [kɔezjɔ̃] f *fig* Zusammenhang m, Zusammenhalt m

cohue [kɔy] f *masse* Menschenmenge f; *désordre* Gewühl n

coiff|e [kwaf] f (Trachten-)Haube f; **~er** (1a) **~ qn** j-n frisieren; **~ qn de qc** j-m etw (*acc*) aufsetzen; *fig* **~ qc** etw bedecken; **se ~** sich frisieren, sich kämmen; **~eur, ~euse** m, f Friseur m, Friseuse f; f *meuble:* Frisiertisch m; **~ure** [-yr] f Kopfbedeckung f; *cheveux:* Frisur f

coin [kwɛ̃] m **1.** Ecke f (*a fig*); **au ~ du feu** am Kamin; **2.** *cale* Keil m

coincer [kwɛ̃se] (1k) (ein)klemmen; *fig* **~ qn** j-n in die Enge treiben

coïncid|ence [kɔɛ̃sidɑ̃s] *f zeitliches* Zusammenfallen *n*, *-treffen n*; **~er** (*1a*) *zeitlich* zusammenfallen, *-treffen* (**avec** mit)

col [kɔl] *m* **1.** Kragen *m*; *bouteille:* Hals *m*; **2.** *géogr* (Gebirgs-)Pass *m*

colère [kɔlɛr] *f* Wut *f*; **se mettre en ~** wütend werden

colérique [kɔlerik] jähzornig, cholerisch

colimaçon [kɔlimasɔ̃] *m zo* Schnecke *f*; **escalier** *m* **en ~** Wendeltreppe *f*

colin [kɔlɛ̃] *m zo* Seehecht *m*

colique [kɔlik] *f* Kolik *f*; *diarrhée* Durchfall *m*

colis [kɔli] *m* Paket *n*; *chemin de fer:* Frachtstück *n*; **~ postal** Postpaket *n*

collabor|ateur, ~atrice [kɔlabɔratœr, -atris] *m, f* Mitarbeiter(in) *m(f)*; *pol péj* Kollaborateur(in) *m(f)*; **~ation** *f* Mitarbeit *f*; *pol péj* Kollaboration *f*; **~er** (*1a*) **~ avec qn** mit j-m zusammenarbeiten; **~ à qc** an etw (*dat*) mitarbeiten; *pol péj* kollaborieren

coll|ant, ~ante [kɔlɑ̃, -ɑ̃t] **1.** *adj* klebend; *vêtement:* eng anliegend; *F personne:* aufdringlich; **2.** *m* Strumpfhose *f*

collatéral, ~e [kɔlateral] (*m/pl -aux*) Seiten...; Neben...; *nef f* **collatérale** Seitenschiff *n*

collation [kɔlasjɔ̃] *f cuis* Imbiss *m*

colle [kɔl] *f* Klebstoff *m*; *fig (argot scolaire) question* schwere Frage *f*

collect|e [kɔlɛkt] *f* (Geld-)Sammlung *f*; **~if, ~ive** [-if, -iv] kollektiv; *billet m* **~** Gruppenfahrkarte *f*; **voyage** *m* **collectif** Gesellschaftsreise *f*

collect|ion [kɔlɛksjɔ̃] *f* Sammlung *f*; *livres:* Reihe *f*; *mode:* Kollektion *f*; **~ionner** [-jɔne] (*1a*) sammeln; **~ionneur, ~ionneuse** [-jɔnœr, -jɔnøz] *m, f* Sammler(in) *m(f)*

collectivité [kɔlɛktivite] *f* Gemeinschaft *f*

collège [kɔlɛʒ] *m école:* etwa Gesamtschule *f*; *assemblée* Kollegium *n*

collég|ien, ~ienne [kɔleʒjɛ̃, -jɛn] *m, f* Schüler(in) *m(f) e-s Collège*

collègue [kɔlɛg] *m, f* Kollege *m*, Kollegin *f*

coller [kɔle] (*1a*) *v/t* kleben; *contre:* ankleben; *sur:* aufkleben; *ensemble:* zusammenkleben; *v/i* kleben (**à** an

dat); *vêtement:* hauteng sitzen; *F* **si tout colle** wenn alles klappt; **se ~ contre qn, qc** sich an j-n, etw (an)schmiegen, drücken, pressen

collet [kɔlɛ] *m cuis* Hals(stück *n*) *m*; *dent:* Hals *m*; *chasse:* Schlinge *f*; *fig* **prendre qn au ~** j-n am Kragen packen

collier [kɔlje] *m bijou:* Halskette *f*; *chien:* Halsband *n*

colline [kɔlin] *f* Hügel *m*

collision [kɔlizjɔ̃] *f* Zusammenstoß *m*, Kollision *f*; **entrer en ~** zusammenstoßen (**avec** mit)

colloque [kɔlɔk] *m* Kolloquium *n*

collutoire [kɔlytwar] *m phm* Mundwasser *n*

collyre [kɔlir] *m phm* Augentropfen *m/pl*

Cologne [kɔlɔɲ] Köln; **eau** *f* **de ~** kölnisch Wasser *n*

colombe [kɔlɔ̃b] *f zo* Taube *f*; *fig* **~ de la paix** Friedenstaube *f*

Colombie [kɔlɔ̃bi] **la ~** Kolumbien *n*

colomb|ien, ~ienne 1. *adj* kolumbianisch; **2.** ♀ *m, f* Kolumbianer(in) *m(f)*

colon [kɔlɔ̃] *m* Siedler *m*

colonel [kɔlɔnɛl] *m* Oberst *m*

colon|ial, ~iale [kɔlɔnjal] (*m/pl -iaux*) Kolonial..., kolonial; **~ialisme** [-jalismə] *m* Kolonialismus *m*; **~ie** [-i] *f* Kolonie *f*; **~ de vacances** Ferienlager *n*

colonis|ation [kɔlɔnizasjɔ̃] *f* Kolonisierung *f*; **~er** (*1a*) kolonisieren

colonne [kɔlɔn] *f* Säule *f*; *texte, registre:* Spalte *f*; *mil* Kolonne *f*; **~ vertébrale** Wirbelsäule *f*

color|ant, ~ante [kɔlɔrɑ̃, -ɑ̃t] **1.** *adj* Farb...; **2.** *m* Farbstoff *m*; **~ation** [-asjɔ̃] *f* Färbung *f*; **~er** (*1a*) färben; **~is** [-i] *m* Kolorit *n*, Farbe *f*

colossal, ~e [kɔlɔsal] (*m/pl -aux*) gewaltig, kolossal, riesengroß

colosse [kɔlɔs] *m* Koloss *m*, Riese *m*

colport|age [kɔlpɔrtaʒ] *m comm* Hausieren *n*; *nouvelle:* Verbreitung *f*; **~er** (*1a*) hausieren (**qc** mit etw); *nouvelle:* verbreiten; **~eur, ~euse** *m, f* Hausierer(in) *m(f)*

coma [kɔma] *m* Koma *n*

combat [kɔ̃ba] *m* Kampf *m*, Gefecht *n*

combatt|ant, ~ante [kɔ̃batɑ̃, -ɑ̃t] **1.** *adj* kämpfend, Kampf...; **2.** *m* Kriegsteilnehmer *m*; **ancien ~** Kriegsveteran *m*

combattre [kõbatrə] (4a) v/t bekämpfen; v/i kämpfen; ~ *contre qn, pour qc* gegen j-n, für etw kämpfen

combien [kõbjẽ] adv quantité: wie viel; *avec pl* wie viele; *intensité*: wie (sehr); ~ *de fois* wie oft; ~ *de personnes* wie viele Menschen; ~ *de temps* wie lange; ~ *coûte ceci?* wie viel kostet das?

combinaison [kõbinεzõ] f Zusammenstellung f, Kombination f; *astuce* Mittel n, Trick m; *mécanicien*: Arbeits-, Monteuranzug m; *lingerie*: Unterrock m; *coffre-fort*: Kombination f; *chim* Verbindung f

combiné [kõbine] m ~ *téléphonique* Telefonhörer m

combin|e [kõbin] F f Trick m; ~er (1a) zusammenstellen, kombinieren; *voyage, projet*: planen

comb|le [kõblə] 1. m *fig* sommet Höhepunkt m, Gipfel m; ~s pl Dachgeschoss n; *de fond en* ~ von oben bis unten; 2. adj übervoll; ~er (1a) *trou*: zuschütten; *lacune, déficit*: ausgleichen; *personne*: vollkommen glücklich machen; ~ *de* überhäufen mit

combust|ible [kõbystiblə] 1. adj brennbar; 2. m Brennstoff m; ~ion f Verbrennung f

coméd|ie [kɔmedi] f Komödie f; ~ien, ~ienne m, f Schauspieler(in) m(f); *fig* Komödiant(in) m(f)

comédon [kɔmedõ] m Mitesser m

comestible [kɔmεstiblə] 1. adj essbar; 2. ~s m/pl Nahrungsmittel n/pl

comète [kɔmεt] f Komet m

comique [kɔmik] 1. adj komisch; 2. m *acteur* Komiker(in) m(f)

comité [kɔmite] m Ausschuss m, Komitee n; ~ *d'entreprise* Betriebsrat m

commandant [kɔmãdã] m mil Kommandant m; *mar* Kapitän m; *mil* ~ *en chef* Oberbefehlshaber m; *aviat* ~ *de bord* Flugkapitän m

command|e [kɔmãd] f *comm* Bestellung f; *tech* Steuerung f, Antrieb m; ~ement [-mã] m *mil* Kommando n, Befehl(sgewalt f) m; *rel* Gebot n; ~er (1a) v/t *comm* bestellen; *ordonner* befehlen; *mil* befehligen, kommandieren; *action*: anordnen; *tech* steuern, betätigen; v/i befehlen, herrschen

commandit|aire [kɔmãditεr] m stille(r) Teilhaber m, Gesellschafter m; ~e

société f en ~ Kommanditgesellschaft f; ~er (1a) ~ *une entreprise* Geld in ein Unternehmen stecken

commando [kɔmãdo] m mil Kommando n

comme [kɔm] 1. adv wie; *en tant que* als; *ainsi que* sowie; 2. conj *au moment où* als; *parce que* da; ~ *cela* so; F ~ *ci* ~ *ça* so lala; ~ *il faut* anständig; ~ *si* als ob; *bête* ~ *tout* unheimlich dumm

commémor|ation [kɔmemɔrasjõ] f *cérémonie* Gedenkfeier f; ~er (1a) gedenken (*gén*)

commenc|ement [kɔmãsmã] m Anfang m; ~er (1k) anfangen, beginnen; ~ *qc par qc* etw mit etw beginnen; ~ *à* (*od de*) (+ *inf*) beginnen zu (+ *inf*); ~ *par faire qc* etw zuerst tun

comment [kɔmã] adv wie?, wie!; ~? (*qu'avez-vous dit?*) wie bitte?; *le* ~ das Wie

commentaire [kɔmãtεr] m Kommentar m; ~ateur, ~atrice [-atœr, -atris] m, f Kommentator(in) m(f); ~er (1a) kommentieren

commérages [kɔmeraʒ] m/pl Klatsch m

commerç|ant, ~ante [kɔmεrsã, -ãt] 1. adj Handels...; *rue f* commerçante Geschäftsstraße f; 2. m, f Händler(in) m(f), Kaufmann m, Kauffrau f

commerc|e [kɔmεrs] m *activité* Handel m; *magasin* Geschäft n, Laden m; *fig rapports* Umgang m; ~er (1k) Handel treiben

commercial, ~e [kɔmεrsjal] (m/pl -iaux) kaufmännisch, Handels...; ~iser (1a) vermarkten

commère [kɔmεr] f Klatschbase f

commettre [kɔmεtrə] (4p) begehen; *jur* beauftragen

commis [kɔmi] m *administration*: Angestellte(r) m, f; *magasin*: Verkäufer(in) m(f); ~ *voyageur* Handlungsreisende(r) m, f

commissaire [kɔmisεr] m Kommissar m; *comm* ~ *aux comptes* Wirtschaftsprüfer m; ~-priseur [-prizœr] m (*pl commissaires-priseurs*) Auktionator m

commissariat [kɔmisarja] m Kommissariat n; ~ *de police* Polizeirevier n

commission [kɔmisjõ] f *comité* Ausschuss m, Kommission f; *mission*

Auftrag *m*; *course* Besorgung *f*; *comm* Provision *f*; **~ionnaire** [-jɔnɛr] *m* Beauftragte(r) *m*, Kommissionär *m*; *porteur* Bote *m*, Laufbursche *m*; **~ionner** (*1a*) ~ **qn** j-n beauftragen

commod|e [kɔmɔd] **1.** *adj* bequem; *personne*: umgänglich; **2.** *f* Kommode *f*; **~ité** *f* Bequemlichkeit *f*; **~s** *pl litt* Toilette *f*

commotion [kɔmosjõ] *f méd* ~ **cérébrale** Gehirnerschütterung *f*

comm|un, ~une [kɔmœ̃ *od* kɔmœ̃, -yn] gemeinsam, -schaftlich; *habituel* gewöhnlich; *transports m/pl en commun* öffentliche Verkehrsmittel *n/pl*; **à plusieurs** mehreren gemeinsam

communal, ~e [kɔmynal] (*m/pl -aux*) **1.** *adj* Gemeinde...; **2.** **communales** *f/pl* Kommunalwahlen *f/pl*; **~iser** (*1a*) der Gemeinde unterstellen

communau|taire [kɔmynotɛr] Gemeinschafts..., die EG betreffend, EG-...; **~té** [-te] *f* Gemeinschaft *f*; **européenne** Europäische Gemeinschaft *f*; **la ~ internationale** die Weltöffentlichkeit *f*; *jur* **~ des biens** Gütergemeinschaft *f*

commune [kɔmyn] *f* Gemeinde *f*

communément [kɔmynemã] *adv* allgemein, gewöhnlich

communica|tif, ~tive [kɔmynikatif, -tiv] mitteilsam, kommunikativ; **~tion** *f* Kommunikation *f*, Verständigung *f*; *message* Mitteilung *f*; *téléphonique*: (Telefon-)Gespräch *n*; **~s** *pl routes*, *téléphone*: Verbindungen *f/pl*

commun|ier [kɔmynje] (*1a*) *rel* die Kommunion empfangen; **~ion** *f rel communauté* Gemeinschaft *f*; *sacrement*: Abendmahl *n*, Kommunion *f*; *fig* Gemeinsamkeit *f*

communiqué [kɔmynike] *m pol* Kommunikee *n*, (amtliche) Verlautbarung *f*

communiquer [kɔmynike] (*1m*) *v/t nouvelle*: mitteilen; *demande*: übermitteln; *maladie*: übertragen (**à qn** auf j-n); *v/i* (miteinander) in Verbindung stehen; *salles*: ineinander gehen; ~ **avec qn** a mit j-m Nachrichten austauschen

commun|isme [kɔmynism] *m* Kommunismus *m*; **~iste 1.** *adj* kommunistisch; **2.** *m, f* Kommunist(in) *m(f)*

commuta|teur [kɔmytatœr] *m tech* Schalter *m*; **~tion** *f jur* **~ de peine** Strafumwandlung *f*

compact, ~e [kõpakt] dicht, fest, kompakt; *compact disc* [kõpaktdisk] *m* Compact Disc *f*, CD *f*

compagn|e [kõpaɲ] *f voyage*: Gefährtin *f*, Begleiterin *f*; *couple*: Lebensgefährtin *f*; **~ie** [-i] *f* Gesellschaft *f* (*a comm*), Begleitung *f*; *mil* Kompanie *f*; **~ aérienne** Fluggesellschaft *f*; **en ~ de** in Gesellschaft (Begleitung) von; **tenir ~ à qn** j-m Gesellschaft leisten; **~on** *m voyage*: Gefährte *m*, Begleiter *m*; *couple*: Lebensgefährte *m*

compar|able [kõparabl] vergleichbar (**à, avec** mit); **~aison** *f* Vergleich *m*; **en ~ de, par ~ à, par ~ avec** im Vergleich zu, mit; **~aître** [-ɛtrə] (*4z*) erscheinen (**en justice** vor Gericht); **~er** (*1a*) vergleichen (**à, avec** mit)

compartiment [kõpartimã] *m case* Fach *n*; *train*: Abteil *n*

comparution [kõparysjõ] *f* Erscheinen *n* (*vor Gericht*)

compas [kõpa] *m math* Zirkel *m*; *mar* Kompass *m*

compassion [kõpasjõ] *f* Mitleid *n*

compati|bilité [kõpatibilite] *f EDV* Kompatibilität *f*; **~ monétaire double** doppelte Währungsbuchhaltung *f*; **~ble** vereinbar; *EDV* kompatibel

compatriote [kõpatrijɔt] *m, f* Landsmann *m*, -männin *f*

compens|ateur, ~atrice [kõpãsatœr, -atris] ausgleichend; **~ation** *f* Ausgleich *m*; **~er** (*1a*) ausgleichen

compét|ence [kõpetãs] *f jur préfet, maire*: Zuständigkeit *f*; *connaissances*: Sachkenntnis *f*; **~ent, ~ente** [-ã, -ãt] *jur* zuständig; *expert* kompetent, sachverständig

compét|itif, ~itive [kõpetitif, -itiv] konkurrenz-, wettbewerbsfähig; **société** *f* **compétitive** Leistungsgesellschaft *f*; **~ition** *f* Wettbewerb *m*, Konkurrenz *f*; *sport*: Wettkampf *m*; **~itivité** *f* Wettbewerbsfähigkeit *f*

compiler [kõpile] (*1a*) zusammenstellen

complainte [kõplɛ̃t] *f* Klage *f*

complai|re [kõplɛr] (*4a*) **se ~ dans** Gefallen finden an (*dat*); **se ~ à** (+ *inf*) sich darin gefallen zu (+ *inf*); **~sance**

C

[-zɑ̃s] f Gefälligkeit f; péj allzu große Nachsicht f; **~sant**, **~sante** [-zɑ̃, -zɑ̃t] gefällig (**pour**, **envers qn** j-m gegenüber); péj allzu nachsichtig

complé|ment [kɔ̃plemɑ̃] m Ergänzung f; **~mentaire** [-mɑ̃tɛr] ergänzend

compl|et, **~ète** [kɔ̃plɛ, -ɛt] **1.** adj entier vollständig, komplett; total völlig, vollkommen; plein voll; hôtel: belegt; **2.** m (Herren-)Anzug m; **~ètement** [-ɛtmɑ̃] adv völlig

compléter [kɔ̃plete] (1f) vervollständigen

complex|e [kɔ̃plɛks] **1.** adj vielseitig, komplex; compliqué kompliziert; **2.** m Komplex m; **~é**, **~ée** gehemmt; **~ité** f Vielseitigkeit f, Komplexität f

complication [kɔ̃plikasjɔ̃] f Verwicklung f, Komplikation f (a méd)

complic|e [kɔ̃plis] **1.** adj mitschuldig; **2.** m, f Komplize m, Komplizin f, Mittäter(in) m(f); **~ité** f Mitschuld f, Mittäterschaft f

complimen|t [kɔ̃plimɑ̃] m Kompliment n; **~s** pl Glückwünsche m/pl; **~ter** [-te] (1a) **~ qn pour qc** j-n zu etw beglückwünschen

compliqu|é, **~ée** [kɔ̃plike] verwickelt, kompliziert; **~er** (1m) komplizieren

compl|ot [kɔ̃plo] m Verschwörung f, Komplott n

comport|ement [kɔ̃pɔrtəmɑ̃] m Verhalten n; **~ de consommation écologique** umweltfreundliches Konsumverhalten n; **~er** (1a) contenir enthalten, umfassen; impliquer zur Folge haben; **se ~** sich betragen, sich verhalten

compos|ante [kɔ̃pozɑ̃t] f Komponente f; **~é**, **~ée 1.** adj zusammengesetzt (**de** aus); air, expression: affektiert, gekünstelt; **2.** m Zusammensetzung f; **~er** (1a) v/t groupe, mélange: bilden, zusammenstellen; texte: abfassen; numéro de téléphone: wählen; mus komponieren; v/i transiger sich abfinden; **se ~ de** bestehen aus, sich zusammensetzen aus

composite [kɔ̃pozit] verschiedenartig

composi|teur, **~trice** [kɔ̃pozitœr, -tris] m, f Komponist(in) m(f); **~tion** f Zusammensetzung f, Aufbau m; mus Komposition f

compost|er [kɔ̃pɔste] (1a) billet: entwerten; **~eur** m Fahrscheinentwerter m

compote [kɔ̃pɔt] f Kompott n

compréhens|ible [kɔ̃preɑ̃siblə] verständlich; **~if**, **~ive** [-if, -iv] verständnisvoll; **~ion** f Verständnis n; faculté: Auffassungsgabe f

comprendre [kɔ̃prɑ̃drə] (4q) **1.** verstehen, begreifen; **faire ~ qc à qn** expliquer j-m etw verständlich machen; suggérer j-m etw zu verstehen geben; **se faire ~** sich verständlich machen; **2.** contenir enthalten, umfassen

compress|e [kɔ̃prɛs] f méd Kompresse f, Umschlag m; **~eur** m tech Verdichter m; Kompressor m; **~ion** f Verdichtung f, Kompression f; substance: Zusammenpressen n; effectifs: Verringerung f

comprim|é [kɔ̃prime] m Tablette f; **~er** (1a) air: verdichten, komprimieren; substance: zusammenpressen; effectifs: verringern

compr|is, **~ise** [kɔ̃pri, -iz] einbegriffen, einbezogen; comm inklusive; **y ~** mit einbegriffen; **~ dans** einbegriffen in (dat); **non ~** nicht mit einbegriffen

compro|mettre [kɔ̃prɔmɛtrə] (4p) santé, autorité: gefährden; personne: kompromittieren; **~mis** [-mi] m Kompromiss m

compt|abilité [kɔ̃tabilite] f Buchführung f, -haltung f; comptes Geschäftsbücher n/pl; **~able** m, f Buchhalter(in) m(f); **~ant** [-ɑ̃] comm bar; **au ~** gegen Barzahlung

compt|e [kɔ̃t] m calcul Berechnung f; montant Betrag m, Summe f; bancaire: Konto n; facture Rechnung f; fig Rechenschaft f; **~s** pl Geschäftsbücher n/pl; **à bon ~** preiswert; **en fin de ~** letztlich; **~ chèque postal** Postgirokonto n; **~ courant** Girokonto n; **~ de dépôt** Sparkonto n; **rendre ~ de qc** über etw Rechenschaft ablegen; **se rendre ~ de qc** sich über etw klar sein; **tenir ~ de qc** etw (acc) berücksichtigen; **~ tenu de** unter Berücksichtigung von; **pour mon ~** was mich betrifft; **prendre qc sur son ~** etw auf seine Kappe nehmen; **~ rendu** Bericht m; critique Rezension f; **~er** (1a) v/t zählen; facturer an-, berechnen; v/i calculer zählen, rechnen; être important wichtig sein, zählen; **~ avec** rechnen mit; **~ parmi** figuren zählen zu; **~ sur** sich verlassen auf (*acc*); **~ que** damit rechnen, dass; **~ (+ inf)** beabsichtigen zu (+ *inf*)

compt|e-tours [kõttur] *m* (*pl unv*) *tech* Drehzahlmesser *m*; **~eur** *m* Zähler *m*; **~ine** *f* Abzählreim *m*; **~oir** *m café*: Theke *f*; *magasin*: Ladentisch *m*

comt|e [kõt] *m* Graf *m*; **~é** *m* Grafschaft *f*; **~esse** [-ɛs] *f* Gräfin *f*

con [kõ] P (*f* **conne** [kɔn]) **1.** *adj* P saublöd; **2.** *m* P Blödmann *m*, Trottel *m*

concave [kõkav] konkav

concéder [kõsede] (*1f*) bewilligen; **~ que** zugeben, dass

concentr|ation [kõsãtrasjõ] *f* Konzentration *f* (*a fig*); **~er** (*1a*) konzentrieren; **se ~** sich konzentrieren (*sur* auf *acc*)

concept [kõsɛpt] *m* Begriff *m*

conception [kõsɛpsjõ] *f* *idée* Vorstellung *f*; *planification* Gestaltung *f*, Konzeption *f*; *biol* Empfängnis *f*

concern|ant [kõsɛrnã] *prép* betreffend, bezüglich; **~ les problèmes** die Probleme (*acc*) betreffend, bezüglich der Probleme (*gén*); **~er** (*1a*) *qc, qn* etw, j-n betreffen, angehen; **en ce qui me concerne** was mich betrifft

concert [kõsɛr] *m mus* Konzert *n* (*a fig*); **de ~ avec** im Einvernehmen, im Einverständnis, in Übereinstimmung mit

concerter [kõsɛrte] (*1a*) vereinbaren; **se ~** sich absprechen

concerto [kõsɛrto] *m* Konzert *n* (*Komposition*)

concess|ion [kõsesjõ] *f* Zugeständnis *n*, Konzession *f*; **~ionnaire** [-jɔnɛr] *m* Vertragshändler *m*

concev|able [kõsəvablə] begreiflich; **~oir** (*3a*) *comprendre* begreifen; *inventer* konzipieren, entwerfen; *biol* empfangen

concierge [kõsjɛrʒ] *m, f* Hausmeister(-in) *m(f)*; Pförtner(in) *m(f)*

concil|e [kõsil] *m* Konzil *n*; **~iable** [-jablə] vereinbar; **~er** (*1a*) *v/t* in Einklang bringen; **se ~ idées**: sich vereinbaren lassen; **se ~ qn** j-n für sich gewinnen

conc|is, **~ise** [kõsi, -iz] kurz, knapp;

~ision [-izjõ] *f* Bündigkeit *f*, Kürze *f*

concitoy|en, **~enne** [kõsitwajẽ, -ɛn] *m, f* Mitbürger(in) *m(f)*

conclu|ant, **~ante** [kõklyã, -ãt] überzeugend, schlüssig

conclu|re [kõklyr] (*4l*) (ab)schließen, zu Ende bringen; **~ de qc** aus etw folgern; **~ à qc** auf etw (*acc*) schließen; sich für etw aussprechen; **~ un contract** e-n Vertrag schließen; **~sion** [-zjõ] *f* Schluss(folgerung) *m(f)*

concombre [kõkõbrə] *m bot* Gurke *f*

concordance [kõkɔrdãs] *f* Übereinstimmung *f*

concord|e [kõkɔrd] *f* Eintracht *f*; **~er** (*1a*) übereinstimmen

concourir [kõkurir] (*2i*) **~ à qc** an etw (*dat*) mitwirken; **~ à (+ inf)** dazu beitragen zu (+ *inf*)

concours [kõkur] *m* Wettbewerb *m*; *sports*: Wettkampf *m*; *épreuve* Ausleseverfahren *n*; *assistance* Unterstützung *f*, Hilfe *f*; **avec le ~ de qn** mit j-s Hilfe; **~ de circonstances** Zusammentreffen *n* von Umständen

con|cret, **~crète** [kõkrɛ, -krɛt] konkret; **~crétiser** [-kretize] (*1a*) veranschaulichen, konkretisieren; **se ~** Gestalt annehmen

conçu, **~e** [kõsy] *p/p de* **concevoir**

concubin|age [kõkybinaʒ] *m* eheähnliche Gemeinschaft *f*, Konkubinat *n*

concurr|ence [kõkyrãs] *f* Konkurrenz *f*, **jusqu'à ~ de** bis zum Betrag, zur Höhe von; **~ent, ~ente** [-ã, -ãt] **1.** *adj* konkurrierend; **2.** *m, f concours*: Mitbewerber(in) *m(f)*; *comm* Konkurrent(in) *m(f)*; **~entiel, ~entielle** [-ãsjɛl] konkurrenzfähig

condamn|able [kõdanablə] verwerflich; **~ation** *f* Verurteilung *f* (*a fig*); **~er** (*1a*) **1.** *jur u allg* verurteilen (**qn à qc** j-n zu etw); *malade*: aufgeben; **2. ~ la porte** die Tür zumauern, verstellen

condenser [kõdãse] (*1a*) *v/t phys* kondensieren; *fig récit*: zusammenfassen; **se ~** sich niederschlagen

condescen|dance [kõdesãdãs] *f péj* Herablassung *f*; **~dre** [-drə] (*4a*) **~ à** sich herablassen zu

condiment [kõdimã] *m* Gewürz *n*

condit|ion [kõdisjõ] *f* **1.** Bedingung *f*; **à (la) ~ que (+ subj)**, **à (la) ~ de (+ inf)** unter der Bedingung, dass; **2.** *forme* Verfassung *f*, Kondition *f*; **3.** *sociale*: Stellung *f*, Rang *m*; **~ionnement** [-jɔnmã] *m emballage* Verpackung *f*

condoléances [kõdoleãs] *f/pl* Beileid *n*

conduc|teur, ~trice [kõdyktœr, -tris] **1.** *adj* leitend; **2.** *m, f* Fahrer(in) *m(f)*; *m phys* Leiter *m*

conduire [kõdɥir] (*4c*) führen, leiten; *auto* fahren; **~ à** (+ *inf*) dazu bringen zu (+ *inf*); *permis m de ~* Führerschein *m*; **se ~** sich betragen

conduit [kõdɥi] *m eau, gaz*: Rohr *n*, Leitung *f*; *anat* Gang, Kanal *m*; **~e** *f comportement* Benehmen *n*; *direction* Leitung *f*, Führung *f*; *eau, gaz*: Leitung *f*; *auto* Fahren *n*, Steuern *n*

cône [kon] *m* Kegel *m* (*a math*); *bot* Tannenzapfen *m*

confect|ion [kõfeksjõ] *f fabrication* Anfertigung *f*; *vêtements*: Fertigkleidung *f*, Konfektion *f*; *cuis* Zubereitung *f*; **~ionner** [-jɔne] (*1a*) anfertigen, herstellen; *cuis* zubereiten

confédération [kõfederasjõ] *f* Bund *m*, Konföderation *f*

conférence [kõferãs] *f congrès* Konferenz *f*, Besprechung *f*; *exposé* Vortrag *m*, Vorlesung *f*; *pol* **~ au sommet** Gipfelkonferenz *f*; **~ de presse** Pressekonferenz *f*; **~encier, ~encière** [-ãsje, -ãsjɛr] *m, f* Redner(in) *m(f)*, Referent(in) *m(f)*; **~er** (*1f*) accorder verleihen

confess|er [kõfese] (*1b*) gestehen, zugeben; *rel* beichten; **se ~** *rel* beichten; **~ion** *f aveu* Geständnis *n*; *rel* Beichte *f*; *croyance* Konfession *f*, Bekenntnis *n*; **~ionnal** [-jɔnal] *m* (*pl -aux*) Beichtstuhl *m*

confi|ance [kõfjãs] *f* Vertrauen *n*; *avoir* **~ dans** *od* **en qc, qn** Vertrauen zu etw, j-m haben; *faire ~ à qn* j-m vertrauen; **~ant, ~ante** [-ã, -ãt] vertrauensvoll

confid|ence [kõfidãs] *f* vertrauliche Mitteilung *f*; **~ent, ~ente** [-ã, -ãt] *m, f* Vertraute(r) *m, f*; **~entiel, ~entielle** [-ãsjɛl] vertraulich

confier [kõfje] (*1a*) *v/t* anvertrauen (*qc à qn* j-m etw); **se ~ à qn** sich j-m anvertrauen

configuration [kõfigyrasjõ] *f* Gestalt *f*, Form *f*

con|finer [kõfine] (*1a*) **~ à** grenzen an

(*acc*); **~fins** [-fɛ̃] *m/pl* (äußerste) Grenze *f*; *aux ~ de* an der äußersten Grenze (*gén*)

confirm|ation [kõfirmasjõ] *f* Bestätigung *f*, Bekräftigung *f*; *rel* Konfirmation *f*; **~er** (*1a*) bestätigen, bekräftigen; *fortifier* bestärken; *rel* konfirmieren

confiscation [kõfiskasjõ] *f* Beschlagnahme *f*

confiserie [kõfizri] *f* Süßwaren *f/pl*; *magasin*: Süßwarengeschäft *n*

confisquer [kõfiske] (*1m*) beschlagnahmen

conf|it, ~ite [kõfi, -it] *adj fruits*: kandiert; *concombres, olives*: eingelegt

confiture [kõfityr] *f* Konfitüre *f*, Marmelade *f*

con|flictuel, ~le [kõfliktɥel] konfliktgeladen; **~flit** [-fli] *m* Konflikt *m*

confluent [kõflyã] *m* Zusammenfluss *m*

confondre [kõfõdrə] (*4a*) *personnes*: verwechseln (*qn, qc avec* j-n, etw mit); *faits, détails*: durcheinander bringen; *déconcerter* verblüffen; *témoin, menteur*: der Lüge überführen; **se ~ se mêler** sich vermischen; **se ~ en excuses** sich vielmals entschuldigen

conform|e [kõfɔrm] **~ à** gemäß (*dat*); entsprechend (*dat*); **~ément** [-emã] *adv* **~ à** gemäß (*dat*), laut (*gén od dat*); **~er** (*1a*) **à** anpassen an (*acc*), richten nach; **se ~ à qc** sich nach etw richten; **~isme** *m* Konformismus *m*; **~ité** *f* Gleichförmigkeit *f*

confort [kõfɔr] *m* Komfort *m*, Bequemlichkeit *f*; *tout ~* mit allem Komfort

confortable [kõfɔrtablə] *maison, hôtel*: komfortabel; *siège*: bequem; *somme, revenus, majorité*: ansehnlich

confrère [kõfrɛr] *m* Kollege *m*

confront|ation [kõfrõtasjõ] *f* Gegenüberstellung *f*; **~er** (*1a*) gegenüberstellen, vergleichen

conf|us, ~use [kõfy, -yz] *amas, groupe*: wirr; *bruit*: unbestimmt; *forme*: undeutlich; *personne*: *gêné* verwirrt, beschämt; **~usion** [-yzjõ] *f* Verwirrung *f*; *embarras* Verlegenheit *f*; *de 2 choses*: Verwechslung *f*

congé [kõʒe] *m vacances* Urlaub *m*; *avis de départ* Kündigung *f*; *avoir ~* freihaben; *prendre ~ de qn* sich von j-m verabschieden; **être en ~** im, in Urlaub sein; **être en ~ de maladie** krank geschrieben sein; **~s payés** bezahlter Urlaub *m*

congédier [kɔ̃ʒedje] (*1a*) *employé:* entlassen (**qn** j-n), kündigen (**qn** j-m); *visiteur:* verabschieden

congélateur [kɔ̃ʒelatœr] *m* Tiefkühltruhe *f; compartiment:* Tiefkühlfach *n*

congel|é, ~ée [kɔ̃ʒle] **viandes** *f/pl* **congelées** Gefrierfleisch *n*; **~er** (*1d*) *v/t* einfrieren; **se ~** gefrieren

congénère [kɔ̃ʒenɛr] *m* Artgenosse *m*, Artgenossin *f*

congénital, ~e [kɔ̃ʒenital] (*m/pl -aux*) angeboren

congère [kɔ̃ʒɛr] *f* Schneeverwehung *f*

congestion [kɔ̃ʒɛstjɔ̃] *f méd* Blutandrang *m*; **~ cérébrale** Schlaganfall *m*; **~ner** [-ʒɔne] (*1a*) *rue:* verstopfen

congratuler [kɔ̃gratyle] (*1a*) *st/s* überschwänglich gratulieren (**qn** j-m)

congrégation [kɔ̃gregasjɔ̃] *f rel* Kongregation *f*, geistlicher Orden *m*

congrès [kɔ̃grɛ] *m* Kongress *m*, Tagung *f*

congressiste [kɔ̃grɛsist] *m, f* Kongressteilnehmer(in) *m(f)*

conifère [kɔnifɛr] *m bot* Nadelbaum *m*

conique [kɔnik] konisch, kegelförmig

conjectur|e [kɔ̃ʒɛktyr] *f* Mutmaßung *f*, Vermutung *f*; **~er** (*1a*) *st/s* mutmaßen

conj|oint, ~ointe [kɔ̃ʒwɛ̃, -wɛ̃t] **1.** *adj* gemeinsam; **2.** *m, f* Ehegatte *m*, -gattin *f*

conjonction [kɔ̃ʒɔ̃ksjɔ̃] *f st/s* Verbindung *f; gr* Konjunktion *f*

conjonc|tivite [kɔ̃ʒɔ̃ktivit] *f méd* Bindehautentzündung *f*; **~ture** [-tyr] *f* Lage *f* (*der Dinge*), Umstände *m/pl*; *écon* Konjunktur *f*

conjugaison [kɔ̃ʒygɛzɔ̃] *f gr* Konjugation *f*

conju|gal, ~ale [kɔ̃ʒygal] (*m/pl -aux*) ehelich; **~guer** [-ge] (*1m*) *efforts:* vereinigen; *gr* konjugieren

conjur|ation [kɔ̃ʒyrasjɔ̃] *f conspiration* Verschwörung *f; esprits:* Beschwörung *f*; **~er** (*1a*) beschwören; **~ qn de faire qc** j-n beschwören, etw zu tun; **se ~ contre qn** sich gegen j-n verschwören

connais|ance [kɔnɛsɑ̃s] *f savoir* Kenntnis *f; conscience* Bewusstsein *n; personne connue* Bekannte(r) *m, f*,

Bekanntschaft *f*; **~s** *pl* Wissen *n*, Kenntnisse *f/pl*; **avoir ~ de qc** von etw Kenntnis haben; **prendre ~ de qc** etw (*acc*) zur Kenntnis nehmen; **perdre ~** das Bewusstsein verlieren; **reprendre ~** wieder zu sich kommen; **faire ~ avec qn** *od* **la ~ de qn** j-n kennen lernen; **à ma ~** meines Wissens; **~eur** *m* Kenner *m*

connaître [kɔnɛtr] (*4z*) kennen; *rencontrer* kennen lernen; **s'y ~ en qc** sich auf etw (*acc*) verstehen; **il s'y connaît** er kennt sich aus

connecter [kɔnɛkte] (*1a*) *tech* anschließen; **se ~** *EDV* einloggen

connerie [kɔnri] *f P* Mist *m*, Krampf *m*

connexion [kɔnɛksjɔ̃] *f* Verknüpfung *f*, Zusammenhang *m; tech* Anschluss *m*

connivence [kɔnivɑ̃s] *f* heimliches Einverständnis *n*; **être de ~ avec qn** mit j-m unter e-r Decke stecken

connu, ~e [kɔny] *p/p* de *connaître u adj* bekannt

conque [kɔ̃k] *f zo* Meeresschnecke *f*

conquér|ant [kɔ̃kerɑ̃] *m* Eroberer *m*; **~ir** (*2l*) erobern; *droit, privilège:* erwerben

conquête [kɔ̃kɛt] *f* Eroberung *f*

consacrer [kɔ̃sakre] (*1a*) *rel* weihen; *dédier* widmen; *usage:* sanktionieren; *temps, argent:* verwenden; **se ~ à qc, qn** sich e-r Sache, j-m widmen

consangu|in, ~ine [kɔ̃sɑ̃gɛ̃, -in] blutsverwandt

conscience [kɔ̃sjɑ̃s] *f moral:* Gewissen *n; physique, psych* Bewusstsein *n*; **avoir bonne (mauvaise) ~** ein gutes (schlechtes) Gewissen haben; **prendre ~ de qc** sich e-r Sache (*gén*) bewusst werden; **perdre ~** das Bewusstsein verlieren, ohnmächtig werden

conscienc|ieux, ~ieuse [kɔ̃sjɑ̃sjø, -jøz] gewissenhaft

consc|ient, ~iente [kɔ̃sjɑ̃, -jɑ̃t] bewusst, denkend; **être ~ de qc** sich e-r Sache (*gén*) bewusst sein

conscrit [kɔ̃skri] *m mil* Einberufene(r) *m*

consécration [kɔ̃sekrasjɔ̃] *f rel* Weihe *f; confirmation* Bestätigung *f*

consécut|if, ~ive [kɔ̃sekytif, -iv] aufeinander folgend; **~ à** e-e Folge von *od* gén; **~ivement** [-ivmɑ̃] *adv* hintereinander

conseil [kõsɛj] *m avis* Rat(schlag) *m*; *conseiller* Ratgeber *m*; *assemblée* Rat *m*, Ratsversammlung *f*; **~ municipal** Gemeinde-, Stadtrat *m*; **~ d'administration** Verwaltungsrat *m*; **~ des ministres** Ministerrat *m*

conseiller[1] [kõsɛje] *(1b)* raten; **~ qn** j-n beraten; **~ qc à qn** j-m zu etw raten, j-m etw raten, j-m etw empfehlen

conseill|er[2], **~ère** [kõsɛje, -ɛr] *m* Berater(in) *m(f)*, Ratgeber(in) *m(f)*; **conseiller municipal** Gemeinde-, Stadtrat *m*, Gemeinde-, Stadträtin *f*; **~ en gestion** Unternehmensberater(in) *m(f)*

consent|ement [kõsãtmã] *m* Einwilligung *f*, **~ir** *(2b)* einwilligen (*à qc* in etw *acc*); *prêt, délai*: gewähren (*qc* etw); **~ à faire qc** sich einverstanden erklären, etw zu tun; **~ à ce que** (+ *subj*) damit einverstanden sein, dass

conséqu|ence [kõsekãs] *f* Folge *f*, Konsequenz *f*; **en ~** *donc* infolgedessen, demnach; **en ~ de** entsprechend (*dat*); **~ent, ~ente** [-ã, -ãt] konsequent; **par conséquent** folglich

conserv|ateur, ~atrice [kõsɛrvatœr, -atris] **1.** *adj* konservativ; **2.** *m pol* Konservative(r) *m*; *musée*: Konservator *m*; **~ation** *f* Erhaltung *f*; *aliments*: Konservierung *f*; **~atoire** [-atwar] *m* Konservatorium *n*

conserv|e [kõsɛrv] *f* Konserve *f*; **~er** *(1a)* garder behalten, (auf)bewahren; *aliments*: konservieren; *habitude*: beibehalten

considér|able [kõsiderabl] beträchtlich; **~ation** *f réflexion* Überlegung *f*, Erwägung *f*; *estime* Achtung *f*, Ansehen *n*; **~s** *pl* Ansichten *f/pl*, Meinungen *f/pl*; **en ~ de** mit Rücksicht auf (*acc*); **prendre en ~** in Betracht *od* Erwägung ziehen; **~er** *(1f) étudier, regarder* betrachten; *tenir compte de* berücksichtigen; **~ qc comme** etw halten für; **~ qn comme** j-n betrachten als

consign|e [kõsiɲ] *f* Vorschrift *f*, Anweisung *f*; *gare*: Gepäckaufbewahrung *f*; *bouteilles*: Pfand *n*; *mil, école*: Arrest *m*; **~er** *(1a) noter* schriftlich festhalten; *bouteilles*: Pfand verlangen (*qc* für etw); *écolier*: nachsitzen lassen; **bouteille f consignée** Pfandflasche *f*

consist|ance [kõsistãs] *f* Konsistenz *f*, Festigkeit *f*; **~ant, ~ante** [-ã, -ãt] *liquide, potage*: dick; *mets*: nahrhaft; **~er** *(1a)* bestehen (*en, dans* in *dat*, aus); **~ à** (+ *inf*) darin bestehen zu (+ *inf*)

consol|ant, ~ante [kõsɔlã, -ãt] tröstlich; **~ation** *f* Trost *m*

console [kõsɔl] *f table*: Konsole *f*; *EDV* Kontrollpult *n*

consoler [kõsɔle] *(1a)* trösten; **se ~ de qc** über etw (*acc*) hinwegkommen

consolider [kõsɔlide] *(1a) tech* (be)festigen, sichern; *comm* konsolidieren

consommа|teur, ~trice [kõsɔmatœr, -tris] *m, f* Verbraucher(in) *m, f*, Konsument(in) *m(f)*; *café*: Gast *m*; **~tion** *f* Verbrauch *m*, Konsum *m*; *café*: Verzehr *m*

consomm|é [kõsɔme] *m cuis* Kraftbrühe *f*; **~er** *(1a) aliments*, konsumieren; *v/i café*: etw verzehren

consonne [kõsɔn] *f* Mitlaut *m*, Konsonant *m*

conspir|ateur, ~atrice [kõspiratœr, -atris] *m, f* Verschwörer(in) *m(f)*, Verschworene(r) *m, f*; **~ation** *f* Verschwörung *f*; **~er** *(1a)* sich verschwören

constamment [kõstamã] *adv* (an)dauernd, (be)ständig

constance [kõstãs] *f persévérance* Ausdauer *f*, Standhaftigkeit *f*

const|ant, ~ante [kõstã, -ãt] **1.** *adj personne, efforts*: beständig, beharrlich; *souci, intérêt*: ständig; *température, quantité*: konstant; **2.** *f* Konstante *f*

constat [kõsta] *m* (amtliches) Protokoll *n*

constat|ation [kõstatasjõ] *f* Feststellung *f*; **~er** *(1a)* feststellen

constellation [kõstelasjõ] *f* Konstellation *f*, Sternbild *n*

constern|ation [kõstɛrnasjõ] *f* Bestürzung *f*; **~er** *(1a)* in Bestürzung versetzen; **consterné(e)** bestürzt, betroffen, erschüttert

constipa|tion [kõstipasjõ] *f méd* Verstopfung *f*; **~é, ~ée** *méd* verstopft

constituer [kõstitɥe] *(1a) être* darstellen, bedeuten, sein; *comité, société*: gründen; *rente, dot*: aussetzen; **se ~** sich konstituieren

constitu|tion [kõstitɥsjõ] *f composition* Zusammensetzung *f*; *anat* (physische) Konstitution *f*; *pol* Verfassung *f*;

jur, administration: Bildung *f*, Gründung *f*; **~tionnel**, **~tionnelle** [-sjɔnɛl] verfassungsmäßig, Verfassungs...

construc|teur [kɔ̃stryktœr] *m voitures*: Hersteller *m*; *maisons*: Baumeister *m*, Erbauer *m*; **~ naval** Schiffbaumeister *m*; **~ mécanicien** Maschinenbauer *m*; **~tif**, **~tive** [-tif, -tiv] konstruktiv; **~tion** *f action* Bau *m*; *bâtiment* Bau *m*, Bauwerk *n*; *math, tech* Konstruktion *f*; *système, roman*: Aufbau *m*; **~ en bois** Holzkonstruktion *f*

construire [kɔ̃struir] (4c) konstruieren, (er)bauen; *théorie, système*: entwickeln; *roman, histoire*: gestalten, anlegen

consul [kɔ̃syl] *m* Konsul *m*; **~at** [-a] *m* Konsulat *n*

consult|atif, **~ative** [kɔ̃syltatif, -iv] beratend; **~ation** *f* Beratung *f*; *enquête* Befragung *f*; *jur, méd*: *avis motivé* Gutachten *n*; (*heure f de*) **~** *méd* Sprechstunde *f*; **~er** (1a) *v/t ami, parents*: um Rat fragen; *médecin, avocat*: zurate ziehen, konsultieren; *dictionnaire*: nachschlagen (*qc* in etw *dat*); *v/i médecin*: Sprechstunde haben

consumer [kɔ̃syme] (1a) *feu, passion*: verzehren

contact [kɔ̃takt] *m* Kontakt *m* (*a fig, él*), Berührung *f*; **~s** *pl rapports, rencontres* Kontakte *m/pl*, Beziehungen *f/pl*; **lentilles** *f/pl*, **verres** *m/pl* **de ~** Kontaktlinsen *f/pl*, Haftschalen *f/pl*; **entrer en ~ avec qn** mit j-m in Verbindung treten; **prendre ~ avec qn**, **se mettre en ~ avec qn** sich mit j-m in Verbindung setzen; **~ intime** Intimkontakt *m*; *auto* **mettre le ~** die Zündung einschalten; **couper le ~** die Zündung ausschalten

contag|ieux, **~ieuse** [kɔ̃taʒjø, -jøz] ansteckend; **~ion** *f* Ansteckung *f*

container [kɔ̃tɛnɛr] *m* Container *m*; **~ à verre** (Alt-)Glascontainer *m*

contaminer [kɔ̃tamine] (1a) *personne*: anstecken; *eau*: verseuchen

conte [kɔ̃t] *m* Erzählung *f*, Geschichte *f*; **~ (de fées)** Märchen *n*

contempler [kɔ̃tɑ̃ple] (1a) betrachten

contempor|ain, **~aine** [kɔ̃tɑ̃pɔrɛ̃, -ɛn] **1.** *adj* zeitgenössisch; **2.** *m* Zeitgenosse *m*

conten|ance [kɔ̃tnɑ̃s] *f contenu* Inhalt *m*; *attitude* Haltung *f*; **perdre ~** die Fassung verlieren; **~ à verre** (Alt-)Glascontainer *m*; **~ir** (2h) **1.** enthalten; *récipient*: fassen; **2.** *maîtriser* in Schranken halten, zurückhalten; **se ~** sich beherrschen

content, **~ente** [kɔ̃tɑ̃, -ɑ̃t] zufrieden (*de* mit); **être ~ que** (+ *subj*) sich freuen, dass

content|ement [kɔ̃tɑ̃tmɑ̃] *m* Zufriedenheit *f*; **~er** (1a) zufrieden stellen; **se ~ de qc** sich mit etw begnügen; **se ~ de faire qc** sich darauf beschränken, etw zu tun

contentieux [kɔ̃tɑ̃sjø] *m* Streitsache *f*

contenu [kɔ̃tny] *m* Inhalt *m*

conter [kɔ̃te] *st/s* (1a) erzählen

contest|able [kɔ̃tɛstablə] bestreitbar; **~ataire** [-atɛr] *pol* **1.** *adj* Protest...; **2.** *m* Protestler(in) *m(f)*; **~ation** *f* Protest *m*; *mouvement*: Protestbewegung *f*; **~er** (1a) *v/t* bestreiten; *v/i* protestieren

contexte [kɔ̃tɛkst] *m* Kontext *m*, Zusammenhang *m*

contig|u, **~uë** [kɔ̃tigy] angrenzend, benachbart

continent [kɔ̃tinɑ̃] *m* Kontinent *m*

contingent [kɔ̃tɛ̃ʒɑ̃] *m part* Anteil *m*; Quote *f*, Kontingent *n*; **~er** (1a) kontingentieren

continu [kɔ̃tiny] ständig, dauernd, ununterbrochen; **courant** *m* **continu** Gleichstrom *m*

continu|ation [kɔ̃tinɥasjõ] *f* Fortsetzung *f*; **~el**, **~elle** beständig; **~er** (1n) *v/t voyage, travaux*: fortsetzen; *rue, ligne*: verlängern; *v/i personne*: fortfahren, weitermachen; *durer* andauern; **~ à** *od* **de faire qc** etw weiter(hin) tun; **~ité** *f* Kontinuität *f*

contorsion [kɔ̃tɔrsjõ] *f* Verrenkung *f*

contour [kɔ̃tur] *m* Umriss *m*, Kontur *f*; **~ner** [-ne] (1a) herumgehen, -fahren, -fließen um; *fig éviter* umgehen

contracept|if, **~ive** [kɔ̃trasɛptif, -iv] empfängnisverhütend; **~ion** *f* Empfängnisverhütung *f*

contract|er [kɔ̃trakte] (1a) **1.** zusammenziehen; *visage*: verzerren; **2.** *alliance*: schließen; *assurance*: abschließen; *maladie*: sich (*dat*) zuziehen; *habitude*: annehmen; *dette*: machen; *crédit*: aufnehmen; **~uel**, **~uelle** [-ɥɛl] **1.** *adj* vertraglich; **2.** *m*, *f* Hilfspolizist *m*,

Politesse *f*

contradic|tion [kõtradiksjõ] *f* Widerspruch *m*; **~toire** [-twar] widersprüchlich

contraindre [kõtrɛ̃drə] *(4b)* **~ qn à qc** j-n zu etw zwingen; **~ qn à faire qc** j-n dazu zwingen, etw zu tun

contrainte [kõtrɛ̃t] *f* Zwang *m*

contraire [kõtrɛr] **1.** *adj opposé* gegensätzlich, -teilig; entgegengesetzt (**à qc** e-r Sache); *nuisible* nachteilig (**à qc** für etw); **2.** *m* Gegenteil *n*; **au ~** im Gegenteil; **~ment** *adv* **~ à** im Gegensatz zu

contrari|er [kõtrarje] *(1a)* *personne*: ärgern; *projet, action*: stören, behindern; **~été** [-ete] *f* Unannehmlichkeit *f*

contrast|e [kõtrast] *m* Gegensatz *m*, Kontrast *m*; **~er** *(1a)* im Gegensatz stehen (**avec** zu)

contrat [kõtra] *m* Vertrag *m*

contravention [kõtravãsjõ] *f* *infraction* Übertretung *f*, Verstoß *m*; *procès-verbal* Strafzettel *m*

contre [kõtrə] **1.** *prép* gegen; (**tout**) **~** dicht neben, dicht bei; **2.** *par* **~** andererseits; **3.** *m* **le pour et le ~** das Für und Wider

contre|balancer [kõtrəbalãse] *(1k)* ausgleichen; **~bande** [-bãd] *f* Schmuggel *m*; *marchandises*: Schmuggelware *f*; **faire la ~ de qc** etw *(acc)* schmuggeln; **~bandier** [-bãdje] *m* Schmuggler *m*; **~basse** [-bas] *f* Kontrabass *m*; **~carrer** [-kare] *(1a)* *projets*: durchkreuzen; **~ qc** *projet*: etw durchkreuzen; **~cœur** [-kœr] **à ~** widerwillig, ungern; **~coup** [-ku] *m* Rückwirkung *f*; **~courant** [-kurã] *m* *(pl contre-courants)* Gegenströmung *f*; **~dire** [-dir] *(4m)* **~ qn** j-m widersprechen

contrée [kõtre] *f* Gegend *f*

contre|façon [kõtrəfasõ] *f* Fälschung *f*; **~faire** [-fɛr] *(4n)* *falsifier* fälschen; *personne, gestes*: nachahmen; *voix*: verstellen; **~fait**, **~faite** [-fɛ, -fɛt] missgestaltet; **~forts** [-fɔr] *m*/*pl géogr* Vorberge *m*/*pl*; **~jour** [-ʒur] **à ~** gegen das Licht, im Gegenlicht; **~maître** [-mɛtrə] *m* Werkmeister *m*; *bâtiment*: Polier *m*; **~mesure** [-məzyr] *f* *(pl contre-mesures)* Gegenmaßnahme *f*; **~partie** [-parti] *f* Ausgleich *m*; **en ~** dafür, als Gegenleistung; **~pied** [-pje]

m Gegenteil *n*; **prendre le ~ de** das genaue Gegenteil sagen, tun von; **~plaqué** [-plake] *m* Sperrholz *n*; **~poids** [-pwa] *m* Gegengewicht *n*; **~sens** [-sãs] *m* Sinnwidrigkeit *f*; **à ~** verkehrt; **~signer** [-siɲe] *(1a)* gegenzeichnen; **~temps** [-tã] *m* widriger Umstand *m*; **à ~** zur Unzeit; **~valeur** [-valœr] *f* Gegenwert *m*

contrevenir [kõtrəv(ə)nir] *(2h)* *jur* **~ à qc** gegen etw verstoßen, etw *(acc)* übertreten

contribu|able [kõtribyablə] *m* Steuerzahler *m*; **~er** *(1n)* **~ à qc** zu etw beitragen; **~ aux frais** etw zu den Unkosten beisteuern

contribution [kõtribysjõ] *f* Beitrag *m*; *impôt* Steuer *f*

contrôl|e [kõtrol] *m* Kontrolle *f*, Überprüfung *f*; *surveillance* Überwachung *f*; **~ global** Globalsteuerung *f*; **~ qualité** Qualitätskontrolle *f*; **perdre le ~ de son véhicule** die Kontrolle über sein Fahrzeug verlieren; **~ des naissances** Geburtenkontrolle *f*; **~ de soi** Selbstkontrolle *f*; **~ radar** Radarkontrolle *f*; **~er** *(1a)* kontrollieren, überprüfen; *surveiller* beaufsichtigen; **se ~** sich beherrschen; **~eur**, **~euse** *m*, *f* Kontrolleur(in) *m(f)*; *chemin de fer*: Schaffner(in) *m(f)*

controvers|e [kõtrɔvɛrs] *f* Kontroverse *f*, Streit *m*; **~é**, **~ée** umstritten

contumace [kõtymas] *f* *jur* **être condamné par ~** in Abwesenheit verurteilt werden

contusion [kõtyzjõ] *f* *méd* Prellung *f*, Quetschung *f*

convainc|ant, **~ante** [kõvɛ̃kã, -ãt] überzeugend; **~re** *(4i)* **1.** *persuader* überzeugen; **2.** **~ qn de qc** j-n e-r Sache überführen; **~u**, **~ue** [-y] überzeugt

convalesc|ence [kõvalesãs] *f* Genesung *f*; **~ent**, **~ente** [-ã, -ãt] *m*, *f* Genesende(r) *m*, *f*

conven|able [kõvnablə] *tenue, manières*: anständig; *moment*: passend; *salaire*: *suffisant* angemessen; **~ance** *f* **~s** *pl bienséance* Schicklichkeit *f*; **qc à ma ~** etw Passendes

convenir [kõvnir] *(2h)* **~ à qn** être approprié j-m passen; **~ à qc** zu etw passen; **~ de qc** décider etw vereinbaren; *avouer* etw zugeben; *il convient de faire qc* es empfiehlt sich, etw zu tun; *il convient que nous ...* (+ *subj*) es empfiehlt sich, dass wir...; *il a été convenu que od de faire qc* es wurde vereinbart, dass *od* etw zu tun; *comme convenu* wie vereinbart

convent|ion [kɔ̃vãsjɔ̃] *f* accord Abkommen *n*, Vereinbarung *f*, Absprache *f*; *assemblée* Konvent *n*; *~s pl sociales*: Konventionen *f/pl*; **~ collective** Tarifvertrag *m*; **~ionnel, ~ionnelle** [-jɔnɛl] konventionell, herkömmlich

conventionné, **~ée** [kɔ̃vãsjɔne] **médecin** *m* Kassenarzt *m*

convergence [kɔ̃vɛrʒãs] *f* écon Konvergenz *f*

converger [kɔ̃vɛrʒe] (1*l*) *math, optique*: zusammenlaufen, konvergieren; *fig* übereinstimmen

convers|ation [kɔ̃vɛrsasjɔ̃] *f* Gespräch *n*, Unterhaltung *f*; **~er** (1*a*) sich unterhalten

conversion [kɔ̃vɛrsjɔ̃] *f* Umwandlung *f*, Konvertierung *f*; *rel* Bekehrung *f*; **~ en espèces** Bargeldumstellung *f*

convert|ible [kɔ̃vɛrtiblə] *comm* konvertierbar; **~ir** (2*a*) umwandeln, konvertieren; *rel* bekehren (*à* zu)

conviction [kɔ̃viksjɔ̃] *f* Überzeugung *f*

convier [kɔ̃vje] (1*a*) *st/s* **~ qn à qc** j-n zu etw einladen; **~ qn à faire qc** j-n auffordern, etw zu tun

convive [kɔ̃viv] *st/s m, f* Gast *m*

convocation [kɔ̃vɔkasjɔ̃] *f mil* Einberufung *f*; *jur* Vorladung *f*

convoi [kɔ̃vwa] *m* Konvoi *m*, Geleitzug *m*

convoit|er [kɔ̃vwate] *st/s* (1*a*) begehren; **~ise** [-iz] *f* Begehrlichkeit *f*

convoquer [kɔ̃vɔke] (1*m*) *assemblée*: einberufen; *jur* (vor)laden; *candidat*: kommen lassen, rufen

convoyer [kɔ̃vwaje] (1*h*) eskortieren

convuls|er [kɔ̃vylse] (1*a*) krampfhaft verzerren; **~ion** *f* Zuckung *f*, Krampf *m*

coopérant [kɔɔperɑ̃] *m* Entwicklungshelfer *m*

coopéra|tif, **~tive** [kɔɔperatif, -tiv] **1.** *adj* kooperativ; **2.** *f* Genossenschaft *f*; **~tion** *f* collaboration Zusammenarbeit *f*, Kooperation *f*; *contribution* Mitarbeit *f*; *tiers monde*: Entwicklungshilfe *f*

coopérer [kɔɔpere] (1*f*) zusammenarbeiten; **~ à qc** an etw (*dat*) mitarbeiten

coordina|teur, **~trice** [kɔɔrdinatœr, -tris] *m, f* Koordinator(in) *m(f)*; **~tion** *f* Koordinierung *f*

coordonn|er [kɔɔrdɔne] (1*a*) koordinieren, aufeinander abstimmen; **~ées** *f/pl math* Koordinaten *f/pl*; *données personnelles*: persönliche Daten *n/pl*

copain [kɔpɛ̃] F *m* Freund *m*, Kamerad *m*, F Kumpel *m*; **être ~ avec** befreundet sein mit

copie [kɔpi] *f double* Kopie *f*, Abschrift *f*, Duplikat *n*; *imitation* Nachbildung *f*; **~ de sécurité** Sicherheitskopie *f*

copier [kɔpje] (1*a*) *école*: abschreiben (**sur qn** von j-m); *photocopieuse*: kopieren; *imiter* nachbilden

copi|eux, **~euse** [kɔpjø, -øz] reichlich

copilote [kɔpilɔt] *m* Kopilot *m*

copine [kɔpin] F *f* Freundin *f*, Kameradin *f*, Kollegin *f*

copropriété [kɔprɔprijete] *f* Miteigentum *n*

coq [kɔk] *m zo* Hahn *m*

coque [kɔk] *f mar, aviat* Rumpf *m*; *œuf, noix*: Schale *f*; **œuf m à la ~** weich gekochtes *od* weiches Ei *m*

coquelicot [kɔkliko] *m bot* Mohn *m*

coqueluche [kɔklyʃ] *f* Keuchhusten *m*

coqu|et, **~ette** [kɔkɛ, -ɛt] kokett; *joli* hübsch

coquetier [kɔktje] *m* Eierbecher *m*

coquetterie [kɔkɛtri] *f* Koketterie *f*, Gefallsucht *f*

coquillage [kɔkijaʒ] *m* Muschel (schale) *f*

coquille [kɔkij] *f* Muschel(schale) *f*; *œuf, noix*: Schale *f*; *erreur*: Druckfehler *m*

coqu|in, **~ine** [kɔkɛ̃, -in] **1.** *adj* spitzbübisch, schelmisch; **2.** *m, f* Schlingel *m*

cor [kɔr] *m* **1.** *mus* (Wald-)Horn *n*; **2.** *méd* Hühnerauge *n*

corail [kɔraj] *m* (*pl coraux*) Koralle *f*

Coran [kɔrɑ̃] **le ~** der Koran

corbeau [kɔrbo] *m* (*pl -x*) *zo* Rabe *m*

corbeille [kɔrbɛj] *f* Korb *m*; *théâtre*: Balkon-, Rangloge *f*; Maklerraum *m*; **~ à papier** Papierkorb *m*

corbillard [kɔrbijar] *m* Leichenwagen *m*

cord|e [kɔrd] *f* Seil *n*, Strick *m*; *arc*:

Sehne f; mus, tennis: Saite f; **~s** pl mus Streicher m/pl; **~s vocales** Stimmbänder n/pl; **~ée** f alpinisme: Seilschaft f

cordial, ~e [kɔrdjal] (m/pl -iaux) herzlich; **~ité** f Herzlichkeit f

cordon [kɔrdõ] m Schnur f; **~ littoral** Küstenstreifen m; **~ ombilical** Nabelschnur f; **~-bleu** m (pl cordons-bleus) F ausgezeichnete Köchin f

cordonnier [kɔrdɔnje] m Schuhmacher m

Corée [kɔre] la **~** Korea m

coriace [kɔrjas] zäh; fig hartnäckig

corn|e [kɔrn] f zo u allg Horn n; livre: Eselsohr n; auto Hupe f; fig **avoir des ~s** betrogen werden (Ehe); **~ée** f Hornhaut f (des Auges)

corneille [kɔrnɛj] f zo Krähe f

cornemuse [kɔrnəmyz] f Dudelsack m

corner¹ [kɔrne] (1a) auto hupen

corner² [kɔrner] m football: Eckball m

cornet [kɔrnɛ] m sachet (spitze) Tüte f; mus Horn n; **~ à dés** Würfelbecher m

corniche [kɔrniʃ] f kurvenreiche Küstenstraße f

cornichon [kɔrniʃõ] m Gewürzgürkchen n

corniste [kɔrnist] m mus Hornist m

cornu, ~e [kɔrny] 1. adj gehörnt (a fig mari); 2. f chim Retorte f

coron [kɔrõ] m Bergarbeitersiedlung f

corporation [kɔrpɔrasjõ] f Körperschaft f; hist Gilde f, Zunft f

corporel, ~le [kɔrpɔrɛl] körperlich

corps [kɔr] m 1. Körper m; mort: Leichnam m, Leiche f; **prendre ~** Gestalt annehmen; 2. texte: Corpus m; 3. Körperschaft f, Gruppe f, mil, diplomatique: Korps m; **le ~ électoral** die Wähler m/pl

corpul|ence [kɔrpylãs] f Korpulenz f, Beleibtheit f; **~ent, ~ente** [-ã, -ãt] korpulent, beleibt

correct, ~e [kɔrɛkt] korrekt (a personne), richtig; texte: fehlerfrei

correction [kɔrɛksjõ] f qualité: Richtigkeit f, Korrektheit f; modification Verbesserung f, Korrektur f; punition Tracht f Prügel

corrélation [kɔrelasjõ] f Korrelation f, Wechselbeziehung f

correspond|ance [kɔrɛspõdãs] f 1. rapport Übereinstimmung f; 2. chemin

de fer: Anschluss m; 3. lettres: Briefwechsel m, Korrespondenz f; **~ant, ~ante** [-ã, -ãt] 1. adj entsprechend; 2. m, f journal: Korrespondent(in) m(f), Berichterstatter(in) m(f); ami: Brieffreund(in) m(f)

correspondre [kɔrɛspõdrə] (4a) 1. être conforme entsprechen (**à qc** e-r Sache); 2 choses: miteinander übereinstimmen; salles: miteinander verbunden sein; 2. 2 personnes: korrespondieren, in Briefwechsel stehen (**avec** mit)

corridor [kɔridɔr] m Gang m, Flur m

corriger [kɔriʒe] (1l) texte: korrigieren, verbessern, berichtigen; battre schlagen

corroborer [kɔrɔbɔre] (1a) bestärken, bekräftigen

corroder [kɔrɔde] (1a) zersetzen

corromp|re [kɔrõprə] (4a) avilir verderben; soudoyer bestechen; **se ~** fig mœurs: in Verfall geraten; **~u, ~ue** [-y] p/p de corrompre u adj korrupt

corros|if, ~ive [kɔrozif, -iv] 1. adj ätzend; fig beißend; 2. m Ätzmittel n

corruption [kɔrypsjõ] f Korruption f; pot-de-vin Bestechung f

corsage [kɔrsaʒ] m Bluse f

corse [kɔrs] 1. adj korsisch; 2. **♀** m, f Korse m, Korsin f; 3. la **♀** Korsika n

corsé, ~ée [kɔrse] vin: körperreich; sauce: würzig; heikel; facture: gesalzen

corset [kɔrsɛ] m Korsett n

cortège [kɔrtɛʒ] m Gefolge n; **~ nuptial** Hochzeitszug m; **~ funèbre** Trauerzug m

cortisone [kɔrtizon] f phm Kortison n

corvée [kɔrve] f lästige Arbeit f; mil Sonderdienst m

cosmétique [kɔsmetik] 1. adj kosmetisch; 2. f Kosmetik f; 3. m Schönheitsmittel n

cosmique [kɔsmik] kosmisch

cosmopolite [kɔsmɔpɔlit] 1. adj kosmopolitisch, weltbürgerlich; 2. m Kosmopolit m, Weltbürger m

cosmos [kɔsmɔs] m Kosmos m, Weltall n

cosse [kɔs] f bot Schote f, Hülse f

cossu, ~e [kɔsy] personne: wohlhabend; château: stattlich

costaud [kɔsto] (f unv) F stämmig, kräftig

C

costum|e [kɔstym] *m* Anzug *m*; *théâtre:* Kostüm *n*; *régional:* Tracht *f*; **~er** *(1a)* **(se) ~** (sich) verkleiden, kostümieren

cote [kɔt] *f cotisation:* Anteil *m*, Quote *f*; *Bourse:* Kursnotierung *f*; *marque* Kennziffer *f*, Aktenzeichen *n*; *fig appréciation* Bewertung *f*; *fig F* **avoir la ~** sehr angesehen sein

côte [kot] *f* 1. *anat* Rippe *f*; 2. *pente* Steigung *f*, Hang *m*; 3. *mer:* Küste *f*; 4. *viande:* Kotelett *n*

Côte-d'Ivoire [kotdivwar] *la* ~ die Elfenbeinküste

côté [kote] *m* Seite *f*; **à ~** nebenan; **à ~ de** neben *(dat)*; **de ~** beiseite, zur Seite; **de l'autre ~** auf der anderen Seite; **de ce ~** auf der anderen Seite; **du ~ de près de** in der Nähe von; *direction:* in Richtung auf *(acc)*; **sur le ~** auf der Seite; **laisser de ~** beiseite lassen; **mettre de ~** auf die Seite legen

coteau [kɔto] *m (pl -x) colline* Hügel *m*; *pente:* Abhang *m*

côtelette [kotlɛt] *f cuis* Kotelett *n*

coter [kote] *(1a) Bourse:* notieren

cotis|ation [kɔtizasjõ] *f* (Mitglieds-)Beitrag *m*; **~er** *(1a)* Beitrag zahlen

coton [kɔtõ] *m* Baumwolle *f*; **~ hydrophile** Verbandwatte *f*

côtoyer [kotwaje] *(1h)* **~ qn** mit j-m zusammenkommen; **~ qc** an etw *(dat)* entlanglaufen

cou [ku] *m (pl -s)* Hals *m*

couard, -e [kwar, -d] *litt* feig

couch|age [kuʃaʒ] *m* **sac *m* de ~** Schlafsack *m*; **~ant** [-ã] 1. *st/s m* Westen *m*; 2. *adj* **soleil m ~** untergehende Sonne *f*

couch|e [kuʃ] *f* 1. Schicht *f*; **~s sociales** Gesellschaftsschichten *f/pl*; **~ d'ozone** Ozonschicht *f*; 2. *méd* **fausse ~** Fehlgeburt *f*; **~s** *pl* Niederkunft *f*, Entbindung *f*; 3. *bébé:* Windel *f*; **~é, ~ée** liegend; **~er** *(1a)* 1. *v/t* **mettre au lit:** zu Bett bringen; *héberger* übernachten lassen; *étendre* hinlegen; *v/i* schlafen, übernachten; **se ~** zu Bett gehen; *s'étendre* sich hinlegen; *F* **~ avec qn** mit j-m schlafen; 2. *m* **~ du soleil** Sonnenuntergang *m*

couchette [kuʃɛt] *f* Liegewagenplatz *m*

coucou [kuku] *m* Kuckuck *m*; *pendule:* Kuckucksuhr *f*

coude [kud] *m anat* Ell(en)bogen *m*;

route: Biegung *f*; **jouer des ~s** sich durchdrängeln; *fig* die Ellenbogen gebrauchen

cou-de-pied [kudpje] *m (pl cous-de-pied)* Spann *m*, Rist *m*

coudre [kudrə] *(4d)* nähen; *bouton:* annähen

couenne [kwan] *f* Schwarte *f*

couffin [kufɛ̃] *m* Tragkorb *m*

couille [kuj] *P f* Hoden *m*

coul|ant, ~ante [kulã, -ãt] *style:* flüssig; *fig* großzügig, kulant; **~er** *(1a) v/i* fließen; *fuir* auslaufen, lecken; *bateau:* untergehen, sinken; *v/t* gießen; *bateau:* versenken

couleur [kulœr] *f* Farbe *f*

couleuvre [kulœvrə] *f zo* Natter *f*

coulisse [kulis] *f* 1. *tech* Rinne *f*, Fuge *f*; **à ~** Schiebe...; 2. **~s** *pl théâtre:* Seiten- und Hinterbühne *f*; *fig* **dans les ~s** hinter den Kulissen

couloir [kulwar] *m* Gang *m* (*a bus, train*), Flur *m*

coup [ku] *m* Schlag *m*; *arme:* Schuss *m*; *gorgée* Schluck *m*; *jeu:* Zug *m*; **~ d'État** Staatsstreich *m*; **~ de balai** *fig* Rausschmiss *m*; **donner un ~ de balai** zusammenfegen; *fig F* rausschmeißen; **~ de chance** Glücksfall *m*; **donner un ~ de main** behilflich sein; **~ de couteau** Messerstich *m*; **~ de maître** Meisterstück *n*; **~ d'œil** Blick *m*; **~ de pied** Tritt *m*; **~ de poing** Faustschlag *m*; **~ de téléphone** Anruf *m*; **~ de tête** Kurzschlusshandlung *f*; **~ de tonnerre** Donnerschlag *m*; **~ de vent** Windstoß *m*, Bö *f*; **avoir un ~ de soleil** e-n Sonnenbrand haben; *F* **boire un ~** einen trinken; **~ franc** Freistoß *m*; **après ~** hinterher; **tout d'un ~** wie ein Schlag; **tout à ~** plötzlich; **à ~s de** mit, durch, mittels; **à ~ sûr** sicherlich; **du ~** deshalb; **du même ~** bei dieser Gelegenheit; **d'un seul ~** auf einmal; **pour le ~** (für) diesmal; *F* **être dans le ~** im Bilde sein; in die Sache mit verwickelt sein; **tenir le ~** durchhalten

coupable [kupablə] 1. *adj* schuldig; 2. *m, f* Schuldige(r) *m, f*; *jur* Täter(in) *m(f)*

coupe[1] [kup] *f cheveux, robe:* Schnitt *m*

coupe[2] [kup] *f verre:* Trinkschale *f*; *sports:* Pokal *m*; *fruits, glace:* Schale *f*

coupe-circuit [kupsirkɥi] *m (pl unv) él*

Sicherung f

couper [kupe] *(1a) v/t* schneiden; *morceau:* abschneiden; *tissu:* zuschneiden; *eau:* sperren, abstellen; *conversation:* unterbrechen; *vin:* verschneiden; *animal:* kastrieren; *v/i couteau:* schneiden; *raccourcir:* den Weg abkürzen; *jeu de cartes:* abheben; **se ~** sich schneiden; *se trahir* sich verraten; **~ court à qc** etw *(acc)* abbrechen

couplage [kuplaʒ] *m tech* Kopplung f

coupl|e [kuplə] *m* Paar *n (lebender Wesen);* **à double salaire** Doppelverdiener *pl;* **~er** *(1a)* koppeln

couplet [kuplɛ] *m* Strophe f

coupole [kupɔl] *f arch* Kuppel f

coupon [kupõ] *m tissu* Stoffrest *m; comm* Zinsschein *m; élément détachable:* Abschnitt *m*

coupure [kupyr] *f blessure* Schnitt (wunde) *m(f); film, texte:* Kürzung *f; journal:* Ausschnitt *m; billet de banque* Geldschein *m,* Banknote *f;* **~ de courant** Stromsperre f

cour [kur] *m* Hof *m; jur* Gerichtshof *m;* **faire la ~ à qn** j-m den Hof machen

courag|e [kuraʒ] *m* Mut *m;* **~eux, ~euse** [-ø, -øz] mutig

couramment [kuramã] *adv parler, lire:* geläufig, fließend

cour|ant, ~ante [kurã, -ãt] **1.** *adj* laufend, fließend; *habituel* üblich, gebräuchlich; **2.** *m* Strömung *f; él* Strom *m;* **~ d'air** Luftzug *m; au ~* auf dem Laufenden; **~ alternatif** Wechselstrom *m;* **~ continu** Gleichstrom *m*

courbature [kurbatyr] *f* Gliederschmerzen *m/pl*

courb|e [kurb] **1.** *adj* gebogen, krumm; **2.** *f* Kurve *f;* **~er** *(1a)* krümmen, biegen; **se ~** sich bücken; **~ure** [-yr] *f* Krümmung *f*

coureur [kurœr] *m à pied:* Läufer *m; sports:* Rennfahrer *m; péj* Schürzenjäger *m*

courge [kurʒ] *f bot* Kürbis *m*

courgettes [kurʒet] *f/pl bot* Zucchini *pl*

courir [kurir] *(2i)* rennen, laufen; *eau:* fließen; *bruit:* umgehen, im Umlauf sein; **~ qc** etw viel besuchen; e-r Sache *(dat)* nachlaufen; **~ les femmes** F hinter den Frauen her sein; **~ un risque** ein Risiko eingehen; **~ un danger** sich

e-r Gefahr aussetzen; **en courant** eilig

couronn|e [kurɔn] *f* Krone *f; fleurs:* Kranz *m;* **~é, ~ée** gekrönt *(de* von); **~ement** [-mã] *m* Krönung *f;* **~er** *(1a)* krönen; *fig auteur, livre:* auszeichnen; *achever* vollenden

courrier [kurje] *m* Post *f,* Korrespondenz *f;* **par retour du ~** postwendend, umgehend

courroie [kurwa] *f* Riemen *m,* Gurt *m; auto* Keilriemen *m*

cours [kur] *m* **1.** *astre, rivière:* Lauf *m; temporel:* Verlauf *m;* **au ~ de** im Laufe *(gén);* **donner libre ~ à qc** e-r Sache *(dat)* freien Lauf lassen; **en ~ de route** unterwegs; **2.** *écon* Kurs *m;* **3.** *école:* Unterrichtsstunde *f; université:* Vorlesung *f; adultes:* Kurs *m*

course [kurs] *f à pied:* Laufen *n; sports:* (Wett-)Lauf *m; cyclistes, chevaux, automobiles:* (Wett-)Rennen *n; voiture, bus:* Fahrt *f;* **~s** *pl achats* Einkäufe *m/pl;* **~ en montagne** Bergtour *f;* **faire des ~s** einkaufen gehen

court[1] [kur] *m (a* **~ de tennis)** Tennisplatz *m*

court[2]**, courte** [kur, kurt] kurz; **à court de** ohne

court-circuit [kursirkɥi] *m (pl courts-circuits)* él Kurzschluss *m*

courtage [kurtaʒ] *m* Maklergebühr f

courtier [kurtje] *m* Makler *m*

courtis|ane [kurtizan] *f* Kurtisane *f;* **~er qn** j-m den Hof machen

court|ois, ~oise [kurtwa, -waz] höflich; **~oisie** [-wazi] *f* Höflichkeit f

couru, ~e [kury] *p/p de* courir *u adj* viel besucht

couscous [kuskus] *m cuis* Kuskus *m*

cous|in, ~ine [kuzɛ̃, -in] *m (f)* Cousin(e) *m(f),* Vetter *m,* Base *f*

coussin [kusɛ̃] *m* Kissen *n*

coussinet [kusinɛ] *m* (kleines) Kissen *n; tech* Lager *n*

coût [ku] *m* Kosten *pl;* **le ~ de la vie** die Lebenshaltungskosten *pl*

coûtant [kutã] *au prix (m)* **~** zum Selbstkostenpreis *m*

couteau [kuto] *m (pl -x)* Messer *n*

coutelas [kutla] *m* großes Küchenmesser *n*

coûter [kute] *(1a)* kosten; **~ à qn** *décision:* j-m schwer fallen; **~ cher** teuer sein; *fig* **~ cher à qn** j-n teuer zu stehen kommen; *coûte que coûte* koste es, was es wolle; ~ *les yeux de la tête* e-e Stange Geld kosten

coût|eux, ~euse [kutø, -øz] kostspielig

coutume [kutym] f Brauch m, Sitte f; *avoir ~ de faire qc* pflegen etw zu tun

coutur|e [kutyr] f *activité*: Nähen m; *ouvrage*: Näharbeit f; *points* Naht f; ~ier [-je] m Modeschöpfer m; ~ière [-jer] f Schneiderin f

couvée [kuve] f Brut f

couvent [kuvã] m Kloster n

couver [kuve] (1a) v/t (be-, aus)brüten; *fig projet*: aushecken; *maladie*: ausbrüten; *personne*: verhätscheln; v/i *feu*: schwelen; *projets de vengeance*: heimlich geschmiedet werden

couvercle [kuverklə] m Deckel m

couv|ert, ~erte [kuver, -ert] 1. p/p de couvrir u adj bedeckt; *être bien ~* warm angezogen sein; *à ~ de* sicher vor; *fig sous le ~ de* unter dem Vorwand von; 2. m *table*: Gedeck n; *cuillers, fourchettes*: Besteck n; *mettre le ~* den Tisch decken

couverture [kuvertyr] f Decke f; *livre*: Einband m, Deckel m; *journal*: Titelseite f; *assurance, mil* Deckung f

couveuse [kuvøz] f Brutkasten m

couvre-feu [kuvrəfø] m (pl couvre-feux) Ausgangssperre f; ~-lit [-li] m (pl couvre-lits) Tagesdecke f

couvreur [kuvrœr] m Dachdecker m

couvrir [kuvrir] (2f) (be-, zu)decken; *fig* überhäufen (*de* mit); ~ *qn protéger* j-n decken; *se ~ s'habiller* sich warm anziehen; *ciel*: sich bewölken

crabe [krab] m Krabbe f

crachat [kraʃa] m Speichel m; F Spucke f

crach|er [kraʃe] (1a) v/i spucken; v/t ausspucken; *injures*: ausstoßen; ~in [-ʃɛ̃] m Sprühregen m

crack [krak] m F Kanone f; *sports*: Ass n

craie [krɛ] f Kreide f

craindre [krɛ̃dr] (4b) ~ *qn, qc* j-n, etw fürchten; sich vor j-m *od* etw fürchten; ~ *la chaleur* Hitze nicht vertragen; ~ *de* (+ *inf*) sich scheuen zu (+ *inf*); ~ *que (ne)*(+ *subj*) fürchten, dass

crainte [krɛ̃t] f Furcht f, Angst f; *de ~ de* aus Furcht vor

craint|if, ~ive [krɛ̃tif, -iv] furchtsam, ängstlich

cramoisi, ~e [kramwazi] karmesinrot

crampe [krãp] f *méd* Krampf m

cramp|on [krãpõ] m Klammer f; *alpinisme*: Steigeisen n; ~onner [-ɔne] (1a) *se ~ (à)* sich klammern (an *acc*)

cran [krã] m Einschnitt m, Kerbe f; F *avoir du ~* Schneid haben

crân|e [krɑn] m Schädel m; ~er F prahlen, angeben; ~erie f F Prahlerei f, Angeberei f

crapaud [krapo] m zo Kröte f

crapule [krapyl] f Lump m, Schurke m; *collectif*: Lumpenpack n

craqu|elé, ~ée [krakle] rissig; ~lure [-lyr] f Riss m, Sprung m; ~ment [-mã] m Krachen n, Knarren n

craquer [krake] (1m) krachen; knacken; *parquet*: knarren; *couture*: platzen; *fig personne*: s'effondrer zusammenbrechen; *plein à ~* brechend voll

crass|e [kras] 1. adj krass; 2. f Dreck m; ~eux, ~euse [-ø, -øz] dreckig

cratère [krater] m Krater m

cravache [kravaʃ] f Reitpeitsche f

cravate [kravat] f Krawatte f

crawl [krol] m Kraulen n

crayon [krɛjõ] m Bleistift m, Stift m; ~ *à bille* Kugelschreiber m; ~ *feutre* Filzstift m

créanc|e [kreãs] f *comm* (Schuld-)Forderung f; ~ier, ~ière [-je, -jer] m, f Gläubiger(in) m(f)

créa|teur, ~trice [kreatœr, -tris] 1. adj schöpferisch, kreativ; 2. m, f Schöpfer(in) m(f); ~tion f *monde*: Schöpfung f; *mode, design*: Kreation f; *emplois*: Schaffung f; *théâtre*: Erstinszenierung f; ~tivité [-tivite] f Kreativität f; ~ture [-tyr] f Geschöpf n, Lebewesen n; Kreatur f

crèche [krɛʃ] f (Kinder-)Krippe f

créd|ibilité [kredibilite] f Glaubwürdigkeit f; ~ible glaubwürdig

crédit [kredi] m *prêt* Kredit m; *compte bancaire*: Haben(seite) f n; *autorité* Ansehen n; *acheter à ~* auf Kredit kaufen; *faire ~ à qn* j-m Kredit geben; *fig* j-m Glauben schenken; ~-bail [-baj] m Leasing n

crédi|ter [kredite] (1a) gutschreiben (*qn d'une somme* j-m e-n Betrag); ~teur, ~trice m, f *comm* Gläubiger(in) m(f)

crédul|e [kredyl] f leichtgläubig; ~ité f Leichtgläubigkeit f

créer [kree] (*1a*) *concevoir* schaffen; *rel* erschaffen; *institution*: gründen; *emplois, problèmes*: schaffen; *comm produit nouveau*: kreieren

crémaillère [kremajɛr] *f tech* Zahnstange *f*; **chemin de fer à ~** Zahnradbahn *f*; *fig* **pendre la ~** die neue Wohnung einweihen

crématoire [krematwar] *m* Krematorium *n*

crème [krɛm] **1.** *f lait*: Sahne *f*, Rahm *m*; *cosmétique, dessert*: Creme *f*; *fig* **la ~** Creme *f* (der Gesellschaft); **~ fouettée** *od* **Chantilly** Schlagsahne *f*; **~ de jour** Tagescreme *f*; **~ de nuit** Nachtcreme *f*; **~ solaire** Sonnenschutzcreme *f*; **2.** *adj unv* creme(farben)

crémerie [krɛmri] *f* Milchgeschäft *n*

créneau [kreno] *m* (*pl -x*) Schießscharte *f*; *auto* Parklücke *f*; *comm* Marktlücke *f*; **faire un ~** einparken

crêpe [krɛp] **1.** *m tissu*: Krepp *m*; *deuil*: Trauerflor *m*; **semelle** *f* **de ~** Kreppsohle *f*; **2.** *f cuis* Pfannkuchen *m*, Crêpe *f*

crêper [krɛpe] (*1b*) *cheveux*: toupieren

crépi [krepi] *m* (Ver-)Putz *m*

crép|ir [krepir] (*2a*) verputzen; **~iter** [-ite] (*1a*) knistern, prasseln; **~u, ~ue** [-y] gekräuselt, kraus

crépuscule [krepyskyl] *m* Dämmerung *f*

cresson [krɛsõ *od* krəsõ] *m bot* Kresse *f*

Crète [krɛt] **la ~** Kreta *n*

crête [krɛt] *f coq*: (Hahnen-)Kamm *m*; *montagne*: Bergkamm *m*

crét|in, ~ine [kretẽ, -in] **1.** *adj* schwachsinnig; F dumm, blöd; **2.** *m, f* Schwachsinnige(r) *m, f*; F Dummkopf *m*, Idiot *m*

creuser [krøze] (*1a*) *rendre creux*: aushöhlen; *trou*: graben; *fig idée*: vertiefen; **~ l'estomac** hungrig machen; **se ~ la cervelle** sich den Kopf zerbrechen

creuset [krøzɛ] *m tech u fig* Schmelztiegel *m*

creux, creuse [krø, krøz] **1.** *adj* hohl; *assiette*: tief; **heures** *f/pl* **creuses** *comm* ruhige Zeit *f*, Flaute *f*; *trafic*: verkehrsschwache Zeit *f*; *adv* **sonner creux** hohl klingen; **2.** *m* Höhlung *f*, *fig* Leere *f*; **le ~ de la main** die hohle Hand

crevaison [krəvɛzõ] *f* Platzen *n*; *auto* Reifenpanne *f*

crev|ant, ~ante [krəvã, -ãt] F ermüdend

crevass|e [krəvas] *f* Spalt *m*, Riss *m*; *peau*: Schrunde *f*; **~er** (*1a*) *sol*: aufreißen; *peau*: aufspringen lassen; **se ~** Risse bekommen; rissig werden

crever [krəve] (*1d*) *v/t ballon, pneu*: platzen lassen, zerstechen, aufschlitzen; *v/i* bersten, platzen (*a fig* **de** vor); F mourir krepieren; F **j'ai crevé** ich habe e-n Platten

crevette [krəvɛt] *f* Garnele *f*, Krabbe *f*

cri [kri] *m* Schrei *m*; *appel* Ruf *m*; *fig* **le dernier ~** der letzte Schrei

cri|ant, ~ante [krijã, -ãt] himmelschreiend

cri|ard, ~arde [krijar, -ard] *voix, hommes*: schreiend, kreischend; *couleur*: grell

crible [kriblə] *m* Sieb *n*; **~er** (*1a*) durchlöchern, -bohren

cric [krik] *m* Wagenheber *m*

cri|ée [krije] *f* **vente** *f* **à la ~** öffentliche Versteigerung; **~er** (*1a*) *v/i* schreien, rufen; *porte*: knarren; **~ au scandale** es als Skandal bezeichnen; *v/t* schreien, rufen; *journaux*: ausrufen; **~ qc à qn** j-m etw zurufen; **~ vengeance** nach Rache schreien; **~ sur les toits** an die große Glocke hängen

crime [krim] *m* Verbrechen *n*

criminalité [kriminalite] *f* Kriminalität *f*; **~ informatique** Computerkriminalität *f*; **~ organisée** organisiertes Verbrechen *n*

crimin|el, ~elle [kriminɛl] **1.** *adj* verbrecherisch; Kriminal...; **2.** *m, f* Verbrecher(in) *m(f)*

crin [krẽ] *m* Rosshaar *n*

crinière [krinjɛr] *f* Mähne *f*

crique [krik] *f* kleine Bucht *f*

criquet [krikɛ] *m zo* Feldheuschrecke *f*

crise [kriz] *f* Krise *f*; **~ cardiaque** Herzanfall *m*; **avoir une ~ de nerfs** mit den Nerven am Ende sein

crisper [krispe] (*1a*) *muscles*: verkrampfen; *visage*: verzerren; F *fig* wütend machen; **se ~** sich verkrampfen

crisser [krise] (*1a*) knirschen

cristal [kristal] *m* (*pl -aux*) Kristall *m*; *verre*: Kristall(glas) *n*; **~ de roche** Bergkristall *m*

cristall|in, ~ine [kristalẽ, -in] **1.** *adj son, eau*: kristallklar; **2.** *m yeux*: Linse *f*

cristalliser [kristalize] (*1a*) *v/i u* **se ~** sich kristallisieren; *fig* deutlich werden

critère [kriter] *m* Kriterium *n*; **~s de convergence** *écon* Konvergenzkriterien *n/pl*

critique [kritik] **1.** *adj* kritisch; **2.** *m* Kritiker(in) *m(f)*; **3.** *f* Kritik *f*; *d'un livre*: Rezension *f*, **~er** (*1m*) kritisieren

croasser [krɔase] (*1a*) krächzen

croc [kro] *m dent*: Fangzahn *m*; *boucherie*: Haken *m*

croc-en-jambe [krɔkãʒãb] *m* (*pl crocs-en-jambe*) Beinstellen *n*

croch|et [krɔʃe] *m* Haken *m*; *aiguille* Häkelnadel *f*; *route*: Bogen *m*; *de serrurier*: Dietrich *m*; **~s** *pl* eckige Klammern *f/pl*; **faire du ~** häkeln; **faire un ~** *route*: e-n Bogen machen; *personne*: e-n Abstecher machen; **~u**, **~ue** [-y] krumm, gekrümmt

crocodile [krɔkɔdil] *m zo* Krokodil *n*

croire [krwar] (*4v*) **1.** *v/t* glauben (*qc*, *qn* etw *acc*, *j-m*); **~ qc de qn** etw von j-m glauben; *on le croyait médecin* man hielt ihn für e-n Arzt; **en ~ qn** sich auf j-n verlassen; **à en ~ les journaux** wenn man den Zeitungen Glauben schenken will; **faire ~ qc à qn** j-m etw weismachen; **2.** *v/i* **~ à qc** an etw (*acc*) glauben; **~ en qn** an j-n glauben; **~ en Dieu** an Gott glauben; **3. se ~** sich für j-n halten; *il se croit intelligent* hält sich für intelligent

crois|ade [krwazad] *f* Kreuzzug *m*; **~ement** [-mã] *m* Kreuzung *f* (*a biol*); **~er** (*1a*) *v/t* kreuzen (*a biol*); *jambes*: übereinander schlagen; **~ qn** j-m begegnen; *v/i mar* kreuzen; **se ~** *routes*: sich kreuzen; *personnes*: einander begegnen; *regards*: sich begegnen; **~eur** *m mar* Kreuzer *m*; **~ière** *f mar* Kreuzfahrt *f*

crois|sance [krwasãs] *f* Wachstum *n*; **~ant** [-ãt] *m lune*: Mondsichel *f*; *cuis* Hörnchen *n*

croître [krwatrə] (*4w*) wachsen

croix [krwa] *f* Kreuz *n*; *la* **⚥-Rouge** das Rote Kreuz *n*; *fig* **mettre une ~ sur qc** etw (*acc*) endgültig begraben, abschreiben; *chemin m de* **~** Leidensweg *m* Christi

croqu|ant, **~ante** [krɔkã, -ãt] *croûte*: knusprig; *pomme*: knackig

croque|-monsieur [krɔkməsjø] *m* (*pl unv*) *cuis* Schinkentoast *m* mit Käse; **~mort** [-mɔr] F *m* (*pl croque-morts*) Sargträger *m*

croquer [krɔke] (*1m*) **1.** *v/t biscuit, noix*: knabbern; *bonbon*: zerbeißen; *v/i* (*zwischen den Zähnen*) krachen; **2.** *dessiner* skizzieren, entwerfen

croquis [krɔki] *m* Skizze *f*

crosse [krɔs] *f* *évêque*: Bischofsstab *m*; *fusil*: Gewehrkolben *m*

crott|e [krɔt] *f* Kot *m*; **~in** *m* Pferdemist *m*

croul|ant, **~ante** [krulã, -ãt] baufällig; **~er** (*1a*) einstürzen; *fig* (fast) zusammenbrechen

croup [krup] *m méd* Krupp *m*

croupe [krup] *f* Kruppe *f*, Kreuz *n des Pferdes*

croupir [krupir] (*2a*) *eau*: faulig werden; *personne*: dahinvegetieren (*dans* in *dat*)

croustill|ant, **~ante** [krustijã, -ãt] knusprig

croût|e [krut] *f pain*: Kruste *f*; *fromage*: Rinde *f*; *méd* Schorf *m*; **~er** (*1a*) F futtern; **~on** *m extrémité du pain* (Brot-)Kanten *m*; *morceau*: Brotwürfel *m*

croy|able [krwajablə] glaubhaft; **~ance** *f* Glaube(n) *m*; **~ant**, **~ante** [-ã, -ãt] *rel* **1.** *adj* gläubig; **2.** *m, f* Gläubige(r) *m, f*

C.R.S. [seɛrɛs] (*abr compagnie républicaine de sécurité*) *etwa* Bereitschaftspolizei *f*

cru, **~e** [kry] **1.** *p/p de croire*; **2.** *adj légumes*: ungekocht, roh; *lumière*: grell; *paroles*: derb; **3.** *m domaine*: (Wein-)Gebiet *n*; *vigne* Weinberg *m*; *vin* Wein(sorte *f*) *m*; *fig* **de mon ~** von mir erfunden

cruauté [kryote] *f* Grausamkeit *f*

cruche [kryʃ] *f* Krug *m*

cruci|al, **~ale** [krysjal] (*m/pl -aux*) entscheidend

cruci|fié [krysifje] *m* Gekreuzigte(r) *m*; **~fiement** [-fimã] *m* Kreuzigung *f*; **~fier** [-fje] (*1a*) kreuzigen; **~fix** [-fi] *m* Kruzifix *n*

crudité [krydite] *f* Grobheit *f*, Brutalität *f*; **~s** *pl cuis* Rohkost *f*

crue [kry] *f* Hochwasser *n*; **être en ~** Hochwasser führen

cruel, **~le** [kryɛl] grausam

crûment [krymã] *adv* unumwunden,

schonungslos

crustacés [krystase] *m/pl zo* Krusten-, Krebstiere *n/pl*

crypte [kript] *f* Krypta *f*

cubage [kyba3] *m* Kubikinhalt *m*

cub|e [kyb] *math* **1.** *m* Würfel *m*; *nombre:* Kubikzahl *f*; **2.** *adj* Kubik...; *mètre m* ~ Kubikmeter *m od n*; **~ique** *m* kubisch; **~isme** *m art:* Kubismus *m*; **~iste** *m* Kubist *m*

cueill|ette [kœjɛt] *f* Obsternte *f*; **~ir** (2c) pflücken

cuiller *od* **cuillère** [kɥijɛr] *f* Löffel *m*; ~ **à soupe** Suppen- *od* Esslöffel *m*; ~ **à café** Kaffee- *od* Teelöffel *m*

cuillerée [kɥij(e)re] *f* Löffel(voll) *m*

cuir [kɥir] *m* Leder *n*; ~ **chevelu** Kopfhaut *f*

cuirass|e [kɥiras] *f* Harnisch *m*; Panzer *m* (*a zo u mar*); **~er** (*1a*) panzern

cuire [kɥir] (4c) kochen; *au four:* backen; *rôti:* braten; **faire** ~ *qc* etw kochen, backen, braten

cuisine [kɥizin] *f* Küche *f*; **faire la** ~ kochen (*die Mahlzeiten bereiten*)

cuisin|é [kɥizine] **plat** *m* ~ Fertiggericht *n*; **~er** (*1a*) *v/t* zubereiten, kochen; *v/i* kochen (können); **~ier** [-je] *m* Koch *m*; **~ière** *f* [-jɛr] Köchin *f*; *fourneau* Küchenherd *m*

cuiss|e [kɥis] *f anat* (Ober-)Schenkel *m*; *cuis poulet:* Keule *f*; Schlegel *m*; **~eau** *m* (*pl* -x) Kalbskeule *f*

cuisson [kɥisõ] *f* Kochen *m*; *pain:* Backen *n*; *eau:* Sieden *n*; *rôti:* Braten *n*

cuit, cuite [kɥi, kɥit] *p/p de* cuire *u adj légumes:* gekocht; *rôti:* gebraten; *pain:* gebacken; *argile:* gebrannt; **assez** ~ gar

cuivr|e [kɥivrə] *m* Kupfer *n*; ~ **jaune** Messing *m*; **~s** *pl* Blechblasinstrumente *n/pl*; **~er** (*1a*) verkupfern

cul [ky] *m* P Arsch *m*

culasse [kylas] *f moteur:* Zylinderkopf *m*; *fusil:* Verschluss *m*

culbut|e [kylbyt] *f* Purzelbaum *m*; *accidentelle:* Sturz *m*; **faire la** ~ e-n Purzelbaum schlagen; **~eur** *m* Kipphebel *m*

cul-de-jatte [kyd3at] *m* (*pl* culs-de-jatte) Krüppel *m* ohne Beine

cul-de-sac [kydsak] *m* (*pl* culs-de-sac) Sackgasse *f* (*a fig*)

culinaire [kyliner] Koch..., Küchen..., kulinarisch

culmin|ant [kylminã] **point** *m* ~ *astr* Kulminationspunkt *m*; *fig* Höhepunkt *m*; **~er** (*1a*) seinen höchsten Punkt haben; *fig* den Höhepunkt erreichen

culot [kylo] *m lampe:* Sockel *m*; F Frechheit *f*

culotte [kylɔt] *f* (*kurze*) Hose *f*; *femme:* Schlüpfer *m*; **~é** *adj* F frech

culpabilité [kylpabilite] *f* Schuld *f*

culte [kylt] *m vénération* Kult *m*, Verehrung *f*; *religion* Religion *f*, Konfession *f*; *service* Gottesdienst *m*

cultiv|able [kyltivablə] *agr* anbaufähig; **~ateur, ~atrice** [-atœr, -atris] *m, f* Landwirt(in) *m(f)*; **~é, ~ée** *agr* bebaut; *fig* gebildet; **~er** (*1a*) *agr terre:* bebauen, bestellen; *légumes:* (an)pflanzen, anbauen; *esprit, goût:* entwickeln; *relation:* pflegen; **se** ~ sich weiterbilden

cultur|e [kyltyr] *f* **1.** *agr* Bebauung *f*, Bestellung *f*; *plantes:* Anbau *m*; ~ **de la vigne** Weinbau *m*; **2.** Kultur *f*; ~ **générale** Allgemeinbildung *f*; ~ **physique** Leibesübungen *f/pl*; **~el, ~elle** kulturell, Kultur...; **~isme** *m* Bodybuilding *n*

cumin [kymɛ̃] *m bot* Kümmel *m*

cumuler [kymyle] (*1a*) *fonctions:* gleichzeitig bekleiden *od* haben; *salaires:* gleichzeitig beziehen

cupid|ité [kypidite] *f* Begierde *f*, Habsucht *f*; **~e** (hab)gierig

cur|able [kyrablə] heilbar; **~ateur** [-atœr] *m jur* Pfleger *m*

cure [kyr] *f* **1.** *méd* Kur *f*; ~ **thermale** Badekur *f*; **2.** *égl* Pfarrei *f*; **n'avoir** ~ **de** sich nicht kümmern um

curé [kyre] *m* (katholischer) Pfarrer *m*

cure-dent [kyrdã] *m* (*pl* cure-dents) Zahnstocher *m*

curer [kyre] (*1a*) reinigen, säubern

curi|eux, ~euse [kyrjø, -øz] **1.** *intéressé* neugierig; **2.** *bizarre* seltsam, sonderbar

curiosité [kyrjozite] *f* **1.** Neugierde *f*; **2.** *objet bizarre, rare* Kuriosität *f*; *monuments:* Sehenswürdigkeit *f*

curiste [kyrist] *m, f* Kurgast *m*

curriculum vitae [kyrikylɔmvite] *m* (*pl unv*) Lebenslauf *m*

curseur [kyrsœr] *m EDV* Cursor *m*

cutané, ~e [kytane] Haut...

cuv|e [kyv] *f* Bottich *m*, Bütte *f*; *vin:*

Gärbottich *m*; **~ée** [-e] *f* Inhalt *m* e-s Gärbottichs; *vin* Wein(sorte *f*) *m*; **~er** (*1a*) in der Kellerei gären; *fig* **~ son vin** seinen Rausch ausschlafen; **~ette** [-ɛt] *f* (Wasch-)Schüssel *f*, Waschbecken *n*

CV. *m* (*abr cheval-vapeur*) *auto* PS *f*

cybercafé [siberkafe] *m* Internetcafé *n*

cybernétique [sibɛrnetik] *f* Kybernetik *f*

cyclable [siklablə] *piste f* **~** Rad (fahr)weg *m*

cyclamen [siklamɛn] *m* *bot* Alpenveilchen *n*

cycle [siklə] *m* **1.** *nature, écon*: Zyklus *m* (*a littérature*), Kreislauf *m*; **2.** *véhicule*: **~s** *pl* Zweiräder *n/pl*

cycl|isme [siklismə] *m* Radsport *m*; **~iste** *m, f* Radfahrer(in) *m(f)*

cyclomot|eur [siklomotœr] *m* Mofa *n*; **~oriste** *m, f* Mofafahrer(in) *m(f)*

cyclone [siklon] *m* Wirbelsturm *m*

cygne [siɲ] *m* *zo* Schwan *m*

cylindr|e [silɛ̃drə] *m* *math* Zylinder *m*; *tech* Walze *f*, Rolle *f*; **~ée** [-e] *f* *auto* Hubraum *m*; **~er** (*1a*) walzen

cymbale [sɛ̃bal] *f* *mus* Becken *n*

cyn|ique [sinik] zynisch; **~isme** *m* Zynismus *m*

cyprès [siprɛ] *m* Zypresse *f*

cyrillique [sirilik] kyrillisch

cystite [sistit] *f* *méd* Blasenentzündung *f*

D

dactylo [daktilo] *f* Schreibkraft *f*; **~graphie** [-grafi] *f* Maschinenschreiben *n*

dada [dada] *m* F Steckenpferd *n*

dahlia [dalja] *m* *bot* Dahlie *f*

daigner [dɛɲe] (*1b*) *st/s* **~** (+ *inf*) die Güte haben zu (+ *inf*)

daim [dɛ̃] *m* *zo* Damhirsch *m*; *peau*: Wildleder *n*

dais [dɛ] *m* Baldachin *m*

dallage [dalaʒ] *m* Plattenbelag *m*

dall|e [dal] *f* Steinplatte *f*; **~er** (*1a*) mit Platten belegen

dalton|ien, ~ienne [daltɔnjɛ̃, -jɛn] farbenblind

damas [dama] *m* Damast(seide *f*) *m*

dam|e [dam] *f* Dame *f* (*a jeux*); *jeu m de* **~s** Damespiel *m*; **~e-jeanne** [-ʒan] *f* (*pl dames-jeannes*) große (Korb-)Flasche *f*; **~ier** *m* Damebrett *n*

damn|ation [danasjõ] *f* Verdammung *f*; **~er** (*1a*) verdammen; *fig* **faire ~ qn** j-n zur Verzweiflung bringen

dancing [dɑ̃siŋ] *m* Tanzlokal *n*

dandiner [dɑ̃dine] (*1a*) *se* **~** hin und her schwanken

dandy [dɑ̃di] *m* Dandy *m*

Danemark [danmark] *le* **~** Dänemark *n*

danger [dɑ̃ʒe] *m* Gefahr *f*; **~ de mort** Lebensgefahr *f*; **mettre en ~** gefährden; **courir le ~ de** (+ *inf*) Gefahr laufen zu (+ *inf*)

danger|eux, ~euse [dɑ̃ʒrø, -øz] gefährlich

dan|ois, ~oise [danwa, -waz] **1.** *adj* dänisch; **2.** ♂ *m, f* Däne *m*, Dänin *f*

dans [dɑ̃] **1.** *lieu*: in (*dat*); *direction*: in (*acc*); **~ la rue** auf der Straße; **~ Molière** bei Molière; *fig* **être ~ le commerce** im Handel tätig sein; **boire ~ un verre** aus e-m Glas trinken; **2.** *temps*: innerhalb von, in (*dat*); **~ les 24 heures** innerhalb von 24 Stunden; **~ trois jours** in 3 Tagen; **3.** *mode*: **~ ces circonstances** unter diesen Umständen; **avoir ~ les 50 ans** etwa 50 Jahre alt sein

dans|ant, ~ante [dɑ̃sɑ̃, -ɑ̃t] tanzend; **soirée f dansante** Tanzabend *m*

dans|e [dɑ̃s] *f* Tanz *m*; *action*: Tanzen *n*; **~ classique** klassisches Ballett *n*; **~er** (*1a*) tanzen; **~eur, ~euse** *m, f* Tänzer(in) *m(f)*

Danube [danyb] *le* **~** die Donau

dard [dar] *m* *zo* Stachel *m*

dare-dare [dardar] F eiligst, schleunigst

dat|e [dat] *f* Datum *n*; **~ de conservation** Haltbarkeitsdatum *n*; **~ de naissance** Geburtsdatum *n*; **~ limite** letzter, äußerster Termin *m*; **de longue ~** seit langem; **~er** (*1a*) datieren; **~ de**

stammen aus; **à ~ de ce jour** von diesem Tage an

datt|e [dat] *f* Dattel *f*; **~ier** [-je] *m* Dattelpalme *f*

daube [dob] *f cuis* Schmoren *n*; **bœuf** *m* **en ~** Rinderschmorbraten *m*

dauphin [dofɛ̃] *m* 1. *zo* Delphin *m*; 2. *hist* Dauphin *m* (*französischer Thronfolger*)

davantage [davɑ̃taʒ] mehr (**que** als)

de [də] 1. *prép possession:* von; **la maison ~ mes parents** das Haus meiner Eltern (*gén*); *origine:* aus; **il vient ~ Paris** er kommt aus Paris; *matière:* aus; **sac** *m* **~ papier** Papiertüte *f*; *temps:* **~ jour** tagsüber; **~ nos jours** heutzutage; **je n'ai pas dormi ~ la nuit** ich habe die ganze Nacht nicht geschlafen; **... à** von ... bis; *raison:* **~ peur** vor Angst; *mode:* **~ force** mit Gewalt; **~ plus en plus grand** immer größer; *mesure:* **une planche ~ 10 cm ~ large** ein 10 cm breites Brett; *devant inf:* zu; **cesser ~ travailler** aufhören zu arbeiten; 2. *partitif (le plus souvent pas traduit):* **du pain** Brot; **des petits pains** Brötchen

dé [de] *m jeu:* Würfel *m*; **~ (à coudre)** Fingerhut *m*

débâcle [debɑklə] *f d'un cours d'eau:* Eisgang *m*; *fig fruite soudaine* wilde Flucht *f*; *ruine* Zusammenbruch *m*, Debakel *n*

déballer [debale] (*1a*) auspacken

débandade [debɑ̃dad] *f* Auseinanderrennen *n*, wilde Flucht *f*

débarbouiller [debarbuje] (*1a*) **~ un enfant** e-m Kind das Gesicht waschen

débarcadère [debarkadɛr] *m mar* Landungsbrücke *f*

débardeur [debardœr] *m* Transportarbeiter *m*; *au port:* Hafenarbeiter *m*; *vêtement:* Pullunder *m*

débarqu|ement [debarkəmɑ̃] *m marchandises:* Ausladen *n*, Löschen *n*; *passagers:* Anlandgehen *n*, Vonbordgehen *n*; *mil* Landung *f*; **~er** (*1m*) *v/t* ausladen; *v/i* von Bord gehen; *mil* landen; *fig* F **~ chez qn** bei j-m aufkreuzen

débarr|as [debara] *m* 1. F **bon ~** e-e wahre Erlösung!; 2. *cagibi* Abstellraum *m*; **~asser** [-ase] (*1a*) räumen; *table:* abräumen; **~ qn de qc** j-m etw

(acc) abnehmen; **se ~ de qn (qc)** sich j-n (etw) vom Halse schaffen

débat [deba] *m* Debatte *f*, Erörterung *f*

débattre [debatrə] (*4a*) **~ qc** etw diskutieren, besprechen; **se ~** sich wehren, sich sträuben

débauch|e [deboʃ] *f* Ausschweifung *f*; **~é, ~ée** 1. *adj* ausschweifend, lasterhaft, liederlich; 2. *m*, *f* Wüstling *m*; **~er** (*1a*) 1. *personel:* entlassen; 2. F verleiten, verführen

débil|e [debil] 1. *adj* schwächlich; F blöd, doof; 2. *m* **~ mental** Schwachsinnige(r) *m*; **~ité** *f* Schwäche *f*; **~ mentale** Schwachsinn *m*

débiner [debine] (*1a*) F anschwärzen; **se ~** sich davonmachen, abhauen

débit [debi] *m* 1. *magasin:* Umsatz *m*; *cours d'eau:* Wasserführung *f*; *usine, machine:* Ausstoß *m*, Leistung *f*; 2. **~ de tabac** Tabakladen *m*; **~ de boissons** Ausschank *m*; 3. Redeweise *f*, Vortrag *m*; 4. *comm* Soll *n*, Debet *n*

débit|ant, ~ante [debitɑ̃, -ɑ̃t] *m*, *f* Inhaber(in) *m(f)* e-s Ausschanks, e-s Tabakladens; **~er** (*1a*) 1. *marchandises:* absetzen, vertreiben; *boisson:* ausschenken; 2. *péj fadaises:* von sich geben; *texte étudié:* aufsagen, *péj* herbeten; 3. *pompe:* liquide, gaz fördern; *usine, machine:* produits ausstoßen; 4. *comm* **~ qn d'une somme** j-n mit e-m Betrag belasten; **~ un compte** ein Konto belasten

débi|teur, ~trice [debitœr, -tris] *m*, *f* Schuldner(in) *m(f)*

déblai [deble] *m le plus souvent au pl* **~s** Schutt *m*, Trümmer *pl*

déblatérer [deblatere] (*1f*) **~ contre** schimpfen auf (*acc*)

déblayer [debleje] (*1i*) *endroit:* frei machen; *débris:* wegschaffen

déblocage [debləkaʒ] *m tech* Lösen *n*; *écon des prix, salaires:* Freigabe *f*

débloquer [deblɔke] (*1m*) *tech* lösen; *écon prix, compte:* freigeben

déboires [debwar] *m/pl* Enttäuschungen *f/pl*

déboiser [debwaze] (*1a*) abholzen

déboîter [debwate] (*1a*) *méd* ausrenken; *auto* ausscheren

débonnaire [debɔner] gutmütig

débord|é, ~ée [deborde] überlastet (**de** mit); **~ement** *m* Überlaufen *n*, Überschwemmung f; fig **~s** pl Exzesse m/pl; **~er** (1a) rivière: über die Ufer treten; lait, eau: überlaufen; fig **faire ~ le vase** das Maß voll machen; **~ de santé** vor Gesundheit strotzen

débouch|é [debuʃe] m 1. route: Einmündung f, vallée: Ausgang m; 2. comm Absatzmarkt m; 3. **~s** pl profession: Berufsaussichten f/pl; **~er** (1a) v/t tuyau: frei machen; bouteille: entkorken; v/i **~ de** herauskommen aus; **~ sur** münden in (acc); fig führen zu

débourser [deburse] (1a) dépenser ausgeben

debout [dəbu] aufrecht (stehend); **être ~** stehen; levé auf(gestanden) sein; fig **tenir ~** Hand und Fuß haben

déboutonner [debutɔne] (1a) aufknöpfen

débraillé, **~e** [debrɑje] schlampig, salopp

débrancher [debrɑ̃ʃe] (1a) tech abschalten

débray|age [debrɛjaʒ] m auto Auskuppeln n; fig Arbeitsniederlegung f, Ausstand m; **~er** (1i) auto auskuppeln; fig die Arbeit niederlegen

débridé, **~e** [debride] zügellos

débris [debri] m/pl maison: Trümmer pl; verre, vase: Scherben f/pl; fig Überreste m/pl

débrouill|ard, **~arde** [debrujar, -ard] pfiffig, einfallsreich; **~er** (1a) entwirren, ordnen; fig (auf)klären; **se ~** sich zu helfen wissen, zurechtkommen

début [deby] m Beginn m, Anfang m; théâtre, politique: **~s** pl Debüt n, erstes Auftreten n; **~ mai** Anfang Mai

début|ant, **~ante** [debytɑ̃, -ɑ̃t] m, f Anfänger(in) m(f), Neuling m; **~er** (1a) anfangen, beginnen

deçà [dəsa] prép **en ~ de** diesseits (gén)

décacheter [dekaʃte] (1c) lettre: öffnen

décad|ence [dekadɑ̃s] f Verfall m, Dekadenz f; **~ent, ~ente** [-ɑ̃, -ɑ̃t] dekadent

décaféiné, **~e** [dekafeine] **café m ~** koffeinfreier Kaffee m

décal|age [dekalaʒ] m action: Verschiebung f, Verlegung f; résultat: Abstand m, Unterschied m; fig Diskrepanz f; **~ horaire** Zeitunterschied m; **~er** (1a) verschieben, verlegen

décalqu|age [dekalkaʒ] m od dé-

calqu|e [dekalk] m Pause f; **~er** (1m) ab-, durchpausen

décamper [dekɑ̃pe] (1a) F abhauen, sich verziehen

décaper [dekape] (1a) surface métallique: abbeizen; rouille: entrosten

décapiter [dekapite] (1a) enthaupten

décapotable [dekapɔtablə] 1. adj mit zurückklappbarem Verdeck; 2. f **(voiture f) ~** Kabriolett n

décapsul|er [dekapsyle] (1a) den Deckel abnehmen von; **~eur** m Flaschenöffner m

décéd|é, **~ée** [desede] verstorben; **~er** (1f) (ver)sterben; st/s verscheiden

déceler [desle] (1d) découvrir nachweisen, feststellen; montrer erkennen lassen

décembre [desɑ̃brə] m Dezember m

décemment [desamɑ̃] anständig; raisonnablement vernünftigerweise

décence [desɑ̃s] f Anstand m

décennie [deseni] f Jahrzehnt n

déc|ent, **~ente** [desɑ̃, -ɑ̃t] anständig

décentraliser [desɑ̃tralize] (1a) dezentralisieren

déception [desɛpsjɔ̃] f Enttäuschung f

décerner [deserne] (1a) prix: verleihen, zuerkennen

décès [desɛ] m Ableben n, Tod m

décev|ant, **~ante** [desəvɑ̃, -ɑ̃t] enttäuschend

décevoir [desəvwar] (3a) enttäuschen

déchaîn|ement [deʃɛnmɑ̃] m Entfesselung f; passions, fureur: Ausbruch m; **~er** (1b) losketten; fig entfesseln; **se ~** aus-, losbrechen

déchanter [deʃɑ̃te] (1a) klein beigeben

décharg|e [deʃarʒ] f él Entladung f; comm, jur Entlastung f; mil Salve f; **~ publique** Müllkippe f, Deponie f; **~ électrique** elektrischer Schlag m; **~er** (1l) ab-, abladen; arme, batterie: entladen; arme: tirer abfeuern; accusé: entlasten; **~ qn d'un travail** j-n in seiner Arbeit entlasten

décharné, **~e** [deʃarne] mager, dürr

déchausser [deʃose] (1a) **~ qn** j-m die Schuhe ausziehen; **se ~** sich die Schuhe ausziehen; dent: wackeln

déchéance [deʃeɑ̃s] f Verfall m; jur Verlust m e-s Rechtes

déchet [deʃɛ] m le plus souvent au pl **~s** Abfälle m/pl, Abfall m; **~ m/pl toxi-**

déchiffrer

ques Altlasten *f/pl*

déchiffrer [deʃifre] (*1a*) entschlüsseln, entziffern

déchiquet|é, ~ée [deʃikte] gezackt, zerklüftet; **~er** (*1c*) zerstückeln, zerfetzen

déchir|ant, ~ante [deʃirã, -ãt] herzzerreißend; **~ement** [-mã] *m* (Zer-)Reißen *n*; *fig chagrin* (tiefer) Schmerz *m*; **~er** (*1a*) zerreißen (*a fig*); **se ~ robe**: reißen; **~ure** [-yr] *f* Riss *m*

déchoir [deʃwar] (*3m*) verfallen; **~ de son rang** seinen Rang verlieren

déchu, ~e [deʃy] heruntergekommen; *roi*: gestürzt

décid|é, ~ée [deside] entschlossen; **c'est (une) chose decidée** das ist beschlossene Sache; **être ~ à qc** zu etw entschlossen sein; **~ément** [-emã] *adv* entschieden; *vraiment* wirklich; **~er** (*1a*) **~ qc** etw beschließen; **~ qn à faire qc** j-n veranlassen, etw zu tun; **~ qn à qc** j-n zu etw veranlassen; **~ de qc** über etw entscheiden; **~ de** (+ *inf*) *od* **se ~ à** (+ *inf*) beschließen zu (+ *inf*), sich entschließen zu (+ *inf*)

décimal, ~e [desimal] (*m/pl -aux*) Dezimal...; **système** *m* **~** Dezimalsystem *n*

décimètre [desimetrə] *m* Dezimeter *m od n*

décis|if, ~ive [desizif, -iv] entscheidend; **~ion** *f* Entscheidung *f*; *fermeté* Entschlossenheit *f*

déclam|atoire [deklamatwar] *péj* schwülstig; **~er** (*1a*) deklamieren

déclar|ation [deklarasjõ] *f* Erklärung *f*; *naissance*: Anmeldung *f*; *vol, perte*: Anzeige *f*; **~ d'impôts** Steuererklärung *f*; **~er** (*1a*) erklären; *naissance*: anmelden; *revenus*: angeben; *douane*: verzollen; **se ~** sich äußern, Stellung nehmen; *faire une déclaration d'amour* seine Liebe erklären, sich erklären; *feu, épidémie*: ausbrechen; **se ~ coupable** sich für schuldig erklären

déclasser [deklase] (*1a*) niedriger einstufen

déclench|ement [deklãʃmã] *m* Auslösen *n*, -ung *f*; **~er** (*1a*) auslösen; **se ~** losgehen, ausbrechen; **~eur** *m appareil photographique*: Auslöser *m*; **~ automatique** Selbstauslöser *m*

déclic [deklik] *m mécanisme*: Auslösevorrichtung *f*; *bruit*: Klicken *n*

déclin [deklẽ] *m* Niedergang *m*, Verfall *m*

déclin|aison [deklinɛzõ] *f gr* Deklination *f*; **~er** (*1a*) *v/i soleil*: sich neigen, sinken; *jour*: zur Neige gehen; *forces*: nachlassen, schwinden; *prestige*: sinken, schwinden; *santé*: sich verschlechtern; *v/t offre, responsabilité*: ablehnen; *gr* deklinieren; **~ ses nom, prénoms, titres et qualités** seine Personalien angeben

déclive [dekliv] (**en**) **~** abschüssig

décocher [dekɔʃe] (*1a*) *flèche*: abschießen; *regard*: werfen

décoder [dekɔde] (*1a*) dekodieren

décoiffer [dekwafe] (*1a*) *cheveux*: zerzausen

décoll|age [dekɔlaʒ] *m aviat* Start *m*, Abheben *n*; **~er** (*1a*) *v/t* abmachen, ablösen; *v/i aviat* starten, abheben; **se ~** sich ablösen; abgehen

décollet|é, ~ée [dekɔlte] **1.** *adj robe*: ausgeschnitten; **2.** *m* Dekolleté *n*, (tiefer) Ausschnitt *m*

décoloniser [dekɔlɔnize] (*1a*) entkolonisieren

décolorer [dekɔlɔre] (*1a*) *tissu, cheveux*: bleichen; **se ~** verblassen

décombres [dekõbrə] *m/pl* Trümmer *pl*

décommander [dekɔmãde] (*1a*) abbestellen; *soirée*: absagen

décompos|er [dekõpoze] (*1a*) zerlegen; *chim* zersetzen; *visage*: verzerren; **se ~** zerfallen; *cadavre*: verwesen; *visage*: sich verzerren; **~ition** *f* Zerlegung *f*; *cadavre*: Verwesung *f*

décompt|e [dekõt] *m* Abzug *m* (*von e-r Summe*); *facture* (detaillierte) Abrechnung *f*; **~er** (*1a*) abziehen

déconcert|ant, ~ante [dekõsɛrtã, -ãt] verwirrend, beunruhigend; **~er** (*1a*) **~ qn** j-n aus der Fassung bringen

déconf|it, ~ite [dekõfi, -it] *air, mine*: enttäuscht; **~iture** [-ityr] *f* Scheitern *n*; *F banqueroute* Pleite *f*

décongeler [dekõʒle] (*1d*) auftauen

décongestionner [dekõʒɛstjɔne] (*1a*) *route*: entlasten

déconnecter [dekɔnɛkte] (*1a*) abschalten

déconner [dekɔne] P (*1a*) Blödsinn machen, reden

déconseiller [dekõseje] (*1b*) abraten

(*qc à qn* j-m von etw)

déconsidérer [dekõsidere] (*1f*) in Misskredit bringen

décontenancer [dekõtnãse] (*1k*) aus der Fassung bringen

décontract|é, ~ée [dekõtrakte] entspannt; F lässig; **~er** *v/t* entspannen; *se* ~ sich entspannen

déconvenue [dekõvny] *f* Enttäuschung *f*

décor [dekɔr] *m* Dekor *m*, Ausstattung *f*; *fig* Umgebung *f*; **~s** *pl théâtre*: Bühnenbild *n*; **~atif, ~ative** [-atif, -ativ] dekorativ; **~ation** *f ornement* Schmuck *m*; *médaille* Orden *m*; **~er** (*1a*) schmücken (*de* mit); ~ *qn* j-m e-n Orden verleihen

décortiquer [dekɔrtike] (*1m*) schälen; *texte*: zerpflücken

découcher [dekuʃe] (*1a*) auswärts schlafen

découdre [dekudrə] (*4d*) auftrennen; *se* ~ aufgehen

découler [dekule] (*1a*) ~ *de* sich ergeben aus

découper [dekupe] (*1a*) ausschneiden (*dans* aus); *en morceaux*: zerschneiden; *viande*: aufschneiden; *poulet*: tranchieren, zerlegen; *fig se* ~ sich abheben (*sur* von *od* gegen)

découpure [dekupyr] *f* Ausschnitt *m*

décourag|ement [dekuraʒmã] *m* Mutlosigkeit *f*; **~er** (*1l*) entmutigen; ~ *qn de qc* j-n von etw abbringen; *se* ~ den Mut verlieren

décousu, ~e [dekuzy] auf-, abgetrennt; *fig* zusammenhanglos

découv|ert, ~erte [dekuvɛr, -ɛrt] **1.** *adj* unbedeckt; *terrain*: frei, offen; *compte*: *à découvert* überzogen; **2.** *m* Defizit *n*, Fehlbetrag *m*; *compte*: Überziehung *f*

découverte [dekuvɛrt] *f* Entdeckung *f*

découvrir [dekuvrir] (*2f*) aufdecken; *trouver* entdecken; ~ *que* herausfinden, dass; *se* ~ *personne*: den Hut abnehmen; *temps*: sich aufklären

décrép|it, ~ite [dekrepi, -it] altersschwach

décret [dekrɛ] *m* Verordnung *f*, Erlass *m*; **~de l'UE** EU-Verordnung *f*

décréter [dekrete] (*1f*) verordnen, anordnen

décrire [dekrir] (*4f*) beschreiben

décrocher [dekrɔʃe] (*1a*) herunter-

nehmen; *a téléphone*: abnehmen; F *fig prix, bonne situation*: erlangen, F ergattern

décroissance [dekrwasãs] *f* Abnahme *f*, Rückgang *m*

décroître [dekrwatrə] (*4w*) abnehmen, zurückgehen, schwinden

décrypter [dekripte] (*1a*) entschlüsseln

déçu, ~e [desy] *p/p* de décevoir *u adj* enttäuscht

décupler [dekyple] (*1a*) *v/t* verzehnfachen; *v/i* sich verzehnfachen

dédaign|er [dedɛɲe] (*1b*) verachten, gering schätzen; *refuser* verschmähen; ~ *de* (+ *inf*) es nicht der Mühe wert halten zu (+ *inf*); **~eux, ~euse** [-ø, -øz] verächtlich, geringschätzig

dédain [dedɛ̃] *m* Verachtung *f*, Geringschätzung *f*

dédale [dedal] *m* Labyrinth *n*

dedans [dədã] **1.** *adv* (dr)innen; *mouvement*: hinein; *là-* dort drinnen; *en* ~ (dr)innen; *de* ~ von innen; **2.** *m* Innere(s) *n*; *au* ~ im Innern; *au* ~ *de* in (*dat*)

dédicac|e [dedikas] *f* Widmung *f*; **~er** (*1k*) mit e-r Widmung versehen

dédier [dedje] (*1a*) widmen; *église*: weihen

dédire [dedir] (*4m*) *se* ~ sein Wort zurücknehmen

dédommag|ement [dedɔmaʒmã] *m* Entschädigung *f*; **~er** (*1l*) entschädigen (*de* für)

dédouaner [dedwane] (*1a*) verzollen, zollamtlich abfertigen

dédoubler [deduble] (*1a*) halbieren

déductible [dedyktiblə] *comm* absetzbar

déduction [dedyksjõ] *f comm* Abzug *m*; *conclusion* Ableitung *f*, Folgerung *f*

déduire [dedɥir] (*4c*) *comm* abziehen; *conclure* folgern, ableiten (*de* von)

déesse [dees] *f* Göttin *f*

défaill|ance [defajãs] *f* Schwäche *f*, Schwächeanfall *m*; *fig* Ohnmacht *f*; *intellectuelle, technique*: Versagen *n*; **~ant, ~ante** [-ã, -ãt] kraftlos, schwach

défaillir [defajir] (*2n*) schwach, ohnmächtig werden

défaire [defɛr] (*4n*) *nœud, ceinture*: aufmachen; *appareil*: auseinander nehmen; *valise*: auspacken; *paquet*: aufschnüren; *tricot*: aufziehen; *se* ~ sich

défaite

(auf)lösen, aufgehen; **se ~ de qn, de qc** sich j-n, etw vom Halse schaffen

défaite [defɛt] f Niederlage f

défait|isme [defɛtismə] m Miesmacherei f; **~iste** m, f Miesmacher m

défalquer [defalke] (1m) comm abziehen (**de** von)

défaut [defo] m imperfection Fehler m; carence Mangel m, Fehlen n; tech Defekt m, Fehler m; jur Nichterscheinen n; **~ de caractère** Charakterfehler m; **à ~ de** mangels (gén); **faire ~** fehlen; **être en ~** im Unrecht sein; **par ~** in Abwesenheit

défaveur [defavœr] f Ungnade f

défavor|able [defavɔrablə] ungünstig; **~iser** (1a) benachteiligen

défection [defɛksjɔ̃] f Abtrünnigwerden n, Abfall m; **faire ~** abtrünnig werden

défectu|eux, ~euse [defɛktɥø, -øz] fehlerhaft, defekt; **~osité** [-ozite] f Fehlerhaftigkeit f

défend|able [defãdablə] vertretbar

défendre [defãdr] (4a) **1.** verteidigen; opinion: verfechten, vertreten; **2.** interdire verbieten (**qc à qn** j-m etw; **à qn de faire qc** j-m, etw zu tun)

défens|e [defãs] f **1.** Verteidigung f (a jur fig); **2.** Verbot n; **~eur** m Verteidiger(in) m(f) (a jur); **~ive** [-iv] f Defensive; **être sur la ~** in der Defensive sein

défér|ence [deferãs] f Ehrerbietung f; **~ent, ~ente** [-ã, -ãt] ehrerbietig, respektvoll

déférer [defere] (1f) **~ qn à la justice** j-n vor Gericht bringen

déferler [defɛrle] (1a) vagues sich brechen; fig strömen

défi [defi] m Herausforderung f; bravade Trotz m

défi|ance [defjãs] f Misstrauen n; **~ant, ~ante** [-ã, -ãt] misstrauisch

déficience [defisjãs] f Schwäche f; **~ immunitaire** Immunschwäche f

déficit [defisit] m Fehlbetrag m, Defizit n; **~aire** [-ɛr] defizitär; Verlust...

défier [defje] (1a) **~ qn** j-n herausfordern; fig **~ qc** e-r Sache trotzen; st/s **se ~ de qn** j-m misstrauen

défigurer [defigyre] (1a) entstellen

défil|é [defile] m Aufmarsch m, Parade f; géogr Engpass m; **~er** (1a) vorbei-

marschieren, vorbeiziehen

défin|i, ~ie [defini] bestimmt; **~ir** (2a) bestimmen; **~itif, ~itive** [-itif, -itiv] definitiv, endgültig; **en définitive** schließlich; **~ition** f Definition f

déflagration [deflagrasjɔ̃] f Explosion f

défoliation [defɔljasjɔ̃] f bot Laubfall m; mil Entlaubung f

défoncer [defɔ̃se] (1k) caisse: den Boden einschlagen (**une caisse** e-r Kiste dat); porte: einschlagen; terrain: umpflügen; route: **défoncé** ausgefahren, voller Schlaglöcher

déform|ation [defɔrmasjɔ̃] f Verformung f, fig Verzerrung f, Entstellung f; **~er** (1a) verformen; personne, visage: entstellen; fait, idée: verdrehen, verzerren; **se ~** sich verformen

défouler [defule] (1a) **se ~** sich abreagieren, sich austoben

défricher [defriʃe] (1a) agr roden; urbar machen

défroisser [defrwase] (1a) vêtement: glätten, glatt streichen

défunt [defɛ̃, -fœ̃], **défunte** [defɛ̃t, -fœ̃t] **1.** adj verstorben; **2.** m, f Verstorbene(r) m, f

dégag|é, ~ée [degaʒe] terrain: frei; ciel: klar; air, ton: ungezwungen; **~ement** [-mã] n route: Freimachen n, Räumung f; chaleur, vapeur: Freisetzung f; **voie f de ~** Entlastungsstraße f; **~er** (1a) route: frei machen, räumen; odeur: ausströmen; chaleur, gaz: freisetzen; **se ~** sich befreien; route: frei werden; ciel: sich aufklären; odeur: ausströmen

dégarnir [degarnir] (2a) leeren; **se ~** salle: sich leeren; crâne: kahl werden

dégât [dega] m Schaden m

dégel [deʒɛl] m Auftauen n; temps: Tauwetter n (a pol)

dégeler [deʒle] (1d) (auf)tauen (a fig)

dégénér|er [deʒenere] (1f) degenerieren; empirer ausarten (**en** in); **~escence** [-esãs] f Entartung f

dégivr|er [deʒivre] (1a) abtauen; tech entfrosten; **~eur** m Entfroster m

déglutir [deglytir] (2a) schlucken

dégonfl|é, ~ée [degɔ̃fle] pneu: platt; **~er** (1a) Luft ab-, herauslassen (**qc** aus etw); **se ~** (die) Luft verlieren; F fig e-n Rückzieher machen

dégot(t)er [degɔte] (1a) F auftreiben

dégouliner [deguline] (*1a*) tropfen, tröpfeln

dégourd|i, ~ie [degurdi] pfiffig, schlau; **~ir** (*2a*) *membres*: bewegen, lockern; **se ~ les jambes** sich die Beine vertreten

dégoût [degu] *m* Ekel *m*, Abscheu *m*

dégoût|ant, ~ante [degutã, -ãt] ekelhaft, widerlich; *moralement* gemein; **~er** (*1a*) anekeln; **~ qn de qc** j-m etw verleiden; **se ~ de qc** e-r Sache (*gén*) überdrüssig werden

dégrader [degrade] (*1a*) *mil* degradieren; *fig* erniedrigen; *édifice, mur*: beschädigen; **se ~ situation**: sich verschlechtern; *édifice, mur*: verfallen; *personne*: s'avilir sich erniedrigen

dégraisser [degrese] (*1b*) *soupe*: das Fett abschöpfen (*qc* von etw); *vêtement*: Fettflecken entfernen (*qc* aus etw)

degré [dəgre] *m* Grad *m*; *échelon* Stufe *f*; **~ alcoolique** Alkoholgehalt *m*; **~ de parenté** Verwandtschaftsgrad *m*

dégress|if, ~ive [degresif, -iv] abnehmend, degressiv

dégrever [degrəve] (*1d*) **~ qn** j-n steuerlich entlasten

dégringoler [degrɛ̃gɔle] (*1a*) hinunterpurzeln

dégriser [degrize] (*1a*) nüchtern machen

déguerpir [degɛrpir] (*2a*) sich aus dem Staube machen

dégueulasse [degœlas] P zum Kotzen; widerlich

déguis|ement [degizmã] *m* Verkleidung *f*; **~er** (*1a*) verkleiden; *voix*: verstellen; **se ~** sich verkleiden (**en** als)

dégust|ation [degystasjõ] *f* Kosten *n*, Probieren *n*; **~ de vins** Weinprobe *f*; **~er** (*1a*) kosten, probieren

dehors [dəɔr] **1.** *adv* draußen; *mouvement*: hinaus; *jeter* ~ (*1a*) hinauswerfen; **2.** *prép* **en ~ de** außerhalb (*gén*); *hormis* außer (*dat*); **3.** *m* Äußere(s) *n*

déjà [deʒa] schon, bereits; F *c'est qui déjà?* wer ist das gleich noch?

déjeuner [deʒœne] **1.** *verbe* (*1a*) midi: (zu) Mittag essen; *matin*: frühstücken; **2.** *m* Mittagessen *n*; *petit* ~ Frühstück *n*

déjouer [deʒwe] (*1a*) vereiteln

delà [dəla] → **au-delà**

délabré, ~e [delabre] verfallen

délacer [delase] (*1k*) aufschnüren

délai [delɛ] *m* Frist *f*, Termin *m*; *prolongation* Aufschub *m*; **sans ~** unverzüglich; **dans les ~s** termingerecht; **dans le ~ de 8 jours** innerhalb von 8 Tagen

délaisser [delese] (*1b*) *abandonner* im Stich lassen; *travail*: aufgeben; *négliger* vernachlässigen

délass|ement [delasmã] *m* Erholung *f*; **~er** (*1a*) entspannen; **se ~** sich erholen

délat|eur, ~trice [delatœr, -tris] *m*, *f* Denunziant(in) *m(f)*; **~ion** *f* Denunziation *f*

délavé, ~e [delave] verwaschen

délayer [deleje] (*1i*) anrühren; *fig* pensée: langatmig darlegen

delco [dɛlko] *m* *auto* Batteriezündanlage *f*

délect|able [delɛktablə] *st/s* köstlich; **~er** (*1a*) **se ~ à** *od* **de qc** sich an etw (*dat*) ergötzen

délégation [delegasjõ] *f* Abordnung *f*, Delegation *f*

délégu|é, ~ée [delege] *m*, *f* Beauftragte(r) *m*, *f*, Delegierte(r) *m*, *f*; **~er** (*1f*) *autorité, pouvoir*: übertragen; *personne*: abordnen, delegieren

délester [deleste] (*1a*) entlasten; *iron* erleichtern (*qn de qc* j-n um etw)

délibér|ation [deliberasjõ] *f* Beratung *f*; *réflexion* Überlegung *f*; *décision* Beschluss *m*; **~é, ~ée** intentionnel absichtlich; **~ément** [-emã] *adv* absichtlich; **~er** (*1f*) beratschlagen; *st/s réfléchir* überlegen

délic|at, ~ate [delika, -at] *fin* zart, fein; *fragile* schwach; *problème*: delikat, heikel; *avec tact* taktvoll; **~atesse** [-atɛs] *f* peau, visage, coloris*: Zartheit *f*, Feinheit *f*; *personne*: Fein-, Zartgefühl *n*, Takt(gefühl *n*) *m*

délic|e [delis] *m* Freude *f*, Wonne *f*; **~s** *pl* Genüsse *m/pl*; **~ieux, ~ieuse** [-jø, -jøz] *fruit, mets*: köstlich; *sensation*: wunderbar

délier [delje] (*1a*) auf-, losbinden, lösen; **~ la langue à qn** j-m die Zunge lösen

délimiter [delimite] (*1a*) abgrenzen

délinqu|ance [delɛ̃kãs] *f* Kriminalität *f*; **~ant, ~ante** [-ã, -ãt] **1.** *adj* straffällig; **2.** *m*, *f* Straffällige(r) *m*, *f*, Delinquent(in) *m(f)*

délir|e [delir] *m* Wahn *m*, Delirium *n*; *fièvre*: Fieberwahn *m*; *enthousiasme*, *joie*: Toben n, Rasen n; F *fig* Wahnsinn m; **~er** (*1a*) im Delirium sein, irrereden; F *être fou* spinnen; *fig* **~ de joie** vor Freude rasen, toben

délit [deli] m Delikt n, Vergehen n; **~ de fuite** Fahrerflucht f; **en flagrant ~** auf frischer Tat

délivr|ance [delivrãs] f Befreiung f; *certificat*: Ausstellung f; **~er** (*1a*) befreien; *certificat*: ausstellen

déloger [delɔʒe] (*1l*) *locataire*: ausquartieren; *ennemi*: verjagen

déloyal, ~e [delwajal] (*m/pl -aux*) unfair; *ami*: treulos; **concurrence ~ déloyale** unlauterer Wettbewerb m

delta [dɛlta] m *géogr* Delta n

deltaplane [dɛltaplan] m Flugdrachen m; *sport*: Drachenfliegen n

déluge [delyʒ] m Sintflut f

déluré, ~e [delyre] clever, pfiffig; *péj* ungeniert, kess

demain [d(ə)mɛ̃] *adv* morgen; **à ~** bis morgen

demande [d(ə)mãd] f Bitte f; *revendication* Forderung f; *écrite*: Antrag m, Gesuch n; *écon* Nachfrage f; *jur* Klage f; **~ d'emploi** Stellengesuch n

demandé, ~e [d(ə)mãde] gefragt, begehrt

demander [d(ə)mãde] (*1a*) bitten (*qc à qn* j-n um etw); *réclamer* verlangen (*qc à qn* etw von j-m); *vouloir savoir* fragen (*qc à qn* j-n nach etw); *nécessiter* erfordern (*à qn* von j-m); *vouloir engager* suchen; **~ à qn de faire qc** j-n bitten, etw zu tun; **~ que** (+ *subj*) darum bitten *od* verlangen, dass; **~ à** (+ *inf*) bitten *od* verlangen *od* wünschen zu (+ *inf*); **~ si** fragen, ob; **se ~ si** sich fragen, ob; **~ qn au téléphone** j-n am Telefon verlangen; **~ la main de qn** j-m j-s Hand anhalten

démang|eaison [demãʒεzõ] f Jucken n; **~er** (*1l*) jucken (*qn od à qn* j-n)

démanteler [demãtle] (*1d*) niederreißen; *fig* zerschlagen

démaquill|ant [demakijã] m (*lait* m) **~** Reinigungsmilch f; **~er** (*1a*) **se ~** sich abschminken

démarcation [demarkasjõ] f Abgrenzung f; **ligne** f **de ~** Demarkations-, Grenzlinie f

démarche [demarʃ] f Gang m; *fig* Schritt m; **faire des ~s** Schritte unternehmen

démarr|age [demaraʒ] m Anfahren n, Starten n; *fig* Beginn m; *EDV* **~ à froid** Kaltstart m; **~er** (*1a*) *v/t auto* anlassen, starten; *EDV* starten; *fig* in Gang bringen; *v/i auto* anfahren; *moteur*: anspringen; *fig* in Gang kommen; **~eur** m *auto* Anlasser m

démasquer [demaske] (*1m*) entlarven

démêl|é [demele] m Auseinandersetzung f, Streit m; **~er** (*1b*) entwirren; *fig* aufklären

déménag|ement [demenaʒmã] m Umzug m; (*1l*) umziehen; *meubles*: fortschaffen

dém|ence [demãs] f Wahnsinn m; **~ent, ~ente** [-ã, -ãt] verrückt

démenti [demãti] m *pol* Dementi n

démentiel, ~le [demãsjɛl] unsinnig

démentir [demãtir] (*2b*) *contredire* Lügen strafen, widerlegen; *nier* dementieren

démesur|e [deməzyr] f Maßlosigkeit f; **~é, ~ée** übermäßig, maßlos

démettre [demɛtr] (*4p*) **1.** *pied, poignet*: aus-, verrenken; **2.** **~ qn de ses fonctions** j-n seines Amtes entheben; **se ~ de ses fonctions** sein Amt niederlegen

demeurant [dəmœrã] *st/s* **au ~** übrigens

demeur|e [dəmœr] *st/s* f Wohnsitz m; **~er** (*1a*) habiter wohnen; *rester* bleiben

demi, ~e [d(ə)mi] **1.** *adj* (*unv vor subst*) halb; **une demi-heure** e-e halbe Stunde; **une heure et ~e** anderthalb Stunden; **trois bouteilles et ~e** dreieinhalb Flaschen; **il est quatre heures et ~e** es ist halb fünf; **2.** *adv* **à demi** halb, zur Hälfte; **3.** *m* **bière**: (kleines) Glas n Bier; *sports*: Mittelfeldspieler m, Läufer m

demi|-finale [d(ə)mifinal] f (*pl demi-finales*) Halb-, Semifinale n; **~-frère** [-frɛr] m (*pl demi-frères*) Halbbruder m

démilitariser [demilitarize] (*1a*) entmilitarisieren

demi|-mot [d(ə)mimo] **à ~** ohne viel Worte, andeutungsweise; **~-pension** [-pãsjõ] f Halbpension f; **~-sel** [-sɛl] leicht gesalzen

démiss|ion [demisjõ] f *ministre*: Rücktritt m; *fig* Verzicht m, Aufgabe f; **donner sa ~** seine Entlassung einreichen; **~ionner** [-jɔne] (*1a*) *ministre*: zurücktreten; *fig* aufgeben

demi-tour [d(ə)mitur] *m* Kehrtwendung *f*; *faire* **~** kehrtmachen, umkehren

démocra|tie [demɔkrasi] *f* Demokratie *f*; **~tique** [-tik] demokratisch

démodé, ~e [demɔde] altmodisch

démographique [demɔgrafik] demografisch; *poussée* *f* **~** Bevölkerungsexplosion *f*

demoiselle [d(ə)mwazɛl] *f* Fräulein *n*

démol|ir [demɔlir] (*2a*) ab-, niederreißen; *jouet*: kaputtmachen; *fig système, doctrine*: zunichte machen; *personne*: diffamieren

démon [demɔ̃] *m* Dämon *m*, Teufel *m*

démoniaque [demɔnjak] dämonisch, teuflisch

démonstration [demɔ̃strasjɔ̃] *f preuve* Beweis(führung) *m(f)*; *outil*: Vorführung *f*; *sentiment*: Bekundung *f*, Demonstration *f*

démonter [demɔ̃te] (*1a*) auseinander nehmen, zerlegen; *abmontieren*; *fig* **~** *qn* j-n aus der Fassung bringen

démontrer [demɔ̃tre] (*1a*) *prouver* beweisen; *faire ressortir* aufzeigen

démoraliser [demɔralize] (*1a*) entmutigen, demoralisieren

démordre [demɔrdr] (*4a*) *ne pas ~ de qc* auf e-r Sache beharren

démun|i, ~ie [demyni] mittellos; **~ir** (*2a*) **~** *qn de qc* j-m etw wegnehmen

dénatalité [denatalite] *f* Geburtenrückgang *m*

dénatur|é, ~ée [denatyre] entartet; **~er** (*1a*) entstellen, verfälschen

dénégation [denegasjɔ̃] *f* Leugnung *n*, Abstreiten *n*

dénicher [deniʃe] (*1a*) aufstöbern, auftreiben

dénier [denje] (*1a*) (ab)leugnen; **~** *à qn le droit de* (+ *inf*) j-m das Recht absprechen zu (+ *inf*)

dénigrer [denigre] (*1a*) anschwärzen, verleumden

dénivellation [denivelasjɔ̃] *f* Höhenunterschied *m*

dénombr|ement [denɔ̃brəmɑ̃] *m* Zählung *f*; **~er** (*1a*) zählen; *énumérer* aufzählen

dénomina|teur [denɔminatœr] *m math* Nenner *m*; **~tion** *f* Benennung *f*

dénommer [denɔme] (*1a*) *donner un* *nom* benennen; *mentionner* namentlich aufführen

dénonc|er [denɔ̃se] (*1k*) *personne*: anzeigen, denunzieren; *opinion, abus*: brandmarken; *contrat*: (auf)kündigen; *fig révéler* zeigen; *se* **~** *à la police* sich der Polizei stellen; **~iateur, ~iatrice** [-jatœr, -jatris] *m*, *f* Denunziant(in) *m(f)*; **~iation** [-jasjɔ̃] *f* Anzeige *f*, Denunziation *f*; *jur* Kündigung *f*

dénoter [denɔte] (*1a*) **~** *qc* auf etw (*acc*) hindeuten

dénouement [denumɑ̃] *m pièce de théâtre, affaire difficile*: Lösung *f*, Ausgang *m*

dénouer [denwe] (*1a*) aufknoten, *a fig* lösen

dénoyauter [denwajote] (*1a*) entkernen, entsteinen

denrée [dɑ̃re] *f* Essware *f*; **~s** (*alimentaires*) Lebensmittel *n/pl*

dens|e [dɑ̃s] dicht; **~ité** [-ite] *f* Dichte *f*

dent [dɑ̃] *f* Zahn *m*; *fourchette, peigne*: Zinke *f*; **~** *de lait* Milchzahn *m*; **~** *de sagesse* Weisheitszahn *m*; *avoir mal aux* **~s** Zahnschmerzen haben; *avoir une* **~** *contre qn* e-n Groll gegen j-n hegen

dent|aire [dɑ̃tɛr] Zahn...; **~é, ~ée** gezackt; *roue* *f* *dentée* Zahnrad *n*

dentelé, ~e [dɑ̃tle] gezahnt, gezackt

dentelle [dɑ̃tɛl] *f* Spitze *f*

dent|ier [dɑ̃tje] *m* künstliches Gebiss *n*; **~ifrice** [-ifris] *m* Zahnpasta *f*; **~iste** *m*, *f* Zahnarzt *m*, -ärztin *f*; **~ition** *f* (*natürliches*) Gebiss *n*, Zähne *m/pl*

dénuder [denyde] (*1a*) entblößen

dénu|é, ~ée [denɥe] **~** *de qc* ohne etw; **~ement** [denymɑ̃] *m* Elend *n*, bittere Not *f*

déodorant [deɔdɔrɑ̃] *m* Deo(dorant) *n*; **~** *à bille* Deoroller *m*; **~** *en aérosol* Deospray *m*

dépann|age [depanaʒ] *m auto etc* Reparatur *f*; *service m de* **~** Abschleppdienst *m*; **~er** (*1a*) reparieren; *remorquer* abschleppen; *fig F* **~** *qn* F j-m aus der Patsche helfen; **~euse** *f* Abschleppwagen *m*

dépareillé, ~e [depareje] unvollständig

déparer [depare] (*1a*) verunstalten

départ [depar] *m* Abreise *f*; *train, bus*: Abfahrt *f*; *avion*: Abflug *m*; *sports*: Start *m*; *fig* Beginn *m*; *au* **~** zu Beginn;

point m *de* ~ Ausgangspunkt m

département [departəmɑ̃] m Abteilung f; *en France*: Departement n

départir [departir] (2b) *se* ~ *de qc* etw (*acc*) aufgeben

dépass|é, ~ée [depase] veraltet, überholt; *débordé* überfordert; **~er** (1a) *personne, voiture*: überholen; *but*: hinausgehen (*qc* über etw) (*a fig*); *être plus grand* überragen; *attentes, prévisions, personne*: übertreffen; *limites, tempo, somme*: übersteigen (*a forces*), überschreiten; *cela me dépasse* da komme ich nicht mehr mit; *cela dépasse les limites* das geht zu weit

dépaysé, ~e [depeize] **se sentir ~** sich fremd, verlassen vorkommen

dépaysement [depeizmɑ̃] m Fremdsein n; *changement agréable* Orts-, F Tapetenwechsel m

dépecer [depəse] (1d u 1k) zerstückeln

dépêch|e [depeʃ] f Depesche f; **~er** (1b) *v/t* senden, schicken; *se* ~ sich beeilen (*de* + *inf* zu + *inf*)

dépeindre [depɛ̃dr] (4b) beschreiben

dépendance [depɑ̃dɑ̃s] f Abhängigkeit f; **~s** pl *bâtiment*: Nebengebäude n/pl

dépendre [depɑ̃dr] (4a) *personne, pays*: abhängig sein (*de* von); *décision, résultat*: abhängen (*de* von); *appartenir* gehören (*de* zu); *cela dépend* das kommt darauf an, je nachdem

dépens [depɑ̃] m/pl *aux* ~ *de* auf Kosten von

dépens|e [depɑ̃s] f Ausgabe f; *de temps, de forces*: Aufwand m; *d'essence*: Verbrauch m; **~s accessoires** Nebenkosten m/pl; **~s publiques** öffentliche Ausgaben f/pl, Staatsausgaben f/pl; **~er** (1a) ausgeben; *temps, forces*: aufwenden; *se* ~ sich anstrengen; **~ier, ~ière** [-je, -jɛr] verschwenderisch

dépérir [deperir] (2a) *malade*: dahinsiechen; *plante*: eingehen, verkümmern; *fig* allmählich zu Grunde gehen

dépeupler [depœple] (1a) entvölkern

dépilatoire [depilatwar] *crème* f ~ Enthaarungscreme f

dépist|age [depistaʒ] m *criminel*: Aufspüren n; *méd* Erkennung f; **~ du cancer** Krebsvorsorge f; **~er** (1a) aufspüren; *méd* erkennen

dépit [depi] m Ärger m, Verdruss m; *en* ~ *de* trotz (*gén*)

déplac|é, ~ée [deplase] unpassend, unangebracht, deplaziert; **~ement** [-mɑ̃] m *meuble*: Umstellung f; *personnel*: Versetzung f; *voyage* Reise f, Fahrt f; **~er** (1k) umstellen, verschieben; *personnel*: versetzen; *problème, difficulté*: verlagern; *se* ~ sich (fort)bewegen; *voyageur* verreisen

déplaire [deplɛr] (4a) nicht gefallen, missfallen (*à qn* j-m)

déplais|ant, ~ante [deplɛzɑ̃, -ɑ̃t] unangenehm

dépl|iant [deplijɑ̃] m Faltprospekt m; **~ier** [-ije] (1a) auseinander falten

déploiement [deplwamɑ̃] m *mil* Aufmarsch m; *forces, courage, énergie*: Entfaltung f

déplor|able [deplorablə] beklagenswert; **~er** (1a) beklagen, bedauern

déployer [deplwaje] (1h) *aile, voile*: entfalten (*a fig*)

déport|ation [deportasjõ] f *pol* Verschleppung f, Deportation f; **~er** (1a) *vent: une voiture* aus der Fahrtrichtung drücken; *pol* deportieren, verschleppen

dépos|er [depoze] (1a) *v/t fardeau, armes*: niederlegen; *bagages*: deponieren, abgeben; *passager, roi*: absetzen; *argent*: einzahlen; *loi*: einbringen; *ordures*: abladen; *boue*: ablagern; **~ son bilan** Konkurs anmelden; *v/i liquide*: e-n Bodensatz bilden; *jur* aussagen (*contre* gegen); *se* ~ *boue*: sich ablagern; **~ition** f *jur* Aussage f

déposséder [deposede] (1f) enteignen

dépôt [depo] m Niederlegung f; *bancaire* (Spar-)Einlage f; *titres*: Depot n; *magasin* Depot n, Lager n; *liquide*: Bodensatz m; *ordures*: Mülldeponie f; *jur* Verwahrung f; *géol* Ablagerung f

dépotoir [depotwar] m Müllkippe f

dépouill|e [depuj] f *la* ~ **(mortelle)** die sterblichen Überreste m/pl; **~é, ~ée** nüchtern; ~ *de* frei von; **~er** (1a) **1.** ~ *un animal* e-m Tier das Fell abziehen; ~ *qn de qc* j-n e-r Sache berauben; **2.** *examiner* nachprüfen

dépourvu, ~e [depurvy] ~ *de* ohne; *au dépourvu* unvorbereitet

déprav|ation [depravasjõ] f Verderbtheit f; **~er** (1a) verderben

déprécier [depresje] (1a) *chose*: entwerten; *personne*: herabwürdigen, herabsetzen; **se** ~ an Wert verlieren

dépress|if, ~ive [depresif, -iv] *adj* depressiv; **~ion** *f géogr* Senkung *f*, Senke *f*; *météorologique:* Tief *n*; *psych* Depression *f*; *écon* Flaute *f*, Rezession *f*

déprimer [deprime] (*1a*) bedrücken, deprimieren

depuis [dəpɥi] **1.** *prép* seit; *espace:* von ... an; **2.** *adv* seitdem; **3.** *conj* ~ **que** (+ *ind*) seit(dem)

dépút|é [depyte] *m pol* Abgeordnete(r) *m, f;* **~er** (*1a*) abordnen

déraciner [derasine] (*1a*) entwurzeln; *fig* ausrotten

déraill|er [deraje] (*1a*) entgleisen; F *fig* spinnen, Unsinn reden; **~eur** *m vélo:* Gangschaltung *f*

déraisonnable [derezɔnablə] *adj* unvernünftig

dérang|ement [derãʒmã] *m* Störung *f*; *désordre* Unordnung *f*; **~er** (*1l*) *personne:* stören; *choses:* durcheinander bringen

déraper [derape] (*1a*) *auto* ins Schleudern kommen, schleudern, rutschen

dérégl|é, ~ée [deregle] *vie:* zügellos; **~er** (*1f*) in Unordnung bringen

dérision [derizjõ] *f* Spott *m*; **tourner en** ~ ins Lächerliche ziehen

dérisoire [derizwar] *adj* lächerlich

dériv|atif, ~ive [derivatif] *m* Ablenkung *f*; **~ation** *f* Ableitung *f*

dériv|e [deriv] *f mar* Abdrift *f*; *fig* **aller à la** ~ sich treiben lassen; **~er** (*1a*) *v/t math* ableiten; *cours d'eau:* umleiten; *v/i* stammen (*de* von); *mar, aviat* abgetrieben werden

dern|ier, ~ière [dɛrnje, -jɛr] letzte(r, -s); *extrême* äußerste(r, -s); *après subst:* vergangen, vorig; **~ièrement** [-jɛrmã] kürzlich, neulich

dérob|ée [derɔbe] **à la** ~ heimlich; **~er** (*1a*) *fig* entziehen, stehlen; **se** ~ **à qc** sich e-r Sache entziehen; **~ qc à la vue de qn** etw vor j-m verbergen

dérog|ation [derɔgasjõ] *f jur* Abweichung *f* (**à** von); **~er** [derɔʒe] (*1l*) abweichen (**à** von)

dérouler [derule] (*1a*) abrollen; **se** ~ verlaufen, sich abspielen

dérout|e [derut] *f fig* Zusammenbruch *m*; **~er** (*1a*) ~ **qn** j-n verwirren, verunsichern

derrière [dɛrjɛr] **1.** *adv* hinten; **2.** *prép*

hinter (*lieu: dat; mouvement: acc*); **3.** *m* Hinter-, Rückseite *f*; *anat* Hinterteil *n*, F Hintern *m*

dès [dɛ] **1.** *prép* von ... an; ~ **lors** von da an; schon damals; ~ **demain** gleich morgen; **2.** *conj* ~ **que** sobald, sowie

désabus|é, ~ée [dezabyze] ernüchtert; **~er** (*1a*) ~ **qn** j-m die Augen öffnen

désaccord [dezakɔr] *m* Uneinigkeit *f*

désaffecté, ~e [dezafɛkte] nicht mehr benutzt

désagréable [dezagreablə] *adj* unangenehm

désagréger [dezagreʒe] (*1g*) **se** ~ sich zersetzen, sich auflösen

désagrément [dezagremã] *m* Unannehmlichkeit *f*

désaltér|ant, ~ante [dezalterã, -ãt] durststillend

désamorcer [dezamɔrse] (*1k*) entschärfen (*a fig*)

désappoint|ement [dezapwɛtmã] *m* Enttäuschung *f*; **~er** (*1a*) enttäuschen

désapprouver [dezapruve] (*1a*) missbilligen

désarm|ement [dezarməmã] *m mil* Abrüstung *f*; **~er** (*1a*) entwaffnen (*a fig*); *mil* abrüsten

désarroi [dezarwa] *m* Verwirrung *f*; Bestürzung *f*

désarticuler [dezartikyle] (*1a*) **se** ~ sich verrenken

désastr|e [dezastrə] *m* Katastrophe *f*; **~eux, ~euse** [-ø, -øz] katastrophal, verheerend

désavantag|e [dezavãtaʒ] *m* Nachteil *m*; **~er** (*1l*) benachteiligen; **~eux, ~euse** [-ø, -øz] nachteilig

désaveu [dezavø] *m acte, propos:* (Ab)Leugnung *f; blâme* Missbilligung *f*

désavouer [dezavwe] (*1a*) *acte, propos:* leugnen, in Abrede stellen; *blâmer* missbilligen

descend|ance [desãdãs] *f* Nachkommenschaft *f*; **~ant, ~ante** [-ã, -ãt] *m, f* Abkömmling *m*, Nachkomme *m*

descendre [desãdrə] (*4a*) **1.** *v/i* hinuntergehen, herunterkommen; *passager:* aussteigen; **à l'hôtel:** absteigen; *voiture:* hin-, herunterfahren; *chemin:* hin-, herunterführen; *température, prix:* fallen, sinken; *avion:* tiefer gehen; ~ **chez qn** bei j-m absteigen; ~ **de qn** von j-m abstammen; ~ **de cheval** vom

Pferd steigen; **~ _d'une voiture_** aus e-m Wagen steigen; **2.** _v/t de l'escalier, de la montagne:_ hin-, heruntertragen; _d'une armoire:_ herunternehmen; F _abattre_ abknallen

descente [desɑ̃t] _f à pied:_ Abstieg _m; ascenseur:_ Abwärtsfahrt _f; téléférique:_ Talfahrt _f; pente_ Gefällstrecke _f; ski:_ Abfahrtslauf _m;_ **~ _de lit_** Bettvorleger _m_

description [dɛskripsjɔ̃] _f_ Beschreibung _f_

désemparé, ~e [dezɑ̃pare] hilflos, ratlos

désenchanté, ~e [dezɑ̃ʃɑ̃te] ernüchtert, enttäuscht

déséquilibr|e [dezekilibrə] _m_ Ungleichgewicht _n; psych_ Unausgeglichenheit _f;_ **~é, ~ée** unausgeglichen; _détraqué_ seelisch gestört; **~er** _(1a)_ aus dem Gleichgewicht bringen _(a fig)_

dés|ert, ~erte [dezɛr, -ɛrt] **1.** _adj_ wüst, öde; **2.** _m_ Wüste _f_

désert|er [dezɛrte] _(1a) v/t_ verlassen; _mil_ desertieren; **~eur** _m mil_ Deserteur _m_

désespér|é, ~e [dezɛspere] verzweifelt; **~ément** [-emɑ̃] _adv_ verzweifelt; **~er** _(1f) v/t_ zur Verzweiflung bringen; _v/i_ verzweifeln; **~ _de qc_** die Hoffnung auf etw _(acc)_ aufgeben

désespoir [dezɛspwar] _m_ Verzweiflung _f_

déshabill|é [dezabije] _m_ Negligé _n;_ **~er** _(1a)_ **~ _qn_** j-n ausziehen, entkleiden; **se ~** sich ausziehen

déshabituer [dezabitɥe] _(1a)_ **~ _qn_ (se ~) de _qc_** j-m (sich) etw _(acc)_ abgewöhnen

désherbant [dezɛrbɑ̃] _m_ Unkrautvernichtungsmittel _n_

déshériter [dezerite] _(1a)_ enterben

déshonorer [dezɔnɔre] _(1a)_ entehren; **~ _qn_** _a_ j-m Schande machen

desiderata [deziderata] _m/pl_ Wünsche _m/pl_

désigner [deziɲe] _(1a) montrer_ zeigen; _objet, personne, plante:_ benennen, bezeichnen; _nommer_ bestimmen, bestellen; ausersehen **(_pour qc_** zu etw _dat_)

désillusionner [dezilyzjɔne] _(1a)_ enttäuschen

désinfecter [dezɛ̃fɛkte] _(1a)_ desinfizieren

désintégration [dezɛ̃tegrasjɔ̃] _f_ Auflösung _f,_ Zerfall _m; phys_ Atomspaltung _f_

désintéress|é, ~ée [dezɛ̃terɛse] uneigennützig; **~ement** [-mɑ̃] _m_ Uneigennützigkeit _f;_ **~er** _(1b)_ **se ~ de** das Interesse verlieren an _(dat)_

désintoxication [dezɛ̃tɔksikasjɔ̃] _f_ **cure de ~** Entziehungskur _f_

désinvolt|e [dezɛ̃vɔlt] ungezwungen; _péj_ ungeniert; **~ure** [-yr] _f péj_ Ungeniertheit _f_

désir [dezir] _m_ Verlangen _n; souhait_ Wunsch _m;_ **~able** wünschenswert; **~er** _(1a)_ wünschen; _sexuellement:_ begehren; **~ (+ _inf_)** wünschen zu (+ _inf_); **~ que (+ _subj_)** (sich _dat_) wünschen, dass

désister [deziste] _(1a) jur_ **se ~ de _qc_** auf etw _(acc)_ verzichten

désobéi|r [dezɔbeir] nicht gehorchen **(à _qn_** j-m); übertreten **(à _la loi_** das Gesetz); verweigern **(à _un ordre_** e-n Befehl); **~ssant, ~ssante** [-sɑ̃, -sɑ̃t] ungehorsam

désodorisant [dezɔdɔrizɑ̃] _m_ Deodorant _n,_ Deo _n_

désœuvr|é, ~ée [dezœvre] untätig; **~ement** [-əmɑ̃] _m_ Untätigkeit _f,_ Müßiggang _m_

désol|é, ~ée [dezɔle] untröstlich **(de** über); **je suis ~** es tut mir Leid; **~er** _(1a)_ aufs Tiefste betrüben

désordonné, ~e [dezɔrdɔne] unordentlich

désordre [dezɔrdrə] _m_ Unordnung _f;_ **en ~** unordentlich

désorienter [dezɔrjɑ̃te] _(1a)_ verwirren

désormais [dezɔrmɛ] von jetzt ab, künftig

désosser [dezɔse] _(1a) viande:_ entbeinen; _poisson:_ entgräten

despot|e [dɛspɔt] _m_ Despot _m,_ Gewaltherrscher _m;_ **~ique** despotisch; **~isme** _m_ Despotismus _m,_ Gewaltherrschaft _f_

dessaler [desale] _(1a)_ entsalzen

dessécher [deseʃe] _(1f)_ austrocknen

dessein [desɛ̃] _m_ Absicht _f;_ **à ~** absichtlich; **dans le ~ de faire _qc_** mit der Absicht, etw zu tun

desserrer [desere] _(1b)_ lockern, lösen

dessert [desɛr] _m_ Nachtisch _m_

desservir [desɛrvir] _(2b) transports publics:_ (regelmäßig) fahren nach _od_ zu, bedienen; *mar* anlaufen; *aviat* anfliegen; *table*: abräumen; **~ qn** j-m schaden

dessin [desɛ̃] *m* Zeichnung *f; art*: Zeichenkunst *f; motif* Muster *n*; **~ animé** Zeichentrickfilm *m*

dessin|ateur, ~atrice [desinatœr, -atris] *m, f* Zeichner(in) *m(f)*; **~er** *(1a)* zeichnen; **bande(s) dessinée(s)** *f(pl)* Comics *pl*

dessous [d(ə)su] **1.** *adv* darunter; **en ~** unten; *fig* versteckt, heimlich; **2.** *m* Unterseite *f; fig* **les ~** *pl* die Hintergründe *m/pl*; **avoir le ~** den Kürzeren ziehen

dessus [d(ə)sy] **1.** *adv* darüber, d(a) rauf; **en ~** oben drauf; **sens ~ dessous** drunter und drüber, völlig durcheinander; **2.** *m* Oberseite *f; fig* **avoir le ~** die Oberhand behalten

destin [dɛstɛ̃] *m* Schicksal *n*

destin|ataire [dɛstinatɛr] *m* Empfänger *m*; **~ation** *f* Bestimmung(sort *m*) *f*; **~ée** [-e] *f* Schicksal *n*; **~er** *(1a)* bestimmen, ausersehen (**à** für, zu)

destituer [dɛstitɥe] *(1a)* absetzen

destruction [dɛstryksjɔ̃] *f* Zerstörung *f*

désu|et, ~ète [desɥe, -et] überholt, altmodisch; **~étude** [-etyd] *f* **tomber en ~** außer Gebrauch kommen

désun|ion [dezynjɔ̃] *f* Zwietracht *f*; **~ir** *(2a)* entzweien

détaché, ~ée [detaʃe] *fig* gleichgültig; **~er** *(1a)*. **1.** *délier* losmachen, abtrennen, lösen; *fonctionnaire*: vorübergehend e-r anderen Dienststelle zuteilen; **se ~ sur** sich abheben gegen; **2.** *nettoyer* von Flecken reinigen

détail [detaj] *m* Einzelheit *f; bagatelle* Kleinigkeit *f; comm* Einzelhandel *m*; **au ~** stückweise, einzeln; **en ~** ausführlich

détaillant [detajɑ̃] *m* Einzelhändler *m*

détartrer [detartre] *(1a)* entkalken

détect|er [detɛkte] *(1a)* aufspüren; **~eur** *m* Detektor *m*; **~ive** [-iv] *(Privat-)* Detektiv *m*

déteindre [detɛ̃drə] *(4b)* v/i verblassen; **~ sur** abfärben auf *(acc) (a fig)*

détendre [detɑ̃drə] *(4a)* entspannen; **se ~** sich lockern; *fig* sich entspannen

détenir [detnir] *(2h)* **~ qc** im Besitz e-r Sache *(gén)* sein; *jur* **~ qn** j-n gefangen halten

détent|e [detɑ̃t] *f arme*: Abzug *m; fig a pol* Entspannung *f*; **~eur** *m* Besitzer *m*, Inhaber *m*

détention [detɑ̃sjɔ̃] *f* Besitz *m; jur* Haft *f*; **~ préventive** Untersuchungshaft *f*

détenu, ~e [detny] *m, f* Häftling *m*

détergent [detɛrʒɑ̃] *m* Reinigungsmittel *n*

détériorer [deterjɔre] *(1a) v/t objet*: beschädigen; *situation*: verschlechtern; **se ~** sich verschlechtern

détermin|ant, ~ante [detɛrminɑ̃, -ɑ̃t] bestimmend; **~ation** *f* Bestimmung *f; résolution* Entschluss *m; fermeté* Entschlossenheit *f*; **~er** *(1a)* bestimmen; *décider* beschließen; **~ qn à faire qc** j-n veranlassen, etw zu tun

déterrer [detere] *(1b)* ausgraben

détest|able [detɛstablə] abscheulich; **~er** *(1a)* verabscheuen, hassen

détonation [detɔnasjɔ̃] *f* Knall *m*

détonner [detɔne] *(1a) mus* falsch singen; *fig* nicht passen *(avec* zu)

détour [detur] *m* Umweg *m; chemin, fleuve*: Biegung *f*, Krümmung *f; fig* **sans ~s** ohne Umschweife; **~né, ~née** *fig* indirekt; **par des moyens détournés** auf Umwegen

détourn|ement [deturnəmɑ̃] *m* Umleitung *f*; **~ d'avion** Flugzeugentführung *f*; **~er** *(1a) trafic*: umleiten; *avion*: entführen; *tête, yeux*: abwenden; *argent*: unterschlagen; **se ~** sich abwenden

détrac|teur, ~trice [detraktœr, -tris] *m, f* Verleumder(in) *m(f)*

détraquer [detrake] *(1m) objet*: F kaputtmachen; *estomac*: verderben

détresse [detrɛs] *f misère* (höchste) Not *f; désespoir* Verzweiflung *f*

détriment [detrimɑ̃] *m* **au ~ de** zum Nachteil von

détritus [detritys] *m* Abfall *m*

détroit [detrwa] *m* Meerenge *f*

détromper [detrɔ̃pe] *(1a)* e-s Besseren belehren

détrôner [detrone] *(1a)* entthronen *(a fig)*

détruire [detrɥir] *(4c)* zerstören

dette [dɛt] *f comm, fig* Schuld *f*

deuil [dœj] *m* Trauer *f; vêtements*: Trauerkleidung *f*; **être en ~** in Trauer sein; **porter le ~** Trauer tragen

deux [dø] **1.** *adj* zwei; **les ~** (die) beide(n); **tous** (**les**) ~ alle beide; **à** ~ zu zweit; **en** ~ in zwei Teile(n); ~ **à** (**od par**) ~ paarweise; **tous les** ~ **jours** alle zwei Tage; **nous** ~ wir beide; **2.** *m* Zwei *f*

deuxième [døzjɛm] zweite(r, -s); **~ment** *adv* zweitens

dévaliser [devalize] (*1a*) ausplündern

dévalorisation [devalɔrizasjõ] Wertminderung *f*, Wertverlust *m*; *fig* Abwertung *f*; **~er** (*1a*) ent-, abwerten

dévaluation [devalɥasjõ] *f écon* Abwertung *f*; **~er** (*1a*) abwerten

devancer [d(ə)vãse] (*1k*) ~ **qn** arriver avant vor j-m eintreffen; *fig être supérieur* j-m überlegen sein; ~ **qc** désir, objection: e-r Sache (*dat*) zuvorkommen; âge, siècle: voraus sein

devant [d(ə)vã] **1.** adv vorn; voran; **2.** prép vor (lieu: dat; direction: acc); de ~ angesichts; **3.** *m* Vorderseite *f*; **de** ~ Vorder...

devanture [d(ə)vãtyr] *f* Schaufenster *n*

dévaster [devaste] (*1a*) verwüsten

développ|ement [devlɔpmã] *m* Entwicklung *f*; **pays** *m* **en voie de** ~ Entwicklungsland *n*; **~er** (*1a*) entwickeln

devenir [dəvnir] (*2h*) werden

déverser [deverse] (*1a*) ausschütten

dévêtir [devetir] (*2g*) entkleiden

déviation [devjasjõ] *f route*: Umleitung *f*; *écart* Abweichung *f*

dévier [devje] (*1a*) *v/t* umleiten; *v/i* abweichen (**de** von)

devin, devineresse [dəvɛ̃, dəvinrɛs] *m*, *f* (Hell-)Seher(in) *m(f)*, Wahrsager(in) *m(f)*

devin|er [d(ə)vine] (*1a*) (er)raten; **~ette** [-ɛt] *f* Rätsel *n*

devis [d(ə)vi] *m* Kostenvoranschlag *m*

dévisager [devizaʒe] (*1l*) mustern

devise [d(ə)viz] *f* Wahlspruch *m*, Devise *f*, Motto *n*; **~s** *pl comm* Devisen *f/pl*

dévisser [devise] (*1a*) losschrauben

dévoiler [devwale] (*1a*) enthüllen; *secret*: offenbaren, verraten

devoir [dəvwar] **1.** (*3a*) *argent*: schulden; *tenir de* verdanken; ~ **faire qc** etw tun müssen; etw tun sollen; **2.** *m* Pflicht *f*; *école*: (Schul-)Aufgabe *f*

dévorer [devɔre] (*1a*) verschlingen; *feu*: vernichten; *soucis, ambition*: verzehren

dévo|t, ~ote [devo, -ɔt] fromm; *péj* frömmelnd; **~otion** [-ɔsjõ] *f* Frömmigkeit *f*, Andacht *f*; *péj* Frömmelei *f*

dévou|é, ~ée [devwe] ergeben; **~ement** [devumã] *m* Hingabe *f*; **~er** [devwe] (*1a*) **se** ~ sich aufopfern (**pour** für)

dextérité [dɛksterite] *f* Geschicklichkeit *f*

diabèt|e [djabɛt] *m* Zuckerkrankheit *f*, Diabetes *m*; **~ique** *m*, *f* Diabetiker(in) *m(f)*

diable [djablə] *m* Teufel *m*

diabolique [djabɔlik] teuflisch

diacre [djakrə] *m égl* Diakon *m*

diagnost|ic [djagnɔstik] *m méd* Diagnose *f*; **~iquer** [-ike] (*1m*) *méd* diagnostizieren

diagonal, ~e [djagɔnal] (*m/pl -aux*) **1.** adj diagonal; **2.** *f* Diagonale *f*; **lire un texte en diagonale** e-n Text diagonal lesen

diagramme [djagram] *m* Diagramm *n*

dialecte [djalɛkt] *m* Dialekt *m*

dialogue [djalɔg] *m* (Zwie-)Gespräch *n*, Dialog *m*

dialyse [djaliz] *f* Dialyse *f*

diamant [djamã] *m* Diamant *m*

diamètre [djamɛtrə] *m* Durchmesser *m*

diapason [djapazõ] *m mus* Stimmgabel *f*; *fig* **se mettre au** ~ **de qn** sich auf j-n einstellen

diaphane [djafan] durchsichtig

diaphragme [djafragmə] *m anat* Zwerchfell *n*; *appareil de photo*: Blende *f*; *contraceptif*: Pessar *m*

diapositive [djapɔzitiv] *f* Dia(positiv) *n*

diarrhée [djare] *f méd* Durchfall *m*

dictat|eur [diktatœr] *m* Diktator *m*; **~ure** [-yr] *f* Diktatur *f*

dict|ée [dikte] *f* Diktat *n*; **~er** (*1a*) diktieren; *prescrire* vorschreiben

diction [diksjõ] *f* Sprech-, Redeweise *f*

dictionnaire [diksjɔnɛr] *m* Wörterbuch *n*

dicton [diktõ] *m* sprichwörtliche Redensart *f*

dièse [djɛz] *m mus* Kreuz *n*

diesel [djezɛl] *m* Dieselmotor *m*; Diesel(fahrzeug *n*) *m*

diète [djɛt] *f* Diät *f*

Dieu [djø] *m* Gott *m*

diffam|ation [difamasjõ] *f* Verleumdung *f*, Diffamierung *f*; **~er** (*1a*) verleumden, diffamieren

diriger

différ|ence [diferãs] f Unterschied m; math Differenz f; **à la ~ de** im Unterschied zu; **~encier** [-ãsje] (1a) unterscheiden, differenzieren; **~end** [-ã] m Meinungsverschiedenheit f; **~ent, ~ente** [-ã, -ãt] verschieden; **différentes personnes** mehrere Leute; **~entiel** [-ãsjel] m auto Differenzial (getriebe) n

différer [difere] (1f) **1.** renvoyer aufschieben; TV **en différé** als Aufzeichnung; **2. ~ de qc** sich von etw unterscheiden

difficile [difisil] schwierig; **il est ~ de** (+ inf) es ist schwer zu (+ inf)

difficulté [difikylte] f Schwierigkeit f

difforme [diform] missgebildet; **~ité** f Missbildung f

diffus|er [difyze] (1a) verbreiten; radio: ausstrahlen, senden; **~ion** f Verbreitung f; radio: Ausstrahlung f, Übertragung f

digérer [diʒere] (1f) verdauen

digeste [diʒest] od **digestible** [diʒestibl(ə)] leicht verdaulich

digest|if, **~ive** [diʒestif, -iv] **1.** adj Verdauungs...; **2.** m Verdauungsschnaps m

digestion [diʒestjõ] f Verdauung f

digital, **~e** [diʒital] (m/pl -aux) Finger...; EDV digital; **empreinte** f **digitale** Fingerabdruck m; **montre** f **digitale** Digitaluhr f

dign|e [diɲ] respectable würdig; **~ de qc** e-r Sache würdig, wert; **~ de qn** j-s würdig; **~ de foi** glaubwürdig, **~ d'intérêt** beachtenswert; **~itaire** [-iter] m Würdenträger m; **~ité** f Würde f; charge Amt n

digression [digresjõ] f Abschweifung f

digue [dig] f Damm m, Deich m

dilapider [dilapide] (1a) vergeuden

dilater [dilate] (1a) ausdehnen

dilig|ence [diliʒãs] f **1.** empressement Eifer m; **2.** hist carrosse: Postkutsche f; **~ent, ~ente** [-ã, -ãt] eifrig

diluer [dilɥe] (1n) verdünnen

dimanche [dimãʃ] m Sonntag m

dimension [dimãsjõ] f Dimension f (a math, fig); grandeur Größe f; fig Ausmaß n

diminuer [diminɥe] (1n) v/t nombre, vitesse: vermindern, verringern; joie, enthousiasme: dämpfen; mérites:

schmälern; forces: schwächen; souffrances: mildern; prix: senken, herabsetzen; personne: schlecht machen, herabsetzen; v/i jours: abnehmen; chaleur: nachlassen; réserves: kleiner werden; circulation, production: zurückgehen; marchandise: billiger werden; prix: heruntergehen

diminution [diminysjõ] f nombre: Verminderung f, Verringerung f; forces, énergie: Abnahme f; prix: Senkung f, Herabsetzung f; production: Rückgang m

dind|e [dɛ̃d] f Truthenne f, Pute f; **~on** [-dõ] m Truthahn m, Puter m

dîner [dine] **1.** (1a) zu Abend essen; **2.** m Abendessen n; **~ d'affaires** Geschäftsessen (am Abend) n

dingue [dɛ̃g] F übergeschnappt

diocèse [djɔsɛz] m Diözese f

diploma|te [diplɔmat] m Diplomat m; **~tie** [-si] f Diplomatie f; **~tique** [-tik] diplomatisch

diplôm|e [diplom] m Diplom n; certificat Zeugnis n; **~é, ~ée** staatlich geprüft, Diplom...

dire [dir] **1.** (4m) sagen; poème: aufsagen; secret: erzählen; vouloir ~ bedeuten; **à vrai ~** offen gestanden; **c'est tout ~** das besagt alles; **on dirait que** man schwört meinen, dass; **et ~ que** wenn man bedenkt, dass; **cela va sans ~** das versteht sich von selbst; **cela ne me dit rien de faire qc** ich habe keine Lust, etw zu tun; **2.** m au(x) ~(s) de qn nach j-s Aussage

direct, **~e** [direkt] droit gerade; immédiat unmittelbar, direkt; **train** m **direct** Eilzug m; TV **en direct** live

direc|teur, **~trice** [direktœr, -tris] **1.** adj leitend, Leit...; **2.** m, f Direktor(in) m(f), Leiter(in) m(f)

direction [direksjõ] f **1.** sens Richtung f; **2.** conduite Leitung f, Führung f; directeurs Geschäftsleitung f; auto Lenkung f

directive [direktiv] f Richtlinie f

dirig|eable [diriʒabl(ə)] **1.** adj lenkbar; **2.** m Luftschiff n; **~eant** [-ã] m bes pol Führer m, Machthaber m; **~er** (1l) leiten, führen; auto lenken; orchestre: dirigieren; arme, critique: richten (**contre** gegen); regard, yeux: richten (**vers** auf); **se ~ vers** zugehen od

discernement

zusteuern auf (*acc*)

discern|ement [disɛrnəmã] *m* Unterscheidungs-, Urteilsfähigkeit *f*; **~er** (*1a*) *percevoir* wahrnehmen; *distinguer* unterscheiden

discipl|e [disiplə] *m* Anhänger *m*, *a Bible*: Jünger *m*; **~ine** *f* Disziplin *f*

discontinu, ~e [diskõtiny] unterbrochen

discord|ance [diskɔrdãs] *f* Nichtübereinstimmung *f*; **~ant, ~ante** [-ã, -ãt] nicht übereinstimmend; *mus* unstimmt

discorde [diskɔrd] *f* Zwietracht *f*, Zwist *m*

discothèque [diskɔtɛk] *f boîte*: Diskothek *f*; *collection*: Schallplattensammlung *f*

discours [diskur] *m* Rede *f*; **faire** *od* **prononcer un ~** e-e Rede halten

discréditer [diskredite] (*1a*) in Misskredit *od* Verruf bringen

discr|et, ~ète [diskrɛ, -ɛt] diskret; *personne a*: taktvoll; *couleur, robe*: dezent, unaufdringlich; *qui garde secret* verschwiegen

discrétion [diskresjõ] *f* Diskretion *f*; *tact* Takt *m*; Unaufdringlichkeit *f*; Verschwiegenheit *f*; **à ~** nach Belieben

discrimination [diskriminasjõ] *f* Diskriminierung *f*; *différenciation* Unterscheidung *f*

disculper [diskylpe] (*1a*) **~ qn** j-n entlasten; **se ~** seine Unschuld beweisen

discussion [diskysjõ] *f* Diskussion *f*, Erörterung *f*, Aussprache *f*

discutable [diskytablə] anfechtbar

discuter [diskyte] (*1a*) diskutieren, erörtern

disette [dizet] *f* Hungersnot *f*

diseuse [dizøz] *f* **~ de bonne aventure** Wahrsagerin *f*

disgrâc|e [dizgrɑs] *f* Ungnade *f*; **~ieux, ~ieuse** [-jø, -jøz] ungraziös; *visage*: unschön

disjoindre [dizʒwɛdrə] (*4b*) trennen

disjoncteur [dizʒõktœr] *m* (Sicherungs-)Schutzschalter *m*

disloquer [dislɔke] (*1m*) auseinander nehmen; *méd* ausrenken

disparaître [disparɛtrə] (*4z*) verschwinden; *animaux*: aussterben

disparité [disparite] *f* Ungleichheit *f*

disparition [disparisjõ] *f* Verschwinden

n; animaux: Aussterben *n*

dispens|aire [dispãsɛr] *m* Ambulanz *f*; **~er** (*1a*) **~ qn de qc** j-n von etw entbinden, befreien; **se ~ de qc** sich e-r Sache entziehen

disperser [disperse] (*1a*) zer-, verstreuen; *manifestants*: auseinander treiben

dispon|ibilité [dispɔnibilite] *f* Verfügbarkeit *f*; **~ible** verfügbar

dispos [dispo] **frais et ~** frisch und munter

dispos|er [dispoze] (*1a*) *arranger* anordnen; **~ de qn, qc** über j-n, etw verfügen; **se ~ à faire qc** sich anschicken, etw zu tun; **~itif** [-itif] *m* Vorrichtung *f*

disposition [dispozisjõ] *f arrangement* Anordnung *f*, *prédisposition* Veranlagung *f*, Neigung *f*; *officielle*: Bestimmung *f*; **~s** *pl mesures* Vorkehrungen *f/pl*; *humeur* Stimmung *f*, Laune *f*; *tendance* Begabung *f*; **être à la ~ de qn** j-m zur Verfügung stehen; **avoir à sa ~** zur Verfügung haben

disproportion [disprɔpɔrsjõ] *f* Missverhältnis *n*

disput|e [dispyt] *f* Streit *m*, Wortwechsel *m*, Disput *m*; **~er** (*1a*) *match*: austragen; **~ qc à qn** j-m etw streitig machen; **se ~** sich streiten

disqualifier [diskalifje] (*1a*) disqualifizieren

disqu|e [disk] *m* Scheibe *f*; *sports*: Diskus *m*; *mus* (Schall-)Platte *f*; *EDV* **~ dur** Festplatte *f*; **~ compact** Compact Disk *f*; **~ette** *f* Diskette *f*; **~ de sauvegarde** Sicherungsdiskette *f*

disséminer [disemine] (*1a*) aus-, zerstreuen

dissension [disãsjõ] *f le plus souvent au pl* **~s** Zwistigkeiten *f/pl*

disséquer [diseke] (*1f u 1m*) sezieren

dissertation [disertasjõ] *f* Aufsatz *m*

dissimuler [disimyle] (*1a*) verhehlen, verbergen

dissiper [disipe] (*1a*) zerstreuen, vertreiben; *fortune*: verschwenden; **se ~ brouillard**: sich auflösen

dissociation [disɔsjasjõ] *f fig* Trennung *f*

dissolu, ~e [disɔly] ausschweifend, liederlich

dissolution [disɔlysjõ] *f* Auflösung *f*

dissolvant [disɔlvɑ̃] *m* chim Lösungsmittel *n*; *ongles:* Nagellackentferner *m*

dissoudre [disudrə] (*4bb*) auflösen

dissuader [disɥade] (*1a*) ~ **qn de qc** j-n von etw abbringen; ~ **qn de faire qc** j-n davon abbringen, etw zu tun

dissuasion [disɥazjɔ̃] *f pol* Abschreckung *f*; *politique f de* ~ Abschreckungspolitik *f*

distance [distɑ̃s] *f* Abstand *m*, Entfernung *f*, Distanz *f (a fig)*; *à* ~ aus der Entfernung; *tenir qn à* ~ j-n auf Distanz halten; ~**er** (*1k*) hinter sich lassen; *se* ~ *de* sich distanzieren von

dist|ant, ~ante [distɑ̃, -ɑ̃t] entfernt; *fig* reserviert

distill|er [distile] (*1a*) destillieren; *eau-de-vie:* brennen; ~**erie** [-ri] *f* Brennerei *f*

dist|inct, ~incte [distɛ̃, -ɛ̃kt] deutlich; ~ *de* verschieden von

distinction [distɛ̃ksjɔ̃] *f* *différence* Unterschied *m*; *décoration* Auszeichnung *f*; *manières, air:* Vornehmheit *f*

distingu|é, ~ée [distɛ̃ge] vornehm; ~**er** (*1m*) *percevoir* wahrnehmen; *différencier* unterscheiden (*qc de qc* etw von etw); *se* ~ sich unterscheiden (*de* von)

distraction [distraksjɔ̃] *f* *passe-temps* Zerstreuung *f*, Abwechslung *f*; *inattention* Zerstreutheit *f*

distraire [distrɛr] (*4s*) *du travail, des soucis:* ablenken (*de* von); *divertir* unterhalten; *se* ~ sich zerstreuen

distr|ait, ~aite [distrɛ, -ɛt] zerstreut

distribuer [distribɥe] (*1n*) aus-, verteilen; *comm* vertreiben

distribu|teur [distribɥtœr] *m* Verteiler *m*; ~ *(automatique)* Automat *m*; ~ *d'essence* Tanksäule *f*; ~**tion** *f* Aus-, Verteilung *f*; *comm* Vertrieb *m*; *courrier:* Zustellung *f*

district [distrikt] *m* Bezirk *m*

dit, dite [di, dit] **1.** *p/p de* dire; **2.** *adj* *surnommé* genannt; *fixé* festgesetzt

divaguer [divage] (*1m*) dummes Zeug reden

divan [divɑ̃] *m* Diwan *m*

diverg|ence [divɛrʒɑ̃s] *f* *fig* Meinungsverschiedenheit *f*; ~**er** (*1l*) *lignes:* divergieren, auseinander gehen; *opinions:* voneinander abweichen, auseinander gehen

div|ers, ~erse [divɛr, -ɛrs] *différent* unterschiedlich; *au pl plusieurs* mehrere

diversi|on [divɛrsjɔ̃] *f* Ablenkung *f*; ~**ité** *f* Vielfältigkeit *f*, Vielfalt *f*

divert|ir [divɛrtir] (*2a*) unterhalten; ~**issement** [-ismɑ̃] *m* Vergnügen *n*

div|in, ~ine [divɛ̃, -in] göttlich; ~**inité** [divinite] *f* Gottheit *f*

divis|er [divize] (*1a*) *(ein)teilen;* *tâche, somme, domaine:* (auf)teilen; *fig famille, adversaire:* spalten; *math* teilen, dividieren; *se* ~ sich teilen (*en in acc*); ~**ion** *f* *(Ein-)Teilung f; somme, domaine:* Aufteilung *f; secteur* Abteilung *f; math, mil* Division *f*

divorc|e [divɔrs] *m* (Ehe-)Scheidung *f*; ~**é, ~ée** *m, f* Geschiedene(r) *m, f;* ~**er** (*1k*) sich scheiden lassen (*d'avec* von)

divulguer [divylge] (*1m*) unter die Leute bringen, verbreiten

dix [dis] zehn; *à* ~ zu zehnt; ~-**huit** [dizɥit] achtzehn; ~**ième** [dizjɛm] **1.** zehnte(r, -s); **2.** *m* Zehntel *n*; ~-**neuf** [diznœf] neunzehn; ~-**sept** [disset] siebzehn

dizaine [dizɛn] *f* *une* ~ *de* ungefähr zehn

do [do] *m* *mus* c *od* C *n*

docile [dɔsil] folgsam, gefügig

docker [dɔkɛr] *m* Hafenarbeiter *m*

doct|e [dɔkt] *péj* hochgelehrt; ~**eur** *m* *université:* Doktor *m; médecin* Arzt *m*, Ärztin *f*; ~**oresse** [-ɔrɛs] *f* Ärztin *f*; ~**rine** [-rin] *f* Doktrin *f*, Lehre *f*

document [dɔkymɑ̃] *m* Dokument *n*, Schriftstück *n*

document|aire [dɔkymɑtɛr] **1.** *adj* dokumentarisch; **2.** *m* *TV* Dokumentar-, Kulturfilm *m*; ~**er** (*1a*) *se* ~ sich informieren

dodu, ~e [dɔdy] gut genährt

dogm|atique [dɔgmatik] dogmatisch; ~**e** [dɔgmə] *m* Dogma *n*

doigt [dwa] *m* Finger *m*; ~ *de pied* Zehe *f*; *savoir qc sur le bout des ~s* etw aus dem Effeff können

doigté [dwate] *m* *mus* Fingersatz *m; fig* Fingerspitzengefühl *n*

doléances [dɔleɑ̃s] *f/pl* Beschwerden *f/pl*

domaine [dɔmɛn] *m* Landgut *n; fig* Bereich *m*, Gebiet *n*

dôme [dom] *m* Kuppel *f*

domestiqu|e [dɔmɛstik] **1.** *adj* häuslich, Haus...; *animal* ~ Haustier *n*; **2.** *m* Hausangestellte(r) *m*; **~er** (*1m*) zähmen

domicile [dɔmisil] *m* Wohnort *m*, -sitz *m*

domicilié, ~e [dɔmisilje] wohnhaft

domin|ant, ~ante [dɔminɑ̃, -ɑ̃t] beherrschend; **~ation** *f* Herrschaft *f*; **~er** (*1a*) *v/t* beherrschen (*a fig*); *v/i* *prédominer* vorherrschen; **se ~** sich beherrschen

dominical, ~e [dɔminikal] (*m/pl -aux*) sonntäglich, Sonntags...

dommage [dɔmaʒ] *m* Schaden *m*; *c'est ~* das ist schade; *il est ~ que* (+ *subj*) es ist schade, dass; *jur* **~s et intérêts** *m/pl* Schaden(s)ersatz *m*, Entschädigung *f*

dompt|er [dõte] (*1a*) *animal*: bezähmen, bändigen; *rebelle*: bezwingen; **~eur** *m* Dompteur *m*

D.O.M.-T.O.M. [dɔmtɔm] *m/pl* (*abr départements et territoires d'outre-mer*) überseeische Departements und Gebiete

don [dõ] *m donation* Schenkung *f*; *charité*: Spende *f*; *cadeau* Geschenk *n*; *aptitude* Gabe *f*, Talent *n*

donation [dɔnasjõ] *f* Schenkung *f*

donc [dõk] *conclusion*: also, folglich; *écoutez ~!* hören Sie doch!; *comment ~?* wieso denn?; *allons ~!* nanu!

donjon [dõʒõ] *m* Bergfried *m*

donn|é, ~ée [dɔne] *p/p de donner u adj* gegeben; *déterminer* bestimmt; *étant donné qc* in Anbetracht e-r Sache; *c'est donné* das ist geschenkt; **~ée** *f math* bekannte Größe; **~s** *pl* Daten *n/pl* (*a EDV*); **~er** (*1a*) geben; *cadeau*: schenken; *nom, coordonnées*: angeben; *film*: zeigen; **~ sur** hinausgehen auf (*acc*); **~eur** *m méd* Spender *m*

dont [dõ] von dem, von der, von denen, wovon; *possessif*: dessen, deren

dop|age [dɔpaʒ] *m Doping n*; **~er** (*1a*) dopen; **~ing** [-iŋ] *m Doping n*

doré, ~e [dɔre] *bijou*: vergoldet; *couleur*: goldgelb

dorénavant [dɔrenavɑ̃] von nun an, künftig

dorer [dɔre] (*1a*) vergolden

dorloter [dɔrlɔte] (*1a*) verhätscheln

dorm|eur, ~euse [dɔrmœr, -øz] *m, f* Schläfer(in) *m(f)*; **~ir** (*2b*) schlafen

dorsal, ~e [dɔrsal] (*m/pl -aux*) Rücken...

dortoir [dɔrtwar] *m* Schlafsaal *m*

dorure [dɔryr] *f* Vergoldung *f*

dos [do] *m* Rücken *m*; *feuille, chèque*: Rückseite *f*; *chaise*: (Stuhl-)Lehne *f*

dosage [dozaʒ] *m* Dosierung *f*

dos|e [doz] *f phm* Dosis *f*; *quantité* Menge *f*; **~er** (*1a*) dosieren (*a fig*)

dossier [dosje] *m* **1.** *chaise*: Rückenlehne *f*; **2.** *documents* Akten *f/pl*, Unterlagen *f/pl*; **~ médical** Krankenblatt *n*

dot [dɔt] *f* Mitgift *f*; **~er** (*1a*) ausstatten (**de** mit)

douane [dwan] *f* Zoll *m*

douan|ier, ~ière [dwanje, -jɛr] **1.** *adj* Zoll...; **2.** *m, f* Zollbeamte(r) *m*, Zollbeamtin *f*

doublage [dublaʒ] *m vêtement*: Futter *n*; *film*: Synchronisation *f*

doubl|e [dublə] **1.** *adj* doppelt; **2.** *m deuxième exemplaire* Duplikat *n*; *tennis*: Doppel *n*; *le ~* das Doppelte; *doppelt so viel od groß*; **~er** (*1a*) *v/t* verdoppeln; *auto* überholen; *film*: synchronisieren; *vêtement*: füttern; *v/i* sich verdoppeln; **~ure** [-yr] *f vêtement*: Futter *n*

douceâtre [dusatrə] süßlich

doucement [dusmã] *adv* sanft, sachte, behutsam; *lentement* langsam

douceur [dusœr] *f* **1.** *personne*: Sanftheit *f*, Zartheit *f*; **~s** *pl jouissance* Annehmlichkeiten *f/pl*; **2.** **~s** *pl sucreries* Süßigkeiten *f/pl*

douche [duʃ] *f* Dusche *f*; *prendre une ~* (sich) duschen

doué, ~e [dwe] (*1a*) begabt; **~ de qc** ausgestattet mit etw

douille [duj] *f él* Fassung *f*; *projectile*: Hülse *f*

douill|et, ~ette [dujɛ, -ɛt] *lit, vêtement*: mollig (weich); *intérieur*: behaglich, wohlig; *personne*: zimperlich, überempfindlich

douleur [dulœr] *f* Schmerz *m*; *chagrin* Schmerz *m*, Leid *n*

doulour|eux, ~euse [dulurø, -øz] schmerzhaft; *fig* schmerzlich

dout|e [dut] *m* Zweifel *m*; **sans aucun ~** zweifellos; **~er** (*1a*) zweifeln (*de* an *dat*); **se ~ de qc** etw ahnen; **se ~ que** ahnen, dass; **~eux, ~euse** [-ø, -øz] zweifelhaft

doux, **douce** [du, dus] süß; *temps*: mild; *personne*: sanft; *au toucher*: weich

douzaine [duzɛn] *f* Dutzend *n*

douze [duz] zwölf

douzième [duzjɛm] **1.** zwölfte(r, -s); **2.** *m* Zwölftel *n*

doyen [dwajɛ̃] *m* Dekan *m*

dragée [draʒe] *f* Mandelbonbon *n*; *phm* Dragee *n*

dragon [dragõ] *m* Drache *m*

draguer [drage] *(1m) rivière*: ausbaggern; F *femmes*: aufreißen

drainer [drɛne] *(1a)* entwässern

dram|atique [dramatik] dramatisch *(a fig)*; **∼aturge** [-atyrʒ] *m* Dramatiker *m*, Bühnenautor *m*; **∼e** [dram] *m* Drama *n (a fig)*

drap [dra] *m* Tuch *n*; **∼ de lit** Bettlaken *n*

drapeau [drapo] *m (pl -x)* Fahne *f*

dressage [drɛsaʒ] *m* Dressur *f; mil* Drill *m*

dresser [drɛse] *(1b)* aufstellen; *monument*: errichten; *tente*: aufschlagen; *contrat*: aufsetzen; *animal*: dressieren; *cuis* anrichten; **∼ qn contre qn** j-n gegen j-n aufbringen; **se ∼** sich aufrichten; *obstacle, tour*: emporragen

drogu|e [drɔg] *f* Droge *f*, Rauschgift *n*; **∼é, ∼ée** *m, f* Drogensüchtige(r) *m, f*; **∼er** *(1a) v/t* mit Arzneien voll stopfen; **se ∼** Rauschgift nehmen; **∼erie** *f* Drogerie *f*; **∼iste** *m, f* Drogist(in) *m(f)*

droit, **droite** [drwa, drwat] **1.** *adj côté*: rechte(r, -s); *ligne*: gerade; *debout*: aufrecht; *honnête* rechtschaffen; **2.** *adv* **tout droit** gerade(aus); **3.** *m* Recht *n*; *taxe* Gebühr *f*; **de ∼** von Rechts wegen; **à qui de ∼** an die zuständige Person; **être en ∼ de** berechtigt sein zu; **∼ international** Völkerrecht *n*

droite [drwat] *f* Rechte *f (a pol)*, rechte Hand *f; côté*: rechte Seite; **à ∼** rechts

droit|ier, **∼ière** [drwatje, -jɛr] **être ∼** Rechtshänder(in) sein; **∼ure** [-yr] *f* Aufrichtigkeit *f*

drôle [drol] **1.** *adj amusant* lustig; *bizarre* seltsam; **une ∼ d'idée** e-e komische Idee; **∼ment** *adv* F enorm

dromadaire [drɔmadɛr] *m zo* Dromedar *n*

dru, **∼e** [dry] dicht

D.S.T. [deɛste] *(abr* **direction** *f* **de la surveillance** *f* **du territoire)** Geheimdienst *m*

dû, **due** [dy] *p/p de* **devoir**

dubitat|if, **∼ive** [dybitatif, -iv] zweifelnd

duc [dyk] *m* Herzog *m*

duch|é [dyʃe] *m* Herzogtum *n*; **∼esse** [-ɛs] *f* Herzogin *f*   **D**

duel [dɥɛl] *m* Duell *n*

dûment [dymã] *adv* vorschriftsmäßig

dune [dyn] *f* Düne *f*

duo [dyo] *m mus vocal*: Duett *n*; *instrumental*: Duo *n*

dup|e [dyp] *f* **être la ∼ de qn** von j-m betrogen werden; **être ∼ de qc** auf etw *(acc)* hereinfallen; **∼er** *(1a)* prellen, betrügen; **∼erie** *f* Betrügerei *f*

duplex [dypleks] *m* zweigeschossiges Appartement *n*

duplicata [dyplikata] *m* Zweitschrift *f*

duplicité [dyplisite] *f* Doppelzüngigkeit *f*

dur, **∼e** [dyr] **1.** *adj* hart; *difficile* schwierig; *sévère* streng; *climat*: rau; *viande*: zäh; **2.** *adv* **travailler dur** hart arbeiten; **frapper dur** kräftig schlagen; **∼able** dauerhaft; *croissance, utilisation de matières premières* nachhaltig; andauernd; **∼ant** [-ã] *prép* während; **des années ∼** jahrelang

durc|ir [dyrsir] *(2a) v/t* hart machen; *fig* verhärten; *v/i od* **se ∼** hart werden; **∼issement** [-ismã] *m* Hartwerden *n*; *fig* Verhärtung *f*

dur|ée [dyre] *f* Dauer *f*; **∼er** *(1a)* dauern; *beau temps*: anhalten; *objet, vêtement*: halten

dureté [dyrte] *f* Härte *f; fig* Strenge *f*

duvet [dyve] *m* Daunen *f/pl; sac de couchage* Daunenschlafsack *m; poils*: Flaum *m*

dynam|ique [dinamik] **1.** *adj* dynamisch; **2.** *f* Dynamik *f (a fig)*; **∼isme** *m* Dynamik *f*, Energie *f*; **∼ite** [-it] *f* Dynamit *n*

dynamo [dinamo] *f él* Dynamo *m; auto* Lichtmaschine *f*

dynastie [dinasti] *f* Dynastie *f*, Herrscherhaus *n*

dysenterie [disãtri] *f méd* Ruhr *f*

E

eau [o] f (pl -x) Wasser n; **~x** pl Gewässer n/pl; **tomber à l'~** ins Wasser fallen (a fig); mar **faire ~** leck sein; bateau: **mettre à l'~** vom Stapel lassen; **~ courante** fließendes Wasser n; **~ gazeuse** kohlensäurehaltiges Wasser n, Sprudel m; **~ de Javel** Bleichmittel n; **~ minérale** Mineralwasser n

eau-de-vie [odvi] f (pl eaux-de-vie) Branntwein m, Schnaps m

ébahi, **~ie** [ebai] verblüfft, sprachlos

ébattre [ebatrə] (4a) **s'~** sich tummeln

ébauch|e [eboʃ] f Entwurf m; **~er** (1a) entwerfen; **~ un sourire** ein Lächeln andeuten

ébène [eben] f Ebenholz n

ébéniste [ebenist] m Kunsttischler m

éberlué, **~e** [eberlɥe] F verdutzt

éblou|ir [ebluir] (2a) blenden; fig verblüffen; **~issement** [-ismã] m Blendung f; fig Staunen n

éboueur [ebwœr] m Müllmann m

éboul|ement [ebulmã] m progressif: Erdrutsch m; soudain: Einsturz m; **~er** (1a) **s'~** einstürzen; **~is** [-i] m Geröll n

ébouriffer [eburife] (1a) cheveux: zerzausen; F fig verblüffen

ébranler [ebrɑ̃le] (1a) erschüttern; **s'~** sich in Bewegung setzen

ébriété [ebrijete] f Trunkenheit f

ébruiter [ebrɥite] (1a) nouvelle: verbreiten

ébullition [ebylisjõ] f **être en ~** sieden, kochen

écaill|e [ekaj] f zo, bot Schuppe f; matière: Schildpatt n; **~er** (1a) abschuppen; huître: aufmachen; **s'~** abbröckeln, abblättern

écarlate [ekarlat] **1.** f Scharlachfarbe f; **2.** adj scharlachrot, knallrot

écarquiller [ekarkije] (1a) **~ les yeux** die Augen aufsperren

écart [ekar] m distance: Abstand m, Spanne f; différence Unterschied m, Differenz f; moral: Verstoß m; **à l'~** abseits, beiseite; **à l'~ de** weit weg von

écarteler [ekartəle] (1d) fig hin- und herreißen

écart|ement [ekartəmã] m Abstand m,

Entfernung f; chemin de fer: Spurweite f; **~er** (1a) wegschieben, entfernen; jambes: spreizen; fig idée, possibilité: verwerfen; danger: abwenden; **s'~ de** sich entfernen von

ecclésiastique [eklezjastik] kirchlich

écervelé, **~e** [esɛrvəle] leichtsinnig

échafaud [eʃafo] m hist Schafott n

échafaud|age [eʃafodaʒ] m Baugerüst n; **~er** (1a) aufstapeln; fig plan: entwerfen

échalote [eʃalɔt] f bot Schalotte f

échancrure [eʃɑ̃kryr] robe: Ausschnitt m; côte: Einbuchtung f

échang|e [eʃɑ̃ʒ] m Austausch m; **~s extérieurs** Außenhandel m; **en ~** dafür; **en ~ de** für; **~er** (1l) austauschen, (gegenseitig) tauschen (**contre qc** gegen etw); regards, lettres: wechseln (**qc avec qn** etw mit j-m); **~eur** m Verkehrsknoten m, -kreuz n

échantillon [eʃɑ̃tijõ] m comm (Waren-)Probe f, (-)Muster n; poste: **~ (de marchandises)** Warensendung f

échapp|atoire [eʃapatwar] f Ausflucht f; **~ée** f vue: schmaler Durchblick m; cyclisme: Ausreißversuch m; **~ement** [-mã] m auto Auspuff m

échapper [eʃape] (1a) **1.** sujet personne: **~ à qn** j-m entkommen; **~ à qc** e-r Sache entgehen; **l'~ belle** mit e-m blauen Auge davonkommen; **s'~** entkommen, entfliehen; **2.** sujet chose: sens, détails: entgehen; cri, mots: entfahren; nom, date: entfallen (sein); objet qu'on tient: entgleiten

écharde [eʃard] f Splitter m

écharpe [eʃarp] f Schal m; maire: Schärpe f; méd (Arm-)Binde f

échasse [eʃas] f Stelze f

échauff|é, **~ée** [eʃofe] erhitzt; **~ement** [-mã] m Erhitzung f; **~er** (1a) erwärmen; erhitzen (a fig); **s'~ esprits:** sich erhitzen; sports: sich warm laufen; **~ourée** [-ure] f Krawall m, Tumult m

échéance [eʃeɑ̃s] f comm, jur Fälligkeit f, Fälligkeitsdatum n, -termin m; **à brève, longue ~** kurz-, langfristig

échéant [eʃeɑ̃] **le cas ~** gegebenenfalls

échec [eʃɛk] *m* Misserfolg *m*, Scheitern *n*; **essuyer** *od* **subir un ~** e-e Niederlage erleiden

échecs [eʃɛk] *m/pl* Schach(spiel) *n*; **jouer aux ~** Schach spielen

échelle [eʃɛl] *f* Leiter *f*, *sociale*: Rangordnung *f*, Stufenleiter *f*; *carte*: Maßstab *m*; *salaires*, *intérêts*: Skala *f*; **sur une grande ~** in großem Maßstab; **à l'~ mondiale** weltweit

échelon [eʃlõ] *m* Leitersprosse *f*; *fig* Stufe *f*, Ebene *f*; *hiérarchie*: Rangstufe *f*; *fonctionnaire*: Dienstgrad *m*; *mil* Staffel *f*

échelonner [eʃlɔne] (1a) staffeln; *paiements*: verteilen (**sur un an** über ein Jahr)

échevelé, ~e [eʃəvle] zerzaust

échin|e [eʃin] *f* Rückgrat *n* (*a fig*); **~er** (1a) F **s'~** sich abrackern

échiquier [eʃikje] *m* Schachbrett *n*

écho [eko] *m* Echo *n*

échoir [eʃwar] (3m) *titre*, *intérêt*: fällig werden; *délai*: ablaufen

échouer [eʃwe] (1a) scheitern; *examen*: durchfallen; (**s'**)**~** *bateau*: stranden

éclabousser [eklabuse] (1a) bespritzen

éclair [eklɛr] *m* Blitz *m*; *cuis* Liebesknochen *m*; **comme un ~** blitzschnell; **~age** *m* Beleuchtung *f*; Licht *n*

éclairc|ie [eklɛrsi] *f* Aufheiterung *f*; **~ir** (2a) aufhellen; *vin*, *sauce*: verdünnen; *fig mystère*: aufklären; **s'~** *ciel*: sich aufklären

éclair|er [eklere] (1b) *v/t* beleuchten; **~ qn** j-m leuchten; *fig* **~ qc, qn** etw, j-n aufklären (**sur** über); *v/i* leuchten; **~eur, ~euse** *m, f* Pfadfinder(in) *m(f)*

éclat [ekla] *m bombe*, *verre*: Splitter *m*; *métal*, *yeux*: Glanz *m* (*a fig*); *couleurs*, *fleurs*: Pracht *f*; **~ de rire** schallendes Gelächter *n*; **faire un ~ scandale**: Aufsehen *n* erregen

éclat|ant, ~ante [eklatã, -ãt] glänzend (*a fig*); *fig* offenkundig; **~er** (1a) platzen, bersten; *coup de feu*: knallen; *guerre*, *incendie*: ausbrechen; **~ de rire** laut auflachen; **~ en sanglots** aufschluchzen, in Tränen ausbrechen; **~ de santé** vor Gesundheit strotzen

éclips|e [eklips] *f* (Mond-, Sonnen-)Finsternis *f*; **~er** (1a) verfinstern; *fig* **~ qn** j-n in den Schatten stellen; F **s'~** verschwinden

éclore [eklɔr] (4k) *oiseau*: ausschlüpfen; *fleurs*: aufblühen

éclus|e [eklyz] *f* Schleuse *f*; **~er** (1a) durchschleusen; P saufen

écœur|ant, ~ante [ekœrã, -ãt] widerlich, ekelhaft; **~ement** [-mã] *m* Ekel *m* (*a fig*); **~er** (1a) anwidern, anekeln

écol|e [ekɔl] *f* Schule *f*; **~ maternelle** Kindergarten *m*; **~ primaire** Grundschule *f*; **~ secondaire** höhere Schule *f*; **~ier, ~ière** [-je, -jer] *m, f* Schüler(in) *m(f)*

écolog|ie [ekɔlɔʒi] *f* Ökologie *f*; **~ique** ökologisch; *bon pour l'environnement* umweltfreundlich; **~iste** *m, f* Umweltschützer(in) *m(f)*

éconduire [ekõdɥir] (4c) abweisen

économe [ekɔnɔm] **1.** *adj* sparsam; **2.** *m, f* Verwalter(in) *m(f)*

économ|ie [ekɔnɔmi] *f* Wirtschaft *f*; *science*: Wirtschaftswissenschaft *f*; *vertu*: Sparsamkeit *f*; **~ nationale** Volkswirtschaft *f*; **~ de marché** (freie) Marktwirtschaft *f*; **~ planifiée** Planwirtschaft *f*; **~s** *pl* Ersparnisse *f/pl*; **faire des ~s** sparen; **~ique** wirtschaftlich, Wirtschafts...; **~iser** (1a) **~ qc** etw (ein)sparen; **~ sur qc** an etw (*dat*) sparen; **~iseur** *m* **d'écran** *EDV* Bildschirmschoner *m*; **~iste** *m, f* Volkswirtschaftler(in) *m(f)*

écorce [ekɔrs] *f arbre*: Rinde *f*; *fruit*: Schale *f*

écorcher [ekɔrʃe] (1a) *animal*: das Fell abziehen; *peau*: aufschürfen

écoss|ais, ~aise [ekɔsɛ, -ɛz] **1.** *adj* schottisch; **2.** ♀ *m*, ♂ Schotte *m*, Schottin *f*

Écosse [ekɔs] *f* l'**~** Schottland *n*

écosser [ekɔse] (1a) enthülsen

écosystème [ekɔsistɛm] *m* Ökosystem *n*

écoulement [ekulmã] *m* Abfluss *m*; *comm* Absatz *m*

écouler [ekule] (1a) *comm* absetzen; **s'~** abfließen; *temps*: vergehen; *comm* Absatz finden

écourter [ekurte] (1a) (ab)kürzen

écoute [ekut] *f* Hören *n* (*bes Radio*); *tél* Abhören *n*; **être à l'~** *radio*: hören; **aux ~s** auf der Lauer

écout|er [ekute] (1a) hören; *concert*, *conférence a*: sich anhören; *aux portes*:

écouteur 116

horchen, lauschen; **~ qn** j-m zuhören, j-n anhören; *suivre les conseils* auf j-n hören; *indiscrètement:* j-n belauschen; **~eur** *m* (Telefon-)Hörer *m*; *radio:* Kopfhörer *m*

écran [ekrɑ̃] *m* Bildschirm *m*; *cinéma:* Leinwand *f*; **~ géant** Großbildschirm *m*; **le petit ~** das Fernsehen; **~ radar** Radarschirm *m*

écraser [ekrɑze] (*1a*) zermalmen (*a fig*), zerquetschen; *voiture:* überfahren; *fig anéantir* vernichten; *avion:* **s'~ au sol** am Boden zerschellen, abstürzen

écrémer [ekreme] (*1f*) entrahmen

écrevisse [ekrəvis] *f zo* Krebs *m*

écrier [ekrije] (*1a*) **s'~** ausrufen

écrin [ekrɛ̃] *m* Schmuckkästchen *n*

écrire [ekrir] (*4f*) schreiben; **s'~** *s'ortographier* geschrieben werden

écrit [ekri] *m* Schriftstück *n*; *examen:* **l'~** das Schriftliche; *par* **~** schriftlich

écriteau [ekrito] *m* (*pl -x*) (Hinweis-)Schild *n*; **~ure** [-yr] *f* Schrift *f*; *comm* Buchung *f*; **les (Saintes) Ձs** die (Heilige) Schrift *f*

écrivain [ekrivɛ̃] *m* Schriftsteller(in) *m(f)*

écrou [ekru] *m* (*pl -s*) (Schrauben-)Mutter *f*

écrouer [ekrue] (*1a*) *jur* inhaftieren

écrouler [ekrule] (*1a*) **s'~** einstürzen; *personne:* zusammenbrechen (*a fig*)

écueil [ekœj] *m* Riff *n*; Klippe *f* (*a fig*)

écuelle [ekɥɛl] *f* Napf *m*

éculé, ~e [ekyle] *chaussure:* abgelaufen; *fig* abgedroschen

écume [ekym] *f* Schaum *m*; **~er** (*1a*) *v/i* schäumen (*a fig*); *v/t* abschäumen; *fig* ausplündern

écureuil [ekyrœj] *m zo* Eichhörnchen *n*

écurie [ekyri] *f* Pferdestall *m*; *sports:* Rennstall *m*

écusson [ekysõ] *m* Wappenschild *n*

écuyer, ~ère [ekɥije, -jɛr] *m, f* (Kunst-)Reiter(in) *m(f)*

eczéma [egzema] *m méd* Ekzem *n*

édicter [edikte] (*1a*) verordnen

édification [edifikasjõ] *f* Erbauung *f* (*a fig*); **~ce** [-s] *m* Gebäude *n*

édifier [edifje] (*1a*) erbauen (*a fig*)

édit [edi] *m* Edikt *n*, Erlass *m*

éditer [edite] (*1a*) herausgeben; **~teur, ~trice** *m, f* Verleger(in) *m(f)*; **~tion** *f* Ausgabe *f*; *tirage* Auflage *f*; *secteur:*

Verlagswesen *n*; **~s** *pl* Verlag *m*; **maison** *f* **d'~** Verlag(shaus *n*) *m*; **~torial** [-tɔrjal] *m* (*pl -iaux*) Leitartikel *m*

édredon [edrədõ] *m* Federbett *n*

éducateur, ~trice [edykatœr, -tris] *m, f* Erzieher(in) *m(f)*; **~tion** Erziehung *f*; *culture* Bildung *f*

éduquer [edyke] (*1m*) erziehen

effacer [efase] (*1k*) auslöschen; *gomme:* ausradieren; *chiffon:* (aus)wischen; **s'~** *inscription:* verblassen, verschwinden; *personne:* zurücktreten

effarement [efarmã] *m* Bestürzung *f*; **~er** (*1a*) verwirren

effaroucher [efaruʃe] (*1a*) auf-, verscheuchen; *fig* einschüchtern, abschrecken

effectif, ~ive [efektif, -iv] **1.** *adj* effektiv; **2.** *m* (Personal-)Bestand *m*; **~ivement** tatsächlich

effectuer [efektɥe] (*1a*) durch-, ausführen; **s'~** erfolgen, vor sich gehen

efféminé, ~e [efemine] *péj* weibisch

effervescent, ~ente [efɛrvesã, -ãt] *boisson:* schäumend; *fig foule:* brodelnd

effet [efɛ] *m* **1.** Wirkung *f*; **à cet ~** zu diesem Zweck; **en ~** denn, nämlich, in der Tat; **faire de l'~** wirken; **2.** **~s** *pl* Habseligkeiten *f/pl*, Sachen *f/pl*; *vêtements:* Kleider *n/pl*; **3.** *comm* **~s** *pl* Effekten *f/pl*

effeuiller [efœje] (*1a*) entblättern

efficace [efikas] wirksam; *personne:* fähig; **~ité** *f* Wirksamkeit *f*, Effektivität *f*

effigie [efiʒi] *f* Bildnis *n*

effilé, ~e [efile] dünn, zugespitzt

efflanqué, ~e [eflãke] abgemagert, dürr

effleurer [eflœre] (*1a*) streifen (*a fig*)

effluve [eflyv] *m* Ausdünstung *f*

effondrer [efõdre] (*1a*) **s'~** einstürzen; *personne:* zusammenbrechen (*a fig*)

efforcer [efɔrse] (*1k*) **s'~ de** (+ *inf*) sich anstrengen, sich bemühen zu (+ *inf*)

effort [efɔr] *m* Anstrengung *f*; **faire un ~** sich anstrengen

effraction [efraksjõ] *f jur* Einbruch *m*

effrayant, ~ante [efrejã, -ãt] schrecklich; **~er** (*1i*) **~ qn** j-n erschrecken; **s'~** erschrecken (**de** über)

effréné, ~e [efrene] zügellos, wild

effriter [efrite] (*1a*) **s'~** abbröckeln (*a fig*)

effroi [efrwa] *st/s m* Entsetzen *n*

effront|é, ~ée [efrõte] unverschämt

effroyable [efrwajablə] entsetzlich

effusion [efyzjõ] *f* **1. ~ de sang** Blutvergießen *n*; **2.** *litt* **~s** *pl* Gefühlsausbrüche *m/pl*

égal, ~e [egal] (*m/pl -aux*) gleich; *surface*: eben; *vitesse*: gleichmäßig; *indifférent* gleichgültig; **d' ~ à ~** wie seinesgleichen; **sans ~** unvergleichlich; **ça lui est ~** das ist ihm gleich; **~ement** [-mã] *adv pareillement* gleichermaßen, *aussi* gleichfalls, auch

égal|er [egale] (*1a*) ~ *qn* (*od qc*) j-m (*od* e-r Sache) gleichkommen; **~iser** (*1a*) an-, ausgleichen; *sol*: ebnen; **~ité** *f* Gleichheit *f*; **à ~ de** bei Gleichheit (*gén*); **à ~ des prix** bei gleichem Preis; **être à ~ (des points)** punktgleich sein

égard [egar] *m* **à cet ~** in dieser Beziehung; **à l'~ de** gegenüber; **eu ~ à** in Anbetracht (*gén*); **par ~ à** mit Rücksicht auf (*acc*); **~s** *pl* Achtung *f*, Aufmerksamkeit *f*; **manque** *m* **d'~s** Rücksichtslosigkeit *f*

égarer [egare] (*1a*) *personne*: irreleiten; *chose*: verlegen; **s'~** sich verirren; *du sujet*: abschweifen

égayer [egɛje] (*1i*) erheitern; *chose*: beleben

églantine [eglãtin] *f* wilde Rose *f*, Heckenrose *f*

église [egliz] *f* Kirche *f*

égocentrique [egosãtrik] egozentrisch

ego|ïsme [egoismə] *m* Egoismus *m*; **~ïste 1.** *adj* egoistisch; **2.** *m, f* Egoist(in) *m(f)*

égorger [egorʒe] (*1l*) die Kehle durchschneiden (*qn* j-m); *fig* schröpfen

égosiller [egozije] (*1a*) **s'~** sich heiser schreien

égout [egu] *m* (Abwasser-)Kanal *m*

égoutter [egute] (*1a*) abtropfen lassen

égratign|er [egratiɲe] (*1a*) zerkratzen; **s'~** sich aufkratzen; **~ure** [-yr] *f* Kratzwunde *f*, Schramme *f*

égrener [egrəne] (*1d*) *épi*: auskörnen; *grappe*: abbeeren

Égypte [eʒipt] *f l'~* Ägypten *n*

égypt|ien, ~ienne [eʒipsjɛ̃, -jɛn] **1.** *adj* ägyptisch; **2.** ♀ *m, f* Ägypter(in) *m(f)*

éhonté, ~e [eõte] schamlos

éjecter [eʒɛkte] (*1a*) *tech* ausstoßen; F *personne*: rausschmeißen

élaborer [elabɔre] (*1a*) ausarbeiten

élaguer [elage] (*1m*) *arbre*: beschneiden

élan [elã] *m* **1.** Schwung *m*; *sports*: Anlauf *m*; *de tendresse, générosité*: Anwandlung *f*, *vivacité* Begeisterung *f*, Schwung *m*; **2.** *zo* Elch *m*

élancer [elãse] (*1k*) **1.** *méd* heftig stechen; **2. s'~** hervor-, losstürzen; *fig* sich emporschwingen; *tour*: emporragen

élargir [elarʒir] (*2a*) verbreitern; *vêtement*: weiter machen; *débat*: ausweiten

élasticité [elastisite] *f* Elastizität *f*

élastique [elastik] **1.** *adj* elastisch; **2.** *m* Gummiband *n*

élec|teur, ~trice [elɛktœr, -tris] *m* Wähler(in) *m(f)*

élection [elɛksjõ] *f* Wahl *f*; **~s** *f/pl* **européennes** Europawahlen *f/pl*

élector|al, ~ale [elɛktɔral] (*m/pl -aux*) Wahl...; **~at** [-a] *m droit*: Wahlrecht *n*; *personnes*: Wählerschaft *f*, Wähler *m/pl*

électri|cien [elɛktrisjɛ̃] *m* Elektriker *m*; **~cité** [-site] *f* Elektrizität *f*; **~fication** [-fikasjõ] *f* Elektrifizierung *f*; **~fier** [-fje] (*1a*) elektrifizieren

électrique [elɛktrik] elektrisch

électro-aimant [elɛktrɔɛmã] *m* (*pl électro-aimants*) Elektromagnet *m*; **~cardiogramme** [-kardjɔgram] *m méd* Elektrokardiogramm *n* (*abr* EKG); **~cuter** [-kyte] (*1a*) durch e-n elektrischen Schlag töten; **~ménager** [-menaʒe] *appareils m/pl* **~s** elektrische Haushaltsgeräte *n/pl*

électronic|ien, ~ienne [elɛktrɔnisjɛ̃, -jɛn] *m, f* Elektroniker(in) *m(f)*

électronique [elɛktrɔnik] **1.** *adj* elektronisch; **2.** *f* Elektronik *f*

électrophone [elɛktrɔfɔn] *m* Plattenspieler *m*

élég|ance [elegãs] *f* Eleganz *f*; **~ant, ~ante** [elegã, -ãt] elegant

élément [elemã] *m* Element *n*; *composante* Bestandteil *m*; **~s** *pl* rudiments Grundbegriffe *m/pl*

élémentaire [elemãtɛr] elementar, Grund...

éléphant [elefã] *m zo* Elefant *m*

élevage [elvaʒ] *m* Züchtung *f*, Zucht *f*; **~ (du bétail)** Viehzucht *f*; **~ en batterie** Massentierhaltung *f*

élévation [elevasjõ] *f* Erhebung *f*, Erhöhung *f* (*a fig*); *niveau*: Anstieg *m*

élève [elɛv] *m, f* Schüler(in) *m(f)*

élev|é, -ée [elve] hochgelegen; *prix:* hoch; *fig* erhaben; **bien ~** wohlerzogen; **mal ~** ungezogen; **-er** (1*d*) *v/t lever* (er)heben; *niveau:* erhöhen; *statue, bâtiment:* errichten; *enfants:* aufziehen; *animaux:* züchten; **s'~** *tour, cri:* sich erheben; *niveau:* ansteigen; **s'~ contre qn** gegen j-n auftreten; *frais:* **s'~ à** sich belaufen auf (*acc*); **-eur, -euse** *m, f* Viehzüchter(in) *m(f)*

éligible [eliʒibl] wählbar

élimé, -e [elime] abgetragen

élimin|atoire [eliminatwar] *f* Ausscheidungswettkampf *m;* **-er** (1*a*) *obstacle:* beseitigen, entfernen; *math, chim* eliminieren; *personne:* ausschalten; *sports:* **être éliminé** ausscheiden (müssen)

élire [elir] (4*x*) wählen

élite [elit] *f* Auslese *f,* Elite *f*

elle(s) [ɛl] *f/(pl)* sie

élocution [elɔkysjõ] *f* Sprech-, Redeweise *f*

éloge [elɔʒ] *m* Lob(rede) *n(f);* **faire l'~ de qn, qc** j-n loben, etw (*acc*) preisen

éloigné, -e [elwaɲe] fern, entfernt

éloign|ement [elwaɲmã] *m* Entfernung *f;* **-er** (1*a*) wegnehmen, entfernen; *temporel:* auf-, hinausschieben; **s'~** sich entfernen (*de* von); *amis:* sich entfremden

élongation [elõgasjõ] *f méd* Zerrung *f*

éloquence [elɔkãs] *f* Beredsamkeit *f*

éloqu|ent, -ente [elɔkã, -ãt] beredt

élu, -e 1. *p/p d'élire;* **2.** *m, f fig* Auserwählte(r) *f(m); pol* Abgeordnete(r) *m, f*

élucider [elyside] (1*a*) (auf)klären

élucubrations [elykybrasjõ] *f/pl* Hirngespinste *n/pl*

éluder [elyde] (1*a*) *fig* umgehen

émacié, -e [emasje] abgezehrt

émail [emaj] *m (pl émaux)* Email *n; dents:* Zahnschmelz *m*

émancip|ation [emãsipasjõ] *f* Befreiung *f; rôle social:* Emanzipation *f;* **-er** (1*a*) *v/t* befreien; **s'~** sich frei machen; *rôle social:* sich emanzipieren

émaner [emane] (1*a*) *chaleur, lumière:* ausgehen (*de* von); *fig* herrühren (*de* von)

emball|age [ãbalaʒ] *m* Verpackung *f;* **~ sous vide** Vakuumverpackung *f;*

(1*a*) ein-, verpacken; F *fig* begeistern; **s'~** *moteur:* aufheulen; F *fig* sich begeistern

embarca|dère [ãbarkadɛr] *m mar* Anlegestelle *f;* **-tion** *f* (kleines) Boot *n*

embargo [ãbargo] *m* Embargo *n,* Handelssperre *f*

embarqu|ement [ãbarkəmã] *m cargaison:* Verschiffung *f,* Verladung *f; passagers:* Anbordgehen *n,* Einsteigen *n;* **-er** (1*m*) *v/t* einschiffen; *v/i od* **s'~** an Bord gehen; F **s'~ dans** sich einlassen auf, in (*acc*)

embarras [ãbara] *m* schwierige Lage *f,* Notlage *f; gêne* Verlegenheit *f,* Verwirrung *f;* **~ d'argent** Geldverlegenheit *f,* -klemme *f;* **faire des ~** Umstände machen

embarrass|ant, -ante [ãbarasã, -ãt] peinlich; **-é,** *être troublé* verlegen, betreten; **-er** (1*a*) *être incommodé* behindern, stören; *troubler* in Verlegenheit bringen

embauch|age [ãboʃaʒ] *m* An-, Einstellung *f;* **-er** (1*a*) an-, einstellen

embaumer [ãbome] (1*a*) *corps:* einbalsamieren; *lieu:* mit Duft erfüllen; **~ la lavande** nach Lavendel duften

embellir [ãbelir] (1*a*) *v/t* verschönern; *v/i* schöner werden

embêt|ant, -ante [ãbɛtã, -ãt] F *ennuyeux* langweilig; *contrariant* ärgerlich; **-ement** [-mã] F *m* Ärger *m;* **-er** (1*a*) *ennuyer* langweilen; *agacer* ärgern; **s'~** sich langweilen

emblée [ãble] **d'~** sofort, ohne weiteres

emblème [ãblɛm] *m* Sinnbild *n,* Emblem *n*

emboîter [ãbwate] (1*a*) ineinander fügen; **~ le pas à qn** j-m auf dem Fuße folgen

embonpoint [ãbõpwɛ̃] *m* Körperfülle *f*

embouchure [ãbuʃyr] *f géogr* Mündung *f; mus* Mundstück *n*

embourber [ãburbe] (1*a*) **s'~** im Morast stecken bleiben

embouteill|age [ãbutɛjaʒ] *m* Verkehrsstau *f;* **-er** (1*b*) *rue:* verstopfen

emboutir [ãbutir] (2*a*) eindrücken, zerbeulen

embranchement [ãbrãʃmã] *m* Ab-, Verzweigung *f*

embrasser [ãbrase] (1*a*) küssen; *étreindre* umarmen; *période, thème:*

umfassen; *st/s métier*: ergreifen; **~ du regard** überblicken

embrasure [ɑ̃brazyr] *f* Tür-, Fensteröffnung *f*

embrayage [ɑ̃brejaʒ] *m auto* Kupplung *f*

embrouiller [ɑ̃bruje] (*1a*) *choses*: durcheinander bringen; *personne*: verwirren; **s'~** sich nicht mehr zurechtfinden

embruns [ɑ̃brɛ̃, -œ̃] *m/pl mar* Gischt *f*

embryon [ɑ̃brijɔ̃] *m* Embryo *m*

embûches [ɑ̃byʃ] *f/pl fig* Fallen *f/pl*, Fallstricke *m/pl*

embuer [ɑ̃bɥe] (*1a*) *vitre*: beschlagen

embuscade [ɑ̃byskad] *f* Hinterhalt *m*

éméché, ~e [emeʃe] F beschwipst

émeraude [emrod] **1.** *f* Smaragd *m*; **2.** *adj* smaragden

émerger [emɛrʒe] (*1l*) auftauchen

émeri [emri] *m* Schmirgel *m*; **papier (d')~** Schmirgelpapier *n*

émerveiller [emɛrveje] (*1a*) in Verwunderung versetzen; **s'~** staunen (**de** über)

émetteur [emɛtœr] *m radio*: Sender *m*

émettre [emɛtr] (*4p*) *radiations*: aussenden; *radio, tél, TV*: ausstrahlen, senden; *opinion*: äußern; *comm action*: ausgeben; *emprunt*: auflegen; **~ sur ondes courtes** auf Kurzwelle senden

émeute [emøt] *f* Aufruhr *m*

émietter [emjete] (*1b*) zerkrümeln

émigration [emigrasjɔ̃] *f* Auswanderung *f*, Emigration *f*

émigr|é, ~ée [emigre] *m, f* Emigrant(in) *m(f)*; **~er** (*1a*) auswandern, emigrieren

émin|ence [eminɑ̃s] *f* **1.** *colline* Anhöhe *f*; **2.** ♀ Eminenz *f*; **~ent, ~ente** [-ɑ̃, -ɑ̃t] hervorragend, außerordentlich

émiss|aire [emiser] *m* Geheimbote *m*; **~ion** *f* Ausstrahlen *n*; *radio, TV, tél*: Sendung *f*; *comm* Ausgabe *f*

emmagasiner [ɑ̃magazine] (*1a*) speichern, lagern

emmêler [ɑ̃mele] (*1a*) *fils*: verwirren; *fig* komplizieren, durcheinander bringen

emménager [ɑ̃menaʒe] (*1l*) **~ dans** einziehen in (*acc*)

emmener [ɑ̃mne] (*1d*) mitnehmen

emmerder [ɑ̃mɛrde] (*1a*) P **~ qn** j-n nerven, j-m auf den Geist od auf den Wecker gehen; P **s'~** sich zu Tode langweilen

emmitoufler [ɑ̃mitufle] (*1a*) einmumme(l)n; **s'~** sich einmumme(l)n

émoi [emwa] *m* Aufregung *f*

émoluments [emɔlymɑ̃] *m/pl* Dienstbezüge *m/pl*, Gehalt *n*

émoticon [emɔtikɔn] *m EDV* Emoticon *n*

émot|if, ~ive [emɔtif, -iv] Gefühls...; *personne*: überempfindlich

émotion [emɔsjɔ̃] *f* Auf-, Erregung *f*, Emotion *f*; *attendrissement* Rührung *f*

émousser [emuse] (*1a*) stumpf machen; *fig* abstumpfen

émouvoir [emuvwar] (*3d*) *toucher* ergreifen, rühren, bewegen; **s'~** sich erregen; gerührt sein

empailler [ɑ̃paje] (*1a*) *animal*: ausstopfen

empaqueter [ɑ̃pakte] (*1c*) einpacken

emparer [ɑ̃pare] (*1a*) **s'~ de qc** sich e-r Sache (*gén*) bemächtigen; *doute, peur*: **s'~ de qn** j-n überkommen, überfallen

empâter [ɑ̃pɑte] (*1a*) **s'~** dicker werden

empêchement [ɑ̃peʃmɑ̃] *m* Hindernis *n*, Hinderungsgrund *m*

empêcher [ɑ̃peʃe] (*1b*) hindern; **~ qc** etw verhindern; **~ qn de faire qc** j-n daran hindern, etw zu tun; **~ que** (+ *subj*) verhindern, dass; (*il*) **n'empêche que** trotzdem, und doch; **ne** (**pas**) **pouvoir s'~ de faire qc** nicht umhinkönnen, etw zu tun tun, etw unbedingt tun müssen

empereur [ɑ̃prœr] *m* Kaiser *m*

empeser [ɑ̃pəze] (*1d*) *linge*: stärken

empester [ɑ̃peste] (*1a*) verpesten; stinken (**qc** nach etw)

empêtrer [ɑ̃petre] (*1b*) **s'~ dans** sich verwickeln in (*dat*)

emphase [ɑ̃faz] *f* Pathos *n*, Emphase *f*

empiéter [ɑ̃pjete] (*1f*) **~ sur** vordringen in (*acc*); übergreifen auf (*acc*)

empiffrer [ɑ̃pifre] (*1a*) F **s'~** sich voll stopfen, sich den Bauch voll schlagen

empiler [ɑ̃pile] (*1a*) aufstapeln

empire [ɑ̃pir] *m* Reich *n*, Kaiserreich *n*; *fig* Einfluss *m*

empirer [ɑ̃pire] (*1a*) *v/i* sich verschlechtern, verschlimmern

empirique [ɑ̃pirik] empirisch

emplacement [ɑ̃plasmɑ̃] *m* Platz *m*, Stelle *f*, Ort *m*

emplette [ɑ̃plet] *f* Einkauf *m*; **faire des ~s** einkaufen emplir [ãplir] *(2a) st/s v/t* füllen; *s'~* sich füllen (*de* mit)

emploi [ãplwa] *m* **1.** *utilisation* Gebrauch *m*, Verwendung *f*; *~ du temps* Zeit~, Stundenplan *m*; **2.** *écon* Beschäftigung *f*, Anstellung *f*, Arbeitsplatz *m*; *plein ~* Vollbeschäftigung *f*

employ|é, *~ée* [ãplwaje] *m, f* Angestellte(r) *m, f*; *~er (1h)* verwenden, gebrauchen; *personnel:* beschäftigen; *s'~ à faire qc* sich bemühen, etw zu tun; *~eur m* Arbeitgeber *m*

empocher [ãpɔʃe] *(1a)* in die Tasche stecken

empoigner [ãpwaɲe] *(1a)* ergreifen, packen

empoisonner [ãpwazɔne] *(1a)* vergiften

emporter [ãpɔrte] *(1a)* mitnehmen; *prisonnier, blessé:* wegbringen; *courant, tempête:* fortreißen; *entraîner* mitreißen; *arracher* wegreißen; *maladie:* hinwegraffen; *l'~* den Sieg davontragen; sich durchsetzen; *l'~ sur qn, qc* die Oberhand gewinnen über j-n, etw; *s'~* (zornig) aufbrausen

empreinte [ãprɛ̃t] *f* Abdruck *m*; *fig* Gepräge *n*; *~ digitale* Fingerabdruck *m*

empress|ement [ãpresmã] *m* Eifer *m*; *~er (1b) s'~ de faire qc* sich beeilen, etw zu tun; *s'~ auprès de qn* sich um j-n bemühen

emprise [ãpriz] *f* Einfluss *m*, Macht *f*

emprisonn|ement [ãprizɔnmã] *m* Haft (-strafe) *f*; *~er (1a)* einsperren

emprunt [ãprɛ̃, -œ̃] *m somme empruntée* entliehenes Geld *n*; *comm* Anleihe *f*, Darlehen *n*

emprunt|é, *~ée* [ãprɛ̃te, -prœ̃-] *adj* unbeholfen; *~er (1a)* **1.** *~ qc à qn* sich etw von j-m leihen, borgen; *comm ~ de l'argent* Geld aufnehmen; **2.** *chemin, escalier:* benutzen

ému, *~e* [emy] *p/p* d'émouvoir *u adj* gerührt, ergriffen

émulation [emylasjɔ̃] *f* Wetteifer *m*

en¹ [ã] *prép* **1.** *lieu:* in (*dat*); *direction:* in (*acc*) *od pays:* nach; *~ France* in, nach Frankreich; *~ ville* in der Stadt; **2.** *temps:* *~ 1789* (*~ l'an 1789*) im Jahre 1789; *~ été* im Sommer; *~ 15 jours* binnen, innerhalb von 14 Tagen; *avec gérondif (souvent avec tout):* *~ mangeant* beim Essen; **3.** *mode:* *agir ~ ami*

als Freund handeln; *~ cercle* im Kreis; *~ vente* zum Verkauf; **4.** *français od* französisch; *avec gérondif* *~ forgeant* durch das Schmieden, indem man schmiedet; *~ voiture, avion* mit dem Wagen, Flugzeug; **4.** *matière:* aus; *~ or* aus Gold; **5.** *après verbes, adj u subst:* *croire ~ Dieu* an Gott glauben; *riche ~ qc* reich an etw (*dat*); *avoir confiance ~ qn* Vertrauen zu j-m haben

en² [ã] *adv u pron* **1.** *provenance:* *j'~ viens* ich komme von dort; **2.** *fig:* *qu'~ pensez-vous?* was halten Sie davon?; *c'~ est fait* es ist geschehen, es ist aus damit; *qu'~ dites-vous?* was sagen Sie dazu?; **3.** *il y ~ a deux* es sind (*ihrer*) zwei; *il n'y ~ a plus* es sind keine mehr da; *j'~ ai* ich habe welche; *j'~ ai cinq* ich habe fünf (davon); *qui ~ est le propriétaire?* wer ist sein (*od* der) Besitzer?; **4.** *cause:* *je n'~ suis pas plus heureux* ich bin darum nicht glücklicher; *il ~ est mort* er ist daran gestorben

encadrer [ãkadre] *(1a)* *tableau:* einrahmen; *fig* umrahmen; *personne:* flankieren

encaisse [ãkɛs] *f* Kassenbestand *m*; *~er (1b) comm* einkassieren; *chèque:* einlösen; *fig* einstecken, hinnehmen (müssen)

en-cas [ãka] *m (pl unv)* *cuis* kalter Imbiss *m*

encastrer [ãkastre] *(1a)* *tech* einpassen, einfügen, einbauen

encaustique [ãkostik] *f* Bohnerwachs *n*

enceinte¹ [ãsɛ̃t] schwanger

enceinte² [ãsɛ̃t] *f mur* Ringmauer *f*, Umwallung *f*; *espace fermé* Bereich *m*; *~ (acoustique)* Lautsprecherbox *f*

encens [ãsã] *m* Weihrauch *m*

encens|er [ãsãse] *(1a)* beweihräuchern; *~oir* [-war] *m* Weihrauchgefäß *n*

encéphalite *f* **spongiforme bovine (ESB)** Rinderwahn(sinn) *m* (BSE)

encercl|ement [ãserklɔmã] *m* Einkreisung *f*; *~er (1a)* einkreisen, umzingeln

enchaîn|ement [ãʃɛnmã] *m* Verkettung *f*; *rapport* Zusammenhang *m*; *~er (1b) chien:* anketten; *prisonnier:* fesseln; *fig pensées, faits:* verknüpfen, verbinden

enchant|é, ~ée [ãʃãte] entzückt; **~!** sehr erfreut!; **~ement** [-mã] *m* Entzücken *n*; *magie* Zauber *m*; **~er** (*1a*) ravir entzücken; *ensorceler* bezaubern

enchère [ãʃɛr] *f* höheres Angebot *n*; **vente** *f* **aux ~s** Versteigerung *f*, Auktion *f*; **mettre (vendre) aux ~s** versteigern

enchérir [ãʃerir] (*2a*) **~ sur qn** mehr bieten als j

enchevêtrer [ãʃ(ə)vɛtre] (*1b*) *f* durcheinander bringen, verwirren

enclave [ãklav] *f* Enklave *f*

enclencher [ãklãʃe] (*1a*) in Gang setzen

encl|in, ~ine [ãklɛ̃, -in] **être ~ à** neigen zu

enclos [ãklo] *m* umzäunter Platz *m*

enclume [ãklym] *f* Amboss *m*

encoche [ãkɔʃ] *f* Kerbe *f*

encoller [ãkɔle] (*1a*) leimen

encolure [ãkɔlyr] *f* Hals *m* (*bei Tieren*); *tour de cou* Kragenweite *f*

encombr|ant, ~ante [ãkõbrã, -ãt] sperrig; *fig* lästig; **~ement** [-əmã] *m* Gedränge *n*; *trafic*: Verkehrsstau(ung) *m(f)*; **~er** (*1a*) *rue, passage*: versperren; *rue*: verstopfen; *classe, marché*: überfüllen; **s'~ de** sich belasten mit

encontre [ãkõtra] **à l'~ de** im Gegensatz zu, entgegen

encorbellement [ãkɔrbelmã] *m arch* Erker *m*

encore [ãkɔr] **1.** *adv* (immer) noch; *de nouveau* nochmals, wieder; *restriction, avec inversion*: allerdings, freilich; **2.** *conj* **~ que** (+ *subj*) obgleich

encourager [ãkuraʒe] (*1l*) ermutigen; *projet, entreprise*: fördern

encourir [ãkurir] (*2i*) *litt* **~ qc** sich (*dat*) etw zuziehen

encrasser [ãkrase] (*1a*) verschmutzen

encr|e [ãkra] *f* Tinte *f*; **~ier** [-ije] *m* Tintenfass *n*

encroûter [ãkrute] **s'~** *fig* abstumpfen

encyclopédie [ãsiklɔpedi] *f* Enzyklopädie *f*

endetter [ãdɛte] (*1b*) **s'~** Schulden machen

endiable, ~e [ãdjable] *fig* leidenschaftlich, wild

endiguer [ãdige] (*1m*) eindeichen

endimanché, ~e [ãdimãʃe] im Sonntagsstaat

endive [ãdiv] *f bot, cuis* Chicorée *f*

endoctriner [ãdɔktrine] (*1a*) indoktrinieren

endommager [ãdɔmaʒe] (*1l*) beschädigen

endorm|i, ~ie [ãdɔrmi] schläfrig; *fig* träge; **~ir** (*2b*) einschläfern; *douleur*: betäuben; **s'~** einschlafen

endosser [ãdose] (*1a*) *vêtement*: anziehen; *responsabilité*: auf sich (*acc*) nehmen; *chèque*: indossieren

endroit [ãdrwa] *m* **1.** *lieu* Ort *m*; *place* Platz *m*; *d'un objet, du corps*: Stelle *f*; **2.** *étoffe*: rechte Seite *f*

enduire [ãdɥir] (*4c*) be-, überstreichen (**de** mit)

enduit [ãdɥi] *m* Überzug *m*

endurance [ãdyrãs] *f* Ausdauer *f*

endurc|ir [ãdyrsir] (*2a*) abhärten; *fig* abstumpfen; **~issement** [-ismã] *m* Abstumpfung *f*; *du cœur*: Verhärtung *f*

endurer [ãdyre] (*1a*) ertragen

énerg|étique [enɛrʒetik] Energie...; **~ie** [-i] *f* Energie *f*; *personne*: Tatkraft *f*, Energie *f*; **~ique** energisch, tatkräftig

énerv|ant, ~ante [enɛrvã, -ãt] nervenaufreibend; **~é, ~ée** agacé erregt; *agité* nervös; **~er** (*1a*) *v/t* agacer erregen; *agiter* nervös machen; **s'~** sich aufregen

enfance [ãfãs] *f* Kindheit *f*

enfant [ãfã] *m od f* Kind *n*

enfant|illage [ãfãtijaʒ] *m* Kinderei *f*; **~in, ~ine** kindlich; *puéril* kindisch; *très simple* kinderleicht

enfer [ãfɛr] *m* Hölle *f* (*a fig*)

enfermer [ãfɛrme] (*1a*) einschließen, einsperren; **s'~** sich einschließen

enfiler [ãfile] (*1a*) *aiguille*: einfädeln; *perles*: aufreihen; *vêtement*: hineinschlüpfen in (*acc*); *rue*: rasch einbiegen in (*acc*)

enfin [ãfɛ̃] *finalement* endlich, schließlich; *bref* kurz gesagt; **~, on verra** nun, wir werden ja sehen

enflammer [ãflame] (*1a*) anzünden; *méd* entzünden; *fig* entflammen, begeistern; **s'~** Feuer fangen (*a fig*); *méd* sich entzünden

enfl|er [ãfle] (*1a*) *membre*: anschwellen; **~ure** [-yr] *f* Schwellung *f*

enfoncer [ãfõse] (*1k*) **1.** *clou*: einschlagen (**dans** in *acc*); *porte*: eindrücken, einschlagen, aufbrechen; *pieu*: einrammen; **2.** *vase, sable*: einsinken; **s'~** untergehen, versinken; *avancer* vordringen (**dans** in *acc*)

enfouir [ãfwir] (*2a*) vergraben

enfourcher [ãfurʃe] (*1a*) *cheval, bicyclette*: besteigen

enfourner [ãfurne] (*1a*) in den Ofen schieben; F *fig* avaler verschlingen

enfreindre [ãfrɛ̃drə] (*4b*) übertreten, zuwiderhandeln (*dat*)

enfuir [ãfɥir] (*2d*) **s'~** (ent)fliehen

engagé, ~e [ãgaʒe] **1.** *adj* engagiert; **2.** *m mil* Freiwillige(r) *m*

engagement [ãgaʒmã] *m personnel*: An-, Einstellung *f*; *obligation* Verpflichtung *f*; *théâtre*: Engagement *n*; *mise en gage* Verpfändung *f*

engager [ãgaʒe] (*1l*) *lier* verpflichten (**à qc** zu etw); *personnel*: einstellen; *tech* faire entrer einfügen, einführen; *bataille, discussion*: *commencer* beginnen; *entraîner* verwickeln (**dans** in *acc*); **~ qn à faire qc** j-n veranlassen, etw zu tun; **s'~** se lier sich verpflichten (**à faire qc** etw zu tun); *s'amorcer* beginnen; *mil* sich freiwillig melden; **s'~ dans qc** sich auf etw (*acc*) einlassen; **s'~ dans une rue** in e-e Straße einbiegen

engelure [ãʒlyr] *f* Frostbeule *f*

engendrer [ãʒãdre] (*1a*) *fig* verursachen, erzeugen

engin [ãʒɛ̃] *m* Gerät *n*; *mil* Rakete *f*; F *péj* Ding *n*

englober [ãglɔbe] (*1a*) umfassen

engloutir [ãglutir] (*2a*) verschlingen

engorger [ãgɔrʒe] (*1l*) verstopfen

engouement [ãgumã] *m* Begeisterung *f*, Schwärmerei *f*

engouffrer [ãgufre] (*1a*) verschlingen; **s'~ dans** eau, *fig* foule: sich ergießen in (*acc*)

engourdir [ãgurdir] (*2a*) gefühllos machen; **s'~** gefühllos werden

engrais [ãgrɛ] *m* Dünger *m*, Dung *m*

engraisser [ãgrɛse] (*1b*) *bétail*: mästen

engrenage [ãgrənaʒ] *m tech* Getriebe *n*

engueuler [ãgœle] P (*1a*) anschnauzen

énigmatique [enigmatik] rätselhaft

énigme [enigmə] *f* Rätsel *n*

enivr|ement [ãnivrəmã] *m fig* Rausch *m*; **~er** (*1a*) berauschen; *fig* a betören; *fig* **s'~ de qc** in etw (*dat*) schwelgen

enjamb|ée [ãʒãbe] *f* (großer, langer)

Schritt *m*; **~er** (*1a*) überschreiten, -springen; *pont*: überspannen

enjeu [ãʒø] *m* (*pl* -x) Einsatz *m*

enjoindre [ãʒwɛ̃drə] (*4b*) **~ qc à qn** j-m etw einschärfen, ausdrücklich befehlen

enjoliv|er [ãʒɔlive] (*1a*) verzieren; **~eur** *m auto* Radkappe *f*

enjoué, ~e [ãʒwe] munter, heiter

enlacer [ãlase] (*1k*) umranken, umschlingen; *étreindre* umarmen

enlaidir [ãledir] (*2a*) verunstalten, verschandeln

enlèvement [ãlɛvmã] *m rapt* Entführung *f*

enlever [ãlve] (*1d*) *faire disparaître* entfernen, beseitigen; *emporter* mitnehmen, abtransportieren, wegschaffen; *déblais, ordures a*: abfahren; *vêtement*: ausziehen; *détourner* entführen; **~ qc à qn** j-m etw wegnehmen

enliser [ãlize] (*1a*) **s'~** versinken

enluminure [ãlyminyr] *f* Buch-, Miniaturmalerei *f*

enneig|é, ~ée [ãneʒe] verschneit

ennemi, ~e [ɛnmi] **1.** *m, f* Feind(in) *m*(*f*); **2.** *adj* feindlich

ennoblir [ãnɔblir] (*2a*) adeln (*fig*)

ennui [ãnɥi] *m* **1.** Langeweile *f*; **2.** *le plus souvent au pl* **~s** Ärger *m*, Unannehmlichkeiten *f/pl*, Verdruss *m*

ennuyer [ãnɥije] (*1h*) énerver ärgern, auf die Nerven fallen (**qn** j-m); *lasser* langweilen; *inquiéter* beunruhigen; **s'~** sich langweilen

ennuy|eux, ~euse [ãnɥijø, -øz] *désagréable* lästig, unangenehm; *monotone* langweilig

énonc|é [enõse] *m* Wortlaut *m*; **~er** (*1k*) ausdrücken

enorgueillir [ãnɔrgœjir] (*2a*) **s'~ de qc** auf etw (*acc*) stolz sein

énorm|e [enɔrm] enorm, gewaltig; **~ément** [-emã] *adv* enorm, gewaltig; F **~ de** ungeheuer viel(e)

enquérir [ãkerir] (*2l*) *st/s* **s'~ de** sich erkundigen nach

enquête [ãkɛt] *f* Untersuchung *f*; *sondage d'opinion* Umfrage *f*, Befragung *f*; Erhebung *f*; *jur* Ermittlungen *f/pl*, Beweisaufnahme *f*

enraciné, ~e [ãrasine] tief verwurzelt

enragé, ~e [ãraʒe] *méd* tollwütig; *fig* fanatisch

enrayer [ãreje] (*1i*) aufhalten, stoppen

enregistr|ement [ārəʒistrəmā] *m ad-ministration*: Eintragung *f*, Registrierung *f*; *disques*: Aufnahme *f*; *avion*: Einchecken *n*; **~ des bagages** Gepäckaufgabe *f*, -annahme *f*; **~er** *(1a)* eintragen, registrieren; *disques*: aufnehmen; **faire ~ bagages**: aufgeben

enrhum|é, ~ée [āryme] verschnupft, erkältet; **~er** *(1a)* **s'~** sich e-n Schnupfen holen, sich erkälten

enrichir [āriʃir] *(2a)* reich machen; *esprit, collection*: bereichern; **s'~** reich werden; *péj* sich bereichern

enroul|é, ~ée [ārwe] heiser; **~er** *(1a)* **s'~** heiser werden

enrouler [ārule] *(1a) tapis*: zusammenrollen; *fil*: aufwickeln; **~ qc autour de** etw wickeln um

ensanglanter [āsāglāte] *(1a)* mit Blut beflecken

enseign|ant, ~ante [āsɛɲā, -āt] *m, f* Lehrkraft *f*, Lehrer(in) *m(f)*

enseigne [āsɛɲ] *f* (Laden-, Firmen-)Schild *n*; **~ lumineuse** Lichtreklame *f*

enseign|ement [āsɛɲmā] *m* Unterricht *m*; *institution*: Unterrichts-, Schulwesen *n*; **~er** *(1a)* **~ qc à qn** j-n etw lehren, j-n in etw unterrichten, j-m etw beibringen; **~ le français** Französisch unterrichten

ensemble [āsāblə] **1.** *adv* zusammen, miteinander; *simultanément* gleichzeitig; **aller ~** zueinander passen; **2.** *m totalité* Ganze(s) *n*, Gesamtheit *f*; *groupe* Komplex *m*; *mus, vêtement*: Ensemble *n*; *math* Menge *f*; **dans l'~** insgesamt, im Ganzen; **vue f d'~** Gesamtsicht *f*, Übersicht *f*; **plan m d'~** Übersichtsplan *m*

enserrer [āsere] *(1b)* umschließen

ensevelir [āsəvlir] *(2a)* begraben

ensoleillé, ~e [āsɔleje] sonnig

ensommeillé, ~e [āsɔmeje] verschlafen

ensorceler [āsɔrsəle] *(1c)* behexen; *fig fasciner* bezaubern, betören

ensuite [āsɥit] *adv* darauf, dann

ensuivre [āsɥivrə] *(4h)* **s'~** sich ergeben *(de* aus)

entailler [ātaje] *(1a)* einkerben

entamer [ātame] *(1a) pain*: anschneiden; *bouteille*: anbrechen; *tonneau*: anzapfen; *fig* anfangen, beginnen; *négociations*: aufnehmen;

conversation: anknüpfen; *travail*: sich machen an *(acc)*, in Angriff nehmen

entasser [ātase] *(1a) choses*: auf-, anhäufen; *personnes*: zusammenpferchen

entendre [ātādrə] *(4a)* hören; *témoins*: verhören; *comprendre* verstehen; *vouloir dire* meinen; *st/s* beabsichtigen **(faire qc** etw zu tun); **~ que** (+ *subj*) erwarten, dass; **laisser** *od* **faire ~** zu verstehen geben; **s'~** sich verstehen; **s'~ avec qn** gut mit j-m auskommen; *se mettre d'accord* sich mit j-m einigen, verständigen; **s'~ à qc** sich auf etw *(acc)* verstehen; **cela s'entend** selbstverständlich, das ist klar

entendu, ~e [ātādy] abgemacht; **bien ~** natürlich, selbstverständlich

entente [ātāt] *f accord* Einvernehmen *n*; Vereinbarung *f*, Absprache *f*, Übereinkunft *f*; *écon* Kartell *n*; *pol* Bündnis *n*, Abkommen *n*

enterr|ement [ātermā] *m* Beerdigung *f*; **~er** *(1b) personne*: bestatten, beerdigen; *chose*: ein-, vergraben

en-tête [ātɛt] *m (pl en-têtes) journal*: Kopf *m*; *lettre*: Briefkopf *m*

entêt|é, ~ée [ātete] eigensinnig, starrköpfig; **~ement** [-mā] *m* Eigensinn *m*; **~er** *(1b)* **s'~** eigensinnig werden; **s'~ dans** sich versteifen auf *(acc)*; **s'~ à faire qc** sich darauf versteifen, etw zu tun

enthousias|me [ātuzjasmə] *m* Begeisterung *f*; **~mer** *(1a)* begeistern; **s'~ pour** sich begeistern für; **~te** [-t] begeistert, enthusiastisch

enticher [ātiʃe] *(1a)* **s'~ de** sich vernarren in *(acc)*

ent|ier, ~ière [ātje, -jer] ganz, vollständig; *caractère*: geradlinig; **en entier** ganz; **lait m entier** Vollmilch *f*

entité [ātite] *f* Wesen(heit) *n(f)*

entonner [ātɔne] *(1a) chanson*: anstimmen

entonnoir [ātɔnwar] *m* Trichter *m*

entorse [ātɔrs] *f méd* Verstauchung *f*; *fig* **faire une ~ à** verstoßen gegen

entortiller [ātɔrtije] *(1a) envelopper* einwickeln; **~ qc autour de** etw schlingen um

entour|age [āturaʒ] *m* Umgebung *f*; **~er** *(1a)* **~ de** umgeben, umringen mit

entracte [ātrakt] *m* Pause *f*

entraid|e [ātred] *f* gegenseitige Hilfe *f*;

~er (1b) **s'~** einander (dat) beistehen

entrailles [ātraj] f/pl Eingeweide pl

entrain [ātrɛ̃] m Schwung m, Begeisterung f

entraîne|ment [ātrɛnmɑ̃] m 1. sports: Training m; 2. tech Antrieb m; **~er** (1b) 1. charrier, emporter mit sich fortreißen; fig conséquences: nach sich ziehen; personne: mitreißen, begeistern; tech antreiben; impliquer mit sich bringen; **~ qn à faire qc** j-n veranlassen, etw zu tun; 2. sports: trainieren; **s'~** trainieren; **~eur** m Trainer m

entrav|e [ātrav] f fig Hindernis n; **~er** (1a) hindern, hemmen

entre [ātr] temps et espace: zwischen (lieu: dat; mouvement: acc); fig **~ les mains de qn** in j-s Händen, in j-s Gewalt; 2. parmi unter (dat); **le meilleur d'~ nous** der Beste von uns; **~ autres** unter anderem; **~ nous** unter uns

entre|bâiller [ātrəbaje] (1a) halb öffnen; porte: anlehnen; **~choquer** [-ʃɔke] (1m) **s'~** aneinander stoßen; **~côte** [-kot] f Rippenstück n; **~couper** [-kupe] (1a) unterbrechen; **~croiser** [-krwaze] (1a) (**s'~** sich) kreuzen

entrée [ātre] f lieu d'accès Eingang m; véhicules: Einfahrt f; accès au théâtre, cinéma: Eintritt m; billet Eintrittskarte f; vestibule Vorraum m; cuis Vorspeise f; EDV Eingabe f; **d'~** von Anfang an

entrefilet [ātrəfile] m Pressenotiz f

entrelacer [ātrəlase] (1k) ineinander schlingen

entrelarder [ātrəlarde] (1a) spicken

entremêler [ātrəmele] (1b) **~ qc de** etw (ver)mischen mit

entre|mets [ātrəmɛ] m cuis Süßspeise f; **~mettre** [-mɛtrə] (4p) st/s **s'~** vermitteln; **~mise** [-miz] f **par l'~ de qn** durch j-s Vermittlung

entreposer [ātrəpoze] (1a) (ein)lagern

entrepôt [ātrəpo] m Lager(haus) n

entrepren|ant, ~ante [ātrəprənā, -āt] unternehmungslustig

entre|prendre [ātrəprādrə] (4q) unternehmen; **~preneur** [-prənœr] m Unternehmer m; **~prise** [-priz] f Unternehmen n

entrer [ātre] (1a) 1. v/i personne: eintreten, hereinkommen, hineingehen;

véhicule: hinein-, hereinfahren; train: einfahren; bateau: eindringen; chose: eindringen; **~ dans** être une composante de ein Bestandteil sein von; personne: eintreten in (acc); faire **~** visiteur: hereinbitten; **~ dans un métier** sich e-m Beruf zuwenden; 2. v/t hinein-, hereinbringen

entresol [ātrəsɔl] m Zwischenstock m, -geschoss n

entre-temps [ātrtā] inzwischen

entretenir [ātrətnir] (2h) unterhalten; relations: a pflegen, aufrechterhalten; bâtiment: instandhalten; auto, machine: warten, pflegen; **s'~ de qc** sich über etw unterhalten

entretien [ātrətjɛ̃] m Unterhalt m; conversation Unterhaltung f, Unterredung f; bâtiment: Instandhaltung f

entre|voir [ātrəvwar] (3b) undeutlich od flüchtig sehen; fig ahnen; **~vue** [-vy] f Unterredung f, Gespräch n

entrouv|rir [ātruvrir] (2f) halb od ein wenig öffnen

énumér|ation [enymerasjɔ̃] f Aufzählung f; **~er** (1f) aufzählen

envah|ir [āvair] (2a) einfallen, -dringen (qc in etw); assaillir überfallen; eaux: überschwemmen; sentiment: überkommen; **~issant, ~issante** [-isā, -isāt] aufdringlich; **~isseur** [-isœr] m Eindringling m

envelopp|e [āvlɔp] f lettre: (Brief-) Umschlag m; étui, gaine Hülle f; pneu: Mantel m, Decke f; **~er** (1a) einwickeln, -hüllen

envenimer [āvnime] (1a) vergiften (a fig)

envergure [āvɛrgyr] f oiseau, avion: Spannweite f; personne: Kaliber n, Format n; entreprise: Ausmaß n, Umfang m

envers [āvɛr] 1. prép gegenüber (dat); 2. m feuille: Rückseite f; étoffe: linke Seite f; fig Kehrseite f; **à l'~** umgekehrt, verkehrt herum

enviable [āvjablə] beneidenswert

envie [āvi] f Neid m; désir Lust f (de auf); besoin Bedürfnis m; **avoir ~ de qc** Lust auf etw (acc) haben; **avoir ~ de faire qc** Lust haben, etw zu tun

envi|er [āvje] (1a) beneiden (qc à qn j-n um etw); **~eux, ~euse** [-ø, -øz] neidisch

environ [āvirɔ̃] adv ungefähr, etwa,

zirka; **~s** *m/pl* Umgebung *f*; **aux ~ de** in der Nähe von

environn|ement [ãvirɔnmã] *m* Umwelt *f*; **~er** (*1a*) umgeben; **s'~ de personnes** Leute um sich scharen

envisager [ãvizaʒe] (*1l*) ins Auge fassen; **~ de faire qc** beabsichtigen, etw zu tun

envoi [ãvwa] *m* Sendung *f*

envoler [ãvɔle] (*1a*) **s'~** davonfliegen; *avion*: starten (**pour** nach); *fig temps*: entschwinden

envoûter [ãvute] (*1a*) bezaubern

envoyé [ãvwaje] *m* (Ab-)Gesandte(r) *m*; **~ spécial** Sonderberichterstatter *m*; **~er** (*1p*) schicken; *ballon, projectile*: werfen; **~ chercher** holen lassen

épagneul [epaɲœl] *m zo* Spaniel *m*

épais, épaisse [epɛ, epɛs] dick; *forêt, foule*: dicht

épaisseur [epesœr] *f* Dicke *f*; *cheveux, brouillard, forêt*: Dichte *f*

épancher [epãʃe] (*1a*) *st/s* **s'~** sich aussprechen

épanou|ir [epanwir] (*2a*) **s'~** aufblühen (*a fig*); *se développer* sich entfalten; **~issement** [-ismã] *m* Aufblühen *n*; *développement* Entfaltung *f*

épargne [eparɲ] *f action*: Sparen *n*; **~s pl** *économies* Ersparnis *f*; **~-logement** *f* Bausparen *n*

épargner [eparɲe] (*1a*) sparen; *personne, choses*: schonend behandeln, verschonen; **~ qc à qn** j-m etw ersparen; *v/i* sparen

éparpiller [eparpije] (*1a*) zerstreuen

épars, éparse [epar, epars] zerstreut

épat|ant, ~ante [epatã, -ãt] F toll, prima; **~er** (*1a*) verblüffen

épaul|e [epol] *f* Schulter *f*; **~er** (*1a*) *arme*: anlegen; *fig* unterstützen; **~ette** *f vêtement*: Schulterpolster *n*

épave [epav] *f* Wrack *n* (*a fig*)

épée [epe] *f* Schwert *n*

épeler [eple] (*1c*) buchstabieren

éperdu, ~e [eperdy] außer sich; *sentiment*: leidenschaftlich

éperon [eprõ] *m* Sporn *m*

éperonner [eprɔne] (*1a*) die Sporen geben (**un cheval** e-m Pferd); *fig* anspornen

épervier [epervje] *m zo* Sperber *m*

éphémère [efemɛr] *fig* vergänglich

épi [epi] *m* Ähre *f*; **~ de cheveux** Haarbüschel *n*; *auto* **stationnement** *m* **en ~** Schrägparken *n*

épice [epis] *f* Gewürz *n*

épicéa [episea] *m bot* Fichte *f*

épic|er [epise] (*1k*) würzen; **~erie** *f* Lebensmittelgeschäft *n*; **~ier, ~ière** [-je, -jɛr] *m*, *f* Lebensmittelhändler(in) *m(f)*

épidémie [epidemi] *f* Epidemie *f*, Seuche *f*

épier [epje] (*1a*) belauern, lauern auf; **~ l'occasion** die Gelegenheit abpassen

épiler [epile] (*1a*) enthaaren

épilogu|e [epilɔg] *m* Epilog *m*, Nachwort *n*; **~er** (*1m*) **~ sur** sich auslassen über

épinards [epinar] *m/pl* Spinat *m*

épine [epin] *f rose*: Dorn *m*; *hérisson*: Stachel *m*; **~ dorsale** Rückgrat *n*

épingl|e [epɛ̃gl] *f* Nadel *f*; **~ de sûreté** *od* **de nourrice** Sicherheitsnadel *f*; *fig* **tiré à quatre ~s** wie aus dem Ei gepellt; **~er** (*1a*) feststecken

Épiphanie [epifani] *f* Dreikönigsfest *n*

épique [epik] episch

épiscopal, ~e [episkɔpal] (*m/pl -aux*) bischöflich

épisode [epizɔd] *m* Episode *f*

épistolaire [epistɔlɛr] Brief..., brieflich

épitaphe [epitaf] *f* Grabinschrift *f*

épître [epitr] *f rel* Epistel *f*; *iron* Brief *m*

éploré, ~e [eplɔre] verweint

épluch|er [eplyʃe] (*1a*) schälen; *fig* genau prüfen; **~ures** [-yr] *f/pl* Schalen *f/pl*

épong|e [epõʒ] *f* Schwamm *m*; **~er** (*1l*) auf-, abwischen

épopée [epɔpe] *f* Epos *n*

époque [epɔk] *f* Zeit *f*; *histoire*: Epoche *f*; **meuble** *m* **d'~** Stilmöbel *n*

époumoner [epumɔne] (*1a*) **s'~** F sich heiser schreien; sich den Mund fusselig reden

épous|e [epuz] *f* Gattin *f*, Ehefrau *f*; **~er** (*1a*) heiraten (**qn** j-n); *intérêts*: vertreten; sich einsetzen für; *opinion*: sich anschließen (**qc** e-r Sache)

épousseter [epuste] (*1c*) abstauben

époustoufl|ant, ~ante [epustuflã, -ãt] F verblüffend, erstaunlich

épouvant|able [epuvãtabl] entsetzlich, grauenhaft, furchtbar; **~ail** [-aj] *m* (*pl -s*) Vogelscheuche *f*

épouvant|e [epuvã] *f* Entsetzen *n*, Grauen *n*; **film** *m* **d'~** Horrorfilm *m*;

~er [1a] entsetzen, erschrecken

époux [epu] *m* Gatte *m*, Ehemann *m*; **les ~** *pl* das Ehepaar *n*

éprendre [eprɑ̃drə] (4q) *st/s* **s'~ de** sich verlieben in (*acc*)

épreuve [eprœv] *f* Probe *f*, Prüfung *f*; *sports:* Wettkampf *m*; *imprimerie:* Fahne *f*; *photographie:* Abzug *m*; **à toute ~** unbedingt zuverlässig; **à l'~ de** *résistant* widerstandsfähig gegen; **mettre à l'~** auf die Probe stellen

éprouv|er [epruve] (1a) prüfen, erproben; *ressentir* empfinden, verspüren; *difficultés:* stoßen auf (*acc*); **~ette** [-ɛt] *f* Reagenzglas *n*

épuis|é, ~ée [epɥize] erschöpft; *tirage:* vergriffen; **~ement** [-mɑ̃] *m* Erschöpfung *f*; **~er** (1a) erschöpfen; **s'~** zu Ende gehen; *forces:* nachlassen; *malade:* schwächer werden **s'~ à faire qc** sich mit etw abmühen

épur|ation [epyrasjɔ̃] *f* Reinigung *f*; **station f d'~** Kläranlage *f*; **~er** (1a) reinigen

équateur [ekwatœr] *m* **1.** Äquator *m*; **2.** *m* **l'É** Ecuador *n*

équation [ekwasjɔ̃] *f math* Gleichung *f*

équerre [ekɛr] *f dessin:* Zeichendreieck *n*

équestre [ekɛstrə] **statue** *f* **~** Reiterstatue *f*

équilibr|e [ekilibrə] *m* Gleichgewicht *n* (*a fig*); **~é, ~ée** ausgeglichen; **~er** (1a) *stabiliser* ins Gleichgewicht bringen, ausbalancieren; *budget:* ausgleichen

équinoxe [ekinɔks] *m* Tagundnachtgleiche *f*

équipage [ekipaʒ] *m* Mannschaft *f*

équip|e [ekip] *f* Mannschaft *f*; *ouvriers:* Schicht *f*; *recherche:* Team *n*; **~ement** [-mɑ̃] *m* Ausrüstung *f*, -stattung *f*; **~er** (1a) ausstatten, -rüsten (*de* mit)

équitable [ekitablə] gerecht

équitation [ekitasjɔ̃] *f* Reiten *n*

équité [ekite] *f* Gerechtigkeit *f*

équival|ence [ekivalɑ̃s] *f* Gleichwertigkeit *f*; **~ent, ~ente** [-ɑ̃, -ɑ̃t] **1.** *adj* gleichwertig (*à* mit); **2.** *m* Äquivalent *n*, Entsprechung *f*; **~oir** (3h) **~ à** entsprechen (*dat*), gleichwertig sein mit

équivoque [ekivɔk] **1.** *adj* zweideutig; **2.** *f* Zweideutigkeit *f*

érable [erablə] *m bot* Ahorn *m*

érafler [erafle] (1a) *peau:* aufschürfen

ère [ɛr] *f* Ära *f*, Epoche *f*

érection [erɛksjɔ̃] *f* Errichtung *f*; *pénis:* Erektion *f*

éreinter [erɛ̃te] (1a) ermüden, erschöpfen; **s'~** sich abmühen, sich abrackern

ériger [eriʒe] (1l) auf-, errichten; **s'~ en** sich aufspielen als

ermitage [ɛrmitaʒ] *m* Einsiedelei *f*

ermite [ɛrmit] *m* Einsiedler *m*

érosion [erozjɔ̃] *f géol* Erosion *f*; *fig* Zerfall *m*

érot|ique [erɔtik] erotisch; **~isme** *m* Erotik *f*

err|ant, ~ante [ɛrɑ̃, -ɑ̃t] unstet; **~ata** [-ata] *m* Druckfehlerverzeichnis *n*; **~er** (1b) umherirren; *pensées:* schweifen; **~eur** *f* Irrtum *m*; *calcul:* Fehler *m*; **par ~** irrtümlich; **~oné, ~onée** [-ɔne] falsch, irrig

érud|it, ~ite [erydi, -it] gelehrt; **~ition** *f* Gelehrsamkeit *f*

éruption [erypsjɔ̃] *f* Ausbruch *m*; *méd* Ausschlag *m*

ès [ɛs] *prép* **docteur** *m* **~ lettres** Dr. phil.

escabeau [ɛskabo] *m* (*pl* -x) Hocker *m*

escadr|e [ɛskadrə] *f mil* Geschwader *n*; **~ille** [-ij] *f aviat* Staffel *f*; **~on** *m* Schwadron *f*

escalad|e [ɛskalad] *f* Ersteigen *n*, Besteigung *f*; *mil u fig* Eskalation *f*; Zuspitzung *f*, Verschärfung *f*; **~er** (1a) ersteigen

escale [ɛskal] *f* Zwischenstation *f*; **faire ~ à** *mar* anlaufen; *aviat* zwischenlanden in

escalier [ɛskalje] *m* Treppe *f*; **dans l'~** auf der Treppe; **~ roulant** Rolltreppe *f*

escalope [ɛskalɔp] *f* Schnitzel *n*

escamot|able [ɛskamɔtablə] einziehbar; **~er** (1a) verschwinden lassen, wegzaubern; *fig difficulté:* umgehen

escapade [ɛskapad] *f* Eskapade *f*

escargot [ɛskargo] *m* Schnecke *f*

escarmouche [ɛskarmuʃ] *f mil* Scharmützel *n*; *fig* Geplänkel *n*

escarp|é, ~ée [ɛskarpe] schroff, steil; **~ement** [-əmɑ̃] *m* Steilhang *m*

escarpin [ɛskarpɛ̃] *m* Pumps *m*

escient [ɛsjɑ̃] *m* **à bon ~** überlegt

esclandre [ɛsklɑ̃drə] *m* Szene *f*, Skandal *m*

esclavage [ɛsklavaʒ] *m* Sklaverei *f*

esclave [ɛsklav] *m, f* Sklave *m*, Sklavin *f*

escompt|e [ɛskõt] *m écon* Diskont *m*; *comm* Skonto *m od n*; **~er** (*1a*) diskontieren; *fig* ~ *qc* etw erwarten

escort|e [ɛskɔrt] *f* Geleit *n*; **~er** (*1a*) geleiten, eskortieren

escrim|e [ɛskrim] *f* Fechten *n*; **~er** (*1a*) *s'~* sich abplagen

escroc [ɛskro] *m* Schwindler *m*, Betrüger *m*

escroqu|er [ɛskrɔke] (*1m*) ~ *qc* etw erschwindeln, ergaunern; ~ *qc à qn* j-n um etw betrügen, prellen; ~ *qn* j-n betrügen; **~erie** *f* Betrug *m*, Schwindel *m*

espac|e [ɛspas] *m* Raum *m*; *cosmos* Weltraum *m*; *intervalle* Zwischenraum *m*; **~s verts** Grünflächen *f/pl*; **~er** (*1k*) Abstand lassen zwischen; *s'~* immer weiter auseinander liegen

espadrille [ɛspadrij] *f* Leinenschuh *m*

Espagne [ɛspaɲ] *f l'~* Spanien *n*

espagnol, ~e [ɛspaɲɔl] **1.** *adj* spanisch; **2.** ♂ *m, f* Spanier(in) *m(f)*

espèce [ɛspɛs] *f* **1.** Art *f*, Sorte *f*, Gattung *f*; **une ~ de ...** e-e Art ..., etwas wie ...; ~ *d'abruti! péj* blöder Kerl!; *en l'~* im vorliegenden Fall; **2.** *comm en ~s* (in) bar

espérance [ɛsperɑ̃s] *f* Hoffnung *f*

espérer [ɛspere] (*1f*) *v/t* erhoffen; *v/i* hoffen; *st/s* ~ *en qn* auf j-n vertrauen; ~ *que* hoffen, dass; ~ *faire qc* hoffen, etw zu tun

espiègle [ɛspjɛglə] schelmisch

espi|on, ~onne [ɛspjõ, -ɔn] *m, f* Spion(in) *m(f)*

espionn|age [ɛspjɔnaʒ] *m* Spionage *f*; **~er** (*1a*) aus-, nachspionieren

esplanade [ɛsplanad] *f* Esplanade *f*

espoir [ɛspwar] *m* Hoffnung *f* (**de** auf *acc*)

esprit [ɛspri] *m* Geist *m*; *intellect* Verstand *m*; *humour* Witz *m*; **faire de l'~** geistreich tun; **perdre l'~** den Verstand verlieren

Esquim|au, ~aude [ɛskimo, -od] (*m/pl -x*) *m, f* Eskimo *m*, Eskimofrau *f*

esquinter [ɛskɛ̃te] (*1a*) F kaputtmachen, ramponieren

esquiss|e [ɛskis] *f* Skizze *f*, Entwurf *m*; *ébauche* Andeutung *f*; **~er** (*1a*) entwerfen, skizzieren; *ébaucher* andeuten

esquiver [ɛskive] (*1a*) (geschickt) ausweichen (*qc* e-r Sache *dat*); *s'~* sich heimlich davonmachen

essai [ɛse] *m test* Probe *f*, Erprobung *f*; *tentative* Versuch *m*; *littérature*: Essay *m*; *à l'~, à titre d'~* versuchsweise

essaim [ɛsɛ̃] *m* Schwarm *m*

essayer [ɛseje] (*1i*) versuchen, probieren; *vêtement*: anprobieren; *plat*: kosten; ~ **de faire qc** versuchen, etw zu tun; *s'~ à qc* sich in etw (*dat*) versuchen

essence [ɛsɑ̃s] *f carburant*: Benzin *n*; *extrait de plante* Essenz *f*; *phil* Wesen *n*; *bot* Baumart *f*

essentiel, ~le [ɛsɑ̃sjɛl] **1.** *adj* wesentlich; *indispensable* unabdingbar; **2.** *m* Wesentliche(s) *n*, Hauptsache *f*

essieu [ɛsjø] *m* (*pl -x*) (Wagen-)Achse *f*

essor [ɛsɔr] *m bes écon* Aufschwung *m*; **prendre un ~** e-n Aufschwung nehmen, aufblühen

essor|er [ɛsɔre] (*1a*) *linge, à la main*: auswringen; *machine à laver*: schleudern; **~euse** [-øz] *f* Schleuder *f*

essouffl|é, ~e [ɛsufle] außer Atem

essuie|-glace [ɛsɥiglas] *m* (*pl unv od essuie-glaces*) *auto* Scheibenwischer *m*; **~mains** [-mɛ̃] *m* (*pl unv*) Handtuch *n*

essuyer [ɛsɥije] (*1h*) abwischen; *sécher* abtrocknen; *fig* hinnehmen müssen

est [ɛst] *m* Ost(en) *m*; **à l'~ de** östlich von; **2.** *adj* östlich, Ost...

estampe [ɛstɑ̃p] *f cuivre*: (Kupfer-)Stich *m*; *bois*: Holzschnitt *m*

esthéticienne [ɛstetisjɛn] *f* Kosmetikerin *f*

esthétique [ɛstetik] **1.** *adj* ästhetisch; **2.** *f* Ästhetik *f*

estima|ble [ɛstimablə] schätzenswert, achtbar; **~tif, ~tive** [-tif, -tiv] auf Schätzung beruhend; *devis* ~ Kostenvoranschlag *m*; **~tion** *f* Schätzung *f*; *coûts*: Veranschlagung *f*

estime [ɛstim] *f* (Hoch-)Achtung *f*, Ansehen *n*, Wertschätzung *f*

estimer [ɛstime] (*1a*) *valeur*: (ab-)schätzen; *coûts*: veranschlagen; *respecter* (hoch)achten; ~ *que* der Ansicht sein, dass; ~ *qc convenable* etw für angemessen halten; *s'~ heureux de* (+ *inf*) sich glücklich schätzen zu (+ *inf*)

estiv|al, ~ale [ɛstival] (*m/pl -aux*) sommerlich, Sommer...; **~ant, ~ante**

[-ã, -ãt] *m, f* Sommergast *m*

estomac [ɛstɔma] *m* Magen *m*; *avoir mal à l'~* Magenschmerzen haben

estomper [ɛstɔ̃pe] (*1a*) verwischen; *s'~* verschwimmen

estrade [ɛstrad] *f* Podium *n*

estragon [ɛstragɔ̃] *m* Estragon *n*

estropier [ɛstrɔpje] (*1a*) zum Krüppel machen, verstümmeln (*a fig*)

estuaire [ɛstɥɛr] *m* Trichtermündung *f*

estudiant|in, ~ine [ɛstydjãt, -in] studentisch, Studenten...

et [e] und; *st/s ~ ... ~ ...* sowohl ... als auch ...

étable [etablə] *f* (Vieh-)Stall *m*

établi [etabli] *m* Werkbank *f*

établ|ir [etablir] (*2a*) *camp, école*: errichten; *entreprise*: gründen; *domicile*: aufschlagen; *relations, contact*: herstellen, aufnehmen; *salaires, prix*: festsetzen; *certificat, facture*: ausstellen; *tarif, liste, gouvernement, record*: aufstellen; *impôts*: erheben; *ordre, paix*: herstellen; *s'~* sich niederlassen; *~issement* [-ismã] *m action de fonder* Gründung *f*, Errichtung *f*; *action de s'établir* Niederlassung *f*; *programme, liste, tarif*: Aufstellung *f*; *certificat, facture*: Ausstellung *f*; *expertise*: Erstellung *f*; *prix, salaires*: Festsetzung *f*; *in Zssgn* (Werks-, Betriebs-)Anlage *f*; Unternehmen *n*; *scolaire, bancaire, hospitalier*: Anstalt *f*; *~ industriel* Industriebetrieb *m*; *~ thermal* Kuranstalt *f*

étage [etaʒ] *m* Stock(werk) *m*(*n*); *fusée*: Stufe *f*

étagère [etaʒɛr] *f meuble*: Regal *n*; *planche*: (Bücher-)Brett *n*

étai [etɛ] *m* Stütze *f*

étain [etɛ̃] *m* Zinn *n*

étal|age [etalaʒ] *m* Auslage *f*, Schaufenster *n*; *faire ~ de* zur Schau stellen; *~er* (*1a*) *déployer* ausbreiten; *paiements, vacances*: verteilen; *marchandises*: ausstellen; *fig exhiber* zur Schau stellen; *s'~ liquide*: sich ausbreiten; *paiements*: sich verteilen; *fig* zur Schau gestellt werden

étalon [etalɔ̃] *m* **1.** *zo* Hengst *m*; **2.** *mesure*: Eich-, Normalmaß *n*; Standard *m*

étanch|e [etãʃ] wasserdicht; *~er* (*1a*) *tech* abdichten; *litt soif*: löschen

étang [etã] *m* Teich *m*

étape [etap] *f lieu*: (Zwischen-)Station *f*, Aufenthalt *m*, *parcours* Etappe *f*, Wegstrecke *f*; *fig* Abschnitt *m*

état [eta] *m* **1.** *santé, voiture, maison*: Zustand *m*; *situation* Lage *f*; *~ civil bureau*: Standesamt *n*; *condition*: Familienstand *m*; *~ d'âme* Gemütsverfassung *f*; *en tout ~ de cause* auf alle Fälle; *être dans tous ses ~s* ganz aufgeregt sein; *être en ~ de faire qc* im Stande sein, etw zu tun; *hors d'~* außer Stande; **2.** ♀ Staat *m*; **3.** *liste* Verzeichnis *n*, Aufstellung *f*

étatiser [etatize] (*1a*) verstaatlichen

état|-major [etamaʒɔr] *m* (*pl états-majors*) *mil* Stab *m*; **♀-providence** [-prɔvidãs] *m* Wohlfahrtsstaat *m*

États-Unis [etazyni] *m/pl les ~* die Vereinigten Staaten *m/pl*

étau [eto] *m* (*pl -x*) Schraubstock *m*

étayer [etɛje] (*1i*) (ab)stützen

etc. [ɛtsetera] (*abr* et cetera) usw. (und so weiter)

été[1] [ete] *m* Sommer *m*; *en ~* im Sommer

été[2] [ete] *p/p d'être*

éteindre [etɛ̃drə] (*4b*) *incendie, cigarette*: löschen; *électricité, radio*: abschalten, ausmachen; *chauffage*: abdrehen

étendard [etãdar] *m mil* Standarte *f*

étendre [etãdrə] (*4a*) *malade, enfant*: legen; *beurre, enduit*: verstreichen; *membres*: ausstrecken; *bras*: ausbreiten; *linge*: aufhängen; *vin, sauce*: strecken; *influence, pouvoir*: ausdehnen, erweitern; *s'~* sich ausdehnen; *terrain, bois*: sich erstrecken; *personne*: sich hinlegen; *s'~ sur un sujet* sich über ein Thema auslassen

étendue [etãdy] *f* Ausdehnung *f*, Weite *f*; *durée* Länge *f*; *connaissances, affaires*: Umfang *m*; *catastrophe*: Ausmaß *n*

étern|el, ~elle [etɛrnɛl] ewig; *~iser* (*1a*) ausdehnen, in die Länge ziehen; *s'~* ewig dauern; *~ité* *f* Ewigkeit *f*

éternuer [etɛrnɥe] (*1n*) niesen

éther [etɛr] *m* Äther *m*

Éthiopie [etjɔpi] *f l'~* Äthiopien *n*

éthique [etik] **1.** *adj* ethisch; **2.** *f* Ethik *f*

étinceler [etɛ̃sle] (*1c*) funkeln

étincelle [etɛ̃sɛl] *f* Funke *m*

étiqueter [etikte] (*1c*) beschriften; *fig* einordnen

étiquette [etikɛt] f vêtement, cahier: Etikett n, (Preis-)Schild n; protocole Etikette f

étirer [etire] (1a) s'~ personne: sich strecken; tissu: sich dehnen

étoff|e [etɔf] f Stoff m; fig avoir l'~ de qc das Zeug zu etw haben; ~er (1a) ausschmücken

étoile [etwal] f Stern m; fig ~ de cinéma Filmstar m; ~ filante Sternschnuppe f; à la belle ~ unter freiem Himmel; ~ de mer Seestern m

étonn|ant, ~ante [etɔnɑ̃, -ɑ̃t] erstaunlich; ~é, ~ée erstaunt, verwundert (de über); ~ement [-mɑ̃] m Erstaunen n, Verwunderung f; ~er (1a) erstaunen; s'~ de sich wundern od staunen über; s'~ que (+ subj) sich wundern, dass

étouff|ant, ~ante [etufɑ̃, -ɑ̃t] schwül; ~ée cuis à l'~ gedünstet; ~er (1a) ersticken; fig bruit: dämpfen; révolte, cri: unterdrücken; scandale: vertuschen

étourderie [eturdəri] f Unbesonnenheit f, Leichtsinn m

étourd|i, ~ie [eturdi] gedankenlos, unbesonnen, leichtsinnig; ~ir (2a) betäuben; alcool: benebeln; ~issement [-ismɑ̃] m Betäubung f; vertige: Schwindel(gefühl) m(n)

étrange [etrɑ̃ʒ] seltsam, sonderbar

étrang|er, ~ère [etrɑ̃ʒe, -ɛr] 1. adj fremd; de l'étranger: ausländisch; 2. m, f Fremde(r) m, f; de l'étranger: Ausländer(in) m(f); 3. m Ausland n; à l'étranger im od ins Ausland

étrangl|ement [etrɑ̃gləmɑ̃] m Erwürgen n; ~er (1a) erwürgen; fig critique: abwürgen; liberté: einschränken

être [etr] (1) 1. sein; passif: werden; je suis mieux es geht mir besser; ~ à qn j-m gehören; il est de Paris er ist aus Paris; en ~ mitmachen; ~ après qn hinter j-m her sein; nous sommes lundi wir haben Montag; je n'y suis pas ich bin noch nicht so weit; je n'y suis pour rien ich habe damit nichts zu tun; st/s il est des gens qui es gibt Leute, die; 2. m Wesen n; homme: Mensch m; phil Sein n

étrein|dre [etrɛ̃dr] (4b) umklammern; ami: umarmen, in die Arme schließen; sentiments: beklemmen; ~te f de la main: Druck m; Umklammerung f; amis: Umarmung f

étrennes [etrɛn] f/pl Neujahrsgeschenk(e) n(pl)

étrier [etrije] m Steigbügel m

étriller [etrije] (1a) cheval: striegeln

étriqué, ~e [etrike] eng; fig kümmerlich

étroit, ~e [etrwa, -t] schmal, eng; esprit: engstirnig

étroitesse [etrwates] f Enge f; ~ d'esprit Engstirnigkeit f, Beschränktheit f

Éts. abr d'établissements

étude [etyd] f Studium n; recherche: Studie f, Untersuchung f; mus Übung f; élèves: Arbeitsraum m; notaire: Kanzlei f; ~s pl Studium n; faire ses ~s studieren

étudi|ant, ~ante [etydjɑ̃, -ɑ̃t] m, f Student(in) m(f); ~é, ~ée système, discours: durchdacht; style: gesucht; ~er (1a) studieren; élève: lernen; examiner: untersuchen

étui [etɥi] m Futteral n, Etui n

étuvée [etyve] cuis à l'~ gedünstet

eu, eue [y] p/p d'avoir

euphémique [øfemik] beschönigend, euphemistisch

euphorie [øfɔri] f Euphorie f, Hochstimmung f

euro [øro] m Euro m

eurochèque [ørɔʃɛk] m Euroscheck m

euro-monnaie [øromɔne] f Eurowährung f

Europe [ørɔp] f l'~ Europa n

europé|en, ~enne [ørɔpeɛ̃, -ɛn] 1. adj europäisch; 2. ♀ m, f Europäer(in) m(f)

euthanasie [øtanazi] f Euthanasie f, Sterbehilfe f

eux [ø] m/pl sie; ihnen

évacuation [evakɥasjɔ̃] f Evakuierung f; ~ en mer Verklappung f

évacuer [evakɥe] (1n) maison, ville: räumen; population: evakuieren; ~ en mer verklappen

évad|é [evade] m entwichener Häftling m, Ausbrecher m; ~er (1a) s'~ flüchten

évaluer [evalɥe] (1n) abschätzen, ermitteln; coût, prix: a überschlagen

Évangile [evɑ̃ʒil] m Evangelium n

évanou|ir [evanwir] (2a) s'~ ohnmächtig werden; fig vergehen; ~issement [-ismɑ̃] m Ohnmacht f; fig Verschwinden n

évapor|ation [evapɔrasjɔ̃] f Verdunstung f, Verdampfung f; ~er (1a) s'~

verdunsten, verdampfen

évas|er [evaze] (*1a*) ausweiten; **~if, ~ive** [-if, -iv] ausweichend; **~ion** *f* Flucht *f*

évêché [eveʃe] *m* Bistum *n*; *édifice*: Bischofssitz *m*

éveil [evɛj] *m* Erwachen *n*; **en ~** wachsam

éveiller [eveje] (*1b*) wecken; **s'~** aufwachen; wach werden (*a fig souvenirs*)

événement [evɛnmã] *m* Ereignis *n*

éventail [evãtaj] *m* (*pl -s*) Fächer *m*; *fig marchandises*: Auswahl *f*, Angebot *n*; **en ~** fächerförmig

éventer [evãte] (*1a*) fächeln; *fig secret*: lüften; **s'~** *boisson*: schal werden

éventrer [evãtre] (*1a*) den Bauch aufschlitzen (*qn* j-m); *choses*: aufschlitzen

éventualité [evãtɥalite] *f* Eventualität *f*, Möglichkeit *f*

éventuel, ~le [evãtɥɛl] eventuell, möglich; **~lement** [-mã] möglicherweise, unter Umständen, *peut-être* eventuell

évêque [evɛk] *m* Bischof *m*

évertuer [evɛrtɥe] (*1n*) **s'~** sich bemühen; **s'~ à faire qc** sich abmühen, etw zu tun

éviction [eviksjõ] *f* Ausschaltung *f*

évidemment [evidamã] *bien sûr* natürlich; *de toute évidence* offensichtlich

évidence [evidãs] *f* Augenscheinlichkeit *f*, Evidenz *f*; **en ~** deutlich sichtbar; **mettre en ~** hervorheben; **de toute ~** ganz offensichtlich

évident, ~ente [evidã, -ãt] offensichtlich, deutlich (sichtbar)

évider [evide] (*1a*) aushöhlen

évier [evje] *m* Ausguss *m*, Spülbecken *n*

évincer [evɛ̃se] (*1k*) ausschalten, verdrängen

éviter [evite] (*1a*) *personne*: meiden, ausweichen (*dat*); *coup, voiture*: ausweichen (*dat*); *problème*: vermeiden; *danger, accident*: verhüten; **~ qc à qn** j-m etw ersparen; **~ de faire qc** es vermeiden, sich hüten, etw zu tun; **~ que (ne)** (+ *subj*) vermeiden, dass

évocation [evɔkasjõ] *f* Heraufbeschwören *n*

évoluer [evɔlɥe] (*1n*) *progresser* sich (weiter)entwickeln; *maladie*: fortschreiten; *idées*: changer sich (ver)ändern; *personne*: sich bewegen

évolution [evɔlysjõ] *f* Entwicklung *f*;

biol Evolution *f*

évoquer [evɔke] (*1m*) *esprits*: beschwören; *fig* in Erinnerung rufen, wachrufen; **~ un problème** e-e Frage aufwerfen

ex. (*abr exemple*) z.B. (zum Beispiel)

ex-... [ɛks] Ex...; ehemalige(r, -s)

exact, exacte [ɛgza(kt), ɛgzakt] exakt, genau; *personne*: pünktlich

exactitude [ɛgzaktityd] *f* Genauigkeit *f*, Sorgfalt *f*; *ponctualité* Pünktlichkeit *f*

exagér|ation [ɛgzaʒerasjõ] *f* Übertreibung *f*; **~er** (*1f*) übertreiben

exalt|é, ~ée [ɛgzalte] überspannt; **~er** (*1a*) *animer* begeistern; *vanter* preisen

examen [ɛgzamɛ̃] *m* Prüfung *f*; *méd* Untersuchung *f*; **~ de dépistage du cancer** Krebsvorsorgeuntersuchung *f*; **passer un ~** e-e Prüfung machen; **être reçu** *od* **réussir à un ~** e-e Prüfung bestehen; **~ d'entrée** Aufnahmeprüfung *f*

examiner [ɛgzamine] (*1a*) prüfen; *méd* untersuchen

exaspér|ation [ɛgzasperasjõ] *f* Erbitterung *f*; **~er** (*1f*) in Wut versetzen

exaucer [ɛgzose] (*1k*) *personne, prière*: erhören; *vœu*: erfüllen

excavateur [ɛkskavatœr] *m* Bagger *m*

excéd|ent [ɛksedã] *m* Überschuss *m*; **en ~** überschüssig; **~er** (*1f*) *mesure*: überschreiten, -steigen

excellence [ɛksɛlãs] *f* Vortrefflichkeit *f*; ♀ *titre*: Exzellenz *f*; *par ~* schlechthin

excell|ent, ~ente [ɛksɛlã, -ãt] ausgezeichnet, vortrefflich; **~er** (*1b*) sich auszeichnen (*dans, en* in *dat*)

excentrique [ɛksãtrik] exzentrisch (*a fig*); *quartier*: abgelegen

excepté, ~e [ɛksɛpte] **1.** *adj* ausgenommen; **2.** *prép* (*unv*) außer (*dat*); **excepté que** abgesehen davon, dass; **excepté si** es sei denn, dass

excepter [ɛksɛpte] (*1a*) ausnehmen

exception [ɛksɛpsjõ] *f* Ausnahme *f*; **à l'~ de** mit Ausnahme von; **d'~** Ausnahme...

exceptionnel, ~le [ɛksɛpsjɔnɛl] außergewöhnlich

excès [ɛksɛ] *m* Übermaß *n*; **à l'~** unmäßig; **~ de vitesse** Geschwindigkeitsüberschreitung *f*; **~sif, ~sive** [-sif, -siv] übermäßig, übertrieben

excit|ation [ɛksitasjõ] *f* Auf-, Erregung

f; sexuelle: Erregung *f;* **~é**, **~ée** aufgeregt, erregt; **~er** (*1a*) *envie, passion, admiration*: erregen (*a sexuellement*); *appétit, imagination*: anregen; *encourager* anspornen; *agiter* aufregen, (auf-)reizen

exclam|ation [ɛksklamasjõ] *f* Ausruf *m;* **~er** (*1a*) **s'~** (aus)rufen

exclure [ɛksklyr] (*4l*) ausschließen

exclus|if, ~ive [ɛksklyzif, -iv] ausschließlich, exklusiv; **~ion** *f* Ausschluss *m; à l'~ de* mit Ausnahme von; **~ivement** [-ivmã] ausschließlich; **~ivité** [-ivite] *f comm* Alleinvertrieb *m*

excommunier [ɛkskɔmynje] (*1a*) exkommunizieren

excrément [ɛkskremã] *m* Exkrement *n*

excroissance [ɛkskrwasãs] *f* Wucherung *f*

excursion [ɛkskyrsjõ] *f* Ausflug *m*

excus|e [ɛkskyz] *f* Entschuldigung *f; prétexte* Ausrede *f;* **~er** (*1a*) entschuldigen; **s'~** sich entschuldigen; *excusez-moi* Entschuldigung

exécr|able [ɛgzekrablə] abscheulich; **~er** (*1f*) verabscheuen

exécut|er [ɛgzekyte] (*1a*) *ordre, projet*: ausführen; *mus* vortragen; aufführen; *jur* vollstrecken; *condamné*: hinrichten; **~if, ~ive** [-if, -iv] **1.** *adj* vollziehend, Exekutiv...; **2.** *m* Exekutive *f*

exécution [ɛgzekysjõ] *f* Ausführung *f; jur* Vollstreckung *f; condamné*: Hinrichtung *f; mus* Vortrag *m*; Aufführung *f; mettre à ~* ausführen

exemplaire [ɛgzãplɛr] **1.** *adj* vorbildlich; *punition*: abschreckend; **2.** *m* Exemplar *n*

exemple [ɛgzãplə] *m* Beispiel *n; par ~* zum Beispiel

exempt, ~e [ɛgzã, -t] frei, befreit (*de* von); **~er** (*1a*) befreien, freistellen (*de* von)

exemption [ɛgzãpsjõ] *f* Befreiung *f; ~ d'impôt(s)* Steuerfreiheit *f*

exercer [ɛgzɛrse] (*1k*) *influence, pouvoir, profession*: ausüben; *activité, commerce*: betreiben; *mémoire, corps*: üben, trainieren; **s'~** üben

exercice [ɛgzɛrsis] *m* Übung *f; art, profession*: Ausübung *f; comm* Geschäfts-, Rechnungsjahr *n; physique*: Bewegung *f*

exhaler [ɛgzale] (*1a*) *odeur*: ausströmen

exhaust|if, ~ive [ɛgzostif, -iv] *étude*: erschöpfend

exhib|er [ɛgzibe] (*1a*) vorzeigen; **s'~** sich zur Schau stellen; **~itionniste** *m* Exhibitionist *m*

exhorter [ɛgzɔrte] (*1a*) ermahnen

exhumer [ɛgzyme] (*1a*) ausgraben

exig|eant, ~eante [ɛgziʒã, -ãt] anspruchsvoll; **~ence** [-ãs] *f revendication* Forderung *f*, Anspruch *m;* Anforderung *f;* Erfordernis *n;* **~er** (*1l*) *réclamer* fordern, verlangen; *nécessiter* erfordern

exigu, exiguë [ɛgzigy] eng

exiguïté [ɛgziguite] *f* Enge *f*

exil [ɛgzil] *m* Exil *n*, Verbannung *f;* **~er** (*1a*) verbannen; **s'~** ins Exil gehen

exist|ence [ɛgzistãs] *f* Existenz *f; vie* Leben *n*, Dasein *n;* **~er** (*1a*) bestehen, existieren; *il existe* es gibt (*acc*)

exode [ɛgzɔd] *m* Abwanderung *f*, Auszug *m; ~ rural* Landflucht *f*

exonérer [ɛgzɔnere] (*1f*) (von Steuern *od* Gebühren) befreien

exorbit|ant, ~ante [ɛgzɔrbitã, -ãt] übermäßig, maßlos; *prix*: horrend

exotique [ɛgzɔtik] exotisch, fremdartig

exp. (*abr* expéditeur) Abs. (Absender)

expans|if, ~ive [ɛkspãsif, -iv] *phys* Ausdehnungs...; *personne*: mitteilsam; **~ion** *f* Ausdehnung *f*, Expansion *f; ~ économique* Wirtschaftsaufschwung *m*, -wachstum *n*

expatrier [ɛkspatrije] (*1a*) *argent*: im Ausland anlegen; **s'~** emigrieren

expectative [ɛkspɛktativ] *f être dans l'~* abwarten

expédient [ɛkspedjã] *m* Notbehelf *m*

expédier [ɛkspedje] (*1a*) absenden, verschicken; *travail*: (zügig) erledigen

expédi|teur, ~trice [ɛkspeditœr, -tris] *m, f* Absender(in) *m(f);* **~tif, ~tive** [-tif, -tiv] schnell, zügig; **~tion** *f* Absendung *f*, Versand *m; voyage*: Expedition *f*

expérience [ɛksperjãs] *f* Erfahrung *f; scientifique*: Experiment *n*

expériment|é, ~ée [ɛksperimãte] erfahren; **~er** (*1a*) ausprobieren, erproben

exp|ert, ~erte [ɛkspɛr, -ɛrt] **1.** *adj* sachfachkundig; *être ~ en la matière* auf dem Gebiet Fachmann sein; **2.** *m, f* Sachverständige(r) *m, f*, Fachmann *m;* **~ert-comptable** [-kõtablə] *m* (*pl*

experts-comptables) Wirtschaftsprü-
fer(in) *m(f)*

expertise [ɛkspɛrtiz] *f* Gutachten *n*,
Expertise *f*; **~er** (1a) (als Sach-
verständiger) begutachten, prüfen,
untersuchen

expi|ation [ɛkspjasjɔ̃] *f* Sühne *f*; **~er**
(1a) sühnen

expirer [ɛkspire] (1a) *respirer:* ausatmen;
mourir: verscheiden, sterben; *contrat,
délai:* ablaufen

explication [ɛksplikasjɔ̃] *f* Erklärung *f*,
Erläuterung *f*; *discussion* Auseinandersetzung *f*

explicite [ɛksplisit] explizit, ausdrücklich

expliquer [ɛksplike] (1m) erklären, er-
läutern; **s'~** sich äußern; **s'~ avec qn**
sich mit j-m aussprechen

exploit [ɛksplwa] *m* (Helden-)Tat *f*,
Großtat *f*

exploit|ation [ɛksplwatasjɔ̃] *f ferme,
sol:* Bewirtschaftung *f*; *ouvriers:* Aus-
beutung *f*; *entreprise* Betrieb *m*; **~er**
(1a) ausnutzen; *ouvriers:* ausbeuten;
entreprise, ferme: betreiben

explor|ation [ɛksplɔrasjɔ̃] *f* Erfor-
schung *f*; **~er** (1a) erforschen

explos|er [ɛksploze] (1a) explodieren;
fig ausbrechen; **~if, ~ive** [-if, -iv] **1.** *adj*
explosiv *(a fig);* **2.** *m* Sprengstoff *m*;
~ion *f* Explosion *f*; *détonation* Knall *m*

export|ateur, ~atrice [ɛkspɔrtatœr,
-atris] **1.** *adj* Ausfuhr...; **2.** *m* Exporteur
m; **~ation** *f* Export *m*, Ausfuhr *f*; **~er**
(1a) exportieren, ausführen

expos|é [ɛkspoze] *m* Referat *n*; **~er** (1a)
art, marchandise: ausstellen; *problème,
programme:* darlegen; *à l'air, à la
chaleur:* aussetzen; *photographie:* be-
lichten; **~ition** *f art, marchandise:*
Ausstellung *f*; *problème:* Darlegung *f*;
au soleil: Aussetzung *f*; *photographie:*
Belichtung *f*

exprès[1] [ɛksprɛ] *adv intentionnellement*
absichtlich; *spécialement* extra

exprès[2], **-esse** [ɛksprɛs] **1.** *adj* ausdrücklich; **défense f expresse** aus-
drückliches Verbot; **2.** *adj (unv)* **lettre f
exprès** [-ɛksprɛs] Eilbrief *m*

express [ɛksprɛs] **1.** *adj (unv)*
Schnell...; *voie f* ~ Schnellstraße *f*; **2.** *m
train:* Schnellzug *m*; *café:* Espresso *m*

expressément [ɛksprɛsemɑ̃] *adv* aus-

drücklich

express|if, ~ive [ɛkspresif, -iv] aus-
drucksvoll; **~ion** *f* Ausdruck *m*

exprimer [ɛksprime] (1a) ausdrücken

exproprier [ɛksprɔprije] (1a) enteignen

expulser [ɛkspylse] (1a) vertreiben;
étrangers: ausweisen

exquis, ~e [ɛkski, -z] auserlesen; *met:*
köstlich

extase [ɛkstaz] *f* Verzückung *f*, Ekstase
f

extens|eur [ɛkstɑ̃sœr] *sport:* Expander
m; **~ible** dehnbar; **~if, ~ive** [-if, -iv] *agr*
extensiv; **~ion** *f* Ausdehnung *f (a fig)*

exténuer [ɛkstenɥe] (1n) entkräften

extérieur [ɛksterjœr] **1.** *adj* äu-
ßere(r, -s), äußerlich, Außen...; **2.** *m*
Äußere(s) *n*; *maison, boîte:* Außen-
seite *f*; **à l'extérieur** außen; **à l'extérieur de** außerhalb von; **~ement** [-mɑ̃]
adv äußerlich

extérioriser [ɛksterjɔrize] (1a) äußern;
s'~ *sentiment:* sich äußern; *personne:*
aus sich herausgehen

exterminer [ɛkstɛrmine] (1a) ausrotten,
vernichten

externe [ɛkstɛrn] äußerlich

extincteur [ɛkstɛ̃ktœr] *m* Feuerlöscher
m

extinction [ɛkstɛ̃ksjɔ̃] *f* Löschen *n*; *fig*
Aussterben *n*, Erlöschen *n*

extirper [ɛkstirpe] (1a) (her)ausreißen;
méd entfernen

extorquer [ɛkstɔrke] (1m) erpressen

extorsion [ɛkstɔrsjɔ̃] *f* Erpressung *f*

extra [ɛkstra] *(unv)* **1.** *adj* vorzüglich,
ausgezeichnet; **2. m un ~** etwas Be-
sonderes

extraction [ɛkstraksjɔ̃] *f pétrole:* Förderung *f*, Gewinnung *f*; *dent:* Ziehen *n*

extradition [ɛkstradisjɔ̃] *f jur* Aus-
lieferung *f*

extraire [ɛkstrɛr] (4s) *dent:* ziehen; *pétrole:* fördern

extrait [ɛkstrɛ] *m livre:* Auszug *m*;
plante: Extrakt *m*

extraordinaire [ɛkstraɔrdinɛr] außerordentlich, außergewöhnlich

extravag|ance [ɛkstravagɑ̃s] *f* Über-
spanntheit *f*, Extravaganz *f*; **~ant,
~ante** [-ɑ̃, -ɑ̃t] überspannt, extravagant

extrême [ɛkstrɛm] **1.** *adj* äußerst; **2.** *m*
Extrem *n*; **à l'~** bis zum Äußersten;
~-onction [-ɔ̃ksjɔ̃] *f égl* Letzte Ölung *f*;

⌕-Orient [-ɔrjã] *m l'~* der Ferne Osten, Ostasien *n*
extrémiste [ɛkstremist] *m, f pol* Radikale(r) *m, f*, Extremist(in) *m(f)*
extrémité [ɛkstremite] *f* äußerstes Ende *n*; *situation désespérée* äußerste Not *f*; **~s** *pl anat* Gliedmaßen *f/pl*
extrinsèque [ɛkstrɛsɛk] äußerlich

exubér|ance [ɛgzyberãs] *f personne*: Überschwänglichkeit *f*; **~ant, ~ante** [-ã, -ãt] überschwänglich
exultation [ɛgzyltasjõ] *f* Jubel *m*, Frohlocken *n*
exutoire [ɛgzytwar] *m* Ventil *n* (*fig*)
ex-voto [ɛksvɔto] *m* (*pl unv*) *rel* Votivbild *n*

F

F (*abr* franc[s]) Franc(s) *od* Franken
fa [fa] *m mus* f *od* F *n*
fable [fablə] *f* Fabel *f*
fabric|ant, ~ante [fabrikã, -ãt] *m, f* Fabrikant(in) *m(f)*, Hersteller(in) *m(f)*; **~ation** *f* Herstellung *f*, Fertigung *f*
fabrique [fabrik] *f* Fabrik *f*; **~er** (*1m*) herstellen; *péj* fabrizieren; F machen, treiben
fabuleu|x, ~se [fabylø, -z] märchenhaft
façade [fasad] *f* Fassade *f* (*a fig*)
face [fas] *f* Gesicht *n*; *pièce*: Vorderseite *f*; **de ~** von vorn; **en ~ de** gegenüber von; **~ à ~** Auge in Auge; **en ~** Gesicht; **faire ~ à qc** einer Sache die Stirn bieten
fâch|é, ~ée [faʃe] verärgert; **~er** (*1a*) ärgern; **se ~** böse werden; **se ~ avec qn** sich mit j-m überwerfen; **~eux, ~euse** [-ø, -øz] ärgerlich; *déplorable* unerfreulich
facile [fasil] leicht, einfach; **~ à faire** leicht zu tun; **~ à utiliser** benutzerfreundlich
facilit|é [fasilite] *f* Leichtigkeit *f*; **~s** *pl* Erleichterungen *f/pl*; **~er** (*1a*) erleichtern
façon [fasõ] *f* **1.** *manière* Art *f*, Weise *f*; **de ~ que** (*od à ce que*) so ... dass; **de toute ~** auf jeden Fall; **de cette ~** auf diese Art und Weise; **à la ~ de** auf die Art von; **2. ~s** *pl comportement* Benehmen *n*; *manières affectées* Gehabe *n*; **sans ~** ohne Umstände, ohne weiteres; **3.** *vêtement*: Verarbeitung *f*, Schnitt *m*
façonner [fasɔne] (*1a*) formen, gestalten; *traiter* bearbeiten; *caractère,*

personne: prägen
facteur [faktœr] *m* **1.** *poste*: Briefträger *m*; **2.** *math u allg* Faktor *m*
factice [faktis] künstlich, nachgemacht; *gaieté, sourire*: gekünstelt, unnatürlich
faction [faksjõ] *f groupe*: umstürzlerische Partei *f*
factrice [faktris] *f* Briefträgerin *f*
factur|e [faktyr] *f comm* Rechnung *f*; **~er** (*1a*) in Rechnung stellen, berechnen
facultati|f, ~ve [fakyltatif, -iv] fakultativ, wahlfrei; *présence, travail*: freiwillig; *arrêt m facultatif* Bedarfshaltestelle *f*
faculté [fakylte] *f* Fähigkeit *f*, Vermögen *n*; *université*: Fakultät *f*
fade [fad] fad(e), geschmacklos, schal; *fig* fad(e), abgeschmackt
faibl|e [fɛblə] **1.** *adj* schwach; **2.** *m* schwache Seite *f*; *préférence* Vorliebe *f*, Schwäche *f*; **avoir un ~ pour qn, qc** e-e Schwäche für j-n, etw haben; **~esse** [-ɛs] *f* Schwäche *f*; **~ir** (*2a*) schwach werden
faïence [fajãs] *f* Steingut *n*; Fayence *f*
faille [faj] *f géol* Spalte *f*, Verwerfung *f*
faillir [fajir] (*2n*) **j'ai failli tomber** ich wäre beinahe gefallen
faillite [fajit] *f comm* Bankrott *m*, Konkurs *m*; **faire ~** Konkurs machen, F Pleite machen
faim [fɛ̃] *f* Hunger *m*; **avoir ~** Hunger haben; **manger à sa ~** sich satt essen
fainéant, ~e [feneã, -t] **1.** *adj* faul; **2.** *m, f* Faulenzer(in) *m(f)*
faire [fɛr] (*4n*) **1.** *chose*: machen; *activité*: tun; **~ la cuisine** kochen; **~ jeune** jung

aussehen; *elle ne fait que parler* sie spricht nur; **~ que** zur Folge haben, dass; **~ de la fièvre** Fieber haben; **~ du tennis** Tennis spielen; **~ son droit** Jura studieren; **~ le malade** sich krank stellen; **~ un voyage** reisen; **2.** *avec inf*: lassen; *intentionnellement*: veranlassen; **~ rire qn** j-n zum Lachen bringen; **~ chauffer de l'eau** Wasser aufsetzen; **3.** *impersonnel*: sein; *il fait chaud* es ist warm; *ça fait un an que* es ist ein Jahr her, dass; **4. se ~** zu Stande kommen, gemacht werden; *cela se fait beaucoup* das kommt häufig vor; *ça ne se fait pas* so was tut man nicht; *se ~ rare* selten werden; *se ~ vieux* altern; *se ~ à qc* sich an etw (*acc*) gewöhnen; *ne pas s'en ~* sich (*dat*) nichts daraus machen

faire-part [fɛrpar] *m* (*pl unv*) (Familien-)Anzeige *f*

faisable [fəzablə] machbar

faisan [fəzã] *m zo* Fasan *m*; **~e** Fasanenhenne *f*

faisceau [fɛso] *m* (*pl -x*) Bündel *n*; *lumière*: Strahl *m*

fait[1] [fɛ] *m* Tatsache *f*; *action* Tat *f*; Handlung *f*; *événement* Ereignis *n*; **au ~** [ofɛt] übrigens; **de ~** [dəfɛt] in der Tat; **de ce ~** deshalb; **en ~** [ãfɛt] in Wirklichkeit; **du ~ de** infolge; **en ~ de** was ... betrifft; **tout à ~** völlig; **~s divers** Vermischtes *n*

fait[2], **~e** [fɛ, -t] *p/p* de **faire** *u adj* gemacht; *achevé* erledigt; *personne*: **bien ~** gut gewachsen; **être ~** F geliefert sein; *c'est bien fait pour lui* das geschieht ihm recht

faîte [fɛt] *m toit*: First *m*; *arbre*: Wipfel *m*; *montagne*: Gipfel *m*

falaise [falɛz] *f* Klippe *f*

fallacieu|x, **~se** [falasjø, -z] trügerisch

falloir [falwar] (*3c*) *il faut* es ist nötig, man muss; *il faut faire qc* man muss etw tun; *il me faut qc* ich habe etw nötig, brauche etw; *il me faut sortir, il faut que je sorte* ich muss ausgehen; *comme il faut* wie sich's gehört; *il s'en faut de beaucoup* (*peu*) es fehlt viel (wenig) daran

falsification [falsifikasjõ] *f* Fälschung *f*

falsifier [falsifje] (*1a*) *argent, document*: fälschen; *vérité*: verfälschen

famé, ~e [fame] *mal ~* verrufen

famélique [famelik] ausgehungert

---

fameu|x, **~se** [famø, -z] *célèbre* berühmt; *excellent* hervorragend; *précédant le subst* gewaltig

familial, ~e [familjal] (*m/pl -aux*) Familien...

familiar|iser [familjarize] (*1a*) **~ qn avec** j-n vertraut machen mit; **se ~ avec** vertraut werden mit; **~ité** *f désinvolture od impertinence* Vertraulichkeit *f*; *connaissance* Vertrautheit *f* (**avec** mit)

famil|ier, ~ière [familje, -jer] *intimité*: vertraulich, ungezwungen; *impertinent* vertraulich; *connu* vertraut; *langage m familier* Umgangssprache *f*

famille [famij] *f* Familie *f*

famine [famin] *f* Hungersnot *f*

fanal [fanal] *m* (*pl -aux*) *mar* Leuchtfeuer *n*

fanat|ique [fanatik] **1.** *adj* fanatisch; **2.** *m, f obsédé* Fanatiker(in) *m(f)*; *sport*: Fan *m*; *musique, livres*: Liebhaber(in) *m(f)*; **~isme** *m* Fanatismus *m*

faner [fane] (*1a*) **se ~** verwelken, verblühen

fanfar|e [fãfar] *f orchestre*: Blaskapelle *f*; *musique*: Blechmusik *f*; **~on, ~onne 1.** *adj* prahlerisch; **2.** *m* Aufschneider *m*

fange [fãʒ] *f* Schlamm *m*

fantais|ie [fãtezi] *f caprice* Laune *f*, Lust *f*; *imagination* Einfallsreichtum *m*; *œuvre* Fantasiestück *n*; **~iste 1.** *adj personne*: unkonventionell; *péj* unseriös; **2.** *m* eigenwilliger Mensch *m*

fantasme [fãtasmə] *m* Fantasiegebilde *n*

fantasque [fãtask] *personne*: schrullig, seltsam

fantastique [fãtastik] fantastisch

fantoche [fãtɔʃ] *m fig* Marionette *f*

fantôme [fãtom] *m* Gespenst *n*

farce [fars] *f théâtre*: Posse *f*, Schwank *m*; *tour* Streich *m*; *cuis* Füllung *f*

farceu|r, ~se [farsœr, -øz] *m, f* Spaßmacher(in) *m(f)*, Witzbold *m*

farcir [farsir] (*2a*) *cuis* füllen; *fig* voll stopfen

fard [far] *m* Schminke *f* (*a fig*)

fardeau [fardo] *m* (*pl -x*) Last *f*, Bürde *f* (*a fig*)

farder [farde] (*1a*) schminken; *fig* beschönigen

farfelu, ~e [farfəly] sonderbar, seltsam, F spinnig

farfouiller [farfuje] *(1a)* F herumstöbern

farine [farin] *f* Mehl *n*

farouche [faruʃ] *timide* scheu; *violent* wild; *volonté, haine:* heftig, stark

fart [far(t)] *m* (Schi-)Wachs *n*

fascicule [fasikyl] *m* Heft *n*

fascin|ant, ~ante [fasinã, -ãt] faszinierend, bezaubernd; **~ation** *f* Faszination *f*, Zauber *m*; **~er** *(1a)* faszinieren, bezaubern

fascisme [faʃismə] *m* Faschismus *m*

fasciste [faʃist] **1.** *m*, *f* Faschist(in) *m(f);* **2.** *adj* faschistisch

faste¹ [fast] *m* Pracht *f*, Prunk *m*

faste² [fast] *adj jour m* ~ Glückstag *m*

fastidieu|x, ~se [fastidjø, -z] langweilig

fastueu|x, ~se [fastɥø, -z] prunk-, prachtvoll

fat [fa(t)] *adj/m* eingebildet

fatal, ~e [fatal] *(m/pl -s)* fatal, verhängnisvoll; *mortel* tödlich; *inévitable* zwangsläufig, unvermeidbar

fatal|isme [fatalismə] *m* Fatalismus *m*; **~iste** **1.** *adj* fatalistisch; **2.** *m, f* Fatalist(in) *m(f);* **~ité** *f* Verhängnis *n; destin* Schicksal *n*

fatidique [fatidik] schicksalhaft

fatigant, ~e [fatigã, -t] ermüdend; *agaçant* lästig

fatigu|e [fatig] *f* Ermüdung *f; état:* Müdigkeit *f; mort de* ~ todmüde; **~é, ~ée** müde; **~er** *(1m)* ermüden; *importuner* lästig fallen *(qn* j-m); *se* ~ müde werden

fatuité [fatɥite] *f* Überheblichkeit *f*, Selbstgefälligkeit *f*

faubourg [fobur] *m* Vorstadt *f*

faubourien, ~ne [foburjɛ̃, -jɛn] vorstädtisch

fauch|é, ~ée [foʃe] F blank, abgebrannt; **~er** *(1a)* agr mähen; *fig* dahinraffen; **~eur** *m* Mäher *m*; **~euse** *f* Mähmaschine *f*

faucille [fosij] *f* Sichel *f*

faucon [fokõ] *m zo* Falke *m*

faufiler [fofile] *(1a)* heften; *se* ~ sich einschleichen *(dans, entre* in *acc)*

faune [fon] *f* Fauna *f*, Tierwelt *f*

faussaire [fosɛr] *m* Fälscher *m*

faussement [fosmã] fälschlich

fausser [fose] *(1a) calcul, données:* fälschen; *sens, vérité:* verdrehen, verfälschen; *clef:* verbiegen

fausseté [foste] *f* Falschheit *f; hypocrisie* Unaufrichtigkeit *f*

faute [fot] *f* Fehler *m; morale:* Verfehlung *f; responsabilité* Schuld *f; c'est de ta* ~ es ist deine Schuld; *par sa* ~ durch seine Schuld; *être en* ~ im Unrecht sein; ~ *de* aus Mangel an *(dat)*, mangels *(gén); sans* ~ ganz gewiss

fauteuil [fotœj] *m* Sessel *m*; ~ *roulant* Rollstuhl *m*

fauteur [fotœr] *m* Anstifter *m*

fauti|f, ~ve [fotif, -v] *personne:* schuldig; *objet:* fehlerhaft

fauve [fov] **1.** *adj* falb, fahlrot; *bêtes f/pl* ~*s* wilde Tiere *n/pl*, Raubtiere *n/pl;* **2.** *m zo* Raubtier *n; félin* große Raubkatze *f*

faux¹ [fo] *f* Sense *f*

faux², fausse [fo, fos] **1.** *adj allg* falsch; *apparent* Schein...; *falsifié* gefälscht; *hypocrite* unaufrichtig; *artificiel* künstlich; *fausse clef f* Nachschlüssel *m; fausse couche f* Fehlgeburt *f; fausse monnaie f* Falschgeld *n; faux frais m/pl* Nebenausgaben *f/pl;* **2.** *adv chanter faux* falsch singen; **3.** *m copie* Fälschung *f*

faux-filet [fofilɛ] *m (pl faux-filets) cuis* Lendenstück *n;* ~*fuyant* [-fɥijã] *m (pl faux-fuyants)* Ausrede *f*, Ausflucht *f*

faveur [favœr] *f considération* Gunst *f; service* Gefallen *m; privilège* Vorrecht *n; à la* ~ *de* begünstigt von; *en* ~ *de* zu Gunsten von; *parler en* ~ *de qc* etw *(acc)* befürworten

favorable [favɔrablə] *personne:* geneigt, wohlgesinnt *(à qn* j-m); *circonstances:* günstig

favor|i, ~ite [favɔri, -it] **1.** *adj* Lieblings...; **2.** *m, f* Günstling *m*, Liebling *m; sport:* Favorit(in) *m(f);* **~iser** *(1a)* faciliter, avantager* begünstigen; *entreprise, parti:* fördern; **~itisme** [-itismə] *m* Günstlingswirtschaft *f*

fébrile [febril] fieberhaft

fécond, ~e [fekõ, -d] fruchtbar *(a fig);* **~ation** [-dasjõ] *f* Befruchtung *f;* ~ *artificielle* künstliche Befruchtung *f;* **~ité** [-dite] *f* Fruchtbarkeit *f*

fécule [fekyl] *f aliments:* Stärke *f*

fédéral, ~e [federal] *(m/pl -aux)* Bundes...; *Suisse:* eidgenössisch; **~isme** *m* Föderalismus *m*; **~iste** **1.** *adj* föderalistisch; **2.** *m* Föderalist *m*

fédéra|tif, ~tive [federatif, -tiv] föderativ; **~tion** f états: Föderation f, Bündnis n, Bund m; association Verband m; **~ européenne des échanges boursés** Europäischer Börsenverein m

fée [fe] f Fee f; fig guter Geist m

féerique [fe(e)rik] zauberhaft

feindre [fĕdr] (4b) heucheln, vortäuschen; **~ de** (+ inf) so tun, als ob (+ subj)

feinte [fĕt] f Täuschung f, Finte f

fêler [fele] (1b) **se ~** springen

félicit|ations [felisitasjõ] f/pl Glückwunsch m, -wünsche m/pl; **~er** (1a) **~ qn de qc** j-m zu etw beglückwünschen, j-m zu etw gratulieren; **se ~ de qc** über etw froh sein

félin, ~e [felĕ, -in] **1.** adj katzenartig; **2.** m Katze f, Raubkatze f

fêlure [felyr] f Sprung m, Riss m

femelle [fəmɛl] **1.** f Weibchen n (von Tieren); **2.** adj zo, bot weiblich

fémin|in, ~ine [feminĕ, -in] **1.** adj Frauen...; weiblich; **2.** m gr Femininum n; **~isme** m Frauenbewegung f, Feminismus m; **~iste 1.** adj feministisch; **2.** f Feministin f

femme [fam] f Frau f; péj Weib n; épouse Ehefrau f; **~ médecin** Ärztin f; **~ publique** Dirne f

fendiller [fãdije] (1a) **se ~** peau: aufspringen

fendre [fãdr] (4a) spalten; **se ~** bersten, zerplatzen

fenêtre [f(ə)nɛtr] f Fenster n (a am Bildschirm)

fenouil [fənuj] m bot Fenchel m

fente [fãt] f bois, rocher: Spalte f; déchirure Riss m; boîte à lettres, volet: Schlitz m

féodal, ~e [feodal] (m/pl -aux) feudal; **~ité** f Feudalismus m

fer [fɛr] m Eisen n; fig **de ~** eisern, stählern; **~ à cheval** Hufeisen n; **~ à repasser** Bügeleisen n

fer-blanc [fɛrblã] m (Weiß-)Blech n

férié [ferje] **jour ~** Feiertag m

ferme¹ [fɛrm] adj u adv consistant fest; dur hart; caractère: standhaft; catégorique entschieden

ferme² [fɛrm] f Bauernhof m, Gehöft n

ferment [fɛrmã] m Gärungsstoff m, Ferment n

ferment|ation [fɛrmãtasjõ] f Gärung f; **~er** (1a) gären

fermer [fɛrme] (1a) v/t zumachen, schließen; à clef: verschließen; eau, robinet: zudrehen

fermeté [fɛrməte] f Festigkeit f (a fig); volonté Entschlossenheit f

fermette [fɛrmɛt] f (kleines) Landhaus n

fermeture [fɛrmətyr] f Schließen n; mécanisme: Verschluss m; d'entreprise: Schließung f; **~ éclair** Reißverschluss m

ferm|ier, ~ière [fɛrmje, -jɛr] m, f propriétaire: Bauer m, Bäuerin f, Landwirt m; locataire: Pächter(in) m(f)

fermoir [fɛrmwar] m Verschluss m

féroc|e [feros] wild, reißend; cruel grausam; **~ité** f Wildheit f; cruauté Grausamkeit f

ferraille [fɛraj] f Alteisen n, Schrott m; **mettre à la ~** verschrotten

ferr|é, ~ée [fɛre] beschlagen (a fig); **voie f ferrée** Gleis n

ferronn|erie [fɛrɔnri] f fabrique: Kunstschmiede f; (**~ d'art**) objets: Kunstschmiedearbeit f; **~ier** [-je] m (**~ d'art**) Kunstschmied m

ferroviaire [fɛrɔvjɛr] Eisenbahn...

ferry-boat [feribot] m (pl ferry-boats) Eisenbahnfähre f

fertil|e [fɛrtil] fruchtbar, ergiebig; **~iser** (1a) fruchtbar machen; **~ité** f Fruchtbarkeit f

ferv|ent, ~ente [fɛrvã, -ãt] prière: inbrünstig; admirateur: glühend; **~eur** f dévotion Inbrunst f; zèle Eifer m

fess|e [fɛs] f Hinterbacke f, **~s** pl Hintern m, Gesäß n; **~ée** f (Tracht f) Prügel m/pl

festin [fɛstĕ] m Festmahl n, Schmaus m

festival [fɛstival] m (pl -s) Festival n; classique: Festspiele n/pl

festivités [fɛstivite] f/pl Festlichkeiten f/pl

festoyer [fɛstwaje] (1h) schmausen

fêtard [fɛtar] m Lebemann m

fête [fɛt] f Fest n; publique: Feiertag m; Saint: Namenstag m; **faire la ~** ordentlich feiern; **2-Dieu** [-djø] f Fronleichnam(sfest) m/n

fêter [fete] (1b) feiern

fétide [fetid] stinkend

fétu [fety] m (**~ de paille**) Strohhalm m

feu¹ [fø] m (pl -x) Feuer n (a mil, fig);

auto Licht *n; de circulation*: Ampel *f; fig enthousiasme* Begeisterung *f; ~x pl mar* Leuchtfeuer *n; au coin du ~* am Herd, am Kamin; *coup m de ~* Schuss *m; ~ d'artifice* Feuerwerk *n; mettre le ~ à qc* etw (*acc*) in Brand stecken; *~ vert* grünes Licht (*a fig*); *auto ~ arrière* Rücklicht *n; ~ stop* Bremslicht *n; ~ de position* Standlicht *n; ~ de croisement* Abblendlicht *n; ~ de route* Fernlicht *n; ~ de stationnement* Parklicht *n*

feu² [fø] *adj* (*unv*) *litt* ~ *son père* sein seliger Vater

feuillage [fœjaʒ] *m* Laub(werk) *n*

feuille [fœj] *f* Blatt *n; ~s pl plantes*: Laub *n; ~s mortes* dürres Laub *n; ~ d'impôt* Steuerbescheid *m; ~ de maladie* Krankenschein *m*

feuillet [fœjɛ] *m* Blatt *n* (*im Heft od Buch*)

feuilleter [fœjte] (*1c*) durchblättern; *cuis pâte f feuilletée* Blätterteig *m; ~on m journal*: Fortsetzungsroman *m; TV* Sendereihe *f*, Serie *f*

feuillu, e [fœjy] dicht belaubt

feutre [føtrə] *m* Filz *m; stylo*: Filzschreiber *m; chapeau*: Filzhut *m*

feutré, e [føtre] *bruit*: gedämpft

fève [fɛv] *f bot* (dicke) Bohne *f*

février [fevrije] *m* Februar *m*

FF (*abr franc[s] français*) französischer (französische) Franc(s)

fiabilité [fjabilite] *f* Zuverlässigkeit *f; ~le* zuverlässig

fiançailles [f(i)ɑ̃saj] *f/pl* Verlobung *f*

fiancé, e [f(i)ɑ̃se] *m, f* Verlobte(r) *m, f; ~er* (*1k*) *se ~ avec* sich verloben mit

fibre [fibrə] *f* Faser *f; fig* Ader *f; ~ optique* Glasfaser *f; ~ de verre* Glaswolle *f*

fibreu|x, ~se [fibrø, -z] faserig

ficeler [fisle] (*1c*) ver-, zu-, festschnüren

ficelle [fisɛl] *f* Bindfaden *m*, Schnur *f; pain*: langes Weißbrot *n; fig* Kniff *m*, Trick *m*

fiche [fiʃ] *f* **1.** *classement*: (Kartei-) Karte *f*. **2.** *él* Stecker *m*

ficher [fiʃe] (*1a*) F *faire* machen, tun; *donner* geben; *jeter* werfen, schmeißen; *fiche-moi la paix* (*le camp*)! lass mich in Ruhe! (mach, dass du fortkommst!); *se ~ de qc, qn* auf etw, j-n pfeifen

fichier [fiʃje] *m* Kartei(kasten) *f*(*m*); *EDV* Datei *f*

fichu, ~e [fiʃy] F *inutilisable* kaputt; *mauvais* verdammt, verflixt; *être mal ~ santé*: sich schlecht fühlen; *chose*: schlecht gemacht sein

ficti|f, ~ve [fiktif, -v] erdacht, fiktiv

fidèle [fidɛl] **1.** *adj* treu; *fiable* zuverlässig; **2.** *m, f rel* Gläubige(r) *m, f; fig* Getreue(r) *m, f*

fidélité [fidelite] *f* Treue *f; fiabilité* Zuverlässigkeit *f; précision* Genauigkeit *f; tech haute ~* Highfidelity *f*

fiduciaire [fidysjɛr] treuhänderisch; *agent m ~* Treuhänder *m; société f ~* Treuhandgesellschaft *f*

fief [fjɛf] *m hist* Lehen *n; pol* Hochburg *f; fig* Domäne *f*, Spezialgebiet *n*

fiel [fjɛl] *m* Galle *f* (*der Tiere*); *fig* Bitterkeit *f*

fier¹ [fje] (*1a*) *se ~ à qn, qc* j-m vertrauen, sich auf etw, j-n verlassen

fier², fière [fjɛr] stolz (*de* auf *acc*)

fierté [fjɛrte] *f* Stolz *m*

fièvre [fjɛvrə] *f* Fieber *n; fig* Aufregung *f*

fiévreu|x, ~se [fjɛvrø, -z] fiebrig; *fig* fieberhaft

figer [fiʒe] (*1l*) fest werden lassen; *fig se ~* fest werden, erstarren (*a fig*)

figue [fig] *f* Feige *f; ~ier* [-je] *m* Feigenbaum *m*

figurant, ~e [figyrɑ̃, -t] *m, f théâtre*: Statist(in) *m*(*f*)

figurati|f, ~ve [figyratif, -v] bildlich

figure [figyr] *f visage* Gesicht *n; math, danse*: Figur *f; personnage* Gestalt *f; F se casser la ~* hinfallen

figur|é, ~ée [figyre] (*a au figuré*) bildlich, übertragen; *~er* (*1a*) *v/t* abbilden; *v/i* vorkommen, erscheinen; *se ~ qc* sich (*dat*) etw vorstellen

fil [fil] *m* Faden *m* (*a fig*); *à coudre*: Garn *n; métal*: Draht *m; él* Leitung *f; tél* Schnur *f; ~ de fer barbelé* Stacheldraht *m; tél coup m de ~* Anruf *m*

filage [filaʒ] *m* Spinnen *n*

filament [filamɑ̃] *m* Faser *f; él* Heizdraht *m*, Glühfaden *m*

filature [filatyr] *f* Spinnerei *f; fig* Beschattung *f* (*durch die Polizei*)

file [fil] *f* Reihe *f*, Schlange *f; route*: Spur *f; à la ~* hintereinander

filer [file] (*1a*) *v/t* spinnen; F *donner* geben; *coup*: versetzen; *épier* beschatten; *v/i fromage etc*: Fäden ziehen; F *partir* weglaufen; *vite*: flitzen, sausen; *temps*: vergehen; **~ à l'anglaise** sich verdrücken

filet [filɛ] *m eau*: dünner (Wasser-)Strahl *m*; *pêche*: Netz *n*; *cuis* Filet *n*; **~ (à provisions)** Einkaufsnetz *n*

filial, ~e [filjal] (*m/pl -aux*) **1.** *adj* kindlich, Kindes...; **2.** *f comm* Tochtergesellschaft *f*

filiation [filjasjõ] *f descendance* Abstammung *f*; *liaison* Zusammenhang *m*

filière [filjɛr] *f passer par la ~* den Dienstweg nehmen; *par la ~* von der Pike auf

filigrane [filigran] *m* Wasserzeichen *n*; *fig* **en ~** im Hintergrund

fill|e [fij] *f parenté*: Tochter *f*; *jeune*: Mädchen *n*; **vieille ~** alte Jungfer *f*; **~ette** [-ɛt] *f* kleines Mädchen *n*

filleul, ~e [fijœl] *m, f* Patenkind *n*

film [film] *m* Film *m*; *couche* dünne Schicht *f*; **~ documentaire** Dokumentarfilm *m*; **~ en couleurs** Farbfilm *m*; **~ muet** Stummfilm *m*; **~ policier** Kriminalfilm *m*; **~er** (*1a*) filmen

filou [filu] *m* Gauner *m*; F Schlingel *m*

fils [fis] *m* Sohn *m*; **~ à papa** verzogenes Kind *n* (reicher Eltern)

filtre [filtrə] *m* Filter *m*

filtrer [filtre] (*1a*) *v/t* filtern; *nouvelles*: streng kontrollieren; *v/i liquide*: durchsickern; *odeur, bruit*: durchdringen

fin¹ [fɛ̃] *f* Schluss *m*, Ende *n*; *but*: Ziel *n*, Zweck *m*; **à la ~** schließlich; **en ~ de compte** letztlich; **à cette ~** zu diesem Zweck; **mettre ~ à qc** etw (*acc*) beenden

fin², ~e [fɛ̃, fin] fein; *mince* dünn; *exquis* auserlesen; *pointe*: dünn, spitz; *esprit*: feinsinnig; F **fine gueule** *f* Feinschmecker *m*; **fines herbes** *f/pl* Küchenkräuter *n/pl*; **au fin fond de** ganz weit hinten in (*dat*)

final, ~e [final] (*m/pl -s*) **1.** *adj* End..., Schluss...; **2. ~(e)** *m mus* Finale *n*; **3.** *f sports*: Finale *n*, Endspiel *n*

finalement [finalmɑ̃] *adv* schließlich

finaliste [finalist] *m, f* Finalist(in *m*) (*f*)

finalité [finalite] *f* Finalität *f*, Zweckbestimmtheit *f*

financ|e [finɑ̃s] *f* Finanzwelt *f*; **~s** *pl moyens* Finanzen *f/pl*, Geldmittel *n/pl*;

domaine: Finanz-, Geldwesen *n*; **~er** (*1k*) finanzieren; **~ier, ~ière** [-je, -jɛr] **1.** *adj* finanziell; Finanz...; **2.** *m* Finanzier *m*

finaud, ~e [fino, -d] listig

fine [fin] *f* feinster Kognak *m*

finesse [finɛs] *f* Feinheit *f*

fini [fini] *achevé* beendet, fertig; *passé* vergangen; *math, phil* endlich; **il est ~** er ist erledigt; **produit** *m* **~** Fertigprodukt *n*

finir [finir] (*2a*) *v/i* enden; *v/t* beend(ig)en; *produit*: fertig stellen; *œuvre, travail*: vollenden; **~ de faire qc** mit etw aufhören; **en ~ avec qc** e-r Sache ein Ende machen; **~ par faire qc** schließlich etw tun

finissage [finisaʒ] *m* Fertigstellung *f*

finition [finisjõ] *f action*: Fertigstellung *f*, *qualité*: Verarbeitung *f*

finlandais, ~e [fɛ̃lɑ̃dɛ, -ɛz] **1.** *adj* finnisch; **2.** ♀ *m, f* Finne *m*, Finnin *f*

Finlande [fɛ̃lɑ̃d] **la ~** Finnland *n*

finnois, ~e [finwa, -z] → **finlandais**

firme [firm] *f* Firma *f*

fisc [fisk] *m* Staatskasse *f*, Fiskus *m*; *administration*: Steuerbehörde *f*

fiscal, ~e [fiskal] (*m/pl -aux*) steuerlich, fiskalisch; **~ité** *f* Steuerwesen *n*; *charges*: Steuerlast *f*

fiss|ion [fisjõ] *f phys* Kernspaltung *f*; **~ure** [-yr] *f craquelure* Sprung *m*; *crevasse* Riss *m*

fix|age [fiksaʒ] *m photographie*: Fixieren *n*; **~ateur** [-atœr] *m photographie*: Fixiermittel *n*; *cheveux*: Haarfestiger *m*; **~ation** *f tech* Festmachen *n*, Befestigung *f*; *détermination* Festsetzung *f*; *ski*: Bindung *f*; *psych* Fixierung *f*

fix|e [fiks] **1.** *adj* fest; *sans mouvement* unbeweglich; *invariable* beständig; **à prix ~** zum Festpreis; **2.** *m* festes Gehalt *n*; **~er** (*1a*) festmachen, befestigen; *déterminer* bestimmen, festsetzen; *photographie*: fixieren; *regarder* anstarren; **se ~** *s'établir* sich niederlassen

flacon [flakõ] *m* Fläschchen *n*

flageller [flaʒele] (*1b*) geißeln

flagrant, ~e [flagrɑ̃, -t] offenkundig; *jur* **prendre en flagrant délit** auf frischer Tat ertappen

flair [flɛr] *m animal*: Witterung *f*, *fig* Gespür *n*; **~er** (*1b*) *animal*: wittern, schnuppern; *fig soupçonner* ahnen; *sentir* spüren

flamand, **~e** [flamɑ̃, -d] **1.** *adj* flämisch; **2.** ♀ *m, f* Flame *m*, Flamin *od* Flämin *f*

flamant [flamɑ̃] *m zo* ~ **(rose)** Flamingo *m*

flamb|ant [flɑ̃bɑ̃] ~ **neuf** (*f unv od* flambant neuve) funkelnagelneu; **~eau** [-o] *m* (*pl* -x) Fackel *f* (*a fig*); **~ée** *f* hell aufloderndes Feuer *n*; *fig* Auflodern *n*; ~ **des prix** Preisauftrieb *m*; **~er** (*1a*) *v/i* auflodern; *v/t cuis* flambieren

flamboy|ant, **~ante** [flɑ̃bwajɑ̃, -ɑ̃t] flammend; *arch* spätgotisch; **~er** (*1h*) auflodern, aufleuchten

flamme [flam] *f* Flamme *f* (*a fig*)

flan [flɑ̃] *m* Pudding *m*

flanc [flɑ̃] *m* Seite *f*; *montagne:* Abhang *m*

Flandre [flɑ̃drə] **la** ~ Flandern *n*

flâner [flɑne] (*1a*) (umher)schlendern, bummeln

flanquer [flɑ̃ke] (*1m*) flankieren; F werfen, schmeißen; *coup:* versetzen

flaque [flak] *f* Pfütze *f*, Lache *f*

flash [flaʃ] *m* Blitzlicht(gerät) *n*; *presse:* kurze (wichtige) Meldung *f*

flasque [flask] schlaff

flatt|er [flate] (*1a*) ~ **qn** j-m schmeicheln; **se ~ de qc** sich e-r Sache rühmen; **~erie** *f* Schmeichelei *f*; **~eur**, **~euse** 1. *adj personne:* schmeichlerisch; *remarque, résultat:* schmeichelhaft; **2.** *m, f* Schmeichler(in) *m(f)*

fléau [fleo] *m* (*pl* -x) *fig* Geißel *f*

flèche [flɛʃ] *f* Pfeil *m*; *clocher:* (Turm)Spitze *f*

fléchir [fleʃir] (*2a*) *v/t* beugen; *faire céder* erweichen; *v/i poutre:* sich durchbiegen; *fig courage, ardeur:* nachlassen

flemme [flɛm] F *f* Faulheit *f*; *avoir la ~ de faire qc* zu faul sein, etw zu tun

flétrir [fletrir] (*2a*) verdorren lassen, verwelken lassen; **se ~** verwelken

fleur [flœr] *f* Blume *f*; *partie de plante:* Blüte *f*

fleur|i, **~ie** [flœri] blühend; *dessin:* geblümt; *style:* blumig; **~ir** (*2a*) *v/i* blühen; *v/t décorer:* mit Blumen schmücken; **~iste** *m, f* Blumenhändler(in) *m(f)*, -züchter(in) *m(f)*

fleuve [flœv] *m* Fluss *m*

flex|ible [flɛksiblə] biegsam; *fig* anpas-

sungsfähig, flexibel; **~ion** *f* Biegung *f*

flic [flik] F *m* Polizist *m*; *péj* F Bulle *m*

flirt [flœrt] *m* Flirt *m*; **~er** (*1a*) flirten

flocon [flɔkɔ̃] *m* Flocke *f*

floraison [flɔrɛzɔ̃] *f* Blüte *f*; *période:* Blütezeit *f* (*a fig*)

floral, **~e** [flɔral] (*m/pl* -aux) Blumen...

florissant, **~e** [flɔrisɑ̃, -t] blühend (*fig*)

flot [flo] *m* Flut *f* (*a fig*); *fig* Strom *m*; **~s** *pl* Wogen *f/pl*, Wellen *f/pl*; **à** ~**s** in Strömen; **à** ~ *mar* flott; **remettre à** ~ flottmachen (*a fig*)

flottant, **~e** [flɔtɑ̃, -t] *fig* schwankend

flott|e [flɔt] *f* Flotte *f*; F *eau* Wasser *n*; **~er** (*1a*) *bateau, bois:* schwimmen; *odeur:* schweben; *fig* schwanken; **~eur** *m tech* Schwimmer *m*

flou, **~e** [flu] unscharf, verschwommen

fluctuation [flyktɥasjɔ̃] *f* Schwankung *f*, Fluktuation *f*; **~s** *f/pl* **du taux de change** Wechselkursschwankungen *f/pl*

fluctuer [flyktɥe] (*1n*) *bes comm* schwanken

fluet, **~te** [flyɛ, -t] schmächtig

fluide [flɥid] **1.** *adj* flüssig; **2.** *m phys* Flüssigkeit *f*

flût|e [flyt] *f* Flöte *f*; *verre:* Sektglas *n*; *pain:* langes, dünnes Brot *n*; ~ **à bec** Blockflöte *f*; ~ **traversière** Querflöte *f*; **~iste** *m, f* Flötist(in) *m(f)*

fluvial, **~e** [flyvjal] (*m/pl* -aux) Fluss...

flux [fly] *m mar* Flut *f*

F.M. [ɛfɛm] (*abr* **fréquence** *f* **modulée**) UKW (Ultrakurzwelle)

fœtus [fetys] *m* Fötus *m*

foi [fwa] *f* Glaube(n) *m*; **être de bonne** (**mauvaise**) ~ aufrichtig (unaufrichtig) sein; **ajouter** ~ **à qc** e-r Sache Glauben schenken; **ma** ~**!** aber gewiss!

foie [fwa] *m* Leber *f*; ~ **gras** Gänseleber *f*

foin [fwɛ̃] *m* Heu *n*

foire [fwar] *f* Jahrmarkt *m*, Volksfest *n*; *comm* Messe *f*

fois [fwa] *f* Mal *n*; **une** ~ einmal; **une** ~ **pour toutes** ein für alle Mal; **pour la première** (**dernière**) ~ zum ersten (letzten) Mal; **à la** ~ zugleich; F **des** ~ manchmal; **chaque** ~ **que** jedesmal, wenn; **une** ~ **que** wenn ... einmal

foison [fwazɔ̃] *f* **à** ~ in Hülle und Fülle

foisonner [fwazɔne] (*1a*) reichlich vorhanden sein; ~ **en**, **de** Überfluss haben an (dat)

folie [fɔli] f Verrücktheit f, Wahnsinn m

folklor|e [fɔlklɔr] m science: Volkskunde f; culture: Folklore f; F péj Theater m; **~ique** volkskundlich; folkloristisch

folle [fɔl] → *fou*

follement [fɔlmã] adv sehr; F wahnsinnig

fomenter [fɔmãte] (1a) anstiften

fonc|é, ~ée [fõse] dunkel(farbig); **~er** (1k) v/i couleurs: dunkler werden; auto rasen; **~ sur** sich stürzen auf (acc)

fonc|ier, ~ière [fõsje, -jɛr] comm Grund...; fig grundlegend

fonction [fõksjõ] f Funktion f; charge Amt n; profession Beruf m, Tätigkeit f; **~ publique** öffentlicher Dienst m; **faire ~ de** personne: fungieren als; chose: dienen als; **être en ~** im Amt sein; **en ~ de** entsprechend, je nach; **être ~ de qc** von etw abhängen

fonctionn|aire [fõksjɔnɛr] m, f Beamte(r) m, Beamtin f; **~el, ~elle** funktionell; **~er** (1a) funktionieren, in Betrieb sein

fond [fõ] m eau, vallée: Grund m; bouteille, boîte: Boden m; arrière-fond Hintergrund m; base Grundlage f; contenu Inhalt m; cœur, problème: Grund m; **article m de** Leitartikel m; **au ~ du couloir** am Ende des Ganges; **de ~ en comble** von oben bis unten; **à ~** gründlich; **au ~, dans le ~** im Grunde; **ski m de ~** Skilanglauf m

fondamental, ~e [fõdamãtal] (m/pl -aux) grundlegend, fundamental

fond|ant, ~ante [fõdã, -ãt] schmelzend; fruit: saftig; chocolat: zartbitter; **~ateur, ~atrice** [-atœr, -atris] m, f Gründer(in) m(f); **~ation** f Gründung f; institution, donation: Stiftung f; **~s** pl d'édifice: Fundament n, Grundmauern f/pl

fond|é, ~ée [fõde] 1. adj personne: berechtigt; reproche, accusation: begründet; 2. m **~ de pouvoir** Bevollmächtigte(r) m; **~ement** [-mã] m fig Grundlage f; **~s** pl d'édifice: Fundament n; **~er** (1a) gründen; motiver begründen; cloître, prix: stiften; **se ~ sur** sich stützen auf (acc); **~erie** f Gießerei f

fondre [fõdrə] (4a) v/t métal: schmelzen; neige: tauen; dans l'eau: auflösen; tech

gießen; v/i métal, neige: schmelzen; dans l'eau: sich auflösen; fig **~ en larmes** in Tränen zerfließen; **~ sur** losstürzen auf (acc)

fonds [fõ] m 1. sg terre: Grundstück n; bibliothèque, collection: Schatz m; ressources Bestand m; réserve en argent Fonds m; **~ de commerce** Geschäft n; 2. pl argent Gelder n/pl, Kapital n; **~ monétaire** Währungsfonds m;

fondu, ~e [fõdy] p/p de *fondre* u adj geschmolzen

fondue [fõdy] f cuis Fondue n od f

fontaine [fõtɛn] f (Spring-)Brunnen m

fonte [fõt] f métal: Gusseisen n; **~ des neiges** Schneeschmelze f

fonts [fõ] m/pl **~ baptismaux** Taufbecken n

football [futbol] m Fußball m; **jouer au ~** Fußball spielen; **~eur, ~euse** m, f Fußballspieler(in) m(f)

for|ain, ~e [fɔrɛ̃, -ɛn] 1. adj Jahrmarkts...; 2. m Schausteller m

forçat [fɔrsa] m Zuchthäusler m

force[1] [fɔrs] f Kraft f; violence Gewalt f; puissance Macht f; vigueur Stärke f; **~ majeure** höhere Gewalt f; **à ~ de travail(ler)** durch vieles Arbeiten; **à toute ~** mit aller Gewalt, mit allen Mitteln; **de, par ~** zwangsweise; **de toutes ses ~s** aus Leibeskräften; **~ de frappe** französische Atomstreitmacht f; **~s armées** Streitkräfte f/pl

force[2] [fɔrs] litt adv viel, zahlreich

forc|é, ~ée [fɔrse] gezwungen; **atterrissage m forcé** Notlandung f; **~ément** [-emã] inévitablement zwangsläufig; **pas ~** nicht unbedingt; **~ené, ~enée** [-əne] 1. adj leidenschaftlich; 2. m, f Wahnsinnige(r) m, f; **~er** (1k) v/t zwingen (qn à qc j-n zu etw); **~ qn à faire qc** j-n zwingen, etw zu tun; porte: aufbrechen; fig **~ la note** übertreiben; v/i sich verausgaben

forer [fɔre] (1a) bohren

forest|ier, ~ière [fɔrɛstje, -jɛr] 1. adj Forst..., Wald...; 2. m Förster m

foret [fɔre] m tech Bohrer m

forêt [fɔrɛ] f Wald m (a fig); **~ vierge** Urwald m; 2 *Noire* Schwarzwald m

foreuse [fɔrøz] f Bohrmaschine f

forfait[1] [fɔrfɛ] m comm Pauschalpreis m, Pauschale f; **déclarer ~** zurücktreten

forfaitaire [fɔrfɛtɛr] Pauschal...

forg|e [fɔrʒ] f Schmiede f; **er** (1l) schmieden; fig prägen; F aushecken; **eron** [-ərõ] m Schmied m

formal|iser [fɔrmalize] (1a) **se ~ de qc** sich an etw (dat) stoßen; **iste** fɔrmalist/: formalistisch; protocolaire förmlich; **ité** f Formalität f

format [fɔrma] m Format n

format|age [fɔrmataʒ] m EDV Formatierung f; **er** [fɔrmate] (1a) formatieren

formation [fɔrmasjõ] f éducation Bildung f; professionnelle: Ausbildung f; intensive: Schulung f; mil, géol Formation f

forme [fɔrm] f Form f; condition Form f, Verfassung f; **dans les ~s** in aller Form; **en ~ de** in Form von; **pour la ~** zum Schein; **être en ~** in (Hoch-)Form sein

form|el, **elle** [fɔrmɛl] poli formell; explicite ausdrücklich; opposé à contenu formal; **er** (1a) bilden; instruire ausbilden; projet, idée: entwickeln; caractère: formen; tél **~ le numéro** die Nummer wählen

formidable [fɔrmidablə] gewaltig, kolossal; F prima, Klasse

formulaire [fɔrmylɛr] m Formular n, Formblatt n, Vordruck m

formule [fɔrmyl] f math Formel f; méthode Methode f; **er** (1a) formulieren; texte: abfassen; opinion: äußern

fort, **~e** [fɔr, -t] **1.** adj stark, kräftig; gros dick, beleibt; goût: scharf; doué bewandert; **à plus forte raison** um so mehr; **être ~ de qc** sich auf etw (acc) verlassen können; **être ~ en** gut sein in (dat); **2.** adv stark, sehr; **3.** m Stärke f, starke Seite f; mil Fort n

forteresse [fɔrtərɛs] f Festung f

fortifiant, **~e** [fɔrtifjã, -t] **1.** adj stärkend; **2.** m Stärkungsmittel n

fortif|ication [fɔrtifikasjõ] f Befestigung f; **~s pl** Befestigungsanlagen f/pl; **ier** [-je] (1a) corps, volonté: stärken; construction: verstärken; mil befestigen

fortuit, **~e** [fɔrtɥi, -t] zufällig, unerwartet

fortune [fɔrtyn] f biens Vermögen n; sort Schicksal n; chance Glück n; **faire ~** sein Glück machen; **de ~** behelfsmäßig; **sans ~** unbemittelt

fortuné, **~e** [fɔrtyne] vermögend, begütert

fosse [fos] f grand trou Grube f; tombe Grab n

fossé [fose] m Graben m; fig Kluft f

fossoyeur [foswajœr] m Totengräber m

fou, **folle** [fu, fɔl] **1.** adj verrückt, irr, wahnsinnig; **être ~ de qn (de qc)** nach j-m (auf etw acc) verrückt sein; **2.** m, f Verrückte(r) m, f

foudre [fudr] f Blitz(schlag) m; fig **coup m de ~** Liebe f auf den ersten Blick

foudroy|ant, **~ante** [fudrwajã, -ãt] überwältigend; **er** (1h) (tödlich) treffen; **~ qn du regard** j-m vernichtende Blicke zuwerfen

fouet [fwɛ] m Peitsche f

fouetter [fwete] (1b) avec fouet: peitschen; cuis schlagen

fougère [fuʒɛr] f Farnkraut n

fougue [fug] f Feuer n, Schwung m

fouill|e [fuj] f Durchsuchung f; **~s pl** archéologie: Ausgrabungen f/pl; **er** (1a) v/i Ausgrabungen machen; v/t police: durchsuchen; animal: durchwühlen

foulard [fular] m Seidenschal m, Tuch n

foule [ful] f affluence Gedränge n; peuple Volk n, Leute pl; multitude Masse f; **une ~ de** e-e Menge von; **en ~** in Scharen

foul|er [fule] (1a) niedertreten; fig **~ aux pieds** mit Füßen treten; **se ~ le pied** sich den Fuß verstauchen; F fig **ne pas se ~** sich kein Bein ausreißen; **ure** [-yr] f Verstauchung f

four [fur] m Backofen m, Bratröhre f; tech Ofen m; petits **~s pl** kleine verzierte Kuchen m/pl

fourbe [furb] **1.** adj schurkisch; **2.** m Schurke m; **erie** [-əri] f Schurkerei f, Betrügerei f

fourbu, **~e** [furby] erschöpft

fourch|e [furʃ] f (Fahrrad-, Heu-, Mist-)Gabel f; **ette** [-ɛt] f (Ess-)Gabel f; comm Spanne f; **on** m Zinke f

fourgon [furgõ] m camion Kastenwagen m; wagon Gepäckwagen m; **~ funèbre** Leichenwagen m

fourmi [furmi] f zo Ameise f

fourmilière [furmiljɛr] f Ameisenhaufen m; fig Gewimmel n

fourmiller [furmije] (*1a*) wimmeln

fourn|aise [furnez] *f* fig Backofen *m* (*heißer Raum*); **~eau** [-o] *m* (*pl -x*) Ofen *m*, Herd *m*; **haut ~** Hochofen *m*; **~ée** *f* fig Schub *m*; F Ladung *f*

fourn|i, ~ie [furni] **bien ~** gut ausgestattet; **~ir** (*2a*) **1.** *v/t* liefern; *restaurant, client*: beliefern (*de, en* mit); **~ un effort** e-e Anstrengung machen; **~ un renseignement** e-e Auskunft erteilen; **2. ~ à qc** für etw sorgen

fourni|sseur [furnisœr] *m* Lieferant *m*; **~ture** [-tyr] *f* Lieferung *f*; *pl* **~s** Zubehör *n*; **~ de bureau** Bürobedarf *m*

fourrag|e [furaʒ] *m* (Vieh-)Futter *n*; **~er** (*1l*) F herumstöbern, -wühlen

fourré¹ [fure] *m* Dickicht *n*

fourré², ~e [fure] *cuis* gefüllt; *vêtement*: gefüttert

fourrer [fure] (*1a*) hineinstecken, -stopfen; *remplir* füllen; *nourrir* füttern; **~ son nez partout** seine Nase in alles stecken; **se ~** sich verkriechen

fourr|e-tout [furtu] *m* (*pl unv*) große Reisetasche *f*; **~eur** *m* Kürschner *m*; **~ière** [-jɛr] *f animaux*: Tierasyl *n*; *voitures*: Platz *m* für abgeschleppte Autos; **~ure** [-yr] *f* Pelz *m*

fourvoyer [furvwaje] (*1h*) **se ~** sich verlaufen

foutre [futrə] P (*4a*) machen, tun; *jeter* schmeißen; *coup*: versetzen, verpassen; **se ~ de qn** sich über j-n lustig machen; **~ la paix à qn** j-n in Ruhe lassen; **~ le camp** F sich verziehen, verduften; **je m'en fous!** F das ist mir egal!

foutu, ~e [futy] P *p/p de* **foutre** *u adj* → **fichu**

foyer [fwaje] *m* Feuer(stelle) *n(f)*, Herd *m*; *point d'origine* Herd *m*; *famille*: Hausstand *m*, Heim *n*; *étudiants*: Wohnheim *m*; *théâtre*: Foyer *n*, Wandelgang *m*; *phys* Brennpunkt *m*; **femme f au ~** Hausfrau *f*

fracas [fraka] *m* Getöse *n*, Krach *m*

fracasser [frakase] (*1a*) zerschmettern

fraction [fraksjõ] *f* Bruchteil *m*; *math* Bruch *m*; *pol* Gruppierung *f*

fractionner [fraksjone] (*1a*) zerteilen (*en* in *acc*)

fractur|e [fraktyr] *f méd* Bruch *m*; **~er** (*1a*) *coffre*: aufbrechen; *jambe*: brechen

fragil|e [fraʒil] *chose*: zerbrechlich; *personne*: anfällig, empfindlich; *équilibre, état*: unsicher; **~ité** *f chose*: Zerbrechlichkeit *f*; *personne*: Anfälligkeit *f*; *état*: Unsicherheit *f*

fragment [fragmã] *m* Fragment *n*, Bruchstück *n*; *texte*: Auszug *m*

fragmentaire [fragmãtɛr] bruchstückhaft

fraîch|eur [freʃœr] *f* Frische *f*; *froideur* Kühle *f*; **~ir** (*2a*) *vent*: erfrischen; *temps*: kühler werden

frais¹, fraîche [fre, freʃ] frisch; *froid* kühl; **de fraîche date** neu; **servir frais** kalt servieren; **mettre au frais** kühl lagern; **il fait frais** es ist frisch

frais² [fre] *m/pl* Kosten *pl*, Ausgaben *f/pl*; **faire des ~** Ausgaben haben

frais|e [frez] *f* **1.** *bot* Erdbeere *f*; **2.** *tech* Fräse *f*; **~er** (*1b*) *tech* (aus)fräsen

framboise [frãbwaz] *f* Himbeere *f*

fran|c¹, ~che [frã, -ʃ] *sincère* freimütig, offen(herzig); *regard*: offen; **~ de port** portofrei

franc² [frã] *m* Franc *m*, Franken *m*

français, ~e [frãse, -z] **1.** *adj* französisch; **2.** ♀ *m, f* Franzose *m*, Französin *f*

France [frãs] *la ~* Frankreich *n*

franch|ement [frãʃmã] *adv* offen, freimütig; *nettement* ausgesprochen; **~ir** (*2a*) übersteigen, -schreiten, -springen; *obstacle*: überwinden; **~ise** [-iz] *f comm* exemption Freiheit *f*; *caractère*: Freimütigkeit *f*

franciser [frãsize] (*1a*) französieren

franc|-maçon [frãmasõ] *m* (*pl francs-maçons*) Freimaurer *m*; **~-maçonnerie** [-masɔnri] *f* Freimaurerei *f*

franco [frãko] **1.** portofrei, franko; **2.** *in Zssgn* französisch; **~phone** [-fɔn] französischsprachig

franc-parler [frãparle] *m* Freimut *m*

frange [frãʒ] *f* Franse *f*

franquette [frãkɛt] F **à la bonne ~** ohne Umstände

frappe [frap] *f dactylographie*: Anschlag *m*

frapper [frape] (*1a*) schlagen; *projectile, mesure*: treffen; *impôt*: betreffen; *maladie*: heimsuchen; *surprise, effet*: überraschen, verblüffen; **~ dans les mains** in die Hände klatschen; **~ à la porte** an die Tür klopfen

frasque [frask] *f* Eskapade *f*

fratern|el, **~elle** [fratɛrnɛl] brüderlich, Bruder...; **~iser** (*1a*) sich verbrüdern; **~ité** *f association* Brüderschaft *f*; *solidarité* Brüderlichkeit *f*

fraud|e [frod] *f* Betrug *m*; **~ fiscale** Steuerhinterziehung *f*; **~er** (*1a*) betrügen

frauduleu|x, **~se** [frodylø, -z] betrügerisch

frayer [frɛje] (*1i*) *v/t chemin*: bahnen; *v/i poisson*: laichen; *fig* **~ avec qn** mit j-m verkehren

frayeur [frɛjœr] *f* Schreck(en) *m*

fredonner [frədɔne] (*1a*) trällern, summen

frein [frɛ̃] *m* Bremse *f*; *fig* Zügel *m*; **~ à main** Handbremse *f*

frein|age [frɛnaʒ] *m* Bremsen *n*; **~er** (*1b*) bremsen

frêle [frɛl] zart; *faible* schwächlich

frelon [frəlõ] *m zo* Hornisse *f*

frém|ir [fremir] (*2a*) *feuilles*: rauschen; *eau*: sieden; *fig* schaudern; **~issement** [-ismã] *m feuilles*: Rauschen *n*; *fig* Schauder *m*

frêne [frɛn] *m bot* Esche *f*

fréné|sie [frenezi] *f* Raserei *f*; **avec ~** wie wahnsinnig; **~tique** [-tik] *passion*: rasend; *applaudissements*: frenetisch

fréqu|emment [frekamã] *adv* häufig; **~ence** [-ãs] *f* Häufigkeit *f*; *phys* Frequenz *f*; **~ent, ~ente** [-ã, -ãt] häufig

fréquent|ation [frekãtasjõ] *f théâtre, musée*: häufiger Besuch *m*; *amis*: Umgang *m*; **~er** (*1a*) oft (*od* regelmäßig) besuchen; **~ qn** mit j-m verkehren

frère [frɛr] *m* Bruder *m*

fresque [frɛsk] *f* Fresko(malerei) *n(f)*

fret [frɛ] *m cargaison* Fracht *f*; *prix*: Frachtgeld *n*

frétiller [fretije] (*1a*) zappeln

fretin [frətɛ̃] *m menu ~ fig* kleine Fische *m/pl*

friable [frijablə] brüchig, bröckelig

friand, **~e** [frijã, -d] *être ~ de qc* nach etw gierig sein; **~ise** [-diz] *f le plus souvent au pl* **~s** Leckereien *f/pl*

fric [frik] *m* F Moneten *f/pl*, Kohle *f*

fricandeau [frikãdo] *m* (*pl* -x) *cuis* gespickte Kalbsnuss *f*

fricassée [frikase] *f cuis* Frikassee *n*

friche [friʃ] *f agr* Brachland *n*

friction [friksjõ] *f tech* Reibung *f*; *che-*

veux: (Kopf-)Massage *f*

frictionner [friksjɔne] (*1a*) ein-, abreiben, frottieren

frigidaire [friʒidɛr] *m* Kühlschrank *m*

frigo [frigo] *F m abr* Kühlschrank *m*

frigorif|ier [frigɔrifje] (*1a*) einfrieren; **~ique** Kühl...

frileu|x, **~se** [frilø, -z] leicht frierend

frimas [frima] *litt m* Raureif *m*

frimousse [frimus] *f f* Gesicht *n*

fringale [frɛ̃gal] *f* F Heißhunger *m*

fringant, **~e** [frɛ̃gã, -t] lebhaft, munter

fringues [frɛ̃g] *f/pl* F Klamotten *pl*

friper [fripe] (*1a*) zerknittern

frip|ier, **~ière** [fripje, -jɛr] *m, f* Trödler(in) *m(f)*

fripon, **~ne** [fripõ, -ɔn] **1.** *adj* schalkhaft, schelmisch; **2.** *m, f* Schlingel *m*

fripouille [fripuj] *f* F Schuft *m*

frire [frir] (*4m*) braten, backen

frise [friz] *f arch* Fries *m*

friser [frize] (*1a*) *v/t cheveux*: Locken machen in (*acc*); *fig* grenzen an (*acc*); *v/i* sich kräuseln

frisson [frisõ] *m peur*: Schauder *m*; *froid*: Frösteln *n*; **~ner** [frisɔne] (*1a*) zittern; *peur*: schaudern; *froid*: frösteln

frit, **~e** [fri, -t] *p/p de* **frire** *u adj* gebacken, gebraten; (**pommes**) **frites** *f/pl* Pommes frites *pl*

friture [frityr] *f* Backen *n*, Braten *n*; *huile*: Backfett *n*; *radio, tél* Störgeräusch *n*

frivole [frivɔl] leichtfertig, frivol

froc [frɔk] *m* Mönchskutte *f*

froid, **~e** [frwa, -d] **1.** *adj* kalt (*a fig*); **j'ai froid** ich friere, mir ist kalt; **il fait froid** es ist kalt; **prendre froid** sich erkälten; **2.** *m* Kälte *f*; **~ement** [-dmã] *adv fig* indifferent, kühl, gleichgültig; *insensiblement* kaltblütig; **~eur** *f* (Gefühls-)Kälte *f*

froisser [frwase] (*1a*) zerknittern; *fig* kränken

frôler [frole] (*1a*) streifen, leicht berühren; *fig catastrophe*: mit knapper Not entkommen (*dat*)

fromag|e [frɔmaʒ] *m* Käse *m*; **~ blanc** Quark *m*; **~er, ~ère 1.** *adj* Käse...; **2.** *m* Käsehändler *m*, -hersteller *m*

froment [frɔmã] *m* Weizen *m*

fronc|e [frõs] *f* Falte *f*; **~er** (*1k*) fälteln; **~ les sourcils** die Stirn runzeln

frondaison [frõdɛzõ] *litt f* Blatt-,

Laubwerk n

frond|e [frõd] f Schleuder f; **~eur, ~euse** aufrührerisch, aufsässig

front [frõ] m anat Stirn f; mil Front f; **de ~** von vorn, frontal; fig offen; **faire ~ à** die Stirn bieten (dat)

frontal|ier, **~ière** [frõtalje, -jɛr] **1.** adj Grenz...; **2.** m travailleur: Grenzgänger m

frontière [frõtjɛr] f Grenze f

frontispice [frõtispis] m Titelblatt n, -bild n

fronton [frõtõ] m arch Giebeldreieck n

frott|ement [frɔtmã] m Reiben n; **~er** (1a) v/i reiben; v/t enlever: abreiben; faire entrer: einreiben; meuble: polieren; sol: scheuern, bohnern; allumette: anzünden

fructi|fier [fryktifje] (1a) bot Früchte tragen; argent: Zinsen bringen; **~ueux, ~ueuse** [-ɥø, -ɥøz] einträglich, Gewinn bringend

frugal, **~e** [frygal] (m/pl -aux) personne: genügsam; repas: kärglich

fruit [frɥi] m Frucht f; fig Ertrag m, Früchte f/pl; **~s** pl Obst n; **~s de mer** Meeresfrüchte f/pl

fruit|é, **~e** [frɥite] fruchtig; **~ier, ~ière** [-je, -jɛr] Frucht..., Obst...; **arbre ~ fruitier** Obstbaum m

fruste [fryst] roh, ungeschliffen

frustration [frystrasjõ] f Frustration f, F Frust m

frustrer [frystre] (1a) frustrieren; **~ qn de qc** j-n um etw bringen, prellen

fuel [fjul] m Heizöl n

fugace [fygas] flüchtig

fugit|if, **~ive** [fyʒitif, -iv] **1.** adj flüchtig; **2.** m, f Flüchtling m

fugue [fyg] f enfant: Ausreißen n; mus Fuge f; **faire une ~** ausreißen

fuir [fɥir] (2d) v/i fliehen; temps: dahinschwinden; tonneau, tuyau: lecken; robinet: tropfen; liquide: auslaufen; v/t **~qc** etw meiden, vor etw (dat) fliehen

fuite [fɥit] f **1.** Flucht f; **mettre en ~** in die Flucht schlagen; **prendre la ~** die Flucht ergreifen; **2.** tonneau, tuyau: undichte Stelle f, Leck n; écoulement: Ausfließen n, -strömen n

fulgurant, **~e** [fylgyrã, -t] vitesse: blitzschnell

fulmin|ant, **~ante** [fylminã, -ãt] wütend; **~er** (1a) wettern, toben

fumé, **~e** [fyme] geräuchert; verre: getönt

fume-cigare(tte) [fymsigar, -sigarɛt] m (pl unv) Zigarren- (Zigaretten)spitze f

fum|ée [fyme] f Rauch m; **~er** (1a) rauchen; cuis räuchern; terre: düngen; **~et** m Aroma n, Geruch m; **~eur, ~euse** m, f Raucher(in) m(f)

fumeu|x, **~se** [fymø, -z] verschwommen

fum|ier [fymje] m Mist m, Dung m; **~iste** m fig Bluffer m; **~isterie** [-istəri] f Schwindel m; **~oir** m Raucherzimmer n

funambule [fynãbyl] m, f Seiltänzer(in) m(f)

funèbre [fynɛbrə] Begräbnis..., Leichen...; lugubre düster

funér|ailles [fyneraj] f/pl Beerdigung f, Bestattung f; **~aire** [-ɛr] tombe: Grab...; funérailles: Begräbnis...

funeste [fynɛst] pressentiment: unheilvoll; erreur, suite: verhängnisvoll (**à** für)

funiculaire [fynikylɛr] m Seilbahn f

fur [fyr] m **au ~ à mesure** nach und nach; **au ~ et à mesure que** in dem Maße wie

furet [fyrɛ] m zo Frettchen n

fureter [fyrte] (1e) herumschnüffeln

fureur [fyrœr] f Wut f, Raserei f; **faire ~** großen Erfolg haben, Furore machen

furibond, **~e** [fyribõ, -d] rasend, wütend

furi|e [fyri] colère Wut f; femme: Furie f; **~eux, ~euse** [-jø, -jøz] wütend

furt|if, **~ive** [fyrtif, -iv] verstohlen, heimlich

fusain [fyzɛ̃] m Kohle f (zum Zeichnen); dessin: Kohlezeichnung f

fus|eau [fyzo] m (pl -x) filer: Spindel f; **~ horaire** Zeitzone f; **~ée** f Rakete f; bombe: Zünder m

fuselage [fyzlaʒ] m aviat Rumpf m

fusible m [fysiblə] él Sicherung f

fusil [fyzi] m Gewehr n

fusill|ade [fyzijad] f Schießerei f; **~er** (1a) erschießen

fusion [fyzjõ] f Schmelzen n; comm Fusion f; **~ nucléaire** Kernfusion f

fusionner [fyzjone] (1a) bes comm fusionieren

fustiger [fystiʒe] (1l) fig litt geißeln

fût [fy] m arbre: Stamm m; colonne: Schaft m; tonneau Fass n

futaie [fytɛ] f Hochwald m

futé, **~e** [fyte] pfiffig, gerissen

futil|e [fytil] *chose*: unbedeutend, belanglos; *personne*: oberflächlich; **~ité** *f* Bedeutungslosigkeit *f*, Nichtigkeit *f*

futur, **~e** [fytyr] **1.** *adj* zukünftig; **2.** *m gr* Zukunft *f*

fuyant, **~e** [fɥijɑ̃, -t] fliehend; *regard*: ausweichend

G

gabegie [gabʒi] *f* Misswirtschaft *f*

gâch|er [gɑʃe] (*1a*) *mortier*: anrühren; *fig travail*: verpfuschen; *gaspiller* verschwenden, vergeuden; **~ette** [-ɛt] *f mil* Abzug(shebel) *m*; **~is** [-i] *m* Mörtel *m*; *fig désordre* Durcheinander *n*; *gaspillage* Verschwendung *f*; *être dans le* **~** in der Patsche sitzen

gadget [gadʒɛt] *m* technische Spielerei *f*

gaffe [gaf] *f mar* Bootshaken *m*; F Dummheit *f*, Schnitzer *m*; F *faire* **~** aufpassen

gaga [gaga] (*unv*) F vertrottelt

gag|e [gaʒ] *m* Pfand *n*; *fig* Beweis *m*; **~s** *pl* Lohn *m* (*für Hauspersonal*); *mettre* **en ~** verpfänden; **~er** (*1l*) *jur* durch ein Pfand sichern; **~eure** [-yr] *f litt c'est une* **~** das ist ein aussichtsloses Unterfangen

gagnant, **~e** [gaɲɑ̃, -t] **1.** *adj* Gewinn...; **2.** *m, f* Gewinner(in) *m(f)*

gagne-pain [gaɲpɛ̃] *m* (*pl unv*) Broterwerb *m*

gagner [gaɲe] (*1a*) gewinnen; *salaire*: verdienen; *place, temps*: einsparen; *réputation, amitié*: erwerben; *endroit*: erreichen; *peur, sommeil*: überfallen

gai, **~e** [ge, gɛ] fröhlich, lustig; *un peu ivre* angeheitert

gaieté [gete] *f* Fröhlichkeit *f*, Heiterkeit *f*; *de* **~** *de cœur* gern

gaillard, **~e** [gajar, -d] **1.** *adj gai* munter; *propos*: locker; **2.** *m* Kerl *m*, kräftiger Bursche *m*

gain [gɛ̃] *m* Gewinn *m*; *avantage* Vorteil *m*; **~s** *pl revenus* Verdienst *m*; **~ de temps** Zeitersparnis *f*

gaine [gɛn] *f* **1.** *bot* Blattscheide *f*; *poignard*: Scheide *f*; *tech* Hülle *f*; **2.** *sous-vêtement*: Hüfthalter *m*

gala [gala] *m* Fest-, Galaveranstaltung *f*

galant, **~e** [galɑ̃, -t] galant; **~erie** [-tri] *f* Höflichkeit *f*

galantine [galɑ̃tin] *f* Sülze *f*

galbé, **~e** [galbe] *jambes*: wohlproportioniert

gale [gal] *f* Krätze *f*; *chien*: Räude *f*

galère [galɛr] *f hist* Galeere *f*

galerie [galri] *f passage, d'art*: Galerie *f*; *auto* Dachgepäckträger *m*; *souterrain* Stollen *m*

galet [galɛ] *m* Kiesel(stein) *m*; *tech* (Lauf-)Rolle *f*

galette [galɛt] *f flacher Blätterteigkuchen*

galeu|x, **~se** [galø, -z] räudig; *brebis f* **galeuse** *fig* schwarzes Schaf *n*

galipette [galipɛt] *f* F Purzelbaum *m*

Galles [gal] *f/pl le pays m de* **~** Wales *n*

gallicisme [galisism] *m* französische Spracheigentümlichkeit *f*

galon [galɔ̃] *m* Tresse *f*; *mil a* Dienstgradabzeichen *n*

galop [galo] *m* Galopp *m*; **~er** [galɔpe] (*1a*) galoppieren

galopin [galɔpɛ̃] *m* Bengel *m*

galvauder [galvode] (*1a*) entwürdigen

gambad|e [gɑ̃bad] *f* Luftsprung *m*; **~er** (*1a*) hüpfen

gamelle [gamɛl] *f* Kochgeschirr *n*

gam|in, **~ine** [gamɛ̃, -in] **1.** *m, f* kleiner Junge *m*; kleines Mädchen *n*; **2.** *adj* schelmisch; **~inerie** [-inri] *f* Dummerjungenstreich *m*

gamme [gam] *f mus* Tonleiter *f*; *fig* Palette *f*

gammée [game] *adj* **croix** *f* **~** Hakenkreuz *n*

gangrène [gɑ̃grɛn] *f méd* Brand *m*

gant [gɑ̃] *m* Handschuh *m*; **~ de données** EDV Datenhandschuh *m*; **~ de toilette** Waschlappen *m*

garag|e [garaʒ] *m* **1.** Garage *f*; **2.** *atelier*

(Autoreparatur-)Werkstatt *f*; **~iste** *m* (*selbständiger*) Automechaniker *m*, Werkstattbesitzer *m*

garant, **~e** [garã, -t] *m*, *f* Bürge *m*, Bürgin *f*; **se porter ~** bürgen (**de** für)

garant|ie [garãti] *f* Garantie *f*; **~ir** (*2a*) Gewähr leisten, garantieren; *jur* bürgen für; *attester* versichern; *protéger* schützen (**de**, **contre** vor, gegen)

garçon [garsõ] *m* **1.** Junge *m*; *jeune homme* junger Mann *m*; (**vieux**) **~** Junggeselle *m*; **2.** *serveur* Kellner *m*; *employé* Gehilfe *m*

garçonnière [garsɔnjɛr] *f* Junggesellenwohnung *f*

garde[1] [gard] *f* Bewachung *f*, Aufsicht *f* (**de** über); *bes mil* Wache *f*; *chien* *m* **de ~** Wachhund *m*; **~ à vue** Polizeigewahrsam *m*; *jur* **droit** *m* **de ~** Sorgerecht *n*; **prendre ~** Acht geben; **être sur ses ~s** auf der Hut sein; **être de ~** Wachdienst, Bereitschaftsdienst haben; **monter la ~** Wache halten

garde[2] [gard] *m* Wächter(in) *m(f)*, Aufseher(in) *m(f)*; *prison*: Wärter(in) *m(f)*; **~ du corps** Leibwächter *m*

garde-barrière [gardəbarjɛr] *m* (*pl gardes-barrière[s]*) Schrankenwärter *m*; **~-boue** [-bu] *m* (*pl inv*) Schutzblech *n*; *auto* Kotflügel *m*; **~-chasse** [-ʃas] *m* (*pl gardes-chasse[s]*) Jagdaufseher *m*; **~-fou** [-fu] *m* (*pl garde-fous*) Geländer *n*; **~-manger** [-mãʒe] *m* (*pl inv*) Speisekammer *f*

gard|er [garde] (*1a*) *objet*: aufbewahren, aufheben, behalten; *silence*: bewahren; *vêtement*: anbehalten; *malade*, *enfant*: pflegen; *animal*: hüten; *surveiller* bewachen; **~ pour soi** für sich behalten; **se ~ de** sich hüten vor; **~erie** [-əri] *f* Kinderhort *m*

garde-robe [gardərɔb] *f* (*pl garde-robes*) *armoire*: Kleiderschrank *m*; *vêtements* Garderobe *f*

gardien, **~ne** [gardjɛ̃, -ɛn] *m*, *f* Aufseher(in) *m(f)*, Wächter(in) *m(f)*; *prison*: Wärter(in) *m(f)*; *musée*: Aufseher(in) *m(f)*; *immeuble*: Hausmeister(in) *m (f)*; **gardien** (**de but**) Torwart *m*; **gardien de la paix** Polizeibeamte(r) *m*

gare[1] [gar] *f* Bahnhof *m*; **~ routière** Omnibusbahnhof *m*

gare[2] [gar] **~ à ...!** pass auf, dass nicht ...!; **~ à toi!** nimm dich in Acht!

garer [gare] (*1a*) abstellen, parken; **se ~** parken; *pour laisser passer*: ausweichen; **se ~ de** sich hüten vor

gargariser [gargarize] (*1a*) **se ~** gurgeln; *fig* F **se ~ de** sich berauschen an (*dat*)

gargote [gargɔt] *f* mieses Esslokal *n*

gargouille [garguj] *f arch* Wasserspeier *m*

garnement [garnəmã] *m* Schlingel *m*, Bengel *m*

garn|ir [garnir] (*2a*) *fournir* ausstatten, versehen (**de** mit); *orner* ausschmücken, verzieren (**de** mit); **~ison** [-izõ] *f mil* Garnison *f*; **~iture** [-ityr] *f* Verzierung *f*; *cuis* Beilage *f*; *auto* **~ de frein** Bremsbelag *m*

garrotter [garɔte] (*1a*) fesseln

gars [ɡɑ] *m* F Bursche *m*, Kerl *m*

gas-oil [ɡazwal, ɡazɔjl] *m* Dieselkraftstoff *m*

gaspill|age [gaspijaʒ] *m* Verschwendung *f*, Vergeudung *f*; **~er** [-e] (*1a*) verschwenden, vergeuden

gastrique [gastrik] Magen...

gastronom|ie [gastrɔnɔmi] *f* Gastronomie *f*; **~ique** [-ik] gastronomisch

gâteau [gɑto] *m* (*pl -x*) Kuchen *m*; **~x secs** Teegebäck *n*

gâter [gɑte] (*1a*) verderben; *enfant*: verwöhnen, verziehen; **se ~** schlecht werden

gâteu|x, **~se** [gɑtø, -z] senil, verkalkt

gauche[1] [goʃ] **1.** *adj* linke(r, -s); *manières*: linkisch; **à ~** links; **à ~ de** links von; **2.** *f pol* Linke *f*; *main*: Linke *f*, linke Hand *f*; *côté*: linke Seite *f*; **de la ~** von links; **~er**, **~ère 1.** *adj* linkshändig; **2.** *m*, *f* Linkshänder(in) *m(f)*; **~ir** (*2a*) (*se*) **~** sich verziehen, sich verbiegen; **~iste** *m*, *f pol* Linksextreme(r) *m(f)*

gaufre [gofrə] *f* Waffel *f*

Gaule [gol] **la ~** (*a* **les ~s**) Gallien *n*

gaulois, **~e** [golwa, -z] **1.** *adj* gallisch; *fig* deftig, derb; **2.** ♀ *m*, *f* Gallier(in) *m(f)*

gauloiserie [golwazri] *f* derber Witz *m*

gaver [gave] (*1a*) *animal*: mästen; *fig* (voll)stopfen

gaz [ɡaz] *m* Gas *n*; **~ naturel** Erdgas *n*; F **à pleins ~** mit Vollgas; **mettre les ~** Vollgas geben

gaze [ɡɑz] *f* Gaze *f*; *phm* Verbandsmull *m*

gazer [gɑze] (1a) **1.** durch Giftgas töten, vergasen; **2.** F auto rasen; F **ça gaze!** das klappt ja!

gazette [gazɛt] f Zeitung f

gazeu|**x**, **~se** [gazø, -z] gasförmig; **eau** f **gazeuse** Mineralwasser n, Sprudel m

gazoduc [gazɔdyk] m Ferngasleitung f

gazomètre [gazɔmɛtrə] m Gaszähler m

gazon [gazɔ̃] m Rasen m

gazouiller [gazuje] (1a) zwitschern; eau: plätschern

geai [ʒɛ] m zo Eichelhäher m

géant, ~e [ʒeɑ̃, -t] **1.** m, f Riese m, Riesin f; **2.** adj riesig

geindre [ʒɛ̃drə] (4b) stöhnen

gel [ʒɛl] m Frost m; fig salaires, prix: Einfrieren n; cosmétique: Gel n

gélatine [ʒelatin] f cuis Gelatine f

gel|**ée** [ʒ(ə)le] f **1.** Frost m; **~ blanche** Reif m; **2.** cuis Aspik m, Sülze f, Gelee n; **~er** (1d) v/t zum Gefrieren bringen; prix, salaires: einfrieren; v/i personne: frieren; **il gèle** es friert

gélule [ʒelyl] f phm Kapsel f

Gémeaux [ʒemo] m/pl astr Zwillinge m/pl

gém|**ir** [ʒemir] (2a) stöhnen, ächzen; **~issement** [-ismã] m Stöhnen n

gemme [ʒɛm] f Edelstein m

gênant, ~e [ʒɛnɑ̃, -t] hinderlich, störend; histoire: peinlich

gencive [ʒɑ̃siv] f Zahnfleisch n

gendarm|**e** [ʒɑ̃darm] m Gendarm m; **~erie** [-əri] f Gendarmerie f

gendre [ʒɑ̃drə] m Schwiegersohn m

gène [ʒɛn] m biol Gen n

gên|**e** [ʒɛn] f physique: Beklemmung f; dérangement Zwang m; embarras Verlegenheit f; manque d'argent Geldverlegenheit f; **sans ~** ungeniert; **~é, ~ée** verlegen; **~er** (1b) encombrer behindern; déranger stören; troubler in Verlegenheit bringen; fig **se ~** sich Zwang antun, sich genieren (**avec qn** vor j-m)

général, ~e [ʒeneral] (m/pl -aux) **1.** adj allgemein, generell; **en général** im Allgemeinen; **2.** m General m; **~ement** [-mã] adv im Allgemeinen

général|**isation** [ʒeneralizasjɔ̃] f Verallgemeinerung f; **~iser** (1a) verallgemeinern; **~iste** m Allgemeinmediziner m; **~ité** f Allgemeingültigkeit f; **~s** pl Allgemeine(s) n

générateur [ʒeneratœr] m tech Generator m

génération [ʒenerasjɔ̃] f Generation f

générer [ʒenere] (1a) erzeugen

génére|**ux**, **~se** [ʒenerø, -z] großzügig; sol: ergiebig

générique [ʒenerik] **1.** adj Gattungs...; **2.** m cinéma: Vorspann m

générosité [ʒenerozite] f Großzügigkeit f

genèse [ʒənɛz] f Entstehung f

genêt [ʒ(ə)nɛ] m bot Ginster m

génétique [ʒenetik] **1.** adj genetisch; **2.** f Genetik f

Genève [ʒ(ə)nɛv] Genf

genévr|**ier** [ʒənevrije] m bot Wacholder(strauch) m

génial, ~e [ʒenjal] (m/pl -iaux) genial

génie [ʒeni] m Genie n; mil Pioniere m/pl; **~ civil** Hoch- und Tiefbau m; **~ génétique** Gentechnologie f

genièvre [ʒənjɛvrə] m bot Wacholder; boisson: Wacholderschnaps m

génital, ~e [ʒenital] (m/pl -aux) genital

génocide [ʒenɔsid] m Völkermord m

genou [ʒ(ə)nu] m (pl -x) Knie n; **à ~x** auf den Knien; **se mettre à ~x** sich niederknien

genre [ʒɑ̃r] m Art f; animaux: Gattung f; gr Genus n, Geschlecht n

gens [ʒɑ̃] m/pl Leute pl

gentiane [ʒɑ̃sjan] f bot Enzian m

gentil, ~le [ʒɑ̃ti, -j] nett, freundlich, liebenswürdig

gentillesse [ʒɑ̃tijes] f Freundlichkeit f, Liebenswürdigkeit f

gentiment [ʒɑ̃timɑ̃] adv nett, liebenswürdig; sagement brav

géograph|**ie** [ʒeɔgrafi] f Erdkunde f, Geografie f; **~ique** geografisch

géôlier [ʒolje] m Gefängniswärter m

géolog|**ie** [ʒeɔlɔʒi] f Erdgeschichte f; Geologie f; **~ique** geologisch

géométr|**ie** [ʒeɔmetri] f Geometrie f, Raumlehre f; **~ique** geometrisch

gérance [ʒerɑ̃s] f Geschäftsführung f

géranium [ʒeranjɔm] m bot Geranie f

gérant, ~e [ʒerɑ̃, -t] m, f Geschäftsführer(in) m(f)

gerbe [ʒɛrb] f blé: Garbe f; fleurs: Strauß m

gercer [ʒɛrse] (1k) (se) **~** rissig werden, aufspringen

gerçure [ʒɛrsyr] f Riss m, Schrunde f

G

gérer [ʒere] (*1f*) verwalten; *entreprise*: führen

gériatrie [ʒerjatri] *f* Altersheilkunde *f*

germain, ~e [ʒermɛ̃, -ɛn] *cousin m germain* Vetter *m*, *cousine f ~ germaine* Base *f* (ersten Grades)

german|ique [ʒermanik] germanisch; **~isme** *m* deutsche Spracheigentümlichkeit *f*

germano-... [ʒermano] *in Zssgn* deutsch-...

germ|e [ʒerm] *m* Keim *m* (*a fig*); **~er** (*1a*) keimen

gérontologie [ʒerɔ̃tɔlɔʒi] *f* Altersforschung *f*

gestation [ʒɛstasjɔ̃] *f animal*: Trächtigkeit *f*

geste [ʒɛst] *m mouvement*: Handbewegung *f*, Geste *f*, Gebärde *f*; *comportement*: Geste *f*

gesticuler [ʒɛstikyle] (*1a*) gestikulieren

gestion [ʒɛstjɔ̃] *f* Verwaltung *f*; *entreprise*: Geschäftsführung *f*; **~ des déchets** Abfallmanagement *n*; **~ de la qualité** Qualitätsmanagement *n*

gibecière [ʒibsjɛr] *f* Jagdtasche *f*

gibet [ʒibɛ] *m* Galgen *m*

gibier [ʒibje] *m* Wild *n*

giboulée [ʒibule] *f* Regen-, Graupelschauer *m*

gicl|er [ʒikle] (*1a*) herausspritzen; **~eur** *m auto* Vergaserdüse *f*

gifl|e [ʒiflə] *f* Ohrfeige *f*; **~er** (*1a*) ohrfeigen

gigantesque [ʒigɑ̃tɛsk] gigantisch, riesenhaft

gigot [ʒigo] *m cuis* Hammelkeule *f*

gigoter [ʒigɔte] (*1a*) F zappeln, strampeln

gilet [ʒilɛ] *m chandail* Strickjacke *f*; *costume*: Weste *f*; *sous-vêtement*: Unterhemd *n*; **~ de sauvetage** Schwimmweste *f*

gingembre [ʒɛ̃ʒɑ̃brə] *m bot* Ingwer *m*

girafe [ʒiraf] *f zo* Giraffe *f*

giratoire [ʒiratwar] Kreis...

girofl|e [ʒiroflə] *m cuis* **clou m de ~** Gewürznelke *f*; **~ée** *f bot* Goldlack *m*

girouette [ʒirwɛt] *f* Wetterfahne *f*

gisement [ʒizmɑ̃] *m géol* Lagerstätte *f*, Vorkommen *n*; **~ pétrolier** (*od de pétrole*) Erdöllagerstätte *f*

gitan, ~e [ʒitɑ̃, -an] **1.** *adj* Zigeuner...; **2.** *m, f* Zigeuner(in) *m(f)*

gîte [ʒit] *m abri* Unterkunft *f*; *lièvre*: Lager *n*

givr|e [ʒivrə] *m* Raureif *m*; **~er** (*1a*) vereisen

glace [glas] *f* Eis *n* (*a fig*); *miroir* Spiegel *m*; *auto* (Wagen-)Fenster *n*; *cuis* Zuckerguss *m*

glac|é, ~ée [glase] *gelé* vereist; *accueil*: eisig; *boisson*: eisgekühlt; *cuis* **marrons m/pl glacés** kandierte Kastanien *f/pl*; **~er** (*1k*) *v/t* gefrieren lassen; *intimider* erstarren lassen; *cuis* glasieren, mit Zuckerguss überziehen; *se ~* zu Eis werden; *fig* erstarren

glac|iaire [glasjɛr] Eis..., Gletscher...; **~ial, ~iale** [-jal] (*m/pl -iaux od -ials*) eiskalt; **~ier** [-je] *m* Gletscher *m*; *vendeur*: Eisverkäufer *m*; **~ière** [-jɛr] *f* Eisschrank *m*

glaçon [glasɔ̃] *m* Eisscholle *f*; *artificiel*: Eiswürfel *m*

glaïeul [glajœl] *m bot* Gladiole *f*

glaise [glɛz] *f* (*a terre f ~*) Ton(erde) *m(f)*, Lehm *m*

gland [glɑ̃] *m* Eichel *f*; *décoration*: Quaste *f*

glande [glɑ̃d] *f* Drüse *f*

glaner [glane] (*1a*) *fig* sammeln

glapir [glapir] (*2a*) kläffen

glas [glɑ] *m* Totenglocke *f*

glauque [glok] meergrün

gliss|ade [glisad] *f* Ausgleiten *n*, Schlittern *n*; **~ant, ~ante** [-ɑ̃, -ɑ̃t] glatt, rutschig

gliss|ement [glismɑ̃] *m* Gleiten *n*; *fig* Verschiebung *f*; **~ de terrain** Erdrutsch *m*; **~er** (*1a*) *v/t* schieben, stecken (*dans* in *acc*); *v/i* rutschen, gleiten; *déraper* ausrutschen, ausgleiten; *être glissant* rutschig sein, glatt sein; *se ~ dans* sich einschleichen in (*acc*); **~ière** [-jɛr] *f tech* Führungsschiene *f*; **~ de sécurité** Leitplanke *f*

global, ~e [glɔbal] (*m/pl -aux*) gesamt, Global...; *prix, somme*: Pauschal...

globe [glɔb] *m* Kugel *f*; *mappemonde* Globus *m*; **~ terrestre** Erdkugel *f*

globul|e [glɔbyl] *m* Kügelchen *n*; *méd* Blutkörperchen *n*; **~eux, ~euse** [-ø, -øz] *yeux*: vorstehend

gloire [glwar] *f* Ruhm *m*; *personnalité*: Berühmtheit *f*

glorieu|x, ~se [glɔrjø, -z] ruhmreich, glorreich

glorifier [glɔrifje] (1a) verherrlichen

glos|er [gloze] (1a) glossieren; **~saire** [glɔser] m Wörterverzeichnis n

glotte [glɔt] f anat Stimmritze f

glouton [glutõ], **~ne** [glutõ, -ɔn] gefräßig

gluant, **~e** [glyɑ̃, -t] klebrig

glucide [glysid] m chim Kohlehydrat n

glucose [glykoz] m Traubenzucker m, Glucose f

gluten [glytɛn] m chim Kleber m

gnangnan [ɲɑ̃ɲɑ̃] F schlafmützig

gnome [gnom] m Gnom m

go [go] **tout de ~** ohne weiteres

G.O. (abr **grandes ondes**) LW (Langwelle)

goal [gol] m Tor n

gobelet [gɔblɛ] m Becher m

gober [gɔbe] (1a) verschlingen; F mensonge: leichtfertig glauben

godasse [gɔdas] f F Schuh m, Latschen m

godet [gɔde] m récipient: Näpfchen n

godiller [gɔdije] (1a) ski: wedeln

goéland [gɔelɑ̃] m zo Seemöwe f

goélette [gɔelɛt] f mar Schoner m

goémon [gɔemõ] m bot Tang m

gogo [gogo] F **à ~** in Hülle und Fülle

goguenard, **~e** [gɔgnar, -d] spöttisch

goinfre [gwɛ̃frə] 1. m Vielfraß m; 2. adj gefräßig; **~er** (1a) **se ~** péj sich voll fressen

goitre [gwatrə] m Kropf m

golf [gɔlf] m sports: Golf n

golfe [gɔlf] m géogr Golf m

gomm|e [gɔm] f Gummi m; à effacer: Radiergummi m; **~er** (1a) ausradieren; fig beseitigen

gond [gõ] m Türangel f

gondol|e [gõdɔl] f Gondel f; **~er** (1a) papier: sich wellen; F **se ~** sich biegen vor Lachen

gonfler [gõfle] (1a) v/i anschwellen; v/t avec la bouche: aufblasen; avec une pompe: aufpumpen; exagérer aufbauschen, übertreiben

gonzesse [gõzɛs] f F péj Weib n, Frauenzimmer n

goret [gɔrɛ] m Ferkel n (a fig)

gorge [gɔrʒ] f Hals m, Kehle f; st/s poitrine: Busen m; géogr Schlucht f; **avoir mal à la ~** Halsschmerzen haben

gorgée [gɔrʒe] f Schluck m

gorille [gɔrij] m zo Gorilla m; F fig Leibwächter m

gosier [gozje] m Schlund m, Kehle f

gosse [gɔs] m, f F Kind n

gothique [gɔtik] 1. adj gotisch; 2. m Gotik f

gouache [gwaʃ] f Guaschfarbe f

goudron [gudrõ] m Teer m

goudronner [gudrɔne] (1a) teeren

gouffre [gufrə] m Abgrund m (a fig)

goujat [guʒa] m Grobian m, Flegel m

goujon [guʒõ] m zo Gründling m

goul|ot [gulo] m Flaschenhals m; **boire au ~** aus der Flasche trinken; **~u, ~ue** [-y] gefräßig, gierig

goupill|e [gupij] f tech Stift m

gourd, **~e** [gur, -d] starr, steif (vor Kälte)

gourde [gurd] f récipient: Feldflasche f; F fig Dummkopf m, Dussel m

gourdin [gurdɛ̃] m Knüppel m

gourer [gure] (1a) F **se ~** sich irren

gourm|and, **~ande** [gurmɑ̃, -ɑ̃d] 1. adj sucreries: naschhaft; péj gefräßig; 2. m, f gourmet Feinschmecker m; glouton Schlemmer m; **~andise** [-ɑ̃diz] f Naschhaftigkeit f; gloutonnerie Schlemmerei f; **~s** pl mets: Leckerbissen m/pl, Leckereien f/pl

gourmet [gurme] m Feinschmecker m

gourou [guru] m Guru m

gousse [gus] f Hülse f, Schote f; **~ d'ail** Knoblauchzehe f

goût [gu] m Geschmack m; sens: Geschmack(ssinn) m; **~s** pl Neigungen f/pl; **de bon ~** geschmackvoll; **avoir du ~** Geschmack haben; **à mon ~** meiner Meinung nach; **chacun son ~** jeder nach seinem Geschmack; **prendre ~ à qc** Gefallen an etw (dat) finden

goûter [gute] 1. (1a) v/t kosten, probieren; fig jouir de genießen; aimer Geschmack finden an (dat); v/i prendre un goûter e-n Imbiss einnehmen, vespern; 2. m Nachmittagskaffee m, Vesper f

goutt|e [gut] f 1. Tropfen m; **~ à ~** tropfenweise; 2. méd Gicht f; **~er** (1a) tropfen

goutteu|x, **~se** [gutø, -z] gichtkrank

gouttière [gutjɛr] f Dachrinne f

gouvernail [guvernaj] m (pl -s) Steuerruder n

gouvernante [guvernɑ̃t] f enfants: Kindermädchen n, Erzieherin f

gouverne [guvern] f mar, aviat Steuerung f; fig Richtschnur f

gouvernement [guvɛrnəmã] m Regierung f

gouvernemental, **~e** [guvɛrnəmãtal] (m/pl -aux) Regierungs...

gouvern|er [guvɛrne] (1a) pays: regieren; conduite, passions: beherrschen; mar steuern; **~eur** m Gouverneur m

grâce [grɑs] f rel Gnade f; bienveillance Gunst f; jur Begnadigung f; charme Grazie f, Anmut f; remerciement Dank m; **de bonne (mauvaise)** **~** gern (ungern); **coup m de** **~** Todesstoß m, Gnadenstoß m; **faire** **~ à qn de qc** j-m etw (acc) erlassen; **rendre** **~ à qn** j-m danken; **~ à Dieu!** Gott sei Dank!; **~ à** dank, auf Grund

gracier [grasje] (1a) begnadigen

gracieu|x, **~se** [grasjø, -z] anmutig; **à titre gracieux** gratis, kostenlos

gracile [grasil] schlank, zierlich

gradation [gradasjɔ̃] f Abstufung f

grade [grad] m Dienstgrad m, Rang m

grad|é [grade] m mil Unteroffizier m; **~in** m Stufe f; **~s pl** (ansteigende) Sitzreihen f/pl; **~uer** [-ɥe] (1n) augmenter allmählich steigern

grain [grɛ̃] m Korn m, petit: Körnchen n; café: Kaffeebohne f; raisin: Beere f

graine [grɛn] f Samenkorn n; semence Samen m, Saat f

graissage [gresaʒ] m Schmieren n

graiss|e [grɛs] f Fett n; **~er** (1b) machine, outil: ölen; auto bestreichen; salir fettig machen; **~eux**, **~euse** [-ø, -øz] fettig

graminées [gramine] f/pl bot Gräser n/pl

gramm|aire [gramɛr] f Grammatik f; **~atical**, **~aticale** [-atikal] (m/pl -aux) grammatikalisch

gramme [gram] m Gramm n

grand, **~e** [grɑ̃, -d] **1.** adj groß; **les grandes personnes** f/pl die Erwachsenen m/pl; **au grand air** im Freien; **grand cri** m lauter Schrei m; **grand malade** m Schwerkranke(r) m; **il est grand temps** es ist höchste Zeit; **grande surface** f Großmarkt m; **2.** m **voir grand** hoch hinauswollen; **grand ouvert** weit offen

grand-chose [grɑ̃ʃoz] **pas** **~** nicht viel

Grande-Bretagne [grɑ̃dbrətaɲ] **la** **~** Großbritannien n

grandement [grɑ̃dmã] adv in hohem Maße, sehr

grandeur [grɑ̃dœr] f Größe f, Erhabenheit f

grandiloquence [grɑ̃dilokãs] f hochtrabende Ausdrucksweise f

grandir [grɑ̃dir] (2a) v/i croître größer werden, wachsen; augmenter zunehmen; v/t **~ qn** j-n adeln

grand-mère [grɑ̃mɛr] f (pl grand(s)-mères) Großmutter f; **~-messe** f (pl grand(s)-messes) égl Hochamt n; **~-peine** [-pɛn] **à** **~** mit großer Mühe; **~-père** [-pɛr] m (pl grands-pères) Großvater m; **~-route** [-rut] f (pl grand(s)-routes) Landstraße f; **~-rue** [-ry] f (pl grand(s)-rues) Hauptstraße f; **~s-parents** [-parã] m/pl Großeltern pl

grange [grɑ̃ʒ] f Scheune f

granule|ux, **~se** [granylø, -z] körnig

graph|ie [grafi] f Schreibung f; **~ique 1.** adj grafisch; **2.** m Schaubild n, Grafik f

grappe [grap] f Traube f; **~ de raisin** Weintraube f

grappin [grapɛ̃] m tech Greifer m; F **mettre le** **~ sur qn** j-n mit Beschlag belegen

gras, **~se** [grɑ, -s] **1.** adj fettig; personne: fett, dick; agr fruchtbar; **mardi m gras** Fastnachtsdienstag m; **2.** m cuis fettes Fleisch n

grassouillet, **~te** [grasuje, -t] F dicklich, mollig

gratification [gratifikasjɔ̃] f Sondervergütung f, Gratifikation f

gratifier [gratifje] (1a) **~ qn de qc** j-m etw zukommen lassen

gratin [gratɛ̃] m überbackenes Käsegericht; **au** **~** überbacken

gratiné, **~e** [gratine] cuis überbacken, gratiniert; fig F unglaublich

gratis [gratis] gratis, umsonst

gratitude [gratityd] f Dankbarkeit f

gratte-ciel [gratsjɛl] m (pl unv) Wolkenkratzer m

gratte-papier [gratpapje] m (pl unv) Schreiberling m

gratter [grate] (1a) kratzen; enlever ab-, auskratzen; **se** **~** sich kratzen

gratuit, **~e** [gratɥi, -t] unentgeltlich, kostenlos; idée: grundlos, unbegründet

gravats [grava] m/pl Bauschutt m

grave [grav] sérieux ernst; maladie, faute: schwer, schlimm; son: tief; **~ment**

adv ernstlich

graver [grave] *(1a)* eingravieren; **~** *qc dans sa mémoire* sich *(dat)* etw einprägen; **~** *un disque* eine Platte aufnehmen

gravier [gravje] *m* Kies *m*

gravillon [gravijõ] *m* Splitt *m*

grav|ir [gravir] *(2a)* erklimmen; **~itation** [-itasjõ] *f phys* Schwerkraft *f*

gravit|é [gravite] *f* Ernst *m*; *maladie, accident:* Schwere *f*; *problème:* Gewicht *n*; **~er** *(1a)* **~** *autour de qc* etw *(acc)* umkreisen

gravure [gravyr] *f art:* Gravierkunst *f*, *estampe* Stich *m*

gré [gre] *m* **bon ~, mal ~** wohl oder übel; **contre le ~ de qn** gegen den Willen j-s; **de bon ~** gern; **savoir ~ de qc à qn** j-m für etw dankbar sein

grec, ~que [grɛk] **1.** *adj* griechisch; **2.** ♀ *m, f* Grieche *m,* Griechin *f*

Grèce [grɛs] *la ~* Griechenland *n*

greff|e [grɛf] **1.** *m jur* Geschäftsstelle *f* des Gerichts; **2.** *f agr* Pfropfen *n*; *méd ~ du cœur* Herzverpflanzung *f*; **~er** *(1b)* *agr* pfropfen; *méd* verpflanzen; **~ier** [-je] *m* Gerichtsschreiber *m*

grégaire [greger] *adj* Herden...; *instinct* **~** Herdentrieb *m*

grêle[1] [grɛl] dünn, schmal, mager

grêl|e[2] [grɛl] *f* Hagel *m*; **~er** *(1a)* hageln; *il grêle* es hagelt; **~on** *m* Hagelkorn *n*

grelot [grəlo] *m* Schelle *f*, Glöckchen *n*

grelotter [grəlɔte] *(1a)* vor Kälte zittern

grenad|e [grənad] *f bot* Granatapfel *m*; *mil* Granate *f*; **~ine** *f* Granatapfelsirup *m*

grenat [grəna] **1.** *m* Granat(stein) *m*; **2.** *adj (unv)* granatfarben

grenier [grənje] *m* Speicher *m,* Dachboden *m*

grenouille [grənuj] *f zo* Frosch *m*

grès [grɛ] *m* Sandstein *m*; *poterie* Steingut *n*

grésiller [grezije] *(1a)* brutzeln

grève [grɛv] *f* **1.** Streik *m*; *faire ~, se mettre en ~* streiken; **~** *de la faim* Hungerstreik *m*; **~** *du zèle* Dienst *m* nach Vorschrift; **2.** *plage* (Sand-, Kies-)Strand *m*

grever [grave] *(1d)* belasten

gréviste [grevist] *m, f* Streikende(r) *m, f*

gribouiller [gribuje] *(1a)* kritzeln,

(hin)schmieren

grief [grjɛf] *m* Beschwerde *f*

grièvement [grijɛvmɑ̃] *adv* **~ blessé** schwer verletzt, -verwundet

griff|e [grif] *f* Kralle *f,* Klaue *f*; *comm* Namensstempel *m*; *fig empreinte* Stempel *m*; **~er** *(1a)* kratzen

griffonn|age [grifɔnaʒ] *m* Gekritzel *n*; **~er** *(1a)* (hin)kritzeln

grignoter [griɲɔte] *(1a) v/t* herumknabbern an *(dat); v/i* knabbern

gril [gril] *m* (Brat-)Rost *m*

grill|ade [grijad] *f* gegrilltes Fleisch *n*; **~age** *m* Drahtgitter *n*

grille [grij] *f* Gitter *n*; *four:* Rost *m*; *tableau* Tabelle *f*

griller [grije] *(1a) v/t viande:* braten, grillen; *pain:* toasten; *café:* rösten; *él* durchbrennen lassen; *v/i brûler* verbrennen

grillon [grijõ] *m zo* Grille *f*

grimace [grimas] *f* Grimasse *f*; *faire des ~s* Grimassen schneiden

grimer [grime] *(1a) (se)* **~** (sich) schminken

grimper [grɛ̃pe] *(1a)* klettern, steigen; *prix:* klettern; *route:* ansteigen

grinc|ement [grɛ̃smɑ̃] *m porte:* Knarren *n,* Quietschen *n; dents:* Knirschen *n*; **~er** *(1k) porte:* knarren, quietschen; **~** *des dents* mit den Zähnen knirschen

grincheu|x, ~se [grɛ̃ʃø, -z] mürrisch

gringalet [grɛ̃gale] *m* F schmächtiges Männchen *n*

griotte [grijɔt] *f bot* Weichselkirsche *f*

gripp|e [grip] *f* **1.** *méd* Grippe *f*; **2.** *prendre qn en ~* gegen j-n eingenommen sein; **~é, ~ée** *méd* grippekrank

grippe-sou [gripsu] *m (pl grippe-sou[s])* F Pfennigfuchser *m*

gris, ~e [gri, -z] grau; *temps:* düster, trübe; *fig* angetrunken, benebelt

grisaille [grizaj] *f* Eintönigkeit *f*

grisâtre [grizatr] grau, gräulich

gris|er [grize] *(1a)* berauschen, benebeln; **~erie** *f fig* Rausch *m*

grisonner [grizɔne] *(1a)* grau werden

Grisons [grizõ] *m/pl les ~* Graubünden *n*

grisou [grizu] *m* Grubengas *n*; *coup m de ~* Schlagwetterexplosion *f*

grive [griv] *f zo* Drossel *f*

grivois, ~e [grivwa, -z] *propos:*

G

schlüpfrig

Groenland [grɔɛnlɑ̃d(ə)] *le ~* Grönland *n*

grogner [grɔɲe] (*1a*) *personne*: brummen; *cochon*: grunzen

groin [grwɛ̃] *m* Schweinerüssel *m*

grommeler [grɔmle] (*1c*) vor sich hin brummen

grond|ement [grɔ̃dmɑ̃] *m chien*: Knurren *n*; *tonnerre*: Grollen *n*, Rollen *n*; **~er** (*1a*) *v/i personne*: murren; *chien*: knurren; *tonnerre*: grollen, rollen; *v/t ~ qn* j-n anbrummen, ausschelten

gros, ~se [gro, -s] **1.** *adj gras, épais* dick; *personnalité, fortune, faute*: groß; *grossier* grob, derb; *enceinte* schwanger; *mar* **grosse mer** *f* schwere See *f*; **avoir le cœur gros** Kummer haben; **gros œuvre** *m* Rohbau *m*; **2.** *adv* **gagner gros** viel, gut verdienen; *comm* **en gros** im Großen; **3.** *m comm* Großhandel *m*; **le gros de** der größte Teil (*gén*)

groseille [grozɛj] *f bot* Johannisbeere *f*; **~ à maquereau** Stachelbeere *f*

gross|esse [grosɛs] *f* Schwangerschaft *f*; **~eur** *f corpulence* Dicke *f*; *volume* Größe *f*; *enflure* Schwellung *f*

gross|ier, ~ière [grosje, -jɛr] grob; *personne*: flegelhaft, grob; *propos*: derb, unanständig; **~ièrement** [-jɛrmɑ̃] *adv* grob; *à peu près* in groben Zügen; **~ièreté** [-jɛrte] *f* Grobheit *f*; *propos*: unanständiger Ausdruck *m*; **~ir** (*2a*) *v/t personne*: dicker machen; *microscope*: vergrößern; *exagérer* übertreiben; *v/i personne*: zunehmen

grossiste [grosist] *m, f comm* Großhändler(in) *m(f)*

grotesque [grɔtɛsk] grotesk

grotte [grɔt] *f* Höhle *f*

grouiller [gruje] (*1a*) wimmeln (*de* von); *F* **se ~** sich beeilen

group|e [grup] *m* Gruppe *f*; **~ement** [-mɑ̃] *m* Gruppierung *f*; *comm* Verband *m*; **~er** (*1a*) gruppieren

gruau [gryo] *m* Grütze *f*

grue [gry] *f zo* Kranich *m*; *tech* Kran *m*; *F* Dirne *f*

grumeau [grymo] *m* (*pl -x*) Klumpen *m*

grumeler [grymle] (*1c*) **se ~** klumpig werden

gruyère [gryjɛr] *m* Schweizer Käse *m*

gué [ge] *m* Furt *f*

guenilles [gənij] *f/pl* Lumpen *m/pl*

guenon [gənɔ̃] *f* Affenweibchen *n*

guêp|e [gɛp] *f zo* Wespe *f*; **~ier** [gepje] *m* Wespennest *n*; *fig* Falle *f*

guère [gɛr] *ne ... ~* nicht viel, nicht sehr, nicht gerade; *presque pas* fast nicht, kaum

guéridon [geridɔ̃] *m* (*rundes*) Tischchen *n*

guérilla [gerija] *f* Guerilla *f*

guér|ir [gerir] (*2a*) *v/t* heilen (*de* von); *v/i blessure*: heilen; *personne*: gesund werden; **~ison** [-izɔ̃] *f* Heilung *f*, Genesung *f*

guérite [gerit] *f mil* Wachhäuschen *n*; *allg* Bude *f*

guerre [gɛr] *f* Krieg *m*; *fig* Kampf *m*; **Première 2 mondiale** Erster Weltkrieg *m*; **Seconde 2 mondiale** Zweiter Weltkrieg *m*; **~ des étoiles** Krieg der Sterne; **en ~** im Kriegszustand; *fig* **c'est de bonne ~** das ist durchaus rechtens; **faire la ~** Krieg führen (**à** mit, gegen)

guerr|ier, ~ière [gɛrje, -jɛr] **1.** *adj* kriegerisch; **2.** *m* Krieger *m*; **~oyer** [-waje] (*1h*) Krieg führen

guet [gɛ] *m* **faire le ~** auf der Lauer sein, liegen

guet-apens [gɛtapɑ̃] *m* (*pl guets-apens*) [gɛtapɑ̃] Hinterhalt *m*

guetter [gɛte] (*1b*) belauern, auflauern (*qn* j-m)

gueul|e [gœl] *f animal*: Maul *n*; *ouverture* Öffnung *f*; *F personne*: Gesicht *n*; *F* **ta ~!** halt die Schnauze!, halt's Maul!; **~e-de-loup** [-dəlu] *f* (*pl gueules-de-loup*) *bot* Löwenmaul *n*; **~er** (*1a*) *F* brüllen, schreien; **~eton** [-tɔ̃] *m F* Gelage *n*

gui [gi] *m bot* Mistel *f*

guichet [giʃɛ] *m banque, poste*: Schalter *m*; **~ automatique** Geldautomat *m*; **~ier, ~ière** [-ʃtje, -tjɛr] *m, f* Schalterbeamte(r) *m*, -beamtin *f*

guid|e [gid] **1.** *m* (Reise-)Führer *m*; **2.** *f scout* Pfadfinderin *f*; **3.** **~s** *f/pl* Zügel *m/pl*; **~er** (*1a*) führen, leiten; **se ~ sur** sich richten nach

guidon [gidɔ̃] *m vélo*: Lenkstange *f*

guignol [giɲɔl] *m* Kasperle *m*; **théâtre ~** Kasperletheater *n*

guillemets [gijmɛ] *m/pl* Anführungszeichen *n/pl*

guillotiner [gijɔtine] (*1a*) durch das Fallbeil hinrichten
guindé, ~e [gɛ̃de] *personne*: steif; *style*: geschraubt
guinder [gɛ̃de] (*1a*) *tech* hieven, hochwinden
Guinée [gine] *la* ~ Guinea *n*
guinguette [gɛ̃gɛt] *f* Lokal *n* im Grünen
guirlande [girlɑ̃d] *f* Girlande *f*
guise [giz] *f* **à sa ~** nach seinem Sinn, nach Lust; **en ~ de** als

guitare [gitar] *f* Gitarre *f*
guttural, ~e [gytyral] (*m/pl -aux*) Kehl..., guttural
Guyane [gɥan] *la* ~ Guayana *n*
gymnase [ʒimnɑz] *m sports*: Turnhalle *f*
gymnast|e [ʒimnast] *m, f* Turner(in) *m(f)*; **~ique** *f* Gymnastik *f*, Turnen *n*; **faire de la ~** turnen
gynécolo|gie [ʒinekɔlɔʒi] *f* Gynäkologie *f*; **~gue** *m, f méd* Frauenarzt *m*, -ärztin *f*
gypse [ʒips] *m* Gips *m*

H

h (*abr* **heure**) Uhr (*Uhrzeit*)
habil|e [abil] geschickt, gewandt; **~eté** [-te] *f* Geschicklichkeit *f*
habiliter [abilite] (*1a*) *jur* ermächtigen
habill|ement [abijmɑ̃] *m* Kleidung *f*, **~er** (*1a*) kleiden, anziehen; **s'~** sich anziehen; *élégamment*: sich elegant kleiden
habit [abi] *m* ~ **noir** Frack *m*; **~s** *pl* Kleider *n/pl*
habit|able [abitablə] bewohnbar; **~acle** [-aklə] *m aviat* Cockpit *m*
habit|ant, ~ante [abitɑ̃, -ɑ̃t] Ein-, Bewohner(in) *m(f)*; **~at** [-a] *m zo, bot* Lebensraum *m*; *conditions d'habitation* Wohnverhältnisse *n/pl*; **~ation** *f* Wohnung *f*; *immeuble* Wohngebäude *n*; *domicile* Wohnsitz *m*; **~er** (*1a*) *v/t* bewohnen; *v/i* wohnen; ~ **Berlin** in Berlin wohnen
habitude [abityd] *f* Gewohnheit *f*; **d'~** normalerweise, gewöhnlich; **par ~** aus Gewohnheit
habitu|é, ~ée [abitɥe] *m, f* Stammgast *m*; **~el, ~elle** [-ɛl] üblich, gewöhnlich; **~er** (*1a*) gewöhnen (**qn à** j-n an *acc*); **s'~ à qc, qn** sich an etw, j-n gewöhnen; **s'~ à** (+ *inf*) sich daran gewöhnen zu (+ *inf*)
'hâblerie [ɑbləri] *f* Prahlerei *f*
'hache [aʃ] *f* Axt *f*, Beil *n*
'hach|er [aʃe] (*1a*) zerhacken; **viande** *f* **hachée** Hackfleisch *n*; **~ette** [-ɛt] *f* Handbeil *n*; **~is** [-i] *m cuis* Gehackte(s)

n; **~oir** *m appareil*: Fleischwolf *m*; *planche*: Hackbrett *n*
'hachurer [aʃyre] (*1a*) schraffieren
'hagard, ~e [agar, -d] verstört
'haie [ɛ] *f hedge*; *f. sport*: Hürde *f*; **course** *f* **de ~s** Hürdenlauf *m*; *fig* **faire la ~** Spalier stehen
'haillon [ajõ] *m le plus souvent au pl* **~s** Lumpen *m/pl*, Fetzen *m/pl*
'haine [ɛn] *f* Hass *m*
'haïr [air] (*2m*) hassen
'haïssable [aisablə] hassenswert
'hâl|e [ɑl] *m* Sonnenbräune *f*; **~é, ~ée** sonnengebräunt
haleine [alɛn] *f* Atem *m*; **hors d'~** atemlos; *fig* **de longue ~** langwierig
'hâler [ɑle] (*1a*) bräunen
'haleter [alte] (*1e*) keuchen
'hall [ol] *m* Halle *f*
'halle [al] *f* Markthalle *f*
hallucination [alysinasjõ] *f* Sinnestäuschung *f*
'halo [alo] *m* Hof *m* (*um Sonne, Mond*)
'halte [alt] *f* **1.** Halt *m*, Rast *f*; **faire ~** Halt machen; **2.** *mil* halt!
haltère [altɛr] *m* Hantel *f*; **poids** *m/pl* **et ~s** Gewichtheben *n*
'hamac [amak] *m* Hängematte *f*
'hameau [amo] *m* (*pl -x*) Weiler *m*
hameçon [amsõ] *m* Angelhaken *m*
'hampe [ɑ̃p] *f* Fahnenstange *f*
'hamster [amster] *m* Hamster *m*
'hanche [ɑ̃ʃ] *f* Hüfte *f*
'handicapé, ~e [ɑ̃dikape] **1.** *adj* behin-

dert; **2.** *m, f* Behinderte(r) *m, f*; **~ physique** Körperbehinderte(r) *m, f*; **~ mental(e)** geistig Behinderte(r) *m, f*

'**hangar** [ãgar] *m* Schuppen *m*; *aviat* Hangar *m*, Flugzeughalle *f*

'**hanneton** [antõ] *m zo* Maikäfer *m*

'**hant|er** [ãte] (*1a*) *souvenir, obsession:* heimsuchen, verfolgen; *fantôme:* spuken (**qc** in etw *dat*); **~ise** [-iz] *f peur* Angst *f; manie* Zwangsvorstellung *f*

'**happer** [ape] (*1a*) schnappen; *fig* erwischen

'**harangu|e** [arãg] *f* Ansprache *f*; **~er** (*1a*) e-e Ansprache halten (**qn** an j-n)

'**haras** [ara] *m* Gestüt *n*

'**harass|ant, ~ante** [arasã, -ãt] *travail:* erschöpfend; **~é, ~ée** erschöpft

'**harc|èlement** [arsɛlmã] *m* Belästigung *f*, Mobbing *n*; **~ sexuel** sexuelle Belästigung *f*; **~eler** [arsəle] (*1d*) belästigen, quälen

'**harde** [ard] *f cerfs:* Rudel *n*; **~s** *pl péj* alte Kleidungsstücke *n/pl*

'**hardi, ~e** [ardi] kühn, dreist

'**hardiesse** [ardjɛs] *f* Kühnheit *f*

'**hareng** [arã] *m zo* Hering *m*

'**hargn|e** [arɲə] *f* Gereiztheit *f*; **~eux, ~euse** [arɲø, -øz] zänkisch; *chien:* bissig

'**haricot** [ariko] *m bot* Bohne *f*; **~s verts** grüne Bohnen; F **c'est la fin des ~s** jetzt ist alles aus

harmonie [armɔni] *f* Harmonie *f*

harmonieu|x, ~se [armɔnjø, -z] harmonisch

harmoniser [armɔnize] (*1a*) harmonisieren, abstimmen; **s'~** harmonieren (**avec** mit)

'**harnacher** [arnaʃe] (*1a*) *cheval:* anschirren

'**harnais** [arnɛ] *m* Pferdegeschirr *n*

harpagon [arpagõ] *m* Geizhals *m*

'**harpe** [arp] *f mus* Harfe *f*

'**harpon** [arpõ] *m* Harpune *f*

'**hasard** [azar] *m* Zufall *m*; **au ~** auf gut Glück, aufs Geratewohl; **par ~** zufällig

'**hasarder** [azarde] (*1a*) wagen, riskieren; **se ~ à faire qc** es wagen, etw zu tun

'**hât|e** [ɑt] *f* Hast *f*, Eile *f*; **à la ~** hastig; **en ~** in Eile; **avoir ~ de faire qc** es kaum erwarten können, etw zu tun; **~er** (*1a*) beschleunigen; **se ~** sich beeilen (**de faire qc** etw zu tun)

'**hâti|f, ~ve** [ɑtif, -v] hastig, übereilt; *agr* Früh...

'**hauss|e** [os] *f prix:* Preiserhöhung *f*; *cours:* Hausse *f*, Steigen *n* der Kurse; *température:* Anstieg *m*; *mil* Visier *n*; **~er** (*1a*) erhöhen; **~ la voix** die Stimme heben; **~ les épaules** mit den Achseln zucken

'**haut, ~e** [o, -t] **1.** *adj* hoch; *voix:* laut; **la haute Seine** die obere Seine; **à voix haute** laut; **2.** *adv* hoch; **là-haut** da oben; **de haut** von oben; **de haut en bas** von oben nach unten; **en haut** oben; **en haut de** oben auf; **3.** *m* oberer Teil; **du haut de qc** von etw herunter; **des ~s et des bas** Höhen und Tiefen *pl*

'**hautain, ~e** [otɛ̃, -ɛn] hochmütig

'**hautbois** [obwa] *m mus* Oboe *f*

'**hautement** [otmã] *adv proclamer:* freiheraus; *très* überaus

'**hauteur** [otœr] *f* Höhe *f*; *fig* Hochmut *m*; **être à la ~ de qc** etw (*dat*) gewachsen sein

'**haut|-fond** [ofõ] *m* (*pl hauts-fonds*) Untiefe *f*; **~-le-cœur** [olkœr] *m* (*pl unv*) Übelkeit *f*, *fig* Ekel *m*; **~-parleur** [oparlœr] *m* (*pl haut-parleurs*) *tech* Lautsprecher *m*

'**havre** [avrə] *m st/s* Zufluchtsort *m*

hebdomadaire [ɛbdɔmadɛr] **1.** *adj* wöchentlich; **2.** *m* Wochenblatt *n*, (wöchentlich erscheinende) Zeitschrift *f*

héberger [ebɛrʒe] (*1l*) beherbergen

hébété, ~e [ebete] stumpfsinnig

hébraïque [ebraik] hebräisch

hébreu [ebrø] *adj* (*nur m, pl -x*) hebräisch; *l'~ m* das Hebräische

hécatombe [ekatõb] *f* Blutbad *n*

hectare [ɛktar] *m* (*abr* ha) Hektar *n od m*

hectolitre [ɛktɔlitrə] *m* (*abr* hl) Hektoliter *m od n*

'**hein** [ɛ̃] F was?, na?, ja?, wie?

'**hélas** [elas] ach!, leider!

'**héler** [ele] (*1f*) herberufen

hélianthe [eljãt] *m bot* Sonnenblume *f*

hélice [elis] *f mar* Schraube *f*; *aviat* Propeller *m*; **escalier m en ~** Wendeltreppe *f*

héli|coptère [elikɔptɛr] *m* Hubschrauber *m*; **~port** [-pɔr] *m* Hubschrauberlandeplatz *m*

helvétique [ɛlvetik] schweizerisch, helvetisch

hématome [ematom] *m méd* Bluterguss *m*

hémi|cycle [emisiklə] *m* Halbrund *n* (*e-s Saals*); **~sphère** [-sfer] *m* (Erd-)Halbkugel *f*, Hemisphäre *f*

hémophilie [emɔfili] *f méd* Bluterkrankheit *f*

hémorragie [emɔraʒi] *f* Blutung *f*; **~ nasale** Nasenbluten *n*

'**henn|ir** [enir] (2a) wiehern; **~issement** [-ismɑ̃] *m* Gewieher *n*

hépati|que [epatik] Leber...; **~te** *f* Hepatitis *f*, Leberentzündung *f*; **~ virale** Gelbsucht *f*

héraldique [eraldik] **1.** *adj* Wappen...; **2.** *f* Wappenkunde *f*

herb|e [ɛrb] *f* Gras *n*; *cuis* Kraut *n*; *méd* Heilkraut *n*; **mauvaise ~** Unkraut *n*; **~eux, ~euse** [-ø, -øz] grasbewachsen; **~icide** [-isid] *m* Unkrautvertilgungsmittel *n*; **~ier** [-je] *m* Herbarium *n*

herboriste [ɛrbɔrist] *m*, *f* (Heil-)Kräuterhändler(in) *m(f)*; **~rie** *f* Kräuterhandlung *f*

'**hère** [ɛr] *m pauvre* **~** armer Tropf *m*

hérédit|aire [erediter] erblich; **~é** *f* Vererbung *f*; *caractères, dispositions*: Erbanlagen *f/pl*

héré|sie [erezi] *f* Ketzerei *f*; **~tique** [-tik] **1.** *adj* ketzerisch; **2.** *m, f* Ketzer(in) *m(f)*

'**hérissé, ~e** [erise] gesträubt, hoch stehend (*Haare*); *fig* **~ de** voll von

'**hérisson** [erisɔ̃] *m zo* Igel *m*

hérit|age [eritaʒ] *m* Erbe *n*, Erbschaft *f*; **~er** (1a) erben; **~ qc de qn** etw von j-m erben; **~ de qc** etw (acc) erben; **~ de qn** j-n beerben; **~ier** *m*, **~ière** *f* [-je, -jɛr] Erbe *m*, Erbin *f*

hermétique [ɛrmetik] *récipient*: luftdicht; *style*: hermetisch

hermine [ɛrmin] *f zo* Hermelin *n*; *fourrure*: Hermelinpelz *m*

'**hernie** [ɛrni] *f méd* (Eingeweide-)Bruch *m*

héroïne[1] [erɔin] *f drogue*: Heroin *n*; **~omane** [-ɔman] *m*, *f* Fixer(in) *m(f)*

héro|ïne[2] [erɔin] *f* Heldin *f*; **~ïque** heroisch; **~ïsme** *m* Heldenmut *m*

'**héron** [erɔ̃] *m zo* Reiher *m*

'**héros** [ero] *m* Held *m*

'**hers|e** [ɛrs] *f agr* Egge *f*; **~er** (1a) eggen

hésit|ation [ezitasjɔ̃] *f* Zögern *n*, Zaudern *n*, Unschlüssigkeit *f*; **~er** (1a) zögern, zaudern (**à** + *inf* zu), (sich) unschlüssig sein (**sur** über)

hétérogène [eterɔʒen] heterogen

hétérosexuel, ~le [eterɔsɛksɥɛl] heterosexuell

'**hêtre** [ɛtr] *m bot* Buche *f*

heure [œr] *f durée*: Stunde *f*; *point précis*: Uhr(zeit) *f*; **arriver à l'~** rechtzeitig ankommen; **de bonne ~** früh; **tout à l'~** *tout de suite* gleich, sofort; *avant peu* soeben, vorhin; **à tout à l'~!** bis nachher!; **à la bonne ~** so lass ich mir's gefallen!, recht so!; **à l'~ actuelle** gegenwärtig; **à toute ~** jederzeit; **sur l'~** auf der Stelle; **quelle ~ est-il?** wie spät ist es?; **il est six ~s** es ist 6 (Uhr); **il est l'~ de partir** es ist Zeit abzufahren; **~s supplémentaires** Überstunden *f/pl*

heur|eusement [œrøzmɑ̃] *adv* glücklicherweise; **~eux, ~euse** [ørø, -øz] glücklich

'**heurt** [œr] *m* Zusammenstoß *m*

'**heurter** [œrte] (1a) stoßen gegen; *fig* verletzen; **se ~** zusammenstoßen (*a fig*); **se ~ à** stoßen auf (*acc*)

'**heurtoir** [œrtwar] *m* Türklopfer *m*

hexagone [ɛgzagɔn] *m* **1.** Sechseck *n*; **2.** *l'Ⓗ* Bezeichnung für Frankreich

hiberner [iberne] (1a) Winterschlaf halten

'**hibou** [ibu] *m* (*pl -x*) *zo* Eule *f*

'**hic** [ik] *m* F Hauptschwierigkeit *f*

'**hideu|x, ~se** [idø, -z] scheußlich

hier [jɛr] gestern

'**hiérarchie** [jerarʃi] *f* Hierarchie *f*

hiéroglyphe [jerɔglif] *m* Hieroglyphe *f*

hilarité [ilarite] *f* Heiterkeit *f*

hipp|ique [ipik] Pferde..., Reit...; **~isme** *m* Reitsport *m*

hippo|drome [ipɔdrom] *m* Pferderennbahn *f*; **~potame** [-pɔtam] *m zo* Nilpferd *n*

hirondelle [irɔdɛl] *f zo* Schwalbe *f*

hirsute [irsyt] struppig

'**hisser** [ise] (1a) hissen; **se ~** sich emporziehen

histoire [istwar] *f* Geschichte *f*; **~s** *pl* Scherereien *f/pl*; **faire des ~s** sich zieren

histor|ien, ~ienne [istɔrjɛ̃, -jɛn] *m, f* Historiker(in) *m(f)*; **~iette** [-jɛt] *f* Histörchen *n*; **~ique 1.** *adj* geschichtlich, historisch; **2.** *m* geschichtlicher Überblick *m*

hiver [iver] *m* Winter *m*; **en ~** im Winter

hivern|al, ~ale [ivernal] (*m/pl -aux*) winterlich; **~ant, ~ante** [-ã, -ãt] *m, f* Winterkurgast *m*

H.L.M. [aʃɛlɛm] *m od f* (*abr habitation à loyer modéré*) Sozialwohnung *f*

'**hochement** [ɔʃmã] *m* **~ de tête** Kopfschütteln *n*

'**hocher** [ɔʃe] (*1a*) *tête*: schütteln

'**hochet** [ɔʃe] *m* Rassel *f*

'**holding** [ɔldiŋ] *m* Holdinggesellschaft *f*

'**hold-up** [ɔldœp] *m* (*pl unv*) Raubüberfall *m*

'**hollandais, ~e** [ɔlãdɛ, -z] **1.** *adj* holländisch; **2.** ♀ *m, f* Holländer(in) *m(f)*

holocauste [ɔlɔkost] *m* Holocaust *m*

'**homard** [ɔmar] *m zo* Hummer *m*

homélie [ɔmeli] *f* Predigt *f*

homéopath|e [ɔmeɔpat] *m* Homöopath *m*; **~ie** *f* Homöopathie *f*; **~ique** homöopathisch

homicide [ɔmisid] **1.** *m, f* *meurtrier* Mörder(in) *m(f)*; **2.** *m acte*: Tötung *f*; **~ involontaire** fahrlässige Tötung *f*; **~ volontaire** vorsätzliche Tötung *f*

hommage [ɔmaʒ] *m* Ehrerbietung *f*, Huldigung *f*; **rendre ~ à qn** j-m huldigen

homme [ɔm] *m* Mensch *m*; *masculin*: Mann *m*; **~ de lettres** Literat *m*; **~ d'affaires** Geschäftsmann *m*; **~ de main** Helfershelfer *m*; *fig* **~ de paille** Strohmann *m*; **~ de la rue** Mann auf der Straße; **~-grenouille** [-grənuj] *m* (*pl hommes-grenouilles*) Froschmann *m*; **~-sandwich** [-sãdwitʃ] *m* (*pl hommes-sandwich[e]s*) Plakatträger *m*

homo|gène [ɔmɔʒɛn] homogen; **~lo-gue** [-lɔg] **1.** *adj* entsprechend; **2.** *m* (Amts-)Kollege *m*; **~loguer** [-lɔge] (*1m*) *record*: anerkennen; *tarif*: genehmigen; **~nyme** [-nim] **1.** *adj* gleich lautend; **2.** *m* Namensvetter *m*; *ling* Homonym *n*

homosexuel, ~le [ɔmɔsɛksɥɛl] **1.** *adj* homosexuell; **2.** *m, f* Homosexuelle(r) *m, f*

'**Hongrie** [õgri] **la ~** Ungarn *n*

'**hongrois, ~e** [õgrwa, -z] **1.** *adj* ungarisch; **2.** ♀ *m, f* Ungar(in) *m(f)*

honnête [ɔnɛt] *m/s* ehrlich; *convenable* anständig; *passable* angemessen; **~ment**

adv ehrlich; *passablement* ganz gut; **~té** [-te] Ehrlichkeit *f*

honneur [ɔnœr] *m* Ehre *f*; **en l'~ de** zu Ehren von; **faire ~ à qc** e-r Sache Ehre machen

honor|abilité [ɔnɔrabilite] *f* Ehrenhaftigkeit *f*; **~able** ehrenvoll, -haft

honor|aire [ɔnɔrɛr] **1.** *adj* Ehren...; **2.** **~s** *m/pl* Honorar *n*; **~er** (*1a*) ehren; **s'~ de qc** auf etw (*acc*) stolz sein

honorifique [ɔnɔrifik] Ehren...

'**hont|e** [õt] *f sentiment*: Scham *f*; *opprobre* Schande *f*; **avoir ~ de** sich schämen für; **faire ~ à qn** j-m Schande machen; **~eux, ~euse** [-ø, -øz] *déshonorant* schändlich; *déconfit* verschämt; *timide* schamhaft

hôpital [ɔpital] *m* (*pl -aux*) Krankenhaus *n*

'**hoquet** [ɔkɛ] *m* Schluckauf *m*

horaire [ɔrɛr] **1.** *adj* Stunden...; **2.** *m emploi du temps* Zeitplan *m*; *bus, train*: Fahrplan *m*; *avion*: Flugplan *m*; **~ souple** Gleitzeit *f*, gleitende Arbeitszeit *f*

'**horde** [ɔrd] *f* Horde *f*

horizon [ɔrizõ] *m* Horizont *m*

horizontal, ~e [ɔrizõtal] (*m/pl -aux*) waagerecht, horizontal

horlog|e [ɔrlɔʒ] *f* (öffentliche) Uhr *f*; *tour*: Turmuhr *f*; **~ parlante** Zeitansage *f*; **~er, ~ère** *m, f* Uhrmacher(in) *m(f)*; **~erie** *f* Uhrenindustrie *f*

'**hormis** [ɔrmi] *st/s prép* außer

hormon|al, ~ale [ɔrmɔnal] (*m/pl -aux*) hormonal; **~e** *f biol* Hormon *n*

horoscope [ɔrɔskɔp] *m* Horoskop *n*

horr|eur [ɔrœr] *f épouvante* Entsetzen *n*; *répugnance* Abscheu *m*; *monstruosité* Entsetzlichkeit *f*; **avoir ~ de qc** etw (*acc*) verabscheuen; **(quelle) ~!** wie entsetzlich!; **~ible** entsetzlich, abscheulich, grauenhaft; **~ifié, ~ifiée** [-ifje] entsetzt (**de** *od* **par** über)

horripilant, ~e [ɔripilã, -t] nervenaufreibend

'**hors** [ɔr] *prép* außer; **~ de** *à l'extérieur de* außerhalb; *fig* außer; **~ de danger** außer Gefahr; **~ de prix** unerschwinglich; **~ du sujet** nicht zum Thema gehörig; *football*: **~ jeu** abseits; **être ~ de soi** außer sich sein; **~-bord** [-bɔr] *m* (*pl unv*) Boot *n* mit Außenbordmotor; **~-d'œuvre** [-dœvrə] *m* (*pl* *unv*) *cuis* Vorspeise *f;* ~-**la-loi** *m* (*pl unv*) Gesetzlose(r) *m,* Bandit *m*

horticulture [ɔrtikyltyr] *f* Gartenbau *m*

hospice [ɔspis] *m rel* Hospiz *n; asile* Heim *m*

hospital|ier, ~**ière** [ɔspitalje, -jɛr] gastfreundlich, gastlich; *méd* Krankenhaus...; ~**iser** (*1a*) in ein Krankenhaus einliefern; ~**ité** *f* Gastfreundschaft *f,* Gastlichkeit *f*

hostil|e [ɔstil] feindlich; ~**ité** *f* opposition Feindschaft *f; acte:* Feindseligkeit *f*

hôte [ot] *m maître de maison* Gastgeber *m; invité* Gast *m; table* *f d'*~ Stammtisch *m*

hôtel [otɛl] *m* Hotel *n;* Gasthof *m;* ~ (*particulier*) herrschaftliches Stadthaus *n;* ~ **de ville** Rathaus *n;* ~**-Dieu** [-djø] *m* (*pl hôtels-Dieu*) städtisches Krankenhaus *n*

hôtelier, ~**e** [otəlje, -ɛr] **1.** *adj* Hotel...; **2.** *m, f* Hotelbesitzer(in) *m(f)*

hôtellerie [otɛlri] *f* Hotelgewerbe *n*

hôtesse [otɛs] *f* Gastgeberin *f; accueil:* Hostess *f,* Empfangsdame *f;* ~ **de l'air** Stewardess *f*

'**hotte** [ɔt] *f* **1.** *panier* Tragekorb *m;* **2.** *aération:* Abzugshaube *f*

'**houblon** [ublõ] *m bot* Hopfen *m*

'**houille** [uj] *f* (Stein-)Kohle *f*

'**houle** [ul] *f mar* Dünung *f*

'**houleu|x,** ~**se** [ulø, -z] *mer:* bewegt; *fig* unruhig, erregt

'**houspiller** [uspije] (*1a*) ausschimpfen, -schelten

'**housse** [us] *f machine à écrire, vêtement:* Schonbezug *m*

'**houx** [u] *m bot* Stechpalme *f*

'**hublot** [yblo] *m* Bullauge *n*

'**hu|ée** [ɥe] *f le plus souvent au pl* ~**s** Buhrufe *m/pl,* Missfallenskundgebungen *f/pl;* ~**er** (*1a*) ausbuhen, auspfeifen

'**huguenot,** ~**e** [ygno, -ɔt] **1.** *adj* hugenottisch; **2.** *m, f* Hugenotte, -in *m, f*

huilage [ɥilaʒ] *m* Ölen *n*

huil|e [ɥil] *f* Öl *n;* ~ **solaire** Sonnenöl *n;* ~**er** (*1a*) ölen, schmieren; ~**eux,** ~**euse** [-ø, -øz] ölig, fettig; ~**ier** [-je] *m* Ständer *m* für Öl und Essig

'**huis** [ɥi] *m à* ~ **clos** bei verschlossenen Türen; *jur* unter Ausschluss der Öffentlichkeit

huissier [ɥisje] *m* Amtsdiener *m; jur*

Gerichtsvollzieher *m*

'**huit** [ɥit] acht; ~ *jours* acht Tage, eine Woche; *demain en* ~ morgen in acht Tagen

'**huit|aine** [ɥitɛn] *f une* ~ *de* ungefähr acht; *une* ~ (*de jours*) etwa eine Woche; ~**ième** [-jɛm] **1.** *adj* achte(r, -s); **2.** *m fraction:* Achtel *n;* ~ **de finale** Achtelfinale *n*

huître [ɥitrə] *f zo* Auster *f*

humain, ~**e** [ymɛ̃, -ɛn] menschlich; *caractère, traitement:* human

human|iser [ymanize] (*1a*) humaner machen; ~**itaire** [-itɛr] humanitär; ~**ité** *f les hommes* Menschheit *f; qualité:* Menschlichkeit *f*

humble [ɛ̃blə, œ̃-] bescheiden

humecter [ymɛkte] (*1a*) anfeuchten, befeuchten

'**humer** [yme] (*1a*) tief einatmen

humeur [ymœr] *f* Stimmung *f,* Laune *f; tempérament* Gemüt(sart) *n(f); être de* **bonne, mauvaise** ~ guter, schlechter Laune sein

humid|e [ymid] feucht; ~**ificateur** [-ifikatœr] *m tech* Luftbefeuchter *m;* ~**ité** *f* Feuchtigkeit *f*

humili|ation [ymiljasjõ] *f* Demütigung *f;* ~**er** (*1a*) demütigen; ~**té** [-te] *f* Bescheidenheit *f,* Demut *f*

humor|iste [ymɔrist] **1.** *adj* humoristisch; **2.** *m, f* Humorist(in) *m(f);* ~**istique** [-istik] humoristisch

humour [ymur] *m* Humor *m*

'**hurl|ement** [yrləmã] *m* Heulen *n;* ~**s** *pl* Geschrei *n,* Gebrüll *n;* ~**er** (*1a*) *loup:* heulen; *personne:* schreien

'**hurluberlu** [yrlyberly] *m* Wirrkopf *m*

'**hutte** [yt] *f* Hütte *f*

hydratant, ~**e** [idratã, -t] *cosmétique:* Feuchtigkeits...

hydraulique [idrolik] **1.** *adj* hydraulisch; **2.** *f* Hydraulik *f*

hydravion [idravjõ] *m* Wasserflugzeug *n*

hydro|carbure [idrokarbyr] *m chim* Kohlenwasserstoff *m;* ~**gène** [-ʒɛn] *m chim* Wasserstoff *m;* ~**glisseur** [-glisœr] *m* Gleitboot *n;* ~**thérapie** [-terapi] *f* Wasserheilkunde *f*

hyène [jɛn] *f zo* Hyäne *f*

hygiène [iʒjɛn] *f* Hygiene *f;* ~ **corporelle** Körperpflege *f*

hygiénique [iʒjenik] hygienisch

hymne [imnə] **1.** *m* Hymne *f*; **2.** *f rel* (geistlicher) Lobgesang *m*, Hymnus *m*
hyper... [iper] *in Zssgn* Hyper..., hyper...; über...
hyper|bole [iperbɔl] *f* Hyperbel *f* (*a math*); **~marché** [-marʃe] *m* großer Supermarkt *m*; **~sensible** [-sãsiblə] überempfindlich; **~tension** [-tãsjõ] *f méd* erhöhter Blutdruck *m*; **~trophie** [-trɔfi] *f méd* krankhafte Vergrößerung *f*

hypnotiser [ipnɔtize] (*1a*) hypnotisieren
hypo|crisie [ipɔkrizi] *f* Heuchelei *f*, Scheinheiligkeit *f*; **~crite** [-krit] **1.** *adj* scheinheilig; **2.** *m*, *f* Scheinheilige(r) *m*, *f*; **~thèque** [-tɛk] *f comm* Hypothek *f*; **~théquer** [-teke] (*1m*) mit e-r Hypothek belasten; **~thèse** [-tɛz] *f* Hypothese *f*, Annahme *f*; **~thétique** hypothetisch
hystérique [isterik] hysterisch

I

iceberg [ajsbɛrg] *m géogr* Eisberg *m*
ici [isi] hier; *direction*: hierher; *jusqu'~* bis hierher; *jusqu'à maintenant* bis jetzt; *par ~* hier entlang; *d'~ peu* binnen kurzem; *d'~ (à) huit jours* in acht Tagen; *d'~ (à ce) que* (+ *subj*) bis
icône [ikon] *f* Ikone *f*
iconographie [ikɔnɔgrafi] *f* Ikonografie *f*; *images* Illustrations *f/pl*
id. (*abr idem*) desgl. (desgleichen)
idéal, ~e [ideal] (*m/pl* -als *od* -aux) **1.** *adj* ideal, vollkommen; **2.** *m* Ideal *n*
idée [ide] *f* Idee *f*, *pensée* Gedanke *m*; *opinion* Meinung *f*; *à mon ~* für meine Begriffe; *à l'~ de* beim Gedanken an (*acc*); *avoir l'~ de* (+ *inf*) daran denken zu (+ *inf*); *avoir dans l'~ que* sich vorstellen können, dass; *se faire une ~ de* sich e-e Vorstellung machen von; *se faire des ~s réfléchir* sich Gedanken machen; *se tromper* sich etw vormachen
ident|ifier [idãtifje] (*1a*) identifizieren (*qc avec od à qc* etw mit etw); *s'~ avec od à qn, qc* sich mit j-m, etw identifizieren; **~ique** identisch; **~ité** *f personne*: Identität *f*; *goûts, opinions*: Übereinstimmung *f*; *carte f d'~* Personalausweis *m*
idéolog|ie [ideɔlɔʒi] *f* Ideologie *f*; **~ique** ideologisch
idiot, ~e [idjo, -ɔt] **1.** *adj* blödsinnig, idiotisch; **2.** *m*, *f* Idiot(in) *m(f)*; **~ie** [-ɔsi] *f* Idiotie *f*, Dummheit *f*
idolâtr|e [idɔlɑtrə] *m*, *f* Götzen-

diener(in) *m(f)*; **~er** (*1a*) abgöttisch lieben *od* verehren; **~ie** [-i] *f* Götzendienst *m*; *fig* abgöttische Verehrung *f*
idole [idɔl] *f* Idol *n*; *rel* Götzenbild *n*
idylle [idil] *f* romantische Liebe *f*
ignare [iɲar] *péj* **1.** *adj* ungebildet; **2.** *m*, *f* Ignorant(in) *m(f)*
ignifuge [iɲifyʒ, iɲifyʒ] *produit m ~* Feuerschutzmittel *n*
ignoble [iɲɔblə] schändlich, gemein
ignor|ance [iɲɔrãs] *f* Unwissenheit *f*; **~ant, ~ante** [iɲɔrã, -ãt] unwissend; **~er** (*1a*) nicht wissen; *ne pas ~* sehr wohl wissen
il [il] er, es
île [il] *f* Insel *f*
illégal, ~e [ilegal] (*m/pl* -aux) illegal
illégitime [ileʒitim] *pouvoir*: unrechtmäßig; *enfant*: unehelich
illettré, ~e [iletre] **1.** *adj il est ~* er ist Analphabet; **2.** *m*, *f* Analphabet(in) *m(f)*
illicite [ilisit] verboten
illimité, ~e [ilimite] unbegrenzt
illisible [iliz…blə] *indéchiffrable* unleserlich; *mauvaise littérature*: unlesbar
illuminer [ilymine] (*1a*) beleuchten; *ciel*: erhellen
illus|ion [ilyzjõ] *f* Illusion *f*, Täuschung *f*; **~ionner** [-jɔne] (*1a*) *s'~ sur* sich etw vormachen über; **~ionniste** [-jɔnist] *m* Zauberkünstler *m*
illustration [ilystrasjõ] *f* Illustration *f*, Abbildung *f*; *explication* Veranschaulichung *f*

illustr|e [ilystrə] berühmt; **~er** (*1a*) illustrieren (*a fig*), bebildern; *éclairer* veranschaulichen; *s'~ par, dans qc* sich durch etw auszeichnen

îlot [ilo] *m* Inselchen *n*; *de maisons:* Häuserblock *m*

ils [il] *m/pl* sie

image [imaʒ] *f* Bild *n*; *ressemblance:* Ebenbild *n*; *représentation mentale* Vorstellung *f*; **~ de marque** Image *n*

imagin|able [imaʒinablə] denkbar, vorstellbar; **~aire** [-ɛr] eingebildet; **~atif, ~ative** [-atif, -ativ] fantasievoll, erfinderisch

imagin|ation [imaʒinasjɔ̃] *f* Einbildung(skraft) *f*, Fantasie *f*; **~er** (*1a*) (*s'~*) sich denken, sich vorstellen; *inventer* sich ausdenken; **~ que** (+ *ind od subj*) sich vorstellen (können), dass

imbattable [ɛ̃batablə] unschlagbar

imbécile [ɛ̃besil] **1.** *adj* dumm, blöd; *méd* schwachsinnig; **2.** *m, f* Dummkopf *m*

imbécillité [ɛ̃besilite] *f* Dummheit *f*

imberbe [ɛ̃bɛrb] bartlos

imbiber [ɛ̃bibe] (*1a*) (durch)tränken (*de qc* mit etw)

imbu, ~e [ɛ̃by] **~ de** *fig* durchdrungen von

imbuvable [ɛ̃byvablə] nicht trinkbar; F ungenießbar

imit|ateur, ~atrice [imitatœr, -atris] *m, f* Nachahmer(in) *m(f)*; **~ation** *f* Nachahmung *f*, Imitation *f*; **~er** (*1a*) nachahmen

immaculé, ~e [imakyle] unbefleckt, rein

immangeable [ɛ̃mɑ̃ʒablə] ungenießbar

immatricul|ation [imatrikylasjɔ̃] *f* Registrierung *f*, Eintragung *f*; *auto* **plaque** *f* **d'~** Nummernschild *n*; **~er** (*1a*) eintragen

immédi|at, ~ate [imedja, -at] unmittelbar; *sans délai* unverzüglich, sofortig; **dans l'immédiat** im Augenblick; **~atement** [-atmɑ̃] *adv* aussitôt sofort; *suivre:* unmittelbar

immémorial, ~e [imemɔrjal] (*m/pl -iaux*) uralt

immense [imɑ̃s] *vaste* unermesslich; *colossal* ungeheuer

immer|ger [imɛrʒe] (*1l*) versenken; **~sion** [-sjɔ̃] *f* Versenken *n*

immeuble [imœblə] *m* Gebäude *n*

immigr|ant, ~ante [imigrɑ̃, -ɑ̃t] *m, f* Einwanderer *m*, Einwanderin *f*, Immigrant(in) *m(f)*; **~ation** *f* Einwanderung *f*; **~er** (*1a*) einwandern; **~é, ~ée** *m, f* Einwanderer *m*, Einwanderin *f*, Immigrant(in) *m(f)*

imminent, ~e [iminɑ̃, -t] unmittelbar bevorstehend; *danger:* drohend

immiscer [imise] (*1k*) *s'~ dans qc* sich in etw (*acc*) einmischen

immission [imisjɔ̃] *f* Immission *f*

immobil|e [imɔbil] unbeweglich; **~ier, ~ière** [-je, -jɛr] **1.** *adj* Immobilien...; **2.** *m* Immobilienhandel *m*; **~iser** (*1a*) *compte:* sperren; *capital:* festlegen; *fig* lähmen; *s'~* stehen bleiben, liegen bleiben

immonde [imɔ̃d] schmutzig; **~ices** [-is] *f/pl* Unrat *m*, Abfall *m*

immoral, ~e [imɔral] (*m/pl -aux*) unmoralisch

immortal|iser [imɔrtalize] (*1a*) unsterblich machen; **~alité** [-alite] *f* Unsterblichkeit *f*; **~el, ~elle** unsterblich

immun|iser [imynize] (*1a*) immunisieren; **~té** *f jur* Straffreiheit *f*, Immunität *f*; *méd* Immunität *f*

impact [ɛ̃pakt] *m* Wirkung *f*, Einfluss *m*

impair, ~e [ɛ̃pɛr] *adj* ungerade

impardonnable [ɛ̃pardɔnablə] unverzeihlich

imparfait, ~e [ɛ̃parfɛ, -t] unvollkommen

impartial, ~e [ɛ̃parsjal] (*m/pl -aux*) unparteiisch

impasse [ɛ̃pas] *f* Sackgasse *f* (*a fig*); **~ible** gefasst

impatience [ɛ̃pasjɑ̃s] *f* Ungeduld *f*

impati|ent, ~ente [ɛ̃pasjɑ̃, -ɑ̃t] ungeduldig; **~enter** [-ɑ̃te] (*1a*) *s'~* die Geduld verlieren

impeccable [ɛ̃pɛkablə] tadellos, einwandfrei

impénétrable [ɛ̃penetrablə] *forêt:* undurchdringlich; *personne:* unzugänglich

impérati|f, ~ve [ɛ̃peratif, -v] **1.** *adj* zwingend; **2.** *m gr* Imperativ *m*; *pl* **~s** Erfordernisse *n/pl*

impératrice [ɛ̃peratris] *f* Kaiserin *f*

imperceptible [ɛ̃pɛrsɛptiblə] unmerklich

imperfection [ɛ̃pɛrfɛksjɔ̃] *f* Unvollkommenheit *f*

impérial, **~e** [ɛ̃perjal] (*m/pl -aux*) kaiserlich; *fig* majestätisch; **~isme** *m* Imperialismus *m*

impérieu|x, **~se** [ɛ̃perjø, -z] *personne*: gebieterisch; *besoin*: vordringlich

impérissable [ɛ̃perisablə] unvergänglich

imperméable [ɛ̃permeablə] **1.** *adj* undurchlässig; *tissu*: wasserdicht; **2.** *m* Regenmantel *m*

impersonnel, **~le** [ɛ̃persɔnɛl] unpersönlich

impertin|ence [ɛ̃pertinɑ̃s] *f* Unverschämtheit *f*; **~ent, ~ente** [-ɑ̃, -ɑ̃t] unverschämt

imperturbable [ɛ̃pertyrbablə] unerschütterlich

impétueu|x, **~euse** [ɛ̃petɥø, -øz] *fougueux* feurig; **~osité** [-ozite] *f* Ungestüm *n*, Heftigkeit *f*

impie [ɛ̃pi] gottlos

impitoyable [ɛ̃pitwajablə] mitleids-, schonungslos

implacable [ɛ̃plakablə] unerbittlich

implanter [ɛ̃plɑ̃te] (*1a*) *fig* einführen; **s'~** sich niederlassen, sich ansiedeln

implicite [ɛ̃plisit] implizit

impliquer [ɛ̃plike] (*1m*) *personne*: mit hineinziehen, verwickeln; *entraîner* mit einbeziehen; *supposer* voraussetzen

implorer [ɛ̃plɔre] (*1a*) *personne*: anflehen; *aide*: bitten (*qc* um etw)

impoli, **~e** [ɛ̃pɔli] unhöflich; **~tesse** [-tɛs] *f* Unhöflichkeit *f*

impondérable [ɛ̃pɔ̃derablə] *fig* unwägbar

impopulaire [ɛ̃pɔpylɛr] unbeliebt, unpopulär

import|ance [ɛ̃pɔrtɑ̃s] *f* Wichtigkeit *f*, Bedeutung *f*; **~ant, ~ante** [-ɑ̃, -ɑ̃t] **1.** *adj* wichtig, bedeutend; *quantitativement*: beträchtlich; **2.** *m* Hauptsache *f*

import|ateur, **~atrice** [ɛ̃pɔrtatœr, -atris] **1.** *adj* Einfuhr..., Import...; **2.** *m* Importeur *m*; **~ation** *f* Einfuhr *f*, Import *m*

importer [ɛ̃pɔrte] (*1a*) **1.** *v/t* importieren, einführen; **2.** *v/i* wichtig sein (*à* für); *il importe de* (+ *inf*) *od que* (+ *subj*) es kommt darauf an, zu *od* dass; *peu importe* das ist nicht so wichtig; *n'importe où* irgendwo(hin), ganz gleich wo(hin); *n'importe qui* irgendwer, jeder (beliebige)

importun, **~e** [ɛ̃pɔrtœ̃ *od* ɛ̃pɔrtœ, -yn] lästig, aufdringlich; **~er** [-yne] (*1a*) belästigen

impos|able [ɛ̃pozablə] steuerpflichtig; **~ant, ~ante** [-ɑ̃, -ɑ̃t] imponierend; **~er** (*1a*) *obligation, travail*: auferlegen; *marchandise*: besteuern; *en ~ à qn* j-m imponieren, j-n beeindrucken; *s'~ être commandé* geboten sein; *se faire admettre* sich durchsetzen; **~ition** *f* Besteuerung *f*

imposs|ibilité [ɛ̃pɔsibilite] *f* Unmöglichkeit *f*; **~ible** unmöglich

imposteur [ɛ̃pɔstœr] *m* Betrüger *m*

impôt [ɛ̃po] *m* Steuer *f*; **~ sur le revenu** Einkommen(s)steuer *f*; **déclaration** *f* **d'~** Steuererklärung *f*

impotent, **~e** [ɛ̃pɔtɑ̃, -t] gebrechlich

impraticable [ɛ̃pratikablə] *projet*: nicht machbar; *rue*: unbefahrbar

imprécation [ɛ̃prekasjɔ̃] *litt f* Verwünschung *f*

imprécis, **~e** [ɛ̃presi, -z] ungenau

imprégner [ɛ̃preɲe] (*1f*) tränken (*de* mit)

impression [ɛ̃presjɔ̃] *f* Eindruck *m*; *imprimerie*: Druck *m*; **~ant, ~ante** beeindruckend; **~ner** (*1a*) beeindrucken

imprévisible [ɛ̃previziblə] unvorhersehbar

imprévu, **~e** [ɛ̃prevy] **1.** *adj* unvorhergesehen; **2.** *m sauf ~* wenn nichts dazwischenkommt

imprimante [ɛ̃primɑ̃t] *f EDV* Drucker *m*; **~ à laser** Laserdrucker *m*; **~ matricielle** Matrixdrucker *m*

imprim|é [ɛ̃prime] *m poste*: Drucksache *f*; *formulaire* Vordruck *m*; **~er** (*1a*) drucken; *papier*: bedrucken; *édition*: veröffentlichen; **~erie** *f* Druckerei *f*; *art*: Buchdruckerkunst *f*, Buchdruck *m*; **~eur** *m* Drucker *m*

improbable [ɛ̃prɔbablə] unwahrscheinlich

improducti|f, **~ve** [ɛ̃prɔdyktif, -v] *terre*: unergiebig; *travail*: unrentabel

impromptu, **~e** [ɛ̃prɔ̃pty] improvisiert

impropre [ɛ̃prɔprə] unpassend (*à* für)

improv|iser [ɛ̃prɔvize] (*1a*) improvisieren; *discours*: aus dem Stegreif halten; **~iste à l'~** unvermutet

imprud|ence [ɛ̃prydɑ̃s] *f* Unvorsichtigkeit *f*; *jur* Fahrlässigkeit *f*; **~ent, ~ente** [-ɑ̃, -ɑ̃t] unvorsichtig

impudence [ɛ̃pydɑ̃s] f Unverschämtheit f

impudique [ɛ̃pydik] unzüchtig

impuis|ance [ɛ̃pɥisɑ̃s] f Machtlosigkeit f, Ohnmacht f; *anat* Impotenz f; **~ant**, **~ante** [-ɑ̃, -ɑ̃t] machtlos; *anat* impotent

impulsi|f, **~ve** [ɛ̃pylsif, -v] impulsiv

impulsion [ɛ̃pylsjɔ̃] f Anstoß m; *fig* Antrieb m, Impuls m

impunément [ɛ̃pynemɑ̃] *adv* ungestraft

impuni, **~e** [ɛ̃pyni] ungestraft

impur, **~e** [ɛ̃pyr] unrein, unsauber; *impudique* unzüchtig

imputer [ɛ̃pyte] (1a) **~** *qc à qn* j-m etw zur Last legen; **~** *qc à qc* etw e-r Sache zuschreiben; *comm* **~** *qc sur qc* etw auf etw (*acc*) anrechnen

inabordable [inabɔrdablə] *prix*: unerschwinglich

inacceptable [inaksɛptablə] unannehmbar

inaccessible [inaksesiblə] *forêt, personne*: unzugänglich; *objectif*: unerreichbar

inaccoutumé, **~e** [inakutyme] *pas habitué* ungewohnt; *inhabituel* ungewöhnlich

inachevé, **~e** [inaʃve] unvollendet

inacti|f, **~ve** [inaktif, -v] untätig; *remède*: unwirksam

inadaptation [inadaptasjɔ̃] f mangelnde Anpassung(sfähigkeit) f

inadmissible [inadmisiblə] unzulässig; *inakzeptabel, indiskutabel*

inadvertance [inadvɛrtɑ̃s] f *par* **~** aus Versehen

inaliénable [inaljenablə] unveräußerlich

inaltérable [inalterablə] unveränderlich

inanimé, **~e** [inanime] leblos

inanition [inanisjɔ̃] f Entkräftung f

inaperçu, **~e** [inapɛrsy] *passer* **~** unbemerkt bleiben

inappréciable [inapresjablə] *aide, bonheur*: unschätzbar; *différence, nuance*: verschwindend klein

inapte [inapt] untauglich (*à* für)

inattendu, **~e** [inatɑ̃dy] unerwartet; *inespéré* unverhofft; *insoupçonné* unvermutet

inattenti|f, **~ve** [inatɑ̃tif, -v] unaufmerksam; **~ion** f Unaufmerksamkeit f

inaugur|al, **~ale** [inogyral] (*m/pl -aux*) Eröffnungs..., Einweihungs...; **~ation** f Einweihung f; **~er** (1a) *édifice*: feierlich einweihen; *nouvelle politique*: einführen

incalculable [ɛ̃kalkylablə] unberechenbar; *conséquences*: unabsehbar

incandescence [ɛ̃kɑ̃desɑ̃s] f Weißglut f; *lampe f à* **~** Glühlampe f

incantation [ɛ̃kɑ̃tasjɔ̃] f Beschwörung f

incap|able [ɛ̃kapablə] unfähig (*de qc* zu etw; *de faire qc* etw zu tun); **~acité** [-asite] f Unfähigkeit f (*de* zu)

incarcérer [ɛ̃karsere] (1f) einkerkern

incarner [ɛ̃karne] (1a) verkörpern, darstellen

incartade [ɛ̃kartad] f Torheit f

incassable [ɛ̃kasablə] unzerbrechlich

incendiaire [ɛ̃sɑ̃djɛr] **1.** *adj* Brand...; *fig* aufrührerisch, Hetz...; **2.** *m*, f Brandstifter(in) *m(f)*

incend|ie [ɛ̃sɑ̃di] *m* Brand *m*; **~ier** [-je] (1a) in Brand stecken

incert|ain, **~aine** [ɛ̃sɛrtɛ̃, -ɛn] *inconnu* ungewiss; *indéterminé* unbestimmt; *hésitant* unsicher; **~itude** [-ityd] f Ungewissheit f

incess|amment [ɛ̃sesamɑ̃] *adv* unverzüglich; **~ant**, **~ante** [-ɑ̃, -ɑ̃t] unaufhörlich

inceste [ɛ̃sɛst] *m* Inzest *m*, Blutschande f

incident [ɛ̃sidɑ̃] *m* Zwischenfall *m*; **~** *de parcours* Missgeschick *n*

incinér|ation [ɛ̃sinerasjɔ̃] f **~** (*des ordures*) Müllverbrennung f; **~er** (1f) verbrennen; *cadavre*: einäschern

incisi|f, **~ve** [ɛ̃sizif, -v] bissig, schneidend

inciter [ɛ̃site] (1a) **~** *qn à encourager* j-n anregen zu; *conduire à* j-n veranlassen zu

inclin|aison [ɛ̃klinɛzɔ̃] f Gefälle *n*, Neigung f; **~ation** f Neigung f, Hang *m* (*pour qc* zu etw); **~ de tête** Kopfnicken *n*; **~er** (1a) neigen; *fig* **~** *à* neigen zu; *s'*~ sich verbeugen; *s'*~ *devant qc céder* sich e-r Sache beugen

inclure [ɛ̃klyr] (4l) *insérer* beilegen; *contenir* einbeziehen, enthalten

inclus, **~e** [ɛ̃kly, -z] beiliegend; *date*: einschließlich; *ci-inclus* beiliegend

incohérent, **~e** [ɛ̃koerɑ̃, -t] unzusammenhängend

incolore [ɛ̃kɔlɔr] farblos

incomber [ɛ̃kõbe] (1a) obliegen (à qn j-m)

incombustible [ɛ̃kõbystiblə] un(ver-) brennbar

incommensurable [ɛ̃kõmãsyrablə] maßlos

incommod|e [ɛ̃kɔmɔd] unpraktisch; **~er** (1a) belästigen

incomparable [ɛ̃kõparablə] unvergleichlich

incompatible [ɛ̃kõpatiblə] unvereinbar (**avec** mit)

incompétent, ~e [ɛ̃kõpetã, -ãt] inkompetent

incompl|et, ~ète [ɛ̃kõplɛ, -ɛt] unvollständig

incompréhensible [ɛ̃kõpreãsiblə] unbegreiflich, unverständlich

inconcevable [ɛ̃kõsvablə] unbegreiflich, unfassbar

inconciliable [ɛ̃kõsiljablə] unvereinbar (**avec** mit)

inconnu, ~e [ɛ̃kɔny] 1. adj unbekannt; 2. m, f Fremde(r) m, f

inconsci|ence [ɛ̃kõsjãs] f physique: Bewusstlosigkeit f; **~ent**, ~ente 1. adj physique: bewusstlos; psych unbewusst; 2. m psych l'~ das Unbewusste

inconsidéré, ~e [ɛ̃kõsidere] unbedacht, unbesonnen

inconsistant, ~e [ɛ̃kõsistã, -ãt] fig unbeständig

inconsolable [ɛ̃kõsɔlablə] untröstlich

inconstant, ~e [ɛ̃kõstã, -ãt] unbeständig

incontestable [ɛ̃kõtɛstablə] unbestreitbar, unstrittig

inconvenant, ~e [ɛ̃kõvnã, -t] unschicklich

inconvénient, ~e [ɛ̃kõvenjã] m Nachteil m; **~ compétitif** Wettbewerbsnachteil m

inconvertible [ɛ̃kõvertiblə] comm nicht umtauschbar

incorporer [ɛ̃kɔrpɔre] (1a) cuis beimengen; insérer eingliedern; annexer einverleiben; mil einberufen

incorrect, ~e [ɛ̃kɔrɛkt] unrichtig, falsch; comportement: un-, inkorrekt

incorrigible [ɛ̃kɔriʒiblə] unverbesserlich

incorruptible [ɛ̃kɔryptiblə] unbestechlich

incrédule [ɛ̃kredyl] sceptique skeptisch;

incroyant ungläubig

incriminer [ɛ̃krimine] (1a) beschuldigen

incroyable [ɛ̃krwajablə] unglaublich

incubation [ɛ̃kybasjõ] f Brüten n; méd Inkubationszeit f

inculp|ation [ɛ̃kylpasjõ] f jur Anklage f; **~er** (1a) jur anklagen

inculquer [ɛ̃kylke] (1m) **~ qc à qn** j-m etw einschärfen

inculte [ɛ̃kylt] terre: unbebaut; barbe: ungepflegt; ignorant ungebildet

incurable [ɛ̃kyrablə] unheilbar

incurie [ɛ̃kyri] f Nachlässigkeit f, Schlamperei f F

incursion [ɛ̃kyrsjõ] f mil Einfall m; fig Abstecher m

Inde [ɛ̃d] f l'~ Indien n

indécent, ~e [ɛ̃desã, -t] unanständig

indéchiffrable [ɛ̃deʃifrablə] message, écriture: unentzifferbar; pensées, personne: rätselhaft

indécis, ~e [ɛ̃desi, -z] indéterminé unentschieden; hésitant unentschlossen; imprécis ungenau; **~ion** f Unentschlossenheit f

indéfin|i, ~ie [ɛ̃defini] unbestimmt; **~iment** [-imã] adv unbegrenzt; **~issable** [-isablə] unbestimmbar

indemne [ɛ̃demnə] unverletzt

indemn|iser [ɛ̃demnize] (1a) entschädigen (**qn de qc** j-n für etw); **~ité** f dédommagement Entschädigung f; allocation Vergütung f, Zulage f

indéniable [ɛ̃denjablə] unleugbar

indépend|amment [ɛ̃depãdamã] adv unabhängig; **~ance** [-ãs] f Unabhängigkeit f; **~ant**, **~ante** [-ã, -ãt] unabhängig (**de** von); vie, profession: selbstständig

indescriptible [ɛ̃deskriptiblə] unbeschreiblich

indésirable [ɛ̃dezirablə] unerwünscht

indéterminé, ~e [ɛ̃determine] unbestimmt; personne: unschlüssig

index [ɛ̃dɛks] m 1. livre: Index m, Register m; 2. doigt: Zeigefinger m

indica|teur, **~trice** [ɛ̃dikatœr, -tris] 1. adj Hinweis...; 2. m espion Spitzel m; tech Indikator m; chemins de fer: Kursbuch n; **~tif** [-tif] m gr Indikativ m; radio: Erkennungsmelodie f; tél Vorwahl f; **~tion** Angabe f; informations Auskunft f; signe Zeichen n; méd Indikation *f*

indice [ɛ̃dis] *m* signe Anzeichen *n*; *jur* Indiz *n*; ~ *de protection* Lichtschutzfaktor *m*; ~ *des prix* Preisindex *m*

indicible [ɛ̃disiblə] unsagbar

indien, *~ne* [ɛ̃djɛ̃, -ɛn] **1.** *adj* Inde: indisch; *Amérique*: indianisch; **2.** ♀ *m, f* Inde: Inder(in) *m(f)*; *Amérique*: Indianer(in) *m(f)*

indifféremment [ɛ̃diferamɑ̃] *adv* unterschiedslos; *~ence* [-ɑ̃s] *f* Gleichgültigkeit *f*; *~ent, ~ente* [-ɑ̃, -ɑ̃t] gleichgültig

indigène [ɛ̃diʒɛn] *m, f* Eingeborene(r) *m, f*

indigent, *~e* [ɛ̃diʒɑ̃, -t] bedürftig

indigeste [ɛ̃diʒɛst] schwer-, unverdaulich

indigestion [ɛ̃diʒɛstjõ] *f méd* Magenverstimmung *f*

indignation [ɛ̃diɲasjõ] *f* Entrüstung *f*, Empörung *f*

indigne [ɛ̃diɲ] unwürdig (*de qn, de qc* j-s, e-r Sache *gén*); *~er* (*1a*) empören; *s'~ de qc, contre qn* sich über etw, über j-n entrüsten, empören

indiqué, *~ée* [ɛ̃dike] *adéquat* angemessen; *ce n'est pas indiqué* das ist nicht ratsam; *~er* (*1m*) zeigen; *zeit*: angeben; *pendule*: anzeigen; *recommander* empfehlen

indiscret, *~ète* [ɛ̃diskrɛ, -ɛt] indiskret

indiscutable [ɛ̃diskytablə] unbestreitbar

indispensable [ɛ̃dispɑ̃sablə] unentbehrlich, unerlässlich

indisponible [ɛ̃disponiblə] *personne*: unabkömmlich; *chose*: nicht verfügbar

indisposé, *~ée* [ɛ̃dispoze] unpässlich; *~er* (*1a*) *rendre malade* nicht bekommen (*qn* j-m); *fâcher* verstimmen, verärgern

indissoluble [ɛ̃disɔlyblə] un(auf)löslich

indistinct, *~e* [ɛ̃distɛ̃(kt), -ɛ̃kt] undeutlich, ungenau

individu [ɛ̃dividy] *m* Individuum *n* (*a péj*)

individuel, *~le* [ɛ̃dividɥɛl] *propre en-dividuell*; *personnel* persönlich; *isolé* einzeln

Indochine [ɛ̃dɔʃin] *f l'~* Indochina *n*

indocile [ɛ̃dɔsil] unfolgsam

indolent, *~e* [ɛ̃dɔlɑ̃, -t] *paresseux* träge;

nonchalant lässig

indolore [ɛ̃dɔlɔr] schmerzlos

Indonésie [ɛ̃dɔnezi] *f l'~* Indonesien *n*

indu, *~e* [ɛ̃dy] *à une heure ~e* zu unpassender Zeit

indubitable [ɛ̃dybitablə] unzweifelhaft

induire [ɛ̃dɥir] (*4c*) ~ *qn en erreur* j-n irreführen

indulgence [ɛ̃dylʒɑ̃s] *f* Nachsicht *f*; *~ent, ~ente* [-ɑ̃, -ɑ̃t] nachsichtig

indûment [ɛ̃dymɑ̃] *adv* unberechtigt

industrialiser [ɛ̃dystrijalize] (*1a*) industrialisieren

industrie [ɛ̃dystri] *f* Industrie *f*; ~ *d'avenir* Zukunftsindustrie *f*; ~ *lourde* Schwerindustrie *f*; ~ *automobile* Automobilindustrie *f*; *~iel, ~ielle* [-ijɛl] **1.** *adj* industriell, Industrie...; **2.** *m* Industrielle(r) *m*

inébranlable [inebrɑ̃lablə] unerschütterlich

inédit, *~e* [inedi, -t] *pas édité* unveröffentlicht; *nouveau* ganz neu

ineffable [inefablə] unaussprechlich

inefficace [inefikas] unwirksam

inégal, *~e* [inegal] (*m/pl -aux*) ungleich; *surface*: uneben; *rythme*: ungleichmäßig; *~é, ~ée* [inegale] unübertroffen; *~ité* *f* Ungleichheit *f*; *surface*: Unebenheit *f*

inéluctable [inelyktablə] unabwendbar, unvermeidlich

inepte [inɛpt] dumm, albern

ineptie [inɛpsi] *f* Dummheit *f*; *~s pl* dummes Zeug *n*, Unsinn *m*

inépuisable [inepɥizablə] unerschöpflich

inerte [inɛrt] regungslos; *phys* träge

inertie [inɛrsi] *f* Trägheit *f* (*a phys*), Untätigkeit *f*

inespéré, *~e* [inɛspere] unverhofft

inestimable [inɛstimablə] unschätzbar

inévitable [inevitablə] unvermeidlich

inexact, *~e* [inɛgza(kt), -akt] ungenau; *non ponctuel* unpünktlich

inexcusable [inɛkskyzablə] unentschuldbar, unverzeihlich

inexorable [inɛgzɔrablə] unerbittlich

inexpérimenté, *~e* [inɛksperimɑ̃te] unerfahren

inexplicable [inɛksplikablə] unerklärlich

inextricable [inɛkstrikablə] unentwirrbar (*a fig*)

infaillible [ɛ̃fajiblə] unfehlbar

infâme [ɛ̃fɑm] niederträchtig, infam; *odeur*: übel

infantile [ɛ̃fɑ̃til] Kinder...; *péj* kindisch, infantil; *maladie f infantile* Kinderkrankheit f

infarctus [ɛ̃farktys] m *méd* ~ *du myocarde* Herzinfarkt m

infatigable [ɛ̃fatigablə] unermüdlich

infatué, ~e [ɛ̃fatɥe] *être ~ de sa personne* sehr von sich eingenommen sein

infect, ~e [ɛ̃fɛkt] ekelhaft; ~er (1a) *méd* anstecken, infizieren; *air, eau*: verpesten; *s'*~ sich entzünden

infection [ɛ̃fɛksjɔ̃] f *méd* Ansteckung f, Infektion f

inférieur [ɛ̃ferjœr] 1. *adj* untere(r, -s), Unter...; *qualité*: minderwertig; *nombre*: geringer; 2. m, f Untergebene(r) m, f

infériorité [ɛ̃ferjɔrite] f Unterlegenheit f; *sentiment m d'*~ Minderwertigkeitsgefühl n

infernal, ~e [ɛ̃fɛrnal] (m/pl -aux) höllisch

infester [ɛ̃fɛste] (1a) *ravager* heimsuchen; *insectes, plantes*: befallen

infid|èle [ɛ̃fidɛl] untreu; *rel* ungläubig; ~élité [-elite] f Untreue f

infiltrer [ɛ̃filtre] (1a) *s'*~ eindringen, *fig* sich einschleichen

infime [ɛ̃fim] winzig (klein)

infini, ~e [ɛ̃fini] unendlich; ~ment unendlich; *beaucoup* sehr viel, ungeheuer

infinité [ɛ̃finite] f Unendlichkeit f; *grande quantité* Unmenge f

infirm|e [ɛ̃firm] 1. *adj* behindert; 2. m, f Behinderte(r) m, f; ~er (1a) *fig* entkräften; ~erie [-əri] f Krankenabteilung f; ~ier, ~ière m, f [-je, -jɛr] Krankenpfleger m, -schwester f; ~ité f Behinderung f

inflamma|ble [ɛ̃flamablə] entzündbar; ~tion f *méd* Entzündung f

inflation [ɛ̃flasjɔ̃] f Inflation f

infléchir [ɛ̃fleʃir] (2a) biegen; *fig* ändern

inflexion [ɛ̃flɛksjɔ̃] f Biegung f

infliger [ɛ̃fliʒe] (1l) *peine*: auferlegen, verhängen; *insulte*: zufügen

influ|encable [ɛ̃flɥãsablə] beeinflussbar; ~ence [-ãs] f Einfluss m; ~encer [-ãse] (1k) beeinflussen; ~ent, ~ente [-ã, -ãt] einflussreich

informaticien, ~ne [ɛ̃fɔrmatisjɛ̃, -ɛn]

m, f Informatiker(in) m(f)

information [ɛ̃fɔrmasjɔ̃] f Information f; *renseignement* Auskunft f; *presse*: Nachricht f; *jur* Ermittlungen f/pl; *traitement m de l'*~ Datenverarbeitung f

informatique [ɛ̃fɔrmatik] f Datenverarbeitung f; *science*: Informatik f

informe [ɛ̃fɔrm] formlos

informer [ɛ̃fɔrme] (1a) ~ *qn de qc* j-n von etw benachrichtigen, in Kenntnis setzen, j-n über etw informieren, unterrichten; *jur* ~ *contre qn* gegen j-n Ermittlungen durchführen; *s'*~ sich erkundigen (*de qc auprès de qn* nach etw bei j-m)

infraction [ɛ̃fraksjɔ̃] f Verstoß m; ~ *au code de la route* Verkehrsdelikt n

infranchissable [ɛ̃frɑ̃ʃisablə] unüberwindlich

infrarouge [ɛ̃fraruʒ] infrarot

infrastructure [ɛ̃frastryktyr] f *écon* Infrastruktur f; *construction*: Unterbau m

infroissable [ɛ̃frwasablə] knitterfrei

infructueu|x, ~se [ɛ̃fryktɥø, -z] erfolglos, vergeblich

infuser [ɛ̃fyze] (1a) *dans liquide*: faire ~ ziehen lassen

infusion [ɛ̃fyzjɔ̃] f (Kräuter-)Tee m

ingéni|erie [ɛ̃ʒenjəri] f Engineering n; ~eur [-œr] m Ingenieur m; ~eux, ~euse [-ø, -øz] *personne*: erfinderisch, einfallsreich; *système*: gut ausgedacht; ~osité [-ozite] f Erfindungsgabe f, Einfallsreichtum m

ingénu, ~e [ɛ̃ʒeny] naiv

ingér|ence [ɛ̃ʒerãs] f Einmischung f; ~er (1f) *médicament*: einnehmen; *s'*~ sich einmischen (*dans* in acc)

ingrat, ~e [ɛ̃gra, -at] undankbar

ingrédient [ɛ̃gredjã] m *cuis* Zutat f; *phm* Bestandteil m

inguérissable [ɛ̃gerisablə] unheilbar

ingurgiter [ɛ̃gyrʒite] (1a) gierig verschlingen

inhabitable [inabitablə] unbewohnbar

inhabituel, ~le [inabitɥɛl] ungewöhnlich

inhaler [inale] (1a) einatmen, inhalieren

inhérent, ~e [inerã, -ãt] innewohnend, anhaftend (*à qc* e-r Sache)

inhibition [inibisjɔ̃] f *psych* Hemmung f, Gehemmtheit f

inhumain, **~e** [inymɛ̃, -ɛn] unmenschlich

inhumer [inyme] (1a) bestatten

inimitable [inimitablə] unnachahmlich

inimitié [inimitje] f Feindschaft f

ininflammable [inɛ̃flamablə] unentzündbar

intelligible [ɛ̃teliʒiblə] unverständlich

iniquité [inikite] f Ungerechtigkeit f

initial, **~e** [inisjal] (m/pl -aux) Anfangs...

initia|teur, **~trice** [inisjatœr, -tris] m,f Initiator(in) m(f); **~tive** [-tiv] f Initiative f; **syndicat** m **d'~** Fremdenverkehrsamt n; **prendre l'~** die Initiative ergreifen

initier [inisje] (1a) instruire einweihen; **s'~ à qc** sich mit etw vertraut machen

injecter [ɛ̃ʒɛkte] (1a) einspritzen

injection [ɛ̃ʒɛksjɔ̃] f Einspritzung f, Injektion f

injonction [ɛ̃ʒɔ̃ksjɔ̃] f (ausdrücklicher) Befehl m

injur|e [ɛ̃ʒyr] f Beleidigung f; gros mot Schimpfwort n; **~ier** [-je] (1a) beschimpfen; **~ieux, ~ieuse** [-jø, -jøz] beleidigend

injust|e [ɛ̃ʒyst] ungerecht; **~ice** [-is] f Ungerechtigkeit f, Unrecht n

inlassable [ɛ̃lasablə] unermüdlich

inné, **~e** [in(n)e] angeboren

innoc|ence [inɔsɑ̃s] f Unschuld f; **~ent, ~ente** [-ɑ̃, -ɑ̃t] unschuldig; naïf naiv; **~enter** (1a) **~ qn** j-s Unschuld beweisen

innombrable [inɔ̃brablə] unzählig

innovation [inɔvasjɔ̃] f Neuerung f

inoccupé, **~e** [inɔkype] personne: untätig; maison: unbewohnt, leer

inoculer [inɔkyle] (1a) einimpfen

inodore [inɔdɔr] geruchlos

inoffensi|f, **~ve** [inɔfɑ̃sif, -v] harmlos

inond|ation [inɔ̃dasjɔ̃] f Überschwemmung f; **~er** (1a) überschwemmen

inopérant, **~e** [inɔpeʀɑ̃, -t] wirkungslos

inopiné, **~e** [inɔpine] unerwartet

inopportun, **~e** [inɔpɔrtœ̃, -yn] ungelegen

inoubliable [inublijablə] unvergesslich

inouï, **~e** [inwi] unglaublich, unerhört

inoxydable [inɔksidablə] rostfrei

inqui|et, **~ète** [ɛ̃kjɛ, -ɛt] unruhig

inquiét|er [ɛ̃kjete] (1f) beunruhigen; **s'~** sich sorgen (de um); **~ude** [-yd] f Unruhe f, Besorgnis f

insalubre [ɛ̃salybrə] ungesund

insatiable [ɛ̃sasjablə] unersättlich

inscription [ɛ̃skripsjɔ̃] f Einschreibung f; pierre: In-, Aufschrift f; université: Immatrikulation f

inscrire [ɛ̃skrir] (4f) dans registre: eintragen; à examen: anmelden; **s'~** sich einschreiben; à examen: sich anmelden; université: sich immatrikulieren

insect|e [ɛ̃sɛkt] m Insekt n; **~icide** [-isid] m Insektenvertilgungsmittel n

insémination [ɛ̃seminasjɔ̃] f Befruchtung f

insensé, **~e** [ɛ̃sɑ̃se] unsinnig

insens|ibiliser [ɛ̃sɑ̃sibilize] (1a) betäuben; **~ible** anat empfindungslos; personne: gefühllos; imperceptible unmerklich

inséparable [ɛ̃separablə] untrennbar (de qc mit etw verbunden); personnes: unzertrennlich

insérer [ɛ̃sere] (1f) einfügen, -setzen; annonce: aufgeben; **s'~ dans** in Zusammenhang stehen mit

insertion [ɛ̃sɛrsjɔ̃] f Einfügung f

insidieu|x, **~se** [ɛ̃sidjø, -z] hinterhältig, heimtückisch

insigne [ɛ̃siɲ] m Abzeichen n

insignifiant, **~e** [ɛ̃siɲifjɑ̃, -t] unbedeutend

insinuer [ɛ̃sinɥe] (1n) zu verstehen geben; **s'~** (unbemerkt) eindringen

insipide [ɛ̃sipid] geschmacklos, fade

insistance [ɛ̃sistɑ̃s] f Beharrlichkeit f; **~er** (1a) bestehen, beharren (sur qc auf etw dat); **~ pour** (+ inf) darauf bestehen od beharren zu (+ inf); **~ sur qc** souligner Nachdruck auf etw (acc) legen

insolation [ɛ̃sɔlasjɔ̃] f Sonnenstich m

insol|ence [ɛ̃sɔlɑ̃s] f Frechheit f, Unverschämtheit f; **~ent, ~ente** [-ɑ̃, -ɑ̃t] frech, unverschämt

insolite [ɛ̃sɔlit] ungewöhnlich

insoluble [ɛ̃sɔlyblə] substance: unlöslich; problème: unlösbar

insolvable [ɛ̃sɔlvablə] zahlungsunfähig, insolvent

insomnie [ɛ̃sɔmni] f Schlaflosigkeit f

insouciant, **~e** [ɛ̃susjɑ̃, -t] sorglos, unbekümmert

insoutenable [ɛ̃sutnablə] inadmissible unhaltbar; insupportable nicht auszuhalten, unerträglich

inspec|ter [ɛ̃spɛkte] (*1a*) kontrollieren; *personnes*: beaufsichtigen; **-teur, -trice** *m, f* Aufsichtsbeamte(r) *m*, -beamtin *f; assurances*: Inspektor(in) *m(f)*; **~** (**de** *l'enseignement primaire*) Schulrat *m*, -rätin *f*

inspection [ɛ̃spɛksjɔ̃] *f* Inspektion *f*, Aufsicht *f*

inspir|ation [ɛ̃spirasjɔ̃] *f fig* Eingebung *f*, Inspiration *f*; **~er** (*1a*) *v/i* einatmen; *v/t* inspirieren, anregen

instable [ɛ̃stablə] unbeständig

install|ation [ɛ̃stalasjɔ̃] *f fonctionnaire*: Amtseinführung *f; él, tél* Anschluss *m*; **~s** Anlage *f*, Einrichtung *f*; **~er** (*1a*) installieren, einbauen; *appartement*: einrichten; *loger* unterbringen; *él, tél* anschließen; **s'~** *s'établir* sich niederlassen; **s'~ chez qn** bei j-m wohnen

instamment [ɛ̃stamɑ̃] *adv* inständig

instance [ɛ̃stɑ̃s] *f* dringende Bitte *f; jur procédure* Verfahren *n; hiérarchie*: Instanz *f; sur les **~s de qn** auf j-s Drängen

instant [ɛ̃stɑ̃] *m* Augenblick *m; à l'~* soeben; *en un ~* im Nu; *par ~s* zeitweise; *à l'~ où* in dem Moment, als

instantané, ~e [ɛ̃stɑ̃tane] **1.** *adj* augenblicklich; **2.** *m photographie*: Momentaufnahme *f*; **~ment** *adv* sofort

instaur|ation [ɛ̃stɔrasjɔ̃] *f* Einführung *f*; **~er** (*1a*) einführen

instiga|teur, ~trice [ɛ̃stigatœr, -tris] *m, f* Anstifter(in) *m(f)*; **~tion** *f à l'~ de* auf Betreiben von

instinct [ɛ̃stɛ̃] *m* Instinkt *m*, Trieb *m*; **~if, ~ive** [-if, -iv] instinktiv

instituer [ɛ̃stitɥe] (*1n*) einführen

institut [ɛ̃stity] *m* (Forschungs-)Institut *n*; **~ de beauté** Schönheitssalon *m*; **~ Monétaire Européen** (*IME*) Europäisches Währungsinstitut *n* (EWI)

institu|teur, ~trice [ɛ̃stitytœr, -tris] *m, f* (Volksschul-)Lehrer(in) *m(f)*

institution [ɛ̃stitysjɔ̃] *f* **1.** *~s pl* Einrichtungen *f/pl*, Institutionen *f/pl*; **2.** *école*: (private) Erziehungs- *od* Lehranstalt *f*

instruct|eur [ɛ̃stryktœr] *m mil* Ausbilder *m*; **~if, ~ive** [-if, -iv] instruktiv, lehrreich

instruction [ɛ̃stryksjɔ̃] *f formation* Ausbildung *f*, Unterricht *m; connaissances* Wissen *n*, Kenntnisse *f/pl; di-*

rective Vorschrift *f; jur* Untersuchung *f; EDV* Befehl *m*; **~s** *pl mode d'emploi* Gebrauchsanweisung *f*

instruire [ɛ̃strɥir] (*4c*) unterrichten; *jur* ermitteln; **~ qn de qc** j-n über etw informieren

instrument [ɛ̃strymɑ̃] *m* Instrument *n*

insu [ɛ̃sy] *à l'~ de* ohne Wissen (*gén*); *à mon ~* ohne mein Wissen

insubmersible [ɛ̃sybmɛrsiblə] unsinkbar

insubordination [ɛ̃sybɔrdinasjɔ̃] *f* Ungehorsam *m* (*a mil*)

insuccès [ɛ̃syksɛ] *m* Misserfolg *m*

insuffis|ant, ~ante [ɛ̃syfizɑ̃, -ɑ̃t] *quantité*: ungenügend; *qualité*: unzulänglich

insuffler [ɛ̃syfle] (*1a*) einblasen

insulaire [ɛ̃sylɛr] **1.** *adj* Insel...; **2.** *m, f* Inselbewohner(in) *m(f)*

insuline [ɛ̃sylin] *f* Insulin *n*

insulte [ɛ̃sylt] *f* Beleidigung *f*; **~er** (*1a*) beleidigen, beschimpfen

insupportable [ɛ̃sypɔrtablə] unerträglich

insurger [ɛ̃syrʒe] (*1l*) **s'~ contre** sich erheben gegen

insurmontable [ɛ̃syrmɔ̃tablə] unüberwindlich

insurrection [ɛ̃syrɛksjɔ̃] *f* Aufstand *m*

intact, ~e [ɛ̃takt] intakt, unversehrt

intarissable [ɛ̃tarisablə] nie versiegend, unerschöpflich

intégral, ~e [ɛ̃tegral] (*m/pl -aux*) vollständig

intégrant, ~e [ɛ̃tegrɑ̃, -t] *partie f intégrante* wesentlicher Bestandteil *m*

intègre [ɛ̃tɛgrə] unbescholten, rechtschaffen

intégrer [ɛ̃tegre] (*1a*) integrieren, eingliedern

intégr|isme [ɛ̃tegrismə] *m* Fundamentalismus *m*; **~iste 1.** *adj* fundamentalistisch; **2.** *m, f* Fundamentalist(in) *m(f)*

intégrité [ɛ̃tegrite] *f* Rechtschaffenheit *f*

intellectuel, ~le [ɛ̃telɛktɥel] **1.** *adj* intellektuell; **2.** *m, f* Intellektuelle(r) *m, f*

intelligence [ɛ̃teliʒɑ̃s] *f* Intelligenz *f; complicité* Verständnis *n*; **~ent, ~ente** [-ɑ̃, -ɑ̃t] intelligent; **~ible** verständlich

intempér|ance [ɛ̃tɑ̃perɑ̃s] *f* Unmäßigkeit *f*; **~ies** [-i] *f/pl* Witterungsunbilden *pl* intempesti|f, ~ve [ɛ̃tɑ̃pɛstif, -v] unangebracht

intenable [ɛ̃t(ə)nablə] unhaltbar; *intolérable* unerträglich

intend|ance [ɛ̃tɑ̃dɑ̃s] f Verwaltung f; ~ant, ~ante [-ɑ̃, -ɑ̃t] m, f Verwalter(in) m(f)

intense [ɛ̃tɑ̃s] intensiv, stark

intensi|f, ~ve [ɛ̃tɑ̃sif, -v] intensiv; ~té f Intensität f, Stärke f

intenter [ɛ̃tɑ̃te] (1a) *procès:* anstrengen

intention [ɛ̃tɑ̃sjõ] f Absicht f; ~né, ~née *bien* ~ wohlgesinnt; *mal* ~ nicht wohlgesinnt

intentionnel, ~le [ɛ̃tɑ̃sjɔnɛl] absichtlich

inter [ɛ̃tɛr] m 1. (*abr intérieur*) *sports:* Halbstürmer m; 2. (*abr interurbain*) *tél* Fernmeldedienst m

interacti|f, ~ve [ɛ̃tɛraktif, -v] interaktiv

intercaler [ɛ̃tɛrkale] (1a) einschieben

intercéder [ɛ̃tɛrsede] (1f) ~ *pour qn* sich für j-n verwenden

intercepter [ɛ̃tɛrsɛpte] (1a) abfangen; *lettre:* unterschlagen

interchangeable [ɛ̃tɛrʃɑ̃ʒablə] austauschbar, auswechselbar

interdépendance [ɛ̃tɛrdepɑ̃dɑ̃s] f gegenseitige Abhängigkeit f

inter|diction [ɛ̃tɛrdiksjõ] f Verbot n; ~dire [-dir] (4m) untersagen, verbieten (*à qn de faire qc* j-m, etw zu tun); *jur* entmündigen; ~dit, ~dite [-di, -dit] verboten; *très étonné* verblüfft, sprachlos; *jur* entmündigt

intéress|ant, ~ante [ɛ̃teresɑ̃, -ɑ̃t] interessant; ~é, ~ée interessiert; *concerné* betroffen; *avide* eigennützig; ~er (1b) interessieren; *concerner* betreffen; *comm* beteiligen; *s'~ à* sich interessieren für

intérêt [ɛ̃terɛ] m Interesse n; *égoïsme* Eigennutz m; ~s pl *comm* Zinsen m/pl; *avoir ~ à* (+ *inf*) besser daran tun zu (+ *inf*)

interface [ɛ̃tɛrfas] f Schnittstelle f

interférence [ɛ̃tɛrferɑ̃s] f *phys* Interferenz f, Überlagerung f (*a fig*)

intérieur, ~e [ɛ̃terjœr] 1. *adj* innere(r, -s); *pol* Innen...; 2. m Innere(s) n; *mobilier* Innenausstattung f; *à l'intérieur* (nach) innen; *à l'~ de* in (*dat od acc*), innerhalb (+ *gen*); *marché m intérieur* Binnenmarkt m; *ministère m de l'2* Innenministerium n

intérim [ɛ̃terim] m Zwischenzeit f; *remplacement* Vertretung f; ~aire *travail* m ~ Zeitarbeit f

intérioriser [ɛ̃terjɔrize] (1a) verinnerlichen

interligne [ɛ̃tɛrliɲ] m Zwischenraum m (*zwischen zwei Zeilen*)

interlocu|teur, ~trice [ɛ̃tɛrlɔkytœr, -tris] m, f Gesprächspartner(in) m(f)

interloquer [ɛ̃tɛrlɔke] (1m) stutzig machen

interlude [ɛ̃tɛrlyd] m Pausenfüller m

intermédiaire [ɛ̃tɛrmedjɛr] 1. *adj* Zwischen...; 2. m Vermittler(in) m(f), Mittelsmann m; *par l'~ de qn* durch j-s Vermittlung

interminable [ɛ̃tɛrminablə] endlos

intermittence [ɛ̃tɛrmitɑ̃s] f *par ~* zeitweilig, unregelmäßig

internat [ɛ̃tɛrna] m *établissement:* Internat n

international, ~e [ɛ̃tɛrnasjɔnal] (m/pl -aux) international

intern|e [ɛ̃tɛrn] 1. *adj* innerlich; 2. m, f *élève:* Internatsschüler(in) m(f); *médecin:* Assistenzarzt m, -ärztin f; ~er (1a) internieren

Internet [ɛ̃tɛrnɛt] m Internet n

interpeller [ɛ̃tɛrpəle] (1a *orthographe*, 1c *prononciation*) ~ *qn* j-m e-e Frage stellen; *péj* j-n anfahren; *police:* j-s Personalien überprüfen

interphone [ɛ̃tɛrfɔn] m Sprechanlage f

interposer [ɛ̃tɛrpoze] (1a) dazwischenstellen; *jur par personne interposée* durch e-n Mittelsmann

interprétation [ɛ̃tɛrpretasjõ] f 1. Interpretation f, Deutung f; 2. *théâtre:* Darstellung f; 3. *traduction* Dolmetschen n

inter|prète [ɛ̃tɛrprɛt] m, f *traducteur* Dolmetscher(in) m(f); *porte-parole* Sprecher(in) m(f); ~préter [-prete] (1f) interpretieren, deuten; *rôle:* darstellen

interroga|tion [ɛ̃tɛrɔgasjõ] f Frage f; *point m d'~* Fragezeichen n; ~toire [-twar] m *police:* Verhör n; *juge:* Vernehmung f

interroger [ɛ̃tɛrɔʒe] (1l) befragen; *police:* verhören; *juge:* vernehmen

interrompre [ɛ̃tɛrõprə] (4a) unterbrechen

interrup|teur [ɛ̃tɛryptœr] m Schalter m; ~tion f Unterbrechung f

I

intersection [ɛ̃tɛrsɛksjõ] f Schnittpunkt m; *rues:* Kreuzung f

interstice [ɛ̃tɛrstis] m Zwischenraum m

interurb|ain, ~aine [ɛ̃tɛryrbɛ̃, -ɛn] Fern...; *communication f interurbaine* Ferngespräch n

intervalle [ɛ̃tɛrval] m espace: Zwischenraum m; temps: Zwischenzeit f

intervenir [ɛ̃tɛrvənir] (2h) einschreiten, -greifen, intervenieren; *médiation:* vermitteln; *se produire* sich ereignen; ~ *en faveur de qn* sich für j-n verwenden

intervention [ɛ̃tɛrvɑ̃sjõ] f Eingreifen n, Intervention f; *méd* Eingriff m

interview [ɛ̃tɛrvju] f Interview n; ~er (1a) interviewen

intestin, ~e [ɛ̃tɛstɛ̃, -in] 1. adj innere(r, -s), intern; 2. m Darm m; ~al, ~ale [-inal] (m/pl -aux) Darm...

intime [ɛ̃tim] 1. intim; *familier* vertraut; 2. m, f enger Freund m, enge Freundin f

intimer [ɛ̃time] (1a) jur vorladen; *ordre:* erteilen

intimider [ɛ̃timide] (1a) einschüchtern

intimité [ɛ̃timite] f Intimität f; *familiarité* Vertrautheit f; *vie privée* Privatleben n

intituler [ɛ̃tityle] (1a) betiteln; *s'~* den Titel tragen

intoléra|ble [ɛ̃tɔlerablə] unerträglich; ~ance f Intoleranz f, Unduldsamkeit f; ~ant, ~ante [-ɑ̃, -ɑ̃t] intolerant, unduldsam

intoxication [ɛ̃tɔksikasjõ] f Vergiftung f

intoxiquer [ɛ̃tɔksike] (1m) vergiften (a fig)

Intranet [ɛ̃tranɛt] m Intranet n

intransigeant, ~e [ɛ̃trɑ̃ziʒɑ̃, -t] unnachgiebig, kompromisslos

intransitif, ~ve [ɛ̃trɑ̃zitif, -v] gr intransitiv

intrépide [ɛ̃trepid] unerschrocken

intrigant, ~e [ɛ̃trigɑ̃, -t] 1. adj intrigant; 2. m, f Intrigant(in) m(f)

intrigu|e [ɛ̃trig] f Intrige f, Machenschaft f; ~s pl a Umtriebe m/pl; ~er (1m) v/t stutzig machen

intrinsèque [ɛ̃trɛ̃sɛk] eigentlich, wahr

introduction [ɛ̃trɔdyksjõ] f Einführung f; livre: Einleitung f

introduire [ɛ̃trɔdɥir] (4c) einführen; *visiteur:* hereinführen; *s'~ dans* ein-

dringen in (acc); *se faire admettre* sich (dat) Zutritt verschaffen zu

introuvable [ɛ̃truvablə] unauffindbar

introverti, ~e [ɛ̃trɔvɛrti] m, f Introvertierte(r) m, f

intrus, ~e [ɛ̃try, -z] m, f Eindringling m; ~ion [-zjõ] f Eindringen n

intuit|if, ~ive [ɛ̃tɥitif, -iv] intuitiv; ~ion f Intuition f; *pressentiment* Vorahnung f

inusable [inyzablə] unverwüstlich

inusité, ~e [inyzite] ungebräuchlich

inutil|e [inytil] *qui ne sert pas* unnütz, nutzlos; *superflu* unnötig, zwecklos; ~isable [-izablə] unbrauchbar

invalid|e [ɛ̃valid] 1. adj invalide; 2. m,f Invalide m, Invalidin f; ~ *du travail* Arbeitsunfähige(r) m, f; ~er (1a) jur, pol annullieren

invariable [ɛ̃varjablə] unveränderlich

invasion [ɛ̃vazjõ] f Invasion f

invective [ɛ̃vɛktiv] f Beschimpfung f

inventaire [ɛ̃vɑ̃tɛr] m Inventar n; *comm opération:* Inventur f

inven|ter [ɛ̃vɑ̃te] (1a) erfinden; ~teur, ~trice m, f Erfinder(in) m(f); ~tif, ~tive [-tif, -tiv] erfinderisch

invention [ɛ̃vɑ̃sjõ] f Erfindung f

invers|e [ɛ̃vɛrs] 1. adj umgekehrt; 2. m Gegenteil n; ~er (1a) umkehren; él umpolen

investigation [ɛ̃vɛstigasjõ] f Nachforschung f

invest|ir [ɛ̃vɛstir] (2a) à la banque: anlegen; *dans entreprise:* investieren; ~ *qn d'une fonction* j-n in ein Amt einsetzen; ~issement [-ismɑ̃] m banque: Anlage f; entreprise: Investition f

invétéré, ~e [ɛ̃vetere] eingefleischt

invincible [ɛ̃vɛ̃siblə] adversaire, armée: unbesiegbar; obstacle: unüberwindlich

inviolable [ɛ̃vjɔlablə] unverletzlich

invisible [ɛ̃vizablə] unsichtbar

invit|ation [ɛ̃vitasjõ] f Einladung f; exhortation Aufforderung f; ~é, ~ée m, f Gast m; ~er (1a) einladen (qn à qc j-n zu etw); auffordern (à + inf zu + inf)

invocation [ɛ̃vɔkasjõ] f rel Anrufung f

involontaire [ɛ̃vɔlõtɛr] témoin, héros: unfreiwillig; sentiment, mouvement: unwillkürlich

invoquer [ɛ̃vɔke] (1m) prier anrufen; texte, loi: sich berufen auf (acc)

invraisemblable [ɛ̃vrɛsɑ̃blablə] unwahrscheinlich

invulnérable [ẽvylnerablə] unverwundbar

iode [jɔd] *m chim* Jod *n*

Iran [irã] *m l'~* (der) Iran; **2ien, 2ienne**
1. *adj* iranisch; **2.** ~ *m, f* Iraner(in) *m(f)*

Iraq [irak] *m l'~* (der) Irak; **2ien, 2ienne**
1. *adj* irakisch; **2.** ~ *m, f* Iraker(in) *m(f)*

irascible [irasiblə] jähzornig

iris [iris] *m méd* Iris *f*, Regenbogenhaut
f; *bot* Schwertlilie *f*

irland|ais, ~aise [irlãdε, -εz] **1.** *adj*
irisch; **2.** 2 *m, f* Ire *m*, Irin *f*

Irlande [irlãd] *f l'~* Irland *n*

iron|ie [irɔni] *f* Ironie *f*; **~ique** ironisch;
~iser (*1a*) ironische Bemerkungen
machen

irradiation [iradjasjɔ̃] *f méd* Bestrahlung *f*; *lumière:* Strahlung *f*

irraisonné, ~e [irεzɔne] *geste:* unbewusst; *crainte, honte:* unsinnig

irréalisable [irealizablə] unausführbar

irrecevable [irəsəvablə] unannehmbar

irréconciliable [irekõsiljablə] unversöhnlich

irrécupérable [irekyperablə] *objet:* nicht
mehr brauchbar; *personne:* nicht mehr
zu retten

irrécusable [irekyzablə] unanfechtbar

irréductible [iredyktiblə] nicht reduzierbar; *ennemi:* unbeugsam

irréel, ~le [ireεl] irreal, unwirklich

irréfléchi, ~e [irefleʃi] unüberlegt, gedankenlos

irréfutable [irefytablə] unwiderlegbar

irrégul|arité [iregylarite] *f* Unregelmäßigkeit *f*; *illégalité* Ungesetzlichkeit
f; **~ier, ~ière** [-je, -jεr] unregelmäßig;
illégal rechtswidrig

irré|médiable [iremedjablə] *maladie:*
unheilbar; *défaite, défaut:* unabänderlich; **~parable** [-parablə] irreparabel;
~prochable [-prɔʃablə] tadellos, einwandfrei; **~sistible** [-zistiblə] unwiderstehlich

irrésolu, ~e [irezɔly] unentschlossen

irresponsable [irɛspõsablə] verantwortungslos; *jur* unzurechnungsfähig

irré|versible [ireversiblə] irreversibel;
~vocable [-vɔkablə] unwiderruflich

irri|gation [irigasjõ] *f agr* Bewässerung
f; **~guer** [-ge] (*1m*) bewässern

irrit|able [iritablə] reizbar; **~er** (*1a*) reizen

irruption [irypsjõ] *f* Einbruch *m*, Einfall
m

islam [islam] *m rel* Islam *m*; **~ique** [-ik]
islamisch

islandais, ~e [islãdε, -εz] **1.** *adj* isländisch; **2.** 2 *m, f* Isländer(in) *m(f)*

Islande [islãdə] *f l'~* Island *n*

isol|ant, ~ante [izɔlã, -ãt] **1.** *adj* isolierend; **2.** *m* Isolierstoff *m*; **~ation** *f*
tech Isolierung *f*, Dämmung *f*; **~é, ~ée**
isoliert; *maison:* einzeln, abgelegen;
personne: einsam

isol|ement [izɔlmã] *m endroit:* Abgelegenheit *f*; *personne:* Einsamkeit *f*; *pol*
Isolation *f*; **~er** (*1a*) isolieren; **~oir** *m*
Wahlkabine *f*

Israël [israεl] *m* Israel *n*

israélien, ~ne [israeljẽ, -jεn] **1.** *adj*
israelisch; **2.** 2 *m, f* Israeli *m, f*

issu, ~e [isy] **~ de** *parenté:* abstammend
von; *résultat:* entstanden aus

issue [isy] *f* Ausgang *m*; *fig* Ausweg *m*;
à l'~ de am Ende von; *rue f sans ~*
Sackgasse *f*

isthme [ismə] *m* Landenge *f*

Italie [itali] *f l'~* Italien *n*

ital|ien, ~ienne [italjẽ, -jεn] **1.** *adj* italienisch; **2.** 2 *m, f* Italiener(in) *m(f)*;
~ique *m* Schräg-, Kursivschrift *f*

itinéraire [itinerεr] *m* Route *f*, Strecke
f

ivoire [ivwar] *m* Elfenbein *n*

ivr|e [ivrə] betrunken; *fig* trunken (*de*
vor); **~esse** [-εs] *f* Trunkenheit *f*,
Rausch *m*

ivrogne [ivrɔɲ] **1.** *adj* trunksüchtig; **2.**
m, f Trinker(in) *m(f)*

J

jacasser [ʒakase] (1a) *pie*: schreien; *personne*: plappern

jachère [ʒaʃɛr] f *agr* Brachland n; **en ~** brach

jacinthe [ʒasɛ̃t] f *bot* Hyazinthe f

jadis [ʒadis] früher, einstmals

jaillir [ʒajir] (2a) *eau*: hervorsprudeln; *source*: entspringen; *flammes*: emporragen

jalon [ʒalõ] m Absteckpfahl m

jalousie [ʒaluzi] f 1. Eifersucht f; *envie*: Neid m; 2. *store* Jalousie f

jalou|x, ~se [ʒalu, -z] eifersüchtig; *envieux* neidisch

jamais [ʒamɛ] 1. *positif*: je(mals); **à ~** für immer; 2. *negatif*: **ne ... ~** nie(mals)

jambe [ʒãb] f Bein n

jambon [ʒãbõ] m Schinken m

jante [ʒãt] f (Rad-)Felge f

janvier [ʒãvje] m Januar m

Japon [ʒapõ] **le ~** Japan m

japonais, ~e [ʒapɔnɛ, -z] 1. *adj* japanisch; 2. ♀ m, f Japaner(in) m(f)

japper [ʒape] (1a) kläffen

jaquette [ʒakɛt] f *d'homme*: Cut m; *de dame*: Kostümjacke f

jardin [ʒardɛ̃] m Garten m

jardin|age [ʒardinaʒ] m Gartenbau m, -arbeit f; **~ier, ~ière** [-je, -jɛr] m, f Gärtner(in) m(f)

jargon [ʒargõ] m Fach-, Berufssprache f, Jargon m; *péj* Kauderwelsch n

jarret [ʒarɛ] m Kniekehle f; *cuis* Haxe f

jars [ʒar] m *zo* Gänserich m

jas|er [ʒaze] (1a) schwatzen, klatschen; **~eur, ~euse** 1. *adj* schwatzhaft; 2. m, f Schwätzer(in) m(f)

jatte [ʒat] f Napf m

jauge [ʒoʒ] f Eichmaß n; *tech* Lehre f; **~er** (1l) *mesurer* messen; *fig* abschätzen

jaunâtre [ʒonɑtr] gelblich

jaun|e [ʒon] 1. *adj* gelb; 2. m Gelb n; **~ d'œuf** Eigelb n, Dotter m od n; **~ir** (2a) v/i gelb werden; **~isse** [-is] f *méd* Gelbsucht f

Javel [ʒavɛl] **eau f de ~** Chlorwasser n

javelot [ʒavlo] m *sports*: Speer m

J.-C. (*abr* **Jésus-Christ**) Chr. (Christus)

je [ʒ(ə)] ich

jean [dʒin] m Jeans f/sg od pl

je-m'en-foutisme [ʒmãfutism] m F Gleichgültigkeit f

Jésus-Christ [ʒezykri] Jesus Christus

jet [ʒɛ] m *lancer*: Wurf m; *jaillissement* Strahl m; *bot* Trieb m; **~ d'eau** Wasserstrahl m; *fontaine* Fontäne f

jetée [ʒ(ə)te] f *mar* Mole f, Hafendamm m

jeter [ʒ(ə)te] (1c) werfen; *se défaire de* wegwerfen; *bot* treiben; **~ un pont** e-e Brücke schlagen

jeton [ʒ(ə)tõ] m *jeu*: Spielmarke f; *téléphone*: Fernsprechmünze f

jeu [ʒø] m (pl -x) Spiel n (a tech); **mettre en ~** aufs Spiel setzen; **être en ~** auf dem Spiel stehen

jeudi [ʒødi] m Donnerstag m

jeun [ʒɛ̃, ʒœ̃] **à ~** nüchtern

jeune [ʒœn] jung; *adolescent* jugendlich; **les ~s** die Jugend f, die jungen Leute pl

jeûn|e [ʒøn] m Fasten n; **~er** (1a) fasten

jeunesse [ʒœnɛs] f Jugend f; *période*: Jugendzeit f

joaillerie [ʒɔajri] f *magasin*: Juweliergeschäft n; *articles*: Juwelen pl, Schmuck m

joaill|ier, ~ière [ʒɔaje, -jɛr] m, f Juwelier m, Juwelenhändler(in) m(f)

jogging [dʒɔgin] m Jogging n; **faire du ~** joggen

joie [ʒwa] f Freude f

joindre [ʒwɛ̃dr] (4b) *relier* aneinander fügen, aneinander legen; *ajouter* hinzufügen; *personne*: erreichen, treffen; *mains*: falten; **se ~ à qn** sich j-m anschließen

joint [ʒwɛ̃] m *anat* Gelenk n (a tech); *mur*: (Mauer-)Fuge f; *robinet*: Dichtung f

joli, ~e [ʒɔli] hübsch, nett

jonc [ʒõ] m *bot* Binse f

joncher [ʒõʃe] (1a) bestreuen, bedecken

jonction [ʒõksjõ] f Verbindung f (a él); *mil* Vereinigung f; *routes*: Kreuzung f; *fleuves*: Zusammenfluss m

jongleur [ʒõɡlœr] m Jongleur m

jonquille [ʒõkij] f bot gelbe Narzisse f, Osterglocke f

Jordanie [ʒɔrdani] f **la** ~ Jordanien n

joue [ʒu] f Backe f

jouer [ʒwe] (1a) v/t spielen; argent: setzen; réputation: aufs Spiel setzen; ~ **un tour à qn** j-m einen Streich spielen; v/i tech Spiel haben; bois: sich werfen; ~ **aux cartes** Karten spielen; ~ **d'un instrument** ein Instrument spielen; **se** ~ **de qn** j-n täuschen

jouet [ʒwe] m Spielzeug n; **~eur, ~euse** m, f Spieler(in) m(f)

joufflu, ~e [ʒufly] pausbäckig

joug [ʒu] m Joch n

jouir [ʒwir] (2a) ~ **de qc** etw (acc) genießen; posséder etw (acc) haben, besitzen; **~issance** [-isãs] f Genuss m; jur Nutzung f

joule [ʒul] m Joule n

jour [ʒur] m Tag m; lumière (Tages-) Licht n; ouverture Öffnung f; ~ **de l'an** Neujahrstag m; ~ **fixe** od **de référence** (de l'introduction de l'euro) f Stichtag m (zur Einführung des Euro); **le** ~ od **de** ~ am Tage, tagsüber; **un** ~ e-s Tages; **vivre au** ~ **le** ~ von der Hand in den Mund leben; **au grand** ~ am hellen Tage; **de nos** ~**s** heutzutage; **du** ~ **au lendemain** von heute auf morgen, im Handumdrehen; **l'autre** ~ neulich; **être à** ~ auf dem Laufenden sein; **mettre à** ~ auf den neuesten Stand bringen; **mettre au** ~ ans Licht bringen; fig **se faire** ~ zum Durchbruch kommen; **par** ~ täglich; **un** ~ **ou l'autre** über kurz oder lang; **d'un** ~ **à l'autre** od **de** ~ **en** ~ von Tag zu Tag; ~ **pour** ~ auf den Tag genau; **il fait** ~ es ist hell

journal [ʒurnal] m (pl -aux) Zeitung f; intime: Tagebuch n; TV, radio: Nachrichten f/pl

journal|ier, ~ière [ʒurnalje, -jɛr] **1.** adj täglich; **2.** m, f Tagelöhner(in) m(f)

journal|isme [ʒurnalism] m Journalismus m; **~iste** m, f Journalist(in) m(f)

journée [ʒurne] f Tag m; de travail: Arbeitstag m

jovial, ~e [ʒɔvjal] (m/pl -aux od -als) fröhlich, heiter; **~ité** f Frohsinn m, Heiterkeit f

joyau [ʒwajo] m (pl -x) Kleinod n, Juwel n

joyeu|x, ~se [ʒwajø, -z] lustig, fröhlich

jubil|é [ʒybile] m Jubiläum n; **~er** (1a) jubeln, sich unbändig freuen

jucher [ʒyʃe] (1a) v/t (hoch) hinaufstellen, -legen; v/i oiseau: hoch sitzen

judici|aire [ʒydisjɛr] gerichtlich; **police** f ~ Kriminalpolizei f; **~eux, ~euse** [-ø, -øz] gescheit, vernünftig

juge [ʒyʒ] m Richter(in) m(f); ~ **de paix** Friedensrichter(in) m(f); ~ **d'instruction** Untersuchungsrichter(in) m(f)

jugement [ʒyʒmã] m Urteil n; perspicacité Urteilsvermögen n; **porter un** ~ **sur qc** sich über etw äußern; rel **le** 2 **dernier** das Jüngste Gericht n

juger [ʒyʒe] (1l) jur ~ **qn, qc** über j-n, eine Sache urteilen; évaluer beurteilen; ~ **qc, qn intéressant, important, etc** halten; ~ **que** meinen, dass; ~ **bon de faire qc** es für gut halten, etw zu tun; ~ **de** entscheiden über, ermessen

juguler [ʒygyle] (1a) im Keim ersticken

jui|f, ~ve [ʒɥif, -v] **1.** adj jüdisch; **2.** 2 m, f Jude m, Jüdin f

juillet [ʒɥije] m Juli m

juin [ʒɥɛ̃] m Juni m

jum|eau, ~elle [ʒymo, -ɛl] (m/pl -x) **1.** adj Zwillings...; Doppel...; **2.** m, f Zwilling m; sœur: Zwillingsschwester f; frère: Zwillingsbruder m; **jumeaux** m/pl od **jumelles** f/pl Zwillinge m/pl

jumel|age [ʒymlaʒ] m villes: Partnerschaft f; **~er** (1c) tech koppeln; villes: durch e-e Partnerschaft verbinden

jumelles [ʒymɛl] f/pl Fernglas n

jument [ʒymã] f zo Stute f

jungle [ʒɛ̃gl, ʒɔ̃-] f Dschungel m

jupe [ʒyp] f Rock m; **~-culotte** [-kylɔt] (pl jupes-culottes) Hosenrock m

jupon [ʒypõ] m Unterrock m; fig **courir le** ~ ein Schürzenjäger sein

jur|é [ʒyre] m jur Geschworene(r) m; **~er** (1a) schwören; dire jurons fluchen; ~ **avec qc** sich mit etw nicht vertragen; ~ **de faire qc** schwören, etw zu tun; ~ **que** versichern, dass

jurid|iction [ʒyridiksjõ] f Rechtsprechung f, Gerichtsbarkeit f; **~ique** droit: rechtlich, juristisch; cour de justice: gerichtlich

jurisprudence [ʒyrisprydãs] f Rechtsprechung f

juron [ʒyrõ] m Fluch m

jury [ʒyri] m jur Geschworenen pl;

J

allg Jury *f*

jus [ʒy] *m* Saft *m*; *viande*: Bratensaft *m*; **~ de fruits** Fruchtsaft *m*

jusque [ʒysk(ə)] **1.** *prép jusqu'à* bis; *jusqu'alors* bis jetzt; *jusqu'à présent* bis jetzt; **2.** *adv* sogar; **3.** *conj jusqu'à ce que* (+ *subj*) bis

juste [ʒyst] **1.** *adj équitable* gerecht; *légitime* berechtigt; *correct* richtig; *précis* genau, passend; *étroit* (zu) eng; **2.** *adv exactement* genau; *seulement* nur

justement [ʒystəmā] *adv exactement* gerade; *avec raison* zu Recht

justesse [ʒystɛs] *f* Richtigkeit *f*, Genauigkeit *f*; *de* ~ mit knapper Not

justice [ʒystis] *f* Gerechtigkeit *f*; *institution*: Justiz *f*; *cour* Gericht *n*

justifiable [ʒystifjablə] vertretbar

justifi|cation [ʒystifikasjõ] *f* Rechtfertigung *f*; **~er** (*1a*) rechtfertigen; ~ *de qc* etw nachweisen; *se ~ de qc* (*devant qn*) sich für etw (vor j-m) verantworten

juteu|x, ~se [ʒytø, -z] saftig

juvénile [ʒyvenil] jugendlich

juxtaposer [ʒykstapoze] (*1a*) nebeneinander stellen, nebeneinander legen

K

kaki [kaki] kakifarben

kangourou [kāguru] *m zo* Känguru *n*

karaté [karate] *m* Karate *n*

Kenya [kenja] *le* ~ Kenia *n*

képi [kepi] *m* Käppi *n*

kermesse [kermɛs] *f* Kirmes *f*

kg (*abr de* kilogramme) kg

kif-kif [kifkif] F *c'est* ~ das ist ganz egal

kilo‖(gramme) [kilo, kilogram] *m* (*abr* kg) Kilo(gramm) *n*; **~métrage** [-metraʒ] *m* Kilometerzahl *f*; **~mètre**

[-mɛtrə] *m* (*abr* km) Kilometer *m*; **~métrique** [-metrik] Kilometer...

kiosque [kjɔsk] *m* Kiosk *m*, Stand *m*; *jardin publique*: (Garten-)Pavillon *m*

kiwi [kiwi] *m* Kiwi *f*

klaxon [klaksɔn] *m auto* Hupe *f*

klaxonner [klaksɔne] (*1a*) hupen

km (*abr de* kilomètre) km

krach [krak] *m écon* Börsenkrach *m*

Kremlin [krɛmlɛ̃] *le* ~ der Kreml

kyste [kist] *m méd* Zyste *f*

L

la¹ [la] → **le**

la² [la] *m mus* a *od* A *n*

là [la] da; *là-bas* dort; *direction*: dahin, dorthin; *de* ~ von dorther; *causal*: daher; *par* ~, da, dort (entlang, hindurch); **~-bas** [-bɑ] da drüben, dahinten, dort

label [label] *m comm* Warenkennzeichen *n*

labeur [labœr] *st/s m* mühselige Arbeit *f*, Mühsal *f*

labor|atoire [labɔratwar] *m* Labor (atorium) *n*; ~ *de langues* Sprachlabor *n*; **~ieux, ~ieuse** [-jø, -jøz] *personne*: arbeitsam; *tâche*: mühselig

labour [labur] *m* Pflügen *n*, Ackern *n*; **~er** (*1a*) pflügen, ackern

lac [lak] *m* See *m*

lacer [lase] (*1k*) (zu)schnüren

lacérer [lasere] (*1f*) zerreißen

lacet [lase] *m chaussures*: Schnürsenkel *m*, -band *n*; *route*: scharfe Kurve *f*; **~s** *pl col*: Serpentinen *f/pl*

lâch|e [lɑʃ] **1.** *adj fil*: locker, schlaff; *personne*: feige; **2.** *m* Feigling *m*; **~er** (*1a*) *v/t* loslassen, fahren lassen; *laisser tomber* fallen lassen; *mot*: fallen lassen; *v/i freins*: nachgeben, versagen; *corde*: reißen; **~eté** [-te] *f* Feigheit *f*

lacrymogène [lakrimɔʒɛn] *gaz m* ~ Tränengas *n*

lacté, ~e [lakte] Milch...

lacune [lakyn] *f* Lücke *f*

là-dedans [lad(ə)dã] drin(nen)

là-dessous [latsu] darunter

là-dessus [latsy] darüber, darauf

là-haut [lao] da oben

laïc [laik] → **laïque**

laid, **~e** [lɛ, -d] hässlich

laideur [lɛdœr] f Hässlichkeit f; bassesse Gemeinheit f

lainage [lɛnaʒ] m étoffe: Wollstoff m; vêtement: Wolljacke f

lain|e [lɛn] f Wolle f; **~ de verre** Glaswolle f; **~eux, ~euse** [-ø, -øz] wollig

laïque [laik] **1.** égl Laien..., weltlich; **2.** nichtkirchlich, laizistisch

laisse [lɛs] f Leine f; **tenir en ~** an der Leine führen

laisser [lese] (1b) lassen; de reste: übrig lassen; derrière soi: zurücklassen; oublier liegen lassen; héritage: vermachen; ne pas exécuter, faire unterlassen; **~ faire qc à qn** j-n etw tun lassen; **se ~ aller** sich gehen lassen; **se ~ faire** sich (dat) alles gefallen lassen

laisser|-aller [lɛseale] m Nachlässigkeit f; **~-faire** [-fɛr] m Gewährenlassen n

laissez-passer [lɛsepase] m (pl unv) Passierschein m

lait [lɛ] m Milch f

lait|age [lɛtaʒ] m Milchprodukt n; **~erie** f usine: Molkerei f, magasin: Milchgeschäft n; **~ier, ~ière** [-je, -jer] **1.** adj Milch..., Molkerei...; **2.** m, f Milchhändler(in) m(f)

laiton [lɛtõ] m Messing n

laitue [lɛty] f bot Kopfsalat m

laïus [lajys] m F (endlose) Rede f

lambeau [lãbo] m (pl -x) Lumpen m, Fetzen m

lambris [lãbri] m Täfelung f

lame [lam] f **1.** dünne Platte f; rasoir: Rasierklinge f; **2.** vague Woge f, Welle f

lament|able [lamãtablə] kläglich, jämmerlich, jammervoll; **~ation** f Jammern n, Klagen n; **~er** (1a) **se ~** jammern

laminoir [laminwar] m tech Walzwerk n

lampadaire [lãpadɛr] m meuble: Stehlampe f; rue: Straßenlaterne f

lampe [lãp] f Lampe f; radio: Röhre f

lampée [lãpe] f Schluck m

lance [lãs] f Lanze f; **~ d'incendie** Spritze f

lancé, **~e** [lãse] in Schwung, in Fahrt

lancement [lãsmã] m bateau: Stapellauf m; fusée: Abschuss m; comm Einführung f, Lancierung f

lancer [lãse] (1k) werfen; avec violence, force: schleudern; injure, cri: ausstoßen; bateau: vom Stapel lassen; fusée: abschießen; nouveau produit: auf den Markt bringen; entreprise: in Gang bringen; **se ~ sur** sich stürzen auf (acc)

lancinant, **~e** [lãsinã, -t] douleur: stechend

landau [lãdo] m Kinderwagen m

lande [lãd] f Heide(land) f(n)

langage [lãgaʒ] m Sprache f; **~ de programmation** Programmiersprache f

lange [lãʒ] m Windel f, Wickeltuch n

langoureu|x, **~se** [lãgurø, -z] schmachtend

langouste [lãgustə] f Languste f

langu|e [lãg] f **1.** anat, cuis Zunge f; **mauvaise ~** Lästermaul n; **2.** Sprache f; **~ étrangère** Fremdsprache f; **~ maternelle** Muttersprache f; **de ~ anglaise** englischsprachig; **~ette** [-ɛt] f chaussure: Zunge f

langu|eur [lãgœr] f apathie Mattigkeit f; mélancolie Sehnsucht f; **~ir** (2a) d'amour: schmachten; être passif apathisch sein; conversation: stocken

lanière [lanjer] f (langer, schmaler) Riemen m

lanterne [lãtɛrn] f Laterne f

lapalissade [lapalisad] f Binsenwahrheit f

laper [lape] (1a) (auf)lecken

lapid|aire [lapidɛr] lapidar; **~er** (1a) assassiner: steinigen; attaquer: mit Steinen bewerfen

lapin [lapɛ̃] m Kaninchen n

laps [laps] m **~ de temps** Zeitraum m

laque [lak] f peinture: Lack m; cheveux: Haarspray n

laquelle [lakɛl] → **lequel**

larcin [larsɛ̃] m kleiner Diebstahl m

lard [lar] m Speck m

larder [larde] (1a) cuis u fig spicken; **~on** m Speckstreifen m

larg|e [larʒ] **1.** adj breit; ample weit; généreux freigebig, großzügig; **2.** adv weit; **3.** m Breite f, fig Platz m, Bewegungsfreiheit f; mar hohe, offene See f; fig **prendre le ~** sich die Weite suchen; **~ement** [-mã] adv weit; généreusement freigebig, großzügig;

L

~esse [-ɛs] f Freigebigkeit f, Großzügigkeit f; **~eur** f Breite f; fig ~ **d'esprit** liberale Gesinnung

larme [larm] f Träne f; **une ~ de** ein Tropfen ...

larmoyer [larmwaje] (1h) yeux: tränen; se plaindre jammern, flennen

larv|e [larv] f (Insekten-)Larve f; **~é, ~ée** latent, verborgen

laryngite [larɛ̃ʒit] f méd Kehlkopfentzündung f

larynx [larɛ̃ks] m Kehlkopf m

las, ~se [lɑ, -s] müde, matt; saturé überdrüssig

lasser [lase] (1a) fatiguer erschöpfen; ennuyer langweilen; **se ~ de** qc e-r Sache müde od überdrüssig werden

lassitude [lasityd] f Müdigkeit f, ennui Überdruss m

latent, ~e [latɑ̃, -t] latent

latéral, ~e [lateral] (m/pl -aux) seitlich, Neben...

latin, ~e [latɛ̃, -in] lateinisch

latitude [latityd] f geografische Breite f; fig (Handlungs-)Freiheit f

latrines [latrin] f/pl Latrine f

latt|e [lat] f Latte f; **~is** [-i] m Lattenwerk n

laureat, ~e [lɔrea, -at] m, f Preisträger(in) m(f)

laurier [lɔrje] m Lorbeer m; cuis Lorbeerblatt n

lavable [lavablə] waschbar, -echt

lav|abo [lavabo] m Waschbecken n; **~s** pl Toilette f; **~age** m Waschen n, Wäsche f; pol ~ **de cerveau** Gehirnwäsche f; méd ~ **d'estomac** Magenspülung f

lavande [lavɑ̃d] f bot Lavendel m

lave [lav] f Lava f

lave-glace [lavglas] m (pl lave-glaces) Scheibenwaschanlage f

lav|ement [lavmɑ̃] m méd Einlauf m; **~er** (1a) waschen; dents: putzen; tache: abwaschen

lav|erie f Wäscherei f; **~ette** [-ɛt] f Spüllappen m; fig u péj Waschlappen m; **~eur, ~euse** m, f Wäscher(in) m(f); vitres: Fensterputzer(in) m(f)

lave-vaisselle [lavvesel] m (pl unv) Geschirrspülmaschine f

lavoir [lavwar] m Waschhaus n, -platz m; bac Spülbecken n

laxati|f, ~ve [laksatif, -v] **1.** adj abführend; **2.** m Abführmittel n

lax|isme [laksismə] m Laxheit f; **~iste** lax

layette [lejɛt] f Babywäsche f

le, la, les [lə, la, le] m, f, pl **1.** article défini: der, die, das; die; **2.** pronom personnel (objet direct): ihn, sie, es; sie

leader [lidœr] m pol (Partei-)Führer m

leasing [lizin] m Leasing n

lécher [leʃe] (1f) lecken; fig ~ **les vitrines** e-n Schaufensterbummel machen

leçon [l(ə)sõ] f cours Unterrichtsstunde f, Lektion f; morale: Lehre f; **~s particulières** Nachhilfestunden f/pl

lec|teur, ~trice [lɛktœr, -tris] **1.** m, f Leser(in) m(f); université: Lektor(in) m(f); **2.** m EDV Laufwerk n; **lecteur de disquette(s)** Diskettenlaufwerk n; **lecteur de cassettes** Kassettenrecorder m; **~ture** [-tyr] f action: Lesen n, Lektüre f; livres, journaux: Lesestoff m, Lektüre f; parlement: Lesung f

ledit, ladite [lədi, ladit] (pl lesdits, lesdites) besagte(r, -s), obige(r, -s)

légal, ~e [legal] (m/pl -aux) gesetzlich, legal; **~iser** (1a) certificat, signature: amtlich beglaubigen; rendre légal legalisieren; **~ité** f Gesetzlichkeit f, Legalität f

légataire [legatɛr] m, f Vermächtnisnehmer(in) m(f); ~ **universel** Alleinerbe, -erbin m, f

légendaire [leʒɑ̃dɛr] sagenhaft, legendär

légende [leʒɑ̃d] f Legende f; sous image: Bildunterschrift f, Beschriftung f; carte: Legende f, Zeichenerklärung f

lég|er, ~ère [leʒe, -ɛr] poids, vent, aliment: leicht; mœurs: locker; erreur, retard: geringfügig; frivole, insouciant leichtfertig; irréfléchi leichtsinnig; **à la légère** leichthin; **~èrement** [-ɛrmɑ̃] adv leicht; un peu ein wenig; inconsidérément unbesonnen; **~èreté** [-ɛrte] f Leichtigkeit f, Leichtheit f; frivolité, insouciance: Leichtfertigkeit f; irréflexion Leichtsinn m

légion [leʒjõ] f Legion f; ~ **étrangère** Fremdenlegion f

légionnaire [leʒjɔnɛr] m (Fremden-) Legionär m

législa|teur, ~trice [leʒislatœr, -tris] m, f Gesetzgeber(in) m(f); **~tif, ~tive** [-tif, -tiv] gesetzgebend; (**élections** f/pl) *législatives* f/pl Parlamentswahlen f/pl; **~tion** f Gesetzgebung f; **~ture** [-tyr] f Legislaturperiode f

légitimation [leʒitimasjõ] f Legitimation f, Anerkennung f

légitime [leʒitim] rechtmäßig, legitim; *justifié* gerecht(fertigt)

legs [lɛ(g)] m Vermächtnis n, Erbschaft f

léguer [lege] (1f u 1m) vermachen

légume [legym] m Gemüse n

Léman [lemã] **le lac ~** der Genfer See

lendemain [lãdmɛ̃] m **le ~** der folgende Tag; am Tag danach; **sans ~** ohne Dauer

lent, **~e** [lã, lãt] langsam; **~ement** adv langsam

lenteur [lãtœr] f Langsamkeit f; *lourdeur* Schwerfälligkeit f

lentille [lãtij] f *bot u tech* Linse f

lèpre [lɛprə] f Aussatz m, Lepra f

lépreu|x, **~se** [leprø, -z] m, f Aussätzige(r) m, f

lequel, **laquelle** [ləkɛl, lakɛl] (pl *lesquels, lesquelles*) pronom interrogatif: welche(r, -s)?; pronom relatif: der, die, das

les [le] → **le**

lesbienne [lɛsbjɛn] f Lesbierin f

léser [leze] (1f) benachteiligen; *droits*: verletzen; *méd* verletzen

lésiner [lezine] (1a) knausern

lésion [lezjõ] f *méd* Verletzung f

lessive [lesiv] f *produit*: Waschmittel n; *linge*: Wäsche f; **eau f de ~** Waschlauge f; **faire la ~** waschen

lest [lɛst] m Ballast m

leste [lɛst] flink; *propos*: schlüpfrig

lettre [lɛtrə] f **1.** *caractère* Buchstabe m; **à la ~, au pied de la ~** (wort)wörtlich; **en toutes ~s** ausgeschrieben; **2.** *correspondance*: Brief m; **~ recommandée** eingeschriebener Brief m; **~ de change** Wechsel m; **3. ~s** pl Literatur f; *études*: Sprach- und Literaturwissenschaft f

lettré, **~e** [letre] gebildet

leucémie [løsemi] f *méd* Leukämie f

leur [lœr] **1.** pronom possessif (pl **-s**) ihr(e); **le, la ~, les ~s** der, die, das ihr(ig)e, die ihr(ig)en; ihre(r, -s); **2.** pronom personnel ihnen

leurr|e [lœr] m Köder m; *fig* Lockmittel

n; **~er** (1a) ködern; *fig* irreführen, täuschen

levain [ləvɛ̃] m Sauerteig m

levant [ləvã] **1.** adj *soleil* m **~** aufgehende Sonne f; **2.** m **le ~** der Orient m

lev|é, **~ée** [l(ə)ve] auf(gestanden); **être ~** auf sein; **~ée** f *siège, séance*: Aufhebung f; *postes*: Leerung f; *cartes*: Stich m; *mil* Einziehung f

lever [l(ə)ve] **1.** verbe (1d) v/t heben; *poids*: hochheben; *impôts*: erheben; *interdiction*: aufheben; *mil* einziehen; v/i *pâte*: gehen; **se ~** aufstehen; *soleil*: aufgehen; *jour*: anbrechen; **2.** m Aufstehen n; **~ du jour** Tagesanbruch m; **~ du soleil** Sonnenaufgang m

levier [l(ə)vje] m Hebel m

lèvre [lɛvrə] f Lippe f

lévrier [levrije] m Windhund m

levure [l(ə)vyr] f Hefe f; **~ chimique** Backpulver n

lexique [lɛksik] m *vocabulaire* Wortschatz m; *glossaire* Lexikon n

lézard [lezar] m *zo* Eidechse f

lézarde [lezard] f Riss m

liaison [ljezõ] f *amoureuse*: Liebschaft f; *chemin de fer*: Verbindung f; *ling* Bindung f; **être en ~ avec** in Kontakt stehen mit

liant, **~e** [ljã, -t] gesellig, kontaktfreudig

liasse [ljas] f (Akten-)Stoß m, Bündel n

Liban [libã] **le ~** (der) Libanon m; **~ais, ~aise** [-banɛ, -ez] **1.** adj libanesisch; **2.** m, f Libanese m, Libanesin f

libeller [libele] (1b) *document, contrat*: abfassen, ausfertigen; **~ un chèque (au nom de qn)** e-n Scheck (auf j-n) ausstellen

libellule [libelyl] f *zo* Libelle f

libéral, **~e** [liberal] (m/pl **-aux**) liberal; **arts libéraux** m/pl freie Künste f/pl; **profession f libérale** freier Beruf m; **~isme** m Liberalismus m; **~ité** f Freigebigkeit f, Großzügigkeit f

libér|ateur, **~atrice** [liberatœr, -atris] **1.** adj befreiend; **2.** m, f Befreier(in) m(f); **~ation** f Befreiung f; *prisonnier*: Freilassung f; **~er** (1f) befreien (**de** von); *prisonnier*: freilassen; *gaz*: freisetzen; *engagement, dette*: entbinden (von)

liberté [liberte] f Freiheit f; **mettre en ~** freilassen; **~ de la presse** Pressefreiheit f

libertin, **~e** [libɛrtɛ̃, -in] **1.** adj liederlich,

ausschweifend; **2.** *m* Lebemann *m*

libidineu|x, **~se** [libidinø, -z] lüstern, wollüstig

libraire [librεr] *m*, *f* Buchhändler(in) *m(f)*

librairie [librεri] *f* Buchhandlung *f*

libre [librə] frei (*de* von); **~-échange** [librəʃāʒ] *m* Freihandel *m*; **~-service** [-servis] *m* (*pl* libres-services) Selbstbedienung *f*; *magasin*: Selbstbedienungsladen *m*

licenc|e [lisās] *f* **1.** *comm, jur* Lizenz *f*; **2.** *diplôme* Licence *f* (*akademischer Grad in Frankreich und Belgien*); **3.** *fig mœurs*: Freiheit *f*, *péj* Zügellosigkeit *f*; **~ié, ~iée** [-je] *m*, *f* Inhaber(in) *m(f)* e-r Licence

licenc|iement [lisāsimā] *m* Entlassung *f*; **~ier** [-je] (*1a*) entlassen; **~ieux, ~ieuse** [-jø, -jøz] unzüchtig

lichen [likεn] *m bot* Flechte *f*

lie [li] *f* Boden-, Weinhefe *f*

lié, **~e** [lije] *être* **~** *par* verpflichtet sein durch; *être très* **~** *avec qn* mit j-m sehr eng befreundet sein

liège [ljεʒ] *m bot* Kork *m*

lien [ljɛ̃] *m* Band *n*; *rapport*: Verbindung *f*; **~** *de parenté* Familienbande *n/pl*

lier [lje] (*1a*) (zusammen)binden; *prisonnier*: fesseln; *cuis* binden; *fig pensées, personnes*: verbinden; **~** *amitié avec qn* Freundschaft mit j-m schließen

lierre [ljεr] *m bot* Efeu *m*

liesse [ljεs] *f une foule en* **~** e-e jubelnde Menge

lieu [ljø] *m* (*pl* -x) Ort *m*, Platz *m*; **~x** *pl* Örtlichkeit *f*; *de maison*: Räume *m/pl*; *jur* Tatort *m*; *au* **~** *de* (an)statt (*gén*); *avoir* **~** stattfinden; *avoir* **~** *de* Grund haben zu; *donner* **~** *à* Anlass geben zu; *en premier* **~** zuerst; *en dernier* **~** schließlich; **~** *de destination* Bestimmungsort *m*; *il y a* **~** *de faire qc* es ist Grund vorhanden, etw zu tun; *s'il y a* **~** gegebenenfalls; *tenir* **~** *de qc* etw ersetzen; **~-dit** (*pl lieux-dits*) *m* Ort *m*, Örtlichkeit *f*

lieue [ljø] *f* Meile *f*

lieutenant [ljøtnā] *m* Oberleutnant *m*

lièvre [ljεvrə] *m* Hase *m*

ligament [ligamā] *m anat* (Gelenk-)Band *n*

ligne [liɲ] *f* Linie *f*; *trajet* (Verkehrs-)Linie *f*, Strecke *f*; *dans texte*: Zeile *f*; *transports*: Verbindung *f*; *tél, tech* Leitung *f*; *pêche*: Angelschnur *f*; *à la* **~!** neue Zeile!; *hors* **~** außergewöhnlich; *garder la* **~** auf die Linie achten; *entrer en* **~** *de compte* in Betracht gezogen werden; *pêcher à la* **~** angeln; **~ée** *f* Nachkommenschaft *f*; **~er** (*1a*) lin(i)ieren

ligneu|x, **~se** [liɲø, -z] holzig

lignite [liɲit] *m* Braunkohle *f*

ligu|e [lig] *f* Liga *f*; **~er** (*1m*) *se* **~** sich verbünden

lilas [lila] **1.** *m* Flieder *m*; **2.** *adj* (*unv*) lila

limace [limas] *f zo* Nacktschnecke *f*

limaçon [limasō] *m zo* Schnecke *f* mit Haus

lim|e [lim] *f* Feile *f*; **~ à ongles** Nagelfeile *f*; **~er** (*1a*) feilen

limier [limje] *m* Spürhund *m*

limitation [limitasjō] *f* Be-, Einschränkung *f*, Begrenzung *f*; **~** *de vitesse* Geschwindigkeitsbegrenzung *f*

limit|e [limit] *f* Grenze *f*; *à la* **~** äußerstenfalls; *dans les* **~s** *de* im Rahmen (*gén*); *date* **~** äußerster Termin; *vitesse* **~** Höchstgeschwindigkeit *f*; **~er** (*1a*) begrenzen, beschränken (*à auf acc*)

limoger [limɔʒe] (*1l*) *pol* kaltstellen

limon [limō] *m* Schlamm *m*

limonade [limɔnad] *f* Limonade *f*

limpide [lɛ̃pid] klar, rein

lin [lɛ̃] *m bot* Flachs *m*; *toile*: Leinen *n*

linceul [lɛ̃sœl] *m* Leichentuch *n*

ling|e [lɛ̃ʒ] *m* Wäsche *f*; *morceau*: Tuch *n*; **~** *fin* Feinwäsche *f*; **~** (*de corps*) Unterwäsche *f*; **~erie** *f* Damen(unter)wäsche *f*

lingot [lɛ̃go] *m* Barren *m*

linguist|e [lɛ̃gɥist] *m*, *f* Sprachwissenschaftler(in) *m(f)*, Linguist(in) *m(f)*; **~ique 1.** *f* Sprachwissenschaft *f*, Linguistik *f*; **2.** *adj* sprachwissenschaftlich, linguistisch

lion, **~ne** *f* [ljō, -ɔn] *m*, *f zo* Löwe *m*, Löwin *f*

liqueur [likœr] *f* Likör *m*

liquidation [likidasjō] *f société, magasin*: Auflösung *f*; *dettes*: Tilgung *f*; *vente au rabais* Ausverkauf *m*; *fig meurtre* Liquidierung *f*, Beseitigung *f*

liquid|e [likid] **1.** *adj* flüssig; *argent* **~** Bargeld *n*; **2.** *m* Flüssigkeit *f*; **~er** (*1a*) *société, magasin:* auflösen; *dettes:* tilgen; *stock:* ausverkaufen; *problème, travail:* erledigen, regeln; *tuer* liquidieren, beseitigen

lire[1] [lir] *(4x)* lesen

lire[2] [lir] *f monnaie:* Lira *f*

lis [lis] *m bot* Lilie *f*

liseron [lizrɔ̃] *m bot* Winde *f*

lis|ibilité [lizibilite] *f* Lesbarkeit *f*; **~ible** lesbar

lisière [lizjɛr] *f* (Wald-)Saum *m*

lisse [lis] glatt

lisser [lise] *(1a)* glätten

listage [listaʒ] *m* Auflistung *f*

liste [list] *f* Liste *f*, Verzeichnis *n*

lit [li] *m* Bett *n* (*a Flussbett*); *géol* Schicht *f*; *aller au ~* ins Bett gehen; *faire son ~* das Bett machen; *~ de camp* Feldbett *n*

litanie [litani] *f* Litanei *f* (*a fig*); *fig c'est toujours la même ~* das ist immer die alte Leier

literie [litri] *f* Bettzeug *n*

lithographie [litɔgrafi] *f* Steindruck *m*, Lithografie *f*

litig|e [litiʒ] *m* (Rechts-)Streit *m*; **~ieux, ~ieuse** [-jø, -jøz] strittig

litre [litr] *m* Liter *n od m*

littér|aire [literɛr] literarisch; **~al, ~ale** (*m/pl -aux*) wörtlich; **~ature** [-atyr] *f* Literatur *f*

littoral, ~e [litɔral] (*m/pl -aux*) **1.** *adj* Küsten...; **2.** *m* Küstenstrich *m*, -streifen *m*

liturgie [lityrʒi] *f* Liturgie *f*

livide [livid] fahl, blass

livr|able [livrablə] lieferbar; **~aison** *f* Lieferung *f*

livre[1] [livrə] *m* Buch *n*

livre[2] [livrə] *f poids, monnaie:* Pfund *n*

livrée [livre] *f* Livree *f*

livrer [livre] *(1a)* liefern; *prisonnier:* ausliefern; *secret, information:* preisgeben; *se ~ se confier* sich anvertrauen; *se ~ à qc activité:* etw treiben; *se ~ à un sentiment* sich e-m Gefühl hingeben

livret [livrɛ] *m* kleines Heft *n*, Büchlein *n*; *opéra:* Libretto *n*; *~ de caisse d'épargne* Sparbuch *n*

livreur [livrœr] *m* Lieferant *m*

lobe [lɔb] *m méd* Lappen *m*; *~ de l'oreille* Ohrläppchen *n*

local, ~e [lɔkal] (*m/pl -aux*) **1.** *adj* örtlich, Orts...; **2.** *m salle* Raum *m*; *locaux pl* Räumlichkeiten *f/pl*; **~iser** *(1a)* lo-

kalisieren; *temps:* datieren; **~ité** *f* Ort(schaft) *m(f)*

loca|taire [lɔkatɛr] *m, f* Mieter(in) *m(f)*; **~tion** *f par propriétaire:* Vermietung *f*; *par locataire:* Mieten *n; loyer* Miete *f; voitures, bateaux:* Verleih *m; théâtre:* Vorverkauf *m*

lock-out [lɔkawt] *m (pl unv)* Aussperrung *f*

locomotive [lɔkɔmɔtiv] *f* Lokomotive *f; fig* treibende Kraft *f*

locution [lɔkysjɔ̃] *f* Redensart *f*, Redewendung *f*

loge [lɔʒ] *f concierge:* Pförtnerwohnung *f; francs-maçons, spectateurs:* Loge *f*; **~able** bewohnbar

logement [lɔʒmɑ̃] *m* Unterkunft *f; appartement* Wohnung *f*

loger [lɔʒe] *(1l) v/t* beherbergen, unterbringen; *v/i* wohnen; **~eur, ~euse** *m, f* Zimmervermieter(in) *m(f)*, Wirt(in) *m(f)*

logiciel [lɔʒisjɛl] *m EDV* Software *f; ~ de traduction* Übersetzungssoftware *f*

logique [lɔʒik] **1.** *adj* logisch; **2.** *f* Logik *f*

logis [lɔʒi] *litt m* Haus *n*

logistique [lɔʒistik] *f* Logistik *f*, Versorgung *f*

loi [lwa] *f* Gesetz *n*; **~-cadre** [-kadrə] *f (pl lois-cadres)* Rahmengesetz *n*

loin [lwɛ̃] *adv* weit (weg), fern; *dans le passé:* weit zurück; *au ~* in der Ferne, weit weg; *de ~* aus der Ferne, von weitem; *fig* bei weitem; *revenir de ~* noch einmal davongekommen sein; *~ de* weit (weg) von

lointain, ~e [lwɛ̃tɛ̃, -ɛn] **1.** *adj* fern, entfernt; *dans le passé:* weit zurückliegend; *dans le futur:* entfernt; **2.** *m* Ferne *f*

loisible [lwaziblə] gestattet

loisir *m* Muße *f*, Freizeit *f*; *~s pl* Freizeitbeschäftigungen *f/pl*, Freizeitgestaltung *f*

lombes [lɔ̃b] *m/pl méd* Lenden *f/pl*

londonien, ~ne [lɔ̃dɔnjɛ̃, -ɛn] **1.** *adj* Londoner; **2.** ♂ *m, f* Londoner(in) *m(f)*

Londres [lɔ̃drə] London

long, longue [lɔ̃, lɔ̃g] **1.** *adj* lang; *chaise f longue* Liegestuhl *m; à long terme* langfristig; *à la longue* auf die Dauer; *être ~ durer* lange dauern; *être ~ à faire qc* lange brauchen, um etw zu tun; *de longue main* seit langer Zeit;

longe 178

2. *adv* **en dire long** vielsagend sein; **3.** *m* Länge f; **de deux mètres de long** von 2 Meter Länge; **le long de** längs (*gén*), entlang (*dat*); **de long en large** auf und ab, hin und her; **tout au** *od* **le long de l'année** das ganze Jahr über

longe [lõʒ] *f corde*: Leine f; *cuis* Lendenstück n, -braten m

longer [lõʒe] (*Il*) entlanggehen, -fahren (*qc* an etw *dat*); *sentier, mur*: sich erstrecken längs (*gén*)

longévité [lõʒevite] f Langlebigkeit f

longitude [lõʒityd] f geografische Länge f

longtemps [lõtã] *adv* lange (*zeitlich*); **il y a ~** vor langer Zeit; **il y a ~ qu'il habite là** er wohnt schon lange hier

longuement [lõgmã] *adv* lange; *parler*: lang und breit

longueur [lõgœr] f Länge f

longue-vue [lõgvy] f (*pl longues-vues*) Fernrohr n

lopin [lɔpɛ̃] m Stück(chen) n

loquace [lɔkas] gesprächig

loque [lɔk] f Lumpen m, Fetzen m; *personne*: Wrack n

loquet [lɔkɛ] m Riegel m

loqueteu|x, ~se [lɔktø, -z] zerlumpt

lorgn|er [lɔrɲe] (*Ia*) *regarder* anstarren; *fig héritage, poste*: schielen nach; **~on** m Kneifer m

lorrain, ~e [lɔrɛ̃, -ɛn] lothringisch

Lorraine [lɔrɛn] **la ~** Lothringen n

lors [lɔr] **dès** *od* **depuis ~** seitdem; *en conséquence*: demzufolge; **~ de** bei, während

lorsque [lɔrsk(ə)] als, wenn (*zeitlich*)

losange [lɔzãʒ] m Raute f

lot [lo] m *destin, loterie*: Los n; *portion* Anteil m; *comm* Posten m; **gagner le gros ~** das Große Los ziehen

loterie [lɔtri] f Lotterie f

loti, ~e [lɔti] **être bien/mal ~** es gut/schlecht getroffen haben

lotion [losjõ] f Lotion f, Haar-, Gesichtswasser n

lotissement [lɔtismã] m *division*: Aufteilung f, Parzellierung f; *parcelle* (Grundstücks-)Parzelle f; *terrain loti* Siedlung f

loto [lɔto] m Lotto n; **~ sportif** Fußballtoto n

louage [lwaʒ] m Vermietung f; **voiture f de ~** Mietwagen m

louange [lwãʒ] f Lob n

louche[1] [luʃ] *adj* undurchsichtig, verdächtig, anrüchig

louche[2] [luʃ] f Schöpflöffel m

loucher [luʃe] (*Ia*) schielen

louer [lwe] (*Ia*) **1.** *locataire*: mieten; *propriétaire*: vermieten; **2.** *vanter* loben (**de** *od* **pour** für); **se ~ de** zufrieden sein mit

loufoque [lufɔk] F verrückt

loup [lu] m *zo* Wolf m

loupe [lup] f Lupe f

louper [lupe] (*Ia*) F *travail*: verpfuschen, vermasseln, verpatzen; *personne, train*: verpassen

loup-garou [lugaru] m (*pl loups-garous*) Werwolf m

lourd, ~e [lur, -d] schwer; *gestes*: schwerfällig; *temps*: schwül, drückend; **j'ai la tête lourde** ich habe e-n schweren Kopf

lourd|aud, ~aude [lurdo, -od] **1.** *adj* plump, schwerfällig; **2.** *m, f* Tölpel m, Tolpatsch m; **~ement** [-əmã] *adv* schwerfällig; **~eur** f *fig* Schwere f; *de gestes*: Schwerfälligkeit f

louve [luv] f *zo* Wölfin f

louvoyer [luvwaje] (*Ih*) *mar* kreuzen; *fig* lavieren

loyal, ~e [lwajal] (*m/pl -aux*) *adversaire*: fair; *ami*: treu; *subalterne*: loyal

loyauté [lwajote] f *adversaire*: Fairness f; *ami*: Treue f; *subalterne*: Loyalität f

loyer [lwaje] m Miete f

lubie [lybi] f Marotte f, Schrulle f

lubrifi|ant [lybrifjã] m Schmiermittel n; **~er** (*Ia*) *tech* schmieren

lubrique [lybrik] lüstern, geil

lucarne [lykarn] f Dachfenster n, -luke f

lucid|e [lysid] *esprit*: klar, scharf; *personne*: scharfsichtig; **~ité** f Klarheit f, Scharfblick m

lucrati|f, ~ve [lykratif, -v] Gewinn bringend, lukrativ; **sans but lucratif** nicht auf Gewinn ausgerichtet

lueur [lyœr] f Lichtschein m

luge [lyʒ] f Rodelschlitten m; **faire de la ~** rodeln, Schlitten fahren

lugubre [lygybr] düster, trostlos

lui [lɥi] *pronom personnel* **1.** *tonique*: er; **2.** *objet indirect*: ihm, ihr; **3.** *après prép* ihn, sie, es; ihm, ihr

luire [lɥir] (*4c*) leuchten, glänzen

lumbago [lɛ̃bago, lœ̃-] m *méd* Hexenschuss *m*

lumière [lymjɛr] *f* Licht *n* (*a fig*); **siècle** *m* **des ~s** Zeitalter *n* der Aufklärung; *iron* **ce n'est pas une ~** er (sie) ist keine Leuchte; **à la ~ de** angesichts (*gén*)

lumin|aire [lyminɛr] *m* Beleuchtung (sgerät) *f(n)*; **~eux, ~euse** [-ø, -øz] leuchtend; *ciel, couleur:* hell; **rayon ~ lumineux** Lichtstrahl *m*; **affiche** *f* **lumineuse** Leuchtreklame *f*

lun|aire [lynɛr] Mond...; **~atique** [-atik] launisch

lundi [lœdi] *m* Montag *m*

lune [lyn] *f* Mond *m*; **~ de miel** Flitterwochen *f/pl*

lunette [lynɛt] *f* Fernglas *n*; **~s** *pl* Brille *f*; **~s de soleil** Sonnenbrille *f*; **~s de ski** Skibrille *f*; *auto:* **~ arrière** Heckscheibe *f*

lurette [lyrɛt] *f* F **il y a belle ~** es ist schon lange her

lustr|e [lystrə] *m* **lampe** Kronleuchter *m*, Lüster *m*; *fig* Glanz *m*; **~er** (*1a*) glänzend machen, polieren

luth [lyt] *m* *mus* Laute *f*

lutin [lytɛ̃] *m* Kobold *m*

lutt|e [lyt] *f* Kampf *m*; *sport:* Ringen *n*, Ringkampf *m*; **~er** (*1a*) kämpfen; *sport:* ringen

luxation [lyksasjõ] *f* Verrenkung *f*

luxe [lyks] *m* Luxus *m*

Luxembourg [lyksãbur] **le ~** Luxemburg *n*; **~eois, eoise** [ʒwa, -ʒwaz] **1.** 2 *adj* luxemburgisch; **2.** *m*, *f* Luxemburger(in) *m(f)*

luxer [lykse] (*1a*) **se ~ le bras**, *etc* sich den Arm *etc* verrenken

luxueu|x, **~se** [lyksɥø, -z] luxuriös

luxur|e [lyksyr] *f* Wollust *f*, Sinnenlust *f*; **~iant, ~iante** [-jã, -jãt] üppig wuchernd; **~ieux, ~ieuse** [-jø, -jøz] lüstern, wollüstig

lycée [lise] *m* höhere Schule *f*, Gymnasium *n*

lycéen, **~ne** [liseɛ̃, -ɛn] *m*, *f* Gymnasiast(in) *m(f)*

lynx [lɛ̃ks] *m* *zo* Luchs *m*

lyre [lir] *f* *mus* Leier *f*

lyrique [lirik] lyrisch

lyrisme [lirismə] *m* Lyrik *f*; *fig* Begeisterung *f*

lys [lis] *m* → **lis**

M

M. (*abr* monsieur) Herr

ma [ma] → **mon**

macabre [makabrə] schauerlich, makaber

macaron [makarõ] *m* **1.** *cuis* Makrone *f*; **2.** *insigne* Plakette *f*

macédoine [masedwan] *f* *cuis* **~ de légumes** Mischgemüse *n*; **~ de fruits** Obstsalat *m*

macérer [masere] (*1f*) *cuis* **faire ~** ziehen lassen

mâche [maʃ] *f* *bot* Feldsalat *m*, Rapunzel *f*

mâcher [maʃe] (*1a*) kauen; *fig* **ne pas ~ ses mots** kein Blatt vor den Mund nehmen

machin [maʃɛ̃] *m* F Ding(sda) *n*

machin|al, **~ale** [maʃinal] (*m/pl -aux*) mechanisch, automatisch; **~ation** *f*

Komplott *n*; *pl* **~s** Machenschaften *f/pl*, Umtriebe *m/pl*

machine [maʃin] *f* Maschine *f*; *fig* Maschinerie *f*; **~ à écrire, à coudre, à laver** Schreib-, Näh-, Waschmaschine *f*; **~-outil** [-uti] *f* (*pl machines-outils*) Werkzeugmaschine *f*; **~rie** [-ri] *f* Maschinen *f/pl*; *bateau:* Maschinenraum *m*

machiniste [maʃinist] *m* *bus:* Busfahrer *m*; *métro:* U-Bahn-Fahrer *m*; *train:* Lokomotivführer *m*; *théâtre:* Bühnenarbeiter *m*

mâchoire [maʃwar] *f* *anat* Kiefer *m*; **~s** *pl a* Kinnbacken *f/pl*

mâchonner [maʃɔne] (*1a*) langsam *od* mit Mühe kauen; *marmonner* murmeln

maçon [masõ] *m* Maurer *m*

maçonn|er [masɔne] (1a) mauern;
~erie f Mauerwerk n
maculer [makyle] (1a) st/s beflecken
Madagascar [madagaskar] f Madagaskar n
madame [madam] f (abr Mme), (pl mesdames [medam], abr Mmes) Frau (+ Name)
mademoiselle [madmwazɛl] f (abr Mlle), (pl mesdemoiselles [medmwazɛl], abr Mlles) Fräulein (+ Name)
madère [madɛr] m Madeirawein m
madone [madɔn] f Marienbild n, Madonna f
magasin [magazɛ̃] m boutique Laden m, Geschäft n; dépôt Speicher m, Lagerhaus n; **grand ~** Kaufhaus n
magasin|age [magazinaʒ] m Lagerung f, Speicherung f; **~ier** [-je] m Magazinverwalter m, Lagerist m
magazine [magazin] m Magazin n, illustrierte Zeitschrift f
mag|e [maʒ] m Magier m; **les Rois ~s** die Heiligen Drei Könige; **~icien, ~icienne** [-isjɛ̃, -isjɛn] m, f Zauberer m, Zauberin f
mag|ie [maʒi] f Magie f; fig charme Zauber m; **~ique** magisch, Zauber...
magistral, **~e** [maʒistral] (m/pl -aux) meisterhaft; **cours m magistral** Vorlesung f
magistrat [maʒistra] m fonctionnaire hoher Beamter m; (Oberbegriff für Richter und Staatsanwälte) **~ assis** Richter m; **~ debout** Staatsanwalt m
magistrature [maʒistratyr] f charge Amt n; **~ assise** Richterstand m; **~ debout** Staatsanwaltschaft f; période: Amtszeit f
magnanim|e [maɲanim] großherzig; **~ité** f Großherzigkeit f
magnét|ique [maɲetik] magnetisch; **~isme** m Magnetismus m
magnéto [maɲeto] f 1. auto (Magnet-)Zündung f; 2. abr magnétophone
magnéto|phone [maɲetɔfɔn] m Tonband(gerät) n; **~scope** [-skɔp] m Videorecorder m
magnif|icence [maɲifisɑ̃s] f Pracht f; **~ique** herrlich, prächtig
magot [mago] m 1. zo Magot m, Berberaffe m; 2. fig f trésor verborgener Schatz m, verstecktes Geld n
magouille [maguj] f Intrigen f/pl

mai [mɛ] m Mai m
maigr|e [mɛgrə] mager; résultat, salaire: dürftig; **~eur** f Magerkeit f; profit, ressources: Dürftigkeit f; **~ir** (2a) mager werden, abnehmen
maille [maj] f Masche f
maillet [majɛ] m Holzhammer m
maillon [majõ] m chaîne: Glied n
maillot [majo] m Trikot n (der Sportler, Tänzerinnen etc); **~ de bain** de femme: Badeanzug m; d'homme: Badehose f; **~ de corps** Unterhemd n
main [mɛ̃] f Hand f; mil **coup m de ~** Handstreich m; **donner un coup de ~ à qn** j-m helfen; **à la ~** in od mit der Hand; **à ~ armée** bewaffnet; **à ~ levée** freihändig; **bas les ~s!** Finger weg!; la **~ dans la ~** Hand in Hand; fig **prendre qc en ~** etw in die Hand nehmen; **en ~s propres** eigenhändig; **en un tour de ~** im Handumdrehen; **haut les ~s!** Hände hoch!; **mener par la ~** an der Hand führen; **sous la ~** griffbereit
main-d'œuvre [mɛ̃dœvrə] f (pl mains d'œuvre) ouvriers Arbeitskräfte f/pl; travail Arbeit f; **~forte** [-fɔrt] f **prêter ~ à qn** j-m Beistand leisten; **~mise** [-miz] f Aneignung f, Inbesitznahme f
maint, **~e** [mɛ̃, -t] st/s manche(r, -s); **à maintes reprises** wiederholt
maintenant [mɛ̃tnɑ̃] jetzt, nun; **~ que** jetzt da, jetzt wo
maintenir [mɛ̃t(ə)nir] (2h) ordre, prétentions: aufrechterhalten; paix, tradition: erhalten; tenir dans même position: halten; **~ son opinion** bei seiner Meinung bleiben; **se ~** prix, temps: sich halten; tradition: sich erhalten; paix: erhalten bleiben; **se ~ au pouvoir** sich (acc) an der Macht halten
maintien [mɛ̃tjɛ̃] m ordre: Aufrechterhaltung f; paix: Erhaltung f
mair|e [mɛr] m Bürgermeister m; **~ie** [-i] f ville: Rathaus n; commune: Gemeindeamt n
mais [mɛ] aber; sondern
maïs [mais] m bot Mais m
maison [mɛzõ] f Haus n; chez-soi Zuhause n; comm Firma f, Haus n; **à la ~** zu Hause; direction: nachhause; **~ close** Bordell n; **~ de retraite** Altersheim n; **~ mère** Stammhaus n; **pâté m ~** hausgemachte Pastete f; **~ de campagne** Landhaus n

maîtr|e [mɛtrə] *m* Herr *m*; *professeur*
Lehrer *m*; *chef* Chef *m*; *peintre, écrivain*: Meister *m*; **~ nageur** Bade-
meister *m*; **~ chanteur** Erpresser *m*; **~
d'hôtel** Oberkellner *m*; **~esse** [-ɛs] **1.** *f*
Herrin *f*, *professeur* Lehrerin *f*; *amante*
Mätresse *f*, Geliebte *f*; **~ de maison**
Hausherrin *f*, Dame *f* des Hauses; **2.**
adj qualité f ~ Haupteigenschaft *f*; *idée*
f ~ Leitgedanke *m*

maîtris|e [mɛtriz] *f contrôle* Beherr-
schung *f*; *domination* Herrschaft *f*; *diplôme*: Magisterprüfung *f*; *habileté*
Können *n*; **~er** (*1a*) *cheval*: bändigen;
émotions, matière: beherrschen; *incendie*: unter Kontrolle bringen

majest|é [maʒɛste] *f* Majestät *f*; **~ueux,
~ueuse** [-ɥø, -ɥøz] majestätisch

majeur, **~e** [maʒœr] **1.** wichtig, wich-
tigste(-r, -s) (*superlatif*); Haupt...; **2.** *jur*
volljährig; *m, f* Volljährige(r) *m, f*; **3.**
mus Dur

major [maʒɔr] *m mil* Standortoffizier *m*;
~ation [-asjõ] *f prix, salaires*: Erhöhung
f; **~er** (*1a*) *prix*: erhöhen; **~itaire** [-itɛr]
Mehrheits...; **~ scrutin** *m* ~ Mehrheits-
beschluss *m*; **~ité** *f* **1.** Mehrheit *f* (*bes
pol*); **2.** *jur* Volljährigkeit *f*

majuscule [maʒyskyl] *adj u subst f*
(*lettre*) ~ großer Buchstabe *m*

mal [mal] **1.** *m* (*pl maux* [mo]) Böse(s) *n*,
Schlimme(s) *n*; *malheur*: Übel *n*; *maladie* Krankheit *f*, Leiden *n*; *effort*
Mühe *f*; **faire ~** weh tun; *avoir ~ aux
dents* Zahnschmerzen haben; **~ de
cœur** Übelkeit *f*; **~ de mer** Seekrankheit *f*; **~ du pays** Heimweh *n*; **se
donner du ~** sich Mühe geben; **ne voir
aucun ~ à** nichts finden bei; **faire du ~
à qn** j-m weh tun; *nuire* schaden (*dat*);
j'ai du ~ à faire qc es fällt mir schwer,
etw zu tun; *dire du ~ de qn* j-m
Schlechtes nachsagen; **2.** *adv* schlecht,
schlimm, übel; **à l'aise** unbehaglich; **~
fait** missgestaltet; **de ~ en pis** immer
schlechter; *pas ~* ganz gut; *pas ~ de*
ziemlich viel(e); **s'y prendre ~** es
falsch anpacken; **3.** *adj être ~* sich nicht
wohl fühlen

malad|e [malad] krank; *tomber ~* krank
werden; **~ mental** geisteskrank; **~ie** [-i]
f Krankheit *f*; **~ de la vache folle**
Rinderwahn(sinn) *m*; **~if, ~ive** [-if, -iv]
personne: kränklich; *curiosité, sen-*

sibilité: krankhaft

maladr|esse [maladrɛs] *f* Ungeschick
(-lichkeit) *n(f)*; **~oit, ~oite** [-wa, -wat]
ungeschickt

malais|e [malɛz] *m physique*: Unwohl-
sein *n*; *inquiétude* Unbehagen *n*; *pol*
Malaise *f*; **~é, ~ée** *st/s* schwierig

malaria [malarja] *f méd* Malaria *f*

malavisé, **~e** [malavize] *st/s* unklug,
unüberlegt

malchance [malʃɑ̃s] *f* Unglück *n*, Pech
n

mâle [mɑl] **1.** *adj* männlich; **2.** *m zo*
Männchen *n*; *F* Mann *m*

malé|diction [malediksjõ] *f* Verwün-
schung *f*, Fluch *m*; **~fique** [-fik] unheilvoll

malencontreu|x, **~se** [malɑ̃kõtrø, -z]
leidig, unangenehm

malentendu [malɑ̃tɑ̃dy] *m* Missver-
ständnis *n*

mal|faisant, **~faisante** [malfəzɑ̃,
-fəzɑ̃t] bösartig; *idées*: schädlich; **~fai-
teur** [-fɛtœr] *m* Übeltäter *m*; **~famé,
~famée** [-fame] verrufen

malgache [malgaʃ] **1.** *adj* madagas-
sisch; **2.** ♀ *m, f* Madagasse *m*, Mada-
gassin *f*

malgré [malgre] *prép* trotz (*gén od dat*);
conj **~ que** (+ *subj*) obwohl; **~ moi**
gegen meinen Willen; **~ tout** trotz
allem

malhabile [malabil] ungeschickt

malheur [malœr] *m* Unglück *n*; **par ~**
unglücklicherweise; *porter ~* Unglück
bringen; **~eusement** [-øzmã] *adv* unglücklicherweise, leider; **~eux, ~euse**
[-ø, -øz] unglücklich; *insignifiant* unbedeutend

malhonnêt|e [malɔnɛt] unehrlich, un-
redlich; **~eté** [-te] *f* Unehrlichkeit *f*,
Unredlichkeit *f*

malic|e [malis] *f* Bosheit *f*; *raillerie*
Schalkhaftigkeit *f*; **~ieux, ~ieuse** [-jø,
-jøz] boshaft; *coquin* schelmisch,
schalkhaft

malignité [maliɲite] *f* Boshaftigkeit *f*;
méd Bösartigkeit *f*

mal|in, **~igne** [malɛ̃, maliɲ] *astucieux*
schlau; *spirituel* gewitzt; *méchant* boshaft; *méd* bösartig

malingre [malɛ̃gra] schwächlich

malintentionné, **~e** [malɛ̃tɑ̃sjɔne] übel
gesinnt

M

malle [mal] *f* Reisekoffer *m*

malléable [maleablə] schmiedbar; *fig* bildsam

mallette [malɛt] *f* Köfferchen *n*

malmener [malməne] (1*d*) übel behandeln; *fig* hart mitnehmen

malodorant, ~e [malɔdɔrɑ̃, -t] übel riechend

malotru, ~e [malɔtry] ungehobelt, flegelhaft

malpropre [malprɔprə] unsauber; *in-décent* unanständig

malsain, ~e [malsɛ̃, -sɛn] ungesund

malt [malt] *m* Malz *n*

Malte [malt] *f* Malta *n*

maltraiter [maltrɛte] (1*b*) misshandeln

malveill|ance [malvɛjɑ̃s] *f intention de nuire* Böswilligkeit *f*; *hostilité* Feindseligkeit *f*; ~ant, ~ante [-ɑ̃, -ɑ̃t] boshaft, gehässig

malvenu, ~e [malvəny] *être* ~ *de* od *à* (+ *inf*) nicht berechtigt sein zu (+ *inf*)

maman [mamɑ̃] *f* Mama *f*

mamelle [mamɛl] *f femme*: Brust *f*; *animal*: Euter *n*

mamelon [mamlɔ̃] *m anat* Brustwarze *f*; *colline*: Kuppe *f*

mammifère [mamifer] *m* Säugetier *n*

manche[1] [mɑ̃ʃ] *m outils de jardin, cuiller*: Stiel *m*; *casserole*: Griff *m*; *violon*: Hals *m*

manche[2] [mɑ̃ʃ] *f* Ärmel *m*; **la** ~ der Ärmelkanal

manch|ette [mɑ̃ʃɛt] *f* Manschette *f*; *journal*: Schlagzeile *f*; ~on *m* Muff *m*; *tech* Muffe *f*

manchot, ~e [mɑ̃ʃo, -ɔt] **1.** *adj* einarmig, -händig; **2.** *m, f* Einarmige(r) *m, f*; **3.** *m zo* Pinguin *m*

mandarine [mɑ̃darin] *f* Mandarine *f*

mandat [mɑ̃da] *m* **1.** *député*: Mandat *n*; *procuration* Vollmacht *f*; **2.** *postes*: Postanweisung *f*; ~ *d'arrêt* Haftbefehl *n*; ~aire [-tɛr] *m, f* Bevollmächtigte(r) *f(m)*

mander [mɑ̃de] (1*a*) *st/s convoquer* zu sich bitten; *faire savoir* benachrichtigen

manège [manɛʒ] *m* Reitbahn *f*; *carrousel* Karussell *n*; *fig* Schliche *m/pl*, Tricks *m/pl*

manette [manɛt] *f tech* Hebel *m*

mange|able [mɑ̃ʒablə] essbar; ~aille [-aj] *f* F *péj* Fraß *m*; ~oire [-war] *f* Futtertrog *m*

manger [mɑ̃ʒe] **1.** (*1l*) essen; *animal*: fressen; *fig argent, temps*: verschlingen; *mots*: verschlucken; **2.** *m* Essen *n*

mani|abilité [manjabilite] *f* Handlichkeit *f*; *auto* Wendigkeit *f*; ~able handlich; *voiture*: wendig; *personne*: fügsam

maniaque [manjak] pingelig; *fou* wahnsinnig; *souffrant de manie* manisch

manie [mani] *f* Manie *f*

maniement [manimɑ̃] *m outil*: Handhabung *f*, Umgang *m* (*de* mit); *personne, argent*: Umgang *m*

manier [manje] (1*a*) *outil*: handhaben, umgehen; *personne, argent*: umgehen (*qc, qn* mit etw, j-m); *appareil*: bedienen; *voiture*: lenken

manière [manjer] *f* Art *f*, Weise *f*; ~s *pl* Manieren *f/pl*, Benehmen *n*; *affectées*: Umstände *m/pl*; *à la* ~ *de* nach Art (*gén*); *de cette* ~ auf diese Art, so; *de toute* ~ jedenfalls; *d'une* ~ *générale* ganz allgemein; *de* ~ *à* (+ *inf*) um ... zu (+ *inf*); *de telle* ~ *que* derart ..., dass; *st/s de* ~ *à ce que* (+ *subj*) so dass

maniéré, ~e [manjere] geziert, gekünstelt

manifest|ant, ~ante [manifestɑ̃, -ɑ̃t] *m, f* Demonstrant(in) *m(f)*; ~ation *f* Äußerung *f*, Bekundung *f*; *pol* Demonstration *f*, Kundgebung *f*; *culturelle, sportive*: Veranstaltung *f*

manifest|e [manifest] **1.** *adj* offenbar, offenkundig; **2.** *m* Manifest *n*; ~er (1*a*) *v/t volonté*: äußern, kundtun; *courage, haine*: zeigen; *v/i* demonstrieren; *se* ~ *se révéler* sich offenbaren, sichtbar werden

manigance [manigɑ̃s] *f* Schliche *m/pl*

manipul|ation [manipylasjɔ̃] *f appareil*: Handhabung *f*; *personne*: Manipulation *f*; ~ *génétique* Genmanipulation *f*; ~er (1*a*) handhaben (*qc* etw), hantieren (*qc* mit etw); *personne*: manipulieren

manivelle [manivɛl] *f* Kurbel *f*

mannequin [mankɛ̃] *m couture*: Schneiderpuppe *f*; *magasin*: Schaufensterpuppe *f*; *femme*: Mannequin *n*

manœuvr|e [manœvra] **1.** *f outil, arme*: Handhabung *f*; *machine*: Bedienung *f*;

voiture: Steuern *n*; *mil, mar, fig* Manöver *n*; **2.** *m* Hilfsarbeiter *m*; **~er** (*1a*) *v/t outil*: handhaben; *machine*: bedienen; *voiture*: steuern; *personne*: manipulieren; *v/i* manövrieren

manoir [manwar] *m* Herrensitz *m*

manqu|e [mɑ̃k] *m* Mangel *m* (**de** an *dat*); *par ~ de* aus Mangel an (*dat*); *pl fig ~s* Unzulänglichkeiten *f/pl*; **~é, ~ée** verpfuscht, verfehlt; **~ement** [-mɑ̃] *m* Verstoß *m* (*à gegen*)

manquer [mɑ̃ke] (*1m*) **1.** *v/i* fehlen; *échouer* scheitern; **2.** *~ à qc* gegen etw verstoßen; **3.** *~ de qc* Mangel an etw (*dat*) haben; **4.** *v/t* verfehlen, verpassen; *ne pas ~ de faire qc* nicht vergessen, etw zu tun; *elle a manqué (de) se faire écraser* sie wäre fast überfahren worden; **5.** *impersonnel il manque des preuves* es fehlen Beweise

mansarde [mɑ̃sard] *f* Mansarde *f*, Dachkammer *f*

mansuétude [mɑ̃sɥetyd] *st/s f* Milde *f*

manteau [mɑ̃to] *m* (*pl -x*) Mantel *m* (*a fig*); *sous le ~* heimlich

manucure [manykyr] *f* Maniküre *f*

manuel, ~le [manɥɛl] **1.** *adj* Hand..., manuell; **2.** *m* Handbuch *n*

manufactur|e [manyfaktyr] *f* Manufaktur *f*, Fabrik *f*; **~é, ~ée produits** *m/pl* **manufacturés** gewerbliche und industrielle Erzeugnisse

manuscrit, ~e [manyskri, -t] **1.** *adj* handschriftlich; **2.** *m* Manuskript *n*

manutention [manytɑ̃sjɔ̃] *f* Verladen *n*, Transport *m*

mappemonde [mapmɔ̃d] *f carte*: Welt-, Erdkarte *f*; *globe* Globus *m*

maquereau [makro] *m* (*pl -x*) **1.** *zo* Makrele *f*; **2.** P *souteneur* Zuhälter *m*

maquette [makɛt] *f* Entwurf *m*; *à trois dimensions*: Modell *n*

maquill|age [makijaʒ] *m* Schminke *f*, Make-up *n*; **~er** (*1a*) schminken; *falsifier* fälschen; *fausser* verfälschen, frisieren

maqu|is [maki] *m* Dickicht *n*, Unterholz *n*; *fig pol* Widerstandsbewegung *f*; **~isard** [-izar] *m* Widerstandskämpfer *m* (*im 2. Weltkrieg*)

maraîch|er, ~ère [marɛʃe, -ɛr] **1.** *adj* Gemüse...; **2.** *m, f* Gemüsegärtner(in) *m(f)*

marais [marɛ] *m* Sumpf *m*, Moor *n*

marasme [marasmə] *m écon* Flaute *f*, Stagnation *f*

marâtre [marɑtrə] *f péj* Rabenmutter *f*

maraud|er [marode] (*1a*) plündern; **~eur, ~euse** Plünderer *m*

marbr|e [marbrə] *m* Marmor *m*; **~é, ~ée** marmoriert

marc [mar] *m* Trester *m/pl*; *eau-de-vie* Tresterbranntwein *m*; *~ de café* Kaffeesatz *m*

marcassin [markasɛ̃] *m* Frischling *m*

marchand, ~e [marʃɑ̃, -d] **1.** *adj* Handels...; **2.** *m, f* Händler(in) *m(f)*; *~ des quatre-saisons* Obst- und Gemüsehändler(in) *m(f)*

marchand|age [marʃɑ̃daʒ] *m* Feilschen *n*; **~er** (*1a*) handeln, feilschen (*qc etw*)

marchandise [marʃɑ̃diz] *f* Ware *f*

marche [marʃ] *f* **1.** *activité*: Gehen *n*; *mus, mil* Marsch *m*; *événements, temps*: Lauf *m*; *démarche* Gang *m*; *train*: Fahrt *f*; *~ arrière auto* Rückwärtsgang *m*; *mettre en ~* in Gang setzen; **2.** *escalier*: Stufe *f*

marché [marʃe] *m* Markt(platz) *m*; *affaire*: Geschäft *n*; (*à*) *bon ~* billig; (*à*) *meilleur ~* billiger; *le meilleur ~* am billigsten; *par-dessus le ~* obendrein, noch dazu; *~ noir* Schwarzmarkt *m*; *pol le ♀ Commun* der Gemeinsame Markt; *~s m/pl de titres* Wertpapiermärkte *m/pl*

marchepied [marʃəpje] *m* Trittbrett *n*

marcher [marʃe] (*1a*) *personne*: gehen, laufen; *mil* marschieren; *machine*: funktionieren, in Gang sein; F *réussir* klappen; F *croire naïvement* hereinfallen (*dans qc* auf etw *acc*); *faire ~ qn* j-n hereinlegen; *~ sur* treten auf (*acc*)

mardi [mardi] *m* Dienstag *m*; *♀ gras* Fastnacht *f*

mare [mar] *f* Tümpel *m*; *~ de sang* Blutlache *f*

marécag|e [marekaʒ] *m* Sumpf *m*, Moor *n*; **~eux, ~euse** [-ø, -øz] morastig, sumpfig

maréchal [mareʃal] *m* (*pl -aux*) Marschall *m*; **~-ferrant** [-fɛrã] *m* (*pl maréchaux-ferrants*) Hufschmied *m*

marée [mare] *f* Gezeiten *pl*; *~ basse* Ebbe *f*; *~ haute* Flut *f*; *~ noire* Ölpest *f*

marémo|teur, ~trice [maremɔtœr, -tris]

marge 184

usine *f* **marémotrice** Gezeitenkraftwerk *n*

marge [marʒ] *f* (Blatt-)Rand *m*; *fig* Spielraum *m*; **~ bénéficiaire** *od* **~ de profit** Gewinnspanne *f*; **notes** *f/pl* **en ~** Randbemerkungen *f/pl*; **en ~ de** am Rande (*gén*)

marginal, ~e [marʒinal] (*m/pl -aux*) **1.** *adj* Rand...; **2.** *m* gesellschaftlicher Außenseiter *m*, Aussteiger *m*

mari [mari] *m* (Ehe-)Mann *m*

mariage [marjaʒ] *m* *partie officielle:* Trauung *f*; *fête:* Hochzeit *f*; *état:* Ehe *f*

marié, ~e [marje] **1.** *adj* verheiratet; **2.** *m*, *f* Bräutigam *m*, Braut *f*

marier [marje] (*1a*) *maire, prêtre:* trauen; *parents:* verheiraten (**qn avec** *od* **à qn** j-n mit j-m); **se ~** heiraten; **se ~ avec qn** sich mit j-m verheiraten, j-n heiraten

marin, ~e [marɛ̃, -in] **1.** *adj* See..., Meer...; **2.** *m* Seemann *m*, Matrose *m*; **3.** *f mil* Marine *f*, Flotte *f*

mariner [marine] (*1a*) *cuis* marinieren, einlegen

marionnette [marjɔnɛt] *f* Marionette *f*

maritime [maritim] See..., maritim

marjolaine [marʒɔlɛn] *f bot* Majoran *m*

mark [mark] *m* (deutsche) Mark *f*

marmelade [marməlad] *f* Marmelade *f*; *compote* Mus *n*

marmite [marmit] *f* Kochtopf *m*

marmonner [marmɔne] (*1a*) murmeln, brummen, brummeln

marmotte [marmɔt] *f zo* Murmeltier *n*

marne [marn] *f géol* Mergel *m*

Maroc [marɔk] **le ~** Marokko *n*

marocain, ~e [marɔkɛ̃, -ɛn] **1.** *adj* marokkanisch; **2.** *♀ m, f* Marokkaner(in) *m(f)*

maroquinerie [marɔkinri] *f commerce:* Lederwarengeschäft *n*; *articles:* Lederwaren *f/pl*; *industrie:* Lederverarbeitung *f*

marque [mark] *f* Zeichen *n*; *comm* Marke *f*; *comm signe* Warenzeichen *n*; *trace* Spur *f*; **à vos ~s!** auf die Plätze; **~ déposée** eingetragenes Warenzeichen *n*; **de ~** *comm* Marken...; *fig* bedeutend

marquer [marke] (*1m*) *endroit:* markieren, kennzeichnen; *écrire* notieren, aufschreiben; *draps, vêtement:* zeichnen; *personnalité:* prägen; *baromètre, montre:* anzeigen; *révéler* hindeuten

auf (*acc*); *accentuer* hervorheben; *célébrer* feiern; **~ un but** ein Tor erzielen *od* schießen

marqueterie [marketri] *f* Einlegearbeit *f*, Intarsien *f/pl*

marqueur [markœr] *m* Filzschreiber *m*

marquis, ~e [marki, -z] *m, f* **1.** Marquis *m*, Marquise *f*; **2.** *f gläsernes* Vordach *n*

marraine [marɛn] *f* Patin *f*

marrant, ~e [marɑ̃, -t] F komisch, lustig

marre [mar] F **en avoir ~** davon genug haben, es satt haben; **~er** (*1a*) F **se ~** sich amüsieren

marron [marɔ̃] **1.** *m* Esskastanie *f*; **2.** *adj* braun

marronnier [marɔnje] *m* Kastanienbaum *m*

mars [mars] *m* März *m*

marsupiaux [marsypjo] *m/pl zo* Beuteltiere *n/pl*

marteau [marto] (*pl -x*) **1.** *m* Hammer *m*; **~ piqueur** Presslufthammer *m*; **2.** *adj* F behämmert, bekloppt

marteler [martəle] (*1d*) hämmern

martial, ~e [marsjal] (*m/pl -aux*) kriegerisch, martialisch; **cour** *f* **martiale** Standgericht *n*

martien, ~ne [marsjɛ̃, -ɛn] *astr* Mars...

martre [martr] *f zo* Marder *m*

martyr, ~e[1] [martir] *m, f* Märtyrer(in) *m(f)*

martyr|e[2] [martir] *m* Martyrium *n*; *mort:* Märtyrertod *m*; **~iser** (*1a*) quälen, martern

marx|isme [marksismə] *m* Marxismus *m*; **~iste 1.** *adj* marxistisch; **2.** *m, f* Marxist(in) *m(f)*

mas [mɑ *od* mas] *m* südfranzösisches Bauernhaus

mascara [maskara] *m* Wimperntusche *f*

mascarade [maskarad] *f* Maskerade *f*; *fig* Betrug *m*

mascotte [maskɔt] *f* Maskottchen *n*

masculin, ~e [maskylɛ̃,-in] **1.** *adj* männlich, Männer...; **2.** *m gr* Maskulinum *n*

masqu|e [mask] *m* Maske *f* (*a fig*); **~er** (*1m*) maskieren; *cacher à la vue* verbergen, verdecken; **bal** *m* **masqué** Maskenball *m*

massacr|e [masakrə] *m* Blutbad *n*, Massaker *n*; **~er** (*1a*) niedermetzeln, massakrieren; *fig* verschandeln, verpfuschen

massage [masaʒ] *m* Massage *f*, Massieren *n*

masse [mas] *f* Masse *f*; *quantité* Menge *f*; *bloc* Block *m*; **en ~** scharenweise, in Massen

massepain [maspɛ̃] *m* Marzipan *n*

mass|er [mase] (*1a*) **1.** *assembler* versammeln; **2.** *jambes:* massieren; **~eur**, **~euse** *m, f* Masseur *m*, Masseuse *f*

massi|f, **~ve** [masif, -v] **1.** *adj* massiv; *gros* massig; **2.** *m* (Gebirgs-)Massiv *n*; **~ de fleurs** Blumenbeet *n*

massue [masy] *f* Keule *f*

mastic [mastik] *m* (Glaser-)Kitt *m*

mastiquer [mastike] (*1m*) **1.** *fenêtre:* verkitten; **2.** *nourriture:* kauen

mastodonte [mastɔdɔ̃t] *m* Gigant *m*, Koloss *m*

mat¹, **~e** [mat] glanzlos, matt; *son:* dumpf

mat² [mat] (*unv*) *échecs:* matt

mât [mɑ] *m* Mast *m*

match [matʃ] *m* Spiel *n*; **~ aller** Hinspiel *n*; **~ retour** Rückspiel *n*

matelas [matla] *m* Matratze *f*; **~ pneumatique** Luftmatraze *f*

matelot [matlo] *m* Matrose *m*

matérial|iser [materjalize] (*1a*) verwirklichen; **~isme** *m* Materialismus *m*; **~iste 1.** *adj* materialistisch; **2.** *m, f* Materialist(in) *m(f)*

matéri|au [materjo] *m* (*pl -x*) Material *n*, Bau-, Werkstoff *m*; **~aux** *m/pl* Material(ien) *n(pl)*; **~el**, **~elle 1.** *adj* materiell; *physique* körperlich; **2.** *m* Material *n*; *camping, sport:* Ausrüstung *f*; *EDV* Hardware *f*

matern|el, **~elle** [maternel] **1.** *adj* mütterlich, Mutter...; **langue *f* maternelle** Muttersprache *f*; **2.** *f* Kindergarten *m*; **~ité** *f* Mutterschaft *f*; *établissement:* Entbindungsheim *n*

mathémat|icien, **~icienne** [matematisjɛ̃, -isjɛn] *m, f* Mathematiker(in) *m(f)*; **~ique 1.** *adj* mathematisch; **2.** **~s** *f/pl* Mathematik *f*

matière [matjer] *f* Materie *f*, Stoff *m*; *sujet* Thema *n*; *motif* Anlass *m*; **~ première** *f* Rohstoff *m*; **~ grise** graue Substanz *f*; **entrer en ~** zur Sache kommen; **en la ~** einschlägig; **en ~ de** in Sachen (*gén*)

matin [matɛ̃] *m* Morgen *m*; Vormittag *m*; **le ~** morgens; **ce ~** heute früh; **du ~**

au soir von morgens bis abends; **~ et soir** morgens und abends

matinal, **~e** [matinal] (*m/pl -aux*) morgendlich; **être ~** früh aufstehen

matinée [matine] *f* Morgen *m*, Vormittag *m*; *spectacle:* Frühvorstellung *f*; **faire la grasse ~** bis in den Tag hinein schlafen

matois, **~e** [matwa, -z] schlau, gerissen

matou [matu] *m* Kater *m*

matraque [matrak] *f* Knüppel *m*

matrice [matris] *f anat* Gebärmutter *f*; *tech* Matrize *f*; *math* Matrix *f*

matricule [matrikyl] *f* Matrikel *f*

matrimonial, **~e** [matrimɔnjal] (*m/pl -aux*) ehelich, Ehe...

maturité [matyrite] *f* Reife *f*

mau|dire [modir] (*2a u 4m*) verfluchen, verwünschen; **~dit**, **~dite** [-di, -dit] verflucht, verwünscht, verdammt

maugréer [mogree] (*1a*) (vor sich hin) schimpfen

mauresque [moresk] maurisch

mausolée [mozɔle] *m* Mausoleum *n*

maussade [mosad] *personne:* verdrießlich; *ciel, temps:* unfreundlich, trist

mauvais, **~e** [movɛ, -z] **1.** *adj* schlecht; *méchant* böse; *faux* falsch; **2.** *adv* schlecht; **il fait mauvais** es ist schlechtes Wetter; **sentir mauvais** schlecht riechen

mauve [mov] **1.** *f bot* Malve *f*; **2.** *adj* malvenfarbig

maux [mo] *pl de* **mal**

maximal, **~e** [maksimal] (*m/pl -aux*) maximal, Höchst...

maxime [maksim] *f* Maxime *f*

maximum [maksimɔm] **1.** *adj* (*f/sg, m/pl u f/pl a* maxima) maximal, Höchst...; **2.** *m* Maximum *n*; **atteindre son ~** sein Höchstmaß erreichen; **au ~** *tout au plus* höchstens

Mayence [majɑ̃s] Mainz

mayonnaise [majɔnez] *f cuis* Mayonnaise *f*

mazout [mazut] *m* Heizöl *n*

me [m(ə)] mich; mir

mec [mɛk] *m* F Typ *m*, Kerl *m*

mécan|icien [mekanisjɛ̃] *m* Mechaniker *m*; **~ique 1.** *adj* mechanisch; **2.** *f* Mechanik *f*; **~iser** (*1a*) mechanisieren; **~isme** *m* Mechanismus *m* (*a fig*), Vorrichtung *f*; **~ du taux de change**

Wechselkursmechanismus *m*

méch|anceté [meʃɑ̃ste] *f caractère*: Boshaftigkeit *f; action, parole*: Bosheit *f;* **~ant,** **~ante** [-ɑ̃, -ɑ̃t] **1.** *adj* böse, boshaft; *enfant*: unartig, ungezogen; *précédant le nom*: übel, schlimm; **2.** *m, f* Bösewicht *m*

mèche [mɛʃ] *f bougie*: Docht *m; explosif*: Zündschnur *f; dentiste*: Bohrer *m; cheveux*: Haarsträhne *f*

mécompte [mekɔ̃t] *m déception* Enttäuschung *f*

méconnaissable [mekɔnɛsablə] unkenntlich

méconnaître [mekɔnɛtrə] *(4z)* verkennen

mécontent, **~e** [mekɔ̃tɑ̃, -t] unzufrieden (*de* mit); **~er** *(1a)* verdrießen, verärgern

Mecque [mɛk] *la* **~** Mekka *n*

médaill|e [medaj] *f* Gedenkmünze *f,* Medaille *f;* **~on** *m* Medaillon *n*

médecin [medsɛ̃] *m* Arzt *m,* Ärztin *f*

médecine [medsin] *f* Medizin *f*

média [medja] *m (pl média od médias)* Massenmedien *n/pl*

média|teur, **~trice** [medjatœr, -tris] *m, f* Vermittler(in) *m(f);* **~tion** *f* Vermittlung *f;* **~tique** Medien...

médical, **~e** [medikal] *(m/pl -aux)* ärztlich, medizinisch

médicament [medikamɑ̃] *m* Arznei *f,* Medikament *n*

médicinal, **~e** [medisinal] *(m/pl -aux)* Heil..., Arznei...

médiéval, **~e** [medjeval] *(m/pl -aux)* mittelalterlich

médiocr|e [medjɔkrə] mittelmäßig; *insuffisant* mangelhaft, kümmerlich, dürftig; **~ité** *f* Mittelmäßigkeit *f; insuffisance* Mangelhaftigkeit *f*

médi|re [medir] *(4m)* **~ de qn** j-m Übles nachreden; **~sance** [-zɑ̃s] *f* üble Nachrede *f*

médita|tif, **~tive** [meditatif, -tiv] nachdenklich; **~tion** *f pensée* Gedanke *m; psych, rel* Meditation *f*

méditer [medite] *(1a) v/t* **~ qc** über etw nachsinnen; *v/i* nachdenken (**sur qc** über etw); *psych, rel* meditieren

Méditerran|ée [mediterane] *la* **~** das Mittelmeer *n;* **~éen,** **~éenne** [-eɛ̃, -eɛn] Mittelmeer...

médium [medjɔm] *m* Medium *n*

méduse [medyz] *f zo* Qualle *f*

meeting [mitiŋ] *m pol* Versammlung *f; allg* Veranstaltung *f*

méfait [mefe] *m* Missetat *f, pl* **~s** schädliche Auswirkungen *f/pl*

méfi|ance [mefjɑ̃s] *f* Misstrauen *n;* **~ant,** **~ante** *adj* misstrauisch

méfier [mefje] *(1a)* **se ~ de qn (qc)** j-m (e-r Sache) misstrauen; *se tenir en garde* sich vor j-m (etw) in Acht nehmen

méga|lomanie [megalɔmani] *f* Größenwahn *m;* **~octet** [-ɔkte] *m EDV* Megabyte *n;* **~phone** [-fɔn] *m* Megafon *n*

mégarde [megard] *f par* **~** aus Versehen

mégot [mego] *m* Zigarettenstummel *m,* F Kippe *f*

meilleur, **~e** [mejœr] **1.** *adj* besser; **le meilleur** der Beste; **2.** *m* **le ~** *personne*: der Beste; *chose*: das Beste

mélancol|ie [melɑ̃kɔli] *f* Melancholie *f,* Schwermut *f;* **~ique** melancholisch

mélang|e [melɑ̃ʒ] *m* Mischung *f;* **~er** *(1l)* *mêler* vermischen; *brouiller* durcheinander bringen

mélasse [melas] *f* Zuckersirup *m*

mêlée [mele] *f* Handgemenge *n; rugby*: Gedränge *n*

mêler [mele] *(1b)* (ver)mischen; *réunir* verbinden; *brouiller* in Unordnung bringen; *fig* **~ qn à qc** j-n in etw *(acc)* verwickeln; **se ~ à qc** *chose*: sich mit etw vermischen; **se ~ de qc** sich in etw *(acc)* mischen; **se ~ à la foule** sich unter die Menge mischen

mélod|ie [melɔdi] *f* Melodie *f;* **~ieux,** **~ieuse** [-jø, -jøz] *u* **~ique** wohlklingend, melodisch

melon [m(ə)lɔ̃] *m bot* Melone *f;* (**chapeau m**) **~** Melone *f* (*Hut*)

membre [mɑ̃brə] *m anat* Glied *n; fig* Mitglied *n*

même [mɛm] **1.** *adj u pronom* **le, la ~,** **les ~s** der, die, das Gleiche, die Gleichen; der-, die-, dasselbe, dieselben; *moi-*~ ich selbst; **la bonté ~** die Güte selbst; **ce jour ~** heute noch; **cela revient au ~** das kommt auf dasselbe hinaus; **en ~ temps** zur gleichen Zeit; **2.** *adv* selbst, sogar; **~ pas** nicht einmal; **~ si** selbst wenn; **ici ~** genau hier; **de ~** ebenso; **de ~!** gleichfalls!; **de ~ que** ebenso wie; **boire à ~ la bouteille**

direkt aus der Flasche trinken; **être** (**mettre**) **à ~ de** (+ *inf*) im Stande sein (in den Stand setzen) zu (+ *inf*); **tout de ~** trotzdem; **quand ~** trotzdem, immerhin

mémoire [memwar] **1.** *f faculté*: Gedächtnis *n*; *souvenir* Erinnerung *f*; *EDV* Speicher *m*; **~ dure** Festspeicher *m*; **~ morte** Lesespeicher *m*, ROM *n*; **~ vive** Direktzugriffspeicher *m*, RAM *n*; **~ de travail** Arbeitsspeicher *m*; **de ~** aus dem Gedächtnis; **à la ~ de** zum Gedenken an (*acc*); **de ~ d'homme** seit Menschengedenken; **2.** *m exposé* Memorandum *n*, Denkschrift *f*; *dissertation* Abhandlung *f*; **~s** *pl* Memoiren *pl*, (Lebens-)Erinnerungen *f/pl*

mémorable [memɔrablə] denkwürdig

mémorandum [memɔrãdɔm] *m* Memorandum *n*

mémorial [memɔrjal] *m* (*pl -aux*) Denkmal *n*

menac|e [mənas] *f* Drohung *f*; *danger* Bedrohung *f*; **~er** (*1k*) drohen (**qn de** j-m mit); *avec arme*: bedrohen (**qn de** j-n mit)

ménage [menaʒ] *m entretien, famille*: Haushalt *m*; *meubles, ustensiles*: Hausrat *m*; *couple* Ehe(paar) *f(n)*; **faire le ~** aufräumen, putzen; **femme f de ~** Putzfrau *f*; **à trois** Dreiecksverhältnis *n*; **faire bon ~ avec qn** sich mit j-m gut vertragen

ménag|ement [menaʒmã] *m* Rücksicht *f*; **~er**[1] (*1l*) schonen; *temps, argent*: sparen; *arranger* bewerkstelligen

ménag|er[2], **~ère** (menaʒe, -ɛr] **1.** *adj* Haushalt(ungs)...; **2.** *f* Hausfrau *f*

mendi|ant, ~ante [mãdjã, -ãt] *m, f* Bettler(in) *m(f)*; **~er** (*1a*) betteln (**qc** um etw)

menées [məne] *f/pl* Umtriebe *m/pl*, Machenschaften *f/pl*

men|er [məne] (*1d*) *v/t vers un endroit*: bringen; **à la main**: führen; *fig* bringen, führen; *affaire*: betreiben; *vie*: führen; *enquête*: durchführen; *v/i* **~ à chemin**: führen nach; **~ à bien** zu nichts führen; **~eur** *m* Anführer *m*; *péj* Aufwiegler *m*; **~ de jeu** Spielleiter *m*

méningite [menẽʒit] *f méd* (Ge-)Hirnhautentzündung *f*

ménopause [menɔpoz] *f* Wechseljahre *n/pl*

menotte [mənɔt] *f* **~s** *pl* Handschellen *f/pl*

mensong|e [mãsõʒ] *m* Lüge *f*; **~er, ~ère** verlogen

menstruation [mãstryasjõ] *f* Menstruation *f*

mensu|alité [mãsɥalite] *f somme à payer*: Monatsrate *f*; *salaire*: Monatsgehalt *n*, -lohn *m*; **~el, ~elle** monatlich

mental, ~e [mãtal] (*m/pl -aux*) geistig, Geistes...; *calcul ~* mental Kopfrechnen *n*; **~ité** *f* Mentalität *f*

menteu|r, ~se [mãtœr, -øz] *m, f* Lügner(in) *m(f)*

menthe [mãt] *f bot* Minze *f*; *infusion*: Pfefferminztee *m*

mention [mãsjõ] *f* Erwähnung *f*, *examen*: Note *f*; **faire ~ de** erwähnen

mentionner [mãsjɔne] (*1a*) erwähnen

mentir [mãtir] (*2b*) lügen; **~ à qn** j-n anbelügen

menton [mãtõ] *m* Kinn *n*

menu, ~e [məny] **1.** *adj* klein, dünn, fein; *par le menu* haarklein; **menue monnaie f** Kleingeld *n*; **2.** *adv* **couper menu** klein schneiden; **3.** *m liste*: Speisekarte *f*; *nepas, EDV*: Menü *n*

menuis|erie [mənɥizri] *f* Tischlerei *f*, Schreinerei *f*; **~ier** [-je] *m* Tischler *m*, Schreiner *m*

méprendre [meprãdrə] (*4q*) **se ~** sich irren (**sur** in *dat*)

mépris [mepri] *m* Verachtung *f*; **au ~ de** ohne Rücksicht auf (*acc*); **~able** [-zablə] verächtlich; **~e** *f* Versehen *n*; **~er** (*1a*) *argent, ennemi*: verachten; *conseil, danger*: missachten

mer [mɛr] *f* Meer *n*, See *f*; **en ~** auf See; **par ~** zur See; *transport*: auf dem Seeweg; **prendre la ~** in See stechen; **la ⚓ du Nord** die Nordsee; **mal m de ~** Seekrankheit *f*

mercenaire [mɛrsənɛr] *m* Söldner *m*

mercerie [mɛrsəri] *f magasin*: Kurzwarenhandel *m*; *articles*: Kurzwaren *f/pl*

merci [mɛrsi] **1.** danke; **~ beaucoup**, **~ bien** vielen, schönen Dank; **Dieu ~!** Gott sei Dank!; **~ de** *od* **pour ...** danke für ...; **2.** *f* **demander ~** um Gnade flehen; **être à la ~ de qn, qc** j-m, e-r Sache ausgeliefert sein; **sans ~** erbarmungslos, ohne Gnade

mercredi [mɛrkrədi] *m* Mittwoch *m*

mercure [mɛrkyr] *m chim* Quecksilber *n*

merde [mɛrd] *f* P Scheiße *f*

mère [mɛr] *f* Mutter *f*; ~ **célibataire** unverheiratete Mutter; ~ **porteuse** Leihmutter *f*; **maison** *f* ~ *comm* Stammhaus *n*

méridien, ~ne [meridjɛ̃, -ɛn] *astr* 1. *adj* Mittags..; 2. *m* Meridian *m*

méridional, ~e [meridjɔnal] (*m/pl -aux*) südlich; *en France*: südfranzösisch

meringue [mərɛ̃g] *f cuis* Baiser *n*

mérit|e [merit] *m* Verdienst *n*; ~er [*1a*] verdienen, wert sein; *exiger* bedürfen

merle [mɛrl] *m zo* Amsel *f*

merveill|e [mɛrvɛj] *f* Wunder *n*; **à ~** vortrefflich; ~**eux**, ~**euse** [-ø, -øz] wunderbar

mes [me] → **mon**

mésange [mezɑ̃ʒ] *f zo* Meise *f*

mésaventure [mezavɑ̃tyr] *f* Missgeschick *n*

mes|dames [medam] *pl de* madame; ~**demoiselles** [medmwazɛl] *pl de* mademoiselle

mésentente [mezɑ̃tɑ̃t] *f* Uneinigkeit *f*

mesquin, ~e [mɛskɛ̃, -in] kleinlich; *misérable* schäbig; *chiche* knaus(e)rig

mess [mɛs] *m* Offizierskasino *n*

message [mesaʒ] *m commission* Botschaft *f*; *communication* Meldung *f*, Nachricht *f*; ~**er**, ~**ère** *m*, *f* Bote *m*, Botin *f*; ~**eries** *f/pl* Güterschnellverkehr *m*

messe [mɛs] *f égl* Messe *f*

Messie [mesi] *m rel* Messias *m*

messieurs [mesjø] *pl de* monsieur

mesurable [məzyrablə] messbar

mesure [m(ə)zyr] *f action*: Messung *f*; *grandeur* Maß *n*; *échelle* Maßstab *m* (*a fig*); *disposition* Maßnahme *f*; *mus* Takt(maß) *m(n)*; ~ **de reconversion** Umschulungsmaßnahme *f*; **à la ~ de** entsprechend; **à ~ que** *od* **dans la ~ où** in dem Maße, wie; **dans une large ~** in hohem Maße; **être en ~ de** (+ *inf*) in der Lage sein zu (+ *inf*); **outre ~** maßlos; **sur ~** nach Maß; **en ~** im Takt

mesurer [m(ə)zyre] (*1a*) messen; *risque, importance*: ermessen; *paroles*: abwägen; **se ~ avec qn** sich mit j-m messen

métal [metal] *m* (*pl -aux*) Metall *n*; ~**lique** [-ik] Metall...; metallisch

métallurg|ie [metalyrʒi] *f fabrication des métaux*: Hüttenwesen *n*; *transformation des métaux*: Metallindustrie *f*; ~**ique** Metall verarbeitend; ~**iste** *m ouvrier*: Metallarbeiter *m*

métaphysique [metafizik] metaphysisch

météo [meteo] *f* Wetterbericht *m*

météore [meteɔr] *m* Meteor *m*

météorologie [meteɔrɔlɔʒi] *f science*: Meteorologie *f*, Wetterkunde *f*; *service*: Wetterdienst *m*

méthod|e [metɔd] *f* Methode *f*; *manuel* Lehrbuch *n*; ~**ique** methodisch

méticuleu|x, ~se [metikylø, -z] gewissenhaft, peinlich genau

métier [metje] *m* 1. *profession* Beruf *m*; *occupation manuelle* Handwerk *n*; *expérience* Berufserfahrung *f*; 2. *machine*: Webstuhl *m*

métis, ~se [metis] 1. *adj* Mischlings..; 2. *m*, *f* Mischling *m*

métrage [metraʒ] *m film*: Länge *f*; **court ~** Kurzfilm *m*; **long ~** Spielfilm *m*

mètre [mɛtrə] *m* Meter *n* od *m*; *règle* Metermaß *n*

métro [metro] *m* U-Bahn *f*

métropole [metrɔpɔl] *f* 1. *ville*: Metropole *f*; 2. *de colonie*: Mutterland *n*; ~**itain** [-itɛ̃] *m* Untergrundbahn *f*

mets [me] *m* Gericht *n*, Speise *f*

metteur [metœr] *m* ~ **en scène** Regisseur *m*

mettre [mɛtrə] (*4p*) stellen, setzen, legen; *sucre, lait*: hineintun; *vêtements*: anziehen; *cravate*: umbinden; *chapeau*: aufsetzen; *réveil*: stellen; *argent dans entreprise*: anlegen; *argent dans jeu*: (ein)setzen; *chauffage*: anstellen; *radio*: einschalten; ~ **deux heures à (faire) qc** zwei Stunden zu etw brauchen; ~ **au net** ins Reine schreiben; ~ **en bouteilles** in Flaschen füllen; ~ **sous clé** einschließen; **mettons que** (+ *subj*) angenommen, dass; ~ **au point** klarstellen; ~ **fin à qc** etw beenden; **se ~** sich setzen; **se ~ à l'aise** es sich bequem machen; **se ~ au travail** sich an die Arbeit machen; **se ~ à faire qc** anfangen etw zu tun

meubl|e [mœblə] *m* Möbelstück *n*; ~**s** *pl* Möbel *n/pl*; ~**er** (*1a*) möblieren; *fig* gestalten

meugler [møgle] (*1a*) muhen

mine

meun|ier, ~ière [mønje, -jɛr] **1.** *m, f* Müller(in) *m(f)*; **2.** *f cuis* (*à la*) ~ nach Müllerinart

meurtr|e [mœrtrə] *m* Mord *m*; *jur* Totschlag *m*; **~ier, ~ière** [-ije, -ijɛr] **1.** *adj* mörderisch; **2.** *m, f* Mörder(in) *m(f)*; *f ouverture*: Schießscharte *f*

meurtr|ir [mœrtrir] (*2a*) zerquetschen; *fig* verletzen; **~issure** [-isyr] *f bleu* blauer Fleck *m*; *fruit*: Druckstelle *f*

Meuse [møz] *la* ~ die Maas

meute [møt] *f* Meute *f* (*a fig*)

mexicain, ~e 1. *adj* mexikanisch; **2.** ♀ *m, f* Mexikaner(in) *m(f)*

Mexique [mɛksik] *le* ~ Mexiko *n*

mi [mi] *m mus* e od E *n*

mi-... [mi] halb; **à mi-chemin** auf halbem Wege; (*à la*) *mi-janvier* Mitte Januar

miauler [mjole] (*1a*) miauen

miche [miʃ] *f* Laib *m*

mi-clos, ~e [miklo, -z] halbgeschlossen

micro [mikro] *m* Mikrofon *n*; *au* ~ *devant le* ~ am, vor dem Mikrofon

microbe [mikrob] *m* Mikrobe *f*

micro|film [mikrofilm] *m* Mikrofilm *m*; **~onde** [-õd] (*pl micro-ondes*) Mikrowelle *f*; *four* **m à ~s** Mikrowellenherd *m*; **~ordinateur** [mikroordinatœr] *m* (*pl micro-ordinateurs*) *EDV* Mikrocomputer *m*; **~phone** [-fon] *m* Mikrofon *n*; **~processeur** [-prosesœr] *m EDV* Mikroprozessor *m*; **~scope** [-skop] *m* Mikroskop *n*

midi [midi] *m* **1.** Mittag *m*, zwölf Uhr; ~ *et demi* halb eins; **2.** *sud* Süden *m*; *le* ♀ Südfrankreich *n*

mie [mi] *f pain*: Krume *f*

miel [mjɛl] *m* Honig *m*

mien, ~ne [mjɛ̃, mjɛn] *le mien*, *la mienne* der, die, das meine; meine(r, -s)

miette [mjɛt] *f* Krümel *m*, Krümchen *n*

mieux [mjø] **1.** *adv* (*comparatif, superlatif de bien*) besser; *plus* mehr; *le* ~ am besten; *le plus* am meisten; *le* ~ *possible* so gut wie *od* als möglich; *à qui* ~ ~ um die Wette; *de* ~ *en* ~ immer besser; *tant* ~ umso besser; *aimer* ~ lieber mögen, vorziehen; *aimer* ~ *faire qc* etw lieber tun; *valoir* ~ besser sein; *faire* ~ *de* (+ *inf*) besser daran tun zu (+ *inf*); **2.** *m* Bessere(s) *n*, Beste(s) *n*; *malade*: Besserung *f*

mièvre [mjɛvrə] geziert

mignon, ~ne [miɲõ, -on] **1.** *adj* niedlich; *gentil* lieb, nett; **2.** *m, f* Liebling *m*

migraine [migrɛn] *f* Migräne *f*

migration [migrasjõ] *f* Wanderung *f*

mi-jambe [miʒɑ̃b] *à* ~ bis an die Waden

mijoter [miʒote] (*1a*) *cuis* bei schwacher Hitze kochen, schmoren; *fig plaisanterie, coup*: aushecken

Milan [milɑ̃] Mailand

milice [milis] *f* Miliz *f*

milieu [miljø] *m* (*pl -x*) *centre* Mitte *f*; *biologique*: Umwelt *f*; *social*: Milieu *n*; *au* ~ *de*, *en plein* ~ *de* mitten in; *le juste* ~ der goldene Mittelweg; *le* ♀ die Unterwelt; **~x** *pl diplomatiques* diplomatische Kreise *m/pl*

milit|aire [militer] **1.** *adj* militärisch, Militär...; *service* **m** ~ Wehrdienst *m*; **2.** *m* Soldat *m*; **~ant, ~ante** [-ã, -ãt] kämpfend, politisch aktiv; **~ariser** [-arize] (*1a*) militarisieren; **~er** (*1a*) politisch aktiv sein; *fig* ~ *pour, contre qc* für, gegen etw sprechen

mille [mil] **1.** tausend; **2.** *m mesure*: Meile *f*

millénaire [milener] **1.** *adj* tausendjährig; **2.** *m* Jahrtausend *n*

mille-pattes [milpat] *m* (*pl unv*) *zo* Tausendfüßler *m*

millésime [milezim] *m timbres*: Jahreszahl *f*; *vin*: Jahrgang *m*

millet [mije] *m bot* Hirse *f*

milliard [miljar] *m* Milliarde *f*; **~aire** [-ɛr] *m* Milliardär *m*

millième [miljɛm] **1.** *ordre*: tausendste(r, -s); **2.** *m fraction*: Tausendstel *n*

millier [milje] *m* Tausend *n*

milli|gramme [miligram] *m* Milligramm *n*; **~mètre** [-mɛtrə] Millimeter *n od m*

million [miljõ] *m* Million *f*; **~onnaire** [-onɛr] *m, f* Millionär(in) *m(f)*

mim|e [mim] *m* Pantomime *m*; **~er** (*1a*) nachahmen; **~ique** *f* Mimik *f*

mimosa [mimoza] *m bot* Mimose *f*

minable [minablə] kümmerlich, ärmlich, schäbig

mince [mɛ̃s] dünn; *personne, taille*: schlank; *insignifiant* unbedeutend, gering; F ~ (*alors*)! Donnerwetter!

mine[1] [min] *f expression* Miene *f*; *aspect extérieur* Aussehen *n*; *faire* ~ *de* (+ *inf*) so tun, als ob; *avoir bonne* (*mauvaise*) ~ gut (schlecht) aussehen

M

min|e² [min] f Bergwerk n, Zeche f, Mine f; *mil, crayon*: Mine f; **~er** (*1a*) unterminieren, untergraben; *mil* verminen

minerai [minrɛ] m Erz n

minéral, **~e** [mineral] (*m/pl -aux*) **1.** *adj* mineralisch; *eau f minérale* Mineralwasser n; **2.** m Mineral n; **~ogique** [-ɔʒik] *auto* **plaque** f **~** Nummernschild n

minet, **~te** [minɛ, -ɛt] m, fF Kätzchen n, Mieze f; *fig* Schätzchen n, Herzchen n

mineur¹, **~e** [minœr] **1.** zweitrangig, unbedeutend; **2.** *jur* minderjährig; m, f Minderjährige(r) m, f, **3.** *mus* Moll

mineur² [minœr] m Bergmann m

minibus [minibys] m Kleinbus m

mini|er, **~ère** [minje, -jɛr] Bergwerks..., Gruben...

mini-jupe [miniʒyp] f (*pl mini-jupes*) Minirock m

minim|e [minim] sehr klein; **~iser** (*1a*) bagatellisieren

minimum [minimɔm] **1.** *adj* (*f/sg, m/pl u f/pl a minima*) Mindest...; **2.** m Minimum n; *au* **~** wenigstens; *un* **~** *de* ein Minimum an (*dat*)

minist|ère [ministɛr] m Ministerium n; *portefeuille* Ministeramt n; *gouvernement* Regierung f, Kabinett n; *rel* Priesteramt n; **~ériel**, **~érielle** Minister..., Regierungs...

ministre [ministrə] m Minister m; **~ des Affaires étrangères** Außenminister m; **~ de l'Intérieur** Innenminister m

minitel [minitɛl] m Bildschirmtext m; *appareil*: Btx-Gerät n

minorité [minɔrite] f *jur* Minderjährigkeit f, *pol* Minderheit f

minuit [minɥi] m Mitternacht f

minuscule [minyskyl] **1.** *adj* winzig; *lettre*: klein(geschrieben); **2.** f Kleinbuchstabe m

minute [minyt] f **1.** Minute f; *fig* Moment m; *à la* **~** auf die Minute; **2.** *original* Urschrift f, Original n

minuterie [minytri] f Schaltuhr f

minu|tie [minysi] f peinliche Genauigkeit f; **~tieux**, **~tieuse** [-sjø, -sjøz] peinlich genau

mioche [mjɔʃ] mF Knirps m

mirabelle [mirabɛl] f Mirabelle f

miracle [miraklə] m Wunder n; **~ économique** Wirtschaftswunder n

miraculeu|x, **~se** [mirakylø, -z] wunderbar; *fig* erstaunlich

mir|ador [miradɔr] m Wachturm m; **~age** m Luftspiegelung f, Fata Morgana f; *fig* Trugbild n

mire [mir] f **point** m **de** **~** Zielpunkt m; *fig* Zielscheibe f

miroi|r [mirwar] m Spiegel m; **~ter** [-te] (*1a*) spiegeln, glänzen

mis, **~e** [mi, -z] *p/p de* mettre *u adj table*: gedeckt; **bien ~** *habillé* gut angezogen

misanthrope [mizãtrɔp] m Menschenfeind m

mise [miz] f *vêtements* Kleidung f; *jeu*: Einsatz m; **~ en bouteilles** Flaschenabfüllung f; **~ en jachère** Flächenstillegung f; **~ en marche** (*route, service*) Inbetriebnahme f; **~ en scène** Inszenierung f; **~ en vente** Verkauf m; **de ~** angebracht, passend

miser [mize] (*1a*) *jeu u fig* setzen (*sur* auf *acc*)

misérable [mizerablə] *pauvre* ärmlich; *insignifiant* ärmlich, kümmerlich; *lamentable* beklagenswert; *méprisable* miserabel

misère [mizɛr] f Elend n

miséricorde [mizerikɔrd] f Barmherzigkeit f

misogyne [mizɔʒin] **1.** *adj* frauenfeindlich; **2.** m Frauenfeind m

missel [misɛl] m *rel* Messbuch n

missile [misil] m *mil* Rakete f, Flugkörper m

miss|ion [misjõ] f *charge* Auftrag m, Mission f; *pol* Abordnung f, Delegation f; *rel* Mission f; **~ionnaire** [-jɔnɛr] m Missionar m

missive [misiv] f Brief m

mistral [mistral] m *kalter Nordwind/Nordwestwind in der Provence*

mite [mit] f *zo* Motte f

mi-temps [mitã] f (*pl unv*) Halbzeit f; **travailler à ~** halbtags arbeiten

miteu|x, **~se** [mitø, -z] armselig, schäbig

mitigé, **~e** [mitiʒe] abgeschwächt

mitraille [mitraj] f *mil* Beschuss m; **~er** (*1a*) *mil* beschießen; *fig* bombardieren; **~ette** [-ɛt] f Maschinenpistole f; **~eur** m Maschinengewehrschütze m; **fusil** m **~** leichtes Maschinengewehr n; **~euse** f Maschinengewehr n

mitre [mitrə] f *rel* Mitra f

mi-voix [mivwa] **à ~** halblaut

mix|age [miksaʒ] *m* (Ton-)Mischung *f*; **~er** [-ɛr] *od* **~eur** [-œr] *m* Mixer *m*

mixte [mikst] gemischt; *mariage m ~* Mischehe *f*

mixture [mikstyr] *f péj* Gebräu *n*, Gemisch *n*

mobil|e [mɔbil] **1.** *adj* beweglich; **2.** *m* Motiv *n*; *art*: Mobile *n*; **~ier**, **~ière** [-je, -jɛr] **1.** *adj jur* beweglich; *valeurs f/pl mobilières* übertragbare Werte *m/pl*; **2.** *m* Mobiliar *n*; **~isation** [-izasjɔ̃] *f mil* Mobilmachung *f*; *fig* Mobilisierung *f*; **~iser** (*1a*) *mil*, *fig* mobil machen; *fig* mobilisieren; **~ité** *f* Beweglichkeit *f*

mobylette [mɔbilɛt] *f* Moped *n*

moche [mɔʃ] F *laid* hässlich; *méprisable* mies

modalité [mɔdalite] *f* Art und Weise *f*, Modalität *f*

mode¹ [mɔd] *m* Art *f*, Weise *f*; *mus* Tonart *f*; *gr* Modus *m*; *~ d'emploi* Gebrauchsanweisung *f*, Bedienungsanleitung *f*; *~ de paiement* Zahlungsweise *f*

mode² [mɔd] *f* Mode *f*; *à la ~* modisch

modèle [mɔdɛl] *m* Modell *n*; *tricot*: Muster *n*; *personne*: Vorbild *n*

model|le [mɔdle] *m* Modellierung *f*; **~er** (*1d*) modellieren

modem [mɔdɛm] *m* EDV Modem *m*, *n*

modér|ation [mɔderasjɔ̃] *f* Mäßigung *f*, **~é**, **~ée** *personne*, *opinion*: gemäßigt; *vitesse*, *vent*: mäßig; **~er** (*1f*) mäßigen; *dépenses*: einschränken; *se ~* sich einschränken

modern|e [mɔdɛrn] modern; **~iser** (*1a*) modernisieren

modest|e [mɔdɛst] bescheiden; **~ie** [-i] *f* Bescheidenheit *f*

modif|ication [mɔdifikasjɔ̃] *f* Abänderung *f*, Modifizierung *f*; **~ié**, **~iée**: *~ génétiquement* gen(technisch) verändert; **~ier** [-je] (*1a*) abändern, modifizieren

modique [mɔdik] bescheiden, niedrig, gering

modiste [mɔdist] *f* Putzmacherin *f*, Modistin *f*

modulation [mɔdylasjɔ̃] *f* Modulation *f*; *~ de fréquence* Ultrakurzwelle *f*

modul|e [mɔdyl] *m tech* Modul *m od n*; *~ lunaire* Mondfähre *f*; **~er** (*1a*) modulieren

moelle [mwal] *f* (Knochen-)Mark *n*;

~eux, **~euse** [-ø, -øz] weich

mœurs [mœr(s)] *f/pl* attitude morale Sitten *f/pl*; *coutumes* Bräuche *m/pl*; *police f des mœurs* Sittenpolizei *f*

moi [mwa] ich; mich; mir

moignon [mwañɔ̃] *m* Stumpf *m*

moindre [mwɛ̃dr] minder, geringer; *le*, *la ~* der, die, das Geringste; *le ~ mal* das kleinere Übel

moine [mwan] *m* Mönch *m*

moineau [mwano] *m* (*pl -x*) *zo* Sperling *m*, Spatz *m*

moins [mwɛ̃] **1.** *adv* weniger; *math* minus; *~ d'argent* weniger Geld; *deux mètres de ~* zwei Meter weniger; *au od du ~* wenigstens, mindestens; *à ~ de* (*+ inf*), *à ~ que ... ne* (*+ subj*) wofern nicht, außer wenn ...; *de ~ en ~* immer weniger; **2.** *m* le *~* das Mindeste, das Wenigste; *pour le ~* wenigstens

mois [mwa] *m* Monat *m*; *salaire*: Monatslohn *m*; *par ~* monatlich

mois|i, **~ie** [mwazi] **1.** *adj* schimm(e)lig; **2.** *m bot* Schimmel *m*; **~ir** (*2a*) *v/i* schimmeln; *v/t* verschimmeln lassen; **~issure** [-isyr] *f bot* Schimmel *m*

moisson [mwasɔ̃] *f* (Getreide-)Ernte *f*; **moissonn|er** [mwasɔne] (*1a*) ernten; **~eur**, **~euse 1.** *m*, *f* Erntearbeiter(in) *m(f)*; **2.** *f* Mähmaschine *f*; **~euse-batteuse** [-øzbatœz] *f* (*pl moissonneuses-batteuses*) Mähdrescher *m*

moite [mwat] feucht

moitié [mwatje] *f* Hälfte *f*; *à ~* zur Hälfte, halb; *~ ... ~ ...* halb ... halb ...; *à ~ chemin* auf halbem Wege; *à ~ prix* zum halben Preis

mol [mɔl] → *mou*

molaire [mɔlɛr] *f* Backenzahn *m*

môle [mol] *m* Hafendamm *m*, Mole *f*

molécule [mɔlekyl] *f* Molekül *n*

molester [mɔlɛste] (*1a*) misshandeln

mollasse [mɔlas] *péj* wabbelig, schlapp

moll|ement [mɔlmã] *adv* lässig, träge; **~esse** [-ɛs] *f chose*: Weichheit *f*; *personne*, *actions*: Lässigkeit *f*; **~et¹**, **~ette** [-ɛ, -ɛt] weich, zart; *œuf m mollet* weiches Ei *n*

mollet² [mɔlɛ] *m* Wade *f*

mollir [mɔlir] (*2a*) weich werden; *vent*: abflauen

môme [mom] *m*, *f* F Kind *n*

moment [mɔmã] *m* Augenblick *m*, Moment *m*; *à ce ~* in diesem Augenblick; *en ce* ~ zurzeit, jetzt; *dans un* ~ gleich; *du* ~ momentan; *d'un* ~ *à l'autre* sogleich; *en un* ~ im Nu; *par* ~ gelegentlich; *pour le* ~ einstweilen; *du* ~ *que od où* da ja; *à tout* ~ jederzeit; *par* ~**s** manchmal

momentané, ~e [mɔmɑ̃tane] augenblicklich

momie [mɔmi] *f* Mumie *f*

mon *m*, **ma** *f*, **mes** *pl* [mɔ̃, ma, me] mein(e) *m*, *n* (*f*; *pl*)

Monaco [mɔnako] *la principauté f de* ~ das Fürstentum Monaco

monarchie [mɔnarʃi] *f* Monarchie *f*

monarque [mɔnark] *m* Monarch *m*

monastère [mɔnastɛr] *m* Kloster *n*

monceau [mɔ̃so] *m* (*pl* -*x*) Haufen *m*

mondain, ~e [mɔ̃dɛ̃, -ɛn] *personne*: mondän; *rel* weltlich; *vie f* **mondaine** gesellschaftliches Leben *n*

monde [mɔ̃d] *m* Welt *f*; *gens* Menschen *m/pl*, Leute *pl*; *tout le* ~ jedermann; *dans le* ~ *entier* auf der ganzen Welt; *l'autre* ~ das Jenseits; *le beau* ~ die vornehme Gesellschaft; *homme m du* ~ Mann *m* von Welt; *mettre au* ~ zur Welt bringen

mondial, ~e [mɔ̃djal] (*m/pl* -*aux*) Welt...; ~**ement** [-mɑ̃] *adv* weltweit; ~**isation** *f* Globalisierung *f*

monégasque [mɔnegask] monegassisch

monétaire [mɔnetɛr] Münz..., Währungs..., Geld...; *marché m* ~ Geldmarkt *m*; *unité f* ~ Währungseinheit *f*

mongolien, ~ne [mɔ̃ɡɔljɛ̃, -ɛn] mongoloid

moni|teur, ~**trice** [mɔnitœr, -tris] **1.** *m*, *f ski*: Skilehrer(in) *m(f)*; *éducation physique*: Sportlehrer(in) *m(f)*; *auto-école*: Fahrlehrer(in) *m(f)*; *colonie de vacances*: Betreuer(in) *m(f)*; **2.** *m EDV* Monitor *m*

monn|aie [mɔnɛ] *f pièce* Münze *f*, Geldstück *n*; *moyen d'échange* Geld *n*; *unité monétaire* Währung *f*; ~ (*de change*) Klein-, Wechselgeld *n*; ~ *unique* Einheitswährung *f*; ~**ayer** [-ɛje] (*Ii*) *un bien*: zu Geld machen

monoculture [mɔnɔkyltyr] *f* Monokultur *f*

monologue [mɔnɔlɔɡ] *m* Selbstgespräch *n*, Monolog *m*

mono|place [mɔnɔplas] **1.** *adj* einsitzig;

2. *m aviat* Einsitzer *m*; ~**plan** [-plɑ̃] *m aviat* Eindecker *m*; ~**pole** [-pɔl] *m* Monopol *n*

monoton|e [mɔnɔtɔn] monoton, eintönig; ~**ie** [-i] *f* Monotonie *f*, Eintönigkeit *f*

monseigneur [mɔ̃sɛɲœr] *m* Seine Exzellenz

monsieur [məsjø] *m* (*abr* M.), (*pl* **messieurs** [*mesjǿ*], *abr* MM.) Herr *m*; *dans lettre*: sehr geehrter Herr ...

monstr|e [mɔ̃strə] **1.** *m* Monstrum *n*, Ungeheuer *n*; *fig* Scheusal *n*; **2.** *adj* Riesen...; ~**ueux**, ~**ueuse** [-yø, -yøz] *géant* riesig, ungeheuer; *abominable* entsetzlich, scheußlich; ~**uosité** [-yosite] *f propos*: Ungeheuerlichkeit *f*; *crime*: Entsetzlichkeit *f*; *anat* Missbildung *f*

mont [mɔ̃] *m* Berg *m*; *par* ~**s** *et par vaux* über Berg und Tal

montage [mɔ̃taʒ] *m* Montieren *n*, Montage *f*; *photographie*: Fotomontage *f*; *él* Schaltung *f*

montagnard, ~e [mɔ̃taɲar, -d] **1.** *adj* Gebirgs...; **2.** *m*, *f* Bergbewohner(in) *m(f)*

montagn|e [mɔ̃taɲ] *f* Berg *m*, Gebirge *n*; *à la* ~ ins, im Gebirge; ~**s** *pl russes* Berg- und Talbahn *f*; *la haute* ~ das Hochgebirge *n*; ~**eux**, ~**euse** [-ø, -øz] gebirgig, bergig

montant, ~e [mɔ̃tɑ̃, -ɑ̃t] **1.** *adj chemin*: ansteigend; *robe*: hochgeschlossen; *mouvement m* **montant** Aufwärtsbewegung *f*; **2.** *m somme* Betrag *m*; *lit*: Pfosten *m*

mont-de-piété [mɔ̃dpjete] *m* (*pl monts-de-piété*) Leihamt *n*, Pfandhaus *n*

monte-charge [mɔ̃tʃarʒ] *m* (*pl unv*) Lastenaufzug *m*

montée [mɔ̃te] *f sur montagne*: Aufstieg *m*; *pente*: Steigung *f*, Anstieg *m*; *eau*, *prix*, *température*: Steigen *n*, Anstieg *m*

mont|er [mɔ̃te] (*1a*) **1.** *v/t montagne*: hinaufsteigen, besteigen; *escalier*: hinaufgehen; *valise*: hinauftragen; *femmelle*: decken; *machine*: montieren; *échafaudage*, *étagère*: aufstellen; *tente*: aufschlagen; *pièce de théâtre*: aufführen; **2.** *v/i* steigen; *avion*: aufsteigen; *route*: ansteigen; *voiture*: hochfahren; *prix*: in die Höhe gehen, steigen; ~

dans einsteigen in (*acc*); **~ à bord** an Bord gehen, **~ en grade** befördert werden; **~ à cheval** reiten; 3. **se ~ à frais**: sich belaufen auf (*acc*); **~eur, ~euse** 1. *m* Monteur *m*; 2. *m, f film*: Cutter(in) *m(f)*

monticule [mɔ̃tikyl] *m* Anhöhe *f*, Hügel *m*

montre [mɔ̃trə] *f* 1. (Armband-, Taschen-)Uhr *f*; 2. **faire ~ de qc** faire preuve de qc beweisen, zeigen

montre-bracelet [mɔ̃trəbraslɛ] *f* (*pl montres-bracelets*) Armbanduhr *f*

montrer [mɔ̃tre] (*1a*) zeigen; **~ qn, qc du doigt** auf j-n, etw. mit dem Finger zeigen; **se ~** sich sehen lassen, sich zeigen

monture [mɔ̃tyr] *f animal*: Reittier *n*; *lunettes*: Gestell *n*; *diamant*: Fassung *f*

monument [mɔnymɑ̃] *m* Monument *n*, (bedeutendes) Bauwerk *n*; *commémoratif*: Denkmal *n*

moqu|er [mɔke] (*1m*) **se ~ de** *railler* sich lustig machen über (*acc*); *dédaigner* sich nicht kümmern um; *tromper* auf den Arm nehmen; **~erie** *f* Spott *m*

moquette [mɔkɛt] *f* Teppichboden *m*

moqueu|r, ~se [mɔkœr, -øz] 1. *adj* spöttisch; 2. *m, f* Spötter(in) *m(f)*

moral, ~e [mɔral] 1. *adj* (*m/pl -aux*) moralisch, sittlich; *force, misère*: seelisch; *jur* **personne f morale** juristische Person *f*; 2. *m* Verfassung *f*, Moral *f*; 3. *f* Moral *f*, Ethik *f*; **~ité** Moral *f*, Sittlichkeit *f*

moratoire [mɔratwar] *m* Moratorium *n*

morbide [mɔrbid] krankhaft

morceau [mɔrso] *m* (*pl -x*) Stück *n* (*a mus*); *livre*: Text *m*, Abschnitt *m*

morc|eler [mɔrsəle] (*1c*) zerstückeln; **~ellement** [-ɛlmɑ̃] *m* Zerstückelung *f*

mordant, ~e [mɔrdɑ̃, -t] scharf, schneidend, bissig

mordicus [mɔrdikys] *adv* F hartnäckig, steif und fest

mordiller [mɔrdije] (*1a*) knabbern

mordre [mɔrdrə] (*4a*) beißen; *insecte, soleil*: stechen; *poisson*: anbeißen; *tech* ätzen; **~ à** *fig* Geschmack finden an (*dat*)

morfondre [mɔrfɔ̃drə] (*4a*) **se ~** sich zu Tode langweilen

morgue [mɔrg] *f* 1. *arrogance* Dünkel *m*; 2. *endroit*: Leichenschauhaus *n*

moribond, ~e [mɔribɔ̃, -d] sterbend

morille [mɔrij] *f bot* Morchel *f*

morne [mɔrn] trüb(sinnig), düster

moros|e [mɔroz] mürrisch, verdrossen; **~ité** *f* Missmut *m*, Verdrießlichkeit *f*

morphine [mɔrfin] *f* Morphium *n*

mors [mɔr] *m* Gebiss *n*

morse¹ [mɔrs] *m zo* Walross *n*

morse² [mɔrs] *m* Morsealphabet *n*

morsure [mɔrsyr] *f* Bisswunde *f*; *insecte*: Stich *m*

mort¹ [mɔr] *f* Tod *m*; *fig* Ruin *m*; **à ~** tödlich

mort², morte [mɔr, mɔrt] 1. *adj* tot; *plante*: abgestorben; *eau*: stehend; *feuille*: dürr, welk; *ivre* **~** stockbesoffen; **~ de fatigue** todmüde; **nature f morte** Stillleben *n*; 2. *m, f* Tote(r) *m, f*

mortalité [mɔrtalite] *f* Sterblichkeit *f*

mortel, ~le [mɔrtɛl] tödlich, Tod...; *l'homme*: sterblich

morte-saison [mɔrtəsɛzɔ̃] *f* (*pl mortes-saisons*) stille Zeit *f*

mortier [mɔrtje] *m mil* Mörser *m*; *mélange*: Mörtel *m*

mortifier [mɔrtifje] (*1a*) demütigen, schwer kränken

mort-né, ~e [mɔrne] (*pl mort-né[e]s*) tot geboren

mortuaire [mɔrtɥɛr] Sterbe..., Toten...

morue [mɔry] *f zo* Kabeljau *m*

morve [mɔrv] *f* Nasenschleim *m*

mosaïque [mɔzaik] *f* Mosaik *n*

Moscou [mɔsku] Moskau

mosquée [mɔske] *f* Moschee *f*

mot [mo] *m* Wort *n*; *langue étrangère*: Vokabel *f*; *personnalité*: Ausspruch *m*; **bon ~** geistreiche Bemerkung *f*; **~ clé** Schlüsselwort *n*; **~ de passe** Kennwort *n*; *EDV* Passwort *n*; **~s croisés** *pl* Kreuzworträtsel *n*; **gros ~** Schimpfwort *n*; **~ à ~, ~ pour ~** wörtlich; **à ~s couverts** durch die Blume; **au bas ~** mindestens; **sans ~ dire** wortlos; **en un ~** mit einem Wort, kurz; **avoir le dernier ~** das letzte Wort haben; **prendre qn au ~** j-n beim Wort nehmen

motard [mɔtar] *m* Motorradfahrer *m* (der Polizei)

motel [mɔtɛl] *m* Motel *n*

mo|teur, ~trice [mɔtœr, -tris] 1. *adj tech* Antriebs...; *anat* motorisch; 2. *m tech u fig* Motor *m*; **~ de recherche** *EDV* Suchmaschine *f*

M

motif [mɔtif] *m* Motiv *n* (*a mus u Malerei*), Beweggrund *m*

motion [mosjɔ̃] *f pol* Antrag *m*; **~ de censure** Misstrauensantrag *m*

motiver [mɔtive] (*1a*) *personne*: motivieren; *chose*: begründen

moto [mɔto] *f* Motorrad *n*; **faire de la ~** Motorrad fahren; **~cyclette** [-siklɛt] *f* → **moto**; **~cycliste** [-siklist] *m*, *f* Motorradfahrer(in) *m(f)*; **~planeur** [-plɑnœr] *m* Motorsegler *m*

motoriser [mɔtɔrize] (*1a*) motorisieren

motte [mɔt] *f* Klumpen *m*

mou, molle [mu, mɔl] **1.** *adj* weich; *personne*: lässig; *membre*: schlaff; *caractère*: träge; *résistance*: schwach; **2.** *m cuis* Lunge *f*

mouch|ard, ~arde [muʃar, -ard] *m, f* (Polizei-)Spitzel *m*; **~arder** [-arde] (*1a*) F bespitzeln, ausspionieren

mouche [muʃ] *f* Fliege *f*; **bateau ~** Ausflugsdampfer *m* (auf der Seine); **faire ~** ins Schwarze treffen (*a fig*)

moucher [muʃe] (*1a*) **se ~** sich die Nase putzen, sich schnäuzen

moucheron [muʃrɔ̃] *m zo* (kleine) Mücke *f*

moucheter [muʃte] (*1c*) sprenkeln, tüpfeln

mouchoir [muʃwar] *m* Taschentuch *n*

moudre [mudrə] (*4y*) mahlen

moue [mu] *f* schiefes Gesicht *n*; **faire la ~** schmollen

mouette [mwɛt] *f zo* Möwe *f*

moufle [muflə] *f* Fausthandschuh *m*; *tech* Flaschenzug *m*

mouill|é, ~ée [muje] nass; *humide* feucht; **~er** (*1a*) nass machen; *humecter* anfeuchten; *liquide*: verdünnen; *mar* **~ (l'ancre)** Anker werfen

moul|e [mul] **1.** *m* (Gieß-)Form *f*; *cuis* Back-, Kuchenform *f*; **2.** *f zo* Miesmuschel *f*; **~er** (*1a*) formen; *fig* **~ sur qc** nach etw (*dat*) bilden

moul|in [mulɛ̃] *m* Mühle *f*; **~ à vent** Windmühle *f*; **~ à poivre** Pfeffermühle *f*; **~ à café** Kaffeemühle *f*; **~inet** [-inɛ] *m tech* Rolle *f*

moul|u, ~ue [muly] *p/p de* **moudre** *u adj* gemahlen; *fig* wie zerschlagen; **~ure** [-yr] *f* Profilleiste *f*

mourant, ~e [murɑ̃, -t] sterbend

mourir [murir] (*2k*) sterben (**de** an *dat*); **~ de froid** erfrieren; **~ de faim** verhungern

mousse¹ [mus] *m* Schiffsjunge *m*

mousse² [mus] *f* **1.** *bot* Moos *n*; **2.** *f* Schaum *m*; *cuis* Cremespeise *f*; **~ à raser** Rasierschaum *m*

mouss|er [muse] (*1a*) schäumen; **~eux, ~euse** [-ø, -øz] **1.** *adj* schäumend; **2.** *m* Schaumwein *m*

mousson [musɔ̃] *f* Monsun *m*

moustache [mustaʃ] *f* Schnurrbart *m*

moustiquaire [mustikɛr] *f* Moskitonetz *n*

moustique [mustik] *m* Stechmücke *f*

moût [mu] *m* (Wein-, Apfel-)Most *m*

moutard [mutar] F *m* kleiner Junge *m*, Knirps *m* F; **~s** *pl* Kinder *n/pl*, Gören *n/pl* F

moutarde [mutard] *f bot u cuis* Senf *m*

mouton [mutɔ̃] *m zo* Schaf *n*; *mâle*: Hammel *m*; *viande*: Hammelfleisch *n*; *cuir*: Schafleder *n*; *fourrure*: Schafpelz *m*; *fig* leichtgläubiger Mensch *m*; *fig* **revenons à nos ~s** kommen wir wieder zur Sache!

mouvant, ~e [muvɑ̃, -ɑ̃t] **sables** *m/pl* **mouvants** Treibsand *m*; **terrain ~ mouvant** schwankender Boden *m* (*a fig*)

mouvement [muvmɑ̃] *m* Bewegung *f* (*a pol etc*); *trafic* Betrieb *m*; *âme*: Regung *f*; *montre*: Räderwerk *n*; *terrain*: Unebenheit *f*; *mus rythme* Tempo *n*; *mus partie*: Satz *m*

mouvementé, ~e [muvmɑ̃te] *existence*: bewegt, abwechslungsreich; *récit*: lebhaft; *terrain*: uneben

mouvoir [muvwar] (*3d*) bewegen (*a fig*)

moyen, ~ne [mwajɛ̃, -ɛn] **1.** *adj* *température, classe*: mittlere(r, -s); *passable* durchschnittlich, mittelmäßig; **Moyen Âge** *m* Mittelalter *n*; **2.** *m façon, méthode* Mittel *n*, Weg *m*; **~s** *pl argent* (Geld-)Mittel *n/pl*; *capacités* Anlagen *f/pl*, Fähigkeiten *f/pl*; **au ~ de** *od* **par le ~ de** mit (Hilfe von), mittels; **vivre au-dessus de ses moyens** über seine Verhältnisse leben; **3.** *f* Durchschnitt *m*; *statistique*: Mittelwert *m*; **en moyenne** im Durchschnitt, im Mittel

moyenâgeu|x, ~se [mwajɛnɑʒø, -z] mittelalterlich

moyennant [mwajɛnɑ̃] mittels, mit, durch, für

moyeu [mwajø] *m* (Rad-)Nabe *f*

muer [mɥe] (*1a*) *oiseau*: sich mausern; *serpent*: sich häuten; *garçon*: im Stimmbruch sein

muet, ~te [mɥɛ, -t] **1.** *adj* stumm; *fig* sprachlos; **2.** *m film*: Stummfilm *m*

mufle [myflə] *m* Schnauze *f*, Maul *n*; F *fig* Lümmel *m*

mugir [myʒir] (*2a*) brüllen; *vent*: tosen; ~issement [-ismã] *m* Gebrüll *n*; *vent*: Tosen *n*

muguet [mygɛ] *m bot* Maiglöckchen *n*

mulâtre, ~sse [mylatrə, -ɛs] *m*, *f* Mulatte *m*, Mulattin *f*

mule [myl] *f zo* Mauleselin *f*; ~et [-ɛ] *m* Maulesel *m*, Maultier *n*

mulot [mylo] *m zo* Waldmaus *f*

multicolore [myltikɔlɔr] bunt

multiculturel, ~le [myltikyltyrɛl] **1.** *adj* multikulturell; **2.** *m/f subst* Multikulti *m*

multinational, ~e [myltinasjɔnal] **1.** *adj* multinational; **2.** *f* multinationales Unternehmen *n*

multiple [myltiplə] mehrfach; *divers* vielfältig; ~ication [-ikasjõ] *f math* Multiplikation *f*; *augmentation* Vermehrung *f*; ~icité [-isite] *f* Vielfalt *f*; ~ier [-ije] (*1a*) vermehren; *math* multiplizieren; **se** ~ *espèce*: sich vermehren

multitude [myltityd] *f* Menge *f*

Munich [mynik] München

municipal, ~e [mynisipal] (*m/pl -aux*) Stadt..., Gemeinde...; ~ité *f commune* Gemeinde *f*; *conseil*: Gemeinderat *m*

munir [mynir] (*2a*) ~ **de** ausstatten, versehen mit

munitions [mynisjõ] *f/pl* Munition *f*

muqueux|x, ~se [mykø, -z] **1.** *adj* schleimig; **2.** *f* Schleimhaut *f*

mur [myr] *m* Mauer *f*; *intérieur*: Wand *f*; **mettre qn au pied du** ~ j-n in die Enge treiben

mûr, ~e [myr] reif

muraille [myrɑj] *f* (Befestigungs-, Stadt-)Mauer *f*; ~al, ~ale (*m/pl -aux*) Mauer..., Wand...

mûre [myr] *f bot ronce*: Brombeere *f*; *mûrier*: Maulbeere *f*

murer [myre] (*1a*) *enclos*: ummauern; *porte*: zumauern

mûrier [myrje] *m* Maulbeerbaum *m*

mûrir [myrir] (*2a*) *v/t* reif werden lassen; *v/i* reif werden, reifen

murmure [myrmyr] *m* Gemurmel *n*;

ruisseau: Plätschern *n*; ~er (*1a*) *chuchoter* murmeln; *se plaindre* murren; *ruisseau*: plätschern

musc [mysk] *m* Moschus *m*

muscade [myskad] *f* Muskatnuss *f*; ~et [-ɛ] *m* trockener Weißwein

muscat [myska] *m raisin*: Muskateller *m*; *vin*: Muskateller(wein) *m*

muscle [mysklə] *m* Muskel *m*; ~é, ~ée muskulös; *politique*: energisch

musculaire [myskylɛr] Muskel...

museau [myzo] *m* (*pl -x*) Schnauze *f*

musée [myze] *m* Museum *n*

museler [myzle] (*1c*) e-n Maulkorb anlegen (*qn* j-m; *a fig*)

muselière [myzəljɛr] *f* Maulkorb *m*

musette [myzɛt] *f sac*: Brotbeutel *m*

musical, ~e [myzikal] (*m/pl -aux*) musikalisch

musicien, ~ne [myzisjɛ̃, -ɛn] **1.** *adj* musikalisch; **2.** *m*, *f* Musiker(in) *m(f)*

musique [myzik] *f* Musik *f*; *notation* Noten *f/pl*; ~ **de chambre** Kammermusik *f*

must [myst] *m* Muss *n*

musulman, ~e [myzylmɑ, -an] **1.** *adj* mohammedanisch, moslemisch; **2.** *m*, *f* Mohammedaner(in) *m(f)*, Moslem *m*

mut|ation [mytasjõ] *f* Veränderung *f*, Wandel *m*; *biol* Mutation *f*; *fonctionnaire*: Versetzung *f*; ~er (*1a*) *fonctionnaire*: versetzen

mutilation [mytilasjõ] *f* Verstümmelung *f*

mutil|é [mytile] *m* Versehrte(r) *m*, Schwerbeschädigte(r) *m*; ~er (*1a*) verstümmeln

mutin, ~e [mytɛ̃, -in] **1.** *adj* schelmisch, verschmitzt; **2.** *m* Aufrührer *m*; ~erie [-inri] *f* Meuterei *f*

mutisme [mytismə] *m* Stummheit *f*; *fig* Schweigen *n*

mutualité [mytɥalite] *f* Versicherung *f* auf Gegenseitigkeit; ~el, ~elle wechsel-, gegenseitig; (*assurance f*) **mutuelle** *f* → **mutualité**

myope [mjɔp] kurzsichtig; ~ie [-i] *f* Kurzsichtigkeit *f*

myosotis [mjɔzɔtis] *m bot* Vergissmeinnicht *n*

myrtille [mirtij] *f* Blau-, Heidelbeere *f*

mystère [mistɛr] *m* Geheimnis *n*; *énigme* Rätsel *n*; *rel* Mysterium *n*

M

mystérieu|x, ~se [misterjø, -z] ge-
heimnisvoll
myst|icisme [mistisismə] *m* Mystizis-
mus *m*, Mystik *f*; ~ifier [-ifje] (*1a*)
irreführen; ~ique **1.** *adj* mystisch; **2.** *m*,

f Mystiker(in) *m(f)*; **3.** *f* Mystik *f*
myth|e [mit] *m* Mythos *m*; *légende* Sage
f; ~ique mythisch, sagenhaft
mytholog|ie [mitɔlɔ3i] *f* Mythologie *f*;
~ique mythologisch

N

nabot [nabo] *m péj* Zwerg *m*, Knirps *m*
nacelle [nasɛl] *f ballon:* Korb *m*
nacre [nakrə] *f* Perlmutt *n*
nage [na3] *f* Schwimmen *n*; *style:*
Schwimmstil *m*; ~ **sur le dos** Rü-
ckenschwimmen *n*; ~ **libre** Frei-
stilschwimmen *n*; **à la** ~ schwimmend;
fig **être en** ~ in Schweiß gebadet sein
nageoire [na3war] *f zo* Flosse *f*
nag|er [na3e] (*1l*) schwimmen (*a fig*); ~
la brasse brustschwimmen; *fig* ~
contre le courant gegen den Strom
schwimmen; *savoir* ~ schwimmen
können; *fig* sich zu helfen wissen; ~eur,
~euse *m*, *f* Schwimmer(in) *m(f)*
naguère [nagɛr] *adv* kürzlich, vor kurzem
naï|f, ~ve [naif, -v] naiv
nain, ~e [nɛ̃, nɛn] *m*, *f* Zwerg(in) *m(f)*
naissance [nɛsɑ̃s] *f* Geburt *f*; *fig* Entstehung *f*; **date** *f* **de** ~ Geburtsdatum *n*;
prendre ~ entstehen
naître [nɛtrə] (*4g*) geboren werden; *fig*
entstehen; *faire* ~ *entreprise:* ins Leben
rufen; *sentiment:* hervorrufen
naïveté [naivte] *f spontanéité* Natürlichkeit *f*, Unbefangenheit *f*; *crédulité*
Naivität *f*
nana [nana] F *f* Mädchen *n*, Biene *f* F
nanti, ~e [nɑ̃ti] wohlhabend; ~ **de** versehen mit; ~r (*2a*) versehen (**de** mit)
Naples [naplə] Neapel
napolitain, ~e [napɔlitɛ̃, -ɛn] neapoli-
tanisch
nappe [nap] *f* Tischtuch *n*, Tischdecke *f*;
~ **d'eau** glatte Wasserfläche *f*; ~ron *m*
(Zier-)Deckchen *n*
narcissisme [narsisismə] *m* Narziss-
mus *m*
narcotique [narkɔtik] **1.** *adj* betäubend;
2. betäubendes Mittel *n*
narguer [narge] (*1m*) verhöhnen

narine [narin] *f* Nasenloch *n*
narquois, ~e [narkwa, -z] spöttisch
narra|teur, ~trice [naratœr, -tris] *m*, *f*
Erzähler(in) *m(f)*; ~tion *f* Erzählung *f*
narrer [nare] (*1a*) *litt* erzählen
nasal, ~e [nazal] (*m/pl -aux*) **1.** *adj*
Nasen...; *a:* nasal; **2.** *f* Nasallaut *m*; ~iser
(*1a*) nasalieren
nasill|ard, ~e [nazijar, -d] näselnd; ~er
(*1a*) näseln
natal, ~e [natal] (*m/pl -als*) Geburts...;
Heimat...; *pays m* **natal** Heimatland *n*;
~ité *f* (*taux m de*) ~ Geburtenziffer *f*
natation [natasjõ] *f* Schwimmen *n*,
Schwimmsport *m*; **faire de la** ~
schwimmen
nati|f, ~ve [natif, -v] ~ **de** gebürtig aus
nation [nasjõ] *f* Nation *f*
national, ~e [nasjɔnal] (*m/pl -aux*) national; Volks...; **route** *f* **nationale**
Bundesstraße *f*; ~isation [-izasjõ] *f*
Verstaatlichung *f*; ~iser (*1a*) verstaatlichen; ~isme *m* Nationalismus *m*;
~iste **1.** *adj* nationalistisch; **2.** *m*, *f*
Nationalist(in) *m(f)*; ~ité *f* Staatsan-
gehörigkeit *f*; ~-socialisme [-sɔsja-
lismə] *m* Nationalsozialismus *m*
natte [nat] *f tapis* (Stroh-)Matte *f*; *cheveux:* Zopf *m*
natural|iser [natyralize] (*1a*) natu-
ralisieren, einbürgern; ~isme *m* Na-
turalismus *m*
natur|e [natyr] *f* Natur *f*; *terrain:* Be-
schaffenheit *f*; *personne:* Wesen *n*; *café*
m ~ schwarzer Kaffee *m*; F *il est très* ~
er ist sehr natürlich; ~el, ~elle **1.** *adj*
natürlich; *science, phénomène:* Natur...;
2. *m caractère* Naturell *n*, Wesen *n*;
spontanéité Natürlichkeit *f*; *cuis* **au** ~
ohne Zutaten; ~ellement *adv* natürlich; ~isme *m* Freikörperkultur *f*

(FKK), Nudismus m; **~iste** m, f FKK-Anhänger(in) m(f), Nudist(in) m(f)

naufrag|e [nofraʒ] m Schiffbruch m; **faire ~** Schiffbruch erleiden; **~é, ~ée** schiffbrüchig

nauséabond, ~e [nozeabõ, -d] ekelhaft, widerlich

nausée [noze] f Übelkeit f; fig Ekel m; **j'ai la ~** mir ist schlecht

naut|ique [notik] nautisch; See...; **ski** m **~ Wasserski** m; **~isme** m Wassersport m

naval, ~e [naval] (m/pl -als) Schiffs..., See...; **chantier** m **naval** Schiffswerft f

navet [navɛ] m weiße Rübe f

navette [navɛt] f **1.** tissage: Weber-, Nähmaschinenschiffchen n; **2.** transport: Pendelverkehr m; **faire la ~** pendeln; **~ spatiale** Raumfähre f

navig|able [navigabl] schiffbar; **~ant** [-ɑ̃] **le personnel ~** das zur See fahrende (od Flug-)Personal; **~ateur** [-atœr] m **1.** aviat Navigator m; **2.** mar Seefahrer m; **~ation** f **1.** Schifffahrt f; **~ aérienne** Luftfahrt f; **~ spatiale** Raumfahrt f; **2.** pilotage Navigation f

naviguer [navige] (1m) (zur See) fahren; conduire navigieren; F weit auf Reisen sein; **~ sur Internet** im Internet surfen

navire [navir] m (See-)Schiff n; **~ de guerre** Kriegsschiff n

navr|ant, ~ante [navrɑ̃, -ɑ̃t] bedauerlich; **~é, ~ée je suis ~** es tut mir sehr Leid

nazi, ~e [nazi] péj **1.** adj Nazi..., nazistisch; **2.** m, f Nazi m; **~sme** m Nazismus m

N.B. (abr nota bene) NB, Anm. (Anmerkung)

N.D. (abr Notre-Dame) Unsere Liebe Frau

ne [n(ə)] **~ ... pas** nicht; **~ ... guère** kaum; **~ ... jamais** nie; **~ ... plus** nicht mehr; **~ ... plus jamais** nie mehr; **~ ... que** nur; erst; **~ ... rien** nichts; **~ ... personne** niemand

né, ~e [ne] pp de **naître** geboren

néanmoins [neɑ̃mwɛ̃] dennoch, trotzdem, nichtsdestoweniger

néant [neɑ̃] m Nichts n

nébul|eux, ~euse [nebylø, -øz] bewölkt, neb(e)lig; fig unklar, verschwommen; **~osité** [-ozite] f Bewölkung f

nécessaire [nesesɛr] **1.** adj notwendig, nötig; effet: unvermeidlich; **2.** m Notwendige(s) n; **~ de toilette** Kulturbeutel m

nécessit|é [nesesite] f Notwendigkeit f; **~s** pl Erfordernisse n/pl; **par ~** notgedrungen; **~er** (1a) erfordern; **~eux, ~euse** [-ø, -øz] Not leidend, bedürftig

néerlandais, ~e [neɛrlɑ̃dɛ, -z] **1.** adj niederländisch; **2.** ♀ m, f Niederländer(in) m(f)

nef [nɛf] f Kirchenschiff n

néfaste [nefast] unheilvoll

négati|f, ~ve [negatif, -v] **1.** adj negativ; réponse a: verneinend, abschlägig; **2.** m photographie: Negativ m; **3.** dans la **négative** im Falle e-r Ablehnung; **~tion** f Verneinung f

néglig|é [negliʒe] m Morgenrock m, Negligé n; **~eable** [-abl] belanglos, unerheblich; **~ence** [-ɑ̃s] f nonchalance Nachlässigkeit f; manque de prudence Fahrlässigkeit f; **~ent, ~ente** [-ɑ̃, -ɑ̃t] nachlässig; **~er** (1l) personne, vêtements, intérêts: vernachlässigen; occasion: versäumen; avis: nicht beachten; **~ de faire qc** es unterlassen, etw zu tun

négoc|e [negɔs] m Handel m; **~iant** [-jɑ̃] m Großhändler m

négocia|teur, ~trice [negɔsjatœr, -tris] m, f Unterhändler(in) m(f); **~tion** f Verhandlung f

négocier [negɔsje] (1a) verhandeln; **~ un traité** über den Abschluss e-s Vertrags verhandeln

nègre, négresse [nɛgr, negrɛs] m, f péj Neger(in) m(f)

neig|e [nɛʒ] f Schnee m; **sports** m/pl **de ~** Wintersport m; **~er** (1l) schneien; il **neige** es schneit; **~eux, ~euse** [-ø, -øz] verschneit, Schnee...

nénuphar [nenyfar] m bot Seerose f

néo-... [neo] in Zssgn neo..., neu...

néologisme [neɔlɔʒismə] m neues Wort n, Neologismus m

néon [neõ] m Neon n

néphrite [nefrit] f méd Nierenentzündung f

népotisme [nepɔtismə] m Vetternwirtschaft f

nerf [nɛr] m Nerv m; vigueur Kraft f; fig **avoir du ~** kräftig sein, Energie haben

nerv|eux, ~euse [nɛrvø, -øz] *caractère*,
état: nervös; *tendineux* sehnig, kräftig;
vigoureux kraftvoll; *auto*: spritzig;
~osité [-ozite] *f* Nervosität *f*

n'est-ce pas [nɛspa] nicht wahr?

net, ~te [nɛt] **1.** *adj propre* sauber; *clair*
klar, deutlich; *non ambigu* eindeutig;
photo: scharf; *comm* Netto...; *produit
m net* Nettogewinn *m*; *prix m net*
Nettopreis *m*; **2.** *adv net* (*a nettement*)
geradeheraus; *refuser net* rundweg
ablehnen; **3.** *m mettre au net* ins Reine
schreiben

nétiquette [netikɛt] *f Internet* Netikette *f*

netteté [nette] *f* Sauberkeit *f*; *fig* Klarheit *f*

nettoy|age [nɛtwajaʒ] *m* Reinigung *f*,
Säuberung *f*; **~ à sec** chemische Reinigung *f*; **~er** (*1h*) reinigen, säubern

neuf[1] [nœf, *avec liaison* nœv] neun

neu|f[2], **~ve** [nœf, -v] neu; *refaire à neuf*
ganz neu einrichten, gestalten; *quoi de
neuf?* was gibt's Neues?

neurolo|gie [nørɔlɔʒi] *f* Neurologie *f*,
Nervenheilkunde *f*; **~gue** [-g] Neurologe *m*, Nervenarzt *m*

neutral|iser [nøtralize] (*1a*) *rendre inoffensif* unschädlich od wirksam
machen; **~isme** *m* Neutralitätspolitik *f*;
~ité *f* Neutralität *f*

neutre [nøtrə] **1.** *adj* neutral; *gr* sächlich;
bot geschlechtslos; **2.** *m gr* Neutrum *n*;
pol **les ~s** *pl* die neutralen Staaten *m/pl*

neutron [nøtrõ] *m phys* Neutron *n*

neuvième [nœvjɛm] **1.** *adj ordre*:
neunte(r, -s); **2.** *m fraction*: Neuntel *n*

neveu [n(ə)vø] (*pl -x*) *m* Neffe *m*

névr|algie [nevralʒi] *f méd* Neuralgie *f*,
Nervenschmerz *m*; **~algique** [-alʒik]
méd u fig neuralgisch; **~ose** [-oz] *f
psych* Neurose *f*; **~osé, ~osée** [-oze] *m*,
f Neurotiker(in) *m(f)*

nez [ne] *m* Nase *f*; *mar* Bug *m*; *avoir le
~ e-e* feine (Spür-)Nase haben

ni [ni] und nicht; **~ ... ~** (*ne devant verbe*)
weder ... noch; *je n'ai ~ pommes ~
poires* ich habe weder Äpfel noch
Birnen; *sans sucre ~ lait* ohne Zucker
und Milch

niais, ~e [njɛ, -z] albern, dumm; **~erie**
[-zri] *f* Albernheit *f*

nich|e [niʃ] *f* **1.** *mur*: Nische *f*; *chien*:
Hundehütte *f*; **2.** *tour* Schabernack *m*;

~er (*1a*) nisten; F *fig* hausen

nicotine [nikɔtin] *f* Nikotin *n*

nid [ni] *m* Nest *n*; *fig* **~ de poule**
Schlagloch *n*; *fig* **~ d'amoureux** Liebesnest *n*

nièce [njɛs] *f* Nichte *f*

nier [nje] (*1a*) leugnen, abstreiten; **~
avoir fait qc** bestreiten, etw getan zu
haben; **~ que** (+ *ind od subj*) leugnen,
dass

nigaud, ~e [nigo, -d] **1.** *adj* albern; **2.** *m*
Dummkopf *m*

n'importe [nɛ̃pɔrt] irgend; **~ où** irgendwo(hin); **~ qui** jeder (Beliebige),
irgendwer; **~ quoi** irgendetwas

nippon, ~(n)e [nipõ, -ɔn] japanisch

nique [nik] *f faire la ~ à qn* j-n auslachen

nitouche [nituʃ] *f* F **sainte ~** Scheinheilige *f*

niveau [nivo] *m* (*pl -x*) Niveau *n* (*a fig*);
hauteur Höhe *f*, Stand *m*; *tech* Wasserwaage *f*; **~ d'eau** Wasserspiegel *m*; **~
de la mer** Meeresspiegel *m*; *auto* **~
d'essence, d'huile** Benzin-, Ölstand
m; **~ de vie** Lebensstandard *m*; *au* **~ de**
auf gleicher Höhe mit; *concernant*
hinsichtlich (*gén*), in Bezug auf (*acc*)

niveler [nivle] (*1c*) (ein)ebnen; *fig* angleichen, nivellieren

nivellement [nivɛlmã] *m* (Ein-)Ebnen
n; *fig* Angleichung *f*, Nivellierung *f*

n° *od* **N°** (*abr numéro*) Nr

noble [nɔblə] *rang social*: ad(e)lig; *cœur*,
esprit: edel; **~sse** [-ɛs] *f* Adel *m*; *prov* **~
oblige** Adel verpflichtet

noce [nɔs] *f* **~s** *pl* Hochzeit *f*; *en premières, secondes ~s* in erster, zweiter
Ehe; F *faire la ~* in Saus und Braus
leben

noc|if, ~ive [nɔsif, -iv] schädlich; **~ivité**
[-ivite] *f* Schädlichkeit *f*

noctambule [nɔktãbyl] *m*, *f* Nachtbummler *m*, -schwärmer *m*

nocturne [nɔktyrn] nächtlich, Nacht...

Noël [nɔɛl] *m* Weihnachten *n*; *joyeux ~!*
fröhliche Weihnachten!; *arbre m de* **~**
Christbaum *m*; *père m* **~** Weihnachtsmann *m*; *à* **~** zu od an Weihnachten

nœud [nø] *m* Knoten *m*; *fig de débat,
problème*: springender Punkt *m*

noir, ~e [nwar] **1.** *adj* schwarz; *sombre*
dunkel, finster; *travail* **~** (*au*) *noir*
Schwarzarbeit *f*; *fig* *voir tout en noir*
alles grau in grau sehen; *il fait noir* es

ist stockdunkel; **2.** *adj* F *ivre* blau, besoffen; **3.** *m, f* Schwarze(r) *m, f*; **~être** [-ɑtrə] schwärzlich

noirc|eur [nwarsœr] *f* Schwärze *f; fig* Abscheulichkeit *f;* **~ir** (*2a*) *v/t* schwärzen; *fig situation*: in düsteren Farben schildern; *v/i* schwarz werden

noise [nwaz] *f* **chercher ~ à qn** mit j-m Streit suchen

noisette [nwazɛt] **1.** *f* Haselnuss *f;* **2.** *adj inv* nussbraun

noix [nwa] *f* (Wal-)Nuss *f;* **~ de coco** Kokosnuss *f;* **~ muscade** Muskatnuss *f*

nom [nõ] *m* **1.** Name *m;* **~ de famille** Familienname *m;* **~ de guerre** Deckname *m;* **au ~ de** im Namen (*gén*); **de ~** dem Namen nach; **du ~ de** namens; **2.** *gr* Substantiv *n*, Hauptwort *n*

nombr|e [nõbrə] *m* Zahl *f; quantité* Anzahl *f;* **~ pair (impair)** gerade (ungerade) Zahl *f;* **~ de** (+ *pl*) viele; **au ~ de trois** zu dritt; **être du ~** dazugehören zu; **~eux, ~euse** [-ø, -øz] zahlreich; **famille f nombreuse** kinderreiche Familie *f*

nombril [nõbri(l)] *m* Nabel *m*

nomenclature [nɔmãklatyr] *f terminologie* Nomenklatur *f; répertoire* Verzeichnis *n*, Nomenklatur *f*

nomin|al, ~ale [nɔminal] (*m/pl -aux*) namentlich; **valeur f nominale** Nennwert *m;* **~ation** *f* Ernennung *f*

nomm|ément [nɔmemã] namentlich; **~er** (*1a*) (be)nennen; *à une fonction*: ernennen; **se ~** sich nennen, heißen

non [nõ] nein; *dire que ~* Nein sagen; *j'espère que ~* ich hoffe nicht; **~ plus** auch nicht; **~ que ...** (+ *subj*) nicht etwa, dass

non-agression [nɔnagresjõ] *f pol* **pacte de ~** Nichtangriffspakt *m*

non-alignement [nɔnaliɲmã] *m pol* Blockfreiheit *f*

nonante [nõnãt] (*Belgique, Suisse*) neunzig

nonce [nõs] *m égl* Nuntius *m*

nonchal|ant, ~e [nõʃalã, -t] lässig, unbekümmert

non-conformiste [nõkõfɔrmist] **1.** *adj* nonkonformistisch; **2.** *m* (*pl non-conformistes*) Nonkonformist *m*

non-fumeu|r, ~se [nõfymœr, -øz] *m, f* Nichtraucher(in) *m(f)*

non-intervention [nõnɛ̃tɛrvɑ̃sjõ] *f pol* Nichteinmischung *f*

nonobstant [nɔnɔpstã] *prép* ungeachtet, trotz

non-polluant, ~e [nõpɔly ã, -t] umweltfreundlich, umweltverträglich

non-sens [nõsãs] *m* (*pl unv*) *absurdité* Unsinn *m; texte*: unverständliche Stelle *f*

non-violence [nõvjɔlãs] *f pol* Gewaltlosigkeit *f*

nord [nɔr] **1.** *m* Norden *m;* **vent m du ~** Nordwind *m;* **au ~ de** nördlich von; F *fig* **perdre le ~** den Kopf verlieren; **2.** *adj* nördlich; **côte f ~** Nordküste *f*

nord-africain, ~e [nɔrdafrikɛ̃, -ɛn] **1.** *adj* nordafrikanisch; **2.** ♀ *m, f* Nordafrikaner(in) *m(f)*

nord-est [nɔrɛst] *m* Nordosten *m*

nordique [nɔrdik] nordisch

nord-ouest [nɔrwɛst] *m* Nordwesten *m*

normal, ~e [nɔrmal] (*m/pl -aux*) normal; **école f normale** etwa Pädagogische Hochschule *f;* **~ement** *adv* normalerweise; **~isation** *f* [-izasjõ] *f* Normalisierung *f; tech* Normung *f*

normand, ~e [nɔrmã, -d] **1.** *adj* aus der Normandie; **2.** ♀ *m, f* Bewohner(in) *m(f)* der Normandie; *hist* **~s** *m/pl* Normannen *m/pl*

Normandie [nɔrmãdi] **la ~** die Normandie *f*

norme [nɔrm] *f* Norm *f* (*a tech*)

Norvège [nɔrvɛʒ] **la ~** Norwegen *n*

norvégien, ~ne [nɔrveʒjɛ̃, -ɛn] **1.** *adj* norwegisch; **2.** ♀ *m, f* Norweger(in) *m(f)*

nos [no] → **notre**

nostalgie [nɔstalʒi] *f* Sehnsucht *f*

not|abilité [nɔtabilite] *f* hervorragende, prominente Persönlichkeit *f;* **~able 1.** *adj* beträchtlich, bemerkenswert; **2.** *m* angesehener Bürger *m;* **~s** *pl* Honoratioren *m/pl*, Prominente(n) *m/pl*

notaire [nɔtɛr] *m* Notar *m*

notamment [nɔtamã] *adv* vor allem, besonders

notarié, ~e [nɔtarje] notariell (beglaubigt)

notation [nɔtasjõ] *f* Notierung *f*

not|e [nɔt] *f* Note *f* (*a mus*); *son* Ton *m; communication* Notiz *f; bas de page*: Fußnote *f; remarque* Anmerkung *f; école*: Note *f*, Zensur *f; comm* Rechnung *f;* **prendre ~ de qc** etw merken; **prendre des ~s** sich (*dat*) Notizen machen; **~er** (*1a*) *écrire* no-

N

tieren; *endroit*: anmerken; *remarquer* bemerken; **~ice** [-is] *f* kurze Darstellung *f*, Abriss *m*

notion [nɔsjõ] *f idée* Begriff *m*; **~s** *pl* Grundwissen *n*

notoire [nɔtwar] offenkundig

notoriété [nɔtɔrjete] *f* Offenkundigkeit *f*

notre [nɔtrə] (*pl nos*) unser(e)

nôtre [nɔtrə] *le, la ~* der, die, das unsrige *od* unsere; unsere(r, -s)

nou|er [nwe] (*1a*) knüpfen, knoten, binden; *relations*: anknüpfen; *amitié*: schließen; **~eux, ~euse** [-ø, -øz] knotig, knorrig

nouille [nuj] *f* **~s** *pl* Nudeln *f/pl*

nourr|ice [nuris] *f profession*: Tagesmutter *f*; *qui allaite*: Amme *f*; *tech* Reservetank *m*, -kanister *m*; **~ir** (*2a*) *personne*: ernähren; *animaux*: füttern; *enfant*: stillen; *fig intention, espoir*: hegen

nourr|isson [nurisõ] *m* Säugling *m*; **~iture** [-ityr] *f* Nahrung *f*, Kost *f*; *animaux*: Futter *n*

nous [nu] wir; uns

nouv|eau, ~elle (*m a ~el*; *m/pl ~eaux*) [nuvo, -ɛl] **1.** *adj* neu; *autre* andere(r, -s); *frais* jung, frisch; *rien de nouveau* nichts Neues; *de od à nouveau* von neuem; *Nouvel An m* Neujahr *n*; **2.** *m voilà du nouveau* das ist etwas Neues

nouveau-né, ~e [nuvone] **1.** *adj* neugeboren; **2.** *m* (*pl nouveau-nés*) *le ~* das Neugeborene *n*

nouveauté [nuvote] *f* Neuheit *f*

nouvell|e [nuvɛl] *f* Nachricht *f*; *récit* Novelle *f*; **~ement** [-mã] *adv* vor kurzem; **~iste** *m* Novellist *m*

nova|teur, ~trice [nɔvatœr, -tris] **1.** *adj esprit ~ novateur* auf Neuerungen sinnender Geist *m*; **2.** *m, ~* Neuerer *m*

novembre [nɔvãbrə] *m* November *m*

novice [nɔvis] **1.** *m, ~* Neuling *m*, Anfänger(in) *m(f)*; *rel* Novize *m, f*; **2.** *adj* unerfahren

noyade [nwajad] *f* Ertrinken *n*

noyau [nwajo] *m* (*pl -x*) Kern *m*; **~ter** [-te] (*1a*) *pol* unterwandern

noyer¹ [nwaje] (*1h*) ertränken; *auto* ersaufen; *se ~* ertrinken; *se suicider* sich ertränken

noyer² [nwaje] *m* Nussbaum *m*

nu, ~e [ny] **1.** *adj* nackt; *plaine, arbre*: kahl; **2.** *m art*: Akt *m*

nuag|e [nɥaʒ] *m* Wolke *f*; *pl ~s a* Bewölkung *f*; *fig* **être dans les ~s** zerstreut sein; **~eux, ~euse** [-ø, -øz] wolkig, bewölkt, bedeckt

nuanc|e [nɥɑ̃s] *f* Nuance *f* (*a fig*), Schattierung *f*; **~er** (*1k*) nuancieren, fein differenzieren

nucléaire [nykleer] Kern..., Atom..., nuklear; *énergie ~* Kernenergie *f*; *centrale f ~* Atomkraftwerk *n*

nud|isme [nydismə] *m* Freikörperkultur *f*, Nacktkultur *f*, FKK; **~iste 1.** *adj* FKK-...; **2.** *m, f* FKK-Anhänger(in) *m(f)*, Nudist(in) *m(f)*

nudité [nydite] *f* Nacktheit *f*, Blöße *f*

nue [ny] *f litt* Wolke *f*, *fig* **porter aux ~s** in den Himmel heben; *tomber des ~s* (wie) aus allen Wolken fallen

nuire [nɥir] (*4c*) schädlich sein; *~ à qn, à qc* j-m, e-r Sache schaden

nuis|ance [nɥizɑ̃s] *f* (Umwelt-) Belastung *f*; **~ible** schädlich

nuit [nɥi] *f* Nacht *f*; *la ~ od de ~* nachts; *~ blanche* schlaflose Nacht *f*; *ne pas dormir de la ~* die ganze Nacht nicht schlafen; *être de ~* Nachtschicht haben; *il fait ~* es ist dunkel

nul, ~le [ny] **1.** *adj non valable* ungültig; *sans valeur* wertlos; *match*: unentschieden; **2.** *pronom* kein; *nul (allein stehend)* keiner, niemand; *nulle part* nirgends

null|ement [nylmã] keineswegs; **~ité** *f jur* Nichtigkeit *f*; *fig* Wertlosigkeit *f*; *personne*: Versager *m*, Null *f* F

numér|aire [nymerɛr] *m* Bargeld *n*; **~al, ~ale** (*m/pl -aux*) **1.** *adj* Zahl(en)...; **2.** *m* Zahlwort *n*; **~ation** *f* Zählen *m*; **~ique** numerisch; *EDV* digital

numéro [nymero] *m* Nummer *f*; F *un drôle de ~* ein komischer Kerl

numérot|age [nymerotaʒ] *m* Nummerierung *f*; **~er** (*1a*) nummerieren

nu-pieds [nypje] (*unv*) barfuß

nuptial, ~e [nypsjal] (*m/pl -aux*) Hochzeits...

nuque [nyk] *f* Genick *n*, Nacken *m*

nu-tête [nytɛt] (*unv*) barhäuptig

nutri|tif, ~tive [nytritif, -iv] Nähr...; *aliment*: nahrhaft; **~tion** *f* Ernährung *f*

nylon [nilõ] *m* Nylon *n*

nymphe [nɛ̃f] *f* Nymphe *f*

nymphéa [nɛ̃fea] *m bot* Seerose *f*

N

O

oasis [ɔazis] f Oase f

obéir [ɔbeir] (2a) gehorchen (**à qn** j-m); *règle*: befolgen (**à qc** etw *acc*)

obéiss|ance [ɔbeisãs] f Gehorsam m; **~ant, ~ante** [-ã, -ãt] gehorsam, folgsam

obèse [ɔbɛz] fett(leibig)

obésité [ɔbezite] f Fettleibigkeit f

object|er [ɔbʒɛkte] (1a) einwenden, entgegenhalten (**qc à qn** j-m etw); *prétexter* vorgeben; **~eur** m **~ de conscience** Wehrdienstverweigerer m; **~if, ~ive** [-if, -iv] **1.** *adj* objektiv; **2.** m *photographie*: Objektiv n; *mil u allg* Ziel n

objection [ɔbʒɛksjõ] f Einwand m

objectivité [ɔbʒɛktivite] f Objektivität f

objet [ɔbʒɛ] m Gegenstand m (*a fig*); *but* Zweck m, Ziel n; *gr* Objekt n

obliga|tion [ɔbligasjõ] f Verpflichtung f, Pflicht f; *nécessité* Notwendigkeit f; *comm* Obligation f; **être dans l'~ de faire qc** genötigt sein, etw zu tun; **~toire** [-twar] obligatorisch

obligé, ~e [ɔbliʒe] verpflichtet

oblige|ance [ɔbliʒãs] f Gefälligkeit f; **~ant, ~ante** [-ã, -ãt] gefällig, verbindlich

obliger [ɔbliʒe] (1l) verpflichten; *forcer* zwingen (**qn à qc** j-n zu etw, **qn à faire qc** j-n dazu, etw zu tun); **être obligé de faire qc** gezwungen sein, etw zu tun; etw tun müssen; **~ qn** *rendre service* j-m einen Gefallen tun

obliqu|e [ɔblik] schief, schräg; **~er** (1m) (seitwärts) abbiegen

oblitérer [ɔblitere] (1f) entwerten, abstempeln

oblong, ~ue [ɔblõ, -g] länglich

obsc|ène [ɔpsɛn] unanständig, obszön; **~énité** [-enite] f Unanständigkeit f, Obszönität f; *parole*: Zote f

obscur, ~e [ɔpskyr] dunkel, finster; *raisons*: obskur; *médiocre* unscheinbar; *embrouillé* undeutlich; **~cir** [-sir] (2a) (**s'~** sich) verdunkeln; **~cissement** [-sismã] m Verdunkelung f; **~ité** f Dunkelheit f

obsédé, ~ée [ɔpsede] m, f Besessene(r) m, f; **~er** (1f) quälen, verfolgen; **être ~**

par besessen sein von

obsèques [ɔpsɛk] f/pl Begräbnis n, Trauerfeier f

observa|teur, ~trice [ɔpsɛrvatœr, -tris] m, f Beobachter(in) m(f); **~tion** f Beobachtung f; *remarque* Be-, Anmerkung f; *règle*: Beachtung f, Einhaltung f; **~toire** [-twar] m Sternwarte f, Observatorium n

observer [ɔpsɛrve] (1a) beobachten; *règle*: beachten, einhalten, befolgen; *changement, amélioration*: bemerken; **faire ~ qc à qn** j-n auf etw (*acc*) aufmerksam machen

obsession [ɔpsesjõ] f fixe Idee f; Besessenheit f

obstacle [ɔpstaklə] m Hindernis n; **faire ~ à qc** etw (*acc*) verhindern

obstin|ation [ɔpstinasjõ] f Starrsinn m, Halsstarrigkeit f, Eigensinn m; **~é, ~ée** starrsinnig, halsstarrig, eigensinnig, stur; **~er** (1a) **s'~ à (faire) qc** hartnäckig auf etw (*dat*) bestehen

obstruer [ɔpstrye] (1n) verstopfen

obtempérer [ɔptãpere] (1f) Folge leisten

obtenir [ɔptənir] (2h) bekommen; *résultat*: erreichen

obtention [ɔptãsjõ] f Erlangung f

obtur|ateur [ɔptyratœr] m *photographie*: Verschluss m; **~ation** f Verschließung f; *dent*: Zahnfüllung f; **~er** (1a) zustopfen; *dent*: plombieren

obtus, ~e [ɔpty, -z] *math u fig* stumpf

obus [ɔby] m *mil* Granate f

oc [ɔk] **la langue d'~** die südfranzösischen Dialekte, das Okzitanische

occasion [ɔkazjõ] f Gelegenheit f; *motif* Anlass m; *marché*: Gelegenheitskauf m; **d'~** gebraucht; **à l'~** bei Gelegenheit, gelegentlich; **à l'~ de** aus Anlass (*gén*); **être l'~ de qc** Anlass zu etw geben; **en toute ~** unter allen Umständen

occasionn|el, ~elle [ɔkazjɔnɛl] Gelegenheits..., gelegentlich; *fortuit* zufällig; **~er** (1a) bewirken, verursachen

Occident [ɔksidã] m **l'~** der Westen

occidental, **~e** [ɔksidãtal] (*m/pl -aux*) westlich

occitan, **~e** [ɔksitã, -an] *ling* südfranzösisch, (alt)provenzalisch

occlusion [ɔklyzjõ] *f méd* Verschluss *m*

occulte [ɔkylt] verborgen

occup|ant, **~ante** [ɔkypã, -ãt] **1.** *adj* Besatzungs...; **2.** *m appartement*: Bewohner *m*; *auto* Insasse *m*; **~ation** *f mil* Besetzung *f*; *passe-temps, travail*: Beschäftigung *f*; **~é**, **~ée** *personne*: beschäftigt; *pays, chaise*: besetzt; *appartement*: bewohnt; **~er** (*1a*) *place, pays*: besetzen, besetzt halten; *appartement*: bewohnen; *temps*: in Anspruch nehmen; *personnel*: beschäftigen; *fonction*: bekleiden; **s'~ de** *politique, littérature*: sich beschäftigen mit, sich befassen mit; **s'~ de** *malade, organisation*: sich kümmern um

occurrence [ɔkyrãs] *f* **en l'~** im vorliegenden Fall

O.C.D.E. [osedeə] *f* (*abr* **Organisation de coopération et de développement économique**) OECD *f* (Organisation für wirtschaftliche Zusammenarbeit und Entwicklung)

océan [ɔseã] *m* Ozean *m*

octet [ɔktɛ] *m EDV* Byte *n*

octobre [ɔktɔbrə] *m* Oktober *m*

octogénaire [ɔktɔʒener] **1.** *adj* achtzigjährig; **2.** *m, f* Achtzigjährige(r) *m, f*

ocul|aire [ɔkylɛr] Augen...; **~iste** *m, f* Augenarzt *m*, -ärztin *f*

odeur [ɔdœr] *f* Geruch *m*; *parfum* Duft *m*; **mauvaise ~** Gestank *m*

odieu|x, **~se** [ɔdjø, -z] scheußlich, widerwärtig

odor|ant, **~ante** [ɔdɔrã, -ãt] wohlriechend; **~at** [-a] *m* Geruchssinn *m*

œil [œj] *m* (*pl yeux* [jø]) **1.** Auge *n*; **à mes yeux** meiner Ansicht nach; **à vue d'~** zusehends; **tirer l'~** ins Auge fallen; **avoir l'~ à** aufpassen auf (*acc*); **coup d'~** Blick *m*; **avoir les yeux bleus** blaue Augen haben; **fermer les yeux sur qc** bei etw ein Auge zudrücken; **2.** *tech* Loch *n*, Auge *n*, Öse *f*; **~-de-bœuf** [-dəbœf] *m* (*pl œils-de-bœuf*) rundes (Dach-)Fenster *n*; **~-de-perdrix** [-dəperdri] *m* (*pl œils-de-perdrix*) Hühnerauge *n*

œillade [œjad] *f* verliebter Blick *m*

œillère [œjɛr] *f le plus souvent au pl* **~s**

Scheuklappen *f/pl* (*a fig*)

œillet [œjɛ] *m bot* Nelke *f*; *tech* Öse *f*

œsophage [ezofaʒ] *m* Speiseröhre *f*

œuf [œf] *m* (*pl -s* [ø]) Ei *n*; **~s brouillés** Rührei *n*; **~ à la coque** weich (gekocht)es Ei *n*; **~ sur le plat** Spiegelei *n*; **~ de Pâques** Osterei *n*; *fig* **dans l'~** im Keim

œuvre [œvrə] **1.** *f* Werk *n*, Arbeit *f*; **~s** *pl* **sociales** Sozialeinrichtungen *f/pl*; **~ d'art** Kunstwerk *n*; **se mettre à l'~** sich an die Arbeit machen; **mettre en ~** *employer* anwenden; *exécuter* ausführen; **2.** *m tech* **gros** Rohbau *m*; *art, littérature*: Werk *n*

offens|e [ɔfãs] *f insulte* Beleidigung *f*; *péché* Sünde *f*; **~er** (*1a*) beleidigen, kränken, verletzen; **s'~ de qc** an etw (*dat*) Anstoß nehmen; **~if**, **~ive** [-if, -iv] **1.** *adj* Angriffs..., offensiv; **2.** *f* Angriff *m*, Offensive *f*

offic|e [ɔfis] *m charge* Amt *n*, Dienststelle *f*; *rel* Gottesdienst *m*; **bons ~s** *pl* gute Dienste *m/pl*; **d'~** zwangsweise; **faire ~ de** tätig sein als; **~iel**, **~ielle** [-jɛl] amtlich, offiziell

officier [ɔfisje] *m* Offizier *m*; *jur* Beamte(r) *m*; **~ de police** Polizeibeamte(r) *m*

officieu|x, **~se** [ɔfisjø, -z] halbamtlich, offiziös

officinal, **~e** [ɔfisinal] (*m/pl -aux*) Heil..., Arznei...

offrande [ɔfrãd] *f rel* Opfergabe *f*

offr|e [ɔfrə] *f* Angebot *n*, Offerte *f*; **~ d'emploi** Stellenangebot *n*; **~ir** (*2f*) *marchandises, boisson*: anbieten; *cadeau*: schenken; *choix, avantage*: bieten; **~ à boire** einen Trunk anbieten; **s'~ qc** sich (*dat*) etw leisten

offusquer [ɔfyske] (*1m*) ärgern

ogive [ɔʒiv] *f arch* Spitzbogen *m*; *mil* Sprengkopf *m*

oie [wa] *f zo* Gans *f*

oignon [ɔɲõ] *m* Zwiebel *f*

oiseau [wazo] *m* (*pl -x*) Vogel *m*; **à vol d'~ vue**: aus der Vogelperspektive; *parcours*: (in der) Luftlinie

ois|eux, **~euse** [wazø, -øz] unnütz, überflüssig; **~if**, **~ive** [-if, -iv] müßig, untätig; **~iveté** [-ivte] *f* Müßiggang *m*

oléoduc [ɔleɔdyk] *m* Ölleitung *f*, Pipeline *f*

olfacti|f, **~ve** [ɔlfaktif, -v] Geruchs...

oliv|e [ɔliv] f Olive f; **~ier** [-je] m Öl-
baum m, Olive(nbaum) f(m); bois:
Olivenholz n

O.L.P. [oɛlpe] f (abr **Organisation de
libération palestinienne**) PLO f
(Palästinensische Befreiungsfront)

olympique [ɔlɛ̃pik] **jeux** m/pl **Ɔs**
Olympische Spiele n/pl

ombrag|e [ɔ̃braʒ] m feuillage schattiges
Laubwerk n; ombre Schatten m; **~é,
~ée** schattig; **~eux, ~euse** [-ø, -øz]
cheval: scheu; personne: leicht ver-
letzbar

ombr|e [ɔ̃br] f Schatten m (a fig); fig
faible apparence Hauch m, Andeutung
f; **à l'~** im Schatten; **dans l'~** im Dunkeln; **~elle** f Sonnenschirm m

omelette [ɔmlɛt] f Omelett n

omettre [ɔmɛtr] (4p) détail, lettre: aus-
weglassen; **~ de faire qc** unterlassen,
etw zu tun

omission [ɔmisjɔ̃] f Auslassung f; texte:
Lücke f

omnibus [ɔmnibys] m (**train** m) **~**
Personen-, Nahverkehrszug m

on [ɔ̃] (après que, et, ou, qui, si souvent
l'on) man; F wir

oncle [ɔ̃kl] m Onkel m

onction [ɔ̃ksjɔ̃] f rel Salbung f

onctueu|x, **~se** [ɔ̃ktɥø, -z] ölig, cremig;
fig salbungsvoll

onde [ɔ̃d] f Welle f; **sur les ~s** radio:
über den Rundfunk

ondée [ɔ̃de] f Regenguss m

on-dit [ɔ̃di] m (pl unv) Gerücht n,
Gerede n

ondoyer [ɔ̃dwaje] (1h) wogen

ondul|ation [ɔ̃dylasjɔ̃] f terrain: Welle;
coiffure: Ondulation f; **~é, ~ée** wel-
lenförmig, wellig; cheveux: gewellt;
tôle f ondulée Wellblech n; **~er** (1a)
ondes: wogen; cheveux: sich wellen;
~eux, ~euse [-ø, -øz] wellig

onéreu|x, **~se** [ɔnerø, -z] kostspielig; **à
titre onéreux** gegen Entgelt

ongle [ɔ̃gl] m (Finger-, Zehen-) Nagel
m; zo Kralle f, Klaue f

onguent [ɔ̃gɑ̃] m Salbe f

O.N.U. [ɔny] f (abr **Organisation des
Nations Unies**) UNO f (United Nations Organization)

onze [ɔ̃z] elf; subst **le ~** die Elf

onzième [ɔ̃zjɛm] 1. adj ordre: elfte(r,
-s); 2. m fraction: Elftel n

O.P.A. [opea] f (abr **offre publique
d'achat**) Übernahmeangebot n

opale [ɔpal] f Opal m

opaque [ɔpak] undurchsichtig

opéra [ɔpera] m Oper f; bâtiment:
Opernhaus n

opér|able [ɔperabl] méd operierbar;
~ateur, ~atrice [-atœr, -atris] m, f
Bedienungsmann m, -person m; film:
Kameramann m; EDV Operator m;
~ation f méd, mil Operation f; processus Vorgang m; action Aktion f;
comm Geschäft n; **~s** f/pl **financières
électroniques** elektronischer Zah-
lungsverkehr m

opérationnel, **~le** [ɔperasjɔnɛl] mil,
tech operativ, einsatzfähig

opératoire [ɔperatwar] méd Opera-
tions...

opérer [ɔpere] (1f) v/t produire bewirken; exécuter durchführen; méd
operieren; v/i avoir effet wirken; procéder verfahren; **se faire ~** sich operieren lassen

opérette [ɔperɛt] f Operette f

ophtalm|ie [ɔftalmi] f méd Augenent-
zündung f; **~ologiste** od **~ologue** m, f
Augenarzt m, -ärztin f

opiner [ɔpine] (1a) **~ de la tête** od **du
bonnet** zustimmend nicken

opiniâtre [ɔpinjɑtr] hartnäckig, unbeugsam; **~té** [-te] f Hartnäckigkeit f

opinion [ɔpinjɔ̃] f Meinung f, Ansicht f;
à mon ~ meiner Ansicht nach

opium [ɔpjɔm] m Opium m

opportun, **~e** [ɔpɔrtɛ̃ od ɔpɔrtɛ̃, -yn]
günstig, passend; **~isme** [-ynismə] m
Opportunismus m; **~iste** m, f Oppor-
tunist(in) m(f); **~ité** [-ynite] f Zweck-
mäßigkeit f

opposant, **~e** [ɔpozɑ̃, -t] 1. adj gegne-
risch; 2. m, f Gegner(in) m(f); **les
opposants** pl die Opposition

oppos|é, **~ée** [ɔpoze] 1. adj maisons,
pôles: gegenüberliegend; goûts, opinions: entgegengesetzt; **être ~ à qc**
gegen etw sein; 2. m contradiction
Gegensatz m; contraire Gegenteil n; **à
l'opposé** auf der entgegengesetzten
Seite; **à l'opposé de** im Gegensatz zu;
~er (1a) gegenüberstellen; argument:
entgegenhalten, -setzen; **s'~ à qn, à qc**
sich j-m, e-r Sache widersetzen; **~ition** f
contraste Gegensatz m; pol Opposition

f; *résistance* Widerstand *m*; *jur* Einspruch *m*; **par ~ à** im Gegensatz zu

oppress|er [ɔprɛse] (*1b*) beklemmen, bedrücken; **~eur** *m* Unterdrücker *m*; **~if, ~ive** [-if, -iv] Unterdrückungs...; **~ion** *f domination* Unterdrückung *f*; *malaise* Beklemmung *f*

opprimer [ɔprime] (*1a*) unterdrücken

opter [ɔpte] (*1a*) optieren, sich entscheiden (**pour** für)

opticien, ~ne [ɔptisjɛ̃, -ɛn] *m, f* Optiker(in) *m(f)*

optim|al, ~ale [ɔptimal] (*m/pl -aux*) optimal; **~isme** *m* Optimismus *m*; **~iste** **1.** *adj* optimistisch; **2.** *m, f* Optimist *m(f)*; **~um** [-ɔm] *m* Optimum *n*

option [ɔpsjɔ̃] *f* Wahl *f*; *jur* Option *f*

optique [ɔptik] **1.** *adj* optisch, Seh...; **2.** *f* Optik *f*; *fig* Blickwinkel *m*

opulent, ~e [ɔpylɑ̃, -t] *riche* sehr reich; *poitrine:* üppig

or¹ [ɔr] *m* Gold *n*; **d'~, en ~** golden; **plaqué ~** vergoldet

or² [ɔr] *conj* nun (aber)

oracle [ɔraklə] *m* Orakel *n*

orag|e [ɔraʒ] *m* Gewitter *n*; *fig* Sturm *m*; **~eux, ~euse** [-ø, -øz] gewitt(e)rig; *fig* stürmisch

oraison [ɔrɛzɔ̃] *f rel* Gebet *n*; **~ funèbre** Grabrede *f*

oral, ~e [ɔral] (*m/pl -aux*) **1.** *adj* mündlich; **2.** *m* mündliche Prüfung *f*

orange [ɔrɑ̃ʒ] **1.** *f* Apfelsine *f*, Orange *f*; **2.** *adj* (*unv*) orangefarben; **~er** *m* Apfelsinen-, Orangenbaum *m*

ora|teur, ~trice [ɔratœr, -tris] *m, f* Redner(in) *m(f)*

orbital, ~e [ɔrbital] (*m/pl -aux*) *navigation spatiale:* Bahn..., Orbital...

orbite [ɔrbit] *f* **1.** *anat* Augenhöhle *f*; **2.** *astr* Umlaufbahn *f*; *fig* Einflussbereich *m*

orchestre [ɔrkɛstrə] *m* Orchester *n*; *théâtre:* vorderes Parkett *n*

orchidée [ɔrkide] *f bot* Orchidee *f*

ordinaire [ɔrdinɛr] **1.** *adj habituel* gewöhnlich, üblich; *banal* einfach; *de peu de valeur* mittelmäßig; **2.** *m auto* Normalbenzin *n*; **comme à l'~** wie gewöhnlich; **d'~** meistens

ordinateur [ɔrdinatœr] *m EDV* Computer *m*; **assisté par ~** computergestützt

ordonn|ance [ɔrdɔnɑ̃s] *f* Ver-, Anord-

nung *f*; *méd* Rezept *n*; *jur* Beschluss *m*, Verfügung *f*; **~é, ~ée** geordnet; *personne:* ordentlich; **~er** (*1a*) *choses, pensées:* ordnen; *commander* anordnen, befehlen (**que** + *subj* dass); *méd* verschreiben

ordre [ɔrdrə] *m* Ordnung *f*; *classement:* Reihenfolge *f*; *espèce* Art *f*, Natur *f*; *mil* Befehl *m*; *comm* Auftrag *m*, Order *f*; *hist* Stand *m*; *rel* Orden *m*; **~ du jour** Tagesordnung *f*; **~ établi** herrschende Ordnung *f*; **par ~ alphabétique** alphabetisch geordnet; **de l'~ de** in der Größenordnung von; **de premier ~** erstklassig; **en ~** (wohl) geordnet, in Ordnung; **mettre en ~** aufräumen; **jusqu'à nouvel ~** bis auf weiteres

ordure [ɔrdyr] *f* Unrat *m*; **~s** *pl* Abfall *m*; *fig* Schweinereien *f/pl*

ordur|ier, ~ière [ɔrdyrje, -jɛr] schmutzig, unanständig

oreill|e [ɔrɛj] *f anat* Ohr *n*; *tasse:* Henkel *m*; **dur d'~** schwerhörig; **~er** *m* Kopfkissen *n*; **~ons** *m/pl méd* Mumps *m*, Ziegenpeter *m*

ores d'~ et déjà [ɔrdezedeʒa] schon jetzt

orfèvre [ɔrfɛvrə] *m* Goldschmied *m*

organe [ɔrgan] *m* Organ *n* (*a pol, jur*); *instrument* Werkzeug *n*; **~igramme** [-igram] *m* Organisationsschema *n*; **~ique** organisch

organ|isation [ɔrganizasjɔ̃] *f* Organisation *f*; **~iser** (*1a*) organisieren; *spectacle:* veranstalten; **s'~** sich (dat) seine Zeit *etc* richtig einteilen; **~isme** *m bot*, *anat* Organismus *m* (*a fig*); *ensemble de services* Einrichtung *f*, Organisation *f*; **~iste** *m, f* Organist(in) *m(f)*

orgasme [ɔrgasm] *m* Orgasmus *m*

orge [ɔrʒ] *f bot* Gerste *f*

orgelet [ɔrʒəlɛ] *m méd* Gerstenkorn *n*

orgue [ɔrg] *m* (*pl f*) Orgel *f*

orgueil [ɔrgœj] *m* Stolz *m*; *arrogance* Hochmut *m*

orgueilleu|x, ~se [ɔrgœjø, -z] stolz; *arrogant* hochmütig

Orient [ɔrjɑ̃] *m l'~* der Osten; *Asie:* der Orient

oriental, ~e [ɔrjɑ̃tal] (*m/pl -aux*) **1.** *adj* östlich; *Asie:* orientalisch; **2.** ♀ *m, f* Orientale *m*, Orientalin *f*

orientation [ɔrjɑ̃tasjɔ̃] *f* Orientierung *f*; *maison:* Lage *f*

orient|é, ~ée [ɔrjɑ̃te] **1.** **être ~ à l'est**

nach Osten liegen; **2.** *fig* tendenziös; **~er** (*1a*) orientieren, ausrichten; **s'~** sich orientieren, sich zurechtfinden

orifice [ɔrifis] *m tech* Öffnung *f*

originaire [ɔriʒinɛr] ursprünglich; **être ~ de** stammen aus

original, ~e [ɔriʒinal] (*m/pl -aux*) **1.** *adj document, tableau*: original; *idée, cadeau*: originell; **2.** *m ouvrage*: Original *n*; *personne*: Sonderling *m*; **~ité** *f* Ursprünglichkeit *f*, Originalität *f*

origine [ɔriʒin] *f* Ursprung *m*; *personne, mot, coutume*: Herkunft *f*; *biol* Abstammung *f*; *commencement* Anfang *m*; *naissance* Entstehung *f*; **à l'~** anfangs, ursprünglich; *de* Geburt Franzose; **avoir son ~ dans qc** seine Ursache in etw (*dat*) haben; **~el, ~elle** ursprünglich; *rel* **péché** *m* **originel** Erbsünde *f*

orme [ɔrm] *m bot* Ulme *f*

ornement [ɔrnəmã] *m* Verzierung *f*

ornemental, ~ale [ɔrnəmãtal] (*m/pl -aux*) Zier..., Schmuck..., ornamental; **~er** (*1a*) verzieren

orner [ɔrne] (*1a*) schmücken, verzieren (*de* mit)

ornière [ɔrnjɛr] *f* (Wagen-)Spur *f*

ornithologie [ɔrnitɔlɔʒi] *f* Vogelkunde *f*

orphelin, ~e [ɔrfəlɛ̃, -in] *m, f* Waise *f*, Waisenkind *n*; **~at** [-ina] *m* Waisenhaus *n*

orteil [ɔrtɛj] *m* Zehe *f*

orthodoxe [ɔrtɔdɔks] orthodox

orthographe [ɔrtɔgraf] *f* Orthografie *f*

orthopédique [ɔrtɔpedik] orthopädisch; **~iste** *m, f* Orthopäde *m*

ortie [ɔrti] *f bot* Brennnessel *f*

os [ɔs; *pl* o] *m* Knochen *m*; F **jusqu'à l'~** durch und durch

O.S. [oɛs] *m* (*abr* **ouvrier spécialisé**) angelernter Arbeiter *m*

oscillation [ɔsilasjõ] *f phys* Schwingung *f*, *fig* Schwankung *f*; **~er** (*1a*) *phys* schwingen; **~ entre** *fig* schwanken zwischen (*dat*)

osé, ~e [oze] *tentative*: gewagt; *personne*: dreist

oseille [ozɛj] *f bot* Sauerampfer *m*

oser [oze] (*1a*) wagen; **~ faire qc** wagen *od* sich getrauen, etw zu tun

osier [ozje] *m bot* Korbweide *f*; **en ~** Korb...

ossature [ɔsatyr] *f* Knochengerüst *n*

ossements [ɔsmã] *m/pl* Gebeine *n/pl*; **~eux, ~euse** [-ø, -øz] *anat* knöchern; *visage, mains*: knochig

ostensible [ɔstãsiblə] ostentativ; **~oir** *m égl* Monstranz *f*

ostentation [ɔstãtasjõ] *f* Prahlerei *f*

otage [ɔtaʒ] *m* Geisel *f*

O.T.A.N. [ɔtã] *f* (*abr* **Organisation du traité de l'Atlantique Nord**) NATO *f*

ôter [ote] (*1a*) wegnehmen; *vêtement*: ausziehen; *chapeau*: abnehmen; *math* subtrahieren, abziehen

oto-rhino-(-laryngologiste) [ɔtorino (larɛ̃gɔlɔʒist)] *m* Hals-Nasen-Ohren-arzt *m*

ou [u] *conj* oder; **~ ... bien** oder aber; **~ ... ~ ...** entweder ... oder

où [u] *adv* wo; *direction*: wohin; *dans lequel*: worin; **d'~** woher; **par ~** auf welchem Wege; **~ que** (+ *subj*) wo(hin) auch (immer)

ouate [wat] *f* Watte *f*; **~er** (*1a*) wattieren

oubli [ubli] *m* Vergessen *n*; **tomber dans l'~** in Vergessenheit geraten

oublier [ublije] (*1a*) vergessen; **~ de faire qc** vergessen, etw zu tun

oubliettes [ublijɛt] *f/pl* (Burg-)Verlies *n*

ouest [wɛst] **1.** *m* Westen *m*; **vent** *m* **d'~** Westwind *m*; **à l'~ de** westlich von; **2.** *adj* westlich

oui [wi] ja; **je crois que ~** ich glaube ja; **mais ~** [mɛwi] allerdings

ouï-dire [widir] *par* ~ vom Hörensagen

ouïe [wi] *f* Gehör(sinn) *n*(*m*); *zo* **~s** *pl* Kiemen *f/pl*

ouragan [uragã] *m* Orkan *m*

ourdir [urdir] (*2a*) anzetteln

ourler [urle] (*1a*) (um)säumen; **~et** [-ɛ] *m* Saum *m*

ours [urs] *m* Bär *m*; **~e** [urs] *f* Bärin *f*; *astr* **la Grande** ☾ der Große Bär; **~in** *m* *zo* Seeigel *m*

oust(e)! [ust] F raus!; schnell!

outil [uti] *m* Werkzeug *n*; **~s** *pl* Handwerkszeug *n*

outillage [utijaʒ] *m* Handwerkszeug *n*, Ausrüstung *f*; **~é, ~ée** mit Werkzeugen ausgerüstet

outrage [utraʒ] *m* Beleidigung *f*, Schmähung *f*; **~er** (*1l*) beschimpfen, beleidigen; **~eusement** [-øzmã] *adv* äußerst

outrance [utrãs] *f* Übertreibung *f*; **à ~**

O

bis aufs Äußerste

outre¹ [utrə] *prép* außer; *adv* **en ~** außerdem; **passer ~ à qc** über etw (*acc*) hinweggehen

outre² [utrə] *f* Schlauch *m* (*für Flüssigkeiten*)

outré, ~e [utre] **être ~ de** *od* **par qc** empört, entrüstet sein über etw (*acc*)

outre-mer [utrəmɛr] *d'~* überseeisch, Übersee...

outrepasser [utrəpase] (*1a*) überschreiten

outre-Rhin [utrərɛ̃] jenseits des Rheins (*von Frankreich aus*)

ouvert, ~e [uver, -t] offen, geöffnet; *fig* aufgeschlossen (**à** für); **à bras ouverts** mit offenen Armen; **~ement** [-ɛrtəmã] *adv* offen, freiheraus

ouverture [uvɛrtyr] *f action:* Öffnen *n*; *orifice* Öffnung *f*; *compte, exposition:* Eröffnung *f*; *mus* Ouvertüre *f*

ouvr|able [uvrablə] *jour m ~* Werktag *m*; **~age** *m* Arbeit *f*, Werk *n*; *arch* **gros ~** Rohbau *m*

ouvragé, ~e [uvraʒe] kunstvoll gearbeitet

ouvrant [uvrã] *auto* **toit** *m* **~** Schiebedach *n*

ouvre|-boîtes [uvrəbwat] *m* (*pl unv*) Büchsenöffner *m*; **~-bouteilles** [-butej] *m* (*pl unv*) Flaschenöffner *m*

ouvreuse *f* [uvrøz] Platzanweiserin *f*

ouvri|er, ~ère [uvrije, -er] **1.** *adj* Arbeiter...; **2.** *m, f* Arbeiter(in) *m(f)*; **ouvrier qualifié** Facharbeiter *m*

ouvrir [uvrir] (*2f*) *v/t* öffnen, aufmachen; *exposition, compte:* eröffnen; *radio, gaz:* anstellen, anmachen; *v/i magasin, musé:* aufmachen, öffnen; **s'~** sich öffnen, aufgehen

ovaire [over] *m biol* Eierstock *m*

ovale [ɔval] **1.** *adj* oval; **2.** *m* Oval *n*

ovation [ɔvasjõ] *f* Ovation *f*

ovin, ~e [ɔvɛ̃, -in] Schaf...

ovni [ɔvni] *m* (*abr* **objet volant non identifié**) Ufo *n* (*abr* unbekanntes Flugobjekt)

ovule [ɔvyl] *m biol* Ei(zelle) *n(f)*

oxyder [ɔkside] (*1a*) oxidieren

oxygène [ɔksiʒɛn] *m chim* Sauerstoff *m*

ozone [ozɔ(o)n] *m chim* Ozon *n*; **trou** *m* **d'~** Ozonloch *n*

P

p. (*abr* **page[s]**) S. (Seite)

pacage [pakaʒ] *m agr* Weide *f*

pacification [pasifikasjõ] *f* Befriedung *f*

pacifier [pasifje] (*1a*) befrieden; *fig* beruhigen

pacif|ique [pasifik] *personne:* friedliebend; *coexistence:* friedlich; **le ♀** *od* **l'océan ♀** der Pazifik, der Pazifische *od* Stille Ozean; **~isme** *m* Pazifismus *m*

pacotille [pakɔtij] *f péj* Schund *m*

pact|e [pakt] *m* Pakt *m*, Vertrag *m*; **~ de solidarité entre les générations** Generationenvertrag *m*; **~iser** (*1a*) paktieren (**avec** mit)

pagaïe *od* **pagaille** [pagaj] *f* F Durcheinander *n*

paganisme [paganismə] *m* Heidentum *n*

pagayer [pageje] (*1i*) paddeln

page [paʒ] *f* Seite *f*; *fig* **être à la ~** auf dem Laufenden sein

pagne [paɲ] *m* Lendenschurz *m*

paie [pɛ] *f* Lohn(zahlung) *m(f)*

paiement [pemã] *m* (Be-)Zahlung *f*

païen, ~ne [pajɛ̃, -ɛn] **1.** *adj* heidnisch; **2.** *m, f* Heide *m*, Heidin *f*

paillard, ~e [pajar, -d] *personne:* wollüstig; *propos:* schlüpfrig

paillass|e [pajas] *f* Strohsack *m*; **~on** *m* Abtreter *m*

paille [paj] *f* Stroh *n*; *brin* Strohhalm *m*; *boire:* Stroh-, Trinkhalm *m*

paillette [pajet] *f* Plättchen *n*

pain [pɛ̃] *m* Brot *n*; **~ de savon** Riegel *m* Seife; **~ de sucre** Zuckerhut *m*; **~ bis** Schwarzbrot *n*; **~ complet** Vollkornbrot *n*; **~ d'épice** Pfeffer-, Lebkuchen *m*; **petit ~** Brötchen *n*; **~ de mie** Toastbrot *n*; **~ noir** Schwarzbrot *n*

pantelante

pair, ~e [pɛr] **1.** *adj nombre*: gerade; **2.** *m* **hors (de) pair** unübertrefflich; **aller de pair** Hand in Hand gehen; **fille** *f* **au pair** Aupairmädchen *n*; **être au pair** gegen Kost und Logis arbeiten

paire [pɛr] *f* Paar *n*; **une ~ de gants** ein Paar Handschuhe; **une ~ de ciseaux** e-e Schere; **une ~ de lunettes** e-e Brille

paisible [pezibl] friedlich; *personne*: friedlich, friedliebend

paître [pɛtr] (*4z*) weiden; **mener ~** auf die Weide führen

paix [pɛ] *f* Frieden *m*; *calme* Stille *f*, Ruhe *f*; **faire la ~** Frieden schließen; F **fiche-moi la ~!** lass mich in Ruhe!

Pakistan [pakistɑ̃] **le ~** Pakistan *n*

pakistanais, ~e [pakistanɛ, -z] **1.** *adj* pakistanisch; **2.** ♀ *m*, *f* Pakistani *m*, *f*

pal [pal] *m* Pfahl *m*

palais [palɛ] *m* **1.** Palast *m*; **~ de justice** Gerichtsgebäude *n*; **2.** *anat* Gaumen *m*

palan [palɑ̃] *m* Flaschenzug *m*

Palatinat [palatina] **le ~** die Pfalz

pale [pal] *f aviron*: Ruderblatt *n*; *hélice*: Propellerflügel *m*, -blatt *n*

pâle [pal] blass, bleich; *fig* farblos

Palestine [palɛstin] **la ~** Palästina *n*; **~ien, ienne** [-jɛ̃, -jɛn] **1.** *adj* palästinensisch; **2.** ♀ *m*, *f* Palästinenser(in) *m(f)*

paletot [palto] *m* kurzer Mantel *m*

palette [palɛt] *f peinture*: Palette *f* (*a fig*)

pâleur [palœr] *f* Blässe *f*

palier [palje] *m escalier*: Treppenabsatz *m*; *tech* Lager *n*; *phase* Stufe *f*; **par ~s** schrittweise

pâlir [palir] (*2a*) *personne*: blass od bleich werden, erblassen; *couleurs*: verblassen

palissade [palisad] *f* Lattenzaun *m*, Palisade *f*

palliatif [paljatif] *m* Notbehelf *m*; **~er** (*1a*) *manque*: abhelfen (*[à] qc* e-r Sache)

palmarès [palmarɛs] *m* Siegerliste *f*

palme [palm] *f bot* Palmzweig *m*; *natation*: Schwimmflosse *f*; **~eraie** [-ərɛ] *f* Palmenhain *m*; **~ier** [-je] *m bot* Palme *f*

palombe [palɔ̃b] *f zo* Ringeltaube *f*

pâlot, ~te [palo, -ɔt] blässlich

palpable [palpabl] greifbar; *fig*: betasten; F *argent*: einstreichen

palpitant, ~ante [palpitɑ̃, -ɑ̃t] zuckend;

fig spannend; **~ation** *f* Zucken *n*; *le plus souvent au pl* **~s** Herzklopfen *n*; **~er** (*1a*) zucken; *cœur*: klopfen, pochen

paludisme [palydism] *m méd* Sumpffieber *n*, Malaria *f*

pâmer [pɑme] (*1a*) **se ~ de** außer sich (*dat*) sein vor

pâmoison [pɑmwazɔ̃] *f iron* Ohnmacht *f*

pamphlet [pɑ̃flɛ] *m* Pamphlet *n*, Schmähschrift *f*

pamplemousse [pɑ̃pləmus] *m* Pampelmuse *f*, Grapefruit *f*

pan [pɑ̃] *m vêtement*: Rockschoß *m*; *mur*: (Mauer-)Stück *n*; *arch* **~ de bois** Fachwerk *n*

panacée [panase] *f* Allheilmittel *n*

panache [panaʃ] *m* Helm-, Federbusch *m*; **avoir du ~** ein schneidiges Auftreten haben; **~é, ~ée** gemischt

pancarte [pɑ̃kart] *f* Anschlag(zettel) *m*; *manifestation*: Spruchband *n*

pancréas [pɑ̃kreas] *m anat* Bauchspeicheldrüse *f*

paner [pane] (*1a*) *cuis* panieren

panier [panje] *m* Korb *m*; **~ à provisions** Einkaufskorb *m*

panification [panifikasjɔ̃] *f* Brotbereitung *f*

panique [panik] **1.** *adj* panisch; **2.** *f* Panik *f*

panne [pan] *f* Defekt *m*; *voiture*: Panne *f*; **être** *od* **rester en ~** e-e Panne haben; **tomber en ~ sèche** kein Benzin mehr haben; **en ~** defekt, kaputt; **~ d'électricité** Stromausfall *m*

panneau [pano] *m* (*pl -x*) Schild *n*, Tafel *f*; *tech* Platte *f*; **~ de signalisation** Verkehrsschild *n*; **~ publicitaire** Werbeplakat *n*

panonceau [panɔ̃so] *m* (*pl -x*) (kleines) Schild *n*

panoplie [panɔpli] *f* Waffensammlung *f*; *fig* Arsenal *n*

panorama [panɔrama] *m* Panorama *n*; **~ique** Rundblick...

panse [pɑ̃s] *f* F Wanst *m*

pansement [pɑ̃smɑ̃] *m bande*: Verband *m*; *blessé*: Verbinden *n*; **boîte** *f* **à ~** Verband(s)kasten *m*; **~er** (*1a*) *blessure*: verbinden; *chevaux*: striegeln

pantalon [pɑ̃talɔ̃] *m* (lange) Hose *f*

pantelant, ~e [pɑ̃tlɑ̃, -t] keuchend, schnaufend

panthère [pãtɛr] f zo Panther m

pantin [pãtɛ̃] m Hampelmann m

pantois [pãtwa] (unv) **rester** ~ verblüfft sein

pantouflard [pãtuflar] m F Stubenhocker m

pantoufle [pãtuflə] f Pantoffel m, Hausschuh m

paon [pã] m zo Pfau m

papa [papa] m Papa m; fig **à la** ~ gemütlich

pap|al, **~ale** [papal] (m/pl -aux) rel päpstlich; **~auté** [-ote] f rel Papsttum n

pape [pap] m rel Papst m

paperasse [papras] f (souvent au pl ~s) péj Papierkram m, Schreibkram m

papet|erie [papɛtri] f magasin: Schreibwarenhandlung f; usine: Papierfabrik f; **~ier**, **~ière** [-je, -jɛr] m, f Schreibwarenhändler(in) m(f)

papier [papje] m Papier n; **~s** pl Dokumente n/pl, Papiere n/pl; **~ hygiénique** Toilettenpapier n; **~ peint** Tapete f; **~ à lettres** Briefpapier n; **~ d'aluminium** Alufolie f; **~ recyclable** Recyclingpapier n; **~-monnaie** [-mɔnɛ] m Papiergeld n

papillon [papijõ] m 1. zo Schmetterling m; tech Flügelmutter f; **nœud** ~ Fliege f (Krawatte); 2. contravention Strafzettel m

papillote [papijɔt] f Knallbonbon n, m

papoter [papɔte] (1a) schwatzen, plappern

paprika [paprika] m cuis Paprika m

paquebot [pakbo] m Passagierschiff n, Ozeandampfer m

pâquerette [pakrɛt] f bot Gänseblümchen n

Pâques [pak] m/sg od f/pl Ostern n od pl; **à** ~ an, zu Ostern; **joyeuses ~!** frohe Ostern!

paquet [pakɛ] m Paket n; sucre, café: Päckchen n; cigarettes: Schachtel f; poste: Paket n, Päckchen n

par [par] prép 1. lieu: ~ **la porte**, ~ **la fenêtre** zur Tür, zum Fenster hinaus (od herein); **tomber** ~ **terre** zu Boden fallen; ~ **le haut** von oben (her); ~ **en bas** von unten (her), unten herum od entlang; **passer** ~ **Berlin** über Berlin reisen; **être assis** ~ **terre** auf dem Boden sitzen; **prendre** ~ **la main** bei der Hand fassen; 2. temps: ~ **beau temps** bei schönem Wetter; ~ **un beau soir** an e-m schönen Abend; 3. raison: ~ **conséquent** folglich; ~ **curiosité** aus Neugierde; ~ **hasard** zufällig; ~ **malheur** unglücklicherweise; 4. agent du passif: **vaincu** ~ **César** von Cäsar besiegt; **La Nausée** ~ **Sartre** „La Nausée" von Sartre; 5. moyen: ~ **bateau** mit dem Schiff; **partir** ~ **le train** mit dem Zug abfahren; ~ **la poste** mit der Post; 6. mode: ~ **centaines** zu Hunderten; ~ **voie aérienne** auf dem Luftweg; math **diviser** ~ **quatre** durch vier teilen; ~ **trop** wirklich zu sehr; ~ **écrit** schriftlich; 7. distributif: ~ **an** jährlich; ~ **jour** täglich; ~ **tête** pro Kopf; 8. **commencer** (finir) ~ **faire qc** anfangs (schließlich od zuletzt) etw tun; 9. **de** ~ **le monde** überall auf der Welt; **de** ~ **sa nature** von Natur aus

para [para] m mil abr de **parachutiste**

parabole [parabɔl] f Gleichnis n; math Parabel f

parachut|e [paraʃyt] m Fallschirm m; **~iste** m, f Fallschirmspringer(in) m(f); mil Fallschirmjäger m

parade [parad] f 1. **de** ~ Parade..., Prunk...; 2. défense Abwehr f; argument: Entgegnung f

parad|is [paradi] m Paradies n; **~isiaque** [-izjak] paradiesisch

paradox|al, **~ale** [paradɔksal] (m/pl -aux) paradox; **~e** m Paradox n, Widersinn m

paraf|e [paraf] m Namenszug m, -zeichen n; **~er** (1a) abzeichnen, paraphieren

parages [paraʒ] m/pl mar Seegebiet n; allg Gegend f; **dans les** ~**s de** in der Nähe von

paragraphe [paragraf] m Abschnitt m, Absatz m

paraître [parɛtrə] (4z) apparaître erscheinen; sembler scheinen, aussehen; ~ (+ inf) scheinen zu (+ inf); **il paraît que ...** man sagt, dass ...; **à ce qu'il paraît** wie es scheint; **laisser** ~ zeigen

parallèle [paralɛl] 1. adj parallel (à zu); 2. f math Parallele f; 3. m géogr Breitenkreis m; fig Gegenüberstellung f, Parallele f, Vergleich m

paralys|er [paralize] (1a) lähmen (a fig); **~ie** [-i] f Lähmung f

paramètre [paramɛtrə] m Parameter m

parapet [parapɛ] *m* Brüstung *f*, Geländer *n*

paraphe(r) → **parafe(r)**

paraphras|e [parafrɑz] *f* Umschreibung *f*; **~er** (*1a*) umschreiben

parapluie [paraplчi] *m* Regenschirm *m*

parasite [parazit] **1.** *adj* schmarotzend; **2.** *m* Schmarotzer *m* (*a fig*), Parasit *m* (*a fig*); **~s** *pl radio*: Störgeräusche *n/pl*

para|sol [parasɔl] *m* Sonnenschirm *m*; **~tonnerre** [-tɔnɛr] *m* Blitzableiter *m*

paravent [paravɑ̃] *m* Wandschirm *m*, spanische Wand *f*

parc [park] *m* Park *m*; *enfant*: Laufstall *m*; *moutons*: Pferch *m*; ~ **de stationnement** Parkplatz *m*

parcelle [parsɛl] *f terrain*: Parzelle *f*

parce que [parskə] weil

parchemin [parʃəmɛ̃] *m* Pergament *n*

par-ci [parsi] ~, **par-là** *espace*: hier und da; *temps*: hin und wieder

parcimonie [parsimɔni] *f avec* ~ sehr sparsam

parc(o)mètre [park(ɔ)mɛtrə] *m* Parkuhr *f*

parcourir [parkurir] (*2i*) *à pied*: durchlaufen; *voiture*: durchfahren; *texte*: überfliegen

parcours [parkur] *m* Strecke *f*; *course d'automobiles*: Rennstrecke *f*; **accident ~ de** ~ Missgeschick *m*

par-derrière [pardɛrjɛr] *adv* von hinten, hinterrücks; *fig* hintenherum

par-dessous [pardəsu] **1.** *prép* unter; **2.** *adv* darunter

pardessus [pardəsy] *m* Überzieher *m*

par-dessus [pardəsy] **1.** *prép* über; **2.** *adv* darüber (hinweg); ~ **le marché** obendrein

par-devant [pardəvɑ̃] *adv* vorn (herum)

pardon [pardɔ̃] *m* Verzeihung *f*; **~!** Entschuldigung!; **~?** wie bitte?; **demander** ~ **à qn** j-n um Verzeihung bitten; **~ner** [pardɔne] (*1a*) ~ **qc à qn** j-m etw verzeihen

pare-|brise [parbriz] *m* (*pl unv*) *auto* Windschutzscheibe *f*; **~chocs** [-ʃɔk] *m* (*pl unv*) *auto* Stoßstange *f*

pareil, **~le** [parɛj] *semblable* gleich, ähnlich (*à qc* e-r Sache); *tel* derartig, solch; **sans** ~ unvergleichlich; F **c'est du pareil au même** das ist Jacke wie Hose; *adv* **habillés pareil** gleich angezogen

pareillement [parɛjmɑ̃] *adv* gleichfalls

parement [parmɑ̃] *m* Ärmelaufschlag *m*; *arch* Verblendung *f*, Blendmauer *f*

par|ent, **~ente** [parɑ̃, -ɑ̃t] **1.** *adj* verwandt; **2.** *m*, *f* Verwandte(r) *m*, *f*; **parents** *m/pl* Eltern *pl*; **~enté** [-ɑ̃te] *f* Verwandtschaft *f*

parenthèse [parɑ̃tɛz] *f* (runde) Klammer *f*; *digression* Zwischenbemerkung *f*; *entre* ~**s** in Klammern; *fig* beiläufig gesagt; *mettre entre* ~**s** einklammern

parer [pare] (*1a*) **1.** *litt* herrichten, schmücken; **2.** *attaque*: parieren, abwehren; *mar cap*: umfahren; ~ **à qc** e-r Sache vorbeugen

paress|e [parɛs] *f* Faulheit *f*; **~eux**, **~euse** [-ø, -øz] faul

parfait, **~e** [parfɛ, -t] **1.** *adj beauté*, *peinture*: vollkommen, vollendet, perfekt; *silence*, *bonheur*: vollkommen; *précédant le subst*: völlig; **2.** *m gr* Perfekt *n*; *glace*: Parfait *n*; **~ement** *adv* völlig, ganz; *comme réponse*: gewiss

parfois [parfwa] manchmal

parfum [parfɛ̃, -œ̃] *m odeur* Duft *m*; *substance*: Parfüm *n*; *glace*: Geschmack *m*

parfum|é, **~ée** [parfyme] duftend; *femme*: parfümiert; **~er** (*1a*) parfümieren

pari [pari] *m* Wette *f*

parier [parje] (*1a*) wetten

paris|ien, **~ienne** [parizjɛ̃, -jɛn] **1.** *adj* Pariser, pariserisch; **2.** ♀ *m*, *f* Pariser(in) *m(f)*

par|itaire [paritɛr] paritätisch; **~ité** *f écon* Parität *f*

parjure [parʒyr] *litt* **1.** *m* Meineid *m*; **2.** *m*, *f* Meineidige(r) *m*, *f*

parking [parkiŋ] *m* Parkplatz *m*; *édifice*: Parkhaus *n*; ~ **souterrain** Tiefgarage *f*

parl|ant, **~ante** [parlɑ̃, -ɑ̃t] *comparaison*: anschaulich; *film* ~ **parlant** Tonfilm *m*; *horloge f* **parlante** Zeitansage *f*; *généralement parlant* allgemein gesprochen; **~é**, **~ée** gesprochen

Parlement [parləmɑ̃] *m* Parlament *n*

parlement|aire [parləmɑ̃tɛr] **1.** *adj* parlamentarisch; **2.** *m*, *f* Parlamentarier(in) *m(f)*; **~er** (*1a*) verhandeln (*avec qn sur qc* mit j-m über etw)

parl|er [parle] (*1a*) sprechen (*à qn od avec qn* j-n, mit j-m); ~ **de qc** über etw (*acc*) sprechen *od* reden; ~ **affaires** von

Geschäften sprechen; **~** *(l')allemand* Deutsch sprechen; **~** *boutique* fachsimpeln; **~** *petit nègre* kauderwelschen; *sans* **~** *de* abgesehen von; **2.** *m* Sprache *f*, Sprechweise *f*; **~** *régional* Mundart *f*; **~oir** *m* Sprechzimmer *n*

parmi [paʀmi] unter (*dat*); **~** *tant d'autres* unter *od* von vielen

parod|**ie** [paʀɔdi] *f* Parodie *f*; **~ier** [-je] (*1a*) parodieren

paroi [paʀwa] *f* Wand *f*

paroiss|**e** [paʀwas] *f* égl Pfarrei *f*, (Pfarr-)Gemeinde *f*; **~ien** *m*, **~ienne** *f* égl Gemeindemitglied *n*

parole [paʀɔl] *f* mot, engagement Wort *n*; *énoncé* Ausspruch *m*; *faculté*: Sprache *f*; **~** *(d'honneur)* Ehrenwort *n*; *donner* *la* **~** *à qn* j-m das Wort erteilen; *donner* *sa* **~** sein (Ehren-)Wort geben; **~s** *pl* *chanson*: Text *m*

parquer [paʀke] (*1m*) parken

parquet [paʀkɛ] *m* Parkett *n*; *jur* Staatsanwaltschaft *f*

parrain [paʀɛ̃] *m* Pate *m*

parsemer [paʀsəme] (*1d*) übersäen, bestreuen (*de* mit)

part [paʀ] *f* Anteil *m*, Teil *m od n*; *à* **~** *entière* vollwertig; *pour ma* **~** was mich betrifft; *avoir* **~** *à qc* an etw (*dat*) teilhaben; *faire* **~** *de qc à qn* j-m etw (*acc*) mitteilen; *faire la* **~** *de qc* etw (*acc*) berücksichtigen; *prendre* **~** *à qc* an etw (*dat*) teilnehmen; *de la* **~** *de qn* vonseiten j-s; *de ma* **~** von mir, meinerseits; *d'une* **~** **~** *d'autre* **~** einerseits ~ andererseits; *autre* **~** anderswo(hin); *nulle* **~** nirgends; *quelque* **~** irgendwo(hin); *à* **~** *adv* beiseite; *un cas* *à* **~** *adj* ein Fall für sich; *à* **~** *cela* abgesehen davon; *en bonne* **~** im guten Sinn

partag|**e** [paʀtaʒ] *m* (Auf-)Teilung *f*; *héritage*: Erbteil *n*; **~** *des voix* Stimmengleichheit *f*; **~er** (*1l*) (auf-, ver)teilen

partance [paʀtɑ̃s] *f* *en* **~** abfahr-, abflugbereit (*pour* nach); *le train en* **~** *pour ...* der Zug nach ...

partant [paʀtɑ̃] *m* Abreisende(r) *m*; *sports*: Teilnehmer *m*

partenaire [paʀtənɛʀ] *m*, *f* Partner(in) *m*(*f*)

parterre [paʀtɛʀ] *m* *fleurs*: Blumenbeet *n*; *théâtre*: Parkett *n*

---

parti[1] [paʀti] *m* Partei *f*; *prendre* **~** *pour*, *contre* Partei ergreifen für, gegen; *prendre un* **~** e-n Entschluss fassen; *tirer* **~** *de qc* etw (*acc*) (aus)nutzen; **~** *pris* Voreingenommenheit *f*

parti[2], **~e** [paʀti] *p/p de partir u adj* weg, fort; F *être* **~** beschwipst sein

partial, **~e** [paʀsjal] (*m/pl -aux*) parteiisch; **~ité** *f* Parteilichkeit *f*

particip|**ant**, **~ante** [paʀtisipɑ̃, -ɑ̃t] *m*, *f* Teilnehmer(in) *m*(*f*); **~ation** *f* Teilnahme *f*, *frais*: Beteiligung *f*; **~** *aux* *bénéfices* Gewinnbeteiligung *f*; **~er** (*1a*) **~** *à* teilnehmen an (*dat*); *bénéfices*: beteiligt sein an (*dat*); *frais*: sich beteiligen an (*dat*); *douleur*: Anteil nehmen an (*dat*); *succès*: teilhaben an (*dat*)

particularité [paʀtikylaʀite] *f* Eigentümlichkeit *f*

particule [paʀtikyl] *f* Teilchen *n*, Partikel *n*

particul|**ier**, **~ière** [paʀtikylje, -jɛʀ] **1.** *adj* besonders, eigen(tümlich); *privé* privat; **~** *à* typisch für; *en particulier à part* gesondert; *surtout* insbesondere; **2.** *m* Privatperson *f*; **~ièrement** [-jɛʀmɑ̃] *adv* besonders, vor allem

partie [paʀti] *f* (Bestand-)Teil *m*; *jeu*: Partie *f*; *jur* Partei *f*; *lutte* Kampf *m*; *mus* Part *m*; *en* **~** teilweise; *faire* **~** *de* gehören zu

partiel, **~le** [paʀsjɛl] partiell, Teil...

partir [paʀtiʀ] (*2b*) weggehen; *en voyage*: abreisen; *train*: abfahren (*à*, *pour* nach); *avion*: abfliegen; *sport*: starten; *saleté*: herausgehen; **~** *de qc* von etw ausgehen; *en partant de* ausgehend von; *à* **~** *de* ab, von ... an

partisan, **~e** [paʀtizɑ̃, -an] *m*, *f* Anhänger(in) *m*(*f*); *mil m* Partisan *m*; *être* **~** *de qc* etw (*acc*) befürworten

partiti|**f**, **~ve** [paʀtitif, -v] *gr* partitiv; *article m partitif* Teilungsartikel *m*

partition [paʀtisjɔ̃] *f* *mus* Partitur *f*; *pol* Teilung *f*

partout [paʀtu] überall

paru, **~e** [paʀy] *p/p de paraître*

parure [paʀyʀ] *f* Schmuck *m*

parution [paʀysjɔ̃] *f* *livre*: Erscheinen *n*

parvenir [paʀvəniʀ] (*2h*) gelangen (*à* zu), erreichen; *faire* **~** *qc à qn* j-m etw zugehen lassen; **~** *à faire qc* es schaffen, etw zu tun

parvenu, **~e** [paʀvəny] *m*, *f* Emporkömmling *m*

pas¹ [pa] *m* Schritt *m*; *faux ~* Fehltritt *m*; *~ à ~* schrittweise; *le ♀ de Calais* die Straße von Dover

pas² [pa] *adv* nicht; *derrière verbe*: *ne ... ~* nicht; *ne ... ~ du tout* überhaupt nicht; *ne ... ~ de* kein; *ne ... ~ non plus* auch nicht

passable [pasablə] leidlich; *note*: ausreichend

passag|e [pasaʒ] *m endroit*: Durchgang *m*, -fahrt *f*; *petite rue couverte* Passage *f*; *en bateau*: Überfahrt *f*; *fig changement* Übergang *m*; *extrait*: Passage *f*; *~ à niveau* Bahnübergang *m*; *de ~* auf der Durchreise; *clouté* Fußgängerüberweg *m*; *~ protégé* Vorfahrtsstraße *f*; *~er*, *~ère* 1. *adj* vorübergehend; 2. *m, f* Passagier *m*, Fahrgast *m*

passant, *~e* [pasɑ̃, -t] 1. *m, f* Passant(in) *m(f)*; 2. *adj rue*: belebt; 3. *adv en passant* beiläufig

passe [pas] *f sport*: Ballabgabe *f*, Zuspiel *n*, Pass *m*; *hôtel m de ~* Absteige *f*

passé, *~e* [pase] 1. *adj* vergangen; 2. *prép passé dix heures* nach 10 Uhr; 3. *m* Vergangenheit *f*; *gr ~ composé* Perfekt *n*

passe-droit [pasdrwa] *m* (*pl passe-droits*) ungerechte Bevorzugung *f*

passe|-partout [paspartu] *m* (*pl unv*) Hauptschlüssel *m*; *cambrioleur*: Dietrich *m*; *~passe* [-pas] *m tour m de ~* Taschenspielertrick *m*; *~port* [-pɔr] *m* (Reise-)Pass *m*

passer [pase] (*1a*) 1. *v/i personne, temps, mode*: vorbeigehen; *voiture*: vorbeifahren; *à travers*: durchgehen, -reisen, -laufen; *changer* übergehen (*à* zu); *loi*: durchkommen; *film*: laufen; *~ avant* den Vorrang haben vor (*dat*); *~ chez qn* bei j-m vorsprechen; *~ dans une classe supérieure* versetzt werden; *~ en seconde* auto in den zweiten Gang schalten; *~ pour qc* für etw gelten; *~ sur qc* etw (*acc*) übergehen; *faire ~ personne*: durchlassen; *plat, journal*: weitergeben; *laisser ~ personne*, *lumière*: durchlassen; *chance*: versäumen; *~ maître* Meister werden; 2. *v/t rivière*: überqueren; *frontière*: überschreiten; *mot, ligne*: auslassen; *temps*: verbringen; *examen*: ablegen; *vêtement*: anziehen; *cuis* passieren;

film: vorführen; *contrat*: abschließen; *~ qc à qn* j-m etw reichen; *~ qc à, sur* etw an e-e *Stelle* bringen; *~ qc sur qc* etw auf etw (*acc*) auftragen; *~ l'aspirateur* Staub saugen; *~ qc sous silence* etw übergehen; 3. *se ~* sich ereignen, passieren; *se ~ de qc* auf etw (*acc*) verzichten, ohne etw (*acc*) auskommen

passereau [pasro] *m* (*pl -x*) *zo* Sperling(svogel) *m*

passerelle [pasrɛl] *f* Steg *m*, Fußgängerbrücke *f*; *mar, aviat* Gangway *f*

passe-temps [pastɑ̃] *m* (*pl unv*) Zeitvertreib *m*

passible [pasiblə] *jur être ~ d'une peine* e-e Strafe zu gewärtigen haben

passi|f, *~ve* [pasif, -v] 1. *adj* passiv; 2. *m gr* Passiv *n*; *comm* Passiva *pl*

passion [pasjɔ̃] *f* Leidenschaft *f*; *rel* Passion *f*, Leiden *n*

passionn|ant, *~ante* [pasjɔnɑ̃, -ɑ̃t] spannend, fesselnd; *~é*, *~ée* leidenschaftlich, begeistert; *~er* (*1a*) begeistern

passivité [pasivite] *f* Passivität *f*

passoire [paswar] *f* Sieb *n*

pastel [pastɛl] *m* Pastell *n*

pastèque [pastɛk] *f bot* Wassermelone *f*

pasteur [pastœr] *m rel* evangelischer Pfarrer *m*, Pastor *m*

pasteuriser [pastœrize] (*1a*) pasteurisieren

pastiche [pastiʃ] *m* Nachahmung *f*

pastille [pastij] *f* Plätzchen *n*; *phm* Pastille *f*, Tablette *f*

patate [patat] F *f* Kartoffel *f*

patauger [patoʒe] (*1l*) herumwaten, (herum)patschen

pâte [pat] *f* Teig *m*; *phm* Paste *f*; *~s pl* Teigwaren *f/pl*; *~ dentifrice* Zahnpasta *f*; *~ d'amandes* Marzipan *n*; *~ feuilletée* Blätterteig *m*

pâté [pate] *m* Pastete *f*; *~ de maisons* Häuserblock *m*

patère [pater] *f* Kleiderhaken *m*

paternel, *~le* [paternɛl] väterlich

pâteu|x, *~se* [patø, -z] teigig

pathétique [patetik] *film, discours*: ergreifend; *appel*: leidenschaftlich

patience [pasjɑ̃s] *f* Geduld *f*

patient, *~e* [pasjɑ̃, -t] 1. *adj* geduldig; 2. *m, f* Patient(in) *m(f)*; *~er* (*1a*) sich (*acc*) gedulden patin [patɛ̃] m ~ (**à glace**) Schlittschuh m; ~ **à roulettes** Rollschuh m; **faire du** ~ Schlittschuh laufen, Eis laufen

patin|age [patinaʒ] m Schlittschuhlaufen n; ~ **artistique** Eiskunstlauf m; **~er** (1a) **1.** Schlittschuh laufen; **2.** roues: durchdrehen; **~ette** [-ɛt] f jouet: Roller m; **~eur, ~euse** m, f Schlittschuhläufer(in) m(f); **~oire** [-war] f Eisbahn f

pâtiss|erie [patisri] f magasin: Konditorei f; gâteaux feines Gebäck n; **~ier, ~ière** [-je, -jer] m, f Konditor(in) m(f)

patois [patwa] m Mundart f

patraque [patrak] F **être** ~ sich nicht wohl fühlen

patriarche [patrijarʃ] m égl Patriarch m (a fig)

patrie [patri] f Vaterland n, Heimat f

patrimoine [patrimwan] m elterliches Erbe n, Erbteil n; fig ~ **culturel** Kulturerbe n, -gut n

patriot|e [patrijɔt] **1.** adj vaterlandsliebend, patriotisch; **2.** m, f Patriot(in) m(f); **~ique** patriotisch; **~isme** m Vaterlandsliebe f, Patriotismus m

patron, ~ne [patrɔ̃, -ɔn] **1.** m, f Chef(in) m(f); par opposition à employé Arbeitgeber(in) m(f); métier: Meister(in) m(f); maison: Hausherr(in) m(f); auberge: Wirt(in) m(f); rel Schutzheilige(r) m, f; **2.** m tech Modell n, Muster n; couture: Schnittmuster n

patron|age [patrɔnaʒ] m Schirmherrschaft f; **~al, ~ale** [-al] Arbeitgeber..., Unternehmer...; **association** ~ **patronale** Arbeitgebervereinigung f; **~at** [-a] m pol Arbeitgeberschaft f

patronner [patrɔne] (1a) protegieren, fördern

patrouill|e [patruj] f mil, police: Patrouille f, Streife f; **~er** (1a) patrouillieren

patte [pat] f Pfote f; félin: Tatze f; oiseau, insecte: Bein n; F Hand f; fig F **graisser la** ~ **à qn** j-n schmieren; ~ **d'oie** Krähenfüße m/pl (in den Augenwinkeln)

pâturage [patyraʒ] m Weide f

paume [pom] f flache Hand f, Handfläche f; (**jeu** m **de**) ~ (Schlag-)Ballspiel n

paum|é, ~ée [pome] F aufgeschmissen; **~er** (1a) F verlieren, verlegen

paupière [popjer] f Augenlid n

paupiette [popjɛt] f cuis Roulade f

pause [poz] f Pause f

pauvre [povrə] **1.** adj arm (**en** an dat); misérable ärmlich, armselig; insuffisant dürftig; pitoyable bedauernswert; **2.** m, f Arme(r) m, f; **~té** [-te] f Armut f; vêtements, maison: Armseligkeit f

pavage [pavaʒ] m Pflaster n

pavaner [pavane] (1a) **se** ~ umherstolzieren

pav|é [pave] m Pflasterstein m; **~er** (1a) pflastern

pavillon [pavijɔ̃] m Pavillon m; maisonnette Häuschen n; auto Dach n; mar Flagge f

pavot [pavo] m bot Mohn m

payable [pɛjabl] zahlbar

payant, ~e [pɛjɑ̃, -t] spectateur: zahlend; billet: nicht kostenlos; parking: gebührenpflichtig; fig lohnend

pay|e [pɛj] f → **paie**; **~ement** [pɛjmɑ̃] m → **paiement**

payer [pɛje] (1i) **1.** v/t (be)zahlen; ~ **qc dix francs** zehn Franc für etw bezahlen; fig ~ **qn de qc** j-n für etw belohnen; **2.** v/i einträglich sein, sich lohnen; **3.** **se** ~ **qc** sich (dat) etw leisten

pays [pɛi] m Land n; patrie Vaterland n, Heimat f; ~ **membre** C.E.E.: Mitgliedsland n; **mal m du** ~ Heimweh n; **le** ♀ **Basque** Baskenland n; **le** ♀ **de Galles** Wales n

paysage [peizaʒ] m Landschaft f

paysagiste [peizaʒist] (**architecte** m) ~ Gartenarchitekt m

paysan, ~ne [peizɑ̃, -an] **1.** m, f Bauer m, Bäuerin f; **2.** adj bäuerlich, Bauern...

Pays-Bas [peiba] m/pl **les** ~ die Niederlande n/pl

P.C. [pese] m (abr **Parti communiste**) KP f (Kommunistische Partei)

P.D.G. [pedeʒe] m (abr **président-directeur général**) Generaldirektor m

péage [peaʒ] m autoroute: Autobahngebühr f

peau [po] f (pl -x) Haut f; animal: Fell n; cuir Leder n; ~ **de chamois** Fensterleder n; ♀-**Rouge** [-ruʒ] m (pl Peaux-Rouges) Rothaut f, Indianer m

pêche[1] [pɛʃ] f bot Pfirsich m

pêche[2] [pɛʃ] f Fischfang m; action: Fischen n; à la ligne: Angeln n

péch|é [peʃe] m Sünde f; ~ **mignon**

kleine Schwäche *f*; **~er** (*1f*) sündigen; **~ contre qc** gegen etw verstoßen; **~ par** kranken an (*dat*)

pêcher[1] [peʃe] *m bot* Pfirsichbaum *m*

pêcher[2] [peʃe] (*1b*) fischen; **~ à la ligne** angeln

péch|eur, ~eresse [peʃœr, -ʃ(ə)rɛs] *m, f* Sünder(in) *m(f)*

pêch|eur, ~euse [pɛʃœr, -øz] *m, f* Fischer(in) *m(f)*; **~ à la ligne** Angler(in) *m(f)*

pécule [pekyl] *m* Ersparnisse *f/pl*

pécuniaire [pekynjɛr] Geld...

pédago|gie [pedagɔʒi] *f* Pädagogik *f*; **~gique** pädagogisch, Erziehungs...; **~gue** *m, f* Pädagoge *m*, Pädagogin *f*

pédal|e [pedal] *f* Pedal *n*; **~er** (*1a*) vélo: treten

pédalo [pedalo] *m* Tretboot *n*

péd|ant, ~ante [pedã, -ãt] schulmeisterlich

pédé [pede] *m* (*abr* **pédéraste**) F Schwule(r) *m*

pédéraste [pederast] *m* Homosexuelle(r) *m*, Päderast *m*

pédestre [pedɛstr] **randonnée** *f ~* (Fuß-)Wanderung *f*

pédiatr|e [pedjatr] *m, f méd* Kinderarzt *m*, -ärztin *f*; **~ie** *f* Kinderheilkunde *f*

pédicure [pedikyr] *f* Fußpflegerin *f*

pègre [pɛgr] *f* Unterwelt *f*

peign|e [pɛɲ] *m* Kamm *m*; **~er** (*1b*) kämmen; **~oir** *m de bain*: Bademantel *m*; *négligé* Morgenrock *m*

peindre [pɛ̃dr] (*4b*) malen; *mur*: anstreichen; *décrire* schildern

peine [pɛn] *f* 1. *punition* Strafe *f*; **~ capitale** Todesstrafe *f*; 2. *effort* Mühe *f*, Anstrengung *f*; **ce n'est pas la ~** das ist nicht nötig; **valoir la ~** der Mühe wert sein (*de* zu); **avoir** (*de la*) **~ à faire qc** Mühe haben, etw zu tun; **prendre la ~ de** (+ *inf*) sich die Mühe machen zu; 3. *chagrin* Kummer *m*; **faire de la ~ à qn** j-m weh tun; 4. *adv* **à ~** kaum

peiner [pɛne] (*1b*) 1. *v/t* betrüben; 2. *v/i* sich abmühen, Mühe haben

peintre [pɛ̃tr] *m* Maler(in) *m(f)*; **~ en bâtiment** Anstreicher *m*

peinture [pɛ̃tyr] *f* Anstrich *m*; *substance*: Farbe *f*; *action*: Anmalen *n*; *art*: Malerei *f*; *tableau* Gemälde *n*; *description* Schilderung *f*; **~ fraîche!** frisch gestrichen!

péjorati|f, ~ve [peʒɔratif, -v] abfällig, abschätzig

pelage [pəlaʒ] *m* Fell *n*

pêle-mêle [pɛlmɛl] *adv* bunt durcheinander

peler [pəle] (*1d*) *v/t* (ab)schälen; *v/i* sich schälen

pèlerin [pɛlrɛ̃] *m* Pilger(in) *m(f)*

pèlerinage [pɛlrinaʒ] *m* Pilgerfahrt *f*; *lieu*: Wallfahrtsort *m*

pèlerine [pɛlrin] *f* Umhang *m*

pélican [pelikã] *m* Pelikan *m*

pelle [pɛl] *f* Schaufel *f*; **~ à gâteau** Tortenheber *m*; *tech* **~ mécanique** Löffelbagger *m*; **~ter** [-te] (*1c*) schaufeln

pellicule [pelikyl] *f* Film *m*; *pl* **~s** (Kopf-)Schuppen *f/pl*

pelot|e [p(ə)lɔt] *f fil*: Knäuel *n od m*; *épingles*: Nadelkissen *n*; **~er** (*1a*) P befummeln

pelot|on [p(ə)lɔtõ] *m* Knäuel *m*; *mil* Zug *m*; *sport*: Feld *n*; **~onner** [-ɔne] (*1a*) auf ein(en) Knäuel wickeln; **se ~** sich zusammenrollen; **se ~ contre qn** sich an j-n anschmiegen

pelouse [p(ə)luz] *f* Rasen *m*

peluche [p(ə)lyʃ] *f* Plüsch *m*

pelure [p(ə)lyr] *f fruit*: Haut *f*, Schale *f*

pénal, ~e [penal] (*m/pl -aux*) *jur* Straf...; **~isation** [-izasjõ] *f sport* Strafpunkte *m/pl*; **~iser** (*1a*) (be)strafen; **~ité** *f* Strafe *f*

penalty [penalti] *m football*: Elfmeter *m*, Strafstoß *m*

penaud, ~e [pəno, -d] beschämt, betreten

penchant [pã̃ʃã] *m fig* Hang *m*, Neigung *f*

pencher [pã̃ʃe] (*1a*) *v/t* neigen; *v/i* sich neigen; *fig* **~ pour qc** zu etw tendieren; **se ~ au dehors** sich hinauslehnen; *fig* **se ~ sur un problème** sich in ein Problem vertiefen

pendaison [pã̃dezõ] *f peine*: Hängen *n*; *suicide*: Erhängen *n*

pendant[1] [pã̃dã] *prép* während; *conj* **~ que** während (*zeitlich, a gegensätzlich*)

pendant[2], **~e** [pã̃dã, -t] 1. *adj* hängend; *jur* schwebend; 2. *m* Pendant *n*, Gegenstück *n*

pend|entif [pã̃dãtif] *m* Anhänger *m*; **~erie** *f* Kleiderschrank *m*; **~iller** [-ije]

(1a) baumeln

pendre [pɑ̃drə] *(4a) v/t* aufhängen; *condamné:* hängen; *v/i* hängen; *se ~* sich erhängen

pendule [pɑ̃dyl] **1.** *m phys* Pendel *n;* **2.** *f horloge:* Pendel-, Zimmer-, Wanduhr *f*

pêne [pɛn] *m* Riegel *m (am Schloss)*

pénétr|ation [penetrasjɔ] *f* Eindringen *n; fig* Scharfblick *m;* **~er** *(1f) v/t liquide, lumière:* durchdringen; *pensées, personne:* durchschauen; *v/i ~ dans qc* in etw *(acc)* eindringen

pénible [peniblə] *travail, vie:* mühsam, beschwerlich; *nouvelle, circonstances:* traurig, betrüblich; *caractère:* schwierig; **~ment** *adv avec difficulté* mit Mühe; *à peine* kaum; *avec douleur* schmerzlich

péniche [peniʃ] *f* Lastkahn *m*

pénicilline [penisilin] *f phm* Penizillin *n*

péninsule [penɛ̃syl] *f* Halbinsel *f*

pénis [penis] *m* Penis *m*

pénitenc|e [penitɑ̃s] *f* Strafe *f; rel* Buße *f;* **~ier** [-je] *m* Strafanstalt *f*

pénombre [penɔ̃brə] *f* Halbschatten *m,* -dunkel *n*

pensée [pɑ̃se] *f* **1.** *faculté, fait de penser* Denken *n; idée* Gedanke *m; point de vue* Meinung *f,* Ansicht *f;* **2.** *bot* Stiefmütterchen *n*

pens|er [pɑ̃se] *(1a) v/i* denken; *v/t* denken, meinen; *imaginer* sich *(dat)* denken; *~ (+ inf) croire* glauben zu (+ *inf*); *~ (+ inf) avoir l'intention* beabsichtigen zu *(+ inf);* **faire ~ à qc** an etw *(acc)* erinnern; **~eur** *m* Denker *m;* **~if,** **~ive** [-if, -iv] nachdenklich

pension [pɑ̃sjɔ̃] *f* **1.** *allocation* Rente *f,* Pension *f,* Ruhegehalt *n;* **2.** *logement:* Fremdenheim *n,* Pension *f, frais:* Pensionskosten *pl; avec ~ complète* mit Vollpension; **3.** *école:* Pensionat *n,* Internat *n*

pensi|onnaire [pɑ̃sjɔnɛr] *m, f* **1.** *hôtel:* Pensionsgast *m;* **2.** *écolier:* Internatsschüler(in) *m(f);* **~onnat** [-ɔna] *m* Pensionat *n*

pente [pɑ̃t] *f* Abhang *m,* Gefälle *n,* Neigung *f; en ~* abfallend; *fig sur la mauvaise ~* auf der schiefen Bahn

Pentecôte [pɑ̃tkot] *la ~* Pfingsten *n; à la ~* an, zu Pfingsten

pénurie [penyri] *f* Mangel *m (de* an *dat)*

pépier [pepje] *(1a)* piepen

pépin [pepɛ̃] *m fruit:* Kern *m;* F *avoir un ~* Ärger, Pech haben

pépinière [pepinjɛr] *f* Baumschule *f*

pépite [pepit] *f* (Gold-)Klumpen *m*

perç|ant, ~ante [pɛrsɑ̃, -ɑ̃t] *regard:* durchdringend; *froid:* schneidend; **~ée** *f* Durchbruch *m,* -stoß *m*

perce-neige [pɛrsənɛʒ] *m (pl unv) bot* Schneeglöckchen *n*

perce-oreille [pɛrsɔrɛj] *m (pl perce-oreilles) zo* Ohrwurm *m*

percept|eur [pɛrsɛptœr] *m* Steuereinnehmer *m;* **~ible** wahrnehmbar; *amélioration, différence:* spürbar

perception [pɛrsɛpsjɔ̃] *f* **1.** Wahrnehmung *f;* **2.** *impôts:* Erhebung *f; bureau:* Finanzamt *n*

percer [pɛrse] *(1k)* **1.** *mur, planche:* durchbohren; *oreille, papier:* durchstechen; *porte:* durchbrechen; **2.** *v/i* durchkommen, zum Vorschein kommen

perceuse [pɛrsøz] *f* Bohrmaschine *f*

percevoir [pɛrsəvwar] *(3a)* wahrnehmen; *argent:* einnehmen; *impôts:* erheben

perch|e [pɛrʃ] *f* **1.** *zo* Barsch *m;* **2.** *bois, métal:* Stange *f,* Stab *m;* **~er** *(1a) (se) ~ oiseau:* sich setzen; F wohnen, hausen; **~iste** *m* Stabhochspringer *m;* **~oir** *m* Hühnerstange *f*

perclus, ~e [pɛrkly, -z] gelähmt

percolateur [pɛrkɔlatœr] *m* Kaffeemaschine *f (für Restaurants)*

percu|ssion [pɛrkysjɔ̃] *f mus* Schlaginstrumente *n/pl;* **~ter** [-te] *(1a)* stoßen, schlagen auf *(acc);* **~ (contre) un arbre** gegen e-n Baum prallen

perdant, ~e [pɛrdɑ̃, -t] **1.** *adj* verlierend; *numéro m, billet m perdant* Niete *f;* **2.** *m, f* Verlierer(in) *m(f)*

perdre [pɛrdrə] *(4a)* verlieren; *argent, prestige, droit:* einbüßen; *~ courage, espoir* den Mut, die Hoffnung verlieren; *~ une occasion* e-e Gelegenheit versäumen; *~ au change* e-n schlechten Tausch machen; *~ son temps* seine Zeit vergeuden; *~ connaissance* das Bewusstsein verlieren; *se ~ disparaître* verloren gehen; *autorité, prestige:* schwinden; *personne:* sich verirren

perdrix [pɛrdri] *f zo* Rebhuhn *n*

perdu, ~e [pɛrdy] *p/p de* **perdre** *u adj*

215   **personnage**

verloren; *occasion*: verpasst; *endroit*:
abgelegen; **verre** *m* **perdu** Einwegglas
n

père [pɛr] *m* Vater *m*; *rel* Pater *m*

pérégrinations [peregrinasjõ] *f/pl*
Umherreisen *n*

péréquation *f* ~ **financière** Finanzaus-
gleich *m*

perfecti|on [pɛrfɛksjõ] *f* Vollendung *f*,
Vollkommenheit *f*; **~onner** [-ɔne] (*1a*)
vervollkommnen; **~onniste** [-ɔnist]
perfektionistisch

perfid|e [pɛrfid] heimtückisch; **~ie** [-i] *f*
Heimtücke *f*, Hinterlist *f*

perfor|ateur [pɛrfɔratœr] *m* Locher *m*;
~er (*1a*) lochen

perform|ance [pɛrfɔrmãs] *f* Leistung *f*;
~ant, ~ante [-ã, -ãt] leistungsfähig

péril [peril] *m* Gefahr *f*

périlleu|x, ~se [perijø, -z] gefährlich

périmé, ~e [perime] veraltet; *passeport*:
abgelaufen

périmètre [perimɛtr] *m math* Umfang
m; *zone* Umkreis *m*

périod|e [perjɔd] *f* Periode *f*, Zeitraum
m; *phys* Halbwertszeit *f*; **~ bimoné-
taire** Doppelwährungsphase *f*; **~ de
transition** Übergangsphase *f*; **en ~ de**
in Zeiten (+ *gén*); **~ique 1.** *adj* perio-
disch; **2.** *m* Zeitschrift *f*

péripétie [peripesi] *f le plus souvent au
pl* **~s** unvorhergesehene Zwischenfälle
m/pl

périphér|ie [periferi] *f de ville*: Peri-
pherie *f*, Stadtrand(gebiet) *m(n)*;
~ique *adj* Stadtrand...; **boulevard** *m* ~
od subst ~ *m* Ringautobahn *f* (*um
Paris*)

périphrase [perifrɑz] *f* Umschreibung *f*

périple [peripl] *m* (Rund-)Reise *f*

périscope [periskɔp] *m* Periskop *n*,
Sehrohr *n*

périssable [perisabl] *nourriture*: leicht
verderblich

perl|e [pɛrl] *f* Perle *f* (*a fig*); *fig* Perle *f*;
~er (*1a*) perlen

perman|ence [pɛrmanãs] *f* Fortdauer *f*,
Beständigkeit *f*; *médecin, service*: Bereitschaftsdienst *m*; **en ~** ständig,
dauernd; **~ent, ~ente** [-ã, -ãt] **1.** *adj*
ständig; *constant* beständig; **2.** *f coiffure*: Dauerwelle *f*

perméable [pɛrmeabl] durchlässig

permettre [pɛrmɛtr] (*4p*) erlauben,

gestatten (**qc à qn** j-m etw; **que** + *subj*
dass); **se ~ qc** sich (*dat*) etw gönnen;
familiarités, impertinences: sich (*dat*)
etw herausnehmen

permis [pɛrmi] *m* Erlaubnisschein *m*; **~
de séjour** Aufenthaltserlaubnis *f*; **~ de
conduire** Führerschein *m*; **passer son
~** den Führerschein machen

permission [pɛrmisjõ] *f* Erlaubnis *f*,
Genehmigung *f*; *mil* Urlaub *m*

permuter [pɛrmyte] (*1a*) *v/t* umstellen,
auswechseln; *v/i* den Posten tauschen
(**avec qn** mit j-m)

pernicieu|x, ~se [pɛrnisjø, -z] schäd-
lich; *méd* bösartig

péroraison [perɔrɛzõ] *f* Schlusswort *n*

Pérou [peru] **le ~** Peru *m*

perpendiculaire [pɛrpãdikylɛr] senkrecht, rechtwinklig (**à** zu *od* auf)

perpétrer [pɛrpetre] (*1f*) *jur* begehen,
verüben

perpétu|el, ~elle [pɛrpetɥɛl] fortwäh-
rend, ständig, (an)dauernd; **~ellement**
[-ɛlmã] *adv* ständig, immer wieder; **~ité**
f **à ~** auf Lebens zeit; *jur* lebenslänglich

perplexe [pɛrplɛks] ratlos, perplex

perquisitionner [pɛrkizisjɔne] (*1a*) *jur*
e-e Haussuchung vornehmen

perron [pɛrõ] *m* Freitreppe *f*

perroquet [pɛrɔkɛ] *m zo* Papagei *m*

perruche [pɛryʃ] *f zo* (Wellen-)Sittich
m

perruque [pɛryk] *f* Perücke *f*

persan, ~e [pɛrsã, -an] **1.** *adj* persisch;
2. ⚲ *m, f* Perser(in) *m(f)*

Perse [pɛrs] **la ~** Persien *f*

persécu|ter [pɛrsekyte] (*1a*) verfolgen;
~ution [-ysjõ] *f* Verfolgung *f*

persévér|ance [pɛrseverãs] *f* Behar-
lichkeit *f*, Ausdauer *f*; **~ant, ~ante** [-ã,
-ãt] beharrlich, ausdauernd; **~er** (*1f*) **~
dans qc** hartnäckig an etw (*dat*) festhalten

persienne [pɛrsjɛn] *f* Fensterladen *m*

persiflage [pɛrsiflaʒ] *m* Spöttelei *f*,
Persiflage *f*

persil [pɛrsi] *m bot* Petersilie *f*

persist|ance [pɛrsistãs] *f* Verharren *n*;
fièvre, froid: Fortdauer *f*; **~er** (*1a*)
(an)dauern; **~ dans qc** hartnäckig an
etw (*dat*) festhalten; **~ à faire qc** etw
beharrlich tun

personn|age [pɛrsonaʒ] *m connu*:
Persönlichkeit *f*; *personne* Person *f*; *fig*

u théâtre: Rolle *f*; **~aliser** [-alize] e-e persönliche Note geben (*qc* e-r Sache); **~alité** [-alite] Persönlichkeit *f*

personne[1] [pɛrsɔn] *f* Person *f*; **~ à double salaire** Doppelverdiener(in *f*) *m*; **jeune ~** junges Mädchen *n*; **~ âgée** älterer Mensch *m*; **grande ~** Erwachsene(r) *m*; **en ~** persönlich; **par ~** pro Kopf

personne[2] [pɛrsɔn] *pronom* **1. ne ~** niemand; **2.** (irgend)jemand; **sans avoir vu ~** ohne jemand(en) gesehen zu haben; **il le sait mieux que ~** er weiß es besser als irgendjemand

personn|el, ~elle [pɛrsɔnɛl] **1.** *adj* persönlich; **2.** *m* Personal *n*; **~ellement** [-ɛlmɑ̃] *adv* persönlich; **~ifier** [-ifje] (*1a*) verkörpern, personifizieren

perspective [pɛrspɛktiv] *f math, peinture*: Perspektive *f*; *fig pour l'avenir*: Aussicht *f*, Perspektive *f*; *point de vue*: Blickwinkel *m*; **avoir qc en ~** etw in Aussicht haben

perspicac|e [pɛrspikas] scharfsinnig; **~ité** *f* Scharfblick *m*

persuader [pɛrsɥade] (*1a*) **~ qn de faire qc** j-n überreden, etw zu tun; **~ qn de qc** j-n von etw überzeugen; **se ~ de qc** sich (*acc*) von etw überzeugen; **se ~ que** sich (*dat*) einreden, dass

persuasion [pɛrsɥazjɔ̃] *f* Überzeugung *f*; *don*: Überredungsgabe *f*

perte [pɛrt] *f* Verlust *m*; *fig* Untergang *m*, Verderben *n*; **à ~** mit Verlust; **à ~ de vue** so weit das Auge reicht

pertinent, ~e [pɛrtinɑ̃, -t] zutreffend, passend

perturb|ation [pɛrtyrbasjɔ̃] *f* Störung *f*; **~er** (*1a*) stören

pervers, ~se [pɛrvɛr, -s] *sexualité*: pervers, widernatürlich; **~sion** *f sexualité*: Perversion *f*; **~tir** (*2a*) verderben

pes|amment [pəzamɑ̃] *adv* schwerfällig; **~ant, ~ante** [-ɑ̃, -ɑ̃t] schwer (*a fig*); **~anteur** [-ɑ̃tœr] *f phys* Schwerkraft *f*

pèse-bébé [pɛzbebe] *m* (*pl pèse-bébé[s]*) Babywaage *f*

pesée [pəze] *f* Wiegen *n*

peser [pəze] (*1d*) *v/t* (ab)wiegen; *fig mots*: abwägen; *v/i* wiegen; *poids, responsabilité*: lasten (**sur** auf *dat*); **~ à qn** j-n bedrücken

pessimis|me [pesimismə] *m* Pessimismus *m*; **~te 1.** *adj* pessimistisch; **2.** *m, f* Pessimist(in) *m(f)*

pest|e [pɛst] *f méd* Pest *f*; *fig* böses Weib *n*; **~er** (*1a*) schimpfen (**contre** auf *acc*)

pesticide [pɛstisid] *m* Pestizid *n*, Schädlingsbekämpfungsmittel *n*

pestilentiel, ~le [pɛstilɑ̃sjɛl] übel riechend

pet [pɛ] *m* P Furz *m*

pétale [petal] *f* Blütenblatt *n*

pétanque [petɑ̃k] *f* Kugelspiel *n* in Südfrankreich

pétarad|e [petarad] *f* Geknalle *n*; *auto* Geknatter *n*; **~er** (*1a*) knattern

pétard [petar] *m* Knallkörper *m*, -frosch *m*; F Krach *m*, Radau *m*

péter [pete] (*1f*) F furzen; *fig pétard*: knallen; *pneu, ballon*: platzen

pétiller [petije] (*1a*) *feu*: prasseln, knistern; *eau*: sprudeln; *mousseux*: perlen; *yeux*: blitzen

petit, ~e [p(ə)ti, -t] **1.** *adj* klein; *quantité*: gering, unbedeutend; **en petit** im Kleinen; **petit à petit** allmählich; F **petit nom** *m* Vorname *m*; **~(e) ami(e)** *m(f)* Freund(in) *m(f)*; **au petit jour** bei Tagesanbruch; **2.** *m, f der, die, das* Kleine; *animal*: Junge(s) *n*

petit-bourgeois, petite-bourgeoise [p(ə)tiburʒwa, p(ə)titburʒwaz] klein-, spießbürgerlich

petite-fille [p(ə)titfij] *f* (*pl petites-filles*) Enkelin *f*

petitesse [p(ə)titɛs] *f* Kleinheit *f*; *fig* Engstirnigkeit *f*

petit-fils [p(ə)tifis] *m* (*pl petits-fils*) Enkel *m*

pétition [petisjɔ̃] *f* Petition *f*

petits-enfants [p(ə)tizɑ̃fɑ̃] *m/pl* Enkel *m/pl*

pétrifier [petrifje] (*1a*) versteinern; *fig* erstarren lassen

pétr|in [petrɛ̃] *m* Backtrog *m*; F *fig* Klemme *f*; **~ir** (*2a*) kneten

pétrochimie [petrɔʃimi] *f* Petrochemie *f*

pétrol|e [petrɔl] *m* Erdöl *n*; **~ brut** Rohöl *n*; **~ier, ~ière** [-je, -jɛr] **1.** *adj* (Erd-)Öl...; **2.** *m* Tankschiff *n*, Tanker *m*

peu [pø] wenig; **~ de pain** wenig Brot; **~ après** kurz danach; **de ~** um weniges; **~ à ~** nach und nach; **à ~ près** *plus ou* *moins* ungefähr, etwa; *presque* fast, beinahe; *depuis* ~ seit kurzem; *quelque* ~ einigermaßen; *pour* ~ *que* (+ *subj*) sofern

peuplade [pøplad, pœ-] *f* Volksstamm *m*

peuple [pœplə] *m* Volk *n*

peupler [pøple, pœ-] (*1a*) *pays, région*: bevölkern; *maison*: bewohnen

peuplier [pøplije, pœ-] *bot* Pappel *f*

peur [pœr] *f* Angst *f*, Furcht *f* (*de* vor *dat*); *de* ~ *que* (*ne* + *subj*) aus Angst, dass; *avoir* ~ Angst haben; *prendre* ~ Angst bekommen

peureu|x, -se [pœrø, -z] ängstlich, furchtsam

peut-être [pøtɛtrə] vielleicht; ~ *bien* vielleicht sogar

p. ex. (*abr par exemple*) z.B. (zum Beispiel)

phalange [falɑ̃ʒ] *f mil* Phalanx *f*; ♀ *Espagne*: Falange *f*

phare [far] *m mar* Leuchtturm *m*, Leuchtfeuer *n*; *aviat* Leuchtfeuer *n*; *auto* Scheinwerfer *m*; *se mettre en* ~*s* das Fernlicht einschalten

pharmac|eutique [farmasøtik] pharmazeutisch; **-ie** [-i] *f local*: Apotheke *f*; *science*: Pharmazie *f*; *médicaments* Arzneimittel *n/pl*; **-ien, -ienne** *m, f* Apotheker(in) *m(f)*

phase [fɑz] *f* Phase *f*, Stadium *n*

phénomène [fenɔmɛn] *m* Phänomen *n*, Erscheinung *f*

philatéliste [filatelist] *m* Briefmarkensammler *m*

Philippines [filipin] *f/pl* **les** ~ die Philippinen *pl*

philippin, -e [filipɛ̃, -in] **1.** *adj* philippinisch; **2.** ♀ *m, f* Philippiner(in) *m(f)*

philosoph|e [filɔzɔf] *m* Philosoph *m*; **-ie** [-i] *f* Philosophie *f*; *calme* Gelassenheit *f*; **-ique** philosophisch

phobie [fɔbi] *f psych* Phobie *f*

phonétique [fɔnetik] **1.** *adj* Laut..., phonetisch; **2.** *f* Phonetik *f*, Lautlehre *f*

phoque [fɔk] *m zo* Robbe *f*, Seehund *m*

phosphate [fɔsfat] *m* Phosphat *n*

photo [fɔto] *f* Foto *n*, (Licht-)Bild *n*; *faire de la* ~ fotografieren; *prendre qn en* ~ e-e Aufnahme von j-m machen

photo|copie [fɔtokɔpi] *f* Fotokopie *f*; **-copieur** [-kɔpjœr] *m od* **-copieuse**

[-kɔpjøz] *f* Fotokopierer *m*; **-génique** [-ʒenik] fotogen

photographe [fɔtograf] *m, f* Fotograf(in) *m(f)*; **-ie** [-i] *f* Fotografie *f*; **-ier** [-je] (*1a*) fotografieren; **-ique** [-ik] fotografisch

phrase [frɑz] *f* Satz *m*

physicien, -ne [fizisjɛ̃, -ɛn] *m, f* Physiker(in) *m(f)*

physionomie [fizjɔnɔmi] *f* Physiognomie *f*, Gesichtsausdruck *m*

physique [fizik] **1.** *adj corps*: physisch, körperlich; *physique*: physikalisch; **2.** *m* Körperbeschaffenheit *f*, Physis *f*; **3.** *f* Physik *f*

piailler [pjaje] (*1a*) *oiseau*: piepsen; F *enfant*: schreien

pianiste [pjanist] *m, f* Pianist(in) *m(f)*

pian|o [pjano] *m* Klavier *n*; ~ *à queue* Flügel *m*; *clav* [-ɔte] (*1a*) F sur le *piano*: klimpern; *sur table, vitre*: trommeln

piaul|le [pjol] *f* F Bude *f*; **-er** (*1a*) *enfant*: plärren; *oiseau*: piepsen

pic [pik] *m* **1.** *instrument*: Spitzhacke *f*; **2.** *montagne*: Bergspitze *f*; *à* ~ senkrecht, steil; F *fig arriver à* ~ gerade zur rechten Zeit kommen; **3.** *zo* Specht *m*

pichet [piʃe] *m* Kanne *f*, Krug *m*

pickpocket [pikpɔkɛt] *m* Taschendieb *m*

pick-up [pikœp] *m* (*pl unv*) Plattenspieler *m*

picorer [pikɔre] (*1a*) aufpicken

picoter [pikɔte] (*1a*) *irriter* prickeln, kribbeln

pie [pi] *f zo* Elster *f*

pièce [pjɛs] *f* **1.** Stück *n*; ~ *de théâtre* Theaterstück *n*; ~ *de monnaie* Geldstück *n*; *vêtement*: *deux* ~*s* zweiteilig; *à la* ~ einzeln; *cinq francs* (*la*) ~5 Franc pro Stück; ~ *de rechange* Ersatzteil *m*; *mettre en* ~*s* zerreißen; **2.** *chambre* Raum *m*, Zimmer *n*; **3.** *administration*: Beleg *m*

pied [pje] *m* Fuß *m*; *meuble*: Bein *n*; *champignon*: Stiel *m*; ~ *de vigne* Rebstock *m*; *à* ~ zu Fuß; ~*s nus* barfuß; *au* ~ *de* am Fuß von; *au* ~ *de la lettre* buchstabengetreu; *de* ~ *en cap* von Kopf bis Fuß; *mettre sur* ~ auf die Beine stellen

pied-à-terre [pjetatɛr] *m* (*pl unv*) Absteigequartier *n*

P

piédestal [pjedɛstal] *m* (*pl -aux*) Sockel *m*

pied-noir [pjenwar] F *m* (*pl pieds-noirs*) Algerienfranzose *m*

piège [pjɛʒ] *m* Falle *f*

piégé, ~e [pjeʒe] **voiture** *f* **piégée** Autobombe *f*

pierraille [pjɛraj] *f* grober Kies *m*

pierre [pjɛr] *f* Stein *m*

pierr|eries [pjɛrri] *f/pl* Edelsteine *m/pl*, Juwelen *n/pl*; **~eux, ~euse** [-ø, -øz] steinig

pierrot [pjero] *m* **1.** *zo* Sperling *m*; **2.** 2 Hanswurst *m* (*Gestalt aus der frz Pantomime*)

piété [pjete] *f rel* Frömmigkeit *f*

piétiner [pjetine] (*1a*) *v/t* (zer)stampfen, (zer)trampeln; *fig* **~ qn, qc** j-n, etw mit Füßen treten; *v/i* **ne pas avancer** auf der Stelle treten

piéton, ~ne [pjetõ, -ɔn] *m* **1.** *m, f* Fußgänger(in) *m(f)*; **2.** *adj* **zone** *f* **piétonne** Fußgängerzone *f*; **~nier, ~nière** Fußgänger...

pieu [pjø] *m* (*pl -x*) Pfahl *m*; F Bett *n*, Falle *f* F

pieu|x, ~se [pjø, -z] fromm; *fig* **pieux mensonge** *m* Notlüge *f*

pif [pif] F *m* Nase *f*, Zinken *m* F

pif(f)er [pife] (*1a*) F **ne pas pouvoir ~ qn** j-n nicht riechen können F

pig|eon [piʒõ] *m* Taube *f*; **~eonnier** [-ɔnje] *m* Taubenschlag *m*

piger [piʒe] (*1l*) F kapieren, begreifen

pigment [pigmã] *m* Pigment *n*

pigne [piɲ] *f bot* Kiefernzapfen *m*

pignon [piɲõ] *m arch* Giebel *m*; *tech* Zahnrad *n*

pilastre [pilastrə] *m arch* Pilaster *m*, Wandpfeiler *m*

pile¹ [pil] *f* **1.** *tas* Stapel *m*, Stoß *m*; **2.** *él* Batterie *f*, **~ atomique** Atomreaktor *m*; **3.** *monnaie*: Rückseite *f*; **4.** F Tracht *f* Prügel

pile² [pil] *adv* **s'arrêter ~** plötzlich anhalten; **à deux heures ~** Punkt zwei Uhr

piler [pile] (*1a*) zerstampfen, zerstoßen

pilier [pilje] *m arch* Pfeiler *m*; *fig* Stütze *f*

pill|age [pijaʒ] *m* Plünderung *f*; **~er** (*1a*) (aus)plündern

pil|on [pilõ] *m tech* Stampfer *m*; **~onner** [-ɔne] (*1a*) (zer)stampfen

pilori [pilɔri] *m* Pranger *m*; *fig* **mettre qn au ~** j-n an den Pranger stellen

pilotage [pilɔtaʒ] *m aviat* Steuerung *f*; *mar* Lotsen(dienst) *n(m)*

pilot|e [pilɔt] **1.** *m mar* Lotse *m*; *aviat* Pilot *m*; *auto* (Renn-)Fahrer *m*; **~ automatique** Autopilot *m*; **2.** *adj* **ferme** *f* **~** Musterhof *m*; **~er** (*1a*) *aviat, auto* steuern, lenken; *mar* lotsen

pilule [pilyl] *f* Pille *f*; **~ (contraceptive)** Antibabypille *f*

piment [pimã] *m* Paprika *m*, Spanischer Pfeffer *m*; *fig* Würze *f*

pimenter [pimãte] (*1a*) scharf würzen

pimpant, ~e [pɛ̃pã, -t] adrett, schmuck

pin [pɛ̃] *m bot* Kiefer *f*; **~ parasol, pignon** Pinie *f*

pinard [pinar] F *m* Wein *m*

pince [pɛ̃s] *f* Zange *f*, Klemme *f*, Klammer *f*, *crabe*: Schere *f*; **~ à épiler** Pinzette *f*; **~ à linge** Wäscheklammer *f*

pincé, ~e [pɛ̃se] verkniffen, gezwungen

pinceau [pɛ̃so] *m* (*pl -x*) Pinsel *m*

pincée [pɛ̃se] *f cuis* **une ~ de sel** e-e Prise Salz

pincer [pɛ̃se] (*1k*) kneifen, zwicken; *doigt, pied*: einklemmen; *mus* zupfen

pince-sans-rire [pɛ̃sãrir] *m, f* (*pl unv*) Mensch *m* mit trockenem Humor

pincette [pɛ̃sɛt] *f* Pinzette *f*; *pl* **~s feu**: (Feuer-)Zange *f*

pinède [pinɛd] *f* Kiefern-, Pinienwald *m*

pingouin [pɛ̃gwɛ̃] *m zo* Pinguin *m*

pingre [pɛ̃grə] geizig, knickerig

pinson [pɛ̃sõ] *m zo* Buchfink *m*

pintade [pɛ̃tad] *f zo* Perlhuhn *n*

pioch|e [pjɔʃ] *f* Hacke *f*; **~er** (*1a*) (um-, auf)hacken

piolet [pjɔlɛ] *m* Eispickel *m*

pion [pjõ] *m échecs*: Bauer *m*; *jeu*: Stein *m*

pioncer [pjõse] (*1k*) F pennen

pionnier [pjɔnje] *m* Pionier *m*, Bahnbrecher *m*

pip|e [pip] *f* (Tabaks-)Pfeife *f*; **fumer la ~** Pfeife rauchen; **~eau** [-o] *m* (*pl -x*) (Hirten-)Flöte *f*

piquant, ~e [pikã, -t] **1.** *adj* stach(e)lig; *remarque*: bissig, spitz; *cuis* pikant; **2.** *m épine* Dorn *m*; *fig* Reiz *m*

piqu|e [pik] *m carte*: Pik *n*; **~é, ~ée** *tissu*: gesteppt; *vin*: sauer

pique-nique [piknik] *m* (*pl pique-niques*) Picknick *n*; **~-niquer** [-nike] (*1m*) picknicken

piquer [pike] (*1m*) *fourchette, aiguille*: stechen; *poivre, fumée*: beißen; *barbe*: kratzen; *insecte, épine*: stechen; *méd* e-e Spritze geben (*qn* j-m); *fig curiosité*: reizen; F *fig* klauen; **se** ~ sich stechen; *se faire une piqûre* sich (*acc*) spritzen; *héroïne*: fixen; *fig* **se ~ de qc** sich (*dat*) etwas auf etw (*acc*) einbilden

piquet [pikɛ] *m* Pflock *m*; ~ **de tente** (Zelt-)Hering *m*; ~ **de grève** Streikposten *m*

piqûre [pikyr] *f* Stich *m*; *méd* Spritze *f*

pirate [pirat] *m* Seeräuber *m*, Pirat *m*; ~ **de l'informatique** Hacker *m*; ~ **de l'air** Luftpirat *m*

pire [pir] schlimmer; **le, la** ~ der, die, das Schlimmste

pis[1] [pi] *adv* schlimmer

pis[2] [pi] *m* Euter *n*

pis-aller [pizale] *m* (*pl unv*) Notbehelf *m*

pisciculture [pisikyltyr] *f* Fischzucht *f*

piscine [pisin] *f* Schwimmbad *n*; ~ **couverte** Hallenbad *n*; ~ **en plein air** Freibad *n*

pissenlit [pisãli] *m bot* Löwenzahn *m*

piss|er [pise] (*1a*) F pissen, pinkeln; ~**otière** [-ɔtjɛr] *f* F Pissoir *n*

pistache [pistaʃ] *f bot* Pistazie *f*

piste [pist] *f animal u fig* Fährte *f*, Spur *f*; *désert, forêt*: Piste *f*; *danse*: Tanzfläche *f*; *sport*: Rennbahn *f*; ~ **d'atterrissage** Landebahn *f*; ~ **cyclable** Fahrradweg *m*

pistolet [pistɔlɛ] *m* Pistole *f*

piston [pistõ] *m tech* Kolben *m*; F *fig* Protektion *f*

pistonner [pistɔne] (*1a*) F ~ **qn** j-n protegieren

pitance [pitãs] *f péj* Fraß *m*

piteu|x, -se [pitø, -z] *situation, aspect*: jämmerlich; *résultat*: kümmerlich

pitié [pitje] *f* Mitleid *n*; **avoir ~ de qn** mit j-m Mitleid haben; F **quelle ~!** wie erbärmlich!

piton [pitõ] *m alpiniste*: Felshaken *m*; *pic* Bergspitze *f*

pitoyable [pitwajablə] bedauernswert; *péj* erbärmlich

pitre [pitrə] *m* Hanswurst *m*

pittoresque [pitɔrɛsk] malerisch

pivert [pivɛr] *m zo* Grünspecht *m*

pivoine [pivwan] *f bot* Pfingstrose *f*

piv|ot [pivo] *m tech* Zapfen *m*; *fig* Angelpunkt *m*; ~**oter** [-ɔte] (*1a*) sich *um etw* drehen

placage [plakaʒ] *m meubles*: Furnier (ung) *n*(*f*)

placard [plakar] *m* **1.** *armoire* Wandschrank *m*; **2.** *affiche* Aushang *m*, Anschlag *m*; *journal*: große Anzeige *f*; ~**er** [-de] (*1a*) öffentlich anschlagen

place [plas] *f* Platz *m*; *lieu* Ort *m*, Stelle *f*, Platz *m*; *emploi* Posten *m*; ~ **forte** Festung *f*; **sur** ~ an Ort und Stelle; **à la** ~ **de** an Stelle von; **par** ~**s** stellenweise; **être en** ~ bereitstehen; ~ **assise** Sitzplatz *m*; ~ **debout** Stehplatz *m*

plac|é, -ée [plase] **être bien** ~ *chose*: e-n guten Standort haben; **être bien** ~ **pour savoir qc** *personne*: etw doch schließlich wissen müssen; ~**ement** [-mã] *m emploi*: Unterbringung *f*; *marchandises*: Absatz *m*, Verkauf *m*; *investissement* Anlage *f*

placer [plase] (*1k*) setzen, stellen, legen; *procurer emploi, logement*: unterbringen; *mot, histoire*: anbringen; *fig dans un ordre*: einordnen; *argent*: anlegen; *marchandises*: absetzen; **se** ~ Platz nehmen; **se** ~ **deuxième** sich als Zweiter platzieren

placeur [plasœr] *m* Platzanweiser *m*

placide [plasid] sanft(mütig)

plafond [plafõ] *m arch* (Zimmer-)Decke *f*; *aviat* Maximal(steig)höhe *f*; *auto* Höchstgeschwindigkeit *f*; *écon* Höchstsatz *m*, Obergrenze *f*

plafonn|er [plafɔne] (*1a*) *arch* e-e Decke einziehen; *aviat* die Gipfelhöhe erreichen; *auto* die Spitzengeschwindigkeit erreichen; *prix, industrie*: die Höchstgrenze erreichen; ~**ier** [-je] *m* Deckenlampe *f*

plage [plaʒ] *f* Strand *m*; *lieu*: Seebad *n*, Badeort *m*

plagiat [plaʒja] *m* Plagiat *n*

plaid [plɛd] *m* Reisedecke *f*

plaid|er [plɛde] (*1b*) ~ **pour** sich einsetzen für, plädieren für; ~ **contre** prozessieren gegen; ~ **la cause de qn** j-n vor Gericht vertreten; *fig* für j-n eintreten; ~**oirie** [-wari] *f jur* Plädoyer *n*; ~**oyer** [-waje] *m jur u fig* Plädoyer *n*, Verteidigungsrede *f*, -schrift *f*

plaie [plɛ] *f* Wunde *f*; *fig* Plage *f*

plaignant, ~e [plɛɲã, -t] *m*, *f jur* Kläger(in) m(f)

plaindre [plɛ̃drə] (4b) v/t bedauern; **se ~** klagen, sich (acc) beklagen (**de** über); réclamer sich (acc) beschweren (**de qn, de qc à qn** über j-n, etw bei j-m); **se ~** (**de ce**) **que** (+ ind od subj) sich (acc) darüber beklagen, dass

plaine [plɛn] f Ebene f

plain-pied [plɛ̃pje] **de ~** auf gleicher Ebene; fig direkt, ohne Umschweife

plainte [plɛ̃t] f lamentation Weh-Klage f; mécontentement: Beschwerde f; jur Strafantrag m; **porter ~** Anzeige erstatten (**contre** gegen)

plaire [plɛr] (4aa) gefallen (**à qn** j-m); **s'il vous** (od **te**) **plaît** bitte; **il lui plaît de** (+ inf) es beliebt ihm zu (+ inf); **se ~** sich (selbst) gefallen; **je me plais à Paris** es gefällt mir in Paris, ich fühle mich in Paris wohl

plaisance [plɛzɑ̃s] f ... **de ~** Vergnügungs...; **navigation** f **de ~** Schifffahrt f mit Motor- und Segeljachten; **port** m **de ~** Jacht-, Segelhafen m; **~ant, ~ante** [-ɑ̃, -ɑ̃t] joli gefällig, hübsch; amusant lustig, amüsant; **~anter** [-ɑ̃te] (1a) scherzen, spaßen; **~ qn** sich über j-n lustig machen; **~anterie** [-ɑ̃tri] f Scherz m, Spaß m; **~antin** [-ɑ̃tɛ̃] m Witzbold m

plaisir [plɛzir] m Vergnügen n, Freude f; des sens: Lust f; **à ~** grundlos; **avec ~** gern; **par ~** zum Spaß; **faire ~ à** j-m Freude machen; **prendre ~ à** Vergnügen finden an (dat); **les ~s de la table** die Tafelfreuden f/pl

plan, ~e [plɑ̃, -an] **1.** adj eben; **2.** m surface Fläche f; projet Plan m; **premier ~** Vordergrund m; **de premier ~** erstrangig; **sur ce ~** in dieser Hinsicht; **sur le ~ économique** auf wirtschaftlichem Gebiet; **~ d'eau** Wasserspiegel m; **~ de vol** Flugplan m

planche [plɑ̃ʃ] f Brett n; jardin: Beet n; **~ à voile** Surfbrett n

plancher [plɑ̃ʃe] m Fußboden m

planer [plane] (1a) schweben; fig ~ **au-dessus de** erhaben sein über (acc)

planétaire [planeter] planetarisch

planète [planɛt] f Planet m

planeur [planœr] m Segelflugzeug n

planification [planifikasjɔ̃] f Planung f

planifier [planifje] (1a) planen

planning [planiŋ] m **~ familial** Familienplanung f

planque [plɑ̃k] f F abri Unterschlupf m; travail: gemütlicher Job m

planquer [plɑ̃ke] (1m) F (**se ~** sich) verstecken

plant [plɑ̃] m agr Setzling m; **plantation** Anpflanzung f; **~ation** [plɑ̃tasjɔ̃] f Anpflanzung f, Plantage f

plante¹ [plɑ̃t] f Pflanze f

plante² [plɑ̃t] f **~ du pied** Fußsohle f

planter [plɑ̃te] (1a) jardin: anpflanzen; plantes, arbres: einpflanzen; rue, carré: bepflanzen; poteau: einschlagen; tente: aufschlagen; **~ là qn** j-n im Stich lassen; **~eur** m Pflanzer m

plantureu|x, ~se [plɑ̃tyrø, -øz] üppig

plaque [plak] f Platte f; inscription: Schild n; chocolat: Tafel f; **~ d'identité** Erkennungsmarke f; auto **~ minéralogique** od **~ d'immatriculation** Nummernschild n; **~ tournante** Drehscheibe f (a fig)

plaqu|é [plake] m tech Plattierung f; or, argent: Dublee n; **~er** (1m) tech plattieren; argent, or: mit Silber, Gold dublieren; meuble: furnieren; fig drücken (**contre, sur** gegen an acc); fig F **~ qn** j-n im Stich lassen

plastic [plastik] m Plastiksprengstoff m

plastique [plastik] **1.** adj plastisch; **arts** m/pl **~s** bildende Kunst f; **matière** f **~** Kunststoff m; **chirurgie** f **~** plastische Chirurgie f; **2.** f art: Plastik f, Bildhauerkunst f; **3.** m matière: Kunststoff m, Plastik m

plat, ~e [pla, plat] **1.** adj flach, platt, eben; cheveux: glatt; style: fade, schal; eau: ohne Kohlensäure; **2.** m vaisselle: Platte f, Schüssel f; cuis Gericht n, Speise f, Gang m

platane [platan] m bot Platane f

plateau [plato] m (pl -x) Tablett n; de fromages: Platte f; théâtre: Bühne f; géogr Plateau n, Hochebene f

plate-bande [platbɑ̃d] f (pl plates-bandes) Gartenbeet n

plate-forme [platfɔrm] f (pl plates-formes) Plattform f; pol **~ électorale** Wahlplattform f; **~ de forage** Bohrinsel f

platine [platin] **1.** m chim Platin n; **2.** f de tourne-disque: Chassis n

platitude [platityd] f fig livre, conversation: Seichtheit f; lieu commun Gemeinplatz m plâtras [platra] m Bauschutt m

plâtr|e [platrə] m Gips m; méd Gipsverband m; ~er (1a) (ver-, ein)gipsen

plausible [plozibl] einleuchtend, plausibel

plèbe [plɛb] f litt u péj Pöbel m

plébiscite [plebisit] m Volksabstimmung f, -entscheid m

plein, ~e [plɛ̃, -ɛn] 1. adj voll; rempli gefüllt (de mit); bois: massiv; femelle: pleine trächtig; à plein temps ganztags; de plein droit von Rechts wegen; de plein gré aus freiem Antrieb; en plein air unter freiem Himmel, im Freien; en plein été im Hochsommer; en plein Paris mitten in Paris; en pleine rue auf offener Straße; 2. adv sonner plein voll klingen; en plein dans genau in; F plein de viel(e); F fig en avoir plein le dos die Nase voll haben; 3. m battre son plein in vollem Gange sein; faire le plein (de qc) voll machen; auto voll tanken

pleinement [plɛnmã] adv völlig

plein-emploi [plɛnãplwa] m écon Vollbeschäftigung f

plénitude [plenityd] f fig Fülle f

pleurer [plœre] (1a) weinen; ~ qn, um j-n, etw trauern; ~ sur qc etw (acc) beklagen; ~ de rire Tränen lachen

pleurésie [plœrezi, plø-] f méd Rippenfell-, Brustfellentzündung f

pleureur [plœrœr] bot saule m ~ Trauerweide f

pleurnicher [plœrniʃe] (1a) F flennen

pleurs [plœr] m/pl litt en ~ in Tränen

pleuvoir [pløvwar] (3e) regnen; il pleut es regnet

pli [pli] m Falte f, Knick m; enveloppe Briefumschlag m; lettre Brief m; jeu de cartes: Stich m; fig Gewohnheit f; sous ce ~ beiliegend; coiffure: mise f en ~s Wasserwelle f

pliant, ~e [plijã, -t] zusammenklappbar; canot m pliant Faltboot n; siège m pliant Klappstuhl m

plier [plije] (1a) v/t tissu, linge: zusammenlegen; papier, journal: (zusammen)falten; chaise: zusammenklappen; enveloppe, papier: knicken; bras, genou: beugen, biegen; v/i arbre, planche: sich biegen; fig nachgeben; se ~ à se soumettre sich fügen (dat); s'adapter sich anpassen (dat)

plisser [plise] (1a) falten, fälteln; front: runzeln

plomb [plõ] m Blei n; à ~ senkrecht; essence: sans ~ bleifrei

plomb|age [plõbaʒ] m Plombieren n; amalgame: Plombe f, Füllung f; ~er (1a) dent: plombieren; ~erie f Klempnerei f, Spenglerei f; ~ier m Klempner m, Spengler m

plong|ée [plõʒe] f Tauchen n; mil Tauchmanöver n; film: Aufnahme f von oben; ~eoir [-war] m Sprungbrett n, -turm m; ~eon [-õ] m sport: Kopfsprung m; ~er (1l) v/i tauchen; v/t hineintauchen; se ~ dans sich versenken in (acc); ~eur, ~euse m, f Taucher(in) m(f); natation: Springer(in) m(f)

ployer [plwaje] (1h) litt sich biegen

pluie [plɥi] f Regen m; fig Hagel m, Flut f

plumage [plymaʒ] m Gefieder n

plum|e [plym] f Feder f; ~eau m (pl -x) Staubwedel m; ~er (1a) rupfen (a fig); fig ausnehmen; ~et m Federbusch m

plupart [plypar] la ~ des élèves die meisten Schüler; la ~ d'entre nous die meisten von uns; pour la ~ größtenteils; la ~ du temps meistens

plural|isme [plyralism] m Pluralismus m; ~iste pluralistisch; ~ité f Vielzahl f, Pluralität f

pluriculturel, ~le [plyrikyltyrɛl] 1. multikulturell; 2. m/f Multikulti m

pluriel [plyrjɛl] m gr Plural m

plurilingue [plyrilɛ̃g] mehrsprachig

plus [ply; plys] 1. [ply] adv mehr (que, de als); math plus; le ~ am meisten; de ~ mehr; en outre ferner, außerdem; de ~ en ~ immer mehr; en ~ noch dazu; rien de ~ weiter nichts; sans ~ ohne etw hinzuzufügen; (tout) au ~ höchstens; ~ ... ~ ... je mehr ... desto mehr; ~ grand größer (que als); le ~ grand der größte; au ~ tard spätestens; 2. [ply] adv de négation: ne ... ~ nicht mehr; non ~ auch nicht; ~ d'argent kein Geld mehr

plusieurs [plyzjœr] mehrere

plus-que-parfait [plyskəparfɛ] m gr Plusquamperfekt n

plutôt [plyto] eher; vielmehr; préférence: lieber; il est ~ grand er ist eher groß; ce n'est pas lui mais ~ elle es ist

pluvieux 222

nicht er, sondern vielmehr sie; **~ moins que trop** lieber wenig als viel; **~ que de** (+ *inf*) anstatt zu (+ *inf*)

pluvieu|x, ~se [plyvjø, -z] regnerisch

P.M.U. [peemy] *m* (*abr* **Pari mutuel urbain**) *etwa* Pferdetoto *n*; Wettannahme *f*

pneu [pnø] *m* (*pl* -s) Reifen *m*; **~matique** [-matik] **1.** *adj* Luft...; **matelas ~** Luftmatratze *f*; **2.** *m* → **pneu**

pneumonie [pnømɔni] *f* méd Lungenentzündung *f*

poche [pɔʃ] *f* Tasche *f*; zo Beutel *m*; *déformation dans* *vêtement*: ausgebeulte Stelle *f*; **livre** *m* **de ~** Taschenbuch *n*; **~ revolver** Gesäßtasche *f*

pocher [pɔʃe] (*1a*) *cuis œufs*: pochieren; *yeux*: blau schlagen

pochette [pɔʃɛt] *f* Täschchen *n*; *disque*: Hülle *f*; **mouchoir** Ziertaschentuch *n*

poêle [pwal] **1.** *m* (Zimmer-)Ofen *m*; **2.** *f* Pfanne *f*

poêlon [pwalõ] *m* Stieltopf *m*

poème [pɔɛm] *m* Gedicht *n*

poésie [pɔezi] *f* Dichtkunst *f*, Dichtung *f*, Poesie *f*; *poème*: kleines Gedicht *n*

poète [pɔɛt] *m* Dichter *m*, Poet *m*; **femme** *f* **~** Dichterin *f*

poétique [pɔetik] poetisch; *atmosphère*: romantisch

pognon [pɔɲõ] *m* F Zaster *m*

poids [pwa] *m* Gewicht *n* (*a* fig); *importance* Bedeutung *f*; *charge, fardeau*: Last *f*; **~ lourd** Lastwagen *m*, Lkw *m*, Laster *m*; **perdre, prendre du ~** ab-, zunehmen; **lancer** *m* **du ~** Kugelstoßen *n*; **de ~** gewichtig, einflussreich

poign|ant, ~ante [pwaɲã, -ãt] *douleur*: stechend; *souvenir*: quälend; **~ard** [-ar] *m* Dolch *m*; **~arder** [-arde] (*1a*) erdolchen

poign|ée [pwaɲe] *f* *quantité*: Hand voll *f*, *valise, porte*: Griff *m*; **~ de main** Händedruck *m*; **~et** [-ɛ] *m* Handgelenk *n*

poil [pwal] *m* Haar *n*; **à ~** nackt

poilu, ~e [pwaly] behaart, haarig

poinç|on [pwɛ̃sõ] *m* *outil*: Pfriem *m*; *marque*: (Präge-)Stempel *m*; **~onner** [-ɔne] (*1a*) *or, argent*: stempeln; *billet*: lochen

poing [pwɛ̃] *m* Faust *f*

point¹ [pwɛ̃] *m* Punkt *m*; *endroit*: Stelle *f*; *couture*: Stich *m*; **deux ~s** *pl* Doppelpunkt *m*; **~ d'exclamation** Ausrufungszeichen *n*; **~ d'interrogation** Fragezeichen *n*; **~ de vue** Stand-, Gesichtspunkt *m*; **~ de côté** méd Seitenstechen *n*; **~ d'arrêt** Haltestelle *f*; **~ du jour** Tagesanbruch *m*; **être sur le ~ de** (+ *inf*) im Begriff sein zu (+ *inf*); **mettre au ~** *caméra*: einstellen; tech entwickeln; **mise** *f* **au ~** Einstellung *f*; Entwicklung *f*; *cuis* **à ~ viande**: medium; **au ~ de** (+ *inf*), **à ~ que** in e-m solchen Maße, dass; **à ce ~ que** so sehr, dass; **sur ce ~** in diesem Punkt; fig **faire le ~** e-e Bestandsaufnahme machen, die Lage überprüfen

point² [pwɛ̃] *adv* litt **ne ... ~** (gar) nicht; **~ de ...** gar kein ...

point|e [pwɛ̃t] *f* Spitze *f* (*a* fig); *blague*: Pointe *f*; **en ~** spitz; **... de ~** Spitzen..., modernste(r, -s); *être de* **~** e-e Spur von; **~er** (*1a*) *v/t sur liste*: abhaken; *employé*: kontrollieren; *v/i employé*: stempeln; **~ les oreilles** die Ohren spitzen

pointill|é [pwɛ̃tije] *m* punktierte Linie *f*; **~eux, ~euse** [-ø, -øz] kleinlich, pedantisch, penibel

pointu, ~e [pwɛ̃ty] spitz; *voix*: schrill

pointure [pwɛ̃tyr] *f* Nummer *f*, Größe *f*

point-virgule [pwɛ̃virgyl] *m* (*pl points-virgules*) gr Strichpunkt *m*, Semikolon *n*

poire [pwar] *f* bot Birne *f*; F *visage* Visage *f*; F *naïf* gutmütiger Trottel *m*

poireau [pwaro] *m* (*pl* -x) bot Porree *m*, Lauch *m*

poirier [pwarje] *m* bot Birnbaum *m*

pois [pwa] *m* bot Erbse *f*; **petits ~** *pl* grüne Erbsen; **à ~** gepunktet, getüpfelt

poison [pwazõ] *m* Gift *n*; F fig (*a f*) Giftnudel *f*, unausstehliche Person *f*

poisse [pwas] *f* F Pech *n* (fig)

poiss|on [pwasõ] *m* Fisch *m*; **~ d'avril** Aprilscherz *m*; **~onnerie** [-ɔnri] *f* Fischgeschäft *n*

poitrine [pwatrin] *f* Brust *f*

poivr|e [pwavr] *m* Pfeffer *m*; **~ et sel** *cheveux*: grau meliert; **~er** (*1a*) pfeffern; **~ier** [-ije] *m* Pfefferstreuer *m*; bot Pfefferstrauch *m*; **~ière** [-ijɛr] *f* Pfefferstreuer *m*

poivron [pwavrõ] *m* Paprika(schote) *m*(*f*)

poix [pwa] *f* Pech *n*

polaire [pɔlɛr] Polar...

polar [pɔlar] m F Krimi m

polariser [pɔlarize] (1a) polarisieren

pôle [pol] m Pol m (a fig); ~ **d'attraction** Anziehungspunkt m

polémique [pɔlemik] **1.** adj polemisch; **2.** f Polemik f; **~er** (1m) polemisieren

poli, ~e [pɔli] **1.** höflich; **2.** métal, caillou: poliert

police[1] [pɔlis] f Polizei f; **agent** m **de ~** Polizist m; ~ **judiciaire** Kriminalpolizei f

police[2] [pɔlis] f assurances: (Versicherungs-)Police f

policier, ~ière [pɔlisje, -jɛr] **1.** adj Polizei...; **roman** m **policier** Kriminalroman m; **2.** m Polizeibeamte(r) m

policlinique [pɔliklinik] f Poliklinik f

polir [pɔlir] (2a) schleifen, glätten, polieren

polisson, ~ne [pɔlisõ, -ɔn] **1.** adj zweideutig, schlüpfrig; **2.** m, f Bengel m

politesse [pɔlitɛs] f Höflichkeit f

politicard [pɔlitikar] m skrupelloser Politiker m

politicien, ~ne [pɔlitisjẽ, -ɛn] m, f Politiker(in) m(f)

politique [pɔlitik] **1.** adj politisch, Staats...; fig diplomatisch; **homme** m ~ Politiker m; **économie** f ~ Volkswirtschaft f; **2.** f Politik f; fig Taktik f; ~ **monétaire** Währungspolitik f; **3.** m Politiker m

politisation [pɔlitizasjõ] f Politisierung f

politologie [pɔlitɔlɔʒi] f Politologie f, politische Wissenschaft f

pollen [pɔlɛn] m Blütenstaub m

polluer [pɔlɥe] (1n) verschmutzen; **~tion** f (Umwelt-)Verschmutzung f

Pologne [pɔlɔɲ] **la ~** Polen n

polonais, ~e [pɔlɔnɛ, -z] **1.** adj polnisch; **2.** ♀ m, f Pole m, Polin f

poltron, ~ne [pɔltrõ, -ɔn] m, f Feigling m, Memme f; **~nerie** [-ɔnri] f Feigheit f

polycopier [pɔlikɔpje] (1a) vervielfältigen

polygamie [pɔligami] f Polygamie f, Vielweiberei f; **~glotte** [-glɔt] vielsprachig

polynésien, ~ne [pɔlinezjẽ, -ɛn] polynesisch

polystyrène [pɔlistirɛn] m Styropor n

pommade [pɔmad] f Salbe f

pomme [pɔm] f Apfel m; ~ **de pin** Tannenzapfen m; ~ **de terre** Kartoffel f; ~ **d'Adam** Adamsapfel m; F **tomber dans les** ~**s** in Ohnmacht fallen

pommeau [pɔmo] m (pl -x) Knauf m; selle: Sattelknopf m

pomm|ette [pɔmɛt] f anat Backenknochen m; **~ier** [-je] m bot Apfelbaum m

pompe[1] [põp] f faste Pomp m, Prunk m; **~s funèbres** Bestattungsinstitut n

pomp|e[2] [põp] f tech Pumpe f; F Schuh m; ~ **à essence** Zapfsäule f; ~ **à eau** Wasserpumpe f; **~er** (1a) (ab)pumpen; fig aufsaugen

pompeu|x, ~se [põpø, -z] bombastisch; style: schwülstig

pompier [põpje] m Feuerwehrmann m; **~s** pl Feuerwehr f

pompiste [põpist] m Tankwart m

pompon [põpõ] m Quaste f; **~ner** [-ɔne] (1a) herausstaffieren, -putzen

ponce [põs] **pierre** f ~ Bimsstein m

poncif [põsif] m Gemeinplatz m, Plattheit f

ponctionner [põksjɔne] (1a) méd punktieren

ponctualité [põktɥalite] f Pünktlichkeit f

ponctuation [põktɥasjõ] f gr Interpunktion f, Zeichensetzung f

ponctu|el, ~elle [põktɥɛl] personne: pünktlich; fig action: punktuell; **~er** (1n) gr interpunktieren; fig hervorheben

pondér|ation [põderasjõ] f personne: Besonnenheit f, forces: Ausgewogenheit f; **~é, ~ée** besonnen; ausgewogen

pondre [põdrə] (4a) œufs: legen; fig F verfassen, fabrizieren

poney [pɔnɛ] m zo Pony m

pont [põ] m Brücke f; mar (Schiffs-)Deck n; auto ~ **arrière** Hinterachse f; ~ **aérien** Luftbrücke f; **faire le** ~ an e-m Werktag zwischen zwei Feiertagen nicht arbeiten

pontif|e [põtif] m égl Prälat m, Bischof m; **~ical, ~icale** [-ikal] (m/pl -aux) bischöflich; du pape päpstlich; **~icat** [-ika] m égl Pontifikat n

pont-levis [põləvi] m (pl ponts-levis) Zugbrücke f

ponton [põtõ] m (Anlege-)Ponton m

P

popote [pɔpɔt] *f* F **faire la ~** kochen

populace [pɔpylas] *f* Pöbel *m*

popul|aire [pɔpylɛr] Volks...; *traditions:* volkstümlich; *personne, chanson:* populär, beliebt; **~ariser** [-arize] (*1a*) popularisieren; **~arité** [-arite] *f* Beliebtheit *f*, Popularität *f*; **~ation** *f* Bevölkerung *f*; **~eux, ~euse** [-ø, -øz] dicht bevölkert

porc [pɔr] *m* zo Schwein *n* (*a fig*); *viande:* Schweinefleisch *n*; *peau:* Schweinsleder *n*

porcelaine [pɔrsəlɛn] *f* Porzellan *n*

porcelet [pɔrsəlɛ] *m* zo Ferkel *n*

porc-épic [pɔrkepik] *m* (*pl porcs-épics*) zo Stachelschwein *n*

porche [pɔrʃ] *m* Portalvorhalle *f*

porcherie [pɔrʃəri] *f* Schweinestall *m*

pore [pɔr] *m* Pore *f*

poreu|x, ~se [pɔrø, -z] porös

pornograph|ie [pɔrnɔgrafi] *f* Pornografie *f*; **~ique** (*a porno*) pornografisch, Porno...

port¹ [pɔr] *m* Hafen *m*; *ville:* Hafenstadt *f*; **~ de pêche** Fischereihafen *m*; **~ de commerce** Handelshafen *m*

port² [pɔr] *m* 1. *armes:* Tragen *n*; 2. *courrier:* Porto *n*; **en ~ dû** unfrankiert

portable [pɔrtablə] 1. *adj* tragbar; 2. *subst m tél* Handy *n*

portail [pɔrtaj] *m* (*pl -s*) *arch* Portal *n*; *parc:* Tor *n*

portant, ~e [pɔrtã, -t] 1. *mur:* tragend; **à bout portant** aus nächster Nähe (*schießen*); 2. **bien portant** gesund; **mal portant** nicht gesund

portati|f, ~ve [pɔrtatif, -v] tragbar

porte [pɔrt] *f* Tür *f*; *ville:* Tor *n*; **~ à ~** Tür an Tür; **entre deux ~s** zwischen Tür und Angel; **mettre qn à la ~** j-n hinauswerfen

porte|-à-porte [pɔrtaport] *m* **faire du ~** hausieren; **~avions** [-avjõ] *m* (*pl unv*) Flugzeugträger *m*; **~bagages** [-bagaʒ] *m auto* Gepäckträger *m*; *filet:* Gepäcknetz *n*; **~bonheur** [-bɔnœr] *m* (*pl unv*) Glücksbringer *m*; **~cigarettes** [-sigarɛt] *m* (*pl unv*) Zigarettenetui *n*; **~clefs** [pɔrtəkle] *m* (*pl unv*) Schlüsselring *m*, -etui *n*, -brett *n*; **~documents** [-dɔkymã] *m* (*pl unv*) Kollegmappe *f*

portée [pɔrte] *f* 1. zo Wurf *m*; 2. *arme:* Reich-, Tragweite *f*; *importance* Trag-

weite *f*; **à ~ de la main** griffbereit; 3. *fig de l'esprit:* Fassungsvermögen *n*; **être à la ~ de qn** für j-n verständlich sein; **à la ~ de tous** allgemein verständlich

porte|-fenêtre [pɔrtfənɛtr] *f* (*pl portes-fenêtres*) Verandatür *f*; **~feuille** [-fœj] *m* Brieftasche *f*; *ministre:* Geschäftsbereich *m*; **~manteau** [-mãto] *m* (*pl -x*) Kleiderständer *m*, -haken *m*, Garderobe *f*; **~mine** [-min] *m* Drehbleistift *m*; **~monnaie** [-mɔnɛ] *m* (*pl unv*) Geldbörse *f*, -beutel *m*; **~parole** [-parɔl] *m* (*pl unv*) Wortführer *m*, Sprecher *m*

porter [pɔrte] (*1a*) 1. *v/t* tragen (*a zo*); *apporter:* bringen, hinschaffen; *yeux:* richten (**sur** auf *acc*); *jugement:* abgeben; *toast:* ausbringen; *reconnaissance, haine:* entgegenbringen; **~ qn à qc** j-n zu etw veranlassen, bringen; **~ au compte de qn** auf j-s Konto verbuchen (*a fig*); **~ son effort sur qc** seine Anstrengungen auf etw (*acc*) konzentrieren; 2. *v/i canon, coup:* reichen; **~ juste** *coup:* treffen; **~ sur** *appuyer* liegen *od* ruhen auf (*dat*); *concerner* betreffen; F **~ sur les nerfs à qn** j-m auf die Nerven fallen; **~ à la tête** zu Kopf steigen; **~ à faux** schief, vorspringend sein; 3. **il se porte bien** (**mal**) es geht ihm gut (schlecht); **se ~ candidat** sich zur Wahl stellen, kandidieren; **se ~ garant pour qn** für j-n bürgen

porte|-savon [pɔrtsavõ] *m* (*pl porte-savon[s]*) Seifenschale *f*; **~skis** [-ski] *m* (*pl unv*) Skiträger *m*

porteur [pɔrtœr] *m expédition:* Träger *m*; *gare:* Gepäckträger *m*; *message:* Überbringer *m*; *chèque:* **payable au ~** an Überbringer

porte-voix [pɔrtvwa] *m* (*pl unv*) Sprachrohr *n*, Megaphon *n*

port|ier [pɔrtje] *m* Pförtner *m*; **~ière** [-jɛr] *f* Türvorhang *m*; *auto* Tür *f*

portion [pɔrsjõ] *f d'un tout:* Teil *m*; *héritage:* Anteil *m*; *cuis* Portion *f*

portique [pɔrtik] *m arch* Säulenhalle *f*; *sport:* Turngerüst *n*

porto [pɔrto] *m* Portwein *m*

portrait [pɔrtrɛ] *m* Porträt *n*, Bildnis *n*; **faire le ~ de qn** j-n porträtieren; **~robot** [-rɔbo] *m* (*pl portraits-robots*) Phantombild *n*

portuaire [pɔrtɥɛr] Hafen...

portugais, ~e [pɔrtygɛ, -z] **1.** *adj* portugiesisch; **2.** ♀ *m*, *f* Portugiese *m*, Portugiesin *f*

Portugal [pɔrtygal] *le* ~ Portugal *n*

pose [poz] *f* **1.** *installation* Anbringen *n*, Installieren *n*; **2.** *attitude* (Körper-)Haltung *f*; *artificielle*: Pose *f*; *photographie*: *temps m de* ~ Belichtungszeit *f*

posé, ~e [poze] gesetzt, bedächtig; **~ment** *adv* ruhig

posemètre [pozmɛtrə] *m photographie*: Belichtungsmesser *m*

poser [poze] (*1a*) **1.** (hin)setzen, (hin)stellen, (hin)legen; *compteur*, *serrure*: anbringen; *tuyaux*, *moquette*: verlegen; *problème*: darstellen; ~ *une question* eine Frage stellen; ~ *qn* j-m Ansehen geben; ~ *sa candidature* sich bewerben; *se* ~ *aviat* aufsetzen, landen; *se* ~ *en* auftreten als; **2.** Modell stehen; *fig* posieren, schauspielern

poseu|r, ~se [pozœr, -øz] *m*, *f* **1.** Wichtigtuer(in) *m(f)*; **2.** *m poseur de bombes* Bombenleger *m*

positi|f, ~ve [pozitif, -v] **1.** *adj* positiv; *réel* sicher, tatsächlich; **2.** *m photo*: Positiv *n*

position [pozisjɔ̃] *f* Lage *f*, Stellung *f*; *attitude*: Haltung *f*; *mar, aviat* Position *f*; *fig opinion*: Standpunkt *m*; *prendre* ~ Stellung nehmen

posologie [pozɔlɔʒi] *f phm* Dosierung *f*

posséd|é, ~ée [pɔsede] besessen (*de* von); **~er** (*1f*) besitzen; *langue*: beherrschen

possess|eur [pɔsesœr] *m bes jur* Besitzer *m*; **~if**, **~ive** [-if, -iv] *gr* possessiv, besitzanzeigend; **~ion** *f* Besitz *m*; *être en* ~ *de qc* im Besitz von etw sein

possibilité [pɔsibilite] *f* Möglichkeit *f*

possible [pɔsiblə] **1.** *adj* möglich; *le plus souvent* ~ möglichst oft; *autant que* ~, *le plus* ~ so viel als möglich; **2.** *m faire tout son* ~ sein Möglichstes tun

postal, ~e [pɔstal] (*m/pl -aux*) Post...; *chèque m postal* Postscheck *m*

postdater [pɔstdate] (*1a*) vor-, vorausdatieren

poste¹ [pɔst] *f* (*bureau m de*) ~ Post (-amt) *f(n)*; ~ *d'escargot* Schneckenpost *f*; *mettre à la* ~ zur Post geben, aufgeben; ~ *restante* postlagernd

poste² [pɔst] *m* Posten *m* (*a mil u comm*); *profession*: Posten *m*, Stelle *f*, Amt *n*; *radio, TV* Apparat *m*, Gerät *n*; ~ *de nuit* Nachtschicht *f*; *tél* ~ *supplémentaire* Nebenanschluss *m*; ~ *émetteur* (Rundfunk-)Sender *m*; ~ *d'essence* Tankstelle *f*; ~ *de secours* Unfallstation *f*; *aviat* ~ *de pilotage* Cockpit *n*; ~ *de travail sur ordinateur* Bildschirmarbeitsplatz *f*

poster [pɔste] (*1a*) **1.** *soldat*: aufstellen; **2.** *lettre*: zur Post geben

postérieur, ~e [pɔsterjœr] **1.** *adj partie*: hintere(r, -s); *document, date*: spätere(r, -s); **2.** *m* F Hintern *m*

postérité [pɔsterite] *st/s f* Nachwelt *f*

posthume [pɔstym] *enfant*: nachgeboren; *œuvre*: post(h)um

postiche [pɔstiʃ] *m* Haarteil *n*

post-scriptum [pɔstskriptɔm] *m* (*abr P.-S.*; *pl unv*) Nachschrift *f*

postul|ant, **~ante** [pɔstylɑ̃, -ãt] *m*, *f* Bewerber(in) *m(f)*; **~er** (*1a*) sich bewerben (*un emploi* um e-e Stelle); *phil* postulieren

posture [pɔstyr] *f attitude* Positur *f*, Haltung *f*, Stellung *f*, *fig condition* Lage *f*

pot [po] *m* Topf *m*; *pour liquide*: Kanne *f*, Krug *m*; *en verre* Glas *n*; ~ *à eau* [potao] Wasserkrug *m*; ~ *de fleurs* Blumentopf *m*; ~ *de chambre* Nachttopf *m*; F *prendre un* ~ etw trinken gehen; *avoir du* ~ F Schwein haben

potable [pɔtablə] trinkbar; F passabel

potag|e [pɔtaʒ] *m* Suppe *f*; **~er**, **~ère** Gemüse...

potasse [pɔtas] *f chim* Kali *n*

potassium [pɔtasjɔm] *m chim* Kalium *n*

pot-au-feu [pɔtofø] *m* (*pl unv*) Eintopf *m*; *viande*: Suppenfleisch *n*

pot-de-vin [podvɛ̃] *m* (*pl pots-de-vin*) Schmiergeld *n*

pote [pɔt] *m* F Kumpel *m*

poteau [pɔto] *m* (*pl -x*) Pfosten *m*, Pfahl *m*, Mast *m*; ~ *indicateur* Wegweiser *m*

potelé, ~e [pɔtle] rundlich

potence [pɔtɑ̃s] *f* Galgen *m*

potentat [pɔtãta] *m* Machthaber *m*, Potentat *m*

potentiel, **~le** [pɔtãsjɛl] **1.** *adj* potenziell; **2.** *m* Potenzial *n*; ~ *économique* Wirtschaftskraft *f*

poterie [pɔtri] f fabrication: Töpferei f; objet: Töpferware f

potiche [pɔtiʃ] f chinesische oder japanische Porzellanvase

potier [pɔtje] m Töpfer m

potion [posjõ] f Arzneitrank m

potiron [pɔtirõ] m bot Riesenkürbis m

pot-pourri [popuri] m (pl pots-pourris) mus Potpourri n

pou [pu] m (pl -x) m zo Laus f

poubelle [pubɛl] f Mülleimer m, -tonne f; ~ **pour les déchets organiques** Biotonne f

pouce [pus] m Daumen m; **manger sur le ~** schnell e-n Bissen essen; **mettre les ~s** endlich nachgeben

poudre [pudrə] f Pulver n; cosmétique: Puder m; ~ **à canon** Schießpulver n; **café m en ~** Pulverkaffee m; **sucre m en ~** Streuzucker m

poudr|er [pudre] (1a) pudern; **~eux, ~euse** [-ø, -øz] neige: pulvrig; couvert de poussière staubig; **~ier** [-ije] m Puderdose f; **~ière** [-ijɛr] f Pulverfass n (a fig)

pouf [puf] m Puff m (Sitz)

pouffer [pufe] (1a) ~ **de rire** laut auflachen

pouilleu|x, ~se [pujø, -z] personne: verlaust; immeuble, quartier: heruntergekommen

poulailler [pulaje] m Hühnerstall m; théâtre: Galerie f

poulain [pulɛ̃] m zo Fohlen n

poularde [pulard] f cuis Masthühnchen n, Poularde f

poul|e [pul] f Huhn n, Henne f; F fig Dirne f; fig **chair f de ~** Gänsehaut f; **~et** [-ɛ] m Hühnchen n, Hähnchen n

poulie [puli] f tech Rolle f

poulpe [pulp] m zo Krake f

pouls [pu] m Puls m; **prendre le ~** den Puls messen

poumon [pumõ] m Lunge f

poupe [pup] f mar Heck n

poupée [pupe] f Puppe f (a fig)

poupin, ~e [pupɛ̃, -in] pausbäckig

pouponnière [puponjɛr] f Kinderkrippe f

pour [pur] I. prép 1. für; ~ **moi** für mich; **être ~ qc** zu etw dienen; 2. espace: nach; **avoir une correspondance ~** Anschluss haben nach; **partir ~** abreisen nach; 3. raison: wegen; ~ **cette**

raison aus diesem Grund; ~ **autant** deswegen; 4. concernant in Bezug auf (acc), was ... betrifft (acc); ~ **cela**, ~ **ce qui est de cela** was das betrifft; ~ **moi**, ~ **ma part** ich für mein(en) Teil; aversion ~ Abneigung gegen; sévère ~ streng gegen; 5. comme zu, als; avoir ~ **ami** zum Freund od als Freund haben; **prendre qn ~ qc** j-n für etw halten; 6. ~ (+ inf) um zu (+ inf); **être ~ faire qc** gerade dabei sein, etw zu tun; II. conj ~ **que** (+ subj) damit; ~ **peu que** (+ subj) sofern (nur); III. m **le ~ et le contre** das Für und Wider

pourboire [purbwar] m Trinkgeld n

pourcentage [pursɑ̃taʒ] m Prozentsatz m

pourchasser [purʃase] (1a) jagen, verfolgen

pourlécher [purleʃe] (1f) **s'en** ~ sich (dat) (vor Genuss) den Mund lecken

pourparlers [purparle] m/pl Besprechungen f/pl, Verhandlungen f/pl

pourpre [purprə] purpurrot

pourquoi [purkwa] warum, weshalb; **c'est** ~, **voilà** ~ deshalb; **le** ~ das Warum, ~

pourr|i, ~ie [puri] faul, verfault; fig verdorben; été: verregnet; **~ir** (2a) v/i verfaulen; v/t verfaulen lassen; fig ~ **qn** j-n verderben; **~iture** [-ityr] f Fäulnis f; fig Verkommenheit f

poursui|te [pursчit] f Verfolgung f; fig Streben n (de nach); jur Strafverfolgung f; **~vant, ~vante** [-vɑ̃, -vɑ̃t] m, f Verfolger(in) m(f); **~vre** [-vrə] (4h) verfolgen; fig pensées, images: quälen, plagen; jur gerichtlich belangen; travail, voyage: fortsetzen; fig ~ **qc** nach etw streben

pourtant [purtɑ̃] trotzdem, dennoch, doch

pourtour [purtur] m Umfang m

pourvoi [purvwa] m jur Berufung f; ~ **en cassation** Revision f

pourvoir [purvwar] (3b) v/t de recommandation, de titre: versehen (de mit); de munition: versorgen (de mit); voiture, maison: ausstatten (de mit); v/i ~ **à qc** für etw sorgen; **se** ~ **de qc** sich (acc) mit etw versorgen; jur **se** ~ **en cassation** Revision einlegen

pourvu [purvy] ~ **que** (+ subj) vorausgesetzt, dass; *exprimant désir.* wenn nur

pousse [pus] *f agr* Schössling *m*, Trieb *m*; **~café** [-kafe] *m (pl unv)* Gläschen Likör nach dem Kaffee

poussée [puse] *f* Stoß *m*; *foule:* Stoßen *n*, Drängen *n*; *phys* Schub *m*; *fig prix, etc:* plötzlicher Anstieg *m*; **~ démographique** Bevölkerungsexplosion *f*; *méd* Ausbruch *m*

pousser [puse] *(1a)* **1.** *v/t personne:* (an)stoßen; *voiture, charrette:* schieben; *verrou:* vorschieben; *vent, marée:* treiben; *cri:* ausstoßen; *fig travail, recherches:* vorantreiben; **~ inscription sur la porte:** drücken; **~ qn à qc** j-n zu etw treiben, drängen; **se ~** *foule:* sich drängeln; *sur banc:* zur Seite rücken; **2.** *v/i cheveux, plantes:* wachsen

poussette [puset] *f enfants:* Sportwagen *m*; *courses:* Einkaufswagen *m*

pouss|ière [pusjɛr] *f* Staub *m*; *particule:* Staubkorn *n*; **~iéreux, ~iéreuse** [-jɛrø, -jɛrøz] staubig

poussi|f, ~ve [pusif, -v] kurzatmig

poussin [pusɛ̃] *m zo* Küken *n*

poussoir [puswar] *m tech* Drücker *m*

poutre [putr] *f* Balken *m*, Träger *m*

pouvoir [puvwar] **1.** *(3f)* können; dürfen; **je n'en peux plus** ich halte es nicht mehr aus; **on ne peut mieux** vortrefflich; **puis-je vous aider?** kann ich Ihnen helfen?; **si l'on peut dire** wenn man so sagen darf; **il peut arriver que** (+ *subj*) es kann vorkommen, dass; **il se peut que** (+ *subj*) es kann sein *od* es ist möglich, dass; **2.** *m* Macht *f*; *législatif, exécutif:* Gewalt *f*; *droit* Befugnis *f*; *procuration* Vollmacht *f*; *tech, phys* Vermögen *n*, Fähigkeit *f*; **pleins ~s** *pl* unbeschränkte Vollmacht; **~ d'achat** Kaufkraft *f*

pragmatique [pragmatik] pragmatisch

prairie [prɛri] *f* Wiese *f*

praline [pralin] *f* gebrannte Mandel *f*

praticable [pratikablə] *projet:* ausführbar; *route:* befahrbar

praticien, ~ne [pratisjɛ̃, -ɛn] *m, f méd* (praktizierender) Arzt *m*, (praktizierende) Ärztin *f*

pratiquant, ~e [pratikɑ̃, -t] *rel* praktizierend

pratiqu|e [pratik] **1.** *adj* praktisch; *efficace* zweckmäßig; **2.** *f opposé à théorie*

Praxis *f*; *expérience* Erfahrung *f*; *exercice d'un métier* Ausübung *f*; *coutume* Brauch *m*; **~s** *pl* Praktiken *f/pl*; **~ement** [-mã] *presque* praktisch; *dans la pratique* in der Praxis; **~er** *(1m)* profession, sports:* ausüben; *méthode, technique:* in die Praxis umsetzen; *tech porte, protection:* anbringen; **se ~** üblich sein

pré [pre] *m* Wiese *f*

préalable [prealablə] **1.** *adj* vorherig, vorhergehend; **2.** *m* Vorbedingung *f*; **au ~** zuvor

Préalpes [prealp] *f/pl* Voralpen *pl*

préambule [preɑ̃byl] *m loi:* Präambel *f*; *discours:* Einleitung *f*

préavis [preavi] *m* Vorankündigung *f*, *travail:* Kündigung *f*; **délai m de ~** Kündigungsfrist *f*; **sans ~** fristlos

précaire [prekɛr] prekär, heikel

précaution [prekosjɔ̃] *f* Vorsicht *f*, Behutsamkeit *f*; *mesure* Vorsichtsmaßnahme *f*; **par ~** vorsorglich

précéd|ent, ~ente [presedɑ̃, -ɑ̃t] **1.** *adj* vorhergehend, vorig; **2.** *m* Präzedenzfall *m*; **sans ~** beispiellos; **~er** *(1f)* **~ qc, qn** *dans le temps:* e-r Sache vorangehen; *à pied:* vor j-m hergehen; *en voiture:* vor j-m herfahren; *ordre logique:* vor etw *(dat)* stehen, kommen

précep|te [presept] *m* Vorschrift *f*; **~teur, ~trice** *m, f* Hauslehrer(in) *m(f)*, Erzieher(in) *m(f)*

prêch|e [prɛʃ] *m* Predigt *f*; *fig* Moralpredigt *f*; **~er** *(1b)* predigen

préci|eusement [presjøzmɑ̃] *adv* sorgfältig; **~eux, ~euse** [-ø, -øz] wertvoll, kostbar; **pierre f précieuse** Edelstein *m*

précipice [presipis] *m* Abgrund *m*

précipit|amment [presipitamã] überstürzt; **~ation** *f* **1.** Hast *f*, Übereilung *f*; **2.** *temps:* Niederschlag *m*

précipiter [presipite] *(1a)* *v/t faire tomber* (hinab)stürzen; *pousser avec violence* schleudern; *brusquer* überstürzen; *pas, départ:* beschleunigen; **se ~ se jeter** sich (hinunter)stürzen; *se dépêcher* sich beeilen

précis, ~e [presi, -z] **1.** *adj* präzis(e), genau; *bruit, réponse:* deutlich; **à dix heures précises** Punkt zehn Uhr; **2.** *m* Übersicht *f*, Abriss *m*; **~ément** [-izemã] *adv* genau; *justement* gerade; **~er** *(1a)* genauer angeben, präzisieren; *soulig-*

ner klarstellen; **~ion** [-izjõ] *f* Genauigkeit *f*, Präzision *f*; **~s** *pl* nähere Angaben *f/pl*

précoc|e [prekɔs] *fruit*: Früh...; *enfant*: frühreif; *mariage*, *automne*: vorzeitig; **~ité** *f fruit, enfant*: Frühreife *f*; *automne*: vorzeitiger Beginn *m*

préconçu, ~e [prekõsy] vorgefasst

préconiser [prekɔnize] (*1a*) empfehlen

précurseur [prekyrsœr] **1.** *m* Vorläufer *m*; **2.** *adj* **signe** *m* ~ Vor-, Anzeichen *n*

prédécesseur [predesesœr] *m* Vorgänger *m*

prédestiner [predestine] (*1a*) *fig u rel* vorherbestimmen (*à qc* zu etw)

prédicateur [predikatœr] *m* Prediger *m*

prédiction [prediksjõ] *f* Voraussage *f*

prédilection [predileksjõ] *f* Vorliebe *f* (*pour* für); **... de** ~ Lieblings...

prédire [predir] (*4m*) voraus-, wahr-, weissagen

prédispos|er [predispoze] (*1a*) empfänglich, anfällig machen (*à* für); **~ition** *f* Anlage *f* (*à* zu); *méd* Empfänglichkeit *f*, Anfälligkeit *f* (*à* für)

prédomin|ance [predɔminɑ̃s] *f* Vorherrschen *n*; **~ant, ~ante** [-ɑ̃, -ɑ̃t] vorherrschend; **~er** (*1a*) vorherrschen, überwiegen

préfabriqué, ~e [prefabrike] vorgefertigt; **maison** *f* **préfabriquée** Fertighaus *n*

préface [prefas] *f* Vorwort *n*; *fig* Auftakt *m*

préfecture [prefektyr] *f* Präfektur *f*

préfér|able [preferabl] vorzuziehen (*à qc* e-r Sache); **il est préférable de** es ist ratsamer, besser zu; **~é, ~ée** Lieblings...

préfér|ence [preferɑ̃s] *f* Vorzug *m*; *sympathie* Vorliebe *f* (*pour* für); **de** ~ lieber, vorzugsweise; **de** ~ **à** lieber als; **donner la** ~ **à qn, à qc** j-m, e-r Sache den Vorzug geben, j-n, etw bevorzugen; **~entiel, ~entielle** [-ɑ̃sjel] Vorzugs...

préférer [prefere] (*1f*) vorziehen (*à qc* e-r Sache); ~ **faire qc** lieber etw tun; ~ **que** (+ *subj*) lieber mögen, dass

préfet [prefɛ] *m* Präfekt *m*; **~ de police** Polizeipräsident *m*

préhistoire [preistwar] *f* Vor-, Urgeschichte *f*

préjudic|e [preʒydis] *m* Nachteil *m*,

Schaden *m*; **porter** ~ **à qn** j-m Nachteile bringen, j-m schaden; **~iable** [-jabla] nachteilig (*à* für)

préjugé [preʒyʒe] *m* Vorurteil *n*

prélasser [prelase] (*1a*) **se** ~ sich's bequem machen

prélat [prela] *m égl* Prälat *m*

prélèvement [prelevmɑ̃] *m* Entnahme *f*; *de salaire*: Abzug *m*; *méd* Abstrich *m*; ~ **de sang** Blutabnahme *f*, -probe *f*

prélever [prelve] (*1d*) entnehmen; *montant*: abziehen (*sur* von)

préliminaire [preliminɛr] **1.** *adj* vorbereitend, Vor...; **2.** *m/pl* **~s** Einleitung *f*, Präliminarien *n/pl*

prélud|e [prelyd] *m* Vorspiel *n*; *fig* Auftakt *m*; **~er** (*1a*) ~ **à qc** (*acc*) einleiten, den Auftakt zu etw bilden

prématuré, ~e [prematyre] verfrüht, vorzeitig; **enfant** *m* ~ Frühgeburt *f*

prémédit|ation [premeditasjõ] *f jur* Vorsatz *m*; **~er** (*1a*) vorher überlegen, planen; ~ **de faire qc** beabsichtigen, etw zu tun

prem|ier, ~ière [prəmje, -jɛr] *adj u subst m, f* erste(r, -s); *(der, die, das)* Erste; *fig* ursprünglich; **les premiers temps** in der ersten Zeit; **du premier coup** auf Anhieb; **premier rôle** *m* Hauptrolle *f*; **de premier ordre** [prəmjerɔrdr̥] erstklassig, -rangig; **partir le premier** zuerst fortgehen; **le premier venu** der Erstbeste; *math* **nombre** *m* **premier** Primzahl *f*; *tech* **matière** *f* **première** Rohstoff *m*; **en premier** zuerst; **le premier août** der erste August

première [prəmjɛr] *f théâtre*: Premiere *f*, Ur-, Erstaufführung *f*; *auto* erster Gang *m*; *train*: erste Klasse *f*

premièrement [prəmjɛrmɑ̃] *adv* erstens, zuerst

premier-né, première-née [prəmjene, prəmjɛrne] (*pl premiers-nés, premières-nées*) erstgeboren

prémisse [premis] *f* Prämisse *f*, Voraussetzung *f*

prenant, ~e [prənɑ̃, -t] *livre*: fesselnd; *occupation*: zeitraubend

prendre [prɑ̃dr̥] (*4q*) **1.** *v/t* nehmen; *enlever* weg-, abnehmen; *emporter, emmener* mitnehmen; *capturer* gefangen nehmen; *surprendre* erwischen; *ville*: einnehmen; *attraper* fangen; *aliments*: zu sich nehmen; *froid*: bekommen; *chemin*: einschlagen; *temps*: benötigen; ~ *mal* übel nehmen; ~ *qn chez lui*: j-n abholen; ~ *de l'âge* alt werden; ~ *courage* Mut fassen; ~ *l'eau* wasserdurchlässig sein; ~ *pour* halten für; ~ *au sérieux* ernst nehmen; *à tout* ~ alles in allem; **2.** *v/i liquide*: fest werden; *greffe*: Wurzel fassen; *feu*: ausbrechen; *ne pas* ~ nicht wirken; ~ *à droite* rechts abbiegen; **3.** *se* ~ sich verfangen; *s'y* ~ *bien* (*mal*) sich geschickt (dumm) dabei anstellen; *se* ~ *d'amitié pour qn* sich mit j-m anfreunden; *s'en* ~ *à qn* j-n dafür verantwortlich machen; *se* ~ *à faire qc* anfangen, etw zu tun

preneur [prənœr] *m comm, jur* Käufer *m*, Abnehmer *m*

prénom [prenɔ̃] *m* Vorname *m*

préoccup|ation [preɔkypasjɔ̃] *f* Sorge *f*, Besorgnis *f*; **~er** (*1a*) *occuper fortement* stark beschäftigen; *inquiéter* beunruhigen; *se* ~ *de* sich Gedanken machen um

prépara|tifs [preparatif] *m/pl* Vorbereitungen *f/pl*; **~tion** *f* Vorbereitung *f*; *cuis* Zubereitung *f*; *phm, chim* Präparat *n*; **~toire** [-twar] vorbereitend

préparer [prepare] (*1a*) vorbereiten; *repas*: zubereiten; *chim* herstellen; ~ *un examen* sich auf e-e Prüfung vorbereiten; *se* ~ *à* sich vorbereiten auf (*acc*); *se* ~ *événement*: sich anbahnen, bevorstehen; *il se prépare qc* es ist etw im Anzug

prépondér|ance [prepɔ̃derɑ̃s] *f* Vorherrschaft *f*, Vormacht *f*; **~ant, ~ante** [-ɑ̃, -ɑ̃t] maßgeblich, entscheidend

préposé, ~e [prepoze] *m, f facteur* Briefträger(in) *m(f)*; *surveillance*: Aufseher(in) *m(f)*

prépos|er [prepoze] (*1a*) ~ *qn à qc* j-n mit etw betrauen; **~ition** *f gr* Präposition *f*

prérogative [prerɔgativ] *f* Vorrecht *n*

près [prɛ] **1.** *adv* nah(e); *tout* ~ ganz in der Nähe; *à peu* (*de chose*) ~ ungefähr; *à cela* ~ davon abgesehen; *de* ~ in *od* aus der Nähe; *fig* genau; *être rasé de* ~ glatt rasiert sein; **2.** *prép* ~ *de* nahe bei, in der Nähe von; *nombre*: fast; *être* ~ *de* (+ *inf*) nahe daran sein zu (+ *inf*); ~ *de deux heures durée*: beinahe zwei Stunden; *temps*: fast 2 Uhr

présage [prezaʒ] *m* Vorzeichen *n*

presbyte [prɛzbit] *méd* weitsichtig

presbytère [prɛzbiter] *m* Pfarrhaus *n*

prescription [preskripsjɔ̃] *f* Vorschrift *f*; *méd* Rezept *n*; *jur* Verjährung *f*

prescrire [preskrir] (*4f*) vorschreiben; *méd* verschreiben

préséance [preseɑ̃s] *f* Vorrang *m*

présence [prezɑ̃s] *f* Anwesenheit *f*; ~ *d'esprit* Geistesgegenwart *f*; *en* ~ *de* im Beisein von; *en* ~ gegenüberstehend

présent¹, ~e [prezɑ̃, -t] **1.** *adj époque*: gegenwärtig; *personne*: anwesend; *document*: vorliegend; **2.** *m* Gegenwart *f*; *gr* Präsens *n*; *les présents pl* die Anwesenden; *à présent* (*que*) jetzt (wo); *jusqu'à présent* bisher; *dans le présent* in der Gegenwart

présent² [prezɑ̃] *litt m* Geschenk *n*, Präsent *n*

présent|able [prezɑ̃tablə] gut aussehend, präsentabel; **~ateur, ~atrice** [-atœr, -atris] *m, f comm* Vorführer *m*, Vorführdame *f*; *TV* Moderator(in) *m(f)*; **~ation** *f collection, nouvel article*: Vorführung *f*, Präsentation *f*; *idées*: Darstellung *f*; *billet*: Vorzeigen *n*, Vorlage *f*; *dans magasin, musée*: Aufmachung *f*, Ausstattung *f*; *nouveau-venu, livre*: Vorstellung *f*; *apparence* äußere Erscheinung *f*

présenter [prezɑ̃te] (*1a*) *fleurs, cadeau*: überreichen; *chaise, mets*: anbieten; *personne, livre*: vorstellen; *appareil*: vorführen, präsentieren; *billet*: (vor)zeigen; *facture, décompte*: vorlegen; *idées*: darstellen, -legen; *manque*: aufweisen; *difficultés, dangers*: mit sich bringen; *se* ~ sich vorstellen; *élections*: kandidieren; *difficultés*: auftauchen

préservatif [prezɛrvatif] *m* Kondom *n*, Präservativ *n*

préserver [prezɛrve] (*1a*) bewahren, schützen (*de* vor)

présid|ence [prezidɑ̃s] *f* Vorsitz *m*; *pol* Präsidentschaft *f*; **~ent, ~ente** [-ɑ̃, -ɑ̃t] *m, f* Vorsitzende(r) *m, f*, Präsident(in) *m(f)*; **⚷ de la Banque Centrale** *EU* Präsident der Zentralbank; **~entiel, ~entielle** [-ɑ̃sjel] präsidial, Präsidenten...

présider [prezide] (*1a*) ~ *un comité* den Vorsitz in e-m Komitee führen; ~ *à qc*

P

etw (acc) leiten

présomption [prezɔ̃psjɔ̃] f supposition Vermutung f; arrogance Überheblichkeit f

présomptueu|x, ~se [prezɔ̃ptɥø, -z] überheblich

presque [prɛskə] beinahe, fast

presqu'île [prɛskil] f Halbinsel f

pressant, ~e [prɛsɑ̃, -t] dringend, eilig

presse [prɛs] f Presse f (tech u Zeitungen); comm **moments** m/pl **de ~** Zeiten f/pl des Hochbetriebs

pressé, ~e [prese] **1.** eilig, in Eile; **je suis ~** ich hab's eilig; **2.** fruit: ausgepresst

pressent|iment [prɛsɑ̃timɑ̃] m Vorgefühl n, Ahnung f; **~ir** (2b) ahnen; **~ qn** bei j-m sondieren, vorfühlen

presse-papiers [prɛspapje] m (pl unv) Briefbeschwerer m

press|er [prese] (1b) **1.** v/t bouton: drücken; fruit: auspressen; harceler bedrängen; pas, affaire: beschleunigen; **se ~** sich drängen; **2.** v/i eilen, eilig od dringlich sein, drängen; **rien ne presse** es hat keine Eile; **se ~** sich beeilen; **~ing** [-iŋ] m magasin: Schnellreinigung f

press|ion [prɛsjɔ̃] f Druck m; fig Zwang m; (a m) bouton Druckknopf m; **bière** f ~ Bier n vom Fass; **être sous ~** unter Druck stehen (a fig); **~ artérielle** Blutdruck m; **~ démographique** Bevölkerungsdruck m; **~oir** m Kelter f

pressurer [prɛsyre] (1a) auspressen; fig aussaugen

prest|ance [prɛstɑ̃s] f stattliches Aussehen n; **~ation** f Leistung f; **~s familiales** pl Sozialleistungen f/pl für die Familie

preste [prɛst] behänd, flink

prestidigita|teur, ~trice [prɛstidiʒitatœr, -tris] m, f Zauberkünstler(in) m(f)

prestig|e [prɛstiʒ] m Prestige n, Ansehen n; **~ieux, ~ieuse** [-jø, -jøz] glänzend, hervorragend

présumer [prezyme] (1a) vermuten, annehmen; **~ de qn, de qc** j-n, etw überschätzen

prêt¹, ~e [prɛ, -t] bereit (à zu), fertig

prêt² [prɛ] m argent: Darlehen n; livre, vélo: Ausleihen n

prêt-à-porter [prɛtaporte] m Konfektion(skleidung) f

prétendant [pretɑ̃dɑ̃] m d'une femme: Freier m

prétendre [pretɑ̃drə] (4a) behaupten, vorgeben; **~ (+ inf)** die Absicht haben zu (+ inf); st/s ~ **à** Anspruch erheben auf (acc)

prétendu, ~e [pretɑ̃dy] angeblich, so genannt

prête-nom [prɛtnɔ̃] m (pl prête-noms) Strohmann m

prétentieu|x, ~se [pretɑ̃sjø, -z] personne: selbstgefällig, eingebildet; comportement: anmaßend; ton, style: geziert, geschraubt

prétention [pretɑ̃sjɔ̃] f exigence Anspruch m; ambition Ehrgeiz m; arrogance Dünkel m, Selbstgefälligkeit f

prêter [prete] (1b) v/t (aus)leihen; assistance: leisten; intentions: unterstellen; v/i tissu: sich dehnen; ~ **à** Anlass geben zu; **se ~ à** chose: sich eignen zu; personne: sich hergeben zu

prétext|e [pretɛkst] m Vorwand m; **sous ~ de** (+ inf) od **que ...** unter dem Vorwand, zu (+ inf) od dass; **sous aucun ~** auf keinen Fall; **~er** (1a) ~ **qc** etw vorschützen; ~ **que** vorgeben, dass

prêtre [prɛtrə] m Priester m

preuve [prœv] f Beweis m; fig Zeichen n; math Probe f; **faire ~ de courage** Mut beweisen; **comme ~ de** zum Zeichen für

prévaloir [prevalwar] (3h) st/s ~ **sur** od **contre** die Oberhand gewinnen über, überwinden; **se ~ de qc** tirer parti de etw (acc) für sich geltend machen; se flatter de auf etw (acc) pochen

prévariquer [prevarike] (1m) pflichtamtswidrig handeln

préven|ance [prevnɑ̃s] f Zuvorkommenheit f; **~ant, ~ante** [-ɑ̃, -ɑ̃t] zuvorkommend

prévenir [prevnir] (2h) ~ **qc** e-r Sache vorbeugen, etw (acc) verhüten; ~ **qn de qc** avertir j-n vor etw (dat) warnen; informer j-n von etw in Kenntnis setzen

préventi|f, ~ve [prevɑ̃tif, -v] vorbeugend, präventiv; jur **détention** f **préventive** Untersuchungshaft f

prévention [prevɑ̃sjɔ̃] f **1.** préjugé Voreingenommenheit f, Vorurteil m; **2.** jur Untersuchungshaft f; **3.** mesures: Verhütung f; ~ **routière** Verkehrsunfallverhütung f

prévis|ible [previziblə] vorhersehbar; **~ion** f Prognose f, Voraussage f; **~s** pl Aussichten f/pl; **~s météorologiques** Wettervorhersage f; **en ~ de** im Hinblick auf (acc)

prévoir [prevwar] (3b) pressentir voraus-, vorhersehen; planifier in Aussicht nehmen, planen

prévoy|ance [prevwajãs] f Vorsorge f; **~ant, ~ante** [-ã, -ãt] vorausschauend, vorsorgend

prier [prije] (1a) **1.** rel beten; **~ Dieu** zu Gott beten; **2.** bitten; **~ qn de faire qc** j-n bitten, etw zu tun; **~ qn à déjeuner** j-n zum Mittagessen einladen; **je vous en prie** bitte (sehr)!, gern geschehen!

prière [prijɛr] f rel Gebet n; demande Bitte f; **faire sa ~** beten; **à la ~ de** auf Bitten von; **~ de ne pas toucher** bitte nicht berühren

primaire [primɛr] Ur..., Primär...; péj beschränkt; **école ~** Volks-, Grundschule f

primauté [primote] f Vorrang m, Primat m od n (**sur** vor dat)

prime¹ [prim] adj **de ~ abord** auf den ersten Blick

prime² [prim] f Prämie f, Zulage f; comm Werbegeschenk n

primer [prime] (1a) **1.** v/i den Vorrang haben (**qc** vor etw dat); **2.** v/t prämi(i)eren

primeur [primœr] f **1. avoir la ~ de qc** outil, objet: etw als Erster haben; nouvelle: etw als Erster erfahren; **2. ~s** pl Frühgemüse n, Frühobst n

primevère [primvɛr] f bot Schlüsselblume f, Primel f

primiti|f, ~ve [primitif, -v] ursprünglich, Ur...; inculte, rudimentaire: primitiv

primordial, ~e [primɔrdjal] (m/pl -aux) wesentlich

princ|e, ~esse [prɛ̃s, -ɛs] m, f Prinz m, Prinzessin f; qui gouverne: Fürst(in) m(f); **~ier, ~ière** [-je, -jer] fürstlich (a fig)

principal, ~e [prɛ̃sipal] (m/pl -aux) **1.** adj hauptsächlich, Haupt...; **2.** m le ~ die Hauptsache f; **3.** f gr Hauptsatz m

principauté [prɛ̃sipote] f Fürstentum n

principe [prɛ̃sip] m Prinzip n; discipline, science: Grundsatz m; phil Ursprung m; **de ~** grundsätzlich; **par ~** aus Prin-

zip; **en ~** prinzipiell, im Prinzip

printan|ier, ~ière [prɛ̃tanje, -jer] Frühlings...

printemps [prɛ̃tã] m Frühling m, Frühjahr n

priorité [prijɔrite] f Priorität f, Vorrang m; route: Vorfahrt f (**sur** vor dat); **~ à droite** rechts vor links

pris, ~e [pri, -z] p/p de prendre u adj place: besetzt; journée: ausgefüllt; personne: beschäftigt

prise [priz] f Nehmen n; mil Einnahme f, Eroberung f; mar u cuis Prise f; ch Fang m; él Steckdose f, Anschluss m; lutte: Griff m; **~ de contact** Kontaktaufnahme f; **~ de conscience** Bewusstwerden n; **~ d'otage(s)** Geiselnahme f; **~ de position** Stellungnahme f; **~ de vue** Aufnahme f; **donner ~ à** Anlass geben zu; **être aux ~s avec qn, qc** sich mit j-m, etw auseinandern setzen; **lâcher ~** loslassen; fig aufgeben

priser [prize] (1a) **1.** litt apprécier schätzen; **2.** tabac: schnupfen

prison [prizɔ̃] f Gefängnis n

prisonn|ier, ~ière [prizɔnje, -jer] m, f Gefangene(r) m, f

privation [privasjɔ̃] f Entbehrung f

priv|é, ~ée [prive] privat, Privat...; **en privé, à titre privé** privat; **dans le privé** im Privatleben; **~er** (1a) **~ qn de qc** j-m etw (acc) entziehen; **se ~ de qc** auf etw (acc) verzichten

privil|ège [privilɛʒ] m Privileg n, Vorrecht n; **~égier** [-eʒje] (1a) privilegieren, begünstigen

prix [pri] m Preis m; valeur Wert m; **~ de revient** Selbstkostenpreis m; **~ brut** Bruttopreis m; **de ~** wertvoll; **à tout ~** um jeden Preis; **à aucun ~** um keinen Preis; **au ~ fort** zum vollen Preis; **hors de ~** unerschwinglich; **au ~ de** zum Preis von, gegen; **~ Nobel** Nobelpreis m; personne: Nobelpreisträger m

prob|abilité [prɔbabilite] f Wahrscheinlichkeit f; **~able** wahrscheinlich

prob|ant, ~ante [prɔbã, -ãt] überzeugend; **~ité** f Rechtschaffenheit f

problématique [prɔblematik] problematisch

problème [prɔblɛm] m Problem n

procédé [prosede] m Verfahren n, Methode f; **~s** pl comportement Verhalten n

procéd|er [prɔsede] (*1f*) verfahren, vorgehen; **~ à qc** etw vornehmen *od* durchführen; **~ure** [-yr] *f jur* Verfahren *n*; *branche du droit*: Prozessordnung *f*

procès [prɔsɛ] *m jur* Prozess *m*

processeur [prɔsɛsœr] *m EDV* Prozessor *m*

procession [prɔsesjɔ̃] *f* Prozession *f*

processus [prɔsesys] *m* Vorgang *m*, Ablauf *m*, Prozess *m*

procès-verbal [prɔsɛvɛrbal] *m* (*pl* *procès-verbaux*) Protokoll *n*; *contravention*: Strafmandat *n*; **dresser un** ~ ein Protokoll aufnehmen

prochain, **~e** [prɔʃɛ̃, -ɛn] **1.** *adj* nächste(r, -s), kommende(r, -s); **2.** **le prochain** der Nächste; **~ement** [-ɛnmā] *adv* demnächst

proche [prɔʃ] **1.** *adj* nah(e); *fig* ~ **de** verwandt mit; **2.** *adv* **de ~ en ~** nach und nach; **3.** *m/pl* **~s** Angehörige *m/pl*, nahe Verwandte *m/pl*

proclam|ation [prɔklamasjɔ̃] *f événements, résultat*: Bekanntgabe *f*; *roi, république*: Ausrufung *f*, Proklamation *f*; **~er** (*1a*) *roi, république*: ausrufen; *affirmer* verkünden

procréer [prɔkree] (*1a*) *st/s* zeugen

procur|ation [prɔkyrasjɔ̃] *f* Vollmacht *f*; **~er** (*1a*) verschaffen, besorgen; **~eur** *m* ~ (**de la République**) Staatsanwalt *m*

prodigalité [prɔdigalite] *f* Verschwendung(ssucht) *f*

prodig|e [prɔdiʒ] *m* Wunder *n*; **enfant** *m* ~ Wunderkind *n*; **~ieux**, **~ieuse** [-jø, -jøz] außergewöhnlich, erstaunlich

prodigu|e [prɔdig] verschwenderisch; **~er** (*1m*) reichlich geben, zuteil werden lassen

produc|teur, **~trice** [prɔdyktœr, -tris] **1.** *adj* Erzeuger..., Hersteller...; **2.** *m*, *f* *film*: Produzent(in) *m(f)*; Erzeuger(in) *m(f)*; *produit industriel*: Hersteller(in) *m(f)*; **~tif**, **~tive** [-tif, -tiv] produktiv; *impôts*: einträglich

production [prɔdyksjɔ̃] *f* Produktion *f*; Erzeugung *f*; Herstellung *f*; *minerais*: Gewinnung *f*; *produits* Erzeugnisse *n/pl*

productivité [prɔdyktivite] *f* Produktivität *f*

produire [prɔdɥir] (*4c*) *marchandises*: produzieren, herstellen; *énergie, acier*:

erzeugen; *œuvre*: schaffen; *film*: produzieren; *fig causer* bewirken, hervorrufen; *document*: vorlegen; **se** ~ sich ereignen

produit [prɔdɥi] *m* Erzeugnis *n*, Produkt *n*; *investissement*: Ertrag *m*; *écon* ~ **national brut** Bruttosozialprodukt *n*; ~ **d'entretien** Putzmittel *n*; ~ **organique** Bioprodukt *n*

proéminent, **~e** [prɔeminã, -t] vorspringend

prof [prɔf] *m*, *f* (*abr* **professeur**) Lehrer(in) *m(f)*

profan|e [prɔfan] **1.** *adj* profan, weltlich; **2.** *m*, *f* Laie *m* (**en** auf dem Gebiet von); **~er** (*1a*) entweihen, schänden

proférer [prɔfere] (*1f*) *menaces*: ausstoßen

profess|eur [prɔfesœr] *m* Gymnasiallehrer(in) *m(f)*; *université*: Professor(in) *m(f)*; **~ion** *f* Beruf *m*; ~ **de foi** Glaubensbekenntnis *n*; **~ionnel**, **~ionnelle** [-jɔnɛl] **1.** *adj* beruflich; *personne*: professionell; **2.** *m* *personne de métier* Fachmann *m*; F Profi *m*; **~orat** [-ɔra] *m* *enseignement secondaire*: höheres Lehramt *n*; *université*: Hochschullehramt *n*

profil [prɔfil] *m* Profil *n*; **~s** *pl* Konturen *f/pl*

profit [prɔfi] *m comm* Profit *m*, Gewinn *m*; *avantage* Nutzen *m*; **au** ~ **de** zu Gunsten (*gén*); **tirer** ~ **de qc** von etw profitieren

profitable [prɔfitablə] nützlich; *comm* einträglich

profiter [prɔfite] (*1a*) ~ **de qc** von etw profitieren, etw ausnützen, aus etw Vorteil ziehen; ~ **à qn** j-m nützlich sein, Vorteil(e) bringen

profond, **~e** [prɔfɔ̃, -d] tief; *personne, pensées*: tiefsinnig; *influence*: stark; **~ément** [-demã] *adv* tief, zutiefst

profondeur [prɔfɔ̃dœr] *f* Tiefe *f* (*a fig*); *fig* Stärke *f*

profusion [prɔfyzjɔ̃] *f* Fülle *f*; **à** ~ in reichem Maße

progéniture [prɔʒenityr] *f litt* Nachkommenschaft *f*; *plais* Nachwuchs *m*, Sprösslinge *m/pl*

programm|e [prɔgram] *m* Programm *n*; ~ **de correction orthographique** Rechtschreib(prüf)programm *n*; ~ **de traduction** Übersetzungsprogramm *n*;

proportion

~er (1a) TV in das Programm aufnehmen; EDV programmieren; **~eur, ~euse** m, f Programmierer(in) m(f)

progrès [prɔgrɛ] m Fortschritt m; feu, épidémie: Ausbreitung f

progress|er [prɔgrese] (1b) Fortschritte machen; feu, épidémie: um sich greifen; mil vorrücken; **~if, ~ive** [-if, -iv] progressiv, fortschreitend; **~ion** f Fortschreiten n; **~iste** progressiv, fortschrittlich (a pol)

prohib|er [prɔibe] (1a) (gesetzlich) verbieten; **~ition** f Verbot n

proie [prwa] f Raub m, Beute f; fig Opfer n; **en ~ à qc** von etw heimgesucht, e-r Sache ausgeliefert

project|eur [prɔʒɛktœr] m spot Scheinwerfer m; cinéma: Projektor m; **~ile** [-il] m Geschoss n

projet [prɔʒɛ] m Projekt n, Plan m; ébauche Entwurf m

projeter [prɔʒ(ə)te, -prɔʃte] (1c) jeter schleudern; film: projizieren; travail, voyage: vorhaben, planen

prolétariat [prɔletarja] m, f Proletariat n

prolifération [prɔliferasjɔ̃] f (rasche, starke) Vermehrung f, Zunahme f; fig **~ des armes atomiques** Verbreitung f od Weitergabe f von Atomwaffen

prolifique [prɔlifik] fruchtbar

prolixe [prɔliks] weitschweifig

prologue [prɔlɔg] m Prolog m

prolongation [prɔlɔ̃gasjɔ̃] f (zeitliche) Verlängerung f

prolong|ement [prɔlɔ̃ʒmɑ̃] m (räumliche) Verlängerung f, **~er** (1l) zeitlich od räumlich: verlängern; **se ~** sich in die Länge ziehen

promenade [prɔmnad] f Spaziergang m; en voiture: Spazierfahrt f; excursion Ausflug m

promen|er [prɔmne] (1d) spazieren führen, herumführen; fig regard: umherschweifen lassen; **se ~** spazieren gehen; en voiture: spazieren fahren; F herumlaufen; F fig **envoyer ~ personne**: davonjagen, abblitzen lassen; chose: hinschmeißen; **~eur, ~euse** m, f Spaziergänger(in) m(f)

promesse [prɔmɛs] f Versprechen n

prometteu|r, ~se [prɔmɛtœr, -øz] viel versprechend

promettre [prɔmɛtr] (4p) versprechen

(**qc à qn** j-m etw, **de** + inf zu + inf); prédire versichern; **se ~ de faire qc** sich (dat) vornehmen, etw zu tun

promiscuité [prɔmiskɥite] f Zusammengepferchtsein n; sexuelle: Promiskuität f

promontoire [prɔmɔ̃twar] m Vorgebirge n

promo|teur, ~trice [prɔmɔtœr, -tris] **1.** m, f st/s instigateur Initiator(in) m(f); **2.** m construction: Bauträger m, Bauherr m; **~tion** f emploi supérieur: Beförderung f; sociale: Aufstieg m; comm **~ des ventes** Absatzförderung f

promouvoir [prɔmuvwar] (3d) emploi supérieur: befördern; encourager fördern

prompt, ~e [prɔ̃, -t] rapide rasch; soudain plötzlich

promulguer [prɔmylge] (1m) loi: verkünden

prôner [prone] (1a) loben, preisen

pronom [prɔnɔ̃] m gr Pronomen n, Fürwort n

pronomin|al, ~e [prɔnɔminal] (m/pl -aux) pronominal; **verbe** m **pronominal** reflexives Verb n

prononcé, ~e [prɔnɔ̃se] stark ausgeprägt, markant

prononc|er [prɔnɔ̃se] (1k) aussprechen; discours: halten; jur sentence: fällen od verkünden; **se ~ mot**: ausgesprochen werden; se déterminer sich äußern; **se ~ pour, contre** sich aussprechen für, gegen; **~iation** [-jasjɔ̃] f Aussprache f; jur Urteilsverkündung f

pronost|ic [prɔnɔstik] m Prognose f, Voraussage f; **~iquer** [-ike] (1m) vorhersagen

propagande [prɔpagɑ̃d] f Propaganda f

propager [prɔpaʒe] (1l) idée, nouvelle: verbreiten; biol fortpflanzen; **se ~** sich verbreiten; sich fortpflanzen

propension [prɔpɑ̃sjɔ̃] f Neigung f (**à qc** zu etw)

proph|ète, ~étesse [prɔfɛt, -etes] m, f Prophet(in) m(f); **~étie** [-esi] f Prophezeiung f

prophylaxie [prɔfilaksi] f méd Prophylaxe f, Vorbeugung f

propice [prɔpis] günstig (**à** für)

proportion [prɔpɔrsjɔ̃] f Proportion f, Verhältnis n; **~s** pl Ausmaß(e) n(pl); **toutes ~s gardées** im Verhältnis; **en ~**

entsprechend; *en ~ de* im Vergleich zu

proportionn|el, ~elle [prɔpɔrsjɔnɛl] proportional (*à* zu); **~ellement** [-ɛlmɑ̃] im Verhältnis (*à* zu); **~er** (*1a*) in das richtige Verhältnis setzen (*à* zu); *bien proportionné(e)* wohlgestaltet

propos [prɔpo] *m* **1.** *pl* Äußerungen *f/pl*, Worte *n/pl*; **2.** *st/s intention* Absicht *f*; *à ~* zur richtigen Zeit, gelegen; *à tout ~* bei jeder Gelegenheit; *mal à ~ , hors de ~* ungelegen, zur Unzeit; *à ~!* übrigens!; *à ~ de* was ... betrifft, wegen

proposer [prɔpoze] (*1a*) vorschlagen (*qc à qn*)-m etw; *qn de + inf*)-m zu + *inf*); *projet*: vorlegen; *prix*: aussetzen; *se ~ de faire qc* sich (*dat*) vornehmen, etw zu tun; *se ~* sich anbieten

proposition [prɔpozisjɔ̃] *f suggestion* Vorschlag *m*; *offre* Angebot *n*; *gr* Satz *m*

propre [prɔprə] **1.** *adj* eigen; *st/s s'approprié* geeignet (*à* zu); *au sens ~* eigentlich; *m particularité* Eigenart *f*; **2.** *adj cuisine, mains*: sauber; *personne*: ordentlich; **3.** *m mettre au ~* ins reine schreiben; **~ment** *adv* ordentlich; *à ~ parler* genau genommen; *~ dit* eigentlich

propreté [prɔprəte] *f* Sauberkeit *f*

proprié|taire [prɔprijɛtɛr] *m, f* Eigentümer(in) *m(f)*, Besitzer(in) *m(f)*; *maison*: Hausbesitzer(in) *m(f)*; **~té** [-te] *f possession* Eigentum *n*, Besitz *m*; *caractéristique* Eigenschaft *f*; *mot*: Angemessenheit *f*

propuls|er [prɔpylse] (*1a*) antreiben; **~ion** *f* Antrieb *m*

prorata [prɔrata] *au ~ de* im Verhältnis zu

prorog|ation [prɔrɔgasjɔ̃] *f* Verlängerung *f*; *pol* Vertagung *f*; **~er** [prɔrɔʒe] (*1l*) verlängern; *pol* vertagen

prosaïque [prɔzaik] prosaisch, allzu nüchtern

proscription [prɔskripsjɔ̃] *f* Verbot *n*

proscrire [prɔskrir] (*4f*) *interdire* verbieten; *jouissances*: verpönen

prose [proz] *f* Prosa *f*

prospect|er [prɔspɛkte] (*1a*) *mines*: nach Lagerstätten schürfen; *comm* acquérir; **~us** [-ys] *m* (Werbe-) Prospekt *m*

prosp|ère [prɔspɛr] blühend, florie-

rend; **~érer** [-ere] (*1f*) gut gehen, blühen, florieren, gedeihen; **~érité** [-erite] *f* Wohlstand *m*

prosterner [prɔstɛrne] (*1a*) *se ~* sich niederwerfen

prostitu|ée [prɔstitɥe] *f* Prostituierte *f*; **~tion** *f* Prostitution *f*

protagoniste [prɔtagɔnist] *m* Protagonist *m*

protec|teur, ~trice [prɔtɛktœr, -tris] **1.** *adj* schützend, Schutz...; *ton, expression*: gönnerhaft; **2.** *m, f* Beschützer(in) *m(f)*

protection [prɔtɛksjɔ̃] *f* Schutz *m*; *écon* Protektion *f*; **~nisme** *m* *écon* Protektionismus *m*, Schutzzollsystem *n*

protectorat [prɔtɛktɔra] *m* Protektorat *n*

protég|é, ~e [prɔteʒe] *m, f* Schützling *m*; *péj* Günstling *m*; **~er** (*1g*) beschützen: (be)schützen (*contre* od *de* vor); *intérêts, contre soleil*: schützen; *patronner* begünstigen; *encourager* fördern

protestant, ~e [prɔtɛstɑ̃, -t] *rel* **1.** *adj* protestantisch, evangelisch; **2.** *m, f* Protestant(in) *m(f)*

protest|ation [prɔtɛstasjɔ̃] *f plainte* Protest *m*, Einspruch *m*; *déclaration* Beteuerung *f*; **~er** (*1g*) protestieren (*contre* gegen); *~ de qc* etw beteuern

prothèse [prɔtɛz] *f* Prothese *f*

protocole [prɔtɔkɔl] *m* Protokoll *n*

prototype [prɔtɔtip] *m* Ur-, Vorbild *n*; *tech* Prototyp *m*

protubérance [prɔtyberɑ̃s] *f* Beule *f*, Höcker *m*

proue [pru] *f mar* Bug *m*

prouesse [prues] *f* Heldentat *f*

prouv|able [pruvablə] beweisbar; **~er** (*1a*) beweisen

provenance [prɔvnɑ̃s] *f* Herkunft *f*; *en ~ de avion, train*: aus

provençal, ~e [prɔvɑ̃sal] (*m/pl -aux*) provenzalisch

provenir [prɔvnir] (*2h*) herkommen, stammen, herrühren (*de* von)

proverb|e [prɔvɛrb] *m* Sprichwort *n*; **~ial, ~iale** [-jal] (*m/pl -iaux*) sprichwörtlich

provid|ence [prɔvidɑ̃s] *f* Vorsehung *f*; **~entiel, ~entielle** [-ɑ̃sjɛl] unverhofft, unerwartet

provinc|e [prɔvɛ̃s] *f* Provinz *f*; **~ial, ~iale** [-jal] (*m/pl -iaux*) provinziell; Pro-

235

punch

vinz...; *péj* provinzlerisch

provision [prɔvizjõ] *f* **1.** Vorrat *m* (*de* an); **~s** *pl* vivres Lebensmittelvorräte *m/pl*; *achats* Einkäufe *m/pl*; **2.** *chèque*: Deckung *f*

provisoire [prɔvizwar] vorläufig, provisorisch

provoc|ant, ~ante [prɔvɔkɑ̃, -ɑ̃t] *~ateur*, *~atrice* [-atœr, -atris] herausfordernd, provozierend; *agent m provocateur* Lockspitzel *m*; *~ation f* Provokation *f*, Herausforderung *f*

provoquer [prɔvɔke] (*1m*) herausfordern, provozieren; *causer* hervorrufen

proxénète [prɔksenɛt] *m soutener* Zuhälter *m*

proximité [prɔksimite] *f* Nähe *f*; *à ~ de* nahe bei, in der Nähe von

prude [pryd] prüde, zimperlich

prud|ence [prydɑ̃s] *f* Vorsicht *f*, Umsicht *f*; *~ent*, *~ente* [-ɑ̃, -ɑ̃t] vorsichtig, umsichtig, klug

pruderie [prydri] *f* Prüderie *f*

prun|e [pryn] *f bot* Pflaume *f*; *~eau* [-o] *m* (*pl -x*) Backpflaume *f*; *~elle f anat* Pupille *f*; *bot* Schlehe *f*; *~ier* [-je] *m* Pflaumenbaum *m*

Prusse [prys] *la ~* Preußen *n*

prussien, ~ne [prysjɛ̃, -jɛn] **1.** *adj* preußisch; **2.** ♀ *m, f* Preuße *m*, Preußin *f*

P.S. [pɛɛs] *m* (*abr Parti socialiste*) Sozialistische Partei *f*

psaume [psom] *m* Psalm *m*

pseudo... [psødɔ] *in Zssgn* pseudo..., Pseudo...

pseudonyme [psødɔnim] *m* Pseudonym *n*, Deckname *m*

psychanal|yse [psikanaliz] *f* Psychoanalyse *f*; *~yste* [-ist] *m, f* Psychoanalytiker(in) *m(f)*

psychiatr|e [psikjatr] *m, f* Psychiater(in) *m(f)*; *~ie* [-i] *f* Psychiatrie *f*

psychique [psiʃik] psychisch, seelisch

psycho|logie [psikɔlɔʒi] *f* Psychologie *f*; *intuition* Menschenkenntnis *f*; *~logique* [-lɔʒik] psychologisch; *psychique* seelisch; *~logue* [-lɔg] *m, f* Psychologe *m*, Psychologin *f*

P.T.T. [petete] *m/pl* (*abr Postes, télégraphes et téléphones*) Post- und Fernmeldewesen *n*

puant, ~e [pɥɑ̃, -t] stinkend; *fig* einge-

bildet; *~eur* [-ɑ̃tœr] *f* Gestank *m*

puber|taire [pybɛrter] Pubertäts...; *~té* [-te] *f* Pubertät(szeit) *f*, Geschlechtsreife *f*

publi|c, ~que [pyblik] **1.** *adj* öffentlich; *de l'État* staatlich; **2.** *m les gens* Öffentlichkeit *f*; *spectacle*: Publikum *n*; *en public* öffentlich

publication [pyblikasjõ] *f* Veröffentlichung *f*

public|itaire [pyblisiter] Werbe..., Reklame...; *~ité f* Werbung *f*, Reklame *f*; *affiche* Werbeplakat *n*

publier [pyblije] (*1a*) veröffentlichen

puce [pys] *f zo* Floh *m*; *EDV* Chip *m*; *marché m aux ~s* Flohmarkt *m*

pucelle [pysɛl] *f* F *iron* Jungfrau *f*

pud|eur [pydœr] *f* Scham(gefühl) *f(n)*; *~ique* schamhaft, züchtig; *discret* diskret

puer [pɥe] (*1a*) stinken (*qc* nach etw)

puériculture [pɥerikyltyr] *f* Säuglingspflege *f*

puéril, ~e [pɥeril] kindisch

pugilat [pyʒila] *m* Rauferei *f*

puis [pɥi] dann, darauf

puiser [pɥize] (*1a*) *eau*: schöpfen (*dans* aus); *exemple, information*: entnehmen (*dans un livre* e-m Buch)

puisque [pɥiskə] da ja, da doch

puissamment [pɥisamɑ̃] *adv* stark, heftig

puiss|ance [pɥisɑ̃s] *f* Macht *f*, *armée, nation*: Stärke *f*; *phys, machine*: Leistung *f*; *math* Potenz *f*; *~ant*, *~ante* [-ɑ̃, -ɑ̃t] *groupe, État*: mächtig; *voix, musculature*: kräftig; *moteur, médicament*: stark

puits [pɥi] *m* Brunnen *m*; *mines*: Schacht *m*

pull(-over) [pyl(ɔvɛr)] *m* (*pl pulls, pull-overs*) Pullover *m*, F Pulli *m*

pulluler [pylyle] (*1a*) wimmeln

pulmonaire [pylmɔnɛr] *méd* Lungen...

pulpe [pylp] *f* Fruchtfleisch *n*

pulsation [pylsasjõ] *f méd* Pulsschlag *m*

pulvéris|ateur [pylverizatœr] *m* Zerstäuber *m*, Sprühgerät *n*; *~er* (*1a*) *solide*: pulverisieren; *liquide*: zerstäuben; *fig armée*: vernichten

punaise [pynɛz] *f zo* Wanze *f*; *clou*: Reißnagel *m*, *~zwecke f*

punch¹ [põʃ] *m boisson*: Punsch *m*

punch² [pœnʃ] *m boxe*: Schlag *m*; *fig*

Schwung *m*

punir [pynir] (*2a*) (be)strafen

punition [pynisjɔ̃] *f* Strafe *f*

pupille [pypij] **1.** *m, f jur* Mündel *m od n*; **2.** *f anat* Pupille *f*

pupitre [pypitrə] *m* Pult *n*

pur, ~e [pyr] rein; *profil, ciel:* klar; *vin:* unverdünnt; *or, whisky:* pur

purée [pyre] *f* Brei *m*, Püree *n*; **~ (de pommes de terre)** Kartoffelbrei *m*; F **être dans la ~** in Geldnöten *od* F blank sein

pureté [pyrte] *f* Reinheit *f*

purgat|if, ~ive [pyrgatif, -iv] *phm* **1.** *adj* abführend; **2.** *m* Abführmittel *n*; **~oire** [-war] *m rel* Fegefeuer *n*

purg|e [pyrʒ] *f méd* Abführmittel *n*; *pol* Säuberung *f*; **~er** (*1l*) *tech* entlüften; *pol* säubern; *jur peine:* verbüßen

purifier [pyrifje] (*1a*) reinigen; *st/s* läutern

puriste [pyrist] *m* Purist *m*

pur-sang [pyrsɑ̃] *m* (*pl unv*) Vollblutpferd *n*

purulent, ~e [pyrylɑ̃, -t] eitrig

pus [py] *m* Eiter *m*

pusillanime [pyzilanim] *litt* kleinmütig, verzagt

pustule [pystyl] *f méd* Pustel *f*

putain [pytɛ̃] P *f* Hure *f*

putré|faction [pytrefaksjɔ̃] *f* Fäulnis *f*, Verwesung *f*; **~fier** [-fje] (*1a*) verfaulen lassen; **se ~** (ver)faulen, verwesen, vermodern

putride [pytrid] faulig

putsch [putʃ] *m* Putsch *m*

puzzle [pœzl(ə)] *m* Puzzle *n*

P.-V. [peve] *m* (*abr* **procès-verbal**) gebührenpflichtige Verwarnung *f*

pygmée [pigme] *m* Pygmäe *m*

pyjama [piʒama] *m* Schlafanzug *m*

pylône [pilon] *m* Mast *m*, Stütze *f*, Pfeiler *m*; *arch* Pylon *m*

pyramide [piramid] *f* Pyramide *f*

Pyrénées [pirene] *f/pl* Pyrenäen *pl*

pyrex [pirɛks] *m* feuerfestes Glas *n*, Pyrex *n* (*marque déposée*)

python [pitɔ̃] *m* Python *m*

Q

quadragénaire [kwadraʒenɛr] **1.** *adj* vierzigjährig; **2.** *m, f* Vierzigjährige(r) *m, f*

quadrangulaire [kwadrɑ̃gylɛr] viereckig

quadrilatère [kwadrilatɛr, ka-] *m* Viereck *n*

quadriller [kadrije] (*1a*) karieren; *fig* kontrollieren

quadri|moteur [kwadrimɔtœr, ka-] *m aviat* viermotorige Maschine *f*; **~réacteur** [-reaktœr] *m aviat* vierstrahlige Maschine *f*

quadrupl|e [kwadryplə, ka-] vierfach; **~er** (*1a*) (sich) vervierfachen; **~és, ~ées** *m/pl, f/pl* Vierlinge *m/pl*

quai [ke] *m port:* Kai *m*; *gare:* Bahnsteig *m*

qualifica|tif [kalifikatif] *m* Bezeichnung *f*; **~tion** *f appellation* Bezeichnung *f*, Benennung *f*; *sport:* Qualifikation *f*; **~ professionnelle** berufliche Qualifi-

kation *f*, Befähigung *f*

qualifi|é, ~ée [kalifje] qualifiziert, befähigt; *ouvrier m qualifié* Facharbeiter *m*; **~er** (*1a*) *appeler* benennen, charakterisieren; **~ qn de** j-n bezeichnen als; *sportif, étudiant:* qualifizieren; **se ~** *sport:* sich qualifizieren

qualité [kalite] *f personne:* (gute) Eigenschaft *f*; *produits:* Qualität *f*; **~ garantie** Qualitätssicherung *f*; **... de ~** Qualitäts...; **en ~ de** als

quand [kɑ̃] **1.** wann?; *depuis ~?* seit wann?, wie lange (schon)?; *jusqu'à ~?* bis wann?, wie lange noch?; **2.** *conj* als; *répétition:* (jedesmal) wenn; *concession:* selbst wenn; **3. ~ même** trotzdem; immerhin; doch

quant à [kɑ̃ta] was ... betrifft, bezüglich (+ *gén*)

quantité [kɑ̃tite] *f* Menge *f*, Quantität *f*; *math* Größe *f*; **~ de** viele

quarantaine [karɑ̃ten] *f* **1.** *nombre:*

etwa vierzig; *âge*: Vierzig *f*; **2.** *isolement* Quarantäne *f*

quarante [karãt] vierzig

quart [kar] *m* Viertel *n*; *de litre*: Viertelliter *m*; *de livre*: Viertelpfund *n*; **~ d'heure** Viertelstunde *f*; **les trois ~s** drei Viertel; **il est le ~** es ist Viertel (nach); **~ de finale** Viertelfinale *n*

quartier [kartje] *m quart* Viertel *n*; *ville*: Stadtviertel *n*, -teil *m*, Bezirk *m*; *mil* Quartier *n*

quartier-maître [kartjemɛtrə] *m* (*pl quartiers-maîtres*) *mar* Gefreite(r) *m*, Maat *m*

quasi|-... [kazi] *in Zssgn* fast; **~ment** sozusagen, quasi

quatorze [katɔrz] vierzehn

quatre [katrə] **1.** *adj* vier; **à ~** zu viert; **2.** *m* Vier *f*

quatre-vingt(s) [katrəvɛ̃] achtzig; **~-vingt-dix** [-vɛ̃dis] neunzig

quatrième [katrijɛm] vierte(r, -s); **~ment** *adv* viertens

quatuor [kwatɥɔr] *m mus* Quartett *n*

que [kə] **1.** *pronom relatif*: den, die, das; *imbécile ~ tu es!* du Dummkopf!; *le jour ~* der Tag, an dem; *ce ~* (das) was; *je sais ce qu'il veut* ich weiß, was er will; **~ je sache** soviel ich weiß; **je ne sais ~ dire** ich weiß nicht, was ich sagen soll; *coûte ~ coûte* koste es, was es wolle!; **2.** *pronom interrogatif*: was?; *qu'y a-t-il* was gibt es?; *qu'est-ce que?* was?; *qu'est-ce que c'est?* was ist das?; **3.** *adv dans exclamations*: wie ...!; *~ c'est beau!* wie schön!; *~ de fois!* wie oft!; **4.** *conj* dass; *but*: damit; *après comparatif*: als; *plus grand ~ moi* größer als ich; *dans comparaison*: wie; *tel ~ je suis* so wie ich bin; *ne ... ~* nur; *avec nombre*: erst; *au début de la phrase avec subj*: *qu'il ait raison*, *j'en suis certain* dass er Recht hat, weiß ich genau; *concession*: ob; *qu'il pleuve ou non* ob es regnet oder nicht; *désir*: *qu'il entre* er soll hereinkommen

quel, **~le** [kɛl] welche(r, -s); was für ein(e); *quelle heure est-il?* Wie viel Uhr ist es?; **~ que** (+ *subj*) welche(r, -s) auch immer; *quelles que soient vos raisons* welches auch (immer) Ihre Gründe sein mögen

quelconque [kɛlkõk] **1.** irgendein(e), beliebig; *un travail ~* irgendeine Arbeit; **2.** *médiocre* mittelmäßig, gewöhnlich

quelque [kɛlkə, *vor Vokal* kɛlk] **1.** einige(r, -s), ein(e) gewisse(r, -s); **~s** *pl* einige, ein paar; **à ~ distance** in einiger Entfernung; **~s jours** ein paar *od* einige Tage; **~ chose** etwas; **2.** *devant chiffre*: (*unv*) ungefähr, etwa; **3. ~ ... que** (+ *subj*) wie ... auch immer; **~ grands qu'ils soient** wie groß sie auch (immer) sein mögen

quelquefois [kɛlkəfwa] manchmal

quelqu'un [kɛlkɛ̃ *od* kɛlkœ̃] jemand, (irgend)einer; *quelques-uns* [kɛlkəzɛ̃, -œ̃] *m/pl*, *quelques-unes* *f/pl* einige; **~ d'autre** jemand anders

quémander [kemãde] (*1a*) aufdringlich bitten, betteln

quenelle [kənɛl] *f* Klößchen *n*

querell|e [kərɛl] *f* Streit *m*; **~er** (*1b*) *se ~* (sich) streiten, (sich) zanken; **~eur**, **~euse** **1.** *adj* zänkisch; **2.** *m*, *f* Zänker(in) *m(f)*

question [kɛstjõ] *f* Frage *f*; *problème* Problem *n*; **F ~** *travail* was die Arbeit angeht; *en ~* fraglich, betreffend; *c'est hors de ~* das kommt nicht in Frage; *il est ~ de* es handelt sich um

questionn|aire [kɛstjɔnɛr] *m* Fragebogen *m*; **~er** (*1a*) aus-, befragen

quête [kɛt] *f recherche* Suche *f*; *collecte* Geldsammlung *f*, Kollekte *f*; *en ~ de* auf der Suche nach; **~er** (*1b*) sammeln; *solliciter* erbitten

queue [kø] *f animal*: Schwanz *m*, Schweif *m*; *fruit*, *casserole*: Stiel *m*; *train*, *cortège*: Ende *n*; *file* Schlange *f*; *faire la ~* Schlange stehen; *auto faire une ~ de poisson à qn* j-n schneiden; *à la ~* am Ende; *mus piano m à ~* Flügel *m*; **~ de cheval** *coiffure*: Pferdeschwanz *m*

qui [ki] **1.** *pronom interrogatif*: wer?; wen?; *de ~* von wem?; wessen?; *à ~* wem?; **~ est-ce ~?** wer?; **~ est-ce que?** wen?; *qu'est-ce ~?* was?; **2.** *pronom relatif*: der, die, das; *pl* die; *ce ~* (das) was; *rien ~* nichts was; **~ pis est** was noch schlimmer ist; *sauve ~ peut* rette sich, wer kann; *je ne sais ~* ein x-Beliebiger; **à ~ mieux mieux** um die Wette; *aimez ~ vous aime* liebt den, der euch liebt!; *ni ~ ni quoi* überhaupt nichts; **3.** *pronom indéfini*: **~ que** (+

subj wer (wen) auch (immer)

quiche [kiʃ] *f cuis* **~ lorraine** *französischer* Speckkuchen

quiconque [kikɔ̃k] jeder, der ...; jeder (beliebige)

quiétude [kjetyd] *litt f* (Seelen-)Ruhe *f*

quille¹ [kij] *f Spiel:* Kegel *m*

quille² [kij] *f mar* (Schiffs-)Kiel *m*

quincaillerie [kɛ̃kajri] *f* Eisenwaren *f/pl* und Küchengeräte *n/pl*; *magasin:* Haushaltwarengeschäft *n*

quinine [kinin] *f* Chinin *n*

quinquagénaire [kɛ̃kaʒenɛr] **1.** *adj* fünfzigjährig; **2.** *m, f* Fünfzigjährige(r) *m, f*

quintal [kɛ̃tal] *m* (*pl -aux*) Doppelzentner *m*

quinte [kɛ̃t] *f* **~ (de toux)** Hustenanfall *m*

quintessence [kɛ̃tesɑ̃s] *f* Quintessenz *f*, Hauptinhalt *m*

quintuple [kɛ̃typlə] fünffach

quinzaine [kɛ̃zɛn] *f jours:* vierzehn Tage *m/pl*, zwei Wochen *f/pl*; **une ~ de** etwa fünfzehn

quinze [kɛ̃z] fünfzehn; **~ jours** vierzehn Tage; **le ~ (du mois)** der Fünfzehnte (des Monats); **demain en ~** morgen in vierzehn Tagen

quittance [kitɑ̃s] *f* Quittung *f*; **donner ~ de qc** etw (*acc*) quittieren

quitte [kit] *dette:* quitt, nichts schuldig; *situation, obligation désagréable:* frei, befreit (**de qc** von etw); **~ à** (+ *inf*) auf die Gefahr hin, dass

quitter [kite] (*1a*) *endroit, personne:* verlassen; *activité:* aufgeben; *vêtement:* ablegen; **se ~** sich trennen, auseinander gehen; *tél* **ne quittez pas!** bitte bleiben Sie am Apparat!

qui-vive? [kiviv] *être od* **se tenir sur le ~** aufpassen, auf der Hut sein

quoi [kwa] **1.** was?; **2. à ~** wozu, woran; **après ~** worauf(hin); **de ~** wovon; **sans ~** sonst, andernfalls; **à ~ bon?** wozu?; **avoir de ~ vivre** genug zum Leben haben; **il a de ~** er hat Geld; (**il n'y a) pas de ~!** keine Ursache!, bitte!; **3. ~ que** (+ *subj*) was auch (immer); **~ qu'il en soit** wie dem auch sei

quoique [kwakə] *conj* (+ *subj*) obgleich, obwohl

quolibet [kɔlibɛ] *m* Stichelei *f*, Anzüglichkeit *f*

quote-part [kɔtpar] *f* (*pl quotes-parts*) Anteil *m*

quotidien, ~ne [kɔtidjɛ̃, -ɛn] **1.** *adj* täglich; **2.** *m* Tageszeitung *f*

R

rabâcher [rabaʃe] (*1a*) immer dasselbe sagen

rabais [rabɛ] *m* Rabatt *m*, Ermäßigung *f*

rabaisser [rabɛse] (*1b*) herabsetzen, schmälern

rabattre [rabatrə] (*4a*) *v/t siège, couvercle:* herunterklappen; *manches:* umschlagen, umlegen; *pli:* legen; *gibier:* treiben; **~ trois francs** drei Franc nachlassen; *v/i* **en ~** Abstriche machen, zurückstecken; *fig* **se ~ sur** zurückgreifen auf (*acc*), vorlieb nehmen mit

râblé, ~e [rɑble] untersetzt, stämmig

rabot [rabo] *m* Hobel *m*; **~er** [-ɔte] (*1a*) (be-, ab)hobeln

raboteu|x, ~se [rabɔtø, -z] *surface:* rau, uneben; *chemin:* holp(e)rig (*a fig*)

rabougri, ~e [rabugri] verkümmert, verkrüppelt

rabrouer [rabrue] (*1a*) **~ qn** j-n anfahren, anherrschen

racaille [rakaj] *f* Pack *n*, Gesindel *n*

raccommod|age [rakɔmɔdaʒ] *m* Ausbesserung *f*, Flicken *n*; **~er** (*1a*) flicken, ausbessern, stopfen

raccompagner [rakɔ̃paɲe] (*1a*) zurückbegleiten, -bringen

raccord [rakɔr] *m* Verbindung(sstück) *f(n)*; *film:* Übergang *m*; *tech* Nippel *m*

raccord|ement [rakɔrdəmɑ̃] *m* Verbindung *f*; **~er** (*1a*) verbinden, aneinander passen

raccourc|i, ~ie [rakursi] **1.** *adj* ge-, verkürzt; **en raccourci** in Kurzform; **2.**

m Verkürzung *f*; *chemin*: Abkürzung *f*;
~ir (*2a*) *v/t* verkürzen; *chemin*: abkürzen; *robe*: kürzer machen; *v/i* kürzer werden

raccrocher [rakrɔʃe] (*1a*) wieder aufhängen; *téléphone*: auflegen; *se ~ à* sich (an)klammern an (*acc*)

race [ras] *f* Rasse *f*; *ascendance* Geschlecht *n*; *péj* Sippschaft *f*

rachat [raʃa] *m* Rückkauf *m*; *détenu*: Loskauf *m*

racheter [raʃte] (*1e*) zurückkaufen; *détenu*: los-, freikaufen; *fig faute*: wieder gutmachen; *rel* erlösen

racial, ~e [rasjal] (*m/pl -aux*) rassisch, Rassen...

racine [rasin] *f* Wurzel *f* (*a fig u math*); *prendre ~* Wurzeln schlagen

rac|isme [rasismə] *m* Rassenideologie *f*, Rassismus *m*; **~iste 1.** *adj* rassistisch; **2.** *m, f* Rassist(in) *m(f)*

racket [rakɛt] *m* organisierte Erpressung *f*

racl|ée [rɑkle] F *f* Tracht *f* Prügel; **~er** (*1a*) schaben, abkratzen; *trottoir*: streifen; *se ~ la gorge* sich räuspern; **~ette** [-ɛt] *f tech* Kratz-, Schabeisen *n*; *cuis* Raclette *f od n*

racoler [rakɔle] (*1a*) *péj* anwerben, fangen

raconter [rakõte] (*1a*) erzählen (*qc* [von] etw); *fait réel*: berichten (*qc* von etw)

radar [radar] *m* Radar(anlage *f*, -gerät *n*) *n*

rade [rad] *f mar* Reede *f*

radeau [rado] *m* (*pl -x*) Floß *n*

radial, ~e [radjal] (*m/pl -aux*) radial, strahlenförmig; *pneu m à carcasse radiale* Gürtelreifen *m*

radia|teur [radjatœr] *m* Heizkörper *m*, Radiator *m*; *auto* Kühler *m*; **~tion** *f phys* Strahlung *f*; *liste, facture*: Streichung *f*

radical, ~e [radikal] (*m/pl -aux*) **1.** *adj* radikal; **2.** *m gr* Stamm *m*; *math* Wurzelzeichen *n*; *pol* Radikalsozialist *m*

radier [radje] (*1a*) (aus)streichen

radieu|x, ~se [radjø, -z] strahlend (*a fig*)

radin (*f a radine*) [radɛ̃, radin] F knauserig

radio [radjo] **1.** *f* Rundfunk *m*, Radio *n*,

Hörfunk *m*; *~ libre* Privatsender *m*; **2.** *f radiographie* Röntgenaufnahme *f*; **3.** *m radiotélégraphie*: Funker *m*

radio|actif, ~active [radjoaktif, -aktiv] radioaktiv; **~activité** [-aktivite] *f* Radioaktivität *f*; **~cassette** [-kasɛt] *f* Radiorekorder *m*; **~diffuser** [-difyze] (*1a*) (im Rundfunk) übertragen, senden; **~diffusion** [-difyzjõ] *f* Rundfunk *m*; **~graphie** [-grafi] *f procédé*: Röntgenaufnahme *f*; *photo*: Röntgenbild *n*; **~graphier** [-grafje] (*1a*) röntgen; **~logie** [-lɔʒi] *f* Röntgenkunde *f*, Radiologie *f*; **~phonique** [-fɔnik] Radio..., (Rund-)Funk...; **~reportage** [-rəpɔrtaʒ] *m* Funkreportage *f*; **~scopie** [-skɔpi] *f* Durchleuchtung *f*; **~télévisée** [-televize] Funk- und Fernseh...; **~thérapie** [-terapi] *f* Röntgentherapie *f*, Strahlenbehandlung *f*

radis [radi] *m bot* Radieschen *n*; *~ noir* Rettich *m*

radoter [radɔte] (*1a*) faseln, schwatzen

radoucir [radusir] (*2a*) mildern; *se ~ temps*: milder werden

rafale [rafal] *f* Windstoß *m*, Bö *f*; *mil* Feuerstoß *m*

raffermir [rafɛrmir] (*2a*) *muscles, poitrine*: (wieder) festigen, straffen; *fig pouvoir*: stärken

raffinage [rafinaʒ] *m tech* Raffinieren *n*, Verfeinerung *f*

raffin|é, ~ée [rafine] verfeinert; *art*: überfeinert; *goût*: erlesen; *style*: gepflegt; *tech* raffiniert; **~ement** [-mã] *m* Verfeinerung *f*, *astuce* Raffinesse *f*; **~er** (*1a*) *tech* raffinieren; *fig* verfeinern; **~erie** *f tech* Raffinerie *f*

raffoler [rafɔle] (*1a*) versessen sein (*de* auf *acc*)

rafistoler [rafistɔle] (*1a*) F flicken, ausbessern

rafle [rafl] *f police*: Razzia *f*

rafler [rafle] (*1a*) F an sich (*acc*) raffen

rafraîch|ir [rafreʃir] (*2a*) *v/t mains*: erfrischen; *boisson*: kühlen; *mémoire*: auffrischen; *v/i* kühler werden; *se ~ température*: kühler werden; *personne*: sich erfrischen; **~issant, ~issante** [-isã, -isãt] erfrischend (*a fig*); **~issement** [-ismã] *m température*: Abkühlung *f*; *boisson*: Erfrischung *f*

rag|e [raʒ] *f* Wut *f*, Raserei *f*; *méd* Tollwut *f*; **~eur, ~euse** *personne*: jähzornig; *regard, voix:* wütend

ragot [rago] *m* F Tratsch *m*

ragoût [ragu] *m cuis* Ragout *n*

raid [rɛd] *m mil* Einfall *m*; *aérien:* Luftangriff *m*

raid|e [rɛd] *personne, membres:* steif (*a fig*); *pente:* steil; P *ivre* stockbesoffen; **~ mort** auf der Stelle tot; **~eur** *f personne, membres:* Steifheit *f* (*a fig*); *pente:* Steilheit *f*; **~ir** (2a) anspannen; **se ~** *membres:* steif werden; *fig* trotzen

raie [rɛ] *f* **1.** *rayure* Streifen *m*; *cheveux:* Scheitel *m*; **2.** *zo* Rochen *m*

raifort [rɛfɔr] *m bot* Meerrettich *m*

rail [raj] *m* Schiene *f*

rail|ler [rɑje] (1a) verspotten (*qn* j-n), spotten (*qn* über j-n); **~erie** *f* Spott *m*; **~eur, ~euse** spöttisch

rainure [renyr] *f tech* Nut *f*, Rille *f*

raisin [rɛzɛ̃] *m* (Wein-)Traube(n) *f(pl)*; **~ sec** Rosine *f*

raison [rɛzɔ̃] *f intelligence* Vernunft *f*, Verstand *m*; *contraire de tort:* Recht *n*; *cause* Grund *m*, Ursache *f*; *argument* Argument *n*; **avoir ~** Recht haben; **avoir ~ de qn** j-n überwältigen; **avoir ~ de qc** etw (*acc*) meistern; **à ~ de** zum Preis von; **à plus forte ~** umso mehr; **en ~ de** auf Grund von; **~ d'être** Existenzberechtigung *f*; **~ d'État** Staatsräson *f*; **pour cette ~** aus diesem Grund, deshalb; **~ sociale** Firmenname *m*

raisonnable [rɛzɔnablə] vernünftig; *prix:* angemessen

raisonné, ~e [rɛzɔne] durchdacht, überlegt

raisonn|ement [rɛzɔnmã] *m* Überlegung *f*, Gedankengang *m*; *argumentation* Beweisführung *f*; *faculté* Urteilskraft *f*; **~er** (1a) *v/i argumenter* argumentieren; *penser* nachdenken; *répliquer* widersprechen; *v/t* **~ qn** j-m gut zureden

rajeunir [raʒœnir] (2a) *v/t personne:* jünger machen; *pensée, thème:* neu beleben; *v/i* jünger werden *od* aussehen

rajouter [raʒute] (1a) hinzufügen

rajust|ement [raʒystəmã] *m* Angleichung *f*; **~er** (1a) *salaires, prix:* angleichen; *cravate, lunettes:* zurechtrücken; *coiffure:* wieder in Ordnung bringen

ralent|i [ralãti] *m auto* Leerlauf *m*; *film:*

Zeitlupe *f*; *fig* **au ~** mit verminderter Kraft; **~ir** (2a) *v/t* verlangsamen; *v/i voiture:* langsamer werden, fahren

râler [rale] (1a) röcheln; F nörgeln

rallier [ralje] (1a) *mil* sammeln; *fig* vereinen; *rejoindre* sich anschließen (*qn* j-m); **se ~ à** sich anschließen an (*acc*)

rallong|e [ralɔ̃ʒ] *f* Verlängerungsstück *n*; *él* Verlängerungsschnur *f*; **~er** (1l) verlängern

rallye [rali] *m* Rallye *f*, Sternfahrt *f*

ramass|age [ramasaʒ] *m* Sammeln *n*; **car m de ~ scolaire** Schulbus *m*; **~er** (1a) *ce qui est par terre:* aufheben; *recueillir* (ein)sammeln; F *maladie, coup:* erwischen; **~is** [-i] *m péj* Haufen *m*

rambarde [rãbard] *f* Geländer *n*; *mar* Reling *f*

rame [ram] *f* Ruder *n*; *métro:* Zug *m*

rameau [ramo] *m* (*pl* -x) Zweig *m* (*a fig*); *rel* **les ~x** Palmsonntag *m*

ramener [ramne] (1d) zurück-, wiederbringen; *apporter* mitbringen; *ordre:* wiederherstellen; **~ à** zurückführen auf (*acc*); **se ~ à qc** auf etw (*acc*) hinauslaufen

ram|er [rame] (1a) rudern; **~eur, ~euse** *m, f* Ruderer, -in *m, f*

rami|fication [ramifikasjɔ̃] *f* Ab-, Verzweigung *f*; **~fier** [-fje] (1a) **se ~** sich verzweigen (*a fig*)

ramollir [ramɔlir] (2a) weich machen, aufweichen; **se ~** weich werden; *fig* nachlassen

ramon|er [ramɔne] (1a) fegen; **~eur** *m* Schornsteinfeger *m*

rampant, ~e [rãpã, -t] kriechend; *fig* kriecherisch

ramp|e [rãp] *f escalier:* Treppengeländer *n*; *garage:* Auffahrt *f*; *théâtre:* Rampe *f*; **~ de lancement** *mil* Abschussrampe *f*; **~er** (1a) kriechen (*a fig*)

rancard [rãkar] F *m rendez-vous* Verabredung *f*; *renseignement* Auskunft *f*

rancart [rãkar] *m* **mettre au ~** ausrangieren

rance [rãs] ranzig

rancœur [rãkœr] *f* Groll *m*, Verbitterung *f*

rançon [rãsɔ̃] *f* Lösegeld *n*; *fig* Preis *m*

rancun|e [rãkyn] *f* Groll *m*; **~ier, ~ière** [-je, -jer] nachtragend

randonn|ée [rɑ̃dɔne] f Ausflug m, Tour f, Wanderung f; **~eur** m Wanderer m

rang [rɑ̃] m rangée Reihe f; niveau Rang m, Stand m; mil Glied n; fig **se mettre sur les ~s** sich bewerben; **rentrer dans le ~** wieder in den Hintergrund treten; **être au premier ~** an erster Stelle stehen

rang|é, ~ée [rɑ̃ʒe] personne: anständig; vie: geregelt; **~ée** f Reihe f

ranger [rɑ̃ʒe] (1l) in Ordnung bringen, ordnen; chambre: aufräumen; voiture: parken; **se ~ s'écarter** beiseite treten, fahren; fig assagir solide werden; **se ~ à une opinion** e-r Ansicht beipflichten

ranimer [ranime] (1a) personne: wieder beleben; fig courage, force: wieder, neu beleben; personne: aufmuntern

rapace [rapas] 1. adj animal: raubgierig; personne: habsüchtig; 2. m Raubvogel m

rapatrié, ~e [rapatrije] m, f Rückwanderer(in) m(f), Umsiedler(in) m(f), Heimkehrer(in) m(f)

rapatriement [rapatrimɑ̃] m Rückführung f, Repatriierung f

rapatrier [rapatrije] (1a) rückführen, repatriieren

râpe [rɑp] f Reibe f; tech Raspel f; **~er** (1a) cuis reiben; bois: raspeln; **manteau** m **râpé** abgetragener Mantel m

rapetisser [raptise] (1a) v/t salle: verkleinern; robe: kürzen; fig mérite: herabsetzen; v/i tissu: eingehen; personne: kleiner werden

rapide [rapid] 1. adj schnell, rasch; courant: reißend; 2. m eau: Stromschnelle f; train: D-Zug m

rapidité [rapidite] f Schnelligkeit f

rapiécer [rapjese] (1f u 1k) flicken

rappel [rapɛl] m Zurückrufen m; ambassadeur, envoyé: Abberufung f; avertissement Mahnung f; évocation Erinnerung f (de an); écriteau: Wiederholung f; salaire: Nachzahlung f; **descendre en ~** alpiniste: sich abseilen

rappeler [raple] (1c) zurückrufen; ambassadeur: abberufen; téléphoner de nouveau noch einmal anrufen; en réponse: zurückrufen; **~ qc à qn** j-m etw ins Gedächtnis zurückrufen, j-n an etw (acc) erinnern; **se ~ qn** od **qc** sich (acc) an j-n od etw erinnern; **se ~ avoir fait qc** sich erinnern, etw getan zu haben

rapport [rapɔr] m 1. Bericht m; mil Meldung f; jur Gutachten n; 2. lien Zusammenhang m; proportion Verhältnis n; **~s** pl relations Beziehungen f/pl; **~s (sexuels)** (Geschlechts-)Verkehr m; **par ~ à** im Verhältnis zu, im Vergleich zu; **sous le ~ de** was ... betrifft; **sous tous les ~s** in jeder Hinsicht; **en ~ avec** entsprechend; **être en ~ avec qn** mit j-m in Verbindung stehen; 3. comm Ertrag m

rapport|er [rapɔrte] (1a) wiederbringen, zurückbringen; revenir avec mitbringen; produire einbringen; relater berichten; **se ~ à** sich beziehen auf (acc); **s'en ~ à qn** sich auf j-n verlassen; **~eur, ~euse** m, f Berichterstatter(in) m(f)

rapproch|ement [raprɔʃmɑ̃] m Annäherung f (a fig); analogie Gegenüberstellung f, Vergleich m; **~er** (1a) chose: heranrücken (de an acc); deux choses: zusammenrücken; fig näher bringen; comparer gegenüberstellen, vergleichen (de mit); **se ~** sich (an)nähern, näher kommen (de qc e-r Sache)

rapt [rapt] m Entführung f

raquette [rakɛt] f Tennisschläger m

rare [rɑr] selten, marchandises: knapp, rar; extraordinaire außergewöhnlich; peu dense dünn; **il est ~ que** (+ subj) od **de** (+ inf) es ist selten, dass

ras, ~e [rɑ, -z] kurz geschnitten; **à ras bord** bis an den Rand; **en rase campagne** auf dem flachen Land; **au ras de** dicht über; **l'en avoir ras le bol** die Nase voll haben; **faire table rase** Tabula rasa, reinen Tisch machen

rase-mottes [rɑzmɔt] m aviat Tiefflug m

ras|er [rɑze] (1a) personne, menton: rasieren; barbe: abrasieren; maison: abreißen; violemment: dem Erdboden gleichmachen; **~ qc** frôler an etw (dat) dicht entlangfahren; F **~ qn** ennuyer j-n anöden; **~oir** m **(électrique)** Rasierapparat m

rassasier [rasazje] (1a) sättigen

rassembler [rasɑ̃ble] (1a) personnes: (ver)sammeln; informations: sammeln, zusammentragen, -stellen

rasseoir [raswar] (3l) wieder hinsetzen; **se ~** sich wieder hinsetzen

rassis, **~e** [rasi, -z] altbacken; *fig* gesetzt, besonnen

rassurer [rasyre] (*1a*) beruhigen

rat [ra] *m zo* Ratte *f*

ratatiner [ratatine] (*1a*) **se ~** zusammenschrumpfen

rate [rat] *f anat* Milz *f*

raté, **~e** [rate] **1.** *adj* misslungen, verfehlt; **2.** *m personne:* Versager *m* (*a fig*); *auto* Fehlzündung *f*

râteau [roto] *m* (*pl* -x) *agr* Rechen *m*, Harke *f*

rater [rate] (*1a*) *v/t cible:* verfehlen; *personne, train:* verpassen; *v/i arme:* versagen; *projet:* misslingen; **~ un examen** durchfallen

ratification [ratifikasjõ] *f pol* Ratifizierung *f*

ration [rasjõ] *f* Ration *f*; *fig* Anteil *m*

rationalisation [rasjonalizasjõ] *f* Rationalisierung *f*; **~er** (*1a*) rationalisieren

rationnel, **~le** [rasjonel] rational; *méthode, organisation:* zweckmäßig, rationell

rationnement [rasjonmã] *m* Rationierung *f*

ratisser [ratise] (*1a*) harken, rechen; *fouiller* durchkämmen

R.A.T.P. [eratepe] *f* (*abr* **Régie autonome des transports parisiens**) *Pariser Verkehrsbetriebe*

rattacher [ratafe] (*1a*) *attacher de nouveau* wieder anbinden; *idées:* verknüpfen; *fil électrique:* anschließen; **~** sich anschließen (**à** an *acc*)

rattraper [ratrape] (*1a*) *animal:* wieder einfangen; *fugitif:* wieder ergreifen; *objet qui tombe:* auffangen; *voiture, cycliste:* wieder aufholen; *retard:* aufholen; *occasion perdue:* nachholen

raturer [ratyre] (*1a*) aus-, durchstreichen

rauque [rok] heiser, rau

ravage [ravaʒ] *m le plus souvent au pl* **~s** Verwüstungen *f/pl*, Verheerungen *f/pl*; **~er** (*1l*) verwüsten, verheeren

ravaler [ravale] (*1a*) *façade:* (neu) verputzen, reinigen; *avaler de nouveau* (wieder) hinunterschlucken (*a fig*) *fig déprécier* herabwürdigen

rave [rav] *f* Rübe *f*

ravi, **~e** [ravi] entzückt (**de** über *acc*)

ravin [ravẽ] *m* Schlucht *f*

ravir [ravir] (*2a*) **1.** *enchanter* begeistern, entzücken; **2.** *litt enlever* rauben, entführen

raviser [ravize] (*1a*) **se ~** sich anders besinnen

ravissant, **~ante** [ravisã, -ãt] entzückend; **~eur**, **~euse** *m, f* Entführer(in) *m(f)*

ravitaillement [ravitajmã] *m* Lebensmittelversorgung *f*; *mil* Nachschub *m*; **~er** (*1a*) mit Nachschub, mit Lebensmitteln versorgen

raviver [ravive] (*1a*) neu beleben

rayé, **~e** [reje] gestreift; *papier:* liniert; *verre, carrosserie:* verschrammt; **~er** (*1i*) *meuble, carrosserie:* zerkratzen; *mot:* aus-, durchstreichen

rayon [rejõ] *m* Strahl *m* (*a phys*); *math* Radius *m*; *roue:* (Rad-)Speiche *f*; *étagère:* Fach *n*, Brett *n*; *magasin:* Abteilung *f*; **~s X** Röntgenstrahlen *m/pl*; **~ de braquage** *auto* Wendekreis *m*

rayonnant, **~ante** [rejonã, -ãt] strahlend; **~ement** [-mã] *m phys* Strahlung *f*; *fig* Ausstrahlung *f*; **~er** (*1a*) *v/i chaleur, douleur, visage:* ausstrahlen; *visage:* strahlen; *faire des excursions* Ausflüge in die Umgebung machen

rayure [rejyr] *f* Streifen *m*; *meuble, verre:* Kratzer *m*

raz [ra] *m* **~ de marée** Flutwelle *f*; *fig* Flut *f*; *pol* Erdrutsch *m*

R.D.A. [erdea] *f* (*abr* **République démocratique allemande**) *hist* DDR *f*

re... [r(ə)] *in Zssgn* wieder, noch einmal

ré [re] *m mus* d *od* D *n*

réacteur [reaktœr] *m phys* Reaktor *m*; *aviat* Düse(ntriebwerk) *f(n)*; **~ nucléaire** Kernreaktor *m*

réaction [reaksjõ] *f* Reaktion *f*; *avion* *m* **à ~** Düsenflugzeug *n*

réactionnaire [reaksjoner] **1.** *adj* rückschrittlich, reaktionär; **2.** *m, f* Reaktionär(in) *m(f)*

réagir [reaʒir] (*2a*) **~ à** reagieren auf (*acc*); **~ contre** sich wehren gegen (*acc*)

réajuster [reaʒyste] (*1a*) → *rajuster*

réalisable [realizablə] ausführbar; **~ateur**, **~atrice** [-atœr, -atris] *m, f* Filmregisseur(in) *m(f)*; **~ation** *f* Verwirklichung *f*, Realisierung *f*; *contrat:* Erfüllung *f*; *acquisition* Errungenschaft *f*; *film:* Regie *f*

réaliser [realize] (*1a*) **1.** verwirklichen,

realiseren; *souhait*: erfüllen; *vente*: tätigen; *film*: produzieren; *bien, capital*: zu Geld machen; **2.** **se rendre compte** begreifen, erfassen

réalisme [realismə] *m* Realismus *m*; **~iste 1.** *adj* realistisch; **2.** *m* Realist *m*; **~ité** *f* Wirklichkeit *f*; *fait réel* Tatsache *f*; **en ~** in Wirklichkeit

réanim|ation [reanimasjɔ̃] *f méd* Wiederbelebung *f*; **service ~ de ~** Intensivstation *f*; **~er** (*1a*) wieder beleben

réapparaître [reaparetrə] (*4z*) wieder erscheinen

réarmement [rearməmã] *m* (Wieder-)Aufrüstung *f*

rébarbati|f, ~ve [rebarbatif, -iv] abweisend, mürrisch; *thème*: trocken

rebattu, ~e [r(ə)baty] abgedroschen

rebel|le [rəbɛl] **1.** *adj* aufrührerisch, aufsässig; **être ~ à** sich widersetzen (*dat*); **2.** *m, f* Rebell(in) *m(f)*; **~er** (*1a*) **se ~** sich auflehnen (**contre** gegen *acc*)

rébellion [rebeljɔ̃] *f* Aufstand *m*, Rebellion *f*

rebondi, ~ie [r(ə)bɔ̃di] prall, rund; **~ir** (*2a*) *ballon*: zurück-, abprallen; *fig* wieder in Gang kommen; **~issement** [-ismã] *m fig* Wiederauflebem *n*

rebord [r(ə)bɔr] *m* Rand *m*, Kante *f*

rebours [r(ə)bur] *m* **à ~** rückwärts; *fig* verkehrt; **à ~ de** im Gegensatz zu; **compte à ~** Count-down *m*

rebrousser [r(ə)bruse] (*1a*) **~ chemin** umkehren

rébus [rebys] *m* Bilderrätsel *n*

rebut [r(ə)by] *m* Ausschuss *m*; *fig* Abschaum *m*; **mettre au ~** ausrangieren

rebuter [r(ə)byte] (*1a*) *manières*: abstoßen; *travail*: abschrecken

récalcitrant, ~e [rekalsitrã, -t] störrisch, widerspenstig

récapituler [rekapityle] (*1a*) kurz wiederholen, zusammenfassen

recel [rəsɛl] *m jur* Hehlerei *f*; **~eur, ~euse** [rəslœr, -øz] *m, f jur* Hehler(in) *m(f)*

récemment [resamã] *adv* kürzlich, neulich

recens|ement [r(ə)sãsmã] *m* (Volks-)Zählung *f*; **~er** (*1a*) *population*: zählen

récent, ~e [resã, -t] neu; *passé*: jüngste

récépissé [resepise] *m* Empfangsschein *m*, -bestätigung *f*, Quittung *f*

récepteur [reseptœr] *m tech* Empfänger

m, Empfangsgerät *n*; *tél* Hörer *m*

réception [resepsjɔ̃] *f lettre, invité*: Empfang *m*; *hôtel, firme*: Rezeption *f*; *marchandises*: Annahme *f*

récession [resesjɔ̃] *f écon* Rezession *f*

recette [r(ə)sɛt] *f* **1.** *comm* Einnahme *f*, Ertrag *m*; **~ des finances** Finanzamt *n*; **2.** *cuis u fig* Rezept *n*

recev|eur, ~euse [rəsvœr, -øz] *m, f autobus*: Schaffner(in) *m(f)*; *m impôts*: Finanzbeamte(r) *m*; *poste*: Vorsteher *m*; *méd* Empfänger *m* (*e-s Organs etc*); **~oir** [rəsvwar, rsəvwar] (*3a*) bekommen, erhalten; *invité*: empfangen; **être reçu à un examen** e-e Prüfung bestehen

rechang|e [r(ə)ʃãʒ] *m* **... de ~** Ersatz..., Reserve...; **~er** (*1l*) auswechseln

réchapper [reʃape] (*1a*) **~ à qc** etw (*acc*) glücklich überstehen

recharger [r(ə)ʃarʒe] (*1l*) *camion*: wieder beladen; *arme*: wieder laden

réchaud [reʃo] *m* Kocher *m*

réchauffer [reʃofe] (*1a*) auf-, erwärmen

rêche [rɛʃ] *laine, peau*: rau; *fig* widerborstig

recherch|e [r(ə)ʃɛrʃ] *f* Suche *f*; *scientifique*: Forschung *f*; *bonheur, avantages*: Streben *n* (**de** nach); *bon goût* feiner Geschmack *m*; *péj* Geziertheit *f*; **~ par texte complet** EDV Volltextsuche *f*; **~s** *pl police*: Nachforschungen *f/pl*; **~é, ~ée** begehrt; *raffiné* erlesen; *péj* affektiert; **~er** (*1a*) suchen; *criminel*: fahnden (**qn** nach j-m); *causes, effets*: erforschen; *bonheur, perfection*: streben nach

rechute [r(ə)ʃyt] *f méd u fig* Rückfall *m*

récidive [residiv] *f jur u fig* Rückfall *m*

récif [resif] *m géogr* Riff *n*

récipient [resipjã] *m* Behälter *m*

récipro|cité [resiprɔsite] *f* Gegenseitigkeit *f*; **~que** [-k] gegenseitig

récit [resi] *m* Erzählung *f*

récit|al [resital] *m* (*pl* -als) Konzert *n*; **~er** (*1a*) hersagen, vortragen

réclamation [reklamasjɔ̃] *f* Reklamation *f*, Beschwerde *f*

réclam|e [reklam] *f* Werbung *f*, Reklame *f*; **~er** (*1a*) *secours, aumône*: dringend bitten (**qc de qn** j-n um etw); *son dû, sa part*: (zurück)verlangen; *nécessiter* erfordern; **se ~ de** sich berufen auf (*acc*)

R

reclus, ~e [rəkly, -yz] zurückgezogen

réclusion [reklyzjō] *f* Zuchthaus *n*; *peine*: Zuchthausstrafe *f*

recoin [rəkwɛ̃] *m* verborgener Winkel *m*, Schlupfwinkel *m*

récolt|e [rekɔlt] *f* Ernte *f (a fig)*; **~er** (*1a*) ernten

recommand|able [rəkɔmãdablə] empfehlenswert; **~ation** *f* Empfehlung *f*; **lettre** *f* **de ~** Empfehlungsschreiben *n*; **~é** *m* lettre: Einschreiben *n*; **~er** (*1a*) empfehlen (**qc à qn** j-m etw); *lettre*: einschreiben lassen; **se ~ par** sich auszeichnen durch; **se ~ de qn** sich auf j-n berufen

recommencer [r(ə)kɔmãse] (*1k*) wieder (*od* von vorn) anfangen (**qc** etw; **à** + *inf* zu + *inf*)

récompens|e [rekōpãs] *f* Belohnung *f*; **~er** (*1a*) belohnen (**de** für)

réconcili|ation [rekōsiljasjō] *f* Versöhnung *f*, Aussöhnung *f*; *mémoire*: (Wieder-)Erkennung *f*; *gratitude* Dankbarkeit *f*; **~ vocale** EDV Spracherkennung *f*; **~ant, ~ante** [-ã, -ãt] dankbar (**de** für)

reconnaître [r(ə)kɔnɛtrə] (*4z*) *objet, personne*: (wieder) erkennen (**à** an *dat*); *état, chef*: anerkennen; *faute*: eingestehen, einsehen; **se ~ se retrouver** sich zurechtfinden

reconnu, ~e [r(ə)kɔny] *p/p de* **reconnaître** *u adj* anerkannt

reconquérir [r(ə)kōkerir] (*2l*) zurück-, wiedererobern; *fig* wiedererlangen

reconstituer [r(ə)kōstitɥe] (*1a*) *ville, maison*: wieder aufbauen; *événement*: rekonstruieren

reconstr|uction [r(ə)kōstryksjō] *f* Wiederaufbau *m*; **~uire** [-ɥir] (*4c*) wieder aufbauen

reconvertir [r(ə)kōvɛrtir] (*2a*) **se ~** umschulen

reconversion [r(ə)kōvɛrsjō] *f* Umschulung *f*

record [r(ə)kɔr] *m* Rekord *m*

recoupement [r(ə)kupmã] *m* *math* Überschneidung *f*; *témoignages*: Übereinstimmung *f*

recourbé, ~e [r(ə)kurbe] gebogen, krumm

recourir [r(ə)kurir] (*2i*) **~ à qn** sich an j-n wenden; **~ à qc** zu etw greifen

recours [r(ə)kur] *m* Ausweg *m*, Zuflucht *f*; *jur* Berufung *f*; **~ à la violence** Gewaltanwendung *f*; **avoir ~ à qc** zu etw greifen; **en dernier ~** als letztes Mittel

recouvrer [r(ə)kuvre] (*1a*) wiedererlangen; *impôts*: eintreiben

recouvrir [r(ə)kuvrir] (*2f*) wieder bedecken; *fauteuil*: überziehen (**de** mit); *couvrir entièrement*: bedecken; *cacher* verdecken; *correspondre à* umfassen

récréation [rekreasjō] *f* Erholung *f*, Entspannung *f*

récrier [rekrije] (*1a*) **se ~** lauthals protestieren (**contre** gegen)

récrimination [rekriminasjō] *f le plus souvent au pluriel* **~s** Vorwurf *m*

recroqueviller [r(ə)krɔkvije] (*1a*) **se ~** *papier, cuir.* zusammenschrumpfen; *personne*: sich krümmen

recrue [r(ə)kry] *f mil* Rekrut *m*

recrut|ement [r(ə)krytmã] *m mil* Einberufung *f*; *personnel*: Rekrutierung *f*, Einstellung *f*; **~er** (*1a*) *mil* einberufen; *personnel*: rekrutieren, einstellen

rectangle [rɛktãglə] *m* Rechteck *n*

rectangulaire [rɛktãgylɛr] rechteckig

recteur [rɛktœr] *m* (Hochschul-)Rektor *m*

recti|fier [rɛktifje] (*1a*) begradigen; *fig* berichtigen; **~ligne** [-liɲ] geradlinig

recto [rɛkto] *m feuille*: Vorderseite *f*

rectum [rɛktɔm] *n* Mastdarm *m*

reçu [r(ə)sy] **1.** *p/p de* **recevoir**. **2.** *m* Quittung *f*

recueil [r(ə)kœj] *m* Sammlung *f*

recueill|ement [r(ə)kœjmã] *m* Andacht *f*; **~ir** (*2c*) (ein)sammeln; *eau*: auffangen; *personne*: (bei sich) aufnehmen; **se ~** sich (innerlich) sammeln

recul [r(ə)kyl] *m armée*: Zurückweichen *n*; *production, chômage*: Rückgang *m*; *fig* Abstand *m*

recul|é, ~ée [r(ə)kyle] abgelegen; *passé*: lang zurückliegend; **~er** (*1a*) *v/t* zurücksetzen, -schieben; *échéance, déci-*

sion: aufschieben; *v/i* zurückweichen, -gehen; *voiture*: zurückfahren; *fig se dérober* zurückschrecken (**devant** vor *dat*); **~ons** [-õ] **à ~** rückwärts

récupérer [rekypere] (*1f*) *v/t* wiedererlangen; *vieux matériel*: wieder verwerten; *v/i* sich erholen

récurer [rekyre] (*1a*) scheuern

récuser [rekyze] (*1a*) *jur* ablehnen; *témoignage, argument*: zurückweisen

recyclage [r(ə)siklaʒ] *m personnel*: Umschulung *f*; *tech* Wiederverwertung *f*, Recycling *n*; **~er** (*1a*) umschulen; *tech* wieder verwenden, -verwerten

rédacteur [redaktœr] *m* Redakteur *m*; **~tion** *f* Abfassung *f*; *rédacteurs* Redaktion *f*

reddition [redisjõ] *f mil* Übergabe *f*

redescendre [r(ə)desãdrə] (*4a*) **1.** *v/i* wieder herunterkommen, -steigen; *voiture*: wieder herunterfahren; *baromètre*: (wieder) fallen; **2.** *v/t* wieder herunterholen; *montagne*: wieder hinabsteigen

redevable [rədvablə] **être ~ de qc à qn** j-m etw (*acc*) schuldig sein; *fig* j-m für etw zu Dank verpflichtet sein; **~ance** *f* Gebühr *f*

rédiger [rediʒe] (*1l*) ver-, abfassen

redire [r(ə)dir] (*4m*) *répéter* noch einmal sagen; *rapporter* weitersagen; *trouver* **à ~ à tout** an allem etw auszusetzen haben

redondance [r(ə)dõdãs] *f* Redundanz *f*

redonner [r(ə)dɔne] (*1a*) (wieder) zurückgeben; *fig* **~ dans** erneut verfallen in (*acc*)

redoubler [r(ə)duble] (*1a*) *v/t* verdoppeln; *v/i* sich verstärken; **~ d'efforts** seine Anstrengungen verdoppeln

redoutable [r(ə)dutablə] furchtbar; **~er** (*1a*) **~ qc** etw fürchten, sich vor etw (*dat*) fürchten; **~ que** (+ *subj*) sich davor fürchten, dass; **~ de** (+ *inf*) sich davor fürchten zu

redresser [r(ə)drese] (*1b*) *ce qui est courbe*: gerade richten; *ce qui est tombé*: wieder aufrichten; *fig économie*: wieder beleben; **se ~ pays**: wieder hochkommen

réduction [redyksjõ] *f dépenses, production*: Reduzierung *f*, Einschränkung *f*; *impôts*: Herabsetzung *f*; *billet, prix*: Ermäßigung *f*; **~ d'emploi** Stel-

lenabbau *m*

réduire [reduir] (*4c*) *dépenses, production*: reduzieren, einschränken; *impôts*: herabsetzen; *personnel*: abbauen; *format*: verkleinern; *vitesse*: drosseln; **~ qn à qc** j-n zu etw zwingen; **~ qc à qc** etw auf etw (*acc*) beschränken; **~ en morceaux** in Stücke schlagen; **se ~ à** sich beschränken (lassen) auf (*acc*); **se ~ en** sich verwandeln in (*acc*)

réduit, ~e [redui, -t] **1.** *adj possibilités*: beschränkt; *prix*: ermäßigt; *échelle*: verkleinert; **2.** *m* kleiner Raum *m*, Verschlag *m*

rééditer [reedite] (*1a*) neu herausgeben

rééducation [reedykasjõ] *f méd* Rehabilitation *f*, Heilgymnastik *f*

réel, ~le [reel] wirklich, real

réélection [reeleksjõ] *f* Wiederwahl *f*

réévaluer [reevalue] (*1n*) *écon* aufwerten; **~ation** [-asjõ] *f* Aufwertung *f*

réexpédier [reekspedje] (*1a*) weiterbefördern; *courrier*: nachsenden

refaire [r(ə)fer] (*4n*) *faire de nouveau* noch einmal machen; *transformer* umarbeiten; *remettre en état* ausbessern; **se ~ une santé** F sich erholen

réfection [refeksjõ] *f* Ausbesserung *f*, Renovierung *f*

réfectoire [refektwar] *m* Speisesaal *m*

référence [referãs] *f* **1.** Bezugnahme *f*; *ouvrage* **m de ~** Nachschlagewerk *n*; *par* **~ à** gemäß; **2.** **~s** *pl recommandation* Referenzen *f/pl*

référendum [referɛ̃dɔm] *m* Volksentscheid *m*, -abstimmung *f*

référer [refere] (*1f*) **en ~ à qn** j-m den Fall unterbreiten; **se ~ à** sich beziehen, berufen auf (*acc*)

refiler [r(ə)file] (*1a*) F **~ qc à qn** j-m etw andrehen

réfléchi, ~ie [refleʃi] überlegt; *gr* reflexiv; **~ir** (*2a*) **1.** *v/t* reflektieren, zurückwerfen; **2.** *v/i* **~ à, sur qc** etw (*acc*) überlegen, über etw (*acc*) nachdenken

réflecteur [reflektœr] *m* Reflektor *m*

reflet [r(ə)fle] *m lumière*: Reflex *m*; *eau, miroir*: Spiegelbild *n*; *fig* Abglanz *m*

refléter [r(ə)flete] (*1f*) widerspiegeln (*a fig*)

réflexe [refleks] *m physiologie*: Reflex *m*; *automobiliste, sportif*: Reflex *m*, Reaktion *f*

réflexion [refleksjõ] *f* **1.** *phys* Spiegelung f, Reflexion f; **2.** *fait de penser* Überlegung f, Nachdenken n; *remarque* Äußerung f

refluer [r(ə)flye] (*1a*) zurückfließen

reflux [rəfly] m Ebbe f

réforma|teur, -trice [refɔrmatœr, -tris] **1.** *adj* reformerisch, reformatorisch; **2.** m, f Reformer(in) m(f); m *rel* Reformator m

réform|e [refɔrm] f Reform f; *mil* Entlassung f (wegen Dienstunfähigkeit); **~ monétaire** Währungsumstellung f; **~ de l'orthographe** Rechtschreibreform f; *hist* **la** ♀ die Reformation; **~é, ~ée** *rel* reformiert; *mil* dienstunfähig; **~er** (*1a*) reformieren; *mil* ausmustern

refoul|é, ~ée [r(ə)fule] *psych*: verdrängt; *personne*: verklemmt; **~ement** [-mã] m Zurückdrängen n; *psych* Verdrängung f; **~er** (*1a*) zurückdrängen; *psych* verdrängen

réfractaire [refrakter] widerspenstig (**à** gegenüber); *tech* feuerfest

refrain [r(ə)frɛ̃] m Refrain m

refréner [refrene, rə-] (*1f*) zügeln

réfrigérateur [refriʒeratœr] m Kühlschrank m

refroidir [r(ə)frwadir] (*1a*) abkühlen (a fig); **se ~** *temps*: kälter werden, sich abkühlen; *méd* sich erkälten

refroidissement [r(ə)frwadismã] m Abkühlung f (a fig), *auto* Kühlung f; *méd* Erkältung f

refuge [r(ə)fyʒ] m *abri* Zuflucht(sort) f(m); *piétons*: Verkehrsinsel f; *montagne*: (Schutz-)Hütte f

réfugi|é, ~ée [refyʒje] m, f Flüchtling m; **~er** (*1a*) **se ~** (sich) flüchten

refus [r(ə)fy] m Ablehnung f

refuser [r(ə)fyze] (*1a*) ablehnen; **~ qc à qn** j-m etw verweigern; **~ de** (+ *inf*) u **se ~ à** (+ *inf*) sich weigern zu

réfuter [refyte] (*1a*) widerlegen

regagner [r(ə)gaɲe] (*1a*) wiedergewinnen; *endroit*: zurückkehren an *od* in (*acc*)

régal [regal] m (pl -s) Leckerbissen m (a fig); **~er** (*1a*) bewirten (**de** mit); **se ~ de qc** etw (acc) mit Genuss essen

regard [r(ə)gar] m Blick m; **au ~ de** im Hinblick auf (*acc*)

regarder [r(ə)garde] (*1a*) ansehen, anschauen, betrachten; *concerner* angehen; **~ comme** betrachten als, halten

für; **~ à qc** auf etw (acc) achten; **~ par la fenêtre** aus dem Fenster sehen

régence [reʒãs] f Regentschaft f

régénérer [reʒenere] (*1f*) regenerieren; *fig* wieder beleben

régie [reʒi] f **1.** *entreprise*: staatlicher Betrieb m; **2.** *TV, cinéma*: Regieassistenz f

regimber [r(ə)ʒɛ̃be] (*1a*) sich sträuben

régime [reʒim] m *pol* Regierungsform f, -system n, *péj* Regime n; *jur* Rechtsvorschriften f/pl; *méd* Diät f, *tech* Drehzahl f

régiment [reʒimã] m Regiment n

région [reʒjõ] f Gegend f, Gebiet n, Region f (a fig); **~al, ~ale** [-jɔnal](m/pl -aux) regional; **~alisation** [-jɔnalizasjõ] f *pol* Regionalisierung f, Dezentralisation f; **~aliser** (*1a*) *pol* dezentralisieren; **~alisme** m Regionalismus m

régir [reʒir] (*2a*) regeln; *gr* regieren

régisseur [reʒisœr] m Verwalter m; *TV* Aufnahmeleiter m

registre [r(ə)ʒistrə] m Register n (a *mus*)

régl|able [reglablə] regulierbar, verstellbar; **~age** m Regulierung f, Einstellung f

règle [rɛglə] f **1.** *instrument*: Lineal n; **2.** *prescription* Regel f, Vorschrift f; **de ~** üblich; **en ~** in Ordnung; **en ~ générale** in der Regel; **3. ~s** pl *menstruation* Periode f, Regel f

réglé, ~e [regle] geregelt; *tech* eingestellt; *papier*: liniert

règlement [rɛgləmã] m *affaire, question*: Regelung f; *règles* Vorschrift f; *comm* Begleichung f; *jur* Verordnung f

réglement|aire [rɛglemãter] vorschriftsmäßig; **~ation** f gesetzliche Regelung f; **~er** (*1a*) gesetzlich regeln; *péj* reglementieren

régler [regle] (*1f*) *affaire*: regeln; *tech* regulieren, einstellen; *comm* bezahlen, begleichen; **se ~ sur** sich richten nach

réglisse [reglis] f *bot* Lakritze f

règne [rɛɲ] m Herrschaft f; **~ animal** Tierreich n

régner [reɲe] (*1f*) herrschen (a fig); *roi*: regieren

regorger [r(ə)gɔrʒe] (*1l*) **~ de** voll sein von

régression [regresjõ] f Rückgang m

regret [r(ə)grɛ] *m repentir* Bedauern *n*, Reue *f* (*de* über); *nostalgie* Sehnsucht *f* (*de* nach); **à ~** ungern

regrett|able [r(ə)grɛtablə] bedauerlich; **~er** (*1b*) *retard, incident*: bedauern; *faute*: bereuen; **~ que** (+ *subj*) bedauern, dass; bereuen, dass; **~ d'avoir fait qc** bedauern, etw getan zu haben; bereuen, etw getan zu haben; *époque passée, personne absente*: nachtrauern (*dat*), (schmerzlich) vermissen

regrouper [r(ə)grupe] (*1a*) *reformer* umgruppieren; *réunir* zusammenfassen

régular|iser [regylarize] (*1a*) *tech* regulieren; *document*: in Ordnung bringen; **~ité** *f habitudes*: Regelmäßigkeit *f*; *élections, mesures*: Korrektheit *f*

régul|ier, ~ière [regylje, -jɛr] regelmäßig; *réglementaire* vorschriftsmäßig; *personne*: ordentlich, korrekt

réhabilitation [reabilitasjõ] *f* Rehabilitierung *f*; Sanierung *f*; **~ des déchets toxiques** Altlastensanierung *f*

rehausser [rəose] (*1a*) erhöhen; *fig* hervorheben

réimprimer [reɛ̃prime] (*1a*) nachdrucken

rein [rɛ̃] *m anat* Niere *f*; **~s** *pl* Kreuz *n*

reine [rɛn] *f* Königin *f*

réintégrer [reɛ̃tegre] (*1f*) wiedereingliedern; *endroit*: wieder zurückkehren in, an (*acc*)

réitérer [reitere] (*1f*) wiederholen

rejaillir [r(ə)ʒajir] (*2a*) (auf-, hoch-) spritzen

rejet [r(ə)ʒɛ] *m* Ablehnung *f*; *méd* Abstoßung *f*; *bot* Schössling *m*

rejeter [rəʒ(ə)te] (*1c*) zurückwerfen; *vomir* erbrechen; *refuser* ablehnen; *personne*: verstoßen; *méd* abstoßen; *bot* treiben; *responsabilité, faute*: abwälzen (*sur qn* auf j-n)

rejoindre [r(ə)ʒwɛ̃drə] (*4b*) *personne, groupe*: (wieder) einholen, treffen; *endroit*: wieder gelangen zu; **se ~** *personnes*: sich (wieder) treffen; *rues*: (wieder) zusammenlaufen

réjou|ir [reʒwir] (*2a*) erfreuen, erheitern; **se ~** sich freuen (*de* über; *que* + *subj* dass); **~issance** [-wisãs] *f* Freude *f*, Fröhlichkeit *f*; *pl* **~s publiques** Volksfest *n*

relâch|e [r(ə)lɑʃ] *f sans ~* unablässig;

~ement [-mã] *m muscles*: Erschlaffung *f*; *corde, discipline*: Lockerung *f*; **~er** (*1a*) entspannen, lockern; *prisonnier*: freilassen; **se ~** sich lockern; *muscles*: erschlaffen; *discipline*: nachlassen

relais [r(ə)lɛ] *m sport*: Staffel(lauf) *f*(*m*); *él* Relais *n*; **~ routier** Raststätte *f*; **prendre le ~ de qn** j-n ablösen

relancer [r(ə)lɑ̃se] (*1k*) zurückwerfen; *fig* wiederankurbeln, wieder beleben

relater [r(ə)late] (*1a*) (genau) erzählen

rela|tif, ~tive [r(ə)latif, -tiv] relativ (*a gr*); **~ à qc** auf etw (*acc*) bezüglich; **~tion** *f rapport* Beziehung *f*, Verhältnis *n*; *ami* Bekannte(r) *m, f*; **~s** *pl* Beziehungen *f*/*pl*; **~s publiques** Publicrelations *pl*

relativement [r(ə)lativmã] *adv* verhältnismäßig, relativ; **~ à** im Verhältnis zu

relax *od* **relaxe** [r(ə)laks] (relax *unv*) F ungezwungen

relaxer [r(ə)lakse] (*1a*) **se ~** sich entspannen

relayer [r(ə)leje] (*1i*) **~ qn** j-n ablösen; *TV, radio*: übertragen

reléguer [r(ə)lege] (*1f*) verbannen, abschieben; **~ au second plan** j-n in den Hintergrund drängen

relent [r(ə)lã] *m* übler Geruch *m*

relève [r(ə)lɛv] *f* Ablösung *f*; **prendre la ~** (j-n) ablösen, die Nachfolge (von j-m) antreten

relevé, ~e [rəlve] **1.** *adj manche*: hochgezogen; *virage*: überhöht; *style*: gehoben, gewählt; *cuis* pikant; **2.** *m* Verzeichnis *n*, Aufstellung *f*; *compteur*: Stand *m*; **~ de compte** Kontoauszug *m*

relever [rəlve] (*1d*) **1.** *enfant*: wieder aufheben; *poteau*: wieder aufrichten; *salaires, prix*: erhöhen; *col*: hochstellen; *cheveux*: hochstecken; *manches*: hochstreifen; *siège*: hochklappen; **se ~** wieder aufstehen; *fig* sich wieder erholen; **2.** *faute*: feststellen, aufdecken; *adresse, date*: notieren; *compteur*: ablesen; **3.** *relayer* ablösen; **4.** **~ de** in die Zuständigkeit von ... fallen

relief [raljɛf] *m* Relief *n*; *pneu*: Profil *n*; **en ~** plastisch; *fig* **avoir du ~** anschaulich sein; **mettre en ~** hervorheben

relier [rəlje] (*1a*) wieder (zusammen) binden; *idées, villes*: verbinden (**à** mit);

R

livre: binden; **~eur, ~euse** *m, f* Buchbinder(in) *m(f)*

religieu|x, ~se [r(ə)liʒjø, -z] **1.** *adj* religiös; **2.** *m, f* Mönch *m*, Nonne *f*

religion [r(ə)liʒjõ] *f* Religion *f*

reli|quaire [r(ə)likɛr] *m* Reliquienschrein *m*; **~que** *f* Reliquie *f*

relire [r(ə)lir] *(4x)* wieder *od* noch einmal lesen

reliure [rəljyr] *f* Binden *n*; *couverture* (Buch-)Einband *m*

reluire [rəlɥir] *(4c)* glänzen, schimmern

remaniement [r(ə)manimã] *m pol* Umbildung *f (der Regierung)*

remanier [r(ə)manje] *(1a)* umarbeiten; *pol* umbilden *(Regierung)*

remarier [r(ə)marje] *(1a)* **se ~** sich wieder verheiraten

remarquable [r(ə)markablə] bemerkenswert

remarqu|e [r(ə)mark] *f* Bemerkung *f*; **~é, ~ée** auffällig; **~er** *(1m)* bemerken *(a mit Worten)*; **faire ~ qc à qn** j-n auf etw *(acc)* hinweisen; **se ~ chose**: auffallen; **se faire ~ personne**: auffallen

rembarquer [rãbarke] *(1m)* *mar* v/t wieder einschiffen; v/i u **se ~** sich wieder einschiffen

remblayer [rãblɛje] *(1i)* aufschütten

rembourrer [rãbure] *(1a)* polstern

rembours|able [rãbursablə] (zu)rückzahlbar; **~ement** [-əmã] *m* Rückzahlung *f*; *postes*: **contre ~** per Nachnahme; **~er** *(1a)* zurückzahlen

remède [r(ə)mɛd] *m* Heilmittel *n*; *fig* Mittel *n*

remédier [r(ə)medje] *(1a)* **~ à qc** e-r Sache abhelfen, etw *(acc)* abstellen

remémorer [r(ə)memore] *(1a)* **se ~ qc** sich *(dat)* etw ins Gedächtnis zurückrufen

remerciement [r(ə)mɛrsimã] *m* Dank *m*

remercier [r(ə)mɛrsje] *(1a)* **~ qn de od pour qc** j-m für etw danken; *congédier* entlassen

remettre [r(ə)mɛtrə] *(4p)* *chose*: wieder hinstellen, -setzen; *vêtement*: wieder anziehen; *chapeau*: wieder aufsetzen; *peine*: erlassen; *décision*: verschieben; **à neuf** instandsetzen; **~ qc à qn** j-m etw aushändigen, übergeben; **~ à l'heure** stellen; **se ~ (au beau)** *temps*: wieder besser *od* schöner werden; **se ~ à qc**

sich wieder mit etw beschäftigen; **se ~ à faire qc** wieder etw tun; **se ~ de qc** sich von etw erholen; **s'en ~ à qn** sich auf j-n verlassen

réminiscence [reminisãs] *f* Reminiszenz *f*, Erinnerung *f*

remise [r(ə)miz] *f* **1.** *hangar* (Geräte-)Schuppen *m*; **2.** *lettre*: Aushändigung *f*, Überbringung *f*; *Übergabe *f*; *peine*: Erlass *m*; *comm* Rabatt *m*; *jur* Vertagung *f*; **~ à neuf** Wiederherrichtung *f*; **~ des bagages** Gepäckausgabe *f*; **~ en question** Infragestellung *f*

rémission [remisjõ] *f* **sans ~** unerbittlich

remontant [r(ə)mõtã] *m* Stärkungsmittel *n*

remonte-pente [r(ə)mõtpãt] *m (pl remonte-pentes) ski*: Schlepplift *m*

remonter [r(ə)mõte] *(1a)* **1.** *v/i* wieder hinaufgehen, -steigen; *en voiture*: wieder hinauffahren; *baromètre, prix, fièvre*: wieder (an)steigen; **~ à passé**: zurückgehen auf *(acc)*; **2.** *v/t choses*: wieder hinauftragen; *rue*: wieder hinaufgehen; *en voiture*: wieder hinauffahren; *escalier*: noch einmal hinaufgehen; *fig* **~ qn** j-n stärken; *montre*: aufziehen; *tech* wieder zusammensetzen, montieren

remontrer [r(ə)mõtre] *(1a)* wieder zeigen; **en ~ à qn** j-m seine Überlegenheit beweisen

remords [r(ə)mɔr] *m le plus souvent au pl* Gewissensbisse *m/pl*

remorqu|e [r(ə)mɔrk] *f* Anhänger *m*; **~er** *(1m) voiture*: abschleppen

rémoulade [remulad] *f cuis* Remoulade(nsoße) *f*

remous [r(ə)mu] *m* Strudel *m*; *mar bateau*: Kielwasser *n*; *fig pl* Wirbel *m*, Aufruhr *m*

rempart [rãpar] *m* Wall *m*, Bollwerk *n*

remplaçant, ~e [rãplasã, -t] *m, f* (Stell-)Vertreter(in) *m(f)*

remplac|ement [rãplasmã] *m* Stellvertretung *f*; **~er** *(1k)* ersetzen; **~ qn provisoirement**: j-n vertreten

remplir [rãplir] *(2a)* füllen *(de* mit); *formulaire*: ausfüllen; *conditions*: erfüllen; *fonction*: ausüben

remplissage [rãplisaʒ] *m* (Auf-)Füllen *n*

remporter [rɑ̃pɔrte] (*1a*) wieder mitnehmen; *prix*: erringen, gewinnen; *victoire*: davontragen

remue-ménage [r(ə)mymenaʒ] *m* (*pl unv*) agitation Krach *m*, Radau *m*

remuer [rəmɥe] (*1a*) *v/t* mains, lèvres: bewegen; *sauce, salade*: umrühren; *chaise*: (weg)rücken; *terre*: umgraben; *fig* émouvoir rühren, aufrütteln; *v/i dent*: wackeln; *fig* unruhig werden; **se ~** sich bewegen; *fig* F sich einsetzen, sich Mühe geben

rémunéra|teur, ~trice [remyneratœr, -tris] lohnend; **~tion** *f* Vergütung *f*, Lohn *m*

rémunérer [remynere] (*1f*) entlohnen, vergüten

renaissance [r(ə)nɛsɑ̃s] *f* Wiederaufleben *n*; ♀ Renaissance *f*

renaître [r(ə)nɛtrə] (*4g*) *rel* wieder geboren werden; *fig* wieder aufleben, wieder aufblühen

renard [r(ə)nar] *m zo* Fuchs *m* (*a fig*)

renchér|ir [rɑ̃ʃerir] (*2a*) teurer werden; **~ sur qn, qc** j-n, etw überbieten *od* übertreffen

rencontre [rɑ̃kɔ̃trə] *f* Begegnung *f*, Zusammentreffen *n*; ... au plus = zufällig; **faire la ~ de qn** j-s Bekanntschaft machen; **aller à la ~ de qn** j-m entgegengehen

rencontrer [rɑ̃kɔ̃tre] (*1a*) **~ qn** j-n treffen, j-m begegnen; **~ qc** auf etw (*acc*) stoßen; **se ~** zusammentreffen, sich begegnen

rendement [rɑ̃dmɑ̃] *m gain* Ertrag *m*; *productivité* Leistung *f*

rendez-vous [rɑ̃devu] *m* (*pl unv*) Verabredung *f*; *amoureux*: Rendezvous *n*; *lieu*: Treffpunkt *m*; *professionnel, médical*: Termin *m*; **prendre ~** sich anmelden; **donner ~ à qn** sich mit j-m verabreden; **avoir ~ avec qn** mit j-m verabredet sein

rendormir [rɑ̃dɔrmir] (*2b*) **se ~** wieder einschlafen

rendre [rɑ̃drə] (*4a*) **1.** *v/t* zurückgeben; *monnaie*: herausgeben; *mal*: vergelten; *vomir* von sich geben, erbrechen; *mil* übergeben; *présenter* überreichen; **~ un jugement** ein Urteil fällen; **~ compte de qc** von etw berichten; **~ visite à qn** j-n besuchen; **2.** *avec adj* machen; **3.** *v/i terre, arbre*: einbringen

4. se ~ sich begeben (**chez qn** zu j-m);

5. se ~ *mil* sich ergeben; **se ~ à l'avis de qn** sich j-s Ansicht anschließen; **6. se ~ compte de qc** etw (*acc*) einsehen

rêne [rɛn] *f* Zügel *m*

renferm|é, ~ée [rɑ̃fɛrme] **1.** *adj* verschlossen; **2.** *m* **sentir le ~** muffig riechen; **~er** (*1a*) enthalten (*a fig*); **se ~ dans le silence** sich in Schweigen hüllen

renfoncement [rɑ̃fɔ̃smɑ̃] *m* Vertiefung *f*

renforc|ement [rɑ̃fɔrsəmɑ̃] *m* Verstärkung *f*; **~er** (*1k*) verstärken

renfort [rɑ̃fɔr] *m* Verstärkung *f*; **à grand ~ de** mithilfe von viel

rengaine [rɑ̃gɛn] *f* Schlager *m*; *fig* **la même ~** die alte Leier

rengorger [rɑ̃gɔrʒe] (*1l*) **se ~** sich aufplustern (*a fig*)

renier [rənje] (*1a*) verleugnen

renifler [r(ə)nifle] (*1a*) schnüffeln

renne [rɛn] *m zo* Ren(tier) *n*

renom [r(ə)nɔ̃] *m* (guter) Ruf *m*, Ansehen *n*

renommé, ~e [r(ə)nɔme] berühmt (**pour** wegen)

renommée [r(ə)nɔme] *f* (guter) Ruf *m*, Renommee *n*

renonc|ement [r(ə)nɔ̃smɑ̃] *m* Verzicht *m* (**à** auf *acc*); **~er** (*1k*) **~ à qc** auf etw (*acc*) verzichten; **~ à faire qc** darauf verzichten, etw zu tun

renouer [rənwe] (*1a*) *fig* wieder anknüpfen, erneuern; **~ avec qn** die Beziehungen zu j-m wieder aufnehmen

renouveler [r(ə)nuvle] (*1c*) erneuern; *document*: verlängern; **se ~** sich wiederholen

renouvellement [r(ə)nuvɛlmɑ̃] *m* Erneuerung *f*; *document*: Verlängerung *f*; *événement*: Wiederholung *f*

rénov|ation [renɔvasjɔ̃] *f* Renovierung *f*; *fig* Erneuerung *f*; **~er** (*1a*) renovieren; *fig* erneuern

renseign|ement [rɑ̃sɛɲmɑ̃] *m* Auskunft *f*, Information *f*; **donner des ~s sur** Auskunft erteilen über (*acc*); **prendre des ~s sur** Erkundigungen einziehen über (*acc*); **~er** (*1a*) **~ qn sur qc** j-m über etw (*acc*) Auskunft geben, j-n über etw (*acc*) informieren *od* unterrichten; **se ~** sich erkundigen (**au-**

R

près de qn sur qn, qc bei j-m über j-n, etw *acc)*

rente [rãt] *f revenu d'un bien* (Kapital-)Rente *f; emprunt de l'État* Staatsanleihe *f*

rent|ier, ~ière [rãtje, -jɛr] *m, f* Rentier *m*, Privatier *m*

rentrée [rãtre] *f* **1.** Rückkehr *f;* **2. ~ des classes** Schulbeginn *m;* **3.** *comm* Eingang *m;* **~s** *pl* Einnahmen *f/pl*

rentrer [rãtre] *(1a)* **1.** *v/i* zurückkehren; *chez soi:* nach Hause gehen *od* kommen; *dans une salle:* hineingehen; *dans un récipient:* hineinpassen; *argent:* eingehen; **~ dans** *appartenir à* gehören zu; **~ dans** *qc fig calme, fonction:* etw *(acc)* wiedererlangen; **2.** *v/t* hineinbringen; *voiture:* (hin)einfahren; *ventre:* einziehen

renvers|e [rãvɛrs] *f tomber à la ~* auf den Rücken fallen; **~é, ~ée** umgefallen; *image:* umgekehrt; *fig* fassungslos; **~ement** [-smã] *m pol régime:* Sturz *m;* **~er** *(1a) image:* umkehren; *chaise, verre:* umstoßen; *piéton:* umfahren; *liquide* verschütten; *gouvernement:* stürzen, zu Fall bringen; *se ~* umfallen; *voiture, bateau:* umkippen; *arbre:* umstürzen

renvoi [rãvwa] *m personnel:* Entlassung *f; lettre:* Rücksendung *f; dans un texte:* Verweis *m* (**à** auf *acc)*

renvoyer [rãvwaje] *(1p) lettre:* zurücksenden; *ballon:* zurückwerfen; *personnel:* entlassen; *rencontre, décision:* verschieben; **~ à qn, à qc** an j-n, auf etw *(acc)* verweisen

réorientation [reɔrjãtasjõ] *f* Neuorientierung *f*

réouverture [reuvɛrtyr] *f* Wiedereröffnung *f*

repaire [r(ə)pɛr] *m* Höhle *f; fig* Schlupfwinkel *m*

répandre [repãdrə] *(4a)* vergießen, verschütten; *fig* verbreiten; **se ~** sich verbreiten; *fig* **se ~ en** sich ergehen in (*dat*)

répandu, ~e [repãdy] verbreitet, üblich

reparaître [r(ə)parɛtrə] *(4z)* wieder erscheinen

répar|ation [reparasjõ] *f* Reparatur *f,* Instandsetzung *f; compensation* Wiedergutmachung *f; pol* **~s** *pl* Reparationen *f/pl;* **~er** *(1a)* reparieren, in

Stand setzen; *fig* wieder gutmachen

repartie [reparti] *f* lebhafte Erwiderung *f;* **avoir la ~ facile** schlagfertig sein

repartir [r(ə)partir] *(2b) partir de nouveau* wieder abfahren; *retourner* zurückfahren; **~ à zéro** wieder von vorn anfangen

répart|ir [reparti] *(2a)* ver-, aufteilen; *en catégories:* einteilen; **~ition** *f* Ver-, Aufteilung *f; en catégories:* Einteilung *f*

repas [r(ə)pɑ] *m* Mahlzeit *f,* Essen *n;* **~ d'affaires** Geschäftsessen *n*

repasser [r(ə)pase] *(1a)* **1.** *v/i* wieder vorbeigehen, -kommen; *de nouveau* wieder abfahren; *montagne:* wieder überqueren; F *travail:* überlassen, -geben; *couteau:* schleifen; *linge:* bügeln

repêcher [r(ə)pefe] *(1b)* aus dem Wasser ziehen; F *fig* heraushelfen (*qn* j-m)

repenser [r(ə)pãse] *(1a) réfléchir* (noch einmal) überdenken; **~ à qc** *se rappeler* wieder an etw *(acc)* denken

repentir [r(ə)pãtir] **1.** *(2b)* **se ~ de qc** etw *(acc)* bereuen; **2.** *m* Reue *f*

répercu|ssion [reperkysjõ] *f* Auswirkung *f;* **~ter** [-te] *(1a)* **se ~** widerhallen; *fig* sich auswirken (**sur** auf *acc)*

repère [r(ə)pɛr] *m* Zeichen *n,* Markierung *f;* **point *m* de ~** Anhaltspunkt *m*

repérer [r(ə)pere] *(1f)* ausfindig machen, auffinden; *marquer* markieren

répertoire [repɛrtwar] *m inventaire* Sachregister *n; théâtre, artiste:* Repertoire *n*

répéter [repete] *(1f)* wiederholen; *rôle, danse:* proben, einstudieren

répétition [repetisjõ] *f* Wiederholung *f; théâtre:* Probe *f*

répit [repi] *m* Atempause *f,* Ruhe *f;* **sans ~** unaufhörlich

replacer [r(ə)plase] *(1k)* wieder (an seinen Platz) hinstellen, -setzen

repli [r(ə)pli] *m* Falte *f; rivière:* Windung *f*

replier [r(ə)plije] *(1a)* wieder zusammenfalten; *jambes:* anziehen; **se ~** sich schlängeln; **se ~ sur soi-même** sich abkapseln

réplique|e [replik] *f* Erwiderung *f; protestation* Widerrede *f;* **~er** *(1m)* erwidern

répondeur [repõdœr] *m* **~ automatique** automatischer Anrufbeantworter *m*

répondre [repõdrə] (*4a*) antworten (*qc à qn* j-m etw; *à qc* auf etw *acc*); *correspondre* entsprechen (*à qc* e-r Sache); *mécanisme*: ansprechen; ~ *de* bürgen, haften für

réponse [repõs] *f* Antwort *f*

reportage [r(ə)pɔrtaʒ] *m* Berichterstattung *f*, Reportage *f*

reporter[1] [r(ə)pɔrte] (*1a*) *ajourner* aufschieben; *transférer* übertragen

reporter[2] [r(ə)pɔrter] *m, f* Reporter(in) *m(f)*

repos [r(ə)po] *m* Ruhe *f*

reposer [r(ə)poze] (*1a*) **1.** *remettre* zurückstellen, -setzen, -legen; *question*: wieder stellen; **2.** *détendre*: ausruhen; ~ *sur* ruhen *od* stehen auf (*dat*); *fig* beruhen auf (*dat*); *se* ~ ruhen, (sich) ausruhen, sich erholen; *fig se* ~ *sur* sich verlassen auf (*acc*)

repouss|ant, ~ante [r(ə)pusã, -ãt] abstoßend; **~er** (*1a*) *v/t* zurückstoßen, -schieben; *ne pas accueillir* abweisen; *refuser* ablehnen; *dégoûter* abstoßen; *différer* hinausschieben; *v/i* wieder wachsen

reprendre [r(ə)prãdrə] (*4q*) *v/t prendre de nouveau* wieder nehmen; *prendre davantage* noch einmal nehmen; *ville*: zurückerobern; *marchandise, promesse*: zurücknehmen; *politique*: fortführen; *argument*: wiederholen; *enfant*: tadeln; *travail*: wieder anfangen; *entreprise*: übernehmen; *v/i méd* sich wieder erholen; *se* ~ *se corriger* sich verbessern; *se maîtriser* sich fassen

représailles [r(ə)prezaj] *f/pl* Vergeltungsmaßnahmen *f/pl*, Repressalien *f/pl*

représent|ant, ~ante [r(ə)prezãtã, -ãt] *m, f* Vertreter(in) *m(f)* (*a comm*); **~atif, ~ative** (-atif, -ativ] repräsentativ, stellvertretend; *fig caractéristique* typisch, charakteristisch (*de* für)

représent|ation [r(ə)prezãtasjõ] *f* Darstellung *f*; *pol, jur, comm* Vertretung *f*; *théâtre*: Vorstellung *f*, Aufführung *f*; **~er** (*1a*) *v/t* darstellen; *pol, jur, comm* vertreten; *signifier* bedeuten; *théâtre*: aufführen; *v/i* repräsentieren; *se* ~ *qc* sich (*dat*) etw vorstellen; *pol se* ~ sich zur Wiederwahl stellen

répression [represjõ] *f* Unterdrückung *f*; *jur* Ahndung *f*

réprimand|e [reprimãd] *f* Tadel *m*; **~er** (*1a*) tadeln

réprimer [reprime] (*1a*) unterdrücken

reprise [r(ə)priz] *f ville*: Wiedereinnahme *f*; *marchandise*: Zurücknahme *f*; *travail, lutte*: Wiederaufnahme *f*; *couture*: Ausbessern *n*, Stopfen *n*; *à plusieurs ~s* wiederholt; ~ *économique* Wiederbelebung *f* der Wirtschaft

repriser [r(ə)prize] (*1a*) stopfen

réprobation [reprɔbasjõ] *f* Missbilligung *f*

reproch|e [r(ə)prɔʃ] *m* Vorwurf *m*; **~er** (*1a*) vorwerfen (*qc à qn* j-m etw)

reproduction [r(ə)prɔdyksjõ] *f* Wiedergabe *f*, Nachbildung *f*, Reproduktion *f*; *texte*: Abdruck *m*, Vervielfältigung *f*; *biol* Fortpflanzung *f*

reproduire [r(ə)prɔdɥir] (*4c*) wiedergeben, nachbilden, reproduzieren; *texte*: abdrucken, vervielfältigen; *se* ~ wieder vorkommen; *biol* sich fortpflanzen

réprouver [repruve] (*1a*) missbilligen, verurteilen; *rel* verdammen

reptile [reptil] *m zo* Reptil *n*

républic|ain, ~e [repyblikẽ, -en] **1.** *adj* republikanisch; **2.** *m, f* Republikaner(in) *m(f)*

république [repyblik] *f* Republik *f*

répudier [repydje] (*1a*) *femme*: verstoßen; *obligation*: von sich weisen

répugn|ance [repynãs] *f* Widerwille *m* (*pour* gegen); **~ant, ~ante** [-ã, -ãt] widerlich, ekelhaft; **~er** (*1a*) ~ *à qc* sich vor etw (*dat*) ekeln; ~ *à faire qc* etw widerwillig tun

répulsion [repylsjõ] *f* Widerwille *m* (*pour* gegen)

réput|ation [repytasjõ] *f* (guter) Ruf *m*; **~é, ~ée** berühmt (*pour* wegen, für); *être* ~ ... gelten als ...

requérir [rəkerir] (*2l*) anfordern

requête [rəket] *f* Gesuch *n*

requin [rəkẽ] *m zo* Hai(fisch) *m*

requis, ~e [rəki, -z] erforderlich

réquisi|tion [rekizisjõ] *f* Beschlagnahme *f*; *jur* Antrag *m*; **~tionner** [-sjɔne] (*1a*) beschlagnahmen

rescapé, ~e [reskape] überlebend

réseau [rezo] *m* (*pl* -x) Netz *n*; ~ *de radiotéléphonie* Mobil(funk)netz *n*; ~ *fixe* tél Festnetz *n*

R

réservation [rezɛrvasjõ] *f* Reservierung *f*

réserv|e [rezɛrv] *f* Reserve *f* (*a mil*); *entrepôt* Lager *n*; *provision* Vorrat *m*; *retenue* Zurückhaltung *f*; *nature*: Reservat *n*; **~ naturelle** Naturschutzgebiet *n*; **en ~** vorrätig; **sans ~** ohne Vorbehalt; **~ qc à qn** j-m etw vorbehalten; **~ une surprise à qn** j-m e-e Überraschung bereiten

réservoir [rezɛrvwar] *m* Reservoir *n* (*a fig*); *récipient* Behälter *m*; *essence*: Tank *m*

résid|ence [rezidɑ̃s] *f administration*: Wohnsitz *m*; *demeure luxueuse*: Luxusvilla *f*; *royale*: Residenz *f*; **~entiel, ~entielle** [-ɑ̃sjɛl] *quartier résidentiel* (vornehmes) Wohnviertel *n*; **~er** (*1a*) wohnhaft sein; **~ dans qc** in etw (*dat*) bestehen

résidu [rezidy] *m* Rest *m*; *tech* Rückstand *m*

résign|ation [rezinasjõ] *f* Resignation *f*; **~er** (*1a*) *fonction*: niederlegen; **se ~** resignieren; **se ~ à** sich abfinden mit

résili|able [reziljablə] kündbar; **~ation** [-asjõ] *f* Kündigung *f*; **~er** (*1a*) *contrat*: kündigen, auflösen

résine [rezin] *f* Harz *n*

résist|ance [rezistɑ̃s] *f* Widerstand *m*; *endurance* Widerstandskraft *f*; *hist* **la ~** die französische Widerstandsbewegung; **~ant, ~ante** [-ɑ̃, -ɑ̃t] widerstandsfähig; *matériel*: haltbar; **~er** (*1a*) Widerstand leisten; *supporter* aushalten (**à qc** etw *acc*), standhalten (**à qc** e-r Sache); *tentation*: widerstehen (**à qc** e-r Sache)

résolu, ~e [rezɔly] entschlossen (**à** zu)

résolution [rezɔlysjõ] *f décision* Beschluss *m*; *pol* Entschließung *f*, Resolution *f*; *fermeté* Entschlossenheit *f*

résonance [rezɔnɑ̃s] *f* Resonanz *f*

résonner [rezɔne] (*1a*) widerhallen

résorber [rezɔrbe] (*1a*) aufsaugen; *fig déficit, chômage*: beseitigen

résoudre [rezudrə] (*4bb*) *problème*: lösen; *substance*: auflösen; **~ de** (*+ inf*) beschließen zu (*+ inf*); **se ~ à faire qc** sich entschließen, etw zu tun

respect [rɛspɛ] *m* Respekt *m*, Ehrerbietung *f*, Achtung *f*; **tenir qn en ~** j-n in Schach halten; **par ~ pour** aus Achtung vor

respect|able [rɛspɛktablə] *personne*: achtbar; *somme*: beachtlich; **~er** (*1a*) achten, respektieren; *priorité*: beachten; **se ~** Selbstachtung haben; **se faire ~** sich Respekt verschaffen; **~if, ~ive** [-if, -iv] jeweilig; **~ivement** [-ivmã] *adv* beziehungsweise

respectueu|x, ~se [rɛspɛktɥø, -z] respektvoll, ehrerbietig; **~ de l'environnement** umweltfreundlich, umweltverträglich

respiration [rɛspirasjõ] *f* Atmen *n*, Atmung *f*

respirer [rɛspire] (*1a*) (ein)atmen; *fig* aufatmen; **~ la joie** Freude ausstrahlen

resplendir [rɛsplɑ̃dir] (*2a*) funkeln, glänzen

respons|abilité [rɛspõsabilite] *f* Verantwortung *f* (**de** für); *jur* Haftung *f*; **~able** verantwortlich (**de** für)

ressac [rəsak] *m* Brandung *f*

ressaisir [r(ə)sezir] (*2a*) wieder ergreifen; **se ~** sich wieder fassen

ressembl|ance [r(ə)sɑ̃blɑ̃s] *f* Ähnlichkeit *f*; **~er** (*1a*) ähnlich sein, gleichen (**à** *dat*); **ne ~ à rien** *péj* nichts taugen; **se ~** sich (*dat*) ähneln

ressemeler [r(ə)səmle] (*1c*) *chaussures*: neu (be)sohlen

ressentiment [r(ə)sɑ̃timã] *m* Ressentiment *n*, Groll *m*

ressentir [r(ə)sɑ̃tir] (*2b*) *privations, effets de maladie*: spüren; *haine, pitié*: empfinden; **se ~ de qc** die Nachwirkungen von etw verspüren

resserrer [r(ə)sere] (*1b*) *nœud*: fester ziehen; *ceinture*: enger schnallen; *fig amitié*: enger gestalten

resservir [r(ə)sɛrvir] (*2b*) *v/t* noch einmal servieren; *v/i* wieder benutzt werden

ressort [r(ə)sɔr] *m* **1.** *tech* Feder *f*; *fig* Triebfeder *f*; *personne*: Schwung *m*; **2.** *compétence* Zuständigkeitsbereich *m*, Ressort *n*; *jur* Instanz *f*; **ce n'est pas de mon ~** dafür bin ich nicht zuständig; **en dernier ~** *jur* in letzter Instanz; *fig* schließlich

ressortir [r(ə)sɔrtir] (*2b*) **1.** wieder (hin)ausgehen; *relief*: hervortreten;

faire ~ hervorheben, zur Geltung bringen; *il ressort de cela que* es geht daraus hervor, dass; **3.** *jur* ~ *à* zur Zuständigkeit (*gén*) gehören

ressortissant, ~e [r(ə)sɔrtisɑ̃, -t] Staatsangehörige(r) *m, f*

ressource [r(ə)surs] *f* Hilfsmittel *n*; ~*s pl* Reserven *f/pl*, Ressourcen *f/pl*; *argent* Geldmittel *n/pl*; ~*s minières* Bodenschätze *m/pl*

ressusciter [resysite] (*1a*) **1.** *v/t mort*: auferwecken; *fig* wieder beleben; **2.** *v/i* (wieder) auferstehen

restant, ~e [rɛstɑ̃, -t] **1.** *adj* restlich, übrig (geblieben); **2.** *m* Rest *m*

restaur|**ant**, [rɛstɔrɑ̃] *m* Restaurant *n*; ~**ateur**, ~**atrice** [-atœr, -atris] *m, f* **1.** *restaurant*: Gastwirt(in) *m(f)*; **2.** *art*: Restaurator(in) *m(f)*; ~**ation** *f* **1.** *res-taurants*: Gaststättengewerbe *n*; **2.** *art*: Restaurierung *f*; *pol* Restauration *f*

restaurer [rɛstɔre] (*1a*) wiederherstellen; *art*: restaurieren

reste [rɛst] *m* Rest *m*; *du* ~ *od au* ~ übrigens; *être en* ~ *avec qn* j-m etw schuldig bleiben

rester [rɛste] (*1a*) *v/i* **1.** bleiben; *subsister* übrig bleiben; *demeurer* sich aufhalten; *en* ~ *à qc* bei etw stehen bleiben; **2.** *impersonnel il reste du vin* es ist Wein übrig; *il ne reste plus de pain* es ist kein Brot mehr da; *(il) reste que* immerhin

restituer [rɛstitɥe] (*1n*) *rendre* zurückgeben, wiedererstatten; *reconstituer* wiederherstellen

restitution [rɛstitysjɔ̃] *f* Rückgabe *f*

restoroute [rɛstɔrut] *m* Raststätte *f* (*Autobahn*)

restreindre [rɛstrɛ̃drə] (*4b*) be-, einschränken

restriction [rɛstriksjɔ̃] *f* Be-, Einschränkung *f*; *sans* ~ vorbehaltlos

résult|**at** [rezylta] *m* Ergebnis *n*, Resultat *n*; ~**er** (*1a*) sich ergeben, folgen (*de* aus)

résum|**é** [rezyme] *m* Zusammenfassung *f*; ~**er** (*1a*) zusammenfassen, kurz wiedergeben

résurrection [rezyrɛksjɔ̃] *f rel* Auferstehung *f*; *fig malade*: plötzliche Genesung *f*

rétabl|**ir** [retablir] (*2a*) wiederherstellen; *se* ~ wieder gesund werden; ~**isse-**

ment [-ismɑ̃] *m* Wiederherstellung *f*; *malade*: Genesung *f*

retaper [r(ə)tape] (*1a*) *lettre*: noch einmal abtippen; F *maison*: herrichten

retard [r(ə)tar] *m* Verspätung *f*; *dans travail, paiement*: Rückstand *m*; *être en* ~ zu spät kommen, sich verspäten; *train*: Verspätung haben; *montre*: nachgehen; *fig* zurückgeblieben sein; *avec* ~ verspätet; *sans* ~ sofort

retard|**é**, **~ée** [r(ə)tarde] verspätet; *enfant*: zurückgeblieben; ~**er** (*1a*) *v/t* aufhalten, verzögern; *montre*: zurückstellen; *v/i montre*: nachgehen (*de* um); *fig* ~ *sur son temps* hinter seiner Zeit zurück sein

retenir [rətnir] (*2h*) *personne*: zurück-, aufhalten; *argent*: abziehen; *rappeler* (im Gedächtnis) behalten; *proposition, projet*: in Betracht ziehen, berücksichtigen; *chambre à l'hôtel*: reservieren; *se* ~ sich zurückhalten, sich beherrschen

retent|**ir** [r(ə)tãtir] (*2a*) ertönen, widerhallen; ~ *sur* sich auswirken auf (*acc*); ~**issant**, ~**issante** [-isã, -isãt] geräuschvoll, dröhnend; *fig* Aufsehen erregend; ~**issement** [-ismɑ̃] *m* (Aus-, Nach-)Wirkung *f*

retenu, ~e [rətny] *place*: vorbestellt; *voix*: verhalten

retenue [rətny] *f sur le salaire*: Abzug *m*; *fig modération* Mäßigung *f*

réticence [retisãs] *f omission* Verschweigen *n*; *hésitation* Zögern *n*

réti|**f**, **~ve** [retif, -v] störrisch

rétine [retin] *f anat* Netzhaut *f*

retirer [r(ə)tire] (*1a*) zurück-, herausziehen; *argent*: abheben; *vêtement*: ausziehen; *chapeau*: abnehmen; *main, candidature, promesse*: zurückziehen; *confiance, licence*: entziehen; *profit*: herausholen; *se* ~ sich zurückziehen; *tissu*: einlaufen

retombées [r(ə)tɔ̃be] *f/pl fig* Auswirkungen *f/pl*; *phys* ~ *radioactives* radioaktiver Niederschlag *m*

retomber [r(ə)tɔ̃be] (*1a*) wieder (hinunter-)fallen; *cheveux, rideau*: (herunter-)fallen; *fig* ~ *sur qc* auf etw (*acc*) zurückkommen; ~ *sur qn responsabilité*: auf j-n zurückfallen; ~ *dans qc* wieder in etw (*acc*) verfallen

rétorquer [retɔrke] (*1m*) erwidern

R

retors, ~e [rətɔr, -s] *fig* gerissen

rétorsion [retɔrsjõ] *f pol* Vergeltung *f*

retouch|e [r(ə)tuʃ] *f travail, texte*: Überarbeitung *f; photographie*: Retusche *f; ~er* (*1a*) *travail, texte*: überarbeiten; *photographie*: retuschieren

retour [r(ə)tur] *m* Rückkehr *f; voyage* Rückfahrt *f, -reise f; poste*: Rücksendung *f; marchandise*: Rückgabe *f; printemps*: Wiederkehr *f; sport*: **match** *m ~* Rückspiel *m; bon ~!* gute Heimreise!; **être de ~** zurück(gekehrt) sein; **en ~** dafür; **par ~ du courrier** postwendend

retourner [r(ə)turne] (*1a*) **1.** *v/i* zurückkehren, -gehen, -fahren; *de nouveau*: wieder gehen, fahren; **2.** *v/t image, matelas*: umdrehen; *tête*: drehen, wenden; *lettre*: zurücksenden; *fig ~ qn* j-n aufwühlen; *fig **tourner et ~** idée*: hin und her überlegen; **3. se ~** sich umwenden; *auto* sich überschlagen; **se ~ contre qn** sich gegen j-n wenden

retracer [r(ə)trase] (*1k*) nochmals zeichnen; *fig* vor Augen führen

rétracter [retrakte] (*1a*) zurück-, einziehen; *fig* widerrufen

retrait [r(ə)tre] *m permis de conduire*: Entzug *m; argent*: Abheben *n; troupes*: Abzug *m; **en ~** zurückgesetzt

retraite [r(ə)tret] *f* Pensionierung *f*, Ruhestand *m; pension* Rente *f; mil* Rückzug *m; **prendre sa ~** in den Ruhestand gehen; **~ anticipée** vorzeitiger Ruhestand *m*

retraité, ~e [r(ə)trete] *m, f* Rentner(in) *m(f)*

retrancher [r(ə)trãʃe] (*1a*) *mot*: wegstreichen; **se ~** sich verschanzen (*a fig*)

retransmission [r(ə)trãsmisjõ] *f TV* Übertragung *f*

rétrécir [retresir] (*2a*) *v/t* enger machen; *fig* eingengen; *v/i tissu*: einlaufen; **se ~** enger werden

rétrib|uer [retribɥe] (*1n*) entlohnen, bezahlen; **~ution** [-ysjõ] *f* Entlohnung *f*, Bezahlung *f*

rétro|actif, ~active [retrɔaktif, -aktiv] rückwirkend; **~grade** [-grad] rückständig; **~grader** [-grade] (*1a*) zurückweichen, -fallen; *auto* zurückschalten; **~projecteur** [-prɔʒɛktœr] *m* Overheadprojektor *m*; **~spectif, ~spective** [-spektif, -spektiv] **1.** *adj* rückblickend;

2. *f* Rückblick *m*, -schau *f*

retrousser [r(ə)truse] (*1a*) aufkrempeln, hochstreifen

retrouvailles [r(ə)truvaj] F *f/pl* Wiedersehen *n*

retrouver [r(ə)truve] (*1a*) wiederfinden; *rencontrer de nouveau* wieder treffen; **se ~** sich wieder treffen; *occasion*: sich wieder ergeben; **s'y ~** sich zurechtfinden; **se ~ seul** plötzlich allein dastehen

rétroviseur [retrɔvizœr] *m auto* Rückspiegel *m*

réuni|fication [reynifikasjõ] *f* Wiedervereinigung *f*; **~fier** [-fje] (*1a*) wieder vereinigen

réun|ion [reynjõ] *f* Zusammenkunft *f*, Versammlung *f; plusieurs entreprises, partis*: Zusammenschluss *m; pol* Anschluss *m*; **~ir** (*2a*) verbinden; *pays*: vereinigen; *documents*: zusammenstellen; *personnes*: versammeln; **se ~** zusammenkommen, -treffen

réussi, ~e [reysi] gelungen

réuss|ir [reysir] (*2a*) *v/i personne*: Erfolg haben; *projet*: gelingen, glücken (*à qn* j-m); **je réussis à** (+ *inf*) es gelingt mir zu (+ *inf*); *v/t* zu Stande bringen; *cuis* gut machen; **~ite** [-it] *f* Erfolg *m*

revaloriser [r(ə)valɔrize] (*1a*) aufwerten (*a fig*)

revanche [r(ə)vãʃ] *f* Vergeltung *f*, Revanche *f*; **en ~** dafür, dagegen; **prendre sa ~** die Niederlage wettmachen

rêve [rɛv] *m* Traum *m*

revêche [rəvɛʃ] barsch, unwirsch

réveil [revɛj] *m* Erwachen *n; pendule* Wecker *m*

réveiller [reveje] (*1b*) *personne*: (auf) wecken; *fig* wecken; **se ~** aufwachen

réveill|on [revejõ] *m* Weihnachts-, Silvesterfestessen *n*; **~onner** [-ɔne] (*1a*) Heiligabend *od* Silvester feiern

révél|ateur, ~atrice [revelatœr, -atris] aufschlussreich (*de* für); **~ation** *f* Enthüllung *f*, Aufdeckung *f; rel* Offenbarung *f*; **~er** (*1f*) enthüllen, aufdecken; *rel* offenbaren; **~ l'homosexualité de qn** j-n outen; **~ son homosexualité** sich outen; **se ~ faux** sich als falsch herausstellen

revenant [rəvnã] *m* Gespenst *n*

revend|eur, ~euse [r(ə)vãdœr, -øz] *m, f* Zwischenhändler(in) *m(f)*

revendi|cation [r(ə)vãdikasjõ] *f* Forderung *f*; **~quer** [-ke] (*1m*) fordern, beanspruchen; *responsabilité:* übernehmen; **~ un attentat** sich zu e-m Attentat bekennen

revendre [r(ə)vãdrə] (*4a*) weiterverkaufen

revenir [rəvnir] (*2h*) *à point de départ:* zurückkehren, -kommen; *venir de nouveau:* wieder kommen; *chose:* wiederkehren; *mot:* wieder einfallen; **~ à** *od* **~ sur** *thème, discussion:* zurückkommen auf (*acc*); **~ sur** *décision, parole:* zurücknehmen, rückgängig machen; **~ à** *qn droit, part:* j-m zustehen; **~ de qc** *évanouissement, étonnement:* sich von etw erholen; **~ de qc** *illusion:* sich von etw befreien; **~ cher** teuer sein, teuer zu stehen kommen; *cela revient au même* das kommt auf das Gleiche heraus; *cuis faire ~* anbraten, in Fett dünsten

revente [r(ə)vãt] *f* Wiederverkauf *m*

revenu [rəvny] *m* Einkommen *n*

rêver [reve] (*1a*) träumen (*de* von); **~ à** *qc* über etw (*acc*) nachsinnen

réverbère [reverber] *m* Straßenlaterne *f*

révérence [reverãs] *f* Knicks *m*, Verbeugung *f*

rêverie [revri] *f* Träumerei *f*

revers [r(ə)ver] *m* Rückseite *f*; *manche, pantalon:* Auf-, Umschlag *m*; *fig échec* Rückschlag *m*; **~ de la médaille** Kehrseite *f* der Medaille

revêtement [r(ə)vetmã] *m tech* Verkleidung *f*; *route:* Straßendecke *f*

revêtir [r(ə)vetir] (*2g*) *vêtement:* anziehen, anlegen; *forme, caractère:* annehmen; **~ qn de qc** j-m etw verleihen; *tech* **~ qc de qc** etw mit etw verkleiden, versehen; *fig* **~ une importance particulière** e-e besondere Bedeutung haben

rêveu|r, ~se [revœr, -øz] **1.** *adj* verträumt; **2.** *m, f* Träumer(in) *m(f)*

revient [rəvjẽ] *m comm prix m de ~* Selbstkostenpreis *m*

revigorer [r(ə)vigɔre] (*1a*) *fig* neu beleben

revirement [r(ə)virmã] *m* **~ d'opinion** Meinungsumschwung *m*

révis|er [revize] (*1a*) *texte:* überprüfen, revidieren; *comptes:* prüfen; *machine:* überholen; **~ion** *f* Überprüfung *f*, Re-

vision *f*; *tech* Überholung *f*; *auto* Inspektion *f*; *jur* Wiederaufnahme *f*

revivre [r(ə)vivrə] (*4e*) *v/t* wieder erleben; *v/i* wieder aufleben

révocation [revɔkasjõ] *f fonctionnaire:* Absetzung *f*; *contrat:* Aufhebung *f*, Widerrufung *f*

revoir [r(ə)vwar] **1.** (*3b*) wiedersehen; *film:* sich (*dat*) noch einmal ansehen; *texte:* überprüfen; **2.** *m* **au ~!** auf Wiedersehen!

révolt|e [revɔlt] *f* Aufstand *m*; *indignation* Empörung *f*; **~er** (*1a*) empören; **se ~** *être indigné* sich empören (**contre** über); *se rebeller* sich auflehnen (**contre** gegen)

révolu, ~e [revɔly] vergangen

révoluti|on [revɔlysjõ] *f* Umsturz *m*, Revolution *f*; *culture, industrie:* Umwälzung *f*; **~onnaire** [-ɔner] **1.** *adj* revolutionär; **2.** *m, f* Revolutionär(in) *m(f)*

revolver [revɔlver] *m* Revolver *m*

révoquer [revɔke] (*1m*) *fonctionnaire:* absetzen; *contrat:* widerrufen

revue [r(ə)vy] *f spectacle:* Revue *f*; *hebdomadaire:* Zeitschrift *f*; *passer en ~ fig* durchgehen

rez-de-chaussée [redʃose] *m (pl unv)* Erdgeschoss *n*

R.F.A. [ɛrɛfa] *f (abr République fédérale d'Allemagne)* Bundesrepublik *f* Deutschland

rhabiller [rabije] (*1a*) (**se ~** sich) wieder anziehen

rhénan, ~e [renã, -an] rheinländisch

rhétorique [retɔrik] **1.** *adj* rhetorisch; **2.** *f* Redekunst *f*, Rhetorik *f*

Rhin [rẽ] *m* Rhein *m*

Rhône [ron] *m* Rhone *f*

rhubarbe [rybarb] *f bot* Rhabarber *m*

rhum [rɔm] *m* Rum *m*

rhumat|isant, ~isante [rymatizã, -izãt] an Rheuma leidend; **~isme** *m* Rheumatismus *m*

rhume [rym] *m* Erkältung *f*; **~ de cerveau** Schnupfen *m*; **~ des foins** Heuschnupfen *m*

riant, ~e [rijã, -t] heiter, lieblich

ricaner [rikane] (*1a*) (höhnisch) grinsen; *bêtement:* kichern

richard, ~e [riʃar, -d] *m, f F péj* reicher Kerl *m*, reiche Frau *f*

rich|e [riʃ] reich (**en** an *dat*); *sol:*

R

fruchtbar; *décoration, meubles:* kostbar; *nourriture:* nahrhaft; **~esse** [-ɛs] *f* Reichtum *m; sol:* Fruchtbarkeit *f*

ricin [risɛ̃] *m bot* Rizinus *m*

ricocher [rikɔʃe] (*1a*) abprallen

rictus [riktys] *m* Grinsen *n*

rid|e [rid] *f* Falte *f*, Runzel *f;* **~é, ~ée** faltig, runzlig

rideau [rido] *m* (*pl* -x) Vorhang *m*, Gardine *f; pol hist:* **~ de fer** eiserner Vorhang

rider [ride] (*1a*) *visage:* zerfurchen; **se ~** faltig werden

ridicul|e [ridikyl] **1.** *adj* lächerlich; *il est ~ de* (+ *inf*) es ist lächerlich, zu (+ *inf*); *il est ~ que* (+ *subj*) es ist lächerlich, dass; **2.** *m* Lächerlichkeit *f; tourner qc en ~* etw ins Lächerliche ziehen; **~iser** (*1a*) lächerlich machen

rien[1] [rjɛ̃] *m* Kleinigkeit *f*, Lappalie *f*

rien[2] [rjɛ̃] **1.** nichts (*ne devant le verbe*); **~ de** überhaupt nichts; *il ne sait ~* er weiß nichts; *du tout* gar nichts; *il n'en est ~* dem ist nicht so; **2.** *après expressions négatives:* (irgend)etwas; *sans ~ dire* ohne etwas zu sagen; **3.** *de* ~ unbedeutend; *comme réponse:* keine Ursache; *en ~* in keiner Weise; *pour ~* umsonst; *~ que ...* nur ...

rieu|r, ~se [rjœr, -z] **1.** *adj* lustig; **2.** *m* Lacher *m*

rigide [riʒid] starr, steif; *personne:* streng; *principes:* starr

rigolade [rigolad] F *f* Spaß *m*, Scherz *m*

rigole [rigol] *f conduit* Rinne *f*

rigoler [rigole] (*1a*) F *plaisanter* Spaß machen; *rire* lachen

rigolo, ~te [rigolo, -ɔt] F *amusant* lustig, drollig

rigoureu|x, ~se [rigurø, -z] streng

rigueur [rigœr] *f* Strenge *f; peine:* Härte *f; analyse, calcul:* Genauigkeit *f; à la ~* notfalls, zur Not; *de ~* unerlässlich

rim|e [rim] *f* Reim *m;* **~er** (*1a*) *v/i* sich reimen; *fig ne ~ à rien* keinen Sinn haben

rincer [rɛ̃se] (*1k*) *linge:* spülen; *cheveux:* nachspülen; *verre, bouteille:* ausspülen

ripost|e [ripɔst] *f* schlagfertige Antwort *f; prompt à la ~* schlagfertig; **~er** (*1a*) schlagfertig antworten

rire [rir] **1.** (*4r*) lachen (*de* über *acc*); *plaisanter* spaßen; **~ aux éclats** schallend lachen; **pour ~** zum Spaß; **~ de qn** j-n auslachen, verspotten; *st/s* **se ~ de** spielend überwinden; **2.** *m* Lachen *n*, Gelächter *n*

ris [ri] *m cuis* **~ de veau** Kalbsbries *n*

risée [rize] *f* Gespött *n*

risible [rizibl] lächerlich

risqu|e [risk] *m* Risiko *n;* **~ sur le taux de change** Wechselkursrisiko *n; à mes (tes, ses, etc)* **~s et périls** auf eigene Gefahr; *au ~ de* (+ *inf*) auf die Gefahr hin zu (+ *inf*); *courir le ~ de* (+ *inf*) Gefahr laufen zu (+ *inf*); **~é, ~ée** gewagt, riskant; **~er** (*1m*) wagen, riskieren; **~ que** (+ *subj*) Gefahr laufen, dass; **~ de** (+ *inf*) Gefahr laufen zu (+ *inf*); **se ~ dans** sich einlassen auf (*acc*)

rissoler [risole] (*1a*) *cuis* goldbraun braten

rit|e [rit] *m rel* Ritus *m; fig* Brauch *m;* **~uel, ~uelle** [-ɥɛl] **1.** *adj* rituell; **2.** *m* Ritual *n*

rivage [rivaʒ] *m* Küstenstrich *m*, Ufer *n*

rival, ~e [rival] (*m/pl* -aux) **1.** *adj* rivalisierend; **2.** *m, f* Rivale, -in *m, f;* **~iser** (*1a*) rivalisieren, wetteifern (*avec qn de qc* mit j-m in e-r Sache); **~ité** *f* Rivalität *f*

rive [riv] *f* Ufer *n*

river [rive] (*1a*) vernieten

riverain, ~e [rivrɛ̃, -ɛn] *m, f* Anlieger(in) *m(f)*, Anwohner(in) *m(f)*

rivet [rivɛ] *m tech* Niete *f*

rivière [rivjɛr] *f* Fluss *m*

rixe [riks] *f* Schlägerei *f*

riz [ri] *m bot* Reis *m*

robe [rɔb] *f* (Damen-)Kleid *n; juge, avocat:* Robe *f*

robinet [rɔbinɛ] *m* (Wasser-)Hahn *m*

robot [rɔbo] *m* Roboter *m*

robuste [rɔbyst] *personne:* kräftig, stämmig; *moteur:* robust, widerstandsfähig

roc [rɔk] *m* Fels *m*

rocaill|e [rɔkaj] *f terrain:* steiniger Boden *m; style* **~ ~** Rokokostil *m;* **~eux, ~euse** [-ø, -øz] steinig; *style:* holprig

roch|e [rɔʃ] *f* Felsen *m; géol* Gestein *n;* **~er** *m* Felsen *m*, Felsblock *m;* **~eux, ~euse** [-ø, -øz] felsig

rococo [rɔkɔko] *m* Rokoko *n*

rodage [rɔdaʒ] *m auto* Einfahren *n*

rôder [rode] (*1a*) umherstreifen

rogne [rɔɲ] *f* F *être en ~* gereizt sein

rogner [rɔɲe] (*1a*) beschneiden; **~ sur**

qc an etw (*dat*) sparen

rognon [rɔɲɔ̃] *m cuis* Niere *f*

roi [rwa] *m* König *m*

roitelet [rwatlɛ] *m zo* Zaunkönig *m*

rôle [rol] *m* Rolle *f* (*théâtre u fig*); *registre* Liste *f*, Register *n*; **à tour de ~** der Reihe nach

romain, ~e [rɔmɛ̃, -ɛn] **1.** *adj* römisch; *rel* römisch-katholisch; **2.** ♀ *m*, *f* Römer(in) *m(f)*

roman, ~e [rɔmɑ̃, -an] **1.** *adj* romanisch; **2.** *m* Roman *m*; *art*: Romanik *f*

romance [rɔmɑ̃s] *f mus* Romanze *f*; **~ier, ~ière** [-je, -jɛr] *m*, *f* Romanschriftsteller(in) *m(f)*

romand, ~e [rɔmɑ̃, -d] **la Suisse romande** die französische Schweiz

romanesque [rɔmanɛsk] romantisch

roman-feuilleton [rɔmɑ̃fœjtɔ̃] (*pl romans-feuilletons*) *m* Fortsetzungsroman *m*

romanichel, ~le [rɔmaniʃɛl] *m*, *f* Zigeuner(in) *m(f)*

romaniste [rɔmanist] *m* Romanist(in) *m(f)*

romantique [rɔmɑ̃tik] **1.** *adj* romantisch; **2.** *m*, *f* Romantiker(in) *m(f)*; **~isme** *m* Romantik *f*

romarin [rɔmarɛ̃] *m bot* Rosmarin *m*

rompre [rɔ̃prə] (*4a*) *v/i* brechen (*a fig*); **~ avec qn** mit j-m brechen, F mit j-m Schluss machen; **~ avec une habitude** e-e Gewohnheit aufgeben; *v/t ficelle*: zerreißen; *silence, contrat*: brechen; *relations, négociations*: abbrechen; *fiançailles*: lösen; **se ~ branche**: brechen; *ficelle*: reißen

rompu, ~e [rɔ̃py] völlig erschöpft; **~ à** bewandert in (*dat*)

ronce [rɔ̃s] *f bot* Brombeerstrauch *m*; **~s** *pl* Dornen *m/pl*

rond, ~e [rɔ̃, -d] **1.** *adj* rund; *gros* dick; F besoffen; **2.** *adv* **tourner rond** *moteur u fig* gut laufen; **3.** *m figure*: Kreis *m*; *objet*: Ring *m*; **4.** *f* Runde *f*, Rundgang *m*; *danse* Rundtanz *m*, Reigen *m*; **à la ronde** im Umkreis

rondelet, ~te [rɔ̃dlɛ, -t] rundlich

rondelle [rɔ̃dɛl] *f* Scheibe *f*; *tech* Unterlegscheibe *f*; **~ement** [-mɑ̃] *adv promptement* prompt; *carrément* geradeheraus; **~eur** *f* Rundung *f*; *fig* Offenheit *f*; **~in** *m* Rundholz *n*; **cabane** *f* **en ~s** Blockhütte *f*

rond-point [rɔ̃pwɛ̃] *m* (*pl ronds-points*) runder Platz *m* mit Kreisverkehr

ronfler [rɔ̃fle] (*1a*) schnarchen; *moteur*: brummen

rong|er [rɔ̃ʒe] (*1l*) nagen; *fig* quälen; **se ~ les ongles** an den Nägeln kauen; **~eur** *m zo* Nagetier *n*

ronronner [rɔ̃rɔne] (*1a*) schnurren

roquet [rɔkɛ] *m* Kläffer *m*

rosace [rozas] *f arch* Rosette *f*

rosaire [rozɛr] *m rel* Rosenkranz *m*

rosbif [rɔsbif] *m cuis* Roastbeef *n*

rose [roz] **1.** *f bot* Rose *f*; **2.** *m couleur*: Rosa *n*; **3.** *adj* rosa; *fig* rosig

rosé, ~e [roze] **1.** *m* Rosé *m*; **2.** *adj* zartrosa

roseau [rozo] *m* (*pl -x*) *bot* Schilf(rohr) *n*

rosée [roze] *f* Tau *m* (*Nässe*)

roseraie [rozrɛ] *f* Rosengarten *m*

rosier [rozje] *m* Rosenstock *m*

ross|e [rɔs] **1.** *f cheval* Schindmähre *f*; F Leuteschinder *m*; **2.** *adj* gemein, hart; **~er** (*1a*) durchprügeln

rossignol [rɔsiɲɔl] *m zo* Nachtigall *f*

rot [ro] *m* F Rülpser *m*

rotation [rɔtasjɔ̃] *f* Umdrehung *f*, Rotation *f*; *comm* Umschlag *m*

roter [rɔte] (*1a*) F rülpsen

rôti [roti, ro-] *m* Braten *m*

rôtie [roti, ro-] *f* geröstete Brotschnitte *f*

rotin [rɔtɛ̃] *m* Rattan *n*

rôtir [rotir, ro-] (*2a*) braten

rôtiss|erie [rotisri, ro-] *f* Grillrestaurant *n*; **~oire** [-war] *f* Grill *m*

rotond|e [rɔtɔ̃d] *f arch* Rundbau *m*; **~ité** *f* Rundheit *f*

rotule [rɔtyl] *f anat* Kniescheibe *f*

rouage [rwaʒ] *m* Rädchen *n*; **~s** *pl* Räderwerk *n* (*a fig*)

roublard, ~e [rublar, -d] gerissen, durchtrieben

roucouler [rukule] (*1a*) *pigeon*: gurren; *amoureux*: turteln

roue [ru] *f* Rad *n*; **~ libre** Freilauf *m*; *auto* **~ de rechange** Reserve-, Ersatzrad *n*; **deux ~s** *m* Zweirad *n*

rou|é, ~ée [rwe] gerissen, durchtrieben; **~er** (*1a*) **~ qn de coups** F j-n windelweich schlagen; **~et** [-ɛ] *m* Spinnrad *n*

rouge [ruʒ] **1.** *adj* rot (*a pol*); **2.** *adv* *fig* **voir ~** rot sehen; **3.** *m couleur*: Rot *n*; *vin*: Rotwein *m*; **~ à lèvres** Lippenstift *m*; **~ à joues** Rouge *n* rougeâtre [ruʒatrə] rötlich

rouge-gorge [ruʒɔrʒ] *m* (*pl rouges-gorges*) *zo* Rotkehlchen *n*

rougeole [ruʒɔl] *f méd* Masern *pl*

rouget [ruʒɛ] *m zo* Seebarbe *f*

roug|eur [ruʒœr] *f* Rötung *f*; *fig* Erröten *n*; **~ir** (*2a*) rot werden; *personne*: rot werden, erröten (*de colère* vor Zorn)

rouill|e [ruj] *f* Rost *m*; **~é, ~ée** verrostet; *fig* eingerostet; **~er** (*1a*) *v/t* rosten lassen; *v/i* rosten; **se ~** rosten; *fig* einrosten

roulant, **~e** [rulã, -t] rollend, Roll...; *escalier m roulant* Rolltreppe *f*; *tapis m roulant* Förderband *n*

roul|eau [rulo] *m* (*pl -x*) Rolle *f*; *tech* Walze *f*; **~ement** [-mã] *m* Rollen *n*; *tech* Wälzlager *n*; *tech* **~ à billes** Kugellager *n*; *comm* **fonds** *m/pl* **de ~** Betriebskapital *n*

rouler [rule] (*1a*) *v/i* rollen; *voiture*: fahren; *bateau*: schlingern; P *ça roule* es klappt; **~ sur qc** *conversation*: sich um etw drehen; *v/t* rollen; *cigarette*: drehen; F **~ qn** j-n reinlegen; **se ~ par terre**: sich wälzen; *en boule*: sich zusammenrollen

roul|ette [rulɛt] *f meubles*: Rolle *f*; *jeu*: Roulett *n*; **passer la ~** *dentiste*: bohren; **~is** [-i] *m mar* Schlingern *n*; **~otte** [-ɔt] *f* Wohnwagen *m*

roumain [rumɛ̃, -ɛn] **1.** *adj* rumänisch; **2.** ♀ *m, f* Rumäne *m*, Rumänin *f*

Roumanie [rumani] *la ~* Rumänien *n*

rouquin, **~e** [rukɛ̃, -in] F rothaarig

rousseur [rusœr] *f* **taches** *f/pl* **de ~** Sommersprossen *f/pl*

rouss|i [rusi] *m* Brandgeruch *m*; **sentir le ~** angesengt riechen; *fig* brenzlig werden; **~ir** (*2a*) *v/t linge*: versengen; *v/i* rot werden; *cuis* **faire ~** bräunen

route [rut] *f* (Land-)Straße *f*; *parcours* Weg *m*, Strecke *f*; *voyage* Fahrt *f*; *mar, aviat* Kurs *m*; **en ~** unterwegs; **mettre en ~** in Gang setzen (*a fig*); **se mettre en ~** sich auf den Weg machen; **faire fausse ~** vom Weg abkommen; *fig* sich irren; **faire ~ vers** auf dem Weg sein nach

rout|ier, **~ière** [rutje, -tjɛr] **1.** *adj* Straßen...; *réseau m routier* Straßennetz *n*; *carte f routière* Straßenkarte *f*; **2.** *m* Fernfahrer *m*

routin|e [rutin] *f* Routine *f*; **de ~** üblich; **~ier, ~ière** [-je, -jɛr] gewohnheitsmäßig

rouvrir [ruvrir] (*2f*) *v/t* wieder öffnen; *v/i* wieder offen sein

rou|x, **~sse** [ru, -s] **1.** *adj personne*: rothaarig; *cheveux*: rot; **2.** *m cuis* Einbrenne *f*

royal, **~e** [rwajal] (*m/pl -aux*) königlich; *fig cadeau, luxe*: fürstlich; **~iste 1.** *adj* königstreu; **2.** *m, f* Royalist(in) *m(f)*

royau|me [rwajom] *m* Königreich *n*; **le** ♀ *Uni* das Vereinigte Königreich; **~té** [-te] *f* Königtum *n*

ruban [rybã] *m* Band *n*; **~ adhésif** Klebeband *n*

rubéole [rybeɔl] *f méd* Röteln *pl*

rubis [rybi] *m* Rubin *m*

rubrique [rybrik] *f* Rubrik *f*, Spalte *f*

ruche [ryʃ] *f* Bienenkorb *m*, -stock *m*

rude [ryd] *personne*: roh, derb, grob; *travail, lutte*: hart; *voix, climat*: rau

rudesse [rydɛs] *f* Rauheit *f*, Rohheit *f*, Derbheit *f*

rudi|mentaire [rydimãtɛr] *insuffisant* notdürftig; *élémentaire* elementar; **~ments** *m/pl* Anfangsgründe *m/pl*

rudoyer [rydwaje] (*1h*) **~ qn** j-n grob anfahren

rue [ry] *f* Straße *f*; **dans la ~** auf der Straße; **en pleine ~** auf offener Straße; **~ à sens unique** Einbahnstraße *f*; **~ piétonne** Fußgängerstraße *f*

ruée [rɥe] *f* Ansturm *m*; **~ vers l'or** Goldrausch *m*

ruelle [rɥɛl] *f* Gässchen *n*, (enge) Gasse *f*

ruer [rɥe] (*1n*) *cheval*: ausschlagen; *fig* **~ dans les brancards** sich sträuben; **se ~ sur** herfallen über (*acc*), sich stürzen auf (*acc*)

rug|ir [ryʒir] (*2a*) brüllen; *vent*: heulen; **~issement** [-ismã] *m* Gebrüll *n*

rugueu|x, **~se** [rygø, -z] uneben, rau

ruine [rɥin] *f délabrement* Verfall *m*; *fig décadence* Untergang *m*, Zusammenbruch *m*; *comm* Ruin *m*; *personne*: Wrack *n*; **~s** *pl* Ruine(n) *f(pl)*, Trümmer *m/pl*

ruin|er [rɥine] (*1a*) ruinieren, zu Grunde richten; **~eux, ~euse** [-ø, -øz] ruinös; *coûteux* kostspielig

ruisseau [rɥiso] *m* (*pl -x*) Bach *m*; *caniveau* Gosse *f* (*a fig*); *fig sang*, *larmes*: Strom *m*

ruisseler [rɥisle] (*1c*) rinnen, rieseln; *sueur*: triefen (**de** von)

rumeur [rymœr] *f* **1.** (dumpfer) Lärm *m*; *de personnes*: allgemeine Unruhe *f*; **2.** *nouvelle* Gerücht *n*

ruminer [rymine] (*1a*) wiederkäuen; *fig* nachgrübeln (**qc** über etw *acc*)

rupture [ryptyr] *f* Bruch *m* (*a fig*); *méd* Riss *m*; *fig négociations, relations*: Abbruch *m*

rural, ~e [ryral] (*m/pl -aux*) ländlich

rus|e [ryz] *f truc* List *f*; *adresse* Schlau-heit *f*, Schläue *f*; **~é, ~ée** listig, schlau

russe [rys] **1.** *adj* russisch; **2.** ♀ *m*, *f* Russe *m*, Russin *f*

Russie [rysi] *la* **~** Russland *n*

rustique [rystik] Bauern..., rustikal

rustre [rystrə] **1.** *adj* grob, ungehobelt; **2.** *m péj* Bauernlümmel *m*, Flegel *m*

rut [ryt] *m zo* Brunst *f*

rutilant, ~e [rytilɑ̃, -t] *rouge* leuchtend rot; *brillant* glänzend

rythm|e [ritmə] *m* Rhythmus *m*; *vitesse* Tempo *n*; **~ique 1.** *adj* rhythmisch; **2.** *f* Rhythmik *f*

S

S. (*abr saint*) hl. (heiliger) *od* St. (Sankt)

sa [sa] → **son¹**

S.A. [ɛsa] *f* (*abr société anonyme*) AG *f* (Aktiengesellschaft)

sable [sablə] *m* Sand *m*

sabl|é [sable] *m cuis* Sandplätzchen *n*; **~er** (*1a*) mit Sand bestreuen; **~ le champagne** Champagner trinken

sabl|ier [sablije] *m* Sanduhr *f*; **~ière** [-ijɛr] *f* Sandgrube *f*

sablonneu|x, ~se [sablɔnø, -z] sandig

sabot [sabo] *m* Holzschuh *m*; *zo* Huf *m*; **~ de Denver** Parkkralle *f*

sabot|age [sabotaʒ] *m* Sabotage *f*; **~er** (*1a*) sabotieren; *fig travail*: hinpfuschen

sabre [sabrə] *m* Säbel *m*

sac [sak] *m* **1.** Tasche *f*; *papier, plastique*: Tüte *f*; *pommes de terre*: Sack *m*; **~ à dos** Rucksack *m*; **~ à main** Hand-tasche *f*; **~ à provisions** Einkaufs-tasche *f*; **~ de couchage** Schlafsack *m*; **2.** *mise à* **~** Plünderung *f*

saccad|e [sakad] *f* Ruck *m*, Stoß *m*; *par* **~s** ruck-, stoßweise; **~é, ~ée** *mouve-ments*: ruckartig; *voix*: abgehackt

saccager [sakaʒe] (*1l*) *piler* plündern; *détruire* verwüsten

saccharine [sakarin] *f* Süßstoff *m*

sacerdoce [sasɛrdɔs] *m* Priesteramt *n*

sachet [saʃɛ] *m* Beutel(chen) *m(n)*, Tütchen *n*; **~ de thé** Teebeutel *m*; *riz m* **en ~** Reis *m* im Kochbeutel

sacoche [sakɔʃ] *f* (Leder-)Tasche *f*; *vélo*: Packtasche *f*

sacre [sakrə] *m souverain*: Salbung *f*, Krönung *f*

sacré, ~e [sakre] heilig; (*précédant le subst*) F verdammt, verflucht

sacrement [sakrəmɑ̃] *m rel* Sakrament *n*

sacri|fice [sakrifis] *m* Opfer *n* (*a fig*); **~fier** [-fje] (*1a*) opfern (*a fig*); *fig* **~ à la mode** der Mode huldigen; *se* **~** sich (auf)opfern

sacrilège [sakrilɛʒ] **1.** *adj* gottlos, fre-velhaft; **2.** *m* Freveltat *f*, Frevel *m*, Sakrileg *n*

sacrist|ain [sakristɛ̃] *m égl* Küster *m*; **~ie** [-i] *f* Sakristei *f*

sacro-saint, ~e [sakrosɛ̃, -t] *iron* hochheilig, sakrosankt

sad|ique [sadik] **1.** *adj* sadistisch; **2.** *m*, *f* Sadist(in) *m(f)*; **~isme** *m* Sadismus *m*

safran [safrɑ̃] *m bot* Krokus *m*; *cuis* Safran *m*

sagac|e [sagas] scharfsinnig; **~ité** *f* Scharfsinn *m*

sage [saʒ] **1.** *adj* weise, klug; *enfant*: artig; **2.** *m* Weise(r) *m*; **~-femme** [-fam] *f* (*pl sages-femmes*) Hebamme *f*

sagesse [saʒɛs] *f* Weisheit *f*, Klugheit *f*; *enfant*: Artigkeit *f*

Sagittaire [saʒiter] *m astr* Schütze *m*

saignant, ~e [sɛɲɑ̃, -t] blutend; *cuis* nicht durchgebraten, englisch

S

saignée [sɛɲe] f Aderlass m

saigner [sɛɲe] (1b) v/i bluten; v/t ~ **qn** j-m Blut abzapfen; fig j-n schröpfen

saillant, ~e [sajã, -t] vorspringend; fig hervorstechend

saillie [saji] f arch Vorsprung m; fig Geistesblitz m

saillir [sajir] 1. (2a) v/t zo bespringen, decken; 2. (2c) v/i arch hervorragen, vorspringen

sain, ~e [sɛ̃, sɛn] gesund (a fig); **sain et sauf** unversehrt, wohlbehalten, heil

saindoux [sɛ̃du] m Schweineschmalz n

saint, ~e [sɛ̃, -t] 1. adj heilig; **vendredi** m **saint** Karfreitag m; 2. m, f Heilige(r) m, f

saint-bernard [sɛ̃bɛrnar] m (pl unv) zo Bernhardiner m

sainteté [sɛ̃tte] f Heiligkeit f

Saint-Sylvestre [sɛ̃silvɛstrə] **la** ~ Silvester m od n

saisie [sezi] f jur Pfändung f; marchandises de contrebande: **Beschlagnahme** f; EDV (Daten-)Erfassung f

saisir [sezir] (2a) ergreifen, fassen; crainte: ergreifen; maladie: befallen; v/t pfänden; marchandises de contrebande: beschlagnahmen; sens, intention: begreifen, verstehen; occasion: ergreifen; EDV erfassen; jur ~ **un tribunal d'une affaire** ein Gericht mit e-r Sache befassen; **se ~ de qn, de qc** sich j-s, e-r Sache bemächtigen

saisissant, ~e [sezisã, -t] ergreifend; froid: durchdringend

saison [sezɔ̃] f Jahreszeit f; tourisme: Saison f

saisonn|ier, ~ière [sezɔnje, -jɛr] 1. adj jahreszeitlich; comm saisonbedingt; 2. m ouvrier: Saisonarbeiter m

salade [salad] f Salat m; ~ **de fruits** Obstsalat m

saladier [saladje] m (Salat-)Schüssel f

salaire [salɛr] m ouvrier: (Arbeits-) Lohn m; employé: Gehalt n; ~ **aux pièces** Akkordlohn m

salaison [salɛzɔ̃] f viande: Pökelfleisch n

salamandre [salamãdrə] f zo Salamander m

salami [salami] m Salami f

salari|al, ~ale [salarjal] (m/pl -aux) Lohn...; ~**é, ~ée** m, f Arbeitnehmer m, Lohnempfänger m

salaud [salo] m P Dreckskerl m

sale [sal] 1. (derrière le subst) schmutzig, unsauber, F dreckig; moralement: unanständig; 2. (précédant le subst) übel; péj gemein

sal|é, ~ée [sale] 1. adj eau: salzig; cuis gesalzen (a fig); fig gewagt; 2. m Pökelfleisch n; ~**er** (1a) salzen; pour conserver: einsalzen

saleté [salte] f Schmutz m, F Dreck m; fig grossièretés: Unanständigkeit f; ~**s** pl choses sans valeur: F Schund m, Plunder m

salière [saljɛr] f Salzstreuer m

saline [salin] f Saline f

sal|ir [salir] (2a) beschmutzen (a fig), verschmutzen, schmutzig machen; ~**issant, ~issante** [-isã, -isãt] travail: schmutzig; tissu: leicht schmutzend

salive [saliv] f Speichel m

salle [sal] f Saal m, Raum m; ~ **d'attente** médecin: Wartezimmer n; gare: Wartesaal m; ~ **de classe** Klassenzimmer n; ~ **de bain** Bad n; ~ **à manger** Esszimmer n; ~ **de séjour** Wohnzimmer n; ~ **d'eau** Waschraum m

salmonellose [salmɔneloz] f méd Salmonelleninfektion f

salon [salɔ̃] m Salon m, Empfangszimmer n; foire: Ausstellung f, Messe f; ~ **de l'automobile** Automobilausstellung f; comm Salon m; ~ **de thé** Café n; ~ **de coiffure** Frisiersalon m

salopard [salɔpar] P m → **salaud**

salop|e [salɔp] f P Miststück n (Frau); F Schlampe f; ~**erie** f P chose sans valeur Schund m, F Gemeinhe(e) n; saleté P Schweinerei f, Sauerei f; bassesse Gemeinheit f; ~**ette** [-ɛt] f Latzhose f

salpêtre [salpɛtrə] m chim Salpeter m

salsifis [salsifi] m cuis Schwarzwurzel f

saltimbanque [saltɛ̃bãk] m, f Gaukler(in) m(f)

salubre [salybrə] gesund, heilsam

saluer [salɥe] (1n) (be)grüßen

salut [saly] m 1. Gruß m, Begrüßung f; 2. F grüß dich!, Servus!; au revoir: tschüss!; 3. sauvegarde Wohl n, Wohlfahrt f; rel Heil n, Rettung f

salut|aire [salyter] heilsam; ~**ation** f Begrüßung f; lettre: **recevez mes ~s distinguées** mit besten Grüßen

samedi [samdi] m Sonnabend m, Samstag m

sanctifier [sɑ̃ktifje] (*1a*) *rel* heiligen

sanction [sɑ̃ksjɔ̃] *f peine* Sanktion *f*; *jur* Bestrafung *f*; *approbation, ratification* Billigung *f*

sanctionner [sɑ̃ksjɔne] (*1a*) *punir* bestrafen; *ratifier* sanktionieren, billigen; *jur loi, décret*: Gesetzeskraft erteilen

sanctuaire [sɑ̃ktɥɛr] *m* Heiligtum *n*

sandale [sɑ̃dal] *f* Sandale *f*

sandwich [sɑ̃dwitʃ] *m* (*pl -[e]s*) belegtes Brot *n od* Brötchen *n*

sang [sɑ̃] *m* Blut *n* (*a fig*); F *se faire du mauvais ~* sich (*dat*) Sorgen machen; **~-froid** [-frwa] *m* Kaltblütigkeit *f*

sanglant, ~e [sɑ̃glɑ̃, -t] blutig; *fig* beleidigend

sangle [sɑ̃glə] *f* Gurt *m*

sanglier [sɑ̃glije] *m zo* Wildschwein *n*

sangl|ot [sɑ̃glo] *m* Schluchzen *n*; **~oter** [-ɔte] (*1a*) schluchzen

sangsue [sɑ̃sy] *f zo* Blutegel *m*

sangu|in, ~ine [sɑ̃gɛ̃, -in] Blut...; *tempérament*: sanguinisch; *groupe m sanguin* Blutgruppe *f*; **~inaire** [-inɛr] blutdürstig, -rünstig

sanguine [sɑ̃gin] *f bot* Blutapfelsine *f*, -orange *f*

sanitaire [sanitɛr] sanitär; Gesundheits...; *installations f/pl ~s* sanitäre Einrichtungen *f/pl*

sans [sɑ̃] ohne; ...los; **~ doute** wahrscheinlich; **~ aucun doute** zweifellos; **~ quoi** sonst; **~** (+ *inf*) ohne zu (+ *inf*); **~ que** (+ *subj*) ohne dass; **~ CFC** FCKW-frei

sans-abri [sɑ̃zabri] *m, f* (*pl unv*) Obdachlose(r) *m, f*

sans|-façon [sɑ̃fasɔ̃] *m* Ungezwungenheit *f*; **~gêne** [-ʒɛn] **1.** *m, f* (*pl unv*) freche Person *f*. **2.** *m* Unverfrorenheit *f*, Ungeniertheit *f*; **~-souci** [-susi] (*unv*) sorglos; **~-travail** [-travaj] *m, f* (*pl unv*) Arbeitslose(r) *m, f*

santé [sɑ̃te] *f* Gesundheit *f*; *être en bonne ~* gesund sein; *à votre ~!* auf Ihr Wohl!

saoudien, ~ne [saudjɛ̃, -ɛn] **1.** *adj* saudiarabisch; **2.** ♀ *m, f* Saudi *m, f*

saoul [su] → *soûl*

saper [sape] (*1a*) untergraben (*a fig*)

sapeur [sapœr] *m mil* Pionier *m*; **~-pompier** [-pɔ̃pje] *m* (*pl sapeurs-pompiers*) Feuerwehrmann *m*

sapin [sapɛ̃] *m bot* Tanne *f*

sapinière [sapinjɛr] *f* Tannenwald *m*

sarcas|me [sarkasmə] *m* beißender Spott *m*, Sarkasmus *m*; **~tique** [-tik] sarkastisch, höhnisch

sarcler [sarkle] (*1a*) (aus)jäten

sarcophage [sarkɔfaʒ] *m* Sarkophag *m*

Sardaigne [sardɛɲ] *la ~* Sardinien *n*

sarde [sard] **1.** *adj* sardisch; **2.** ♀ *m, f* Sardinier(in) *m(f)*

sardine [sardin] *f* Sardine *f*

S.A.R.L. [esɑɛrɛl] *f* (*abr* **société à responsabilité limitée**) GmbH *f*

sarment [sarmɑ̃] *m* (Wein-)Rebe *f*

sarrasin [sarazɛ̃] *m bot* Buchweizen *m*

Sarre [sar] *f rivière*: Saar *f*; *la ~* Saarland *n*

sarriette [sarjɛt] *f bot* Bohnen-, Pfefferkraut *n*

sas [sɑs] *m tech* Schleuse *f*

satanique [satanik] teuflisch

satellite [satelit] *m* Satellit *m* (*a fig*); *ville f ~* Trabantenstadt *f*

satiété [sasjete] *f* Übersättigung *f*; *à ~* bis zum Überdruss

satin [satɛ̃] *m* Satin *m*, Atlas *m*

satire [satir] *f* Satire *f*; **~ique** satirisch

satis|faction [satisfaksjɔ̃] *f contentement* Zufriedenheit *f*; *désir, besoin*: Befriedigung *f*; *après offense*: Genugtuung *f*; *donner ~ à qn* j-n zufrieden stellen; **~faire** [-fɛr] (*4n*) **1.** *v/i ~ à qc* e-r Sache genügen, gerecht werden; *comm ~ à la demande* die Nachfrage befriedigen; **2.** *v/t* befriedigen; *attente*: erfüllen; **~faisant, ~faisante** [-fəzɑ̃, -fəzɑ̃t] befriedigend; **~fait, ~faite** [-fɛ, -fɛt] zufrieden (*de* mit)

satur|ation [satyrasjɔ̃] *f* Sättigung *f*; **~er** (*1a*) sättigen; *fig* übersättigen (*de* mit)

sauce [sos] *f* Soße *f*; **~ tomate** Tomatensoße *f*

saucière [sosjɛr] *f* Soßenschüssel *f*

saucisse [sosis] *f* Würstchen *n*; *à frire*: Bratwurst *f*

saucisson [sosisɔ̃] *m* Wurst *f*; **~ sec** Hartwurst *f*

sauf¹ [sof] *prép* außer (*dat*), bis auf (*acc*); **~ que** außer dass; **~ si** außer wenn; **~ avis contraire** bis auf Widerruf

sauf², ~ve [sof, -v] *adj* unversehrt

sauf-conduit [sofkɔ̃dɥi] *m* (*pl sauf-conduits*) Passierschein *m*

sauge [soʒ] *f bot* Salbei *f od m*

saugrenu, ~e [sogrəny] absurd

saule [sol] *m bot* Weide *f*; **~ pleureur** Trauerweide *f*

saumon [somõ] *m zo* Lachs *m*

saumure [somyr] *f* (Salz-)Lake *f*

sauna [sona] *m* Sauna *f*

saupoudrer [sopudre] (*1a*) bestreuen (**de** mit)

saur [sɔr] **hareng ~** Bückling *m*

saut [so] *m* Sprung *m*; **~ en hauteur, en longueur** Hoch-, Weitsprung *m*; **~ à la perche** Stabhochspringen *n*; **~ périlleux** Salto *m*; *fig* **faire un ~ chez qn** auf e-n Sprung bei j-m vorbeikommen; **au ~ du lit** beim Aufstehen

saute [sot] *f* plötzlicher Wechsel *m*; **~ de vent** Umschlagen *n* des Windes

sauté, ~e [sote] *cuis* gebraten

sauter [sote] (*1a*) **1.** *v/i* springen; *exploser:* in die Luft fliegen, explodieren; *él fusible:* durchbrennen; **~ sur** sich stürzen auf (*acc*); **faire ~** *cuis* braten; **2.** *v/t obstacle, fossé:* überspringen; *mot, repas:* auslassen

sauterelle [sotrɛl] *f zo* Heuschrecke *f*

sautiller [sotije] (*1a*) hüpfen, tänzeln

sauvag|e [sovaʒ] **1.** *adj* wild; *insociable* ungesellig; **2.** *m, f* Wilde(r) *m, f*; *solitaire* Einzelgänger *m*; **~ement** [-mã] *adv* auf grausame Weise

sauvegard|e [sovgard] *f* Schutz *m*; **~er** (*1a*) schützen; *EDV* speichern, sichern

sauve-qui-peut [sovkipø] *m* (*pl unv*) wilde Flucht *f*

sauver [sove] (*1a*) retten; **~ les apparences** die Schein wahren; **se ~** sich retten; *s'enfuir* weglaufen; *F partir* sich davonmachen, sich verziehen

sauve|tage [sovtaʒ] *m* Rettung *f*, Bergung *f*; **~teur** *m* Retter *m*

sauvette [sovet] **à la ~** *comm* schwarz

sauveur [sovœr] *m* (Er-)Retter *m*; *rel* **le ☺** der Erlöser *od* Heiland

savamment [savamã] *adv en connaissance de cause* mit Sachkenntnis; *habilement* geschickt

savant, ~e [savã, -t] **1.** *adj* gelehrt; *société, revue:* wissenschaftlich; *combinaison, démonstration:* geschickt; **2.** *m* Gelehrte(r) *m*, Wissenschaftler *m*

saveur [savœr] *f* Geschmack *m*; *fig* Reiz *m*

savoir [savwar] **1.** (*3g*) wissen; *langue od + inf* können; **~ nager** schwimmen können; **j'ai su que** ich habe erfahren, dass; **je ne saurais vous le dire** ich kann es Ihnen leider nicht sagen; *il s'agit de ~* si es handelt sich darum, ob; **reste à ~** es ist noch die Frage (*si* ob); **à ~** und zwar; **faire ~ qc à qn** j-m etw mitteilen; **à ce que je sais** *od* (**autant**) **que je sache** soviel ich weiß; **2.** *m* Wissen *n*, Gelehrsamkeit *f*

savoir-faire [savwarfɛr] *m* Können *n*, Know-how *n*; **~-vivre** [-vivrə] *m* Manieren *pl*

savon [savõ] *m* Seife *f*

savonn|er [savɔne] (*1a*) einseifen; **~ette** [-ɛt] *f* Toilettenseife *f*; **~eux, ~euse** [-ø, -øz] seifig

savour|er [savure] (*1a*) genießen, auskosten; **~eux, ~euse** [-ø, -øz] schmackhaft, köstlich (*a fig*)

Saxe [saks] **la ~** Sachsen *n*

saxon, ~ne [saksõ, -ɔn] sächsisch

saxophone [saksɔfɔn] *m* Saxofon *n*

scabr|eux, ~euse [skabrø, -øz] heikel; *blague:* anstößig

scandal|e [skãdal] *m* Skandal *m*; **au grand ~ de** zur Entrüstung (*gén*); **faire du ~** Krach schlagen; **~eux, ~euse** [-ø, -øz] skandalös, schändlich; **(faire) ~ qn** Anstoß erregen bei j-m; **se ~ de** sich entrüsten über (*acc*)

scanner [skane] (*1a*) *EDV* einscannen

scaphandr|e [skafãdr] *m plongeur:* Taucheranzug *m*; *astronaute:* Raumanzug *m*; **~ier** [-ije] *m* Taucher *m*

scarabée [skarabe] *m zo* Skarabäus *m*

scarlatine [skarlatin] *f méd* Scharlach *m*

sceau [so] *m* (*pl -x*) Siegel *n*; *fig* Zeichen *n*

scélérat [selera] *m* Schurke *m*, Bösewicht *m*

scell|é [sele] *m* gerichtliches Siegel *n*; **~er** (*1b*) *lettre:* versiegeln; *fig amitié, pacte:* besiegeln; *tech avec ciment:* einzementieren

scénario [senarjo] *m* Drehbuch *n*; *allg* Handlungsablauf *m*

scène [sɛn] *f* Szene *f*; *théâtre:* Bühne *f*; *lieu de l'action:* Schauplatz *m*; *partie d'un acte* Auftritt *m*; **faire une ~ à qn** j-m e-e Szene machen; **mettre en ~** inszenieren; **mise f en ~** Inszenierung *f*; **~ de ménage** Ehekrach *m*

sceptique [sɛptik] **1.** *adj* skeptisch; **2.** *m* Skeptiker *m*

sceptre [sɛptrə] *m* Zepter *n*

schéma [ʃema] *m* Schema *n*, Plan *m*; **~tique** [-tik] schematisch

schisme [ʃismə] *m rel* Schisma *f*, *fig* Spaltung *f*

schiste [ʃist] *m* Schiefer *m*

schizophrène [skizɔfrɛn] schizophren

sciatique [sjatik] *f méd* Ischias *m od n*

scie [si] *f* Säge *f*; F *fig* Nervensäge *f*

sciemment [sjamã] *adv* wissentlich

science [sjãs] *f* Wissenschaft *f*, *connaissance* Wissen *n*, Erkenntnis *f*; **~s économiques** Wirtschaftswissenschaften *f/pl*; **~s naturelles** Naturwissenschaften *f/pl*; **~-fiction** [-fiksjõ] *f* Science-fiction *f*

scientifique [sjãtifik] **1.** *adj* wissenschaftlich; **2.** *m, f* Wissenschaftler(in) *m(f)*

scier [sje] (*1a*) sägen; *branche*: absägen

scierie [siri] *f* Sägewerk *n*

scinder [sɛ̃de] (*1a*) *fig* aufspalten; **se ~** sich spalten

scintiller [sɛ̃tije] (*1a*) funkeln, glitzern

scission [sisjõ] *f* Spaltung *f*

sciure [sjyr] *f* Sägemehl *n*

sclérose [skleroz] *f méd* Sklerose *f*; *fig* Verknöcherung *f*; **~ artérielle** Arterienverkalkung *f*

scol|aire [skɔlɛr] Schul...; **~ année** *f* Schuljahr *n*; **~arité** [-arite] *f* Schulbesuch *m*; **~ obligatoire** Schulpflicht *f*

scooter [skutœr, -tɛr] *m* Motorroller *m*

score [skɔr] *m sport*: Spielstand *m*; *pol* Zahl *f* der erhaltenen Stimmen

scorie [skɔri] *f tech u géol* Schlacke *f*

scorpion [skɔrpjõ] *m zo* Skorpion *m*; ♐ *astrologie*: Skorpion *m*

scotch [skɔtʃ] *m* (*nom déposé*) Tesafilm *m* (*nom déposé*)

scout [skut] *m* Pfadfinder *m*; **~isme** *m* Pfadfinderbewegung *f*

scribe [skrib] *m hist* Schreiber *m*; *péj* Schreiberling *m*

script [skript] *m* Blockschrift *f*; *film*: Drehbuch *n*

scrupu|le [skrypyl] *m* Skrupel *m*; **~s** *pl a* Bedenken *n/pl*; **~eux, ~euse** [-ø, -øz] *conscientieux* gewissenhaft; *méticuleux* peinlich genau

scruta|teur, ~trice [skrytatœr, -tris] forschend

scruter [skryte] (*1a*) erforschen, (gründlich) untersuchen

scrutin [skrytɛ̃] *m* Abstimmung *f*, Wahl *f*; **~ de ballottage** Stichwahl *f*; **~ majoritaire** Mehrheitswahl *f*; **~ proportionnel** Verhältniswahl *f*

sculpt|er [skylte] (*1a*) *statue*: in Stein hauen, meißeln; *pierre*: behauen; **~ sur bois** schnitzen; **~eur** *m* Bildhauer *m*; **~ure** [-yr] *f* Bildhauerei *f*, Skulptur *f*; **~ sur bois** Holzschnitzerei *f*

se [s(ə)] sich

séance [seãs] *f* Sitzung *f*, *cinéma*: Vorstellung *f*; *fig* **~ tenante** sofort

seau [so] *m* (*pl -x*) Eimer *m*

sec, sèche [sɛk, sɛʃ] **1.** *adj* trocken; *feuille*: dürr; *personne*: dürr, hager; *vin*: herb; *réponse, ton*: schroff; *coup, bruit*: kurz (und heftig); F *fig* **être à sec** auf dem Trocknen sitzen, blank sein; **au sec** im Trock(e)nen; **2.** *adv* **sec** heftig; **frapper sec** kräftig zuschlagen

sécateur [sekatœr] *m* Gartenschere *f*

sécession [sesesjõ] *f pol* Spaltung *f*, Abfall *m*

sèche|-cheveux [sɛʃʃəvø] *m* (*pl unv*) Föhn *m*, Haartrockner *m*; **~-linge** [-lɛ̃ʒ] *m* Wäschetrockner *m*

sécher [seʃe] (*1f*) *v/t* trocknen; *peau, rivière*: austrocknen; *fruits*: dörren; **~ un cours** e-e Stunde schwänzen; *v/i* trocknen; *sol, lac*: austrocknen; *fruits*: verdorren

sécheresse [seʃrɛs] *f* Trockenheit *f*, Dürre *f*, *fig* Schroffheit *f*

séchoir [seʃwar] *m linge*: Wäschetrockner *m*; *cheveux*: Föhn *m*

second, ~e [s(ə)gõ, -d] **1.** *adj* zweite(r, -s); **2.** *m étage*: zweiter Stock *m*; *adjoint* Stellvertreter *m*; **3.** *f* Sekunde *f*; *train*: zweite Klasse *f*

secondaire [s(ə)gõdɛr] sekundär, nebensächlich; *enseignement m* **~** höheres Schulwesen *n*

seconder [s(ə)gõde] (*1a*) helfen (*qn* j-m)

secouer [s(ə)kwe] (*1a*) schütteln; *poussière*: abschütteln

secourir [s(ə)kurir] (*2i*) zu Hilfe kommen (*qn* j-m)

secour|isme [s(ə)kurismə] *m* erste Hilfe *f*, **~iste** *m, f* Mitglied *n* e-r Hilfsorganisation

secours [s(ə)kur] *m* Hilfe *f*, *matériel*:

S

Unterstützung *f*; *au ~!* Hilfe!; *appeler au ~* um Hilfe rufen; *poste m de ~* Rettungsstelle *f*; *sortie f de ~* Notausgang *m*; *premier ~* erste Hilfe *f*

secousse [s(ə)kus] *f* Stoß *m*; *fig* Schlag *m*

secr|et, ~ète [səkrɛ, -ɛt] **1.** *adj* geheim; **2.** *m* Geheimnis *n*; *en secret* heimlich

secrétaire [s(ə)krɛtɛr] **1.** *m, f* Sekretär(in) *m(f)*; **2.** *m* Schreibschrank *m*

secrétariat [s(ə)krɛtarja] *m bureau:* Sekretariat *n*, Geschäftsstelle *f*; *profession:* Beruf *m* e-r Sekretärin

sécré|ter [sekrete] (*1f*) *méd* absondern; **~tion** *f* Sekret *n*

sectaire [sɛktɛr] **1.** *m rel* Sektierer *m*; *fig* engstirniger Fanatiker *m*; **2.** *adj rel* sektiererisch; *fig* fanatisch

secte [sɛkt] *f rel* Sekte *f*

secteur [sɛktœr] *m math* Sektor *m*; *administration:* Bezirk *m*; *écon* Sektor *m*, Bereich *m*; *él* (Strom-)Netz *n*; *écon ~ tertiaire* Dienstleistungssektor *m*

section [sɛksjɔ̃] *f math* Schnitt *m*; *livre, contrat:* Abschnitt *m*; *organisation:* Abteilung *f*, Sektion *f*

sectionner [sɛksjɔne] (*1a*) durchtrennen; *fig* unterteilen

séculaire [sekylɛr] hundertjährig; *très ancien* jahrhundertealt

séculariser [sekylarize] (*1a*) säkularisieren

sécul|ier, ~ière [sekylje, -jɛr] *rel* weltlich

sécurité [sekyrite] *f* Sicherheit *f*; *~ routière* Verkehrssicherheit *f*; ⚹ *sociale* französische Sozialversicherung *f*; *Conseil m de* ⚹ Weltsicherheitsrat *m*

sédatif [sedatif] *m phm* Beruhigungsmittel *n*, schmerzstillendes Mittel *n*

sédentaire [sedɑ̃tɛr] *profession:* sitzend; *casanier* häuslich; *population:* sesshaft

sédiment [sedimɑ̃] *m* Bodensatz *m*, Niederschlag *m*; *géol* Sediment *n*

sédit|ieux, ~ieuse [sedisjø, -jøz] aufrührerisch; **~ion** *f* Aufruhr *m*, Aufstand *m*

séduc|teur, ~trice [sedyktœr, -tris] **1.** *adj* verführerisch; **2.** *m, f* Verführer(in) *m(f)*; **~tion** *f* Verführung; *fig* Verlockung *f*, Reiz *m*

séduire [sedyir] (*4c*) verführen; *fig* verlocken, verleiten

séduisant, ~e [sedɥizɑ̃, -t] verführerisch; *idée:* verlockend

segment [sɛgmɑ̃] *m* Abschnitt *m*, Segment *n*; *auto ~ de piston* Kolbenring *m*

ségrégation [segregasjɔ̃] *f ~ raciale* Rassentrennung *f*

seiche [sɛʃ] *f zo* Tintenfisch *m*

seigle [sɛgl] *m agr* Roggen *m*

seigneur [sɛɲœr] *m* Herr *m*; *hist* (Lehns-, Grund-)Herr *m*; *rel le* ⚹ der Herr

sein [sɛ̃] *m* Brust *f*; *fig* Schoß *m*; *~s pl* Busen *m*; *st/s au ~ de* innerhalb, mitten in

séisme [seismə] *m* Erdbeben *n*

seize [sɛz] sechzehn

séjour [seʒur] *m* Aufenthalt *m*; (*salle f de*) *~* Wohnzimmer *n*; *~ner* [-ne] (*1a*) sich aufhalten, verweilen

sel [sɛl] *m* Salz *n*; *fig* Witz *m*

sélect, ~e [selɛkt] auserlesen, vornehm

sélect|ion [selɛksjɔ̃] *f* Auswahl *f*; **~ionner** [-jɔne] (*1a*) auswählen

self-service [sɛlfsɛrvis] *m* (*pl self-services*) Selbstbedienungsladen *m*; *restaurant:* Selbstbedienungsrestaurant *n*

selle [sɛl] *m* Sattel *m*; *méd* Stuhlgang *m*; *cuis* Rücken *m*; *fig être bien en ~* fest im Sattel sitzen

seller [sɛle] (*1b*) satteln

sellette [sɛlɛt] *f être sur la ~* im Blickpunkt stehen

sellier [sɛlje] *m* Sattler *m*

selon [s(ə)lɔ̃] *prép* gemäß, nach; *conj ~ que ...* je nachdem ...; *~ moi* meiner Meinung nach; *c'est ~* das kommt darauf an

semailles [s(ə)maj] *f/pl agr* Saat *f*

semaine [s(ə)mɛn] *f* Woche *f*; *à la ~* wöchentlich; *en ~* unter der Woche; *sainte* Karwoche *f*; *être de ~* Dienst haben

sémantique [semɑ̃tik] *ling* **1.** *adj* semantisch; **2.** *f* Semantik *f*, Bedeutungslehre *f*

sémaphore [semafɔr] *m* Signalmast *m*

semblable [sɑ̃blablə] **1.** *adj* ähnlich (*à qn, qc* j-m, e-r Sache); *tel* derartig, solch; **2.** *m mon ~* meinesgleichen; *nos ~s* unsere Mitmenschen *m/pl*

semblant [sɑ̃blɑ̃] *m* (An-)Schein *m*; *faire ~ de* (+ *inf*) so tun, als ob; *il fait ~*

er tut nur so; F *ne faire ~ de rien* sich nichts anmerken lassen

sembler [sɑ̃ble] (*1a*) scheinen; ~ (+ *inf*) scheinen zu (+ *inf*); *il* (*me*) *semble que* (+ *ind od subj*) mir scheint, (dass); *il me semble inutile de* (+ *inf*) es scheint mir unnötig zu (+ *inf*)

semelle [s(ə)mɛl] *f* (Schuh-)Sohle *f*

semence [s(ə)mɑ̃s] *f* Samen *m*

semer [s(ə)me] (*1d*) säen; *fig* ausstreuen; *terreur:* verbreiten; F *~ qn* j-n abhängen

semestr|e [s(ə)mɛstrə] *m* Semester *n*, Halbjahr *n*; **~iel**, **~ielle** [-ijɛl] halbjährlich

semi-... [səmi...] halb...

semi|-circulaire [səmisirkylɛr] halbkreisförmig, halbrund; **~-conducteur** [-kɔ̃dyktœr] *m* (*pl semi-conducteurs*) él Halbleiter *m*

séminaire [seminɛr] *m* Seminar *n*

semi-remorque [səmirəmɔrk] *m* (*pl semi-remorques*) Sattelschlepper *m*

semis [s(ə)mi] *m agr* Säen *n*, Aussaat *f*

semonce [səmɔ̃s] *f* Verweis *m*, Tadel *m*

semoule [s(ə)mul] *f cuis* Grieß *m*

sempiternel, **~le** [sɑ̃piternɛl] fortwährend, dauernd

Sénat [sena] *m pol* Senat *m*

sénat|eur [senatœr] *m* Senator *m*; **~orial**, **~oriale** [-ɔrjal] (*m/pl -aux*) Senats...

sénil|e [senil] senil; **~ité** *f* Senilität *f*

sens [sɑ̃s] *m* Sinn *m*; *direction* Richtung *f*; *signification* Bedeutung *f*; ~ *artistique* Kunstsinn *m*; *le bon ~ od le ~ commun* der gesunde Menschenverstand; ~ *giratoire* Kreisverkehr *m*; (*rue f à*) ~ *unique* Einbahnstraße *f*; ~ *interdit* Einfahrt verboten!; ~ *dessus dessous* [sɑ̃dsydsu] durcheinander; *dans tous les ~* kreuz und quer; *en un ~* in gewissem Sinn; *à mon ~* meines Erachtens

sensation [sɑ̃sasjɔ̃] *f* **1.** Empfindung *f*, Gefühl *n*; **2.** *effet de surprise* Sensation *f*; *faire ~* Aufsehen erregen; *... à ~* Sensations...

sensationnel, **~le** [sɑ̃sasjɔnɛl] sensationell, Aufsehen erregend

sensé, **~e** [sɑ̃se] vernünftig

sensibil|iser [sɑ̃sibilize] (*1a*) sensibilisieren, empfänglich machen (*à qc* für etw); **~ité** *f organe*, *corps:* Empfin-

dungsvermögen *n*; *balance*, *thermomètre:* Empfindlichkeit *f*; *affectivité* Empfindsamkeit *f*

sensible [sɑ̃siblə] empfindlich; *émotif* empfindsam; *récepteur* empfänglich (*à qc* für etw)

sensibl|ement [sɑ̃sibləmɑ̃] *adv* spürbar, deutlich; *plus ou moins* ungefähr; **~erie** [-əri] *f* Rührseligkeit *f*, Gefühlsduselei *f*

sensiti|f, **~ve** [sɑ̃sitif, -v] **1.** *adj* Empfindungs...; **2.** *f bot* Mimose *f* (*a fig*)

sensualité [sɑ̃syalite] *f* Sinnlichkeit *f*

sensuel, **~le** [sɑ̃syɛl] sinnlich

sentenc|e [sɑ̃tɑ̃s] *f* Sentenz *f*, Sinnspruch *m*; *jur* Urteil *n*; **~ieux**, **~ieuse** [-jø, -jøz] belehrend

senteur [sɑ̃tœr] *litt f* Duft *m*

sentier [sɑ̃tje] *m* Pfad *m*, Fußweg *m*

sentiment [sɑ̃timɑ̃] *m* Gefühl *n*; *st/s opinion* Meinung *f*

sentimental, **~e** [sɑ̃timɑ̃tal] (*m/pl -aux*) Gefühls...; *Liebes...*; *péj* sentimental; **~ité** *f* Sentimentalität *f*, Gefühlsbetontheit *f*

sentinelle [sɑ̃tinɛl] *f mil* Posten *m*

sentir [sɑ̃tir] (*2b*) **1.** fühlen, empfinden; *prendre conscience de* wahrnehmen, merken; *se ~ bien* sich wohl fühlen; **2.** *odeur:* riechen (*qc* nach etw); *goût:* schmecken (*qc* nach etw); *fig ~ qc* auf etw (*acc*) schließen lassen; ~ *bon* (*mauvais*, *fort*) gut (schlecht, stark) riechen

sépara|ble [separablə] trennbar; **~teur**, **~trice** trennend; **~tion** *f* Teilung *f*; *personnes:* Trennung *f*; *cloison* Trennwand *f*; **~tisme** [-tismə] *m pol* Separatismus *m*; **~tiste** [-tist] *m*, *f pol* Separatist(in) *m(f)*

séparé, **~e** [separe] getrennt; *époux:* getrennt lebend; **~ment** *adv* getrennt, einzeln

séparer [separe] (*1a*) (ab)trennen; *se ~* sich trennen, auseinander gehen

sept [sɛt] sieben

septante [sɛptɑ̃t] *Belgique*, *Suisse:* siebzig

septembre [sɛptɑ̃brə] *m* September *m*

septennal, **~e** [sɛptenal] (*m/pl -aux*) siebenjährig

septennat [sɛptena] *m* siebenjährige Amtszeit *f* (*des frz Präsidenten*)

septentrional, **~e** [sɛptɑ̃trijɔnal] (*m/pl*

S

-aux) nördlich, Nord...

septicémie [sɛptisemi] *f méd* Blutvergiftung *f*

septième [sɛtjɛm] **1.** sieb(en)te(r, -s); **2.** *m fraction:* Sieb(en)tel *n*

septuagénaire [sɛptɥaʒenɛr] **1.** *adj* siebzigjährig; **2.** *m, f* Siebzigjährige(r) *m, f*

septuple [sɛptyplə] siebenfach

sépulture [sepyltyr] (*m/pl -aux*) *litt f inhumation* Bestattung *f*; *tombe* Grabstätte *f*

séquelle [sekɛl] *f meist pl* ~**s** Folgen *f/pl*

séquence [sekãs] *f* Sequenz *f*, Folge *f*

séquestr|e [sekɛstrə] *m jur* Beschlagnahme *f*; ~**er** (*1a*) *personne:* einsperren, der Freiheit berauben; *jur biens:* unter Zwangsverwaltung stellen

serein, ~e [sərɛ̃, -ɛn] ruhig, gelassen; *temps:* heiter

sérénade [serenad] *f* Serenade *f*

sérénité [serenite] *f* Ruhe *f*, Ausgeglichenheit *f*

sergent [sɛrʒã] *m mil* Unteroffizier *m*; ~**-major** [-maʒɔr] *m* (*pl sergents-majors*) *mil* Ober- *od* Hauptfeldwebel *m*

série [seri] *f* Serie *f*, Reihe *f*; *hors* ~ außergewöhnlich; *en* ~ serienmäßig

sérieusement [serjøzmã] *adv travailler:* ernsthaft; *sans plaisanter* im Ernst; *douter, croire:* ernstlich

sérieu|x, ~se [serjø, -z] **1.** *adj* ernst (-haft); *consciencieux* zuverlässig, gewissenhaft; *réfléchi* besonnen; *précédant le subst:* bedeutend; **2.** *m* Ernst *m*; *prendre au sérieux* ernst nehmen; *garder son* ~ ernst bleiben

serin [s(ə)rɛ̃] *m zo* Girlitz *m*; *bes* Kanarienvogel *m*

seringue [s(ə)rɛ̃g] *f méd* Spritze *f*

serment [sɛrmã] *m* Schwur *m*, Eid *m*; *prêter* ~ e-n Eid leisten

sermon [sɛrmɔ̃] *m* Predigt *f* (*a fig*)

séropositi|f, ~ve [serɔpozitif, -v] HIV-positiv

serpe [sɛrp] *f* Gartenmesser *n*

serpent [sɛrpã] *m zo* Schlange *f*

serpent|er [sɛrpãte] (*1a*) sich schlängeln, sich winden; ~**in** *m* Papierschlange *f*

serpillière [sɛrpijɛr] *f* Scheuerlappen *m*

serre [sɛr] *f* **1.** Gewächs-, Treibhaus *n*; **2.** ~**s** *pl* Klauen *f/pl*

serré, ~e [sɛre] eng; *tissu, pluie:* dicht; *personnes:* gedrängt; *avoir le cœur serré* bedrückt sein

serre-livres [sɛrlivrə] *m* (*pl unv*) Bücherstütze *f*

serrer [sɛre] (*1b*) (zusammen)drücken, (zusammen)pressen; *nœud:* straff(er) anziehen; *personne:* bedrängen; *vêtement:* ~ *qn* j-m zu eng sein; ~ *un problème* ein Problem genau erfassen; ~ *les dents* die Zähne zusammenbeißen; ~ *la main à qn* j-m die Hand schütteln; ~ *les rangs fig* zusammenhalten; ~ *à droite* sich rechts halten; ~ *la terre mar* dicht am Land fahren; *se* ~ *contre qn* sich an j-n anschmiegen; *se* ~ (*les uns contre les autres*) zusammenrücken

serrur|e [seryr] *f* (Tür-)Schloss *n*; ~**erie** *f* Schlosserei *f*; ~**ier** [-je] *m* Schlosser *m*

sérum [serɔm] *m méd* Serum *n*

servante [sɛrvãt] *f* Dienstmädchen *n*

serveu|r, ~se [sɛrvœr, -øz] *m, f* Kellner(in) *m(f)*

servi|abilité [sɛrvjabilite] *f* Hilfsbereitschaft *f*, Gefälligkeit *f*; ~**able** hilfsbereit, gefällig

service [sɛrvis] *m* **1.** Dienst; *EDV* ~ *en ligne* Online-Dienst *m*; ~ *de traduction* Übersetzungsdienst *m*; (*prestation f de*) ~ Dienstleistung *f*; *faveur* Gefälligkeit *f*; *être de* ~ Dienst haben; *à votre* ~! bitte sehr!; *rendre* ~ *à qn* j-m e-n Gefallen tun; **2.** *mil* Wehrdienst *m*; ~ *civil* Zivildienst *m*; **3.** *égl protestante* Gottesdienst *m*; **4.** *transports* Verkehrsverbindung *f*; **5.** *restaurant* Bedienung *f*; ~ *compris* einschließlich Bedienung; **6.** *entreprise:* Abteilung *f*; *hôpital:* Station *f*; **7.** *tennis:* Aufschlag *m*; **8.** *vaisselle:* Service *n*; **9.** *machine:* *mettre en* ~ in Betrieb nehmen; *hors* ~ außer Betrieb

serviette [sɛrvjɛt] *f* Serviette *f*; *toilette:* Handtuch *n*; *documents:* Aktentasche *f*, Mappe *f*; ~ *hygiénique* Damenbinde *f*

servile [sɛrvil] sklavisch, unterwürfig; ~**ité** *f* Unterwürfigkeit *f*

servir [sɛrvir] (*2b*) **1.** *v/t patrie, intérêts:* dienen (*dat*); *personne:* bedienen; **2.** *mets:* servieren, auftragen (*qc à qn* j-m etw); **3.** *v/i* ~ *à qn* j-m nützen; ~ *à qc* zu etw dienen; ~ *de qc* als etw dienen; ~

signer

d'interprète dolmetschen; **4.** *se ~* sich bedienen; *se ~ de qc* etw (*acc*) benutzen

servi|teur [sɛrvitœr] *m litt u fig* Diener *m*; *~tude* [-tyd] *f* Knechtschaft *f*; *fig* Zwang *m*

servo|direction [sɛrvɔdirɛksjɔ̃] *f auto* Servolenkung *f*, Lenkhilfe *f*; *~frein* [-frɛ̃] *m auto* Servobremse *f*, Bremskraftverstärker *m*

ses [se] → *son¹*

session [sesjɔ̃] *f* Sitzungsperiode *f*

set [sɛt] *m tennis:* Satz *m*

seuil [sœj] *m* Schwelle *f*; *porte:* Türschwelle *f*

seul, *~e* [sœl] **1.** *adj* allein; *solitaire* einsam; *précédant le subst* einzig; *d'un seul coup* mit einem Schlag; **2.** *adv* nur, allein; *parler tout seul* Selbstgespräche führen; **3.** *un seul, une seule* ein einziger, e-e einzige, ein einziges; *~ement* [-mã] *adv* nur, bloß; *temps:* erst; *en début de phrase:* aber; *ne ... pas ~* nicht einmal; *non ~ ... mais encore* (*od* **mais aussi**) nicht nur ... sondern auch; *~ hier* erst gestern

sève [sɛv] *f bot* Saft *m*

sévère [sevɛr] *adj* streng; *critique, jugement:* hart; *pertes:* schwer; *~ment* *adv* streng; *malade, blessé:* schwer

sévérité [severite] *f* Strenge *f*

sévices [sevis] *m/pl* Misshandlungen *f/pl*

sévir [sevir] (*2a*) *épidémie:* wüten; *~ contre qn* streng gegen j-n vorgehen

sevrer [savre] (*1d*) *enfant:* entwöhnen

sexagénaire [sɛksaʒenɛr] **1.** *adj* sechzigjährig; **2.** *m, f* Sechzigjährige(r) *m, f*

sexe [sɛks] *m* Geschlecht *n*; *organes* Geschlechtsteile *n/pl*; *sexualité* Sex *m*

sextuple [sɛkstyplə] sechsfach

sexu|alité [sɛksyalite] *f* Sexualität *f*; *~el, ~elle* sexuell, geschlechtlich, Geschlechts..

sexy [sɛksi] *inv* sexy

seyant, *~e* [sɛjã, -t] passend, gut sitzend

shampooing [ʃãpwɛ̃] *m lavage* Haarwäsche *f*; *produit:* Shampoo *n*

short [ʃɔrt] *m* Shorts *pl*

si¹ [si] **1.** *conj* (*s'il u s'ils*) wenn, falls; *~ ...! (+ imparfait)* wenn doch!; *~ ce n'est que* außer dass; *comme ~* als ob; *même ~* selbst wenn; **2.** *conj in-*

troduisant question: ob; **3.** *adv* so; *st/s ~ riche qu'il soit* so reich er auch sein mag; *conj ~ bien que* so dass; **4.** *adv après négation:* doch

si² [si] *m mus* h *od* H *n*

Sicile [sisil] *la ~* Sizilien *n*

sicilien, *~ne* [sisiljɛ̃, -ɛn] **1.** *adj* sizilianisch; **2.** ♋ *m, f* Sizilianer(in) *m(f)*

sida [sida] *m méd* Aids *n*

sidér|al, *~ale* [sideral] (*m/pl -aux*) Stern...; *~é, ~ée* F: sprachlos, verblüfft

sidérurgie [sideryrʒi] *f* Eisen- und Stahlindustrie *f*

siècle [sjɛklə] *m* Jahrhundert *n*; *fig époque* Zeitalter *n*

siège [sjɛʒ] *m* Sitz *m* (*a fig*); *mil* Belagerung *f*; *égl ~ apostolique* Apostolischer Stuhl *m*; *état ~ de ~* Belagerungszustand *m*

siéger [sjeʒe] (*1g*) *avoir le siège* seinen (ihren) Sitz haben; *tenir séance* tagen

sien, *~ne* [sjɛ̃, -ɛn] *le sien, la sienne* der, die, das sein(ig)e, ihr(ig)e; seine(r, -s), ihre(r, -s); *y mettre du sien* seinen Teil dazu beitragen

sieste [sjɛst] *f* Mittagsschlaf *m*, -schläfchen *n*

siffl|ement [sifləmã] *m* Pfeifen *n*; *~er* (*1a*) *v/i* pfeifen; *serpent, merle:* zischen; *v/t* auspfeifen; *~et* [-ɛ] *m* Pfeife *f*; *~s pl* Pfiffe *m/pl*, Pfeifkonzert *n*; *coup m de ~* Pfiff *m*

siffloter [siflote] (*1a*) vor sich (*acc*) hin pfeifen

sigle [siglə] *m* Abkürzung *f*

signal [sinal] *m* (*pl -aux*) Signal *n*, Zeichen *n*; *~ d'alarme* Alarmsignal *n*; *train:* Notbremse *f*; *~ement* [-mã] *m* Personenbeschreibung *f*; *~er* (*1a*) *par un signal:* signalisieren; *dénoncer* melden, anzeigen; *~qc à qn* j-n auf etw (*acc*) hinweisen; *se ~* sich auszeichnen

signalis|ation [sinalizasjɔ̃] *f rues:* Beschilderung *f*; *feux m/pl de ~* Verkehrsampel *f*; *~er* (*1a*) beschildern

signat|aire [sinater] *m* Unterzeichner *m*; *~ure* [-yr] *f* Unterschrift *f*

sign|e [sin] *m* Zeichen *n*; *caractéristique* Merkmal *n*; *geste* Wink *m*; *en ~ de reconnaissance* als Zeichen der Dankbarkeit; *faire ~ à qn* j-m winken; *sous le ~ de* im Zeichen (*gén*); *c'est ~ que* das ist ein Zeichen dafür, dass; *~er* (*1a*) unterschreiben; *contrat:* unterzeichnen; *livre*: signieren; *rel se ~* sich bekreuzigen; **~et** [-ɛ] *m* Lese-, Buchzeichen *n*

significa|tif, ~tive [siɲifikatif, -tiv] *révélateur* bezeichnend (*de qc* für etw); **~tion** *f* Bedeutung *f*, Sinn *m*

signifier [siɲifje] (*1a*) bedeuten; *faire savoir* ausdrücklich zu verstehen geben

silenc|e [silɑ̃s] *m* Schweigen *n*; *absence de bruit* Stille *f*, Ruhe *f*; **en ~** schweigend; **~ieux, ~ieuse** [-jø, -jøz] **1.** *adj* still; *caractère*: schweigsam; **2.** *m arme*: Schalldämpfer *m*

Silésie [silezi] *la ~* Schlesien *n*

silex [silɛks] *m géol* Feuerstein *m*

silhouette [silwɛt] *f montagne*: Silhouette *f*; *contours* Umrisse *m/pl*, Konturen *pl*; *figure* Gestalt *f*

sillage [sijaʒ] *m* Kielwasser *n* (*a fig*)

sill|on [sijõ] *m champ*: Furche *f*; *disque*: Rille *f*; **~onner** [-ɔne] (*1a*) durchfurchen, -ziehen

silo [silo] *m* Silo *m od n*, Speicher *m*

simagrée [simagre] *f meist pl* **~s** Gehabe *n*, Getue *n*, F Mätzchen *n/pl*; **faire des ~s** sich zieren, sich anstellen

simil|aire [similɛr] gleichartig, **~arité** [-arite] *f* Gleichartigkeit *f*

simili [simili] *m* F imitation *f*; **en ~** unecht; **~cuir** [-kɥir] *m* Kunstleder *n*; **~tude** [-tyd] *f* Ähnlichkeit *f*

simpl|e [sɛ̃pl] **1.** *adj* einfach, schlicht; *d'esprit*: einfältig; *précédant le subst*: einfach; **2.** *m tennis*: Einzel *n*; **~ement** [-əmɑ̃] *adv* einfach; **~et, ~ette** [-ɛ, -ɛt] etwas einfältig, simpel

simplicité [sɛ̃plisite] *f* Einfachheit *f*; *spontanéité* Natürlichkeit *f*; *d'esprit*: Einfalt *f*

simplif|ication [sɛ̃plifikasjõ] *f* Vereinfachung *f*; **~ier** [-je] (*1a*) vereinfachen

simpliste [sɛ̃plist] zu einfach, einseitig

simulacre [simylakr] *m* Scheinhandlung *f*

simula|teur, ~trice [simylatœr, -tris] **1.** *m, f* Simulant(in) *m(f)*; **2.** *m tech* Simulator *m*; **~tion** *f* Verstellung *f*; *tech* Simulation *f*

simuler [simyle] (*1a*) vortäuschen; *tech* simulieren

simultané, ~e [simyltane] gleichzeitig; **traduction *f* simultanée** Simultanübersetzung *f*; **~ité** [-ite] *f* Gleichzei-

tigkeit *f*; **~ment** *adv* gleichzeitig

sincère [sɛ̃sɛr] aufrichtig, ehrlich

sincérité [sɛ̃serite] *f* Aufrichtigkeit *f*, Ehrlichkeit *f*

sinécure [sinekyr] *f* Pfründe *f*, F gemütlicher Job *m*

sine qua non [sinekwanɔn] ***condition*** *f ~* unerlässliche Bedingung *f*

sing|e [sɛ̃ʒ] *m zo* Affe *m*; **~er** (*1l*) nachäffen; **~erie** *f* Grimasse *f*; **~s** *pl* F Faxen *f/pl*

singular|iser [sɛ̃gylarize] (*1a*) **se ~** auffallen; **~ité** *f* Eigenheit *f*, Sonderbarkeit *f*

singul|ier, ~ière [sɛ̃gylje, -jɛr] **1.** *adj* sonderbar, eigentümlich; **2.** *m gr* Singular *m*

sinistre [sinistr] **1.** *adj présage*: Unheil verkündend; *endroit, bruit*: unheimlich; **2.** *m* Katastrophe *f*; *jur* Schadensfall *m*

sinistré, ~e [sinistre] *m* **1.** *adj* von e-r Katastrophe betroffen; **2.** *m* Opfer *n* (*e-r Katastrophe*)

sinon [sinõ] *conj* sonst; *sauf* außer; *si ce n'est* wenn nicht

sinu|eux, ~euse [sinɥø, -øz] *route*: kurvenreich; *ligne*: gewunden (*a fig*); **~osité** [-ozite] *f* Krümmung *f*

sionisme [sjɔnism] *m pol* Zionismus *m*

siphon [sifõ] *m tube*: (Saug-)Heber *m*

Sire [sir] *m titre*: Majestät

sirène [sirɛn] *f* Sirene *f*

sirop [siro] *m* Sirup *m*

siroter [sirɔte] (*1a*) langsam und mit Genuss schlürfen

sis, ~e [si, -z] *jur* befindlich, gelegen

sismique [sismik] Erdbeben...

site [sit] *m emplacement* Lage *f*; *paysage* Landschaft *f*

sitôt [sito] **1.** *adv* sogleich; **~ dit, ~ fait** gesagt, getan; **2.** *conj* **~ que** sobald (als)

situation [sitɥasjõ] *f* Lage *f*; *profession*: Stellung *f*

situ|é, ~ée [sitɥe] gelegen; **être ~** liegen; **~er** (*1n*) einordnen; **se ~** *espace*: sich befinden, liegen; *temps*: liegen, fallen

six [sis] sechs

sixième [sizjɛm] **1.** sechste(r, -s); **2.** *m fraction*: Sechstel *n*; **~ment** *adv* sechstens

ski [ski] *m* Ski *m*; **faire du ~** Ski fahren; **~ nautique** Wasserski *m*; **~ de fond**

solder

Langlauf *m*

ski|er [skje] (*1a*) Ski laufen; **~eur**, **~euse** *m*, *f* Skiläufer(in) *m(f)*

slave [slav] **1.** *adj* slawisch; **2.** ♀ *m*, *f* Slawe *m*, Slawin *f*

slip [slip] *m* Unterhose *f*, Slip *m*; **~ de bain** Badehose *f*

slogan [slɔgɑ̃] *m* Schlagwort *n*, Parole *f*, Slogan *m*

slovaque [slɔvak] slowakisch

slovène [slɔvɛn] slowenisch

S.M.I.C. [smik] *m* (*abr* **salaire minimum interprofessionnel de croissance**) garantierter Mindestlohn *m*

S.N.C.F. [ɛsɛnseef] *f* (*abr* **Société nationale des chemins de fer français**) frz Staatsbahn *f*

snob [snɔb] **1.** *adj* snobistisch; **2.** *m*, *f* Snob *m*; **~isme** *m* Snobismus *m*

sobre [sɔbr] mäßig; *style*: nüchtern

sobriété [sɔbrjete] *f* Mäßigkeit *f*; *style*: Nüchternheit *f*

sobriquet [sɔbrikɛ] *m* Spitzname *m*

soc [sɔk] *m* Pflugschar *f*

soci|abilité [sɔsjabilite] *f* Geselligkeit *f*; **~able** gesellig

social, ~e [sɔsjal] (*m/pl -aux*) sozial; *société*: gesellschaftlich, Gesellschafts...; *comm* Firmen...; **raison** *f* **sociale** Firmenname *m*; **siège** *m* **social** Firmensitz *m*

social-démocrate [sɔsjaldemɔkrat] *m* (*pl sociaux-démocrates*) Sozialdemokrat *m*

social|isation [sɔsjalizasjɔ̃] *f* Sozialisierung *f*; **~iser** (*1a*) sozialisieren

social|isme [sɔsjalism] *m* Sozialismus *m*; **~iste 1.** *adj* sozialistisch; **2.** *m*, *f* Sozialist(in) *m(f)*

société [sɔsjete] *f* Gesellschaft *f*; *association* Verein *m*, Verband *m*; *firme* Firma *f*; **~ par actions** *od* **~ anonyme** (*abr* **S.A.**) Aktiengesellschaft *f* (*abr* AG); **~ à responsabilité limitée** (*abr* **S.A.R.L.**) Gesellschaft *f* mit beschränkter Haftung (*abr* GmbH); **~ en commandite** Kommanditgesellschaft *f* (*abr* KG); **~ multiculturelle, pluriculturelle** multikulturelle Gesellschaft *f*; Multikultigesellschaft *f*

socio|logie [sɔsjɔlɔʒi] *f* Soziologie *f*; **~logue** [-lɔg] *m*, *f* Soziologe *m*, Soziologin *f*

socle [sɔklə] *m* Sockel *m*

socquette [sɔkɛt] *f* Söckchen *n*, Socke *f*

soda [sɔda] *m* Sodawasser *n* (mit Fruchtsirup)

sodium [sɔdjɔm] *m* chim Natrium *n*

sœur [sœr] *f* Schwester *f* (*a rel*)

sofa [sɔfa] *m* Sofa *n*

soi [swa] sich

soi-disant [swadizɑ̃] (*unv*) so genannt, angeblich

soie [swa] *f* Seide *f*

soif [swaf] *f* Durst *m* (**de** nach, *a fig*); **avoir ~** Durst haben, durstig sein

soign|é, ~ée [swaɲe] gepflegt; *travail*: sorgfältig; **~er** (*1a*) pflegen; *médecin*: behandeln; **se ~** sich pflegen

soigneu|x, ~se [swaɲø, -z] sorgfältig; **~ de** besorgt um

soi-même [swamɛm] (sich) selbst

soin [swɛ̃] *m application* Sorgfalt *f*; *attention* Sorge *f*; **~s** *pl* Pflege *f*; *méd* Behandlung *f*; **avoir, prendre ~ de** Sorge tragen für, achten auf (*acc*), sich kümmern um; **être sans ~** unordentlich sein; **donner des ~s à qn** j-n pflegen, ärztlich behandeln; **~s à domicile** Hauspflege *f*; **~s dentaires** zahnärztliche Behandlung *f*

soir [swar] *m* Abend *m*; **ce ~** heute Abend; **un ~** e-s Abends; **le ~** abends; **sur le ~** gegen Abend; **~ée** *f* Abend (-stunde) *m(f/pl)*; *fête* Abendgesellschaft *f*; **~ dansante** Tanzabend *m*

soit¹ [swat] meinetwegen!

soit² [swa] **1.** *conj* **~ ..., ~ ...,** entweder ... oder ...; **~ que ...** (+ *subj*), **~ que ...** (+ *subj*) sei es dass ... oder dass ...; **2.** *supposé* angenommen; *à savoir* das heißt

soixantaine [swasɑ̃tɛn] *f* etwa sechzig

soixante [swasɑ̃t] sechzig; **~ et onze** einundsiebzig; **~dix** [-dis] siebzig

soja [sɔʒa] *m bot* Soja *n*

sol¹ [sɔl] *m* Boden *m*, Erde *f*

sol² [sɔl] *m mus* g *od* G *n*

solaire [sɔlɛr] Sonnen..., Solar...

soldat [sɔlda] *m* Soldat *m*

solde¹ [sɔld] *f mil* Sold *m*

solde² [sɔld] *m comm* Saldo *m*; **~ (débiteur)** Restbetrag *m*; **~ débiteur/ créditeur** Soll-/Habensaldo *m*; **~s** *pl marchandises*: Restposten *m/pl*; *vente au rabais* Ausverkauf *m*

solder [sɔlde] (*1a*) *comm compte*: saldieren; *marchandises*: herabsetzen; **se**

~ *par* abschließen mit

sole [sɔl] *f zo* Seezunge *f*

soleil [sɔlɛj] *m* Sonne *f*; *il fait du* ~ die Sonne scheint; *en plein* ~ in der prallen Sonne; *coup m de* ~ Sonnenbrand *m*

solenn|el, ~elle [sɔlanɛl] feierlich; **~ité** *f* Feierlichkeit *f*

solfège [sɔlfɛʒ] *m* (allgemeine) Musiklehre *f*

solid|aire [sɔlidɛr] solidarisch (*de qn* mit j-m); **~ariser** [-arize] (*1a*) **se** ~ sich solidarisch erklären, sich solidarisieren (*avec* mit); **~arité** [-arite] *f* Solidarität *f*

solide [sɔlid] **1.** *adj* fest; *tissu*: fest, solide, haltbar; *connaissances*: gründlich; *personne*: kräftig, robust; **2.** *m phys* fester Körper *m*

solidité [sɔlidite] *f* Festigkeit *f*; *matériau*: Haltbarkeit *f*; *argument*: Stichhaltigkeit *f*

soliste [sɔlist] *m, f* Solist(in) *m(f)*

solitaire [sɔlitɛr] **1.** *adj* einsam; *isolé* abgelegen; *zo ver* ~ Bandwurm *m*; **2.** *m* Einsiedler *m*, Einzelgänger *m*

solitude [sɔlityd] *f* Einsamkeit *f*

sollicit|ation [sɔlisitasjɔ̃] *f* Ersuchen *n*, dringende Bitte *f*; **~er** (*1a*) ~ *qc* um etw bitten; *attention, curiosité*: erregen; ~ *qn de faire qc* j-n ersuchen, etw zu tun; ~ *un emploi* sich um e-e Stelle bewerben; **~ude** [-yd] *f* Fürsorge *f*

solo [sɔlo] *m mus* Solo *n*

solstice [sɔlstis] *m astr* Sonnenwende *f*

solu|ble [sɔlyblə] löslich; **~tion** *f* Lösung *f*

solv|abilité [sɔlvabilite] *f comm* Zahlungsfähigkeit *f*; **~able** zahlungsfähig; *digne de crédit* kreditwürdig; **~ant** [-ɑ̃] *m chim* Lösungsmittel *n*

sombr|e [sɔ̃brə] *couleur*: dunkel; *ciel, salle*: dunkel, düster, finster; *temps*: trübe; *avenir, regard*: finster; **~er** (*1a*) (ver)sinken; *fig* ~ *dans la folie* dem Wahnsinn verfallen

somm|aire [sɔmɛr] **1.** *adj* kurz gefasst; **2.** *m* Inhaltsangabe *f*; **~ation** *f jur* Aufforderung *f*

somme¹ [sɔm] *f* **1.** Summe *f*; *quantité* Menge *f*; *en* ~, ~ *toute* im Ganzen genommen; **2.** *bête f de* ~ Lasttier *n*; *fig* Arbeitstier *n*

somme² [sɔm] *m* Schläfchen *n*; *faire un* ~ F ein Nickerchen machen

sommeil [sɔmɛj] *m* Schlaf *m*; *sensation*: Schläfrigkeit *f*; *avoir* ~ schläfrig sein

sommeiller [sɔmeje] (*1b*) schlummern

sommelier [sɔməlje] *m* Kellermeister *m*

sommer [sɔme] (*1a*) auffordern (*qn de faire qc* j-n, etw zu tun)

sommet [sɔmɛ] *m montagne*: Gipfel *m*; *arbre*: Wipfel *m*; *tour*: Spitze *f*; *toit*: First *m*; *fig* Höhepunkt *m*; *pol* Gipfelkonferenz *f*

sommier [sɔmje] *m* Bettrost *m*

sommité [sɔmite] *f* hervorragende Persönlichkeit *f*, Kapazität *f*

somnambule [sɔmnɑ̃byl] **1.** *adj* nachtwandelnd; **2.** *m, f* Schlafwandler(in) *m(f)*

somnifère [sɔmnifɛr] *m* Schlafmittel *n*

somnol|ence [sɔmnɔlɑ̃s] *f* Schläfrigkeit *f*; **~er** (*1a*) dösen

somptu|eux, ~euse [sɔ̃ptɥø, -øz] prächtig, pracht-, prunkvoll; **~osité** [-ozite] *f* Pracht *f*

son¹, sa, ses *pl* [sɔ̃, sa, se] sein(e), ihr(e)

son² [sɔ̃] *m* Ton *m*; *voix, instrument*: Klang *m*; *bruit* Laut *m*; ~ *et lumière Beleuchtung historischer Bauten verbunden mit e-r Erklärung ihrer Geschichte u mit musikalischer Untermalung*

son³ [sɔ̃] *m bot* Kleie *f*

sondage [sɔ̃daʒ] *m tech* Bohrung *f*; ~ *d'opinion* Meinungsumfrage *f*

sond|e [sɔ̃d] *f* Sonde *f*; **~er** (*1a*) sondieren; *terrain, atmosphère*: untersuchen; *personne*: ausforschen

songe [sɔ̃ʒ] *litt m* Traum *m*

song|er [sɔ̃ʒe] (*1l*) ~ *à* denken an (*acc*), nachsinnen über (*acc*); ~ *à faire qc* daran denken, etw zu tun; **~eur, ~euse** nachdenklich

sonné, ~e [sɔne] **1.** *il est midi sonné* es hat gerade zwölf Uhr geschlagen; **2.** *fig* F bescheuert, beklopft

sonner [sɔne] (*1a*) *v/i cloches*: läuten; *réveil, téléphone*: klingeln; *instrument, voix*: klingen; *horloge*: schlagen; *dix heures sonnent* es schlägt 10 Uhr; *midi a sonné* es hat 12 Uhr geschlagen; ~ *du cor* (auf dem) Horn blasen; ~ *creux, faux* hohl, falsch klingen; *v/t cloches*: läuten; *mil* ~ *l'alarme* Alarm blasen

sonnerie [sɔnri] *f cloches*: Geläut *n*;

mécanisme: Läutwerk *n*; *sonnette* Klingel *f*

sonnet [sɔnɛ] *m* Sonett *n*

sonnette [sɔnɛt] *f* Klingel *f*

sonor|e [sɔnɔr] tönend; *voix*: klangvoll; *bruit*: Lärm...; *phys* Schall...; *onde f ~* Schallwelle *f*; **film** *m* ~ Tonfilm *m*; *ling* stimmhaft; **~isation** [-izasjɔ̃] *f* *appareils*: Lautsprecheranlage *f*; **~iser** (*1a*) *film*: vertonen; **~ité** *f* Klang *m(f)*; *salle*: Akustik *f*

sophistication [sɔfistikasjɔ̃] *f* Geziertheit *f*; *technique*: Perfektion *f*

sophistiqué, -e [sɔfistike] *comportement*: gekünstelt; *public*: erlesen; *technique*: hoch entwickelt

soporifique [sɔpɔrifik] einschläfernd (*a fig*)

sorbet [sɔrbɛ] *m* Sorbett *m od n*

sorbier [sɔrbje] *m* *bot* Eberesche *f*

sorcellerie [sɔrsɛlri] *f* Hexerei *f*

sorc|ier, ~ière [sɔrsje, -jɛr] *m, f* Zauberer *m*, Hexe *f*

sordide [sɔrdid] schmutzig; *fig* gemein

sornettes [sɔrnɛt] *f/pl* albernes Gerede *n*

sort [sɔr] *m* Schicksal *n*, Geschick *n*; *condition* Lage *f*, Los *n*; *tirer au ~* auslosen; *jeter un ~ à qn* j-n behexen; *fig le ~ en est jeté* die Würfel sind gefallen

sortant, ~e [sɔrtɑ̃, -t] *loterie*: **numéros sortants** Gewinnzahlen *f/pl*

sorte [sɔrt] *f* 1. *manière* Art *f*, Weise *f*; *espèce* Sorte *f*; **toutes ~s de** allerlei, allerhand; **une ~ de** eine Art; **de la ~** auf die(se) Weise od so; **en quelque ~** gewissermaßen; 2. *conj* **en ~ od de (telle) ~ que** so ... dass

sortie [sɔrti] *f* Ausgang *m*; *voitures*: Ausfahrt *f*; *action de sortir* Hinausgehen *n*; *d'un pays*: Ausreise *f*; *promenade* Spaziergang *m*; *excursion* Ausflug *m*; *mil, police*: Einsatz *m*; **~ de secours** Notausgang *m*; **~s** *pl* *argent*: Ausgaben *f/pl*

sortilège [sɔrtilɛʒ] *m* Zauber *m*

sortir [sɔrtir] (*2b*) 1. *v/i* hinausgehen, -treten; herauskommen, -treten; *en voiture*: herausfahren; *vie sociale*: ausgehen; *provenir de* stammen (*de* von); 2. *v/t* *chose*: herausnehmen, -ziehen, -holen; *enfant, chien*: spazierenführen; *une personne*: ausführen; *comm* auf

den Markt bringen; F *bêtises*: von sich geben; F ~ *qn* j-n rausschmeißen; 3. *s'en ~* damit fertig werden

sosie [sɔzi] *m* Doppelgänger *m*

sot, ~te [so, sɔt] 1. *adj* töricht, dumm; 2. *m, f* Dummkopf *m*, Tor *m*, Narr *m*, Närrin *f*

sottise [sɔtiz] *f* Dummheit *f*

sou [su] *m* *fig* Pfennig *m*; *être sans le ~* nicht e-n Pfennig besitzen; *être près de ses ~s* auf den Pfennig achten

soubresaut [subrəso] *m* Satz *m*, Ruck *m*

souche [suʃ] *f* 1. *arbre*: (Baum-)Stumpf *m*; 2. *fig origine* Ursprung *m*; 3. *carnet*: Abschnitt *m*; **carnet m à ~s** Scheckheft *n* mit Kontrollabschnitten

souci [susi] *m* 1. Sorge *f*; *avoir le ~ de* bedacht sein auf; 2. *bot* Ringelblume *f*

soucier [susje] (*1a*) *se ~ de* sich kümmern um

soucieu|x, ~se [susjø, -z] besorgt; ~ *de* bedacht auf (*acc*)

soucoupe [sukup] *f* Untertasse *f*

soudain [sudɛ̃] 1. *adj* [sudɛ, -ɛn] plötzlich; 2. *adv* plötzlich; **~ement** [-ɛnmɑ̃] *adv* plötzlich

Soudan [sudɑ̃] **le ~** der Sudan

soude [sud] *f* *chim* Soda *f od n*; *phm* Natron *n*

souder [sude] (*1a*) *tech* löten, schweißen; *fig* fest verbinden

soudoyer [sudwaje] (*1h*) dingen

soudure [sudyr] *f* *tech* Löten *n*, Schweißen *n*; *joint* Lötstelle *f*, Schweißnaht *f*; *écon* **faire la ~** überbrücken

souffle [sufl] *m* Atemzug *m*, Atem *m*; *vent*: Wehen *n*; *très léger* Hauch *m*; *fig* **second ~** neuer Aufschwung *m*; *être à bout de ~* außer Atem sein

soufflé, -e [sufle] 1. *adj* *fig* *être ~* F baff sein; 2. *m* *cuis* Soufflé *n*

souffler [sufle] (*1a*) 1. *v/i* *vent*: blasen, wehen; *haleter* hauchen; *respirer* schnaufen, atmen; 2. *v/t* *chandelle*: ausblasen; *fig* einflüstern; *théâtre*: soufflieren; *ne pas ~ mot* kein Wort sagen; F ~ *qc à qn* j-m etw wegschnappen

soufflet [suflɛ] *m* *instrument*: Blasebalg *m*

souffleu|r, ~se [suflœr, -øz] *m, f* Glasbläser(in) *m(f)*

S

souffr|ance [sufrãs] f Leiden n; **en ~** unerledigt; **~ant, ~ante** [-ã, -ãt] erkrankt; *air:* leidend

souffre-douleur [sufrədulœr] m (pl unv) Prügelknabe m

souffreteu|x, ~se [sufrətø, -z] leidend, kränklich

souffrir [sufrir] (2f) leiden (*de* an dat); *admettre* erdulden; *supporter* aushalten; **ne pas pouvoir ~ qn** j-n nicht leiden können

soufre [sufrə] m chim Schwefel m

souhait [swɛ] m Wunsch m; **à ~** nach Wunsch; **à vos ~s!** Gesundheit!

souhait|able [swɛtablə] wünschenswert; **~er** (1b) wünschen (*qc à qn* j-m etw); **~ que** (+ subj) wünschen, dass

souiller [suje] (1a) besudeln, beschmutzen

soûl, ~e [su, -l] betrunken; **manger tout son soûl** F sich ordentlich satt essen

soulag|ement [sulaʒmã] m Erleichterung f; *douleur, maladie:* Linderung f; **~er** (1l) erleichtern; *douleur, maladie:* lindern; **~ qn au travail:** j-n entlasten

soulèvement [sulɛvmã] m Aufstand m

soulever [sulve] (1d) hochheben; *fig enthousiasme:* hervorrufen; *protestations:* auslösen; *problème:* aufwerfen; *difficultés:* verursachen; **se ~** sich aufrichten; *se révolter* sich empören

soulier [sulje] m Schuh m

souligner [suliɲe] (1a) unterstreichen (a fig)

soumettre [sumɛtrə] (4p) *pays, peuple:* unterwerfen; *à un examen:* unterziehen; *présenter* unterbreiten; **se ~ à** sich fügen (dat)

soumis, ~e [sumi, -z] p/p de **soumettre** et adj *peuple:* unterworfen; *obéissant* gefügig

soumission [sumisjõ] f *peuple:* Unterwerfung f; *obéissance* Gefügigkeit f, Gehorsam m; *jur* Angebot n

soupape [supap] f tech Ventil n

soupçon [supsõ] m Argwohn m, Verdacht m; **un ~ de** e-e Spur von

soupçonn|er [supsɔne] (1a) *personne:* verdächtigen; **~ que** vermuten, argwöhnen, dass; **~eux, ~euse** [-ø, -øz] argwöhnisch, misstrauisch

soupe [sup] f cuis Suppe f

soupente [supãt] f Hängeboden m

souper [supe] **1.** (1a) nach einer Abendveranstaltung essen; **2.** m Essen n nach einer Abendveranstaltung

soupeser [supəze] (1d) mit der Hand abwiegen; *fig* abwägen

soupière [supjɛr] f Suppenschüssel f

soupir [supir] m Seufzer m

soupirail [supiraj] m (pl -aux) Kellerfenster n

soupirant [supirã] m plais Verehrer m

soupirer [supire] (1a) seufzen; litt schmachten

soupl|e [suplə] biegsam, geschmeidig; *fig* anpassungsfähig, flexibel; **~esse** [-ɛs] f Biegsamkeit f, Geschmeidigkeit f, *fig* Flexibilität f

source [surs] f Quelle f; *fig* Ursprung m; **prendre sa ~ dans** entspringen in (dat)

sourc|il [sursi] m anat Augenbraue f; **~iller** [-ije] (1a) **sans ~** ohne mit der Wimper zu zucken

sourcilleu|x, ~se [sursijø, -z] kleinlich

sourd, ~e [sur, -d] *qui entend mal* schwerhörig; *qui n'entend pas du tout* taub; *voix, douleur, colère:* dumpf; *ling* stimmlos

sourdine [surdin] f mus Dämpfer m; **en ~** leise; *fig* **mettre une ~ à qc** etw (acc) dämpfen

sourd-muet, sourde-muette [surmɥɛ, surdmɥɛt] taubstumm

souriant, ~e [surjã, -t] freundlich, heiter

souricière [surisjɛr] f Mausefalle f; *fig* Falle f

sourire [surir] **1.** (4r) lächeln; **2.** m Lächeln n

souris [suri] f Maus f

sournois, ~e [surnwa, -z] **1.** adj hinterhältig, heimtückisch; **2.** m, f Duckmäuser(in) m(f); **~erie** [-zri] f Hinterhältigkeit f

sous [su] unter (acc, dat), unterhalb (gén); **~ la main** bei der Hand; **~ terre** unter der Erde; **~ peine d'amende** bei Geldstrafe; **~ peu** binnen kurzem; **~ prétexte de** (+ inf) unter dem Vorwand zu (+ inf); **~ forme de** in Gestalt von; **~ ce rapport** in dieser Hinsicht; **~ mes yeux** vor meinen Augen; **mettre ~ enveloppe** in e-n Umschlag stecken

sous... [su...] in Zssgn unter..., Unter...

sous-alimenté, ~e [suzalimãte] unterernährt

sous-bois [subwa] *m* Unterholz *n*

souscription [suskripsjõ] *f* Subskription *f*; *comm* Zeichnung *f*

souscrire [suskrir] *(4f)* unterschreiben; **~ à qc** *publication*: etw *(acc)* subskribieren; *emprunt*: etw *(acc)* zeichnen; *fig* etw *(acc)* gutheißen

sous-développ|é, ~ée [sudevlɔpe] unterentwickelt; **pays m sousdéveloppé** Entwicklungsland *n*; **~ement** [-mã] *m* Unterentwicklung *f*

sous-emploi [suzãplwa] *m* Unterbeschäftigung *f*

sous-enten|dre [suzãtãdr] *(4a)* mit darunter verstehen, stillschweigend annehmen; **~du, ~due** [-dy] **1.** *adj* unausgesprochen; **2.** *m* Andeutung *f*

sous-estimer [suzɛstime] *(1a)* unterschätzen

sous-jacent, ~e [suʒasã, -t] *problème*: tiefer liegend

sous-loca|taire [sulɔkatɛr] *m, f* Untermieter(in) *m(f)*; **~tion** *f* Untermiete *f*

sous|-louer [sulwe] *(1a)* untervermieten; **~main** [-mɛ̃] *m (pl unv)* Schreibunterlage *f*; **en ~** unter der Hand, heimlich; **~marin, ~marine** [-marɛ̃, -marin] **1.** *adj* unterseeisch, Unterwasser...; **2.** *m* U-Boot *n*, Unterseeboot *n*

sous-officier [suzɔfisje] *m* Unteroffizier *m*

sous|-préfecture [suprefɛktyr] *f* Unterpräfektur *f*; **~produit** [-prɔdɥi] *m* Nebenprodukt *n*; **~secrétaire** [-skreter] *m* **~ d'État** Unterstaatssekretär *m*

soussigné, ~e [susiɲe] *m, f* Unterzeichnete(r) *m, f*

sous|-sol [susɔl] *m géol* Untergrund *m*; *maison*: Untergeschoss *n*; **~titre** [-titrə] *m* Untertitel *m*

sous|traction [sustraksjõ] *f jur* Unterschlagung *f*; *math* Subtraktion *f*; **~traire** [-trer] *(4s)* unterschlagen; *fig au regard de qn*: entziehen; *à un danger*: bewahren (**à** vor *dat*); *math* subtrahieren, abziehen (**de** von)

sous-trait|ance [sutretãs] *f écon attribution*: Vergabe *f* von Aufträgen an Zulieferer; *exécution*: Ausführung *f* von Aufträgen als Zulieferer; **~eur** *m*

Zulieferer *m*

sous-vêtement [suvetmã] *m le plus souvent au pl* **~s** Unterwäsche *f*

soutane [sutan] *f égl* S(o)utane *f*

soute [sut] *f mar, aviat* Laderaum *m*

souten|able [sutnablə] haltbar, vertretbar; **~ance** *f université*: Rigorosum *n*; **~eur** *m* Zuhälter *m*

soutenir [sutnir] *(2h)* stützen; *voûte*: tragen; *fig gouvernement, projet*: unterstützen; *attaque, pression*: aushalten; *conversation, opinion*: aufrechterhalten; *prétendre* behaupten; *aider* beistehen (**qn** j-m); **se ~** einander (*dat*) beistehen

soutenu, ~e [sutny] anhaltend, beständig; *style*: gehoben

souterrain, ~e [sutɛrɛ̃, -ɛn] **1.** *adj* unterirdisch; **2.** *m* unterirdischer Gang *m*, Stollen *m*

soutien [sutjɛ̃] *m* Stütze *f (a fig)*; *aide* Beistand *m*; **~-gorge** [-gɔrʒ] *m (pl soutiens-gorge)* Büstenhalter *m*

soutirer [sutire] *(1a) vin*: abziehen; **~ qc à qn** etw von j-m erschwindeln

souvenir [suvnir] **1.** *(2h)* **se ~** sich (*acc*) erinnern (**de** an *acc*, **que** dass); **2.** *m* Erinnerung *f*; *objet*: Souvenir *n*, Andenken *n*

souvent [suvã] oft(mals); **assez ~** öfter; **moins ~** seltener; **le plus ~** meistens

souver|ain, ~aine [suvrɛ̃, -ɛn] **1.** *adj* höchste(r, -s); *pol* souverän; **2.** *m, f* Herrscher(in) *m(f)*, Souverän *m*; **~ai-nement** [-ɛnmã] *adv* äußerst; **~aineté** [-ɛnte] *f état*: Souveränität *f*; *souverain*: Herrschaft(sgewalt) *f*

soviétique [sɔvjetik] *hist* **1.** *adj* sowjetisch; **2.** ♀ *m, f* Sowjetbürger(in) *m(f)*

soyeu|x, ~se [swajø, -z] seidig

spacieu|x, ~se [spasjø, -z] geräumig

sparadrap [sparadra] *m* Heftpflaster *n*

spasm|e [spasmə] *m méd* Krampf *m*; **~odique** [-ɔdik] krampfartig, spastisch

spatial, ~e [spasjal] *(m/pl -aux)* räumlich; *univers*: Weltraum...; **recherches** *f/pl* **spatiales** Weltraumforschung *f*

spatule [spatyl] *f* Spachtel *m*; *cuis* Teigschaber *m*

speaker [spikœr, spikrin] *m, f radio, TV* Ansager(in) *m(f)*

spécial, ~e [spesjal] *(m/pl -aux)* be-

S

sondere(r, -s), speziell; Sonder...;
~ement [-mã] *adv* speziell; **~iser** (1a)
se ~ sich spezialisieren; **~iste** m, f
Spezialist(in) m(f), Fachmann m; *médecin*: Facharzt m, -ärztin f; **~ité** f *cuis*
Spezialität f; *professionnelle*: Fachgebiet n

spécieu|x, ~se [spesjø, -z] trügerisch,
Schein...

spécif|ier [spesifje] (1a) spezifizieren,
genau angeben; **~ique** spezifisch, arteigen

spécimen [spesimɛn] m *bot, zo, art*:
Exemplar n; *livre*: Probeexemplar n,
Muster n

spectacle [spɛktaklə] m Anblick m;
théâtre, cinéma: Vorstellung f

spectaculaire [spɛktakylɛr] Aufsehen
erregend, spektakulär

specta|teur, ~trice [spɛktatœr, -tris] m,
f Zuschauer(in) m(f)

spectre [spɛktrə] m Gespenst n; *phys*
Spektrum n

spécula|teur, ~trice [spekylatœr, -tris]
m, f Spekulant(in) m(f); **~tif, ~tive** [-tif,
-tiv] spekulativ; **~tion** f Spekulation f

spéculer [spekyle] (1a) spekulieren
(**sur** auf *acc*)

speech [spitʃ] m kurze Rede f

spéléologie [speleɔlɔʒi] f Höhlenforschung f

sperme [spɛrm] m *biol* Sperma n

sphère [sfɛr] f *math* Kugel f; *fig* Bereich
m, Sphäre f

sphérique [sferik] kugelförmig; *math*
sphärisch

sphincter [sfɛktɛr] m *anat* Schließmuskel m

sphinx [sfɛks] m Sphinx f

spirale [spiral] f Spirale f

spire [spir] f (Spiral-, Schrauben-)
Windung f

spiritualité [spiritɥalite] f Geistigkeit f

spirituel, ~le [spiritɥɛl] geistig; *rel*
geistlich; *amusant* geistreich

spiritueux [spiritɥø] m/pl Spirituosen
f/pl

spleen [splin] *litt* m Schwermut f

splend|eur [splãdœr] f Glanz m, Pracht
f; **~ide** [-id] glänzend, prächtig

spoliation [spɔljasjõ] f Raub m

spolier [spɔlje] (1a) berauben

spongieu|x, ~se [spõʒjø, -z] schwammig

sponsor [spõsɔr] m Sponsor(in) m(f);
~iser (1a) sponsern

spontané, ~e [spõtane] spontan; **~ité**
[-neite] f Spontaneität f

sporadique [spɔradik] vereinzelt auftretend, sporadisch

sport [spɔr] **1.** m Sport m; *faire du ~*
Sport treiben; **2.** *adj* sportlich

sporti|f, ~ve [spɔrtif, -v] **1.** *adj* sportlich,
Sport...; **2.** m, f Sportler(in) m(f)

sprint [sprint] m *final*: (End-)Spurt m;
cyclisme, athlétisme: Sprint m

spumeu|x, ~se [spymø, -z] schaumig

square [skwar] m kleine Grünanlage f

squelette [skəlɛt] m *anat* Skelett n

St (*abr saint*) hl. (heiliger) *od* St.
(Sankt)

stabilisa|teur, ~trice [stabilizatœr,
-tris] **1.** *adj* stabilisierend; **2.** m Stabilisator m; **~tion** f *prix, devise*: Stabilisierung f

stabil|iser [stabilize] (1a) *prix, devise,
tech* stabilisieren; *régime, institution*:
festigen; **~ité** f *prix, devise*: Stabilität f;
échaffaudage: Standfestigkeit f; *~ des
prix* Preisstabilität f

stable [stablə] *prix, devise, situation*:
stabil; *échaffaudage*: standfest

stade [stad] m **1.** *sport*: Stadion n,
Sportplatz m; **2.** *processus*: Stadium n,
Phase f, Abschnitt m

stage [staʒ] m Praktikum n; *avocat,
professeur*: Referendarzeit f; *de perfectionnement*: Lehrgang m

stagiaire [staʒjɛr] m, f Praktikant(in)
m(f); *avocat, professeur*: Referendar(in) m(f)

stagn|ant, ~ante [stagnã, -ãt] *eau*:
stehend; *fig* stagnierend; **~ation** f *écon*
Stagnation f, Stockung f

stalle [stal] f *cheval*: (Pferde-)Box f; *~s*
pl *égl* Chorgestühl n

stand [stãd] m *foire*: Ausstellungs-,
Messestand m

standard [stãdar] m **1.** Standard m;
modèle ~ Standardmodell n; **2.** *tél*
Telefonzentrale f

standard|isation [stãdardizasjõ] f
Standardisierung f, Vereinheitlichung
f, Normung f; **~iser** (1a) standardisieren, vereinheitlichen, normen; **~iste**
m, f *tél* Telefonist(in) m(f)

standing [stãdiŋ] m (*soziale u wirtschaftliche*) Stellung f, Status m; *... de*

studio

grand ~ Luxus...

star [star] *f* Filmstar *m*

starter [starter] *m auto* Choke *m*

station [stasjõ] *f* Station *f*; *métro*: Haltestelle *f*; *vacances*: Kur-, Ferienort *m*; ~ **de sports d'hiver** Wintersportort *m*

station|aire [stasjɔnɛr] stationär, gleich bleibend; **~ement** [-mã] *m auto* Parken *n*; *mil* Stationierung *f*; **~er** (*1a*) parken

station-service [stasjõsɛrvis] *f* (*pl stations-service*) Tankstelle *f*

statique [statik] statisch; *fig* unbewegt

statistique [statistik] **1.** *adj* statistisch; **2.** *f* Statistik *f*

statue [staty] *f* Statue *f*, Standbild *n*

statuer [statɥe] (*1n*) *jur* ~ *sur qc* über etw (*acc*) entscheiden

stature [statyr] *f* Statur *f*, Wuchs *m*; *fig* Format *n*

statut [staty] *m* Status *m*; ~ *social* sozialer Status *m*; **~s** *pl* Statuten *n/pl*, Satzung *f*

Ste (*abr sainte*) hl. (heilige) *od* St. (Sankt)

stencil [stɛnsil] *m* Matrize *f*

sténodactylo [stenɔdaktilo] *f* Stenotypistin *f*

sténograph|e [stenograf] *m, f* Stenograf(in) *m(f)*; **~ie** [-i] *f* Stenografie *f*, Kurzschrift *f*; **~ier** [-je] (*1a*) (mit) stenografieren

steppe [stɛp] *f géogr* Steppe *f*

stéréo|phonie [stereo(fɔni)] *f* Stereo *n*; *en stéréo* in Stereo

stéréo|phonique [stereo(fɔnik)] *adj* Stereo...

stéréotypé, ~e [stereɔtipe] stereotyp

stéril|e [steril] *méd u fig* steril, unfruchtbar; *lait, instruments*: steril, keimfrei; **~iser** (*1a*) *méd* sterilisieren, unfruchtbar machen; *lait, instruments*: sterilisieren, keimfrei machen; **~ité** *f méd u fig* Sterilität *f*, Unfruchtbarkeit *f*

sternum [stɛrnɔm] *m anat* Brustbein *n*

stéthoscope [stetɔskɔp] *m méd* Hörrohr *n*, Stethoskop *n*

stigmat|e [stigmat] *m rel u fig* Stigma *n*; **~iser** (*1a*) brandmarken

stimul|ant, ~ante [stimylã, ãt] **1.** *adj* stimulierend, anregend; **2.** *m* Anreiz *m*, Ansporn *m*; *phm* Anregungsmittel *n*; **~ateur** [-atœr] *m méd* ~ *cardiaque*

Herzschrittmacher *m*; **~er** (*1a*) *personne, ambition*: anspornen; *sexuellement*: stimulieren, erregen; *appétit*: anregen; **~us** [-ys] *m* (*pl le plus souvent stimuli*) *psych* Reiz *m*

stipul|ation [stipylasjõ] *f jur* Vereinbarung *f*, Bestimmung *f*, Klausel *f*; **~er** (*1a*) *jur* vereinbaren, festlegen

stock [stɔk] *m comm* Lagerbestand *m*; *fig* réserve Vorrat *m*; **~age** *m* Lagerung *f*; **~er** (*1a*) lagern, aufstapeln

stoïcisme [stɔisism(ə)] *m phil* Stoizismus *m*; *fig* Gleichmut *m*

stoïque [stɔik] standhaft, unerschütterlich

stomacal, ~e [stɔmakal] (*m/pl -aux*) *anat* Magen...

stop [stɔp] **1.** stopp!, halt!; **2.** *m écriteau*: Stoppschild *n*; *auto* (*feu m*) ~ Bremslicht *n*; F *faire du* ~ per Anhalter fahren

stopper [stɔpe] (*1a*) *v/t* anhalten; *machine*: abstellen; *v/i* halten, stoppen

store [stɔr] *m fenêtre*: Rollo *n*; *magasin, terrasse*: Markise *f*

strabisme [strabism(ə)] *m méd* Schielen *n*

strapontin [strapõtɛ̃] *m* Klappsitz *m*

stratagème [strataʒɛm] *m mil* Kriegslist *f*; *allg* List *f*

stratég|ie [strateʒi] *f* Strategie *f*; **~ique** strategisch

stratifié, ~e [stratifje] *géol, tech* geschichtet

stratus [stratys] *m* Schichtwolke *f*

stress [strɛs] *m* Stress *m*; **~ant, ~ante** stressig

strict, ~e [strikt] streng, strikt, genau; *au sens strict* im engeren Sinn; *le strict nécessaire* das (Aller-)Nötigste

strident, ~e [stridã, -t] schrill, kreischend

strie [stri] *f* Streifen *m*, Rille *f*

strip-tease [striptiz] *m* Striptease *m od n*

strophe [strɔf] *f* Strophe *f*

structuration [stryktyrasjõ] *f* Strukturierung *f*

structure [stryktyr] *f* Struktur *f*, Aufbau *m*

stuc [styk] *m* Stuck *m*

studieu|x, ~se [stydjø, -z] fleißig, eifrig

studio [stydjo] *m* **1.** *radio, TV* Studio *n*; *artiste, photographe*: Atelier *n*; **2.** *ap-*

partement Einzimmerwohnung *f*, Appartement *n*

stupé|faction [stypefaksjõ] *f* höchstes Erstaunen *n*, Verblüffung *f*; ~fait, ~faite [-fɛ, -fɛt] verblüfft; ~fiant, ~fiante [-fjã, -fjãt] 1. *adj* verblüffend; 2. *m* Rauschgift *n*; ~fier [-fje] (1a) verblüffen

stupeur [stypœr] *f* Betroffenheit *f*, Bestürzung *f*

stupid|e [stypid] dumm; ~ité *f* Dummheit *f*

style [stil] *m* Stil *m*

styl|isé, ~isée [stilize] stilisiert; ~iste *m* mode, industrie: Designer(in) *m(f)*; ~istique [-istik] 1. *adj* stilistisch; 2. *f* Stilistik *f*

stylo [stilo] *m* Füller *m*, Füllfederhalter *m*; ~ à bille od ~-bille (pl stylos à bille od stylos-billes) Kugelschreiber *m*; ~-feutre [-føtrə] *m* (pl stylos-feutres) Filzschreiber *m*

su, ~e [sy] *p/p de* savoir, *au su de tous* mit aller Wissen

suaire [sɥɛr] *m* Leichentuch *n*

suave [sɥav] lieblich

subalterne [sybaltɛrn] 1. *adj* subaltern, untergeordnet; 2. *m, f* Untergebene(r) *m, f*

subconscient [sybkõsjã] *m* Unterbewusstsein *n*

subdivision [sybdivizjõ] *f* action: Unterteilung *f*; partie: Unterabteilung *f*

subir [sybir] (2a) passivement: erleiden; consciemment: ertragen; ~ un examen médical (une opération) sich e-r ärztlichen Untersuchung (e-r Operation) unterziehen

subit, ~e [sybi, -t] plötzlich, jäh; ~ement [-tmã] *adv* plötzlich

subjecti|f, ~ve [sybʒɛktif, -v] subjektiv

subjonctif [sybʒõktif] *m gr* Konjunktiv *m*

subjuguer [sybʒyge] (1m) *fig* unterwerfen

sublime [syblim] erhaben

submerger [sybmɛrʒe] (1l) unter Wasser setzen; *fig* überwältigen

subordination [sybordinasjõ] *f* Unterordnung *f* (a gr)

subordonn|é, ~ée [sybordone] 1. *adj* untergeordnet; 2. *m, f* Untergebene(r) *m, f*; 3. *f gr* Nebensatz *m*; ~er (1a) unterordnen, unterstellen

suborner [syborne] (1a) *jur* bestechen

subrepticement [sybrɛptismã] *adv* heimlich

subsid|e [sybzid, sypsid] *m* Zuschuss *m*; le plus souvent au pl ~s Hilfsgelder *n/pl*; ~iaire [-jer] zusätzlich, Hilfs...

subsist|ance [sybzistãs] *f* (Lebens-)Unterhalt *m*; ~er (1a) fortbestehen; personne: existieren

substance [sypstãs] *f* Substanz *f*, Stoff *m*; *fig* Gehalt *m*; en ~ im Wesentlichen

substantiel, ~le [sypstãsjɛl] nourriture: kräftig, nahrhaft; *fig* wesentlich, substanziell

substantif [sypstãtif] *m gr* Substantiv *n*, Hauptwort *n*

substit|uer [sypstitɥe] (1n) ersetzen (qc à qc etw durch etw); ~ution [-ysjõ] *f* Ersetzen *n*

subterfuge [syptɛrfyʒ] *m* List *f*; échappatoire Ausflucht *f*

subtil, ~e [syptil] différence: fein, subtil; personne: scharfsinnig; péj spitzfindig; ~iser (1a) F stibitzen (qc à qn j-m etw); ~ité *f* Scharfsinn *m*; péj Spitzfindigkeit *f*; ~s pl Feinheiten *f/pl*

suburbain, ~e [sybyrbɛ̃, -ɛn] vorstädtisch, Vorstadt..., Vorort...

subvenir [sybvənir] (2h) ~ à qc für etw aufkommen, sorgen

subventi|on [sybvãsjõ] *f* Subvention *f*, Zuschuss *m*; ~onner [-ɔne] (1a) subventionieren

subvers|if, ~ive [sybvɛrsif, -iv] subversiv, umstürzlerisch; ~ion *f* Umsturz *m*

suc [syk] *m* Saft *m*

succédané [syksedane] *m* Ersatz (mittel) *m(n)*

succéder [syksede] (1f) ~ à qn, qc auf j-n, etw folgen; successeur: ~ à qn j-m nachfolgen; se ~ aufeinander folgen

succès [syksɛ] *m* Erfolg *m*; avec ~ erfolgreich; sans ~ erfolglos

success|eur [syksesœr] *m* Nachfolger *m*; ~if, ~ive [-if, -iv] aufeinander folgend; ~ion *f* suite (Aufeinander-)Folge *f*; héritage Erbschaft *f*; jur, roi: Erbfolge *f*; ~ivement [-ivmã] *adv* nacheinander

succinct, ~e [syksɛ̃, -t] knapp, kurz gefasst

succion [sy(k)sjõ] *f* Saugen *n*

succomber [sykõbe] (1a) mourir sterben; ~ à qc e-r Sache erliegen

succulent, ~e [sykylā, -t] köstlich

succursale [sykyrsal] *f comm* Filiale *f*

sucer [syse] (*1k*) saugen; *pastille:* lutschen

sucette [sysɛt] *f bonbon:* Lutscher *m*; *bébé:* Schnuller *m*

sucr|e [sykrə] *m* Zucker *m*; **~é, ~ée** süß; *au sucre:* gezuckert; *péj* süßlich; **~er** (*1a*) süßen; *avec sucre:* zuckern; **~eries** [-əri] *f/pl* Süßigkeiten *f/pl*; **~ier** [-ije] *m* Zuckerdose *f*

sud [syd] **1.** *m* Süden *m*; *au ~ de* südlich von; **2.** *adj* südlich; *côte f ~* Südküste *f*

sud-est [sydɛst] *m* Südosten *m*

sud-ouest [sydwɛst] *m* Südwesten *m*

Suède [suɛd] *la ~* Schweden *n*

suédois, ~e [syedwa, -z] **1.** *adj* schwedisch; **2.** ♀ *m, f* Schwede *m*, Schwedin *f*

suée [sue] *f* Schweißausbruch *m*

suer [sue] (*1n*) *v/i* schwitzen; *v/t* ausschwitzen

sueur [sɥœr] *f* Schweiß *m*

suffire [syfir] (*4o*) genügen, ausreichen (*à qn* j-m, *pour qc* für etw); *il suffit de* (+ *inf*) *od que* (+ *subj*) es genügt zu (+ *inf*) *od* dass

suffis|amment [syfizamā] *adv* genügend, genug (*de ...*); **~ance** *f* Selbstgefälligkeit *f*; **~ant, ~ante** [-ā, -āt] genügend, ausreichend; *arrogant* selbstgefällig

suffixe [syfiks] *m ling* Suffix *n*, Nachsilbe *f*

suffo|cant, ~cante [syfɔkā, -kāt] stickig, erdrückend; *fig* verblüffend; **~cation** [-kasjō] *f* Ersticken *n*; **~quer** [-ke] (*1m*) *v/i* fast ersticken; *v/t* ersticken; *fig* den Atem verschlagen (*qn* j-m)

suffrage [syfraʒ] *m* Stimme *f*; *fig* **~s** *pl* Beifall *m*; **~ universel** allgemeines Wahlrecht *n*

suggérer [sygʒere] (*1f*) **~ qc à qn** *conseiller* j-m etw nahe legen; *insinuer* j-m etw einsuggerieren; **~ qc** *faire naître* etw anregen

suggestion [sygʒɛstjō] *f* Anregung *f*; *psych* Suggestion *f*

suicid|e [suisid] *m* Selbstmord *m*; **~é, ~ée** *m, f* Selbstmörder(in) *m(f)*; **~er** (*1a*) *se ~* Selbstmord begehen, sich (*dat*) das Leben nehmen

suie [sɥi] *f* Ruß *m*

suif [sɥif] *m* Talg *m*

suinter [sɥēte] (*1a*) durchsickern; *mur:* schwitzen

suiss|e [sɥis] **1.** *adj* schweizerisch; **2.** ♀ *m, f* Schweizer(in) *m(f)*; **3.** *la* ♀ die Schweiz; **4.** *m égl* Kirchendiener *m*

suite [sɥit] *f* Folge *f*; *série* Reihe *f*, Folge *f*; *continuation* Fortsetzung *f*; **~s** *pl conséquences* Folgen *pl*; *faire ~ à qc* auf etw (*acc*) folgen; *prendre la ~ de qn* j-s Nachfolge antreten; *donner ~ à* stattgeben; *de ~* hintereinander; *et ainsi de ~* und so fort; *par ~ de* infolge (+ *gén*); *tout de ~* sogleich; *par la ~* später; *à la ~ de* nach

suivant, ~e [sɥivā, -t] **1.** *adj* folgende(r, -s); *au suivant!* der Nächste!; **2.** *prép suivant* (je) nach, gemäß; **3.** *conj suivant que* je nachdem, ob

suivi, ~e [sɥivi] *travail, effort:* fortgesetzt; *relations:* regelmäßig; *argumentation:* folgerichtig

suivre [sɥivrə] (*4h*) folgen (*qn* j-m); *discours, actualité:* verfolgen; *traitement:* befolgen; *accompagner* begleiten; *à l'école:* mitkommen; *cours:* besuchen; *faire ~! lettre:* bitte nachsenden!; *à ~* Fortsetzung folgt

sujet, ~te [syʒɛ, -t] **1.** *adj* **~ à qc** anfällig gegen etw, zu etw neigend; **2.** *m gr, phil* Subjekt *n*; *thème* Thema *n*; *matière* Gegenstand *m*; *raison* Grund *m*; *ce sujet* darüber; *au sujet de* hinsichtlich

sulfur|eux, ~euse [sylfyrø, -øz] Schwefel...; **~ique** *chim acide m ~* Schwefelsäure *f*

summum [sɔmɔm] *m* Höhepunkt *m*, Gipfel *m*

super [sypɛr] **1.** *adj* F super, Spitze; **2.** *m essence:* Super *n*

super... [sypɛr] *in Zssgn* super..., Super...

superbe [sypɛrb] prächtig, herrlich

supercherie [sypɛrʃəri] *f* Betrug *m*

superfic|iel [sypɛrfisi] *f fig aspect superficiel* Oberfläche *f*; *surface, étendue:* Fläche *f*; **~iel, ~ielle** [-jɛl] oberflächlich

superflu, ~e [sypɛrfly] **1.** *adj* überflüssig; **2.** *m* Überflüssige(s) *n*

supérieur, ~e [sypɛrjœr] **1.** *adj* höher (gelegen), obere(r, -s), Ober...; *fig* überlegen (*à qn, à qc* j-m, e-r Sache), höher (als); **2.** *m, f* Vorgesetzte(r) *m, f*

supériorité [sypɛrjɔrite] *f* Überlegenheit *f*

S

superlatif [syperlatif] *m gr u fig* Superlativ *m*

supermarché [sypermarʃe] *m* Supermarkt *m*

superposer [syperpoze] (*1a*) übereinander legen; **se ~** sich überlagern

super-puissance [syperpɥisɑ̃s] *f* Supermacht *f*

supersonique [sypersɔnik] Überschall...

superstit|ieux, ~ieuse [syperstisjø, -jøz] abergläubisch; **~ion** *f* Aberglaube *m*

superstructure [syperstryktyr] *f* Überbau *m* (*a fig*)

superviser [sypervize] (*1a*) beaufsichtigen

supplanter [syplɑ̃te] (*1a*) verdrängen

supplé|ant, ~ante [sypleɑ̃, -ɑ̃t] **1.** *adj* stellvertretend; **2.** *m, f* Stellvertreter(in) *m(f)*; **~er** (*1a*) **~ à qc** *remplacer* etw ersetzen; *remédier à* e-r Sache abhelfen; **~ment** *m* Zusatz *m*, Ergänzung *f*; *livre*: Nachtrag *m*; *revue*: Beilage *f*; *financier*: Zulage *f*; *chemin de fer*: Zuschlag *m*; *marchandise*: Aufpreis *m*; **~mentaire** [-mɑ̃ter] zusätzlich, ergänzend; *heure f ~* Überstunde *f*

suppliant, ~e [syplijɑ̃, -t] flehend

supplication [syplikasjɔ̃] *f* inständige Bitte *f*, Flehen *n*

supplic|e [syplis] *m* Folter *f*; *fig* Marter *f*, Qual *f*; **~ier** [-je] (*1a*) martern, foltern

supplier [syplije] (*1a*) **~ qn de** (*+ inf*) j-n anflehen zu (*+ inf*)

supplique [syplik] *litt f* Bittgesuch *n*

support [sypɔr] *m* Stütze *f*, Ständer *m*; *EDV* **~ de données** Datenträger *m*

support|able [sypɔrtabl] erträglich; **~er**[1] *m tech, arch* tragen, stützen; *conséquences, frais*: tragen; *chaleur, alcool*: vertragen; *douleur*: aushalten; *personne*: ausstehen

supporter[2] [sypɔrter] *m sport*: Anhänger *m*

suppos|é, ~ée [sypoze] mutmaßlich; **~er** (*1a*) annehmen, vermuten; *impliquer* voraussetzen; **à ~ que, en supposant que** (*+ subj*) angenommen, gesetzt den Fall; **~ition** *f* Annahme *f*, Vermutung *f*

suppositoire [sypozitwar] *m phm* Zäpfchen *n*

suppression [sypresjɔ̃] *f* Beseitigung *f*, Aufhebung *f*

supprimer [syprime] (*1a*) beseitigen; *institution, impôt*: abschaffen; *emplois*: abbauen; **~ qn** j-n umbringen

suppurer [sypyre] (*1a*) eitern

supputer [sypyte] (*1a*) *st/s* berechnen, abschätzen

supranational, ~e [sypranasjonal] (*m/pl -aux*) übernational

suprématie [sypremasi] *f pol* Oberhoheit *f*; *fig* Vormachtstellung *f*, Vorherrschaft *f*

suprême [syprem] höchste(r, -s), oberste(r, -s)

sur[1] [syr] *prép* auf, über; **une fenêtre ~ la rue** ein Fenster zur Straße hin; **tirer ~ qn** auf j-n schießen; **~ une rivière** an e-m Fluss (gelegen); **la clé est ~ la porte** der Schlüssel steckt; **avoir de l'argent ~ soi** Geld bei sich haben; **~ le soir** gegen Abend; **~ ce** und nun; **être le point de** (*+ inf*) gerade dabei sein zu (*+ inf*); **coup ~ coup** Schlag auf Schlag; **~ mesure** nach Maß; **croire qn ~ parole** j-m aufs Wort glauben; **~ mon honneur!** bei meiner Ehre!; **impôt ~ ...** Steuer auf...; **un ~ dix** einer unter zehn

sur[2]**, ~e** [syr] *adj* sauer

sûr, ~e [syr] sicher, gewiss; *fiable* zuverlässig; **~ de soi** selbstsicher; **être ~ de son fait** seiner Sache sicher sein; **bien sûr!** natürlich!; **à coup sûr** ganz gewiss

sur... [syr] *in Zssgn* über..., Über...

surabond|ance [syrabɔ̃dɑ̃s] *f* Überfülle *f* (**de** an *dat*); **~er** (*1a*) im Überfluss vorhanden sein

suranné, ~e [syrane] überlebt, veraltet

surboum [syrbum] *f* F Party *f*

surcharg|e [syrʃarʒ] *f* Überlastung *f*; *poids excédentaire* Übergewicht *n*; **~er** (*1l*) überlasten; *de décorations*: überladen

surchauffer [syrʃofe] (*1a*) *tech* überhitzen; *salle*: überheizen

surclasser [syrklase] (*1a*) deklassieren, weit übertreffen

surcroît [syrkrwa] *m* Zuwachs *m*; **un ~ de travail** zusätzliche Arbeit *f*; **de, par ~** überdies

surdité [syrdite] *f* Schwerhörigkeit *f*; *complète*: Taubheit *f*

surdoué, ~e [syrdwe] hoch begabt

sureau [syro] m (pl -x) bot Holunder m

surélever [syrelve] (1d) tech erhöhen

sûrement [syrmã] adv sicher(lich)

surench|ère [syrãʃɛr] f vente aux enchères: Übergebot n; **~érir** [-erir] (2a) überbieten, höher bieten; fig noch e-n Schritt weitergehen

surestimer [syrestime] (1a) überschätzen

sûreté [syrte] f Sicherheit f; mil Sicherung f; ☌ police: Sicherheitspolizei f

surexciter [syreksite] (1a) überreizen

surexposer [syrekspoze] (1a) photographie: überbelichten

surf [sœrf] m Surfen n

surface [syrfas] f Oberfläche f; math Fläche f; comm **grande ~** Verbrauchermarkt m; **remonter à la ~** wieder auftauchen (a fig)

surfait, ~e [syrfɛ, -t] überschätzt

surfer [sœrfe] (1a) surfen; **~ sur Internet** im Internet surfen

surgelé, ~e [syrʒəle] tiefgekühlt, -gefroren

surgir [syrʒir] (2a) plötzlich auftauchen

surhumain, ~e [syrymẽ, -ɛn] übermenschlich

sur-le-champ [syrləʃã] auf der Stelle, sofort

surlendemain [syrlãdmẽ] m übernächster Tag m

surmen|age [syrmənaʒ] m Überarbeitung f; **~er** (1d) überanstrengen; **se ~** sich überarbeiten

surmont|able [syrmõtablə] überwindbar; **~er** (1a) überragen; fig überwinden, bezwingen

surnager [syrnaʒe] (1l) obenauf schwimmen; fig bestehen bleiben

surnaturel, ~le [syrnatyrɛl] übernatürlich

surnom [syrnõ] m Beiname m; entre amis: Spitzname m

surnombre [syrnõbrə] m **en ~** überzählig

surnommer [syrnɔme] (1a) **~ qn** j-m e-n Beinamen geben

surpasser [syrpase] (1a) **~ qn** j-n übertreffen

surpeupl|é, ~ée [syrpœple] pays: überbevölkert; endroit: übervölkert; **~ement** [-əmã] m pays: Überbevölkerung f

surplomb [syrplõ] m **en ~** vorspringend, überhängend

surplomber [syrplõbe] (1a) v/i überhängen; v/t überragen

surplus [syrply] m Überschuss m; **au ~** im Übrigen

surprenant, ~e [syrprənã, -t] überraschend, erstaunlich

surprendre [syrprãdrə] (4q) überraschen; ennemi: überrumpeln; voleur: erwischen; **se ~ à** (+ inf) sich dabei ertappen, dass

surpris, ~e [syrpri, -z] p/p de **surprendre** u adj überrascht; **être ~ que** (+ subj) sich wundern, dass

surprise [syrpriz] f Überraschung f; **~-partie** [-parti] f (pl surprises-parties) Party f

surréalisme [syrealismə] m Surrealismus m

sursaut [syrso] m Auffahren n, Aufschrecken n; colère: Ausbruch m

sursauter [syrsote] (1a) auffahren, aufschrecken

surseoir [syrswar] (3l) **~ à** jur aufschieben

sursis [syrsi] m jur Aufschub m, Aussetzung f; mil Zurückstellung f; jur **avec ~** mit Bewährung

sursitaire [syrsiter] m mil Zurückgestellte(r) m

surtaxe [syrtaks] f poste: Strafporto n; administration: Zuschlagsgebühr f

surtout [syrtu] adv besonders, vor allem; **~ pas** ja nicht; conj F **~ que** zumal

surveill|ance [syrvejãs] f Überwachung f; gardiens: Aufsicht f; **~ant, ~ante** [-ã, -ãt] m, f Aufseher(in) m(f); **~er** (1b) überwachen; gardien: beaufsichtigen; **se ~** auf sich (acc) Acht geben

survenir [syrvənir] (2h) personne: (unerwartet) erscheinen; événement: sich plötzlich ereignen

survêtement [syrvɛtmã] m Trainingsanzug m

survie [syrvi] f Überleben n; rel Fortleben n nach dem Tode

survivant, ~e [syrvivã, -t] **1.** adj überlebend; **2.** m, f Überlebende(r) m, f; de personne: Hinterbliebene(r) m, f

survivre [syrvivrə] (4e) **~ à qn, à qc** j-n, etw überleben

survol [syrvɔl] m Überfliegen n; **~er**

S

(1a) überfliegen *(a fig)*

sus (sy(s)) *en ~ de* außer

suscept|ibilité [sysɛptibilite] *f* Empfindlichkeit *f*; **~ible** empfindlich; *être ~ de* (+ *inf*) *personne*: fähig sein zu (+ *inf*)

susciter [sysite] *(1a)* hervorrufen, erregen

suspect, ~e [syspɛ(kt), -kt] verdächtig (*de qc* e-r Sache); **~er** [-kte] *(1a)* verdächtigen

suspendre [syspɑ̃dra] *(4a)* aufhängen; *session, travaux*: unterbrechen; *fonctionnaire*: suspendieren; *paiements*: vorübergehend einstellen

suspendu, ~e [syspɑ̃dy] aufgehängt, hängend; *voiture*: gefedert

suspens [syspɑ̃] *en ~* in der Schwebe; *fig* unentschieden

suspense [syspɛns] *m* Spannung *f*

suspension [syspɑ̃sjõ] *f session, travaux*: Unterbrechung *f*; *fonctionnaire*: Suspendierung *f*; *tech* Aufhängung *f*; *auto* Federung *f*; *points m/pl de ~* Auslassungspunkte *m/pl*

suspicion [syspisjõ] *st/s f* Argwohn *m*

sustenter [systɑ̃te] *(1a) plais se ~* sich nähren

susurrer [sysyre] *(1a)* flüstern, säuseln

suture [sytyr] *f méd* Naht *f*

svelte [svɛlt] schlank

S.V.P. *(abr s'il vous plaît)* bitte

sweater [switœr] *m* Pullover *m*; dicke Strickjacke *f*

syllabe [silab] *f* Silbe *f*

sylviculture [silvikyltyr] *f* Forstwirtschaft *f*

symbiose [sɛ̃bjoz] *f biol* Symbiose *f*

symbol|e [sɛ̃bɔl] *m* Symbol *n*, Sinnbild *n*; **~ique** symbolisch, sinnbildlich; **~iser** *(1a)* symbolisieren; **~isme** *m* Symbolismus *m*

symétri|e [simetri] *f* Symmetrie *f*; **~ique** symmetrisch

sympa [sɛ̃pa] **F** *abr →* **sympathique**

sympath|ie [sɛ̃pati] *f* Sympathie *f*; *chagrin*: Anteilnahme *f*; **~ique** sympathisch; **~iser** *(1a)* sympathisieren (*avec qn* mit j-m)

symphon|ie [sɛ̃fɔni] *f mus* Symphonie *f*, Sinfonie *f*; **~ique** sinfonisch

symptôme [sɛ̃ptom] *m* Symptom *n*

synagogue [sinagɔg] *f* Synagoge *f*

synchronis|ation [sɛ̃krɔnizasjõ] *f* Synchronisierung *f*; **~er** *(1a)* synchronisieren

syncope [sɛ̃kɔp] *f mus* Synkope *f*; *méd* Ohnmacht *f*

syndic [sɛ̃dik] *m* Verwalter *m*; **~al, ~ale** *(m/pl -aux)* gewerkschaftlich, Gewerkschafts...; **~aliser** [-alize] *(1a)* gewerkschaftlich organisieren; **~aliste** [-alist] **1.** *adj* Gewerkschafts...; **2.** *m, f* Gewerkschaftler(in) *m(f)*

syndicat [sɛ̃dika] *m* Gewerkschaft *f*; **~ d'initiative** Fremdenverkehrsamt *n*

syndiqué, ~e [sɛ̃dike] gewerkschaftlich organisiert

syndrome [sɛ̃drom] *m méd* Syndrom *n*

synode [sinɔd] *m* Synode *f*

synonyme [sinɔnim] **1.** *adj* synonym, gleichbedeutend (*de* mit); **2.** *m* Synonym *n*

syntaxe [sɛ̃taks] *f gr* Syntax *f*, Satzlehre *f*

synthèse [sɛ̃tɛz] *f* Synthese *f*

synthétique [sɛ̃tetik] synthetisch

synthétiseur [sɛ̃tetizœr] *m mus* Synthesizer *m*

Syrie [siri] *la ~* Syrien *n*

syrien, ~ne [sirjɛ̃, -ɛn] **1.** *adj* syrisch; **2.** ♀ *m, f* Syrer(in) *m(f)*

systémat|ique [sistematik] systematisch; **~iser** *(1a)* systematisieren

système [sistɛm] *m* System *n*; **~ métrique** metrisches Maßsystem *n*; *EDV* **~ d'exploitation** Betriebssystem *n*; **~ monétaire** Währungsordnung *f*; **F le ~ D** *(débrouillard)* die nötigen Tricks (um sich aus der Affäre zu ziehen)

S

T

ta [ta] → **ton²**

tabac [taba] *m* Tabak *m*; **bureau** *od* **débit** *m* **de** ~ Tabakladen *m*

tabagisme [tabaʒismə] *m* Nikotinsucht *f*

tabatière [tabatjɛr] *f* Tabaksdose *f*

table [tablə] *f* Tisch *m*; *repas de fête*: Tafel *f*; *liste* Tabelle *f*; ~ **pliante** Klapptisch *m*; ~ **des matières** Inhaltsverzeichnis *n*; **à** ~! zu Tisch!; ~ **ronde** Gesprächsrunde *f*; **se mettre à** ~ sich zu Tisch setzen; F auspacken

tableau [tablo] *m* (*pl* -x) *école*: (Wand-)Tafel *f*; *art*: Gemälde *n*; *description* Schilderung *f*; *liste* Liste *f*; *schéma* Tabelle *f*; ~ **d'affichage** Anschlagtafel *f*, ~ **de bord** Armaturenbrett *n*

tablette [tablɛt] *f* Brett *n*, Ablageplatte *f*; ~ **de chocolat** Tafel *f* Schokolade

tablier [tablije] *m* Schürze *f*

tabou [tabu] **1.** *m* Tabu *n*; **2.** *adj* (*unv od f* ~**e**, *pl* ~**[e]s**) tabu

tabouret [taburɛ] *m* Schemel *m*, Hocker *m*

tac [tak] *m* **répondre du** ~ **au** ~ schlagfertig sein

tache [taʃ] *f* Fleck *m*; *fig* Fehler *m*, Makel *m*; ~**s** *pl* **de rousseur** Sommersprossen *f/pl*

tâche [tɑʃ] *f* Aufgabe *f*; **à la** ~ im Akkord

tacher [taʃe] (*1a*) fleckig machen

tâcher [tɑʃe] (*1a*) ~ **de** (+ *inf*) versuchen, sich bemühen zu (+ *inf*); ~ **que** (+ *subj*) zusehen, dass

tacheté, ~e [taʃte] gefleckt, gesprenkelt

tachymètre [takimɛtrə] *m tech* Tachometer *m*

tacite [tasit] stillschweigend

taciturne [tasityrn] schweigsam

tact [takt] *m sens*: Tastsinn *m*; *fig* Takt *m*

tactile [taktil] Tast...; ~**ique 1.** *adj* taktisch; **2.** *f* Taktik *f*

taffetas [tafta] *m* Taft *m*

taie [tɛ] *f* ~ **(d'oreiller)** Kopfkissenbezug *m*

taillant [tajɑ̃] *m* Schneide *f* (*e-s Werkzeugs*)

taille¹ [taj] *f arbre*: Beschneiden *n*,

Schnitt *m*; *pierre*: Behauen *n*

taille² [taj] *f hauteur* (Körper-)Größe *f*; *stature* Statur *f*, Wuchs *m*, Figur *f*; *anat* Taille *f*; *fig* Größe *f*, Bedeutung *f*; **être de** ~ **à** (+ *inf*) fähig sein zu (+ *inf*); F **de** ~ gewaltig

taille-crayon(s) [tajkrɛjõ] *m* (*pl unv*) Bleistiftspitzer *m*

tailler [taje] (*1a*) *arbre*: beschneiden; *vêtement*: zuschneiden; *crayon*: spitzen; *diamant*: schleifen; *pierre*: behauen; ~**eur** *m couturier* Schneider *m*; *vêtement*: Kostüm *n*; ~ **de diamants** Diamantschleifer *m*

taillis [taji] *m* Unterholz *n*

taire [tɛr] (*4aa*) verschweigen; **se** ~ schweigen (**sur qc** über etw); *s'arrêter de parler* verstummen

talc [talk] *m* Körperpuder *m*

talent [talɑ̃] *m* Talent *n*, Begabung *f*

talentueu|x, ~se [talɑ̃tɥø, -z] talentiert, begabt

talon [talõ] *m anat* Ferse *f*; *chaussure*: Absatz *m*; *chèque*: Stammabschnitt *m*

talonner [talɔne] (*1a*) hart verfolgen; bedrängen

talus [taly] *m* Abhang *m*, Böschung *f*

tambour [tɑ̃bur] *m mus, tech* Trommel *f*; ~**iner** [-ine] (*1a*) trommeln

tamis [tami] *m* Sieb *n*

Tamise [tamiz] **la** ~ die Themse

tamiser [tamize] (*1a*) sieben; *lumière*: dämpfen

tampon [tɑ̃põ] *m ouate*: Wattebausch *m*; *hygiène féminine*: Tampon *m*; *amortisseur* Puffer *m*; *cachet* Stempel *m*; ~ **encreur** Stempelkissen *n*; ~ **buvard** Löscher *m*

tamponn|ement [tɑ̃pɔnmã] *m* Zusammenstoß *m*; ~**er** (*1a*) zustopfen; *plaie*: abtupfen; *timbre*: abstempeln; *auto* prallen auf (*acc*); ~**euse auto** *f* ~ Autoskooter *m*

tandem [tɑ̃dɛm] *m* Tandem *n*; *fig* Gespann *n*

tandis que [tɑ̃di(s)kə] während (*zeitlich u gegensätzlich*)

tangent, ~e [tɑ̃ʒɑ̃, -t] **1.** *adj math* berührend; F knapp; **2.** *f math* Tangente *f*;

F ***prendre la tangente*** verduften

tangible [tãʒiblə] greifbar

tango [tãgo] *m* Tango *m*

tanière [tanjɛr] *f* Höhle *f* (*der wilden Tiere*); *fig* Schlupfwinkel *m*

tank [tãk] *m* Tank *m*; *mil* Panzer *m*; **~er** [-ɛr] *m mar* Tanker *m*

tann|é, ~ée [tane] gegerbt; *peau*: braun gebrannt; **~er** (*1a*) gerben; *fig* F belästigen, nerven; **~erie** *f* Gerberei *f*; **~eur** *m* Gerber *m*

tant [tã] **1.** *adv* so viel, so sehr; **~ il est vrai que** das bestätigt, dass; **~ bien que mal** so einigermaßen; *moyennement* mittelmäßig; **~ mieux** um so besser; **~ pis** schade, da kann man nichts machen; **~ pis pour lui** sein Pech; **2.** *conj* **~ que** solange; **~ qu'à faire!** wenn schon, denn schon!; **~ et si bien que** so weit, dass; **~ s'est que** (+ *subj*) sofern; **en ~ que Français** als Franzose; **~ ... que** sowohl ... als auch

tante [tãt] *f* Tante *f*

tantième [tãtjɛm] *m comm* Gewinnanteil *m*

tantôt [tãto] **1. à ~** bis heute Nachmittag; **2. ~ ... ~ ...** bald ..., bald ...

taon [tã] *m zo* Bremse *f*

tapag|e [tapaʒ] *m* Lärm *m*; *fig* Wirbel *m*; *jur* **~ nocturne** nächtliche Ruhestörung *f*; **~eur, ~euse** *voyant* auffallend; *bruyant* lärmend

tape [tap] *f* Klaps *m*

tape-à-l'œil [tapalœj] (*unv*) protzig

tapecul [tapky] *m* Wippe *f*; *auto* F Klapperkasten *m*

tapée [tape] *f* F Menge *f*, Haufen *m*

taper [tape] (*1a*) *v/t* schlagen, klopfen; F **~ (à la machine)** tippen; *v/i* schlagen; F **~ sur les nerfs de qn** j-m auf die Nerven gehen; **~ dans l'œil de qn** j-m in die Augen stechen; *soleil*: **~ (dur)** heiß brennen; F **se ~ qc** sich (*dat*) etw gönnen

tapette [tapɛt] *f tapis*: Teppichklopfer *m*; *insectes*: Fliegenklatsche *f*

tap|i, ~ie [tapi] zusammengekauert; *caché* versteckt; **~ir** (*2a*) **se ~** sich ducken

tapis [tapi] *m* Teppich *m*; *sport*: Matte *f*; **~ roulant** *tech* Förderband *n*; *pour personnes*: Fahrsteig *m*; **~ vert** Spieltisch *m*; *fig* **mettre sur le ~** zur Sprache bringen

tapiss|er [tapise] (*1a*) tapezieren; **~erie**

f Wandteppich *m*; **~ier, ~ière** [-je, -jɛr] *m ~ (décorateur)* Tapezierer *m*

tapoter [tapɔte] (*1a*) leicht klopfen; *personne*: betätscheln; *mus* F klimpern

taquet [takɛ] *m* Pflock *m*; *cale* Keil *m*

taqu|in, ~ine [takɛ̃, -in] schalkhaft, schelmisch; **~iner** [-ine] (*1a*) hänseln, necken; **~inerie** [-inri] *f* Neckerei *f*, Hänselei *f*

tarabiscoté, ~e [tarabiskɔte] überladen

tarabuster [tarabyste] (*1a*) drängen

tard [tar] *adv* spät; **au plus ~** spätestens; **pas plus ~ que** erst; **sur le ~** in vorgerücktem Alter; **~ dans la nuit** spät in der Nacht; **il se fait ~** es wird spät

tard|er [tarde] (*1a*) zögern; *arriver tard* spät kommen; **ne pas ~ à faire qc** bald etw tun; **il me tarde de** (+ *inf*) ich sehne mich danach, zu (+ *inf*); **il me tarde que** (+ *subj*) ich sehne mich danach, dass; **~if, ~ive** [-if, -iv] spät (eintretend, reifend)

tare [tar] *f* **1.** *comm* Verpackungsgewicht *n*; **2.** Fehler *m*; *produit*: Mangel *m*; *personne*: Makel *m*

targuer [targe] (*1m*) *st/s* **se ~ de qc** sich mit etw brüsten

tarif [tarif] *m* Tarif *m*, Gebühr *f*; **~ de nuit** *él* Nachttarif *m*; *tél* Nachtgebühr *f*; **~er** (*1a*) den Tarif festsetzen für

tarin [tarɛ̃] *m zo* Zeisig *m*; *arg* Nase *f*, Zinken *m* F

tarir [tarir] (*2a*) *v/t rivière*: austrocknen; *source*: versiegen lassen; *fig* erschöpfen; *v/i rivière*: austrocknen; *source*: versiegen; *conversation*: stocken; **se ~** versiegen

tarte [tart] *f* Torte *f*; *fruit*: Obstkuchen *m*

tartelette [tartǝlet] *f* Törtchen *n*

tartin|e [tartin] *f* bestrichene Brotschnitte *f*; **~ de beurre** Butterbrot *n*; **~er** (*1a*) bestreichen; **fromage m à ~** Streichkäse *m*

tartre [tartrǝ] *m dents*: Zahnstein *m*; *chaudière*: Kesselstein *m*

tas [tã] *m* Haufen *m*; *quantité* Menge *f*; **formé sur le ~** am Arbeitsplatz gebildet

tasse [tãs] *f* Tasse *f*; **une ~ de café** e-e Tasse Kaffee; **une ~ à café** e-e Kaffeetasse

tassement [tãsmã] *m* Sichsenken *n*

tasser [tãse] (*1a*) feststampfen; **se ~**

sich senken; F *fig problème*: sich geben, wieder in Ordnung kommen

tâter [tɑte] (*1a*) befühlen, betasten; *fig* sondieren; F *~ de qc* etw (*acc*) probieren

tatillon, ~onne [tatijõ, -ɔn] pedantisch

tâtonner [tɑtɔne] (*1a*) herumtappen; *fig* tastende Versuche machen

tâtons [tɑtõ] *adv* *à ~* tastend, tappend

tatou|age [tatwaʒ] *m action*: Tätowieren *n*; *signe*: Tätowierung *f*; **~er** (*1a*) tätowieren

taudis [todi] *m* Elendswohnung *f*, F Loch *n*

taule [tol] *f arg prison* Kittchen *n*, Knast *m*

taupe [top] *f zo* Maulwurf *m*

taureau [tɔro] *m* (*pl -x*) *zo* Stier *m*, Bulle *m*; ♋ *astrologie*: Stier *m*

tauromachie [tɔrɔmaʃi] *f* Stierkampf *m*

taux [to] *m* Quote *f*, Satz *m*; *bourse*: Kurs *m*; *pourcentage* Prozentsatz *m*; *~ d'alcool* Alkoholspiegel *m*; *~ de change* Wechselkurs *m*; *~ d'escompte* Diskontsatz *m*; *~ d'expansion* Wachstumsrate *f*; *(de l'intérêt)* Zinsfuß *m*, -satz *m*; *~ de mortalité* Sterblichkeitsziffer *f*

taverne [tavɛrn] *f* Taverne *f*

tax|e [taks] *f* Gebühr *f*; *impôt* Steuer *f*; *~ sur od à la valeur ajoutée* (*abr* **T.V.A.**) Mehrwertsteuer *f*; *~ de séjour* Kurtaxe *f*; *~ professionnelle* Gewerbesteuer *f*; **~er** (*1a*) *prix*: festsetzen; *fig* *~ qn de qc* j-n e-r Sache beschuldigen; *~ qn de* j-n bezeichnen als

taxi [taksi] *m* Taxi *n*; **~mètre** [-mɛtrə] *m* Taxameter *m*; **~phone** [-fɔn] *m* Münzfernsprecher *m*

tchécoslova|que [tʃekɔslɔvak] **1.** *adj* tschechoslowakisch; **2.** ♋ *m, f* Tschechoslowake *m*, Tschechoslowakin *f*

Tchécoslovaquie [tʃekɔslɔvaki] *la ~* die Tschechoslowakei

tchèque [tʃɛk] **1.** *adj* tschechisch; **2.** ♋ *m, f* Tscheche *m*, Tschechin *f*

te [t(ə)] dich; dir

technicien, ~ne [tɛknisjɛ̃, -jɛn] *m, f* Techniker(in) *m(f)*

technique [tɛknik] **1.** *adj* technisch; Fach...; *terme m* ~ Fachausdruck *m*; **2.** *f* Technik *f*

techno|crate [tɛknɔkrat] *m* Technokrat *m*; **~cratie** [-krasi] *f* Technokratie *f*;

~logie [-lɔʒi] *f* Technologie *f*; **~ informatique** Computertechnik *f*; **~logique** [-lɔʒik] technologisch

teck [tɛk] *m bot* Teakbaum *m*; *bois*: Teakholz *n*

teckel [tekel] *m zo* Dackel *m*

teigne [tɛɲ] *f méd* Krätze *f*

teindre [tɛ̃drə] (*4b*) färben

teint, ~e [tɛ̃, -t] **1.** *adj* gefärbt; *bon od grand teint* (*unv*) farbecht; **2.** *m* Teint *m*, Gesichtsfarbe *f*; *fond ~ de ~* Make-up *n*; **3.** *f* Farbton *m*

teinter [tɛ̃te] (*1a*) tönen; *bois*: beizen

teintur|e [tɛ̃tyr] *f action*: Färben *n*; *produit*: Färbemittel *n*; *phm* Tinktur *f*; **~erie** [-tyrri] *f* chemische Reinigung *f*

tel, ~le [tɛl] **1.** *adj* solche(r, -s), solch ein(e), so ein(e), derartig; *tel(s) od telle(s) que* wie zum Beispiel (*vor e-r Aufzählung*); *tel quel* unverändert, im alten Zustand; *prendre la chose telle quelle* die Sache nehmen, wie sie ist; *rien de tel que* es gibt nichts Besseres als; *à tel point que* so sehr, dass; *tel jour* an dem und dem Tag; **2.** *Monsieur Un tel* Herr Sowieso

télé [tele] *f* F *abr* → **télévision**

télé... [tele] *in Zssgn* fern..., Fern...; Fernseh...

télé|benne [telebɛn] *f* Kabinenseilbahn *f*; **~charger** [-farʒe] *EDV* downloaden; **~commande** [-kɔmɑ̃d] *f* Fernsteuerung *f*; *téléviseur*: Fernbedienung *f*; **~commander** (*1a*) fernsteuern; **~communication** [-kɔmynikasjõ] *f le plus souvent au pl* **~s** Fernmeldetechnik *f*, -wesen *n*; **~conférence** [-kõferɑ̃s] *f* Telekonferenz; **~férique** [-ferik] → **téléphérique**

télé|gramme [-gram] *m* Telegramm *n*; *par* ~ telegrafisch; **~graphe** [-graf] *m* Telegraf *m*; **~graphie** [-grafi] *f* Telegrafie *f*; **~graphier** [-grafje] (*1a*) telegrafieren

télé|guidage [telegidaʒ] *m* Fernlenkung *f*; **~guider** [-gide] (*1a*) fernlenken

téléinformatique [teleɛ̃fɔrmatik] *f* Datenfernverarbeitung *f*

téléobjectif [teleɔbʒɛktif] Teleobjektiv *n*

téléphérique [teleferik] *m* (Draht-) Seilbahn *f*

téléphon|e [telefɔn] *m* Telefon *n*; *~ n*

portable Handy n; **abonné** m **au ~** Fernsprechteilnehmer m; **coup m de ~** Anruf m; **par ~** telefonisch; **avoir le ~** Telefon haben; **~er** (1a) v/i telefonieren; **~ à qn** j-n anrufen; v/t telefonisch durchsagen; **~ique** telefonisch, Fernsprech..., fernmündlich; **cabine** f **~** Fernsprechzelle f; **appel** m **~** Anruf m; **~iste** m, f Telefonist(in) m(f)

télescopage [teleskɔpaʒ] m Zusammenstoß m, Auffahren n

télescop|e [teleskɔp] m Teleskop n, Fernrohr n; **~er** (1a) zusammenstoßen mit, auffahren auf (acc); **se ~** zusammenstoßen; **~ique** ausziehbar

téléscripteur [teleskriptœr] m Fernschreiber m

télé|siège [telesjɛʒ] m Sessellift m; **~ski** m Schlepplift m

téléspecta|teur [telespɛktatœr, -tris] m, f Fernsehzuschauer(in) m(f)

télévis|é, ~ée [televize] im Fernsehen übertragen, Fernseh...; **~eur** m Fernsehgerät n, Fernseher m; **~ion** f Fernsehen n; **téléviseur** Fernsehgerät n, Fernseher m; **~ câblée** Kabelfernsehen n

télex [telɛks] m Telex n

tellement [tɛlmã] adv so, derartig, so sehr, so viel

témér|aire [temerer] tollkühn; **~ité** f Tollkühnheit f

témoign|age [temwaɲaʒ] m Zeugnis n; jur Zeugenaussage f; **~er** (1a) v/t bekunden; v/i jur als Zeuge aussagen; **~ de qc** personne: etw (acc) bezeugen; chose: von etw zeugen

témoin [temwɛ̃] m Zeuge m, Zeugin f; fig preuve Beweis m; **appartement** m **~** Musterwohnung f

tempe [tãp] f anat Schläfe f

tempérament [tãperamã] m **1.** Temperament n, Veranlagung f, Wesensart f; **avoir du ~** Temperament haben; **2. à ~** auf Abzahlung, in Raten; **achat** m **à ~** Ratenkauf m

tempérance [tãperãs] f Enthaltsamkeit f

tempér|ature [tãperatyr] f Temperatur f; **avoir de la ~** Fieber haben; **~é, ~ée** gemäßigt; **~er** (1f) mildern

tempête [tãpɛt] f Sturm m (a fig)

temple [tãplə] m Tempel m; protestant: Kirche f

tempor|aire [tãpɔrer] zeitweilig, vorübergehend; **~el, ~elle** rel zeitlich, irdisch; gr Temporal...

temporiser [tãpɔrize] (1a) abwarten

temps [tã] m **1.** Zeit f; mus, tech Takt m; **mesure** f **à trois ~** Dreivierteltakt m; **moteur** m **à deux ~** Zweitaktmotor m; **à ~** rechtzeitig, beizeiten; **de ~ à autre, de ~ en ~** von Zeit zu Zeit; (**ne pas**) **avoir le ~** (keine) Zeit haben; **tout le ~** ständig; **dans le ~** ehemals; **de mon ~** zu meiner Zeit; **en tout ~** zu jeder Zeit; **du ~ que** als; **il est ~ de** (+ inf) es ist Zeit zu (+ inf); **il est ~ que** (+ subj) es ist Zeit, dass; **il est grand ~** es ist höchste Zeit; **de tout ~** von jeher; **en même ~** gleichzeitig, zugleich; **au bon vieux ~** in der guten, alten Zeit; **2.** atmosphérique: Wetter n; **par beau ~** bei schönem Wetter; **quel ~ fait-il?** wie ist das Wetter?

tenace [tənas] hartnäckig

ténacité [tenasite] f Hartnäckigkeit f

tenailles [t(ə)naj] f/pl Kneifzange f

tenanc|ier, ~ière [tənãsje, -jer] m, f Inhaber(in) m(f)

tendanc|e [tãdãs] f Tendenz f, Neigung f; pol, art: Richtung f; mode, bourse: Trend m; **~ieux, ~ieuse** [-jø, -jøz] tendenziös

tendon [tãdõ] m anat Sehne f

tendre[1] [tãdrə] (4a) spannen; piège: stellen; bras: ausstrecken; **~ la main** die Hand reichen (à fig); **~ à qc** streben: nach etw streben; chose: auf etw (acc) abzielen

tendre[2] [tãdrə] adj couleur, viande: zart; affectueux zärtlich, liebevoll; fig âge m **~** Kindheit f

tendresse [tãdres] f Zärtlichkeit f

tendron [tãdrõ] m bot Spross m

tendu, ~e [tãdy] (an)gespannt (a fig)

ténèbres [tenɛbrə] f/pl Finsternis f

ténébreu|x, ~se [tenebrø, -z] finster

teneur[2] [tənœr] f lettre: Wortlaut m; concentration Gehalt m (**en** an dat); **~ en alcool** Alkoholgehalt m

ténia [tenja] m zo Bandwurm m

tenir [t(ə)nir] (2h) **1.** v/t halten, festhalten; posséder haben, besitzen; registre, caisse, comptes, restaurant: führen; place: einnehmen, haben; promesse: halten; **~ pour** halten für; **~ compte de qc** etw (acc) berücksichtigen; *auto* ~ *(bien) la route* gut auf der Straße liegen; ~ *qc de qn* etw von j-m haben; ~ *parole* sein Wort halten; ~ *au chaud* warm halten; F ~ *le coup* durchhalten; **2.** *v/t indirect* ~ *à qc, qn donner de l'importance à* Wert auf etw, j-n legen; ~ *à dépendre de* liegen an (*dat*), kommen von; *cela ne tient qu'à toi* das hängt nur von dir ab; ~ *de qn* j-m ähnlich sein, j-m nachschlagen; **3.** *v/i* halten; ~ *bon* standhalten; **4.** *se* ~ *spectacle*: stattfinden; *s'accrocher* sich (fest)halten (*à* an *dat*); *se* ~ *mal* sich schlecht benehmen; *s'en* ~ *à* an etw (*dat*) halten; *en rester à* qc es bei etw bewenden lassen

tennis [tenis] *m* Tennis *n*; *(chaussures f/pl de)* ~ Tennisschuhe *m/pl*

ténor [tenɔr] *m mus* Tenor *m*

tension [tɑ̃sjɔ̃] *f* Spannung *f* (*a* él); *méd* Blutdruck *m*

tentacule [tɑ̃takyl] *m zo* Fangarm *m*

tentant, ~e [tɑ̃tɑ̃, -t] verlockend, reizvoll

tentation [tɑ̃tasjɔ̃] *f* Versuchung *f*, Verlockung *f*

tentative [tɑ̃tativ] *f* Versuch *m*

tente [tɑ̃t] *f* Zelt *n*; *dresser, monter, planter (démonter) une* ~ ein Zelt aufschlagen (abbrechen)

tenter [tɑ̃te] (*1a*) *inciter au péché* in Versuchung bringen; *séduire* verlocken, reizen; *essayer* wagen; *être tenté(e) de* (+ *inf*) in Versuchung kommen *od* versucht sein zu (+ *inf*); ~ *de* (+ *inf*) versuchen zu (+ *inf*)

tenture [tɑ̃tyr] *f* Wandbehang *m*, (Stoff-)Tapete *f*

tenu, ~e [t(ə)ny] *p/p de tenir u adj ~ à qc* zu etw verpflichtet; *être ~ de faire qc* gehalten sein, etw zu tun; *bien* ~ gepflegt; *mal* ~ verwahrlost

ténu, ~e [teny] dünn, fein

tenue [t(ə)ny] *f comptes, ménage*: Führung *f*; *conduite* Betragen *n*, Benehmen *n*; *du corps*: Haltung *f*; *vêtements* Kleidung *f*, *mil* Uniform *f*; *en grande* ~ in Paradeuniform; *auto* ~ *de route* Straßenlage *f*

térébenthine [terebɑ̃tin] *f* Terpentin *n*

tergiverser [tɛrʒivɛrse] (*1a*) Ausflüchte, Winkelzüge machen

terme [tɛrm] *m* **1.** *fin* Ende *n*; *échéance* Termin *m*, Frist *f*; *à court, moyen,*

long ~ kurz-, mittel-, langfristig; *mener à* ~ abschließen; **2.** *expression* Ausdruck *m*, Wort *n*; ~ *technique* Fachausdruck *m*; **3.** *être en bons* ~*s avec qn* mit j-m auf gutem Fuß stehen

termin|aison [tɛrminɛzɔ̃] *f gr* Endung *f*, ~*al*, ~*ale* (*m/pl -aux*) **1.** *adj* End..., Schluss...; **2.** *m EDV* Terminal *m od n*; **3.** *f école*: Abiturklasse *f*; ~*er* (*1a*) abschließen, beenden; *se* ~*ending* (*par mit*), zu Ende gehen; *se* ~ *en pointe* spitz auslaufen

terminologie [tɛrminɔlɔʒi] *f* Fachsprache *f*, Terminologie *f*

terminus [tɛrminys] *m* Endstation *f*

tern|e [tɛrn] matt, glanzlos; *fig* eintönig; ~*ir* (*2a*) matt, glanzlos machen; *fig* trüben

terrain [tɛrɛ̃] *m* Gelände *n*, Terrain *n* (*a fig*); *sol* Boden *m*; *propriété* Grundstück *n*; *géol* Formation *f*; ~ *à bâtir* Bauplatz *m*; ~ *de jeu* Spielplatz *m*; ~ *de camping* Camping-, Zeltplatz *m*; ~ *d'aviation* Flugplatz *m*; *véhicule m tout* ~ Geländefahrzeug *n*

terrass|e [teras] *f* Terrasse *f*; ~*ement* [-mɑ̃] *m* (*travaux m/pl de*) ~ Erdarbeiten *f/pl*; ~*er* (*1a*) *adversaire*: niederstrecken, -schlagen; *maladie*: niederwerfen; ~*ier* [-je] *m* Erdarbeiter *m*

terre [tɛr] *f* Erde *f*, *opposé à mer*: Land *n*; *propriété* Grundbesitz *m*; *monde* Welt *f*; ~ *cuite* Terrakotta *f*; ~ *ferme* Festland *n*; ~ *à* ~ prosaisch, nüchtern; *à od par* ~ auf dem (den) Boden; *pomme f de* ~ Kartoffel *f*; *sur (la)* ~ auf der Erde *od* Welt; *la* ⌂ *Sainte* das Heilige Land; *de, en* ~ tönern, aus Ton

terreau [tɛro] *m* (*pl -x*) Gartenerde *f*, Humus *m*

Terre-Neuve [tɛrnœv] **1.** *f* Neufundland *n*; **2.** ⌂ *m* (*pl unv*) *zo* Neufundländer *m*

terre-plein [tɛrplɛ̃] *m* (*pl terre-pleins*) Erdaufschüttung *f*; ~ *central* Mittelstreifen *m*

terrer [tɛre] (*1a*) *agr* häufeln; *se* ~ *animal*: sich verkriechen

terrestre [tɛrɛstr] Land..., Erd...

terreur [tɛrœr] *f* Schrecken *m*; *politique*: Terror *m*

terrible [tɛribl] schrecklich, furchtbar; F *extraordinaire* gewaltig, außerordentlich; ~*ment* *adv* furchtbar

terrien, ~ne [tɛrjɛ̃, -jɛn] **1.** *adj* grund-

besitzend; **propriétaire** m ~ Grund-besitzer; **2.** m, f Erdbewohner(in) m(f)
terrier [tɛrje] m Bau m (e-s *Tiers*); *zo* Terrier m
terrifier [terifje] (*1a*) in Schrecken versetzen
terril [teril] m Abraumhalde f
terrine [terin] f *récipient*: tiefe Ton-schüssel f; *cuis* Pastete f
territoire [teritwar] m Territorium n, (Hoheits-)Gebiet n
territorial, ~e [teritɔrjal] (*m/pl -aux*) territorial, Gebiets...; **eaux** f/pl **terri-toriales** Hoheitsgewässer n/pl
terroir [terwar] m *viticulture*: Boden m; *région* Gegend f, Region f
terror|iser [terɔrize] (*1a*) terrorisieren; **~isme** m Terrorismus m; **~iste 1.** adj terroristisch; **2.** m, f Terrorist(in) m(f)
tertiaire [tɛrsjer] tertiär; *écon* **secteur** m ~ Dienstleistungssektor m
tertre [tɛrtrə] m Anhöhe f
tes [te] → **ton²**
tessiture [tesityr] f *mus* Stimmlage f
tesson [tesõ] m Scherbe f
test [tɛst] m Test m; **passer des ~s** getestet werden
testament [testamã] m Testament n
tester [teste] (*1a*) testen
testicule [testikyl] m *anat* Hoden m
tétanos [tetanos] m *méd* Wundstarr-krampf m, Tetanus m
tête [tɛt] f Kopf m; *raison, cerveau* Verstand m; *aspect* Aussehen n; *partie extrême* oberer *od* vorderer Teil m; **coup** m **de ~** unüberlegte Handlung f; **~ baissée** blindlings; **la ~ basse** kleinlaut; **la ~ haute** erhobenen Hauptes; **de ~** im Kopf; **avoir la ~ dure** ein Dickkopf sein; *fig* **se casser la ~** sich den Kopf zerbrechen; **n'en faire qu'à sa ~** seinen eigenen Kopf haben; **tenir ~** die Stirn bieten; **par ~** pro Kopf; **faire une sale ~** ein saures Gesicht machen; **faire la ~** schmollen; *fig* **il se paie ta ~** er hält dich zum Narren; **~ nucléaire** Atomsprengkopf m; **en ~** an der Spitze, vorne; **à la ~ de** an der Spitze von
tête-à-tête [tɛtatɛt] m (*pl unv*) Ge-spräch n unter vier Augen
téter [tete] (*1f*) saugen
tétine [tetin] f Sauger m, Schnuller m
téton [tetõ] F m Brust f

têtu, ~e [tety] starrköpfig, eigensinnig
texte [tɛkst] m Text m; **~ complet** *EDV* Volltext m
textile [tɛkstil] **1.** adj Faser..., Textil...; **2.** m *matière*: Faserstoff m; *produit*: Tex-tilerzeugnis n; *industrie*: Textilindustrie f; **~s** pl Textilien f/pl
textuel, ~le [tɛkstɥel] wörtlich
texture [tɛkstyr] f Struktur f
T.G.V. [teʒeve] m (*abr* **train à grande vitesse**) Hochgeschwindigkeitszug m
thé [te] m Tee m; **~ dansant** Tanztee m
théâtral, ~e [teatral] (*m/pl -aux*) Theater..., Bühnen...; *fig* pathetisch, theatralisch
théâtre [teatrə] m Theater n; *litt* Drama n; *fig cadre* Schauplatz m; **pièce** f **de ~** Theaterstück n; **coup** m **de ~** Knall-effekt m; **~ en plein air** Freilichtbühne f
théière [tejer] f Teekanne f
thème [tɛm] m Thema n
théolog|ie [teɔlɔʒi] f Theologie f; **~ien** m Theologe m, Theologin f
théorème [teɔrɛm] m Lehrsatz m
théoricien, ~ne [teɔrisjẽ, -jen] m, f Theoretiker(in) m(f)
théorie [teɔri] f Theorie f
théorique [teɔrik] theoretisch
thérap|eutique [terapøtik] **1.** f Thera-peutik f; *thérapie* Therapie f; **2.** adj therapeutisch; **~ie** f Therapie f; **~ de groupe** Gruppentherapie f
thermal, ~e [tɛrmal] (*m/pl -aux*) Ther-mal...; **station** f **thermale** Thermal-kurort m
therm|es [tɛrm] m/pl hist Thermen f/pl; *établissement*: Kuranstalt f; **~ique** *phys* thermisch, Wärme...
thermo|mètre [tɛrmɔmɛtrə] m Ther-mometer n; **~plongeur** [-plõʒœr] m Tauchsieder m
thermos [tɛrmos] f *od* m Thermos-flasche f
thermostat [tɛrmɔsta] m Thermostat m
thésauriser [tezorize] (*1a*) horten
thèse [tɛz] f These f; *université*: Dis-sertation f, Doktorarbeit f
thon [tõ] m *zo* Thunfisch m
thorax [tɔraks] m *anat* Brustkorb m
thym [tẽ] m *bot* Thymian m
thyroïde [tirɔid] f *méd* Schilddrüse f
tiare [tjar] f Tiara f (*des Papstes*)
tibia [tibja] m *anat* Schienbein n

tic [tik] *m* Tick *m* (*a fig*)

ticket [tikɛ] *m théâtre, musée:* Eintrittskarte *f; bus, train:* Fahrschein *m,* -karte *f; cantine:* (Essens-)Marke *f*

tiède [tjɛd] lau (*a fig*); *eau, café:* lauwarm

tiéd|eur [tjedœr] *f* Lauheit *f;* **~ir** (*2a*) lau(warm) werden

tien, ~ne [tjɛ̃, tjɛn] *le tien, la tienne* der, die, das dein(ig)e; deine(r, -s); *F* **à la tienne!** prost!

tierce [tjɛrs] *f mus* Terz *f*

tiercé [tjɛrse] *m pari:* Dreierwette *f*

tier|s, ~ce [tjɛr, -s] **1.** *adj* dritte(r, -s); *le tiers monde* die Dritte Welt; **2.** *m math* Drittel *n;* **3.** *jur un ~* ein Dritter

tige [tiʒ] *f bot* Stängel *m,* Stiel *m; tech* Schaft *m,* Stange *f;* **~s** *pl de forage* Bohrgestänge *n*

tignasse [tiɲas] *f* Haarschopf *m,* Mähne *f*

tigr|e, ~esse [tigrə, -ɛs] *m, f zo* Tiger(in) *m(f);* **~é, ~ée** getigert, gefleckt

tilleul [tijœl] *m bot* Linde *f; boisson:* Lindenblütentee *m*

timbale [tɛ̃bal] *f* (Trink-)Becher *m; mus* (Kessel-)Pauke *f; cuis* Auflauf *m*

timbre [tɛ̃brə] *m* **1.** *sonette* Klingel *f;* **2.** *son* Klangfarbe *f;* **3.** *timbre-poste* Briefmarke *f; tampon* Stempel *m*

timbré, ~e [tɛ̃bre] gestempelt; *lettre:* frankiert

timbre-poste [tɛ̃brəpɔst] *m* (*pl timbres-poste*) Briefmarke *f*

timid|e [timid] schüchtern; **~ité** *f* Schüchternheit *f*

timon [timɔ̃] *m* Deichsel *f*

timoré, ~e [timɔre] ängstlich

tintamarre [tɛ̃tamar] *m* Krach *m,* Getöse *n*

tinter [tɛ̃te] (*1a*) *verres:* klirren; *cloches:* läuten

tique [tik] *f zo* Zecke *f*

tir [tir] *m* Schuss *m; action, sport:* Schießen *n*

tirade [tirad] *f* Tirade *f,* Wortschwall *m*

tirage [tiraʒ] *m* **1.** *loterie:* Ziehung *f;* **2.** *photographie:* Abziehen *n;* **3.** *impression* Druck *m,* Abdruck *m; exemplaires* Ausgabe *f,* Auflage *f;* **4.** *comm chèque:* Ausstellung *f;* **5.** *F difficultés* Schwierigkeiten *f/pl* Ärger *f/pl*

tirailler [tiraje] (*1a*) hin- und herziehen; *F* herumknallen

tirant [tirɑ̃] *m mar* **~ d'eau** Tiefgang *m*

tire [tir] *f arg auto* Schlitten *m; vol m à la* **~** Taschendiebstahl *m*

tiré, ~e [tire] **1.** *adj* abgespannt (*Gesichtszüge*); **2.** *m tiré à part* Sonderdruck *m*

tire-au-flanc [tiroflɑ̃] *m* (*pl unv*) F Drückeberger *m*

tire-bouchon [tirbuʃɔ̃] *m* (*pl tire-bouchons*) Korkenzieher *m*

tire-fesses [tirfɛs] F *m* (*pl unv*) Schlepplift *m*

tirelire [tirlir] *f* Sparbüchse *f*

tirer [tire] (*1a*) **1.** *v/t ziehen; sortir* herausziehen; *vers le devant:* hervorziehen; *photographie:* abziehen; *imprimer* drucken; *déduire* herleiten (*de* von); *gain:* herausholen; *plan:* zeichnen; *chèque:* ausstellen; **~ les cartes** die Karten legen; **~ avantage de qc** Vorteil aus etw ziehen; **2.** *v/i cheminée:* ziehen; *arme:* schießen, feuern; **~ à sa fin** zu Ende gehen; **~ au sort** (aus-)losen; **~ sur le bleu** ins Blaue (hinüber)spielen; **3.** *se* **~ d'affaire** sich aus der Affäre ziehen; *F* **se ~** abhauen

tir|et [tire] *m* Gedankenstrich *m;* **~eur** *m* Schütze *m; chèque:* Aussteller *m;* **~ d'élite** Scharfschütze *m;* **~euse** *f* **~ de cartes** Kartenlegerin *f*

tiroir [tirwar] *m* Schublade *f;* **~-caisse** [-kɛs] *m* (*pl tiroirs-caisses*) Registrierkasse *f*

tisane [tizan] *f* Kräutertee *m*

tis|on [tizɔ̃] *m* glimmendes Holzstück *n;* **~onnier** [-ɔnje] *m* Schürhaken *m*

tiss|age [tisaʒ] *m* Weben *n;* **~er** (*1a*) weben; *fig* anzetteln

tisserand [tisrɑ̃] *m* Weber *m*

tissu [tisy] *m* Stoff *m; biol, fig* Gewebe *n;* **~-éponge** [-epɔ̃ʒ] *m* (*pl tissus-éponges*) Frottee(stoff *m*) *m* od *n*

titre [titrə] *m* **1.** Titel *m; affiche, journal:* Überschrift *f; fonctionnaire:* Amtsbezeichnung *f;* **2.** *document:* Urkunde *f; comm* Wertpapier *n;* **à ce ~** aus diesem Grund; **à juste ~** mit vollem Recht; **à ~ d'essai** versuchsweise; **à ~ d'information** zur Kenntnisnahme; **à ~ officiel** von Amts wegen; **à ~ d'ami** als Freund; **au même ~** mit dem gleichen Recht; **en ~** beamtet; **au ~ de** gemäß

titrer [titre] (*1a*) *journal:* als Überschrift *od* Schlagzeile bringen

tituber [titybe] (*1a*) taumeln, schwanken

titulaire [titylɛr] **1.** *adj* fest angestellt; *état:* verbeamtet, ins Beamtenverhältnis übernommen; **2.** *m, f document, charge:* Inhaber(in) *m(f)*

titulariser [titylarize] (*1a*) fest anstellen; *état:* verbeamten

toast [tost] *m pain grillé* Toast *m; de bienvenue:* Trinkspruch *m*

toboggan [tɔbɔgã] *m* Rutschbahn *f; rue:* (Straßen-)Überführung *f; aviat* Notrutsche *f*

tocsin [tɔksɛ̃] *m* Sturm-, Alarmglocke *f*

toge [tɔʒ] *f* Robe *f*

tohu-bohu [tɔybɔy] *m* Tumult *m,* lärmendes Durcheinander *n*

toi [twa] du; dich; dir

toile [twal] *f* Leinen *n; écran:* Leinwand *f; peinture:* (Öl-)Gemälde *n; ~ cirée* Wachstuch *n; de od en ~* aus Leinen, Leinen..., leinen; **~ d'araignée** Spinnwebe *f*

toilette [twalɛt] *f lavage* Waschen *n; mise* Toilette *f; vêtements* Kleidung *f;* **~s** *pl* WC *n; faire sa ~* sich waschen

toi-même [twamɛm] du, dich selbst

tois|e [twaz] *f* Messstab *m;* **~er** (*1a*) **~ qn** j-s Körpergröße messen; *fig* j-n mustern

toison [twazɔ̃] *f laine* Wolle *f; cheveux:* dichtes Haar *n*

toit [twa] *m* Dach *n; fig* Haus *m; auto ~ ouvrant* Schiebedach *n*

toiture [twatyr] *f* Bedachung *f*

tôle [tol] *f* Blech *n; carrosserie* Karrosserie *f;* **~ ondulée** Wellblech *n*

tolér|able [tɔlerabl] erträglich; **~ance** *f* Toleranz *f; tech* Spielraum *m;* **~ant, ~ante** [-ã, -ãt] tolerant; **~er** (*1f*) dulden; *douleur:* ertragen; *médicament:* vertragen

tollé [tɔle] *m* Protestgeschrei *n*

tomate [tɔmat] *f bot* Tomate *f*

tomb|e [tõb] *f* Grab(stätte) *n(f);* **~eau** [-o] *m (pl -x)* Grabmal *n*

tombée [tõbe] *f à la ~ de la nuit* bei Einbruch der Nacht

tomber [tõbe] (*1a*) fallen; *personne:* stürzen; *avion, alpiniste:* abstürzen; *cheveux:* ausfallen, -gehen; *dans un certain état:* geraten, kommen; **~ dans la misère** ins Elend geraten; **~ en ruine** verfallen; **~ malade** krank werden; **~**

amoureux sich verlieben; **~ en panne** e-e Panne haben; **la nuit tombe** die Nacht bricht an; *faire ~* umwerfen; *laisser ~* fallen lassen; *fig* aufgeben; **~ sur qn** sich auf j-n stürzen; *rencontrer* j-n zufällig treffen; **~ juste** es erraten; **je suis bien tombé** ich hab's gut getroffen; **ça tombe bien** das trifft sich gut; **~ d'accord** sich einig werden, sich verständigen

tombeur [tõbœr] *m* F Frauenheld *m*

tome [tom] *m* Band *m*

ton[1](tõ] *m* Ton *m (a fig); mus* Tonart *f; fig manière de parler* Redeweise *f; il est de bon ~ de (+ inf)* es gehört sich zu *(+ inf)*

ton[2]*m,* **ta** *f,* **tes** *pl* [tõ, ta, te] dein(e) *m, n (f; pl)*

tonalité [tɔnalite] *f mus* Tonart *f; voix, radio:* Klang *m; tél* Wählton *m*

tondeuse [tõdøz] *f* Rasenmäher *m*

tondre [tõdrə] (*4a*) *mouton:* scheren; *haie:* beschneiden; *herbe:* mähen

tonifier [tɔnifje] (*1a*) stärken

tonique [tɔnik] **1.** *m* Stärkungsmittel *n,* Tonikum *n;* **2.** *f mus* Grundton *m,* Tonika *f;* **3.** *adj* kräftigend; *gr* betont

tonitruant, ~e [tɔnitryã, -t] dröhnend

tonnage [tɔnaʒ] *m* Tonnage *f*

tonn|e [tɔn] *f* Tonne *f (a Gewichtseinheit);* **~eau** [-o] *m (pl -x)* Fass *n; mar* Registertonne *f;* **~elet** [-lɛ] *m* Fässchen *n,* Tönnchen *f*

tonnelle [tɔnɛl] *f* Gartenlaube *f*

tonner [tɔne] (*1a*) donnern *(a fig)*

tonnerre [tɔnɛr] *m* Donner *m*

tonte [tõt] *f (Schaf-)Schur f,* Scheren *n; laine:* Schurwolle *f*

tonton [tõtõ] *m enf m* Onkel *m*

tonus [tɔnys] *m muscle:* Tonus *m; dynamisme* Energie *f*

top [tɔp] *m* Zeitzeichen *n,* (Signal-)Ton *m*

topaze [tɔpaz] *f* Topas *m*

tope! [tɔp] topp!, es gilt!

topo [tɔpo] F *m* Rede *f,* Ausführung *f*

topographie [tɔpɔgrafi] *f* Ortskunde *f,* Topografie *f*

toqu|e [tɔk] *f* Mütze *f;* **~é, ~ée** F verdreht, bekloppt; **~ de** verknallt in *(acc);* **~er** (*1m*) F **se ~ de** sich verknallen in *(acc)*

torche [tɔrʃ] *f* Fackel *f; électrique:* Taschenlampe *f* torchon [tɔrʃõ] m Geschirrtuch n

tordre [tɔrdrə] (4a) verdrehen; *visage*: verzerren; *linge*: auswringen; *se ~* sich krümmen, sich winden; *se ~ (de rire)* sich schieflachen; *se ~ le pied* mit dem Fuß umknicken

tordu, *~e* [tɔrdy] *fil*, *barre*: verbogen; *jambes*: krumm; *visage*: verzerrt

tornade [tɔrnad] f Wirbelsturm m, Tornado m

toron [tɔrõ] m tech Litze f

torpeur [tɔrpœr] f Betäubung f

torpill|e [tɔrpij] f mil Torpedo m; *~er* (1a) torpedieren (a fig); *~eur* m mil Torpedoboot n

torré|facteur [tɔrefaktœr] m Kaffeeröstmaschine f; *~faction* [-faksjõ] f Rösten n; *~fier* [-fje] (1a) rösten

torrent [tɔrɑ̃] m Wild-, Sturzbach m; fig Flut f, Strom m; *~entiel*, *~entielle* [-ɑ̃sjɛl] Wildwasser...; *pluie f torrentielle* Wolkenbruch m

torride [tɔrid] *climat*: glühend heiß

torse [tɔrs] m Oberkörper m; *sculpture*: Torso m

torsion [tɔrsjõ] f Verdrehung f; *pied*: Umknicken n

tort [tɔr] m 1. Unrecht n; *à ~* zu Unrecht; *à ~ et à travers* unbesonnen, ohne Überlegung; *dans son od en ~* im Unrecht; *avoir ~* Unrecht haben; *le ~ de* (+ inf) sein Fehler ist, dass; *donner ~ à qn* j-m Unrecht geben; *le conducteur est en tort, dans son tort* der Fahrer ist schuld; 2. *préjudice* Schaden m; *faire du ~ à qn* j-m schaden

torticolis [tɔrtikɔli] m méd steifer Hals m

tortill|ard [tɔrtijar] m Bummelzug m; *~er* (1a) zusammendrehen, zwirbeln; *se ~* sich winden, sich ringeln

tortionnaire [tɔrsjɔnɛr] m Folterknecht m

tortue [tɔrty] f zo Schildkröte f

tortueu|x, *~e* [tɔrtɥø, -z] gewunden (a fig); fig *manœuvres*: verborgen

tortur|e [tɔrtyr] f Folter f; fig Qual f; *~er* (1a) foltern; fig quälen, martern

torve [tɔrv] finster

toscan, *~e* [tɔskɑ̃, -an] toskanisch

Toscane [tɔskan] *la ~* die Toskana

tôt [to] adv früh, zeitig; *plus ~* früher; *le plus ~ possible* so bald wie möglich;

au plus ~ so bald wie möglich; *ne pas avant* frühestens; *pas de si ~* nicht so bald; *~ ou tard* früher oder später

total, *~e* [tɔtal] (m/pl -aux) 1. adj völlig, total; *guerre*: total; *hauteur*, *prix*: Gesamt...; 2. m argent: Gesamtbetrag m; addition: Summe f; *au total* insgesamt; *faire le total* zusammenrechnen; *~ement* [-mɑ̃] adv völlig, total; *~iser* (1a) (insgesamt) erreichen; *~ité* f Gesamtheit f

totalit|aire [tɔtaliter] pol totalitär; *~arisme* [-arismə] m pol Totalitarismus m

touchant, *~e* [tuʃɑ̃, -t] adj rührend

touche [tuʃ] f piano, machine à écrire: Taste f; peinture: Pinselstrich m; pêche: Anbeißen n; F fig personne: Aufmachung f; *~ de composition rapide* Kurzwahltaste f; football: *ligne f de ~* Seitenlinie f; F fig *mettre qn sur la ~* j-n kaltstellen; *faire une ~* e-e Eroberung machen

touche-à-tout [tuʃatu] m (pl unv) jemand, der tausend Dinge macht (und alle nur halb)

toucher[1] [tuʃe] 1. v/t (1a) berühren, anrühren; but: treffen; *émouvoir* bewegen, ergreifen; concerner betreffen, angehen; argent: einnehmen, kassieren; problème: anschneiden; terrain: stoßen an (acc); *~ qn par téléphone* j-n telefonisch erreichen; 2. v/t indirect *~ à qc* etw (acc) anfassen; réserves: angreifen; *~ au but* kurz vor dem Ziel sein; *~ à tout* fig sich mit tausend Dingen befassen; 3. *se ~* sich berühren; terrains: aneinander grenzen

toucher[2] [tuʃe] m Tastsinn m; mus Anschlag m

touff|e [tuf] f Büschel n; *~u*, *~ue* [-y] dicht

touiller [tuje] (1a) F umrühren

toujours [tuʒur] immer, stets; encore immer noch; au moins wenigstens, immerhin; pour ~ auf immer; *~ est-il que* fest steht (jedoch), dass

toupet [tupɛ] m 1. (Haar-)Büschel n, Schopf m; 2. F Frechheit f; *avoir le ~ de* (+ inf) die Frechheit besitzen zu (+ inf)

toupie [tupi] f Kreisel m

tour[1] [tur] f Turm m; *~ de forage* Bohrturm m

tour[2] [tur] m rotation Umdrehung f;

T

circonférence Umfang m; promenade (Rund-, Spazier-)Gang m; excursion Ausflug m, Tour f; voyage Reise f; tournure Wendung f; adresse: Kunststück n; ruse Trick m; tech bois, métaux: Drehbank f; potier: Töpferscheibe f; **à mon ~** meinerseits; **c'est mon ~** ich bin dran od an der Reihe; **à ~ de rôle** der Reihe nach; **en un ~ de main** im Handumdrehen; **~ de main** Geschicklichkeit f; **faire le ~ de qc** um etw herumgehen, -fahren; **fermer à double ~** den Schlüssel zweimal herumdrehen; **jouer un ~ à qn** j-m e-n Streich spielen; **~ d'horizon** Überblick m; pol **~ de scrutin** Wahlgang m

tourb|e [turb] f matière: Torf m; **~ière** [-jɛr] f Torfmoor n

tourbill|on [turbijɔ̃] m vent: Wirbel (wind) m; eau: Strudel m; **~ de neige** Schneegestöber n; **~onner** [-ɔne] (1a) wirbeln; eau: strudeln

tourelle [turɛl] f Türmchen n

tour|isme [turism] m Tourismus m, Fremdenverkehr m; **agence f de ~** Reiseagentur f; **~iste** m, f Tourist(in) m(f); aviat **classe f ~** Touristenklasse f; **~istique** [-istik] touristisch, Reise..., Touristen..., Fremdenverkehrs...; **guide m ~** Reiseführer m; **renseignements m/pl ~s** Reiseinformationen f/pl

tourment [turmɑ̃] m litt Qual f, Pein f

tourment|e [turmɑ̃t] f litt Sturm m; fig Wirren pl; **~er** (1a) quälen, plagen; **~ qn** j-m Sorgen machen; **se ~** sich (dat) Sorgen machen

tourn|age [turnaʒ] m film: Dreharbeiten f/pl; **~ant, ~ante** [-ɑ̃, -ɑ̃t] 1. adj drehbar, Dreh...; escalier m ~ Wendeltreppe f; **plaque f tournante** Drehscheibe (a fig); 2. m Kurve f, Krümmung f; fig Wendepunkt m

tourne-disque [turnədisk] m (pl tourne-disques) Plattenspieler m

tournée [turne] f Rundreise f; employé: Dienst-, Geschäftsreise f; artiste: Tournee f; facteur: Runde f; F **payer une ~** e-e Runde zahlen

tourner [turne] (1a) 1. v/t drehen; sauce: umrühren; difficulté: umgehen; page: umblättern; **bien tourné(e)** gut formuliert; **~ un film** e-n Film drehen; **~ la tête** pour ne pas voir: wegsehen; pour chercher: sich (nach j-m) umsehen; **~ en ridicule** ins Lächerliche ziehen; 2. v/i sich drehen; être en rotation rotieren, kreisen; terminer ablaufen, ausgehen; lait: sauer werden, gerinnen; **~ à droite** rechts abbiegen; **le temps tourne au beau** das Wetter wird schön; F fig **~ de l'œil** in Ohnmacht fallen; **~ en rond** sich im Kreis drehen (a fig); fig **faire ~** in Gang halten; fig **~ autour de** sich drehen um; 3. **se ~** sich umwenden, sich umdrehen; fig **se ~ vers qc** sich e-r Sache zuwenden

tournesol [turnəsɔl] m bot Sonnenblume f

tournevis [turnəvis] m Schraubenzieher m

tourniquet [turnikɛ] m Drehkreuz n; porte: Drehtür f; cartes postales: Drehständer m

tournoi [turnwa] m Turnier n

tournoyer [turnwaje] (1h) oiseaux: kreisen; fumée: wirbeln

tournure [turnyr] f expression (Rede-)Wendung f; événements: Wendung f; **~ d'esprit** Geisteshaltung f

tourte [turt] f cuis Pastete f

tourterelle [turtərɛl] f zo Turteltaube f

tous [tus od tu] → tout

Toussaint [tusɛ̃] **la ~** Allerheiligen n

touss|er [tuse] (1a) husten; **~oter** [-ɔte] (1a) hüsteln

tout [tu, tut] m, **toute** [tut] f; **tous** [tu, tus] m/pl, **toutes** [tut] f/pl 1. adj entier ganze(r, -s); la totalité all(e, -es); chaque jede(r, -s); **toute la ville** die ganze Stadt; **toutes les villes** alle Städte; **tout Français** jeder Franzose; **tous les deux jours** jeden zweiten Tag; **tous les ans** jedes Jahr; **somme toute** alles in allem; **tout Paris** ganz Paris; **tout le monde** jedermann, alle; **de tous côtés** von allen Seiten, von überall; **toutes sortes de** allerlei; **faire tout son possible** sein Möglichstes tun; 2. pronom: sg **tout** alles; pl **tous, toutes** alle; **après tout, à tout prendre** im Grunde genommen; **avant tout** vor allem; F **comme tout** überaus; **voilà tout** das ist alles; **nous tous** wir alle; 3. adv **tout** ganz, völlig; **tout à coup** plötzlich; **tout d'un coup** auf einmal; **tout à fait** ganz und gar; **tout autant** ebenso viel; **tout de suite** sofort; **tout** *de même* trotzdem; *tout d'abord* zu-erst, anfangs; *tout à l'heure* sogleich, soeben; *à tout à l'heure!* bis gleich!; *tout au plus* höchstens; *c'est tout un* das ist genau dasselbe; *avec gérondif*: *tout en riant opposition*: obgleich ich (du, *etc*) lach(t)e; *simultanéité*: wobei ich (du, *etc*) lach(t)e; *tout ... que ...* (+ *ind od st/s subj*) so sehr auch; *tout pauvres qu'ils sont* (*od soient*) so arm sie auch sind; **4.** *m tout* Ganze(s) *n*, Gesamtheit *f*; *le principal*: Haupt-sache *f*; *pas du* ~ keineswegs; *plus du* ~ überhaupt nicht mehr; *du* ~ *au* ~ völlig; *en* ~ ganz

tout-à-l'égout [tutalegu] *m* (Abwasser-)Kanalisation *f*

toutefois [tutfwa] jedoch, indessen

toute-puissance [tutpɥisãs] *f* All-macht *f*

toux [tu] *f* Husten *m*

toxicoman|e [tɔksikɔman] *m*, *f* (Rauschgift-)Süchtige(r) *m*, *f*; ~**ie** *f* Rauschgiftsucht *f*

toxique [tɔksik] **1.** *adj* giftig, Gift...; **2.** *m* Gift *n*, Giftstoff *m*

trac [trak] *m* Lampenfieber *n*

tracas [traka] *m le plus souvent au pl* Ärger *m*, Sorgen *f/pl*

tracass|er [trakase] (*1a*) *qn chose*: j-n beunruhigen; *personne*: j-n schika-nieren; *se* ~ sich (*dat*) Sorgen machen; ~**erie** *f le plus souvent au pl* ~**s** Schika-nen *f/pl*

trace [tras] *f* Spur *f*, *fig* Hinweis *m*

trac|é [trase] *m* Verlauf *m*; *dessin*: Umrisse *m/pl*; ~**er** (*1k*) *plan*: auf-zeichnen, entwerfen; *ligne*: ziehen

trachée [traʃe] *f anat* Luftröhre *f*

tract [trakt] *m* Flugblatt *n*

tractation [traktasjõ] *f péj le plus sou-vent au pl* ~**s** Machenschaften *f/pl*

tracteur [traktœr] *m* Schlepper *m*, Traktor *m*; ~ *à chenilles* Raupen-schlepper *m*

traction [traksjõ] *f tech* Ziehen *n*, Zug *m*; *auto* Antrieb *m*; *sport, suspendu*: Klimmzug *m*; *sport, par terre*: Liege-stütz *m*; *auto* ~ *avant* (Wagen *m* mit) Vorderradantrieb *m*

tradition [tradisjõ] *f* Tradition *f*, Über-lieferung *f*

tradition|aliste [tradisjɔnalist] **1.** *adj* traditionsbewusst; **2.** *m*, *f* Traditio-

nalist(in) *m(f)*; ~**nel**, ~**nelle** [-nɛl] tra-ditionell, herkömmlich

traduc|teur, ~**trice** [tradyktœr, -tris] *m*, *f* Übersetzer(in) *m(f)*; ~ *assermen-té(e)* beeidigte(r) Übersetzer(in) *m(f)*; ~**tion** *f* Übersetzung *f*

traduire [tradɥir] (*4c*) übersetzen; *fig* ausdrücken; *jur* ~ *qn en justice* j-n vor Gericht stellen; *se* ~ *par* sich äußern durch

trafic [trafik] *m* **1.** *illicite*: (illegaler) Handel *m*, Schmuggel *m*; ~ *de dro-gues* Rauschgifthandel *m*; **2.** *circula-tion* Verkehr *m*; ~ *aérien* Flugverkehr *m*

trafiqu|ant [trafikã] *m* Schieber *m*, Schwarzhändler *m*; ~ *de drogue(s)* Rauschgifthändler *m*; ~**er** (*1m*) Schwarzhandel treiben (*qc* mit etw), schieben; *contrefaire* (ver)fälschen; F *faire* treiben

tragédie [traʒedi] *f* Tragödie *f* (*a fig*)

tragique [traʒik] **1.** *adj* tragisch; **2.** *m* Tragik *f*

trahir [trair] (*2a*) verraten

trahison [traizõ] *f* Verrat *m*

train [trɛ̃] *m* Zug *m*; ~ *express* Schnellzug *m*; ~ *auto-couchettes* Autoreisezug *m*; *le* ~ *de Paris* der Zug von *od* nach Paris; *auto* ~ *avant* Vor-derachse *f*; ~ *de mesures* Reihe *f* von Maßnahmen; ~ *de vie* Lebensstil *m*; *être en* ~ *de faire qc* gerade etw tun; *aller bon* ~ schnell gehen; *mener grand* ~ auf großem Fuß leben; *mettre en* ~ in Schwung bringen; *aller son petit* ~ seinen alten Gang gehen

traînard [trɛnar] *m* Nachzügler *m*

traîn|e [trɛn] *f* Schleppe *f*; ~**eau** [-o] *m* (*pl* -*x*) Schlitten *m*; *pêche*: Schleppnetz *n*

traînée [trɛne] *f* Streifen *m*, Spur *f*

traîner [trɛne] (*1b*) **1.** *v/t* schleppen, ziehen; *chien, enfant*: mit sich he-rumschleppen; *laisser* ~ *ses affaires* seine Sachen herumliegen lassen; **2.** *v/i vêtement, livres*: herumliegen; *dis-cussion, procès*: sich in die Länge zie-hen; *dans les rues*: trödeln, bummeln; **3.** *se* ~ sich fort-, hinschleppen

train-train [trɛ̃trɛ̃] *m* F Trott *m*; *le* ~ *quotidien* das tägliche Einerlei *n*

traire [trɛr] (*4s*) melken

trait [trɛ] *m* Strich *m*; *caractéristique*

Merkmal *n*; *visage*: Gesichtszug *m*; *caractère*: Charakterzug *m*; **~ d'union** Bindestrich *m*; **avoir ~ à** sich beziehen auf (*acc*); **boire d'un seul ~** in einem Zuge trinken; **~ d'esprit** geistreiche Bemerkung *f*

traite [trɛt] *f* Melken *n*; *comm* Rate *f*; **~ des noirs** Sklavenhandel *m*; **d'une seule ~** in einem Zuge, ohne Unterbrechung

traité [trete] *m* Vertrag *m*

traitement [trɛtmɑ̃] *m* Behandlung *f* (*a méd*); *salaire* Gehalt *n*, Besoldung *f*; *matériaux*: Verarbeitung *f*; *actes*: Bearbeitung *f*; *EDV* **~ de texte** Textverarbeitung *f*; **~ de l'information** Datenverarbeitung *f*

traiter [trete] (*1b*) *v/t* behandeln (*a méd*); *matériaux*, *données*: verarbeiten; **~ qn de menteur** j-n e-n Lügner nennen; *v/i négocier* verhandeln; **~ de qc** von etw handeln; *auteur*: etw behandeln

traiteur [trɛtœr] *m* Hersteller *m* und Lieferant *m* von Fertigmenüs; Partyservice *m*

traître|e, **~esse** [trɛtrə, -ɛs] **1.** *m*, *f* Verräter(in) *m(f)*; **2.** *adj* verräterisch; *chose*: heimtückisch; **~ise** [-iz] *f* Verrat *m*

trajectoire [traʒɛktwar] *f* Flugbahn *f*

trajet [traʒɛ] *m* Strecke *f*

tram [tram] *m abr* → **tramway**

trame [tram] *f tissu*: Schuss *m*; *TV* Raster *n*; *fig* Hintergrund *m*

tramway [tramwɛ] *m* Straßenbahn *f*

tranchant, **~e** [trɑ̃ʃɑ̃, -t] **1.** *adj* scharf, schneidend; **2.** *m couteau*: Schneide *f*

tranche [trɑ̃ʃ] *f morceau* Schnitte *f*, Scheibe *f*; *partie* Abschnitt *m*, Teil *m*; *bord* Kante *f*; *impôts*: **~ (des revenus imposables)** Progressionsstufe *f*; *loterie*: Ausspielung *f*

tranché, **~e** [trɑ̃ʃe] scharf unterschieden; *fig* bestimmt, fest

tranchée [trɑ̃ʃe] *f* Graben *m*; *mil* Schützengraben *m*

trancher [trɑ̃ʃe] (*1a*) (durch)schneiden; *fig* (sich) entscheiden; **~ sur** sich abheben von

tranquille [trɑ̃kil] ruhig; **laisse-moi ~!** lass mich in Ruhe!; **~ment** *adv* ruhig

tranquillisant [trɑ̃kilizɑ̃] *m* Beruhigungsmittel *n*

tranquilliser [trɑ̃kilize] (*1a*) beruhigen

tranquillité [trɑ̃kilite] *f* Ruhe *f*

transaction [trɑ̃zaksjɔ̃] *f* **1.** *jur* Vergleich *m*; **2.** *comm* Geschäft *n*, Transaktion *f*

transatlantique [trɑ̃zatlɑ̃tik] **1.** *adj* Übersee...; **2.** *m bateau*: Ozeandampfer *m*; *chaise*: Liegestuhl *m*

transborder [trɑ̃sbɔrde] (*1a*) umladen

trans|cription [trɑ̃skripsjɔ̃] *f* Abschrift *f*; *ling* Umschrift *f*; *mus* Bearbeitung *f*; **~crire** [-krir] (*4f*) abschreiben; *ling* umschreiben; *mus* bearbeiten, transkribieren

transept [trɑ̃sɛpt] *m arch* Querschiff *n*

transes [trɑ̃s] *f/pl* Todesangst *f/pl*

transférer [trɑ̃sfere] (*1f*) **1.** *cadavre*: überführen; *prisonnier*: überstellen; *siège*: verlegen; **2.** *droits*, *effets*, *sentiment*: übertragen; *par virement*: überweisen; *comptabilité*: umbuchen; *capital*: transferieren; *production*: auslagern

transfert [trɑ̃sfɛr] *m* **1.** *cadavre*: Überführung *f*; *prisonnier*: Überstellung *f*; *bureau*: Verlegung *f*; **2.** *droits*, *effets*: Übertragung *f*; *virement* Überweisung *f*; *comptabilité*: Umbuchung *f*; *capital*: Transfer *m*; *production*: Auslagerung *f*; **~ de données** Datentransfer *m*

transfigurer [trɑ̃sfigyre] (*1a*) verklären

transforma|teur [trɑ̃sfɔrmatœr] *m él* Transformator *m*; **~tion** *f* Verwandlung *f*; *phys*, *tech* Umwandlung *f*; *él* Transformation *f*; *de matières premières*: (Weiter-)Verarbeitung *f*

transform|er [trɑ̃sfɔrme] (*1a*) ver-, umwandeln (**en** *in acc*); *matières premières*: verarbeiten; *vêtement*: ändern; *él* transformieren; **~isme** *m biol* Abstammungslehre *f*

transfuge [trɑ̃sfyʒ] *m* Überläufer *m*

transfusion [trɑ̃sfyzjɔ̃] *f* **~ (sanguine)** Bluttransfusion *f*

transgénique [trɑ̃sʒenik] transgen

transgresser [trɑ̃sgrese] (*1b*) *loi*: übertreten

transi, **~e** [trɑ̃zi] starr, steif (**de** vor)

transiger [trɑ̃ziʒe] (*1l*) e-n Kompromiss schließen (**avec** mit)

transistor [trɑ̃zistɔr] *m él* Transistor *m*; *radio*: Transistor-, Kofferradio *n*

transit [trɑ̃zit] *m* Transit(verkehr) *m*

transiti|f, **~ve** [trɑ̃zitif, -v] *gr* transitiv

transition [trãzisjõ] *f* Übergang *m*

transitoire [trãzitwar] Übergangs...,
vorläufig

translucide [trãslysid] durchscheinend, lichtdurchlässig

transmettre [trãsmetrə] (*4p*) weitergeben, -leiten; *message:* übermitteln; *mouvement, maladie:* übertragen; *tradition:* überliefern; *titre, talent:* vererben; *héritage:* vermachen; *radio, TV ~ en direct* direkt übertragen

transmiss|ible [trãsmisiblə] übertragbar; *biol* vererblich; *~ion f* Übertragung *f*; *message:* Übermittlung *f*, Weitergabe *f*; *biol* Vererbung *f*; *tech* Transmission *f*

transmuter [trãsmyte] (*1a*) umwandeln (*en* in *acc*)

transpar|aître [trãsparɛtrə] (*4z*) durchscheinen; *~ence* [-ãs] *f* Durchsichtigkeit *f*, Transparenz *f*; *~ent, ~ente* [-ã, -ãt] durchsichtig, transparent; *fig* leicht zu durchschauen

transpercer [trãsperse] (*1k*) durchbohren; *fig* durchdringen

transpir|ation [trãspirasjõ] *f action:* Schwitzen *n*; *sueur* Schweiß *m*; *~er* (*1a*) schwitzen

transplant|ation [trãsplãtasjõ] *f* Verpflanzung *f*; *méd* Transplantation *f*; *~er* (*1a*) verpflanzen

transport [trãspɔr] *m* Transport *m*, Beförderung *f*; *st/s ~s pl* accès Anfall *m*, Ausbruch *m*; *pl ~s publics* öffentliche Verkehrsmittel *n/pl*

transport|able [trãspɔrtablə] transportfähig; *~é, ~ée ~ de joie* außer sich vor Freude; *~er* (*1a*) transportieren, befördern; *fig* hinreißen; *se ~* sich begeben; *~eur m* Spediteur *m*

transpos|er [trãspoze] (*1a*) *idée:* umsetzen; *mus* transponieren; *~ition f* Umsetzung *f*; *mus* Transposition *f*

transvaser [trãsvaze] (*1a*) umfüllen

transversal, *~e* [trãsversal] (*m/pl -aux*) quer liegend, Quer..., Seiten...

trapèze [trapɛz] *m* Trapez *n*

trapp|e [trap] *f ouverture:* Falltür *f*; *~eur m* Trapper *m*

trapu, *~e* [trapy] stämmig

traquenard [traknar] *m* Falle *f*

traquer [trake] (*1m*) hetzen

traumat|iser [tromatize] (*1a*) *psych* schocken; *~isme m méd u psych*

Trauma *n*; *~ crânien* Schädelverletzung *f*

travail [travaj] *m* (*pl travaux*) Arbeit *f*; *œuvre* Werk *n*; *~ à la tâche* Akkordarbeit *f*; *~ à la chaîne* Fließbandarbeit *f*; *~ sur ordinateur* Bildschirmarbeit *f*; *travaux forcés* Zwangsarbeit *f*; *sans ~* arbeitslos; *travaux pratiques* praktische Übungen *f/pl*; *travaux construction:* Bauarbeiten *f/pl*; *travaux ménagers* Hausarbeit *f*

travailler [travaje] (*1a*) **1.** *v/t traiter* bearbeiten; *transformer* verarbeiten; *texte:* ausarbeiten; *muscles:* trainieren; *mus* üben; *~ qn personne:* j-n bearbeiten; *pensée, maladie:* quälen, plagen; **2.** *v/t indirect ~ à qc* an etw (*dat*) arbeiten; **3.** *v/i* arbeiten; *argent:* arbeiten, Zinsen tragen; *bois:* sich werfen

travaill|eur, *~euse* [travajœr, -øz] **1.** *adj* arbeitsam, fleißig; **2.** *m, f* Arbeiter(in) *m(f)*; *~iste m, f* Mitglied *n* der Labour Party

travée [trave] *f* Bankreihe *f*; *arch* Joch *n*

travers [traver] **1.** *adv de ~* schief, verkehrt; *en ~* quer; *fig prendre qc de ~* etw krumm nehmen; **2.** *prép à ~ qc od au ~ de qc* durch etw (hindurch); *à ~ champs* querfeldein; **3.** *m* kleiner Fehler *m*, Schwäche *f*

traverse [travers] *f tech* Querbalken *m*; *chemin de fer:* (Schienen-)Schwelle *f*; *chemin m de ~* Abkürzung *f*

traversée [traverse] *f mer:* Überfahrt *f* (*de* über *acc*); *pays:* Reise *f* (*de* durch *acc*); *forêt, désert:* Durchquerung *f*

traverser [traverse] (*1a*) *rue, mer:* überqueren; *forêt:* durchqueren; *percer* durchdringen; *crise:* durchmachen

traversin [traversẽ] *m* Nackenrolle *f*

travesti, *~e* [travɛsti] **1.** *adj* verkleidet; **2.** *m déguisement* Kostümierung *f*; *homosexuel:* Transvestit *m*

travestir [travɛstir] (*2a*) verkleiden (*en femme* als Frau); *fig* entstellen

trébucher [trebyʃe] (*1a*) stolpern, straucheln (*sur* über *acc*)

trèfle [treflə] *m bot* Klee *m*; *cartes:* Kreuz *n*

treillage [trɛjaʒ] *m* Gitterwerk *n*; *~ métallique* Drahtzaun *m*

treille [trɛj] *f* Weinlaube *f*

treillis [trɛji] *m* Gitter *n*

treiz|e [trɛz] dreizehn; *~ième* [-jɛm]

dreizehnte(r, -s)

tremblant, ~e [trãblã, -t] zitternd

tremble [trãblə] *m bot* Espe *f*

tremblement [trãbləmã] *m* Zittern *n*; ~ **de terre** Erdbeben *n*

trembler [trãble] (*1a*) zittern, beben (*de* vor); *terre*: beben; *fig* ~ **que ... ne** (+ *subj*) bangen, dass

trémousser [tremuse] (*1a*) **se** ~ zappeln

tremp|e [trãp] *f fig* Art *f*, Schlag *m*; **~é,** **~ée** durchnässt; *sol*: aufgeweicht; *acier*: gehärtet; **~er** (*1a*) *vêtements*: durchnässen; *éponge, compresses*: eintauchen, -tunken; *acier*: härten; *fig* ~ **dans un crime** in ein Verbrechen verwickelt sein

tremplin [trãplẽ] *m* Sprungbrett *n* (*a fig*); *ski*: Sprungschanze *f*

trentaine [trãtɛn] **une** ~ etwa dreißig

trent|e [trãt] dreißig; **~ième** [-jɛm] **1.** dreißigste(r, -s); **2.** *m fraction*: Dreißigstel *n*

trépan [trepã] *m tech* Bohrmeißel *m*; *méd* Schädelbohrer *m*

trépasser [trepase] (*1a*) *st/s* sterben, verscheiden

trépied [trepje] *m* Dreifuß *m*; *photographie*: Stativ *n*

trépigner [trepiɲe] (*1a*) stampfen, trampeln

très [trɛ] sehr (*vor adj u adv*); **avoir** ~ **envie de qc** große Lust auf etw (*acc*) haben

trésor [trezɔr] *m* Schatz *m*; *fig* Reichtum *m*; ② Staatskasse *f*, Fiskus *m*; **~erie** *f* Finanzverwaltung *f*, -behörde *f*; **~ière** [-je, -jɛr] *m/f* Schatzmeister *m*, Kassenwart *m*, Kassierer(in) *m(f)*

tressaill|ement [tresajmã] *m* Zusammenzucken *n*, Schauder *m*; **~ir** (*2c, futur 2a*) zusammenzucken, zittern, erschauern

tress|e [trɛs] *f cheveux*: Zopf *m*; **~er** (*1b*) flechten

tréteau [treto] *m* (*pl* -*x*) *tech* Bock *m*

treuil [trœj] *m tech* (Seil-)Winde *f*

trêve [trɛv] *f* Waffenruhe *f*, -stillstand *m*; *fig* Rast *f*; ~ **de...** Schluss mit ...; **sans** ~ ununterbrochen

Trèves [trɛv] Trier

tri [tri] *m* Sortieren *n*; **faire un** ~ auswählen, sieben

triage [trijaʒ] *m gare f de* ~ Rangier-

bahnhof *m*; ~ **des déchets** Mülltrennung *f*

triang|le [trijãglə] *m* Dreieck *n*; *mus* Triangel *m*; **~ulaire** [-ylɛr] dreieckig

tribal, ~e [tribal] (*m/pl -aux*) Stammes...

tribord [tribɔr] *m mar* Steuerbord *n*

tribu [triby] *f* (Volks-)Stamm *m*; *péj, iron* Sippschaft *f*

tribulation [tribylasjõ] *f le plus souvent au pl* ~**s** Drangsal *f*, Leiden *n/pl*

tribunal [tribynal] *m* (*pl -aux*) Gericht *n*, Gerichtshof *m*; *bâtiment*: Gerichtsgebäude *n*; ~ **d'instance** *etwa* Amtsgericht *n*; ~ **de grande instance** *etwa* Landgericht *n*

tribune [tribyn] *f* Tribüne *f*; *fig discussion*: Podiumsdiskussion *f*

tribut [triby] *m* Tribut *m* (*a fig*), Abgabe *f*

tributaire [tribytɛr] tributpflichtig; ~ **de** angewiesen auf (*acc*); **cours** *m* **d'eau** ~ Nebenfluss *m*

trich|er [triʃe] (*1a*) betrügen, F mogeln; **~erie** *f* Betrug *m*, F Schummelei *f*; **~eur, ~euse** *m*, *f* Betrüger(in) *m(f)*

tricolore [trikɔlɔr] dreifarbig; *français*: blauweißrot; **drapeau** *m* ~ Trikolore *f*

tricot [triko] *m* Stricken *n*; *vêtement*: Strickjacke *f*; *ustensiles*: Strickzeug *n*; **de** *od* **en** ~ Strick...

tricot|age [trikɔtaʒ] *m* Stricken *n*; **~er** (*1a*) stricken

tricycle [trisiklə] *m* Dreirad *n*

trident [tridã] *m* Dreizack *m*

triennal, ~e [trijɛnal] (*m/pl -aux*) *qui a lieu tous les trois ans* dreijährlich; *qui dure trois ans* dreijährig

trier [trije] (*1a*) *choisir* auslesen; *classer* sortieren

trilingue [trilɛ̃g] dreisprachig

trille [trij] *m mus* Triller *m*

trimer [trime] (*1a*) F schuften, sich abrackern

trimestr|e [trimɛstrə] *m* Vierteljahr *n*, Quartal *n*; **~iel, ~ielle** [-ijɛl] vierteljährlich, dreimonatlich

tringle [trɛ̃glə] *f* Stange *f*

Trinité [trinite] *rel* **la** ~ die Dreifaltigkeit *f*

trinquer [trɛ̃ke] (*1m*) *toast*: anstoßen (**avec qn** mit j-m; **à qc** auf etw *acc*); F *fig* es ausbaden müssen

triomph|e [trijõf] *m* Triumph *m*; **~er** (*1a*) triumphieren (**de** über *acc*)

tripartite [tripartit] dreiteilig; *pol* Dreimächte..., Dreiparteien..., Dreier...

tripes [trip] *f/pl* Eingeweide *n/pl*; *cuis* Kutteln *f/pl*, Kaldaunen *f/pl*

tripl|e [tripl∂] dreifach; **~er** (1a) (sich) verdreifachen; **~és**, **~ées** *m/pl*, *f/pl* Drillinge *m/pl*

tripot [tripo] *m péj* Spielhölle *f*

tripoter [tripote] (1a) F *v/t* herumspielen (*qc* mit etw), herumfummeln (*qc* an etw *dat*); *femme*: befummeln; *v/i toucher* herumkramen, -wühlen (*dans* in *dat*); *trafiquer* unsaubere Geschäfte machen

trique [trik] *f* Knüppel *m*

trist|e [trist] traurig; *temps, paysage*: trist; (*précédant le substantif*) *péj* erbärmlich; **~esse** [-es] *f* Traurigkeit *f*; *situation, paysage*: Trostlosigkeit *f*

triturer [trityre] (1a) zerreiben

trivial, **~e** [trivjal] (*m/pl -aux*) vulgär, ordinär; *litt banal* gewöhnlich; **~ité** Vulgarität *f*; *expression*: Zote *f*

troc [trɔk] *m* Tausch(handel) *m*

trognon [trɔɲõ] *m fruit*: Kerngehäuse *n*

trois [trwa] **1.** *adj* drei; **à ~** zu dritt; **le ~ mai** der dritte *od* am dritten Mai; **2.** *m* Drei *f*

troisième [trwazjɛm] dritte(r, -s)

trois-mâts [trwamɑ] *m* (*pl unv*) *mar* Dreimaster *m*

trois-quatre [trwakatr∂] *m* (*pl unv*) *mus* Dreivierteltakt *m*

trolleybus [trɔlebys] *m* Oberleitungsbus *m*, Obus *m*

trombe [trõb] *f* Windhose *f*; *fig* **en ~** wie der Blitz

trombone [trõbɔn] *m* **1.** *mus* Posaune *f*; **2.** *bureau*: Büroklammer *f*

trompe [trõp] *f mus* Horn *n*; *zo* Rüssel *m*

trompe-l'œil [trõplœj] *m* (*pl unv*) *fig* trügerischer Schein *m*

tromper [trõpe] (1a) täuschen; *confiance*: betrügen; **se ~** sich irren, sich täuschen (*de* in *dat*)

tromperie [trõpri] *f confiance*: Betrug *m*; Täuschung *f*

trompette [trõpɛt] **1.** *f* Trompete *f*; **2.** *m* Trompeter *m*

trompeu|r, **-se** [trõpœr, -øz] trügerisch

tronc [trõ] *m bot* (Baum-)Stamm *m*; *anat* Rumpf *m*; *église*: Opferstock *m*;

fig **~ commun** gemeinsame Grundlage *f*

tronçon [trõsõ] *m* Abschnitt *m*, Teilstück *n*; *arch* (Säulen-)Trommel *f*

tronçonner [trõsɔne] (1a) zerschneiden; *avec scie*: zersägen

trôn|e [tron] *m* Thron *m*; **~er** (1a) thronen

tronquer [trõke] (1m) *fig* verstümmeln

trop [tro, *liaison*: trop *od* trop] zu viel, zu (sehr); **~ de** (+ *subst*) zu viel, zu viele; **je ne sais pas ~** ich weiß nicht recht; **c'en est ~** das geht zu weit; **être de ~** überflüssig sein; *litt* **par ~** allzu

trophée [trɔfe] *m* Trophäe *f*

tropical, **~e** [trɔpikal] (*m/pl -aux*) tropisch, Tropen...

tropique [trɔpik] *m géogr* **1.** *région*: pl **~s** Tropen *m/pl*; **2.** *cercle*: Wendekreis *m*

trop-plein [troplɛ̃] *m* (*pl trop-pleins*) Überfluss *m*; *tech* Überlauf *m*

troquer [trɔke] (1m) (ein)tauschen (*contre* gegen)

trot [tro] *m* Trab *m*; **aller au ~** Trab reiten

trott|er [trɔte] (1a) *cheval*: traben; *personne*: herumlaufen; **~euse** *f* Sekundenzeiger *m*; **~iner** [-ine] (1a) trippeln; **~inette** [-inɛt] *f* Roller *m*

trottoir [trɔtwar] *m* Bürgersteig *m*, Gehweg *m*; **faire le ~** F auf den Strich gehen

trou [tru] *m* (*pl -s*) Loch *n*

trouble [trubl∂] **1.** *adj* trüb(e); *fig* unklar, dunkel; **2.** *m désarroi* Verwirrung *f*; *émoi* Erregung *f*; *méd* Störung *f*; **~s** *pl* Unruhen *f/pl*

trouble-fête [trubl∂fɛt] *m* (*pl unv*) Spielverderber *m*

troubler [truble] (1a) *liquide*: trüben; *ordre, silence*: stören; *inquiéter* beunruhigen; **se ~** *liquide*: trüb werden; *personne*: in Verwirrung geraten

troué, **~e** [true] durchlöchert

trouée [true] *f forêt*: Schneise *f*; *haie*: Lücke *f*; *mil* Durchbruch *m*; **la ~ de Belfort** die Burgundische Pforte

trouer [true] (1a) durchlöchern

trouille [truj] *f* F **avoir la ~** Angst haben

troupe [trup] *f* Schar *f*; *mil* Truppe *f*

troupeau [trupo] *m* (*pl -x*) Herde *f* (*a fig*)

trousse [trus] *f* Etui *n*, Täschchen *n*; **~ de toilette** (Reise-)Nessessär *n*, Kul-

T

turbeutel *m*; *fig* **être aux ⁓s de qn** j-m auf den Fersen sein

trousseau [truso] *m* (*pl* -x) **1.** ⁓ **de clés** Schlüsselbund *m od n*; **2.** *mariée*: Aussteuer *f*

trouvaille [truvaj] *f découverte*: glücklicher Fund *m*; *idée*: Geistesblitz *m*

trouver [truve] (*1a*) finden; *plan*: ausdenken; *rencontrer* antreffen; **aller ⁓ qn** j-n auf-, besuchen; ⁓ **que** finden *od* der Ansicht sein, dass; ⁓ (+ *adj*) halten für, finden (+ *adj*); **se ⁓ être** sich befinden; **se ⁓ bien** sich wohl fühlen; **il se trouve que** es erweist sich, dass

truand [tryɑ̃] *m* Gauner *m*, Ganove *m*

truc [tryk] *m* F *chose* Ding(sda) *n*; *astuce* Trick *m*, Kniff *m*

trucage → **truquage**

truchement [tryʃmɑ̃] *m* **par le ⁓ de** durch (Vermittlung von)

truculent, ⁓e [trykylɑ̃, -ɑ̃t] urwüchsig, derb

truelle [tryɛl] *f* (Maurer-)Kelle *f*

truffe [tryf] *f bot* Trüffel *f*; *chien*: Nase *f*; ⁓é, ⁓ée getrüffelt; *fig* gespickt (**de** mit)

truie [trɥi] *f zo* Sau *f*, Mutterschwein *n*

truisme [trɥism] *m* Binsenwahrheit *f*

truite [trɥit] *f zo* Forelle *f*

truquage [trykaʒ] *m film*: Trickaufnahme *f*; *photographie*: Fotomontage *f*; ⁓er (*1m*) fälschen, frisieren

tsar [dzar, tsar] *m* Zar *m*; ⁓ine *f* Zarin *f*

tsigane [tsigan] *m*, *f* Zigeuner(in) *m(f)*

tu [ty] du

tuant, ⁓e [tɥɑ̃, -t] F ermüdend, anstrengend

tube [tyb] *m* Rohr *n*; *él* Röhre *f*; *médicament*: Röhrchen *n*; *colle, dentifrice*: Tube *f*; *anat* ⁓ **digestif** Verdauungskanal *m*, -trakt *m*

tubercul|eux, ⁓se [tybɛrkylø, -øz] *méd* tuberkulös; *bot* Knollen...; ⁓ose [-oz] *f méd* Tuberkulose *f*

tubulaire [tybylɛr] röhrenförmig

tue-mouche [tymuʃ] **1.** *adj* **papier ⁓(s)** Fliegenfänger *m*; **2.** *m bot* Fliegenpilz *m*

tuer [tɥe] (*1n*) töten; *assassiner* umbringen; *animal*: schlachten; *fig* zerstören; **se ⁓** umkommen

tuerie [tyri] *f* Gemetzel *n*, Blutbad *n*

tue-tête [tytɛt] **à ⁓** aus vollem Halse

tueur [tɥœr] *m* Mörder *m*; ⁓ **à gages** Killer *m*

tuile [tɥil] *f* (Dach-)Ziegel *m*; F *fig* Pech *n*; ⁓erie *f* Ziegelei *f*

tulipe [tylip] *f bot* Tulpe *f*

tulle [tyl] *m* Tüll *m*

tuméfié, ⁓e [tymefje] ver-, geschwollen

tumeur [tymœr] *f méd* Tumor *m*

tumult|e [tymylt] *m* Tumult *m*; *fig activité* excessive Hektik *f*; ⁓ueux, ⁓ueuse [-ɥø, -ɥøz] lärmend, tobend; *passion*: stürmisch

tumulus [tymylys] *m* Hügel-, Hünengrab *n*

tungstène [tɛ̃kstɛn, tœ̃-] *m chim* Wolfram *n*

tunique [tynik] *f* Tunika *f*

Tunisie [tynizi] **la ⁓** Tunesien *n*

tunisien, ⁓ne [tynizjɛ̃, -jɛn] **1.** *adj* tunesisch; **2.** ♀ *m, f* Tunesier(in) *m(f)*

tunnel [tynɛl] *m* Tunnel *m*

turbin|e [tyrbin] *f tech* Turbine *f*; ⁓er (*1a*) *arg* schuften

turbo|-moteur [tyrbɔmɔtœr] *m* Turbomotor *m*; ⁓réacteur [-reaktœr] *m aviat* Turbotriebwerk *n*

turbot [tyrbo] *m zo* Steinbutt *m*

turbul|ence [tyrbylɑ̃s] *f* Wildheit *f*; *phys* Turbulenz *f*; ⁓ent, ⁓ente [-ɑ̃, -ɑ̃t] wild, ausgelassen

tur|c, ⁓que [tyrk] **1.** *adj* türkisch; **2.** ♀ *m, f* Türke *m*, Türkin *f*

turf [tœrf, tyrf] *m sport*: Pferderennsport *m*; *terrain*: (Pferde-)Rennbahn *f*

turlupiner [tyrlypine] (*1a*) F keine Ruhe lassen, verfolgen

turpitude [tyrpityd] *litt f* Schändlichkeit *f*

Turquie [tyrki] **la ⁓** die Türkei

turquoise [tyrkwaz] *f* Türkis *m*

tutelle [tytɛl] *f jur* Vormundschaft *f*; *état, société*: Treuhandschaft *f*; *fig* Bevormundung *f*

tu|teur, ⁓trice [tytœr, -tris] **1.** *m, f jur* Vormund *m, f*; **2.** *m* (Baum-)Stütze *f*

tutoyer [tytwaje] (*1h*) duzen

tutu [tyty] *m* Ballettröckchen *n*

tuyau [tɥijo] *m* (*pl* -x) **1.** Rohr *n*, Röhre *f*; *flexible*: Schlauch *m*; ⁓ **d'arrosage** Gartenschlauch *m*; **2.** F Tipp *m*; ⁓ter [-te] (*1a*) F Tipps geben (**qn** j-m)

tuyère [tɥijɛr] *f tech* Düse *f*

T.V.A. [teveɑ] *f* (*abr* **taxe sur** *od* **à la valeur ajoutée**) Mehrwertsteuer *f*

tympan [tɛ̃pɑ̃] *m anat* Trommelfell *n*; *arch* Tympanon *n* type [tip] *m* Typ *m*; *modèle*: Modell *n*; F *gars* Kerl *m*, Typ *m*; *un chic* ~ ein prima Kerl; ***contrat*** *m* ~ Mustervertrag *m*

typhoïde [tifɔid] *f* méd (***fièvre*** *f*) ~ Typhus *m*

typhon [tifõ] *m* Taifun *m*

typhus [tifys] *m* méd Flecktyphus *m*

typique [tipik] typisch (***de*** für)

typographie [tipɔgraf] *m, f* Schrift-

setzer(in) *m(f)*; ~ie [-i] *f* Druck *m*

tyran [tirã] *m* Tyrann *m* (*a fig*)

tyrann|ie [tirani] *f* Tyrannei *f* (*a fig*), Gewaltherrschaft *f*; ~ique tyrannisch; ~iser (*1a*) tyrannisieren

tyroli|en, ~enne [tirɔljɛ̃, -ɛn] **1.** *adj* aus Tirol; **2.** *m, f* ♀ Tiroler(in) *m(f)*; **3.** *f* *mus* Jodler *m*

tzar → **tsar**

tzigane → **tsigane**

U

ulcère [ylsɛr] *m* méd Geschwür *n*; ~ ***de l'estomac*** *od* ***à l'estomac*** Magengeschwür *n*

ulcérer [ylsere] (*1f*) ein Geschwür hervorrufen; *fig* tief kränken

ultérieur, ~e [ylterjœr] spätere(r, -s), künftige(r, -s); ~ement [-mã] *adv* später

ultimatum [yltimatɔm] *m* Ultimatum *n*

ultime [yltim] (aller)letzte(r, -s)

ultra... [yltra] *in Zssgn* sehr, extrem, hoch..., ultra...

ultra-conservateur, ~trice [yltrakõservatœr, -tris] erzkonservativ

ultrason [yltrasõ] *m phys* Ultraschall *m*

ululer [ylyle] (*1a*) *hibou*: schreien

un, une [ɛ̃ *od* œ̃, yn] ein(er), eine, ein(es); *sans substantif*: **un** eins; **le un** die Eins; **un à un** einer nach dem andern; **un sur trois** einer von dreien; *journal*: **à la une** auf der ersten Seite; *c'est tout un* das ist ein und dasselbe; **l'un, l'une** der (die, das) eine; **les uns, les unes** die einen; **l'un(e) l'autre** *od* **les uns (unes) les autres** einander, sich gegenseitig

unanim|e [ynanim] einstimmig; ~ité *f* Einstimmigkeit *f*; **à l'~** einstimmig

uni, ~e [yni] **1.** *pays*: vereint, vereinigt; **les Nations** *f/pl* **Unies** die Vereinten Nationen *f/pl*; **2.** *surface*: glatt; *tissu*: einfarbig; *famille*: eng verbunden

unicolore [ynikɔlɔr] einfarbig

uni|fication [ynifikasjõ] *f pays*: Einigung *f*; *tarifs*: Vereinheitlichung *f*; ~fier [-fje] (*1a*) *pays*, *groupements*: einigen;

tarifs, mesures: vereinheitlichen

uniform|e [yniform] **1.** *adj régulier* gleichmäßig; *semblable* gleichartig; *monotone* einförmig; **2.** *m* Uniform *f*; ~iser (*1a*) vereinheitlichen; ~ité *f* Gleich-, Einförmigkeit *f*

unilatéral, ~e [ynilateral] (*m/pl -aux*) einseitig

union [ynjõ] *f* Vereinigung *f*; *entente* Einigkeit *f*; *pol* confédération Bündnis *n*, Bund *m*; ~ **douanière**, **monétaire** Zoll-, Währungsunion *f*; *l'*♀ ***économique et monétaire*** (*abr* ***U.E.M.***) die Europäische Wirtschafts- und Währungsunion *f* (*abr* ***EWW***); *l'*♀ ***européenne*** (*abr* ***U.E.***) die Europäische Union *f* (*abr* ***EU***); *l'*♀ ***soviétique*** *hist* die Sowjetunion *f*; *l'*♀ ***de l'Europe occidentale*** (*abr* ***U.E.O.***) die Westeuropäische Union *f* (*abr* ***WEU***); ~ (***conjugale***) Ehe(bund) *f(m)*

unique [ynik] *seul* einzig; *extraordinaire* einzigartig, einmalig; ~ment *adv* einzig und allein, nur

unir [ynir] (*2a*) *pol* verein(ig)en; *par moyen de communication*: verbinden; *couple*: trauen; **s'~** sich vereinigen

unisexe [yniseks] *vêtements*: gleich für Mann und Frau

unisson [ynisõ] *m mus* Einklang *m*; **à l'~** einstimmig

unitaire [yniter] einheitlich

unité [ynite] *f* Einheit *f* (*a mil*); *comm* Stück *m*; *EDV* ~ **centrale** Zentraleinheit *f*; ~ **de contrôle** Steuergerät *n*

univers [yniver] *m* Universum *n*,

Weltall n; fig Welt f

universal|iser [yniversalize] (*1a*) allgemein verbreiten

universel, ~le [yniversɛl] allgemein, universal; *mondial* weltweit

univers|itaire [yniversiter] **1.** adj Universitäts...; **2.** m, f Hochschullehrer(in) m(f); **~ité** f Universität f, Hochschule f

Untel [ɛtɛl, œ̃-] *monsieur ~* Herr Sowieso

uranium [yranjɔm] m chim Uran n

urbain, ~e [yrbɛ̃, -ɛn] städtisch; Stadt...

urban|iser [yrbanize] (*1a*) e-n städtischen Charakter geben; **~isme** m Städteplanung f, Städtebau m; **~iste** m Städteplaner m

urgence [yrʒɑ̃s] f Dringlichkeit f; *d'~* dringend; *état* m *d'~* Notstand m

urgent, ~e [yrʒɑ̃, -t] dringend

urin|e [yrin] f Urin m; **~er** (*1a*) urinieren

urne [yrn] f Urne f; *aller aux ~s* zur Wahl gehen

U.R.S.S. [yreses *od* yrs] f (*abr Union des républiques socialistes soviétiques*) *hist* UdSSR f, Sowjetunion f

urticaire [yrtiker] f *méd* Nesselsucht f

us [ys] m/pl *~ et coutumes* f/pl Sitten f/pl und Gebräuche m/pl

usage [yzaʒ] m Benutzung f, Gebrauch m; *coutume* Brauch m, Sitte f; *langue:* Sprachgebrauch m; *hors d'~* außer Gebrauch; *à l'~* bei der Anwendung; *à l'~ de qn* für j-n; *faire ~ de* verwenden, gebrauchen; *d'~* üblich

usag|é, ~ée [yzaʒe] *vêtements:* getragen, gebraucht; **~er** m Benutzer m

usé, ~e [yze] abgenutzt; *vêtement:* abgetragen; *personne:* verbraucht

user [yze] (*1a*) **1.** abnutzen; *gaz, eau:* verbrauchen; *vêtement:* abtragen; *~ qn*

j-n aufreiben; *s'~* sich abnutzen; *personne:* sich verbrauchen; **2.** *~ de qc* etw gebrauchen, anwenden; *litt en ~ avec qn* mit j-m verfahren

usine [yzin] f Fabrik f; *~ d'automobiles* Autofabrik f, -werk n; *~ de retraitement* Wiederaufbereitungsanlage f; *~ sidérurgique* Hüttenwerk n

usité, ~e [yzite] *mot:* gebräuchlich

ustensile [ystɑ̃sil] m Gerät n; *~s pl* Utensilien pl

usuel, ~le [yzɥɛl] gebräuchlich, üblich

usur|e [yzyr] f **1.** *intérêt excessif* Wucher m; **2.** *détérioration* Abnutzung f, *tech* Verschleiß m; **~ier** m Wucherer m

usurpa|teur [yzyrpatœr] m *pol* Usurpator m; **~tion** f Usurpation f; *jur* Anmaßung f

usurper [yzyrpe] (*1a*) *pol* usurpieren; *jur* sich (*dat*) widerrechtlich aneignen

ut [yt] m *mus* c *od* C n

utérus [yterys] m *anat* Uterus m, Gebärmutter f

utile [ytil] nützlich; *tech* Nutz...; *en temps ~* zu gegebener Zeit

utilisa|ble [ytilizablə] benutzbar, verwendbar; **~teur, ~trice** m, f Benutzer(in) m(f) (*a EDV*); **~tion** f Verwendung f, Gebrauch m, Benutzung f; *~ des loisirs* Freizeitgestaltung f;

utiliser [ytilize] (*1a*) benutzen; *outil, moyen:* verwenden; *méthode:* anwenden; *énergie:* nutzen; *restes:* verwerten; *prétexte:* gebrauchen; *personne:* verwenden, einsetzen

utilitaire [ytiliter] Nutz..., Gebrauchs...

utilité [ytilite] f Nützlichkeit f, Nutzen m; *~ publique* Gemeinnützigkeit f

utop|ie [ytɔpi] f Utopie f; **~ique** utopisch; **~iste** m, f Utopist(in) m(f)

V

v. (*abr voir*) s. (siehe)

vacance [vakɑ̃s] f **1.** *~s pl* Ferien pl; *prendre des ~s* Urlaub, Ferien machen; **2.** *poste:* freie Stelle f

vacanc|ier, ~ière [vakɑ̃sje, -jɛr] m, f Urlauber(in) m(f)

vacant, ~e [vakɑ̃, -t] *maison:* leer stehend; *poste:* offen, unbesetzt

vacarme [vakarm] m (Heiden-)Lärm m, Krach m

vaccin [vaksɛ̃] m *méd* Impfstoff m

vaccin|ation [vaksinasjɔ̃] f *méd* Imp-

299

vanité

fung *f*; **~er** *(1a)* impfen

vache [vaʃ] **1.** *f* Kuh *f*; *cuir*: Rindsleder *n*; *fig* **~ à lait** Melkkuh *f*; F **la ~!** Donnerwetter!, Mensch!; **2.** *adj* F gemein; **~ment** *adv* F kolossal, wahnsinnig

vaciller [vasije] *(1a)* schwanken; *flamme, lumière*: flackern

vade-mecum [vademekɔm] *m (pl unv) litt* Vademecum *n*

vadrouiller [vadruje] *(1a)* F herumbummeln

va-et-vient [vaevjɛ̃] *m (pl unv) pièce mobile*: Hin- und Herbewegung *f*; *personnes*: Kommen und Gehen *n*

vagabond, ~e [vagabɔ̃, -d] **1.** *adj* umherstreifend; *vie*: unstet; **2.** *m, f* Vagabund *m*, Landstreicher(in) *m(f)*

vagabond|age [vagabɔ̃daʒ] *m* Umherziehen *n*; *jur* Landstreicherei *f*; **~er** *(1a)* umherziehen, herumstrolchen, -streichen; *fig* umherschweifen

vagin [vaʒɛ̃] *m anat* Scheide *f*, Vagina *f*

vagir [vaʒir] *(2a)* wimmern

vague¹ [vag] *f* Welle *f*, Woge *f*

vague² [vag] **1.** *adj confus* vage, unbestimmt, undeutlich; *flou* verschwommen; *terrain* **~** unbebautes Gelände *n*; **2.** *m* Undeutlichkeit *f*; **~ment** *adv* vage, verschwommen

vaguer [vage] *(1m) litt* schweifen

vaillant, ~e [vajɑ̃, -t] *courageux* tapfer; *travailleur*: tüchtig

vaille [vaj] *subj de* **valoir**, **~ que ~** komme, was da wolle

vain, ~e [vɛ̃, vɛn] vergeblich; *fat* eitel; **en vain** vergeblich, umsonst

vaincre [vɛ̃krə] *(4i) v/t* **~ qn** j-n besiegen, über j-n siegen; *fig angoisse, obstacle*: überwinden; *v/i* siegen

vaincu, ~e [vɛ̃ky] **1.** *p/p de* **vaincre** besiegt; **2.** *m* Besiegte(r) *m*, Verlierer *m*

vainement [vɛnmɑ̃] *adv* umsonst, vergeblich

vainqueur [vɛ̃kœr] *m* Sieger(in) *m(f)*

vaisseau [vɛso] *m (pl -x)* **1.** *anat* Gefäß *n*; **~ sanguin** Blutgefäß *n*; **2.** *litt bateau* Schiff *n*; **~ spatial** Raumschiff *n*

vaisselle [vɛsɛl] *f* Geschirr *n*; **laver** od **faire la ~** (das) Geschirr spülen, abwaschen

val [val] *m (pl vaux* [vo] *od* vals*) litt* Tal *n*; **par monts et par vaux** über

Berg und Tal

valable [valablə] gültig; *travail, excuse*: annehmbar; *réponse, méthode*: brauchbar

Valais [valɛ] **le ~** das Wallis

valériane [valerjan] *f bot* Baldrian *m*

valet [valɛ] *m* Diener *m*; *cartes*: Bube *m*

valeur [valœr] *f* Wert *m*; *personne*: Bedeutung *f*; *comm* **~s** *pl* Wertpapiere *n/pl*; **~ ajoutée** Mehrwert *m*; **sans ~** wertlos; **la ~ de** etwa; **mettre en ~** zur Geltung bringen, hervorheben; **avoir de la ~** wertvoll sein

valeureu|x, ~se [valœrø, -z] *st/s* tapfer

validation [validasjɔ̃] *f* Gültigkeitserklärung *f*; *diplôme*: Anerkennung *f*; *ticket*: Entwertung *f*

valid|e [valid] **1.** *sain* gesund, kräftig; **2.** *passeport, ticket*: gültig; **~er** *(1a)* für gültig erklären; *diplôme*: anerkennen; *ticket*: entwerten; **~ité** *f* (Rechts-)Gültigkeit *f*

valise [valiz] *f* Koffer *m*; **faire sa ~** seinen Koffer packen

vallée [vale] *f* Tal *n*

vallon [valɔ̃] *m* kleines Tal *n*

vallonné, ~e [valɔne] hügelig

valoir [valwar] *(3h)* **1.** *v/i* wert sein; *coûter* kosten; **~ pour** gelten für; **~ mieux** besser sein *(que* als); **il vaut mieux** (+ *inf)* **(que de** + *inf)* es ist besser zu (+ *inf)* (als zu + *inf)*; **il vaut mieux que** (+ *subj)* es ist besser, dass; F **ça vaut le coup** das lohnt sich; **faire ~** *droits*: geltend machen; *capital*: arbeiten lassen; *figure, visage*: vorteilhaft betonen; *v/t* **~ qc à qn** j-m etw eintragen; **3.** *montant*: **à ~ sur** anzurechnen auf *(acc)*; **4. se ~** einander gleich sein

valoris|ation [valɔrizasjɔ̃] *f* Aufwertung *f*; **~er** *(1a)* aufwerten

vals|e [vals] *f* Walzer *m*; **~er** *(1a)* Walzer tanzen; F **faire ~ l'argent** mit Geld um sich schmeißen

valve [valv] *f tech* Ventil *n*

vampire [vɑ̃pir] *m* Vampir *m*; *fig* Blutsauger *m*

van [vɑ̃] *m* Transportwagen *m*

vandal|e [vɑ̃dal] *m, f* Vandale *m*, Vandalin *f*; **~isme** *m* Vandalismus *m*, Zerstörungswut *f*

vanille [vanij] *f* Vanille *f*

vanit|é [vanite] *f fatuité* Eitelkeit *f*; *in-*

V

utilité Vergeblichkeit *f*; **~eux, ~euse** [-ø, -øz] eitel, eingebildet

vanne [van] *f* Schleusentor *n*; F Stichelei *f*

vanneau [vano] *m* (*pl* -x) *zo* Kiebitz *m*

vannerie [vanri] *f* Korbflechterei *f*; *objets*: Korbwaren *f/pl*

vantail [vɑ̃taj] *m* (*pl vantaux*) (Tür-, Fenster-)Flügel *m*

vantard, ~e [vɑ̃tar, -d] **1.** *adj* großsprecherisch; **2.** *m, f* Prahlhans *m*, Angeber(in) *m(f)*; **~ise** [-ardiz] *f* Prahlerei *f*, Angeberei *f*

vanter (*1a*) rühmen, (an)preisen; *se* **~** prahlen, angeben, sich brüsten (*de qc* mit etw)

vapeur [vapœr] **1.** *f* Dampf *m*; *brouillard* Dunst *m*; **2.** *m* Dampfer *m*

vaporeu|x, ~se [vaporø, -z] duftig, leicht

vaporis|ateur [vaporizatœr] *m parfum*: Zerstäuber *m*; *déodorant, laque*: Spray *m od n*; **~er** (*1a*) verdampfen; *parfum*: zerstäuben

vaquer [vake] (*1m*) **~ à ses occupations** seiner Beschäftigung nachgehen

varech [varɛk] *m bot* Tang *m*

vareuse [varøz] *f marin*: Matrosenbluse *f*; *uniforme*: (Uniform-)Jacke *f*

vari|abilité [varjabilite] *f* Veränderlichkeit *f*; **~able** veränderlich

variante [varjɑ̃t] *f* Variante *f*

variation [varjasjɔ̃] *f changement* Veränderung *f*; *écart* Schwankung *f*

varice [varis] *f anat* Krampfader *f*

varicelle [varisɛl] *f méd* Windpocken *pl*

varié, ~e [varje] verschiedenartig

varier [varje] (*1a*) *v/t* **~** *qc* Abwechslung in etw (*acc*) bringen; *style, thème*: etw variieren; *v/i* sich ändern, wechseln; *prix*: schwanken

variété [varjete] *f* **1.** Vielfalt *f*; *biol* Abart *f*; **2.** **~s** *pl spectacle*: Variété *n*

variole [varjɔl] *f méd* Pocken *pl*

Varsovie [varsɔvi] Warschau

vase[1] [vaz] *m* Gefäß *n*; *fleurs*: Vase *f*; **~ de nuit** Nachttopf *m*

vase[2] [vaz] *f* Schlamm *m*

vaseu|x, ~se [vazø, -z] schlammig; F *fatigué* unwohl; F *vague* verschwommen

vasistas [vazistas] *m* Guckfenster *n*, Oberlicht *n*

vaste [vast] *plaine*: weit, ausgedehnt;

chambre, armoire: geräumig; *connaissances, thème*: umfangreich

va-tout [vatu] *m* **jouer son ~** alles auf e-e Karte setzen

Vaud [vo] **canton m de ~** Kanton *m* Waadt

vaudeville [vodvil] *m* Schwank *m*

vau-l'eau [volo] **(s'en) aller à ~** zunichte werden

vaurien, ~ne [vorjɛ̃, -ɛn] *m, f* Taugenichts *m*

vautour [votur] *m zo* Geier *m*; *fig* Wucherer *m*

vautrer [votre] (*1a*) *se* **~** sich hinflätzen

veau [vo] *m* (*pl* -x) *zo* Kalb *n*; *viande*: Kalbfleisch *n*; *cuir*: Kalbsleder *n*

vecteur [vɛktœr] *m math* Vektor *m*; *mil* Trägersystem *n*

vedette [vədɛt] *f* **1.** *théâtre, film*: Star *m*; **en ~** vorn, im Vordergrund; **mettre en ~** herausstellen, -streichen; **match m ~** Spitzen-, Schlagerspiel *n*; **2.** *mil* Schnellboot *n*

végétal, ~e [veʒetal] (*m/pl -aux*) **1.** *adj* pflanzlich, Pflanzen...; **2.** *m* Pflanze *f*, Gewächs *n*

végétarien, ~ne [veʒetarjɛ̃, -ɛn] **1.** *adj* vegetarisch; **2.** *m, f* Vegetarier(in) *m(f)*

végét|ation [veʒetasjɔ̃] *f* Vegetation *f*; **~er** (*1f*) (dahin)vegetieren

véhém|ence [veemɑ̃s] *f* Heftigkeit *f*; **~ent, ~ente** [-ɑ̃, -ɑ̃t] heftig, leidenschaftlich

véhicule [veikyl] *m* Fahrzeug *n*; *fig* Träger *m*

veille [vɛj] *f* **1.** Vorabend *m*, Tag *m* vorher; **la ~ de Noël** der Heilige Abend; **à la ~ de ...** kurz vor ...; **2.** Wachen *n*; *mil* (Nacht-)Wache *f*

veillée [veje] *f malade*: Krankenwache *f*; *amis*: abendliches Beisammensein *n*; **~ funèbre** Totenwache *f*

veiller [veje] (*1b*) **1.** wachen; **2.** **~ à qc** für etw sorgen, auf etw (*acc*) achten; **~ à ce que** (+ *subj*) dafür sorgen *od* darauf achten, dass; **~ à** (+ *inf*) darauf achten zu (+ *inf*); **~ sur qn** auf j-n Acht geben

veill|eur [vejœr] *m* Wächter *m*; **~euse** *f* Nachtlicht *n*; *cheminée*: Sparflamme *f*; *auto* Standlicht *n*; **mettre en ~ flamme**: klein stellen; *fig affaire*: ruhen lassen

veinard, ~e [vɛnar, -d] *m, f* F Glückspilz *m*, -kind *n*

verbe

veine [vɛn] f **1.** Ader f (a géol); Vene f; fig Anlage f; **2.** F Glück n; **avoir de la ~** Schwein haben

vêler [vele] (1b) kalben

véliplanchiste [veliplɑ̃ʃist] m, f (Wind-) Surfer(in) m(f)

velléité [veleite] f Anwandlung f

vélo [velo] m Fahrrad n; **faire du ~** Rad fahren

vélo|cité [velɔsite] f Schnelligkeit f; **~drome** [-drom] m Radrennbahn f; **~moteur** [-mɔtœr] m Moped n

velours [v(ə)lur] m Samt m

velouté, ~e [vəlute] samtig, samtweich; soupe: legiert, sämig

velu, ~e [vəly] haarig, behaart

venaison [vənɛzɔ̃] f Wildbret n

vénal, ~e [venal] (m/pl -aux) péj käuflich, bestechlich

venant [v(ə)nɑ̃] **à tout ~** dem ersten Besten

vendable [vɑ̃dablə] verkäuflich

vendang|e [vɑ̃dɑ̃ʒ] f Weinlese f; **~er** (1l) Weinlese halten

vendeu|r, ~se [vɑ̃dœr, -øz] m, f Verkäufer(in) m(f)

vendre [vɑ̃drə] (4a) verkaufen; fig verraten; **se ~** sich verkaufen (lassen)

vendredi [vɑ̃drədi] m Freitag m; 2 **saint** Karfreitag m

vendu, ~e [vɑ̃dy] p/p de **vendre** u adj verkauft; péj gekauft

vénéneu|x, ~se [venenø, -z] plantes: giftig

vénér|able [venerablə] ehrwürdig; **~ation** f Ehrfurcht f; **~er** (1f) verehren

vénérien, ~ne [venerjɛ̃, -jɛn] med **maladie f vénérienne** Geschlechtskrankheit f

vengeance [vɑ̃ʒɑ̃s] f Rache f

venger [vɑ̃ʒe] (1l) rächen (**qn de qc** j-n für etw); **se ~ de qn** sich an j-m rächen; **se ~ de qc sur qn** sich für etw an j-m rächen

veng|eur, ~eresse [vɑ̃ʒœr, -rɛs] **1.** adj rächend; **2.** m, f Rächer(in) m(f)

venimeu|x, ~se [vənimø, -z] serpent: giftig; fig boshaft

venin [v(ə)nɛ̃] m serpent: Gift n; fig Bosheit f

venir [v(ə)nir] (2h) kommen; origine: stammen (**de** aus); hauteur, étendue: reichen (**jusqu'à** bis); ~ **bien** plante: gut gedeihen; **à ~** (zu)künftig; **y ~**

darauf zu sprechen kommen; **en ~ à qc** zu etw kommen; **en ~ à croire que** zu der Überzeugung kommen, dass; **en ~ aux mains** handgemein werden; **en ~ là** so weit kommen; **où veut-il en ~?** worauf will er hinaus?; ~ **de faire qc** soeben etw getan haben; ~ **à dire** zufällig sagen; ~ **dire** kommen, (um) zu sagen; ~ **voir qn** j-n besuchen; ~ **chercher**, ~ **prendre** (ab)holen; **faire ~ médecin:** kommen lassen

Venise [vəniz] Venedig

vénitien, ~ne [venisjɛ̃, -jɛn] venezianisch

vent [vɑ̃] m Wind m; fig Tendenz f; mus **instrument m à ~** Blasinstrument n; fig **être dans le ~** modern sein; fig **c'est du ~** das ist leeres Gerede; **coup m de ~** Windstoß m; **en plein ~** maison: völlig frei stehend; **il fait du ~** es ist windig; fig **avoir ~ de qc** von etw hören, Wind bekommen

vente [vɑ̃t] f Verkauf m; entreprise: Absatz m; Vertrieb m; ~ **publique** (öffentliche) Versteigerung f

venteu|x, ~se [vɑ̃tø, -z] windig

ventilateur [vɑ̃tilatœr] m Ventilator m, Gebläse n

ventiler [vɑ̃tile] (1a) belüften; jur aufteilen

ventouse [vɑ̃tuz] f Saugnapf m

ventre [vɑ̃trə] m Bauch m, Unterleib m; **à plat ~** auf den od dem Bauch

ventriloque [vɑ̃trilɔk] m Bauchredner m

ventru, ~e [vɑ̃try] dickbäuchig

venu, ~e [v(ə)ny] **1.** adj **bien ~** gelungen; **2.** m, f **le premier venu, la première venue** der, die erste Beste; **nouveau venu, nouvelle venue** Neuankömmling m

venue [v(ə)ny] f Ankunft f

vêpres [vɛprə] f/pl rel Vesper f

ver [vɛr] m zo Wurm m; asticot Made f; ~ **de terre** Regenwurm m; ~ **à soie** Seidenraupe f

véracité [verasite] f Wahrheitsgehalt m

véranda [verɑ̃da] f Veranda f

verbal, ~e [vɛrbal] (m/pl -aux) oral: mündlich, verbal; du verbe: Verb...

verbaliser [vɛrbalize] (1a) **1.** jur ein Protokoll aufnehmen; **2.** exprimer sprachlich ausdrücken

verbe [vɛrb] m ling Verb n, Zeit-, Tätigkeitswort *n*

verbiage [vɛrbjaʒ] *m* Geschwätz *n*

verdâtre [vɛrdɑtrə] grünlich

verdeur [vɛrdœr] *f* Unreife *f*; *vin*: Herbheit *f*; *discours*: Deftigkeit *f*; *âge*: Rüstigkeit *f*

verdict [vɛrdikt] *m jur* (Urteils-)Spruch *m*; *allg* Urteil *n*, Verdikt *n*

verdir [vɛrdir] (*2a*) *v/t* grün färben; *v/i* grün werden

verdoy|ant, **~ante** [vɛrdwajɑ̃, -ɑ̃t] sattgrün; **~er** (*1h*) grünen

verdure [vɛrdyr] *f feuillages* grünes Laub *n*; *salade*: Grünzeug *n* F

véreu|x, **~se** [verø, -z] wurmstichig, wurmig; *fig* anrüchig

verge [vɛrʒ] *f anat* Penis *m*; *baguette* Rute *f*

verger [vɛrʒe] *m* Obstgarten *m*

verglacé, **~e** [vɛrglase] vereist

verglas [vɛrglɑ] *m* Glatteis *n*

vergogne [vɛrɡɔɲ] *f sans ~* schamlos

véri|dique [veridik] wahrheitsgetreu; **~fiable** [-fjablə] nachprüfbar

vérification [verifikasjɔ̃] *f* Überprüfung *f*

vérifier [verifje] (*1a*) überprüfen, nachsehen; *hypothèse*: verifizieren; *se ~* sich bestätigen

vérin [verɛ̃] *m tech* Winde *f*; *auto* Wagenheber *m*

véritable [veritablə] wahr, echt, wirklich; **~ment** *adv* wirklich, tatsächlich

vérité [verite] *f* Wahrheit *f*, *portrait*: Ähnlichkeit *f*; *à la ~* allerdings; *en ~* in der Tat, wahrlich

vermeil [vɛrmɛj] (hoch)rot

vermicelle(s) [vɛrmisɛl] *m(pl)* Suppen-, Fadennudeln *f/pl*

vermillon [vɛrmijɔ̃] *m* Zinnober(rot) *m(n)*

vermine [vɛrmin] *f* Ungeziefer *n*; *st/s fig* Gesindel *n*

vermoulu, **~e** [vɛrmuly] wurmstichig

vermout(h) [vɛrmut] *m* Wermut(wein) *m*

vernaculaire [vɛrnakylɛr] *ling langue f ~* Regionalsprache *f*

verni, **~e** [vɛrni] **1.** *adj* lackiert; **2.** *m* F Glückspilz *m*

vernir [vɛrnir] (*2a*) firnissen, lackieren; *meubles*: polieren

vernis [vɛrni] *m* Lack *m*; *céramique*: Glasur *f*; *meubles*: Politur *f*; **~ à ongle**

Nagellack *m*

vernissage [vɛrnisaʒ] *m* **1.** *bois*: Lackieren *n*; *céramique*: Glasieren *n*; **2.** *exposition*: Eröffnung *f*, Vernissage *f*

vérole [verɔl] *f méd* F Syphilis *f*; **petite ~** Pocken *pl*

verrat [vɛra] *m zo* Eber *m*

verr|e [vɛr] *m* Glas *n*; **~s de contact** Haftschalen *f/pl*; **~ à eau** Wasserglas *n*; **~ à vin** Weinglas; **un ~ de vin** ein Glas Wein; **~erie** *f fabrique*: Glasfabrik *f*; *objets*: Glaswaren *f/pl*; **~ière** [-jɛr] *f vitrage*: Kirchenfenster *n*; *toit*: Glasdach *n*; **~oterie** [-ɔtri] *f* Glasperlen *f/pl*

verrou [vɛru] *m* (*pl* -s) Riegel *m*

verrouiller [vɛruje] (*1a*) verriegeln

verrue [vɛry] *f* Warze *f*

vers¹ [vɛr] *m* Vers *m*

vers² [vɛr] *prép* gegen; **~ l'est** gegen, nach Osten (hin); **~ la fin** gegen Ende; **~ midi** gegen, um Mittag

versant [vɛrsɑ̃] *m* (Berg-)Abhang *m*

versatil|e [vɛrsatil] wankelmütig, unbeständig; **~ité** *f* Wankelmut *m*

verse [vɛrs] *il pleut à ~* es gießt in Strömen

versé, **~e** [vɛrse] **~ dans** bewandert in (*dat*)

Verseau [vɛrso] *m astrologie*: Wassermann *m*

versement [vɛrsəmɑ̃] *m* Zahlung *f*; *à un compte*: Einzahlung *f*

verser [vɛrse] **1.** *v/t* gießen; *sang, larmes*: vergießen; *sucre, riz*: schütten; **~** (*à boire*) einschenken; *argent à un compte*: einzahlen; *intérêts, pension*: (aus)zahlen; **2.** *v/i* *bascule* umstürzen; *fig* **~ dans qc** in etw (*acc*) verfallen

verset [vɛrsɛ] *m* (Bibel-)Vers *m*

versification [vɛrsifikasjɔ̃] *f* Versbau *m*

version [vɛrsjɔ̃] *f* Version *f*, Fassung *f*; *modèle*: Ausführung *f*; *langues*: Übersetzung *f* aus der Fremdsprache; **film m en ~ originale** Film *m* in Originalfassung *f*

verso [vɛrso] *m feuille*: Rückseite *f*; *au ~* umseitig, auf der Rückseite

vert, **~e** [vɛr, -t] **1.** *adj* grün; *fruit*: unreif; *vin*: herb; *fig personne âgée*: rüstig; *propos*: deftig, derb; **langue f verte** Gaunersprache *f*; **2.** *l'Europe f verte* der gemeinsame europäische Agrarmarkt *m*; **3.** *m* Grün *n*; *pol* **les verts** *m/pl* die Grünen *m/pl*

vert-de-gris [vɛrdəgri] *m* Grünspan *m*

vertébral, ~e [vɛrtebral] (*m/pl -aux*) *anat* Wirbel...; *colonne f vertébrale* Wirbelsäule *f*

vertèbre [vɛrtɛbrə] *f anat* (Rücken-)Wirbel *m*

vertébrés [vɛrtebre] *m/pl zo* Wirbeltiere *n/pl*

vertement [vɛrtəmɑ̃] *adv* scharf, heftig

vertical, ~e [vɛrtikal] (*m/pl -aux*) **1.** *adj* senkrecht, vertikal; **2.** *f* Senkrechte *f*; *~ement adv* vertikal

vertige [vɛrtiʒ] *m* Schwindel(gefühl) *m*(*n*); *fig* Taumel *m*; *j'ai le ~* mir ist schwindlig

vertigineu|x, ~se [vɛrtiʒinø, -z] Schwindel erregend

vertu [vɛrty] *f* Tugend *f*; *pouvoir* Kraft *f*; *en ~ de* kraft, auf Grund von

vertueu|x, ~se [vɛrtɥø, -z] tugendhaft

verve [vɛrv] *f* Schwung *m*; *plein de ~* schwungvoll, mitreißend

verveine [vɛrvɛn] *f bot* Eisenkraut *n*

vésicule [vezikyl] *f anat* Gallenblase *f*

vespasienne [vɛspazjɛn] *f* Pissoir *n*

vessie [vesi] *f anat* (Harn-)Blase *f*

veste [vɛst] *f* (Herren-)Jacke *f*, Jackett *n*; F *ramasser une ~* e-n Reinfall erleben; F *retourner sa ~* umschwenken, seine Meinung ändern

vestiaire [vɛstjɛr] *m théâtre*: Garderobe *f*; *stade*: Umkleideraum *m*

vestibule [vɛstibyl] *m* Diele *f*, Flur *m*

vestige [vɛstiʒ] *m le plus souvent au pl ~s* Überreste *m/pl*, Spuren *f/pl*

veston [vɛstɔ̃] *m* (Herren-)Jacke *f*, Jackett *n*

vêtement [vɛtmɑ̃] *m* Kleidungsstück *n*; *~s pl* (Be-)Kleidung *f*; (*industrie f du*) *~* Bekleidungsindustrie *f*

vétéran [veterɑ̃] *m* Veteran *m*

vétérinaire [veteriner] **1.** *adj* tierärztlich; **2.** *m, f* Tierarzt, -ärztin *m, f*

vétille [vetij] *f* (*souvent au pl ~s*) Lappalie *f*, Belanglosigkeit *f*

vêtir [vetir] (*2g*) *litt* bekleiden

veto [veto] *m* Veto *n*, Einspruch *m*; *droit m de ~* Vetorecht *n*; *opposer son ~ à* sein Veto einlegen gegen

vêtu, ~e [vety] angezogen, bekleidet

vétuste [vetyst] *bâtiment*: baufällig; *institution*: überholt

veu|f, ~ve [vœf, -v] **1.** *adj* verwitwet; **2.** *m, f* Witwe(r) *f*(*m*)

veule [vøl] schlapp, energielos

vexant, ~e [vɛksɑ̃, -ɑ̃t] *mot*: kränkend; *c'est vexant* das ist ärgerlich

vexation [vɛksasjɔ̃] *f* Kränkung *f*; *litt* Schikane *f*

vexer [vɛkse] (*1a*) kränken, beleidigen

via [vja] über (*acc*), via

viabil|iser [vjabilize] (*1a*) *terrain*: erschließen; *~ité f urbanisme*: Erschließung *f*; *entreprise*: Lebensfähigkeit *f*; *rue*: Befahrbarkeit *f*

viable [vjablə] lebensfähig; *projet*: durchführbar; *rue*: befahrbar

viaduc [vjadyk] *m* Viadukt *m od n*

viager, ~ère [vjaʒe, -ɛr] **1.** *adj* auf Lebenszeit, lebenslänglich; **2.** *m* Leibrente *f*

viande [vjɑ̃d] *f* Fleisch *n*; *~ froide* kalter Braten *m*

vibr|ant, ~ante [vibrɑ̃, -ɑ̃t] vibrierend; *fig* mitreißend; *~ation f* Schwingung *f*, Vibration *f*; *~er* (*1a*) schwingen, vibrieren; *fig faire ~* mitreißen, packen

vicaire [viker] *m égl* Vikar *m*

vice [vis] *m défaut* Fehler *m*, Mangel *m*; *péché* Laster *n*

vice-... [vis] *in Zssgn* Vize...; *~-président* [visprezidɑ̃] *m* Vizepräsident *m*

vice versa [vis(e)vɛrsa] umgekehrt

vici|é, ~ée [visje] *air m vicié* schlechte *od* verbrauchte Luft *f*; *~eux, ~euse* [-ø, -øz] *fautif* fehlerhaft; *pervers* lüstern; *cercle m vicieux* Teufelskreis *m*

vicinal, ~e [visinal] (*m/pl -aux*) *chemin m vicinal* Gemeindeweg *m*

vicissitudes [visisityd] *f/pl* Auf und Ab *n*

victime [viktim] *f* Opfer *n*; *~ de guerre* Kriegsopfer *n*

victoire [viktwar] *f* Sieg *m*; *remporter la ~* den Sieg erringen

victorieu|x, ~se [viktɔrjø, -øz] siegreich

victuailles [viktɥaj] *f/pl* Lebensmittel *n/pl*

vidage [vidaʒ] *m* Entleerung *f*

vidang|e [vidɑ̃ʒ] *f auto* Ölwechsel *m*; *faire une ~* das Öl wechseln; *~er* (*1l*) (ent)leeren; *auto huile*: wechseln

vide [vid] **1.** *adj* leer; *fig* inhalts-, sinnlos; *~ de* ohne; **2.** *m néant* Leere *f*; *physique*: Vakuum *n*; *à ~* leer; *tech marche f à ~* Leerlauf *m*

vidéo [video] **1.** *f* Video *n*; **2.** *adj* (*unv*)

V

Video...; **bande** f ~ Videoband n; **caméra** f ~ Videokamera f; **cassette** [-kasεt] f Videokassette f; **clip** [-klip] m Videoklip m; **disque** [-disk] m Bildplatte f; **phone** [-fɔn] m Bildtelefon n

vide-ordures [vidɔrdyr] m (pl unv) Müllschlucker m

videotex [videotεks] m Bildschirmtext m

vidéothèque [videotεk] f Videothek f

vider [vide] (1a) **1.** (aus)leeren; cuis ausnehmen; salle: räumen; querelle: beilegen; ~ **qn** j-n rausschmeißen; fatiguer erschöpfen, fertig machen; **2.** **se** ~ sich leeren

videur [vidœr] m F Rausschmeißer m

vie [vi] f **1.** Leben n; **à** ~ lebenslänglich; **de ma** ~ zeit meines Lebens; **sans** ~ leblos; **être en** ~ am Leben sein; **2.** vivacité Lebendigkeit f; **3.** moyens matériels Leben(sunterhalt) n(m); **coût de la** ~ Lebenshaltungskosten pl; **gagner sa** ~ seinen Lebensunterhalt verdienen

vieil [vjεj] → **vieux**

vieillard [vjεjar] m Greis m, alter Mann m; **les** ~**s** die alten Leute

vieille [vjεj] → **vieux**

vieill|erie [vjεjri] f le plus souvent au pl ~**s** alter Kram m; ~**esse** [-εs] f (hohes od Greisen-)Alter n; ~**ir** (2a) **1.** v/t soucis, maladie: altern lassen; vêtements, coiffure: alt machen; **2.** personne, visage: älter werden, altern; théorie, livre: veralten; vin: altern

vieillissement [vjεjismã] m Altern n

vieillot, ~**te** [vjejo, -ɔt] altmodisch

vielle [vjεl] f mus (Dreh-)Leier f

Vienne [vjεn] Wien

vierge [vjεrʒ] **1.** f Jungfrau f; rel **la** ~ (die Jungfrau) Maria; **2.** ♀ astrologie: Jungfrau f; **3.** adj jungfräulich; feuille: leer; neige, terres: unberührt; **forêt** f ~ Urwald m; **laine** f ~ Schurwolle f

Viêt-nam [vjεtnam] **le** ~ Vietnam n

vietnamien, ~**ne** [vjεtnamjɛ̃, -jεn] **1.** adj vietnamesisch; **2.** ♀ m, f Vietnamese m, -in f

vieux, vieil (m), vieille (f) [vjø, vjεj] **1.** adj alt; amitié, habitude: langjährig; **vieux jeu** altmodisch; **2.** m, f der, die, das Alte

vi|f, ~**ve** [vif, -v] **1.** adj lebendig, lebhaft;

critique, émotion: heftig; douleur, intérêt: stark; **de vive voix** mündlich; **2.** m **à vif** plaie: offen; **touché au vif** zutiefst getroffen; **entrer dans le vif du sujet** zum Kern der Sache kommen; **prendre sur le vif** aus dem Leben greifen

vigie [viʒi] f mar Ausguck m

vigilance [viʒilɑ̃s] f Wachsamkeit f

vigilant, ~**e** [viʒilɑ̃, -t] wachsam

vigile [viʒil] m Wachmann m

vigne [viɲ] f arbrisseau: Weinrebe f; plantation: Weinberg m

vigneron, ~**ne** [viɲrõ, -ɔn] m, f Winzer(in) m(f)

vignette [viɲεt] f dans livre: Zierbildchen n, Randverzierung f; autocollant Aufkleber m; de Sécurité Sociale: Gebührenmarke f; auto Steuerplakette f

vignoble [viɲɔblə] m plantation: Weinberg m; région: Weinbaugebiet n

vigoureu|x, ~**se** [viguro, -z] kräftig, stark

vigueur [vigœr] f Lebenskraft f, Stärke f; fig Heftigkeit f, Schärfe f; **plein de** ~ kraftstrotzend; **en** ~ jur in Kraft, gültig; fig üblich; **entrer en** ~ in Kraft treten

vil, ~**e** [vil] st/s niedrig, gemein; **à vil prix** spottbillig

vilain, ~**e** [vilɛ̃, -εn] unartig; grave schlimm; laid hässlich, F scheußlich

vilebrequin [vilbrəkɛ̃] m tech Handbohrer m; auto Kurbelwelle f

villa [vila] f Villa f

village [vilaʒ] m Dorf n

villageois, ~**e** [vilaʒwa, -z] **1.** adj ländlich, Dorf...; **2.** m, f Dorfbewohner(in) m(f)

ville [vil] f Stadt f; ~ **d'eau** Kurort m; **à** od **dans la** ~ in der Stadt; **la** ~ **de Paris** die Stadt Paris; **aller en** ~ in die Stadt gehen; **hôtel** m **de** ~ Rathaus n

villégiature [vileʒjatyr] f Sommerfrische f

vin [vɛ̃] m Wein m; ~ **de table** Tafelwein m; ~ **de pays** Landwein m; fig **cuver son** ~ seinen Rausch ausschlafen

vinaigre [vinεgrə] m Essig m

vinasse [vinas] F f schlechter Wein m

vindicati|f, ~**ve** [vɛ̃dikatif, -v] rachsüchtig

vineu|x, ~**se** [vino, -z] couleur: weinrot; odeur: nach Wein riechend vingt [vɛ̃] zwanzig

vingtaine [vɛ̃tɛn] *une ~* etwa zwanzig

vingtième [vɛ̃tjɛm] **1.** zwanzigste(r, -s); **2.** *m fraction:* Zwanzigstel *n*

vinicole [vinikɔl] Wein(bau)...

vinification [vinifikasjɔ̃] *f* Weinbereitung *f*

viol [vjɔl] *m* Vergewaltigung *f*

violacé, ~e [vjɔlase] blaurot

violation [vjɔlasjɔ̃] *f traité:* Verstoß *m*; *église, tombe:* Schändung *f*; *jur ~ de domicile* Hausfriedensbruch *m*

viole [vjɔl] *f mus* Viola *f*

violemment [vjɔlamɑ̃] *adv* brutal; *fig* heftig

violen|ce [vjɔlɑ̃s] *f* Gewalt *f*; *brutalité* Gewalttätigkeit *f*; *fig* Heftigkeit *f*; ~ent, ~ente [-ɑ̃, -ɑ̃t] gewaltsam; *fig* heftig

violer [vjɔle] *(1a) droit, règles:* verletzen; *promesse, serment:* brechen; *sexuellement:* vergewaltigen; *profaner* schänden

violet, ~te [vjɔlɛ, -t] violett

violette [vjɔlɛt] *f bot* Veilchen *n*

violon [vjɔlɔ̃] *m* **1.** Geige *f*, Violine *f*; *musicien:* Geiger(in) *m(f)*; **2.** F *prison* Kittchen *n*

violoncel|le [vjɔlɔ̃sɛl] *m* Cello *n*; ~iste *m*, *f* Cellist(in) *m(f)*

violoniste [vjɔlɔnist] *m*, *f* Geiger(in) *m(f)*

vipère [viper] *f zo* Viper *f*

virage [viraʒ] *m route:* Kurve *f*; *véhicule:* Drehen *n*, Wenden *n*; *fig* Wende *f*; *photo:* Tonung *f*; *prendre le ~* die Kurve nehmen

virago [virago] *f* Mannweib *n*

virée [vire] F F Spritztour *f*

virement [virmɑ̃] *m comm* Überweisung *f*; *~ bancaire*, *postal* Bank-, Postüberweisung *f*

virer [vire] *(1a)* **1.** *v/i* sich drehen; *véhicule:* e-e Kurve fahren; *~ de bord mar* wenden; *fig* umschwenken; **2.** *v/t argent:* überweisen; *photo:* tonen; F *~ qn* j-n hinauswerfen

virevolte [virvɔlt] *f* Wendung *f*, Drehung *f*

virginal, ~e [virʒinal] *(m/pl -aux)* jungfräulich

virginité [virʒinite] *f* Jungfräulichkeit *f*; *fig* Reinheit *f*

virgule [virgyl] *f* Komma *n*

viril, ~e [viril] männlich; *courageux*

mannhaft; ~ité *f* Männlichkeit *f*; *vigueur sexuelle* Manneskraft *f*

virologie [virɔlɔʒi] *f* Virologie *f*, Virusforschung *f*

virtuel, ~le [virtɥel] *phil* virtuell, potenziell; *phys* virtuell

virtuos|e [virtɥoz] *m*, *f* Virtuose *m*, Virtuosin *f*; ~ité *f* Virtuosität *f*, Kunstfertigkeit *f*

virulent, ~e [virylɑ̃, -t] heftig, scharf; *méd* virulent

virus [virys] *m* Virus *n od m* (*a fig*)

vis [vis] *f* Schraube *f*; *escalier m à ~* Wendeltreppe *f*; *fig* F *serrer la ~ à qn* j-n kurz halten

visa [viza] *m* Visum *n*, Sichtvermerk *m*

visage [vizaʒ] *m* Gesicht *n*

visagiste [vizaʒist] *m*, *f* Visagist(in) *m(f)*, Kosmetiker(in) *m(f)*

vis-à-vis [vizavi] **1.** *adv* (einander) gegenüber; **2.** *prép ~ de* gegenüber; *à l'égard de* in Bezug auf (*acc*); **3.** *m* Gegenüber *n*

viscéral, ~e [viseral] (*m/pl -aux*) Eingeweide...; *fig* tief gehend

viscères [viser] *m/pl* Eingeweide *n/pl*

visée [vize] *f arme:* Zielen *n*; ~s *pl intentions* Absichten *f/pl*

viser [vize] *(1a)* **1.** *v/t* zielen (*qc, qn* auf etw, auf j-n); *idéal:* anstreben, anvisieren; *s'adresser à* abzielen auf (*acc*), betreffen; *fig ~ haut* hoch hinauswollen; **2.** *v/t indirect ~ à* trachten nach, hinzielen auf (*acc*)

viseur [vizœr] *m arme:* Visier *n*; *photographie:* Sucher *m*

visib|ilité [vizibilite] *f* Sicht(barkeit) *f*; ~ible sichtbar; *évident* (offen)sichtlich

visière [vizjer] *f* (Helm-)Visier *n*

vision [vizjɔ̃] *f* Sehen *n*; *conception* Vorstellung *f*; *apparition* Vision *f*, Erscheinung *f*

visionnaire [vizjoner] **1.** *adj* seherisch; **2.** *m*, *f* Fantast(in) *m(f)*

visionneuse [vizjonœz] *f photographie:* Bildbetrachter *m*

visit|e [vizit] *f* Besuch *m*; *de ville:* Besichtigung *f*; *médecin:* Visite *f*; *~ guidée* Führung *f*; *~ médicale* ärztliche Untersuchung *f*; *~ de douane* Zollkontrolle *f*; *~er (1a) ville:* besichtigen, besuchen; *prisonnier, malade:* auf-, besuchen; *bagages, maison:* durchsuchen; *~eur*, *~euse m*, *f* Besucher(in) *m(f)* vison [vizõ] *m zo* Nerz *m*

visqueu|x, **~se** [viskø, -z] zäh(flüssig); *péj* schmierig

visser [vise] (*1a*) festschrauben

visuel, **~le** [vizɥɛl] visuell; **champ** *m* **visuel** Gesichtsfeld *n*

vital, **~e** [vital] (*m/pl -aux*) Lebens...; *indispensable* lebenswichtig; **~ité** *f* Vitalität *f*, Lebenskraft *f*

vitamine [vitamin] *f* Vitamin *n*

vite [vit] *adv* schnell

vitesse [vitɛs] *f allure* Geschwindigkeit *f*; *rapidité* Schnelligkeit *f*; *auto* Gang *m*; **changer de ~** schalten; **à toute ~** möglichst schnell; **F en ~** schnellstens

viticole [vitikɔl] Wein(bau)...

viticult|eur [vitikyltœr] *m* Weinbauer *m*; **~ure** [-yr] *f* Weinbau *m*

vitrage [vitraʒ] *m cloison:* Glaswand *f*; *action:* Verglasen *n*

vitrail [vitraj] *m* (*pl -aux*) Kirchenfenster *n*

vitr|e [vitr] *f* Glasscheibe *f*, Fenster(scheibe) *n(f)*; **~er** (*1a*) verglasen

vitrier [vitrije] *m* Glaser *m*

vitrine [vitrin] *f étalage* Auslage *f*, Schaufenster *n*; *armoire:* Vitrine *f*

vitupérer [vitypere] (*1f*) litt heftig ausschelten; *st/s* **~ contre** wettern gegen

vivac|e [vivas] *biol* lebenskräftig; *sentiment:* hartnäckig; **~ité** *f personne, regard:* Lebhaftigkeit *f*; *sentiment:* Heftigkeit *f*

vivant, **~e** [vivã, -t] **1.** *adj* lebend, lebendig; *fig enfant* lebhaft, lebendig; *langue:* lebendig; **2.** *m* Lebende(r) *m*; **bon vivant** Genießer *m*; **de son vivant** zu seinen Lebzeiten

vivats [viva] *m/pl* Hochrufe *m/pl*

vivement [vivmã] *adv* lebhaft; *vite* schnell; **~ ...!** wäre es nur schon ...!

viveur [vivœr] *m* Lebemann *m*

vivier [vivje] *m* Fischteich *m*; *restaurant:* Fischbehälter *m*

vivifier [vivifje] (*1a*) stärken, beleben

vivoter [vivɔte] (*1a*) kümmerlich leben

vivre [vivr] **1.** (*4e*) *v/i* leben; *v/t* erleben; **vive ...!** es lebe ...!; **2.** *m/pl* **~s** Lebensmittel *n/pl*, Verpflegung *f*

vocabulaire [vɔkabylɛr] *m* Wortschatz *m*; *liste:* Wörterverzeichnis *n*

vocal, **~e** [vɔkal] (*m/pl -aux*) Stimm..., Vokal...

vocalique [vɔkalik] *ling* vokalisch

vocation [vɔkasjõ] *f* Berufung *f*; *région, institution:* Bestimmung *f*

vociférer [vɔsifere] (*1f*) wütend schreien, toben

vœu [vø] *m* (*pl -x*) *rel* Gelübde *n*; *souhait* Wunsch *m*; **de bonheur:** Glückwunsch *m*; **faire ~ de** (+ *inf*) geloben zu (+ *inf*); **tous mes ~x!** meine besten Wünsche!

vogue [vɔg] *f* **être en ~** modern, in Mode sein

voici [vwasi] hier ist *od* sind, da ist *od* sind; **me ~!** hier bin ich; **le livre que ~** dieses Buch da

voie [vwa] *f* Weg *m* (*a fig*); *chemin de fer:* Gleis *n*; *autoroute:* Fahrbahn *f*, -spur *f*; *auto largeur:* Spurweite *f*; **~ express** Schnellstraße *f*; **être en ~ de formation** im Entstehen sein; **en ~ de développement** in der Entwicklung; **par (la) ~ de** über, durch; **par ~ aérienne** auf dem Luftweg

voilà [vwala] da ist *od* sind; **(et) ~! das** wär's!; **en ~ assez!** jetzt reicht's aber!; **~ tout** das ist alles; **~ pourquoi** darum, deshalb; **me ~** da bin ich

voile [vwal] **1.** *m* Schleier *m*; *fig* Hülle *f*; **2.** *f mar* Segel *n*; *sport:* Segeln *n*, Segelsport *m*; *anat* **~ du palais** Gaumensegel *n*; **vol m à ~** Segelfliegen *n*; F **mettre les ~s** abhauen

voiler¹ [vwale] (*1a*) verschleiern, verhüllen (*a fig*); **se ~ femme:** verschleiert sein, gehen

voiler² [vwale] (*1a*) **se ~ bois, métal:** sich verbiegen; *roue:* e-n Achter bekommen

voilier [vwalje] *m* Segelschiff *n*

voir [vwar] (*3b*) *v/i* sehen; *v/t* sehen; *remarquer* erblicken, bemerken; *vivre* erleben, durchmachen; *comprendre* einsehen, verstehen; *endroit:* ansehen, besuchen; *ami, famille:* besuchen; *examiner* nach-, durchsehen; **faire ~** zeigen; **être bien vu** gut angeschrieben sein; **aller** *od* **venir ~** besuchen; **cela n'a rien à ~** das hat nichts damit zu tun; **~ à qc** auf etw (*acc*) Acht geben; **se ~** sich sehen; *se rencontrer* zusammenkommen; **se ~ décerner un prix** e-n Preis verliehen bekommen; **cela se voit** das sieht man; **voyons!** also!; *reproche:* aber, aber!

voire [vwar] *adv* (ja) sogar

voirie [vwari] *f voies* Straßen- und Wegenetz *n*; *administration:* Straßenbauamt *n*

vois|in, ~ine [vwazɛ̃, -zin] **1.** *adj* benachbart; **2.** *m, f* Nachbar(in) *m(f)*; **~inage** [-inaʒ] *m* Nachbarschaft *f*; **~iner** [-ine] (*1a*) **~ avec** stehen, liegen bei, neben (*dat*)

voiture [vwatyr] *f* Wagen *m*, Auto *n*; *train:* (Eisenbahn-)Wagen *m*; **~ de tourisme** Personenwagen *m*; **en ~** mit dem Auto; **lettre** *f* **de ~** Frachtbrief *m*

voiturer [vwatyre] (*1a*) befördern

voix [vwa] *f* Stimme *f*; *gr* **~ active** (**passive**) Aktiv *n* (Passiv *n*); *fig* **avoir ~ au chapitre** etw zu sagen haben; **à haute ~** (**à ~ basse**) mit lauter (leiser) Stimme

vol¹ [vɔl] *m* Diebstahl *m*

vol² [vɔl] *m* Flug *m*, Fliegen *n*; **à ~ d'oiseau** (in der) Luftlinie *f*; **au ~** im Fluge; **saisir au ~** beim Schopf packen

vol. (*abr* **volume**) Bd. (Band)

volage [vɔlaʒ] flatterhaft, unbeständig

volaille [vɔlaj] *f* Geflügel *n*

volant, ~e [vɔlɑ̃, -t] **1.** *adj* fliegend, Flug...; *mobile* beweglich; **2.** *m auto* Steuer *n*, Lenkrad *n*; *sport:* Federball(spiel) *m(n)*; *vêtement:* Volant *m*, Besatz *m*; *tech* Schwungrad *n*

volatil, ~e [vɔlatil] *chim* flüchtig

vol-au-vent [vɔlovɑ̃] *m* (*pl unv*) *cuis* Blätterteigpastete *f*

volc|an [vɔlkɑ̃] *m géogr* Vulkan *m*; **~anique** [-anik] vulkanisch

volée [vɔle] *f groupe d'oiseaux:* Schwarm *m*; *coups de feu:* Hagel *m*; **~** (**de coups**) Tracht *f* Prügel; **à la ~** im Flug

voler¹ [vɔle] (*1a*) stehlen (**qc à qn** etw); **~ qn** j-n bestehlen

voler² [vɔle] (*1a*) fliegen; *fig* eilen

volet [vɔlɛ] *m fenêtre:* Fensterladen *m*; *tech* Klappe *f*; *fig* Teil *m*; *fig* **trier sur le ~** sorgfältig auswählen

voleter [vɔlte] (*1c*) flattern

voleu|r, ~se [vɔlœr, -øz] **1.** *adj* diebisch; **2.** *m, f* Dieb(in) *m(f)*

volière [vɔljɛr] *f* Vogelhaus *n*

volontaire [vɔlɔ̃tɛr] **1.** *adj délibéré* freiwillig; *décidé* entschlossen; **2.** *m, f* Freiwillige(r) *m, f*

volonté [vɔlɔ̃te] *f faculté de vouloir*

Wille *m*; *souhait* Wunsch *m*; *fermeté* Willenskraft *f*; **à ~** nach Belieben; **faire acte de bonne ~** seinen guten Willen zeigen

volontiers [vɔlɔ̃tje] *adv* gern

volt [vɔlt] *m phys* Volt *n*; **~age** *m él* Spannung *f*

volte-face [vɔltəfas] *f* (*pl unv*) Kehrtwendung *f* (*a fig*)

voltig|e [vɔltiʒ] *f au trapèze:* Akrobatik *f*; *équitation:* Kunstreiten *n*; *aviation:* Kunstfliegen *n*; **~er** (*1l*) (herum-) flattern; **~eur** *m acrobate:* Trapezkünstler *m*

voltmètre [vɔltmɛtrə] *m tech* Voltmeter *n*

volubilité [vɔlybilite] *f* Redegewandtheit *f*

volume [vɔlym] *m* **1.** Volumen *n*; *radio:* Lautstärke *f*; *fig quantité* Umfang *m*; **2.** *livre:* Band *m*

volumineu|x, ~se [vɔlyminø, -z] umfangreich

volupté [vɔlypte] *f des sens:* Wollust *f*; *esthétique:* Hochgenuss *m*

voluptueu|x, ~se [vɔlyptɥø, -z] sinnlich, wollüstig

vom|ir [vɔmir] (*2a*) *v/i* sich erbrechen, brechen, sich übergeben; *v/t* erbrechen; *fig* ausspeien; **~issement** [-ismɑ̃] *m* Erbrechen *n*; **~itif** [-itif] *m phm* Brechmittel *n*

vorace [vɔras] *adj* gefräßig; *fig* gierig

vos [vo] *pl de votre*

Vosges [voʒ] *f/pl* **les ~** die Vogesen *pl*

votant, ~e [vɔtɑ̃, -t] *m, f* Wähler(in) *m(f)*, Stimmberechtigte(r) *m, f*

vot|e [vɔt] *m élection* Wahl *f*; *consultation* Abstimmung *f*; *voix* Stimme *f*; **~er** (*1a*) abstimmen; *élections:* wählen; *loi:* verabschieden

votre [vɔtrə] (*pl vos*) euer, eu(e)re; Ihr(e)

vôtre [votrə] **le, la ~** der, die, das eur(ig)e; der, die, das Ihr(ig)e; eure(r, -s); Ihre(r, -s)

vouer [vwe] (*1a*) widmen, weihen (**à**); *fig* **~ à qc** zu etw bestimmen; *fig* **se ~ à qc** sich (*acc*) e-r Sache widmen

vouloir [vulwar] **1.** (*3i*) wollen, mögen (**que** + *subj* dass); **je voudrais** ich möchte; **je veux bien** ich habe nichts dagegen; **veuillez** (+ *inf*) wollen Sie bitte (+ *inf*); **~ dire** bedeuten; **en ~ à qn**

auf j-n böse sein; *on ne veut pas de moi* man will nichts von mir wissen; **2.** *m litt* Wollen *n*, Wille *m*

voulu, ~e [vuly] *p/p de* **vouloir** *u adj* gewünscht; *délibéré* beabsichtigt

vous [vu] **1.** ihr; euch; **2.** *forme de politesse*: Sie; Ihnen; **3.** *impersonnel*: einem; einen

voût|e [vut] *f arch* Gewölbe *n*; ~é, ~ée *personne*: gebeugt; *arch* gewölbt; ~er (1a) *arch* wölben; se ~ krumm werden

vouvoyer [vuvwaje] (1h) siezen

voyage [vwajaʒ] *m* Reise *f*; *avec indication de locomotion*: Fahrt *f*; ~ **organisé** Gesellschaftsreise *f*; ~ *d'affaires* Geschäftsreise *f*; en ~ auf Reisen

voyag|er [vwajaʒe] (1l) reisen; ~eur, ~euse *m, f* Reisende(r) *m, f*; *train*: Fahrgast *m*; *avion*: Fluggast *m*; *voyageur de commerce* Handelsvertreter *m*

voyant, ~e [vwajã, -t] **1.** *adj* auffällig; *couleur*: grell; **2.** *m signal*: Kontrolllampe *f*; **3.** *m, f devin* Hellseher(in) *m(f)*

voyelle [vwajɛl] *f gr* Vokal *m*, Selbstlaut *m*

voyou [vwaju] *m* (*pl* -s) *jeune*: jugendlicher Rowdy *m*, Strolch *m*; *truand* Ganove *m*

vrac [vrak] *m* en ~ *comm* lose, offen, unverpackt; *fig* durcheinander

vrai, ~e [vrɛ] **1.** *adj* (*après le subst*) wahr, wahrheitsgemäß; (*devant le subst*) echt, wirklich; *typique* typisch; *il est* ~ *que* zwar, allerdings; **2.** *m* das Wahre; *à vrai dire, à dire vrai* offen gestanden

vraiment [vrɛmã] *adv* wirklich, wahrhaftig

vraisembl|able [vrɛsãblablə] wahr-

scheinlich; ~ance *f* Wahrscheinlichkeit *f*

vrille [vrij] *f bot* Ranke *f*; *tech* Vorbohrer *m*; *aviat* **descendre en** ~ abtrudeln

vriller [vrije] (1a) *tech* durchbohren; *aviat* trudeln

vrombir [vrõbir] (2a) summen

VTT [vetete] *m* (*abr* **vélo tout terrain**) Mountainbike *n*

vu¹ [vy] *prép* angesichts, in Anbetracht (*gén*); ~ *que* angesichts der Tatsache, dass; *au* ~ *et au su de tout le monde* vor aller Augen

vu², ~e [vy] *p/p de* **voir** gesehen; *bien*, *mal* ~ beliebt, unbeliebt (*de qn* bei j-m)

vue [vy] *f sens*: Sehen *n*; *faculté*: Sehvermögen *n*; *regard* Blick *m*; *vue offerte* Anblick *m*; *panorama* Aussicht *f*, *-*blick *m*; *photographie*: Aufnahme *f*; *opinion* Ansicht *f*, Meinung *f*; à ~ *d'œil* zusehends; *à première* ~ auf den ersten Blick; *à perte de* ~ so weit das Auge reicht; *avoir la* ~ *basse* kurzsichtig sein; *point m de* ~ Standpunkt *m*; *garde f à* ~ Polizeigewahrsam *m*; en ~ in Sicht, sichtbar; *en* ~ *de* im Hinblick auf (*acc*); *en* ~ *de* (+ *inf*) um zu (+ *inf*)

vulcaniser [vylkanize] (1a) *tech* vulkanisieren

vulgaire [vylgɛr] **1.** *adj* banal einfach, gewöhnlich; *grossier* vulgär, ordinär

vulgar|iser [vylgarize] (1a) allgemein verständlich darstellen; ~**ité** *f péj* Gewöhnlichkeit *f*, Vulgarität *f*

vulnér|abilité [vylnerabilite] *f* Verwundbarkeit *f*; ~able *physiquement*: verwundbar; *moralement*: verletzbar

vulve [vylv] *f anat* Scham *f*, Vulva *f*

W

wagon [vagõ] *m* Eisenbahnwagen *m*, Waggon *m*; ~**citerne** [-sitɛrn] *m* (*pl wagons-citernes*) Tank-, Kesselwagen *m*; ~**lit** [-li] *m* (*pl wagons-lits*) Schlafwagen *m*

wagon-restaurant [vagõrɛstorã] *m* (*pl*

wagons-restaurants) Speisewagen *m*

Wallonie [walɔni] *la* ~ Wallonien *n*

wallon, ~ne [walõ, -ɔn] **1.** *adj* wallonisch; **2.** ♀ *m*, *f* Wallone *m*, Wallonin *f*

waters [water] *m/pl* Klo *n*, Abort *m*

W.-C. [vese] *m/pl* WC *n*

week-end [wikɛnd] *m* (*pl* week-ends) Wochenende *n*

western [wɛstɛrn] *m* Wildwestfilm *m*, Western *m*

X

xéno|phile [gzenɔfil, ks-] fremdenfreundlich; **~phobe** [-fɔb] fremdenfeindlich

xérès [gzerɛs, ks-] *m* Sherry *m*
xylophone [gzilɔfɔn, ks-] *m mus* Xylofon *n*

Y

y [i] da, (da)hin, dort(hin); *remplaçant un complément avec à*: daran; darauf; dazu; dabei; darin; *je ne m'y fie pas* ich habe kein Vertrauen dazu; *on y va!* gehen wir!; *ça ~ est!* es ist so weit!; *j'~ suis* jetzt habe ich's, ich bin im Bilde; *je n'~ suis pour rien* ich kann nichts dafür; *s'~ connaître* sich darauf verstehen; *~ compris* inbegriffen

yacht [jɔt] *m* Jacht *f*; **~ing** [-iŋ] *m* Jacht-, Segelsport *m*
yaourt [jaurt] *m* Jogurt *n od m*
yen [jɛn] *m* Yen *m*
yeux [jø] *pl d'œil*
yougoslave [jugoslav] **1.** *adj* jugoslawisch; **2.** ⚇ *m, f* Jugoslawe *m*, -slawin *f*
Yougoslavie [jugoslavi] *la ~* Jugoslawien *n*

Z

zèbre [zɛbrə] *m zo* Zebra *n*
zèle [zɛl] *m* Eifer *m*, Fleiß *m*; *faire du ~* zu viel Eifer zeigen
zélé, ~e [zele] eifrig
zénith [zenit] *m astr* Scheitelpunkt *m*, Zenit *m*; *fig* Zenit *m*, Höhepunkt *m*
zéro [zero] **1.** *m* Null *f* (*a fig*); **2.** *adj* null; *~ faute* null Fehler
zeste [zɛst] *m* (Stück *n*) Zitronen-, Orangenschale *f*
zézayer [zezɛje] (*1i*) lispeln
zibeline [ziblin] *f zo* Zobel *m*
zigzag [zigzag] *m* Zickzack *m*
zigzaguer [zigzage] (*1m*) im Zickzack gehen *od* fahren

zinc [zɛ̃g] *m* Zink *n*; F *comptoir* Theke *f*
zinguer [zɛ̃ge] (*1m*) verzinken
zip [zip] *m* Reißverschluss *m*
zizanie [zizani] *f* Zwietracht *f*
zodiaque [zɔdjak] *m* Tierkreis *m*
zone [zon] *f* Zone *f*; *péj* arme Außenviertel *n/pl*, Slums *m/pl*; *~ bleue* Kurzparkzone *f*; *~ de libre-échange* Freihandelszone *f*; *~ euro* Euroland *n*; *~ interdite* Sperrgebiet *n*; *~ industrielle* Industriegebiet *n*; *~ résidentielle* Wohnviertel *n*
zoo [zo] *m* Zoo *m*
zoologie [zɔɔlɔʒi] *f* Zoologie *f*
zut! [zyt] F verdammt!, verflixt!

Wörterverzeichnis Deutsch-Französisch

A

A¹ *von A bis Z* de A jusqu'à Z, d'un bout à l'autre

A² *mus* n la m; **A-Dur** la majeur; **a-Moll** la mineur

Aachen ['a:xən] n Aix-la-Chapelle

Aal [a:l] *zo* m (-*[e]s*, -e) anguille *f*; **~glatt** glissant comme une anguille

Aas [a:s] n (-es; *sans pl*) charogne *f* (*a fig, pl Äser*)

ab [ap] **1.** *prép* (*dat*) **~ morgen** à partir de demain; **ein Film ~ 18** un film interdit aux moins de 18 ans; **2.** *adv* **~ und zu** de temps à autre; **ein Knopf ist ~** il manque un bouton

abändern ['ap?-] (*sép*, -*ge*-, h) modifier, changer

abarbeiten ['ap?-] (*sép*, -*ge*-, h) **sich ~** s'épuiser à force de travail, s'exténuer

Abart ['ap?-] *f* (-; -en) variété *f*; **2ig** anormal

Abbau m (-*[e]s*; *sans pl*) *Bergbau* exploitation *f*; *Verminderung* réduction *f*; *Zerlegung* démontage m; **2en** (*sép*, -*ge*-, h) *Bergbau* exploiter; *Personal*, *Preise* diminuer, réduire; *zerlegen* démonter; *chim* décomposer

ab|beißen (*irr*, *sép*, -*ge*-, h, → *beißen*) arracher avec les dents; **~beizen** (*sép*, -*ge*-, h) décaper; **~bekommen** (*irr*, *sép*, h, → *bekommen*) avoir sa part de, recevoir

aberuf|en (*irr*, *sép*, h, → *berufen*) rappeler, révoquer; **2ung** *f* (-; -en) rappel m, révocation *f*

abbestell|en (*sép*, h) décommander; **2ung** *f* (-; -en) résiliation *f* d'une commande

abbiegen (*irr*, *sép*, -*ge*-, → *biegen*) **1.** (h) détourner; **2.** (sn) tourner

Abbild n (-*[e]s*; -er) image *f*, portrait m; **2en** (*sép*, -*ge*-, h) représenter; **~ung** *f* (-; -en) illustration *f*

ab|binden (*irr*, *sép*, -*ge*-, h, → *binden*) *méd* ligaturer; **~blasen** (*irr*, *sép*, -*ge*-, h, → *blasen*) F *fig* décommander, annuler; **~blättern** (*sép*, -*ge*-, sn) *Farbe* s'écailler

abblend|en (*sép*, -*ge*-, h) *auto* se mettre en code; **2licht** n phares *m/pl* code

abbrechen (*irr*, *sép*, -*ge*-, h, → *brechen*) casser; *Haus* démolir; *Beziehungen* rompre; *Unterhaltung* couper court à; *Zelt* démonter

ab|bremsen (*sép*, -*ge*-, h) freiner, ralentir; **~brennen** (*irr*, *sép*, -*ge*-, *v/t h*, *v/i sn*, → *brennen*) brûler; **~bringen** (*irr*, *sép*, -*ge*-, h, → *bringen*) **j-n von etw ~** dissuader *od* détourner qn de qc; **~bröckeln** (*sép*, -*ge*-, sn) s'effriter, s'émietter

Abbruch m (-*[e]s*; *sans pl*) démolition *f*; *Beziehungen* rupture *f*; **2reif** bon pour la démolition

ab|buchen (*sép*, -*ge*-, h) **e-e Summe von e-m Konto ~** débiter un compte d'une somme

ABC-Waffen [a:be:'tse:-] *mil f/pl* armes *f/pl* atomiques, biologiques et chimiques

abdank|en (*sép*, -*ge*-, h) abdiquer; **2ung** *f* (-; -en) abdication *f*

ab|decken (*sép*, -*ge*-, h) découvrir; *Tisch* desservir; *zudecken* recouvrir; **~dichten** (*sép*, -*ge*-, h) boucher, calfeutrer; **~drängen** (*sép*, -*ge*-, h) repousser, refouler, écarter; **~drehen** (*sép*, -*ge*-, h) *Gas*, *Wasser*, *Licht* fermer; *v/i aviat*, *mar* changer de route *od* cap

Abdruck m (-*[e]s*; -e) reproduction *f*; *Finger* (*pl ⁓e*) empreinte *f*

Abend ['a:bənt] m (-*s*, -e) soir m; *Abendstunden* soirée *f*; **am ~** le soir; **heute ~** ce soir; **morgen ~** demain soir; **im Laufe des ~s** dans la soirée; **zu ~ essen** dîner; **~brot** n repas m du soir; **~dämmerung** *f* crépuscule m; **~essen** n dîner m; souper m; **~kleid** n robe *f* du soir; **~kurs** m cours m du soir; **~land** n (-*[e]s*; *sans pl*) Occident m; **2ländisch** [-lɛndiʃ] occidental; **~mahl** n (-*[e]s*; *sans pl*) communion *f*; *Kunst* Cène *f*; **~rot** n rougeoiement m du soleil couchant

abends ['a:bənts] le soir

Abenteuer ['a:bəntɔyər] n (-*s*; -) aventure f; '**2lich** aventureux

Abenteurer ['a:tɔyrər] m (-s; -), '**..in** f (-; -nen) aventurier m, -ière f

aber ['a:bər] mais; **nun ~** or; **nun ist ~ Schluss!** ça suffit!

'**Aber**|**glaube** (-ns; sans pl) superstition f; '**2gläubisch** ['a:bərglɔybiʃ] superstitieux

aberkennen ['ap?-] (irr, sép, h, → **erkennen**) j-m etw ~ contester od refuser qc à qn; **j-m ein Recht ~** déclarer qn déchu d'un droit

aber|**malig** ['a:bərma:liç] nouveau; wiederholt répété, réitéré; '**..mals** ['a:-ma:ls] de nouveau

'**abertausend** tausende und ~e des milliers

'**abfahren** (irr, sép, -ge-, → **fahren**) **1.** (sn) partir (**nach** pour od à); Strecke parcourir; **2.** (h) Schutt enlever; Reifen user

'**Abfahrt** f (-; -en) départ m; Ski descente f

'**abfahrts**|**bereit** prêt à partir, en partance; '**2lauf** m Ski descente f; '**2zeit** f heure f de départ

'**Abfall** m (-[e]s; ⁻e) déchets m/pl; Müll ordures f/pl; Küchenabfälle épluchures f/pl; Parteiwechsel défection f; '**..aufbereitung** f (-; sans pl) traitement m des déchets; '**..beseitigung** f (-; sans pl) élimination f des déchets; '**..eimer** m poubelle f

'**abfallen** (irr, sép, -ge-, sn, → **fallen**) Blätter tomber; sich neigen aller en pente; von Verbündeten faire défection; **vom Glauben ~** renier sa foi; **~ gegen** contraster défavorablement avec

'**abfällig** défavorable; **~e Bemerkung** remarque f désobligeante

'**Abfall**|**management** n (-s; sans pl) gestion f des déchets; '**..produkt** n produit m résiduaire; '**..verwertung** f (-; sans pl) recyclage m des déchets

'**abfangen** (irr, sép, -ge-, h, → **fangen**) attraper; Brief intercepter; '**2jäger** aviat m chasseur m d'interception

'**abfärben** (sép, -ge-, h) (se) déteindre (**auf** sur)

'**abfassen** (sép, -ge-, h) rédiger; '**2ung** f (-; -en) rédaction f

'**abfertig**|**en** (sép, -ge-, h) Ware expédier; Gepäck enregistrer; zollamtlich dédouaner; am Schalter **j-n ~** servir qn;

j-n kurz ~ se débarrasser rapidement de qn; '**2ung** f (-; -en) expédition f; enregistrement m; dédouanement m

'**abfind**|**en** (irr, sép, -ge-, h, → **finden**) **j-n ~** indemniser, dédommager qn; **sich ~ mit** se résigner à, prendre son parti de; '**2ung**(**ssumme**) f indemnité f

'**ab**|**fliegen** (irr, sép, -ge-, sn, → **fliegen**) aviat partir (**nach** pour od à), décoller, s'envoler; '**..fließen** (irr, sép, -ge-, sn, → **fließen**) s'écouler

'**Abflug** aviat m (-[e]s; ⁻e) départ m, décollage m, envol m; '**..halle** f hall m de départ; '**..(s)zeit** f heure f de départ

'**Abfluss** m (-es; ⁻e) écoulement m

'**abfragen** (sép, -ge-, h) questionner, interroger

Abfuhr ['apfu:r] f (-; -en) Müll etc enlèvement m; fig rebuffade f; **j-m e-e ~ erteilen** éconduire qn

'**abführen** (sép, -ge-, h) j-n emmener; Gelder verser; méd purger

'**abfüllen** (sép, -ge-, h) in Flaschen mettre en bouteilles; in Tüten ensacher

'**Abgabe** f (-; -n) Aushändigung remise f; Verkauf vente f; Steuer droit m, taxe f; Ball2 passe f; '**2nfrei** non imposable; '**2npflichtig** imposable

'**Abgang** m (-[e]s; ⁻e) départ m; Theater sortie f de scène; '**..szeugnis** n certificat m de fin d'études

'**Abgas** e n/pl gaz m/pl d'échappement; '**2arm** à gaz d'échappement réduit; '**..katalysator** m catalyseur m anti-pollution

'**abgeben** (irr, sép, -ge-, h, → **geben**) remettre, donner, déposer; verkaufen vendre; Ball passer; faire une passe; Schuss tirer; Erklärung faire; Wärme dégager; **sich ~ mit** s'occuper de

'**ab**|**gebrannt** F fig ohne Geld à sec F, fauché F; '**..gedroschen** rebattu; '**..gegriffen** Buch usé; '**..gehackt ~ sprechen** parler par saccades od par à-coups; '**..gehangen gut ~es Fleisch** viande reposée; '**..gehärtet** endurci (**gegen** contre)

'**abgehen** (irr, sép, -ge-, sn, → **gehen**) Zug, Post, sich entfernen s'en aller; **von der Schule ~** quitter l'école, sortir de l'école; **von seiner Meinung ~** changer d'opinion; **diese Eigenschaft geht** *ihm ab* cette qualité lui fait défaut; *gut* ~ bien se terminer

'ab|gehetzt, '~gekämpft harassé, exténué; '~gekartet *e-e* ~*e Sache* un coup monté

'abgeklärt mûr, sage; '2heit f sagesse / 'ab|gelaufen périmé; expiré; '~gelegen isolé; '~gemacht! c'est entendu *od* convenu; '~gemagert émacié, décharné; '~geneigt *e-r Sache* ~ défavorable *od* hostile à qc; '~genutzt usé, râpé

Abgeordnete [ˈapɡəˀɔrdnətə] m, f (-n; -n) député m, femme f député; '~nhaus n chambre f des députés

'Abgesandte m, f (-n; -n) envoyé, -e *f* 'abgeschieden isolé, retiré, solitaire 'abgesehen ~ *von* à part ..., abstraction faite de; ~ *davon* à part cela

'ab|gespannt surmené; '~gestanden éventé; '~gestorben *Glieder* engourdi; '~gestumpft insensible, indifférent (*gegen* à); '~getragen usé

'abgewöhnen (*sép, h*) *j-m etw* ~ désaccoutumer qn de qc; *sich das Rauchen* ~ s'arrêter de fumer

'Abglanz m (-es; sans pl) fig reflet m 'Abgott m (-es; er) idole f abgöttisch [ˈapɡœtiʃ] *j-n* ~ *lieben* idolâtrer qn

'ab|grasen (*sép, -ge-, h*) fig *Gebiet* ratisser; '~grenzen (*sép, -ge-, h*) délimiter

'Abgrund m (-[e]s; e) abîme m, gouffre m

'Abguss m (-es; e) moulage m

'ab|haben F *etw* ~ *wollen* vouloir en avoir un petit peu; '~hacken (*sép, -ge-, h*) couper; '~haken (*sép, -ge-*) cocher; '~halten (*irr, sép, -ge-, h, → halten*) *hindern* empêcher; *Sitzung* tenir; *Gottesdienst* célébrer

'abhandeln (*sép, -ge-, h*) erörtern traiter; *Ware* marchander

abhanden (*sép*) *j-m etw* ~ décrocher; *v/i* (*sép, -ge-, h, → hängen*) fig ~ *von* dépendre de; '~ig dépendant (*von* de); ~ *sein von* dépendre de; '2igkeit f (-;

-en) dépendance f; *gegenseitige* ~ interdépendance f

'abhärten (*sép, -ge- h*) (*sich* ~ s')endurcir (*gegen* à), (s')aguerrir

'ab|hauen (*sép, -ge-, sn*) F ficher *od* foutre le camp, déguerpir, filer; '~heben (*irr, sép, -ge-, h, → heben*) *tél* décrocher; *Geld* retirer; *Karten* couper; *aviat* décoller; *sich* ~ *von* se détacher sur; '2hebung f (-; -en) *Geld* retrait m; '~heften (*sép, -ge-, h*) ranger dans un classeur; '~helfen (*irr, sép, -ge-, h → helfen*) *e-r Sache* ~ remédier à qc

'Abhilfe f (-; sans pl) remède m 'abholen (*sép, -ge-, h*) aller *od* venir chercher, (aller *od* venir) prendre; ~ *lassen* envoyer chercher

'abholzen (*sép, -ge-, h*) déboiser 'Abhör|anlage f table f d'écoute; '2en (*sép, -ge-, h*) écouter; *tél* intercepter

Abitur [abiˈtuːr] n (-s; sans pl) baccalauréat m; bac m F; '~ient [-urˈjɛnt] m (-en; -en), ~'ientin f (-; -nen) bachelier m; -ière f

'ab|jagen (*sép, -ge-, h*) *j-m etw* ~ faire lâcher prise de qc à qn; '~kanzeln (*sép, -ge-, h*) *j-n* ~ réprimander, sermonner qn; '~kapseln (*sép, -ge-, h*) *sich* ~ se renfermer sur soi-même; '~kehren (*sép, -ge-, h*) *sich* ~ *von* se détourner de

'Abklatsch m (-[e]s; -e) copie f, imitation f

'ab|klingen (*irr, sép, -ge-, sn, → klingen*) *Schmerz* s'atténuer, diminuer; '~knallen (*sép, -ge-, h*) F *j-n* ~ descendre qn; '~knicken (*sép, -ge-, h*) casser; '~kommandieren (*sép, -ge-, h*) *mil* détacher (*zu* à)

'abkommen (*irr, sép, -ge-, sn, → kommen*) *vom Kurs* ~ *aviat, mar* s'écarter de sa route; *von e-m Thema* ~ s'écarter d'un sujet, *vom Wege* ~ perdre son chemin

'Abkommen n (-s; -) accord m abkömm|lich [ˈapkœmliç] disponible; '2ling m (-s; -e) descendant m, -e f 'abkratzen (*sép, -ge-*) 1. (*h*) gratter; 2. (*sn*) F fig *sterben* crever, claquer 'abkühl|en (*sép, -ge-, h*) (*sich* ~ se) rafraîchir; '2ung (-; sans pl) rafraîchissement m

'abkürz|en (*sép, -ge-, h*) *Weg* raccourcir; *Wort* abréger; '2ung f (-; -en) *Wort*

abréviation *f*; sigle *m*; *Weg* raccourci *m*
'ab|laden (*irr, sép, -ge-, h → laden*) décharger
'Ablage *f* (-; -*n*) *Akten* classement *m*; *Bord* rayon *m*; *Kleider* vestiaire *m*
'ab|lagern (*sép, -ge-, h*) sich ~ déposer; 'Qung *f* (-; -*en*) dépôt *m*; *géol* sédiment *m*
'ab|lassen (*irr, sép, -ge-, h, → lassen*) *Flüssigkeit* faire écouler; die Luft aus dem Reifen ~ dégonfler le pneu; etw vom Preis ~ rabattre qc du prix; von etw nicht ~ können ne pas pouvoir renoncer à qc
'Ablauf *m* (-[e]s; sans pl) *Abfluss* écoulement *m*; (pl ⸚e) von Ereignissen déroulement *m*; (sans pl) e-r Frist expiration *f*; 'Qen (*irr, sép, -ge-, → laufen*) 1. (*sn*) *abfließen* s'écouler; *verlaufen* se dérouler; gut (schlecht) ~ se terminer bien (mal); 2. (h) *Schuhe* user
'ab|leg|en (*sép, -ge-, h*) déposer; *Kleider* ôter; *Akten* classer; *Gewohnheit* se défaire de; *Prüfung* passer; *Eid* prêter; *Schiff* appareiller; *Rechenschaft* ~ für rendre compte de; 'Qer (-*s*; -) agr *m* marcotte *f*
'ablehn|en (*sép, -ge-, h*) refuser; *Vorschlag* rejeter; *Verantwortung* décliner; '~end négatif, de refus; 'Qung *f* (-; -*en*) refus *m*
'ableit|en (*sép, -ge-, h*) dériver (*a math*); 'Qung *f* (-; -*en*) *gr* dérivation *f*; *math* dérivée *f*
'ablenk|en (*sép, -ge-, h*) détourner; *zerstreuen* distraire; 'Qung *f* (-; -*en*) distraction *f*
'ablesen (*irr, sép, -ge-, h, → lesen*) lire; *Messwert* relever
'ab|liefern (*sép, -ge-, h*) livrer; *abgeben* remettre; 'Qung *f* (-; -*en*) livraison *f*; remise *f*
'ablös|en (*sép, -ge-, h*) *entfernen* détacher, décoller (von de); *j-n bei der Arbeit* relayer, prendre la relève de; *Wache* relever; sich ~ se détacher, se décoller (von de); *Personen* se relayer; 'Qung *f* (-; -*en*) relève *f*
'abmach|en (*sép, -ge-, h*) détacher, défaire, enlever; *vereinbaren* convenir (etw de qc); abgemacht! entendu!; 'Qung *f* (-; -*en*) arrangement *m*, convention *f*

'abmager|n (*sép, -ge-, sn*) maigrir; 'Qung *f* (-; -*en*) amaigrissement *m*; 'Qungskur *f* cure *f* d'amaigrissement
'Abmarsch *m* (-[e]s; ⸚e) départ *m*
'ab|meld|en (*sép, -ge-, h*) faire rayer; sich ~ von déclarer son départ de; 'Qung *f* (-; -*en*) déclaration *f* de départ *od* de changement d'adresse
'ab|mess|en (*irr, sép, -ge-, h, → messen*) mesurer; 'Qung *f* (-; -*en*) mesurage *m*; ~*en pl* dimensions *f/pl*
'ab|montieren (*sép, pas de -ge-, h*) démonter; '~mühen (*sép, -ge-, h*) sich ~ se donner du mal *od* de la peine; '~nagen (*sép, -ge-, h*) *Knochen* ronger
Abnahme ['apna:mə] *f* (-; sans pl) *Rückgang* diminution *f*; *Verlust* perte *f*; *Kauf* achat *m*
'abnehm|en (*irr, sép, -ge-, h, → nehmen*) *wegnehmen* enlever; *Hut* ôter; *tél* décrocher; *kaufen* acheter; *amputieren* amputer; *Führerschein* retirer; F glauben croire (j-m etw qc à qn); an Gewicht maigrir; *Mond* décroître; *Tage, Kräfte* diminuer; j-m e-e Arbeit ~ faire un travail pour qn; 'Qer *m* écon *m* (-*s*; -) acheteur *m*, client *m*, preneur *m*
'Abneigung *f* (-; -*en*) aversion *f*, antipathie *f*, répulsion *f* (gegen pour)
abnorm [ap'nɔrm] anormal; Q|**tät** *f* (-; -*en*) anomalie *f*
'abnutz|en (*sép, -ge-, h*) user; 'Qung *f* (-; sans pl) usure *f*
Abonn|ent [abo'nɛnt] *m* (-*en*, -*en*), ~*entin* *f* (-; -*nen*) abonné *m*, -e *f*; Q'ieren (*pas de ge-, h*) etw ~ s'abonner à qc
abordn|en ['ap?-] (*sép, -ge-, h*) déléguer; 'Qung *f* (-; -*en*) délégation *f*
'ab|passen (*sép, -ge-, h*) *Gelegenheit* guetter; '~prallen (*sép, -ge-, sn*) rebondir; *Geschoss* ricocher; '~putzen (*sép, -ge-, h*) nettoyer; '~raten (*irr, sép, -ge-, h → raten*) j-m von etw ~ déconseiller qc à qn; '~räumen (*sép, -ge-, h*) *Tisch* débarrasser; nach dem Essen desservir (la table); *Schutt* déblayer; '~reagieren (*sép, pas de -ge-, h*) sich ~ se défouler (an sur)
'abrechn|en (*sép, -ge-, h*) faire les comptes; *abziehen* déduire; *fig* mit j-m ~ régler ses comptes avec qn; 'Qung *f* (-; -*en*) règlement *m* de comptes (*a fig*); 'Qungszeitraum *m* (-[-e]s; ⸚e) terme

m de liquidation

'Abreise *f* (-; -n) départ *m*; '**2n** (*sép*, -*ge*-, *sn*) partir (**nach** pour *od* à)

'abreißen (*irr*, *sép*, -*ge*-, → **reißen**) **1.** (*h*) arracher; *Haus* démolir; **2.** (*sn*) *abgehen* se déchirer; *aufhören* cesser, s'arrêter

'abrichten (*sép*, -*ge*-, *h*) *Tiere* dresser

'abriegeln (*sép*, -*ge*-, *h*) *Straße* bloquer; barrer

'Abriss *m* (-*es*; -*e*) *Buch* précis *m*; abrégé *m*; *kurzer Überblick* esquisse *f*; *e-s Hauses* démolition *f*

'ab|rücken (*sép*, -*ge*-, *sn*) s'écarter, s'éloigner (**von** de); *mil* partir; *fig* prendre ses distances (**von etw** de qc); '**rufen** (*irr*, *sép*, -*ge*-, *h*, → **rufen**) *Waren* faire livrer; *Computer* **Daten ~** visualiser des données; '**runden** (*sép*, -*ge*-, *h*) arrondir

abrupt [ap'rʊpt] brusque(ment)

'abrüst|en (*sép*, -*ge*-, *h*) désarmer; '**2ung** *f* (-; *sans pl*) désarmement *m*

'abrutschen (*sép*, -*ge*-, *sn*) glisser; *in der Kurve* déraper

'Absage *f* (-; -n) refus *m*, réponse *f* négative; annulation *f*; '**2n** (*sép*, -*ge*-, *h*) se décommander; *Einladung* s'excuser; *j-m* ~ décommander qn; *etw* ~ annuler qc

'absägen (*sép*, -*ge*-, *h*) scier; *fig j-n* débarquer F, *limoger* F

'Absatz *m* (-*[e]s*; *:-e*) *Schuh* talon *m*; *Text* alinéa *m*; *comm* vente *f*; '**förderung** *f* promotion *f* de vente; '**markt** *m* débouché *m*

'abschaff|en (*sép*, -*ge*-, *h*) abolir, supprimer; '**2ung** (-; *sans pl*) *f* abolition *f*, suppression *f*

'abschalten (*sép*, -*ge*-, *h*) *Strom* couper; *Maschine* arrêter; *Radio*, *TV* éteindre; *fig* se relaxer

'abschätz|en (*sép*, -*ge*-, *h*) estimer, évaluer; '**ig** méprisant, péjoratif

'Abscheu *m* (-*s*; *sans pl*) horreur *f* (**vor** de), répulsion *f* (**gegen** pour), exécration *f*; '**2lich** [-'ʃɔɪ-] horrible, exécrable, abominable, détestable

'ab|schicken (*sép*, -*ge*-, *h*) expédier, envoyer; '**schieben** (*irr*, *sép*, -*ge*-, *h*, → **schieben**) *Schuld* rejeter (**auf** sur); *Ausländer* expulser, refouler

'Abschied [ap'ʃiːt] *m* (-*[e]s*; *sans pl*) adieux *m/pl*; ~ **nehmen** prendre congé

(**von** de), faire ses adieux (à qn)

'abschießen (*irr*, *sép*, -*ge*-, *h*, → **schießen**) *Flugzeug*, *Wild* abattre; *Gewehr* décharger; *Rakete* lancer

'abschirmen (*sép*, -*ge*-, *h*) protéger (**gegen** contre)

'abschlachten (*sép*, -*ge*-, *h*) massacrer

'Abschlag *m* (-*[e]s*; *:-e*) *comm* réduction *f*, rabais *m*; '**2en** (*irr*, *sép*, -*ge*-, *h*, → **schlagen**) abattre; *Bitte* repousser, refuser; *Kopf* couper

abschlägig ['apʃlɛːgɪç] négatif

'Abschlagszahlung *f* acompte *m*

'Abschlepp|dienst *m* service *m* de dépannage; '**2en** (*sép*, -*ge*-, *h*) *auto* remorquer; *polizeilich* mettre en fourrière

'abschließen (*irr*, *sép*, -*ge*-, *h*, → **schließen**) fermer à clé; *beenden* terminer, conclure, achever; *e-n Handel* ~ conclure un marché; '**d** final; *adv* en conclusion

'Abschluss *m* (-*es*; *:-e*) conclusion *f*; clôture *f*; '**prüfung** *f* examen *m* de fin d'études

'abschmecken (*sép*, -*ge*-, *h*) *cuis* assaisonner

'ab|schmieren (*sép*, -*ge*-, *h*) *auto* graisser; faire un graissage; '**schminken** (*sép*, -*ge*-, *h*) (**sich** se) démaquiller; '**schneiden** (*irr*, *sép*, -*ge*-, *h*, → **schneiden**) couper; *j-m das Wort* ~ couper la parole à qn; *gut* (*schlecht*) ~ s'en tirer bien (mal), bien (mal) réussir

'Abschnitt *m* (-*[e]s*; -*e*) *Teilstück* section *f*, tronçon *m*; *Text2* passage *m*, paragraphe *m*; *Kontroll2* talon *m*, souche *f*; *Zeit2* période *f*; *Kreis2* segment *m*; *Front2* secteur *m*

'abschrauben (*sép*, -*ge*-, *h*) dévisser

'abschreck|en (*sép*, -*ge*-, *h*) décourager; *pol* dissuader; *cuis* passer à l'eau froide; '**end** repoussant; intimidant; **~es Beispiel** exemple *m* à ne pas suivre; '**2ung** (-; -*en*) *pol f* de dissuasion *f*; '**2ungsstreitmacht** *mil f* force *f* de dissuasion

'abschreib|en (*irr*, *sép*, -*ge*-, *h*, → **schreiben**) copier (**von** sur); *comm* amortir; '**2ung** *f* (-; -*en*) *comm* amortissement *m*

'Abschrift *f* (-; -*en*) copie *f*, duplicata *m*

'abschürf|en (*sép*, -*ge*-, *h*) *Haut* érafler;

'**2ung** f (-; -en) éraflure f
'**Abschuss** m (-es; ⁓e) Rakete lancement m
abschüssig ['apʃysiç] escarpé; ⁓ **sein** aller en pente
'**Abschlussliste** f fig **auf der ⁓ stehen** être menacée
'ab|**schütteln** (sép, -ge-, h) secouer (a fig); '**⁓schwächen** (sép, -ge-, h) atténuer, affaiblir
'**abschweifen** (sép, -ge-, sn) s'écarter, digresser (**von** de)
'ab|**schwellen** (irr, sép, -ge-, sn, → **schwellen**) méd désenfler; '**⁓schwören** (irr, sép, -ge-, h, → **schwören**) e-r **Sache** ⁓ abjurer qc
abseh|**bar** ['apze:ba:r] prévisible; **in ⁓er Zeit** dans un proche avenir; '**⁓en** (irr, sép, -ge-, h, → **sehen**) Folgen prévoir; **das Ende von etw** ⁓ voir la fin de qc; fig **von etw** ⁓ verzichten renoncer à qc; nicht beachten faire abstraction de qc; **es ab(ge)sehen (haben) auf** viser à; **davon abgesehen** à part cela
abseits ['apzaɪts] à l'écart, à part; Sport hors-jeu
'**absend|en** (irr, sép, -ge-, h, → **senden**) envoyer, expédier; '**2er** m (-s; -) expéditeur m; '**2erin** f (-; -nen) expéditrice f
'**absetz|bar** ['apze:ba:r] déductible; '**⁓en** (sép, -ge-, h) Last, Fahrgast déposer; Glas poser; Hut, Brille ôter; entlassen destituer, révoquer; verkaufen vendre, écouler, placer; Film retirer de l'écran; von der Steuer déduire (des impôts); **sich** ⁓ filer; géol se déposer; **ohne abzusetzen** sans faire de pause; '**2ung** f (-; -en) Entlassung destitution f, révocation f; vom Spielplan retrait m; von der Steuer déduction f
'**Absicht** f (-; -en) intention f; '**2lich** intentionnel; adv à dessein, exprès
'**absitzen** (irr, sép, -ge-, → **sitzen**) **1.** (sn) descendre de cheval; **2.** (h) Strafe purger
absolut [apzo'lu:t] absolu
absolvieren [apzɔl'vi:rən] **sein Studium** ⁓ faire ses études
ab'**sonderlich** bizarre
'**absondern** (sép, -ge-, h) isoler, séparer; méd sécréter
ab|**sorbieren** [apzɔr'bi:rən] (pas de ge-, h) absorber; '**⁓speisen** (sép, -ge-, h) fig

j-n mit leeren Worten ⁓ payer qn de belles paroles
'**abspeichern** EDV (sép, -ge-, h) sauvegarder
abspenstig ['apʃpɛnstiç] **j-m die Freundin ⁓ machen** prendre l'amie à qn
'**absperr|en** (sép, -ge-, h) fermer, barrer; '**2ung** f (-; -en) barrage m
'ab|**spielen** (sép, -ge-, h) Platte, Band passer; Sport faire une passe; **sich** ⁓ se passer, se dérouler; '**2sprache** f (-; -n) accord m; **in** ⁓ **mit** en accord avec; '**⁓sprechen** (irr, sép, -ge-, h, → **sprechen**) etw ⁓ convenir de qc; **sich** ⁓ s'arranger, se mettre d'accord; **j-m die Fähigkeit ⁓ zu ...** dénier à qn la faculté de ...; '**⁓springen** (irr, sép, -ge-, sn, → **springen**) sauter; '**2sprung** m (-[e]s; ⁓e) saut m
'**abstamm|en** (sép, sn) descendre (**von** de); '**2ung** f (-; sans pl) origine f, descendance f, souche f
'**Abstand** m (-[e]s; ⁓e) distance f, intervalle m (a zeitlich); fig **mit** ⁓ de loin
ab|**statten** ['apʃtatən] (sép, -ge-, h) **j-m e-n Besuch** ⁓ rendre visite à qn; '**⁓stauben** (sép, -ge-, h) épousseter; fig chiper
'**abstech|en** (irr, sép, -ge-, h, → **stechen**) contraster (**gegen, von** avec); '**2er** (-s; -) m crochet m (**nach** jusqu'à)
'**abstecken** (sép, -ge-, h) jalonner, tracer
'**absteigen** (irr, sép, -ge-, sn, → **steigen**) descendre; **in e-m Hotel** ⁓ descendre dans un hôtel
'**abstell|en** (sép, -ge-, h) auto garer; Gepäck déposer; Maschinen arrêter; Gas, Wasser, Strom couper; Heizung, Radio fermer; Missstände supprimer; '**2gleis** n voie f de garage (a fig); '**2platz** m aire f de stationnement; '**2raum** m débarras m
'**abstempeln** (sép, -ge-, h) Briefmarke oblitérer; fig j-n étiqueter (**zu** comme)
'**absterben** (irr, sép, -ge-, sn, → **sterben**) dépérir; Baum se dessécher; Bein s'engourdir; Motor caler
Abstieg ['apʃti:k] m (-[e]s; -e) descente f, fig déclin m
'**abstimm|en** (sép, -ge-, h) accorder, harmoniser; wählen voter (**über etw** qc); '**2ung** f (-; -en) vote m, scrutin m

Abstinenz [apsti'nɛnts] *f* abstinence *f*

'**Abstoß** *m* (-*[e]s*; ˸*e*) *Fußball* coup *m* de pied de but; '**2en** (*irr, sép, -ge-, h, → stoßen*) pousser; *anwidern* dégoûter, repousser; *verkaufen* vendre; '**2end** répugnant, repoussant, dégoûtant

abstrakt [ap'strakt] abstrait

'**ab**|**streifen** (*sép, -ge-, h*) *Schuhe etc* enlever; *fig Sorgen* se débarrasser de; '**˷streiten** (*sép, -ge-, h, → streiten*) contester, nier

'**Abstrich** *m* (-*[e]s*; -*e*) *Abzug* réduction *f*; *méd* prélèvement *m*, frottis *m*; **˷e machen** en rabattre

'**abstuf**|**en** (*sép, -ge-, h*) graduer, nuancer; '**2ung** *f* (-; -*en*) gradation *f*

'**abstumpfen** (*sép, -ge-, h*) *Gefühle* s'émousser; *Mensch* s'abrutir

'**Absturz** *m* (-*[e]s*; ˸*e*) chute *f* (*a aviat*); *tech* arrêt *m*

'**ab**|**stürzen** (*sép, -ge, sn*) faire une chute, tomber à pic; *aviat* s'abattre; *tech* s'arrêter; '**˷suchen** (*sép, -ge-, h*) *etw ˷* fouiller qc

absurd [ap'zʊrt] absurde

Abszess *méd* [aps'tsɛs] *m* (-*es*; -*e*) abcès *m*

Abt [apt] *m* (-*[e]s*; ˸*e*) abbé *m*

Abtei [ap'tai] *f* (-; -*en*) abbaye *f*

Ab'teil [ap'tail] *n* (-*[e]s*; -*e*) *Bahn* compartiment *m*; '**ab**|**trennen** séparer; '**˷ung** *f* (-; -*en*) division *f*, section *f*; *Firma* service *m*, département *m*; *Kaufhaus* rayon *m*; *mil* détachement *m*; '**˷ungsleiter** *m Kaufhaus* chef *m* de rayon; *Büro* chef *m* de service

'**abtöten** (*sép, -ge-, h*) *Bakterien* tuer; *Gefühl* étouffer

'**abtragen** (*irr, sép, -ge-, h, → tragen*) *Erde* déblayer; *Kleider* user; *Schuld* payer, rembourser

'**abtreib**|**en** (*irr, sép, -ge-, → treiben*) **1.** (*h*) *Frau* se faire avorter; **2.** (*sn*) *aviat, mar* dériver; '**2ung** *f* (-;-*en*) avortement *m*; **e-e ˷ vornehmen** provoquer un avortement

'**abtrennen** (*sép, -ge-, h*) détacher, séparer

'**abtret**|**en** (*irr, sép, -ge-, → treten*) **1.** (*sn*) *vom Amt* se retirer; **2.** (*h*) *überlassen* céder (*j-m etw* qc à qn); *die Füße ˷* décrotter ses chaussures; '**2ung** *f* (-;-*en*) cession *f*

'**abtrocknen** (*sép, -ge-, h*) essuyer

abtrünnig ['aptrʏnɪç] infidèle

'**ab**|**tun** (*irr, sép, -ge-, h, → tun*) *Vorschlag etc* passer sur; '**˷wägen** (*irr, sép, -ge-, h → wägen*) peser, considérer; '**˷wählen** *j-n ˷* destituer qn par un vote; '**˷wälzen** (*sép, -ge-, h*) *Schuld* rejeter (*auf* sur); '**˷wandeln** (*sép, -ge-, h*) changer, modifier; '**˷wandern** (*sép, -ge-, sn*) émigrer (*nach* vers), partir (pour)

'**Abwärme** *tech f* (-; *sans pl*) chaleur *f* perdue

'**abwarten** (*sép, -ge-, h*) attendre; '**˷d sich ˷ verhalten** rester dans l'expectative

abwärts ['apvɛrts] vers le bas, en bas

Abwasch ['apvaʃ] *m* (-*[e]s*; *sans pl*) vaisselle *f*; '**2bar** lavable; '**2en** (*sép, -ge-, h → waschen*) laver; *Geschirr* faire la vaisselle

'**Abwasser** *n* (-*s*; ˸) eaux *f/pl* usées; '**˷aufbereitung** *f* (-; *sans pl*) traitement *m* des eaux usées

'**abwechs**|**eln** (*sép, -ge-, h*) alterner (*mit* avec); *Personen sich ˷* se relayer; '**˷elnd** alternativement, à tour de rôle; '**2lung** *f* (-; -*en*) changement *m*, diversion *f*, variété *f*; *zur ˷* pour changer; '**˷lungsreich** varié; *Leben* mouvementé

Abweg *m* (-*[e]s*; -*e*) *fig auf ˷e geraten* s'écarter du bon *od* droit chemin *od* de la bonne voie; '**2ig** *˷e Ansicht* opinion *f* erronée

'**Abwehr** *f* (-; *sans pl*) défense *f*; '**2en** (*sép, -ge-, h*) *Angriff* repousser; *Stoß* parer; '**˷kräfte** *méd f/pl* pouvoir *m* défensif (de l'organisme); '**˷stoffe** *méd m/pl* anticorps *m/pl*

'**abweich**|**en** (*irr, sép, -ge-, sn, → weichen*) *vom Thema, Kurs* s'écarter, dévier (*von* de); *sich unterscheiden* différer (*von* de); *Meinungen voneinander ˷* diverger; *von der Wahrheit ˷* s'écarter de la vérité; *ab* différent, divergent; '**2ung** *f* (-; -*en*) écart *m*; divergence *f*; déviation *f*

'**abweis**|**en** (*irr, sép, -ge-, h, → weisen*) repousser, refuser; *Besucher* renvoyer; '**˷end** *Miene* de refus

'**ab**|**wenden** (*irr, sép, -ge-, h, → wenden*) détourner; *sich ˷ von* se détourner de; *Unheil ˷* conjurer le malheur; '**_werfen** (*irr, sép, -ge-, h,* → **werfen**) *Flugblätter, Bomben* lancer, jeter; *Laub etc* perdre, se dépouiller de; *Reiter* désarçonner; *Gewinn* rapporter

'abwert|en (*sép, -ge-, h*) *Währung* dévaluer; *gering schätzen* déprécier; '2ung *f* (*-; -en*) dévaluation *f*

abwesen|d ['apve:zənt] *adj* absent; '2heit *f* (*-; sans pl*) absence *f*

'ab|wickeln (*sép, -ge-, h*) dérouler; *durchführen* exécuter; *Geschäft* liquider; '**_wischen** (*sép, -ge-, h*) essuyer

'Abwurf *m* (*-[e]s; ÷e*) lancement *m*

'abwürgen F (*sép, -ge-, h*) *Motor* caler; *fig Diskussion* étouffer

'abzahlen (*sép, -ge-, h*) payer à tempérament *od* par versements échelonnés

'abzählen (*sép, -ge-, h*) compter

'Abzeichen *n* (*-s; -*) insigne *m*

'abzeichnen (*sép, -ge-, h*) dessiner, copier; *Schriftstück* parapher; *sich ~* se dessiner, se profiler; s'annoncer

'abziehen (*irr, sép, -ge-,* → **ziehen**) **1.** (*h*) *entfernen* retirer; *math* soustraire; *Betrag* déduire; *kopieren* tirer; **2.** (*sn*) *Rauch* sortir, s'échapper; *Gewitter* s'éloigner; *Truppen* se retirer; F *Person* s'en aller, partir

'Abzug *m* (*-[e]s; ÷e*) *Truppen* retrait *m*; *comm* déduction *f*, décompte *m*; *Foto* épreuve *f*; *Gewehr* détente *f*, gâchette *f*

abzüglich ['aptsy:kliç] déduction faite de, moins

abzweig|en ['aptsvaigən] (*sép, -ge-, v/i sn*) *Weg* bifurquer; (*v/t h*) *Geld* prélever (**von** sur); '2ung *f* (*-; -en*) bifurcation *f*, embranchement *m*

ach! [ax] ah!; *klagend* hélas!; **~ so!** ah bon!; **~ was!** *überrascht* vraiment?; *gleichgültig* bof!; **mit 2 und Krach** tant bien que mal; à grand-peine

Achse ['aksə] *f* (*-; -en*) *auto* essieu *m*; *math* axe *m*; **immer auf ~ sein** F être toujours en vadrouille

Achsel ['aksəl] *f* (*-; -n*) aisselle *f*; **die _n zucken** hausser les épaules

acht [axt] *Zahl* huit; **in ~ Tagen** dans une semaine

Acht *f* **~ geben** faire attention (**auf** à); *Aufmerksamkeit* **außer ~ lassen** négliger; **sich in ~ nehmen** prendre garde, faire attention (**vor** à)

'achte huitième

Achtel ['axtəl] *n* (*-s; -*) huitième *m*

achten ['axtən] (*h*) estimer, respecter; **~ auf** faire attention à; **darauf ~, dass ...** faire attention à ce que (+ *subj*)

ächten ['ɛçtən] (*h*) proscrire

'achtgeben → *Acht*

'achtlos *adj* négligent

'Achtung *f* (*-; sans pl*) *Hoch*2 estime *f*, respect *m*; *Vorsicht* attention *f*; **~ Stufe!** attention à la marche!

'acht|zehn dix-huit; '**_zig** ['axtsiç] quatre-vingts; '2ziger *m* (*-s;-*), '2zigerin *f* (*-; nen*) octogénaire *m, f*

ächzen ['ɛçtsən] (*h*) gémir

Acker ['akər] *m* (*-s; ÷*) champ *m*; '**_bau** *m* agriculture *f*; '**_land** *n* (*-[e]s; sans pl*) terres *f/pl* cultivées; '2n ['akərn] (*h*) labourer; *fig.* F travailler d'arrache-pied

ADAC [a:de:a:'tse:] *m* (*-; sans pl*) Automobile-Club *m* d'Allemagne

addieren [a'di:rən] (*pas de -ge-, h*) additionner

Adel ['a:dəl] *m* (*-s; sans pl*) noblesse *f*

ad(e)lig ['a:d(ə)liç] noble; 2e ['a:d(ə)ligə] *m, f* (*-n; -n*) noble *m, f*

adeln ['a:dəln] (*h*) anoblir; *fig.* ennoblir

Ader ['a:dər] *f* (*-;-n*) veine *f*; *Schlag*2 artère *f*; *Kabel* fil *m*

Adler *zo* ['a:dlər] *m* (*-s;-*) aigle *m*

Admiral [atmi'ra:l] *m* mar (*-s, ÷e*) amiral *m*

adoptieren [adɔp'ti:rən] (*pas de -ge-, h*) adopter

Adoptiv|eltern [-'ti:f?-] *pl* parents *m/pl* adoptifs; **_kind** *n* enfant *m* adoptif

Adressat [adrɛ'sa:t] *m* (*-en; -en*) destinataire *m*

Adressbuch [a'drɛs-] *n* bottin *m*

Adresse [a'drɛsə] *f* (*-;-n*) adresse *f*

adressieren [adrɛ'si:rən] (*pas de -ge-, h*) *Brief* mettre l'adresse sur; *richten an* adresser (à)

Affäre [a'fɛ:rə] *f* (*-;-n*) affaire *f*

Affe *zo* ['afə] *m* (*-n; -n*) singe *m*

Affekt [a'fɛkt] *m* (*-[e]s; -e*) émotion *f*, passion *f*; **_handlung** *f* acte *m* passionnel; 2iert [-'ti:rt] affecté, maniéré; affig ['afiç] maniéré; ridicule

Afrika ['afrika] *n* (*-s; sans pl*) l'Afrique *f*

Afrikan|er [afri'ka:nər] *m* (*-s;-*) Africain *m*; **_erin** *f* (*-; -nen*) Africaine *f*, 2isch africain

After ['aftər] *m* (*-s;-*) anus *m*

AG [a:'ge:] *comm f* (-; -s) société *f* anonyme

Agent [a'gɛnt] *m* (-en; -en) agent *m*; **~ur** [-'tu:r] *f* (-; -en) agence *f*

Aggress|ion [agrɛ'sjo:n] *f* (-; -en) agression *f*; **2iv** [-'si:f] agressif

Agitator [agi'ta:tɔr] *pol m* (-s; -en) agitateur *m*

Agrar|land [a'gra:r-] *n* pays *m* agricole; **~markt** *m* marché *m* agricole

Ägypt|en [ɛ'gʏptən] *n* (-s; sans pl) l'Egypte *f*; **~er** *m* (-s; -), **~erin** *f* (-; -nen) Egyptien *m*, -ne *f*; **2isch** égyptien

ähneln ['ɛ:nəln] (h) *j-m* (*e-r Sache*) **~** ressembler à qn (à qc)

ahnen ['a:nən] (h) se douter de, pressentir

Ahnen ['a:nən] *pl* aïeux *m/pl*, ancêtres *m/pl*

ähnlich ['ɛ:nlɪç] ressemblant; semblable, pareil; *j-m* **~** *sehen od sein* ressembler à qn; *fig das sieht ihm* **~** ça lui ressemble tout à fait; **2keit** *f* (-; -en) ressemblance *f*

Ahnung ['a:nuŋ] *f* (-; -en) Vorgefühl pressentiment *m*; Vorstellung idée *f*; *keine* **~**! aucune idée!; **2slos** sans se douter de rien; **~slosigkeit** *f* (-; sans pl) ignorance *f*

Ahorn bot ['a:hɔrn] *m* (-s; -e) érable *m*

Ähre bot ['ɛ:rə] *f* (-; -n) épi *m*

Aids *méd* [eɪds] *n* sida *m*; **2krank** malade de sida

Akademie [akade'mi:] *f* (-; -n) académie *f*; **~mitglied** *n* académicien *m*, -ne *f*

Akadem|iker [aka'de:mikər] *m* (-s; -); **~ikerin** *f* (-; -nen) personne *f* ayant un grade universitaire; **2isch** universitaire; *lebensfern* académique

Akazie bot [a'ka:tsjə] *f* acacia *m*

akklimatisieren [aklimati'zi:rən] (*pas de ge-*, h) *sich* **~** s'acclimater

Akkord [a'kɔrt] *m* (-[e]s; -e) *mus* accord *m*; *im* **~** *arbeiten* travailler à la tâche, aux pièces; **~arbeit** *f* travail *m* à la tâche, aux pièces; **~lohn** *m* salaire *m* à la tâche, aux pièces

Akrobat [akro'ba:t] *m* (-en; -en) acrobate *m*

Akt [akt] *m* (-[e]s; -e) acte *m*; *Kunst* nu *m*

Akte ['aktə] *f* (-; -n) dossier *m*, pièce *f*, document *m*; *fig zu den* **~n** *legen* classer; considérer comme réglé

Akten|deckel *m* chemise *f*; **~koffer** *m*

attaché-case *m*; **~notiz** *f* aide-mémoire *m*; **~ordner** *m* classeur *m*; **~schrank** *m* classeur *m*; **~tasche** *f* serviette *f*; porte-documents *m*; **~zeichen** *n* référence *f od* numéro *m* du dossier

Aktie *écon* ['aktsjə] *f* (-; -n) action *f*; **~ngesellschaft** *f* société *f* anonyme *od* par actions; **~nmarkt** *m* marché *m* d'actions; **~nmehrheit** *f* majorité *f* des actions

Aktion [ak'tsjo:n] *f* (-; -en) *pol* action *f*; *Werbe~, Spenden~* campagne *f*; *mil, Rettungs~* opération *f*

Aktionär [aktsjo'nɛ:r] *m* (-s; -e), **~in** *f* (-; -nen) actionnaire *m, f*

aktiv [ak'ti:f] actif; *Handelsbilanz* excédentaire; *Offizier* d'active; **~ieren** [-i'vi:rən] (*pas de ge-*, h) activer; **2ität** [-ivi'tɛ:t] *f* (-; -en) activité *f*

aktuell [aktu'ɛl] actuel, d'actualité

Akust|ik [a'kustik] *f* (-; sans pl) acoustique *f*; **2isch** acoustique; *Gedächtnis* auditif

akut [a'ku:t] *méd* aigu; *Problem* urgent; *Gefahr* imminent

Akzent [ak'tsɛnt] *m* (-[e]s; -e) accent *m*; **2uieren** [-u'i:rən] (*pas de ge-*, h) accentuer

akzept|abel [aktsɛp'ta:bəl] acceptable; **~ieren** (*pas de ge-*, h) accepter

Alarm [a'larm] *m* (-[e]s; -e) alerte *f*, alarme *f*; *blinder* **~** fausse alerte; **~** *schlagen* donner l'alarme *od* l'alerte; **~anlage** *f* dispositif *m* d'alarme; **~ieren** (*pas de ge-*, h) alerter; *beunruhigen* alarmer

albern ['albərn] niais, sot, inepte; **2heit** *f* (-; -en) niaiserie *f*, sottise *f*, ineptie *f*

Albtraum *m* cauchemar *m*

Algeri|en [al'ge:rjən] *n* (-s; sans pl) l'Algérie *f*; **~er** *m* (-s; -), **~erin** *f* (-; -nen) Algérien *m*, -ne *f*; **2sch** [-iʃ] algerien

Algier ['alʒir] *n* Alger

Alkohol ['alkohol] *m* (-[e]s; -e) alcool *m*; **2frei** [-'ho:l-] sans alcool; *Getränk* non alcoolisé; **~iker** [-'ho:likər] *m* (-s; -), **~ikerin** *f* (-; -nen) alcoolique *m, f*; **2isch** [-'ho:l-] alcoolique; **~ismus** [-'ismus] *m* (-; sans pl) alcoolisme *m*; **~test** *m* alcootest *m*

All [al] *n* (-s; sans pl) univers *m*; *Welt-raum* espace *m*

alle ['alə] *allein stehend* tous [tus], toutes; tout le monde; *mit subst* tous les, toutes les; *wir ~* nous tous; ~ **beide** tous les deux; ~ **zwei Jahre** tous les deux ans; **auf ~ Fälle** en tous cas; **ein für ~ Mal** une fois pour toutes F... *ist ~* il n'y a plus de ...; → *a* **alles**

Allee [a'le:] *f* (-; -*n*) allée *f*; **Straße** avenue *f*

allein [a'lain] seul; ~ **der Gedanke** la seule pensée; **von ~** tout seul; ~ **stehend** *Person* seul; *Haus* isolé; **2gang** *Sport im* ~ en solitaire; *fig* **e-n ~ machen** faire cavalier seul; **~ig** exclusif; **2sein** *n* solitude *f*

allemal [alə'ma:l] *adv auf jeden Fall* F à tous les coups; à coup sûr

'**allenfalls** à la rigueur, tout au plus

'**aller**... *in Zssgn* le plus... de tous; '**~best** le meilleur de tous; '**~dings** à vrai dire, à la vérité; bien sûr

Allerg|ie [alɛr'gi:] *f* (-; -*n*) allergie *f* (**gegen** à); **2isch** [a'lɛrgiʃ] allergique (**gegen** à)

'**aller|hand** F pas mal de, toutes sortes de; **das ist ja ~!** c'est un peu fort!; *bewundernd* il faut le faire!; **2heiligen** *n* la Toussaint; '**~lei** toutes sortes de; '**~letzt** le tout dernier; **zu ~** en tout dernier lieu; '**~liebst** le plus aimé; **am ~en mögen** préférer par-dessus tout; '**~nächst** *in ~er Zeit* dans un avenir très proche; **2nötigste** **das ~** le strict minimum; '**~seits** **guten Morgen ~!** bonjour à tous!; '**~wenigst am ~en** moins que tout autre

alles ['aləs] tout; ~ **Gute!** meilleurs vœux!, bonne chance!; ~ **in allem** tout bien considéré; **vor allem** avant tout, surtout

'**alle|samt** tous ensemble; '**~zeit** toujours, en tout temps

'**allgemein** général; **im 2en** en général; ~ **gültig** [-gə'main-] universellement valable; ~ **verständlich** [-gə'main-] à la portée de tous; **2arzt** [-gə'main-] *m* généraliste *m/f*; **2bildung** [-gə'main-] *f* culture *f* générale; **2heit** [-gə'main-] *f* (-; *sans pl*) public *m*, tout le monde

Allheilmittel [-'hail-] *n* (-*s*; -) remède *m* universel, panacée *f*

Allianz [ali'ants] *f* (-; -*en*) alliance *f*

Alliierte [ali'i:rtə] *m* (-*n*; -*n*) allié *m*; **die ~n** *pl* les alliés *m/pl*

all|jährlich annuel(lement); '**2macht** *f* (-; *sans pl*) toute-puissance *f*; '**~mäch**

tig tout-puissant; '**~mählich** graduel; *adv* peu à peu; '**2radantrieb** *auto m* traction *f* toutes roues motrices; '**2tag** *m* vie *f* quotidienne; '**~täglich** quotidien; *fig a* ordinaire, banal; '**~wissend** omniscient; '**~zu ~ sehr, ~ viel** trop

Alm [alm] *f* (-; -*en*) alpage *m*

Almosen ['almo:zən] *n* (-*s*; -) aumône *f*

Alpen ['alpən] *pl* Alpes *f/pl*

Alphabet [alfa'be:t] *n* (-*s*; -*e*) alphabet *m*; **2isch** (par ordre) alphabétique

alpin [al'pi:n] alpin

'**Alptraum** *m* → **Albtraum**

als [als] *zeitlich* quand, lorsque; *nach Komparativ* que (*vor Zahlen* de); *in der Eigenschaft* ~ comme, en tant que; ~ **ob** comme si; ~ **ich einmal** ... un jour que je ...; *mehr* ~ **zwei Jahre** plus de deux ans; ~ **Freund** en ami

also ['alzo:] *folgernd* donc, par conséquent; *einleitend* alors

alt [alt] vieux (vieille); *Mensch a* âgé; *ehemalig* ancien; **wie ~ bist du?** quel âge as-tu?; **ich bin 15 Jahre ~** j'ai quinze ans; ~ **werden** vieillir

Alt *mus m* (-*s*; *sans pl*) contralto *m*

Altar [al'ta:r] *m* (-*[e]s*; ̈*e*) autel *m*

'**alt|backen** rassis; '**2bekannt** connu depuis longtemps; '**2eisen** *n* ferraille *f*

'**Alte** *m, f* (-*n*, -*n*) vieux *m*, vieille *f*; **die ~n** les vieux *m/pl*; '**~nheim** *n* maison *f* de retraite

'**Alter** *n* (-*s*; *sans pl*) âge *m*; *hohes* vieillesse *f*; **im ~ von** à l'âge de

älter ['ɛltər] plus âgé; **mein ~er Bruder** mon frère aîné; **ein ~er Herr** un monsieur d'un certain âge

altern ['altərn] vieillir

alternativ [altɛrna'ti:f] alternatif; **2e** [-'ti:və] *f* (-; -*n*) alternative *f*

'**Alters|diskriminierung** *f* (-; *sans pl*) discrimination *f* des personnes âgées; '**~erscheinung** *f* signe *m* de vieillesse; '**~grenze** *f* limite *f* d'âge; '**~heim** *n* maison *f* de retraite; '**~rente** *f* retraite *f*; '**2schwach** *Person* sénile; *Gegenstand* vieux, délabré; '**~versorgung** *f* caisse *f* de prevoyance-vieillesse; '**~vorsorge** *f private* ~ assurance *f* vieillesse complémentaire

Alter|tum ['altərtu:m] *n* (-*[e]s*; *sans pl*) Antiquité *f*; (-; ̈*er*) antiquité(s) *f*; '**2tümlich** antique, archaïque

'**Alt|glas** *n* (-*es*; *sans pl*) verre *m* recy

clable; **~glascontainer** *m* conteneur *m*, container *m* à verre; **⒉klug** précoce; '**~lasten** *f/pl* déchets *m/pl* toxiques; '**~lastensanierung** *f* réhabilitation *f* des déchets toxiques; '**~metall** *n* ferraille *f*; **⒉modisch** démodé, passé de mode; '**~papier** *n* papier *m* à recycler; '**~stadt** *f* cité *f*, vieille ville *f*; '**~stadtsanierung** *f* assainissement *m*; '**~warenhändler** *m* brocanteur *m*

Aluminium [alu'mi:njum] *n* (*-s*; *sans pl*) aluminium *m*

am [am] → **an**; **~ Knie** au genou; **~ Anfang** (*Ende*) au commencement (à la fin); **~ Abend** (*Morgen*) le soir (matin); **~ 1. Mai** le premier mai; **~ Himmel** dans le ciel; **~ Leben** en vie; **~ schnellsten** le plus vite

Amateur [ama'tø:r] *m* (*-s*; *-e*) amateur *m*

ambulan|t [ambu'lant] *méd* **~e Behandlung** traitement *m* qui ne nécessite pas d'hospitalisation; **⒉z** [-ts] *f* (*-*; *-en*) dispensaire *m*; *auto* ambulance *f*

Ameise zo ['a:maizə] *f* (*-*; *-n*) fourmi *f*; '**~nhaufen** *m* fourmilière *f*

Amerika [a'me:rika] *n* (*-s*; *sans pl*) l'Amérique *f*, **~ner** [-eri'ka:nər] *m* (*-s*; *-*), **~nerin** *f* (*-*; *-nen*) Américain *m*, -e *f*; **⒉nisch** [-'ka:niʃ] americain

Amnestie [amnɛs'ti:] *f* (*-*; *-n*) amnistie *f*

Ampel ['ampəl] *f* (*-*; *-n*) feux *m/pl* (de signalisation)

Amput|ation [amputa'tsjo:n] *f* (*-*; *-en*) amputation *f*; **⒉ieren** (*pas de ge-*, *h*) amputer

Amsel zo ['amzəl] *f* (*-*; *-n*) merle *m*

Amt [amt] *n* (*-[e]s*; *⸚er*) *Dienststelle* office *m*, service *m*, bureau *m*; *Tätigkeit* fonction *f*, charge *f*; *Auswärtiges* **~** ministère *m* des Affaires étrangères; **⒉ieren** (*pas de ge-*, *h*) être en fonction(s); '**⒉lich** officiel

Amts|arzt *méd* *m* médecin *m* assermenté; '**~geheimnis** *n* secret *m* professionnel; '**~gericht** *n* tribunal *m* de première instance; '**~missbrauch** *m* abus *m* de pouvoir; '**~zeichen** *tél n* tonalité *f* (avant de composer le numéro); '**~zeit** *f* 1. *jur* magistrature *f*; 2. période *f* d'activité

amüs|ant [amy'zant] amusant; **~ieren** (*pas de ge-*, *h*) amuser; *sich* **~** s'amuser (*über* de)

an [an] 1. *prép* (*wo? dat*; *wohin? acc*) à; *géogr* sur; *von ... ~* à partir de, dès; *Paris* **~ 9.10** Paris arrivée 9 heures 10; **~ der Wand** au mur; **~ Weihnachten** à Noël; **~ e-m Sonntagmorgen** un dimanche matin; **~ seiner Stelle** à sa place; *sterben* **~** mourir de; *Mangel* **~** manque de; 2. *adv* **das Licht ist ~** la lumière est allumée; → *a* **am**

Analphabet ['an(ʔ)alfabe:t] *m* (*-en*, *-en*) illettré *m*, -e *f*

Analys|e [ana'ly:zə] *f* (*-*; *-n*) analyse *f*; **⒉ieren** [-ly'zi:rən] (*pas de ge-*, *h*) analyser

Anarchie [anar'çi:] *f* (*-*; *-n*) anarchie *f*

Anatom|ie [anato'mi:] *f* (*-*; *-n*) anatomie *f*; **⒉isch** [-'to:miʃ] anatomique

'**anbahnen** (*sép*, *-ge-*, *h*) *sich* **~** se préparer, s'esquisser

'**Anbau** *m* (*-s*; *sans pl*) *agr* culture *f*; *arch* annexe *f*; '**⒉en** (*sép*, *-ge-*, *h*) *agr* cultiver; *arch* ajouter (*an* à); '**~möbel** *n/pl* meubles *m/pl* à éléments

'**an|behalten** (*irr*, *sép*, *h*, → **behalten**) garder; **~bei** [-'bai] *comm* ci-joint, ci--inclus; '**~beißen** (*irr*, *sép*, *-ge-*, *h*, → *beißen*) mordre; '**~beten** (*sép*, *-ge-*, *h*) adorer

'**Anbetracht** *m in ~* en considération de, vu, étant donné

'**anbetteln** (*sép*, *-ge-*, *h*) *j-n um etw* **~** mendier qc auprès de qn

'**an|biedern** ['anbi:dərn] (*sép*, *-ge-*, *h*) *sich* **~** vouloir se faire bien voir (*bei* par); '**~bieten** (*irr*, *sép*, *-ge-*, *h*, → *bieten*) offrir; *sich* **~** se proposer (*als* comme); '**⒉bieter** *m* (*-s*; *-*) offrant *m*; '**~binden** (*irr*, *sép*, *-ge-*, *h*, → *binden*) attacher (*an* à)

'**Anblick** *m* (*-[e]s*; *-e*) aspect *m*, vue *f*; *Bild* spectacle *m*; *beim* **~ von** à la vue de; '**⒉en** (*sép*, *-ge-*, *h*) regarder

'**an|brechen** (*irr*, *sép*, *-ge-*, → **brechen**) 1. (*h*) *Flasche etc* entamer; *Knochen* fêler; 2. (*sn*) *beginnen* commencer; *Tag* se lever, *Nacht* tomber; '**~brennen** (*irr*, *sép*, *-ge-*, *sn*, → *brennen*) *Essen* brûler; *Milch* attacher; '**~bringen** (*irr*, *sép*, *-ge-*, *h*, → *bringen*) herbeibringen apporter; *festmachen* poser; *a Bitte* placer

'**Anbruch** *m* (*-[e]s*; *sans pl*) **~ des Tages** lever *m* du jour; **~ der Nacht** tombée *f* de la nuit

'anbrüllen (sép, -ge-, h) F **j-n** ~ engueuler qn, crier *od* pester contre qn

andächtig ['andεçtiç] recueilli, attentif

'andauern (sép, -ge-, h) durer, continuer, persister; '~d continuel, persistant; *adv* continuellement, sans cesse

'Andenken n (-s; -) mémoire f, souvenir m

andere ['andərə] autre; **mit ~n Worten** en d'autres termes; **am ~n Morgen** le lendemain matin; **etwas ~s** autre chose; **nichts ~s als** rien d'autre que; **unter ~m** entre autres; **~rseits** ['andərər'zaits] d'autre part

ändern ['εndərn] (h) changer, modifier; **sich ~** changer

andernfalls autrement, sinon

anders ['andərs] autrement; **jemand (niemand)** ~ quelqu'un (personne) d'autre; ~ **werden** changer; ~ **sein** être différent (**als** de); '~wo, '~wohin ailleurs, autre part

anderthalb ['andərt'halp] un et demi

'Änderung f (-; -en) changement m, modification f

'andeut|en (sép, -ge-, h) indiquer; laisser entendre; **j-m ~ dass ...** faire comprendre à qn que ...; '**2ung** f (-; -en) indication f; allusion f

'Andrang m (-[e]s; sans pl) affluence f, foule f

'an|drehen (sép, -ge-, h) Radio, Gas ouvrir; Radio a allumer; F fig **j-m etw** ~ refiler qc à qn; '~drohen (sép, -ge-, h) **j-m etw** ~ menacer qn de qc; '~eignen ['an²-] (sép, -ge-, h) **sich etw** ~ s'approprier qc; Kenntnisse assimiler qc

aneinander [an²ai'nandər] l'un à (od près de) l'autre; ~ **denken** penser mutuellement l'un à l'autre; ~ **geraten** se disputer

'anekeln ['an²-] (sép, -ge-, h) dégoûter, écœurer

anerkannt ['an²-] reconnu

'anerkenn|en (irr, sép, h, → **erkennen**) reconnaître (**als** pour); lobend apprécier; jur légitimer; '**2ung** f (-; sans pl) reconnaissance f

'anfahren (irr, sép, -ge-, → **fahren**) **1.** v/i (sn) auto démarrer; **2.** v/t (h) Baum etc accrocher, tamponner, entrer en collision avec; fig **j-n** ~ apostropher qn, rabrouer qn

'Anfall m (-[e]s; ¨e) méd attaque f, crise f, a fig accès m; '**2en** (irr, sép, -ge-, → **fallen**) **1.** v/t (h) attaquer, assaillir; **2.** v/i (sn) être produit

anfällig ['anfεliç] méd de santé délicate; Gerät sensible; '**2keit** f (-; sans pl) fragilité f, faiblesse f

'Anfang m (-[e]s; ¨e) commencement m, début m; **von ~ an** dès le début; '**2en** (irr, sép, -ge-, h, → **fangen**) commencer (**zu** à; **mit** par); ~ **zu** a se mettre à

Anfänger ['anfεŋər] m (-s; -), '~in f (-; -nen) débutant m, -e f, commençant m, -e f

anfangs ['anfaŋs] au début, d'abord; '**2stadium** n stade m initial

'anfassen (sép, -ge-, h) toucher; **mit** ~ donner un coup de main

anfecht|bar ['anfεçtba:r] contestable; '~en (irr, sép, -ge-, h, → **fechten**) contester

an|fertigen ['anfεrtigən] (sép, -ge-, h) faire, fabriquer, confectionner; '~feuern (sép, -ge-, h) Sport encourager, stimuler; '~flehen (sép, -ge-, h) implorer, supplier; '~fliegen (irr, sép, -ge-, h, → **fliegen**) aviat desservir, faire escale à

'Anflug m (-[e]s; ¨e) aviat vol m d'approche; fig Spur soupçon m

'anforder|n (sép, -ge-, h) demander, exiger, réclamer; '**2ung** f (-; -en) demande f; pl exigences f/pl

'Anfrage f demande f; pol interpellation f; '**2n** (sép, -ge-, h) demander (**bei** à)

an|freunden ['anfrɔyndən] (sép, -ge-, h) **sich** ~ se lier d'amitié (**mit j-m** avec qn); **sich mit etw** ~ s'habituer à qc

'anführ|en (sép, -ge-, h) Gruppe mener, conduire; nennen citer, mettre en avant, alléguer; betrügen duper, tromper; '**2er** m (-s; -), **2erin** f (-; -nen) chef m, meneur m; '**2ungszeichen** n/pl guillemets m/pl

'Angabe f (-; -n) indication f; tech donnée f; F Aufschneiderei vantardise f, crânerie f f; **nähere** ~n précisions f/pl

'angeb|en (irr, sép, -ge-, h, → **geben**) indiquer, donner, déclarer; F aufschneiden se vanter, crâner F; **genau(er)** ~ préciser; '**2er** m (-s; -), '**2erin** f (-; -nen) vantard m, -e f, crâneur m, -euse f; '~lich ['-pliç] prétendu; *adv* à ce qu'on dit, soi-disant

'angeboren inné; *méd* congénital

'Angebot *n* (-/e/s; -e) offre *f*; **~ und Nachfrage** l'offre et la demande

angebracht ['angəbraxt] convenable, approprié, opportun

'angehen (*irr, sép*, -ge-, sn, → **gehen**) Licht s'allumer; *betreffen* regarder, concerner; **das geht dich nichts an!** ça ne te regarde pas!

'angehör|en (*sép, h*) faire partie de; '**~ige** ['-igə] *m, f Familie* proche parent *m*, -e *f*; *Mitglied* membre *m*; **seine ~n** sa famille; **die nächsten ~n** les proches parents

Angeklagte ['angəkla:ktə] *m, f* (-*n*; -*n*) accusé *m*, -e *f*

Angel ['aŋəl] *f* (-; -*n*) *Tür⌂* gond *m*; *Fisch⌂* ligne *f*; canne *f* à pêche

'Angelegenheit *f* (-; -*en*) affaire *f*

'angelernt **~er Arbeiter** ouvrier spécialisé

'Angelhaken *m* hameçon *m*

angeln ['aŋəln] **1.** (*h*) pêcher à la ligne; *fig* F pêcher; **2.** ⌂ (-*s; sans pl*) *n* pêche *f* à la ligne

'Angel|punkt *m fig* pivot *m*; '**~rute** *f* canne *f* à pêche

'Angel|sachsen *m/pl* Anglo-Saxons *m/pl*; '**⌂sächsisch** anglo-saxon

'an|gemessen convenable, approprié; '**~genehm** agréable; **das ⌂e mit dem Nützlichen verbinden** joindre l'utile à l'agréable; '**~genommen ~, (dass)** ... à supposer que (+ *subj*); '**~geregt** animé; '**~gesehen** considéré, estimé

'angesichts *prép* (*gén*) face à, en présence de, étant donné

Angestellte ['angəʃtɛltə] *m, f* (-*n*; -*n*) employé *m*, -e *f*; **leitender ~r** cadre *m* (supérieur); '**~nversicherung** *f* assurance *f* des employés

'an|getrunken (légèrement) ivre; '**~gewiesen ~ sein auf** dépendre de; '**~gewöhnen** (*sép, h*) **j-m etw ~** accoutumer qn à qc; **sich etw ~** prendre l'habitude de faire qc

'Angewohnheit *f* (-; -*en*) habitude *f*

'angleichen (*irr, sép*, -ge-, *h*, → **gleichen**) assimiler

'angreif|bar attaquable; '**~en** (*irr, sép*, -ge-, *h*, → **greifen**) attaquer (*a fig*); '**⌂er** *m* (-*s*; -) agresseur *m*; *Sport* attaquant *m*

'angrenzend avoisinant, limitrophe

'Angriff *m* (-/e/s; -e) attaque *f* (**auf** contre); agression *f*; **zum ~ übergehen** passer à l'attaque; *fig* **in ~ nehmen** attaquer; '**⌂slustig** agressif

Angst [aŋst] *f* (-; ̈-e) peur *f* (**vor** de); **aus ~ vor** de od par peur de; **mir ist ⌂** j'ai peur; **j-m ~ einjagen** faire peur à qn; '**~hase** *m* F poule *f* mouillée, froussard *m*

'ängst|igen ['ɛŋstigən] (*h*) (**sich** s') inquiéter; '**~lich** craintif, peureux, anxieux, inquiet; '**⌂lichkeit** *f* (-; *sans pl*) anxiété *f*; timidité *f*

'an|gucken (*sép*, -ge-, *h*) regarder; '**~haben** (*irr, sép*, -ge-, *h*, → **haben**) *Kleider* porter, être vêtu de; *fig* **j-m nichts ~ können** ne pouvoir rien faire contre qn

'anhalten (*irr, sép*, -ge-, *h*, → **halten**) *j-n, etw* arrêter; *Atem* retenir; *stehen bleiben* s'arrêter; *andauern* durer; '**~d** persistant, continu

'Anhalter *m* (-*s*; -), '**~in** *f* (-; -*nen*) (auto-) stoppeur *m*, -euse *f*; **per Anhalter fahren** faire de l'auto-stop, faire du stop

'Anhaltspunkt *m* point *m* de repère

anhand [an'hant] **~ von** à l'aide de

'Anhang *m* (-/e/s; ̈-e) *Buch* appendice *m*; *Verwandte* famille *f*; progéniture *f*; *Anhänger* partisans *m/pl*

'anhäng|en (*irr, sép*, -ge-, *h*, → **hängen**) accrocher, atteler; *hinzufügen* rajouter; *fig* **j-m etw ~** attribuer qc à qn; '**⌂er** *m* (-*s*; -) *Wagen* remorque *f*; *Schmuck* pendentif *m*; '**⌂er** *m* (-*s*, -), '**⌂erin** *f* (-; -*nen*) partisan *m*, adhérent *m*, -e *f*; adepte *m, f*; *begeisterter* fana(tique) *m, f*; *fan m*; *Sport a* supporter *m*; '**~lich** dévoué, fidèle

'anhäufen (*sép*, -ge-, *h*) amasser, accumuler

'an|heben (*irr, sép*, -ge-, *h*, → **heben**) *Last* soulever; *Preis* augmenter, relever; '**~heften** (*sép, -ge-*, *h*) attacher (**an** à)

an'heim *adv* **j-m etw ~ stellen** s'en remettre à qn de qc

'anheuern (*sép, -ge-, h*) *j-n* engager qn

'Anhieb **auf ~** du premier coup, d'emblée

'Anhöhe *f* (-; -*n*) colline *f*, hauteur *f*

'anhören (*sép, -ge-, h*) écouter; **sich ~**

klingen sonner (**wie** comme); **sich etw** ~ écouter qc; **etw mit** ~ entendre qc

animieren [ani'mi:rən] (*pas de ge-*, *h*) encourager, inciter, entraîner

'an**kämpfen** (*sép*, *-ge-*, *h*) lutter (**gegen** contre)

'**Ankauf** *m* (*-[e]s*; *-̈e*) achat *m*

'**Anker** *mar* ['ankər] *m* (*-s*; *-*) ancre *f*; **vor** ~ **gehen** jeter l'ancre; '2**n** (*h*) mouiller

'**Anklage** *f* (*-*; *-n*) accusation *f*, inculpation *f*; '2**n** (*sép*, *-ge-*, *h*) **j-n wegen etw** ~ accuser qn de qc

'**Ankläger** *m* (*-s*; *-*), '~**in** *f* (*-*; *-nen*) accusateur *m*, *-trice f*

'an**klammern** (*sép*, *-ge-*, *h*) **sich** ~ se cramponner (**an** à)

'**Anklang** *m* (*-[e]s*; *-̈e*) ~ **finden** être bien accueilli (**bei** par), avoir du succès (auprès de)

'an**kleben** (*sép*, *-ge-*, *h*) coller; *Plakat* afficher

'an**kleiden** (*sép*, *-ge-*, *h*) habiller, vêtir; **sich** ~ s'habiller

'an**klicken** *EDV* (*sép*, *-ge-*, *h*) cliquer

'an|**klopfen** (*sép*, *-ge-*, *h*) frapper (à la porte); '~**knipsen** (*sép*, *-ge-*, *h*) *Licht* allumer, ouvrir

'an**knüpfen** (*sép*, *-ge-*, *h*) nouer; *Gespräch* engager, entamer; **Beziehungen** ~ entrer en relations (**zu** avec); **an etw** ~ partir de qc

'an**kommen** (*irr*, *sép*, *-ge-*, *sn*, → **kommen**) arriver; *Anklang finden* avoir du succès (**bei** auprès de); **es kommt darauf an, zu ...** il importe de ...; **das kommt (ganz) darauf an** cela dépend; **es kommt auf euch an** cela dépend de vous; **es darauf** ~ **lassen** courir le risque

'an**kündig|en** (*sép*, *-ge-*, *h*) annoncer; '2**ung** *f* (*-*; *-en*) annonce *f*

'**Ankunft** ['ankunft] *f* (*-*; *sans pl*) arrivée *f*

'an**kurbeln** (*sép*, *-ge-*, *h*) *Wirtschaft etc* relancer, redresser, encourager

'**Anlage** *f* (*-*; *-n*) *Kapital* placement *m*, investissement *m*; *Bau* construction *f*; *tech* installation *f*, *Veranlagung* talent *m*, disposition *f*; *Anordnung* arrangement *m*; *zu e-m Brief* pièce *f* jointe; **öffentliche** ~**n** jardins *m/pl* publics; **sanitäre** ~**n** installations *f/pl* sanitaires; **Ferien-** village *m* de vacances; '~**berater** *m* fiduciaire *m*; '~**kapital** *n* capital *m* immobilisé

'**Anlass** ['anlas] *m* (*-es*; *-̈e*) *Gelegenheit* occasion *f*; *Grund* cause *f*, raison *f*, motif *m*; ~ **geben zu ...** donner lieu à

'an**lass|en** (*irr*, *sép*, *-ge-*, *h*, → **lassen**) *Motor* faire démarrer; *Licht, TV, Radio etc* laisser allumé; *Kleidung* garder (sur soi); **sich gut** ~ s'annoncer *od* se présenter bien, promettre; '2**er** *m* (*-s*; *-*) *auto* démarreur *m*

an**lässlich** ['anlɛsliç] *prép* (*gén*) à l'occasion de

'**Anlauf** *m* (*-[e]s*; *-̈e*) *Sport* élan *m*; '2**en** (*irr*, *sép*, *-ge-*, → **laufen**) **1.** *v/t* (*h*) *mar Hafen* faire escale à, toucher; **2.** ~*f*; *v/i* (*sn*) *beginnen* démarrer; *Scheibe* se couvrir de buée; *Spiegel* se ternir

'an**lege|n** (*sép*, *-ge-*, *h*) poser, mettre (**an** contre); *Verband* appliquer; *Straße* aménager; *Liste* dresser; *Geld* placer, investir; *Schiff* accoster (**an** qc), aborder (à, dans); **sich mit j-m** ~ chercher la dispute avec qn; '2**platz** *m*; '2**stelle** *f mar* débarcadère *m*, embarcadère *m*

'an**lehnen** (*sép*, *-ge-*, *h*) *Tür* laisser entrouvert; (**sich**) **an etw** ~ (s')appuyer contre qc; *fig* **sich** ~ **an** s'inspirer de

'**Anleihe** *écon* ['anlaiə] *f* (*-*; *-n*) emprunt *m*

'an**leit|en** (*sép*, *-ge-*, *h*) diriger, instruire; '2**ung** *f* (*-*; *-en*) instructions *f/pl*, directives *f/pl*

'**Anlieg|en** *n* (*-s*; *-*) désir *m*, demande *f*; '~**er** *m* (*-s*; *-*) riverain *m*

'an|**locken** (*sép*, *-ge-*, *h*) attirer; '~**machen** (*sép*, *-ge-*, *h*) *befestigen* attacher; *Licht etc* allumer, ouvrir; *Salat* assaisonner; *Mädchen* F brancher

'an**maß|en** ['anma:sən] (*sép*, *-ge-*, *h*) **sich etw** ~ s'arroger qc; '~**end** arrogant, prétentieux; '2**ung** *f* (*-*; *-en*) arrogance *f*

'**Anmeldeformular** *n* formulaire *m* de demande d'inscription

'an**meld|en** (*sép*, *-ge-*, *h*) *Besuch* annoncer; **sich** ~ **zur Teilnahme** se faire inscrire, s'inscrire; *beim Arzt* prendre rendez-vous; '2**ung** *f* (*-*; *-en*) inscription *f*; *behördliche* déclaration *f*

'an**merk|en** (*sép*, *-ge-*, *h*) remarquer; **man merkt ihm an, dass ...** on remarque *od* voit que ...; **sich nichts** ~ **lassen** ne rien laisser paraître; '2**ung** *f*

(-; *-en*) remarque *f*; *Fußnote* annotation *f*

'Anmut *f* (-; *sans pl*) grâce *f*, charme *m*; '2ig gracieux, charmant

annäher|nd ['annɛːərnt] approximatif; '2ung *f* (-; *-en*) approche *f*; *fig* rapprochement *m*; '2ungsversuche *m/pl* avances *f/pl*

Annahme ['anaːma] *f* (-; *sans pl*) e-s *Vorschlags etc* acceptation *f*; e-s *Kindes* adoption *f*; *Vermutung* supposition *f*, hypothèse *f*; '2stelle *f* réception *f*

'annehm|bar acceptable; passable; '2en (*irr, sép, -ge-, h*, → *nehmen*) accepter; *vermuten* supposer; **sich** *j-s* (**e-r Sache**) ~ se charger de qn (de qc); '2lichkeiten *f/pl* commodités *f/pl*, agréments *m/pl*

annektieren [anɛk'tiːrən] (*pas de ge-, h*) annexer

Annonc|e [a'nõːsə] *f* (-; *-n*) annonce *f*; 2ieren [-'siːrən] (*pas de ge-, h*) passer *od* mettre une annonce (dans le journal)

anonym [ano'nyːm] anonyme

Anorak ['anorak] *m* anorak *m*

anordn|en ['anʔ-] (*sép, -ge-, h*) arranger, disposer; *befehlen* ordonner; '2ung *f* (-; *-en*) arrangement *m*, disposition *f*; *Befehl* ordre *m*

'anpacken (*sép, -ge-, h*) *Problem* aborder, s'attaquer à; *j-n hart* ~ traiter qn durement; *mit* ~ donner un coup de main

'anpass|en (*sép, -ge-, h*) adapter; **sich** *j-m* (**e-r Sache**) ~ s'adapter à qn (à qc); '2ung *f* (-; *-en*) adaptation *f*; '~ungsfähig souple

'anpflanzen (*sép, -ge-, h*) planter; '~pöbeln (*sép, -ge-, h*) F *j-n* ~ interpeller grossièrement qn; '~prangern (*sép, -ge-, h*) mettre au pilori, dénoncer; '~preisen (*irr, sép, -ge-, h*, → *preisen*) vanter, faire l'éloge de; '~probieren (*sép, pas de ge-, h*) essayer

Anrainer ['anraɪnər] *m* (-s; -) riverain *m*

'an|raten (*irr, sép, -ge-, h*, → *raten*) *j-m etw* ~ conseiller qc à qn; '~rechnen (*sép, -ge-, h*) compter; *j-m etw hoch* ~ savoir gré de qc à qn

'Anrecht *m* (-[*e*]*s*; -e) droit *m*; **ein** ~ **haben auf** avoir droit à

'Anrede *f* (-; *-n*) formule *f* de politesse; titre *m*; '2n (*sép, -ge-, h*) *j-n* ~ adresser

la parole à qn, aborder qn; appeler qn

'anreg|en (*sép, -ge-, h*) exciter; *méd* stimuler; *Appetit* ouvrir, aiguiser; *vorschlagen* suggérer; '2ung *f* (-; *-en*) excitation *f*; *Vorschlag* suggestion *f*

'Anreise *f* (-; *-n*) voyage *f*; *Hinreise* aller *m*; *Ankunft* arrivée *f*

'Anreiz *m* (*-es*; *-e*) stimulant *m*, attrait *m*, encouragement *m*

'anrichten (*sép, -ge-, h*) *Speisen* préparer, dresser; *Schaden* provoquer, causer

anrüchig ['anryçɪç] louche, mal famé

'Anruf *tel* (-[*e*]*s*; -e) appel, coup de téléphone, F coup de fil; '~beantworter *tél m* répondeur *m* automatique; '2en (*irr, sép, -ge-, h*, → *rufen*) *tél* appeler (*j-n* qn)

'anrühren (*sép, -ge-, h*) toucher (à); *Farbe etc* délayer

Ansage ['anzaːgə] (-; *-n*) annonce *f*; '2n (*sép, -ge-, h*) annoncer; '~r *m* (-s; -), '~rin *f* (-; *-nen*) *Radio, TV* speaker *m*, speakerine *f*; *Veranstaltung* présentateur *m*, -trice *n*

'ansammeln (*sép, -ge-, h*) (**sich** ~ s')amasser, (s')accumuler

ansässig ['anzɛsɪç] domicilié; *seit langem* établi

'Ansatz (*-es*; ⸚e) *Beginn* début *m*; *Versuch* essai *m*; '~punkt *m* point *m* de départ *od* d'attaque

'anschaff|en (*sép, -ge-, h*) acquérir, acheter; '2ung *f* (-; *-en*) acquisition *f*

'anschau|en (*sép, -ge-, h*) regarder; '~lich expressif, palpable, concret; '2ung *f* (-; *-en*) conception *f*, point *m* de vue, opinion *f*, manière *f* de voir

'Anschein *m* (-[*e*]*s*; *sans pl*) apparence *f*; '2end *adv* apparemment

'Anschlag *m* (-[*e*]*s*; ⸚e) *Zettel* affiche *f*; *pol* attentat *m*; *Schreibmaschine* frappe *f*; *mus* toucher *m*; '~brett *n*, '~tafel *f* tableau *m* d'affichage; '2en (*irr, sép, -ge-, h*, → *schlagen*) afficher; *Saite* toucher; *Kopf* cogner; *Hund* aboyer; '~säule *f* colonne *f* d'affichage, colonne *f* Morris

'anschließen (*irr, sép, -ge-, h*, → *schließen*) *Kabel, Gerät* brancher (**an** sur); *Schlauch* raccorder (à); *fig* rattacher (à); **sich** ~ *folgen* suivre (**an etw** qc); **sich** *j-m* ~ se joindre à qn; *j-s Meinung* se ranger à l'avis de qn; '~d suivant; *Zimmer* voisin, contigu; *adv* ensuite, après

'**Anschluss** *m* (*-es*; ⸚e) *Verkehr* correspondance *f*; *tech* branchement *m*, raccordement *m*; *tel* abonnement *m*; *tél Verbindung* communication *f*, *pol* rattachement *m* (**an** à); *im ~ an* à la suite de; *fig ~ finden* se faire des relations; '**~flug** *m* ligne *f* de correspondance; '**~zug** *m* train *m* de correspondance

'**anschmiegen** (*sép*, *-ge-*, *h*) *sich an j-n ~* se blottir contre qn

'**anschnallen** (*sép*, *-ge-*, *h*) *sich ~* attacher sa ceinture (de sécurité); '**2pflicht** *f* port *m* de la ceinture obligatoire

'**an|schnauzen** *f* (*sép*, *-ge-*, *h*) F engueuler, enguirlander, rabrouer; '**~schneiden** (*irr*, *sép*, *-ge-*, *h*, → *schneiden*) entamer (*a fig*); '**~schreien** (*irr*, *sép*, *-ge-*, *h*, → *schreien*) *j-n ~* crier contre qn après qn

'**Anschrift** *f* (*-*; *-en*) adresse *f*

'**anschuldigen** ['anʃuldɪɡən] (*sép*, *-ge-*, *h*) *j-n ~* accuser *od* inculper qn (*wegen etw* de qc)

'**an|schwärzen** (*sép*, *-ge-*, *h*) *fig* dénigrer; '**~schwellen** (*irr*, *sép*, *-ge-*, *sn*, → *schwellen*) *méd* enfler; *Stimme etc* s'enfler

'**ansehen** (*irr*, *sép*, *-ge*, *h*, → *sehen*) regarder; *sich e-n Film ~* voir un film; *j-n* (*etw*) *~ als* considérer *od* regarder qn (qc) comme; '**2en** *n* (*-s*; *sans pl*) réputation *f*, prestige *m*, estime *f*; '**~nlich** ['anzeːnlɪç] de belle apparence; *beträchtlich* considérable

'**ansetzen** (*sép*, *-ge-*, *h*) poser (**an** à); *Termin* fixer; *anfügen* rajouter (**an** à); *beginnen* commencer, s'apprêter (*zu etw* à faire qc); *Fett ~* engraisser; *aviat zur Landung ~* amorcer l'atterrissage

'**Ansicht** *f* (*-*; *-en*) *Bild* vue *f*; *Meinung* opinion *f*, avis *m*; *meiner ~ nach* à mon avis; *ich bin der ~, dass ...* je suis d'avis que ...; *comm zur ~* pour examen

'**Ansichts|karte** *f* carte *f* postale; '**~sache** *f* affaire *f* d'opinion *od* de goût

'**ansiedeln** (*sép*, *-ge-*, *h*) établir; '**2ler** *m* (*-s*; *-*) colon *m*

'**anspannen** (*sép*, *-ge-*, *h*) *Seil etc* tendre; *alle seine Kräfte ~, um zu ...* faire tous ses efforts pour ...; '**2ung** *f* (*-*; *-en*)

fig tension *f*

'**anspielen** (*sép*, *-ge-*, *h*) *auf etw ~* faire allusion à qc; '**2ung** *f* (*-*; *-en*) allusion *f*

'**Ansporn** *m* (*-[e]s*; *sans pl*) stimulant *m*; '**2en** (*sép*, *-ge-*, *h*) stimuler, aiguillonner

'**Ansprache** *f* (*-*; *-n*) allocution *f*

'**ansprechen** (*irr*, *sép*, *-ge-*, *h*, → *sprechen*) *j-n ~* adresser la parole à qn, aborder qn; *j-m gefallen* plaire à qn; '**~d** agréable, plaisant, séduisant

'**anspringen** (*irr*, *sép*, *-ge-*, *sn*, → *springen*) *Motor* démarrer

'**Anspruch** *m* (*-[e]s*; ⸚e) *Recht* droit *m* (**auf** *)*; *Forderung* prétention *f*, exigence *f*, ~ *haben auf* avoir droit à; *Ansprüche erheben auf* avoir des prétentions sur; *in ~ nehmen Versicherung etc* avoir recours à; *j-n* occuper; *Zeit* prendre; '**2slos** peu exigeant; '**2svoll** exigeant, prétentieux

Anstalt ['anʃtalt] (*-*; *-en*) établissement *m*, institution *f*

'**Anstand** *m* (*-[e]s*; *sans pl*) bienséance *f*, savoir-vivre *m*, décence *f*

'**anständig** ['anʃtendɪç] décent, honnête

'**anstandslos** sans difficulté; sans hésitation

anstatt [an'ʃtat] *prép* (*gén*) au lieu de

'**anstecken** (*sép*, *-ge-*, *h*) attacher; *Ring* mettre; *Zigarette* allumer; *méd* infecter, containener; '**~end** contagieux (*a fig*); '**2ung** *f* (*-*; *-en*) contagion *f* (*a fig*), infection *f*, contamination *f*

'**anstehen** (*irr*, *sép*, *-ge-*, *h*, → *stehen*) *Schlange stehen* faire la queue; *Problem* être en suspens

'**ansteigen** (*irr*, *sép*, *-ge-*, *sn*, → *steigen*) monter

an'stelle *prép* ~ *von* (*od gén*) à la place de

'**anstellen** (*sép*, *-ge-*, *h*) *Arbeitskräfte* employer, engager, embaucher; *Gerät* faire marcher; *Radio*, *TV* allumer, ouvrir; *sich ~* faire la queue; *sich geschickt* (*dumm*) *~* s'y prendre bien (mal); *stell dich nicht so an!* ne fais pas tant de manières!; '**2ung** *f* (*-*; *-en*) *Stelle* emploi *m*

Anstieg ['anʃtiːk] *m* (*-[e]s*; *-e*) montée *f*

'**anstiften** (*sép*, *-ge-*, *h*) inciter (*zu* à); '**2ung** *f* (*-*; *-en*) incitation *f*

'**anstimmen** (*sép*, *-ge-*, *h*) entonner

'**Anstoß** *m* (*-es*; ⸚e) *Impuls* impulsion *f*;

Fußball coup *m* d'envoi; **~ erregen** scandaliser *od* choquer (**bei j-m** qn); **~ nehmen an** être choqué par; **'2en** (*irr, sép, -ge-, sn,* → **stoßen**) heurter *od* cogner (**an etw** qc); (*h*) *mit den Gläsern* trinquer; **auf j-n** *od* **etw ~** boire à la santé de qn; F arroser qc

anstößig ['anʃtøːsiç] choquant, indécent

'anstrahlen (*sép, -ge-, h*) *Gebäude* illuminer; *j-n* **~** regarder qn d'un air rayonnant

'anstreichen (*irr, sép, -ge-, h,* → **streichen**) *Fehler* marquer; **'2er** *m* (*-s; -*) peintre *m* (en bâtiment)

anstrengen ['anʃtrɛŋən] (*sép, -ge-, h*) fatiguer; *sich* **~** s'efforcer (**zu** de), faire un effort; *jur* **e-n Prozess ~** intenter un procès (**gegen** contre); **'~end** dur, pénible, fatigant; **'2ung** *f* (*-; -en*) effort *m*, fatigue *f*

'Ansturm *m* (*-[e]s; ⸚e*) *mil* assaut *m*; *fig* ruée *f* (**auf** vers)

'antasten (*sép, -ge-, h*) toucher, porter atteinte à

'Anteil *m* (*-[e]s; -e*) part *f*, quote-part *f*; **prozentualer ~** pourcentage *m*; **an etw ~ nehmen** prendre part à qc; **'~nahme** *f* (*-; sans pl*) *Mitgefühl* sympathie *f*, compassion *f*; *Interesse* intérêt *m*

Antenne [an'tɛnə] *f* (*-; -n*) antenne *f*

Anti..., 2... ['anti-] *in Zssgn* anti...; **'~alkoholiker** [-ʔalkoˈhoːlikər] *m* (*-s; -*) antialcoolique *m*; **'~babypille** *f* pilule *f* contraceptive, **~biotikum** *méd* [-bi'oːtikum] *n* (*-s; -ka*) antibiotique *m*; **'~faschist** ['-faʃist] *m* (*-en; -en*) antifasciste *m*, *f*

antik [an'tiːk] antique; *Möbel etc* ancien; **2e** *f* (*-; sans pl*) Antiquité *f*

Antiquar [anti'kvaːr] *m* (*-s; -e*) libraire *m* d'occasion, bouquiniste *m* F; **~iat** [-ar'jaːt] *n* (*-[e]s; -e*) librairie *f* d'occasion; **2isch** [-'kvaːriʃ] d'occasion

Antiquität [antikvi'tɛːt] *f* (*-; -en*) antiquité *f*; **~enhändler** *m* antiquaire *m*; **~enladen** *m* commerce *m* d'antiquités

Antrag ['antraːk] *m* (*-[e]s; ⸚e*) demande *f* (**stellen** faire); *Formular* formulaire *m*; *Parlament* motion *f*; **~steller** ['-ʃtɛlər] *m* (*-s; -*) celui *m* qui fait une demande, requérant *m*

'an|treffen (*irr, sép, -ge-, h,* → **treffen**) rencontrer; **'~treiben** (*irr, sép, -ge-, h,*

→ **treiben**) faire avancer; pousser, inciter (**zu** à); *tech* actionner; **'~treten** (*irr, sép, -ge,* v/i *sn,* → **treten**) *mil* se mettre en rang; (v/t, h) *Erbe* recueillir; **e-e Stellung ~** entrer en fonctions; **e-e Reise ~** partir en voyage

'Antrieb *m* (*-[e]s; -e*) *Impuls* impulsion *f*; *tech* commande *f*, entraînement *m*; *aviat, mar* propulsion *f*; **aus eigenem ~** de sa propre initiative

'Antritt *m* (*-[e]s; sans pl*) *e-s Amtes* entrée *f* en fonctions; **~ der Reise** départ *m*

'antun (*irr, sép, -ge-, h,* → **tun**) *j-m* **Gewalt ~** faire violence à qn; **sich etw ~** attenter à ses jours

'Antwort *f* (*-; -en*) réponse *f* (**auf** à), réplique *f*; **'2en** (*h*) répondre (*j-m* à qn; **auf etw** à qc)

'an|vertrauen (*sép, pas de -ge-, h*) *j-m* **etw ~** confier qc à qn; **sich j-m ~** se confier à qn; **'~wachsen** (*irr, sép, -ge-, sn,* → **wachsen**) *Wurzel* schlagen prendre racine; *festwachsen* s'attacher (**an** à); *zunehmen* s'accroître

Anwalt ['anvalt] *m* (*-[e]s; ⸚e*) avocat *m*

'Anwärter *m* (*-s; -*), **~in** *f* (*-; -nen*) candidat *m*, -e *f* (**auf** à), postulant *m*, -e *f*, aspirant *m*, -e *f*

'anweisen (*irr, sép, -ge-, h,* → **weisen**) *anleiten* instruire; *befehlen* ordonner (*j-n zu* à qn de); *zuweisen* assigner; *Geld* virer; *per Post* mandater; **'2ung** *f* (*-; -en*) *Anleitung* instruction *f*, directives *f/pl*; *Befehl* ordre *m*; *Post2* mandat *m*

'anwend|en (*irr, sép, -ge-, h,* → **wenden**) appliquer (**auf** à); *verwenden* employer, utiliser; **'~ersoftware** *f* logiciel *m* d'application; **'2ung** *f* (*-; -en*) application *f*, emploi *m*, utilisation *f*

anwesen|d ['anveːzənt] présent; **'2heit** *f* (*-; sans pl*) présence *f*

'anzahl|en (*sép, -ge-, h*) verser un acompte (**100 Mark** de 100 marks); **'2ung** *f* (*-; -en*) acompte *m*

'Anzeichen *n* (*-s; -*) signe *m*, indice *m*

Anzeige ['antsaigə] *f* (*-; -n*) *Zeitung* annonce *f*; *jur* dénonciation *f*; *EDV-Gerät* affichage *m*; **gegen j-n ~ erstatten** déposer (une) plainte *od* porter plainte contre qn; **'2n** (*sép, -ge-, h*) marquer, indiquer; *bei der Polizei* dénoncer (à la police)

'anzieh|en (*irr, sép, -ge-, h,* → *ziehen*) *Kleidung* mettre; *Person* habiller; *fig fesseln* attirer, intéresser; *Bremse, Schraube* serrer; *Preise* monter, augmenter; **sich ~** s'habiller; **'~end** attrayant, attirant; **'2ungskraft** *f* attraction *f* (*a phys*)

'Anzug *m* (*-[e]s; ~e*) costume *m*, complet *m*; *fig* **im ~ sein** s'annoncer, se préparer

anzüglich ['antsy:kliç] piquant, de mauvais goût

'anzünden (*sép, -ge-, h*) *Kerze etc* allumer; *Haus* mettre le feu à

apathisch [a'pa:tiʃ] apathique

Apfel ['apfəl] *m* (*-s; ~*) pomme *f*; **'~baum** *bot m* pommier *m*; **'~kuchen** *m* tarte *f* aux pommes; **'~mus** *n* compote *f* de pommes; **'~saft** *m* jus *m* de pommes; **'~sine** [-'zi:nə] *f* (*-; -n*) orange *f*; **'~wein** *m* cidre *m*

Apostel [a'pɔstəl] *m* (*-s; -*) apôtre *m*

Apotheke [apo'te:kə] *f* (*-; -n*) pharmacie *f*; **~r** *m* (*-s; -*), **~rin** *f* (*-; -nen*) pharmacien *m*, -ne *f*

Apparat [apa'ra:t] *m* (*-[e]s; -e*) appareil *m*; *tél, TV, Radio* a poste *m*; **bitte bleiben Sie am ~!** ne quittez pas!

Appell [a'pɛl] *m* (*-s; -e*) *Aufruf* appel *m* (**an** à); *mil* rassemblement *m* pour le rapport; **2ieren** [-'li:rən] (*pas de ge-, h*) faire appel (**an** à)

Appetit [ape'ti:t] *m* (*-[e]s; -e*) appétit *m*; **Guten ~!** bon appétit; **~ haben auf** avoir envie de; **2lich** appétissant

Applaus [a'plaus] *m* (*-es; sans pl*) applaudissements *m/pl*

Aprikose [apri'ko:zə] *bot f* (*-; -n*) abricot *m*

April [a'pril] *m* (*-s; -e*) avril *m*; **~scherz** *m* poisson *m* d'avril

Aquarell [akva'rɛl] *n* (*-s; -e*) aquarelle *f*

Aquarium [a'kva:rium] *n* (*-s; -ien*) aquarium *m*

Äquator [ɛ'kva:tɔr] *m* (*-s; -en*) équateur *m*

Äquivalent [ɛkviva'lɛnt] *n* (*-[e]s; -e*) équivalent *m*

Ära ['ɛ:ra] *f* (*-; -ren*) ère *f*

Arab|er ['arabər] *m* (*-s; -*), **'~erin** *f* (*-; -nen*) Arabe *m, f*; **2isch** [a'ra:biʃ] arabe

Arbeit ['arbait] *f* (*-; -en*) travail *m*; F boulot *m*; *zu schaffende* besogne *f*;

sich an die ~ machen se mettre au travail; **die ~ niederlegen** cesser le travail; **'2en** (*h*) travailler

'Arbeiter *m* (*-s; -*), **'~in** *f* (*-; -nen*) travailleur *m*, -euse *f*; *Industrie* 2 ouvrier *m*, -ière *f*; **ungelernter ~** manœuvre *m*; **'~bewegung** *f* mouvement *m* ouvrier; **'~klasse** *f* classe *f* ouvrière; **'~schaft** *f* (*-; sans pl*) ouvriers *m/pl*

'Arbeit|geber *m* (*-s; -*) patron *m*, employeur *m*; **'~nehmer** *m* (*-s; -*) salarié *m*

'arbeitsam travailleur, laborieux

'Arbeits|amt *n* office *m* du travail; Agence *f* nationale pour l'emploi (A.N.P.E.); **'~bedingungen** *f/pl* conditions *f/pl* de travail; **'~beschaffungsmaßnahme** *f* mesure *f* pour la création d'emplois; **'~bescheinigung** *f* certificat *m* de travail, attestation *f* d'emploi; **'~erlaubnis** *f* permis *m* de travail; **'~essen** *n* déjeuner-débat *m*; dîner *m* d'affaires; **'2fähig** apte au travail; **'~gemeinschaft** *f* groupe *m* d'études *od* de travail; **'~gericht** *n* conseil *m* de prud'hommes; **'~kampf** *m* conflit *m* social; **'~kleidung** *f* vêtements *m/pl* de travail; **'~kraft** *f* *Leistung* capacité *f* *od* potentiel *m* de travail; *Person* aide *m, f*; collaborateur *m*; **ausländische Arbeitskräfte** main-d'œuvre *f* étrangère; **'~leistung** *f* rendement *m*; **'~lohn** *m* salaire *m*; **'2los** sans travail, en *od* au chômage; **'~lose** *m, f* (*-n; -n*) chômeur *m*, -euse *f*; **'~losengeld** *n* allocation *f* (de) chômage; **'~losenversicherung** *f* assurance *f* chômage; **'~losigkeit** *f* (*-; sans pl*) chômage *m*; **'~markt** *m* marché *m* de l'emploi *od* du travail; **'~minister** *m* ministre *m* du Travail; **'~niederlegung** *f* (*-; -en*) grève *f*, arrêt *m* de travail; **'~platz** *m* *Stelle* emploi *m*; *Ort* lieu *m* de travail; **'~speicher** *EDV m* mémoire *f* vive; **'~tag** *m* journée *f* de travail; *Werktag* jour *m* ouvrable; **'~teilung** *f* division *f* *od* répartition *f* du travail; **'~unfähigkeit** *f* au travail; *dauernde* invalidité *f*; **'~unfall** *m* accident *m* du travail; **'~vermittlung** *f* bureau *m* de placement; **'~vertrag** *m* contrat *m* de travail; **'~weise** *f* méthode *f* de travail, façon *f* de travailler; **'~zeit** *f* heures *f/pl* de travail; **'~zeitverkürzung** *f* réduction *f* du temps de travail; '**zimmer** *n* cabinet *m* de travail *od* d'étude, bureau *m*

Archäologie [arçɛolo'giː] *f* (-; *sans pl*) archéologie *f*

Architekt [arçi'tɛkt] *m* (-*en*; -*en*) architecte *m*; **ur** [-'tuːr] *f* (-; -*en*) architecture *f*

Archiv [ar'çiːf] *n* (-*s*; -*e*) archives *f/pl*

ARD [aːɛr'deː] *f* (-; *sans pl*) Première chaîne *f* de la télévision allemande

Arena [a'reːna] *f* (-; -*nen*) arène *f*; *Manege* piste *f*

arg [ark] grave, gros; *sehr* très, fort

Argentini|en [argɛn'tiːjən] *n* (-*s*; *sans pl*) l'Argentine *f*; **er** *m* (-*s*; -), **erin** *f* Argentin *m*, -e *f*

Ärger ['ɛrgər] *m* (-*s*; *sans pl*) Unannehmlichkeit ennuis(s) *m* (*pl*), contrariété *f*; *Unmut* dépit *m*, colère *f*; **Qlich** *unangenehm* ennuyeux, fâcheux, embêtant F; *verärgert* fâché, en colère, contrarié; **werden** se fâcher; '**Qn** (*h*) fâcher, contrarier, embêter F; *sich* se mettre en colère (*über* contre), se fâcher; '**nis** *n* (-*ses*; -*se*) scandale *m*

'**arglos** candide, ingénu, sans malice

Arg|wohn ['-voːn] *m* (-*s*; *sans pl*) soupçon(s) *m* (*pl*); **Qwöhnisch** soupçonneux

Arie *mus* ['aːrjə] *f* air *m*

Aristokrat [aristo'kraːt] *m* (-*en*; -*en*), **in** *f* (-; -*nen*) aristocrate *m*, *f*; **ie** [-kra'tiː] *f* aristocratie *f*

Arm [arm] *m* (-*[e]s*; -*e*) bras *m* (*a Fluss2*); **in** bras dessus bras dessous; *fig* **j-n auf den nehmen** monter un bateau à qn

arm [-] pauvre (**an** en)

Armaturenbrett [arma'tuːrən-] *auto n* tableau *m* de bord

'**Armband** *n* bracelet *m*; '**uhr** *f* montre-bracelet *f*

Armee [ar'meː] *f* (-; -*n*) armée *f*

Ärmel ['ɛrməl] *m* (-*s*; -) manche *f*; '**kanal** *géogr* **der** la Manche

ärmlich ['ɛrmliç] pauvre, misérable

'**armselig** misérable, pitoyable, minable

Armut ['armuːt] *f* (-; *sans pl*) pauvreté *f*

Aroma [a'roːma] *n* (-*s*; -*men*) arôme *m*

arrangieren [arãʒiːrən] (*pas de ge-*, *h*) arranger; *sich* s'arranger (*mit* avec)

arrogant [aro'gant] arrogant

Arsch [arʃ] *m* (-*[e]s*; ꞓ*e*) cul *m*; '**loch** *n* P trou *m* du cul; *Schimpfwort* con *m*

Art [aːrt] *f* (-; -*en*) *Weise* manière *f*, façon *f*; *Gattung* espèce *f* (*a biol*), sorte *f*, genre *m*; *Beschaffenheit* nature *f*; **auf diese** de cette façon *od* manière; **e-e ...** une espèce de ...; **aller** de toutes sortes

Arterie [ar'teːrjə] (-; -*n*) artère *f*; '**nverkalkung** *méd* *f* artériosclérose *f*

artig ['aːrtiç] *Kind* sage, gentil

Artischocke *bot* [arti'ʃɔkə] *f* (-; -*n*) artichaut *m*

Artist [ar'tist] *m* (-*en*; -*en*), **in** *f* (-; -*nen*) artiste *m*, *f* de cirque *od* de music-hall, acrobate *m*, *f*

Arznei [arts'nai] *f* (-; -*en*) médicament *m*, remède *m*; **mittel** *n* médicament *m*

Arzt [aːrtst] *m* (-*es*; ꞓ*e*) médecin *m*, docteur *m*

Ärzt|in ['ɛːrtstin] *f* (-; -*nen*) (femme *f*) médecin *m*, doctoresse *f*; **Qlich** médical; **e Behandlung** soins *m/pl* médicaux

As → Ass

Asbest [as'bɛst] *m* (-*[e]s*; -*e*) amiante *f*

Asche ['aʃə] *f* (-; -*n*) cendre *f*

'**Aschenbecher** *m* cendrier *m*

'**Ascher|mittwoch** *m* mercredi *m* des Cendres

Asiat [a'zjaːt] *m* (-*en*; -*en*), **in** *f* (-; -*nen*) Asiatique *m*, *f*; **Qisch** asiatique

Asket [as'keːt] *m* (-*en*; -*en*) ascète *m*; **Qisch** ascétique

asozial ['azotsjaːl] asocial, inadapté à la société

Aspekt [as'pɛkt] *m* (-*es*; -*e*) aspect *m*

Asphalt [as'falt] *m* (-*s*; -*e*) asphalte *m*; **Qieren** (*pas de ge-*, *h*) asphalter, bitumer

Ass [as] (-*es*; -*e*) as *m* (*a fig*)

Ast [ast] *m* (-*[e]s*; ꞓ*e*) branche *f*

Ästhetik [ɛs'teːtik] *f* (-; -*en*) esthétique *f*; **Qsch** esthétique

Asthma *méd* ['astma] *n* (-*s*; *sans pl*) asthme *m*; **Qtisch** [-'matiʃ] *méd* asthmatique

Astro|loge [astro'loːgə] *m* (-*n*; -*n*), **login** (-; -*nen*) astrologue *m*, *f*; **logie** [-lo'giː] *f* (-; *sans pl*) astrologie *f*; **naut** [-'naut] *m* (-*en*; -*en*), **nautin** *f* (-; -*nen*) astronaute *m*, *f*; **nomie** [-no'miː] *f* (-; *sans pl*) astronomie *f*

Asyl [a'zyːl] *n* (-*s*; *sans pl*) asile *m*; **ant** [-'lant] *m* (-*en*; -*en*), **bewerber** *m* réfugié *m* qui demande asile

Atelier [atə'lje:] *n* (-s; -s) studio *m*, atelier *m*

Atem ['a:təm] *m* (-s; *sans pl*) haleine *f*, souffle *m*, respiration *f*; **außer ~ kommen** s'essouffler; **~ holen** *od* **schöpfen** prendre haleine, respirer; *fig* **j-n in ~ halten** tenir qn en haleine; '**~beraubend** qui coupe le souffle, époustouflant; '**~gerät** *n* respirateur *m*, appareil *m* respiratoire; '**~los** hors d'haleine; '**~pause** *f* temps *m* d'arrêt, répit *m*; '**~zug** *m* souffle *m*

Atheismus [ate'ismus] *m* (-; *sans pl*) athéisme *m*

Athen [a'te:n] *n* Athènes

Äther ['ɛ:tər] *m* éther *m*

Athlet [at'le:t] *m* (-en; -en) athlète *m*; **~isch** athlétique

Atlantik [at'lantik] *m* (-s; *sans pl*) Atlantique; **~isch** atlantique; **der ~e Ozean** l'océan *m* Atlantique

Atlas ['atlas] *m* (-[ses]; -se, *Atlanten*) atlas *m*

atmen ['a:tmən] (*h*) respirer

Atmosphäre [atmo'sfɛ:rə] *f* (-; -n) atmosphère *f*; *fig a* ambiance *f*

'**Atmung** *f* (-; *sans pl*) respiration *f*

Atom [a'to:m] *n* (-s; -e) atome *m*; **~ar** [-'ma:r] atomique

A'tom|bombe *f* bombe *f* atomique; **~energie** *f* énergie *f* nucléaire; **~kern** *m* noyau *m* atomique; **~kraftwerk** *n* centrale *f* nucléaire; **~krieg** *m* guerre *f* atomique; **~müll** *m* déchets *m/pl* radioactifs; **~sperrvertrag** *m* traité *m* de non-prolifération des armes nucléaires; **~sprengkopf** *m* il *m* ogive *f* od tête *f* atomique; **~waffen** *f/pl* armes *f/pl* atomiques, engins *m/pl* nucléaires; **~wissenschaftler** *m* atomiste *m*

Attent|at [atɛn'ta:t] *n* (-[e]s; -e) attentat *m*; **~äter** ['-tɛ:tər] auteur *m* d'un attentat, criminel *m*

Attest [a'tɛst] *n* (-[e]s; -e) certificat *m*, attestation *f*

Attrak|tion [atrak'tsjo:n] *f* (-; -en) attraction *f*; **~tiv** [-'ti:f] attrayant, séduisant

Attrappe [a'trapə] *comm f* (-; -n) article *m* factice

Attribut [atri'bu:t] *n* (-[e]s; -e) Merkmal *n*; attribut *m*

ätzend ['ɛtsənt] corrosif, caustique; *fig* mordant

---

au! [au] aïe!

auch [aux] aussi; *sogar* même; **~ nicht** non plus; **ich ~** moi aussi; **ich ~ nicht** moi non plus; **oder ~** ou bien; **wenn ~** même si; **nicht nur ..., sondern ~** non seulement ..., mais encore *od* aussi; **wer (wo) ~ immer** qui (où) que ce soit; **~ das noch!** il ne manquait plus que cela!

Audienz [audi'ɛnts] *f* (-; -en) audience *f*

auf [auf] **1.** *prép* (*wo? dat*; *wohin? acc*) sur; à; en; **~ Seite 20** page 20; **~ der Straße** dans la rue; sur la route; **~ der Welt** dans le monde; **~ Korsika** en Corse; **~ See** en mer; **~ dem Land** à la campagne; **~ der Schule** à l'école; **~ Urlaub** en vacances; **~ Deutsch** en allemand; **2.** *adv* **~!** allez!; **~ gehts!** allons-y!; **~ sein** *Geschäft*, *Tür* être ouvert; *Person* être debout *od* levé; **~ und ab** de haut en bas; *hin und her* de long en large; **~ und ab gehen** *Person* aller et venir; *Weg etc* monter et descendre; **3.** *conj* **~ dass** afin que ..., pour que (*beide + subj*)

'**Aufbau** *m* (-[e]s; -ten) *Bauen* construction *f*; *Struktur* structure *f*; organisation *f*; *e-r Rede*, *e-s Werks* disposition *f*; '**~en** (*sép*, -ge-, *h*) construire, bâtir; *aufstellen* monter

'**auf|bäumen** (*sép*, -ge-, *h*) **sich ~** se cabrer (*a fig*); '**~bauschen** (*sép*, -ge-, *h*) *fig* exagérer; '**~bereiten** (*sép*, *pas de* -ge-, *h*) préparer; traiter; '**~bessern** (*sép*, *pas de* -ge-, *h*) *Gehalt* augmenter, améliorer

'**auf|bewahren** (*sép*, *pas de* -ge-, *h*) conserver, garder; '**~ung** *f* (-; *sans pl*) conservation *f*; *für Gepäck* consigne *f*

'**auf|bieten** (*irr*, *sép*, *sép*, -ge-, *h*, → **bieten**) *Kräfte* déployer, mettre en œuvre; *Polizei* mobiliser; '**~blasen** (*irr*, *sép*, -ge-, *h*, → **blasen**) gonfler; '**~bleiben** (*irr*, *sép*, -ge-, *sn*, → **bleiben**) rester debout *od* levé; *Tür* rester ouvert; '**~blenden** (*sép*, *pas de* -ge-, *h*) *auto* mettre les feux de route *od* les phares; *Film* ouvrir (une scène) en fondu; '**~blühen** (*sép*, -ge-, *sn*) s'épanouir

'**aufbrausen** (*sép*, -ge-, *sn*) *fig* s'emporter

'**auf|brechen** (*irr*, *sép*, -ge-, → **brechen**) **1.** *v/t* (*h*) *Tür etc* forcer, fracturer; **2.** *v/i* (*sn*) *sich öffnen* s'ouvrir; *fortgehen* se mettre en route, partir; '**bringen** (*irr*, *sép*, *-ge-*, *h* → *bringen*) *Mode* mettre en vogue, introduire, lancer; *Verständnis etc* faire preuve de; *Geld* trouver, réunir; *j-n* ~ *erzürnen* mettre qn en colère; *aufwiegeln* monter qn (*gegen* contre)

Aufbruch *m* (*-[e]s*, *"e*) départ *m*

'**auf|bürden** (*sép*, *-ge-*, *h*) *j-m etw* ~ imposer qc à qn; '**decken** (*sép*, *-ge-*, *h*) découvrir (*a fig*); '**drängen** (*sép*, *-ge-*, *h*) *j-m etw* ~ imposer qc à qn; *sich j-m* ~ s'imposer à qn; *Idee* ne pas sortir de la tête de qn; '**drehen** (*sép*, *-ge-*, *h*) *Hahn* ouvrir

'**aufdringlich** importun, casse-pieds F, envahissant

aufeinander [auf⁹ai'nandər] l'un sur l'autre; *nacheinander* l'un après l'autre; ~ **folgen** se succéder; ~ **folgend** consécutif; ~ **prallen**, ~ **stoßen** se heurter

Aufenthalt ['aufənthalt] *m* (*-[e]s*, *-e*) séjour *m*; *während der Fahrt* arrêt *m*; '**genehmigung** *f* permis *m* de séjour; '**raum** *m* salle *f* d'attente, salle *f* de réunion

auferlegen (*sép*, *pas de -ge-*, *h*) *j-m etw* ~ imposer qc à qn

'**aufersteh|en** ['auf⁹ɛrʃteːən] (*irr*, *sép*, *pas de -ge-*, *sn*, → **erstehen**) *rel* ressusciter; '**2ung** *f* (*-*; *sans pl*) résurrection *f*

auffahr|en (*irr*, *sép*, *-ge-*, *sn*, → **fahren**) *aufschrecken* sursauter; *auto* heurter, tamponner, télescoper (*auf etw* qc); '**2t** *f* (*-*; *-en*) rampe *f* d'acces); '**2unfall** *m* télescopage *m*

'**auffallen** (*irr*, *sép*, *-ge-*, *sn*, → **fallen**) se faire remarquer; *j-m* ~ frapper *od* surprendre qn, attirer l'attention de qn; *nicht* ~ *a* passer inaperçu; '**d**, '**auffällig** frappant, surprenant, étrange; *Kleidung*, *Farbe* voyant

'**auffass|en** (*sép*, *-ge-*, *h*) saisir, comprendre; '**2ung** *f* (*-*; *-en*) conception *f*, opinion *f*; *Deutung* interprétation *f*

aufforder|n (*sép*, *-ge-*, *h*) inviter (*zu* à); '**2ung** *f* (*-*; *-en*) invitation *f*

'**auffrischen** (*sép*, *-ge-*, *h*) rafraîchir; *Erinnerung* raviver; *Wind* fraîchir

'**aufführ|en** (*sép*, *-ge-*, *h*) *Theaterstück* représenter, jouer; *Konzert* exécuter; *Gründe*, *Beispiele* énumérer; *sich* ~ se

conduire, se comporter; '**2ung** *f* (*-*; *-en*) *Theater* représentation *f*

'**Aufgabe** *f* (*-*; *-n*) *Arbeit* tâche *f*; *Pflicht* devoir *m*; *von Postsendungen* expédition *f*; *von Gepäck* enregistrement *m*; *Verzicht* abandon *m*

'**Aufgang** *m* (*-[e]s*; *"e*) montée *f*, escalier *m*; *astr* lever *m*

'**aufgeben** (*irr*, *sép*, *-ge-*, *h*, → **geben**) *Postsendung* expédier; *Gepäck* faire enregistrer; *Bestellung*, *Annonce* passer; *verzichten* renoncer (à); *das Rauchen* ~ arrêter de fumer

Aufgebot *n* (*-[e]s*; *-e*) *zur Ehe* publication *f* des bans; *Einsatz* mise *f* en action

aufgehen (*irr*, *sép*, *-ge-*, *sn*, → **gehen**) *Gestirn* se lever; *sich öffnen* s'ouvrir; *Naht* se découdre; *math* tomber juste; *in Flammen* ~ être la proie des flammes

'**auf|gehoben** *gut* ~ *sein* être entre de bonnes mains; '**geklärt** éclairé; *sexuell* averti; '**gelegt** disposé (*zu* à); *gut* (*schlecht*) ~ *sein* être de bonne (mauvaise) humeur; '**geregt** excité, énervé, affolé; '**geschlossen** ouvert (*für* à); compréhensif; '**2geschlossenheit** *f* (*-*; *sans pl*) ouverture *f* d'esprit; '**greifen** (*irr*, *sép*, *-ge-*, *h*, → **greifen**) saisir, (re)prendre

aufgrund [-'grunt] *prép* (*gén*) en raison de

'**Aufguss** *m* (*-es*; *"e*) infusion *f*

'**auf|haben** (*irr*, *sép*, *-ge-*, *h*, → **haben**) *Geschäft* être ouvert; *Hut* avoir sur la tête; '**halten** (*irr*, *sép*, *-ge-*, *h*, → **halten**) *Tür* tenir ouvert; *hemmen* arrêter, retenir, retarder; *sich* ~ séjourner, rester; *sich mit etw* ~ s'attarder à *od* sur qc; *sich* ~ *über* s'indigner de

'**aufhängen** (*irr*, *sép*, *-ge*, *h*, → **hängen**) suspendre, accrocher; *tél* raccrocher; *Verbrecher* pendre

'**aufheb|en** (*irr*, *sép*, *-ge-*, *h*, → **heben**) *vom Boden* ramasser; *Last* soulever; *aufbewahren* conserver, garder; *abschaffen* supprimer, annuler; *Sitzung*, *Blockade* lever; *Urteil* casser; *sich gegenseitig* ~ se neutraliser; '**2en** *n* (*-s*; *sans pl*) *viel* ~ *s machen* faire beaucoup de bruit (*von* de); '**2ung** *f* (*-*; *-en*) suppression *f*, annulation *f*; levée *f*; cassation *f*

'auf|heitern (*sép*, *-ge-*, *h*) j-n égayer, dérider; *sich* ~ *Wetter* s'éclaircir; '**~hetzen** (*sép*, *-ge-*, *h*) exciter (**zu** à); *j-n gegen j-n* ~ monter (la tête à) qn contre qn; '**~holen** (*sép*, *-ge-*, *h*) *Rückstand* rattraper; *Sport* regagner du terrain; '**~hören** (*sép*, *-ge-*, *h*) cesser, finir, s'arrêter (**zu** de); *mit etw* ~ cesser, finir, arrêter qc

'aufklär|en (*sép*, *-ge-*, *h*) *Angelegenheit* tirer au clair, éclaircir, élucider; *j-n* ~ éclairer qn; *psych* faire l'éducation sexuelle de qn; *j-n über etw* ~ informer qn de qc; '**2ung** *f* (*-*; *-en*) éclaircissement *m*; *mil* reconnaissance *f*; (*Zeitalter n der*) ~ siècle *m* philosophique *od* des lumières

'aufkleb|en (*sép*, *-ge-*, *h*) coller (**auf** sur); '**~er** (*-s*, *-*) autocollant *m*

'auf|knöpfen (*sép*, *-ge-*, *h*) déboutonner; '**~kommen** (*irr*, *sép*, *-ge-*, *sn*, → **kommen**) *Wind* se lever; *Zweifel*, *Verdacht* naître; *Mode* se répandre; *für die Kosten* ~ subvenir aux frais; '**~laden** (*irr*, *sép*, *-ge-*, *h*, → **laden**) charger (**auf** sur); *Batterie* recharger

'Auflage *f* (*-*; *-n*) *Buch* édition *f*; *Zeitung* tirage *m*; *Verpflichtung* obligation *f*

'auf|lassen (*irr*, *sép*, *-ge-*, *h*, → **lassen**) F *Tür* laisser ouvert; *Hut* garder; '**~lauern** (*sép*, *-ge-*, *h*) *j-m* ~ guetter qn

'Auflauf *m* (*-[e]s*, *̈e*) *Menschen2* attroupement *m*, rassemblement *m*; *cuis* soufflé *m*

'auflegen (*sép*, *-ge-*, *h*) poser, mettre (**auf** sur); *tél* raccrocher; *Buch* éditer

'auflehn|en (*sép*, *-ge-*, *h*) *sich* ~ se révolter, se rebeller (**gegen** contre); '**2ung** *f* (*-*; *-en*) révolte *f*, rébellion *f*

'auflesen (*irr*, *sép*, *-ge-*, *h*, → **lesen**) ramasser

'auflös|en (*sép*, *-ge-*, *h*) in *Flüssigkeit* dissoudre (*a fig Verein etc*), diluer; *Rätsel*, *Gleichung* résoudre; *Geschäft* liquider; *sich* ~ se dissoudre; *Nebel* se dissiper; '**2ung** *f* (*-*; *-en*) dissolution *f*

'aufmach|en (*sép*, *-ge-*, *h*) ouvrir; *Paket*, *Knoten a* défaire; '**2ung** *f* (*-*; *-en*) *Ware* conditionnement *m*, présentation *f*

'aufmerksam attentif; *zuvorkommend* prévenant; *j-n auf etw* ~ *machen* attirer l'attention de qn sur qc; ~ *werden auf* remarquer; '**2keit** *f* (*-*; *-en*) attention *f*

'aufmuntern (*sép*, *-ge-*, *h*) encourager

Aufnahme ['aufna:mə] *f* (*-*; *-n*) *Empfang* accueil *m*, réception *f*; *in Organisation* admission *f* (*in* à); *Film* prise *f* de vues; *Foto* photo *f*; *Ton2* enregistrement *m*; *Kredit2* fait *m* de contracter un crédit; '**2fähig** réceptif (*für* à); '**~gebühr** *f* droits *m/pl* d'inscription

'aufnehmen (*irr*, *sép*, *-ge-*, *h*, → **nehmen**) *vom Boden* ramasser; *empfangen* accueillir (*a durch Publikum*), recevoir; *zulassen* admettre (*in* à, dans); *Foto* prendre (en photo); *auf Band* enregistrer; *Unfall* faire le constat de; *Arbeit* commencer; *Kampf*, *Verhandlungen* engager; *Geld* emprunter; *mit j-m Kontakt* ~ entrer en contact avec qn; *es mit j-m ~ können* pouvoir se mesurer à qn

'aufpassen (*sép*, *-ge-*, *h*) faire attention (**auf** à)

'Aufprall *m* (*-[e]s*, *-e*) choc *m*

'aufputschen (*sép*, *-ge-*, *h*) exciter

'auf|raffen (*sép*, *-ge-*, *h*) *sich* ~ se décider enfin (*zu* etw à faire qc); se ressaisir; '**~räumen** (*sép*, *-ge-*, *h*) *Zimmer*, *Gegenstände* ranger

'aufrecht droit (*a fig*); *stehend* debout; '**~erhalten** (*irr*, *sép*, *pas de -ge-*, *h*, → **erhalten**) maintenir

'aufreg|en (*sép*, *-ge-*, *h*) exciter, énerver; *sich* ~ s'irriter (**über** de), s'énerver; s'émouvoir, s'affoler; '**~end** excitant; '**2ung** *f* (*-*; *-en*) excitation *f*, énervement *m*, émotion *f*, affolement *m*

'aufreibend harassant, exténuant

'aufreiz|en (*sép*, *-ge-*, *h*) exciter; '**~end** excitant, provocant; *Musik* agaçant

'aufrichten (*sép*, *-ge-*, *h*) (re)dresser; *fig* consoler; *sich* ~ se dresser

'aufrichtig sincère, franc; '**2keit** *f* (*-*; *sans pl*) sincérité *f*, franchise *f*

'Aufruf *m* (*-[e]s*, *-e*) appel (*an* à)

Aufruhr ['aufruːr] *m* (*-[e]s*, *-e*) révolte *f*, émeute *f*

'aufführ|en (*sép*, *-ge-*, *h*) remuer; '**2er** *m* (*-s*, *-*), '**2erin** *f* (*-*; *-nen*) rebelle *m*, *f*; '**~erisch** rebelle, séditieux

'aufrunden (*sép*, *-ge-*, *h*) *Summe* arrondir (**auf** à)

'Aufrüstung *mil f* (*-*; *-en*) (ré)armement *m*

'auf|rütteln *fig* (*sép*, *-ge-*, *h*) secouer, réveiller; '**~sagen** (*sép*, *-ge-*, *h*) réciter

aufsässig ['aufzɛsiç] rebelle, récalcitrant

'Aufsatz m (-[e]s; ⁺e) Schule rédaction f, dissertation f; Artikel article m, étude f

'auf|saugen (sép, -ge-, h) absorber; '**⌐schauen** (sép, -ge-, h) lever les yeux (**zu** vers); '**schieben** (irr, sép, -ge-, h, → **schieben**) remettre (**auf** à), différer, ajourner

'Aufschlag m (-[e]s; ⁺e) Aufprall choc m; Kleidung revers m; Preis augmentation f, supplément m; Tennis service m; '**2en** (irr, sép, -ge-, → **schlagen**) 1. v/t (h) Buch ouvrir; Zelt monter; Ware, Preis augmenter, renchérir; 2. v/i (sn) aufprallen heurter (**auf etw** qc)

'aufschließen (irr, sép, -ge-, h, → **schließen**) ouvrir

'Aufschluss m (-es; ⁺e) éclaircissement m; sich ~ über etw verschaffen s'informer de qc; '**2reich** instructif, significatif, révélateur

'aufschneid|en (irr, sép, -ge-, h, → **schneiden**) couper; Fleisch découper; méd inciser; fig faire le fanfaron; '**2er** m (-s; -), '**2erin** f (-; -nen) fanfaron m, -onne f

'Aufschnitt cuis m (-[e]s; sans pl) charcuterie f

'auf|schrauben (sép, -ge-, h) dévisser; '**⌐schreiben** (irr, sép, -ge-, h, → **schreiben**) noter; '**⌐schreien** (irr, sép, -ge-, h, → **schreien**) pousser un cri

'Aufschrift f (-; -en) inscription f

'Aufschub m (-[e]s; ⁺e) délai m, remise f, ajournement m

'Aufschwung m (-[e]s; ⁺e) bes écon essor m, redressement m

'aufseh|en (irr, sép, -ge-, h, → **sehen**) lever les yeux (**zu** vers); '**2en** n (-s; sans pl) ~ erregen faire sensation, faire grand bruit; ~ erregend sensationnel, spectaculaire, retentissant; '**2er** m (-s; -), '**2erin** f (-; -nen) surveillant m, -e f, gardien m, -ne f

'aufsetzen (sép, -ge-, h) Brille, Hut mettre; Wasser faire chauffer; Miene prendre; Brief rédiger; aviat se poser; sich ~ se dresser sur son séant

'Aufsicht f (-; -en) surveillance f; Person surveillant m, -e f

'auf|spannen (sép, -ge-, h) tendre; Schirm ouvrir; '**⌐sperren** (sép, -ge-, h) ouvrir (largement); '**⌐spielen** (sép,

-ge-, h) jouer; fig sich ~ faire l'important; '**⌐springen** (irr, sép, -ge-, sn, → **springen**) se lever d'un bond; sauter (**auf** sur); Tür s'ouvrir (brusquement); Haut (se) gercer; '**⌐spüren** (sép, -ge-, h) dépister

'Aufstand m (-[e]s; ⁺e) soulèvement m, révolte f

aufständisch ['aufʃtɛndiʃ] rebelle; '**2e** m, f (-n; -n) rebelle m, insurgé m

'auf|stapeln (sép, -ge-, h) empiler; '**⌐stehen** (irr, sép, -ge-, sn, → **stehen**) se lever; Tür être ouvert; '**⌐steigen** (irr, sép, -ge-, sn, → **steigen**) monter (**auf** sur); Rauch s'élever; aviat décoller, s'envoler; im Beruf avoir de l'avancement

'aufstell|en (sép, -ge-, h) hinstellen mettre, poser, placer; aufrichten dresser; aufbauen monter; Mannschaft composer, former; Wache poster; Programm, Rekord établir; sich ~ se poster; sich als Kandidat ~ lassen se porter candidat; '**2ung** f (-; -en) placement m; e-s Programms etc établissement m; Mannschafts**2** composition f; Liste relevé m

'Aufstieg ['aufʃtiːk] m (-[e]s; -e) montée f, ascension f; im Beruf avancement m

'auf|stoßen (irr, sép, -ge-, h, → **stoßen**) Tür ouvrir en poussant; rülpsen roter F, éructer; '**⌐suchen** (sép, -ge-, h) j-n ~ aller trouver od voir qn

'Auftakt m (-[e]s; -e) fig prélude m (**zu** à)

'auf|tanken (sép, -ge-, h) auto faire le plein (d'essence); Flugzeug ravitailler; '**⌐tauchen** (sép, -ge-, sn) remonter à la surface, émerger; fig surgir; '**⌐tauen** (sép, -ge-, h) 1. v/t (h) (faire) dégeler; Speisen décongeler; 2. v/i (sn) fig Person se dégeler; '**⌐teilen** (sép, -ge-, h) partager, répartir (**unter** entre)

'Auftrag ['auftraːk] m (-[e]s; ⁺e) ordre m, mission f; comm commande f; **im ~ von** par ordre de od sur l'ordre de; '**2en** (irr, sép, -ge-, h, → **tragen**) Speisen servir; Farbe mettre, passer; j-m etw ~ charger qn de (faire) qc; '**⌐geber** m commettant m; '**⌐sbestätigung** f confirmation f de commande

'auftreiben (irr, sép, -ge-, h, → **treiben**) trouver, F dégot(t)er, dénicher

'auftreten (irr, sép, -ge-, sn, → **treten**) 1.

mit dem Fuß poser le pied, marcher; *Theater* entrer en scène; jouer (*als* le rôle de); *vorkommen* apparaître, se présenter; **sicher (energisch)** ~ se montrer sûr de soi (énergique); *als* **Käufer** ~ se porter acheteur; **2.** *2 n (-s; sans pl)* manières *f/pl*, attitude *f*; *Vorkommen* présence *f*, apparition *f*

'Auftrieb *m (-[e]s; sans pl) phys* poussée *f* verticale; *aviat* portance *f*; *fig* élan *m*, essor *m*

'Auftritt *m (-[e]s; -e)* scène *f (a fig)*; *Schauspieler* entrée *f* en scène

'aufwachen *(sép, -ge-, sn)* se réveiller

Aufwand ['aufvant] *m (-[e]s; sans pl)* dépense *f* (*an* de); *Luxus* luxe *m*

'aufwärmen *(sép, -ge-, h)* réchauffer

aufwärts ['aufverts] vers le haut, en haut

'aufwecken *(sép, -ge-, h)* réveiller

'aufwend|en *(irr, sép, -ge-, h, → wenden)* *Fleiß etc* employer; *Geld* dépenser; '~ig coûteux; '2ungen *f/pl* dépenses *f/pl*

'auf|wickeln *(sép, -ge-, h)* enrouler; '~wiegeln ['aufvi:gəln] *(sép, -ge-, h)* inciter à la révolte; '~wiegen *(irr, sép, -ge-, h, → wiegen)* compenser

'Aufwind *m (-[e]s; -e)* courant *m od* vent *m* ascendant

'auf|wirbeln *(sép, -ge-, h)* soulever (en tourbillons); '~wischen *(sép, -ge-, h)* essuyer

'aufzähl|en *(sép, -ge-, h)* énumérer, dénombrer; '2ung *f (-; -en)* énumération *f*

'aufzeichn|en *(sép, -ge-, h)* zeichnen dessiner; *schreiben* noter; *auf Band* enregistrer; '2ung *f (-; -en) auf Band* enregistrement *m*; *TV* émission *f* en différé; '2ungen *f/pl* notes *f/pl*

'auf|zeigen *(sép, -ge-, h)* mettre en évidence, montrer; '~ziehen *(irr, sép, -ge-, → ziehen)* **1.** *v/t (h) Fahne* hisser; *Vorhang* ouvrir; *Uhr* remonter; *Kind, Tier* élever; *verspotten* railler, taquiner; *Veranstaltung* organiser; **2.** *v/i (sn) Sturm* s'approcher

'Aufzucht *f (-; -en)* élevage *m*

'Aufzug *m (-[e]s; ⁻e)* Lift ascenseur *m*;

Theater acte *m*; *Kleidung péj* accoutrement *m*

'aufzwingen *(irr, sép, -ge-, h, → zwingen)* *j-m etw* ~ imposer qc à qn

Auge ['augə] *n (-s; -n)* œil *m (pl* yeux); *in meinen* ~n à mes yeux; *mit bloßem* ~ à l'œil nu; *unter vier* ~n en tête à tête, entre quatre yeux (F entre quat'-z-yeux); *mit anderen* ~n ansehen voir sous un autre aspect; *etw ins* ~ *fassen* envisager qc; *ins* ~ *fallen* sauter aux yeux; *aus den* ~n verlieren perdre de vue; *fig* *ein* ~ *zudrücken* fermer les yeux (sur qc); *kein* ~ *zumachen* ne pas fermer l'œil

'Augen|arzt *m*, '~ärztin *f* oculiste *m, f*, ophtalmologiste *m, f*; '~blick *m (-[e]s; -e)* moment *m*, instant *m*; *in diesem* ~ à ce moment; '2blicklich *gegenwärtig* actuel; *sofortig* instantané; *vorübergehend* momentané; *adv* en ce moment; *sofort* à l'instant; '~braue *f* sourcil *m*; '~entzündung *f* inflammation *f* de l'œil; ophtalmie *f*; '~licht *n* vue *f*; '~lid *n* paupière *f*; '~maß *n* *ein gutes* ~ *haben* avoir le compas dans l'œil; '~merk ['-merk] *n (-[e]s; sans pl)* sein ~ *richten auf* fixer son attention sur; '~schein *m* apparence *f*; *in* ~ *nehmen* examiner; '~zeuge *m* témoin *m* oculaire

August [au'gust] *m (-[e]s; sans pl)* août *m*

Auktion [auk'tsjo:n] *f (-; -en)* vente *f* aux enchères

aus [aus] **1.** *prép (dat) räumlich, Herkunft* de; *Material* en; *Grund* par; *von* ... ~ de, depuis; ~ *dem Fenster* par la fenêtre; *vom Fenster* ~ depuis la fenêtre; *von hier* ~ d'ici; ~ *München* de Munich; ~ *Holz* en bois; ~ *Spaß* pour rire; ~ *Versehen* par erreur; ~ *Mitleid* par pitié; **2.** *adv* ~ *sein Veranstaltung* être fini *od* terminé; *Licht, Heizung etc* être éteint; *auf etw* ~ *sein* chercher (à faire) qc

'ausarbeiten *(sép, -ge-, h)* élaborer

'aus|arten ['aus²-] *(sép, -ge-, sn)* dégénérer *(in* en); '~atmen *(sép, -ge-, h)* expirer

'Ausbau *m (-[e]s; sans pl)* Vergrößerung agrandissement *m*; *Umbau* aménagement *m*; '2en *(sép, -ge-, h) vergrößern* agrandir; *umbauen* aménager; *Motor* démonter; *Beziehungen* développer, approfondir

'ausbessern (*sép, -ge-, h*) raccommoder, réparer

'Ausbeut|e *f* (-; *sans pl*) rendement *m*; profit *m*; '**2en** (*sép, -ge-, h*) exploiter; '**~er** *péj m* (-*s*; -) exploiteur *m*; '**~ung** *f* (-; *sans pl*) exploitation *f*

'ausbild|en (*sép, -ge-, h*) former, instruire; '**2er** *m* (-*s*; -) instructeur *m*; '**2ung** *f* (-; -*en*) formation *f*, instruction *f*

'ausbleiben (*irr, sép, -ge, sn, → bleiben*) ne pas venir; *Ereignis* ne pas se produire; *es konnte nicht ~, dass ...* il était inévitable que ...

'Ausblick *m* (-*[e]s*; -*e*) vue *f*

'ausbrechen (*irr, sép, -ge-, sn, → brechen*) *Gefangener* s'évader; *Krieg* éclater; *Feuer, Krankheit* se déclarer; *in Tränen ~* éclater en sanglots; *in Lachen ~* éclater de rire

'ausbreit|en (*sép, -ge-, h*) étendre, étaler, répandre; *sich ~* s'étendre, se répandre, se propager; '**2ung** *f* (-; *sans pl*) extension *f*, propagation *f*

'Ausbruch *m* (-*[e]s*; *=e*) *Vulkan* éruption *f; aus der Haft* évasion *f; Krankheit* apparition *f; Krieg* début *m*, commencement *m; Gefühl* effusion *f*, éclat *m; zum ~ kommen* éclater, se déclarer

auschecken *aviat* ['aust∫ɛkən] (*sép, -ge-, h*) régler les formalités d'arrivée, de débarquement; *aus einem Hotel* régler les formalités de départ

'Ausdauer *f* (-; *sans pl*) endurance *f*, persévérance *f*; '**2nd** endurant, persévérant

'ausdehn|en (*sép, -ge-, h*) (*sich ~ s'*) étendre; *zeitlich* (s')allonger, (se) prolonger; *phys* (se) dilater; '**2ung** *f* (-; -*en*) extension *f*, expansion *f; Größe* étendue *f; phys* dilatation *f*

'ausdenken (*irr, sép, -ge-, h, → denken*) (*sich ~*) *etw ~* imaginer qc

'Ausdruck *m* (-*[e]s*; *=e*) expression *f; Wort* a *terme; Computer* copie *f* papier; *zum ~ bringen* exprimer

'ausdrück|en (*sép, -ge-, h*) exprimer; *Zigarette* écraser; *Zitrone* presser; *sich ~* s'exprimer; '**~lich** exprès; *adv* expressément

'ausdrucks|los sans expression, inexpressif; '**~voll** expressif; '**2weise** *f* fa-

çon *f* de s'exprimer; style *m*

auseinander [ausʔai'nandər] séparés l'un de l'autre; *~ bringen* séparer, désolidariser; *~ gehen* se séparer; *Menschenmenge* se disperser; *Gegenstand* se disjoindre; *Meinungen* diverger; *~ halten* *fig* distinguer; *~ nehmen* démonter; *~ setzen* séparer, expliquer; *sich mit etw ~ setzen* traiter qc; *sich mit j-m ~ setzen* s'expliquer avec qn; **2setzung** *f* (-; -*en*) *Streit* explication *f*, dispute *f*, querelle *f; kriegerische ~* conflit *m* armé

'ausfahr|en (*irr, sép, -ge-, → fahren*) **1.** *v/i* (*sn*) sortir *od* se promener en voiture; **2.** *v/t* (*h*) sortir *od* promener (en voiture); '**2t** *f* (-; -*en*) *Autobahn, Garage* sortie *f; Spazierfahrt* sortie *f od* promenade *f* en voiture

'Ausfall *m* (-*[e]s*; *=e*) *Haare* chute *f; e-r Veranstaltung* annulation *f; Verlust* perte *f; tech* panne *f; e-r Person* absence *f*; '**2en** (*irr, sép, -ge-, sn, → fallen*) *Haare, Zähne* tomber; *Veranstaltung* être annulé, ne pas avoir lieu; *Maschine* tomber en panne; *Person* manquer; *~ lassen* supprimer; '**2end**, '**ausfällig** grossier, insultant; '**~straße** *f* route *f od* axe *m* de sortie (d'une ville)

'ausfertig|en (*sép, -ge-, h*) *Dokument* délivrer, dresser; '**2ung** *f* (-; -*en*) *in dreifacher ~* en triple exemplaire

ausfindig ['ausfɪndɪç] *~ machen* découvrir, F dénicher

'Ausflucht *f* (-; *=e*) subterfuge *m; Vorwand* prétexte *m; Ausflüchte machen* répondre par des pirouettes

'Ausflug *m* (-*[e]s*; *=e*) excursion *f*, randonnée *f*

'ausfragen (*sép, -ge-, h*) questionner, interroger (*über* sur)

'Ausfuhr ['ausfuːr] *f* (-; -*en*) exportation *f*; '**~genehmigung** *f* licence *f* d'exportation; '**~zoll** *m* droits *m/pl* d'exportation

'ausführen (*sép, -ge-, h*) *Hund, Person* sortir; *comm* exporter; *durchführen* exécuter, effectuer, réaliser; *darlegen* expliquer, déclarer

ausführlich ['ausfyːrlɪç] détaillé; *adv* en détail

'Ausführung *f* (-; -*en*) *Durchführung* exécution *f*, réalisation *f; Modell* version f; **-en** pl e-s Redners déclarations f/pl, paroles f/pl

'Ausfuhrverbot n interdiction f de sortie, embargo m sur les exportations

'ausfüllen (sép, -ge-, h) remplir

'Ausgabe f (-; -n) Geld dépense f; Verteilung distribution f; Buch édition f, Zeitung numéro m

'Ausgang m (-[e]s; ¨e) sortie f; issue f (a fig); Ende fin f; **'-spunkt** m point m de départ

'ausgeben (irr, sép, -ge-, h, → **geben**) Geld dépenser; verteilen distribuer; Fahrkarten délivrer; **sich ~ für** od **als** se faire passer pour

ausge|bildet ['ausɡəbildət] formé; **'-bucht** ['-buːxt] complet; **alle Plätze sind ~** toutes les places sont retenues; **-dehnt** ['-deːnt] vaste, étendu; zeitlich prolongé; **-dient** ['-diːnt] usé, hors de service; **'-fallen** singulier, peu commun, extravagant, saugrenu; **-glichen** ['-ɡliçən] équilibré

'ausgehen (irr, sép, -ge-, sn, → **gehen**) sortir; Licht etc s'éteindre; Haare tomber; Geld etc venir à manquer, s'épuiser; enden finir, se terminer; fig von etw ~ partir de qc; **davon ..., dass ...** partir du fait que ..., supposer que ...; **leer ~** partir les mains vides

ausge|lassen turbulent, d'une folle gaieté f; **'-nommen** prép (acc) excepté; **-rechnet** ['-reçnət] justement, précisément; **'-schlossen** impossible; **es ist nicht ~, daß ...** il n'est pas exclu que ...; **'-sprochen** prononcé, marqué; adv vraiment, réellement; **-zeichnet** ['-tsaiçnət] excellent

ausgiebig ['ausɡiːbiç] abondant; Essen copieux

'Ausgleich ['ausɡlaiç] m (-[e]s; -e) compensation f; Sport égalisation f; **zum ~** en compensation; **'-2en** (irr, sép, -ge-, h, → **gleichen**) compenser; Sport égaliser

'ausgrab|en (irr, sép, -ge-, h, → **graben**) déterrer; **'-2ungen** f/pl fouilles f/pl

'Ausguss m (-es; ¨e) évier m

'aus|halten (irr, sép, -ge-, h, → **halten**) endurer, supporter; Vergleich, Blick soutenir; **es ist nicht auszuhalten!** c'est insupportable!; **-händigen** ['-hɛndiɡən] (sép, -ge-, h) remettre (**j-m etw** qc à qn)

'Aushang m (-[e]s; ¨e) affiche f

'aushängen (sép, -ge-, h) Tür décrocher; zur Kenntnisnahme afficher; ausgehängt sein être affiché

'aus|harren (sép, -ge-, h) persévérer; **'-heben** (irr, sép, -ge-, h, → **heben**) Graben creuser; **'-helfen** (irr, sép, -ge-, h, → **helfen**) j-m ~ aider od dépanner qn

'Aushilf|e f (-; -n) Person aide m, f, auxiliaire m, f; **'-spersonal** n personnel m intérimaire

'aus|höhlen (sép, -ge-, h) creuser; **'-holen** (sép, -ge-, h) zum Schlag lever le bras; fig weit ~ remonter aux sources; **'-horchen** (sép, -ge-, h) j-n ~ sonder qn; **'-kennen** (irr, sép, -ge-, h, → **kennen**) sich ~ s'y connaître (**in** en); **'-klammern** (sép, -ge-, h) Thema laisser de côté

'auskommen (irr, sép, -ge-, sn, → **kommen**) 1. mit etw ~ s'en tirer od se débrouiller avec qc; mit j-m gut (schlecht) ~ s'entendre bien (mal) avec qn, être en bons (mauvais) termes avec qn; ohne j-n (etw) ~ se passer de qn (de qc); 2. 2 n (-s; sans pl) sein ~ haben avoir de quoi vivre

'aus|kosten (sép, -ge-, h) savourer; **'-kundschaften** (sép, -ge-, h) épier; Gegend reconnaître

'Auskunft ['auskunft] f (-; ¨e) renseignement m, information f; Stelle renseignements m/pl (a tél); ~ erteilen renseigner (**j-m über etw** qn sur qc), donner des renseignements (à qn sur qc); **'-sbüro** n bureau m de renseignement; **'-sschalter** m (guichet m des) renseignements

'aus|kuppeln (sép, -ge-, h) auto débrayer; **'-lachen** (sép, -ge-, h) j-n ~ rire od se moquer de qn; **'-laden** (irr, sép, -ge-, h, → **laden**) décharger; Gast décommander

'Auslage f (-; -n) Waren étalage m; **~n** pl dépenses f/pl, frais m/pl; **'-2rn** (sép, -ge-, h) transférer, transporter en lieu sûr

'Ausland n (-[e]s; sans pl) étranger m; im od ins ~ à l'étranger

'Ausländ|er m (-s; -), **'-erin** f (-; -nen) étranger m, -ère f; **'-2isch** étranger

'Auslands|aufenthalt m séjour m à l'étranger; **'-auftrag** m comm commande f étrangère; pol mission f à l'étranger; '~**gespräch** tél n communication f internationale; '~**korrespondent(in** f) m correspondant m, -e f (in e-r Firma correspondancier m, -ière f) pour l'étranger; '~**markt** m marché m extérieur; '~**reise** f voyage m à l'étranger

'**auslass|en** (irr, sép, -ge-, h, → **lassen**) omettre, sauter; Wut ~ **an** passer sur; **sich** ~ **über** se prononcer sur; **2ung** f (-; -en) omission f

'**Auslauf** m (-[e]s; ̈e) Tiere enclos m, parc m; '**2en** (irr, sép, -ge-, sn, → **laufen**) Flüssigkeit (s'é)couler, fuir; Schiff partir, sortir; enden finir, se terminer; '~**modell** n fin f de série

'**ausleg|en** (sép, -ge-, h) Fußboden recouvrir (**mit** de); Geld avancer; Waren étaler; deuten interpréter; '**2ung** f (-; -en) interprétation f, exégèse f

'**ausleihen** (irr, sép, -ge-, h, → **leihen**) prêter (**j-m** à qn); **sich etw** ~ emprunter qc (**von j-m** à qn)

'**Auslese** f (-; -n) sélection f; Wein vin m de grand cru; fig élite f

'**ausliefer|n** (sép, -ge-, h) livrer (**an** à); pol extrader; '**2ung** f (-; -en) livraison f; pol extradition f

'**aus|löschen** (sép, -ge-, h) Licht éteindre; fig effacer; '~**losen** (sép, -ge-, h) tirer au sort

'**auslös|en** (sép, -ge-, h) déclencher (a tech), provoquer; Pfand dégager, retirer; '**2er** Foto m (-s; -) déclencheur m

'**ausmachen** (sép, -ge-, h) Licht, Radio etc éteindre, fermer; verabreden convenir de; darstellen constituer; als Summe faire; erkennen repérer; **das macht mir nichts aus** cela ne me dérange pas; ça ne me fait rien

'**Ausmaß** n (-es; -e) dimensions f/pl, envergure f, ampleur f

'**ausmerzen** ['ausmɛrtsən] (sép, -ge-, h) supprimer, éliminer

'**Ausnahme** ['ausnaːmə] f (-; -n) exception f; **mit** ~ **von** à l'exception de; '~**zustand** m état m d'urgence

'**ausnahmsweise** exceptionnellement

'**ausnehmen** (irr, sép, -ge-, h, → **nehmen**) Schlachttier vider; ausschließen excepter; fig F **j-n** ~ plumer qn; '~**d** exceptionnellement, extraordinairement

'**aus|nutzen** (sép, -ge-, h) etw ~ profiter de qc, tirer profit de qc; **j-n** ~ exploiter qn; '~**packen** (sép, -ge-, h) dépaqueter, déballer; Koffer défaire; fig F vider son sac; '~**pfeifen** (irr, sép, -ge-, h, → **pfeifen**) siffler, huer; '~**probieren** (sép, pas de -ge-, h) essayer

Auspuff ['auspuf] m (-[e]s; -e) auto (pot m, tuyau m d'échappement m; '~**topf** m pot m d'échappement

'**aus|pumpen** (sép, -ge-, h) pomper; **den Magen** ~ faire un lavage d'estomac; '~**quartieren** (sép, pas de -ge-, h) déloger; '~**radieren** (sép, pas de -ge-, h) gommer, effacer, gratter; '~**rangieren** (sép, pas de -ge-, h) mettre au rancart; Maschine mettre hors service; '~**räumen** (sép, -ge-, h) vider, démeubler; '~**rechnen** (sép, -ge-, h) calculer; fig **sich etw** ~ **können** pouvoir s'imaginer qc

'**Ausrede** f (-; -n) excuse f; '**2n** (sép, -ge-, h) **j-m etw** ~ dissuader qn de qc; **j-n** ~ **lassen** laisser qn s'exprimer

'**ausreichen** (sép, -ge-, h) suffire

'**Ausreise** f (-; -n) sortie f, départ m; '~**erlaubnis** f permis m de sortie; '**2n** (sép, -ge-, sn) sortir du pays; '~**visum** n visa m de sortie

'**aus|reißen** (irr, sép, -ge-, → **reißen**) **1.** v/t (h) arracher; **2.** v/i (sn) F weglaufen se sauver; Jugendlicher faire une fugue; '~**richten** (sép, -ge-, h) aligner, orienter; Gruß etc transmettre; Veranstaltung organiser; erreichen obtenir; **j-m etw** ~ a faire savoir qc à qn

'**ausrotten** (sép, -ge-, h) exterminer

'**Ausruf** m (-[e]s; -e) exclamation f, cri m; '**2en** (irr, sép, -ge-, h, → **rufen**) s'écrier, s'exclamer, crier; Stationen annoncer; verkünden proclamer; '~**ung** pol f (-; -en) proclamation f

'**ausruhen** (sép, -ge-, h) **(sich)** ~ se reposer

'**ausrüst|en** (sép, -ge-, h) équiper (**mit** de); '**2ung** f (-; -en) équipement m

'**ausrutschen** (sép, -ge-, sn) glisser

'**Aussage** f (-; -n) déclaration f; jur déposition f; '**2n** (sép, -ge-, h) dire, exprimer, déclarer; jur déposer

'**ausschalten** (sép, -ge-, h) Licht, Radio, TV éteindre, fermer; Strom couper; Maschine arrêter; Gegner éliminer, écarter

Ausschank ['ausʃaŋk] m (-[e]s; ⸚e) débit m de boissons, buvette f

'**Ausschau** f (-; sans pl) **nach j-m ~ halten** chercher qn des yeux

'**ausscheid|en** (irr, sép, -ge-, → **scheiden**) **1.** v/t (h) aussondern éliminer; biol excréter; **2.** v/i (sn) aus e-m Amt quitter (**aus etw** qc), se retirer (de); Sport être éliminé; Möglichkeit ne pas entrer en ligne de compte; '**⸢ung** f (-; -en) élimination f

'**aus|scheren** (sép, -ge-, sn) auto se déporter, quitter la file; '**~schiffen** (sép, -ge-, h) **sich ~** débarquer; '**~schlafen** (irr, sép, -ge-, h, → **schlafen**) (**sich**) ~ dormir son soûl

'**Ausschlag** m (-[e]s; ⸚e) méd éruption f; Zeiger déviation f; fig **den ~ geben** être déterminant; '**⸢en** (irr, sép, -ge-, h, → **schlagen**) Auge crever; Zahn casser; fig Angebot etc refuser; Zeiger dévier; Pferd ruer; bot pousser, bourgeonner; '**⸢gebend** décisif, déterminant

'**ausschließ|en** (irr, sép, -ge-, h, → **schließen**) exclure (**aus**, **von** de); '**⸢lich** exclusif; adv exclusivement

'**Ausschluss** m (-es; -) exclusion f (**aus** de); **unter ~ der Öffentlichkeit** à huis clos

'**ausschneiden** (irr, sép, -ge-, h, → **schneiden**) découper (**aus** dans)

'**Ausschnitt** m (-[e]s; -e) Zeitung coupure f; Film, Buch extrait m; Kleid décolleté m; Kreis⸢ secteur m; Teil tranche f, morceau m

'**ausschreiben** (irr, sép, -ge-, h, → **schreiben**) Wort écrire en toutes lettres; Scheck remplir; Rechnung dresser; Stelle offrir publiquement, mettre au concours

'**Ausschreitungen** f/pl excès m/pl; **es kam zu ~** il y eut des actes de violence

'**Ausschuss** m (-es; ⸚e) comité m, commission f; Abfall rebut m; '**~ware** f marchandise f de rebut, camelote f

'**ausschütten** (sép, -ge-, h) verser, vider; Herz épancher; Dividende répartir

'**ausschweif|en** dissolu, débauché; '**⸢ung** f (-; -en) débauche f

'**aussehen** (irr, sép, -ge-, h, → **sehen**) **1.** avoir l'air (**wie** de), paraître; **gut ~** Person être bien; gesundheitlich avoir

bonne mine; Sache faire bien; **2.** ⸢ n (-s; sans pl) apparence f, air m, mine f; von Sachen a aspect m

außen ['ausən] à l'extérieur, dehors; **von ~** de l'extérieur, du dehors; **nach ~** vers l'extérieur, en dehors; fig **nach ~ hin** vu de l'extérieur; '**⸢bordmotor** mar m moteur m hors-bord; '**⸢dienst** m service m extérieur; '**⸢handel** m commerce m extérieur; '**⸢handelsdefizit** n déficit m du commerce extérieur; '**⸢handelsüberschuss** m excédent m du commerce extérieur; '**⸢minister** m ministre m des Affaires étrangères; '**⸢politik** f politique f extérieure; '**⸢seite** f extérieur m; '**⸢seiter** m outsider, m non-conformiste m; '**⸢spiegel** auto m rétroviseur m extérieur; '**⸢stände** ['-ʃtɛndə] comm m/pl créances f/pl

außer ['ausər] **1.** prép (dat): außerhalb hors de; neben en dehors de, outre; ausgenommen sauf, à part, excepté; **~ sich sein** être hors de soi; **~ Betrieb** hors de service; **~ Gefahr** hors de danger; **2.** conj **~ dass** sinon od excepté od sauf que; **~ wenn** à moins que ... ne (+ subj), sauf od excepté si; '**~dem** en outre, de od en plus

äußere ['ɔysərə] **1.** extérieur; **2.** ⸢ n (-n; sans pl) extérieur m

'**außer|gewöhnlich** extraordinaire, exceptionnel; '**~halb** prép (gén) en dehors de, à l'extérieur de, hors de

äußerlich ['ɔysər-] extérieur, externe (a méd); fig superficiel

äußern ['ɔysərn] (h) dire, exprimer; **sich ~** donner son avis (**über** sur); sich zeigen se manifester

'**außerordentlich** extraordinaire; prodigieux

äußerst ['ɔysərst] extrême; dernier; adv extrêmement; **im ~en Fall** à la rigueur

außerstande [ausər'ʃtandə] **~ sein** être hors d'état (**zu** de)

'**Äußerung** f (-; -en) Worte propos m/pl; von Gefühlen manifestation f

'**aussetzen** (sép, -ge-, h) Tier, Kind abandonner; Belohnung offrir; e-r Gefahr etc exposer (à); aufhören s'arrêter; **etw auszusetzen haben** trouver à redire (**an** à)

'**Aussicht** f (-; -en) vue f; fig perspective f, chance f (**auf** de) 'aussichts|los voué à l'échec, vain, sans espoir; '**2punkt** m point m de vue

'Aussiedler m (-s;-) rapatrié m

aussöhnen ['ausʐø:nən] (sép, -ge-, h) (sich ~ se) réconcilier (mit avec); '**2ung** f (-; -en) réconciliation f

'ausspannen (sép, -ge-, h) Pferd dételer; fig F Freundin souffler, chiper (j-m à qn); sich erholen se détendre, se reposer

'aussperr|en (sép, -ge-, h) j-n ~ fermer la porte à qn; Arbeiter lock-outer; '**2ung** f (-; -en) lock-out m

'Aussprache f (-; -n) prononciation f; Gespräch mise f au point, explication f

'aussprechen (irr, sép, -ge-, h, → sprechen) prononcer; ausdrücken exprimer; sich ~ für (gegen) se prononcer od se déclarer pour (contre); sich mit j-m ~ s'expliquer avec qn

'Ausspruch m (-[e]s; ⁀e) parole f, sentence f

'Ausstand m (-[e]s;⁀e) grève f; in den ~ treten se mettre en grève

ausstatt|en ['ausʃtatən] (sép, -ge-, h) équiper, pourvoir, doter (mit de); Wohnung installer, meubler; '**2ung** f (-; -en) équipement m; Wohnung installation f, ameublement m; comm Ware présentation f; Theater décors m/pl

'ausstehen (irr, sép, -ge-, h, → stehen) supporter; ich kann ihn nicht ~ je ne peux pas le supporter od souffrir

'aussteig|en (irr, sép, -ge-, sn, → steigen) descendre (aus de); fig se retirer (aus de); sozial se marginaliser; '**2er** m (-s; -) marginal m

'ausstell|en (sép, -ge-, h) exposer; Waren a étaler; Pass etc délivrer; Scheck faire (auf j-n sur qn); Rechnung établir; '**2er** m (-s; -) exposant m; Scheck tireur m

'Ausstellung f (-; -en) exposition f; Pass etc délivrance f; '**~gelände** n terrain m d'exposition; '**~sraum** m salle f d'exposition; '**~sstand** m stand m

'aussterben (irr, sép, -ge-, sn, → sterben) s'éteindre, disparaître

'aussteuern (sép, -ge-, h) Tonband etc régler

'Ausstieg m (-[e]s;⁀e) sortie f; ~ aus der Kernenergie abandon m de l'énergie atomique

'Ausstoß m (-es; ⁀e) tech éjection f; Produktion rendement m, débit m; '**2en** (irr, sép, -ge-, h, → stoßen) j-n expulser (aus de); Schrei pousser; tech éjecter; comm produire, débiter

'Ausstrahlung f (-; -en) Radio diffusion f; e-s Menschen rayonnement m

'aus|strecken (sép, -ge-, h) Hand tendre; Arme, Beine étendre, allonger; '**~streichen** (irr, sép, -ge-, h, → streichen) rayer, biffer, barrer; '**~strömen** (sép, -ge-, sn) s'écouler; Gas, Geruch se dégager, s'échapper; '**~suchen** (sép, -ge-, h) choisir

'Austausch m (-[e]s; sans pl) échange m; **2bar** interchangeable; '**2en** (sép, -ge-, h) échanger

'austeilen (sép, -ge-, h) distribuer

Auster f ['austər] f (-; -n) huître f

'austragen (irr, sép, -ge-, h, → tragen) Post distribuer; Wettkampf disputer

Austral|ien [aus'tra:ljən] n (-s; sans pl) l'Australie f; ~ier m (-s; -), ~ierin f (-; -nen) m Australien m, -ne f; **2isch** australien

'aus|treiben (irr, sép, -ge-, h, → treiben) expulser; Teufel exorciser; fig j-m etw ~ faire passer qc à qn; '**~treten** (irr, sép, -ge-, sn, → treten) aus Partei etc quitter (qc), partir (de); WC aller aux toilettes; Radioaktivität etc s'échapper; '**~trinken** (irr, sép, -ge-, h, → trinken) vider, finir de boire

'Austritt m (-[e]s; -e) départ m, démission f; Radioaktivität fuite f

'austrocknen (sép, -ge-) v/t h, v/i sn dessécher

'ausüben (sép, -ge-, h) exercer; Sport pratiquer

'Ausverkauf m (-[e]s;⁀e) soldes f/pl; '**2t** Ware épuisé

'Auswahl f (-; sans pl) choix m; sélection f (a Sport)

'auswählen (sép, -ge-, h) choisir

'Auswander|er m (-s; -) émigrant m; '**2n** (sép, -ge-, sn) émigrer; '**~ung** f (-; -en) émigration f

auswärtig ['ausvɛrtɪç] étranger; extérieur; das **2e** Amt le ministère des Affaires étrangères

auswärts ['ausvɛrts] en dehors, à l'extérieur; ~ essen manger au restaurant

'auswechsel|n (sép, -ge-, h) remplacer (gegen par), changer (contre);

'**2spieler**(**in** f) m Sport remplaçant m, -e f

'**Auswechs(e)lung** f (-; -en) remplacement m

'**Ausweg** m (-[e]s; -e) issue f; '**2los** sans issue

'**ausweichen** (irr, sép, -ge-, sn, → **weichen**) j-m (**e-r Sache**) ~ éviter qn (qc); e-r Frage éluder (qc); '**~d** Antwort évasif

Ausweis ['ausvais] m (-[e]s; -e) carte f; Personal**2** carte f d'identité; '**2en** ['-zən] (irr, sép, -ge-, h, → **weisen**) expulser; **sich** ~ justifier de son identité, montrer ses papiers; '**~papiere** n/pl pièces f/pl d'identité

'**ausweiten** (sép, -ge-, h) élargir; fig agrandir, développer; **sich** ~ s'agrandir, se développer

'**auswendig** par cœur

'**aus|werfen** (irr, sép, -ge-, h, → **werfen**) jeter (a Anker), lancer, rejeter; '**~werten** (sép, -ge-, h) exploiter; Umfrage dépouiller, analyser; '**~wirken** (sép, -ge-, h) **sich** ~ se répercuter (**auf** sur), avoir des conséquences

'**Auswuchs** m (-es; ²e) excroissance f, fig excès m, abus m

auswuchten ['ausvuxtən] (sép, -ge-, h) tech équilibrer

'**auszahlen** (sép, -ge-, h) payer, verser; fig sich ~ être payant

'**auszählen** (sép, -ge-, h) compter; **die Stimmen** ~ dépouiller le scrutin

'**Auszahlung** f (-; -en) paiement m, versement m

'**auszeichn|en** (sép, -ge-, h) j-n distinguer; mit Orden décorer (**mit** de); Waren étiqueter; **sich** ~ se distinguer (**durch** par); '**2ung** f (-; -en) distinction f; Orden décoration f

'**ausziehen** (irr, sép, -ge-, → **ziehen**) **1.** v/t (h) Kleidung enlever, retirer, ôter; Tisch rallonger; Antenne sortir; **sich** ~ se déshabiller; **2.** v/i (sn) aus e-r Wohnung déménager

'**Auszubildende** m, f (-n; -n) apprenti m, -e f

'**Auszug** m (-[e]s; ²e) Buch extrait m; Konto relevé m; Wohnung déménagement m

Auto ['auto] n (-s; -s) voiture f, auto f; ~ **fahren** faire de la voiture; am Steuer conduire; **mit dem** ~ **fahren** aller en voiture; '**~bahn** f (-; -en) autoroute f; '**~bahnauffahrt** f embranchement m d'accès; '**~bahnausfahrt** f sortie f d'autoroute; '**~bahndreieck** n échangeur m d'autoroute; '**~bahngebühr** f péage m

'**Autobus** m autobus m; Reisebus autocar m

'**Autofähre** f bac m à voitures; '**~fahrer**(**in** f) m automobiliste m, f

Auto|gramm [auto'gram] n (-[e]s; -e) autographe m; '**~karte** f carte f routière

Automat [auto'maːt] m (-en; -en) distributeur m (automatique); **~ik** f (-; -en) tech dispositif m automatique; auto boîte f automatique; **~ion** [-ma'tsjoːn] f (-; sans pl) automation f; **2isch** automatique

'**Automechaniker** m mécanicien m automobile

Automobil [-mo'biːl] n (-s; -e) automobile f; **~club** m club m automobile; **~industrie** f industrie f automobile

auto|nom [-'noːm] autonome; '**2nummer** f numéro m d'immatriculation

Autor ['autoːr] m (-s; -en), **~in** [-'toːrin] f (-; -nen) auteur m

'**Auto|radio** n autoradio m od f; '**~reifen** m pneu m de voiture; '**~reisezug** m train m auto-couchettes; **~rennen** n course f automobile; '**~reparaturwerkstatt** f garage m

autori|tär [autori'tɛːr] autoritaire; **2tät** [-'tɛːt] f (-; -en) autorité f

'**Auto|unfall** m accident m de voiture; '**~vermietung** f location f de voitures; '**~waschanlage** f poste m de lavage

Axt [akst] f (-; ²e) hache f, cognée f

B

B *mus* n si m bemol

Baby ['be:bi] n (-s; -s) bébé m

Bach [bax] m (-[e]s; *ʒ*e) ruisseau m

Backbord n ['bak-] n mar (-s; *sans pl*) bâbord m

Backe ['bakə] f (-; -n) joue f

backen ['bakən] (*bäckt, backte, gebacken*, h) (faire) cuire; *in der Pfanne* (faire) frire

'Backen|bart m favoris m/pl; '**zahn** m molaire f

Bäcker ['bɛkər] m (-s; -); '**in** f (-; -nen) boulanger m, -ère f; '**ei** [-'rai] f (-; -en) boulangerie f

'Back|form f moule m à gâteaux; '**hendl** *östr* n poulet m rôti; '**ofen** m four m; '**stein** m brique f; '**waren** f/pl produits m/pl de boulangerie; *feine* ~ pâtisseries f/pl

Bad [ba:t] n (-[e]s; *ʒ*er) bain m; *Badezimmer* salle f de bains; *Schwimm*2 piscine f; *Kurort* station f balnéaire *od* thermale

Bade|anstalt ['ba:də*ʔ*-] f établissement m de bains; '**anzug** m maillot m de bain; '**hose** f slip m de bain; '**mantel** m peignoir m de bain; '**meister** m maître-nageur m; '**mütze** f bonnet m de bain

'baden (h) baigner; (*sich*) ~ se baigner; *in der Badewanne* prendre un bain

'Bade|ort m station f balnéaire, ville f d'eaux; '**saison** f saison f balnéaire; '**strand** m plage f; '**tuch** n serviette f *od* drap m de bain; '**urlaub** m vacances f/pl à la mer; '**wanne** f baignoire f; '**zimmer** n salle f de bains

bagatellisieren [bagateli'zi:rən] (*pas de ge-*, h) minimiser

Bagger ['bagər] m (-s; -) pelle f mécanique; *Schwimm*2 drague f

Bahn [ba:n] f (-; -en) *Eisen*2 chemin m de fer; *Weg* voie f; *Renn*2, *Start*2 piste f; *Flug*2 trajectoire f; *Tapete* lé m, laisse f; *mit der* ~ *fahren* aller en train; '**anschluss** m raccordement m au chemin de fer; '2brechend qui fait époque *od* date, révolutionnaire; '**damm** m remblai m

'bahnen (h) Weg frayer; *fig* **e-r Sache den Weg ~** ouvrir la voie à qc

'Bahn|fahrt f voyage m en train; '**hof** m gare f; *auf dem* ~ à la gare; '**linie** f ligne f de chemin de fer; '**steig** m quai m; '**übergang** m passage m à niveau

Bakterie [bak'te:rjə] f (-; -n) bactérie f, microbe m

bald [balt] bientôt; *fast presque*; ~ ... ~ ... tantôt ... tantôt ...; ~ *darauf* peu après; *so* ~ *wie möglich* aussi tôt que possible, dès que possible

baldig ['baldiç] prompt, prochain; *auf ein ~es Wiedersehen!* au plaisir de vous revoir bientôt!

Baldrian ['baldria:n] *bot* m (-s; -e) valériane f

balgen ['balgən] *sich* ~ se bagarrer

Balken ['balkən] m (-s; -) poutre f

Balkon [bal'kɔ:n] m (-s; -e) balcon m

Ball [bal] m (-[e]s; *ʒ*e) balle f; *größerer, Fuß*2 ballon m; *Billard*2 bille f; *Tanzfest* bal m

Ballast ['balast] m (-[e]s; -e) lest m; *fig* poids m mort

Ballen ['balən] m (-s; -) *comm* ballot m; *am Fuß* éminence m du gros orteil

Ballett [ba'lɛt] n (-[e]s; -e) ballet m

Ballon [ba'lo:n] m (-s; -s) ballon m

'Ball|saal m salle f de bal; '**spiel** n jeu m de balle

'Ballungs|gebiet n, '**raum** m, '**zentrum** n agglomération f, conurbation f

Balsam ['balza:m] m (-s; -e) baume m

Bambus ['bambus] *bot* m (-[ses]; -se) bambou m

banal [ba'na:l] banal

Banane [ba'na:nə] *bot* f banane f

Banause [ba'nauzə] m (-n; -n) esprit m borné, philistin m

Band[1] [bant] n (-[e]s; *ʒ*er) ruban m, bande f; *Gelenk*2 ligament m; *fig* lien m; *auf* ~ *aufnehmen* enregistrer (sur bande); *am laufenden* ~ sans arrêt

Band[2] [-] m (-[e]s; *ʒ*e) *Buch* volume m; *e-s Werkes* tome m

Band[3] [bɛnt] f *mus* (-; -s) groupe m

Bande ['bandə] f (-; -n) bande f; *Verbrecher* gang m

bändigen ['bɛndigən] (h) dompter, maîtriser

Bandit [ban'di:t] m (-en; -en) bandit m

'Band|maß n mètre m à ruban; '⁓scheibe f disque m intervertébral; '⁓scheibenschaden méd m hernie f discale; '⁓wurm m ver m solitaire

bang(e) [baŋ(ə)] anxieux; **mir ist ⁓** j'ai peur (**vor** de); **j-m ⁓ machen** faire peur à qn

Bank [baŋk] f 1. (-; ⁻e) banc m; Zug, Auto banquette f, fig **durch die ⁓** sans exception; **etw auf die lange ⁓ schieben** faire traîner qc en longueur; 2. (-; -en) comm banque f; **sein Geld auf die ⁓ bringen** déposer son argent à la banque; '⁓angestellte f, m employé m, -e f de banque; '⁓einlage f dépôt m bancaire

Bankett [baŋ'kɛt] n (-[e]s; -e) banquet m; Straße accotement m

Bankier [baŋ'kje:] m (-s; -s) banquier m

'Bank|konto n compte m en banque; '⁓leitzahl f code m bancaire; '⁓note f billet m de banque; '⁓omat [-ɔ'ma:t] m (-en; -en) guichet m automatique

Bank|rott [baŋ'krɔt] 1. m (-[e]s; -e) faillite f, banqueroute f; **⁓ machen** faire faillite; 2. ♀ adj en faillite; '⁓safe m coffre-fort m; '⁓verbindung f coordonnées f/pl bancaires

Bann [ban] m hist (-[e]s; sans pl) ban m, bannissement m; fig charme m, envoûtement m; '⁓en (h) Gefahr conjurer; fig **wie gebannt** fasciné

bar [ba:r] ohne dépourvu de; comm comptant; **gegen** od **in ⁓** au comptant; **⁓ zahlen** payer (au) comptant od en espèces

Bar f (-; -s) Theke bar m; Nacht♀ cabaret m, boîte f de nuit

Bär [bɛ:r] m zo (-en; -en) ours m

Barbar [bar'ba:r] m (-en; -en) barbare m; ♀isch barbare; Mord atroce

'Bardame f barmaid f

'barfuß pieds nus, nu-pieds

'Bargeld n argent m liquide; '♀los par virement od chèque; '⁓umstellung f Euro conversion f en espèces

Barkeeper ['-ki:pər] m (-s; -) barman m

barmherzig [barm'hɛrtsiç] charitable, miséricordieux; ♀keit f (-; sans pl) charité f, pitié f, miséricorde f

barock [ba'rɔk] 1. baroque; 2. ♀ m od n (-s; sans pl) baroque m

Barometer [baro'-] n (-s; -) baromètre m

Barren ['barən] m (-s; -) Metall barre f; Gold lingot m; Turngerät barres f/pl parallèles

barsch [barʃ] brusque

Bart [ba:rt] m (-[e]s; ⁻e) barbe f; an der Oberlippe moustache f; Schlüssel panneton m

bärtig ['bɛ:rtiç] barbu

'Barzahlung f paiement m au comptant od en espèces

Basel ['ba:zəl] n Bâle

basieren [ba'zi:rən] (pas de ge-, h) **⁓ auf** se baser sur

Basis ['ba:zis] f (-; Basen) base f

Bass [bas] m (-es; ⁻e) basse f

Bastard ['bastart] m (-[e]s; -e) Mensch bâtard m; bot, zo hybride m

bast|eln ['bastəln] (h) bricoler; '♀ler m (-s; -) bricoleur m

Bataillon [batal'jo:n] mil n (-s; -e) bataillon m

Batterie [batə'ri:] f (-; -n) mil, auto batterie f; Taschenlampe etc pile f

Bau [bau] m (-[e]s; Bauten) construction f, Bauwerk, Bauwesen bâtiment m; größerer édifice m; Tier♀ terrier m; **im ⁓ sein** être en construction; '⁓arbeiten f/pl travaux m/pl; '⁓arbeiter m ouvrier m du bâtiment; '⁓art f style m d'architecture; type m od mode m de construction

Bauch [baux] m (-[e]s; ⁻e) ventre m, abdomen m; '⁓fell n péritoine m; '♀ig ventru; '⁓landung aviat f crash m; '⁓muskeln m/pl muscles m/pl abdominaux; '⁓schmerzen m/pl, '⁓weh n mal m au ventre

'Baudenkmal n monument m

bauen ['bauən] (h) bâtir, construire; nur tech fabriquer, produire, faire; fig **auf j-n (etw) ⁓** compter sur qn (qc); F **gut gebaut sein** être bien bâti

Bauer¹ ['bauər] m (-n; -n) paysan m, fermier m; Schach pion m

Bauer² n od m (-s; -) Vogelkäfig cage f

Bäuer|in ['bɔyərin] f (-; -nen) paysanne f, fermière f; '♀lich paysan, rustique

Bauern|fängerei ['-nfɛŋə'rai] f (-; sans pl) attrape-nigaud m; '⁓haus n, '⁓hof m ferme f; '⁓möbel n/pl meubles m/pl rustiques

B

'bau|fällig délabré; '2firma f entreprise f de construction; '2flucht f alignement m; '2genehmigung f permis m de construire; '2gerüst n échafaudage m; '2gewerbe n industrie f du bâtiment; '2herr m propriétaire m; maître m d'œuvre; '2holz n bois m de construction; '2ingenieur m ingénieur m du bâtiment et des travaux publics; '2jahr n année f de construction; '2kasten m jeu m de construction; '2kunst f architecture f; '2land n terrain m à bâtir; '~lich architectural, architectonique

Baum [baum] m (-[e]s; ˸e) arbre m

'Bau|material n matériaux m/pl de construction; '~meister m architecte m

baumeln ['baumǝln] (h) pendiller; **mit den Beinen ~** balancer les jambes

'Baum|schule f pépinière f; '~stamm m tronc m d'arbre; '~stumpf m souche f; '~wolle f coton m

'Bau|plan m plan m de la construction; '~platz m terrain m à bâtir

'Bauspar|en n épargne-logement m; '~er m (-s; -) souscripteur m à l'épargne-logement; '~kasse f caisse f d'épargne-logement

'Bau|stein m pierre f à bâtir; '~stelle f chantier m; '~stil m style m architectural; '~unternehmer m entrepreneur m de bâtiment; '~werk n édifice m, bâtiment m

Bayer ['baiǝr] m (-n; -n), '~in f (-; -nen) Bavarois m, -e f; '~n n la Bavière

beabsichtigen [bǝʔˈapzɪçtɪɡǝn] (pas de -ge-, h) avoir l'intention od se proposer (etw zu tun od de faire qc); **das war beabsichtigt** c'était intentionnel od voulu

be'acht|en (pas de -ge-, h) faire attention à; Vorschriften observer; Vorfahrt respecter; '~lich considérable, respectable, appréciable; 2ung f (-; sans pl) prise f en considération; observation f; respect m; **starke ~ finden** susciter le plus vif intérêt

Beamt|e [bǝˈʔamtǝ] m (-n; -n), '~in f (-; -nen) fonctionnaire m, f

beanspruch|en [bǝˈʔanʃpruxǝn] (pas de -ge-, h) Recht revendiquer; Platz, Zeit prendre; j-n occuper; Nerven fatiguer; tech soumettre à des efforts; 2ung f (-; -en) tech soumission f à des

efforts, usure f; nervlich stress m

beanstand|en [bǝʔˈanʃtandǝn] (pas de -ge-, h) réclamer contre, faire des objections à, trouver à redire à; 2ung f (-; -en) réclamation f

beantragen [bǝˈʔantraːɡǝn] (pas de -ge-, h) demander (officiellement)

be'antworten (pas de -ge-, h) Frage répondre à

be'arbeit|en (pas de -ge-, h) travailler; tech a façonner, usiner; Thema traiter; Akten étudier; für TV etc adapter; mus arranger; 2ung f (-; -en) travail m; tech a façonnage m; für Theater, TV adaptation f; arrangement m; 2ungsgebühr f frais m/pl d'administration

be'aufsichtigen [bǝʔˈaufsɪçtɪɡǝn] (pas de -ge-, h) surveiller

be'auftrag|en (pas de -ge-, h) charger (mit de); 2te [-ktǝ] m, f (-n; -n) délégué m

be'bauen (pas de -ge-, h) Gelände bâtir; agr cultiver

beben ['beːbǝn] (h) 1. trembler, frémir; 2. 2 n (-s; -) Erd2 tremblement m de terre

Becher ['bɛçǝr] m (-s; -) gobelet m

Becken ['bɛkǝn] n (-s; -) bassin m (a des Körpers); mus cymbale f

be'danken (pas de -ge-, h) sich bei j-m für etw ~ remercier qn de od pour qc

Bedarf [bǝˈdarf] m (-[e]s; sans pl) besoin(s) m(pl) (an de); bei ~ en cas de besoin; nach ~ suivant les besoins; ~shaltestelle f arrêt m facultatif

bedauer|lich [bǝˈdauǝrlɪç] regrettable; ~n (pas de -ge-, h) j-n plaindre qn; etw ~ regretter od déplorer qc; 2n (-s; sans pl) regret m (über de); ~nswert déplorable; Person à plaindre

be'deck|en (pas de -ge-, h) couvrir (mit de); ~t Himmel couvert

be'denk|en (irr, pas de -ge-, h, → denken) considérer, penser à; 2en pl doutes m/pl, scrupules m/pl; ~enlos sans scrupules; ~lich douteux, critique, dangereux

be'deut|en (pas de -ge-, h) signifier, vouloir dire; ~end important, considérable; ~sam significatif

Be'deutung f (-; -en) Sinn signification f, sens m; Wichtigkeit importance f

be'dienen (pas de -ge-, h) (sich ~ se)

B

servir; *Maschine* manier, commander

Be'dienung *f* (-; *-en*) service *m*; *Kellnerin* serveuse *f*; **~sanleitung** *f* mode *m* d'emploi

bedingen [bə'dɪŋən] (*pas de -ge-, h*) voraussetzen impliquer, conditionner, nécessiter; *verursachen* causer, provoquer; **~t** conditionnel; *beschränkt* limité; *verursacht* causé (**durch** par)

Be'dingung *f* (-; *-en*) condition *f*; **unter der ~, dass ...** à (la) condition que (+ *subj*); **2slos** sans condition(s), inconditionnel

be'drängen (*pas de -ge-, h*) presser *od* harceler (**mit** de), talonner

be'droh|en (*pas de -ge-, h*) menacer (**mit** de); **~lich** menaçant; **2ung** *f* (-; *-en*) menace *f*

be'drück|en (*pas de -ge-, h*) oppresser, accabler; **~end** déprimant; **~t** déprimé

Bedürfnis [-'dʏrfnɪs] *n* (*-sses; -sse*) besoin *m* (**nach** de)

bedürftig [-'dʏrftɪç] nécessiteux, indigent

Beefsteak ['biːfsteːk] *n* (*-s; -s*) bifteck *m*

be'eilen (*pas de -ge-, h*) **sich ~** se dépêcher, se hâter

be'ein|drucken [bə'aindrukən] (*pas de -ge-, h*) impressionner; **~flussen** [bə'ainflusən] (*pas de -ge-, h*) influencer; **~trächtigen** [bə'aintrɛçtigən] (*pas de -ge-, h*) faire tort à, porter préjudice *od* atteinte à

be'end(ig)en (*pas de -ge-, h*) finir, terminer

beengt [bə'ɛŋkt] **sich ~ fühlen** se sentir mal à l'aise; **~ wohnen** habiter à l'étroit

beerdig|en [bə'eːrdɪgən] (*pas de -ge-, h*) enterrer; **2ung** *f* (-; *-en*) enterrement *m*

Beere ['beːrə] *bot f* (-; *-n*) baie *f*; *Wein* 2 grain *m*

Beet [beːt] *n* (*-[e]s; -e*) planche *f*, carré *m*; *schmales* plate-bande *f*

befähig|t [bə'fɛːɪçt] qualifié; **2ung** [-ɪgʊŋ] *f* (-; *-en*) qualification *f*

befahr|bar [bə'faːrbaːr] praticable; **~en** (*irr, pas de -ge-, h, → fahren*) passer sur, emprunter; *Buslinie* exploiter; **stark ~** très fréquenté

be'fallen (*befiel, befallen, h*) *Fieber* saisir; *Krankheit* frapper; *Ungeziefer* attaquer

be'fangen *verlegen* gêné, embarrassé; *voreingenommen* partial; **2heit** *f* (-; *sans pl*) embarras *m*; manque *f* d'objectivité

Befehl [bə'feːl] *m* (*-[e]s; -e*) ordre *m*; *Befehlsgewalt* commandement *m*; **2en** (*befahl, befohlen, h*) ordonner, commander (*j-m etw* qc à qn); **~shaber** *m* [-haːbər] (*-s; -*) commandant *m*; **~sverweigerung** *f* refus *m* d'obéissance

be'festig|en (*pas de -ge-, h*) fixer, attacher (**an** à); *Mauer etc* consolider; *mil* fortifier; **2ung** *f* (-; *-en*) fixation *f*, attache *f*; *mil* fortification *f*

be'finden (*befand, befunden, h*) **1. sich ~** se trouver; **2. 2** *n* (*-s; sans pl*) état *m* de santé

be'folgen (*pas de -ge-, h*) suivre; *Befehl* exécuter

be'förder|n (*pas de -ge-, h*) transporter, expédier; *im Rang* promouvoir (*j-n zum Direktor* qn directeur); **2ung** *f* (-; *-en*) transport *m*; avancement *m*, promotion *f*

be'fragen (*pas de -ge-, h*) interroger, questionner; *um Rat fragen* consulter

be'frei|en (*pas de -ge-, h*) libérer, délivrer (**aus, von** de); *freistellen* exempter, dispenser (**von** de); **sich ~** se libérer; *sich retten* se dégager (**aus** de); **2er** *m* (*-s; -*), **2erin** *f* (-; *-nen*) libérateur *m*, -trice *f*; **2ung** *f* (-; *sans pl*) libération *f*, délivrance *f*; exemption *f*, dispense *f* (**von** de)

befreunden [bə'frɔyndən] (*pas de -ge-, h*) **sich mit etw ~** se familiariser avec qc; **mit j-m befreundet sein** être ami avec qn, être lié avec qn

befried|igen [bə'friːdɪgən] (*pas de -ge-, h*) contenter, satisfaire; **sich selbst ~** se masturber; **~igend** satisfaisant; **2igung** *f* (-; *-en*) satisfaction *f*, contentement *m*

befristet [bə'frɪstət] à durée limitée

be'fruchten (*pas de -ge-, h*) féconder

Befug|nis [bə'fuːknɪs] *f* (-; *-se*) autorisation *f*, droit *m*, compétence *f*; **2t** autorisé (**zu etw** qc à qc)

Be'fund *m* (*-[e]s; -e*) constatation *f*; *méd* diagnostic *m*; **ohne ~** résultat *m* négatif

be'fürcht|en (*pas de -ge-, h*) craindre, redouter (**dass ...** que ... ne + *subj*); **2ung** *f* (-; *-en*) crainte *f*, appréhension *f*

B

befürworten [bə'fy:rvɔrtən] (*pas de -ge-*, *h*) préconiser, appuyer

begab|t [bə'ga:pt] doué (*für* pour); **2ung** *f* [-buŋ] (*-*; *-en*) don *m*, talent(s *pl*) *m*

be'geben (*begab, begeben, h*) **sich ~** se rendre; **sich zur Ruhe ~** aller se coucher; **sich in Gefahr ~** s'exposer au danger; **2heit** *f* (*-*; *-en*) événement *m*

begeg|nen [bə'ge:gnən] (*pas de -ge-*, *sn*) *j-m ~* rencontrer qn; **2nung** *f* (*-*; *-en*) recontre *f*

be'gehen (*beging, begangen, h*) *Verbrechen, Irrtum* commettre; *Fehler* faire; *Fest* fêter, célébrer

begehr|en [bə'ge:rən] (*pas de -ge-*, *h*) désirer, convoiter; **~lich** avide (*nach* de)

begeister|n [bə'gaistərn] (*pas de -ge-*, *h*) enthousiasmer; **sich ~** s'enthousiasmer *od* se passionner (*für* pour); **2ung** *f* (*-*; *sans pl*) enthousiasme *m*

Begier|de [bə'gi:rdə] *f* (*-*; *-en*) avidité *f*, désir *m*; **2ig** avide (*auf, nach* de)

Beginn [bə'gin] *m* (*-[e]s*; *sans pl*) commencement *m*, début *m*; **zu ~** au début, au commencement; **2en** (*begann, begonnen, h*) commencer (*zu* à; *mit* par), débuter

beglaubigen [bə'glaubigən] (*pas de -ge-*, *h*) authentifier; *Abschrift* certifier conforme; *Unterschrift* légaliser

be'gleichen (*beglich, beglichen, h*) *Rechnung* régler

be'gleit|en (*pas de -ge-*, *h*) accompagner (*a mus*); **2er** *m* (*-s*; *-*), **2erin** *f* (*-*; *-nen*) compagnon *m*, compagne *f*; *e-r Gruppe* accompagnateur *m*, *-trice f*; **2papiere** *n/pl* feuilles *f/pl* de route; **2schreiben** *n* lettre *f* d'envoi; **2ung** *f* (*-*; *-en*) accompagnement *m* (*a mus*); **in ~ von** en compagnie de

be'glückwünschen (*pas de -ge-*, *h*) féliciter (*zu* de *od* pour)

begnadigen [bə'gna:digən] (*pas de -ge-*, *h*) gracier

begnügen [bə'gny:gən] (*pas de -ge-*, *h*) **sich mit etw ~** se contenter de qc

be'graben (*begrub, begraben, h*) enterrer

Begräbnis [bə'grɛ:pnis] *n* (*-ses*; *-se*) enterrement *m*

be'greif|en (*begriff, begriffen, h*) comprendre, saisir, concevoir; **~lich** compréhensible

be'grenzen limiter, borner (*auf* à)

Be'griff *m* (*-[e]s*; *-e*) notion *f*, concept *m*; **im ~ sein, etw zu tun** être sur le point de faire qc

be'gründ|en (*pas de -ge-*, *h*) gründen fonder; *Gründe angeben* justifier, motiver (*mit* par); **2ung** *f* (*-*; *-en*) justification *f*

be'grüß|en (*pas de -ge-*, *h*) saluer, accueillir, souhaiter la bienvenue à; **2ung** *f* (*-*; *-en*) accueil *m*; salut *m*

begünstigen [bə'gynstigən] (*pas de -ge-*, *h*) favoriser, avantager, protéger

begutachten [bə'gu:tˀ-] (*pas de -ge-*, *h*) donner son avis sur, expertiser

behaglich [bə'ha:kliç] douillet, confortable; **sich ~ fühlen** se sentir à son aise

be'halten (*behielt, behalten, h*) garder, conserver; *im Gedächtnis* retenir

Behälter [bə'hɛltər] *m* (*-s*; *-*) récipient *m*; réservoir *m*

be'hand|eln (*pas de -ge-*, *h*) traiter, *méd a* soigner; **schlecht ~** maltraiter; **2lung** *f* (*-*; *-en*) traitement *m*; *méd a* soins *m/pl*

beharr|en [bə'harən] (*pas de -ge-*, *h*) persévérer, persister (*auf* dans); **~lich** persévérant; *adv* avec persistance

behaupt|en [bə'hauptən] (*pas de -ge-*, *h*) affirmer, soutenir, prétendre; **sich ~** se maintenir; **2ung** *f* (*-*; *-en*) affirmation *f*, assertion *f*

be'heben (*behob, behoben, h*) *Schaden* réparer

be'helf|en (*behalf, beholfen, h*) **sich ~** se débrouiller (*mit* avec); **~smäßig** provisoire

be'herbergen (*pas de -ge-*, *h*) loger, héberger

be'herrsch|en (*pas de -ge-*, *h*) régner sur, gouverner; *fig* maîtriser, dominer; *e-e Sprache ~* posséder une langue; **2ung** *f* (*-*; *-en*) domination *f*; **die ~ verlieren** ne plus pouvoir se contrôler

beherzigen [bə'hɛrtsigən] (*pas de -ge-*, *h*) prendre à cœur

be'hilflich *j-m ~ sein* aider qn (*bei etw* à faire qc)

be'hinder|n (*pas de -ge-*, *h*) gêner; **2te** *m*, *f* (*-n*; *-n*) handicapé *m* *-e f*; **~tengerecht** adapté aux handicapés

Behörde [bə'hø:rdə] (*-*; *-n*) autorité *f*, administration *f*

B

be'hüten (*pas de -ge-, h*) garder; *j-n vor etw* ~ préserver qn de qc

behutsam [bə'hu:tzɑ:m] précautionneux, prudent

bei [bai] *prép (dat) Nähe* près de; *bei e-r Person* auprès de, chez; ~ *mir* chez moi; ~ *sich haben* avoir sur soi; *beim Arzt* chez le médecin; ~ *Racine* chez *od* dans Racine; ~ *Tisch* à table; ~ *Tag* le *od* de jour; ~ *Nacht* la *od* de nuit; ~ *der Ankunft* à l'arrivée; ~ *Regen* en cas de pluie; ~ *100 Grad* à 100 degrés; *beim Reden* en parlant; *j-n bei seinem Namen rufen* appeler qn par son nom

'bei|behalten (*irr, sép, pas de -ge-, h,* → *halten*) conserver, maintenir; '~bringen (*irr, sép, -ge-, h,* → *bringen*) *Beweise etc* fournir, administrer; *Niederlage etc j-m etw* ~ *lehren* apprendre *od* enseigner qc à qn

Beicht|e ['baiçtə] *f* (-; -n) confession *f*; '2en (*h*) se confesser; *seine Sünden* confesser

beide ['baidə] les deux; *alle* ~ tous (les) deux; *einer von uns* ~*n* un de nous deux; *keiner von* ~*n* ni l'un ni l'autre

beiderseitig ['baidərzaitiç] des deux côtés, gegenseitig réciproque, mutuel

'Beifahrer *m* (-s; -) Pkw passager *m*; Lkw aide-conducteur *m*

'Beifall *m* (-[e]s; *sans pl*) applaudissements *m/pl*; *Zustimmung* approbation *f*; ~ *klatschen od spenden* applaudir (*j-m* qn)

'beifällig approbateur

'beifügen (*sép, -ge-, h*) joindre

'Bei|geschmack *m* (-[e]s; *sans pl*) goût *m* particulier, arrière-goût *m*; '~hilfe *f* Sozial 2 allocation *f*; *jur* complicité *f* (*zum Mord* de meurtre)

Beil [bail] *n* (-[e]s; -e) hache *f*, hachette *f*

'Beilage *f* (-; -n) Zeitung supplément *m*; Essen garniture *f*

beiläufig ['bailɔyfiç] en passant, incidemment

'beilegen (*sép, -ge-, h*) e-m Brief joindre (à); Streit régler

'Beileid *n* (-[e]s; *sans pl*) condoléances *f/pl*

beim → *bei*

'beimessen (*irr, sép, -ge-, h,* → *messen*) Bedeutung etc attribuer, attacher (*e-r Sache* à qc)

Bein [bain] *n* (-[e]s; -e) jambe *f*; Tier patte *f*; Tisch, Stuhl pied *m*; Knochen os *m*

'beinah(e) presque, à peu près; *ich wäre* ~ *gefallen* j'ai failli *od* j'ai manqué tomber

'Beinbruch *m* fracture *f* de la jambe; Sport Hals- und ~*!* bonne chance!

beisammen [bai'zamən] ensemble; 2sein *n* (-s; *sans pl*) gemütliches ~ réunion *f* amicale

'Beisein *n im* ~ *von* en présence de

bei'seite à part; Spaß ~*!* blague à part!; ~ *lassen* laisser de côté; ~ *legen* mettre de côté (*a Geld*)

'beisetz|en (*sép, -ge-, h*) enterrer; '2ung *f* (-; -en) enterrement *m*, funérailles *f/pl*

'Beispiel *n* (-[e]s; -e) exemple *m*; *zum* ~ (*abr z.B.*) par exemple (*abr p. ex.*); *sich ein* ~ *nehmen an* prendre exemple sur; 2haft exemplaire; 2los sans précédent

beißen ['baisən] (*biss, gebissen, h*) mordre; Rauch piquer; Farben *sich* ~ jurer

'Bei|stand *m* (-[e]s; ⸚e) assistance *f*, aide *f*; '2stehen (*irr, sép, -ge-, h,* → *stehen*) *j-m* assister *od* aider qn

'Beitrag ['baitra:k] *m* (-[e]s; ⸚e) contribution *f*; Mitglieds 2 cotisation *f*

'beitreten (*irr, sép, -ge-, sn,* → *treten*) e-r Partei etc ~ adhérer à *od* entrer dans un parti etc

'Beiwagen *m* Motorrad side-car *m*

Beize ['baitsə] *f* (-; -n) Holzfarbe teinture *f*; Farbentferner décapant *m*; Küche marinade *f*

beizeiten [bai'tsaitən] à temps

bejahen [bə'ja:ən] (*pas de -ge-, h*) répondre par l'affirmative (à); gutheißen approuver

bejahrt [bə'ja:rt] âgé

be'kämpfen (*pas de -ge-, h*) combattre; lutter contre

bekannt [bə'kant] connu (*für* pour); *mit j-m* ~ *sein* connaître qn; ~*machen* publier, rendre public; *j-n mit j-m* ~ *machen* présenter qn à qn; *sich mit etw* ~ *machen* se familiariser avec qc; *es kommt mir* ~ *vor* ça me rappelle qc; *mir ist* ~, *dass ...* je sais que ...; ~ *werden* Autor etc se faire connaître

Be'kannte *m, f* (-n; -n) (quelqu'un de ma) connaissance *f* be'kannt|lich comme on sait; **2ma- chung** f (-; -en) publication f; avis m; **2schaft** f (-; -en) connaissance f

be'kehren (pas de -ge-, h) convertir (**zu** à)

be'kenn|en (bekannte, bekannt, h) confesser, avouer; **sich zu etw ~** professer qc; **sich zu j-m ~** prendre parti pour qn; **sich schuldig ~** se reconnaître coupable; **2tnis** n (-ses; -se) confession f (a rel)

be'klagen (pas de -ge-, h) déplorer; **sich ~** se plaindre (**über** de); **~swert** à plaindre; déplorable

be'kleid|en (pas de -ge-, h) (re)vêtir (**mit** de); **ein Amt ~** occuper une fonction; **2ung** f (-; -en) vêtements m/pl

Be'klemmung f (-; -en) oppression f, serrement m de cœur

be'kommen (bekam, bekommen, h) recevoir; oft avoir; erlangen obtenir; Krankheit attraper; Ärger avoir; **sie bekommt ein Kind** elle va avoir un bébé; **Hunger ~** commencer à avoir faim; **Sie ~ noch 5 Franc** je vous dois encore cinq francs; **j-m (gut) ~** réussir à qn; **Essen das bekommt mir nicht** je ne supporte pas

be'kömmlich [bə'kœmliç] digeste, sain

be'kräftigen (pas de -ge-, h) confirmer

bekümmert [bə'kymərt] attristé, affligé

be|kunden [bə'kundən] (pas de -ge-, h) manifester; **~'laden** (belud, beladen, h) charger (**mit** de)

Belag [bə'la:k] m (-[e]s; ⸚e) enduit m (a méd), couche f, revêtement m; Zahn tartre m; Brot, Kupplung garniture f

be'lager|n (pas de -ge-, h) assiéger; **2ung** f (-; -en) siège m

Belang [bə'laŋ] m (-[e]s; -e) **von ~** d'importance; **~e** pl intérêts m/pl; **2en** (pas de -ge-, h) jur (gerichtlich) ~ poursuivre (en justice); **2los** sans importance, futile, insignifiant

belast|bar [bə'lastba:r] solide; Mensch endurant; **2barkeit** f (-; sans pl) résistance f; **~en** (pas de -ge-, h) charger (**mit** de; a jur); Konto débiter; Körper surmener; seelisch j-n ~ peser sur qn, accabler qn

belästigen [bə'lɛstigən] (pas de -ge-, h) incommoder, importuner

Be'lastung f (-; -en) charge f; fig poids

m; seelische stress m; Konto débit m

be'laufen (belief, belaufen, h) **sich ~ auf** se monter od s'élever od se chiffrer à

belebt [bə'le:pt] Straße animé; Szene mouvementé

Beleg [bə'le:k] m (-[e]s; -e) pièce f justificative, document m; **2en** [-'le:gən] (pas de -ge-, h) Platz marquer; reservieren retenir; beweisen prouver, justifier de; Brot garnir; **den ersten Platz ~** occuper la première place; **~schaft** f (-; -en) personnel m

belegt [bə'le:kt] Zunge chargé; Stimme voilé; Hotel complet; Zimmer, tél occupé; **~es Brot** sandwich m

be'lehren (pas de -ge-, h) instruire (**über** sur); **j-n e-s Besseren ~** ouvrir les yeux à qn, détromper qn

beleidig|en [bə'laidigən] (pas de -ge-, h) kränken vexer, offenser; beschimpfen insulter, injurier; **2ung** f (-; -en) offense f, injure f (a jur), insulte f

be'lesen **~ sein** avoir des lettres, être instruit

be'leucht|en (pas de -ge-, h) éclairer; festlich illuminer; **2ung** f (-; -en) éclairage m; illumination f

Belgi|en ['bɛlgjən] n (-s; sans pl) la Belgique; **~'er** m (-s; -), **~'erin** f (-; -nen) Belge m, f; **2sch** ['-iʃ] belge

be'licht|en (pas de -ge-, h) Foto exposer; **2ung** f (-; -en) pose f, exposition f; **2ungsmesser** m posemètre m

Be'lieben n (-s; sans pl) **nach ~** à volonté, à votre gré, comme il (vous) plaira

be'liebig quelconque, n'importe (le) quel; **jeder 2e** n'importe qui

be'liebt aimé (**bei** par), populaire; **sich bei j-m ~ machen** se faire bien voir par qn; **2heit** f (-; sans pl) popularité f

be'liefern (pas de -ge-, h) fournir od approvisionner (**mit** en)

bellen ['bɛlən] (h) aboyer

be'lohn|en (pas de -ge-, h) récompenser (**für** de od pour); **2ung** f (-; -en) récompense f

belustigen [bə'lustigən] (pas de -ge-, h) (**sich ~** s')amuser, (se) divertir

be|mächtigen [bə'mɛçtigən] (pas de -ge-, h) **sich j-s (e-r Sache) ~** s'emparer de qn (de qc); **~mängeln** [-'mɛŋəln] (pas de -ge-, h) critiquer

be'malen (pas de -ge-, h) peindre

B

bemannt [bə'mant] *Raumfahrzeug* habité

be'merk|bar *sich ~ machen* se faire remarquer; *Sache* se faire sentir; **~en** *(pas de -ge-, h)* remarquer *(a äußern)*, apercevoir, s'apercevoir de; **~enswert** remarquable; **2ung** *f (-; -en)* remarque *f*, observation *f*, réflexion *f*

bemitleiden [bə'mitlaidən] *(pas de -ge-, h)* **j-n ~** avoir pitié de qn, plaindre qn

be'müh|en *(pas de -ge-, h)* **sich ~** s'efforcer *(zu* de), se donner du mal *od* de la peine; *sich um j-n ~* prendre soin de qn; *sich um etw ~* faire des efforts pour obtenir qc; *~ Sie sich nicht!* ne vous dérangez pas!; **2ung** *f (-; -en)* effort *m*, peine *f*

be'nachbart voisin

benachrichtig|en [bə'na:xriçtigən] *(pas de -ge-, h)* **j-n von etw ~** informer *od* avertir qn de qc; **2ung** *f (-; -en)* information *f*, avertissement *m*

benachteilig|en [bə'na:xtailigən] *(pas de -ge-, h)* **j-n ~** désavantager *od* défavoriser *od* léser qn, porter préjudice à qn; **2ung** *f (-; -en)* préjudice *m*; **soziale ~** discrimination *f* sociale

be'nehmen *(benahm, benommen, h)* **1. sich ~** se conduire, se comporter; **2.** **2** *n (-s; sans pl)* conduite *f*, comportement *m*

be'neiden *(pas de -ge-, h)* **j-n um etw ~** envier qc à qn; **~swert** enviable

Bengel ['bɛŋəl] *m (-s; -)* gamin *m*, gosse F *m*; *péj* garnement *m*

be'nötigen *(pas de -ge-, h)* **etw ~** avoir besoin de qc, nécessiter qc

be'nutz|en, be'nütz|en *(pas de -ge-, h)* utiliser, employer, se servir; *Weg* emprunter; *Verkehrsmittel* prendre; *die Gelegenheit ~* profiter de l'occasion; **2er** *m (-s; -)* utilisateur *(a EDV m)*; *Verkehrsmittel* usager *m*; *Wörterbuch* lecteur *m*; **~erfreundlich** facile à utiliser; **2ung** *f (-; sans pl)* utilisation *f*, emploi *m*, usage *m*

Benzin [bɛn'tsi:n] *n (-s; -e)* essence *f*; *Auto kein ~ mehr haben* tomber en panne sèche; **~gutschein** *m* bon *m* d'essence; **~kanister** *m* bidon *m* d'essence, jerrycan *m*; **~motor** *m* moteur *m* à essence; **~uhr** *f* jauge *f* d'essence; **~verbrauch** *m* consommation *f* d'essence

beobacht|en [bə'ʔ'o:baxtən] *(pas de -ge-, h)* observer; **2er** *m (-s; -)*, **~erin** *f (-; -nen)* observateur *m*, -trice *f*; **2ung** *f (-; -en)* observation *f*; *méd* surveillance *f*

bequem [bə'kve:m] commode, confortable; *Weg* facile; *Person* qui aime ses aises; *es sich ~ machen* se mettre à son aise; **2lichkeit** *f (-; -en)* commodité *f*, confort *m*; *Trägheit* paresse *f*; *alle ~en* tout le confort

be'rat|en *(beriet, beraten, h)* **j-n ~** conseiller qn; *(sich über) etw ~* délibérer sur qc; *gut (schlecht) ~ sein* être bien (mal) avisé; **2er** *m (-s; -)* conseiller *m*; **2ung** *f (-; -en)* délibération *f*; *durch j-n* consultation *f*

be'rech|enbar calculable, prévisible; **~nen** *(pas de -ge-, h)* calculer; *j-m etw ~* compter qc à qn; **~nend** *péj* calculateur; **2nung** *f (-; -en)* calcul *m (a fig)*

berechtig|en [bə'rɛçtigən] *(pas de -ge-, h)* autoriser *(zu* à), donner le droit *(j-n zu* à qn de); **2ung** *f (-; -en)* autorisation *f*, droit *m*; bien-fondé *m*

Beredsamkeit [bə'reːtzamkait] *f (-; sans pl)* éloquence *f*

Be'reich *m (-[e]s; -e)* domaine *m*, sphère *f*

be'reichern *(pas de -ge-, h)* **(sich ~** s')enrichir

be'reinigen *(pas de -ge-, h)* *Sache* régler

be'reisen *(pas de -ge-, h)* *Land* parcourir; *als Vertreter* sillonner

bereit [bə'rait] prêt *(zu* à); *sich ~ erklären* se déclarer prêt; **~en** *(pas de -ge-, h)* *Sorge etc* causer; *Überraschung* ménager; *Essen* préparer; **~halten** *(irr, sép, -ge-, h, → halten)* tenir prêt

bereits [bə'raits] déjà

Be'reitschaft *f (-; -en)* disposition *f (zu* à); **~sdienst** *m* permanence *f*; *méd* service *m* de garde

be'reitstellen *(sép, -ge-, h)* préparer; mettre à la disposition *(für j-n* de qn)

be'reitwillig empressé; *adv* volontiers

Berg [bɛrk] *m (-[e]s; -e)* montagne *f*; *fig* *die Haare stehen einem zu ~e* cela (vous) fait dresser les cheveux sur la tête; **2'ab** en descendant; *fig es geht mit ihm ~* sa santé décline; **'~arbeiter** *m* mineur *m*; **2'auf** en montant; *es geht wieder ~ comm* les affaires reprennent; *méd* ça va mieux; **'~bau** *m* industrie f minière; '**~besteigung** f ascension

bergen ['bɛrɡən] (*barg, geborgen, h*) sauver; *aus dem Wasser* repêcher; *Tote* dégager; *Sachen* récupérer

'**Berg**|**führer** m guide m de (haute) montagne; '**~gipfel** m sommet m

bergig ['bɛrɡɪç] montagneux

'**Berg**|**kette** f chaîne f de montagnes; '**~mann** m mineur m; '**~predigt** rel f Sermon m sur la montagne; '**~steigen** n (*-s; sans pl*) alpinisme m; '**~steiger** m (*-s; -*), '**~steigerin** f (*-; -nen*) alpiniste m, f; '**~wanderung** f excursion f en montagne

Bericht [bə'rɪçt] m (*-[e]s; -e*) rapport m, compte rendu m; *erzählend* récit m; *Presse* reportage m; **2en** (*pas de -ge-, h*) **j-m etw** *od* **über etw ~** rapporter qc à qn; **von** *od* **über etw ~** relater qc, faire le récit de qc; **~erstatter** m reporter m, correspondant m

berichtig|**en** [bə'rɪçtɪɡən] (*pas de -ge-, h*) rectifier, corriger; **2ung** (*-; -en*) f rectification f, correction f

Bernstein ['bɛrnʃtaɪn] m (*-[e]s; sans pl*) ambre m (jaune)

bersten ['bɛrstən] (*barst, geborsten, sn*) crever, éclater (*fig* **vor** de)

berüchtigt [bə'rʏçtɪçt] *Ort* mal famé; *Verbrecher* notoire

berücksichtigen [bə'rʏkzɪçtɪɡən] (*pas de -ge-, h*) prendre en considération, tenir compte de

Beruf [bə'ruːf] m (*-[e]s; -e*) profession f, métier m; **von ~** de son métier

be'ruf|**en** (*berief, berufen, h*) **in zu etw ~** appeler *od* nommer qn au poste de ...; **sich ~ auf** se réclamer de

be'ruflich professionnel; *adv* par sa profession

Be'rufs|**anfänger** m débutant m professionnel; '**~ausbildung** f formation f professionnelle; '**~beratung** f orientation f professionnelle; **2bildend ~e** *Schule* école f professionnelle; '**~kleidung** f vêtements m/pl professionnels; '**~krankheit** f maladie f professionnelle; '**~möglichkeiten** f/pl débouchés m/pl; '**~schule** f école f professionnelle; '**~soldat** m militaire m de carrière; **2tätig** qui exerce une activité professionnelle; *die* **2en** les travailleurs m/pl; '**~verkehr** m heures f/pl de pointe

od d'affluence

Be'rufung f (*-; -en*) *Ernennung* nomination f; *innere* vocation f; *jur* appel m; **~ einlegen** faire appel; '**~sgericht** n cour f d'appel

be'ruhen (*pas de -ge-, h*) **~ auf** reposer sur, être basé sur; *die Sache auf sich ~ lassen* laisser l'affaire où elle en est

be'ruhig|**en** [bə'ruːɪɡən] (*pas de -ge-, h*) (*sich ~* se) calmer, (s')apaiser, (se) rassurer, (se) tranquilliser; **~end** rassurant; **2ung** f (*-; sans pl*) apaisement m; **2ungsmittel** n calmant m, tranquillisant m, sédatif m

berühmt [bə'ryːmt] célèbre, renommé, fameux; **2heit** f célébrité f (*a Person*)

be'rühr|**en** (*pas de -ge-, h*) toucher (*a fig*); *erwähnen* mentionner; **2ung** f (*-; -en*) contact m

besänftig|**en** [bə'zɛnftɪɡən] (*pas de -ge-, h*) apaiser, calmer

Be'satzung f (*-; -en*) *aviat, mar* équipage m; '**~smacht** f puissance f occupante; '**~struppen** f/pl troupes f/pl d'occupation

be'schädig|**en** (*pas de -ge-, h*) endommager, abîmer; **2ung** f (*-; -en*) endommagement m, dégradation f, détérioration f

be'schaffen (*pas de -ge-, h*) procurer, fournir; **2heit** f (*-; sans pl*) qualité f, nature f, état m

beschäftig|**en** [bə'ʃɛftɪɡən] (*pas de -ge-, h*) occuper; *Arbeitskräfte* employer; *Gedanke* **j-n ~** préoccuper qn; *sich ~ mit* s'occuper de; **~t** [-çt] occupé (*mit etw* à faire qc); **2te** m, f (*-n; -n*) employé, employée f; **2ung** f (*-; -en*) occupation f; *berufliche* emploi m

be'schämend *schändlich* honteux; *demütigend* humiliant

beschatten [bə'ʃatən] (*pas de -ge-, h*) *Personen* surveiller, F filer

be'schaulich contemplatif, paisible

Bescheid [bə'ʃaɪt] m (*-[e]s; -e*) réponse f; **j-m ~ geben** *od* **sagen** informer *od* aviser qn; **~ wissen** être au courant (*über* de); **abschlägiger ~** refus m

bescheiden [bə'ʃaɪdən] modeste; **2heit** f (*-; sans pl*) modestie f

bescheinig|**en** [bə'ʃaɪnɪɡən] (*pas de -ge-, h*) certifier, attester; *hiermit wird bescheinigt, dass ...* par la présente, il est certifié que ...; **2ung** f (*-; -en*)

B

certificat *m*, attestation *f*

be'scheißen (*beschiss, beschissen, h*) P *j-n ~* F rouler qn; *beschissen werden* se faire rouler

be'schenken (*pas de -ge-, h*) *j-n ~* faire un cadeau à qn; *j-n mit etw ~* faire cadeau *od* présent de qc à qn

Bescherung [bə'ʃeːruŋ] *f* (-; -*en*) distribution *f* des cadeaux *m/pl*; *fig* F *da haben wir die ~!* nous voilà dans de beaux draps!

be'schimpfen (*pas de -ge-, h*) insulter, injurier

be'schissen P emmerdant

Be'schlag *m* (-[*e*]*s*; ¨*e*) ferrure *f*; *in ~ nehmen* accaparer; **2en** (*beschlug, beschlagen, h*) *Pferd* ferrer; *Glas* (*sich*) *~* se couvrir de buée; *in etw ~ sein* être fort en qc, être versé dans qc, être ferré sur qc; *~nahme* [-'ʃlaːknaːmə] *f* (-; -*n*) saisie *f*, confiscation *f*, réquisition *f*; **2nahmen** (*pas de -ge-, h*) saisir, confisquer, réquisitionner

beschleunig|en [bə'ʃlɔynɡən] (*pas de -ge-, h*) accélérer; **2ung** *f* (-; -*en*) accélération *f*

be'schließen (*beschloss, beschlossen, h*) décider, résoudre (*zu* de); *beenden* terminer

Be'schluss *m* (-*es*; ¨*e*) résolution *f*, décision *f*; **2fähig** qui atteint le quorum

be'schmutzen (*pas de -ge-, h*) (*sich ~*) se) salir *od* souiller

be'schneiden (*beschnitt, beschnitten, h*) rogner (*a fig*); *rel* circoncire

beschönig|en [bə'ʃøːnɪɡən] (*pas de -ge-, h*) embellir, enjoliver; **2ung** *f* (-; -*en*) embellissement *m*; euphémisme *m*

beschränken [bə'frɛŋkən] (*pas de -ge-, h*) limiter (*auf* à), borner, restreindre; *sich ~ auf* se borner *od* se limiter à

beschrankt [bə'fraŋkt] *Bahnübergang* gardé

be'schränk|t limité; *geistig* borné, étroit; **2ung** *f* (-; -*en*) limitation *f*, restriction *f*

be'schreib|en (*beschrieb, beschrieben, h*) décrire; *Papier* écrire sur; **2ung** *f* (-; -*en*) description *f*

beschuldigen [bə'fuldɪɡən] (*pas de -ge-, h*) accuser, *jur* inculper (*j-n e-r Sache* qn de qc)

be'schütz|en (*pas de -ge-, h*) protéger (*vor* de *od* contre); **2er** *m* (-*s*; -), **2erin** *f* (-; -*nen*) protecteur *m*, -trice *f*

Beschwerde [bə'ʃveːrdə] *f* (-; -*n*) réclamation *f*, plainte *f*; *~n pl méd* douleur *f*, troubles *m/pl*

be'schwer|en (*pas de -ge-, h*) charger; *sich ~* se plaindre (*über* de; *bei j-m* à qn); *~lich* fatigant, pénible

beschwichtigen [bə'ʃvɪçtɪɡən] (*pas de -ge-, h*) apaiser, calmer

be'schwören (*beschwor, beschworen, h*) affirmer par serment, jurer; *anflehen* conjurer; *Geister* évoquer; *bannen* conjurer

beseitigen [bə'zaitɪɡən] (*pas de -ge-, h*) supprimer, faire disparaître, enlever, écarter, éloigner; *umbringen* liquider

Besen ['beːzən] *m* (-*s*; -) balai *m*

besessen [bə'zɛsən] obsédé (*von* par), maniaque; *vom Teufel* possédé

be'setz|en (*pas de -ge-, h*) occuper; *Kleid* garnir (*mit* de); *~t* occupé (*a tél*); *Bus, Zug* complet; **2tzeichen** *n* tonalité *f* occupée; **2ung** *f* (-; -*en*) *mil* occupation *f*; *Theater, Film* distribution *f*

besichtig|en [bə'zɪçtɪɡən] (*pas de -ge-, h*) visiter, aller voir; **2ung** *f* (-; -*en*) visite *f*

be'siedel|n (*pas de -ge-, h*) coloniser; *bevölkern* peupler; *~t dicht* (*dünn*) *~ sein* avoir une population dense (clairsemée)

be'siegen (*pas de -ge-, h*) vaincre

be'sinn|en (*besann, besonnen, h*) *sich ~* réfléchir; *sich auf etw ~* se rappeler qc; *sich anders ~* se raviser; **2ung** *f* (-; *sans pl*) connaissance *f*; *die ~ verlieren* perdre connaissance; *fig zur ~ kommen* revenir à la raison; *~ungslos* sans connaissance, évanoui

Be'sitz *m* (-*es*; *sans pl*) possession *f*; *Eigentum* propriété *f*; *~ ergreifen von*, *in ~ nehmen* prendre possession de; **2en** (*besaß, besessen, h*) posséder, avoir; *~er m* (-*s*; -), *~erin* *f* (-; -*nen*) possesseur *m*; *Inhaber* détenteur *m*, -trice *f*; *Eigentümer* propriétaire *m*, *f*

Besoldung *f* [bə'zɔlduŋ] *f* (-; -*en*) traitement *m*, appointements *m/pl*

besonder|e [bə'zɔndərə] spécial, particulier, exceptionnel; **2heit** *f* (-; -*en*) particularité *f*; *~s* spécialement, particulièrement, en particulier, surtout

besonnen [bə'zɔnən] réfléchi, pondéré, circonspect

be'**sorg|en** (*pas de -ge-*, *h*) beschaffen procurer; *sich kümmern* s'occuper de; **2nis** [-knis] *f* (-; -*se*) crainte *f*, inquiétude *f*; ~ **erregend** inquiétant; **2ung** *f* (-; -*en*) **~en machen** faire des courses

be'**sprech|en** (*besprach*, *besprochen*, *h*) *etw* ~ discuter qc; *sich mit j-m* ~ conférer avec qn (*über etw* de qc); *ein Buch* ~ faire la critique d'un livre; **2ung** *f* (-; -*en*) discussion *f*, conférence *f*; *Zeitungskritik* compte rendu *m*, critique *f*

besser ['besər] meilleur; *adv* mieux; *es geht ihm* ~ il va mieux; ~ *werden* s'améliorer; *es ist* ~ il vaut mieux *od* mieux vaut (*zu schweigen als* ... se taire que de ...); *immer* ~ de mieux en mieux; *um so* ~ tant mieux

besser|n (*h*) *sich* ~ s'améliorer; *Wetter a* se remettre au beau; *Person* s'amender; '**2ung** *f* (-; *sans pl*) amélioration *f*; *méd* rétablissement *m*

Be'**stand** *m* (-[*e*]*s*, ¨*e*) (*Fort*)*Bestehen* existence *f*, durée *f*, continuité *f*; *Tier* 2 population *f*; *Personal* effectif *m*; *Vorrat* stock *m*; ~ *haben* durer, persister

be'**ständig** constant; durable, persistant; continuel, perpétuel; stable (*a Wetter*); **2keit** *f* (-; *sans pl*) constance *f*, durée *f*; stabilité *f*

Bestand|saufnahme [bə'ʃtants?-] *f* inventaire *m*; **~teil** *m* partie *f* intégrante, composante, élément *m*

bestätig|en [bə'ʃtɛːtigən] (*pas de -ge-*, *h*) confirmer; *Brief* accuser réception de; *sich* ~ se confirmer, se vérifier; **2ung** *f* (-; -*en*) confirmation *f*

bestatt|en [bə'ʃtatən] (*pas de -ge-*, *h*) inhumer; **2ungsinstitut** *n* pompes *f/pl* funèbres

beste ['bestə] meilleur; *am* ~*n* le mieux; *sein* ~*r Freund* son meilleur ami; *der erste* 2 le premier venu; *er ist der* 2 il est le meilleur; *das* 2 le meilleur; *sein* 2*s tun* faire de son mieux; *es ist das* 2 *od am* ~*n*, *zu* ... le mieux est de ...; *j-n zum* 2*n haben* se moquer de qn

be'**stech|en** (*bestach*, *bestochen*, *h*) corrompre, acheter; *fig* séduire; ~**lich** corruptible; **2ung** *f* (-; -*en*) corruption

f; **2ungsgelder** *n/pl* pot-de-vin *m*

Besteck [bə'ʃtɛk] *n* (-[*e*]*s*; -*e*) couvert *m*

be'**stehen** (*bestand*, *bestanden*, *h*) **1.** *Prüfung* réussir; *Kampf* soutenir (avec succès); *existieren* exister; *auf etw* ~ insister sur qc; *darauf* ~ *zu* ... insister pour ...; ~ *aus* se composer de; *darin* ~ *zu* ... consister à ...; **2.** 2 *n* (-*s*; *sans pl*) existence *f*

be'**steig|en** (*bestieg*, *bestiegen*, *h*) monter sur; *Berg a* faire l'ascension de, escalader; **2ung** *f* (-; -*en*) ascension *f*

be'**stell|en** (*pas de -ge-*, *h*) *Waren* commander; *Zimmer* retenir, faire réserver; *Grüße* transmettre; *Feld* cultiver; *j-n* ~ faire venir qn; **2formular** *n* formulaire *m* de commande; **2ung** *f* (-; -*en*) commande *f*; *comm* ordre *m*

be'**sten|falls** (en mettant les choses) au mieux; '~*s* pour le mieux

be'**steuer|n** (*pas de -ge-*, *h*) imposer, taxer; **2ung** *f* (-; *sans pl*) taxation *f*, imposition *f*

be'**stimmen** (*pas de -ge-*, *h*) festlegen déterminer, fixer; *anordnen* arrêter, décider; ~ *über* décider *od* disposer de; *für od zu etw* ~ destiner à qc; *j-n* ~ désigner qn (*für od zu* pour)

be'**stimmt** feststehend déterminé; *entschieden* décidé, résolu, ferme; *adv sicher* certainement, sûrement; *in* ~*en Fällen* dans certains cas; **2heit** *f* (-; *sans pl*) *Entschlossenheit* détermination *f*, fermeté *f*; *Gewissheit* certitude *f*

Be'**stimmung** *f* (-; -*en*) *Vorschrift* disposition *f*, règlement *f*; *Festlegung* détermination *f*, définition *f*; *Zweck* 2 destination *f*; *Schicksal* destinée *f*; ~**sort** [-s?ɔrt] *m* (lien *m* de) destination *f*

be'**strafen** (*pas de -ge-*, *h*) punir

Be'**strahlung** *f* (-; -*en*) irradiation *f*

be'**streiken** (*pas de -ge-*, *h*) immobiliser par une grève

be'**streit|en** (*bestritt*, *bestritten*, *h*) contester; *Kosten* subvenir à; ~'**stürmen** (*pas de -ge-*, *h*) *j-n mit Fragen* ~ assaillir, presser qn de questions

be'**stürzt** consterné (*über* de), interdit

Besuch [bə'zuːx] *m* (-[*e*]*s*; -*e*) visite *f*; *bei j-m zu* ~ *sein* être en visite chez qn; **2en** (*pas de -ge-*, *h*) hingehen aller voir; *herkommen* venir voir; *förmlich* rendre visite à; *Schule* fréquenter;

Kurs suivre; *Museum, Stadt* visiter; **~er** *m* (*-s*, *-*), **~erin** *f* (*-*; *-nen*) visiteur *m*, -euse *f*; **~szeit** *f* heures *f/pl* de visite
be'sucht couru, fréquenté
betagt [bə'ta:kt] âgé, d'un grand âge
betätigen [bə'tɛ:tigən] (*pas de -ge-, h*) *Hebel* actionner; **sich ~** s'occuper; **sich bei etw ~** prendre part à qc; **sich politisch ~** avoir une activité politique
betäub|en [bə'tɔybən] (*pas de -ge-, h*) étourdir; *durch Lärm* abasourdir, assourdir; *méd* anesthésier, **2ungsmittel** *méd n* anesthésique *m*, narcotique *m*
Bete *bot* ['be:tə] *f* (*-*; *-n*) *Rote ~* betterave *f* rouge
beteilig|en [bə'tailigən] (*pas de -ge-, h*) **j-n ~** faire participer qn (*an* à); **sich ~ an** *od* **bei** participer *od* prendre part à; **~t** [-içt] participation *f*, narcotique *m*; **~ sein an** *Unfall, Verbrechen* être concerné par; *Unternehmen* être intéressé dans; **2ung** *f* (*-*; *-en*) participation *f*
beten ['be:tən] (*h*) prier; *zu Gott ~* prier Dieu
be'teuern (*pas de -ge-, h*) *Unschuld etc* protester de
Beton [be'tɔ:n; be'tɔŋ] *m* (*-s*, *-s*, *-e*) béton *m*
be'tonen (*pas de -ge-, h*) accentuer (*a fig*)
betonieren [beto'ni:rən] (*pas de -ge-, h*) bétonner
Be'tonung *f* (*-*; *-en*) accentuation *f*
Betracht [bə'traxt] *m* *in ~ ziehen* prendre en considération *f*; (**nicht**) *in ~ kommen* (ne pas) entrer en ligne de compte; **2en** (*pas de -ge-, h*) regarder, contempler; **~ als** considérer comme
beträchtlich [bə'trɛçtliç] considérable
Be'trachtung *f* (*-*; *-en*) contemplation *f*; *Erwägung* considération *f*
Betrag [bə'tra:k] *m* (*-[e]s*; *-̈e*) montant *m*, somme *f*
be'tragen [-a:gən] (*betrug, betragen, h*) **1.** *Summe* s'élever à, se monter à; *Geschwindigkeit* être de l'ordre de; **sich ~** se conduire, se comporter; **2.** **2** *n* (*-s*; *sans pl*) conduite *f*, comportement *m*
be'treffen (*betraf, betroffen, h*) concerner; *was ... mich betrifft* en ce qui concerne ...; *was mich betrifft* quant à moi; *Briefkopf betrifft* (*abr betr.*) objet
be'treten **1.** (*betrat, betreten, h*) mettre

le pied sur *od* dans; *Raum* entrer dans; *Rasen* marcher sur; **2.** *adj* embarrassé, confus
betreuen [bə'trɔyən] (*pas de -ge-, h*) s'occuper de, prendre *od* avoir soin de
Betrieb [bə'tri:p] *m* (*-[e]s*, *-e*) *Unternehmen* entreprise *f*; *agr* exploitation *f*; *e-r Maschine* marche *f*, fonctionnement *m*; *Treiben* animation *f*, activité *f*; *in ~ sein* être en marche *od* en service; *in ~ setzen* mettre en marche; *außer ~* hors service; **2lich** de l'entreprise; **~e Mitbestimmung** cogestion *f*; **2sam** actif
Be'triebs|anleitung *f* mode *m* d'emploi; **~ausgaben** *f/pl* charges *f/pl* (de l'entreprise); **~ferien** *pl* congés *m/pl* annuels; **~gewinn** *m* bénéfice *m* d'exploitation; **~kapital** *n* fonds *m/pl* de roulement; **~klima** *n* ambiance *f* de l'entreprise; **~kosten** *pl* frais *m/pl* d'exploitation; **~leiter** *m* chef *m* d'entreprise; **~leitung** *f* direction *f*, management *m*; **~rat** *m* comité *m* d'entreprise; **~ratsmitglied** *n* délégué *m* du personnel; **~system** *EDV n* système *m* d'exploitation; **~wirtschaft** *f* gestion *f* des entreprises
be'trinken (*betrank, betrunken, h*) **sich ~** s'enivrer, se soûler
betroffen [bə'trɔfən] bouleversé, consterné; affecté, touché
Betrug [bə'tru:k] *m* (*-[e]s*; *sans pl*) escroquerie *f*, fraude *f*
be'trüg|en (*betrog, betrogen, h*) tromper, duper (*j-n* qn), tricher, frauder; **2er** *m* (*-s*; *-*), **2erin** *f* (*-*; *-nen*) escroc *m*, fraudeur *m*, -euse *f*; **~erisch** frauduleux; *Person* malhonnête
be'trunken ivre, soûl
Bett [bɛt] *n* (*-[e]s*; *-en*) lit *m*; *das ~ hüten* garder le lit; *zu ~ gehen* (aller) se coucher
betteln ['bɛtəln] (*h*) mendier (*um etw* qc)
Bettler ['bɛtlər] *m* (*-s*; *-*), **~in** *f* (*-*; *-nen*) mendiant *m*; -e *f*
'Bett|wäsche *f*, **~zeug** *n* draps *m/pl*, literie *f*
beugen ['bɔygən] (*h*) plier, fléchir, courber; *das Recht ~* faire une entorse au droit; **sich ~** se pencher; *fig* se soumettre (à)
Beule ['bɔylə] *f* (*-*; *-n*) bosse *f*

beunruhigen [bə'ʔunruːigən] (*pas de -ge-, h*) (**sich** ~ s')inquiéter

beurlauben [bə'ʔuːrlaʊbən] (*pas de -ge-, h*) donner un congé à; *Beamten* suspendre de ses fonctions

beurteil|en [bə'ʔurtaɪlən] (*pas de -ge-, h*) juger de, apprécier; **2ung** (-; -en) f jugement m, appréciation f

Beute ['bɔʏtə] f (-; *sans pl*) butin m; *e-s Tieres* proie f

Beutel ['bɔʏtəl] m (-s; -) sac m; *Geld2* bourse f; *Känguru* poche f

bevölker|n [bə'fœlkərn] (*pas de -ge-, h*) (**sich** ~ se) peupler (**mit** de); **2ung** f (-; -en) population f; **2ungsexplosion** f poussée f démographique

bevollmächtig|en [bə'fɔlmɛçtɪgən] (*pas de -ge-, h*) autoriser, donner mandat od procuration à; **2te** [-çtə] m, f (-n; -n) mandataire m

bevor [bə'foːr] avant que (+ *subj*); avant de (+ *inf*); **~munden** [bə'foːrmʊndən] (*pas de -ge-, h*) tenir en tutelle; **~stehen** (*irr, sép, -ge-, h*, → *stehen*) être proche; **unmittelbar** ~ être imminent

bevorzug|en [bə'foːrtsuːgən] (*pas de -ge-, h*) préférer, favoriser; **2ung** f (-; *sans pl*) préférence f (pour)

be'wach|en (*pas de -ge-, h*) garder, surveiller; **2ung** f (-; -en) garde f, surveillance f

bewaffn|en [bə'vafnən] (*pas de -ge-, h*) (**sich** ~ s')armer (**mit** de); **2ung** f (-; -en) armement m

be'wahren (*pas de -ge-, h*) garder; **j-n ~ vor** préserver qn de

be'währen (*pas de -ge-, h*) **sich** ~ faire ses preuves

be'währt éprouvé; **2ung** f (-; -en) jur *mit* ~ avec sursis

bewältigen [bə'vɛltɪgən] (*pas de -ge-, h*) *Arbeit* venir à bout de; *Enttäuschung* surmonter; *Strecke* parcourir; *Vergangenheit* assumer

be'wandert ~ **sein in** être fort od F calé en od versé dans

be'wässer|n (*pas de -ge-, h*) irriguer; **2ung** f (-; -en) irrigation f

beweg|en [bə'veːgən] **1.** (*bewog, bewogen, h*) **j-n zu etw** ~ engager od déterminer qn à qc; **2.** (*pas de -ge-, h*) remuer, bouger; **j-n** ~ *rühren* émouvoir, toucher qn; **sich** ~ bouger, remuer; **2grund** [-k-] m mobile m, motif m; **~lich** [-k-] mobile; *geistig* vif; **2lichkeit** [-k-] f (-; *sans pl*) mobilité f

be'weg|t [-kt] *Leben* mouvementé, agité (*a Meer*); *gerührt* ému; **2ung** [-guŋ] f (-; -en) mouvement m; *körperliche* exercice m; *Rührung* émotion f

Beweis [bə'vaɪs] m (-es; -e) preuve f; *wissenschaftlicher* démonstration f; **2en** [-zən] (*bewies, bewiesen, h*) prouver; *Lehrsatz* démontrer; *Eifer etc* faire preuve de; **~führung** f argumentation f, démonstration f; **~stück** jur n pièce f à conviction

be'wenden (*inf*) **es bei etw** ~ **lassen** s'en tenir à qc

be'werb|en (*bewarb, beworben, h*) **sich** ~ **um** poser sa candidature à; **sich um e-e Stelle** ~ solliciter, postuler un emploi; **2er** m (-s; -), **2erin** f (-; -nen) candidat m, -e f (**um** à); postulant m, -e f; **2ung** f (-; -en) candidature; **2ungsgespräch** n entretien m (de sollicitation); **2ungsschreiben** n lettre f de candidature

be'wert|en (*pas de -ge-, h*) évaluer; **2ung** f (-; -en) évaluation f

bewillig|en [bə'vɪlɪgən] (*pas de -ge-, h*) accorder, octroyer; *Rechte* concéder

be'wirken (*pas de -ge-, h*) produire, provoquer, amener

be'wirt|en (*pas de -ge-, h*) régaler; **2ung** f (-; *sans pl*) hospitalité f, accueil m, service m

be'wohn|en (*pas de -ge-, h*) habiter; **2er** m (-s; -), **2erin** f (-; -nen) habitant m, -e f; *Haus, Wohnung* occupant m, -e f

bewölk|t [bə'vœlkt] nuageux; **2ung** f (-; *sans pl*) nuages m/pl

be'wundern (*pas de -ge-, h*) admirer; **~swert** admirable

bewusst [bə'vʊst] conscient; *absichtlich* voulu, intentionnel; *fraglich* en question; **sich e-r Sache** ~ **sein** être conscient od avoir conscience de qc; **sich e-r Sache** ~ **werden** prendre conscience de qc, se rendre compte de qc; **~los** sans connaissance; **2sein** n (-s; *sans pl*) conscience f; *Besinnung* connaissance f; **das ~ verlieren (wiedererlangen)** perdre (reprendre) connaissance

be'zahl|en (*pas de -ge-, h*) payer; **2fernsehen** n (-s; -) chaîne f payante;

B

B

..t *sich* ~ *machen* rapporter, être payant; **2ung** *f* (-; *sans pl*) paiement *m*

be'zaubernd charmant, ravissant

be'zeichn|en (*pas de -ge-*, *h*) *Weg etc* marquer; *benennen* désigner; ~ *als* qualifier de; ~end significatif, caractéristique (**für** de); **2ung** *f* (-; *-en*) désignation *f*, qualification *f*; *genaue* spécification *f*

be'zeugen (*pas de -ge-*, *h*) témoigner (**etw** de qc), attester

be'ziehen (*bezog, bezogen, h*) *Haus, Wohnung* aller occuper, s'installer dans; *Waren* acheter, faire venir; *Zeitung* être abonné à; *Gehalt, Rente* toucher; (*sich*) ~ *auf* se rapporter à, (se) référer à, avoir trait à; *Himmel sich* ~ se couvrir; *die Betten* ~ mettre des draps; **2ung** *f* (-; *-en*) rapport *m*, relation *f*; ~en haben avoir du piston F; *in dieser* ~ à cet égard; *in gewisser* ~ à certains égards; ~ungsweise respectivement; ou plutôt

Bezirk [bə'tsirk] *m* (-*[e]s*; *-e*) district *m*; *Stadt2* quartier *m*

Bezug [bə'tsu:k] *m* (-*[e]s*; *-e*) *Überzug* enveloppe *f*; *Bett* draps *m/pl*; *Waren* achat *m*; *Zeitung* abonnement *m*; *Beziehung* rapport *m* (**zu** avec); **Bezüge** *pl Gehalt* appointements *m/pl*; *in* ~ *auf* par rapport à, relativement à, concernant; ~ *nehmen auf* se référer à

Be'zugs|person *psych f* personne *f* de référence; ~punkt *m* point *m* de référence

be'|zwecken (*pas de -ge-*, *h*) avoir pour but; ~'zweifeln (*pas de -ge-*, *h*) douter de

Bibel ['bi:bəl] *f* (-; *-n*) Bible *f*

Biber ['bi:bər] *zo m* (-*s*; -) castor *m*

Bibliothek [biblio'te:k] *f* (-; *-en*) bibliothèque *f*; ~ar [-e'ka:r] *m* (-*s*; *-e*), ~arin *f* (-; *-nen*) *m* bibliothécaire *m*, *f*

biblisch ['bi:bliʃ] biblique; **2e Geschichte** histoire sainte

bieg|en ['bi:gən] (*bog, gebogen*) **1.** *v/t* (*h*) plier, courber; **2.** *v/i* (*sn*) *um die Ecke* ~ tourner le coin de la rue; ~sam ['bi:kza:m] pliable, flexible, souple; **2ung** *f* (-; *-en*) courbure *f*, coude *m*; *Straße* tournant *m*

Biene ['bi:nə] *f* (-; *-n*) abeille *f*

Bienen|korb *m*, ~stock *m* ruche *f*; ~zucht *f* apiculture *f*

Bier [bi:r] *n* (-*[e]s*; *-e*) bière *f*; *helles* (*dunkles*) ~ bière blonde (brune); ~brauer *m* brasseur *m*; ~krug *m* chope *f*

bieten ['bi:tən] (*bot, geboten, h*) offrir; *sich* ~ se présenter; *sich etw nicht* ~ *lassen* ne pas se laisser marcher sur les pieds

Bilanz [bi'lants] *f* (-; *-en*) bilan *m*; *Handels2* balance *f*

Bild [bilt] *n* (-*[e]s*; *-er*) image *f*; *Gemälde* tableau *m*; *Foto* photo *f*; *sich ein* ~ *machen von* se faire une idée de; *im* ~*e sein* être au courant (**über** de); ~berichterstatter *m* reporter-photographe *m*, photo-reporter *m*

bilden ['bildən] (*h*) former; *ausmachen* constituer; *sich* ~ se former; *geistig a* se cultiver, s'instruire; ~d éducatif, instructif; ~e Kunst arts *m/pl* plastiques

'Bilder|buch *n* livre *m* d'images; ~rahmen *m* cadre *m*; ~rätsel *n* rébus *m*

'Bild|fläche *f fig auf der* ~ *erscheinen* faire son apparition; *von der* ~ *verschwinden* s'éclipser, disparaître de la circulation; ~hauer *m* (-*s*; -) sculpteur *m*; *2lich* figuratif figuratif; *übertragen* figuré, métaphorique; ~nis *n* (-*ses*; *-se*) portrait *m*; ~platte *f* vidéodisque *m*; ~röhre *TV f* tube *m* cathodique; ~schirm *m* écran *m* (de télévision); ~schirmarbeit *f* travail *m* sur écran; ~schirmarbeitsplatz *m* poste *m* de travail sur écran; ~schirmfenster *n* fenêtre *f*; ~schirmschoner *m* économiseur *m* d'écran; ~schirmtext *m* vidéotex *m*, Minitel *m* (*marque!*); ~störung *TV f* coupure *f*; ~telefon *n* vidéophone *m*

'Bildung *f* (-; *-en*) formation *f*; *geistige a* culture *f*; *Schul2* éducation *f*, instruction *f*; ~slücke *f* lacune *f*; ~sreform *f* réforme *f* de l'enseignement

Billard ['biljart] *n* (-*s*; *-e*) billard *m*; ~kugel *f* bille *f*; ~stock *m* queue *f*

billig ['biliç] bon marché; ~er meilleur marché; *recht und* ~ juste et équitable; ~en [-gən] (*h*) approuver; *2flug m* vol *m* à prix réduit; *2lohnland n* pays *m* à main-d'œuvre bon marché; '~ung *f* [-gun] *f* (-; *sans pl*) approbation *f*

Billion [bi'ljo:n] *f* (-; *-en*) billion *m*

Binde ['bində] *f* (-; *-n*) bande *f*; *Verband*

bandage m; Arm≳ écharpe f; Monats≳ serviette f hygiénique; '**~gewebe** n tissu m conjonctif; '**~glied** n lien m; '**~haut** f conjonctive f; '**~hautentzündung** méd f conjonctivite f

'**binden** (*band, gebunden, h*) attacher (**an** à); *Krawatte* nouer; *Buch* relier; *verpflichten* engager, lier

'**Bindestrich** m trait m d'union

'**Bindfaden** m ficelle f

'**Bindung** f (-; -en) *innere* lien m; *vertragliche* engagement m; *chim, phys, Phonetik* liaison f; *Ski* fixation f

binnen ['bɪnən] *prép* (*dat od gén*) dans (un délai de); **~ kurzem** sous peu

'**Binnen**|**hafen** m port m fluvial; '**~handel** m commerce m intérieur; '**~markt** m marché m intérieur; '**~schiffahrt** f navigation f fluviale

Binse ['bɪnzə] f *bot* (-; -n) jonc m; fig *in die ~n gehen* F être foutu *od* fichu; '**~nwahrheit** f vérité f de la Palice

Bio|**chemie** [bioçe'miː] f (-; *sans pl*) biochimie f; **~grafie**, **~graphie** [-gra'fiː] f (-; -n) biographie f; '**~laden** m magasin m de produits écologiques; **~loge** [-'loːgə] m (-n; -n), **~login** [-'loːgɪn] f (-; -nen) biologiste m; **~logie** [-lo'giː] f (-; *sans pl*) biologie f; **2logisch** [-'loːgɪʃ] biologique; **~ abbaubar** biodégradable; **~müll** m déchets m/pl organiques; **~produkt** n produit m organique; **~rhythmus** m biorythme m; **~tonne** f poubelle f pour les déchets organiques; **~top** [-'toːp] biol n (-s; -e) biotope m

Birke ['bɪrkə] f *bot* (-; -n) bouleau m

Birne ['bɪrnə] f (-; -n) *bot* poire f; *Glüh*≳ ampoule f

bis [bɪs] **1.** *prép* (*acc*) **~** (**an, in, nach, zu**) jusqu'à (*vor anderer prép als "à"* jusque); **von ... ~** de ... à; **~ auf** *außer* sauf, à ... près; **~ auf weiteres** jusqu'à nouvel ordre; **~ Ende Januar** jusqu'à fin janvier; **~ heute** jusqu'aujourd'hui *od* jusqu'à aujourd'hui; **~ vor wenigen Jahren** jusqu'à il y a quelques années; **~ jetzt** jusqu'à présent; **~ wann?** jusqu'à quand?; **~ 1715** jusqu'en 1715; **~ hierher** jusqu'ici; **~ dahin** jusque-là; *zeitlich a* d'ici là; **~ nach Hause** jusque chez lui; **~ gleich!** à tout à l'heure!; **~ morgen!** à demain!; **zwei ~ drei Tage** deux ou trois jours; **2.** *conj* jusqu'à ce que (+ *subj*); **warten ~ ...** attendre que ... (+ *subj*)

Bischof ['bɪʃɔf] m (-s; ⸚e) évêque m

bisher [bɪs'heːr] jusqu'à présent

Biskaya [bɪs'kaja] f (-; *sans pl*) golfe m de Gascogne

Biss [bɪs] m (-es; -e) morsure f

bisschen ['bɪsçən] *ein* **~** un peu (de ...); *ein kleines* **~** un tout petit peu

Bissen ['bɪsən] m (-s; -) bouchée f

'**bissig** fig hargneux, mordant; **~er Hund!** chien méchant!

Bistum ['bɪstuːm] n (-s; ⸚er) évêché m

'**Bitte** ['bɪtə] f (-; -n) prière f, demande f (**um** de)

'**bitte** s'il vous plaît *od* s'il te plaît; *auf Dank* (il n'y a) pas de quoi, je vous en prie; *auf Entschuldigung* il n'y a pas de mal, ce n'est rien; (**wie**) **~?** comment?, pardon?

'**bitten** (*bat, gebeten, h*) *j-n um etw* **~** demander qc à qn; *j-n* **~**, *etw zu tun* prier qn de faire qc, demander à qn de faire qc

bitter ['bɪtər] amer (*a* fig); *Kälte* rigoureux; *Armut* extrême; '**2keit** f (-; *sans pl*) amertume f (*a* fig)

'**Bitt**|**gesuch** n, '**~schrift** f pétition f, requête f

Bizeps ['biːtsɛps] m (-[*e*]s; -e) biceps m

Blähung ['blɛːʊŋ] méd f (-; -en) vent m, ballonnement m

Blamage [bla'maːʒə] f (-; -n) honte f; **es ist e-e ~ für ihn** il s'est rendu ridicule en faisant cela

blamieren [bla'miːrən] (*pas de -ge-, h*) *j-n* **~** ridiculiser qn; *sich* **~** se rendre ridicule, se couvrir de honte

blank [blaŋk] luisant; *sauber* propre; *Draht* nu; F *ohne Geld* F fauché

Blankoscheck ['blaŋkoʃɛk] m chèque m en blanc

Bläschen ['blɛːsçən] n méd (-s; -) vésicule f; *Luft*≳ petite bulle f

Blase ['blaːzə] f (-; -n) *Luft*≳ bulle f; *Haut*≳ cloque f, ampoule f; *Harn*≳ vessie f; '**~balg** m soufflet m

'**blasen** (*blies, geblasen, h*) souffler; *Blasinstrument* jouer de; '**2entzündung** méd f cystite f

blasiert [bla'ziːrt] blasé, hautain, snob

'**Blas**|**instrument** n instrument m à vent; '**~kapelle** f fanfare f, harmonie f; '**~rohr** n sarbacane f

B

blass [blas] pâle, blême; **~ werden** pâlir

Blässe ['blɛsə] f (-; sans pl) pâleur f

Blatt [blat] n feuille f (bot u Papier); Zeitung journal m; Säge lame f

blättern ['blɛtərn] (h) feuilleter (**in etw** qc)

'Blätterteig m pâte f feuilletée

blau [blau] bleu; fig Auge au beurre noir; F betrunken ivre, soûl, noir F, rond F; **~er Fleck** bleu m; '**~äugig** aux yeux bleus; fig naïf

'Blau|helm m casque m bleu; **~licht** n gyrophare m; '**~säure** chim f acide m cyanhydrique od prussique

Blech [blɛç] n (-[e]s; -e) tôle f, Weiß2 fer-blanc m

'blech|en (h) zahlen F cracher, casquer; '**~ern** en tôle od en fer-blanc; Klang de casserole; **2schaden** auto m tôles f/pl froissées

Blei [blai] n (-[e]s; sans pl) plomb m

bleiben ['blaibən] (blieb, geblieben, sn) rester, demeurer; **~ bei** beharren persister dans; **es bleibt dabei** c'est entendu; **bitte ~ Sie am Apparat!** ne quittez pas!; **~ lassen** ne pas faire; '**~d** durable

bleich [blaiç] blême, pâle; **~ werden** pâlir

'blei|ern de plomb (a fig); '**~frei** Benzin sans plomb

'Bleistift m crayon m

Blende ['blɛndə] f (-; -n) Foto diaphragme m; '**2n** (h) éblouir (a fig), aveugler; **2nd** fig fantastique; **~ aussehen** respirer la santé

Blick [blik] m (-[e]s; -e) regard m; flüchtiger coup m d'œil; Aussicht vue f (**auf** sur); **auf den ersten ~** du premier coup d'œil; **Liebe auf den ersten ~** coup m de foudre; '**2en** (h) regarder (**auf etw** qc); **sich ~ lassen** se montrer

blind [blint] aveugle (a fig); **~ werden** devenir aveugle, perdre la vue; **auf einem Auge ~** borgne; '**~er Alarm** fausse alerte f; '**~er Passagier** passager m clandestin

'Blindbewerbung f candidature f spontanée

'Blinddarm m appendice m; '**~entzündung** f appendicite f

Blinde ['blində] m/f (-n; -n) aveugle m, f; '**~nschrift** f écriture f braille; **in ~** en braille

'Blind|flug m vol m sans visibilité; '**~heit** f cécité f; fig aveuglement m; '**2lings** ['blintliŋs] aveuglément

blink|en ['bliŋkən] (h) auto etc clignoter; funkeln étinceler; '**2er** m (-s; -), '**2licht** n clignotant m

Blitz [blits] m (-es; -e) éclair m; **~schlag** foudre f; Foto flash m; '**~ableiter** m paratonnerre m; '**2en** (h) **es blitzt** il y a od il fait un éclair (des éclairs); **geblitzt werden** se faire prendre par le radar; '**~licht** n flash m

Block [blɔk] m (-[e]s; ʺe) bloc m; Notiz2 bloc-notes m; Häuser2 pâté m de maisons, îlot m; '**~ade** [-'ka:də] (-; -n) blocus m; '**~flöte** mus f flûte f à bec; '**~freiheit** pol f non-alignement m; '**~haus** n cabane f en rondins; **2ieren** [-'ki:rən] (pas de -ge-, h) bloquer

blöd|e ['blø:də] stupide, bête, idiot; '**2sinn** ['blø:tzin] m (-[e]s; sans pl) idiotie(s) f(pl), bêtise(s) f(pl)

blöken ['blø:kən] (h) Schaf bêler

blond [blɔnt] blond

bloß [blo:s] **1.** adj allein seul, simple; unbedeckt nu; **2.** adv seulement, uniquement, simplement, ne ... que

'Blöße ['blø:sə] f (-; -n) Nacktheit nudité f; fig **sich e-e ~ geben** donner prise sur soi, prêter le flanc

'bloßstellen (sép, -ge-, h) compromettre

blühen ['bly:ən] (h) être en fleur(s); a fig être florissant, prospérer; **ihm blüht etw** il va lui arriver qc

Blume ['blu:mə] f (-; -n) fleur f; Wein bouquet m; Bier mousse f; fig **durch die ~** à mots couverts, à demi-mot

'Blumen|händler(in f) m fleuriste m, f; '**~kohl** m chou-fleur m; '**~strauß** m bouquet m de fleurs; '**~topf** m pot m de fleurs

Bluse ['blu:zə] f (-; -n) corsage m; langärmelig chemisier m

Blut [blu:t] n (-[e]s; sans pl) sang m; **nur ruhig ~!** du calme!

'Blut|armut méd f anémie f; '**~bad** n massacre m, carnage m; '**~bank** f banque f du sang; '**~druck** m tension f artérielle

Blüte ['bly:tə] f (-; -n) fleur f; Blütezeit floraison f; fig apogée m

Blutegel ['blu:t'e:gəl] m (-s; -) sangsue f

'bluten (h) saigner

Bluter ['blu:tər] *méd m* (-s;-) hémophile *m*

Bluterguss ['blu:t²-] *méd m* hématome *m*

'Blütezeit *f* floraison *f* (*a fig*); *fig* apogée *m*

'Blut|gefäß *n* vaisseau *m* sanguin; '.gruppe *f* groupe *m* sanguin; '2ig sanglant, ensanglanté; '.körperchen *n* globule *m* du sang; '.kreislauf *m* circulation *f* du sang; '.probe *f* prise *f* de sang; '.rache *f* vendetta *f*; '2rot rouge sanguin; '.spender(in *f*) *m* donneur *m*, -euse *f* de sang; '2stillend ~es Mittel hémostatique *m*; '.übertragung *f* transfusion *f* sanguine; '.ung *f* (-; -en) saignement *m*; *stärker* hémorragie *f*; '.vergießen *n* (-s; *sans pl*) effusion *f* de sang; '.vergiftung *f* septicémie *f*; '.wurst *f* boudin *m*

Bö [bø:] *f* (-; -en) rafale *f*

Bob [bɔp] *m* (-s; -s) *Sport m* bob(sleigh) *m*

Bock [bɔk] *m* (-[e]s, ¨e) mâle *m*; *Ziegen2* bouc *m*; *Schaf2* bélier *m*; *Reh2* chevreuil *m* mâle; *Gestell* chevalet *m*, tréteau *m*; *Sport* cheval *m* de bois; *fig e-n ~ schießen* commettre une gaffe; F *null ~!* F ralbol!

'bock|ig obstiné, têtu; '2springen *n* (-s; *sans pl*) *Spiel* saute-mouton *m*; '2wurst *f* saucisse *f* de Francfort

Boden ['bo:dən] *m* (-s; ¨) sol *m*, terre *f*; *Fass, Flasche etc* fond *m*; *Fuß2* plancher *m*; *Dach2* grenier *m*; '2los *fig* inouï, énorme; '.personal *aviat m* personnel *m* au sol; '.reform *f* réforme *f* agraire; '.schätze *m/pl* ressources *f/pl od* richesses *f/pl* naturelles *od* du sous-sol; '.see *m* lac *m* de Constance; '.station *f* Raumfahrt station *f* terrestre

Bogen ['bo:gən] (-s; ¨) *Krümmung* courb(ur)e *f*, *Waffe, arch, math* arc *m*; *Brücken2* arche *f*; *Wölbung* cintre *m*; *Geigen2* archet *m*; *Papier2* feuille *f*; '.lampe *f* lampe *f* à arc

Bohne ['bo:nə] *bot f* (-; -n) haricot *m*; *Kaffee2* grain *m*; *grüne ~n* haricots verts; *weiße ~n* haricots secs

bohnern ['bo:nərn] (*h*) cirer; '2wachs *n* encaustique *f*

bohr|en ['bo:rən] (*h*) percer, creuser;

tech forer; *Zahnarzt* passer la roulette; '2er *m* (-s; -) foret *m*, mèche *f*; *Zahnarzt* fraise *f*; '2insel *f* plate-forme *f* de forage; '2loch *n Öl* puits *m*; '2maschine *f* perceuse *f* (électrique); '2turm *m Öl* derrick *m*; '2ung *f* forage *m*; *Motor* alésage *m*

Boiler ['bɔylər] *m* (-s; -) chauffe-eau *m*

Boje ['bo:jə] *f* (-; -n) bouée *f*, balise *f*

Bolzen ['bɔltsən] *m tech* (-s; -) boulon *m*

bombardieren [bɔmbar'di:rən] (*pas de -ge-, h*) bombarder; *mit Fragen ~* assaillir de questions

Bombe ['bɔmbə] *f* (-; -n) bombe *f*

'Bomben|angriff *m* bombardement *m*; '.anschlag *m* attentat *m* à la bombe (*auf* contre)

Bon [bɔŋ] *m* (-s; -s) bon *m*; *Kassenzettel* ticket *m* de caisse; '.us [bo:nus] *m* (-[ses]; -se) gratification *f*

Boot [bo:t] *n* (-[e]s; -e) bateau *m*, canot *m*; *Kahn* barque *f*; '.fahrt *f* promenade *f* en bateau; '.sverleih *m* location *f* de bateaux

booten *EDV* ['bu:tən] (-ge-, *h*) amorcer

Bord [bɔrt] *m mar, aviat an ~* à bord; *an ~ gehen* aller à bord, s'embarquer; *von ~ gehen* débarquer; *über ~* par-dessus bord; '.karte *f* carte *f* d'embarquement

Bord² *n* (-[e]s; -e) *Wandbrett* étagère *f*

Bordell [bɔr'dɛl] *n* (-s; -e) maison *f* de prostitution, maison *f* close; *péj* bordel *m*

borgen ['bɔrgən] (*h*) *j-m etw ~* prêter qc à qn; (*sich*) *etw bei od von j-m ~* emprunter qc à qn

borniert [bɔr'ni:rt] borné

Börse ['bœrzə] *f* (-; -n) Bourse *f*; *Geld2* porte-monnaie *m*, bourse *f*

'Börsen|bericht *m* bulletin *m* de la Bourse; '.kurs *m* cours *m* de la Bourse; '.makler *m* agent *m* de change; '.notierung *f* cotation *f* en Bourse; '.papiere *n/pl* valeurs *f/pl* boursières; '.spekulant *m* spéculateur *m* en Bourse

bösartig ['bø:s²a:rtiç] méchant; *méd* malin (*f* maligne)

Böschung ['bœʃuŋ] *f* (-; -en) talus *m*; *Ufer2* berge *f*

böse ['bø:zə] 1. mauvais; *boshaft* méchant; *verärgert* fâché; *j-m od auf j-n ~ sein* en vouloir à qn; 2. 2 *n* (-n; *sans pl*) mal *m*

bos|haft ['boːshaft] méchant; '**2heit** f (-; -en) méchanceté f, malignité f

'**böswillig** malveillant

Botani|k [bo'taːnik] f (-; sans pl) botanique f; **~ker** m (-s; -), **~kerin** f (-; -nen) botaniste m, f; **2sch** botanique

Bot|e ['boːtə] m (-n; -n) messager m; '**~schaft** f message m; pol ambassade f; '**~schafter** m (-s; -), '**~schafterin** f (-; -nen) ambassadeur m, -drice f

box|en ['bɔksən] (h) boxer; '**2en** n (-s; sans pl) boxe f; **2er** m (-s; -) boxeur m; '**2kampf** m match m od combat m de boxe

Boulevard [bulə'vaːr] m (-s; -s) boulevard m; **~blatt** n journal m à sensation

Boykott [bɔy'kɔt] m (-[e]s; -s, -e) boycottage m; **2ieren** [-'tiːrən] (pas de -ge-, h) boycotter

brachliegen ['braːx-] (irr, sép, -ge-, h, → **liegen**) être en friche (a fig)

Branche ['brãːʃə] f (-; -n) branche f; '**~nverzeichnis** tél n annuaire m des professions; F pages f/pl jaunes

Brand [brant] m (-[e]s; ⁼e) incendie m; méd gangrène f; **in ~ stecken** mettre le feu à, incendier; **in ~ geraten** prendre feu; '**~bombe** f bombe f incendiaire; '**2en** ['-dən] (sn) Meer se briser (**gegen** contre); déferler (a fig); '**~schaden** m dégâts m/pl causés par l'incendie; '**~stifter(in** f) m incendiaire m, f; '**~stiftung** f incendie m criminel; '**~ung** ['-duŋ] f (-; sans pl) déferlement m, ressac m; '**~wunde** f brûlure f

Branntwein ['brantvain] m eau-de-vie f

Brasilien [bra'ziːljən] n (-s) le Brésil

braten ['braːtən] (briet, gebraten, h) **1.** (faire) rôtir, (faire) cuire; **in schwimmendem Fett** (faire) frire; **auf dem Rost** (faire) griller; **2.** **2** m (-s; -) rôti m; '**2soße** f sauce f de rôti

'**Brat|huhn** n poulet m rôti; '**~kartoffeln** f/pl pommes f/pl de terre sautées; '**~pfanne** f poêle f (à frire); '**~rost** m gril m

Bratsche ['braːtʃə] mus f (-; -n) alto m

'**Bratwurst** f saucisse f grillée

Brauch [braux] m (-[e]s; ⁼e) usage m; '**2bar** utile, utilisable

'**brauchen** (h) nötig haben avoir besoin de; gebrauchen se servir de; Zeit meist mettre; **ich brauche etw** il me faut qc; **wie lange wird er ~?** combien de

temps lui faudra-t-il?; **du brauchst es nur zu sagen** tu n'as qu'à le dire, il suffit de le dire

Braue ['brauə] f (-; -n) sourcil m

brau|en ['brauən] (h) Bier brasser; '**2erei** f [-'rai] f (-; -en) brasserie f

braun [braun] brun, marron; **von der Sonne** bronzé; **~ gebrannt** bronzé, tanné; **~ werden** von der Sonne bronzer

Bräune ['brɔynə] f (-; sans pl) Haut bronzage m, hâle m; '**2n** (h) brunir; Sonne bronzer

'**Braunkohle** f lignite m

Brause ['brauzə] f (-; -n) Dusche douche f; Gießkanne pomme f d'arrosoir

'**brausen** (h) Wind, Wasser mugir; **(sich) ~ duschen** se doucher

Braut [braut] f (-; ⁼e) fiancée f; am Hochzeitstag mariée f

Bräutigam ['brɔytigam] fiancé m; am Hochzeitstag marié m

'**Brautpaar** n fiancés m/pl; am Hochzeitstag mariés m/pl

brav [braːf] brave, honnête; Kind sage, gentil

BRD [beːɛr'deː] f (-; sans pl) R.F.A. f (= République fédérale d'Allemagne)

brechen ['brɛçən] (brach, gebrochen) **1.** v/t (h) etw casser; rompre (a Vertrag, Schweigen); briser (a Widerstand); Rekord battre; **sich erbrechen** vomir; fig **mit j-m ~** rompre avec qn; **sich den Arm ~** se casser od se fracturer le bras; **sich ~** Wellen se briser; Strahlen être réfracté; **2.** v/i (sn) se casser

'**Brech|reiz** m nausée f, envie f de vomir; '**~stange** f pince f monseigneur

Brei [brai] m (-[e]s; -e) purée f, bouillie f

breit [brait] large; **2 Meter ~** large de 2 mètres; **weit und ~** à perte de vue

Breit|e ['braitə] f (-; -n) largeur f; géogr latitude f; '**~engrad** m degré m de latitude, parallèle m

Bremsbelag ['brɛms-] auto m garniture f de frein

Bremse ['brɛmzə] f (-; -n) **1.** tech frein m; **2.** zo taon m

'**bremsen** (h) freiner (a fig)

'**Brems|kraftverstärker** m servo-frein m; '**~leuchte** f feu m de stop; '**~pedal** n pédale f de frein; '**~spur** f trace f de freinage; '**~weg** m distance f de freinage

brennbar ['brɛnbaːr] combustible, inflammable

'**brenn|en** (*brannte, gebrannt, h*) brûler; *Lampe* être allumé; *Branntwein* distiller; *Wunde, Ziegel etc* cuire; *mir ~ die Augen* j'ai les yeux qui piquent; *fig darauf ~, etw zu tun* brûler de faire qc; '**2er** *tech* m (*-s*; -) brûleur m

Brenn|nessel ['brɛnnɛsəl] *bot* f (-; -n) ortie f; '**~punkt** m *phys* foyer m; *fig* centre m; '**~spiritus** m combustible m

Brett [brɛt] n (*-[e]s*; -er) planche f; *Spiel2* damier m; *Schach2* échiquier m; *schwarzes ~* tableau m d'affichage

Brief [briːf] m (*-[e]s*; -e) lettre f; '**~beschwerer** m presse-papiers m; '**~bogen** m feuille f de papier à lettres; '**~freund(in** f) m correspondant m, -e f; '**~geheimnis** n secret m postal; '**~kasten** m boîte f aux lettres; '**~kastenfirma** f entreprise f bidon; '**~kopf** m en-tête f de lettre; '**2lich** par lettre(s); '**~marke** f timbre(-poste) m; '**~markensammler(in** f) m philatéliste m, f; '**~papier** n papier m à lettres; '**~tasche** f portefeuille m; '**~träger(in** f) m facteur m, factrice f; *amtlich* préposé m, -e f; '**~umschlag** m enveloppe f; '**~waage** f pèse-lettre m; '**~wahl** f vote m par correspondance; '**~wechsel** m correspondance f

Brillant [bril'jant] m (*-en*; -en) **1.** m brillant m, diamant m; **2.** *2 adj* brillant, excellent

Brille ['brilə] f (-; -n) lunettes f/pl; *e-e ~* une paire de lunettes; '**~netui** n [-nʔetviː] n étui m à lunettes

bringen ['brɪŋən] (*brachte, gebracht, h*) *hin~* porter; *her~* apporter, amener; *begleiten* emmener, accompagner, conduire; *veröffentlichen* publier; *Kino, TV* passer; *Gewinn* rapporter; *Glück~* porter bonheur; *auf die Seite ~* mettre de côté; *in Erfahrung ~* apprendre; *etw mit sich ~* entraîner qc; *j-n um etw ~* faire perdre qc à qn, frustrer qn de qc; *ums Leben ~* tuer; *j-n dazu ~, etw zu tun* amener qn à faire qc; *zum Lachen ~* faire rire; *es zu etw ~* réussir dans la vie; *j-n auf e-e Idee ~* amener une idée à qn

Brit|e ['britə] m (*-n*; -n), '**~in** f (-; -nen) Britannique m, f; '**2isch** britannique

Brocken ['brɔkən] m (*-s*; -) morceau m;

fig ein paar ~ (*Englisch*) quelques bribes f/pl (d'anglais); F *ein harter ~* un sacré morceau

Brombeere ['brɔmbeːrə] f *bot* mûre f

Bronch|ien ['brɔnçiən] f/pl bronches f/pl; '**~itis** [-'çiːtis] *méd* f (-; -tiden) bronchite f

Brosch|e ['brɔʃə] f (-; -n) broche f; '**~üre** [-'ʃyːrə] f (-; -n) brochure f

Brot [broːt] n (*-[e]s*; -e) pain m; *schwarzes ~* pain m bis; *sein ~ verdienen* gagner son pain *od* sa vie

Brötchen ['brøːtçən] n (*-s*; -) petit pain m; *belegtes ~* sandwich m

'**Brot|erwerb** m gagne-pain m; '**2los ~ werden** perdre son gagne-pain; '**~e Kunst** métier m peu lucratif

Bruch [brux] m (*-[e]s*; *̈e*) rupture f (a *fig*); *~stelle* cassure f; *Knochen2* fracture f; *Eingeweide2* hernie f; *math* fraction f

brüchig ['bryçiç] fragile, cassant

'**Bruch|rechnung** f calcul m des fractions; '**~strich** m barre f de fraction; '**~stück** n fragment m; '**~teil** m fraction f; '**~zahl** f nombre m fractionnaire

Brücke ['brykə] f (-; -n) pont m; *Teppich* carpette f; *mar* passerelle f; '**~nbogen** m arche f

Bruder ['bruːdər] m (*-s*; *̈*) frère m; *Kerl* F type m; '**~krieg** m guerre f fratricide

brüder|lich ['bryːdərliç] fraternel; '**2lichkeit** f fraternité f

Brühe ['bryːə] f *cuis* (-; -n) bouillon m; *péj* lavasse f, eau f de vaisselle

brüllen ['brylən] (h) *Rind* mugir; *Löwe* rugir; *Mensch* hurler

brumm|en ['brumən] (h) gronder, grogner; *Motor* vrombir; *Insekt* bourdonner; *undeutlich sagen* grommeler; *mürrisch äußern* ronchonner

brünett [bry'nɛt] brun, châtain

Brunnen ['brunən] m (*-s*; -) puits m; *Spring2* fontaine f

Brunst [brunst] f *zo* (-; *̈e*) rut m, chaleur f

brüsk [brysk] brusque, rude

Brüssel ['brysəl] n Bruxelles f

Brust [brust] f (-; *̈e*) poitrine f; *weibliche ~* sein m; '**~beutel** m bourse f portée autour du cou

brüsten ['brystən] (h) *sich ~* se rengorger, se vanter (*mit* de)

'**Brust|korb** m thorax m; '**~umfang** m

tour m de poitrine

Brüstung ['brystʊŋ] f (-; -en) parapet m; *Geländer* balustrade f

Brut [bru:t] f (-; -en) couvée f; *fig* sale graine f

brutal [bru'ta:l] brutal; **2ität** [-ali'tɛ:t] f (-; -en) brutalité f

'Brutapparat *agr* m incubateur m

brüt|en ['bry:tən] (h) couver; **'2er** *tech* m (-s; -) **schneller ~** surrégénérateur m à neutrons

'Brutkasten *méd* m couveuse f

brutto ['brʊto] brut; **'2einkommen** n revenu m brut; **'2sozialprodukt** *écon* n produit m national brut; **'2verdienst** m salaire m brut

Bub [bu:p] m (-en; -en) garçon m, gamin m; **'~e** ['bu:bə] m (-n; -n) *Kartenspiel* valet m

Buch [bu:x] n (-[e]s; -er) livre m; **'~binder** m relieur m; **'~drucker** m imprimeur m; **'~druckerei** f imprimerie f

Buche ['bu:xə] *bot* f (-; -n) hêtre m

buchen ['bu:xən] (h) *comm* comptabiliser; *Flug etc* réserver, retenir

Bücher|bord ['by:çər-] n étagère f; **~ei** ['-rai] f (-; -en) bibliothèque f; **~regal** n étagère f (à livres); **'~schrank** m bibliothèque f

'Buch|führung f, **'~haltung** f comptabilité f; **'~halter(in** f) m comptable m, f; **'~händler(in** f) m libraire m, f; **'~handlung** f librairie f

Büchse ['byksə] f (-; -n) boîte f; *Gewehr* carabine f, fusil m

'Büchsenöffner m ouvre-boîtes m

Buchstabe ['bu:xʃta:bə] m (-n; -n) lettre f; **großer ~** majuscule f; **kleiner ~** minuscule f

buch|stabieren [-a'bi:rən] (*pas de* -ge-, h) épeler; **'~stäblich** ['-ʃtɛ:pliç] *adv* littéralement

Bucht [bʊxt] f (-; -en) baie f; *kleine* crique f

'Buchung f (-; -en) *comm* écriture f; *e-s Flugs etc* réservation f; **'~sbestätigung** f (*Flug*) confirmation f de la réservation; **'~smaschine** f machine f comptable

Buckel ['bʊkəl] m (-s; -) bosse f; F *Rücken* dos m; **2ig** bossu

bücken ['bykən] (h) **sich ~** se baisser

Buddhis|mus [bu'dɪsmʊs] m *rel* (-; *sans pl*) bouddhisme m; **2tisch** bouddhiste,

bouddhique

Bude ['bu:də] f (-; -n) baraque f; *Zimmer* F piaule f

Budget [by'dʒe:] n (-s; -s) budget m

Büfett [by'fe:; by'fɛt] n (-s; -s) buffet m

Büffel ['byfəl] *zo* m (-s; -) buffle m

Bug [bu:k] m *mar* (-[e]s; -e) proue f; *aviat* nez m

Bügel ['by:gəl] m (-s; -) *Kleiderl* cintre m; *Brillenl* branche f; **'~brett** n planche f à repasser; **'~eisen** n fer m à repasser; **'~falte** f pli m; **'2frei** qui ne nécessite aucun repassage; défroissable

'bügeln (h) repasser

Bühne ['by:nə] f (-; -n) *Theater* scène f; *fig* a théâtre m

'Bühnen|bild n décors m/pl; **'~bildner** m scénographe m, décorateur m de théâtre

Bulgar|e [bʊl'ga:rə] m (-n; -n), **~in** f (-; -nen) Bulgare m, f; **2ien** [-jən] n (-s; *sans pl*) la Bulgarie

Bull|auge ['bʊl-] *mar* n hublot m; **'~dogge** *zo* f bouledogue m

Bulle ['bʊlə] m *zo* (-n; -n) taureau m; *péj Polizist* flic m, poulet m

Bummel ['bʊməl] m F (-s; -) balade f

'bummel|n (h) *umherschlendern* flâner, se balader; *trödeln* traîner; **'2streik** m grève f du zèle; **'2zug** m F tortillard m

bums! [bʊms] boum!, patatras!

bumsen ['bʊmzən] (h) *Geräusch* faire boum; *stoßen* rentrer (**gegen** dans); *vulgär* baiser

Bund' [bʊnt] m (-[e]s; -e) alliance f, union f; *pol a* (con)fédération f; *Verband* association f; *an Hose, Rock* ceinture f; F → *Bundeswehr*

Bund² n (-[e]s; -e) botte f; **ein ~ Radieschen** une botte de radis

Bündel ['byndəl] n (-s; -) paquet m; *Akten* liasse f; *Strahlen* faisceau m; **'2n** (h) faire un paquet de

'Bundes|bahn f chemins m/pl de fer fédéraux; **'~bank** f banque f fédérale; **'~kanzler** m chancelier m fédéral; **'~land** n land m; **'~liga** f *Fußball* première division f; **'~präsident** m président m de la République fédérale (*Schweiz* de la Confédération); **'~rat** m Conseil m fédéral, Bundesrat m; **'~republik ~ Deutschland** République f fédérale d'Allemagne (*abr*

C

R.F.A); *in der ~* en République fédérale; '**~staat** *m* Etat *m* fédéral; '**~tag** *m* Parlement *m* fédéral, Bundestag *m*; '**~wehr** *mil f* armée *f* de la République fédérale

Bündnis ['byntnis] *n* (-ses; -se) alliance *f*, pacte *m*

Bunker ['buŋkər] *m* (-s; -) blockhaus *m*; *Luftschutz* abri *m* antiaérien

bunt [bunt] de couleurs variées, multicolore; *abwechslungsreich* varié; *fig jetzt wird's mir zu ~!* F j'en ai marre!; '**2stift** *m*, crayon *m* de couleur

Burg [burk] *f* (-; -en) château *m* fort

Bürge ['byrgə] *m* (-n; -n) garant *m*, -e *f*; '**2en** (*h*) *~ für* se porter garant de

Bürger ['byrgər] *m* (-s; -) '**~in** *f* (-; -nen) bourgeois *m*, -e *f*; *Staats*2 citoyen *m*, -ne *f*; '**~initiative** *f* comité *m* de défense; '**~krieg** *m* guerre *f* civile; '**2lich** *Klasse, Milieu* bourgeois; *staats~* civil, civique; '**~meister** *m* maire *m*; *Belgien, Schweiz* bourgmestre *m*; '**~steig** *m* trottoir *m*; '**~tum** *n* bourgeoisie *f*

Bürgschaft ['byrkʃaft] *f* (-; -en) *jur* caution *f*, garantie *f*

Burgund [bur'gunt] *n* (-s; *sans pl*) la Bourgogne; **~er** *m* (-s; -), **~erin** *f* (-; -nen) Bourguignon *m*, -ne *f*; **~erwein** *m* vin *m* de Bourgogne; bourgogne *m*

Büro [by'ro:] *n* (-s; -s) bureau *m*; **~an-**

~gestellte *m*, *f* employé *m*, -e *f* de bureau; **~arbeit** *f* travail *m* de bureau; **~bedarf** *m* matériel *m* de bureau; **~kaufmann** employé *m* de bureau; **~klammer** *f* trombone *m*; **~krat** [-o'kra:t] *m* bureaucrate *m*; **~kratie** [-okra'ti:] *f* (-; -*n*) bureaucratie *f*

Bursch(e) ['burʃ(e)] *m* (-n; -n) garçon *m*, gars *m* F, type *m* F

Bürste ['byrstə] *f* (-; -n) brosse *f*; '**2n** (*h*) brosser

Bus [bus] *m* (-ses; -se) bus *m*; *Reise*2 car *m*

Busch [buʃ] *m bot* (-es; ⁓e) buisson *m*; *in Afrika* brousse *f*; *fig auf den ~ klopfen* tâter le terrain

Busen ['bu:zən] *m* (-s; -) seins *m/pl*; poitrine *f*, gorge *f*

Bus|bahnhof *m* gare *f* routière; '**~fahrer** *m* conducteur *m od* chauffeur *m* de bus; '**~haltestelle** *f* arrêt *m* d'autobus; '**~linie** *f* ligne *f* d'autobus

Buße ['bu:sə] *f* (-; -n) *rel* pénitence *f*; *jur* amende *f*

büßen ['by:sən] (*h*) expier

'**Bußgeld** *n* amende *f*

Büste ['bystə] *m* (-; -n) buste *m*; '**~nhalter** *m* soutien-gorge *m*

'**Busverbindung** *f* ligne *f* d'autobus

Butter ['butər] *f* (-; *sans pl*) beurre *m*

Byte [bait] *n* (-[s]; -[s]) *tech* octet *m*

C

C [tse:] *mus n* (-; -) do *m*, ut *m*

Café [ka'fe:] *n* (-s; -s) salon *m* de thé

camp|en ['kɛmpən] (*h*) camper; '**2er** *m* (-s; -), '**2erin** *f* (-; -nen) campeur *m*, -euse *f*; '**2ing** ['-iŋ] *n* (-s; *sans pl*) camping *m*; '**2ingbus** *m* camping-car *m*; '**2ingplatz** *m* (terrain *m* de) camping *m*

Celsius ['tselzius] *n 5 Grad ~* 5 degrés centigrade

Cembalo ['tʃembalo] *mus n* (-s; -s, -i) clavecin *m*

Champagner [ʃam'panjər] *m* (-s; -) champagne *m*

Champignon ['ʃampinjõ] *bot m* (-s; -s)

champignon *m* de Paris

Chance ['ʃãːs(ə)] *f* (-; -n) chance *f*; '**~ngleichheit** *f* égalité *f* des chances

Charakter [ka'raktər] *m* (-s; -e [-'te:rə]) caractère *m*; **~fehler** *m* défaut *m* de caractère; **2isieren** [-i'zi:rən] (*pas de -ge*; *h*) caractériser; **~istik** [-'ristik] *f* (-; -en) caractéristique *f*; **2istisch** [-'ristiʃ] caractéristique (*für* de); **~zug** *m* trait *m* de caractère

charmant [ʃar'mant] charmant

Charter|flug ['(t)ʃartər-] *m* vol *m* charter *m*; '**~gesellschaft** *f* compagnie *f* charter; '**2n** (*h*) affréter

Chassis [ʃa'si:] *n* (-; -) *tech* châssis *m*

Chauffeur [ʃɔˈføːr] m (-s; -e) conducteur m, chauffeur m

Chauvinist [ʃoviˈnist] m (-en; -en), **~in** f (-; -nen) chauvin m, -e f; **2isch** chauvin

Chef [ʃɛf] m (-s; -s), **~in** f (-; -nen) chef m, f, patron m, -ne f; **~arzt** m médecin-chef m; **~redakteur** m rédacteur m en chef; **~sekretärin** f secrétaire f de direction

Chemie [çeˈmiː] f (-; sans pl) chimie f; **~faser** f fibre f synthétique

Chemikalien [-iˈkaːljən] f/pl produits m/pl chimiques

Chemi|ker [ˈçeːmikər] m (-s; -), **~kerin** f (-; -nen) chimiste m, f; **2sch** chimique; **~e Reinigung** nettoyage m à sec

Chicorée [ˈʃikore] m od f (-s; sans pl) endive f

Chiffre [ˈʃifrə] f (-; -n) chiffre m; Annonce référence f; **2ieren** [-ˈfriːrən] (pas de -ge-, h) chiffrer; codieren coder

Chile [ˈtʃiːlə] n (-s; sans pl) le Chili

Chilen|e [tʃiˈleːnə] m (-n; -n), **~in** f (-; -nen) Chilien m, -ne f; **2isch** chilien

China [ˈçiːna] n (-s; sans pl) la Chine

Chinese|e [çiˈneːzə] m (-n; -n), **~in** f (-; -nen) Chinois m, -e f; **2isch** chinois

Chinin [çiˈniːn] méd n (-s; sans pl) quinine f

Chip EDV [tʃip] m (-s; -s) puce f; **~karte** f carte f à puce

Chirurg [çiˈrurk] m (-en; -en) chirurgien m; **~ie** [-ˈgiː] f (-; -n) chirurgie f

Chlor [kloːr] chim m (-s; sans pl) chlore m; **2en** (h) Wasser javelliser

Cholera [ˈkoːləra] méd f (-; sans pl) choléra m

Chor [koːr] m (-[e]s; ⁻e) chœur m (a arch); Gesangverein chorale f; **im ~** en chœur

Christ [krist] m (-en; -en), **~in** f (-; -nen) chrétien m, -ne f; **~baum** m arbre m de Noël; **~enheit** f (-; sans pl) chrétienté f; **~entum** n (-s; sans pl) christianisme m; **~kind** n enfant m Jésus; **2lich** chrétien; **~us** [ˈ-us] m (-, -i; sans pl) Jésus-Christ, le Christ

Chrom [kroːm] chim n (-s; sans pl) chrome m

Chron|ik [ˈkroːnik] f (-; -en) chronique f; **2isch** chronique; **2ologisch** [-oˈloːgiʃ] chronologique

circa [ˈtsirka] environ

clever [ˈklɛvər] intelligent, malin, débrouillard F

Comics [ˈkɔmiks] pl bande f dessinée (abr B.D.)

Computer [kɔmˈpjuːtər] m (-s; -) ordinateur m; **~ausdruck** m saisie f papier; **2gesteuert** commandé par ordinateur; **2gestützt** assisté par ordinateur; **~kriminalität** f délits m/pl informatiques; **~spiel** n jeu m informatique, ludiciel m; **~steuerung** f gestion f par ordinateur; **~technik** f technologie f informatique; **2unterstützt** assisté par ordinateur

Container [kɔnˈteːnər] m (-s; -) conteneur m; **~schiff** n porte-conteneurs m

Copyright [ˈkɔpirait] n (-s; -s) copyright m, droits m/pl d'auteur

Couch [kautʃ] f (-; -es) canapé-lit m

Countdown [ˈkauntdaun] m (-s; -s) compte m à rebours

Coupon [kuˈpõː] m (-s; -s) coupon m, souche f

Cousin [kuˈzẽː] m (-s; -s) cousin; **~e** [-iːnə] f (-; -n) cousine f

Creme [kreːm] f (-; -s) crème f

Cursor EDV [ˈkœrsər] m curseur m

D

D [deː] mus n (-; -) ré m

da [daː] **1.** adv örtlich là; zeitlich alors, à ce moment; **~ sein** être là od présent; **ist noch Milch da?** est-ce qu'il y a encore du lait?; **~ ist, ~ sind** voilà od voici; **~ bin ich** me voici; **~ kommt er** le voilà qui vient; **~!** tiens!; **der Mann ~** cet homme-là; **~ drüben** là-bas; **~ drin** od **~ hinein** là-dedans; **von ~ an** od **ab** dès lors; **2.** conj parce que, comme; **~** (doch) puisque

dabei [daˈbai] örtliche Nähe (tout) près;

bei dieser Gelegenheit à cette occasion; *außerdem* avec cela, en outre, de plus; *gleichzeitig* à la fois; *obwohl doch* pourtant; *mit enthalten* compris; *~ sein* être présent, être de la partie; *ich bin gerade ~ etw zu tun* je suis en train de faire qc; *etw ~ haben* avoir qc sur soi; *es ist nichts ~ leicht* ce n'est pas difficile; *harmlos* ça ne fait rien, ce n'est pas grave

da**beibleiben** (*irr*, *sép*, *-ge-*, *sn*, → **bleiben**) rester là

Dach [dax] *n* (*-[e]s*; *¨er*) toit *m*; **'~boden** *m* grenier *m*; **'~decker** *m* couvreur *m*; **'~gepäckträger** *auto m* galerie *f* de toit; **'~gesellschaft** *f* holding *f*; **'~pappe** *f* carton *m* bitumé; **'~rinne** *f* gouttière *f*; **'~verband** *m* organisation *f* qui chapeaute

Dackel ['dakəl] *zo m* (*-s*; *-*) teckel *m*

da**durch** [da'dʊrç] par là; *auf solche Weise* de cette manière; *deshalb* c'est pourquoi; *~, dass ...* du fait que ...

da**für** [da'fy:r] pour cela; *zum Ausgleich* en revanche; *als Ersatz* en échange; *~ sein* être pour; *~ sein, dass ...* être d'avis que ... (*+ subj*) *ich kann nichts ~* ce n'est pas ma faute, je n'y peux rien; *~, dass ...* parce que ...

da**gegen** [da'ge:gən] contre cela; *im Gegensatz dazu* par contre; *im Vergleich dazu* en comparaison; *~ sein* être contre; *etw ~ haben* avoir qc contre

da**heim** [da'haim] chez moi, toi, *etc*; à la maison

da**her** [da'he:r] *Ort* de là, de ce côté-là; *Ursache* c'est *od* voilà pourquoi, pour cette raison, à cause de cela; *folglich* par conséquent; *das kommt ~ dass ...* cela vient de ce que ...

da**hin** [da'hin] là, y; *verloren* perdu; *vergangen* passé; *bis ~* jusque-là (*a zeitlich*); *~gestellt ~ sein lassen* laisser indécis; *es bleibt ~, ob ...* laissons la question en suspens de savoir si ...

da**hinten** [da'hintən] là-bas

da**hinter** [da'hintər] (là) derrière; *fig* là-dessous; *es steckt nichts ~* c'est creux; *~ kommen* découvrir

da**lassen** (*irr*, *sép*, *-ge-*, *h*, → **lassen**) laisser (ici *od* là)

damals ['da:mals] alors, à l'époque

Dame ['da:mə] *f* (*-*; *-n*) dame *f* (*a Spiel*); *Schach* reine *f*

'Damen|bekleidung *f* habillement *m* pour dames; **'~binde** *f* serviette *f* hygiénique; **'~friseur** *m* coiffeur *m* pour dames; **'~moden** *f/pl* mode *f* féminine; **'~toilette** *f* toilettes *f/pl* pour femmes

da**mit** [da'mit] **1.** *adv* avec (cela); *was will er ~ sagen?* que veut-il dire par là?; *genug ~!* ça suffit!; *Schluss ~!* un point, c'est tout!; **2.** *conj* afin que, pour que (*+ subj*); afin de, pour (*+ inf*)

Damm [dam] *m* (*-[e]s*; *¨e*) digue *f*, *Stau≈* barrage *m*; *fig* barrière *f*

Dämmerung ['dɛmərʊŋ] *f* (*-*; *-en*) *Abend≈* crépuscule *m*; *Morgen≈* aube *f*, point *m* du jour

Dampf [dampf] *m* (*-[e]s*; *¨e*) vapeur *f*; *von Speisen* fumée *f*; *'≈en* (*h*) dégager des vapeurs; *Speisen* fumer

dämpfen ['dɛmpfən] (*h*) *Licht*, *Begeisterung* atténuer; *Stoß* amortir; *Schall* étouffer, assourdir

'Dampf|er *m* (*-s*; *-*) (bateau *m* à) vapeur *m*; *Ozean≈* paquebot *m*; **'~kochtopf** *cuis m* cocotte-minute *f*, autocuiseur *m*

da**nach** [da'na:x] *zeitlich* après, après cela, après quoi, puis, ensuite; *demnentsprechend* d'après celui; *sich ~ richten* en tenir compte; *mir ist nicht ~* je n'en ai pas envie; *er sieht ~ aus* il en a tout l'air

da**neben** [da'ne:bən] à côté; *außerdem* outre cela; *gleichzeitig* en même temps

Dän|emark ['dɛːnəmark] *n* (*-s*; *sans pl*) le Danemark; **'≈isch** danois

Dank [daŋk] *m* (*-[e]s*; *sans pl*) remerciement *m*; *vielen ~!* merci beaucoup *od* bien!

dank *prép* (*gén*, *dat*) grâce à

'dankbar reconnaissant (*für* de); *Sache* payant, facile; **'≈keit** *f* (*-s*; *sans pl*) reconnaissance *f*, gratitude *f*

'danke merci; *~ schön* merci beaucoup *od* bien

'dank|en (*h*) *j-m für etw* remercier qn de qc; **'≈schreiben** *n* lettre *f* de remerciements

dann [dan] alors, puis

da**ran** [da'ran] à cela, y; F *oft* après; *~ denken* y penser; *~ sterben* en mourir; *mir liegt viel ~* j'y tiens beaucoup; *es*

darauf

364

liegt ~, dass ... cela provient du fait que ...; **ich bin nahe ~ zu ...** je suis sur le point de ...

darauf [da'rauf] *räumlich* (là-)dessus, sur cela; *zeitlich* après (cela), ensuite; **am Tag ~** le lendemain; **ich komme nicht ~** cela ne me revient pas; **es kommt ~ an** cela dépend; **~hin** [-'hin] sur ce; *Folge* à la suite de quoi

daraus [da'raus] de là, de cela, en; **was ist ~ geworden?** qu'en est-il advenu? **ich mache mir nichts ~** je n'y tiens pas; **mach dir nichts ~!** ne t'en fais pas!

darin [da'rin] (là-)dedans, dans *od* en cela, y

Darlehen ['da:rle:ən] *n* (-s; -) prêt *n*; **'~summe** *f* montant *m* prêté

Darm [darm] *m* (-[e]s; ⸚e) intestin *m*; *Tier* boyau *m*

darstell|en ['da:r-] (*sép*, -ge-, h) représenter, décrire; *Sachverhalt* présenter; *Theater* représenter; *Rolle* interpréter; **'2er** *m* (-s; -), **'2erin** *f* (-; -nen) acteur *m*, actrice *f*, interprète *m*, *f*; **'2ung** *f* (-; -en) représentation *f*, description *f*; *e-r Rolle* interprétation *f*

darüber [da'ry:bər] au-dessus, (là-)dessus; **~hinweg** par-dessus; **zu diesem Thema** à ce sujet; **~ hinaus** au-delà; **ich freue mich ~** je m'en réjouis

darum [da'rum] **~ (herum)** autour; *kausal* pour cela, voilà *od* c'est pourquoi; **ich bitte dich ~** je t'en prie

darunter [da'runtər] au-dessous, (là-)dessous; *inmitten* dans ce nombre; parmi eux *od* elles; **was verstehst du ~?** qu'est-ce que tu entends par là?

dasein → *da*

'Dasein *n* (-s; *sans pl*) existence *f*

dass [das] que; *damit* afin *od* pour que (+ *subj*); **so ~** de sorte que (+ *subj*); **nicht ~ ich wüsste** pas que je sache

'dastehen (*irr*, *sép*, -ge-, h, → *stehen*) être là

Datei [da'tai] *f* (-; -en) fichier *m*

Daten ['da:tən] *pl* données *f/pl*; **'~autobahn** *f* autoroute *f* de l'information; **'~bank** *f* banque *f* de données; **'~handschuh** *f* gant *m* de données; **'~material** *n* données *f/pl*; **'~schutz** *m* protection *f* de la vie privée; informatique *f* et liberté *f/pl*; **'~träger** *m* support *m* de données; **'~transfer** *m*

transfert *m* de données; **'~typist** *m* (-en; -en), **'~typistin** *f* (-; -nen) opérateur-pupitreur *m*, opératrice-pupitreuse *f*; **'~verarbeitung** *f* informatique *f*

datieren [da'ti:rən] (*pas de* -ge-, h) dater; **~ von** dater de

Datum ['da:tum] *n* (-s; *Daten*) date *f*; **ohne ~** non daté; **welches ~ haben wir heute?** le combien sommes-nous aujourd'hui? quel jour est-ce aujourd'hui?; **'~sstempel** *m* dateur *m*, composteur *m*

Dauer ['dauər] *f* (-; *sans pl*) durée *f*; **auf die ~** à la longue; **'~auftrag** *m* *Bank* ordre *m* permanent; **'~geschwindigkeit** *f* vitesse *f* de croisière; **2haft** durable, solide; **'~karte** *f* abonnement *m*

dauer|n (h) durer; **'~nd** permanent, continu; **'2welle** *f* permanente *f*, indéfrisable *f*

Daumen ['daumən] *m* (-s; -) pouce *m*

Daunen ['daunən] *f/pl* duvet *m*; **'~decke** *f* édredon *m*

davon [da'fɔn] en, de cela; **das kommt ~!** c'est bien fait; **auf und ~ sein** F avoir filé *od* décampé; **~kommen** (*irr*, *sép*, -ge-, sn, → *kommen*) s'en sortir (**mit** avec); **mit dem Leben** en réchapper; **mit dem Schrecken** ~ en être quitte pour la peur; **~laufen** (*irr*, *sép*, -ge-, sn, → *laufen*) partir en courant, se sauver

davor [da'fo:r] devant; *zeitlich* avant; **ich habe Angst ~** j'en ai peur

dazu [da'tsu:] *Zweck* à cela, pour cela, dans ce but; *ferner* avec cela, en outre, de plus; **ich bin nicht ~ gekommen (zu ...)** je n'ai pas trouvé le temps (de ...); **wie kommst du denn ~?** quelle drôle d'idée!; **~gehörig** y appartenant, qui en fait partie; **~kommen** (*irr*, *sép*, -ge-, sn, → *kommen*) survenir; **noch ~** s'y ajouter

dazwischen [da'tsviʃən] entre les deux, au milieu; *zeitlich* entre-temps; **~kommen** (*irr*, *sép*, -ge-, sn, → *kommen*) *Ereignis* intervenir, survenir

DDR [de:de:'er] *hist* *f* (-; *sans pl*) R.D.A. *f* (République démocratique allemande)

Debatt|e [de'batə] *f* (-; -n) débat *m*; **2ieren** [-'ti:rən] (*pas de* -ge-, h) débattre (**über etw** qc)

derartig

dechiffrieren [deʃiˈfriːrən] (*pas de -ge-*, h) déchiffrer, décoder

Deck [dɛk] *mar* n (-[e]s, -s) pont m

Decke [ˈdɛkə] f (-; -n) couverture f; *Zimmer*2 plafond m

Deckel [ˈdɛkəl] m (-s; -) couvercle m

deck|en [ˈdɛkən] (h) *Dach, mil, Kosten* couvrir; *Bedarf* satisfaire à; **den Tisch** ~ mettre la table; **sich** ~ coïncider; '2ung f (-; *sans pl*) couverture f (*a comm u mil*); *Sport* marquage m; '2ungszusage f **vorläufige** ~ avis m de couverture provisoire

defekt [deˈfɛkt] **1.** défectueux; *beschädigt* endommagé, avarié, en panne; **2.** 2 m (-[e]s; -e) défaut m, manque m

defin|ieren [defiˈniːrən] (*pas de -ge-*, h) définir; 2ition [-iˈtsjoːn] f (-; -en) définition f

Defizit [ˈdeːfitsit] n *comm* (-s; -e) déficit m

Deflation [deflaˈtsjoːn] f (-; -en) déflation f

dehn|bar [ˈdeːnbaːr] extensible; *fig* élastique; '2en (h) (**sich** ~ s')étendre, (s')allonger, (s')étirer; *phys* (se) dilater; '2ung f (-; -en) extension f, *phys* dilatation f

Deich [daiç] m (-[e]s; -e) digue f

dein [dain] ton, ta, *pl* tes; ~er, ~e, ~es, **der, die, das** ~e *od* ~ige le tien, la tienne; '~erseits de ton côté, de ta part; '~etwegen à cause de toi, pour toi

dekaden|t [dekaˈdɛnt] décadent; 2z [-ˈdɛnts] f (-; *sans pl*) décadence f

Dekor|ateur [dekoraˈtøːr] m (-s; -e) décorateur m; *Schaufenster*2 étalagiste m; ~ation [-ˈtsjoːn] f (-; -en) décoration f; *Theater* décors m/pl; 2ieren [-ˈriːrən] (*pas de -ge-*, h) décorer (*mit* de)

Delega|tion [delegaˈtsjoːn] f (-; -en) délégation f; 2ieren [-ˈgiːrən] (*pas de -ge-*, h) déléguer; ~ierte [-ˈgiːrtə] m, f (-n; -n) délégué m, -e f

delikat [deliˈkaːt] *heikel* délicat; *köstlich* délicieux

Delikatesse [delikaˈtɛsə] f (-; -n) *Leckerbissen* mets m fin, régal m; *süß* friandise f

Delikt [deˈlikt] n (-[e]s; -e) délit m

Demagoge [demaˈgoːgə] m (-n; -n) démagogue m

dementieren [demɛnˈtiːrən] (*pas de -ge-*, h) démentir

'dem|entsprechend, '~gemäß conformément à cela, en conséquence; '~nach donc; → **a ~gemäß**; '~nächst sous *od* d'ici peu

Demokrat [demoˈkraːt] m (-en; -en) démocrate m; '~in f (-; -nen) démocrate m, f; '~le [-ˈtiː] f (-; -n) démocratie f; 2isch démocratique; *Personen* démocrate

Demonstr|ant [demɔnˈstrant] m (-en; -en) manifestant m; ~ation [-aˈtsjoːn] f manifestation f; *Vorführung* démonstration f; 2ativ [-aˈtiːf] ostensible; '~ieren (*pas de -ge-*, h) öffentlich manifester; *vorführen* démontrer

Demoskopie [demoskoˈpiː] f (-; -n) sondage m d'opinion

demütig [ˈdeːmyːtiç] humble; '2ung [-gun] f (-; -en) humiliation f

denkbar [ˈdɛnkbaːr] imaginable

denken [ˈdɛnkən] (*dachte, gedacht*, h) **1.** penser (**an** à); *nach-* réfléchir, raisonner; **das kann ich mir** ~ je m'en doute; ~ **Sie mal!** figurez-vous!, imaginez-vous!; **2.** 2 n (-s; *sans pl*) pensée f, réflexion f

'denk|faul paresseux d'esprit; '2fehler m faute f de raisonnement; '2mal n monument m; '2mal(s)schutz m protection f des monuments; '~würdig mémorable

denn [dɛn] car; **wo ist er** ~? où est-il donc?; **mehr** ~ **je** plus que jamais; **es sei ..., dass ...** à moins que ... ne (+ *subj*)

dennoch [ˈdɛnɔx] cependant, pourtant

Denunz|iant [denunˈtsjant] m (-en; -en) dénonciateur m, -trice f; 2ieren [-ˈtsiːrən] (*pas de -ge-*, h) dénoncer

Deodorant [deˈʔodoˈrant] n (-s; -e, -s) déodorant m

Deponie [depoˈniː] f (-; -n) décharge f publique; 2ren (*pas de -ge-*, h) déposer

Depot [deˈpoː] n (-s; -s) dépôt m

Depress|ion [deprɛˈsjoːn] f psych (-; -en) dépression f; 2iv [-ˈsiːf] dépressif

deprimieren [depriˈmiːrən] (*pas de -ge-*, h) déprimer

der, die, das [deːr, diː, das] **1.** *Artikel* le, la, *pl* les; **2.** *Demonstrativ* ce, cette, *pl* ces; *substantivisch* celui-ci, celle-ci, cela *od* ça; *pl* ceux-ci, celles-ci; **3.** *Relativ* qui (*Akkusativ* que)

'derartig tel, pareil

der'gleichen *nichts* ~ rien de tel

derjenige ['deːrjeˌniːɡə], 'diejenige, 'dasjenige celui, celle (*welcher* qui)

derselbe [deːr'zɛlbə], die'selbe, das-'selbe le *od* la même; *dasselbe sub-stantivisch* la même chose

Desert|eur [dezɛr'tøːr] *m* (*-s; -e*) déserteur *m*; 2'ieren (*pas de ge-, h*) déserter

deshalb ['dɛshalp] à cause de cela, pour cette raison, c'est *od* voilà pourquoi

Design [di'zain] *n* (*-s; sans pl*) design *m*

desinfizieren [dɛs'infi'tsiːrən] (*pas de -ge-, h*) désinfecter

'Desinteresse *n* (*-s; sans pl*) manque *m* d'intérêt

destillieren [dɛsti'liːrən] (*pas de ge-, h*) distiller

desto ['dɛsto] d'autant; ~ *besser* d'autant mieux, tant mieux!

deswegen ['dɛsˈveːɡən] → *deshalb*

Detail [de'tai] *n* (*-s; -s*) détail *m*

Detektiv [detɛk'tiːf] *m* (*-s; -e*) détective *m*

deut|en ['dɔytən] (*h*) *erklären* interpréter; *auf etw* ~ indiquer qc; '~lich distinct, clair, net

deutsch [dɔytʃ] allemand; *in Zssgn* germano-: *~-polnisch* germano-polonais; *~-französisch* franco-allemand; 2 *od im* 2er en allemand; '2er *m* (*-n; -n*) Allemand *m*, -e *f; '2land n* (*-s; sans pl*) l'Allemagne *f*

Deutung ['dɔytʊŋ] *f* (*-; -en*) interprétation *f*

Devise [de'viːzə] *f* (*-; -n*) devise *f*; *~n écon od pl* devises *f/pl*; *~nkontrolle f* contrôle *m* des changes

Dezember [de'tsɛmbər] *m* (*-s; -*) décembre *m*

dezent [de'tsɛnt] discret

Dezernat [detsɛr'naːt] *n* (*-[e]s; -e*) département *m*, ressort *m*, service *m*

dezimal [detsi'maːl] décimal; 2bruch *m* fraction *f* décimale; 2stelle *f* décimale *f*; 2system *n* numération *f* décimale

d.h. (*abr das heißt*) c'est-à-dire

Dia ['diːa] *n* (*-s; -s*) diapo *f*

Diabetes [dia'beːtəs] *méd m* (*-; sans pl*) diabète *m*

Diagnose [dia'gnoːzə] *f* (*-; -n*) diagnostic *m*

diagonal [diago'naːl] diagonal; 2e *f* (*-; -n*) diagonale *f*

Diagramm [dia'gram] *n* (*-s; -e*) diagramme *m*

Dialekt [dia'lɛkt] *m* (*-[e]s; -e*) dialecte *m*

Dialog [dia'loːk] *m* (*-[e]s; -e*) dialogue *m*

'Diaprojektor *m* projecteur *m* de diapositives

Diät [di'ɛːt] *méd f* (*-; -en*) régime *m*; ~ *halten* suivre un régime; ~*en f/pl* indemnités *f/pl* parlementaires

dich [dɪç] te (*vor Vokal* t'); toi

dicht [dɪçt] épais; *Verkehr, Menschenmenge* dense; *Stoff* serré; *was-ser~, luft~* étanche; ~ *an od bei* tout près de; '2e *f* (*-; sans pl*) épaisseur *f*, densité *f*

'dicht|en (*h*) composer *od* faire des vers; '2er *m* (*-s; -*) poète *m*; '2erin *f* (*-; -nen*) poète *m*, femme *f* poète, poétesse *f* (*oft péj*); '~erisch poétique; '2ung *f* (*-; -en*) poésie *f; Gedicht* a poème *m; Literatur* littérature *f; tech* joint *m*

dick [dɪk] épais; *Mensch* gros; *durch* ~ *und dünn* quoi qu'il arrive; '2e *f* (*-; sans pl*) épaisseur *f*, grosseur *f*

Dieb [diːp] *m* (*-[e]s; -e*) voleur *m*, -euse *f; '~in f* (*-; -nen*) voleuse *f; '~esgut* ['-bəs-] *n* (*-[e]s; sans pl*) butin *m; '~stahl m* (*-[e]s; ¨e*) vol *m; '~stahlversicherung f* assurance-vol *f*

Diele ['diːlə] *f* (*-; -n*) *Flur* vestibule *m*, entrée *f; Brett* planche *f*

dienen ['diːnən] (*h*) servir (*j-m* qn); ~ *zu* servir à (*j-m* à qn); ~ *als* servir de

Dienst [diːnst] *m* (*-es; -e*) service *m*; ~ *haben* être de service; *j-m e-n* ~ *erweisen* rendre (un) service à qn; *au-ßer* ~ (*abr a. D.*) en retraite; *der öf-fentliche* ~ la fonction publique

Dienstag ['diːnstaːk] *m* (*-[e]s; -e*) mardi *m*

'Dienst|alter *n* ancienneté *f*; '2bereit prêt à servir, disponible; '2frei: ~ *ha-ben* avoir congé; '~geheimnis *n* secret *m* professionnel; '~grad *m* grade *m*; '~leistung *f* (prestation *f* de) service *m*; '~leistungsgewerbe *n* profession *f* du secteur tertiaire; '~leistungssektor *m* secteur *m* tertiaire; '~leistungsunter-nehmen *n* entreprise *f* du secteur tertiaire; '2lich en service officiel, pour affaires; '~reise *f* voyage *m* en service commandé; '~stelle *f* service *m*, office *m*, bureau *m*; '~stunden *f/pl* heures *f/pl* de service; '~vorschrift *f* instruction f de service; **'~wagen** m voiture f de service; **'~weg** m voie f hiérarchique

Diesel ['di:zəl] *Motor, Fahrzeug* diesel m; **'~motor** m moteur m diesel; **'~öl** n gasoil *od* gazole m

dieser ['di:zɐ], **'diese**, **'die(se)s** [di:s, di:zəs] **1.** *adjektivisch* ce (*vor Vokal* cet) m, cette f, ces pl; **2.** *substantivisch* celui-ci m, celle-ci f, pl ceux-ci m, celles-ci f; **die(se)s** n ceci, cela, ça F

'dies|mal cette fois(-ci); **'~seits** ['-zaits] de ce côté

Diffamierung [difa'mi:ruŋ] f (-; -en) diffamation f

Differen|z [difə'rɛnts] f (-; -en) différence f; *Unstimmigkeit* différend m; **~zial** [-tsja:l] m (-s; -e) tech différentiel m; *math* différentielle f; **2'zieren** [-'tsi:rən] (*pas de -ge-*, h) différencier

digital [digi'ta:l] digital, numérique; **2anzeige** f affichage m numérique *od* digital; **2rechner** m calculateur m numérique; **2uhr** f montre f digitale

Diktat [dik'ta:t] n (-[e]s; -e) dictée f; *pol* diktat m; **~or** [-ɔr] m (-s; -en) dictateur m; **~ur** [-a'tu:r] f (-; -en) dictature f

dik'tier|en (*pas de -ge-*, h) dicter; **2gerät** n machine f à dicter, dictaphone m

Dimension [dimɛn'zjo:n] f (-; -en) dimension f

DIN [di:n] DIN (norme industrielle allemande)

Ding [diŋ] n (-[e]s; -e, F -er) chose f; machin m F; truc m F; *vor allen ~en* avant tout; *guter ~e sein* être de bonne humeur

'Dingsbums n (-; *sans pl*) F truc m, machin-chouette m

Diox|id ['di:'ʔɔksi:t] *chim* n (-s; -e) dioxide m; **~in** [-ɔ'ksi:n] *chim* n (-s; -e) dioxine f

Diphtherie [difte'ri:] *méd* f (-; -n) diphtérie f

Diplom [di'plo:m] n (-[e]s; -e) diplôme m

Diplomat [diplo'ma:t] m (-en; -en) diplomate m; **~ie** [-a'ti:] f (-; *sans pl*) diplomatie f; **2isch** [-'ma:tiʃ] diplomatique; *fig Person* diplomate

Di'plomingenieur m ingénieur m diplômé d'Etat

dir [di:r] te (*vor Vokal* t'); toi, à toi

direkt [di'rɛkt] direct; (tout) droit; *TV* en direct; **~ gegenüber** juste en face; **2flug** m vol m direct; **2ion** [-'tsjo:n] f (-; -en) direction f; **2or** [di'rɛktɔr] m (-s; -en) directeur m; **2orin** [-'to:rin] f (-; -nen) directeur m, directrice f; *Gymnasium* proviseur m; **2übertragung** *Radio, TV* f émission f en direct; **2verkauf** m vente f directe; **2werbung** f publicité f directe

Dirig|ent [diri'gɛnt] mus m (-en; -en) chef m d'orchestre; **2'ieren** (*pas de -ge-*, h) diriger *od* conduire un orchestre

Diskette [dis'kɛtə] f (-; -n) disquette f; **~nlaufwerk** n lecteur m de disquette(s)

Disko ['disko] f (-; -s) discothèque f

Diskont [dis'kɔnt] *écon* m (-s; -e) escompte m; **~satz** m taux m d'escompte

Diskothek [disko'te:k] f (-; -en) discothèque f

diskredi'tieren (*pas de -ge-*, h) discréditer

Diskrepanz [diskre'pants] f (-; -en) divergence f

diskret [dis'kre:t] discret; **2ion** [-e'tsjo:n] f (-; *sans pl*) discrétion f

diskriminier|en [diskrimi'ni:rən] (*pas de -ge-*, h) discriminer; **2ung** f (-; -en) discrimination f

Diskussion [disku'sjo:n] f (-; -en) discussion f

diskutieren [disku'ti:rən] discuter (*etw* qc, *über* de *od* sur)

Disqualifi|kation [diskvalifika'tsjo:n] f (-; -en) disqualification f; **2zieren** [-'tsi:rən] (*pas de -ge-*, h) disqualifier

Distanz [di'stants] f (-; -en) distance f; **2'ieren** (*pas de -ge-*, h) distancer; *sich ~* se distancer (*von* de), prendre ses distances (par rapport à)

Distel ['distəl] *bot* f (-; -n) chardon m

Distrikt [di'strikt] m (-[e]s; -e) district m

Disziplin [distsi'pli:n] f (-; -en) discipline f; **2arisch** [-'na:riʃ] disciplinaire; **2iert** [-'ni:rt] discipliné

Divi|dende [divi'dɛndə] *écon* f (-; -en) dividende m; **2'dieren** (*pas de -ge-*, h) diviser; **~sion** [-'zjo:n] (-; -en) *math, mil* division f

D-Mark ['de:mark] f mark m allemand

doch [dɔx] *jedoch* cependant, pourtant;

bejahend auf verneinte Frage si!; **komm ~!** viens donc!; **du weißt ~, dass ...** tu sais bien que ...; **wenn er ~ käme!** si seulement il venait!

Docht [dɔxt] *m* (*-[e]s; -e*) mèche *f*

Dock [dɔk] *mar n* (*-s; -s*) dock *m*, bassin *m*

Dogge ['dɔgə] *f zo* (*-; -n*) dogue *m*

Dogma ['dɔgma] *n* (*-s; -men*) dogme *m*

Dohle ['do:lə] *zo f* (*-; -n*) choucas *m*

Doktor ['dɔktor] *m* (*-s; -en*) docteur *m* (*a Arzt*)

Doktrin [dɔk'tri:n] *f* (*-; -en*) doctrine *f*

Dokument [doku'mɛnt] *n* (*-[e]s; -e*) document *m*; **~arfilm** [-'ta:r-] *m* documentaire *m*

Dolch [dɔlç] *m* (*-[e]s; -e*) poignard *m*

dolmetsch|en ['dɔlmɛtʃən] (*-ge-, h*) traduire; servir d'interprète; **'2er** *m* (*-s; -*), **'2erin** *f* (*-; -nen*) interprète *m, f*

Dom [do:m] *m* (*-[e]s; -e*) cathédrale *f*

Domäne [do'mɛ:nə] *f* (*-; -n*) domaine *m*

dominieren [domi'ni:rən] (*pas de -ge-, h*) dominer; **~d** dominant

Donau ['do:nau] *die* **~** le Danube

Donner ['dɔnər] *m* (*-s; -*) tonnerre *m*; **'2n** (*h*) tonner (*es donnert* il tonne); *Geschütze* tonner, gronder; *Zug* passer avec un bruit de tonnerre; **'~stag** *m* jeudi *m*; **'~wetter!** sapristi!, nom de nom!; *erstaunt* bigre!, fichtre!, par exemple!

doof [do:f] F bête, idiot, stupide; *langweilig* rasant, assommant

Doppel ['dɔpəl] *n* (*-s; -*) double *m* (*a Tennis*); **'~besteuerung** *f* double taxation *f*; **'~bett** *n* lits *m/pl* jumeaux; **'~fenster** *n* doubles fenêtres *f/pl*; **'~gänger** *m* double *m*, sosie *m*; **'~punkt** *m* deux-points *m*

'doppelt double; **~ so viel** deux fois plus; **~ sehen** voir double; **in ~er Ausfertigung** en deux exemplaires; **das 2e** le double

'Doppel|verdiener *m Person* personne *f* à double salaire; *Paar* couple *m* à double salaire; **~währungsphase** *f* *Euro* période *f* bimonétaire; **~zentner** *m* quintal *m*; **'~zimmer** *n* chambre *f* pour deux personnes, chambre *f* double

Dorf [dɔrf] *n* (*-[e]s; ̈er*) village *m*; **'~bewohner(in** *f*) *m* villageois *m*, *-e f*

Dorn [dɔrn] *m* (*-[e]s; -en*) épine *f*; **'2ig** épineux

Dorsch [dɔrʃ] *zo m* (*-es; -e*) morue *f*

dort [dɔrt] là, y, par là; **~ drüben** là-bas; **'~her** de là, de là-bas; **'~hin** (de ce côté-)là, là-bas; **'~ig** de là-bas, de cet endroit

Dose ['do:zə] *f* (*-; -n*) boîte *f*

Dosenöffner ['do:zən-] ouvre-boîtes *m*

Dosis ['do:zis] *f* (*-; Dosen*) dose *f*

Dotter ['dɔtər] *m od n* (*-s; -*) jaune *m* d'œuf

Double ['du:bəl] *n Film* (*-s; -s*) doublure *f*

downloaden *EDV* ['daunlo:dən] (*sép, -ge-, h*) télécharger

Dozent [do'tsɛnt] *m* (*-en; -en*), **~in** *f* (*-; -nen*) maître *m* de conférences, chargé *m, -e f* de cours

Drache ['draxə] *m* (*-n; -n*) *Fabeltier* dragon *m*; **'~n** *m* (*-s; -*) *Spielzeug* cerf-volant *m*; *Fluggerät* deltaplane *m*; **'~nflieger** *m* deltaplaniste *m*

Draht [dra:t] *m* (*-[e]s; ̈e*) fil *m* (métallique); *fig* **auf ~ sein** être sur le qui-vive, F être branché; **'~seilbahn** *f* téléphérique *od* téléférique *m*; *auf Schienen* funiculaire *m*; **'~zieher** *m fig der ~ sein* tirer les ficelles

Drama ['dra:ma] *n*; (*-s; Dramen*) drame *m*; **~tiker** [dra'ma:tikər] *m* (*-s; -*) auteur *m* dramatique; **2tisch** [-a'ma:tiʃ] dramatique

dran [dran] F **wer ist ~?** à qui le tour?; **ich bin ~** c'est mon tour; → *a* **daran**

Drang [draŋ] *m* (*-[e]s; sans pl*) impulsion *f*, envie *f*

drängeln ['drɛŋəln] (*h*) pousser; se bousculer

drängen ['drɛŋən] (*h*) presser, pousser; **j-n ~, etw zu tun** presser qn de faire qc; **sich ~** se presser, se pousser, se bousculer; **sich durch die Menge ~** se frayer un chemin à travers la foule; **die Zeit drängt** le temps presse

'drankommen (*irr, sép, -ge-, sn,* → **kommen**) F **ich komme dran** c'est mon tour

drastisch ['drastiʃ] *Ausdruck* cru, vert; **~e Maßnahmen** mesures radicales *od* draconiennes

drauf [drauf] F **~ und dran sein, etw zu tun** être sur le point de faire qc;

→ **darauf;** '2gänger ['-geŋɐr] m (-s; -) risque-tout m, casse-cou m, tête f brûlée

draußen ['drausən] dehors

drechseln ['drɛksəln] (h) tourner

Dreck [drɛk] m (-[e]s; sans pl) saleté f, crasse F f; Straßen2 boue f; fig Schund saleté f, saloperie F f; '2ig sale; boueux; fig Witz obscène; **es geht ihm ~** F il est dans la mouise

Dreh [dre:] F m (-[e]s; -e) truc m; **er ist auf den ~ gekommen** il a trouvé la combine; '-bahn tech f tour m; '2bar tournant; '-buch n Film scénario m; '-bühne f scène f tournante

'drehen (h) tourner (a Film); **sich ~** tourner; **worum dreht es sich?** de quoi s'agit-il?

'Dreh|er m (-s; -) Beruf tourneur m; '-kreuz n tourniquet m; '-orgel f orgue m de Barbarie; '-scheibe f plaque f tournante (a fig); '-strom m courant m triphasé; '-ung f (-; -en) tour m, rotation f; '-zahl f nombre m de tours; auto régime m; '-zahlmesser m compte-tours m

drei [drai] 1. trois; 2. 2 f trois m; '2bettzimmer n chambre f à trois lits; '-dimensional tridimensionnel; '2eck n triangle m; '-eckig triangulaire; '-erlei ['-ɔrlai] de trois sortes; '-fach triple; '-farbig tricolore; '-hundert trois cents; '-mal trois fois; '2satz math m règle f de trois; '-spurig à trois voies

dreißig ['draisiç] trente; **etwa ~** une trentaine; '-ste trentième

'drei|tägig de trois jours; '2viertelstunde f trois quarts m/pl d'heure; '-zehn treize; '-zehnte treizième

dresch|en ['drɛʃən] (drosch, gedroschen, h) battre; fig Phrasen ~ F faire du bla-bla; '2maschine f batteuse f

dress|ieren [drɛ'si:rən] (pas de -ge-, h) dresser; 2ur [-'su:r] f (-; -en) dressage m

drillen ['drilən] (h) mil u fig dresser

Drillinge ['driliŋə] m/pl triplé(e)s m (f) pl

drin [drin] F → darin

dring|en ['driŋən] (drang, gedrungen) 1. (sn) durch etw ~ pénétrer à travers qc, traverser qc; aus etw ~ sortir od s'échapper de qc; an die Öffentlich-

keit ~ transpirer dans le public; 2. (h) darauf ~, dass ... insister pour que (+ subj); '-end urgent, pressant; Verdacht sérieux; adv d'urgence; '2lichkeit f (-; sans pl) urgence f

drinnen ['drinən] dedans

dritte ['dritə] troisième; **zu dritt sein** être trois; '2l n (-s; -) tiers m; '-ns troisièmement, tertio

Drog|e ['dro:gə] f (-; -n) drogue f; '-enabhängig, '-ensüchtig drogué; '-enberatungsstelle f centre m d'accueil pour toxicomanes; '-enhandel m trafic m de drogue; '-enhändler m marchand m de drogue; '-enkonsum m comsommation f de drogues; '-enproblem n problème m de la drogue

Drog|erie [drogə'ri:] f (-; -n) droguerie f, herboristerie f; '-ist [dro'gist] m (-en; -en), '-istin f (-; -nen) droguiste m, f; marchand m de couleurs

drohen ['dro:ən] (h) menacer (j-m qn, mit de)

dröhnen ['drø:nən] (h) retentir; Motor vrombir

Drohung ['dro:uŋ] f (-; -en) menace f

Dromedar [dromə'da:r] zo n (-s; -e) dromadaire m

Drossel ['drɔsəl] zo f (-; -n) grive f

drosseln (h) freiner, limiter

drüben ['dry:bən] de l'autre côté

drüber ['dry:bər] F → darüber

Druck [druk] m (-[e]s; -e) pression f; Buch2 impression f; '-buchstabe m lettre f d'imprimerie

drucken ['drukən] (h) imprimer

drücken ['drykən] (h) presser, serrer; stoßen pousser; **auf etw ~** appuyer sur qc; j-m die Hand ~ donner une poignée de main à qn; fig die Preise ~ faire baisser les prix; **sich ~** F tirer au flanc, se défiler; '-d Hitze étouffant; Schweigen oppressant

'Drucker m (-s; -) imprimeur m; EDV-Gerät imprimante f

'Drücker m (-s; -) Tür poignée f

Druckerei [drukə'rai] f (-; -en) imprimerie f

'Druck|fehler m faute f d'impression; '-knopf m bouton-pression m; Schalter bouton-poussoir m; '-luft f air m comprimé; '-sache f imprimé m

drum [drum] F → darum

drunter ['drʊntər] *alles geht ~ und drüber* tout est sens dessus dessous; → *a* **darunter**

Drüse ['dry:zə] *f* (-; -n) glande *f*

Dschungel ['dʒʊŋəl] *m* (-s; -) jungle *f*

du [du:] tu (+ *Verb*); toi; *~ bists!* c'est toi!

Dübel ['dy:bəl] *tech m* (-s; -) cheville *f*

ducken ['dʊkən] (*h*) *sich ~* baisser la tête (*a fig*); *niederkauern* se blottir

Dudelsack ['du:dəl-] *mus m* cornemuse *f*, biniou *m*

Duft [dʊft] *m* (-[e]s; =e) parfum *m*, bonne odeur *f*; *2en* (*h*) sentir bon

dulden ['dʊldən] (*h*) souffrir, tolérer

dumm [dʊm] bête, sot, stupide; *fig das ist mir zu ~* F j'en ai marre; *der 2e sein* être le dindon de la farce; *2heit f* bêtise *f*, sottise *f*, stupidité *f*; *'2kopf m* imbécile *m*

dumpf [dʊmpf] *Geräusch, Schmerz* sourd; *fig unklar* vague

Dumping ['dampiŋ] *m* dumping *m*; gâchage *m* du prix

Düne ['dy:nə] *m* (-; -n) dune *f*

Dung [dʊŋ] *m* (-[e]s; *sans pl*) natürlicher fumier *m*

düng|en ['dyŋən] (*h*) engraisser; *mit Mist* fumer; *'2er m* (-s; -) engrais *m*

dunkel ['dʊŋkəl] sombre; obscur (*a fig*); *Farbe* foncé; *es wird ~* il commence à faire nuit

Dünkel ['dyŋkəl] *m* (-s; *sans pl*) suffisance *f*, présomption *f*, morgue *f*

'Dunkel|heit *f* (-; *sans pl*) obscurité *f*, ténèbres *f/pl*; *'~kammer f Foto* chambre *f* noire

dünn [dyn] mince; *Kleid, Kaffee* léger; *Luft* rare; *~ besiedelt* peu peuplé

Dunst [dʊnst] *m* (-[e]s; =e) vapeur *f*, fumée *f*; *in der Luft* brume *f*

dünsten ['dynstən] (*h*) *cuis* cuire à l'étuvée

'dunstig *Wetter* brumeux

Duplikat [dupli'ka:t] *n* (-[e]s; -e) duplicata *m*, copie *f*

Dur [du:r] *n* (-; *sans pl*) *mus* majeur *m*; *A-Dur* la majeur

durch [dʊrç] par; *quer ~* à travers; *math* divisé par; *das ganze Jahr ~* toute l'année; *~ und ~* complètement, d'un bout à l'autre

'durcharbeiten ['dʊrç-] (*sép*, *-ge-*, *h*) *Stoff* étudier à fond *od* d'un bout à l'autre; *ohne Pause* travailler sans interruption

durch'aus tout à fait, absolument; *~ nicht* pas du tout

'Durchblick *m* échappée *f* (*auf* sur); *fig er hat den ~* il voit clair; *'2en* (*sép*, *-ge-*, *h*) *fig* (*nicht mehr*) ~ (ne plus) voir clair; *lassen* laisser entendre

durch'bohren (*pas de -ge-*, *h*) (trans)percer; *fig mit Blicken ~* transpercer du regard; *~'brechen* (*irr*, *pas de -ge-*, *h*, → **brechen**) percer; *Schallmauer* franchir; *'~brennen* (*irr*, *sép*, *-ge-*, *sn*, → **brennen**) *Sicherung* sauter; *Glühbirne* griller; F *weglaufen* filer, se sauver; *'~bringen* (*irr*, *sép*, *-ge-*, *h*, → **bringen**) *Gesetz, Kandidaten* faire passer; *Kranken* sauver; *Vermögen* gaspiller, dilapider

'Durchbruch *m* percée *f* (*a mil u fig*)

'durchdrehen (*sép*, *-ge-*, *h*) s'affoler, craquer

durch'dringen (*durchdrang*, *durchdrungen*, *h*) pénétrer; *'~d* pénétrant; *Blick, Schrei* perçant

durcheinander [dʊrç'aɪ'nandər] **1.** pêle-mêle, en désordre; *fig ~ sein* être troublé, ne plus s'y retrouver; *~ bringen* mettre en désordre; *verwirren* troubler; *verwechseln* mélanger, confondre; **2.** ~ *n* (-s; *sans pl*) confusion *f*, désordre *m*, F pagaille *f*

durchfahr|en ['-fa:rən] (*irr*, *sép*, *-ge-*, *sn*, → **fahren**) passer par, traverser; *nicht halten* ne pas s'arrêter; *bei Rot ~* griller un feu rouge; *'2t f* (-; -en) passage *m*

'Durchfall *m méd* diarrhée *f*; *fig* échec *m*; *'2en* (*irr*, *sép*, *-ge-*, *sn*, → **fallen**) *Examen* échouer; être recalé

durchführ|bar ['dʊrçfy:rba:r] exécutable, réalisable; *'~en* (*sép*, *-ge-*, *h*) exécuter, mettre à exécution, réaliser

'Durchgang *m* (-[e]s; =e) passage *m*; *Sport* manche *f*; *Wahl* tour *m* de scrutin; *'~sverkehr m* trafic *m* de transit

'durchgehen (*irr*, *sép*, *-ge-*, *sn*, → **gehen**) passer (*durch* par); *Vorschlag* être adopté; *Pferd, Motor, Fantasie* s'emballer; *fliehen* s'enfuir; *fig examiner*; *durchlesen* parcourir; *j-m etw ~ lassen* laisser passer qc à qn, fermer les yeux sur qc; *'~d Zug* direct; *~ geöffnet* ouvert en permanence *od* sans interruption

'**durch|greifen** (*irr, sép, -ge-, h, →* **greifen**) prendre des mesures énergiques; '**~halten** (*irr, sép, -ge-, h, →* **halten**) tenir bon; '**~kommen** (*irr, sép, -ge-, sn, →* **kommen**) passer (*durch* par); *fig* se tirer d'affaire; réchapper d'une maladie; *im Examen* réussir, être reçu

'**durch|lassen** (*irr, sép, -ge-, h, →* **lassen**) laisser passer; '**~lässig** perméable

'**durchlauf|en** (*irr, sép, -ge-, →* **laufen**) **1.** *v/t* (*h*) Sohlen percer (à force de marcher); **2.** *v/i* (*sn*) *Kaffee etc* couler par, à travers; **3.** [-'laufən] (*durchlief, durchlaufen, h*) *Strecke* parcourir; '**2erhitzer** *m* chauffe-eau *m* instantané

'**durch|lesen** (*irr, sép, -ge-, h, →* **lesen**) lire (entièrement); *flüchtig* parcourir; '**~leuchten** (*h*) *méd* radiographier; *durchleuchtet werden* passer une radio; '**~machen** (*sép, -ge-, h*) *viel ~* passer par de rudes épreuves

'**Durchmesser** *m* (*-s; -*) diamètre *m*

durch|queren (h) traverser; '**~rechnen** (*sép, -ge-, h*) calculer

'**Durchreise** *f* passage *m*; *auf der ~ sein* être de passage; *auf der ~ durch* en passant par; '**~visum** *n* visa *m* de transit

'**durchringen** (*irr, sép, -ge-, h, →* **ringen**) *sich zu etw ~* se résoudre à qc

'**Durchsage** *f* (*-; -n*) annonce *f*, message *m*; '**2n** (*sép, -ge-, h*) *Befehl* faire passer

durch'schauen (*h*) *j-n ~* pénétrer les intentions de qn

'**durchscheinend** transparent, translucide

'**Durchschlag** *m* (*-[e]s; ¨e*) *Kopie* double *m*, copie *f*; '**2en 1.** (*irr, sép, -ge-, h, →* **schlagen**) *sich ~* se débrouiller; *sich mühsam ~* gagner péniblement sa vie; **2.** (*irr, h*) *Geschoss* percer; *zerschlagen* casser en deux; '**2end** efficace, décisif; *Erfolg* retentissant; '**~papier** *n* papier *m* pelure; '**~skraft** *f* force *f* percutante (*a fig*)

'**durchschneiden** (*irr, sép, -ge-, h, →* **schneiden**) couper (en deux), trancher; *j-m die Kehle ~* couper la gorge à qn

'**Durchschnitt** *m* moyenne *f*; *im ~* en moyenne; '**2lich** moyen; *adv* en moyenne

'**Durchschnitts|alter** *n* âge *m* moyen; '**~einkommen** *n* revenu *m* moyen; '**~geschwindigkeit** *f* vitesse *f* moyenne; '**~temperatur** *f* température *f* moyenne; '**~wert** *m* valeur *f* moyenne

'**Durchschrift** *f* copie *f*, double *m*

'**durch|sehen** (*irr, sép, -ge-, h, →* **sehen**) regarder à travers; *Text* parcourir; *prüfend* examiner; *noch einmal ~* réviser; '**~setzen** (*sép, -ge-, h*) imposer, faire adopter; *sich ~* s'imposer; '**~setzt** [-'tsetst] *~ mit* entremêlé de

'**Durchsicht** *f* examen *m*, révision *f*; '**2ig** transparent (*a fig*)

'**durch|sickern** (*sép, -ge-, sn*) suinter, s'infiltrer; *fig* transpirer; '**~sprechen** (*irr, sép, -ge-, h, →* **sprechen**) discuter; '**~stoßen** (*irr, sép, -ge-, sn, →* **stoßen**) percer (*a mil*); '**~streichen** (*irr, sép, -ge-, h, →* **streichen**) barrer, biffer, rayer

durch'such|en (*h*) fouiller; **2ung** *f* (*-; -en*) fouille *f*; *Wohnung* perquisition *f*

durchtrieben [dʊrç'triːbən] rusé, roué, madré, malin, roublard

'**Durch|wahl** *f* (*-; sans pl*) ligne *f* directe; '**2wählen** (*sép, -ge-, h*) appeler sur ligne directe; '**~wahlnummer** *f* numéro *m* de poste

durchweg ['dʊrçvɛk] sans exception, tous (toutes)

'**durchziehen** (*irr, sép, -ge-, →* **ziehen**) *v/t* (*h*), *v/i* (*sn*) passer; *Gebiet* parcourir

'**Durchzug** *m* (*-[e]s; ¨e*) courant *m* d'air

dürfen ['dʏrfən] **1.** (*durfte, gedurft, h*); **2.** *v/aux* (*durfte, dürfen, h*) avoir le droit *od* la permission (de), être autorisé (à); pouvoir; devoir; *darf ich Ihnen helfen?* est-ce que je peux vous aider?; *das hättest du nicht tun ~* tu n'aurais pas dû faire cela; *das dürfte genügen* cela devrait suffire

dürftig ['dʏrftıç] insuffisant, maigre, médiocre

dürr [dʏr] sec (*a Mensch*); *Boden* aride; *Ast, Blatt a* mort; '**2e** *f* (*-; -n*) sécheresse *f*

Durst [dʊrst] *m* (*-es; sans pl*) soif *f* (*fig nach* de); *~ haben* avoir soif

'**durstig** *~ sein* avoir soif

Dusche ['duʃə] *f* (*-; -n*) douche *f*; '**2n** (*h*) j-n doucher; (*sich*) *~* se doucher, prendre une douche

Düse ['dyːzə] *f* (*-; -n*) *tech* tuyère *f*;

'**_nantrieb** m propulsion f par réaction;
'**_nflugzeug** n avion m à réaction;
'**_ntriebwerk** [-n°antri:p] n (turbo-)
réacteur m
düster ['dy:stər] sombre (a fig)
Dutzend ['dutsənt] n (-s; -e) douzaine f
duzen ['du:tsən] (h) (**sich**) se tutoyer

Dynam|ik [dy'na:mik] f (-; sans pl) dy-
namique f; fig a dynamisme m; **2isch**
dynamique
Dynamit [dyna'mi:t] n (-s; sans pl) dy-
namite f
Dynastie [dynas'ti:] f (-; -n) dynastie f
'**D-Zug** m express m

E

E [e:] mus n (-; -) mi m
Ebbe ['ɛbə] f (-; -n) marée f basse; **_ und
Flut** marée f
eben ['e:bən] **1.** adj plat, plan; **zu _er
Erde** au rez-de-chaussée; **2.** adv justement; **_ angekommen sein** venir
d'arriver; **ich wollte _ sagen** j'allais
dire; '**2e** f (-; -n) plaine f; pol **auf
höchster _** au plus haut échelon
'**ebenfalls** de même, pareillement
'**ebenso** de même; '**_ sehr**, '**_ viel**
autant (de); '**_ wenig** tout aussi peu
Eber ['e:bər] zo m (-s; -)verrat m
ebnen ['e:bnən] (h) aplanir (a fig)
Echo ['ɛço] n (-s; -s) écho m
echt [ɛçt] véritable, naturel; authentique; '**2heit** f (-; sans pl) vérité f;
authenticité f
'**Eck|daten** n/pl données f/pl, valeurs
f/pl indicatives; '**_e** f (-; -n) coin m; '**2ig**
angulaire, anguleux; fig gauche; '**_lohn**
m salaire m de référence
Economyklasse [e'kɔnɔmi-] f classe f
économique
edel ['e:dəl] noble; généreux; Metall
précieux; '**2metall** n métal m précieux; '**2stahl** n acier m inoxydable;
'**2stein** m pierre f précieuse
EDV [e:de'fau] f informatique f
Effekt [ɛ'fɛkt] m (-[e]s; -e) effet m
Effekten pl Habe effets m/pl; Wertpapiere titres m/pl, effets m/pl publics,
valeurs f/pl
effekt|iv [ɛfɛk'ti:f] tatsächlich effectif;
wirksam efficace; **2voll** [-'fɛkt-] qui
fait de l'effet; théâtral
effiz|ient [ɛfi'tsjɛnt] efficace; **2ienz**
[-'tsjɛnts] f (-; -en) efficacité f
EG [e:'ge:] f C.E.E. f (= Communauté

économique européenne)
egal [e'ga:l] égal; **_ ob** peu importe
que... (+ subj); **das ist _** ça revient au
même; **das ist mir _** ça m'est égal
Egois|mus [ego'ismus] m (-; sans pl)
égoïsme m; **_t** m (-en; -en), **_tin** f (-;
-nen) égoïste m, f; **2tisch** égoïste
ehe ['e:ə] (**dass**) avant que... (+ subj),
avant de (+ inf); **nicht _** pas jusqu'à ce
que (+ subj)
'**Ehe** [-] f (-; -n) mariage m; **wilde _**
union f libre, concubinage m; '**2ähn-
lich _e Gemeinschaft** union f libre;
'**_bruch** m adultère m; '**_frau** f femme
f, épouse f; '**_leute** pl époux m/pl;
'**2lich** conjugal; Kind légitime; '**_lo-
sigkeit** f (-; sans pl) célibat m; **2malig**
['-ma:liç] ancien, d'autrefois; '**_mann**
m mari m; '**_paar** n couple m (marié)
'**eher** früher plus tôt; lieber plutôt; **je _
desto lieber** le plus tôt sera le mieux;
nicht _ als pas avant que ... (+ subj)
'**Ehe|ring** m alliance f; '**_scheidung** f
divorce m; '**_schließung** f mariage m;
'**_vermittlungsinstitut** n agence f
matrimoniale
Ehre ['e:rə] f (-; -n) honneur m; **zu _n
von** en l'honneur de; '**2n** (h) honorer;
respecter
'**Ehren|amt** n charge f honorifique;
'**2amtlich _e Helfer** pl des bénévoles;
'**_bürger(in** f) m citoyen m, -ne f
d'honneur; '**2haft** honorable; '**_mann**
m homme m d'honneur; '**_mitglied** n
membre m honoraire; '**_rechte** n/pl
bürgerliche _ droits m/pl civiques;
'**2rührig** injurieux; '**2voll** honorable;
'**_wort** n parole f d'honneur
'**Ehr|furcht** f (-; sans pl) respect m;

'**2fürchtig**, '**2furchtvoll** respectueux; '**_gefühl** n sens m od sentiment m de l'honneur; '**_geiz** m ambition f; '**2geizig** ambitieux

ehrlich honnête; ~ **gesagt** pour dire vrai; '**2keit** f honnêteté f

'**ehr|los** infâme; '**2losigkeit** f (-; sans pl) infamie f; '**2ung** f (-; -en) hommage m

Ei [ai] n (-[e]s, -er) œuf m

ei! [-] eh!, tiens!

Eiche [aiçə] bot f (-; -n) chêne m

Eichel ['aiçəl] f (-; -n) gland m

'**eichen** 1. adj de od en chêne; 2. Verb (h) Hohlmaße jauger; Gewichte, Maße étalonner

Eichhörnchen ['aiçhœrnçən] zo n (-s; -) écureuil m

Eid [ait] m (-[e]s; -e) serment m; **an _es Statt erklären** certifier sur l'honneur; **unter ~ stehen** être assermenté

Eidechse ['aidɛksə] zo f (-; -n) lézard m

eid|esstattlich ['aidəs-] jur **_e Erklärung** déclaration f sur l'honneur; '**2genosse** m confédéré m, Suisse m

'**Eier|becher** m coquetier m; '**_schale** coquille f d'œuf; '**_stock** méd m ovaire m

Eifer ['aifər] m (-s; sans pl) zèle m; empressement m; '**_sucht** f jalousie f; '**2süchtig** jaloux (**auf** de)

eifrig ['aifriç] zélé; empressé

'**Eigelb** n (-s; -s) jaune m d'œuf

eigen ['aigən] propre; spécifique; particulier; '**2art** f particularité f; '**_artig** particulier, singulier; seltsam curieux, étrange; '**2bedarf** m consommation f personnelle; '**2finanzierung** f autofinancement m; '**_händig** ['-hɛndiç] de mes (od ses, etc) propres mains; '**2heim** n maison f individuelle; '**2heit** f (-; -en) particularité f; trait m caractéristique; '**2kapital** n ressources f/pl personnelles; '**2liebe** f égoïsme m; infatuation f; '**_mächtig** arbitraire; '**2name** m nom m propre; '**_nützig** ['-nytsiç] égoïste

'**Eigen|schaft** f (-; -en) qualité f; phys, chim propriété f; '**_sinn** m entêtement m, opiniâtreté f

eigentlich ['aigəntliç] proprement dit, véritable; Sinn propre; adv en réalité; à vrai dire

'**Eigen|tum** n (-s; sans pl) propriété f; '**_tümer** ['-ty:mər] m (-s; -); '**_tümerin** f

(-; -nen) propriétaire m, f; '**2tümlich** singulier, étrange; '**_tumswohnung** f appartement m en copropriété; '**2willig** entêté; volontaire; Stil individuel; original

eign|en ['aignən] (h) **sich ~** se prêter (**zu** à); convenir (**für** pour); '**2er** m (-s; -) propriétaire m

'**Eignung** f (-; sans pl) aptitude f (**für** à); '**_stest** m test m d'aptitude

'**Eilbrief** m lettre f (par) exprès

Eile ['ailə] f (-; sans pl) hâte f; '**2n** (h) se hâter, se dépêcher; Sache être urgent

'**eilig** Person pressé; Sache pressant; **es ~ haben** être pressé

'**Eilzug** m train m direct

Eimer ['aimər] m (-s; -) seau m

ein [ain] 1. Zahlwort, Artikel un, une; ~ **für alle Mal** une fois pour toutes; **sein 2 und Alles** tout ce qu'il a de plus cher; **_er von uns beiden** l'un de nous deux; 2. adv **bei j-m ~ und aus gehen** fréquenter qn

einander [ai'nandər] l'un l'autre, les uns les autres; l'un à l'autre, les uns aux autres

'**einarbeit|en** ['ain?-] (sép, -ge-, h) (**sich**) ~ (se) mettre au courant d'un travail, (s')initier à un travail; '**2ung** f (-; sans pl) formation f, mise f au courant

'**einatmen** ['ain?-] (sép, -ge-, h) inspirer, inhaler

'**Einbahnstraße** f sens m unique

'**Einband** m (-[e]s; ⁻e) reliure f

'**Einbau** m (-[e]s; -ten) montage m; mise f en place; '**2en** (sép, -ge-, h) Möbel encastrer; Geräte installer, monter

'**einberuf|en** (irr, sép, -ge-, h, → **berufen**) mil appeler sous les drapeaux; Parlament convoquer; '**2ung** f (-; -en) appel m; convocation f

'**Einbettzimmer** n chambre f à un lit

'**einbeziehen** (irr, sép, -ge-, h → **beziehen**) inclure, comprendre (**in** dans)

'**einbiegen** (irr, sép, -ge-, sn, → **biegen**) **in e-e Straße ~** s'engager dans une rue

'**einbild|en** (sép, -ge-, h) **sich ~** s'imaginer; '**2ung** f (-; -en) imagination f; irrige Vorstellung illusion f; Anmaßung suffisance f

'**Einblick** m (-[e]s; -e) vue f, fig connaissance f

'**einbrech|en** (irr, sép, -ge-, sn, → **brechen**) **in ein Haus ~** cambrioler une

maison; '**2er** m (-s; -) cambrioleur m
'**einbringen** (irr, sép, -ge-, h, → **bringen**) Antrag déposer; Gewinn rapporter

'**Einbruch** m (-[e]s; ∺e) in ein Haus effraction f, cambriolage m; **bei ~ der Nacht** à la tombée de la nuit; '**~(s)diebstahl** m cambriolage m

ein|bürgern ['ainbyrgərn] (sép, -ge-, h) naturaliser; fig **sich ~** Sitten s'introduire, passer dans les mœurs; '**2bürgerung** f (-; -en) naturalisation f; '**2buße** f (-; -n) perte f; '**~checken** (sép, -ge-, h) Gepäck faire enregistrer; '**~cremen** (sép, -ge-, h) pommader; '**~dämmen** (sép, -ge-, h) endiguer; '**~decken** (sép, -ge-, h) **sich ~** se pourvoir (**mit** de), s'approvisionner (en)

eindeutig ['aindɔytiç] sans équivoque, clair; fig catégorique, net

'**eindringen** (irr, sép, -ge-, sn, → **dringen**) pénétrer (**in** dans); mil envahir (**in ein Land** un pays); '**~lich** insistant; adv avec insistance

'**Eindruck** m (-[e]s; ∺e) impression f; '**2svoll** impressionnant

eineinhalb un et demi

einerlei ['ainərlai] **1. das ist ~!** c'est indifférent!; **2. 2** n (-s; sans pl) monotonie f; **das tägliche ~** le traintrain quotidien

einerseits ['ainərzaits] d'une part, d'un côté

einfach ['ainfax] simple; modeste; Mahl frugal; Fahrkarte simple; '**2heit** f (-; sans pl) simplicité f, frugalité f

'**einfahren** (irr, sép, -ge-, → **fahren**) **1.** v/i (sn) (r)entrer (**in** dans); Bergwerk descendre; **2.** v/t (h) Auto roder

'**Einfahrt** f (-; -en) entrée f; Torweg porte f cochère

'**Einfall** m (-[e]s; ∺e) mil invasion f; plötzlicher Gedanke idée f; '**2en** (irr, sép, -ge-, sn, → **fallen**) s'écrouler; mil envahir (**in ein Land** un pays); **sich ~ lassen, etw zu tun** s'aviser de faire qc

'**Ein|familienhaus** n maison f individuelle; '**2farbig** d'une seule couleur; Stoff uni

'**ein|finden** (irr, sép, -ge-, h → **finden**) **sich ~** se présenter; '**~fließen** (irr, sép, -ge-, sn, → **fließen**) couler; fig **etw ~ lassen** glisser qc (**in** dans); '**~flößen**

(sép, -ge-, h) Arznei faire prendre; Angst inspirer; '**2flugschneise** f axe m d'atterrissage

'**Einfluss** (-es; ∺e) m influence f; '**2reich** influent, puissant

einförmig ['ainfœrmiç] uniforme; fig monotone

'**ein|frieren** (irr, sép, -ge-, → **frieren**) **1.** v/i (sn) geler; être pris dans les glaces; **2.** v/t (h) Lebensmittel congeler; '**~fügen** (sép, -ge-, h) (**sich** s')insérer; '**~fühlen in j-n** se mettre au diapason od dans la peau de qn; '**~fühlsam** compréhensif, compatissant

Ein|fuhr ['ainfu:r] f (-; -en) importation f; '**~fuhrbeschränkung** f restriction f d'importation; '**2führen** (sép, -ge-, h) (**sich ~** s')introduire; Waren importer; in ein Amt installer; '**~fuhrgenehmigung** f licence f d'importation; '**~fuhrland** n pays m importateur; '**~fuhrstopp** écon m arrêt m des importations; '**~führung** f (-; -en) introduction f; '**~führungspreis** m prix m de lancement; '**~fuhrzoll** m taxe f d'importation, droits m/pl d'importation

'**Eingabe** f (-; -n) petition f; Daten entrée f; '**~gerät** n EDV terminal m

'**Eingang** m (-[e]s; ∺e) entrée f; '**~sdatum** n date f d'entrée; '**~ssteuersatz** m assiette f fiscale de base

'**ein|geben** (irr, sép, -ge-, h, → **geben**), Arznei administrer, faire prendre; Daten entrer; EDV taper; fig suggérer; '**~gebildet** imaginaire; dünkelhaft vaniteux, présomptueux

'**Eingeborene** m, f (-n; -n) indigène m, f

'**eingehen** (irr, sép, -ge-, sn, → **gehen**) Post arriver; Pflanze, Tier mourir, crever F; Stoff rétrécir; **auf etw ~** consentir à qc, accepter qc; **ein Risiko ~** courir un risque; '**~d** détaillé, minutieux

'**ein|genommen** prévenu (**für** en faveur de; **gegen** contre); **von sich ~** suffisant, infatué; '**~geschlossen** enfermé; '**~geschränkt** restreint; '**~geschrieben** Brief recommandé; '**~gestellt ~ auf** préparé à; '**~getragen** enregistré; **~es Warenzeichen** marque f déposée; '**2geweide** ['aingəvaidə] pl intestins m/pl; entrailles f/pl; '**~gewöhnen** (sép, pas de -ge-, h) (**sich ~**

s')acclimater; '**⸱gliedern** (*sép, -ge-, h*) intégrer, incorporer; '**⸱greifen** (*irr, sép, -ge-, h,* → **greifen**) intervenir (*in* dans); '**2griff** *m* (*-[e]s; -e*) intervention *f* (*a méd*); **⸱ in das Privatleben** atteinte *f* à la vie privée

'**Einhalt** *m* → **gebieten** arrêter; '**2en** (*irr, sép, -ge-, h,* → **halten**) *Versprechen* tenir; *Termin* respecter; *Richtung* garder

'**einhängen** (*sép, -ge-, h*) *Hörer* raccrocher; **sich bei j-m ⸱** prendre le bras de qn

'**einheimisch** indigène, autochtone; **2e** *m, f* (*-n; -n*) indigène *m/f,* autochtone *m/f*

'**Einheit** *f* (*-; -en*) unité *f*; **2lich** uniforme, homogène; *nach Einheit strebend* unitaire

'**Einheits\|partei** *f* parti *m* unifié; **⸱preis** *m* prix *m* unique

'**einholen** (*sép, -ge-, h*) *j-n, versäumte Zeit* rattraper; **j-s Rat ⸱** prendre conseil de qn

einig ['aɪnɪç] uni; (**sich**) **⸱ sein, werden** être, se mettre d'accord (**über** sur); **⸱e** ['-gə] quelques; quelques-uns (-unes); **⸱en** ['-ɪgən] unifier; **sich über etw ⸱** tomber d'accord sur qc; **⸱ermaßen** ['-gərmaːsən] en quelque sorte; *leidlich* passablement; **⸱es** ['-gəs] quelque chose; différentes choses *f/pl*; **2keit** *f* (*-; sans pl*) accord *m*; concorde *f*; **2ung** ['-guŋ] *f* (*-; -en*) unification *f*; accord *m*

'**einjagen** (*sép, -ge-, h*) **j-m Angst od e-n Schreck ⸱** faire peur à qn

'**einkalkulieren** (*sép, pas de -ge-, h*) tenir compte de, mettre en ligne de compte

'**Einkauf** *m* (*-[e]s; ⸚e*) achat *m,* emplette *f*; '**2en** (*sép, -ge-, h*) acheter; faire des achats

'**Einkäufer(in** *f*) *m* acheteur *m*, -euse *f*

'**Einkaufs\|bummel** *m* lèche-vitrines *m*; '**⸱preis** *m* prix *m* d'achat; '**⸱wagen** *m* chariot *m*; '**⸱zentrum** *n* centre *m* commercial

'**Einklang** *m* (*-[e]s; sans pl*) accord *m*; **in ⸱ mit** en harmonie avec

'**ein\|kleiden** (*sép, -ge-, h*) **sich neu ⸱** s'habiller de neuf; '**⸱klemmen** (*sép, -ge-, h*) coincer

'**Einkommen** *n* (*-s; -*) revenu *m*; '**⸱steuer** *f* impôt *m* sur le revenu;

'**⸱steuererklärung** *f* déclaration *f* d'impôts

'**einkreisen** (*sép, -ge-, h*) encercler

Einkünfte ['aɪnkʏnftə] *f/pl* revenus *m/pl*

'**einlad\|en** (*irr, sép, -ge-, h,* → **laden**) inviter; *Gepäck* charger; '**2ung** *f* (*-; -en*) invitation *f*

'**Ein\|lage** *f* (*-; -n*) *Brief* annexe *f*; *Kapital* 2 mise *f* de fonds; *Sparkasse* dépôt *m*; *Schuh* semelle *f* orthopédique; *Theater* intermède *m*; **⸱lass** ['aɪnlas] *m* (*-es; ⸚e*) admission *f*; '**2lassen** (*irr, sép, -ge-, h,* → **lassen**) laisser entrer; **sich auf etw ⸱** s'embarquer dans qc; **sich mit j-m ⸱** entrer en relations avec qn

'**Einlauf** *m* (*-[e]s; ⸚e*) arrivée; *méd* lavement *m*; '**2en** (*irr, sép, -ge-, sn,* → **laufen**) arriver; *Schiff* entrer au port; *Stoff* (se) rétrécir

'**einleben** (*sép, -ge-, h*) **sich ⸱** s'acclimater

'**einlegen** (*sép, -ge-, h*) mettre (**in** dans); *Früchte, Gurken* mettre en conserve; *jur* **Berufung ⸱** faire appel

'**einleit\|en** (*sép, -ge-, h*) introduire; entamer; '**2ung** *f* (*-; -en*) introduction *f*

'**einleuchten** (*sép, -ge-, h*) paraître évident; '**⸱d** évident

'**einliefern** (*sép, -ge-, h*) **j-n ins Gefängnis ⸱** incarcérer qn; **j-n ins Krankenhaus ⸱** hospitaliser qn

'**einloggen** *EDV* (*sép, -ge-, h*) se connecter

'**einlösen** (*sép, -ge-, h*) *Scheck* encaisser; *Pfand* dégager, retirer; *Versprechen* tenir

'**einmal** une fois; **auf ⸱** tout à coup; **ein für alle Mal** une fois pour toutes; **nicht ⸱** pas même; ne ... même pas; **noch ⸱** encore une fois; **es war ⸱** il était une fois; '**⸱ig** unique

'**Einmarsch** *m* entrée *f*; *mil* invasion *f*; '**2ieren** (*sép, pas de -ge-, sn*) entrer, faire son entrée; *mil* envahir (**in ein Land** un pays)

'**einmischen** (*sép, -ge-, h*) **sich ⸱** se mêler (**in** de), intervenir (dans); '**2ung** *f* (*-; -en*) intervention *f*; *pol* ingérence *f*

'**einmünden** (*sép, -ge-, sn*) *Straße* déboucher sur

einmütig ['aɪnmyːtɪç] unanime

Einnahme ['aɪnnaːmə] *f* (*-; -n*) *mil* prise *f*; *Geld* recette *f*; **⸱n und Ausgaben** recettes et dépenses 'einnehmen (*irr, sép, -ge-, h,* → *nehmen*) *mil* prendre; *Geld* toucher; *Steuern* percevoir; *Stellung* occuper; *Medikament* prendre; '**~d** engageant, charmant, séduisant

'einordn|en (*sép, -ge-, h*) ranger; classer; *fig* situer; **sich ~** s'intégrer (*in* dans); *auto* prendre une file; '**2ung** *f* (*-; -en*) classification *f*; rangement *m*

'ein|packen (*sép, -ge-, h*) empaqueter, emballer; envelopper; '**~parken** (*sép, -ge-, h*) *auto* se garer; *rückwärts ~* faire un créneau; '**~pflanzen** (*sép, -ge-, h*) planter (*dans*)

'ein|prägen (*sép, -ge-, h*) empreindre; **sich etw ~** se graver qc en mémoire, enregistrer qc; '**~programmieren** (*sép, pas de -ge-, h*) entrer des paramètres dans un programme, programmer

'ein|quartieren (*sép, pas de -ge-, h*) (**sich ~** se) loger; *mil* cantonner; '**~rahmen** (*sép, -ge-, h*) encadrer; '**~räumen** (*sép, -ge-, h*) *Gegenstände* ranger; *zugestehen* concéder, accorder; '**~reden** (*sép, pas de -ge-, h*) *auf j-n ~* tâcher d'influencer *od* de persuader qn; *j-m etw ~* persuader qn de qc

'ein|reiben (*irr, sép, -ge-, h,* → *reiben*) (**sich ~** se) frictionner

'einreichen (*sép, -ge-, h*) présenter; *Klage ~* déposer une plainte (*gegen* contre)

'einreihen (*sép, -ge-, h*) ranger; **sich ~** se mettre dans une file

'Einreise *f* (*-; -n*) entrée *f*; '**~erlaubnis** *f* permis *m* d'entrée; '**2n** (*sép, -ge-, h*) entrer; '**~verbot** *n* interdiction *f* d'entrer; '**~visum** *n* visa *m* d'entrée

'ein|reißen (*irr, sép, -ge-,* → *reißen*) **1.** *v/t* (*h*) *Haus* démolir; *Papier* déchirer; **2.** *v/i* (*sn*) *fig Gewohnheit* se répandre; se propager

'einricht|en (*sép, -ge-, h*) arranger; installer; aménager; *etw so ~, dass* faire en sorte que; '**2ung** *f* (*-; -en*) arrangement *m*; installation *f*; aménagement *m*; *öffentliche* organisme *m*, institution *f*

'einrosten (*sép, -ge-, sn*) s'enrouiller; *fig* s'encroûter

eins [ains] un; *es ist alles ~* c'est du pareil au même

einsam ['ainza:m] solitaire, isolé; '**2keit** *f* (*-; sans pl*) solitude *f*

'Einsatz *m* (*-es; ~e*) *Spiel* enjeu *m*; *mus* rentrée *f*; *persönlicher ~* engagement *m* personnel; *unter ~ des Lebens* en risquant sa vie; *im ~* en service; '**2bereit** disponible; prêt à intervenir

einscannen *EDV* ['ainskɛnən] (*sép, -ge-, h*) scanner

'einschalt|en (*sép, -ge-, h*) intercaler; *Elektrogerät* mettre en circuit; *Licht, Radio, TV* allumer; '**2quote** *f* *TV* pourcentage *m* d'écoute

'ein|schärfen (*sép, -ge-, h*) recommander expressément; '**~schätzen** (*sép, -ge-, h*) estimer; '**~schenken** (*sép, -ge-, h*) verser; '**~schicken** (*sép, -ge-, h*) envoyer; '**~schieben** (*irr, sép, -ge-, h,* → *schieben*) insérer, intercaler; '**~schiffen** (*sép, -ge-, h*) **sich ~ nach** s'embarquer pour; '**2schiffung** *f* embarquement *m*; '**~schlafen** (*irr, sép, -ge-, sn,* → *schlafen*) s'endormir; *Arm, Bein* s'engourdir; '**~schläfern** (*sép, -ge-, h*) assoupir, endormir; *töten* quer; '**~schläfernd** endormant; soporifique

'Einschlag *m* (*-[e]s; ~e*) *Blitz* chute *f*; *Bombe* (point *m* d')impact *m*; '**2en** (*irr, sép, -ge-, h,* → *schlagen*) *Nägel* enfoncer; *einwickeln* envelopper (*in* dans); *Weg* prendre; *Lenkung* braquer; *es hat eingeschlagen* la foudre est tombée sur ...

einschlägig ['ainʃlɛ:giç] *~e Literatur* ouvrages *m/pl* se rapportant au sujet *od* spécialisés

'ein|schleichen (*irr, sép, -ge-, h,* → *~schleichen*) **sich ~** se glisser (*in* dans); '**~schleppen** (*sép, -ge-, h*) *Krankheit* introduire, importer; '**~schleusen** (*sép, -ge-, h*) faire entrer clandestinement

'einschließ|en (*irr, sép, -ge-, h,* → *schließen*) (**sich ~** s')enfermer; *umringen* entourer; *Festung* cerner; *fig* renfermer; '**~lich** y compris

'einschneidend incisif, radical

'Einschnitt *m* (*-[e]s; -e*) incision *f*; *fig* coupure *f*

'einschränk|en (*sép, -ge-, h*) limiter, réduire; **sich ~** réduire ses dépenses; '**2ung** *f* (*-; -en*) restriction *f*, réduction *f*

'Einschreib(e)brief *m* lettre *f* recommandée

'einschreib|en (*irr, sép, -ge-, h,* →

schreiben) (**sich ~** s')inscrire; *Brief ~ lassen* recommander; *~en Aufschrift* recommandé; '**Qung** f (-; *-en*) enregistrement m

'einschreiten (*irr, sép, -ge-, sn, → schreiten*) intervenir

'einschüchtern (*sép, -ge-, h*) intimider

'einsehen (*irr, sép, -ge-, h, → sehen*) comprendre, voir; examiner; *das sehe ich nicht ein* je ne vois pas pourquoi

'einseitig ['ainzaitiç] unilatéral; *parteiisch* partial

'einsend|en (*irr, sép, -ge-, h, → senden*) envoyer; '**Qeschluss** m date f limite d'envoi

'einsetzen (*sép, -ge-, h*) mettre, insérer (**in** dans); *Mittel* employer; *Leben* risquer; *Ausschuss* constituer; *in ein Amt* installer; *beginnen* commencer; *sich ~ fürs*'engager pour; intervenir en faveur de; soutenir

'Einsicht f (-; *-en*) *in Akten* consultation f (**in** de); *Erkenntnis* intelligence f, compréhension f; *zu der ~ kommen, dass* ... en arriver à la conclusion que ...; '**Qig** intelligent, compréhensif

'Einsiedler m ermite m

'einsinken (*irr, sép, -ge-, sn, → sinken*) s'enfoncer

'einspannen (*sép, -ge-, h*) *Pferd* atteler; *tech* serrer; tendre; *fig j-n ~* mettre qn à contribution

'einspar|en (*sép, -ge-, h*) économiser; '**Qung** f (-; *-en*) économie f

'ein|sperren (*sép, -ge-, h*) enfermer; emprisonner; **'.springen** (*irr, sép, -ge-, sn, → springen*) *für j-n ~* remplacer qn

'einspritz|en (*sép, -ge-, h*) injecter; '**Qung** f (-; *-en*) injection f

'Einspruch m protestation f; réclamation f; *pol* veto m

'einspurig ['ainʃpuːrɪç] à une seule voie

'einst [ainst] autrefois, jadis; *künftig* un jour

'ein|stecken (*sép, -ge-, h*) empocher; *Brief* mettre à la boîte; *fig hinnehmen* encaisser; *er kann viel ~* il a bon dos; **'.stehen** (*irr, sép, -ge-, sn, → stehen*) répondre (**für** de); **'.steigen** (*irr, sép, -ge-, sn, → steigen*) monter (en voiture); *~!* en voiture!

'einstell|en mettre (**in** dans); *tech* ajuster; *Foto* mettre au point; *Radio*

régler; *unterbrechen* suspendre; *Arbeiter* embaucher, recruter; *Rekord* égaler; *die Arbeit (mil das Feuer) ~* cesser le travail (le feu); '**Qung** f (-; *-en*) réglage m; *Unterbrechung* arrêt m, suspension f; *von Arbeitskräften* embauche f, recrutement m; *innere* attitude f; '**Qungsgespräch** n entretien m d'embauche

'einstimm|en (*sép, -ge-, h*) mus joindre sa voix à celle des autres; **'.ig** unanime; à l'unanimité; *mus à une voix*; '**Qigkeit** f (-; *sans pl*) unanimité f

'ein|stöckig ['ainʃtœkɪç] à un (seul) étage; **'.studieren** (*sép, pas de ge-, h*) apprendre (par cœur); **'.stufen** (*sép, -ge-, h*) classifier; **'.stufig** *Rakete* à un seul étage; **'.stürmen** (*sép, -ge-, sn*) fondre (**auf j-n** sur qn); '**Qsturz** m (-es; *⁻e*) écroulement m; **'.stürzen** (*sép, -ge-, sn*) s'écrouler

einstweil|en ['ainstvailən] en attendant; **'.ig** provisoire; *jur ~e Verfügung* référé m

eintägig ['aintɛːgɪç] d'une journée

'ein|tauchen (*sép, -ge-, h*) plonger; **'.tauschen** (*sép, -ge-, h*) échanger (**gegen, für** contre)

'einteil|en (*sép, -ge-, h*) diviser; partager; répartir; *phys* graduer; '**Qung** f (-; *-en*) division f; graduation f

eintönig ['aintøːnɪç] monotone; '**Qkeit** f (-; *sans pl*) monotonie f

'Eintopf m (-[e]s; *⁻e*) plat m unique, pot-au-feu m

'Eintracht f (-; *sans pl*) concorde f, harmonie f

'Eintrag ['aintraːk] m (-[e]s; *⁻e*) inscription f, enregistrement f; **Qen** ['-gən] (*irr, sép, -ge-, h, → tragen*) inscrire, enregistrer; *Lob, Tadel* valoir (*j-m* à qn); **'.ung** f (-; *-en*) inscription f; enregistrement m

einträglich ['aintrɛːklɪç] profitable, lucratif

'eintreffen (*irr, sép, -ge-, sn, → treffen*) **1.** arriver; **2.** **Q** n arrivée f

'eintreten (*irr, sép, -ge-, sn, → treten*) entrer (**in** dans); *Tür* enfoncer; *geschehen* survenir; *für j-n, etw ~* appuyer qn, qc

'Eintritt m (-[e]s; *-e*) entrée f; *~ frei* entrée gratuite

'Eintritts|geld n (prix m d')entrée f;

'**_karte** f billet m; '**_preis** m (prix m d')entrée

'Einver|nehmen n (-s; sans pl) accord m, entente f, intelligence f; '**2standen** d'accord (**mit** avec); '**_ständnis** n (-ses; sans pl) accord m

Einwand ['ainvant] m (-[e]s; ⁀e) objection f (**gegen** à)

'Einwander|er m (-s; -), '**_in** f immigrant m, -e f; Eingewanderte(r) immigré m, -e f; '**2n** (sép, -ge-, sn) immigrer; '**_ung** f (-; -en) immigration f

'einwandfrei impeccable, irréprochable, parfait

'Einwegflasche f bouteille f perdue od non reprise od non consignée

Einweihung ['ainvaiuŋ] f (-; -en) inauguration f; initiation f

'einweisen (irr, sép, -ge-, h, → weisen) in e-e Arbeit initier (à); in ein Heim envoyer (dans); in ein Amt installer (dans); j-n ins Krankenhaus ⁀ hospitaliser qn; '**2ung** f (-; -en) initiation f; installation f; ⁀ ins Krankenhaus hospitalisation f

'einwenden (irr, sép, -ge-, h, → wenden) objecter

'einwerfen (irr, sép, -ge-, h, → werfen) Brief mettre à la boîte; poster; Sport remettre en jeu; Fenster casser; fig objecter

einwillig|en ['ainviligən] (sép, -ge-, h) consentir (**in** à); '**2ung** f (-; -en) consentement m

'einwirken (sép, -ge-, h) agir, fig influer (**auf** sur)

Einwohner ['ainvo:nər] m (-s; -), '**_in** f (-; -nen) habitant m, -e f; '**_meldeamt** n bureau m de déclaration de domicile

'Einwurf m Sport remise f en jeu; Einwand objection f

'Einzahl gr f (-; sans pl) singulier m; '**2en** (sép, -ge-, h) verser, payer; '**_ung** f (-; -en) versement m, paiement m; '**_ungsbeleg** m bordereau m de versement od paiement

'einzäunen (sép, -ge-, h) entourer d'une clôture

Einzel ['aintsəl] n (-s; -) Tennis simple m; '**_bett** n lit m à une place; '**_fall** m cas m isolé; '**_gänger** ['-gɛŋər] m Kind solitaire m; Politiker, Künstler nonconformiste m; '**_handel** m commerce m de détail; '**_handelsgeschäft** n

magasin m de détail; '**_händler** m détaillant m; '**_heit** f (-; -en) détail m

'einzeln seul; besonders particulier; abgesondert isolé; séparé; der **2e** l'individu m; im **2en** en détail

'Einzel|teile tech m/pl pièces f/pl détachées; '**_zimmer** n chambre f individuelle od à un lit

'einziehen (irr sép, -ge-, → ziehen) **1.** v/t (h) Kopf baisser; Bauch, Fahrgestell rentrer; Wand construire; Steuern percevoir; Soldaten appeler sous les armes; Güter confisquer; **2.** v/i (sn) in e-e Wohnung emménager; Ruhe revenir

einzig ['aintsiç] unique; **kein 2er** pas un seul; **das 2e** la seule chose (+ subj); **der 2e** le seul (+ subj); '**_artig** unique en son genre, sans pareil, exceptionnel

'Einzug m (-[e]s; ⁀e) entrée f; in e-e Wohnung emménagement m

Eis [ais] n (-es; sans pl) glace f; '**_laufen** faire du patin; '**_bahn** f patinoire f; '**_bär** m ours m blanc; '**_berg** m iceberg m; '**_café** n glacerie f; '**_creme** f crème f glacée; '**_diele** f glacier m; in der ⁀ chez le glacier

Eisen ['aizən] n (-s; -) fer m

'Eisenbahn f chemin de fer; '**_abteil** n compartiment m; '**_er** m (-s; -) m cheminot m; '**_fahrplan** m indicateur m des chemins de fer; '**_wagen** m wagon m; für Personen a voiture f; '**_zug** m train m

'Eisen|erz n minerai m de fer; '**_hütte** f usine f sidérurgique; '**_waren** f/pl quincaillerie f

eisern ['aizərn] de fer; fig tenace

eis|gekühlt ['-gəky:lt] glacé; Wein frappé; '**2hockey** n hockey m sur glace; '**_ig** ['aiziç] glacial (a fig); '**_kalt** glacial, glacé; '**2lauf** m (-[e]s; sans pl) patinage m; '**_ laufen** → Eis; '**2würfel** m cube m de glace, glaçon m; '**2zapfen** m glaçon m; '**2zeit** f période f glaciaire

eitel ['aitəl] vaniteux, coquet; '**2keit** f (-; -en) vanité f

Eiter ['aitər] m (-s; sans pl) pus m; '**2n** (h) suppurer

'Ei|weiß n (-es; -e) blanc m d'œuf; biol protides m/pl; méd im Harn albumine f; '**_zelle** biol f ovule m

Ekel ['e:kəl] m (-s; sans pl) nausée f; dégoût m; '**_ erregend**, '**2haft**, '**2ig** dégoûtant; '**2n** (h) dégoûter, écœurer

Ekstase [ɛk'staːzə] f (-; -en) extase f

Ekzem [ɛk'tseːm] med n (-s; -e) eczéma m

elasti|sch [e'lastiʃ] élastique; **2zität** [-tsi'tɛːt] f (-; sans pl) élasticité f

Elefant [ele'fant] zo m (-en; -en) éléphant m

elegant [ele'gant] élégant; **2z** [-ts] f (-; sans pl) élégance f

Elektri|ker [e'lɛktrikər] m (-s; -) électricien m; **2sch** électrique

Elektrizität [elɛktritsi'tɛːt] f (-; sans pl) électricité f; **~swerk** n centrale f électrique

Elektro|gerät [e'lɛktro-] m appareil m électrique; **~geschäft** n magasin m électroménager; **~herd** m cuisinière f électrique

Elektron ['eːlɛktron] n (-s; -en) électron m; **~enrechner** [-'troːnən-] m ordinateur m; **~ik** [-'oːnik] f (-; sans pl) électronique f; **~iker** m [-'oːnikər] m (-s; -) électronicien m; **2sch** [-'oːniʃ] électronique; **~e Datenverarbeitung** traitement m électronique de l'information

E'lektrotechnik f (-; sans pl) électrotechnique f

Element [ele'mɛnt] n (-[e]s; -e) élément m; **2ar** [-'taːr] élémentaire

Elend ['eːlɛnt] **1.** n misère f, détresse f; calamité f; **2.** 2 misérable, pitoyable; **~sviertel** n bidonville m

elf [ɛlf] **1.** onze; **2.** 2 f (-; -en) **die ~** le onze (a Fußball)

'**Elfenbein** n (-[e]s; sans pl) ivoire m

Elf'meter m (-s; -) penalty m

'**elfte** (le, la) onzième

'**Ell|enbogen** m (-s; -) coude m

Elsass ['ɛlzas] **das ~** l'Alsace f

Elsäss|er ['ɛlzɛsər] m (-s; -); **~erin** f (-; -nen) Alsacien m, -ne f; **2isch** alsacien

Elster ['ɛlstər] zo f (-; -n) pie f

Eltern ['ɛltərn] pl parents m/pl

Emanzip|ation [emantsipa'tsjoːn] f (-; sans pl) émancipation f; **2'ieren** (pas de -ge-, h) s'émanciper

Embargo [ɛm'bargo] n (-s; -s) embargo m

Embryo ['ɛmbryo] m (-s; -s, -nen) embryon m

Emigr|ant [emi'grant] m (-en; -en), **~antin** f (-; -nen) émigré m, -e f; **~ation** [-a'tsjoːn] f (-; -en) émigration f; **in der ~ en exil**; **2'ieren** (pas de -ge-, h) émigrer

Emission [emi'sjoːn] f (-; -en) émission f

Emoticon EDV [e'moːtikɔn] n (-s; -s) émoticon m; F frimousse f

Empfang [ɛm'pfaŋ] m (-[e]s; ⁓e) réception f (a Radio); accueil m; comm **den ~ bestätigen** accuser réception; **2en** (empfing, empfangen, h) recevoir; Personen a accueillir

Empfäng|er [ɛm'pfɛŋər] m (-s; -) destinataire m; Radio, TV récepteur m; **2lich** sensible (für à), réceptif (à); **~lichkeit** f (-; sans pl) réceptivité f (für à); für Krankheit prédisposition f (à); **~nis** biol f (-; sans pl) conception f; **~nisverhütung** f contraception f

Empfangs|bescheinigung f reçu m, récépissé m; **~bestätigung** f accusé m de de réception

empfehl|en [ɛm'pfeːlən] (empfahl, empfohlen, h) recommander; **sich ~ zurückziehen** se retirer; **~enswert** recommandable; **2ung** f (-; -en) recommandation f; **2ungsschreiben** n lettre f de recommandation

empfind|en [ɛm'pfɪndən] (empfand, empfunden, h) sentir, éprouver; innerlich ressentir; **2lich** [-'ɪntlɪç] sensible (für à; a fig); leicht verletzt susceptible; **2lichkeit** f (-; -en) sensibilité f; susceptibilité f; **~sam** [-nt-] sensible; **2ung** f (-; -en) sensation f; Gefühl sentiment m

empor [ɛm'poːr] en haut

Empore [ɛm'poːrə] f (-; -n) galerie f, tribune f

empör|en [ɛm'pøːrən] (pas de -ge-, h) (sich s')indigner (über de), (se) révolter (contre), **~d** révoltant, choquant, scandaleux

Em'por|kömmling [-kœmlɪŋ] m (-s; -e) arriviste m, parvenu m; **2ragen** (sép, -ge-, h) s'élever (über au-dessus de)

em'pör|t indigné (über de), révolté; **2ung** f (-; -en) indignation f

Ende ['ɛndə] n (-s; -n) fin f; räumlich à bout m; **äußerstes ~** extrémité f; **am ~** à la fin (de); au bout (de); schließlich en fin de compte; **zu ~ terminé**; **zu ~ gehen** tirer à sa fin

enden ['ɛndən] (h) finir, se terminer

(*mit* par); *aufhören* cesser

'End|ergebnis *n* résultat *m* final; '⚲gültig définitif

Endivie [ɛn'diːvjə] *f* (-; -n) chicorée *f*

'End|lagerung *f* (-; -en) stockage *m* final; '⚲los sans fin, interminable, infini; '⚲produkt *n* produit *m* fini; '⚲punkt *m* extrémité *f*; '⚲reinigung *f* nettoyage *m* final; '⚲spiel *Sport n* finale *f*; '⚲station *f* terminus *m*

Energie [enɛr'giː] *f* (-; -n) énergie *f*; ⚲bedarf *m* besoins *m/pl* énergétiques; ⚲krise *f* crise *f* de l'énergie; ⚲quelle *f*; ressource *f* d'énergie; ⚲verbrauch *m* consommation *f* d'énergie; ⚲versorgung *f* approvisionnement *m* en énergie

energisch [e'nɛrgɪʃ] énergique

eng [ɛŋ] étroit; *fig* restreint

engagieren [ãga'ʒiːrən] (*pas de -ge-, h*) (*sich* s')engager

Enge ['ɛŋə] *f* (-; -n) étroitesse *f*; passage *m* étroit

Engel ['ɛŋəl] *m* (-s; -) ange *m*

Eng|land ['ɛŋlant] *n* (-s; *sans pl*) l'Angleterre *f*; '⚲länder ['-lɛndər] *m* (-s; -) '⚲länderin *f* (-; -en) Anglais *m*, -e *f*; '⚲lisch anglais

'Engpass *m* défilé *m*; goulot *m* d'étranglement (*a fig, bes écon*)

Enkel ['ɛŋkəl] *m* (-s; -), '⚲in *f* (-; -nen) petit-fils *m*, petite-fille *f*; *Enkel pl* petits-enfants *m/pl*

enorm [e'nɔrm] énorme; *Preis* faramineux

Ensemble [ã'sãːbəl] *n* (-s; -s) *Theater* compagnie *f*, troupe *f*

entarten [ɛnt'ʔaːrtən] (*pas de -ge-, sn*) dégénérer

entbehr|en [ɛnt'beːrən] (*pas de -ge-, h*) être privé *od* dépourvu de, '⚲lich superflu; ⚲ung *f* (-; -en) privation *f*

ent'bind|en (*entband, entbunden, h*) dégager (*von* de); *Frau* accoucher; ⚲ung *f* (-; -en) dégagement *m*; *méd* accouchement *m*

entblößen [ɛnt'bløːsən] (*pas de -ge-, h*) *sich ~* se mettre à nu

ent'deck|en (*pas de -ge-, h*) découvrir; ⚲er *m* (-s; -) découvreur *m*; ⚲ung *f* (-; -en) découverte *f*

Ente ['ɛntə] *zo f* (-; -n) canard *m*; *Zeitungs*⚲ fausse nouvelle *f*; bobard *m* F

ent'eign|en (*pas de -ge-, h*) exproprier; ⚲ung *f* (-; -en) expropriation *f*

ent'fallen (*entfiel, entfallen, sn*) *wegfallen* être supprimé; *j-m ~* échapper à qn; *auf j-n ~* revenir à qn

ent'falt|en (*pas de -ge-, h*) déplier; *entwickeln* (*sich*) se développer; *sich ~* s'épanouir; ⚲ung *f* (-; *sans pl*) déploiement *m*; développement *m*; épanouissement *m*

ent'fern|en [ɛnt'fɛrnən] (*pas de -ge-, h*) (*sich ~*)s'éloigner; *Fleck* enlever; ⚲t éloigné; *3 km voneinander ~* distants de 3 km; ⚲ung *f* (-; -en) Beseitigung éloignement *m*, enlèvement *m*; *Abstand* distance *f*; ⚲ungsmesser *m* télémètre *m*

ent'führ|en (*pas de -ge-, h*) enlever; *Kind* kidnapper; *Flugzeug* détourner; ⚲er *m* (-s; -) ravisseur *m*; *Flugzeug* pirate *m* de l'air; ⚲ung *f* (-; -en) enlèvement *m*, rapt *m*, kidnapping *m*; *Flugzeug* détournement *m*

ent'gegen *prép* (*dat*) *u adv* au-devant de, vers; contre; contrairement à; ⚲gehen (*irr, sép, -ge-, sn, → gehen*) aller à la rencontre (*j-m* de qn); ⚲gesetzt opposé; ⚲kommen (*irr, sép, -ge-, sn, → kommen*) *fig j-m ~* faire des avances *od* des concessions à qn; ⚲kommend prévenant; *auto* qui roule en sens inverse; ⚲nehmen (*irr, sép, -ge-, h, → nehmen*) accepter, recevoir; ⚲stehen (*irr, sép, -ge-, h, → stehen*) être opposé (à); *dem steht nichts entgegen* rien ne s'y oppose

entgegn|en [ɛnt'geːgnən] (*pas de -ge-, h*) répliquer, répondre, riposter; ⚲ung *f* (-; -en) réponse *f*, réplique *f*

ent'gehen (*entging, entgangen, sn*) échapper (*e-r Gefahr* à un danger); *sich nichts ~ lassen* ne rien perdre *od* F rater (*an* qc)

Entgelt [ɛnt'gɛlt] *n* (-[*e*]*s*; -e) salaire *m*

entgleis|en [ɛnt'glaizən] (*pas de -ge-, sn*) dérailler; ⚲ung *f* (-; -en) déraillement *m*; *fig* faux pas *m*, incartade *f*

ent'gleiten (*entglitt, entglitten, sn*) échapper (*j-m* à qn)

ent'halt|en (*enthielt, enthalten, h*) contenir; *sich ~* s'abstenir (de); ⚲sam abstinent; ⚲samkeit *f* (-; *sans pl*) abstinence *f*; *Sex* continence *f*; ⚲ung *f* (-; -en) abstention *f* (*a Stimm*⚲)

ent'härten (h) *Wasser* adoucir

enthüllen [ɛnt'hylən] (*pas de -ge-*, h) dévoiler (*a Statue*), révéler

Enthusias|mus [ɛntuzi'asmus] *m* (-; *sans pl*) enthousiasme *m*; **2tisch** enthousiaste

ent'kleiden (*pas de -ge-*, h) (**sich ~** se) déshabiller; **~'kommen** (entkam, entkommen, sn) s'échapper

entkräft|en [ɛnt'krɛftən] (*pas de -ge-*, h) affaiblir; **2ung** *f* (-; *sans pl*) affaiblissement *m*

ent'lad|en (entlud, entladen, h) décharger, **sich ~** *Batterie* se vider; *Zorn, Gewitter* éclater; **2ung** *f* (-; *-en*) décharge *f*

ent'lang *prép* (*dat o acc*) *u adv* le long de; **den Fluss ~** le long de la rivière; **~gehen** (*irr, sép, -ge-, sn, → gehen*) longer (qc)

ent'lass|en (entließ, entlassen, h) renvoyer, congédier; *Arbeiter* licencier; **~ werden** *Kranke* quitter l'hôpital; *Häftling* quitter la prison; **2ung** *f* (-; *-en*) renvoi *m*, licenciement *m*

ent'last|en (*pas de -ge-*, h) décharger; **2ungszeuge** *m* témoin *m* à décharge

ent'ledig|en (entledigte, h) (*pas de -ge-*, h) **sich** *j-s, e-r Sache* ~ se défaire de; **~'legen** éloigné; **~'locken** (*pas de -ge-*, h) *Geheimnis* arracher; **~machten** [-'maxtən] (*pas de -ge-*, h) priver de son pouvoir

entmilitarisier|en [-militari'zi:rən] (*pas de -ge-*, h) démilitariser; **2ung** *f* (-; *-en*) démilitarisation *f*

entmündig|en [-'myndɪɡən] (*pas de -ge-*, h) mettre sous tutelle; **2ung** *f* (-; *-en*) mise *f* sous tutelle

entmutig|en [-'mu:tɪɡən] (*pas de -ge-*, h) décourager; **2ung** *f* (-; *-en*) découragement *m*

ent'nehmen (entnahm, entnommen, h) prendre (**aus** dans); conclure (**aus** de); **~'nervt** [-'nɛrft] énervé; **~'reißen** (entriss, entrissen, h) arracher; **~'richten** (*pas de -ge-*, h) payer, régler

ent'rüst|en (*pas de -ge-*, h) **sich ~** s'indigner (**über** de); **~et** indigné; **2ung** *f* (-; *-en*) indignation *f*

ent'sagen (*pas de -ge-*, h) renoncer (à)

ent'salzen (*pas de -ge-*, h) dessaler

ent'schädig|en (*pas de -ge-*, h) (**sich ~** se) dédommager (**für** de); **2ung** *f* (-;

-en) dédommagement *m*; *Summe* indemnité *f*

ent'schärfen (*pas de -ge-*, h) *Bombe* désamorcer; *Lage* calmer, apaiser

ent'scheid|en (entschied, entschieden, h) décider (**über** de); **sich ~** se décider (**für** pour); **~end** décisif; **2ung** *f* (-; *-en*) décision *f*

entschieden [ɛnt'ʃi:dən] décidé

ent'schließen (entschloss, entschlossen, h) **sich ~** se résoudre, se décider (**zu** à)

ent'schlossen résolu; **2heit** *f* (-; *sans pl*) résolution *f*, détermination *f*

Ent'schluss *m* (-*es*; ̈*e*) résolution *f*, décision *f*

entschuldig|en [ɛnt'ʃuldɪɡən] (*pas de -ge-*, h) excuser; **sich ~ wegen etw** s'excuser de qc; **~ Sie!** excusez-moi!; **2ung** *f* (-; *-en*) excuse (*s pl*) *f*; **~!** pardon!

ent'setz|en (*pas de -ge-*, h) (**sich ~** s')effrayer; **2en** *n* (-; *sans pl*) effroi *m*; **~lich** effroyable, horrible

ent'sinnen (entsann, entsonnen, h) **sich ~** se souvenir (**an** de); **~'sorgen** (*pas de -ge-*, h) *Kernkraftwerk* enlever *od* traiter les déchets radioactifs (de); **2'sorgung** *f* élimination *f* des déchets

ent'spann|en (*pas de -ge-*, h) détendre; **sich ~** se détendre; **2ung** *f* (-; *-en*) détente *f*; **2ungspolitik** *f* politique *f* de détente

ent'sprech|en (entsprach, entsprochen, h) correspondre à; *den Erwartungen* répondre à; **~end** correspondant; **2ung** *f* (-; *-en*) correspondance *f*; équivalent *m*

ent'springen (entsprang, entsprungen, sn) *Fluss* prendre sa source; naître (de)

ent'steh|en (entstand, entstanden, sn) naître (**aus** de); résulter (de); **2ung** *f* (-; *-en*) naissance *f*, origine *f*

ent'täusch|en (*pas de -ge-*, h) décevoir, désillusionner, désabuser; **2ung** *f* (-; *-en*) déception *f*

ent'wässern (*pas de -ge-*, h) drainer, assécher

entweder ['ɛntve:dər] **~ ... oder** ou .. ou

ent|'weichen (entwich, entwichen, sn) s'échapper; **~'werfen** (entwarf, entworfen, h) tracer, esquisser, concevoir; *Plan* dresser

ent'wert|en (*pas de -ge-*, h) déprécier; *Geld* dévaluer; *Fahrkarte* composter;

E

2er *m* (-s; -) composteur *m*; 2ung *f* (-; -en) dépréciation *f*; *Geld* dévaluation *f*; *Fahrkarte* compostage *m*

ent'wickeln (*pas de -ge-*, *h*) développer (*a Foto*); **sich ~** se développer, évoluer

Ent'wicklung *f* (-; -en) développement *m*, évolution *f*; **~hilfe** *f* aide *f* au développement; **~sland** *n* pays *m* en voie de développement; **~spolitik** *f* politique *f* de développement

ent'wischen (*pas de -ge-*, *sn*) se sauver, s'échapper

entwöhnen [ɛnt'vøːnən] (*pas de -ge-*, *h*) *Baby* sevrer; *Drogensüchtige* désintoxiquer; 2ung *f* (-; -en) sevrage *m*; désintoxication *f*

entwürdigend [-'vyrdigənt] avilissant, dégradant

Ent'wurf *m* projet *m*, esquisse *f*

ent'ziehen (*entzog, entzogen, h*) (**sich ~** se) soustraire; se dérober; 2ung *f* (-; -en) privation *f*; *Droge* désintoxication *f*; 2ungskur *f* cure *f* de désintoxication

entziffern [-'tsifərn] (*pas de -ge-*, *h*) déchiffrer

Ent'zug *m* (-[e]s; *sans pl*) privation *f*; *Führerschein* retrait *m*; **~erscheinung** *f Droge* état *m* de manque

entzündbar [ɛnt'tsyndbaːr] inflammable; **~en** (*pas de -ge-*, *h*) (**sich ~** s')enflammer (*a méd*); 2ung (-; -en) *méd* f inflammation *f*

ent'zwei cassé; **~en** (*pas de -ge-*, *h*) brouiller, désunir

Enzian ['ɛntsjaːn] *bot m* (-s; -e) gentiane *f*

Enzyklopädie [ɛntsyklopɛ'diː] *f* (-; -n) encyclopédie *f*

Enzym [ɛn'tsyːm] *biol n* (-s; -e) enzyme *m*

Epidemie [epide'miː] *f* (-; -n) épidémie *f*

Epilepsie [epilɛp'siː] *méd f* (-; -n) épilepsie *f*

Epilog [epi'loːk] *m* (-s; -e) épilogue *m*

Episode [epi'zoːdə] *f* (-; -n) épisode *m*

Epoche [e'pɔxə] *f* (-; -n) époque *f*

er [eːr] il; *mit Bezug auf ein weibliches frz subst* elle; *betont* lui; **~ allein** lui seul; **~ selbst** lui-même; **~ auch** lui aussi

erachten [ɛr?'axtən] (*pas de -ge-*, *h*) croire; *meines* 2s à mon avis

erbärmlich [ɛr'bɛrmliç] déplorable, pitoyable, minable

erbarmungslos [-'barmuŋs-] impitoyable

er'bauen (*pas de -ge-*, *h*) bâtir; *fig* édifier; 2er *m* (-s; -) bâtisseur *m*; 2ung *f* (-; *sans pl*) construction *f*; *fig* édification *f*

Erb|e ['ɛrbə] **1.** *m* (-n; -n), **'~in** *f* (-; -nen) héritier *m*, -ière *f*; **2. ~e** *n* (-s; *sans pl*) héritage *m*, succession *f*

'erben (*h*) hériter (**etw von j-m** qc de qn)

erbeuten [ɛr'bɔytən] (*pas de -ge-*, *h*) capturer

'Erb|faktor *m* facteur *m* héréditaire; **'~fehler** *m* vice *m* héréditaire

erbittert [ɛr'bitərt] exaspéré; *Kampf* acharné

'Erbkrankheit *méd f* maladie *f* héréditaire

erblassen [ɛr'blasən] (*pas de -ge-*, *sn*)

er'bleichen (*pas de -ge-*, *sn*) pâlir

erblich ['ɛrpliç] héréditaire

er'blicken (*pas de -ge-*, *h*) apercevoir

er'blinden (*pas de -ge-*, *sn*) devenir aveugle

'Erbmasse *f jur* masse *f* successorale; *biol* hérédité *f*

er'brechen (*erbrach, erbrochen, h*) **1.** (**sich ~**) vomir; **2.** 2 *méd n* (-s; *sans pl*) vomissement *m*

Erb|recht ['ɛrp-] *jur n* droit *m* de succession; **'~schaft** *f* (-; -en) héritage *m*; **'~schaftssteuer** *f* impôt *m* successoral

Erbse ['ɛrpsə] *bot f* (-; -n) pois *m*; *grüne ~n* petits pois *m*/*pl*

Erb|stück ['ɛrp-] *n* objet *m* *od* meuble *m* de famille

Erd|arbeiter ['eːrt-] *m* terrassier *m*; **'~bahn** *f* orbite *f* terrestre; **'~beben** *n* tremblement *m* de terre, séisme *m*; **'~beere** *f Frucht* fraise *f*; *Pflanze* fraisier *m*; **'~boden** *m* terre *f*, sol *m*

Erde ['eːrdə] *f* (-; *sans pl*) terre *f* (*als Planet* Terre); '2n (*h*) *Radio* mettre à la terre

'Erd|gas *n* gaz *m* naturel; **'~geschoss** *n* rez-de-chaussée *m*

erdig ['eːrdiç] terreux

'Erd|karte *f* mappemonde *f*; **'~halbkugel** *f* hémisphère *m*; **'~kugel** *f* globe *m* terrestre; **'~kunde** *f* géographie *f*; **'~nuss** *f* cacah(o)uète *f*; **'~öl** *n* pétrole *m*; **'~ölindustrie** *f* industrie pétrolière; **'~öllagerstätte** *f* gisement *m* de pétrole, gisement *m* pétrolier

er'drücken (*pas de -ge-*, *h*) écraser

'Erd|rutsch ['ɛːrt-] *m* glissement *m* de terrain; *pol* raz-de-marée *m*; '*teil *m* continent *m*

'Erd|umlaufbahn *f* orbite *f* terrestre; '*wärme *f* géothermie *f*

er'eig|nen (*pas de -ge-*, *h*) **sich *** se produire, avoir lieu; **2nis** *n* (*-ses; -se*) événement *m*

Erektion [erɛk'tsjoːn] *f* (*-; -en*) érection *f*

er'fahr|en (*erfuhr*, *erfahren*, *h*) **1.** *Verb* éprouver; apprendre, savoir; **2.** *adj* expérimenté; **2ung** *f* (*-; -en*) expérience *f*; **2ungsaustausch** *m* échange *m* d'expériences

er'fassen (*pas de -ge-*, *h*) saisir (*a fig*)

er'find|en (*erfand*, *erfunden*, *h*) inventer; **2er** *m* (*-s; -*), **2erin** *f* (*-; -nen*) inventeur *m*, -trice *f*; **-erisch** inventif, ingénieux; **2ung** *f* (*-; -en*) invention *f*

Erfolg [ɛr'fɔlk] *m* (*-[e]s; -e*) succès *m*; *Ergebnis* résultat *m*; **viel *!** bonne chance!; **~versprechend** prometteur; **2en** [-ɡən] (*pas de -ge-*, *sn*) s'effectuer, avoir lieu; **2los** sans succès; **2reich** couronné de succès; **~serlebnis** *n* sentiment *m* de satisfaction

er'forder|lich [ɛr'fɔrdərlɪç] nécessaire; **~n** (*pas de -ge-*, *h*) demander, exiger, réclamer; **2nis** *n* (*-ses; -se*) exigence *f*

er'forsch|en (*pas de -ge-*, *h*) explorer, étudier; **2ung** *f* (*-; -en*) exploration *f*, examen *m*, étude *f*

er'freu|en (*pas de -ge-*, *h*) réjouir; **sich e-r Sache ~** jouir de qc; **~lich** réjouissant; satisfaisant

er'frieren (*erfror*, *erfroren*, *sn*) mourir (*od* périr) de froid; *Pflanze* geler

er'frisch|en (*pas de -ge-*, *h*) (**sich ~** se) rafraîchir; **2ung** *f* (*-; -en*) rafraîchissement *m*

er'füll|en (*pas de -ge-*, *h*) remplir (**mit** de); *Bitte* accorder; *Pflicht* accomplir; **sich ~** s'accomplir; **2ung** *f* (*-; -en*) accomplissement *m*; réalisation *f*

ergänz|en [ɛr'ɡɛntsən] (*pas de -ge-*, *h*) compléter; **2ung** *f* (*-; -en*) complément *m*

er'geb|en (*ergab*, *ergeben*, *h*) **1.** *hervorbringen* donner; **sich ~** se rendre; *aus etw folgen* s'ensuivre (**aus** de); **2.**

adj dévoué; *gefasst* résigné; **2nis** ['ɡeːp-] *n* (*-ses; -se*) résultat *m*; *Folge* conséquence *f*; *Wirkung* effet *m*

er'gehen (*erging*, *ergangen*, *sn*) **wie ist es dir ergangen?** qu'est-ce que tu es devenu?; **über sich ~ lassen** subir

ergiebig [ɛr'ɡiːbɪç] fertile, productif, fructueux

er'gießen (*ergoss*, *ergossen*, *h*) **sich ~ über** se répandre sur; *Fluss* **sich ~ in** se jeter dans

er'greif|en (*ergriff*, *ergriffen*, *h*) saisir; *rühren* émouvoir; **2ung** *f* (*-; -en*) arrestation *f*, capture *f*

er'haben élevé; *fig* sublime; **~ sein über** être au-dessus de

er'halten (*erhielt*, *erhalten*, *h*) **1.** *Verb* (**sich ~** se) conserver; entretenir; *Brief* recevoir; **2.** *adj* **gut ~** en bon état

erhältlich [ɛr'hɛltlɪç] disponible; en vente

er'heb|en (*erhob*, *erhoben*, *h*) (**sich ~** se) lever; *erhöhen* élever; *Steuern* percevoir; *Einwand* élever; **sich ~** *empören* s'insurger; *jur* **Klage ~** intenter une action; **~lich** [-p-] considérable; **2ung** [-buŋ] *f* (*-; -en*) élévation *f*; *Aufstand* insurrection *f*

erhitzen [ɛr'hɪtsən] (*pas de -ge-*, *h*) chauffer; **sich ~** s'échauffer

erhöh|en [ɛr'høːən] (*pas de -ge-*, *h*) *Preise* augmenter, majorer; **2ung** *f* (*-; -en*) *Anhöhe* hauteur *f*; *Preis* augmentation *f*

er'hol|en (*pas de -ge-*, *h*) **sich ~** se reposer, reprendre des forces; **~sam** reposant; **2ung** *f* (*-; sans pl*) rétablissement *m*; repos *m*

erinner|n [ɛr'ʔɪnərn] *j-n an etw ~* rappeler qc à qn; **sich an etw ~** se rappeler qc, se souvenir de qc; **2ung** *f* (*-; -en*) souvenir *m*, mémoire *f*; **zur ~ an** en souvenir de

er'kält|en [ɛr'kɛltən] (*pas de -ge-*, *h*) **sich ~** s'enrhumer, attraper un rhume, se refroidir; **2ung** *f* (*-; -en*) refroidissement *m*, rhume *m*

er'kennen (*erkannte*, *erkannt*, *h*) reconnaître (**an** à); *wahrnehmen* (a)percevoir, distinguer

er'kennt|lich **sich ~ zeigen** se montrer reconnaissant (**für** de); **2nis** *f* (*-; -se*) connaissance *f*

Er'kennungs|marke *mil f* plaque *f*

d'identité: **~zeichen** n signe m od marque f de reconnaissance

Erker ['ɛrkər] m (-s; -) encorbellement m

er'klär|en (pas de -ge-, h) expliquer; *förmlich* déclarer; **~lich** explicable; **2ung** f (-; -en) explication f; déclaration f

er'krank|en (pas de -ge-, sn) tomber malade; **2ung** f (-; -en) maladie f, affection f

erkundig|en [ɛr'kundigən] (pas de -ge-, h) **sich ~** s'informer (**bei j-m** auprès de qn; **über**de), se renseigner (sur); **2ung** f (-; -en) information f; prise f de renseignements

Er'kundung f (-; -en) exploration f; *mil* reconnaissance f

er'langen (pas de -ge-, h) obtenir

Erlass [ɛr'las] m (-es; -e) *Gebühren* dispense f; *Strafe* remise f; *Anordnung* arrêté m, décret m

er'lassen (erließ, erlassen, h) *Verordnung* émettre, publier; **j-m etw ~** dispenser qn de qc

erlaub|en [ɛr'laubən] (pas de -ge-, h) permettre; **2nis** [-'laupnis] f (-; sans pl) permission f

er'läuter|n (pas de -ge-, h) expliquer; **2ung** f (-; -en) explication f

Erle ['ɛrlə] bot f (-; -n) aulne m

er'leb|en (pas de -ge-, h) voir, éprouver, assister à; **2nis** [-pnis] n (-ses; -se) événement m, aventure f, expérience f

erledig|en [ɛr'le:digən] (pas de -ge-, h) finir, exécuter, régler; *zügig* expédier; **~t** [-içt] *fertig*, a fig fini; *erschöpft* F claqué, crevé; **2ung** f (-; -en) règlement m, exécution f

er'leichter|n (pas de -ge-, h) *Aufgabe* faciliter; *seelisch* soulager; **2ung** f soulagement m

er'leiden (erlitt, erlitten, h) subir

er'liegen (erlag, erlegen, sn) succomber à; **zum 2 kommen** *Verkehr* être paralysé

Erlös [ɛr'lø:s] m (-es; -e) produit m (d'une vente)

er'löschen (erlosch, erloschen, sn) s'éteindre; *jur* cesser d'exister, expirer

er'lös|en (pas de -ge-, h) délivrer (**von** de); *rel* sauver; **2er** rel m (-s; -) Rédempteur m, Sauveur m

ermächtig|en [ɛr'mɛçtigən] (pas de

-ge-, h) autoriser (**zu** à); **2ung** f (-; -en) autorisation f

er'mahn|en (pas de -ge-, h) exhorter (**zu** à); **2ung** f (-; -en) exhortation f

er'mäßig|en (pas de -ge-, h) réduire; **2ung** f (-; -en) réduction f

Er'messen n (-s; sans pl) jugement m; **nach eigenem ~** à mon (ton, son, ...) gré

ermitt|eln [ɛr'mitəln] (pas de -ge-, h) trouver; *jur Täter* retrouver; *bestimmen* établir, déterminer; **2lungen** *jur f/pl* enquête f

ermöglich|en [ɛr'mø:kliçən] (pas de -ge-, h) rendre possible, permettre

er'mord|en (pas de -ge-, h) assassiner; **2ung** f (-; -en) assassinat m

er'müden [ɛr'my:dən] (pas de -ge-, v/t h, v/i sn) se fatiguer; *j-n* fatiguer

ermunter|n [ɛr'muntərn] (pas de -ge-, h) encourager (**zu** à); **2ung** f (-; -en) encouragement m

ermutig|en [ɛr'mu:tigən] (pas de -ge-, h) encourager; **2ung** f (-; -en) encouragement m

er'nähr|en (pas de -ge-, h) (**sich ~** se) nourrir; **2ung** f (-; sans pl) alimentation f, nutrition f; *Nahrung* nourriture f

er'nenn|en (ernannte, ernannt, h) **j-n** nommer qn (**zum Direktor** directeur); **2ung** f (-; -en) nomination f

erneuer|n [ɛr'nɔyərn] (pas de -ge-, h) (**sich ~** se) renouveler; **2ung** f (-; -en) renouvellement m

erneut [ɛr'nɔyt] à nouveau

erniedrig|en [ɛr'ni:drigən] (pas de -ge-, h) humilier; (**sich ~** s')abaisser; **2ung** f (-; -en) abaissement m, humiliation f

Ernst [ɛrnst] m (-es; sans pl) gravité f, sérieux m; **im ~** sérieusement; **2** sérieux, grave; **~ bleiben** garder son sérieux; **etw ~ nehmen** prendre qc au sérieux; **'~haft**, **'~lich** sérieux

Ernte ['ɛrntə] f (-; -n) récolte f; *Getreide* **2** moisson f; **'2n** (h) récolter; *Korn* moissonner

Er'nüchterung f (-; -en) dégrisement m, désenchantement m

Erober|er [ɛr'ʔo:bərər] m (-s; -) conquérant m; **2n** (pas de -ge-, h) conquérir; **~ung** f (-; -en) conquête f

er'öffn|en (pas de -ge-, h) ouvrir; *feierlich* inaugurer; **j-m etw ~** faire savoir qc à qn; **2ung** f (-; -en) ouverture f;

inauguration f

erörter|n [ɛr'ꞌœrtərn] (pas de -ge-, h) discuter; ℓung f (-; -en) discussion f

Erot|ik [e'roːtik] f (-; sans pl) érotisme m; ℓisch érotique

er'press|en (pas de -ge-, h) j-n ~ faire chanter qn; ℓer (-s; -) m maître-chanteur m; ℓung f (-; -en) chantage m

er'proben (pas de -ge-, h) éprouver; tester

erreg|bar [ɛr're:kba:r] excitable; leicht ~ irritable; ~en [-gən] (h) exciter; ℓer [-gər] méd m (-s; -) agent m pathogène; ℓung [-guŋ] f (-; -en) excitation f; irritation f

er'reich|bar accessible; ~en (pas de -ge-, h) atteindre; Zug, Bus attraper; j-n telefonisch ~ joindre qn par téléphone

er'richt|en (pas de -ge-, h) élever, ériger; ℓung f (-; sans pl) érection f, mise f sur pied

erröten [ɛr'røːtən] (pas de -ge-, sn) rougir (über, vor de)

Errungenschaft [ɛr'ruŋənʃaft] f (-; -en) conquête f; Anschaffung acquisition f

Ersatz [ɛr'zats] m (-es; sans pl) remplacement m (für de), compensation f, ersatz m, succédané m; ℓbefriedigung f compensation f; ℓdienst m → Zivildienst; ℓrad n roue f de rechange; ℓreifen m pneu m de rechange; ℓteil n pièce f de rechange

er'schaff|en (erschuf, erschaffen, h) créer; ℓung f (-; sans pl) création f

er'schein|en (erschien, erschienen, sn) 1. paraître; apparaître; sembler; vor Gericht comparaître; Buch soeben erschienen vient de paraître; 2. ℓ n (-; sans pl) apparition f; ℓung f (-; -en) Geister ℓ apparition f; Traumbild vision f; Natur ℓ phénomène m; Aussehen aspect m; äußere ~ physique m

er'schieß|en (erschoss, erschossen, h) tuer d'un coup de feu; hinrichten fusiller

er'schlagen (erschlug, erschlagen, h) assommer

er'schließ|en (erschloss, erschlossen, h) Gelände ouvrir à l'exploitation; Bauland viabiliser; ℓung f (-; sans pl) mise f en exploitation; ℓungskosten pl frais m/pl de la mise en exploitation

er'schöpf|en (pas de -ge-, h) épuiser;

ℓung f (-; sans pl) épuisement m

er'schrecken v/t (pas de -ge-, h) j-n effrayer; v/i (erschrak, erschrocken, sn) s'effrayer (über de)

er'schütter|n [ɛr'ʃytərn] (pas de -ge-, h) ébranler; seelisch émouvoir; bouleverser; ℓung f (-; -en) ébranlement m; fig bouleversement m

er'schweren (pas de -ge-, h) rendre (plus) difficile

erschwinglich [ɛr'ʃviŋliç] Preis abordable

ersetz|bar [ɛr'zetsba:r] remplaçable; ~en (pas de -ge-, h) remplacer; Unkosten rembourser; Schaden indemniser (j-m etw qn de qc)

er'sichtlich évident; ohne ~en Grund sans raison apparente

er'spar|en (pas de -ge-, h) économiser, épargner (a fig); ℓnis (-; -se) épargne f, économie f (an de); ~se pl économies f/pl

erst [e:rst] zuerst d'abord; nur seulement, ne ... que

erstatt|en [ɛr'ʃtatən] (pas de -ge-, h) Kosten rembourser; zurückgeben restituer; Anzeige ~ porter plainte (gegen contre); ℓung f (-; -en) Kosten remboursement m; jur restitution f

er'staun|en (pas de -ge-, sn) (s')étonner; ℓen n (-s; sans pl) étonnement m; ~lich étonnant; ~t étonné (über de)

erste ['e:rstə] der, die, das ~ le premier, la première; zum ~n Mal pour la première fois; ~ Hilfe premiers soins m/pl

er'stellen (pas de -ge-, h) herstellen produire; Haus construire; Rechnung établir, faire

erstens ['e:rstəns] premièrement

er'sticken [ɛr'ʃtikən] (v/t h, v/itr sn) étouffer

'erstklassig de première qualité

er'streben (pas de -ge-, h) aspirer (etw à qc); ~swert souhaitable, désirable

er'strecken (pas de -ge-, h) sich ~ s'étendre (auf à), porter (sur)

Ertrag [ɛr'tra:k] m (-[e]s; ⸚e) rendement m; ℓen [-gən] (ertrug, ertragen, h) supporter; ℓsslage f niveau m du rendement, résultat m

erträglich [ɛr'trɛ:kliç] supportable, tolérable

er'tragreich productif

er'tränken (pas de -ge-, h) noyer

er'trinken (*ertrank, ertrunken, sn*) **1.** se noyer; **2.** ⚢ *n* (*-s; sans pl*) noyade *f*

erübrigen [er'ʔyːbrigən] (*pas de -ge-, h*) avoir de reste *od* en trop; *es erübrigt sich zu ...* il n'est pas nécessaire de ...; il est superflu de ...

er'wachen (*pas de -ge-, sn*) s'éveiller; *aufwachen* se réveiller

er'wachsen adulte; ⚢e *m, f* (*-n; -n*) adulte *m, f*; ⚢**enbildung** *f* formation *f* des adultes

erwäg|en [er'vɛːgən] (*erwog, erwogen, h*) considérer, examiner; ⚢**ung** *f* (*-; -en*) considération *f*; *in ~ ziehen* envisager

er'wähn|en (*pas de -ge-, h*) mentionner; ⚢**ung** *f* (*-; -en*) mention *f*

er'wärmen (*pas de -ge-, h*) chauffer; *fig sich ~ für* s'enthousiasmer pour

er'wart|en (*pas de -ge-, h*) attendre; *rechnen mit* s'attendre à; *wie zu ~ war* comme il fallait s'y attendre; ⚢**ung** *f* (*-; -en*) attente *f*; ⚢**ungsvoll** plein d'espoir

er'wecken (*pas de -ge-, h*) *Verdacht* éveiller; *den Anschein ~* donner l'impression

er'weisen (*erwies, erwiesen, h*) *beweisen* prouver; *Achtung* témoigner; *Dienst* rendre; *sich ~ als* se révéler être

erweiter|n [er'vaitərn] (*pas de -ge-, h*) (*sich ~*) s'élargir; ⚢**ung** *f* (*-; -en*) élargissement *m*

Erwerb [er'vɛrp] *m* (*-[e]s; -e*) acquisition *f*; *Brot*⚢ gagne-pain *m*; ⚢**en** [-bən] (*erwarb, erworben, h*) acquérir, acheter

er'werbs|los chômeur, sans travail; ⚢**losigkeit** *f* chômage *m*; ⚢**tätig** actif; ⚢**tätige** *m, f* (*-n; -n*) personne *f* active; ⚢**unfähig** invalide; ⚢**zweig** *m* branche *f* professionnelle

er'widern [er'viːdərn] (*pas de -ge-, h*) répliquer, répondre; *Gruß, Besuch* rendre; ⚢**ung** *f* (*-; -en*) réplique *f*; réponse *f*

erwünscht [er'vynʃt] désiré, souhaité

Erz [eːrts] *n* (*-es; -e*) minerai *m*

er'zähl|en (*pas de -ge-, h*) raconter; ⚢**er** *m* (*-s; -*) narrateur *m*; ⚢**ung** *f* (*-; -en*) récit *m*; *Märchen* conte *m*

'Erzbischof *rel m* archevêque *m*

er'zeug|en (*pas de -ge-, h*) produire; *verursachen* engendrer; ⚢**er** *m* (*-s; -*) *Hersteller* producteur *m*; ⚢**erland** *n* pays *m* producteur; ⚢**erpreis** *m* prix *m*

producteur; ⚢**nis** [-knis] *n* (*-ses; -se*) produit *m*; ⚢**ung** *f* (*-; -en*) production *f*

er'zieh|en (*erzog, erzogen, h*) élever, éduquer; ⚢**ung** *f* (*-; sans pl*) éducation *f*

er'zielen (*pas de -ge-, h*) atteindre, obtenir

erzürnt [-'tsyrnt] en colère

er'zwingen (*erzwang, erzwungen, h*) obtenir de force

es [ɛs] **1.** *als Objekt* le, la; en, y; **2.** *als Subjekt* il, ce; *~ gibt* il y a; *~ klopft* on frappe à la porte

Esche ['ɛʃə] *bot f* (*-; -n*) frêne *m*

Esel ['eːzəl] *m* (*-s; -*), **'~in** *f* (*-; -nen*) âne *m*, ânesse *f*; **'~sbrücke** *f* guide-âne *m*; **'~sohr** ['eːzɔls?-] *n im Buch* corne *f*

Eskalation [ɛskala'tsjoːn] *f* (*-; -en*) escalade *f*

Eskimo ['ɛskimo] *m* (*-s; -s*) Esquimau *m*

Espe ['ɛspə] *bot f* (*-; -n*) tremble *m*

Essay ['ɛse] *m* (*-s; -s*) essai *m*

'essbar mangeable, comestible

essen ['ɛsən] (*aß, gegessen, h*) manger; *zu Mittag ~* déjeuner; *zu Abend ~* dîner

'Essen *n* (*-s; -*) *Nahrung* nourriture *f*; *Mahlzeit* repas *m*; **'~smarke** *f* ticket *m* de repas; **'~szeit** *f* heure *f* des repas

Essig ['ɛsiç] *m* (*-s; -e*) vinaigre *m*

'Ess|löffel *m* cuiller *f* à soupe; **'~tisch** *m* table *f* (de salle à manger); **'~zimmer** *n* salle *f* à manger

Establishment [ɛ'stɛbliʃmənt] *n* (*-s; sans pl*) ordre *m* établi

etablieren [eta'bliːrən] (*pas de -ge-, h*) *sich ~* s'établir, s'installer

Etage [e'taːʒə] *f* (*-; -n*) étage *m*; *auf der ersten ~* au premier étage

Etappe [e'tapə] *f* (*-; -n*) étape *f*

Etat [e'ta:] *m* (*-s; -s*) budget *m*

Ethik ['eːtik] *f* (*-; -en*) éthique *f*, morale *f*

Etikett [eti'kɛt] *n* (*-[e]s; -e*) étiquette *f*; **~e** (*-; -n*) étiquette *f*

etliche ['ɛtliçə] quelque(s); pas mal de

Etui [e'tviː] *n* (*-s; -s*) étui *m*; *Schmuck* écrin *m*

etwa ['ɛtva] environ, à peu près; **'~ig** ['-iç] éventuel

etwas ['ɛtvas] quelque chose; *in verneinenden Sätzen* rien; *ein wenig* quelque (peu de)

euch [ɔyç] vous

euer ['ɔyər] votre, *pl* vos

Eule ['ɔylə] *zo f* (*-; -n*) hibou *m*

eure ['ɔyrə] *der, die, das* ~ le, la vôtre

Euro ['ɔyroː] *m* euro *m*; *Einführung des Euro* lancement *m* de l'euro; ~**cent** *m* cent *m*; ~**land** *n* zone *f* euro *f*

Europa [ɔy'roːpa] *n* (-s; *sans pl*) l'Europe *f*

Europäer [-'pɛːər] *m* (-s; -), ~**in** *f* (-; -nen) Européen *m*, -ne *f*

euro'päisch européen; 2*er Börsenverband* Fédération *f* européenne des échanges boursés; 2*er Gerichtshof* Cour *f* de justice; 2*e Investitionsbank* (*EIB*) Banque *f* européenne d'investissement (B.E.I.); 2*e Kommission* Commission *f* européenne; 2*es Parlament* Parlement *m* européen; 2*er Rechnungshof* Cour *f* des comptes (européenne); 2*e Union* (*EU*) Union *f* européenne (U.E.); 2*es Währungsinstitut* (*EWI*) Institut *m* monétaire européen (I.M.E.) 2*e Wirtschafts- und Währungsunion* Union *f* économique et monétaire; 2*e Zentralbank* (*EZB*) Banque *f* centrale européenne (B.C.E.)

Eu'ropa|pokal *m* coupe *f* d'Europe; ~**rat** *m* Conseil *m* de l'Europe; ~**wahlen** *f/pl* élections *f/pl* européennes

'Euroscheck *m* eurochèque *m*; '~**karte** *f* carte *f* eurochèque

'Eurowährung *f* (-; -en) euro monnaie *f*

E'U-Verordnung *f* (-; -en) décret *m* de l'UE

evangel|isch [evaŋ'geːliʃ] protestant; 2**ium** [-jum] *n* (-s; -lien) Évangile *m*

eventuell [evɛntu'ɛl] éventuel; *adv* éventuellement

ewig ['eːviç] éternel; '2**keit** *f* (-; -en) éternité *f*

exakt [ɛ'ksakt] exact, précis; 2**heit** *f* (-; *sans pl*) exactitude *f*

Examen [ɛ'ksaːmən] *n* (-s; -, -mina) examen *m*

Exekutive [ɛksəku'tiːvə] *f* (-; -en) (pouvoir *m*) exécutif *m*

Exemplar [ɛksɛm'plaːr] *n* (-s; -e) exemplaire *m*; 2**isch** exemplaire

Exil [ɛ'ksiːl] *n* (-s; -e) exil *m*

Existenz [ɛksis'tɛnts] existence *f*; ~**minimum** *n* minimum *m* vital

exis'tieren (*pas de* -ge-, *h*) exister; vivre

Expansion [ɛkspan'zjoːn] *f* (-; -en) expansion *f*

Experiment [ɛksperi'mɛnt] *n* (-[e]s; -e) expérience *f*; 2**ieren** (*pas de* -ge-, *h*) faire des expériences (*mit* sur)

Expert|e [ɛks'pɛrtə] *m* (-n; -n), ~**in** *f* (-; -nen) expert *m*

explo|dieren [ɛksplo'diːrən] (*pas de* -ge-, *h*) exploser, faire explosion; *bersten* éclater; 2**sion** [-'zjoːn] *f* (-; -en) explosion *f*; ~**siv** [-'ziːf] explosif

Export [ɛks'pɔrt] *m* (-[e]s; -e) exportation *f*; ~**eur** [-'tøːr] *m* (-s; -e) exportateur *m*; 2**ieren** (*pas de* -ge-, *h*) exporter; ~**land** *n* pays exportateur; ~**überschuss** *m* excédent *m* d'exportation

extra ['ɛkstra] *absichtlich* exprès; *gesondert* à part

extrem [ɛks'treːm] extrême; 2**ist** [-'mist] *m* (-en; -en), 2'**istin** *f* (-; -nen) extrémiste *m, f*; ~'**istisch** extrémiste

Exzess [ɛks'tsɛs] *m* (-es; -e) excès *m*

F

F [ɛf] *n* (-; -) *mus* fa *m*

'Fabel ['faːbəl] *f* (-; -n) fable *f*; '2**haft** formidable, épatant F

Fabrik [fa'briːk] *f* (-; -en) usine *f*; ~**ant** [-'kant] *m* (-en; -en) fabricant *m*; ~**arbeiter** *m* ouvrier *m* d'usine; ~**at** [-kaːt] *n* (-[e]s; -e) produit *m* (manufacturé); ~**ation** [-ka'tsjoːn] *f* (-; -en) fabrication *f*, production *f*; ~**a'tionsfehler** *m* dé-

faut *m* de fabrication; ~**ware** *f* produit *m* manufacturé

fabrizieren [fabri'tsiːrən] (*pas de* -ge-, *h*) fabriquer

Fach [fax] *n* (-[e]s; ⁀er) compartiment *m*, rayon *m*; *fig* branche *f*

'Fach|arbeiter *m* ouvrier *m* qualifié; '~**arzt** *m*, '~**ärztin** *f* spécialiste *m, f* (*für* de); '~**ausbildung** *f* formation *f* spécialisée; '**~ausdruck** m terme m technique

'Fach|gebiet n domaine m, matière f, spécialité f; '**~geschäft** n magasin m spécialisé; '**~händler** m spécialiste m; '**~kenntnisse** f/pl connaissances f/pl spéciales; '**2kundig** compétent, expert; '**~literatur** f littérature f spécialisée; '**~mann** m (-[e]s; -leute) spécialiste m, expert m, homme m du métier; '**2männisch** expert; '**~messe** f bourse f spécialisée; '**~schule** f école f professionnelle; '**~werk** arch n colombage m; '**~werkhaus** n maison f à colombages; '**~zeitschrift** f revue f spécialisée

fade ['fa:də] fade; insipide

Faden ['fa:dən] m (-s; :-) fil m (a fig)

fähig ['fɛːɪç] capable (**zu** de); geschickt apte (**zu** à); '**2keit** f (-; -en) capacité f, aptitude f

fahnd|en ['fa:ndən] (h) **nach j-m ~** rechercher qn; '**2ung** f (-; -en) recherches f/pl

Fahne ['fa:nə] f (-; -n) drapeau m; '**~nflucht** f désertion f

Fahr|ausweis ['fa:r-] m billet m, ticket m; '**~bahn** f chaussée f; '**~bereitschaft** f service m de roulage

Fähre ['fɛːrə] f (-; -n) bac m; Fährschiff ferry-boat m

fahren ['fa:rən] (fuhr, gefahren, v/i sn, v/t h) aller (**mit dem Auto** en voiture); rouler; ab~ partir (**nach** pour, à); **ein Auto ~** conduire une voiture; **j-n ~** conduire qn; **~ durch** traverser; passer par; **Ski ~** faire du ski; **mit der Hand über das Gesicht ~** se passer la main sur le visage; **was ist bloß in dich gefahren?** qu'est-ce qui t'a pris?

'Fahrer m (-s; -), '**~in** f (-; -nen) conducteur m, -trice f; chauffeur m, -euse f; '**~flucht** f délit m de fuite

'Fahr|gast m passager m, voyageur m; '**~gestell** n auto châssis m; aviat train m d'atterrissage; '**~karte** f billet m, '**~kartenautomat** m distributeur m de tickets; '**~kartenschalter** m guichet m; '**2lässig** négligent; jur **~e Tötung** homicide m involontaire; '**~lässigkeit** f (-; -en) négligence f; '**~lehrer** m moniteur m od professeur m d'auto-école; '**~plan** m horaire m; als Broschüre indicateur m; '**2planmäßig** régulier;

'**~preis** m prix m du transport; '**~prüfung** f examen m du permis de conduire; '**~rad** n bicyclette f, vélo m; '**~radweg** m piste f cyclable

'Fährschiff ['fɛːr-] n ferry-boat m

'Fahr|schule f auto-école f; '**~stuhl** m ascenseur m; für Kranke fauteuil m roulant; '**~stunde** f leçon f d'auto-école

Fahrt [fa:rt] f (-; -en) voyage m, trajet m, parcours m; Ausflug excursion f

Fährte ['fɛːrtə] f (-; -n) piste f

'Fahrtenschreiber m tachygraphe m

'Fahr|werk aviat n train m d'atterrissage; '**~zeug** n (-[e]s; -e) véhicule m; '**~zeughalter** m jur détenteur m d'un véhicule

fair [fɛːr] sport, loyal, fair-play

Faksimile [fak'zi:mile] n (-s; -s) facsimilé m

Faktor ['faktɔr] m (-s; -en) élément m, facteur m

Fall [fal] m (-[e]s; :-e) Sturz chute f; Sachverhalt cas m; **auf jeden** (**keinen**) **~** en tout (aucun) cas; **für den ~, dass ...** au cas où ...; **gesetzt den ~, dass ...** à supposer que ...

Falle ['falə] f (-; -n) piège m

fallen ['falən] (fiel, gefallen, sn) tomber (a fig); sinken baisser; Tor être marqué

fällen ['fɛlən] (h) Baum abattre; jur Urteil rendre, prononcer

fällig ['fɛlɪç] Flugzeug etc attendu; Zinsen, Zahlung exigible; '**2keit** f (-; sans pl) échéance f

falls [fals] au cas où

'Fallschirm m parachute m; '**~jäger** m parachutiste m, para m F; '**~springer(in** f) m parachutiste m, f

falsch [falʃ] faux (a Person, Zähne); Adresse mauvais; **~ gehen** Uhr mal marcher

fälsch|en ['fɛlʃən] (h) fausser, falsifier; '**2er** m (-s; -), '**2erin** f (-; -nen) falsificateur m, -trice f

'Falsch|fahrer m → **Geisterfahrer**; '**~geld** n faux billet m de banque

fälschlich ['fɛlʃlɪç] faux, erroné

'Fälschung f (-; -en) falsification f, faux m

'Faltboot n canot m pliant od démontable

Falte ['faltə] f (-; -n) pli m; Runzel ride f; '**2n** (h) plier

familiär [famil'jɛːr] *vertraut* familier; *die Familie betreffend* familial
Familie [fa'miːljə] *f* (-; -n) famille *f*
Fa'milien|angelegenheit *f* affaire *f* de famille; **_betrieb** *m* entreprise *f* familiale; **_leben** *n* vie *f* familiale *od* de famille; **_name** *m* nom *m* de famille; **_planung** *f* planning *m* familial; **_stand** *m* situation *f* de famille; **_vater** *m* père *m* de famille
Fan [fɛn] *m* F (-s; -s) fan *m, f*, fana *m, f*
Fanati|ker [fa'naːtikər] *m* (-s; -), **_kerin** (-; -nen) fanatique *m, f*; **2sch** fanatique
Fang [faŋ] *m* (-[e]s; ⁓e) prise *f*, capture *f*; **'2en** (*fing, gefangen, h*) attraper, prendre; *ergreifen* saisir
Fantasie [fanta'ziː] *f* (-; -n) imagination *f*; **2los** dépourvu d'imagination; **2ren** (*pas de -ge-, h*) se livrer à son imagination; *méd* délirer; **2voll** plein d'imagination
Fantast [fan'tast] *m* (-en; -en) rêveur *m*; **2isch** fantastique
Farb|aufnahme ['farp⁓-] *f* photo *f* en couleurs; **'_band** *n* ruban *m* encré
Farb|e ['farbə] *f* (-; -n) couleur *f*; *zum Malen* peinture *f*; *Gesicht* teint *m*; **'2echt** ['farp⁓-] grand teint
färben ['fɛrbən] (*h*) colorer, teindre
'**farben|blind** daltonien; **'_froh** haut en couleur(s)
'**Farb|fernsehen** ['farp⁓-] *n* télévision *f* en couleurs; **'_fernseher** *m* téléviseur *m* couleurs; **'_film** *m* film *m* en couleurs; **'_fotografie** *f* photographie *f* en couleurs; **'2ig** ['-biç] coloré; **'_ige** ['-bigə] *m, f* (-*n*; -*n*) homme *m*, femme *f*, gens *m/pl* de couleur; **'2los** incolore (*a fig*); **'_stift** *m* crayon *m* de couleur; **'_stoff** *m* matière *f* colorante
Färbung ['fɛrbuŋ] *f* (-; -en) coloration *f*, teinte *f*
Farm [farm] *f* (-; -en) ferme *f*; **'_er** *m* (-s; -) fermier *m*
Farn [farn] *bot m* (-[e]s; -e) **'_kraut** *n* fougère *f*
Fasan [fa'zaːn] *zo m* (-s; -e) faisan *m*
Fasching ['faʃiŋ] *m* (-s; -e, -s) carnaval *m*
Faschis|mus [fa'ʃismus] *m* (-; *sans pl*) fascisme *m*; **_t** *m* (-en; -en), **_tin** *f* (-; -nen) fasciste *m, f*; **2tisch** fasciste
'**Faser** ['faːzər] *f* (-; -n) fibre *f*; **2n** (*h*) s'effilocher

Fass [fas] *n* (-es; ⁓er) tonneau *m*; *Wein*2 fût *m*; *Bier vom* **~** bière *f* pression
Fassade *f* [fa'saːdə] *f* (-; -en) façade *f*
'**fassen** ['fasən] (*h*) prendre, saisir; *Plan* concevoir; *enthalten* contenir; *begreifen* comprendre; *Mut* **~** reprendre courage; *e-n Entschluss* **~** prendre une décision; *sich kurz* **~** être bref
'**Fassung** *f* (-; -en) *seelische* contenance *f*; *Text* version *f*; *Glühbirne* douille *f*; *die* **~** *verlieren* prendre contenance
'**Fassungsvermögen** *n* räumlich capacité *f*; *fig* compréhension *f*, entendement *m*
fast [fast] presque, à peu près; **~** *nur* ne ... guère que
fasten ['fastən] (*h*) **1.** jeûner; **2.** **2** *n* (*s; sans pl*) jeûne *m*
'**Fastnacht** *f* (-; *sans pl*), **_sdienstag** *m* mardi gras
fatal [fa'taːl] *unangenehm* fâcheux; *unheilvoll* fatal
faul [faul] *verfault* pourri; *träge* paresseux; **_e Ausrede** faux-fuyant *m*, mauvaise excuse *f*
faul|en ['faulən] (*h*) pourrir; **_enzen** ['-ɛntsən] (*h*) fainéanter; '**2enzer** *m* (-s; -), '**2enzerin** (-; -nen) fainéant *m*, -e *f*; **2heit** *f* (-; *sans pl*) paresse *f*
Fäulnis ['fɔʏlnis] *f* (-; *sans pl*) pourriture *f*; *Verwesung* fermentation *f*
'**Faulpelz** *m* (-es; -e) fainéant *m*
Faust [faust] *m* (-; ⁓e) poing *m*; *auf eigene* **~** de sa propre initiative; '**_handschuh** *m* moufle *f*; **'_hieb** *m* coup *m* de poing; **'_regel** *f* règle *f* générale; '**_schlag** *m* coup *m* de poing
Fazit ['faːtsit] *n* (-s; -e) résultat *m*, bilan *m*
FCKW-frei sans CFC
Februar ['feːbruaːr] *m* (-[s]; -e) février *m*
fecht|en ['fɛçtən] (*focht, gefochten, h*) faire de l'escrime; '**2er** *m* (-s; -), '**2erin** *f* (-; -nen) escrimeur *m*, -euse *f*
Feder ['feːdər] *f* (-; -n) plume *f*, *tech* ressort *m*; '**_ball** *m* *Spiel* badminton *m*; *Ball* volant *m*; '**_bett** *n* édredon *m*; '**_gewicht** *n* *Sport* poids *m* plume; '**2n** (*h*) faire ressort; **2nd** élastique; '**_ung** *tech f* (-; -en) suspension *f*; '**_zeichnung** *f* dessin *m* à la plume
fegen ['feːgən] (*h*) balayer; *Schornstein* ramoner

fehl [fe:l] ~ **am Platz** déplacé

'**Fehlbetrag** m déficit m

fehlen ['fe:lən] (h) **1.** manquer, être absent, faire défaut; **es fehlt uns an** nous manquons de; **mir fehlen zwei Mark** il me manque deux marks; fig **was fehlt dir?** qu'est-ce que tu as?; **2.** ⚎ n (-s; sans pl) manque m; Abwesenheit absence f

Fehler ['fe:lər] m (-s; -) Verstoß faute f; Charakter⚎, tech défaut m

'**Fehl|geburt** f fausse couche f; '**~planung** f erreur f de planification; '**~schlag** m fig échec m; '**~zündung** f Motor raté m

Feier ['faiər] f (-; -n) cérémonie f, fête f; e-s Festes célébration f; '**~abend** m fin f de la journée; **machen wir ~!** arrêtons-nous de travailler!; '⚎lich solennel; '**~lichkeit** f (-; -en) solennité f; '⚎n (h) célébrer, fêter; nicht arbeiten chômer; '**~tag** m jour m férié

feig(e) [faik, 'faigə] lâche

'**Feige** bot f (-; -n) figue f

'**Feig|heit** ['faikhait] f (-; sans pl) lâcheté f, poltronnerie f; '**~ling** m (-s; -e) lâche m, poltron m

Feile ['failə] f (-; -n) lime f; ⚎n (h) limer

feilschen ['failʃən] (h) marchander (**um etw** qc)

fein [fain] fin; vornehm distingué; prima F chic

Feind [faint] m (-[e]s, -e), '**~in** f (-; -nen) ennemi m, -e f; ⚎lich ennemi, hostile; '**~schaft** f (-; -en) inimitié f; '**~seligkeiten** mil f/pl hostilités f/pl

'**fein|fühlig** sensible; '⚎gefühl n délicatesse f, tact m; '⚎heit f (-; -en) finesse f, ~en pl Einzelheiten détails m/pl; '⚎mechanik f mécanique f de précision; '⚎schmecker m (-s; -) gourmet m

feist [faist] gras

Feld [fɛlt] n (-[e]s, -er) champ m (a fig) Brettspiel case f; Radsport peloton m; Spiel⚎ terrain m, fig Bereich domaine m; '**~arbeit** f travail m des champs; '**~bett** n lit m de camp; '**~stecher** m (-s;-) jumelles f/pl de campagne; **~webel** ['-ve:bəl] m (-s; -) adjudant; '**~weg** m chemin m de terre; '**~zug** m campagne f

Felge ['fɛlgə] f (-; -n) jante f

Fell [fɛl] n (-[e]s, -e) peau f; Haarkleid poil m, pelage m

Fels|(en) [fɛls, 'fɛlzən] m (-en; -en/-s; -) rocher m; Felsmasse roc m; '⚎ig ['-ziç] rocheux

femin|in [femi'ni:n] féminin; ⚎istin f [-'nistin] f (-; -nen) féministe f; '**~istisch** féministe

Fenster ['fɛnstər] n (-s; -) fenêtre f; Wagen⚎ glace f; **aus dem ~ sehen** regarder par la fenêtre; '**~laden** m volet m; '**~platz** m coin-fenêtre m; '**~scheibe** f vitre f, carreau m

Ferien ['fe:riən] pl vacances f/pl; '**~arbeit** f travail m de vacances; '**~dorf** n village m de vacances; '**~haus** n maison f de vacances; '**~kurs** m cours m de vacances; '**~lager** n colonie f de vacances; '**~ort** m villégiature f

fern [fɛrn] loin (**von** de); éloigné; entlegen lointain; **der** ⚎**e Osten** l'Extrême-Orient m

'**Fern|amt** tél n interurbain m, inter m; '**~bedienung** f commande f à distance, télécommande f

Fern|e ['fɛrnə] f (-; sans pl) lointain m; **in der od die ~** au loin; **aus der ~** de loin; '⚎er de plus, en outre, encore; '**~fahrer** m routier m; '**~gespräch** tél m communication f interurbaine; '⚎gesteuert télécommandé, téléguidé; '**~glas** n jumelles f/pl, longue-vue f; '**~heizung** f chauffage m à distance; '**~kurs** m cours m par correspondance; '**~licht** n auto feux m/pl de route; '**~meldewesen** n télécommunications f/pl; '**~rohr** n téléscope m; '**~schnellzug** m train m direct; '**~schreiben** n (-s; -) télex m; '**~schreiber** m (-s; -) téléscripteur m; '**~sehen** n (-s; sans pl) télévision f; '⚎sehen (irr, sép -ge-, h, → sehen) regarder la télévision; '**~seher** m (-s; -) Gerät téléviseur m; Person téléspectateur m; '**~sehsendung** f émission f de télévision; '**~sehzuschauer(in** f) m téléspectateur m, -trice f; '**~steuerung** f commande f à distance; '**~verkehr** m Bahn service m des grandes lignes; Straße trafic m à grande distance

Ferse ['fɛrzə] f (-; -n) talon m

fertig ['fɛrtiç] bereit prêt; beendet fini, achevé; erschöpft F à plat; **mit etw ~ sein** avoir fini qc; **~ bringen** arriver (à faire qc); F fig **j-n ~ machen** körperlich F vanner qn; moralisch F moucher qn, secouer les puces à qn; erledigen

achever qn; **sich ~ machen** se préparer; **~ werden mit** venir à bout de;
'**2gericht** n plat m cuisiné; '**2haus** n
maison f préfabriquée; '2**keit** f (-; -en)
dextérité f; '2**produkt** n produit m
achevé; '2**stellung** f (-; -en) achèvement m, finition f; Bau réalisation f;
'**ungsstraße** ['-guŋs-] f train m fi-
nisseur; '2**waren** pl produits m/pl finis
fesch [fɛʃ] chic, pimpant
Fessel ['fɛsəl] f (-; -n) lien m; Hemmnis
entrave f; '2**n** (h) enchaîner, ligoter;
fig captiver
fest [fɛst] ferme; solide (a Nahrung);
Zeitpunkt, Preis, Wohnsitz fixe; Schlaf
profond
Fest n (-[e]s; -e) fête f; '**essen** n
banquet m; '**geld** n avoir m bloqué;
'2**halten** (irr, sép, -ge-, h, → **halten**) an
etw ~ tenir ferme à qc; **sich ~ an**
s'attraper à; '2**igen** ['-igən] (h) raffermir; ~ se consolider; '2**igkeit**
['-ç-] f (-; sans pl) fermeté f; '2**land** n
terre f ferme, continent m; '2**legen**
(sép, -ge-, h) fixer; **sich auf etw ~**
s'engager à qc; '2**lich** solennel;
'2**machen** (sép, -ge-, h) fixer; mar
(s')amarrer; vereinbaren convenir de;
'**nahme** ['-na:mə] f (-; -en) arrestation
f; '2**nehmen** (irr, sép, -ge-, h, → **nehmen**) arrêter; '**netz** tél n réseau m
fixe; '**platte** EDV f disque m dur;
'**preis** m prix m fixe; '**saal** m salle f
des fêtes; '2**setzen** (sép, -ge-, h) fixer,
établir; '**speicher** EDV m mémoire f
dure; '**spiele** n/pl festival m; '2**stehen** (irr, sép, -ge-, h, → **stehen**) être
certain; '2**stellen** (sép, -ge-, h) cons-
tater; '**stellung** f (-; -en) constatation
f; '**tag** m jour m de fête; '2**verzinslich**
à taux d'intérêt fixe
fett gras; **~ gedruckt** imprimé en caractères gras
Fett [fɛt] n (-[e]s; -e) graisse f; '2**ig**
graisseux
Fetzen ['fɛtsən] n (-s; -) lambeau m
feucht [fɔɪçt] humide; '2**igkeit** f (-; sans
pl) humidité f
Feuer ['fɔʏər] n (-s; -) feu m; ~brunst
incendie m; fig ardeur f; **~ fangen**
prendre feu; fig s'enflammer (**für**
pour); fig **~ und Flamme sein** être tout
feu tout flamme (**für** pour); '**alarm** m
alerte f au feu; '**bestattung** f inciné-

ration f, crémation f; '2**fest** incombustible; tech réfractaire, ignifuge;
'**gefahr** f danger m d'incendie;
'2**gefährlich** inflammable; '**löscher**
m (-s; -) extincteur m; '**melder** m
(-s; -) avertisseur m d'incendie
'**feuern** (h) chauffer; mil tirer (**auf** sur);
fig **j-n ~** renvoyer qn
'**Feuer|schiff** n bateau-phare m; ~**stoß**
mil m rafale f; '**versicherung** f assurance f contre l'incendie; '**wache**
f poste m d'incendie; '**waffe** f arme f à
feu; '**wehr** f (-; -en) (corps m des
sapeurs-)pompiers m/pl; '**wehrmann**
m pompier m; '**werk** n (-s; -e) feu m
d'artifice; '2**zeug** n (-s; -e) briquet m
Fichte ['fɪçtə] bot f (-; -n) épicéa m
ficken ['fɪkən] (h) vulgär baiser
Fieber ['fi:bər] n (-s; sans pl) fièvre f; ~
haben avoir de la fièvre; '**anfall** m
accès m de fièvre; '2**haft** fiévreux,
fébrile; '2**senkend** méd fébrifuge;
'**thermometer** n thermomètre m
médical
Figur [fi'gu:r] f (-; -en) silhouette f,
stature f; Schach pièce f; Roman personnage m; Eislauf figure f; **sie hat e-e
gute ~** elle est bien faite, F bien roulée;
auf seine ~ achten faire attention à sa
ligne
Filet [fi'le:] n (-s; -s) filet m; ~**steak** n
bifteck m dans le filet
Filiale [fil'ja:lə] f (-; -n) succursale f
Film [film] m (-[e]s; -e) film m; Foto
pellicule f; Filmbranche cinéma m;
'2**en** (h) filmer, tourner; '**kamera** f
caméra f de cinéma; '**kassette** f
châssis m; '**regisseur** m réalisateur m,
metteur m en scène; '**schau-
spieler(in** f) m acteur m, -trice f de
cinéma; '**star** m star f, vedette f;
'**studio** n studio m de cinéma;
'**verleih** n société f de distribution;
'**vorstellung** f séance f de cinéma
Filter ['fɪltər] m, n (-s; -) filtre m;
'**kaffee** m café m filtre od nur filtre m;
'2**n** (h) filtrer; '**papier** n papier m
filtre; '**zigarette** f cigarette f à bout
filtre
Filz [fɪlts] m (-es; -e) feutre m; pol F
magouille f; '2**en** (h) F fouiller;
'**okratie** [-okra'ti:] f magouilles f/pl
Finanz|amt [fi'nants'amt] n perception
f, percepteur m; ~**ausgleich** m (-s; sans

pl) péréquation f financière; **~en** pl finances f/pl; **2iell** [-'tsjɛl] financier; **2ieren** (pas de -ge-, h) financer; **~lage** f situation f financière; **~minister** m ministre m des Finances; **~ministerium** n ministère m des Finances; **~wesen** n finances f/pl

finden ['fɪndən] (fand, gefunden, h) trouver; der Ansicht sein trouver, penser; **das wird sich ~** nous verrons bien

Finger ['fɪŋər] m (-s; -) doigt m; **~abdruck** m empreinte f digitale; **~fertigkeit** f dextérité f; **~hut** m dé m (à coudre); bot digitale f; **~nagel** m ongle m; **~spitze** f bout m du doigt; **~spitzengefühl** m doigté m

fingieren [fɪŋ'gi:rən] (pas de -ge-, h) feindre, simuler

Fink [fɪŋk] zo m (-en; -en) pinson m

Finn|e ['fɪnə] m (-n; -n), **~in** f (-; -nen) Finlandais m, -e f; **2isch** finlandais; **~land** n la Finlande

finster ['fɪnstər] sombre, obscur, ténébreux; **2nis** f (-; -se) obscurité f, ténèbres f/pl

Firma ['fɪrma] f (-; -men) maison f, entreprise f, firme f

Firnis ['fɪrnɪs] m (-ses; -se) vernis m

First [fɪrst] m (-[e]s; -e) faîte m

Fisch [fɪʃ] m (-es; -e) poisson m; astr **~e** pl Poissons m/pl; **2en** (h) pêcher

'Fischer m (-s; -) pêcheur m; **~boot** n bateau m de pêche; **~dorf** n village m de pêcheurs; **~ei** [-'raɪ] f (-; sans pl) pêche f; **~eihafen** m port m de pêche

'Fisch|fang m pêche f; **~gräte** f arête f; **~händler(in** f) m poissonnier m, -ière f; **~kutter** m cotre m de pêche; **~markt** m marché m aux poissons; **~suppe** f soupe f de poisson, bouillabaisse f; **~zucht** f pisciculture f; **~zug** m fig coup m de filet

Fistel ['fɪstəl] méd f (-; -n) fistule f; **~stimme** f voix f de fausset

fit [fɪt] en forme, bien entraîné; **2nesscenter** [-nɛs-] n centre m de culturisme; **2nessraum** m salle f de culturisme

fix [fɪks] prompt, rapide, vite; Idee fixe; **~ und fertig** fin prêt

'fix|en F (h) se piquer; **2er** m (-s; -) Rauschgiftsüchtiger drogué m

fixieren [fɪ'ksi:rən] (pas de -ge-, h) fixer; **j-n ~** fixer qn, regarder qn fixement

FKK [ɛfka:ka:] nudisme m; Zssgn nudiste; **~Strand** m plage f pour nudistes; **~Urlaub** m vacances f/pl de nudisme

flach [flax] plat (a fig); **2land** n (-[e]s; sans pl) pays m plat

Fläche ['flɛçə] f (-; -n) surface f, superficie f; **~nstilllegung** f mise f en jachère

Fladen ['fla:dən] m (-s; -) galette f; Kuh2 bouse f de vache; **~brot** n galette f

Flagge ['flagə] f (-; -n) pavillon m; **2n** (h) pavoiser

Flak [flak] mil f (-; -, -s) D.C.A. f

flämisch ['flɛ:mɪʃ] flamand

Flamme ['flamə] f (-; -n) flamme f

Flandern ['flandərn] n (-s; sans pl) la Flandre

flanieren [fla'ni:rən] (pas de -ge-, h) flâner

Flank|e ['flaŋkə] f (-; -n) flanc m; Fußball centre m; **2ieren** (pas de -ge-, h) flanquer

Flasche ['flaʃə] f (-; -n) bouteille f; Säuglings2 biberon m; fig Person F nouille f, cloche f; **~nöffner** ['-n°œfnər] m ouvre-bouteilles m, décapsuleur m; **~npfand** n consigne f; **~nzug** tech m palan m

flattern ['flatərn] (h) voleter; Fahne, Haare flotter

Flaute ['flautə] f (-; -n) mar calme m (plat); écon marasme m

Flechte ['flɛçtə] f (-; -n) Haar2 tresse f; méd dartre m; bot lichen m; **2n** (flocht, geflochten, h) tresser

Fleck [flɛk] m (-[e]s; -e) tache f; Stelle endroit m; blauer ~ bleu m; **~entferner** ['-ʔɛnt-] m détachant m; **2ig** tacheté

Fledermaus ['fle:dər-] zo f chauve-souris f

Flegel ['fle:gəl] m (-s; -) fig impertinent m; malappris m, rustre m, pignouf F m; **2haft** mal éduqué, impertinent, grossier, malotru; **~jahre** n/pl âge m ingrat

flehen ['fle:ən] (h) implorer (zu j-m qn, um etw qc), supplier (zu j-m qn)

Fleisch [flaɪʃ] n (-es; sans pl) chair f; Nahrung viande f; **~ fressend** carnassier, carnivore; **~brühe** f consommé m; bouillon m gras; **~er** m (-s; -)

boucher *m*; *für zubereitete Fleischwaren* charcutier *m*; **~erei** [-ɔˈraɪ] *f* (-; *-en*) boucherie *f*, charcuterie *f*; **'2ig** charnu; **'2lich** charnel; **~wolf** *m* hachoir *m*

Fleiß [flaɪs] *m* (*-es*; *sans pl*) application *f*, assiduité *f*; **'2ig** appliqué, assidu

fletschen [ˈflɛtʃən] (*h*) **die Zähne ~** montrer les dents

flexibel [flɛˈksiːbəl] flexible; **'2ilität** [-biliˈtɛːt] *f* (-; *sans pl*) flexibilité *f*

flick|en [ˈflɪkən] (*h*) raccommoder, rapiécer; *Fahrradschlauch* réparer; **'2en** *m* (*-s*; -) pièce *f*; **'2zeug** *n* (*-s*; *sans pl*) nécessaire *m* pour réparer les pneus

Flieder [ˈfliːdər] *bot m* (*-s*; -) lilas *m*

Fliege [ˈfliːɡə] *f* (-; *-n*) mouche *f*; *Binder* nœud *m* papillon

fliegen [ˈfliːɡən] (*flog, geflogen, h*) voler; **mit dem Flugzeug ~** aller en avion; **ein Flugzeug ~** piloter un avion; *fig* **in die Luft ~** sauter, exploser

Flieger|fänger *m* attrape-mouches *m*; **~gewicht** *Sport m* poids *m* mouche; **~klatsche** *f* tapette *f* tue-mouches; **~pilz** *bot m* fausse oronge *f*, amanite *f* tue-mouches

Flieger *m* (*-s*; -); **~in** *f* (-; *-nen*) aviateur *m*, -trice *f*; **~alarm** *m* alerte *f* aérienne; **~angriff** *m* raid *m* aérien

flieh|en [ˈfliːən] (*floh, geflohen*) *v/i* (*sn*) fuir (**vor j-m, vor etw** qn, qc), s'enfuir (devant qn, qc); *v/t* (*h*) éviter; **'2kraft** *phys f* force *f* centrifuge

Fliese [ˈfliːzə] *f* (-/-n) carreau *m*, dalle *f*; **~nleger** *m* carreleur *m*

Fließband [ˈfliːs-] *n* (*-[e]s*; *"er*) tapis *m* roulant; *Fabrik* chaîne *f* (de montage); **~arbeit** *f* travail *m* à la chaîne

fließen [ˈfliːsən] (*floss, geflossen, sn*) couler; **'~d** courant; *~* **Französisch sprechen** parler couramment le français

flink [flɪŋk] agile

Flinte [ˈflɪntə] *f* (-; *-n*) fusil *m*

Flipper [ˈflɪpər] *m* (*-s*; -) flipper *m*; **'2n** (*h*) jouer au flipper

Flirt [flœrt] *m* (*-s*; -s) flirt *m*; **'2en** (*h*) flirter

Flitterwochen [ˈflɪtər-] *f/pl* lune *f* de miel

flitzen [ˈflɪtsən] (*sn*) F filer comme une flèche

Flocke [ˈflɔkə] *f* (-; *-n*) flocon *m*; **'2ig** floconneux

Floh [floː] *m* (*-[e]s*; *"e*) puce *f*, fig **j-m e-n ~ ins Ohr setzen** mettre à qn une idée en tête; **'~markt** *m* marché aux puces

Florenz [floˈrɛnts] *n* Florence

florieren [floˈriːrən] (*pas de -ge-*, *h*) prospérer

Floskel [ˈflɔskəl] *f* (-; *-n*) formule *f* toute faite

Flosse [ˈflɔsə] *f* (-; *-n*) nageoire *f*

Flöte [ˈfløːtə] *f* (-; *-n*) flûte *f*; **'2n** jouer de la flûte

flott [flɔt] *Tempo* rapide; *leicht, kess* léger, dégagé, déluré, *schick* chic

Flotte [ˈflɔtə] *mar f* (-; *-n*) flotte *f*; **'~nstützpunkt** *mil m* base *f* navale

Fluch [fluːx] *m* (*-[e]s*; *"e*) *Kraftwort* juron *m*, *Verwünschung* malédiction *f*; **'2en** (*h*) jurer

Flucht [fluxt] *f* (-; *-en*) fuite *f*; **'2artig** précipitamment

flüchten [ˈflʏçtən] (*h*) s'enfuir; **sich ~** se réfugier (**zu j-m** chez qn, **in etw** dans qc)

flüchtig fugitif; *vergänglich* passager; **ein ~er Blick** un coup d'œil; **ein ~er Eindruck** un aperçu

Flüchtling *m* (*-s*; -) fugitif *m*; *pol* réfugié *m*; **~slager** *n* camp *m* de réfugiés

Flug [fluːk] *m* (*-[e]s*; *"e*) vol *m*; **'~abwehrrakete** *mil f* missile *m* antiaérien; **'~bahn** *f* trajectoire *f*; **'~blatt** *n* tract *m*; **'~boot** *n* hydravion *m*

Flügel [ˈflyːɡəl] *m* (*-s*; -) aile *f*; *Klavier* piano *m* à queue; *Tür-, Fenster2* battant *m*; **'~schraube** *tech f* vis *f* à ailettes; **'~tür** *f* porte *f* à deux battants

'Fluggast *m* passager *m*

'Flug|gesellschaft *f* compagnie *f* aérienne; **'~hafen** *m* aéroport *m*; **'~kapitän** *m* chef-pilote *m*; **'~körper** *m* engin *m* od objet *m* volant; **'~linie** *f* ligne *f* aérienne; **'~lotse** *m* aiguilleur *m* du ciel; **'~personal** *n* personnel *m* navigant, navigants *m/pl*; **'~platz** *m* aérodrome *m*; **'~reise** *f* voyage *m* en avion; **'~schein** *m* 1. brevet *m* de pilote aviateur; **2.** billet *m* d'avion; **'~schreiber** *m* boîte *f* noire; **'~steig** *m* aire *f* de débarquement/d'embarquement; **'~sicherung** *f* contrôle *m* du trafic aérien; **'~ticket** *n* billet *m* d'avion; **'~verkehr** *m* trafic *m* aérien

'Flugzeug *m* (*-[e]s*; -) avion *m*; **'~absturz** *m* catastrophe *f* aérienne;

F

'**~entführer(in** f) m pirate m, f de l'air;
'**~entführung** f détournement m
d'avion;'**~träger** m porte-avions m

Fluorchlorkohlenwasserstoff (*abr*
FCKW) m chlorofluorocarbone (CFC)
m

Flur [flu:r] *(-[e]s;* -e) entrée f, vestibule
m

Fluss [flus] m *(-es,* ¨e) rivière f; *großer*
fleuve m; ♀**abwärts** en aval; ♀**aufwärts** en amont; '**~bett** n lit m d'un
fleuve

flüssig ['flysiç] liquide (*a Geld*); *Verkehr, Stil* fluide; '♀**keit** f *(-;* -en) *Stoff*
liquide m; *Zustand* liquidité f

'**Fluss|lauf** m cours m d'une rivière *od*
d'un fleuve; '**~schifffahrt** f navigation f
fluviale; '**~ufer** n rive f, berge f

flüstern ['flystərn] (*h*) chuchoter

Flut [flu:t] f *(-;* -en) *Gezeiten* marée f
haute; *Wassermassen* flots m/pl; *fig von
Worten etc* flot m; '**~licht** n *bei* ~ sous la
lumière des projecteurs; '**~welle** f raz
m de marée

Föderalismus [fœdera'lismus] m *(-;
sans pl*) fédéralisme m; **~listisch** fé-
déraliste; **~tion** [-'tsjo:n] f *(-;* -en) fédération f

Föhn¹ [fø:n] m *(-[e]s;* -e) foehn m

Föhn² [fø:n] m *(-[e]s;* -e) sèche-cheveux
m

Folge ['fɔlgə] f *(-;* -n) suite f, conséquence f; *Reihen*♀ série f; *Fortsetzung*
continuation f; *Ergebnis* résultat m,
effet m; *zur* ~ *haben* avoir pour conséquence

'**folgen** (*sn*) suivre (*j-m* qn); *nachfolgen*
succéder (*j-m od auf j-n* à qn); *gehorchen* obéir (à); *aus etw* ~ résulter
de qc; *daraus folgt, dass ...* il s'ensuit
que ...; *wie folgt* comme suit; '**~d** suivant; *im* ♀**en** weiter unten ci-dessous;
'**~dermaßen** de la manière suivante

'**folgerichtig** conséquent, logique

folger|n ['fɔlgərn] (*h*) conclure (*aus*
de); '♀**ung** f *(-;* -en) conclusion f

folglich ['fɔlkliç] par conséquent; *also*
donc

Folie ['fo:ljə] f *(-;* -n) feuille f; *Schule*
transparent m

Folklore [fɔlk'lo:rə] f *(-; sans pl*) folklore m; '**~abend** m soirée f folklorique

Folter ['fɔltər] f *(-;* -n) torture f; '♀**n** (*h*)
torturer

Fön → **Föhn**

Fontäne [fɔn'tɛ:nə] f *(-;* -n) jet m d'eau

'**Förder|band** n tapis m roulant; '**~er** m
(-s; -); '**~in** f *(-;* -nen) protecteur m,
-trice f; mécène m, f, bienfaiteur m,
-trice f; '♀**lich** profitable

fordern ['fɔrdərn] (*h*) exiger (**etw von
j-m** qc de qn); *geltend machen* re-
vendiquer

fördern ['fœrdərn] (*h*) faire avancer,
encourager, promouvoir; *begünstigen*
favoriser, faire réussir; *Bergbau* extraire

'**Forderung** f *(-;* -en) exigence f; *Gel-
tendmachung* revendication f; *Schuld*♀
créance f

'**Förderung** f *(-;* -en) encouragement m;
Bergbau extraction f

Forelle [fo'rɛlə] *zo* f *(-;* -n) truite f

Form [fɔrm] f *(-;* -en) forme f; *Back*♀
moule m; **in** ~ **von** sous forme de; **in** ~
sein être en forme

formal [fɔr'ma:l] formel; ♀**ität** [-ali'tɛ:t]
f *(-;* -en) formalité f

Format [fɔr'ma:t] n *(-s;* -e) format m; *fig*
envergure f, classe f; ♀**ieren** (*h*) for-
mater; **~ierung** f *(-;* -en) formatage f

Formblatt n formulaire m

Formel ['fɔrməl] f *(-;* -n) formule f

formell [fɔr'mɛl] formel

'**form|en** (*h*) former; *Gießerei* mouler;
'♀**fehler** *jur* m vice m de forme

'**form|los** sans formalités; *fig* sans fa-
çons; '♀**sache** f formalité f

Formul|ar [fɔrmu'la:r] n formulaire m,
formule f; ♀**ieren** (*pas de* -ge-, *h*)
formuler; **~ierung** f *(-;* -en) rédaction f,
formulation f, mise f au point; *als
Resultat* formule f

forschen ['fɔrʃən] (*h*) faire des recherches; *nach etw* ~ rechercher qc;
'♀**er** m *(-s;* -); '**~erin** f *(-;* -nen) chercheur m, -euse f; '♀**ung** f *(-;* -en)
recherche f; '♀**ungsauftrag** m mission
f de recherche; '♀**ungsgebiet** n domaine m de recherche; '♀**ungs-
zentrum** n centre m de recherche

Forst [fɔrst] m *(-[e]s;* -e) forêt f

Förster ['fœrstər] m *(-s;* -) forestier m

'**Forstwirtschaft** f sylviculture f

fort [fɔrt] parti, absent, pas ici *od* là; *und
so* ~ et ainsi de suite; *in einem* ~ sans
arrêt

fort|bestehen (*irr, sép, h,* → **bestehen**)

continuer d'exister; '~**bewegen** (*sép, pas de -ge-*, *h*) **sich** ~ se déplacer; '2**bewegung** *f* locomotion *f*; '~**bilden** (*sép*, *h*) **sich** ~ se perfectionner; '2**bildung** *f* perfectionnement *m*, formation *f* continue *od* permanente; '2**dauer** *f* persistance *f*, continuation *f*; '~**fahren** (*irr*, *sép*, *-ge-*, *sn*, → **fahren**) partir; *weitermachen* continuer (**zu** à, de); '~**gehen** (*irr*, *sép*, *-ge-*, *sn*, → **gehen**) s'en aller; *weitergehen* continuer son chemin; '~**geschritten** avancé; '~**laufend** ininterrompu, suivi, '~**pflanzen** (*sép*, *-ge-*, *h*) **sich** ~ *biol* se reproduire; *Licht*, *Schall* se propager; '2**pflanzung** *biol f* (-; *sans pl*) reproduction *f*; '~**schreiten** (*irr*, *sép*, *-ge-*, *sn*, → **schreiten**) faire des progrès; '2**schritt** *m* progrès *m*; '~**schrittlich** progressiste; '~**setzen** (*sép*, *-ge-*, *h*) (**sich** ~ se) continuer; '2**setzung** *f* (-; -*en*) continuation *f*; *Text* suite *f*; ~ **folgt** à suivre

Foto ['fo:to] *n* (-*s*; -*s*) photo *f*; '~**apparat** *m* appareil *m* photo; '2**gen** [-'ge:n] photogénique; '~**graf** [-'gra:f] *m* (-*en*; -*en*), ~'**grafin** *f* (-; -*nen*) photographe *m*, *f*; ~**grafie** [-gra'fi:] *f* (-; -*n*) photographie *f*, 2**grafieren** [-gra'fi:rən] (*pas de -ge-*, *h*) photographier; prendre des photos; ~**ko'pie** *f* photocopie *f*; 2**ko-pieren** (*pas de -ge-*, *h*) photocopier

Fracht [fraxt] *f* (-; -*en*) charge *f*; *mar* cargaison *f*; *Frachtgebühr* prix *m* de transport; '~**brief** *m* lettre *f* de voiture; *mar* connaissement *m*; '~**er** *m* (-*s*; -) cargo *m*; '~**kosten** *pl* frais *m/pl* de transport; '~**schiff** *n* cargo *m*

Frage [fra:gə] *f* (-; -*n*) question *f*; *gr* interrogation *f*; *e-e* ~ **stellen** poser une question; *in* ~ **stellen** remettre en question; *in* ~ **kommen** entrer en ligne de compte; *nicht in* ~ **kommen** être hors de question; '~**bogen** *m* questionnaire *m*

'**frage|n** (*h*) demander; *j-n* ~ demander à qn; *j-n etw od nach etw od um etw* ~ demander qc à qn); *aus*~ questionner; *prüfen* interroger; *nach j-m* ~ demander des nouvelles de qn; '2**zei-chen** *n* point *m* d'interrogation

frag|lich [fra:k-] *unsicher* incertain, douteux; *betreffend* en question

Fragment [frag'ment] *n* (-*[e]s*; -*e*) fragment *m*

Fraktion [frak'tsjo:n] *f* (-; -*en*) *pol* groupe *m* parlementaire; ~**sführer** *m* chef *m* d'un groupe parlementaire; 2**slos** indépendant; ~**szwang** *m* discipline *f* de vote

frankier|en [fran'ki:rən] (*pas de -ge-*, *h*) affranchir; 2**maschine** *f* machine *f* à affranchir

Frankreich ['frank-] *n* (-*s*; *sans pl*) la France

Franz [frants] *m* François *m*

Franz|ose [fran'tso:zə] *m* (-*n*; -*n*), ~**ösin** [-'tsø:zin] *f* (-; -*nen*) Français *m*, -*e f*; 2**ösisch** [-'tsø:zif] français

Frau [frau] *f* (-; -*en*) femme *f*; *als Anrede* madame (*abr* Mme)

'**Frauen|arzt** *m*, '~**ärztin** *f* gynécologue *m*, *f*; '~**bewegung** *f* mouvement *m* féministe; ~**emanzipation** *f* émancipation *f* de la femme; '~**klinik** *f* clinique *f* gynécologique

Fräulein ['frɔɪlain] *n* (-*s*; -) demoiselle *f*; *als Anrede* mademoiselle (*abr* Mlle)

frech [frɛç] insolent, effronté, culotté F; '2**heit** (-; -*en*) insolence *f*, effronterie *f*, culot *m* F

frei [frai] libre (*von* de); *Beruf* libéral; *Journalist etc* indépendant; *Stelle* vacant; *Sicht* dégagé; *kostenlos* gratuit; ~**mütig** franc, sincère; *ein* ~*er Tag* un jour de congé; *im* 2*en* en plein air

'**Frei|bad** *n* piscine *f* en plein air; '2**beruflich** ~ *tätig sein* exercer une profession libérale; '~**exemplar** *n* exemplaire *m* gratuit; '~**gabe** *f* libération *f*; 2**gebig** généreux; '~**hafen** *m* port *m* franc; '~**handel** *m* libre-échange *m*; '~**handelszone** *f* zone *f* de libre-échange; '~**heit** *f* liberté *f*; '2**heitlich** libéral; '~**heitsstrafe** *f* peine *f* de prison; '~**karte** *f* billet *m* de faveur *od* gratuit; '~**körperkultur** *f* nudisme *m*; 2**lassen** (*irr*, *sép*, *-ge-*, *h*, → **lassen**) libérer, relâcher; *jur gegen Kaution* ~ remettre en liberté fesnt sous caution

'**freilich** bien sûr

'**Frei|lichtbühne** *f* théâtre *m* de plein air; '2**machen** (*sép*, *-ge-*, *h*) *Brief* affranchir; **sich** ~ se libérer *od* s'affranchir (*von* de); *sich entkleiden* se déshabiller; '~**maurer** *m* franc-maçon *m*; '~**spruch** *jur m* (-*[e]s*; ̈-*e*) acquittement *m*; '2**stehen** (*irr*, *sép*, *-ge-*, *h*, →

stehen) *Sport* être seul; **es steht dir frei zu ...** tu es libre de ...; '**2stellen** (*sép, -ge-, h*) **j-m ~ zu ...** laisser à qn le choix de ...; **j-n ~** exempter *od* dispenser qn (*von* de); '**~stoß** *m Fußball* coup *m* franc

'**Freitag** *m* (*-[e]s, -e*) vendredi *m*

'**Frei|tod** *m* suicide *m*; '**~treppe** *f* perron *m*; '**2willig** volontaire; '**~willige** *m, f* (*-n; -n*) volontaire *m, f*; '**~zeit** *f* loisirs *m/pl*; **seine ~ verbringen** occuper ses loisirs; '**~zeitangebot** *n* offre *f* des loisirs; '**~zeitgestaltung** *f* organisation *f od* emploi *m* des loisirs; '**~zeitkleidung** *f* tenue *f* de loisirs

fremd [fremt] étranger; *seltsam* étrange; **ich bin ~ hier** je ne suis pas d'ici; **sich ~ vorkommen** se sentir dépaysé; '**~e** ['-də] **1.** *f* (*-; sans pl*) pays *m* étranger; **in der ~** à l'étranger; **2.** *m, f* (*-n; -n*) étranger *m*, *-ère* *f*

'**Fremden|führer**(**in** *f*) *m* guide *m, f*; '**~legion** *mil* *f* Légion *f* étrangère; '**~verkehr** *m* tourisme *m*; '**~verkehrsbüro** *n* syndicat *m* d'initiative, office *m* de tourisme; '**~zimmer** *n* chambre *f* à louer

'**Fremd|kapital** *n* capitaux *m/pl* empruntés; '**~körper** *méd m* corps *m* étranger; '**~sprache** *f* langue *f* étrangère; '**~währung** *f* monnaie *f* étrangère; '**~wort** *n* mot *m* étranger

Frequenz [fre'kvɛnts] *phys* *f* (*-; -en*) fréquence *f*

'**fressen** ['frɛsən] (*fraß, gefressen, h*) **1.** *Tiere* manger; *verschlingen* dévorer; P *essen* bouffer; P **2.** **2** *n* (*-s; sans pl*) *Tiere* pâture *f*, nourriture *f*; P *Essen* bouffe F *f*

Freude ['frɔydə] *f* (*-; -n*) joie *f*; *Vergnügen* plaisir *m*; **~ haben an** prendre plaisir à; **j-m e-e ~ machen** faire plaisir à qn

'**freud|ig** joyeux; *Ereignis, Nachricht* heureux; '**~los** sans joie

'**freuen** [frɔyən] (*h*) **sich ~** être content *od* heureux (*über, zu* de); **sich ~ auf** se réjouir d'avance de; **es freut mich, dass ...** je suis heureux que (+ *subj*); **das freut mich** cela me fait plaisir

'**Freund** [frɔynt] *m* (*-[e]s, -e*), '**~in** ['-din] *f* (*-; -nen*) ami *m*, -e *f*; F copain *m*, copine *f*; '**2lich** aimable, gentil (**zu j-m** avec qn); *Zimmer, Farbe* gai; *Wetter*

beau; **das ist sehr ~ von Ihnen** c'est très aimable à vous; '**~lichkeit** *f* amabilité *f*, affabilité *f*; '**~schaft** *f* (*-; -en*) amitié *f*; '**2schaftlich** amical; '**~schaftsvertrag** *pol m* traité *m* d'amitié

'**Frieden** ['fri:dən] *m* (*-s; sans pl*) paix *f*; **im ~** en temps de paix; **lass mich in ~!** F fiche-moi la paix!

'**Friedens|bewegung** *f* mouvement *m* pacifiste; '**~forschung** *f* polémologie *f*; '**~nobelpreis** *m* prix *m* Nobel de la paix; '**~politik** *f* politique *f* de la paix; '**~verhandlungen** *f/pl* négociations *f/pl* de paix; '**~vertrag** *m* traité *m* de paix

'**Fried|hof** *m* cimetière *m*; '**2lich** paci-fique; *ruhig* paisible; '**2liebend** paci-fique

'**Friedrich** [fri:driç] *m* Frédéric *m*

'**frieren** ['fri:rən] (*fror, gefroren, h*) ge-ler; **ich friere** *od* **mich friert** j'ai froid; *stärker* F je gèle; **es friert** il gèle

frisch [friʃ] frais; *Wäsche* propre; **~ gestrichen!** attention à la peinture!, peinture fraîche!; '**2e** *f* (*-; sans pl*) fraîcheur *f*; *Jugend* **2** vigueur *f*

Fris|eur [fri'zø:r] *m* (*-s; -e*) coiffeur *m*; '**~eursalon** *m* salon *m* de coiffure; '**~euse** ['-'zø:zə] *f* (*-; -n*) coiffeuse *f*

frisieren (*pas de -ge-, h*) (**sich ~** se) coiffer; F *Motor* trafiquer

Frist [frist] *f* (*-; -en*) délai *m*; '**2gemäß** dans les délais; '**2los ~e Entlassung** renvoi *m* sans préavis

Frisur [fri'zu:r] *f* (*-; -en*) coiffure *f*

froh [fro:] content (*über* de); *fröhlich* joyeux, gai; **~e Weihnachten!** joyeux Noël!; **ich bin ~, dass ...** je suis content que ... (+ *subj*)

'**fröhlich** ['frø:liç] gai, joyeux; '**2keit** *f* (*-; sans pl*) gaieté *f*

fromm [from] pieux, religieux; *Pferd* doux; '**~er Wunsch** vœu *m* pieux

Front [front] *f* (*-; -en*) front *m* (*a mil, Wetter*); *arch* façade *f*; '**~antrieb** *m auto* traction *f* avant

Frosch [froʃ] *m* (*-[e]s; ̈e*) grenouille *f*; '**~mann** *m* homme-grenouille *m*; '**~perspektive** *f aus der ~* vu d'en bas

Frost [frost] *m* (*-[e]s; ̈e*) gelée *f*; *Kälte* froid *m*

'**frostig** froid; *fig* **~er Empfang** accueil *m* glacial

Frottee [frɔ'te:] *m od n* (-[s]; -s) tissu *m* éponge

fro'ttieren (*pas de -ge-, h*) frotter, frictionner

Frucht [fruxt] *f* (-; ⸚e) fruit *m* (*a fig*); '**⸚bar** fecond, fertile; *fig* fructueux; '**⸚barkeit** *f* fécondité *f*, fertilité *f*; '**⸚saft** *m* jus *m* de fruits

früh [fry:] de bonne heure, tôt; *heute* **~** ce matin; *gestern* **~** hier matin; *zu* **~** *kommen* arriver trop tôt; '**⸚e** *f* (-; *sans pl*) *in aller* **~** de grand matin; '**⸚er** plus tôt; *ehemals* autrefois; **~** *oder später* tôt ou tard; '**⸚ere** ancien; '**⸚estens** au plus tôt; '**⸚geburt** *f* Kind prématuré *m*; '**⸚jahr** *n*, '**⸚ling** *m* printemps *m*; '**⸚morgens** de bon (*od* de grand) matin; '**⸚reif** précoce; '**⸚stück** *n* petit déjeuner *m*; '**⸚stücksbüfett** *n* buffet *m* de petit déjeuner; '**⸚stücken** prendre le petit déjeuner

Frust [frust] F *m* (-[e]s; *sans pl*) frustration *f*, **⸚'riert** frustré

Fuchs [fuks] *m* (-es; ⸚e), '**Füchsin** ['fyksin] *f* (-; -nen) renard *m*, -e *f*

'Fuchsschwanz *tech m* scie *f* égoïne

'Fuge ['fu:gə] *f* (-; -n) joint *m*, jointure *f*; *mus* fugue *f*; *aus den* **~** *n gehen* se disloquer

'fühl|bar ['fy:lba:r] sensible; *tastbar* palpable; '**⸚en** (*h*) sentir; *empfinden* ressentir; *Schmerz, Freude* èprouver; *Puls* tâter; *sich wohl* **~** se sentir bien; '**⸚er** *m* (-s; -) *zo* antenne *f*, *fig seine* **~** *ausstrecken* tâter le terrain

'führen ['fy:rən] (*h*) conduire, mener; *Gruppe* diriger; *Amt* remplir; *Namen, Titel* porter; *Betrieb* diriger; *Haushalt, Konto* tenir; *Waren* avoir à vendre; *mil* commander; *Sport* être en tête, mener; *zu etw* **~** mener à qc; *mit sich* **~** avoir sur soi; '**⸚d** dirigeant; prépondérant

'Führer *m* (-s; -), '**⸚in** *f* (-; -nen) *Fahrzeug* conducteur *m*, -trice *f*; *Reise⸚* guide *m* (*a Buch*); *pol* leader *m*; '**⸚schein** *m* permis *m* de conduire; *den* **~** *machen* F passer son permis

'Führung *f* (-; -en) conduite *f*; *mil* commandement *m*; *Unternehmen* gestion *f*, direction *f*; *Museum* visite *f* guidée; *Sport in* **~** *liegen* être en tête

'Fuhrunternehmen *n* entreprise *f* de transport

'Fülle ['fylə] *f* (-; *sans pl*) abondance *f*,

profusion *f*

'füllen (*h*) (*sich* **~** se) remplir (*mit* de)

'Füll|federhalter *m* stylo *m*; '**⸚ig** plantureux, dodu; '**⸚ung** *f* (-; -en) remplissage *m*; *Kissen* rembourrage *m*; *cuis* farce *f*; *Zahn* plombage *m*

Fund [funt] *m* (-[e]s; -e) trouvaille *f*

Fundament [funda'mɛnt] *n* (-[e]s; -e) fondations *f/pl*; *fig* base *f*, fondement *m*

Fund|amt ['-ʔamt] *n*, '**⸚büro** *n* bureau *m* des objets trouvés; '**⸚grube** *f fig* mine *f*

fünf [fynf] cinq; '**⸚eck** *n*, '**⸚eckig** pentagone *m u adj*; '**⸚fach** ['-fax] quintuple; '**⸚hundert** cinq cents; **⸚'jahresplan** *m* plan *m* quinquennal; '**⸚kampf** *m Sport* pentathlon *m*; **⸚'sternehotel** *n* hôtel *m* à cinq étoiles; '**⸚te** ['-tə] cinquième; **⸚'tel** ['-təl] *n* (-s; -) cinquième *m*; '**⸚tens** ['-təns] cinquièmement; '**⸚zehn** quinze; '**⸚zehnte** quinzième; '**⸚zig** ['-tsiç] cinquante; *etwa* **~** une cinquantaine; '**⸚zigste** ['-tsigstə] cinquantième

Funk [fuŋk] *m* (-s; *sans pl*) radio *f*; T.S.F. *f*; '**⸚amateur** *m* radio-amateur *m*

Funk|e(n) ['fuŋkə(n)] *m* (-n; -n) étincelle *f*, '**⸚eln** (*h*) étinceler; '**⸚en** (*h*) transmettre par radio; '**⸚er** *m* (-s; -) radio *m*; '**⸚gerät** *n* poste *m* de radio; '**⸚signal** *n* signal *m* par radio; '**⸚spruch** *m* message *m* radio; '**⸚streife** *f* policiers *m/pl* en voiture radio

Funktion [fuŋk'tsjo:n] *f* (-; -en) fonction *f*; **⸚är** [-tsjo'nɛ:r] *m* (-s; -e) responsable *m*; **⸚'ieren** (*pas de -ge-, h*) fonctionner

für [fy:r] *prp* pour; *als Austausch* für en échange de; *anstatt* au lieu de; *zum Gebrauch für* à l'usage de; *zugunsten von* en faveur de; *was* **~** *ein(e)* quel(le); **~** *immer* pour toujours; *Tag* **~** *Tag* jour après jour; *Wort* **~** *Wort* mot à mot; *jeder* **~** *sich* chacun pour soi; **2.** **~** *n das* **~** *und Wider* le pour et le contre

Furche ['furçə] *f* (-; -n) sillon *m*; *Runzel* ride *f*

Furcht [furçt] *f* (-; *sans pl*) crainte *f*, peur *f* (*vor* de); **⸚bar** terrible, effroyable, affreux

fürchten ['fyrçtən] *v* craindre (*j-n, etw* qn, qc; *dass ...* que ... ne + *subj*); *sich* **~** avoir peur (*vor* de)

'fürchterlich → *furchtbar*

'**furcht|los** intrépide; '**~sam** craintif

'**Fürsorge** f (-; sans pl) sollicitude f; **öffentliche ~** aide f sociale

'**Fürsprache** f (-; sans pl) intercession f, intervention f

Fürst [fyrst] m (-en; -en), '**~in** f (-; -nen) prince m, princesse f; '**~entum** n (-s; ~er) principauté f; '**2lich** princier, de prince

Furt [furt] f (-; -en) gué m

Furunkel [fu'ruŋkəl] med m (-s; -) furoncle m

Fusion [fu'zjo:n] f fusion f; **2ieren** (pas de -ge-, h) fusionner

Fuß [fu:s] m (-es; ~e) pied m, von Tieren a patte f; **zu ~** à pied; **zu ~ gehen** marcher; aller à pied; **gut zu ~ sein** être bon marcheur; **~ fassen** prendre pied, s'établir; jur **auf freiem ~ en** liberté

'**Fußball** m (-[e]s; ~e) ballon m de football; Sportart football m; **~ spielen** jouer au football; '**~feld** n terrain m de football; '**~spiel** n match m de football; '**~spieler** m footballeur

'**Fuß|boden** m plancher m; '**~bremse** f frein m à pied; **~gänger** ['~gɛŋər] m (-s; -), **~gängerin** f (-; -nen) piéton m, -ne f; **~gängerampel** f feux m/pl pour les piétons; **~gängerüberweg** m passage m pour piétons; '**~gängerzone** f zone f piétonne od piétonnière; '**~marsch** m marche f à pied; '**~note** f note f (explicative); '**~pflege** f soins m/pl des pieds; '**~sohle** f plante f du pied; '**~tritt** m coup m de pied; '**~weg** m chemin m, sentier m

Futter ['futər] n **1.** (-s; sans pl) nourriture f; **2.** (-s; -) Kleider2 doublure f

Futteral [futə'ra:l] n (-s; -e) étui m; für Schirm fourreau m

füttern ['fytərn] (h) donner à manger à; Kleider doubler; **mit Pelz ~** fourrer; '**2ung** f (-; -en) Vieh alimentation f; der Raubtiere repas m des fauves

Futur [fu'tu:r] gr n (-s; sans pl) futur m

G

G [ge:] mus n (-; -) sol m

Gabe ['ga:bə] f (-; -n) don m

Gabel ['ga:bəl] f (-; -n) fourche f; Ess2 fourchette f; '**2n** (h)**sich ~** Weg bifurquer; '**~stapler** tech m (-s; -) chariot m élévateur; '**~ung** f (-; -en) bifurcation f

gaffen ['gafən] (h) faire le badaud, regarder bouche bée

Gage ['ga:ʒə] f (-; -n) cachet m

gähnen ['gɛ:nən] (h) bâiller

Gala ['ga:la] f (-; sans pl) gala m; '**~abend** m soirée f de gala

galant [ga'lant] galant, courtois

Galerie [galə'ri:] f (-; -n) galerie f

Galgen ['galgən] m (-s; -) potence f, gibet m; '**~frist** f quart m d'heure de grâce; '**~humor** m plaisanterie f macabre

Galle ['galə] f (-; -n) bile f; von Tieren fiel m; '**~nblase** f vésicule f biliaire; '**~stein** m calcul m biliaire

Gallone [ga'lo:nə] f gallon m

Galopp [ga'lɔp] m (-s; -s, -e) galop m

Gämse ['gɛmzə] zo f (-; -n) chamois m

Gang [gaŋ] m (-[e]s; ~e) Gehen, Ablauf marche f; Art des Gehens démarche f, allure f; Ablauf a cours m; Besorgung course f; beim Essen plat m; Korridor couloir m; auto vitesse f; **in ~ bringen** mettre en marche, faire démarrer; **in ~ kommen** se mettre en marche, s'amorcer, démarrer; **im ~(e) sein** être en cours; **in vollem ~(e) sein** battre son plein

gang [-] **~ und gäbe** courant, habituel, monnaie courante

gängig ['gɛŋiç] courant

'**Gangschaltung** f auto changement m de vitesses; Fahrrad dérailleur m

Ganove [ga'no:və] m (-n; -n) bandit m, malfaiteur m, voyou m, truand m

Gans [gans] zo f (-; ~e) oie f

Gänse|blümchen ['gɛnzəbly:mçən] n (-s; -) pâquerette f; '**~füßchen** ['-fy:sçən] n/pl guillemets m/pl; **in ~** entre guillemets; '**~haut** f fig chair f de poule; '**marsch** m im ~ à la file indienne; '**rich** ['ri̥ç] h (-s; -e) jars m

ganz [gants] **1.** adj entier; tout; **die ~e Stadt** toute la ville od la ville entière; **sein ~es Geld** tout son argent; **in der ~en Welt** dans le monde entier; **2.** adv: vor adj u adv tout; ~ **(und gar)** entièrement, tout à fait; ~ **und gar nicht** pas du tout; **im (Großen und) Ǧen** dans l'ensemble, au tout; ~ **wie du willst** comme tu veux

Ganze ['gantsə] n (-n; sans pl) tout m; **aufs ~ gehen** risquer le tout pour le tout

'**Ganztagsbeschäftigung** f travail m à plein temps

gar [ga:r] **1.** adj Speise assez cuit, à point; **2.** adv: ~ **nicht** pas du tout; ~ **nichts** rien du tout; **vielleicht** ~ peut-être même

Garage [ga'ra:ʒə] f (-; -n) garage m

Garantie [garan'ti:] f (-; -n) garantie f; **Ǧren** (pas de -ge-, h) garantir (**für etw** qc); **~schein** m bon m od certificat m de garantie

Garderobe [gardə'ro:bə] f (-; -n) Kleidungsstücke vêtements m/pl; garderobe f; Kleiderablage vestiaire m; Flur Ǧ portemanteau m; '**~nmarke** f ticket m de vestiaire

Gardine [gar'di:nə] f (-; -n) rideau m

gären ['gε:rən] (gärte, gor, gegoren, h) fermenter

garnieren [gar'ni:rən] (pas de -ge-, h) garnir (**mit** de)

Garnison [garni'zo:n] mil f (-; -en) garnison f

Garnitur [garni'tu:r] f (-; -en) Besatz garniture f, parement m; Satz zusammengehörender Dinge assortiment m, ensemble m; Polster Ǧ salon m

'**Gärstoff** m ferment m

Garten ['gartən] m (-s; ¨) jardin m; '**~arbeit** f jardinage m; '**~bau** m (-[e]s; sans pl) horticulture f; '**~erde** f terreau m; '**~fest** n garden-party f; '**~geräte** n/pl outils m/pl od outillage m de jardin; '**~haus** n cabane f od abri m de jardin; '**~laube** f tonelle f; '**~lokal** n restaurant m od café m avec jardin; '**~schere** f sécateur m; '**~stadt** f cité-jardin f; '**~zaun** m clôture f; '**~zwerg** m nain m dans un jardin; fig F gnome m

Gärtner ['gεrtnər] m (-s; -), '**~in** f (-; -nen) jardinier m, ière f; '**~ei** [-'rai] f (-; -en) exploitation f horticole

Gärung ['gε:ruŋ] f (-; -en) fermentation f

Gas [ga:s] n (-es; -e) ~ **geben** accélérer; '**~hahn** m robinet m du gaz; '**~heizung** f chauffage m au gaz; '**~herd** m cuisinière f à gaz; '**~leitung** f conduite f de gaz; '**~maske** f masque m à gaz; '**~ofen** m radiateur m à gaz; '**~pedal** n accélérateur m

Gasse ['gasə] f (-; -n) ruelle f

Gast [gast] m (-[e]s; ¨e) invité m, -e f; hôte m; Besucher visiteur m; im Lokal consommateur m; '**~arbeiter** m travailleur m étranger od immigré

Gäste|buch ['gεstə-] n livre m d'hôtes; '**~zimmer** n chambre f d'amis

'**gast|freundlich** hospitalier; '**Ǧ-freundschaft** f (-; sans pl) hospitalité f; '**Ǧgeber** m (-s; -), '**Ǧgeberin** f (-; -nen) hôte m, -esse f; '**Ǧhaus** n, '**Ǧhof** m restaurant m; auberge f

'**Gast|land** n pays m d'accueil; '**Ǧlich** hospitalier, accueillant; '**~lichkeit** f (-; sans pl) hospitalité f

Gastronomie [gastrono'mi:] f (-; sans pl) gastronomie f

'**Gast|spiel** n représentation f d'acteurs en tournée; '**~stätte** f restaurant m; '**~stube** f salle f (d'hôtel); '**~wirt** (in f) m hôtelier m, ière f, restaurateur m, -trice f; aubergiste m, f; '**~wirtschaft** f auberge f; restaurant m

'**Gasuhr** f compteur m à gaz

Gatt|e ['gatə] m/s m (-n; -n) époux m; '**~in** f (-; -nen) épouse f

Gattung ['gatuŋ] f (-; -en) genre m (a biol); Art espèce f

Gaumen ['gaumən] anat m (-s; -) palais m

Gauner ['gaunər] m (-s; -) escroc m, filou m; '**~ei** f (-; -en) escroquerie f

Gazelle [ga'tsɛlə] zo f (-; -n) gazelle f

Geächtete [gə'ʔɛçtətə] m, f (-n; -n) proscrit m, hors-la-loi m

Gebäck [gə'bɛk] n (-[e]s; -e) pâtisserie f; Plätzchen petits gateaux m/pl, biscuits m/pl

Gebälk [gə'bɛlk] n (-[e]s; -e) charpente f

gebär|en [gə'bɛ:rən] (gebar, geboren, h) donner naissance à; **Ǧmutter** anat f matrice f, utérus m

Gebäude [gə'bɔydə] n (-s; -) bâtiment m, immeuble m

geben ['ge:bən] (gab, gegeben, h) donner (**j-m etw** qc à qn); *Zucker in Tee etc* mettre; *Antwort a* faire; **sich** ~ *sich verhalten* se montrer; *nachlassen* se calmer; *etw von sich* ~ dire qc; *es gibt* il y a; *was gibt es?* qu'y a-t-il?; *zum Essen* qu'est-ce qu'il y a à manger?; *TV* qu'est-ce qu'il y a à la télé?; *das gibt es nicht!* c'est impossible!; ça ne va pas!

Gebet [gə'be:t] n (-[e]s; -e) prière f

Gebiet [gə'bi:t] n (-[e]s; -e) territoire m; *fig* domaine m; *auf diesem* ~ dans od en ce domaine

ge'bietsweise local; ~ *Regen* averses f/pl par endroits

Gebilde [gə'bildə] n (-s; -) objet m, chose f, création f

ge'bildet cultivé, instruit

Gebirg|e [gə'birgə] n (-s; -) (chaîne f de) montagnes f/pl; *im* ~ à la montagne; '~szug m chaîne f de montagnes

Gebiss [gə'bis] n (-es; -e) dentition f, dents f/pl; *künstliches* dentier m

Gebläse [gə'blɛːzə] n (-s; -) soufflerie f, ventilateur m

gebogen [gə'bo:gən] tordu, courbé

geboren [gə'bo:rən] né; *ein* ~*er Deutscher* un Allemand de naissance; *ein* ~*er Redner* un orateur-né; ~*e Müller* née Müller

geborgen [gə'bɔrgən] à l'abri, **2heit** f (-; *sans pl*) sécurité f, protection f

Gebot [gə'bo:t] n (-[e]s; -e) *rel* commandement m; *Erfordernis* mot m d'ordre; *Auktion* enchère f

Ge'brauch m (-[e]s; ¨e) usage m; *Verwendung* emploi m; *Sitte* coutume f; **2en** (h) faire usage od se servir de; employer, utiliser; *gut zu* ~ *sein* être utile

gebräuchlich [gə'brɔyçliç] usuel

Ge'brauchs|anleitung f, ~**anweisung** f (-; -en) mode m d'emploi; **2fertig** prêt à l'emploi; ~**gegenstand** m objet m d'usage courant

ge'braucht utilisé; *Waren* d'occasion; **2wagen** m voiture f d'occasion

Gebrüll [gə'bryl] n (-[e]s; *sans pl*) cris m/pl; *Rind* mugissement m, beuglement m, meuglement m

Gebühr [gə'by:r] f (-; -en) taxe f, droit m

ge'bühren|d dû; *angemessen* convenable; **2einheit** f unité f de taxe; **2erhöhung** f majoration f de la taxe; ~**frei** gratuit, sans taxes; **2ordnung** f barème m d'honoraires; ~**pflichtig** soumis à une taxe; *Parken* payant; ~**e Straße** route f à péage; ~**e Verwarnung** contravention f

gebunden [gə'bundən] *Buch* relié; *fig* lié, engagé

Geburt [gə'bu:rt] f (-; -en) naissance f; *vor Christi* ~ avant Jésus-Christ; ~**enkontrolle** f, ~**enregelung** f contrôle m des naissances, planning m familial; ~**enrückgang** m dénatalité f; **2enschwach** à basse natalité; **2enstark** à forte natalité; ~**enziffer** f taux m de natalité

gebürtig [gə'byrtiç] natif, originaire (*aus* de); ~*er Franzose* Français de naissance od d'origine; d'origine française

Ge'burts|anzeige f faire-part m de naissance; ~**datum** n date f de naissance; ~**fehler** m malformation f de naissance; ~**ort** m lieu m de naissance; ~**tag** m anniversaire m, ~**tagsfeier** f fête f d'anniversaire; ~**urkunde** f acte m de naissance

Gebüsch [gə'byʃ] n (-[e]s; -e) buissons m/pl

Gedächtnis [gə'dɛçtnis] n (-ses; -se) mémoire f; *zum* ~ *an* à la mémoire de

Gedanke [gə'daŋkə] m (-ns; -n) pensée f, idée f; *in* ~*n sein* être préoccupé; *sich* ~*n machen über* se préoccuper de

Ge'danken|austausch m échange m d'idées od de vues; **2los** irréfléchi, étourdi; **2voll** pensif

Gedärm(e) [gə'dɛrm(ə)] n/pl (-[e]s; -e) intestins m/pl, boyaux m/pl

Gedeck [gə'dɛk] n (-[e]s; -e) *für e-e Person* couvert m; *Mahlzeit* menu m

gedeihen [gə'daiən] (gedieh, gediehen, sn) prospérer, croître

ge'denken (gedachte, gedacht, h) se souvenir de; *ehrend* commémorer (qc); ~ *zu vorhaben* se proposer de

Ge'denk|feier f commémoration f; ~**minute** f minute f de silence; ~**stätte** f mémorial m; ~**tafel** f plaque f commémorative

Gedicht [gə'diçt] n (-[e]s; -e) poéme m, poésie f

gediegen [gə'di:gən] solide; fig F **du bist aber ~!** tu es drôle!

Gedränge [gə'drɛŋə] n (-; sans pl) bousculade f, foule f, cohue f; 2t serré, entassé

Geduld [gə'dult] f (-; sans pl) patience f; 2en [-dən] (h) **sich ~** patienter; 2ig [-diç] patient

geehrt [gə'ʔe:rt] honoré; in Briefen **Sehr ~er Herr N!** Monsieur, ...

geeignet [gə'ʔaignət] approprié; befähigt qualifié; apte (**für** a)

Gefahr [gə'fa:r] f (-; -en) danger m, péril m; **~ laufen zu** courir le risque de; **auf die ~ hin, dass ...** quitte à (+ inf); **auf eigene ~** à ses risques et périls; **außer ~ sein** être hors de danger

gefähr|den [gə'fɛ:rdən] (pas de -ge-, h) mettre en danger; **~lich** dangereux, risqué

Gefälle [gə'fɛlə] n (-s; -) pente f; fig **das soziale ~** les différences sociales

Gefallen [gə'falən] **1.** m (-s; -) service m; **j-n um e-n ~ bitten** demander un service à qn; **~ finden an** trouver plaisir à; **2.** 2 (gefiel, gefallen, h) plaire, convenir (**j-m** à qn); **es gefällt mir** ça me plaît; **sich etw ~ lassen** accepter qc; **das lasse ich mir nicht ~!** je ne suis pas disposé à me laisser faire!

gefällig [gə'fɛliç] complaisant, obligeant, serviable; Sache plaisant, agréable; **j-m ~ sein** faire plaisir à qn; 2keit f (-; -en) complaisance f; Dienst service m

gefangen [gə'faŋən] prisonnier; 2e m, f (-n; -n) prisonnier m, -ière f; 2nahme f (-; sans pl) capture f; **~nehmen** (irr, sép, -ge-, h, → nehmen) faire prisonnier, capturer; 2schaft f(-; sans pl) captivité f

Gefängnis [gə'fɛŋnis] n (-ses; -se) prison f; **~strafe** f peine f de prison

Gefäß [gə'fɛ:s] n (-es; -e) vase m, récipient m; Blut2 vaisseau m

gefasst [gə'fast] calme, résigné; **~ sein auf** s'attendre à

Gefecht [gə'fɛçt] mil n (-[e]s; -e) combat m

Gefieder [gə'fi:dər] n (-s; -) plumage m

Geflecht [gə'flɛçt] n (-[e]s; -e) treillis m; cannage m

Ge'flügel n (-s; sans pl) volaille f

Gefolge [gə'fɔlgə] n (-s; -) suite f

gefräßig [gə'frɛ:siç] vorace

Gefreite [gə'fraitə] mil m (-n; -n) caporal m

ge'frier|en (gefror, gefroren, sn) (con)geler; 2fach n compartiment m congélateur m; 2schrank m, 2truhe f congélateur m

Gefühl [gə'fy:l] n (-[e]s; -e) sentiment m; Gespür intuition f; physisch sensation f; Gemütsbewegung émotion f; 2los insensible (**gegen** à); 2sbetont émotif, sensible; 2voll avec une âme; rührselig sentimental

gegebenenfalls [ge'ge:bənən-] le cas échéant

gegen ['ge:gən] prép (acc) Richtung od zeitlich vers; feindlich contre; Tausch en échange de; **freundlich ~** amical envers

'Gegenbeweis m preuve f (du) contraire

Gegend ['ge:gənt] f (-; -en) contrée f, région f; Nähe voisinage m

gegeneinander ['-?ainandər] l'un contre l'autre

'Gegen|fahrbahn auto f voie f d'en face; **~gewicht** n contrepoids m; **ein ~ bilden zu etw** contrebalancer qc; **~gift** n antidote m; **~kandidat** m rival m, concurrent m; **~leistung** f équivalent m d'un service rendu; **als ~** en contrepartie; **~maßnahme** f contre-mesure f; resprésaille f; **~probe** f contre-épreuve f; **~richtung** f direction f opposée; **~satz** m contraste m; **im ~ zu** contrairement à, par opposition à, en contraste avec; 2**sätzlich** ['-zɛtsliç] opposé (à); **~seite** f côté m opposé; 2**seitig** ['-zaitiç] mutuel, réciproque; **~seitigkeit** f (-; sans pl) réciprocité f; **~spieler** m adversaire m, opposant m, rival m; **~stand** m objet m; behandelter sujet m; 2**ständlich** ['-ʃtɛntliç] concret; Kunst figuratif; **~stück** n pendant m; **~teil** n contraire m; **im ~** au contraire; 2**teilig** contraire, opposé

gegen'über **1.** adv en face; **einander ~** vis-à-vis; **2.** prép (dat) räumlich en face de, vis-à-vis de; j-m ~ envers, à l'égard de; im Vergleich zu par rapport à; **3.** 2 n (-s; -) vis-à-vis m; **~liegend** d'en face; **~stellen** (sép, -ge-, h) opposer; confronter (*a jur*); **2stellung** *f* confrontation *f*

'**Gegen|verkehr** *m* circulation *f* venant d'en face; '**~wart** *f* ['-vart] *f* (*-*; *sans pl*) temps *m* présent; *Anwesenheit* présence *f*; *gr* présent *m*; '**2wärtig** ['-vertiːc] présent; *jetzig* actuel; *adv* à présent; '**~wehr** *f* (*-*; *sans pl*) résistance *f*, défense *f*; '**~wert** *m* contrevaleur *f*; '**~wind** *m* vent *m* contraire; '**2zeichnen** (*sép*, *-ge-*, *h*) contresigner

Gegner ['geːgnər] *m* (*-s*; *-*), '**~in** *f* (*-*; *-nen*) adversaire *m*, *f*; rival *m* *-e f*

Ge'hackte *n* (*-n*; *sans pl*) viande *f* hachée

Gehalt [gə'halt] **1.** *m* (*-[e]s*; *-e*) teneur *f* (*an* en); *fig* fond *m*, idées *f/pl*; *Inhalt* contenu *m*; **2.** *n* (*-[e]s*; *⁼er*) salaire *m*; *Beamter* traitement *m*; **~sabrechnung** *f* bulletin *m* de salaire; **~sempfänger** *m* salarié *m*; **~serhöhung** *f* augmentation *f* de salaire; **~sgruppe** *f* catégorie *f* de traitement; **2voll** substantiel; *nahrhaft* nutritif

gehässig [gə'hɛsiç] haineux; **2keit** *f* (*-*; *-en*) hargne *f*, méchanceté *f*, haine *f*

Gehäuse [gə'hɔyzə] *n* (*-s*; *-*) boîtier *m*; *tech* carter *m*; *Schnecke* coquille *f*

geheim [gə'haim] secret; **2dienst** *m* services *m/pl* secrets

Geheimnis *n* (*-ses*; *-se*) secret *m*; *tiefes* mystère *m*; **2voll** mystérieux

Ge'heim|nummer *f* code *m* secret; **~polizei** *f* police *f* secrète

gehemmt [gə'hɛmt] complexé, bloqué; *F* coincé

gehen ['geːən] (*ging*, *gegangen*, *sn*) aller (à pied); marcher (*a funktionieren*); *fort-* s'en aller, partir, sortir; *Teig* lever; *Ware* se vendre; *einkaufen* (*schwimmen*) ~ aller faire les courses (à la piscine); ~ *wir!* allons-nous-en!, partons!; *wie geht es dir?* comment vas-tu?; *es geht mir gut* (*schlecht*) je vais bien (mal); *es geht nichts über ...* il n'y a rien de tel que ..., rien ne vaut ...; *worum geht es?* de quoi s'agit-il?; *was geht hier vor sich?* qu'est-ce qui se passe ici?; *Zimmer nach Westen ~* donner à l'ouest; *sich ~ lassen* se laisser aller

'**Gehen** *n* (*-s*; *sans pl*) marche *f*; *das Kommen und ~* le va-et-vient

Gehilf|e [gə'hilfə] *m* (*-n*; *-n*), '**~in** *f* (*-*;

-nen) aide *m*, *f*, assistant *m*, *-e f*

Gehirn [gə'hirn] *n* (*-[e]s*; *-e*) cerveau *m*; **~erschütterung** *méd* *f* commotion *f* cérébrale

Gehör [gə'høːr] *n* (*-[e]s*; *sans pl*) *Sinn* ouïe *f*; *nach dem ~* d'oreille; *sich ~ verschaffen* se faire entendre

ge'horchen (*pas de -ge-*, *h*) *j-m* ~ obéir à qn; *nicht ~* désobéir

ge'hören (*pas de -ge-*, *h*) *j-m* ~ appartenir *od* être à qn; *~ zu* faire partie de, compter parmi; *es gehört sich* c'est convenable; *es gehört sich nicht* ça ne se fait pas; *das gehört nicht hierher* cela n'a rien à faire ici

gehorsam [gə'hoːrzaːm] **1.** obéissant; **2.** **2** *m* (*-*; *sans pl*) obéissance *f*

'**Geh|steig** *m*, **~weg** *m* trottoir *m*

Geier ['gaiər] *m* (*-s*; *-*) vautour *m*

Geige ['gaigə] *f* (*-*; *-n*) violon *m*; *~ spielen* jouer du violon; *etw auf der ~ spielen* jouer qc au violon; '**2n** (*h*) jouer du violon; '**~r** *m* (*-s*; *-*), '**~rin** *f* (*-*; *-nen*) violoniste *m*, *f*

geil [gail] lascif, lubrique; *fig* *F* *das ist ~!* c'est super!

Geisel ['gaizəl] *f* (*-*; *-n*) otage *m*; '**~nahme** *f* (*-*; *-n*) prise *f* d'otage(s); '**~nehmer** *m* (*-s*; *-*) preneur *m* d'otage(s)

Geißel ['gaisəl] *f* (*-*; *-n*) fouet *m*; *fig* fléau *m*

Geist [gaist] *m* (*-[e]s*; *-er*) esprit *m*; génie *m*; *Gespenst* spectre *m*; *den ~ aufgeben* rendre l'âme; *der Heilige ~* le Saint-Esprit

'**Geister|bahn** *f* train *m* fantôme; '**~fahrer** *auto* *m* automobiliste *m* roulant à contresens sur l'autoroute

'**geistes|abwesend** absent; '**2gegenwart** *f* présence *f* d'esprit; '**~gegenwärtig** qui a de l'à-propos; '**~gestört** atteint de troubles mentaux; '**~krank** aliéné; *ein* **2er** un malade mental; '**2wissenschaften** *f/pl* lettres *f/pl* (et sciences *f/pl* humaines), **2zustand** *m* état *m* mental

'**geist|ig** spirituel, intellectuel, mental; **~e Getränke** spiritueux *m/pl*; **~ Behinderter** handicapé *m* mental; '**~lich** spirituel; *zum Klerus gehörig* clérical; *kirchlich* ecclésiastique; '**2liche** *m* (*-n*; *-n*) ecclésiastique *m*; *katholischer* curé *m*; *protestantischer* pasteur *m*; '**2lichkeit** *f* (*-*; *sans pl*) clergé *m*; '**~los** dénué d'esprit, sans esprit; '**~reich** spirituel

Geiz [gaits] m (-es; sans pl) avarice f; '**~hals** m avare m, grigou F m; '**2ig** avare

Gelächter [gə'lɛçtər] n (-s; -) rire m od rires m/pl; **lautes ~** éclats m/pl de rire

gelähmt [gə'lɛ:mt] paralysé

Gelände [gə'lɛndə] n (-s; -) terrain m; *umzäuntes* enceinte f; '**~fahrzeug** n voiture f tout terrain, jeep m

Geländer [gə'lɛndər] n (-s; -) *Treppen*2 rampe f; *Balkon*2 balustrade f; *Brücken*2 parapet m

Ge'ländewagen m → **Geländefahrzeug**

ge'langen (pas de -ge-, sn) parvenir (**zu, an** à); atteindre (**zu etw** qc)

ge'lassen calme; adv de sang-froid; **2heit** f (-; sans pl) calme m; sang-froid m

geläufig [gə'lɔyfiç] courant; familier (**j-m** à qn); **~ sprechen** parler couramment

gelaunt [gə'launt] disposé; **gut (schlecht) ~ sein** être de bonne (mauvaise) humeur

gelb [gɛlp] jaune; *Ampel* orange; '**~lich** jaunâtre; '**2sucht** méd f (-; sans pl) jaunisse f

Geld [gɛlt] n (-[e]s; -er) argent m; '**~angelegenheit** f question f d'argent; '**~anlage** f placement m; '**~ausgabe** f dépense f; '**~automat** m guichet m automatique; '**~beutel** m, '**~börse** f porte-monnaie m, bourse f; '**~buße** f amende f; '**~geber** m (-s; -) bailleur m de fonds; '**~geschäfte** n/pl transactions f/pl monétaires; '**~gier** f cupidité f; soif f de l'argent; '**~institut** n institut m bancaire; '**~knappheit** f, '**~mangel** m manque m d'argent; '**~mittel** n/pl ressources f/pl financières, disponibilités f/pl, fonds m/pl; '**~schein** m billet m de banque; '**~strafe** f amende f; '**~stück** n pièce f; '**~umtausch** m, '**~wechsel** m change m

Gelee [ʒə'le:] n (-s; -s) gelée f

ge'legen örtlich situé; fig **das kommt mir sehr ~** cela m'arrive fort à propos

Ge'legenheit f (-; -en) occasion f; **bei dieser ~** à cette occasion

Ge'legenheits|arbeit f travail m occasionnel; '**~arbeiter** m travailleur m occasionnel

ge'legentlich occasionnel; adv à l'occasion, occasionnellement

gehr||**ig** [gə'le:riç] docile; qui apprend bien; **2samkeit** f (-; sans pl) érudition f; '**~t** savant, érudit; **2te** m/f (-n; -n) savant m, érudit m

Geleit [gə'lait] n (-[e]s; -e) accompagnement m, conduite f; mil escorte f; **2en** (pas de -ge-, h) accompagner, reconduire; mil escorter

Gelenk [gə'lɛŋk] n (-[e]s; -e) articulation f, jointure f; tech joint m; **2ig** souple

ge'lernt ausgebildet qualifié

geliebt [gə'li:pt] aimé, chéri; **2e** m, f (-n; -n) amant m; maîtresse f

gelingen [gə'liŋən] **1.** (gelang, gelungen, sn) réussir; **es gelingt mir, etw zu tun** je réussis od j'arrive od je parviens à faire qc; **2.** **2** n (-s; sans pl) succès m; **gutes ~!** bonne chance!

ge'loben (pas de -ge-, h) promettre solennellement (**zu** de)

gelt||**en** ['gɛltən] (galt, gegolten, h) wert sein valoir; gültig sein être valable; Sport compter; Gesetz être en vigueur; **~ lassen** admettre; **~ für** od **als** être considéré comme; être supposé être; **j-m ~** s'adresser à qn; **es gilt zu ...** il s'agit de; '**~end** valable; en vigueur; **~ machen** Anspruch faire valoir; **seinen Einfluss ~ machen** faire prévaloir son influence; **2ung** f (-; sans pl) Bedeutung importance f; Ansehen autorité f; **~ haben** être valable; **zur ~ bringen** mettre en valeur; **zur ~ kommen** être mis en valeur; **2ungsbedürfnis** n (-ses; sans pl) besoin m de se faire valoir

ge'lungen [gə'luŋən] réussi

gemächlich [gə'mɛ:çliç] **ganz ~** tout doucement

Gemälde [gə'mɛ:ldə] n (-s; -) peinture f; **~galerie** f galerie f de peinture

gemäß [gə'mɛ:s] adj conforme (à); prép (dat) conformément à, selon; **~igt** [-içt] modéré; **~es Klima** climat m tempéré

gemein [gə'main] niederträchtig méchant, infâme, allgemein commun; **~er Soldat** simple soldat m; **etw ~ haben mit** avoir qc en commun avec

Gemeinde [gə'maində] f (-; -n) commune f, municipalité f; égl paroisse f;

beim Gottesdienst fidèles *m/pl*; **~amt** *n* municipalité *f*; **~beamte** *m* fonctionnaire *m* municipal; **~rat** *m* conseil *m* municipal; **~steuer** *f* impôt *m* local; **~verwaltung** *f* administration *f* municipale; **~wahl** *f* élections *f/pl* municipales

ge'**mein**|**gefährlich** qui constitue un danger public; **♀gut** *n* (-/*e/s*; *sans pl*) bien *m od* patrimoine *m* commun; **♀heit** *f* méchanceté *f*, bassesse *f*, infamie *f*, vacherie *f* F; **~nützig** [-nytsiç] d'utilité publique; **♀platz** *m* lieu *m* commun; **~sam** commun; *adv* en commun; *der* **♀e Markt** le Marché commun

Ge'**meinschaft** *f* (-; -en) communauté *f*; **~arbeit** *f* travail *m* d'équipe

Ge'**mein**|**sinn** *m* (-s; *sans pl*) sens *m* civique; **♀verständlich** à la portée de tous, populaire; **~wohl** *n* bien *m* public, intérêt *m* commun

Gemetzel [gə'mɛtsəl] *n* (-s; -) massacre *m*, carnage *m*, boucherie *f*

Gemisch [gə'miʃ] *n* (-/*e/s*; -e) mélange *m*

Gemse → **Gämse**

Gemüse [gə'myːzə] *n* (-s; -) légume *m* (*meist pl*); **~garten** *m* potager *m*; **~händler(in** *f*) *m* marchand(e) *m(f)* des quatre-saisons, marchand(e) *m(f)* de légumes

Gemüt [gə'myːt] *n* (-/*e/s*; -er) âme *f*; cœur *m*; **♀lich** *Ort* où l'on se sent à l'aise; intime, confortable; *Person* tranquille, débonnaire; *Stimmung* chaleureux; **~lichkeit** *f* (-; *sans pl*) intimité *f*, confort *m*

Ge'**müts**|**bewegung** *f* émotion *f*, agitation *f*; **~verfassung** *f*, **~zustand** *m* état *m* d'âme

Gen [geːn] *n* (-s; -e) *biol* gène *m*

genau [gə'nau] **1.** *adj* exact, précis; minutieux; *streng* strict; **♀eres** des précisions *f/pl*, de plus amples détails *m/pl*; **2.** *adv* exactement, précisément; **~ um 10 Uhr** à dix heures précises; **~ der** celui-là même; **~ zuhören** écouter attentivement; **es ~ nehmen** regarder de près; **~ kennen** connaître à fond; **♀igkeit** *f* (-; *sans pl*) exactitude *f*, précision *f*; **~so → ebenso**

genehmig|en [gə'neːmiɡən] (*pas de -ge-, h*) autoriser; *zustimmen* consentir

à; *gutheißen* approuver; **♀ung** *f* (-; -en) autorisation *f*, consentement *m*; approbation *f*; **~ungspflichtig** soumis à une autorisation

General [genə'raːl] *mil m* (-s; -e, ˙e) général *m*; **~direktor** *m* P.D.G. *m* (=président-directeur général); **~konsul** *m* consul *m* général; **~konsulat** *n* consulat *m* général; **~probe** *f* répétition *f* générale; **~sekretär** *m* secrétaire *m* général; **~stab** *mil m* état-major *m* général; **~streik** *m* grève *f* générale; **~vertreter** *m* agent *m* général

Generation [genəra'tsjoːn] *f* (-; -en) génération *f*; **~envertrag** *m* contrat *m* entre les générations

Generator [genə'raːtɔr] *tech m* (-s; -en) générateur *m*

generell [genə'rɛl] général

genes|en [gə'neːzən] (*genas, genesen, sn*) guérir (*von* de); **♀ung** *f* (-; *sans pl*) guérison *f*

Genet|ik [ge'neːtik] *biol f* (-; *sans pl*) génétique *f*; **♀isch** génétique

Genf [gɛnf] *n* Genève; *der* **~er See** le lac Léman

'Genforschung *f* (-; *sans pl*) recherche *f* génétique

genial [geni'aːl] génial, de génie; **♀ität** [-jali'tɛːt] *f* (-; *sans pl*) génie *m*

Genie [ʒe'niː] *n* (-s; -s) génie *m*

genieren [ʒə'niːrən] (*pas de -ge-, h*) (**sich ~** se) gêner

genieß|bar [gə'niːsbaːr] consommable; *eßbar* mangeable; *trinkbar* buvable; **~en** (*genoss, genossen, h*) essen manger; *trinken* boire; *mit Behagen* savourer, goûter; *fig* jouir de (*a Ansehen etc*); **♀er** *m* (-s; -) gourmet *m*, bon vivant *m*

Genmanipu|lation *f* (-; -en) manipulation *f* génétique; **♀liert** *p/p* manipulé génétiquement

genormt [gə'nɔrmt] normalisé, standard

Genoss|e [gə'nɔsə] *m* (-n; -n), **~in** *f* (-; -nen) compagnon *m*, compagne *f*; *pol* camarade *m*, *f*; **~enschaft** *écon f* (-; -en) coopérative *f*; **♀enschaftlich** coopératif

'gentech|nisch **~ verändert** génétiquement modifié; **♀nologie** *f* technologie *f* génétique

genug [gə'nuːk] assez, suffisamment

Genüg|e [gəˈnyːgə] f (-; sans pl) zur ~
suffisamment; 2en (pas de -ge-, h)
suffire; Anforderungen satisfaire à;
das genügt ça suffit; 2end suffisant;
2sam [-k-] sobre, frugal

Genugtuung [-tuːʊŋ] f (-; sans pl) satisfaction f

Genuss [gəˈnus] m (-es; ̈e) jouissance f;
von Nahrung consommation f; ein ~
un plaisir; Essen un délice; in den ~
von etw kommen bénéficier de qc

Geograf, Geograph [geoˈgraːf] m (-en;
-en) géographe m; ~ie [-ˈfiː] f (-; sans pl)
géographie f; 2isch géographique

Geolog|e [geoˈloːgə] m (-n; -n) géolo-
gue m; ~ie [-ˈgiː] f (-; sans pl) géologie f;
2isch géologique

Geometr|ie [geoˈmeˈtriː] f (-; sans pl)
géométrie f; 2isch [-ˈmeˈtrɪʃ] géomé-
trique

Gepäck [gəˈpɛk] n (-[e]s; sans pl) bagages m/pl; ~abfertigung f enregistrement m des bagages; ~annahme f
enregistrement m des bagages; ~auf-
bewahrung f consigne f; ~ausgabe f
remise f des bagages; ~kontrolle f
contrôle m des bagages; ~schalter m
guichet m des bagages; ~schein m
bulletin m de bagages; ~stück m colis
m; ~träger m am Bahnhof porteur m;
am Fahrrad porte-bagages m; ~wagen
m fourgon m à bagages

Gepard [ˈgeːpart] zo m (-s; -e) guépard
m

gepflegt [gəˈpfleːkt] soigné, raffiné

Geplauder [gəˈplaʊdɐ] n (-s; sans pl)
causerie f

Gequassel [gəˈkvasəl] n (-s; sans pl),
Gequatsche [gəˈkvatʃə] n (-s; sans pl)
bla-bla m, bavardages m/pl

gerade [gəˈraːdə] 1. adj droit; ohne
Umweg direct; Zahlen pair; Charakter
franc; 2. adv juste(ment); précisément;
exactement; ~ etw getan haben venir
de faire qc; ~ ein Jahr juste un an;
nicht ~ pas exactement; das ist es ja ~!
c'est justement ça!; ~ deshalb c'est
précisément pour cela; ~ rechtzeitig
juste à temps; warum ~ ich? pourquoi
c'est tombé sur moi?

Ge'rade f (-n; -n) math droite f; Rennbahn ligne f droite; Boxen linke
(rechte) ~ direct m du gauche (droit)

gerade|aus [gəraˈdɔʔˈaʊs] tout droit;

~he'raus franchement, carrément,
sans détours; ~wegs [gəˈraːdəveːks]
directement; ~zu [gəˈraːdəˈ] vraiment;
purement et simplement

Gerät [gəˈrɛːt] n (-[e]s; -e) Elektro2,
Haushalts2 appareil m; Radio2,
Fernseh2 poste m; Sport, Labor
équipement m; Handwerks2, Garten2
outil m; Küchen2 utensile m; Mess2
instrument m; Turn2e agrès m/pl

ge'raten (geriet, geraten, sn) in (zwischen) etw ~ arriver (par hasard) à qc,
tomber dans (od entre) qc; an j-n ~
tomber sur qn; in Schwierigkeiten ~
avoir des difficultés; außer sich ~ être
hors de soi

Gerate'wohl n aufs ~ au hasard, au
petit bonheur

Ge'rätschaften pl Sport, Labor équipement m

geräumig [gəˈrɔʏmɪç] spacieux

Geräusch [gəˈrɔʏʃ] n (-[e]s; -e) bruit m

gerb|en [ˈgɛrbən] (h) tanner; 2er m
(-s;-) tanneur m

ge'recht juste, équitable; j-m ~ werden
rendre justice à qn; 2igkeit f (-; sans pl)
justice f

Ge'rede n (-; sans pl) bavardage m

gereizt [gəˈraɪtst] irrité

Gericht [gəˈrɪçt] n (-[e]s; -e) 1. Speise
mets m, plat m; 2. jur tribunal m, cour
f; Gebäude palais m de justice; j-n vor~
stellen traduire qn devant le tribunal;
vor ~ gehen recourir à la justice; 2lich
judiciaire

Ge'richts|barkeit f juridiction f; ~ge-
bäude n palais m de justice; ~hof m
cour f (de justice); ~saal m salle f
d'audience; ~verfahren n procédure f;
~verhandlung f débats m/pl judiciai-
res; ~vollzieher m huissier m (de justice); ~weg m voie f judiciaire

gering [gəˈrɪŋ] petit, peu considérable,
minime; ~er, ~st moindre; nicht im
2sten (ne ..) le moins du monde;
~fügig peu important; insignifiant;
~schätzig dédaigneux; 2schätzung f
(-; sans pl) dédain m

ge'rinnen (gerann, geronnen, sn) Blut
se coaguler; Milch cailler

Gerippe [gəˈrɪpə] n (-s; -) squelette m;
Tier carcasse f

gerissen [gəˈrɪsən] fig rusé, roué

gern(e) [ˈgɛrn(ə)] volontiers; etw ~ tun

aimer faire qc; **~ haben** aimer; *ich möchte* ~ j'aimerais bien; **~ ge-schehen!** il n'y a pas de quoi!

Geröll [gə'rœl] n (-*[e]s*; -e) éboulis m

Gerste ['gɛrstə] *bot* f (-; -n) orge f

Geruch [gə'rux] m (-*[e]s*; ⁓e) odeur f; **2los** inodore, sans odeur; **~ssinn** m (-*[e]s*; *sans pl*) odorat m

Gerücht [gə'ryçt] n (-*[e]s*; -e) bruit m, rumeur f, **es geht das ~, dass ...** le bruit court que ...

gerührt [gə'ry:rt] touché, ému

Gerümpel [gə'rympəl] n (-*s*; *sans pl*) vieilleries f/pl, bric-à-brac m, fatras m

Gerüst [gə'ryst] n (-*[e]s*; -e) Bau2 échafaudage m; *fig* charpente f, structure f

gesamt [gə'zamt] tout entier; total; *das* 2*e* le tout; 2**betrag** m (montant m) total m; 2**heit** f (-; *sans pl*) totalité f; 2**schule** f *etwa* C.E.S. m (= collège m d'enseignement secondaire)

Gesang [gə'zaŋ] m (-*[e]s*; ⁓e) chant m; **~buch** n livre m de cantiques; **~sleh-rer(in** f) m professeur m de chant; **~verein** m chorale f

Geschäft [gə'ʃɛft] n (-*[e]s*; -e) affaire f; *Handel* commerce m; *Laden* magasin m; 2**ig** affairé; 2**lich** commercial, d'affaires; *adv* pour affaires

Ge'schäfts|aufgabe f cessation f de commerce; **~bericht** m rapport m de gestion; **~brief** m lettre f d'affaires; **~essen** n repas m, dîner m d'affaires; **~frau** f femme f d'affaires; **~führer** m gérant m; **~führung** f gestion f des affaires; **~jahr** n exercice m; **~lage** f situation f des affaires, conjoncture f; **~leitung** f direction f (de l'entreprise); **~mann** m homme m d'affaires; **~partner** m associé m; **~reise** f voyage m d'affaires; **~reisende** m commis m voyageur; **~schluss** m heure f de fermeture du magasin; **~stelle** f bureau m, agence f; **~straße** f rue f commerçante; 2**tüchtig** commerçant, efficace; **~zeit** f heures f/pl d'ouverture des magasins od des bureaux; **~zweig** m branche f commerciale

geschehen [gə'ʃe:ən] (*geschah, ge-schehen, sn*) 1. avoir lieu, arriver, se passer, se produire; *das geschieht ihm recht* c'est bien fait pour lui; 2. 2 n (-*s*; *sans pl*) événements m/pl

Geschenk [gə'ʃɛŋk] n (-*[e]s*; -e) cadeau m, présent m

Geschicht|e [gə'ʃiçtə] f (-; -n) histoire f; 2**lich** historique; **~sschreiber** m, **~swissenschaftler** m historien m

Geschick [gə'ʃik] n (-*[e]s*; -e) Ver-hängnis destin m; *Gewandtheit =* **~lichkeit** f (-; -en) adresse f, habileté f; 2**t** adroit, habile

geschieden [gə'ʃi:dən] divorcé

Geschirr [gə'ʃir] n (-*[e]s*; -e) Tisch2 vaisselle f; *irdenes* ~ poterie f; **~spüler** m, **~spülmaschine** f lave-vaisselle m; **~tuch** n torchon m

Geschlecht [gə'ʃlɛçt] n (-*[e]s*; -er) na-türliches sexe m; *Familie* famille f; *Generation* génération f; *gr* genre m; 2**lich** sexuel

Ge'schlechts|krankheit f maladie f vénérienne; **~teile** m/pl organes m/pl génitaux; **~verkehr** m rapports m/pl sexuels

geschlossen [gə'ʃlɔsən] fermé; *in sich* ~ compact, serré

Geschmack [gə'ʃmak] m (-*[e]s*; ⁓e, F ⁓er) goût m; 2**lich** de goût; 2**los** de mauvais goût; **~losigkeit** f (-; *sans pl*) manque m de goût; **~(s)sache** f affaire f de goût; 2**voll** plein de goût, de bon goût

geschmeidig [gə'ʃmaidiç] souple

Geschöpf [gə'ʃœpf] n (-*[e]s*; -e) créa-ture f

Geschoss [gə'ʃɔs] n (-*es*; -e) *mil* pro-jectile m; *Stockwerk* étage m

Geschrei [gə'ʃrai] n (-*[e]s*; *sans pl*) cris m/pl

Geschütz [gə'ʃyts] *mil* n (-*es*; -e) pièce f d'artillerie, canon m

Geschwätz [gə'ʃvɛts] n bavardage m; 2**ig** bavard

geschweige [gə'ʃvaigə] **~ denn** et en-core moins

geschwind [gə'ʃvint] rapide, prompt; *adv* vite; 2**igkeit** (-; -en) vitesse f; *mit e-r ~ von* ... à une vitesse de ...; 2**ig-keitsbegrenzung** [-diç-] f, 2**igkeits-beschränkung** f limitation f de vi-tesse; 2**igkeitsüberschreitung** [-diç-] f excès m de vitesse

Geschwister [gə'ʃvistər] pl frère(s pl) m et sœur(s pl) f

Geschworene [gə'ʃvo:rənə] m (-n; -n) juré m; *die ~n* le jury

Geschwür [gəˈʃvyːr] *méd* n (-s; -e) ulcère m

Gesell|e [gəˈzɛlə] m (-n; -n) compagnon m; **~enbrief** m diplôme m d'apprenti; **~enprüfung** f épreuve f de compagnon; **2ig** sociable; **~es Beisammensein** réunion f entre amis

Ge'sellschaft f (-; -es; -e) société f; compagnie f, **in~von** en compagnie de; **j-m ~ leisten** tenir compagnie à qn; **~er** m associé m; **2lich** social; mondain

Ge'sellschafts|ordnung f ordre m social; **~politik** f politique f sociale globale; **~schicht** f couche f sociale; **~system** n système m social

Gesetz [gəˈzɛts] n (-es; -e) loi f; **~buch** n code m; **Bürgerliches ~** Code civil; **~esvorlage** f projet m de loi; **2gebend** législatif; **~geber** m (-s; -) législateur m; **~gebung** f (-; sans pl) législation f; **2lich** légal; **~geschützt** breveté; **2los** sans lois, anarchique; **2mäßig** regelmäßig régulier; *jur* légal, légitime

ge'setzt posé, pondéré; **~ (den Fall), dass** à supposer que (+ subj)

ge'setzwidrig illégal

Gesicht [gəˈzɪçt] n (-[e]s; -er) figure f, seltener visage m; **zu ~ bekommen** voir; **aus dem ~ verlieren** perdre de vue; **ein ~ ziehen** faire la moue

Ge'sichts|ausdruck m physionomie f; **~farbe** f teint m; **~kreis** m horizon m; **~punkt** m point m de vue; **~züge** m/pl traits m/pl du visage

Gesindel [gəˈzɪndəl] n (-s; sans pl) canaille f, racaille f

gesinnt [gəˈzɪnt] (gut, übel) ~ (bien, mal) disposé, intentionné

Gesinnung [gəˈzɪnuŋ] f (-; -en) sentiments m/pl, Meinung, bes pol opinion f, conviction f; **2slos** sans caractère

gespannt [gəˈʃpant] straff tendu (a fig); Aufmerksamkeit soutenu; **~ sein auf etw** être pressé (od impatient) de savoir qc; **ich bin ~ ob ...** je suis curieux de savoir si ...

Gespenst [gəˈʃpɛnst] n (-[e]s; -er) fantôme m, spectre m

Gespräch [gəˈʃprɛːç] n (-[e]s; -e) conversation f, entretien m; tél communication f; **2ig** loquace, causeur F; **~spartner(in** f) m interlocuteur m, -trice f

Gespür [gəˈʃpyːr] n (-s; sans pl) flair m,

ein ~ haben für avoir le sens de

Gestalt [gəˈʃtalt] f (-; -en) forme f; Person figure f, personnage m; Wuchs taille f, physique m, stature f; **in ~ von** sous forme de; **2en** (pas de -ge-, h) organiser; formen former, façonner; **~ung** f (-; sans pl) organisation f; formation f; façonnement m; Raum2 décoration f

geständ|ig [gəˈʃtɛndɪç] **~ sein** avouer; **2nis** [-t-] n (-ses; -se) aveu m

Gestank [gəˈʃtaŋk] m (-[e]s; sans pl) puanteur f, mauvaise odeur f

gestatten [gəˈʃtatən] (pas de -ge-, h) permettre

Geste [ˈgɛstə] f (-; -n) geste m

ge'stehen (gestand, gestanden, h) avouer, confesser

Gestell [gəˈʃtɛl] n (-[e]s; -e) Bock chevalet m; Regal rayonnages m/pl; Grundkonstruktion bâti m

gest|ern [ˈgɛstərn] hier; **~ Abend** hier soir; **'~rig** [ˈ-rɪç] d'hier

Gestrüpp [gəˈʃtryp] n (-[e]s; -e) broussailles f/pl

Gesuch [gəˈzuːx] n (-[e]s; -e) demande f, requête f; Bittschrift pétition f

ge'sucht recherché

gesund [gəˈzunt] bien portant; sain; salubre; **~ sein** être en bonne santé; **der ~e Menschenverstand** le bon sens; **2heit** f (-; sans pl) santé f; **~! beim Niesen** à tes (od vos) souhaits!; **~heitlich ~ geht es ihm gut** il est en bonne santé

Ge'sundheits|amt n service m d'hygiène; dispensaire m; **2gefährdend, 2schädlich** malsain, insalubre; **~wesen** n régime m sanitaire; **~zeugnis** n attestation f de santé; **~zustand** m état m de santé

ge'sundschrumpfen (sép, -ge-, h) rationaliser

Getränk [gəˈtrɛŋk] n (-[e]s; -e) boisson f; **~automat** [-əˈʔautomaːt] m distributeur m automatique de boissons; **~ekarte** f carte f des boissons

Getreide [gəˈtraidə] n (-s; -) céréales f/pl; blé m; **~anbau** m céréaliculture f, culture f de céréales; **~ernte** f moisson f; **~speicher** m silo m

getrennt séparé; **~ zahlen** payer séparément

Getriebe [gəˈtriːbə] n (-s; -) mécanisme

m, engrenage *m*; *auto* boîte *f* de vitesses; **~schaden** *m* dommage *m* à la boîte de vitesses

Gewächs [gəˈvɛks] *n* (*-es*; *-e*) plante *f*; *Weinsorte* cru *m*; *méd* tumeur *f*

ge'wachsen *j-m, e-r Sache ~ sein* être à la hauteur de qn, qc

Ge'wächshaus *n* serre *f*

gewagt [gəˈvaːkt] osé, risqué

gewählt [gəˈvɛːlt] *Stil* choisi

Gewähr [gəˈvɛːr] *f* (*-*; *sans pl*) garantie *f*; *~ übernehmen für* répondre de; **2en** (*pas de -ge-*, *h*) accorder; *~ lassen* laisser faire; **2leisten** (*pas de -ge-*, *h*) garantir

Gewahrsam [gəˈvaːrzaːm] *m* (*-s*; *sans pl*) garde *f*; *Haft* détention *f*; *in ~ nehmen* prendre sous sa garde, détenir

Gewalt [gəˈvalt] *f* (*-*; *-en*) force *f*; *~tätigkeit* violence *f*; *Macht* pouvoir *m*, puissance *f*; *moralische* autorité *f*; *mit ~* à toute force; *höhere ~* force majeure; *~ anwenden* recourir à la force; *in seine ~ bringen* s'emparer de; *die ~ verlieren über* perdre le contrôle de; *~herrschaft* f despotisme *m*, tyrannie *f*; *~herrscher* *m* despote *m*, tyran *m*; *2ig* énorme, colossal; *F* formidable, terrible; *2los* non-violent; *~losigkeit* f (*-*; *sans pl*) non-violence *f*; *2sam* violent; *~ öffnen* ouvrir de force; *~tat* f acte *m* de violence; *2tätig* violent

gewandt [gəˈvant] adroit, habile; *körperlich* agile; *2heit* f (*-*; *sans pl*) adresse *f*, habilité *f*; agilité *f*; *im Benehmen* aisance *f*

Gewässer [gəˈvɛsər] *n* (*-s*; *-*) eaux *f/pl*; *~schutz* *m* mesures *f/pl* pour la protection des eaux

Gewebe [gəˈveːbə] *n* (*-s*; *-*) tissu *m* (*a fig*)

Gewehr [gəˈveːr] *n* (*-[e]s*; *-e*) fusil *m*; *~kolben* *m* crosse *f*; *~lauf* *m* canon *m* (de fusil)

Geweih [gəˈvai] *zo* *n* (*-[e]s*; *-e*) bois *m/pl*; *Hirsch a* ramure *f*

Gewerbe [gəˈvɛrbə] *n* (*-s*; *-*) industrie *f*; *Beruf* métier *m*; profession *f*; *~freiheit* f liberté *f* industrielle; *~genehmigung* f licence *f* professionnelle

gewerb|lich [gəˈvɛrplɪç] industriel; *~smäßig* professionnel

Ge'werkschaft *f* (*-*; *-en*) syndicat *m*;

~ler *m* (*-s*; *-*), *~lerin* f (*-*; *-nen*) *m* syndicaliste *m*, *f*; *2lich* syndical; *~sbewegung* f syndicalisme *m*; *~sbund* *m* fédération *f* syndicale; *~smitglied* *n* syndiqué *m*, *-e* *f*; *~svertreter* *m* représentant *m* syndical

Gewicht [gəˈvɪçt] *n* (*-[e]s*; *-e*) poids *m*; *fig a* importance *f*

Gewinde [gəˈvɪndə] *n* (*-s*; *-*) *Schrauben2* pas *m* de vis, filetage *m*

Gewinn [gəˈvɪn] *m* (*-[e]s*; *-e*) gain *m*; profit *m*; bénéfice *m*; *~anteil* *m* droit *m* de licence; redevance; *~ausschüttung* f affectation *f* de bénéfices; *~beteiligung* f participation *f* aux bénéfices; *~bringend* lucratif, rémunérateur; *2en* (*gewann, gewonnen*, *h*) gagner; *Erze* extraire; *2end* *Wesen, Lächeln* avenant, engageant; *~er* *m* (*-s*; *-*) vainqueur *m*, gagnant *m*; *~spanne* *f* marge *f* de bénéfice; *~sucht* (*-*; *sans pl*) âpreté *f* au gain; *~zahl* f numéro *m* gagnant

Gewirr [gəˈvɪr] *n* (*-[e]s*; *-e*) confusion *f*; *Straßen2* dédale *m*

gewiss [gəˈvɪs] sûr, certain; *ein gewisser Herr N* un certain monsieur N; *adv* certainement; *~!* mais oui!

Ge'wissen *n* (*-s*; *-*) conscience *f*; *2haft* consciencieux; *2los* sans scrupules

Ge'wissens|biss *m* remords *m*; *~frage* f cas *m* de conscience; *~konflikt* *m* conflit *m* moral

gewissermaßen [gəvisərˈmaːsən] pour ainsi dire

Ge'wissheit *f* (*-*; *-en*) certitude *f*

Gewitter [gəˈvɪtər] *n* (*-s*; *-*) orage *m*; *~regen* *m* pluie *f* d'orage

ge'wittrig [*-rɪç*] orageux

gewöhnen [gəˈvøːnən] (*pas de -ge-*, *h*) (*sich ~*) s')accoutumer, habituer (*an* à)

Gewohnheit [gəˈvoːnhait] *f* (*-*; *-en*) habitude *f*, coutume *f*; *2smäßig* habituel; routinier; *adv* par habitude; *~srecht* *n* droit *m* coutumier

ge'wöhnlich ordinaire; *zur Gewohnheit geworden* habituel; *herkömmlich* usuel; *péj* commun, vulgaire; *wie ~* comme d'habitude

ge'wohnt habituel; *etw ~ sein* être habitué à qc

Ge'wöhnung *f* (*-*; *sans pl*) accoutumance *f* (*an* à)

Gewölbe [gəˈvœlbə] *n* (*-s*; *-*) voûte *f*

Gewühl [gə'vy:l] n (-[e]s; sans pl) cohue f

Gewürz [gə'vyrts] n (-es; -e) épice f

Ge'zeiten pl marée f

ge'zielt concentré, bien orienté, systématique

gezwungen [gə'tsvuŋən] contraint, forcé

Gicht [giçt] méd f (-; sans pl) goutte f

Giebel ['gi:bəl] m (-s; -) pignon m

Gier [gi:r] f (-; sans pl) avidité f; **ℒig** avide (**nach, auf** de)

gießen ['gi:sən] (goss, gegossen, h) verser; Blumen arroser; tech couler, fondre; **ℒerei** [-'rai] f (-; -en) fonderie f; **ℒkanne** f arrosoir m

Gift [gift] n (-[e]s; -e) poison m; zo venin m; **ℒig** toxique; Pilz vénéneux; Schlange venimeux (a fig); **'⁓müll** m déchets m/pl toxiques; **'⁓stoff** m toxique m; méd toxine f

Gigant [gi'gant] m (-en; -en) géant m; **ℒisch** gigantesque

Gipfel ['gipfəl] m (-s; -) sommet m; fig a apogée m, comble m; **'⁓konferenz** f, **'⁓treffen** n pol conférence f au sommet

Gips [gips] m (-es; -e) plâtre m; **'⁓abdruck** m, **'⁓abguss** m plâtre m, moulage m en plâtre; **'⁓verband** m plâtre m

Giraffe [gi'rafə] zo f (-; -n) girafe f

Giro ['ʒi:ro] n (-s; -s) virement m; **'⁓konto** n compte m courant; **'⁓verkehr** m opérations f/pl de virement

Gitarre [gi'tarə] f (-; -n) guitare f

Gitter ['gitər] n (-s; -) grille f; grillage m; fig F **hinter ⁓n sitzen** être sous les verrous; **'⁓fenster** n fenêtre f grillagée

Glanz [glants] m (-es; sans pl) éclat m; Pracht splendeur f

glänzen ['glɛntsən] (h) briller (a fig); **⁓d** brillant

'Glanz|leistung f performance f brillante; **'⁓zeit** f époque f de gloire

Glas [gla:s] n (-es; ̈er) verre m; **'⁓er** m (-s; -) vitrier m

'Glas|faser f fibre f de verre; tél fibre f optique; **'⁓hütte** f verrerie f; **ℒieren** [-'zi:rən] (pas de -ge-, h) Keramik vernisser; cuis glacer; **'⁓scheibe** f carreau m, vitre f; **⁓ur** [-'zu:r] f (-; -en) vernis m; cuis glaçage m, nappage m; **'⁓wolle** f laine f de verre

glatt [glat] lisse; poli; Straße glissant; fig

Sieg etc net; **⁓ ablehnen** refuser carrément

Glätte ['glɛtə] f (-; sans pl) Fahrbahn état m glissant

'Glatteis n verglas m

'glätten (h) lisser, polir; Schweiz bügeln repasser

Glatze ['glatsə] f (-; -n) tête f chauve, calvitie f; **e-e ⁓ haben** être chauve

Glaube(n) ['glaubə(n)] m (-ns; sans pl) croyance f (**an** à); rel foi f (**an** en)

'glauben (h) croire (**etw** qc); **j-m ⁓** croire qn; **⁓ an** croire à; **an Gott ⁓** croire en Dieu

'Glaubens|bekenntnis n profession f de foi, credo m; **'⁓satz** m dogme m

glaubhaft ['glaup-] crédible, plausible

gläubig ['glɔybiç] croyant; **die ℒen** les fidèles m/pl

Gläubiger ['-gər] écon m (-s; -) créancier m

glaubwürdig ['glaup-] digne de foi

gleich [glaiç] **1.** adj égal; identique le même; ähnlich pareil; **⁓ bleibend** constant; **das ℒe** la même chose; **auf die ⁓e Art** de la même façon; **zur ⁓en Zeit** en même temps; **das ist mir ⁓** ça m'est égal; je m'en moque; **ganz ⁓ wann** n'importe quand; **2.** adv ebenso également; sofort à l'instant, tout de suite; **⁓ groß** de même taille, aussi grand; **⁓ nach** juste après; **es ist ⁓ 5** il va être 5 heures; **⁓ aussehen** se ressembler; **bis ⁓!** à tout à l'heure!

'gleich|altrig du même âge; **'⁓bedeutend** synonyme (**mit** à od avec); **'⁓berechtigt** ayant les mêmes droits, émancipé; **ℒberechtigung** f (-; sans pl) émancipation f; **'⁓en** (glich, geglichen, h) ressembler (**j-m** à qn); **sich ⁓** se ressembler; **'⁓ermaßen** également; **'⁓falls** de même, pareillement; **danke, ⁓!** merci à vous aussi!; **'ℒgewicht** n (-[e]s; sans pl) équilibre m; **'⁓gültig** indifférent; **'ℒgültigkeit** f (-; -en) indifférence f; **'ℒheit** f (-; sans pl) égalité f; **'ℒheitsgrundsatz** m principe m d'égalité f; **'⁓machen** (sép, -ge-, h) égaliser; **'⁓mäßig** régulier; **'ℒmut** m calme m, impassibilité f; **'⁓mütig** calme, impassible; **'⁓sam** pour ainsi dire; **'⁓seitig** math équilatéral; **'⁓setzen** (sép, -ge-, h), **'⁓stellen** (sép, -ge-, h) mettre sur le même plan; assimiler (à); **'ℒstrom** tech *m* courant *m* continu; '**≈ung** *math f* (-; *-en*) équation *f*; '**≈wertig** équivalent; '**≈zeitig** simultané; *adv* en même temps

Gleis [glais] *n* (*-es; -e*) voie *f* (ferrée), rails *m/pl*; *Bahnsteig* quai *m*

gleit|en ['glaitən] (*glitt, geglitten, sn*) glisser; **~de Arbeitszeit** horaire *m* à la carte; '**≈flug** *m im ~* en vol plané; '**≈zeit** *f* horaire *m* libre

Gletscher ['glɛtʃər] *m* (*-s; -*) glacier *m*; '**~spalte** *f* crevasse *f*

Glied [gli:t] *n* (*-[e]s; -er*) membre *m*; *männliches* pénis *m*; *e-r Kette* chaînon *m*; '**≈ern** (*h*) diviser; organiser; structurer; '**~erung** ['-dərʊŋ] *f* (-; *-en*) division *f*; organisation *f*; structure *f*

glimmen ['glimən] (*h*) brûler sans flamme; luire; *unter der Asche* couver

global [glo'ba:l] *umfassend* global; *weltweit* planétaire; '**≈isierung** *f* (-; *-en*) mondialisation *f*; '**≈steuerung** *f* (-; *-en*) contrôle *m* global

Globus ['glo:bus] *m* (*-[ses]; -ben*) mappemonde *f*, globe *m* terrestre

Glocke ['glɔkə] *f* (-; *-n*) cloche *f*

'**Glocken|blume** *bot f* campanule *f*; '**~spiel** *n* carillon *m*; '**~turm** *m* clocher *m*

glorreich ['glo:r-] glorieux

Glück [glyk] *n* (*-[e]s; sans pl*) *Zustand* bonheur *m*; *durch Zufall* chance *f*; *auf gut ~* au petit bonheur; *viel ~!* bonne chance!; *zum ~* heureusement, par bonheur; *~ haben* avoir de la chance; *~ bringend* porte-bonheur

'**glück|en** (*sn*) réussir; *alles glückt ihm* tout lui réussit; '**~lich** heureux; *~er Zufall* heureux hasard; '**~licherweise** heureusement

'**Glücks|fall** *m* coup *m* de chance; '**~kind** *n ein ~ sein* être né coiffé; '**~pilz** *m* chanceux *m*, veinard *m*; '**~spiel** *n* jeu *m* de hasard; '**~tag** *m* jour *m* de chance

'**glückstrahlend** rayonnant de bonheur, radieux

'**Glückwunsch** *m* félicitations *f/pl*; *herzlichen ~!* toutes mes (*od* nos) félicitations!; *zum Geburtstag* joyeux anniversaire!; *j-m seine Glückwünsche aussprechen* féliciter qn (*zu etw* de qc); '**~karte** *f* carte *f* de félicitations; '**~telegramm** *n* télégramme *m* de félicitations

Glüh|birne ['gly:-] *f* ampoule *f*; '**≈en** (*h*)

être rouge; *fig* brûler (*vor* de); '**≈end** ardent, brûlant (*beide a fig*); *Hitze* torride

Glut [glu:t] *f* (-; *-en*) *Feuer* braise *f*; *Sonne, fig* ardeur *f*

GmbH *comm f* S.A.R.L. *f* (= société à responsabilité limitée)

Gnade ['gna:də] *f* (-; *sans pl*) grâce *f*

'**Gnaden|frist** *f* délai *m* de grâce; '**~gesuch** *jur n* recours *m* en grâce; '**≈los** sans pitié

Gold [gɔlt] *n* (*-es, sans pl*) or *m*; '**~barren** *m* lingot *m* d'or; '**≈en** ['gɔldən] d'or; *goldfarbig* doré; '**~fisch** *m* poisson *m* rouge; '**~gräber** ['-grɛːbər] *m* (*-s; -*) chercheur *m* d'or; '**~grube** *f fig* mine *f* d'or; '**≈ig** ['-diç] mignon, gentil, adorable; '**~medaille** *f* médaille *f* d'or; '**~mine** *f* mine *f* d'or; '**~münze** *f* pièce *f* d'or; '**~preis** *m* prix *m* de l'or; '**~schmied** *m* orfèvre *m*

Golf[1] [gɔlf] *géogr m* (*-[e]s, -e*) golfe *m*

Golf[2] *Sport n* (*-s; sans pl*) golf *m*; '**~ball** *m* balle *f* de golf; '**~platz** *m* terrain *m* de golf; '**~schläger** *m* crosse *f* de golf; '**~spieler** *m* joueur *m* de golf; '**~strom** *m* (*-[e]s; sans pl*) Gulf Stream *m*

Gondel ['gɔndəl] *f* (-; *-n*) *Boot* gondole *f*; *Seilbahn* ≈ cabine *f*; *Ballon* ≈ nacelle *f*

Gong(schlag) ['gɔŋ-] *m* (*-s; -e*) gong *m*

gönn|en ['gœnən] (*h*) *sich etw ~* se payer, s'offrir, s'accorder qc; *j-m etw ~* être content pour qn; '**≈er** *m* (*-s; -*); '**≈erin** *f* (-; *-nen*) protecteur *m*, -trice *f*; bienfaiteur *m*, -trice *f*; mécène *m*; '**~erhaft** protecteur; condescendant

Gorilla [go'rila] *zo m* (*-s; -s*) gorille *m*

Got|ik ['go:tik] *f* (-; *sans pl*) style *m od* époque *f* gothique; '**≈isch** gothique

Gott [gɔt] *m* (*-es; -er*) dieu *m*; *christlicher* Dieu; *~ der Herr* le Seigneur; *~ sei Dank!* Dieu merci!, grâce à Dieu!; *leider ~es!* hélas!

'**Gottes|dienst** *m* service *m* religieux; messe *f*; office *m*; '**~lästerung** *f* blasphème *m*

'**Gottheit** *f* (-; *-en*) divinité *f*

Gött|in ['gœtin] *f* (-; *-nen*) déesse *f*; '**≈lich** divin

gott'|lob! Dieu soit loué!; '**~los** impie, athée; '**~verlassen** *Ort* perdu

Grab [gra:p] *n* (*-[e]s; -er*) tombe *f*, tombeau *m*, *ausgehobenes* fosse *f*

Graben ['gra:bən] *m* (*-s; -*) fossé *m*; *mil*

tranchée f
'**graben** (*grub, gegraben, h*) creuser
'**Grab**|**mal** n (*-[e]s; -e, ::-er*) tombeau m, monument m funéraire; '**_stein** m pierre f tombale
Grad [graːt] (*-[e]s; -e*) *Maß* degré m; figgrade m; *15 ~ Kälte* 15 degrés en dessous de zéro; '**_einteilung** f graduation f
Graf [graːf] m (*-en; -en*) comte m
Graffito [gra'fiːto] n (*-s; -ti*) graffiti m/pl
Grafi|k ['graːfik] f (*-; -en*) art m graphique; *Druck* gravure f, estampe f; *Diagramm* graphique m; '**_ker** m (*-s; -*) dessinateur-graveur m; '**2sch** graphique
'**Grafikkarte** f (*-; -en*) carte f graphique
Gräfin ['grɛːfin] f (*-; -nen*) comtesse f
Grafschaft f (*-; -en*) comté m
Gramm [gram] n (*-s; -e*) gramme m
Grammati|k [gra'matik] f (*-; -en*) grammaire f; '**2sch** grammatical
Granat|e [gra'naːtə] milf (*-; -n*) obus m; *Hand2* grenade f; '**_splitter** m éclat m d'obus; '**_werfer** m mortier m, lance-grenades m
grandios [grand'joːs] grandiose, magnifique
Granit [gra'niːt] m (*-s; -e*) granit(e) m
Graphik → **Grafik**
Gras [graːs] n (*-es; ::-er*) herbe f; '**2en** ['-zən] *Vieh* brouter l'herbe
grassieren [gra'siːrən] (*pas de -ge-, h*) sévir
grässlich ['grɛsliç] affreux, horrible, hideux
Grat [graːt] m (*-[e]s; -e*) arête f, crête f
Gräte ['grɛːtə] f (*-; -n*) *Fisch* arête f
Gratifikation [gratifika'tsjoːn] f (*-; -en*) gratification f
gratis ['graːtis] gratis, gratuitement
Gratul|ant [gratu'lant] m (*-en; -en*) personne f qui félicite qn; '**_ation** ['-tsjoːn] f (*-; -en*) félicitations f/pl; '**2ieren** *j-m* (*zu etw*) ~ féliciter qn (de qc); *j-m zum Geburtstag* ~ souhaiter bon anniversaire à qn
grau [grau] gris; '**2brot** n pain m de seigle
Gräuel ['grɔyəl] m (*-s; -*), '**_tat** f atrocité f
'**grauen** (*h*) *mir graut vor* j'ai horreur de; *2 n* (*-s; sans pl*) horreur f épouvante f; '**_haft**, '**_voll** horrible, épouvantable, atroce, affreux

'**grausam** cruel; '**2keit** f (*-; -en*) cruauté f
'**Grauzone** f domaine m flou
gravieren [gra'viːrən] (*pas de -ge-, h*) graver; '**_d** sérieux, grave
Graz|ie ['graːtsjə] f (*-; sans pl*) grâce f; **2lös** [gra'tsjøːs] gracieux
greif|bar ['graif-] palpable, tangible; *verfügbar* disponible; '**_en** (*griff, gegriffen, h*) saisir (*nach etw* qc), prendre; *zu etw* ~ recourir à qc; *um sich* ~ se propager
Greis [grais] m (*-es; -e*) vieillard m; '**2enhaft** ['-zən-] sénile; '**_in** ['-zin] f vieille femme f
grell [grɛl] *Ton* perçant; *Licht* cru; *Farbe* criard
Gremium ['greːmjum] n (*-s; -mien*) organe m (politique)
Grenz|e ['grɛntsə] f (*-; -n*) *Landes2* frontière f; figlimite f, borne f; '**2en** (*h*) toucher (*an* à); '**2enlos** sans bornes, illimité; *unendlich* infini; '**_fall** m cas m limite; '**_kontrolle** f contrôle m à la frontière; '**_land** m pays m frontalier; '**_linie** pol f ligne f de démarcation; '**_polizei** f police f des frontières; '**_stein** m borne f; '**_übergang** m poste m frontière; '**2überschreitend** qui dépasse les frontières
Greuel → **Gräuel**
Griech|e ['griːçə] m (*-n; -n*), '**_in** f (*-; -nen*) Grec m, Grecque f; '**_enland** n (*-s; sans pl*) la Grèce; '**2isch** grec
Grieß [griːs] *cuis* m (*-es; -e*) semoule f
Griff [grif] m (*-[e]s; -e*) *Tür* poignée f; *Messer* manche m; *Sport* prise f; *im ~ haben* dominer, contrôler
Grill [gril] m (*-s; -s*) gril m, barbecue m
'**Grill|e** *zo* grillon m; figcaprice m; '**2en** (*h*) griller; '**_fest** n barbecue m; '**_restaurant** n rôtisserie f
Grimasse [gri'masə] f (*-; -n*) grimace f
Grippe ['gripə] *méd* f (*-; -n*) grippe f; '**_welle** f épidémie f de grippe
grob [groːp] grossier; brutal; '**2heit** f (*-; -en*) grossièreté f (*a fig*)
Groschen ['grɔʃən] m (*-s; -*) pièce f de dix pfennigs
groß [groːs] grand; *voluminös* gros; *wie ~ ist er?* quelle taille a-t-il?; *~ und klein* petits et grands; *im 2en und Ganzen* dans l'ensemble, en gros; '**2aktionär** m actionnaire m principal;

'**∼artig** grandiose, magnifique; F formidable; '**2aufnahme** f film gros plan m; '**2bildschirm** m écran m géant

'**Großbritannien** n la Grande-Bretagne

Größe ['grøːsə] f (-; -n) grandeur f (a fig); Ausmaß dimensions f/pl, taille f; Dicke grosseur f; Körper2, Kleider2, taille f; Schuh2 pointure f; Person célébrité f

'**Großeltern** pl grands-parents m/pl

'**Größen|ordnung** f ordre m de grandeur; '**∼wahn** m folie f des grandeurs, mégalomanie f

'**Groß|grundbesitz** m grande propriété f; '**∼grundbesitzer** m grand propriétaire; '**∼handel** m commerce m de od en gros; '**∼handelspreis** m prix m de gros; '**∼händler** m grossiste m; '**∼herzogtum** n grand-duché m; '**∼industrie** f grande industrie f; '**∼macht** f grande puissance f; '**∼mut** f générosité f; '**∼mutter** f grand-mère f; '**∼raum** écon m conurbation f; der ∼ München le grand Munich; '**∼raumbüro** n bureau m collectif; '**∼raumflugzeug** n avion m gros porteur; '**∼schreibung** f emploi m des lettres majuscules; '**2spurig** crâneur; ∼ auftreten se donner des grands airs; '**2stadt** f grande ville f; '**2städtisch** de la grande ville

größtenteils ['grøːstəntails] pour la plupart, en majeure partie

'**groß|tun** (irr, sép, -ge-, h, → tun) mit etw ∼ se vanter de qc; '**2unternehmen** n grande entreprise f; '**2vater** m grand-père m; '**2verdiener** m qn qui gagne beaucoup; '**2wetterlage** f situation f météorologique globale; '**2zügig** généreux; permissif; Haus spacieux

grotesk [gro'tɛsk] grotesque

Grube ['gruːbə] f (-; -n) fosse f; Bergwerk mine f

grübeln ['gryːbəln] (h) se creuser la tête; broyer du noir

grün [gryːn] vert; ∼e Versicherungskarte carte f verte; pol die 2en les Verts m/pl, F les écolos m/pl; im 2en dans la nature; '**2anlage** f îlot m de verdure

Grund [grunt] m (-[e]s; ⁀e) Boden fond m; Erdboden sol m; Vernunft2 raison f; Beweg2 motif m, mobile m; Ursache cause f; im ∼e au fond, von ∼ auf ändern modifier de fond en comble;

aus diesem ∼e pour cette raison; ∼ und Boden propriété f; '**∼bedingung** f condition f principale; '**∼begriffe** m/pl fondements m/pl; '**∼besitz** m propriété f foncière; '**∼besitzer** m propriétaire m foncier

gründ|en ['gryndən] (h) fonder; '**2er** m (-s; -), '**2erin** f (-; -nen) fondateur m, -trice f

'**Grund|fläche** f math base f; e-r Wohnung surface f; '**∼gebühr** f taxe f fixe; '**∼gedanke** m idée f de base; '**∼gesetz** n BRD Loi f Fondamentale; '**∼kapital** n fonds m social; '**∼lage** f base f; '**2legend** fondamental

gründlich ['gryntliç] solide, approfondi; Person à consciencieux, minutieux; adv à fond; '**2keit** f (-; sans pl) solidité f, conscience f professionnelle; soin m; minutie f

'**grundlos** sans fond; fig dénué de fondement, gratuit, sans motif

'**Grund|nahrungsmittel** n nourriture f de base; '**∼riss** m plan m; '**∼satz** m principe m; '**2sätzlich** de principe; adv par principe; ich bin ∼ dagegen je suis foncièrement contre; '**∼schule** f école f primaire; '**∼steuer** f impôt m foncier; '**∼stück** n (parcelle f de) terrain m; '**∼stücksmakler** m agent m immobilier

'**Gründung** f (-; -en) fondation f

'**Grund|wasser** n nappe f phréatique; '**∼zahl** math f nombre m cardinal

'**Grün|e(r)** m (-n; sans pl) vert m; verdure f; **∼e** pol pl les Verts m/pl, F les écolos m/pl; '**∼fläche** f espace m vert; '**∼gürtel** m ceinture f verte; '**∼span** m vert-de-gris m; '**∼streifen** m Autobahn bande f médiane

grunzen ['gruntsən] (h) grogner

Grupp|e ['grupə] f (-; -n) groupe m; '**∼enreise** f voyage m organisé

Grusel|film ['gruːzəl-] m film m d'épouvante

Gruß ['gruːs] m (-[e]s; ⁀e) Wort, Geste salut m; Briefschluss salutations f/pl; an j-n compliments m/pl, F bonjour m; mit freundlichem ∼ veuillez agréer, Monsieur etc, mes salutations distinguées; herzliche Grüße! amitiés

grüßen ['gryːsən] (h) saluer; j-n ∼ lassen donner le bonjour à qn

guck|en ['gukən] (h) nach etw ∼ regarder qc; '**2loch** n judas m

Gulasch ['gulaʃ] *cuis* n (-*[e]s*; -*e*, -*s*) goulasch m

Gulden ['guldən] m (-*s*; -) florin m

gültig ['gyltiç] valable; *jur* valide; *Geld* qui a cours; **'2keit** f (-; *sans pl*) validité f

Gummi ['gumi] n, m (-*s*; -*[s]*) *Material* caoutchouc m; *Radier2* gomme f; **_band** élastique m; **'_baum** m caoutchouc m; *Kautschukbaum* hévéa m

gum'mieren (*pas de* -ge-, h) gommer, caoutchouter

'Gummi|knüppel m matraque f; **'_stiefel** m/pl bottes f/pl en caoutchouc

Gunst [gunst] f (-; *sans pl*) faveur f; **zu seinen _en** en sa faveur

günstig ['gynstiç] favorable; *Preis* avantageux; **_e Gelegenheit** bonne occasion f; **im _sten Fall** dans le meilleur des cas

Gurgel ['gurgəl] f (-; -n) gorge f; **'2n** (h) se gargariser; *Wasser* gargouiller

Gurke ['gurkə] f (-; -n) concombre m; *kleine* cornichon m

Gurt [gurt] m (-*[e]s*; -*e*) *Sicherheits2* ceinture f (de sécurite); *Tragriemen* sangle f

Gürtel ['gyrtəl] m (-*s*; -) ceinture f; **'_reifen** m pneu m radial

'Gurtpflicht f obligation f de mettre la ceinture de sécurité

Guss [gus] m (-*es*; ᵋe) *Regen2* averse f; *Gießerei* fonte f; *Zucker2* glaçage m; *fig* **aus e-m _** d'un seul jet; **'_eisen** n fonte f

gut [guːt] *adj* bon; *adv* bien; *Wetter* beau; **_ gehen** bien aller; **mir geht es _** je vais bien; **ganz _** pas mal; **schon _!** ça suffit!; **(wieder) _ werden** s'arranger; **_e Reise!** bon voyage!; **sei bitte**

so _ und … sois gentil de (+ *inf*); **in etw _ sein** être bon en qc; **es riecht _** ça sent bon; **du hast es _** tu as de la chance, F du pot; **es ist _ möglich** ça se peut bien; **es gefällt mir _** ça me plaît beaucoup; **_ gemacht!** bien!; **machs _!** bonne chance!; **'_gläubig** crédule; *jur* de bonne foi; **'2haben** *comm* n (-*s*; -) avoir m

Gut (-*[e]s*; ᵋer) bien m; *Land2* propriété f; *Ware* marchandise f; **'_achten** m (-*s*; -) expertise f; **'_achter** m (-*s*; -) expert m; **'2artig** *méd* bénin; **'_dünken** ['-dynkən] n *nach _ n* à mon (ton *etc*) gré; comme bon me (te *etc*) semble

'Gute n (-*n*; *sans pl*) bien m; **_s tun** faire le bien; **alles _!** bonne chance!

Güte ['gyːtə] f (-; *sans pl*) bonté f; *comm* bonne qualité f

'Güter|bahnhof m gare f des marchandises; **'_gemeinschaft** *jur* f communauté f des biens; **'_trennung** *jur* f séparation f des biens; **'_verkehr** m trafic m des marchandises; **'_wagen** m wagon m de marchandises; **'_zug** m train m de marchandises

gütlich ['gyːtliç] *Einigung* à l'amiable; **sich an etw _ tun** se régaler de qc

'gut|machen (*sép*, -ge-, h) réparer; rattraper; **'_mütig** ['-myːtiç] (d'un naturel) bon; **'2mütigkeit** f (-; *sans pl*) gentillesse f

'Guts|besitzer(in f) m propriétaire m, f foncier (-ière)

'Gut|schein m bon m; **'2schreiben** (*irr*, *sép*, -ge-, h, → **schreiben**) **j-m etw _** créditer qn de qc; **'_schrift** f créance f

Gymnasium [gym'naːzjum] n (-*s*; -*ien*) lycée m

Gymnastik [gym'nastik] f (-; *sans pl*) gymnastique f

H

H [haː] *mus* (-; -) si m

Haag [haːk] *Den _* la Haye

Haar [haːr] n (-*[e]s*; -*e*) cheveu m; *als Gesamtheit* cheveux m/pl, chevelure f; *Körper2*, *Bart2*, *Tier2* poil m; **um ein _** il s'en est fallu d'un cheveu (pour que

+ *subj*); **'_ausfall** m chute f des cheveux; **'_festiger** m (-*s*; -) fixateur m pour les cheveux; **'2genau** précisément; **'2ig** poilu, velu; **'_nadelkurve** f virage m en épingle à cheveux; **'2scharf** très net; F **_ daneben!**

manqué de justesse!; '**schnitt** *m* coupe *f* de cheveux; '**spalterei** [-ʃpaltə'rai] *f* (-; -en) ~ **betreiben** couper les cheveux en quatre; '**spray** *m od n* laque *f*; '**sträubend** inouï, monstrueux; '**trockner** *m* sèche-cheveux *m*; '**wäsche** *f* shampooing *m*; '**waschmittel** *n* shampooing *m*; '**wasser** *n* lotion *f* capillaire; '**wuchs** *m* chevelure *f*

Hab [ha:b] (**all mein**) ~ **und Gut** toutes mes affaires

Habe ['ha:bə] *f* (-; sans pl) avoir *m*, bien *m*

'haben (hatte, gehabt, h) avoir; **heute ~ wir Montag** aujourd'hui nous sommes lundi; **du hast zu gehorchen** tu dois obéir; F **da ~ wir!** ça y est!; F **sich ~** sich zieren faire des simagrées

'Haben comm *n* (-s; -) avoir *m*, crédit *m*; '**saldo** *m* solde *m* créditeur; '**seite** *f* côté *m* du crédit; '**zinsen** *m/pl* intérêts *m/pl* créditeurs

Habgier ['ha:p-] *f* (-; sans pl) avidité *f*, cupidité *f*; '**ₐig** avide, cupide

Habseligkeiten ['ha:p-] *f/pl* affaires *f/pl*

Hack|e ['hakə] *f* (-; -n) **1.** pioche *f*, houe *f*; **2.** Ferse talon *m*; '**ₐen** (h) Fleisch hacher; Holz casser; Vogel donner des coups de bec; '**fleisch** *n* viande *f* hachée

Hafen ['ha:fən] *m* (-s; ⸗) port *m* (*a* fig); '**anlagen** *f/pl* installations *f/pl* portuaires; '**arbeiter** *m* docker *m*; '**behörde** *f* autorités *f/pl* portuaires; '**gebühren** *f/pl* droits *m/pl* de port; '**polizei** *f* police *f* de port; '**stadt** *f* ville *f* portuaire; '**viertel** *n* quartier *m* du port

Hafer ['ha:fər] *m* (-s;-) avoine *f*; '**flocken** *f/pl* flocons *m/pl* d'avoine

Haft [haft] *f* détention *f*, emprisonnement *m*; '**ₐbar** responsable (**für** de); '**befehl** *m* mandat *m* d'arrêt; '**ₐen** (h) adhérer (**an** à); bürgen répondre (**für** de)

'Häftling ['hɛftliŋ] *m* (-s; -e) détenu *m*

'Haft|pflicht *f* responsabilité *f* civile; '**pflichtversicherung** *f* assurance *f* (de) responsabilité *f* civile; '**ₐung** *f* (-; sans pl) responsabilité *f* (**für** de)

'Hagel ['ha:gəl] *m* (-s; sans pl) grêle *f* (*a* fig); '**ₐn** (h) grêler; '**schauer** *m* giboulée *f*

Hahn [ha:n] *m* (-[e]s; ⸗e) **1.** zo coq *m*; **2.** Wasser⸗ robinet *m*

'Hähnchen ['hɛ:nçən] cuis *n* (-s; -) poulet *m*

Hai [hai] zo *m* (-[e]s; -e), '**fisch** *m* requin *m*

Haken ['ha:kən] *m* (-s; -) crochet *m* (*a* Boxen); Angel⸗ hameçon *m*; Kleider⸗ portemanteau *m*; '**kreuz** *n* croix *f* gammée

halb [halp] **1.** adj demi; **e-e ₐe Stunde** une demi-heure; **ein ₐes Jahr** six mois; **2.** adv à demi, (à) moitié; ~ **vier** trois heures et demie

halb... *in Zssg* demi-..., semi-..., à moitié; '**amtlich** officieux; '**₂e** *m, f, n* (-n; -n) demi-litre *m* de bière

halber ['halbər] prép (gén) à cause de, pour

Halb|fabrikat *n* produit *m* semi-fini; **₂ieren** [-'bi:rən] (pas de -ge-, h) partager en deux; '**insel** *f* presqu'île *f*, péninsule *f*; '**jahr** *n* semestre *m*, six mois *m/pl*; '**₂jährlich** tous les six mois; '**kreis** *m* demi-cercle *m*; '**kugel** *f* hémisphère *m*; '**leiter** tech *m* semi-conducteur *m*; '**₂mast** ~ **flaggen** mettre les drapeaux en berne; '**mond** *m* croissant *m*; '**pension** *f* demi-pension *f*; '**schlaf** *m* demi-sommeil *m*; '**₂tags** ~ **arbeiten** travailler à mi-temps; '**tagsbeschäftigung** *f* emploi *m* à mi-temps; '**tagskraft** *f* employé(e) *m*, *f* à mi-temps; '**₂trocken** mi-sec; '**₂wegs** passablement, tant bien que mal; '**₂wüchsig** [-'vy:ksiç] adolescent, mineur; '**zeit** *f* Sport mi-temps *f*

Halde ['haldə] *f* (-; -n) Bergbau terril *m*

Hälfte ['hɛlftə] *f* (-; -n) moitié *f*; **zur** ~ à moitié

'Hall|e ['halə] *f* (-; -n) grande salle *f*; hall *m*; Turn⸗ gymnase *m*; '**enbad** *n* piscine *f* couverte

hallo [ha'lo:] *tél* allô!; Ruf hé, hep!; aus der Ferne ohé!

Halogen|lampe [halo'ge:n-] *f* lampe *f* quartz-halogène; '**scheinwerfer** *m* phare *m* à iode

Hals [hals] *m* (-es; ⸗e) cou *m*; Kehle gorge *f*; Pferd encolure *f*; Flasche goulot *m*; **es im ~ haben** avoir mal à la gorge; ~ **über Kopf** précipitamment, en toute hâte; **sich vom ~ schaffen** se débarrasser de; *es hängt mir zum ~ (he)raus* j'en ai par-dessus la tête!; F j'en ai marre!; '**~band** *n* collier *m* (*a des Hundes*); '**~entzündung** *f* inflammation *f* des la gorge, laryngite *f*; '**~kette** *f* collier *m*; '**~Nasen-Ohren-Arzt** *m* otorhino-laryngologiste *m*, F oto-rhino *m*; '**~schmerzen** *m/pl* mal *m* de gorge; ~ *haben* avoir mal à la gorge; '**~tuch** *n* écharpe *f*; *seidenes* foulard *m*; '**~weh** *n* → *~schmerzen*

Halt [halt] *m* (-[e]s; -e, -s) *Anhalten* arrêt *m*, halte *f*; *Stütze* appui *m*, stabilité *f*; *innerer* soutien *m*

halt! stop!, halte(-la)!

'**haltbar** *fest* solide; *Lebensmittel* qui se conserve bien; '**2keit** *f* (-; *sans pl*) solidité *f*; conservation *f*; '**2keits-datum** *n* date-limite *f*

'**halten** (*hielt, gehalten, h*) tenir; *zurückhalten* retenir; *Rede* faire, prononcer; *Zeitung* être abonné à; *stehen bleiben* s'arrêter; *Lebensmittel (sich)* ~ se conserver; ~ *für* croire, tenir pour, prendre pour; *gehalten werden für* passer pour; *den Mund* ~ se taire; *sich* ~ *an* s'en tenir à; *zu j-m* ~ soutenir qn; *viel (wenig)* ~ *von* estimer beaucoup (peu); *was* ~ *Sie davon?* qu'en pensez-vous?

'**Halter** *m* (-s; -) *Person* détenteur *m*; *tech* support *m*

'**Halte**|**stelle** *f* arrêt *m*; '**~verbot** *n* arrêt *m* interdit

'**Haltung** *f* (-; -en) *Körper2* tenue *f*, allure *f*; *fig* attitude *f*

Hammel ['haməl] *m* (-s; -) mouton *m*; '**~keule** *f* gigot *m* de mouton

Hammer ['hamər] *m* (-s; ⸚) marteau *m*

hämmern ['hɛmərn] (*h*) marteler

Hämorr(ho)iden [hɛːmɔrɔ'iːdən] *pl* hémorroïdes *f/pl*

Hand [hant] *f* (-; ⸚e) main *f*; *eine* ~ *voll* une poignée; *Hände weg!* bas les mains!, n'y touchez pas!; *an* ~ *von* à l'aide de; *mit der* ~ à la main; *das liegt auf der* ~ c'est évident; *von der* ~ *in den Mund leben* vivre au jour le jour; *in die Hände klatschen* battre des mains; *er ist seine rechte* ~ il est son bras droit; *in den Händen haben (bleiben)* avoir (rester) entre les mains

'**Hand**|**arbeit** *f* travail *m* manuel; *Nadelarbeit* ouvrage *m* à l'aiguille; *es ist* ~

c'est fait main; '**~ball** *Sport m* hand-ball *m*; '**~bewegung** *f* geste *m*; '**~bremse** *f* frein *m* à main; '**~buch** *n* manuel *m*

Händedruck ['hɛndə-] *m* (-[e]s; ⸚e) poignée *f* de main

Handel ['handəl] *m* (-s; *sans pl*) commerce *m*; ~ *treiben* faire du commerce (*mit* avec)

handeln ['handəln] (*h*) agir; *feilschen* marchander; *mit etw* ~ faire le commerce de qc; *von etw* ~ traiter de qc; *es handelt sich um* il s'agit de

'**Handels**|**abkommen** *n* accord *m* commercial; '**~bank** *f* banque *f* de commerce; '**~beziehungen** *f/pl* relations *f/pl* commerciales; '**~bilanz** *f* balance *f* commerciale; '**~bilanzdefizit** *n* déficit *m* de balance commerciale; '**~bilanzüberschuss** *m* excédent *m* de la balance commerciale; '**2einig** ~ *sein (werden)* être (tomber) d'accord; '**~gesellschaft** *f* société *f* commerciale; *Offene* ~ société *f* en nom collectif; '**~kammer** *f* chambre *f* de commerce; '**~marine** *f* marine *f* marchande; '**~politik** *f* politique *f* commerciale; '**~schranke** *f* barrières *f/pl* commerciales; '**~schule** *f* école *f* de commerce; '**~spanne** *f* marge *f* commerciale; '**2üblich** courant; '**~vertrag** *m* traité *m* de commerce; '**~vertreter** *m* représentant *m* de commerce; '**~vertretung** *f* représentation *f* de commerce

'**hand**|**fest** solide (*a Beweis*); '**~fläche** *f* paume *f*; '**~gearbeitet** fait (à la main); '**2gelenk** *n* poignet *m*; '**2gepäck** *n* bagages *m/pl* à main; '**2granate** *mil f* grenade *f* (à main); '**~greiflich** ~ *werden* en venir aux mains; '**~haben** (handhabte, gehandhabt, *h*) manier, manipuler; '**2habung** *f* (-; -en) maniement *m*, manipulation *f*; '**2langer** *m* (-s; -) manœuvre *m*; *péj* complice *m*

Händler ['hɛndlər] *m* (-s; -), '**~in** *f* (-; -nen) marchand *m*, -e *f*; commerçant *m*, -e *f*

'**handlich** maniable

'**Handlung** *f* (-; -en) action *f*; *Tat* acte *m*; *Laden* boutique *f*, *größer* magasin *m*; '**2sfähig** capable d'agir; '**~sreisende** *m* commis *m* voyageur; '**~sweise** *f* façon *f* de faire, procédés *m/pl*

'**Hand**|**schellen** *f/pl* menottes *f/pl*; '**~schlag** *m* (-[e]s; *sans pl*) coup *m*,

H

poignée f de main; '**~schrift** f écriture f; *Schriftwerk* manuscrit m; '**2schriftlich** écrit à la main; '**~schuh** m gant; '**~tasche** f sac m à main; '**~tuch** n essuie-main m, serviette f de toilette; '**~umdrehen** n *im* **~** en un tournemain; '**~werk** n (-[e]s; -e) métier m; '**~werker** m (-s; -) artisan m; '**~werkszeug** n outils m/pl

Handy ['hɛndi] n (-s; -s) (téléphone m) portable m

Hang [haŋ] m (-[e]s; ⏑e) Abhang pente f, *fig* Neigung penchant m (*zu* pour)

Hänge|brücke ['hɛŋə-] f pont m suspendu; '**~matte** f hamac m

'hängen 1. v/t (h) *befestigen* suspendre, accrocher (*an* à); *Verbrecher* pendre; 2. v/i (*hing, gehangen, h*) *befestigt sein* pendre, être accroché, être suspendu (*an* à); *fig an j-m, etw* **~** tenir od s'attacher à qn, à qc; **~** *bleiben* rester accroché (*an* à); *fig* rester (gravé en mémoire); *fig* **j-n ~ lassen** laisser qn dans le pétrin

Hans [hans] m Jean m

Hansestadt ['hanzə-] f ville f hanséatique

Hans'wurst m (-[e]s; -e) pitre m

hantieren [han'tiːrən] (*pas de -ge-*, h) s'affairer; *mit etw* **~** manipuler qc

Happen ['hapən] m (-s; -) bouchée f; *fig* morceau m

Hardware ['haːrdweːr] *EDV* f (-; *sans pl*) matériel m

Harfe ['harfə] f (-; -n) harpe f

Harke ['harkə] f (-; -n) râteau m; '**2n** (h) ratisser

harmlos ['harmloːs] inoffensif

Harmon|ie [harmo'niː] f (-; -n) harmonie f; **2'ieren** (*pas de -ge-*, h) s'harmoniser (*mit* avec); *Personen* s'accorder; **~ika** [-'moːnika] f (-; -s) harmonica m; *Zieh*2 accordéon m; **2isch** [-'moːniʃ] harmonieux; **2isieren** [-i'ziːrən] (*pas de -ge-*, h) harmoniser; **~i'sierung** f (-; -en) *écon* harmonisation f

Harn [harn] m (-[e]s; -e) urine f; '**~blase** f vessie f

Harpun|e [har'puːnə] f (-; -n) harpon m; **2'ieren** (*pas de -ge-*, h) harponner

hart [hart] dur; *rauh* rude; *streng* rigoureux; *Währung* fort

Härte ['hɛrtə] f (-; -n) dureté f, *fig a* sévérité f; *im Sport* rudesse f, *unsoziale* injustice f; '**~fall** m cas m social; '**2n** (h) durcir

'Hart|faserplatte f panneau m dur; '**2gekocht** *Ei* dur; '**~geld** n pièces f/pl de monnaie; '**~gummi** n od m ébonite f, '**2herzig** qui a le cœur dur od sec; '**2näckig** ['-nɛkiç] opiniâtre, obstiné, tenace; '**~näckigkeit** f (-; *sans pl*) opiniâtreté f, obstination f, ténacité f

Harz [haːrts] n (-es; -e) résine f; '**2ig** résineux

Hase ['haːzə] *zo* m (-n; -n) lièvre m

Haselnuss ['haːzəl-] f (-; ⏑e) noisette f

Hass [has] m (es; *sans pl*) haine f (*gegen, auf* pour od de)

'hassen (h) haïr; '**~swert** haïssable

hässlich ['hɛsliç] laid; *fig a* vilain; '**2keit** f (-; -en) laideur f

Hast [hast] f (-; *sans pl*) hâte f; '**2ig** précipité; *adv* en toute hâte

Haube ['haubə] f (-; -n) bonnet m, coiffe f; *auto* capot m

Hauch [haux] m (-[e]s; *sans pl*) souffle m; *fig* **ein ~ von** un soupçon de; '**2en** (h) souffler

hauen ['hauən] (*haute od hieb, gehauen*, h) (*sich* **~** se) battre

Haufen ['haufən] m (-s; -) tas m; *Menschen* foule f

häufen ['hɔyfən] (h) amasser; *sich* **~** s'amasser, s'accumuler; *Fälle* se multiplier

'häufig fréquent; *adv* fréquemment, souvent; '**2keit** f (-; *sans pl*) fréquence f

Haupt [haupt] n (-[e]s; ⏑er) tête f, *fig* chef m; '**~bahnhof** m gare f centrale; '**~beschäftigung** f occupation f principale; '**~bestandteil** m constituant m principal; '**~darsteller(in)** f/m acteur m principal, actrice f principale; '**~eingang** m entrée f principale

'Haupt|fach n *Studium* matière f principale; '**~figur** f personnage m principal; '**~gericht** *cuis* n plat m principal, plat m de résistance; '**~geschäftszeit** f heures f/pl d'affluence; '**~gewinn** m gros lot m

Häuptling ['hɔypt-] m (-s; -e) chef m de tribu

'Haupt|mahlzeit f repas m principal; '**~mann** m (-[e]s; -leute) capitaine m; '**~person** f personnage m principal; '**~quartier** *mil* n quartier m général;

'~reisezeit f saison f de pointe; **'~rolle** f rôle m principal; **'~sache** f principal m, essentiel m; **2sächlich** principal, essentiel; adv principalement, avant tout; **'~saison** f saison f de pointe; **'~schulabschluss** m diplôme m d'études secondaires; **'~schule** f école f primaire; **'~stadt** f capitale f; **'~straße** f rue principale, grand-rue f; **'~verkehrszeit** f heures f/pl de pointe; **'~versammlung** f assemblée f générale; **'~wohnsitz** m résidence f principale

Haus [haus] n (-es; [⸚]er) maison f; Parlament Assemblée f; Schnecke coquille f; **zu ~e** à la maison, chez soi; **nach ~e kommen** rentrer à la maison od chez soi; **'~arbeit** f travaux m/pl domestiques od du ménage; Schule devoir m; **'~arzt** m médecin m de famille; **'~besetzer** m squatter m; **'~besetzung** f squattérisation f; **'~besitzer(in** f) m propriétaire m (f d'une maison)

'Haus|flur m entrée f, vestibule m; **'~frau** f ménagère f; Berufsangabe femme f au foyer; Hausherrin maîtresse f de maison; **'~friedensbruch** jur m violation f de domicile; **'~gast** m pensionnaire m, f; **'~halt** m (-[e]s; -e) ménage m; écon, pol budget m; **2halten** (irr, sép, -ge-, h, → **halten**) économiser (mit etw qc); **'~haltsgerät** n appareil m ménager; **'~haltsdefizit** n déficit m budgétaire; **'~haltsplan** m budget m; **'~haltswaren** f/pl articles m/pl ménagers; **'~herr(in** f) m maître m, maîtresse f de maison; **2hoch** de la hauteur d'une maison; fig **haushohe Niederlage** défaite f immense

hausier|en [hau'ziːrən] (pas de -ge-, h) **mit etw ~** colporter qc; **2er** m (-s; -), **2erin** f (-; -nen) colporteur m, -euse f

häuslich ['hɔyslɪç] domestique; Person qui aime son intérieur, casanier

'Haus|mann m homme m au foyer; **'~mannskost** f cuisine f maison; **'~marke** f marque f de tâcheron; **'~meister** m concierge m; **'~mittel** n remède m de bonne femme; **'~ordnung** f règlement m intérieur (d'une maison); **'~rat** m ustensiles m/pl de ménage; **'~schuhe** m/pl chaussons m/pl, pantoufles f/pl

Hausse ['hoːs(ə)] f (-; -n) écon hausse f

'Haus|suchung jur f perquisition f;

'~tier n animal m domestique; **'~tür** f porte f d'entrée; **'~verwalter** m gérant m (d'immeubles); **'~wirtschaft** f économie f domestique; **'~zelt** n tente f familiale

Haut [haut] f (-; [⸚]e) peau f; **bis auf die ~ durchnässt** trempé jusqu'aux os; **'~abschürfung** f égratignure f; **'~arzt** m dermatologue m; **'~ausschlag** méd m eczéma m

haut|eng ['~ʔɛŋ] collant, moulant; **'2farbe** f couleur f de (la) peau; **'2krankheit** méd f dermatose f; **'2pflege** f soins m/pl dermatologiques

H-Bombe ['haː-] mil f bombe f H

Hebamme ['heːpʔamə] f (-; -n) sage-femme f

Hebebühne ['heːbə-] auto f pont m élévateur

Hebel ['heːbəl] m (-s; -) levier m

heben ['heːbən] (hob, gehoben, h) Last soulever; Arm lever; fig Niveau relever; Stimmung faire monter; **sich ~** se lever, monter

Hecht [hɛçt] zo m (-[e]s; -e) brochet m

Heck [hɛk] n (-[e]s; -s, -e) arrière m; mar a poupe f

Hecke ['hɛkə] f (-; -n) haie f; **'~nschütze** m franc-tireur m

'Heck|fenster n lunette f arrière; **'~motor** m moteur m arrière; **'~scheibe** f lunette f arrière; **'~tür** f hayon m

Heer [heːr] n (-[e]s; -e) armée f

Hefe ['heːfə] f (-; -n) levure f de boulanger

Heft [hɛft] n (-[e]s; -e) Schreib2 cahier m; Zeitschrift numéro m; Griff manche m; **'~apparat** m agrafeuse f; **2en** (h) attacher, agrafer (an à); vornähen bâtir; Buch brocher; **'~er** m (-s; -) classeur m

'heftig violent, véhément; **'2keit** f (-; sans pl) violence f, véhémence f

'Heft|klammer f agrafe f; Büroklammer trombone m; **'~pflaster** n pansement m adhésif; sparadrap m

hegen ['heːgən] (h) soigner; Hoffnung caresser

Hehl [heːl] n **kein ~ aus etw machen** ne pas dissimuler qc; **'~er** m (-s; -), **'~erin** f (-; -nen) receleur m, -euse f; **'~erei** [-'raɪ] jur f (-; -en) recel m

Heide ['haɪdə] f (-; -n) lande f, bruyère f;

'**~kraut** bot n (-[e]s; sans pl) bruyère f

Heidelbeere ['haidəl-] bot f myrtille f

'**Heiden|angst** f F **e-e ~ haben** avoir une peur bleue; '**~geld** n (-[e]s; sans pl) F **ein ~** une fortune; '**~lärm** m F boucan m du diable

heikel ['haikəl] délicat, scabreux; Person difficile

heil [hail] Person indemne, sain et sauf; Sache intact, entier

Heil n (-s; sans pl) salut m; **sein ~ versuchen** tenter sa chance

Heiland ['hailant] rel m (-[e]s; sans pl) Sauveur m

'**Heil|bad** n ville f d'eaux, station f thermale; '**~bar** curable; '**~en** (h) guérir

heilig saint; geheiligt sacré; '**~abend** m veille f de Noël; '**~e** m, f (-n; -n) saint m, -e f, **~enschein** ['-igən-] m auréole f; '**~tum** n (-s; ≠er) sanctuaire m

'**Heil|kraft** f vertu f curative; '**~kraut** n plante f médicinale; **~los** ['-lo:s] Durcheinander terrible; '**~mittel** n remède m; '**~praktiker** m guérisseur m; '**~quelle** f source f minérale od médicinale; '**~sam** salutaire; '**~sarmee** f Armée f du Salut; **Mitglied m der ~** salutiste m, f; '**~ung** f (-; -en) guérison f; '**~wirkung** f effet m curatif

heim [haim] à la maison, chez soi

Heim n (-[e]s; -e) foyer m, chez-soi m (od chez-moi etc); Alters~ maison f de retraite; Kinder~ home m d'enfants; '**~arbeit** f travail m à domicile

Heimat ['haima:t] f (-; sans pl) pays m natal, pays m, patrie f; '**~adresse** f adresse f permanente; '**~hafen** m port m d'attache; **~land** n → **Heimat**; **~los** ['-lo:s] apatride; '**~ort** m lieu m de naissance; '**~vertriebene** m, f (-n; -n) expulsé m, réfugié m

'**heim|fahren** (irr, sép, -ge-, sn, → **fahren**) rentrer (chez soi); '**~gehen** (irr, sép, -ge-, sn, → **gehen**) rentrer (chez soi); '**~isch** (qui est) du pays, indigène; **sich ~ fühlen** se sentir chez soi; '**~kehr** ['-ke:r] f (-; sans pl) retour m, rentrée f; '**~kehren** (sép, -ge-, sn) rentrer, retourner chez soi; '**~kehrer** m (-s; -) rapatrié m; '**~lich** secret, clandestin; '**~reise** f retour m; '**~suchen** (sép, -ge-, h) Unglück affliger, frapper; '**~tücke** f (-; sans pl) perfidie f, sournoiserie f; '**~tückisch**

perfide, sournois; Krankheit insidieux; '**~weg** m chemin m du retour; '**~weh** n (-s; sans pl) mal m du pays, nostalgie f; '**~werker** ['-vɛrkər] m (-s; -) bricoleur m

Heirat ['haira:t] f (-; -en) mariage m; '**~en** (h) se marier (j-n avec qn), épouser (qn)

'**Heirats|antrag** m demande f en mariage; '**~vermittlung** f agence f matrimoniale

heiser ['haizər] enroué; **~ werden** s'enrouer; '**~keit** f (-; sans pl) enrouement m

heiß [hais] chaud; fig Wunsch ardent; **es ist ~** il fait chaud; **mir ist ~** j'ai chaud

heiß|en ['haisən] (hieß, geheißen, h) s'appeler, se nommer; **das heißt** c'est-à-dire; **es heißt** on dit; **was heißt ... auf Französisch?** comment dit-on ... en français?; '**~laufen** (irr, sép, -ge-, sn, → **laufen**) s'échauffer

heiter ['haitər] lustig gai; Wetter beau; abgeklärt serein; fig **aus ~em Himmel** sans prévenir, comme un coup de tonnerre; F **das kann ~ werden!** ça commence bien!; ça promet!; '**~keit** f (-; sans pl) gaîté f, hilarité f; innere sérénité f

heiz|en ['haitsən] (h) chauffer; '**~er** m (-s; -) chauffeur m; '**~kessel** m chaudière f; '**~kissen** n coussin m électrique; '**~körper** m radiateur m; '**~material** n combustible m; '**~ung** f (-; -en) chauffage m

hektisch ['hɛktiʃ] fébrile, fiévreux

Held [hɛlt] m (-en; -en), '**~in** f (-; -nen) héros m, héroïne f

helden|haft ['hɛldən-] héroïque; '**~mut** m héroïsme m; '**~tat** f action f héroïque; exploit m; '**~tum** n (-s; sans pl) héroïsme m

helfen ['hɛlfən] (half, geholfen, h) **j-m ~** aider qn, secourir qn, assister qn; **er weiß sich zu ~** il sait se débrouiller; **es hilft nichts** il n'y a rien à faire

'**Helfer** m (-s; -), '**~in** f (-; -nen) aide m, f, assistant m, -e f; '**~shelfer(in** f) m complice m, f

hell [hɛl] clair; **am ~en Tage** en plein jour; **es wird schon ~** le jour commence à poindre

'**hell|blau** bleu clair; '**~blond** blond très clair

Helm [hɛlm] m (-[e]s; -e) casque m

Hemd [hɛmt] n (-[e]s; -en) chemise f; '~bluse f chemisier m; '~kragen m col m de chemise

Hemisphäre [hemi'sfɛːrə] f (-; -n) hémisphère m

hemm|en ['hɛmən] (h) freiner, enrayer, entraver; 'Qnis n (-ses; -se) entrave f; '~ungslos sans retenue

Hengst [hɛŋst] zo m (-[e]s; -e) étalon m

Henkel ['hɛŋkəl] m (-s; -) anse f

Henker ['hɛŋkər] m (-s; -) bourreau m

Henne ['hɛnə] f (-; -n) poule f

her [heːr] **hier** ~ par ici; F ~ **damit!** donne!; **von ...** ~ du côté de; **neben ...** ~ à côté de; **das ist lange** ~ il y a longtemps de cela

herab [hɛ'rap] en bas; **von oben** ~ d'en haut (a fig); **~lassen** (irr, sép, -ge-, h, → **lassen**) Vorhänge baisser; fig **sich** ~ **zu** condescendre à; **~lassend** condescendant; **~setzen** (sép, -ge-, h) Preis baisser, réduire, diminuer; fig déprécier; **~steigen** (irr, sép, -ge-, sn, → **steigen**) descendre

heran|bringen [hɛ'ran-] (irr, sép, -ge-, h, → **bringen**) apporter; **~kommen** (irr, sép, -ge-, sn, → **kommen**) s'approcher (**an** de); fig atteindre, égaler (qc); **etw an sich** ~ **lassen** s'attendre de sang-froid à qc; **~wachsen** (irr, sép, -ge-, sn, → **wachsen**) grandir, croître; **Qwachsende** m, f (-n; -n) adolescent m, -e f

herauf [hɛ'rauf] en haut; **~beschwören** (irr, sép, pas de -ge-, h, → **schwören**) Gefahr provoquer; Erinnerung évoquer; **~kommen** (irr, sép, -ge-, sn, → **kommen**) monter

heraus [hɛ'raus] (en) dehors; **zum Fenster** ~ par la fenêtre; ~ **mit der Sprache!** parle!, dis-le!; **~bekommen** (irr, sép, pas de -ge-, h, → **bekommen**) (parvenir à) faire sortir; entdecken découvrir; **ich bekomme noch 10 Mark heraus** vous me devez encore dix marks; **~bringen** (irr, sép, -ge-, h, → **bringen**) sortir (a Buch); erraten deviner; **~finden** (irr, sép, -ge-, h, → **finden**) découvrir, trouver la solution; aus etw trouver son chemin; **~forderer** m (-s; -) Sport challenge(u)r m; **~fordern** (sép, -ge-, h) provoquer, défier; **Qforderung** f (-; -en) provocation f,

défi m; **Qgabe** f (-; sans pl) remise f, restitution f; **~geben** (irr, sép, -ge-, h, → **geben**) ausliefern remettre; zurückerstatten restituer; Geld rendre la monnaie; Buch éditer, publier; **Qgeber** m (-s; -) éditeur m responsable; **~kommen** (irr, sép, -ge-, sn, → **kommen**) sortir; Buch être publié, paraître; **~nehmen** (irr, sép, -ge-, h, → **nehmen**) retirer; fig **sich etw** ~ se permettre de; **~reden** (sép, -ge-, h) **sich** ~ chercher des excuses; **~stellen** (sép, -ge-, h) placer dehors, sortir; betonen mettre en évidence; **sich** ~ **als** apparaître comme

herb [hɛrp] Geschmack âpre; Wein sec; fig amer

herbei|führen [hɛr'bai-] (sép, -ge-, h) fig causer; **~holen** (sép, -ge-, h) aller chercher; **~schaffen** (sép, -ge-, h) apporter, fournir

Herberge ['hɛrbɛrɡə] f (-; -n) auberge f

herbringen ['heːr-] (irr, sép, -ge-, h, → **bringen**) apporter; amener (a j-n)

Herbst [hɛrpst] m (-[e]s; -e) automne m; 'Qlich automnal

Herd [heːrt] m (-[e]s; -e) cuisinière f; fig foyer m

Herde ['heːrdə] f (-; -n) troupeau m (a fig)

herein [hɛ'rain] (en) dedans, à l'intérieur; **~!** entrez!; **~brechen** (irr, sép, -ge-, sn, → **brechen**) Nacht tomber; Unheil s'abattre (**über** sur); **~fallen** (irr, sép, -ge-, sn, → **fallen**) fig se laisser prendre; F se faire avoir od rouler; **~kommen** (irr, sép, -ge-, sn, → **kommen**) entrer; **~lassen** (irr, sép, -ge-, h, → **lassen**) laisser entrer; **~legen** (sép, -ge-, h) fig j-n ~ tromper od F rouler qn

'her|fallen (irr, sép, -ge-, sn, → **fallen**) ~ **über** tomber od se ruer sur; '~geben (irr, sép, -ge-, h, → **geben**) donner, rendre; **sich zu etw** ~ se prêter à qc; '~holen (sép, -ge-, h) aller chercher

Hering ['heːrin] m (-s; -e) hareng m; Zelt piquet m

'her|kommen (irr, sép, -ge-, sn, → **kommen**) (s')approcher; abstammen provenir (**von** de); **wo kommst du her?** d'où viens-tu?; **Qkunft** ['-kunft] f (-; sans pl) provenance f, origine f; **Qkunftsland** n pays m d'origine; '~laufen (irr, sép, -ge, sn, → **laufen**) *hinter j-m* ~ courir après qn; '~**machen** (*sép*, *-ge-*, h) *sich* ~ *über* se jeter sur

hermetisch [her'me:tiʃ] hermétique

heroi|sch [he'ro:iʃ] héroïque; **2smus** [-o'ismus] *m* (-; *sans pl*) héroïsme *m*

Herr [her] *m* (-en; -en) monsieur *m*; *als Anrede* Monsieur (*abr* M.); *Meister*, *vom Hund* maître *m*; *rel* **der** ~ le Seigneur

'Herren|anzug *m* complet *m*, costume *m*; '~**bekleidung** *f* vêtements *m/pl* pour hommes; '~**friseur** *m* coiffeur *m* pour hommes; '~**mode** *f* mode *f* masculine; '~**rad** *n* bicyclette *f* d'homme; '~**toilette** *f* toilettes *f/pl* pour hommes

herrichten ['her.-] (*sép*, *-ge-*, h) préparer; *Haus* aménager

Herr|in ['herin] *f* (-; *-nen*) maîtresse *f*; **2isch** autoritaire, impérieux

'herrlich magnifique, splendide; '**2keit** *f* (-; *-en*) splendeur *f*, magnificence *f*, gloire *f*

'Herrschaft *f* (-; *-en*) domination *f*; *Regierungszeit* règne *m*; *höchste Gewalt* souveraineté *f*; **meine ~en!** Messieurs Dames!; *die* ~ **verlieren über** perdre le contrôle de

herrsch|en ['herʃən] (h) dominer; *Monarch* régner (*über* sur); **2er** *m* (-s; -), **2erin** *f* (-; *-nen*) souverain *m*; -e *f*; **~süchtig** despotique

'her|rühren (*sép*, *-ge-*, h) provenir (*von* de); '~**stellen** (*sép*, *-ge-*, h) produire, fabriquer, confectionner, manufacturer; *Verbindung* établir; '**2steller** *m* (-s;-) fabricant *m*, producteur *m*; '**2stellung** *f* (-; *sans pl*) fabrication *f*, production *f*

herüber [he'ry:bər] de ce côté-ci

herum [he'rum] *um* ... ~ autour de; *rings* ~ tout autour; *anders* ~ à l'envers de l'autre côté; *hier* ~ par ici

he'rum|drehen (*sép*, *-ge-*, h) (*sich* ~ se) retourner; *Kopf* tourner; ~**kommen** (*irr*, *sép*, *-ge-*, sn, → **kommen**) *er ist weit herumgekommen* il a beaucoup voyagé, il a vu beaucoup de pays; *fig* *um etw* ~ passer au travers de qc; ~**kriegen** (*sép*, *-ge-*, h) *j-n* ~ faire changer qn d'avis; ~**sprechen** (*irr*, *sép*, *-ge-*, h → **sprechen**) *sich* ~ s'ébruiter; ~**treiben** (*irr*, *sép*, *-ge-*, h → **treiben**) *sich in Kneipen* ~ courir les bistrots

herunter [he'runtər] en bas; ~**ge-**

kommen *Mensch* tombé bien bas; *Haus* à l'abandon; ~**machen** (*sép*, *-ge-*, h) F *j-n* ~ dénigrer qn; ~**schlucken** (*sép*, *-ge-*, h) avaler; ~**spielen** (*sép*, *-ge-*, h) *etw* ~ dédramatiser qc

hervor|bringen [her'fo:r-] (*irr*, *sép*, *-ge-*, h, → **bringen**) produire, faire naître; ~**gehen** (*irr*, *sép*, *-ge-*, sn, → **gehen**) sortir, résulter (*aus* de); *als Sieger* ~ sortir vainqueur; ~**heben** (*irr*, *sép*, *-ge-*, h, → **heben**) *fig* faire ressortir, rehausser, mettre en relief, souligner; ~**ragen** (*sép*, *-ge-*, h) saillir; *fig* se distinguer; ~**ragend** *fig* excellent; *Person* éminent; ~**rufen** (*irr*, *sép*, *-ge-*, h, → **rufen**) *fig* faire naître, provoquer, causer, susciter; ~**stechend** *fig* saillant; (pré)dominant; ~**tun** (*irr*, *sép*, *-ge-*, h, → **tun**) *sich* ~ se distinguer, se faire remarquer

Herz [herts] *n* (-ens; -en) cœur *m* (*a fig*); *von ganzem* ~*en* de tout mon (ton *etc*) cœur; *sich etw zu* ~*en nehmen* prendre qc à cœur; *etw auf dem* ~*en haben* avoir qc sur le cœur

'Herzanfall *m* crise *f* cardiaque

'Herzens|lust *f nach* ~ à cœur joie; '~**wunsch** *m* désir *m* ardent

'Herz|fehler *m* vice *m od* lésion *f* cardiaque; '**2haft** courageux; *Speise* savoureux

Herz|infarkt ['-'infarkt] *méd m* infarctus *m* du myocarde; '~**klopfen** *n* (-s; *sans pl*) battements *m/pl* de cœur; '**2krank** cardiaque; '**2lich** cordial, affectueux; ~*e Grüße Brief* sincères amitiés; ~ *gern* avec le plus grand plaisir

'Herz|schlag *m* battement *m* de cœur; *Todesursache* crise *f* cardiaque, arrêt *m* du cœur; '~**schrittmacher** *m* stimulateur *m* cardiaque; '~**spezialist** *méd m* cardiologue *m*; '~**verpflanzung** *méd f* greffe *f* du cœur

Hessen ['hesən] *n* (-; *sans pl*) la Hesse

Hetz|e ['hetsə] *f* (-; *sans pl*) *Eile* précipitation *f*; *fig* polémique *f*, agitation *f*, propos *m/pl* incendiaires; '**2en** (h) *Hund* lâcher (*auf* sur); *verfolgen* traquer; *eilen* se dépêcher, se presser; *pol* tenir des propos incendiaires (*gegen* contre); '~**kampagne** *f* campagne *f* de haine

Heu [hɔy] *n* (-[*e*]*s*; *sans pl*) foin *m*

Heuchel|ei [hɔyçə'lai] *f* (-; *-en*) hypocrisie *f*; **'˶n** (*h*) feindre; faire l'hypocrite

'Heuchler *m* (*-s*; -), **'˶in** *f* (-; *-nen*) hypocrite *m*; **'˶isch** hypocrite

Heuer ['hɔyər] *mar f* (-; *-n*) paie *f* de marin

heulen ['hɔylən] (*h*) hurler; *weinen* pleurnicher *F*

'Heu|schnupfen *méd m* rhume *m* des foins; **'˶schrecke** ['-ʃrɛkə] *zo f* (-; *-n*) sauterelle *f*

heute ['hɔytə] aujourd'hui; *~ Morgen (Abend)* ce matin (soir); *~ in acht (vierzehn) Tagen* (d')aujourd'hui en huit (en quinze), d'ici à huit (à quinze) jours; *~ vor acht Tagen* il y a huit jours; *noch ~* ce jour même

'heut|ig ['hɔytɪç] aujourd'hui; *jetzig* actuel; **'˶zutage** ['hɔyttsutaːgə] de nos jours

'Hexen|jagd *pol f* chasse *f* aux sorcières; **'˶schuss** *méd m* lumbago *m*

Hieb [hiːp] *m* (*-[e]s*; -e) coup *m*

hier [hiːr] ici; *d(ies)er Mann ~* cet homme-ci; *~ bin ich* me voilà; *fig F es steht mir bis ~* j'en ai jusque-là; *'˶auf* Ort là-dessus; *Zeit* après cela, après quoi; *'˶aus* *fig* de ceci, de là; *'˶bei* *bei dieser Gelegenheit* à cette occasion; *gleichzeitig* en même temps; *'˶durch* par ici; *fig* par ce moyen, par là; *'˶hin* par ici, de ce côté-ci; *bis hierher* jusqu'ici, jusque-là; *hierhin und dorthin* là-de-ci de-là, par-ci, par-là; *'˶in* là-dedans; *fig* en cela; *'˶mit* avec cela; *Brief* par la présente; *'˶nach* après cela; *demzufolge* en conséquence; *'˶über* là-dessus, à ce sujet; *Richtung* de ce côté-ci, par ici; *'˶unter* là-dessous; *verstehen* par là; *'˶von* de cela; en; *'˶zu* à cela; à cet effet; à ce sujet; *'˶zulande* ici, dans ce pays

hiesig ['hiːzɪç] d'ici, de ce lieu

Hilfe ['hɪlfə] *f* (-; *-n*) aide *f*, secours *m*, assistance *f*, appui *m*; *(zu) ˶!* au secours!; *mit der ~ j-s* avec l'aide de qn; *mit ~ von etw* à l'aide de qc; *j-m erste ~ leisten* donner les premiers soins à qn

'hilflos privé de secours; sans défense, désarmé; impuissant

'Hilfs|aktion *f* secours *m/pl*; **'˶arbeiter** *m* manœuvre *m*; **'˶bedürftig** nécessiteux; **'˶bereit** serviable; **'˶bereitschaft** *f* esprit *m* d'entraide; serviabi-

lité *f*; **'˶kraft** *f* aide *m*, *f*, **'˶mittel** *n* ressource *f*; instrument *m* de travail

Himbeere ['hɪmbeːrə] *bot f* (-; *-n*) framboise *f*

Himmel ['hɪməl] *m* (*-s*; -) ciel *m*; *unter freiem ~* en plein air; *um ˶s willen!* mon Dieu!; *fig aus heiterem ~* sans prévenir; *'˶fahrt f* (-; *sans pl*) (*Christi*) *~* Ascension *f*; *Mariä ~* Assomption *f*

'Himmels|körper *m* corps *m* céleste; **'˶richtung** *f* point *m* cardinal

'himmlisch céleste; *fig* divin

hin [hɪn] **1.** *adv* (vers ce lieu-)là; y; *nach Norden ~* vers le nord; *über Jahre ~* pendant des années; *auf seine Bitte ~* sur *od* à sa demande; *es ist noch lange ~* il y a encore longtemps d'ici là; *~ und zurück* aller et retour; *~ und her* dans un sens et dans l'autre; *~ und her gehen* aller et venir; *~ und wieder* de temps à autre; **2.** *adj* F foutu, fichu; *unsere Ruhe ist ~* c'en est fini de notre repos

hinab [hɪ'nap] en bas; en descendant; *den Fluss ~* en aval; *'˶fahren* (*irr, sép, -ge-, sn → fahren*), *'˶gehen* (*irr, sép, -ge-, sn, → gehen*) descendre

hinarbeiten ['hɪn?-] (*sép, -ge-, h*) *auf etw ~* viser à qc

hinauf [hɪ'nauf] vers le haut; en montant; en haut; *den Fluss ~* en amont; *'˶fahren* (*irr, sép, -ge-, sn → fahren*), *'˶gehen* (*irr, sép, -ge-, sn → gehen*), *'˶steigen* (*irr, sép, -ge-, sn → steigen*) monter

hinaus [hɪ'naus] dehors; *~ mit dir!* sors d'ici!, dehors!; *zum Fenster ~* par la fenêtre; *'˶gehen* (*irr, sép, -ge-, sn → gehen*) sortir; *über etw ~* dépasser qc; *Fenster ~ auf* donner sur; *'˶laufen* (*irr, sép, -ge-, sn, → laufen*) *~ auf* aboutir à, revenir à; *'˶lehnen* (*sép, -ge-, h*) *sich ~* se pencher au dehors; *'˶werfen* (*irr, sép, -ge-, h, → werfen*) jeter (dehors); *j-n ~* mettre *od* F flanquer à la porte; *'˶wollen* (*irr, sép, -ge-, h, → wollen*) vouloir sortir; *fig ~ auf* viser à; *darauf wollte ich hinaus* voilà où je voulais en venir

'Hinblick *m im ~ auf* en vue de, en considération de, eu égard à

hinder|lich ['hɪndərlɪç] gênant; *j-m ~ sein* entraver qn; *'˶n* (*h*) empêcher (*j-n an etw* qn de faire qc); gêner; *'˶nis* *n*

(*-ses; -se*) obstacle *m*

hin'durch *durch etw* ~ à travers qc; *quer* au travers de qc; par; *zeitlich* pendant, durant

hinein [hi'nain] dedans; *hier* ~ par ici; *bis tief in die Nacht* ~ jusque tard dans la nuit; **~geraten** (*irr, sép, pas de -ge-, sn,* → **geraten**) *in etw* ~ tomber dans qc

'hin|fahren (*irr, sép, -ge-,* → **fahren**) 1. *v/i* (*sn*) y aller (en voiture, *etc*); 2. *v/t* (*h*) *j-n* y conduire; **2fahrt** *f* aller *m*; **~fallen** (*irr, sép, -ge-, sn,* → **fallen**) tomber (par terre); **~fällig** *gebrechlich* infirme; *ungültig* nul, caduc; ~ *werden* se périmer, s'annuler; *das ist* ~ ce n'est plus valable; '**2gabe** *f* (*-; sans pl*) dévouement *m*

hin'gegen par contre, au contraire

'hin|gehen (*irr, sép, -ge-,* → **gehen**) y aller; **~halten** (*irr, sép, -ge-, h,* → **halten**) tendre, présenter; *j-n* ~ faire attendre qn

hinken ['hiŋkən] (*h*) boiter (*a fig*); être boiteux

'hin|kommen (*irr, sép, -ge-, sn,* → **kommen**) venir (à, chez), y aller; *wo ist meine Brille hingekommen?* où sont passées mes lunettes?; *wo kämen wir denn hin, wenn ...* que deviendrions-nous si ...; '**~länglich** suffisant; *adv* suffisamment; '**~legen** (*sép, -ge-, h*) poser, coucher; *sich* ~ se coucher, se mettre au lit; s'allonger, s'étendre; '**~nehmen** (*irr, sép, -ge-, h,* → **nehmen**) accepter, tolérer; '**~reichen** (*sép, -ge-, h*) tendre; *genug sein* suffire; '**2reise** *f* aller *m*; '**~reißend** ravissant; '**~richten** (*sép, -ge-, h*) *Verbrecher* exécuter; '**2richtung** *f* (*-; -en*) exécution *f*; '**~setzen** *f* (*sép, -ge-, h*) mettre, poser, placer; *sich* ~ s'asseoir; '**2sicht** *f* (*-; sans pl*) *in dieser* ~ à cet égard, sous ce rapport; '**~sichtlich** en ce qui concerne, par rapport à, quant à; '**~stellen** (*sich* ~ se) placer; ~ *als* faire passer pour

hinten ['hintən] derrière, à l'arrière; *im Hintergrund* au fond; *von* ~ par derrière; *nach* ~ en arrière; '**~herum** par derrière (*a fig*)

hinter ['hintər] *prép* (*wo? dat; wohin? acc*) derrière; *Folge* après; ~ *sich bringen* en finir avec

'hintere *adj* de derrière, arrière

'hinter|einander l'un après l'autre; *dreimal* ~ trois fois de suite; '**2gedanke** *m* arrière-pensée *f*; '**~gehen** (*irr, pas de -ge-, h,* → **gehen**) abuser, tromper; '**2grund** *m* fond *m*; *Bild* arrière-plan *m*; *fig* **Hintergründe** dessous *m/pl*; '**~hältig** ['-hɛltiç] sournois; '**~her** après (coup); '**2hof** *m* arrière-cour *f*; '**2kopf** *m* arrière *m* de la tête, occiput *m*; '**2land** *n* (*-es; sans pl*) arrière-pays *m*, hinterland *m*; '**~lassen** (*irr, pas de -ge-, h,* → **lassen**) laisser; *letztwillig* léguer; '**2lassenschaft** *f* (*-; -en*) héritage *m*; '**~legen** (*pas de -ge-, h*) déposer; '**~listig** sournois

'Hintern *m* (*-s; -*) derrière *m*, postérieur *m*

'Hinter|rad *n* roue *f* arrière; '**~seite** *f* derrière *m*; '**~teil** *n* derrière *m*; '**~tür** *f* porte *f* de derrière; *fig* porte *f* de sortie; **2'ziehen** (*irr, pas de -ge-, h,* → **ziehen**) *Steuern* ~ frauder le fisc

hinüber [hi'ny:bər] de l'autre côté; *über ... hinweg* par-dessus ...; ~ *sein* F *Kleid* être foutu; *Fleisch* être avarié; **~gehen** (*irr, sép, -ge-, sn,* → **gehen**) traverser (*über etw* qc)

Hin und Her *n* va-et-vient *m*

'Hin- und 'Rückfahrt *f* aller et retour *m*

hinunter [hi'nuntər] en bas; en descendant; **~gehen** (*irr, sép, -ge-, sn,* → **gehen**) descendre; **~schlucken** (*sép, -ge-, h*) avaler

Hinweg ['hinve:k] *m* aller *m*; *auf dem* ~ en y allant, à l'aller

'hinweg [hin'vɛk] ~ *mit euch!* ôtez-vous de là!; *über etw* ~ par-dessus qc; **~kommen** (*irr, sép, -ge-, sn,* → **kommen**) ~ *über* surmonter (qc); **~sehen** (*irr, sép, -ge-, h,* → **sehen**) ~ *über* fermer les yeux sur, passer sur; **~setzen** (*sép, -ge-, h*) *sich* ~ *über* passer outre à

Hinweis ['hinvais] *m* (*-es; -e*) indication *f*; *Anzeichen* indice *m*; *Verweis* renvoi *m* (*auf* à); '**2en** ['-vaizən] (*irr, sép, -ge-, h,* → **weisen**) *auf etw* ~ indiquer *od* signaler qc; *j-n auf etw* ~ attirer l'attention de qn sur qc; '**~schild** *n*, '**~tafel** *f* panneau *m* indicateur; plaque *f* indicatrice

'hinziehen (*irr, sép, -ge-, h,* → **ziehen**) *sich* ~ traîner en longueur

hin'zu de plus, en outre; **~fügen** (*sép,*

-ge-, h) ajouter (**zu** à); **~kommen** (*irr*, *sép*, *-ge-*, *sn*, → **kommen**) **zu etw ~** s'ajouter à qc; **hinzu kommt noch, dass ...** ajoutez à cela que ...

Hirn [hirn] *n* (*-[e]s*; *-e*) cervelle *f*; *Organ* cerveau *m*; **~gespinst** *n* chimère *f*; **2rissig**, **2verbrannt** complètement fou, absurde

Hirsch [hirʃ] *m* (*-es*; *-e*) cerf *m*; **~kuh** *f* biche *f*

Hirse ['hirzə] *bot f* (*-*; *-n*) millet *m*, mil *m*

hissen ['hisən] (*h*) hisser

Histor|iker [hi'stoːrikər] *m* (*-s*; *-*) historien *m*; **2isch** historique

Hit [hit] *m* (*-[s]*; *-s*) hit *m*

Hitz|e ['hitsə] *f* (*-*; *sans pl*) chaleur *f*; ardeur *f*; **2ebeständig** résistant à la chaleur; **~ewelle** *f* vague *f* de chaleur; **2ig** *fig* fougueux, passionné, ardent; **~schlag** *m* coup *m* de chaleur

HIV-negativ [haːʔiːˈfaʊ-] séronégatif; **~positiv** séropositif

Hobby ['hɔbi] *n* (*-s*; *-s*) passe-temps *m* favori, hobby *m*, violon *m* d'Ingres

Hobel ['hoːbəl] *m* (*-s*; *-*) rabot *m*; **2n** (*h*) raboter

hoch [hoːx] **1.** haut; *Preis*, *Gehalt* élevé; *Alter*, *Geschwindigkeit* grand; *Fieber* fort; **2 Meter ~ sein** être haut de deux mètres, avoir deux mètres de haut; **~ hinauswollen** avoir de hautes visées; **Hände ~!** haut les mains!; **in hohem Maße** dans une large mesure; **2 begabt** surdoué; **das ist mir zu ~!** ça me dépasse!; **2.** **2** *n* (*-s*; *-s*) *Wetter* anticyclone *m*

Hoch|achtung *f* haute considération *f*; **2achtungsvoll** *Briefschluss* veuillez agréer, Monsieur *etc*, l'assurance de ma considération distinguée; **~bau** *m* *Hoch- und Tiefbau* bâtiment *m* et travaux *m/pl* publics; **~betrieb** *m* activité *f* intense; **~burg** *f* *e-r Partei* fief *m*; **2deutsch** haut allemand; **~deutsch** *n* (*-en*; *sans pl*) haut allemand *m*; **~druck** *m* haute pression *f*; **~druckgebiet** *n* zone *f* de haute pression; **~ebene** *f* plateau *m*; **~frequenz** *tech f* haute fréquence *f*; **~gebirge** *n* hautes montagnes *f/pl*; **~haus** *n* building *m*, tour *f*; **2kommen** (*irr*, *sép*, *-ge-*, *sn*, → **kommen**) **wieder ~** se relever, se remettre, se rétablir; *Land* se redresser; **~konjunktur** *f* haute

conjoncture *f*; *boom* *m* *od* prospérité *f* économique; **~land** *n* région *f* montagneuse; **~leistungs-** *in Zssgn Sport etc* de haut rendement, de haut niveau; **~mut** *m* orgueil *m*; **2mütig** [-myːtiç] orgueilleux; **2näsig** ['-nɛːziç] arrogant; **2nehmen** (*irr*, *sép*, *-ge-*, *h* → **nehmen**) **j-n ~** faire marcher qn, mener qn en bateau; **~ofen** *m* haut fourneau *m*; **2prozentig** très concentré; *Schnaps* à haute teneur en alcool; **~rechnung** *f* estimation *f*; **~saison** *f* pleine saison *f*; **~schule** *f* établissement *m* d'enseignement supérieur; **~schulabschluss** *m* diplôme *m* d'un établissement d'enseignement supérieur; **~schulreife** *f* épreuve *f* de maturité (bac *m*); **~sommer** *m* plein été *m*; **~spannung** *f* haute tension *f*; **2spielen** (*sép*, *-ge-*, *h*) *fig* **etw ~** exagérer qc; **~sprung** *m* (*-[e]s*; *sans pl*) saut *m* en hauteur

höchst [høːçst] le plus haut; maximum; *fig* extrême, suprême; *adv* extrêmement

Hochstapler ['-ʃtaːplər] *m* (*-s*; *-*) escroc *m*, imposteur *m*

höchstens ['høːçstəns] tout au plus, au maximum

Höchst|geschwindigkeit *f* vitesse *f* maximum; **~leistung** *f* rendement *m* maximum; *Sport* record *m*; **~maß** *n* maximum *m* (**an** de); **~preis** *m* prix *m* maximum; **~stand** *m* niveau *m* maximal; **2wahrscheinlich** très probablement

Hoch|verrat *m* haute trahison *f*; **~wasser** *n* crue *f*, *Überschwemmung* inondation *f*; *Meer* marée *f* haute; **2wertig** de qualité supérieure; *Erz* riche

Hochzeit ['hɔx-] *f* (*-*; *-en*) *Fest* noces *f/pl*; *Trauung* mariage *m*

hocken ['hɔkən] (*h*) être accroupi; **2er** *m* (*-s*; *-*) escabeau *m*, tabouret *m*

Hockey ['hɔke] *n* (*-s*; *sans pl*) hockey *m*

Hoden ['hoːdən] *anat m* (*-s*; *-*) testicule *m*

Hof [hoːf] *m* (*-[e]s*; *:-e*) cour *f*; *agr* ferme *f*; *Mond* halo *m*

hoffen ['hɔfən] (*h*) espérer (**auf etw** qc; **etw zu tun** faire qc); **ich hoffe nicht!** j'espère que non; **~tlich ~ kommst du** espérons *od* j'espère que tu viendras

Hoffnung ['hɔfnuŋ] f (-; -en) espérance f, espoir m

'**hoffnungslos** désespéré

höflich ['hø:flɪç] poli; '**2keit** f (-; -en) politesse f

Höhe ['hø:ə] f (-; -n) hauteur f; altitude f; e-r Summe montant m; Stand niveau m; fig **ich bin nicht ganz auf der ~** je ne me sens pas tout à fait bien; **das ist die ~!** c'est le comble!

Hoheit ['ho:haɪt] f (-; -en) pol souveraineté f; Titel Altesse f; '**~sgebiet** n territoire m national; '**~sgewässer** n/pl eaux f/pl territoriales

'**Höhen|messer** m altimètre m; '**~sonne** méd f lampe f à rayons ultraviolets; '**~unterschied** m différence f de niveau; '**~zug** m chaîne f de montagnes

'**Höhepunkt** m point m culminant, apogée m, sommet m

hohl [ho:l] creux (a fig)

Höhle ['hø:lə] f (-; -n) caverne f, grotte f

'**Hohl|maß** n mesure f de capacité; '**~raum** m espace m vide, cavité f

Hohn [ho:n] m (-[e]s; sans pl) Verachtung dédain m, mépris m; Spott raillerie f, dérision f

höhnisch ['hø:nɪʃ] méprisant, moqueur, railleur

Holdinggesellschaft ['hɔːldɪŋ-] (société f) holding m

holen ['ho:lən] (h) aller od venir chercher; ~ **lassen** envoyer chercher; **sich ~ Krankheit** attraper

Holland ['hɔlant] n (-s; sans pl) la Hollande

Holländ|er ['hɔlɛndər] (-s; -), '**~erin** f (-; -nen) Hollandais m, -e f; '**2isch** hollandais

Hölle ['hœlə] f (-; -n) enfer m; **in die ~ kommen** aller en enfer; '**~nlärm** m tapage m infernal

'**höllisch** infernal; adv F diablement

holp|(e)rig ['hɔlp(ə)rɪç] Weg cahoteux; a fig raboteux; '**~ern** (h od sn) cahoter

Holunder [ho'lundər] bot m (-s; -) sureau m

Holz [hɔlts] n (-es; ⁓er) bois m; **aus ~** en bois; ~ **hacken** casser du bois

hölzern ['hœltsərn] de od en bois; fig raide, gauche

'**Holz|fäller** ['-fɛlər] m (-s; -) bûcheron m; '**2ig** ligneux; Gemüse filandreux; '**~kohle** f charbon m de bois; '**~schnitt** m gravure f sur bois; '**~schnitzer** m sculpteur m sur bois; '**~weg** m fig **auf dem ~ sein** faire fausse route

Homöopath [homøo'pa:t] m (-en; -en) homéopathe m; **2isch** homéopathique

homosexu|ell [homo-] homosexuel; **2e** m, f (-n; -n) homosexuel m, -le f; Frau meist lesbienne f

Honig ['ho:nɪç] m (-s; -e) miel m; '**~kuchen** m pain m d'épice; '**~wabe** f rayon m de miel

Honor|ar [hono'ra:r] n (-s; -e) honoraires m/pl; '**2ieren** (pas de -ge-, h) bezahlen rétribuer; belohnen récompenser (**mit** par)

Hopfen ['hɔpfən] bot m (-s; sans pl) houblon m

'**hörbar** audible, perceptible

Horde ['hɔrdə] f (-; -n) horde f, bande f

hören ['hø:rən] (h) entendre; zu~, an~ écouter; **auf j-n ~** écouter qn; **von j-m ~** avoir des nouvelles de qn; **er hört schwer** il entend mal

'**Hör|er** m (-s; -), '**~erin** f (-; -nen) auditeur m, -trice f; tél écouteur m, récepteur m; '**~fehler** méd m défaut m de l'ouïe; '**~gerät** n appareil m de correction auditive; **2ig j-m ~ sein** être esclave de qn

Horizont [hori'tsɔnt] m (-[e]s; -e) horizon m; **das geht über meinen ~** ça me dépasse; **2al** [-'ta:l] horizontal

Hormon [hɔr'mo:n] biol n (-s; -e) hormone f

Horn [hɔrn] n (-[e]s; ⁓er) corne f; mus cor m; mil clairon m

Hörnchen ['hœrnçən] n (-s; -) Gebäck croissant m

Horoskop [horo'sko:p] n (-s; -e) horoscope m

'**Hör|saal** m salle f de cours, amphithéâtre m; '**~spiel** Radio n pièce f radiophonique

horten ['hɔrtən] (h) thésauriser, amasser, accumuler

'**Hörweite** f (-; sans pl) **in ~** à portée de la voix; **außer ~** hors de portée de la voix

Hose ['ho:zə] f (-; -n) lange pantalon m; kurze culotte f

'**Hosen|anzug** m ensemble m pantalon-veste; '**~rock** m jupe-culotte f; '**~schlitz** m braguette f; '**~tasche** f poche f (de pantalon); '**~träger** m/pl bretelles f/pl

Hospital [hɔspi'taːl] n (-s; ⁓er, -e) hôpital m

Hotel [ho'tɛl] n (-s; -s) hôtel m; **⁓besitzer(in** f) m hôtelier m, -ière f; **⁓direktor** m directeur d'hôtel; **⁓gewerbe** n industrie f hôtelière; **⁓halle** f hall m de l'hôtel; **⁓verzeichnis** n liste f des hôtels; **⁓zimmer** n chambre f d'hôtel

hüben ['hyːbən] **⁓ und drüben** de ce côté-ci et de l'autre

Hubraum ['huːpraum] auto m (-[e]s; sans pl) cylindrée f

hübsch [hypʃ] joli

'Hubschrauber aviat m (-s; -) hélicoptère m; **⁓landeplatz** m héliport m, héligare f

Huckepackverkehr ['hukəpak-] m transport m par train de semi-remorques

Huf [huːf] m (-[e]s; -e) sabot m; **⁓eisen** n fer m à cheval

Hüfte ['hyftə] f (-; -n) hanche f

Hügel ['hyːgəl] m (-s; -) colline f; **⁓ig** vallonné

Huhn [huːn] n (-[e]s; ⁓er) poule f

Hühnchen ['hyːnçən] cuis n (-s; -) poulet m; fig **mit j-m ein ⁓ zu rupfen haben** avoir un compte à régler avec qn

'Hühner|auge ['hyːnər-] méd n cor m (au pied), œil-de-perdrix m; **⁓brühe** cuis f bouillon m de poule; **⁓ei** [-'?ai] n œuf m de poule; **⁓farm** f élevage m de poules; **⁓hof** m basse-cour f; **⁓stall** m poulailler m

Hülle ['hylə] f (-; -n) enveloppe f; Buch⁓ jaquette f; Platten⁓ pochette f; **sterbliche ⁓** dépouille f mortelle; **in ⁓ und Fülle** à profusion, en abondance

'hüllen (h) envelopper (**in** dans); fig **sich in Schweigen ⁓** se renfermer dans le silence

Hülse ['hylzə] f (-; -n) Schote gousse f, cosse f; Patronen⁓ douille f; **⁓nfrüchte** f/pl cuis légumes m/pl secs; bot légumineuses f/pl

human [hu'maːn] humain; **⁓itär** [-i'tɛːr] humanitaire; **⁓ität** [-i'tɛːt] f (-; sans pl) humanité f

Hummel ['huməl] zo f (-; -n) bourdon m

Hummer ['humər] zo m (-s; -) homard m

Humor [hu'moːr] m (-s; sans pl) humour m; **⁓ haben** avoir (le sens) de l'humour; **⁓ist** [-'rist] m (-en; -en) humoriste m; **⁓istisch** 2 voll humoristique, plein d'humour

humpeln ['humpəln] (h) boiter

Hund [hunt] m (-[e]s; -e) chien m

'Hunde|hütte ['hundə-] f niche f; **⁓leine** f laisse f; **⁓müde** F éreinté, claqué F, harassé; **⁓rasse** f race f canine

hundert ['hundərt] cent; **⁓e von** des centaines de; **zu 2en** par centaines; **'2er** m (-s; -) math centaine f; Geldschein billet m de cent marks; '**⁓fach** centuple; **⁓jahrfeier** f centenaire m; **⁓jährig** [-'jɛːriç] centenaire; **⁓prozentig** fig à cent pour cent; **⁓ste** ['-stə] centième

Hündin ['hyndin] f (-; -nen) chienne f

'hündisch fig servile

Hunger ['huŋər] m (-s; sans pl) faim f; **⁓ haben** avoir faim; **⁓ bekommen** commencer à avoir faim; **vor ⁓ sterben** mourir de faim; **⁓lohn** m salaire m de famine od de misère; '**2n** (h) souffrir de la faim, fasten jeûner; **j-n ⁓ lassen** ne donner rien à manger à qn; '**⁓snot** f famine f; '**⁓streik** m grève f de la faim

hungrig ['huŋriç] affamé, qui a faim (**nach, auf** de); **ich bin ⁓** j'ai faim

Hup|e ['huːpə] auto f (-; -n) avertisseur m, klaxon m; **2en** (h) klaxonner

hüpfen ['hypfən] (h) sauter, sautiller

'Hupverbot n défense f de klaxonner

Hürde ['hyrdə] f (-; -n) Sport haie f; fig obstacle m; **⁓nlauf** m course f de haies

Hure ['huːrə] f (-; -n) prostituée f, F grue f, P putain f

husten ['huːstən] (h) **1.** tousser; **2.** 2 m (-s; -) toux f; **2anfall** m quinte f de toux; '**2saft** m sirop m contre la toux

Hut [huːt] **1.** m (-[e]s; ⁓e) chapeau m; **2.** f (-; sans pl) **auf der ⁓ sein** prendre garde (**vor** à), se tenir sur ses gardes

hüten ['hyːtən] (h) garder; **das Bett ⁓** garder le lit; **sich ⁓ vor** prendre garde à, se garder de

Hütte ['hytə] f (-; -n) cabane f; mit Strohdach chaumière f; Berg2 refuge m; tech forges f/pl; **⁓nwerk** n usine f métallurgique

Hyäne [hy'ɛːnə] zo f (-; -n) hyène f (a fig)

Hyazinthe [hya'tsintə] bot f (-; -n) jacinthe f

Hydrant [hy'drant] m (-en; -en) bouche f

d'eau *od* d'incendie
hydraulisch [hy'drauliʃ] hydraulique
Hygien|e [hy'gje:nə] f (-; *sans pl*) hygiène f; **2isch** hygiénique
Hymne ['hymnə] f (-; -n) hymne m
Hypno|se [hyp'no:zə] f (-; -n) hypnose f; **2tisieren** [-oti'zi:rən] (*pas de -ge-*, h) hypnotiser

Hypothek [hypo'te:k] f (-; -en) hypothèque f; *e-e ~ aufnehmen* prendre une hypothèque; **~enzinsen** m/pl intérêts m/pl hypothécaires
Hypothe|se [hypo'te:zə] f (-; -n) hypothèse f; **2tisch** [-'te:t-] hypothétique
Hyster|ie [hyste'ri:] f (-; *sans pl*) hystérie f; **2isch** [-'te:riʃ] hystérique

I

ich [iç] je (+ *Verb*), *vor Vokal* j'; moi; *hier bin ~* me voilà; *~ bin es* c'est moi
Ich n (-/[s]; -[s]) psych moi m; *mein anderes ~* mon autre personnalité
Ideal [ide'a:l] **1.** idéal m; *Vorbild* modèle m; **2.** *adj* idéal; **2isieren** [-ali'zi:rən] (*pas de -ge-*, h) idéaliser; **~ismus** [-a'lismus] m (-; *sans pl*) idéalisme m; **~ist** [-a'list] m (-en; -en) idéaliste m
Idee [i'de:] f (-; -n) idée f
identi|fizieren [identifi'tsi:rən] (*pas de -ge-*, h) (*sich ~* s')identifier (*mit* à *od* avec); **~sch** [i'dentiʃ] identique (*mit* à); **2tät** [-ti'te:t] f (-; *sans pl*) identité f
Ideolog|e [ideo'lo:gə] m (-n; -n) idéologue m; **~ie** [-lo'gi:] f (-; -n) idéologie f; **2isch** idéologique
Idiot [i'djo:t] m (-en; -en) idiot m; **~ie** [-ɔ'ti:] f (-; -n) idiotie f; **2isch** idiot
Idyll [i'dyl] n (-s; -e) tableau m idyllique; **2isch** idyllique
Igel ['i:gəl] zo m (-s; -) hérisson m
ignorieren [igno'ri:rən] (*pas de -ge-*, h) ignorer, ne pas tenir compte de
ihm [i:m] lui, à lui
ihn [i:n] le, *vor Vokal* l'; *nach prép* lui
ihnen [i:nən] *nach prép* eux m, elles f; *betont* à eux, à elles; **2** vous, à vous
ihr [i:r] **1.** *Personalpronomen: Dativ von sie* lui; à elle; *pl von du* vous; **2.** *Possessivpronomen: von e-r Besitzerin* son m (*vor Vokal a* f), sa f (*vor Konsonant*), *pl* ses; *von mehreren Besitzern* leur; **2** votre; **3.** *~er, ~e, ~es, der, die, das ~e od ~ige* le sien, la sienne; le (la) leur; **2er, 2e, 2es** le (la) vôtre; **'~erseits** ['-ərzaits] de sa (leur)

part; **2** de votre part; **'~esgleichen** ['-əs-] son (leur) pareil; **2** vos pareils; **'~etwegen** ['-ət-] à cause d'elle (d'eux, d'elles); **2** à cause de vous
illegal [ilega:l] illégal; **~itim** [-i'ti:m] illégitime
Illus|ion [ilu'zjo:n] f (-; -en) illusion f; **2orisch** [-'zo:riʃ] illusoire
Illustr|ation [ilustra'tsjo:n] f (-; -en) illustration f; **2'ieren** (*pas de -ge-*, h) illustrer; **~'ierte** f (-n; -n) revue f, magazine m
im [im] → *in*; **~ Bett** au lit; **~ Schrank** dans l'armoire; **~ Mai** en mai; **~ Jahre 1985** en 1985; **~ Stehen** debout
Image ['imitʃ] n (-/[s]; -s) image f (de marque)
imaginär [imagi'nε:r] imaginaire
Imbiss ['imbis] m (-es; -e) casse-croûte m, petit repas m, collation f; **'~bude** f, **'~stube** f snack m
Imit|ation [imita'tsjo:n] f (-; -en) imitation f; **2'ieren** (*pas de -ge-*, h) imiter, copier
immer ['imər] toujours; **~ noch** encore, toujours; *wer auch ~* qui que ce soit; *für ~* pour toujours, à jamais; **~ wieder** sans arrêt; **~ schneller** de plus en plus vite; **~ mehr** de plus en plus; **'~hin** en tout cas; **'~zu** constamment
Immobilien [imo'bi:ljən] pl (biens m/pl) immeubles m/pl; **~makler** m agent m immobilier
immun [i'mu:n] immunisé (*gegen* contre); **2i'tät** f (-; *sans pl*) immunité f
Imperialis|mus [imperia'lismus] m (-; *sans pl*) impérialisme m; **~t** m (-en; -en) impérialiste m; **2tisch** impérialiste

impf|en ['impfən] (h) vacciner (**gegen** contre); '**2pass** m, '**2schein** m certificat m de vaccination; '**2stoff** m vaccin m; '**2ung** f (-; -en) vaccination f

imponieren [impo'ni:rən] (pas de -ge-, h) **j-m** ~ en imposer à qn

Import [im'pɔrt] m (-[e]s; -e) importation f; ~**beschränkung** f limitation de l'importation; ~**eur** [-'tø:r] m (-s; -e) importateur m; 2'**ieren** (pas de -ge-, h) importer

imposant [impo'zant] imposant

impotent [impo'tɛnt] impuissant

imprägnieren [imprɛg'ni:rən] (pas de -ge-, h) imperméabiliser

improvisieren [improvi'zi:rən] (pas de -ge-, h) improviser

Impuls [im'puls] m (-es; -e) impulsion f; 2**iv** [-'zi:f] impulsif

imstande [im'∫tandə] ~ **sein zu** être capable od en état od à même de ...

in [in] **1.** räumlich dans, à, en; ~ **Frankreich** en France; ~ **Portugal** au Portugal; ~ **Paris** à Paris; **in den USA** aux U.S.A.; ~ **der** od **die Stadt** en ville; ~ **der Küche** dans la cuisine; **2.** zeitlich dans, en, pendant; ~ **dieser** (**der nächsten**) **Woche** cette semaine (la semaine prochaine); ~ **diesem Alter** (**Augenblick**) à cet âge (instant); ~ **3 Tagen** von jetzt an dans trois jours; Dauer en trois jours; ~ **der Nacht** pendant la nuit; **3.** Art und Weise en; **gut sein** ~ être bon en; ~ **Behandlung** (**Reparatur**) en traitement (réparation); ~**s Deutsche** en allemand; → a **im**; **4.** ~ **sein** F être branché

'inbegriffen compris

in'dem pendant que; ~ **er das tut** en faisant ceci

Inder ['indər] m (-s; -), '**in** f (-; -nen) Indien m, -ne f

Index ['indɛks] m (-es; -e, -dizes) index m; indice m

Indianer [in'dja:nər] m (-s; -), '**in** f (-; -nen) Indien m, -ne f

Indien ['indjən] n (-s; sans pl) l'Inde f

'indirekt indirect

indisch ['indiʃ] indien

'indiskret indiscret

indiskutabel ['indiskuta:bəl] inadmissible, hors de question

individuell [individu'el] individuel

Individuum [-'vi:duum] n (-s; -duen)

individu m

industrialisieren [industriali'zi:rən] (pas de -ge-, h) industrialiser

Industrie [indus'tri:] f (-; -n) industrie f; ~**abfälle** m/pl déchets m/pl industriels; ~**gebiet** n région f industrielle; ~**kaufrau** f, ~**kaufmann** m agent m commercial en produits industriels

industriell [-i'el] industriel; 2**e** m (-n; -n) industriel m

Indus'trie|staat m pays m (nation f) industrialisé(e); ~ **und Handelskammer** f Chambre f du Commerce et de l'Industrie

Infarkt [in'farkt] m (-[e]s; -e) méd infarctus m

Infektion [infek'tsjo:n] méd f (-; -en) infection f; ~**skrankheit** f maladie f infectieuse

infizieren [infi'tsi:rən] (pas de -ge-, h) infecter, contaminer

Inflation [infla'tsjo:n] f (-; -en) inflation f; ~**srate** f taux m d'inflation

in'folge prép (gén) par suite de; ~'**dessen** par conséquent

Inform|atik [infor'ma:tik] f (-; sans pl) informatique f; ~'**atiker** m (-s; -) informaticien m; ~**ation** [-a'tsjo:n] f (-; -en) information f; ~**a'tionsbüro** n agence f de renseignements; 2'**ieren** (pas de -ge-, h) (**sich** ~ s')informer (**über** de); **falsch** ~ mal informer

infra|rot ['infra-] infrarouge; '2**struktur** f infrastructure f

Infusion [infu'zjo:n] méd f (-; -en) perfusion f

Ingenieur [inʒe'njø:r] m (-s; -e) ingénieur m

Inhaber ['inha:bər] m (-s; -), '~**in** f (-; -nen) possesseur nur m, propriétaire m, f; e-s Amtes, Kontos titulaire m, f; e-s Rekords détenteur m, -trice f

Inhalt ['inhalt] m (-[e]s; -e) contenu m; Raum2 capacité f, volume m; fig sens m, fond m

'Inhalts|angabe f résumé m, sommaire m; '~**verzeichnis** n table f des matières

Initiative [initsja'ti:və] f (-; -n) initiative f

inklusiv|e [inklu'zi:və] adv u prép (gén) (y) compris; 2**preis** m prix m tout compris

'inkonsequent inconséquent

In-'Kraft-Treten n (-s; sans pl) entrée f

en vigueur

'Inland n (-[e]s; sans pl) pays m; **Lan-**
desinnere intérieur m du pays; '**.flug** m
vol m national; '**.geschäft** n commerce m intérieur; '**.sgespräch** n tél
communication f interurbaine;
'**.smarkt** m marché national

innen ['inən] dedans, à l'intérieur

'Innen|architekt(in f) m architecte-
décorateur m; '**.minister** m ministre m
de l'Intérieur; '**.ministerium** n ministère m de l'Intérieur; '**.politik** f politique f intérieure; '**.stadt** f centre m
ville

inner ['inər] intérieur; pol, méd interne;
das Innere l'intérieur m; **.betrieblich**
interne de l'exploitation; '**.halb** dans
(a zeitlich); à l'intérieur de; '**.lich** interne (a méd), intérieur

Innovation [inova'tsjo:n] f (-; -en) innovation f

Innung ['inuŋ] f (-; -en) guilde f, corporation f, corps m de métier

inoffiziell ['in?-] non officiel

ins [ins] → **in**

Insasse ['inzasə] m (-n; -n) Fahrzeug
passager m; Anstalt pensionnaire m

Inschrift f inscription f

Insekt [in'zɛkt] zo n (-[e]s; -en) insecte
m; **.enschutzmittel** n insecticide m;
.enstich m piqûre f d'insecte

Insel ['inzəl] f (-; -n) île f; **kleine ~**
îlot m; '**.gruppe** f archipel m

Inser|at [inza'ra:t] n (-[e]s; -e) annonce
f; **.ent** [-'rɛnt] m (-en; -en); **2'ieren**
(pas de -ge-, h) mettre une annonce

inso'fern 1. conj **~ als ...** dans la mesure
où ...; 2. adv sur ce point

insolvent ['inzɔlvɛnt] insolvable;
2enz f (-; -en) insolvabilité f

Inspektion [inspɛk'tsjo:n] f (-; -en)
inspection f; auto révision f

Installateur [instala'tø:r] m (-s; -e) installateur m, plombier m

instand [in'ʃtant] **~ halten** maintenir en
bon état, entretenir; **~ setzen** réparer;
2haltung f (-; sans pl) entretien m,
maintenance f

Instanz [in'ʃtants] f (-; -en) instance f;
.enweg m voie f hiérarchique

Instinkt [in'ʃtiŋkt] m (-[e]s; -e) instinct
m; **2iv** [-'ti:f] instinctif

Institut [insti'tu:t] n (-s; -e) institut m;
.ion [-u'tsjo:n] f institution f

Instrument [instru'mɛnt] n (-[e]s; -e)
instrument m

intellektuell [intɛlɛktu'ɛl] intellectuel;
2e m, f (-n; -n)

intelligent [inteli'gɛnt] intelligent

Intelligenz [-'gɛnts] f (-; -en) intelligence f; **.quotient** m quotient m
intellectuel (abr Q.I.)

intensiv [intɛn'zi:f] intense, intensif;
2kurs m cours m intensif; **2station** f
service m de réanimation

interaktiv [interak'ti:f] interactif, -ve

Intercity|-Zug [intər'siti-] m train m
intercité à grande vitesse; **~-Zuschlag**
m supplément m pour train intercité

interessant [intere'sant] intéressant

Interesse [inte'resə] n (-s; -n) intérêt m
(**an, für** à, pour); **.ent** [-'sɛnt] m (-en;
-en) amateur m, acheteur m potentiel;
2'ieren (pas de -ge-, h) intéresser qn
(**für** à); **sich ~ für** s'intéresser à, être
intéressé par

intern [in'tɛrn] interne

international [intərnatsjo'na:l] international

Internet ['intərnɛt] n (-s; sans pl) Internet m; **.café** n (-s; -s) cybercafé m

Internist [intər'nist] méd m (-en; -en)
spécialiste m des maladies internes

Inter|pretation [intərpreta'tsjo:n] f (-;
-en) interprétation f; **2pre'tieren** (pas
de -ge-, h) interpréter; **.vall** [-'val] n (-s;
-e) intervalle m; **2venieren** [-ve'ni:rən]
(pas de -ge-, h) intervenir; **.view**
[-'vju:] n (-s; -s) interview f; **2viewen**
[-'vju:ən] (pas de -ge-, h) interviewer

intim [in'ti:m] intime (**mit** avec);
2sphäre f vie f privée

'intoler|ant intolérant (**gegenüber** en-
vers); '**2anz** f (-; sans pl) intolérance f

Intranet ['intranɛt] n (-s, sans pl) Intranet m

Invalid|e [inva'li:də] m (-n; -n) invalide
m, f; **.enrente** f pension d'invalidité;
.ität [-di'tɛ:t] f (-; sans pl) invalidité f

Inventar [inven'ta:r] n (-s; -e) installation f, équipement m; Verzeichnis inventaire m

Inventur [inven'tu:r] comm f (-; -en)
inventaire m

invest|ieren [invɛs'ti:rən] (pas de -ge-,
h) investir; **2ition** [-i'tsjo:n] f (-; -en)
investissement m; **2i'tionshilfe** f aide f
à l'investissement

inwie|fern, **~weit** dans quelle mesure
in'zwischen en attendant, entretemps
Irak [i'ra:k] (-s; *sans pl*) **der ~** l'Irak *m*;
　2isch irakien
Iran [i'ra:n] (-s; *sans pl*) **der ~** l'Iran *m*;
　2isch iranien
Ir|e ['i:rə] *m* (-n; -n), **~in** *f* (-; -nen)
　Irlandais *m*; -e *f*
irgend ['irgənt] **wenn ~ möglich** si faire
　se peut; F **~ so ein ...** une espèce de ...,
　un de ces ...; **~ein** un ... quelconque;
　~einer; quelqu'un, une personne
　quelconque; *egal wer* n'importe qui;
　~etwas quelque chose; *egal was*
　n'importe quoi; **~jemand** quelqu'un;
　egal wer n'importe qui; **~wann** un
　jour; *egal wann* n'importe quand;
　~wer → ~einer; ~wie d'une façon ou
　d'une autre; *egal wie* n'importe com-
　ment; **~wo** quelque part; *egal wo*
　n'importe où
irisch ['i:riʃ] irlandais, d'Irlande
Irland ['irlant] *n* (-s; *sans pl*) l'Irlande *f*
Ironie *f* [iro'ni:] *f* (-; -n) ironie *f*; 2isch
　[-'ro:niʃ] ironique
irre ['irə] geistesgestört aliéné, fou; *ver-*
　wirrt dérangé; F *sagenhaft* formidable,
　extra, super, génial; 2 *m, f* (-n; -n)
　aliéné, -e *f*; fou *m*, folle *f*

'irreführend trompeur; *Werbung* men-
　songer
irren ['irən] (h) **sich ~** se tromper (*in*
　etw in qc; *in j-m* sur qn)
'Irrenanstalt *méd f* asile *m* d'aliénés,
　asile *m* psychiatrique
irritieren [iri'ti:rən] (*pas de -ge-, h*)
　ärgern, reizen irriter, *verwirren* dé-
　concerter
'Irr|sinn *m* (-[e]s; *sans pl*) démence *f*,
　folie *f (a fig)*; **~tum** *m* (-s; *er*) erreur *f*;
　'2tümlich ['-ty:mliç] erroné; **~weg** *m*
　mauvaise voie *f*
Ischias ['iʃias] *méd n od m* (-; *sans pl*)
　sciatique *f*
Islam [is'la:m] *rel m* (-s; *sans pl*) islam *m*
Island ['i:slant] *n* (-s; *sans pl*) l'Islande *f*
Island|er ['i:slɛndər] *m* (-s; -), **~erin** *f* (-;
　-nen) Islandais *m*, -e *f*; '2isch islandais
Isolier|band [izo'li:r-] *n* ruban *m* iso-
　lant, chatterton *m*; 2en (*pas de -ge-, h*)
　(sich ~ s')isoler; **~ung** *f* (-; -en) isole-
　ment *m*; *tech* isolation *f*
Israel ['israɛl] *n* (-s; *sans pl*) Israël *m*
Israeli [isra'e:li] *m* (-s; -s) Israélien *m*,
　-ne *f*; **2sch** israélien
Italien [i'ta:ljən] *n* (-s; *sans pl*) l'Italie *f*;
　Italien|er [ita'lje:nər] *m* (-s; -), **~erin** *f* (-;
　-nen) Italien *m*, -ne *f*; 2isch italien

J

J

ja [ja:] oui; *da ist er ~!* tiens, le voilà!; *ich
　sagte es Ihnen ~* c'est ce que je vous
　disais justement; *tut es ~ nicht!* ne
　faites surtout pas cela!; *sei ~ vorsich-
　tig!* sois bien prudent!; *du kommst
　doch, ~?* tu viens, n'est-ce pas?
Jacht [jaxt] *mar f* (-; -en) yacht *m*
Jacke ['jakə] *f* (-; -n) veste *f*; *Damen- u
　Kinder2* jaquette *f*
Jagd [ja:kt] *f* (-; -en) chasse *f (auf à)*; *auf
　die ~ gehen* aller à la chasse; *~ ma-
　chen auf* faire la chasse à; '~flugzeug
　mil n avion *m* de chasse; '~hund *m*
　chien *m* de chasse; '~revier *n* chasse *f*;
　'~schein *m* permis *m* de chasse *od de*
　chasser

jagen ['ja:gən] (h) chasser; *Verbrecher*
　pourchasser; *fig eilen* foncer; *nach etw
　~* courir après qc
Jäger ['jɛ:gər] *m* (-s; -), '~in *f* (-; -nen)
　chasseur *f*, -euse *f*
Jaguar ['ja:gua:r] *zo m* (-s; -e) jaguar *m*
Jahr [ja:r] *n* (-[e]s; -e) an *m*, année *f*; *das
　ganze ~* toute l'année; *jedes ~* tous les
　ans, chaque année; *einmal im ~* une
　fois par an; *im ~ 1986* en 1986; *ein 20
　~e altes Auto* une voiture vieille de 20
　ans; *mit 18 ~en* à 18 ans; *heute vor e-m
　~* il y a un an aujourd'hui; *die 80er ~e*
　les années 80; 2'aus, jahr'ein bon an,
　mal an; '~buch *n* annuaire *m*
'Jahres|abschluss *m* compte *m* de fin

d'année; '**~anfang** m début m od commencement m de l'année; '**~ausgleich** m → *Lohnsteuerjahresausgleich*; '**~bericht** m rapport m annuel; '**~bilanz** f bilan m de fin d'année; '**~einkommen** n revenu m annuel; '**~ende** n fin f de l'année; '**~tag** m anniversaire m; '**~umsatz** m chiffre m d'affaires annuel; '**~wechsel** m nouvel an m; '**~zahl** f millésime m; '**~zeit** f saison f

'**Jahr|gang** m année f; *mil* classe f; *Wein* millésime m; '**~hundert** n (-s; -e) siècle m; '**~hundertwende** f tournant m de siècle

jährlich ['jɛːrliç] annuel; *adv* par an

'**Jahr|markt** m foire f; '**~tausend** n (s; -e) millénaire m; '**~zehnt** n (-[e]s; -e) dizaine f d'années, décennie f

Jakob ['jaːkɔp] m (-s; *sans pl*) Jacques m

Jalousie [ʒaluˈziː] f (-; -n) store m

Jammer ['jamər] m (-s; *sans pl*) misère f; *es ist ein ~!* quelle pitié!

jämmerlich ['jɛmərliç] lamentable, déplorable, misérable

jammern ['jamərn] (h) se lamenter, gémir

Januar ['januaːr] m (-[s]; -e) janvier m

Japan ['jaːpan] n (-s; *sans pl*) le Japon; **~er** [jaˈpaːnər] m (-s; -), **~erin** f (-; -nen) Japonais m, -e f; **2isch** [-ˈpaːniʃ] japonais

Jargon [ʒarˈgõ] m (-s; -s) jargon m, argot m

jawohl [jaˈvoːl] oui; *ganz recht* bien sûr

je [jeː] *pro* par; *jeweils* chacun; *jemals* jamais; *der beste Film, den ich ~ gesehen habe* le meilleur film que j'aie jamais vu; *~ zwei* deux de chaque *od* chacun deux; *3 Mark ~ Kilo* 3 marks le kilo; *~ nach Größe* suivant la taille; *~ nachdem (, wie)* cela dépend (de); *~ ... desto ...* plus ... plus ...

'**jedenfalls** en tout cas

jeder m, **jede** f, **jedes** n ['jeːdə(r, -s)] chaque; *verallgemeinernd* tout; *substantivisch* chacun m, chacune f; *jeden zweiten Tag* tous les deux jours; *jeden Augenblick* à tout instant; *ohne jeden Kommentar* sans aucun commentaire; *jeder von uns* chacun de nous; *jeder Beliebige* n'importe qui; *das weiß jeder* tout le monde le sait

'**jedermann** chacun, tout le monde

'**jederzeit** à tout moment

'**jedesmal** chaque fois; *~ wenn* toutes les fois que

jedoch [jeˈdɔx] cependant

jemals ['jeːmaːls] jamais

jemand ['jeːmant] quelqu'un; *in negativer Umgebung* personne; *~ anders* quelqu'un d'autre; *ohne ~ zu grüßen* sans saluer personne

jener, jene, jenes n ['jeːnə(r, -s)] ce (*vor Vokal* cet) m, cette f, ces pl ... là; *substantivisch* celui-là m (*pl* ceux-là), celle-là f (*pl* celles-là); *dieses und jenes* ceci et cela

jenseits ['jeːnzaits] **1.** *prép* (*gén*) au-delà de; **2.** n (-; *sans pl*) das 2 l'au-delà m, l'autre monde m

jetzig ['jɛtsiç] actuel

jetzt [jɛtst] maintenant, à présent; *in Vergangenheitsschilderungen* alors; *bis ~* jusqu'à présent, jusqu'à maintenant; *von ~ an* désormais; *eben ~* juste en ce moment; *~ gleich* tout de suite; *schon ~* d'ores et déjà

jeweil|ig ['jeːvailiç] respectif; '**~s** ['-s] chaque fois

Job [dʒɔp] m (-s; -s) F job m, petit boulot m; '**2en** ['dʒɔbən] (h) avoir un job, travailler (occasionnellement); '**~ber** ['-ɔbər] m (-s; -) **1.** qn qui a un job; **2.** agioteur m; '**~sharing** ['-ʃɛriŋ] n partage m du travail; '**~vermittlung** f bureau m de placement

Joch [jɔx] n (-[e]s; -e) joug m (*a fig*)

Joghurt ['joːgurt] m, n (-[s]; *sans pl*) yaourt m

Johann ['joːhan] m (-s; *sans pl*) Jean m; **~a** [joˈhana:] f (-s; *sans pl*) Jeanne f

Jo'hannisbeere f *rote* groseille f; *schwarze ~* cassis m

Jointventure ['dʒɔintˈventʃə] n (-s; -s) joint venture f

Journal|ismus [ʒurnaˈlismus] m (-; *sans pl*) journalisme m; **~ist** m (-en; -en), **~istin** f (-; -nen) journaliste m, f

Jubel ['juːbəl] m (-s; *sans pl*) allégresse f; '**2n** (h) pousser des cris d'allégresse *od* de joie

Jubiläum [jubiˈlɛːum] n (-s; -läen) anniversaire m; *fünfzigjähriges ~* cinquantenaire m, jubilé m; *hundertjähriges ~* centenaire m

jucken ['jukən] (h) démanger

Jude ['juːdə] m (-n; -n), '**Jüdin** ['jyːdin]

f (-; -nen) Juif *m*, Juive *f*
jüdisch ['jy:dɪʃ] juif; *rel* judaïque
Jugend ['ju:gənt] *f* (-; *sans pl*) jeunesse *f*; **⁓arbeitslosigkeit** *f* chômage *m* des jeunes; **⁓frei** *Film* autorisé aux mineurs; **⁓herberge** *f* auberge *f* de jeunesse; **⁓kriminalität** *f* délinquance *f* juvénile; **⁓lich** jeune; *der Jugend eigen* juvénile; **⁓liche** *m, f* (-n; -n) jeune *m, f*, adolescent *m*, -e *f*; **⁓stil** *m* Art Nouveau *m*, style *m* 1900; **⁓strafanstalt** *f* prison *f* pour enfants; **⁓zentrum** *n* maison *f* de jeunes
Jugoslaw|e [ju:go'sla:və] *m* (-n; -n), **⁓in** *f* (-; -nen) Yougoslave *m, f*; **⁓ien** [-'a:vjən] *n* (-s; *sans pl*) la Yougoslavie; **⁓isch** yougoslave
Juli ['ju:li] *m* (-[s]; -s) juillet *m*
Jumbojet ['jumbodʒet] *m* jumbo-jet *m*
jung [jʊŋ] jeune; **⁓e Leute** *pl* des jeunes gens *m/pl*
Junge ['jʊŋə] (-n; -n) **1.** *m* garçon *m*; gamin *m*; **2.** *zo n* petit *m*; **Junge werfen** mettre bas, avoir des petits
jungenhaft puéril, de gamin
jünger ['jʏŋər] plus jeune; *Bruder, Schwester* cadet; *er ist drei Jahre ⁓ als ich* il est de trois ans mon cadet

'**Jung|frau** *f* vierge *f*; *astr* Vierge *f*; *rel die Heilige ⁓* la (Sainte) Vierge; '**⁓geselle** *m* célibataire *m*, vieux garçon *m*
jüngst [jʏŋst] **1.** *adj* le *od* la plus jeune; *Bruder* (le) cadet; *Ereignis, Nachrichten* dernier; *in ⁓er Zeit* récemment; *rel das ⁓e Gericht* le Jugement dernier; **2.** *adv* récemment
'**Jungunternehmer** *m* jeune entrepreneur *m*
Juni [ju:ni] *m* (-[s]; -s) juin *m*
junior ['ju:njɔr] **1.** *adj* (le) jeune; junior; '**⁓chef** *m* chef *m* junior; '**⁓partner** *m* partenaire *m* junior
Jura ['ju:ra] *m/pl* droit *m*; *⁓ studieren* faire son droit; étudier le droit
Jurist [ju'rist] *m* (-en; -en) juriste *m*; **⁓isch** juridique
Jury [ʒy'ri:] *f* (-; -s) jury *m*
Justitiar [justi'tsja:r] *m* (-s; -e) juriste *m*
Justiz [ju'sti:ts] *f* (-; *sans pl*) justice *f*; **⁓irrtum** *m* erreur *f* judiciaire; **⁓minister** *m* ministre *m* de la Justice
Juwel [ju've:l] *n, m* (-s; -en) bijou *m*, joyau *m* (*beide a fig*); **⁓ier** [-e'li:r] *m* (-s; -e) bijoutier *m*, joaillier *m*

K

K

Kabarett [kaba'rɛt] *n* (-s; -s, -e) cabaret *m od* théâtre *m* de chansonniers
Kabel ['ka:bəl] *n* (-s; -) câble *m*; '**⁓anschluss** *m* raccord *m* à la télédistribution; '**⁓fernsehen** *n* télévision *f* par câble, télédistribution *f*; '**⁓netz** *n* réseau *m* câblé
Kabeljau ['ka:bəljau] *zo m* (-s; -e, -s) morue *f* fraîche, cabillaud *m*
Kabine [ka'bi:nə] *f* (-; -n) cabine *f*; *aviat a* carlingue *f*
Kabinett [kabi'nɛt] *n* (-s; -e) *pol* cabinet *m*
Kabrio|(lett) ['kabrio('lɛt)] *auto n* (-s; -s) cabriolet *m*, voiture *f* décapotable
Kachel ['kaxəl] *f* (-; -n) carreau *m* (de faïence); '**⁓ofen** *m* poêle *m* de faïence
Kadaver [ka'da:vər] *m* (-s; -) cadavre *m*

(d'animal)
Käfer ['kɛ:fər] *zo m* (-s; -) coléoptère *m*; *auto* coccinelle *f*
Kaffee ['kafe, ka'fe:] *m* (-s; -s) café *m*; '**⁓kanne** *f* cafetière *f*; '**⁓maschine** *f* machine *f* à faire le café; *große* percolateur *m*; '**⁓mühle** *f* moulin *m* à café; '**⁓tasse** *f* tasse *f* à café
Käfig ['kɛ:fiç] *m* (-s; -e) cage *f*
kahl [ka:l] *Kopf* chauve; *Wand* nu; *Landschaft* dénudé
Kahn [ka:n] *m* (-[e]s; ⁓e) barque *f*, canot *m*
Kai [kai] *m* (-s; -s) quai *m*
Kairo ['kairo] *n* le Caire
Kaiser ['kaizər] *m* (-s; -), '**⁓in** *f* (-; -nen) empereur *m*, impératrice *f*; '**⁓lich** impérial; '**⁓reich** *n* empire *m*; '**⁓schnitt**

méd m césarienne *f*

Kajüte [ka'jy:tə] *mar f* (-; -n) cabine *f*

Kakao [ka'ka:o] *m* (-s; -s) cacao *m*; *fig* **j-n durch den ~ ziehen** se payer la tête de qn

Kakt|ee [kak'te:(ə)] *f* (-/-n), **~us** ['-us] *m* (-; -teen) cactus *m*

Kalauer ['ka:lauər] *m* (-s; -) calembour *m*

Kalb [kalp] *n* (-[e]s; ̈er) veau *m*; **~fleisch** *n* veau *m*

Kalbs|braten *m* rôti *m* de veau; **~hachse**, **~haxe** *f* jarret *m* de veau; **~schnitzel** *n* escalope *f* de veau

Kalender [ka'lɛndər] *m* (-s; -) calendrier *m*; *Taschen~* agenda *m*; **~jahr** *n* année *f* civile

Kaliber [ka'li:bər] *n* (-s; -) calibre *m* (*a fig*)

Kalk [kalk] *m* (-[e]s; -e) chaux *f*; *méd* calcium *m*; **~stein** *m* calcaire *m*

Kalkul|ation [kalkula'tsjo:n] *f* (-; -en) calcul(s) *m* (*pl*); **2ieren** (*pas de -ge-, h*) calculer

kalt [kalt] froid (*a fig*); **es ist ~** il fait froid; **mir ist ~** j'ai froid; **~blütig** ['-bly:tiç] de *od* avec sang-froid

Kälte ['kɛltə] froid *m*; *fig* froideur *f*; **fünf Grad ~** cinq degrés en dessous de zéro; **~einbruch** *m* coup *m* de froid; **~grad** *m* degré *m* en dessous de zéro; **~periode** *f* vague *f* de froid; **~welle** *f* vague *f* de froid

Kalt|front *f* front *m* froid; **~miete** *f* loyer *m* sans les charges

Kamel [ka'me:l] *zo m* (-s; -e) chameau *m*

Kamera ['kamərə] *f* (-; -s) appareil *m* photo; *Filme~* caméra *f*

Kamerad [kamə'ra:t] *m* (-en; -en), **~in** ['-ra:din] *f* (-; -nen) camarade *m*, *f* (-; *sans pl*); **~schaft** *f* camaraderie *f*

Kamille [ka'milə] *bot f* (-; -n) camomille *f*

Kamin [ka'mi:n] *m* (-s; -e) cheminée *f*

Kamm [kam] *m* (-[e]s; ̈e) peigne *m*; *Gebirgs~* crête *f*

kämmen ['kɛmən] (*h*) (**sich ~** se) peigner

Kammer ['kamər] *f* (-; -n) chambre *f*; **~musik** *f* musique *f* de chambre

Kampf [kampf] *m* (-[e]s; ̈e) combat *m*; lutte *f*; *Wett~* match *m*

kämpf|en ['kɛmpfən] (*h*) combattre (**gegen j-n** qn *od* contre qn); se battre

(**mit j-m** avec qn); lutter (**gegen** contre; **um** *od* **für** pour); **~er** *m* (-s; -) combattant *m*; *fig* champion *m* (**für** de)

Kampf|flugzeug *mil n* avion *m* de combat; **~kraft** *f* force *f* combative; **~richter** *m* *Sport* arbitre *m*

kampieren [kam'pi:rən] (*pas de -ge-, h*) camper

Kanada ['kanada] *n* (-s; *sans pl*) le Canada

Kanad|ier [ka'na:djər] *m* (-s; -); **~in** *f* (-; -nen) Canadien *m*, -ne *f*; **2isch** canadien

Kanal [ka'na:l] *m* (-s; ̈e) canal *m*; *Abwasser~* égout *m*; *géogr* la Manche

Kanalis|ation [kanaliza'tsjo:n] *f* (-; -en) égouts *m/pl*, tout-à-l'égout *m*; **2ieren** (*pas de -ge-, h*) canaliser

Kanarienvogel [ka'na:rjən-] *m* canari *m*, serin *m*

Kandid|at [kandi'da:t] *m* (-en; -en), **~in** *f* (-; -nen) candidat *m*, -e *f*; **~atur** [-a'tu:r] *f* (-; -en) candidature *f*; **2ieren** (*pas de -ge-, h*) poser sa candidature, se porter candidat

Känguru ['kɛŋguru:] *zo n* (-s; -s) kangourou *m*

Kaninchen [ka'ni:nçən] *n* (-s; -) lapin *m*

Kanister [ka'nistər] *m* (-s; -) bidon *m*, jerrycan *m*

Kanne [ka'nə] *f* (-; -n) pot *m*; *Kaffee~* cafetière *f*; *Tee~* théière *f*; *Gieß~* arrosoir *m*

Kannibale [kani'ba:lə] *m* (-n; -n) cannibale *m*

Kanone [ka'no:nə] *f* (-; -n) canon *m*; *fig Person* as *m*, crack *m*

Kante ['kantə] *f* (-; -n) arête *f*; *Rand* bord *m*; *fig* **auf die hohe ~ legen** mettre de côté

Kantine [kan'ti:nə] *f* (-; -n) cantine *f*

Kanton [kan'to:n] *m* (-s; -e) canton *m*

Kanu [ka'nu] *n* (-s; -s) canoë *m*

Kanzel ['kantsəl] *f* (-; -n) chaire *f*

Kanzlei [kants'lai] *f* (-; -en) étude *f*, bureau *m*

Kanzler ['kantslər] *m* (-s; -) chancelier *m*

Kap [kap] *géogr n* (-s; -s) cap *m*, promontoire *m*

Kapazität [kapatsi'tɛ:t] *f* (-; -en) capacité *f*; *Könner* autorité *f*, sommite *f*; **~auslastung** *f* utilisation *f* maximale de la capacité

Kapelle [ka'pɛlə] f (-; -n) égl chapelle f; mus orchestre m

kapern ['ka:pərn] (h) capturer

kapieren [ka'pi:rən] (pas de -ge-, h) F piger

Kapital [kapi'ta:l] n (-s; -e, -ien) capital m, capitaux m/pl, fonds m/pl; **~anlage** f placement m de capitaux; **~aufwand** m dépenses f/pl en capital; **~ertrag** m revenu m mobilier; **~ertragssteuer** f impôt m sur le revenu mobilier; **~flucht** f fuite f de capitaux; **~hilfe** f aide f financière; **2isieren** [-i'zi:rən] (pas de -ge-, h) capitaliser; **~ismus** [-'ismus] m (-; sans pl) capitalisme m; **~ist** m (-en; -en) capitaliste m; **2istisch** capitaliste m; **~markt** m marché m financier

Kapitän [kapi'tɛ:n] m capitaine m

Kapitel [ka'pitəl] n (-s; -) chapitre m

Kapitell [kapi'tɛl] arch n (-s; -e) chapiteau m

Kapitullation [kapitula'tsjo:n] f (-; -en) capitulation f; **2ieren** (pas de -ge-, h) capituler

Kappe [kapə] f (-; -n) bonnet m; mit Schirm casquette f

Kapsel ['kapsəl] f (-; -n) capsule f

kaputt [ka'put] cassé, abîmé, P foutu; erschöpft éreinté, F claqué, crevé, vidé

Karat [ka'ra:t] n (-[e]s; -e) carat m

Karate [ka'ra:tə] n (-[e]s; sans pl) karaté m

Karawane [kara'va:nə] f (-; -n) caravane f

Karfreitag [ka:r'-] m vendredi m saint

karg [kark] Mahlzeit frugal; Boden pauvre; Lohn maigre

kariert [ka'ri:rt] à carreaux

Karies ['ka:rjes] méd f (-; sans pl) carie f

Karikalatur [karika'tu:r] f (-; -en) caricature f; **~aturist** [-tu'rist] m (-en; -en) caricaturiste m; **2ieren** (pas de -ge-, h) caricaturer

Karl [karl] m (-s; -s) Charles m; **~ der Große** Charlemagne m

Karneval ['karnəval] m (-s; -e) carnaval m

Karo ['ka:ro] n (-s; -s) carreau m

Karosserie [karosə'ri:] f (-; -n) carrosserie f

Karotte [ka'rɔtə] bot f (-; -n) carotte f

Karpfen ['karpfən] zo m (-s; -) carpe f

Karre [karə] f (-; -n) charrette f; F Auto bagnole f

Karriere [kar'jɛ:rə] f (-; -n) carrière f; **~ machen** faire carrière; **~macher** m arriviste m, carriériste m

Karte [kartə] f (-; -n) carte f; Fahr2, Eintritts2 billet m, ticket m; fig **alles auf e-e ~ setzen** jouer le tout pour le tout

Kartei [kar'tai] f (-; -en) fichier m; **~karte** f fiche f; **~kasten** m boîte f à fiches; **~leiche** f fiche f périmée

Kartell [kar'tɛl] comm n (-s; -e) groupement m professionnel; cartel m; **~amt** n office m qui veille sur la loi sur les cartels; **~gesetz** n loi f sur les cartels

'Kartenspiel n jeu m de cartes; '~telefon n téléphone m à carte; '~verkauf m vente f de tickets; '~vorverkauf m location f

Kartoffel [kar'tɔfəl] f (-; -n) pomme f de terre; **~brei** m purée f de pommes de terre; **~knödel** m boulette f de pommes de terre; **~puffer** m crêpe f de pommes de terre

Karton [kar'tɔŋ, kar'to:n] m (-s; -s) carton m

Karussell [karu'sɛl] n (-s; -s, -e) manège m (de chevaux de bois)

Käse ['kɛ:zə] m (-s; -) fromage m; Schweizer **~** gruyère m

Kaserne [ka'zɛrnə] f (-; -n) caserne f

Kasino [ka'zi:no] n (-s; -s) Spiel2 casino m; Offiziers2 mess m

Kasse ['kasə] f (-; -n) caisse f

'Kassen|arzt m médecin m conventionné par la Sécurité sociale; '~bestand m encaisse f; '~bon m bon m de caisse; '~patient m patient m affilié à une caisse de maladie; '~zettel m ticket m de caisse

Kassette [ka'sɛtə] f (-; -n) cassette f; Bücher coffret m; **~nrekorder** m magnétophone m od lecteur m à cassettes

kassier|en [ka'si:rən] (pas de -ge-, h) encaisser; **2er** (-s; -), **2erin** f (-; -nen) caissier m, -ière f

Kastanie [ka'sta:njə] bot f (-; -n) Baum châtaignier m; Ross2 marronnier m; Frucht châtaigne f; marron m (a cuis)

Kaste ['kastə] f (-; -n) caste f

Kasten ['kastən] m (-s; ⁓) boîte f, caisse f

Kat m = Katalysator

Katalog [kata'lo:k] m (-[e]s; -e) catalogue m; **~preis** m prix m de catalogue

Katalysator [kataly'za:tɔr] m (-s; -en)

chim catalyseur *m*; *auto* pot *m* catalytique

katastrophal [katastro'fa:l] catastrophique

Katastrophe [-'stro:fə] *f* (-; -n) catastrophe *f*; **⌂ngebiet** *n* région *f* sinistrée; **⌂nschutz** *m* protection *f* contre les catastrophes

Kategor|ie [katego'ri:] *f* (-; -n) catégorie *f*; **⌂isch** ['-go:riʃ] catégorique

Kater ['ka:tər] *m* (-s; -) matou *m*, chat *m* mâle; *fig* F mal *m* aux cheveux

Kathedrale [kate'dra:lə] *f* (-; -n) cathédrale *f*

Kathol|ik [kato'li:k] *m* (-en; -en), **⌂ikin** (-; -nen) catholique *m, f*; **⌂isch** [-'to:liʃ] catholique

Katze ['katsə] *f* (-; -n) chat *m*; *weibliche* chatte *f*; **⌂nsprung** *n* enjambée *f*

Kauderwelsch ['kaudərvɛlʃ] *n* (-[s]; *sans pl*) charabia *m*

kauen ['kauən] (*h*) mâcher

Kauf [kauf] *m* (-[e]s; ̈e) achat *m*, acquisition *f*; *etw in ~ nehmen* s'accommoder de qc; **⌂en** (*h*) acheter; *sich etw ~* s'acheter qc

Käufer ['kɔyfər] *m* (-s; -), **⌂in** *f* (-; -nen) acheteur *m*, -euse *f*; *Kunde* client *m*, -e *f*

'**Kauf|frau** *f* marchande *f*; **⌂haus** *n* grand magasin *m*; **⌂kraft** *écon f* pouvoir *m* d'achat

käuflich ['kɔyfliç] à vendre, achetable; *bestechlich* corruptible, vénal

'**Kauf|mann** *m* (-[e]s; *-leute*) marchand *m*; *Großhändler* commerçant *m*; **⌂männisch** ['-mɛniʃ] commercial; **⌂vertrag** *m* contrat *m* de vente

'**Kaugummi** *m od n* (-s; -s) chewing-gum *m*, gomme *f* à mâcher

kaum [kaum] à peine; *ne ... guère*; **~ zu glauben!** on a peine à le croire!; ~ *hatte er das gesagt, als ...* à peine eut-il dit cela que ...

Kaution [kau'tsjo:n] *f* (-; -en) caution *f*, cautionnement *m*

Kautschuk ['kautʃuk] *m* (-s; -e) caoutchouc *m*

Kaviar ['ka:vjar] *m* (-s; *e*) caviar *m*

Kegel ['ke:gəl] *m* (-s; -) *Spiel* quille *f*; *math* cône *m*; **⌂bahn** *f* bowling *m*; **⌂n** (*h*) jouer aux quilles

Kehl|e ['ke:lə] *f* (-; -n) gorge *f*; **⌂kopf** *m* larynx *m*

kehr|en ['ke:rən] (*h*) *fegen* balayer; *wenden* tourner; *j-m den Rücken* ~ tourner le dos à qn; **⌂seite** *f* revers *m*; *die ~ der Medaille* le revers de la médaille

kehrtmachen ['ke:rt-] (*sép, -ge-,* h) revenir sur ses pas; faire demi-tour

Keil [kail] *m* (-[e]s; -e) coin *m*; *Unterleg⌂* cale *f*

'**Keil|riemen** *auto m* courroie *f*; **⌂schrift** *f* écriture *f* cunéiforme

Keim [kaim] *m* (-[e]s; -e) germe *m* (a *fig*); *fig etw im ~ ersticken* étouffer qc dans l'œuf; **⌂en** (*h*) germer (a *fig*); **⌂frei** stérilisé; **⌂tötend** antiseptique; **⌂zelle** *f* biol gamète *m*; *fig* foyer *m*, source *f*

kein [kain] (ne...) pas de ...; *betont* aucun (ne ...); ~ ... *mehr* ne plus de ...; (*ich habe*) ~ *Geld* (je n'ai) pas d'argent; *das ist ~ Grund* ce n'est pas une raison; *in ~em Fall* en aucun cas; '**⌂er**, '**⌂e**, '**⌂es** pas un, -e, aucun, -e, nul, -le, personne (*mit Verb* ne ...); '**⌂erlei** ['-ərlai] aucun, nul; '**⌂esfalls**, '**⌂eswegs** en aucun cas, nullement, en aucune façon (*mit Verb* ne ...); pas *od* point du tout; '**⌂mal** pas une (seule) fois; *einmal ist* ~ *mal* une fois n'est pas coutume

Keks [ke:ks] *m od n* (-[es]; -e) biscuit *m*

Kelch [kɛlç] *m* (-[e]s; -e) *Glas* coupe *f*; *rel, bot* calice *m*

Kelle ['kɛlə] *f* (-; -n) *Maurer⌂* truelle *f*; *Schöpf⌂* louche *f*

Keller ['kɛlər] *m* (-s; -) cave *f*; **⌂assel** *zo f* cloporte *m*; **⌂ei** [-ə'rai] *f* (-; -en) caves *f/pl*; **⌂geschoss** *n* soussol *m*; **⌂loch** *n* soupirail *m*; **⌂meister** *m* sommelier *m*; **⌂wohnung** *f* appartement *m* en soussol

Kellner ['kɛlnər] *m* (-s; -) garçon *m* (de café, de restaurant); serveur *m*; '**⌂in** *f* (-; -nen) serveuse *f*

kennen ['kɛnən] (*kannte, gekannt,* h) connaître; *j-n ~ lernen* faire la connaissance de qn

'**Kenner** *m* (-s; -); '**⌂in** *f* (-; -nen) connaisseur *m*, expert *m* (*beide a Frau*)

kenntlich ['kɛnt-] reconnaissable (*an* à); *etw ~ machen* marquer qc

'**Kenntnis** *f* (-; -se) connaissance *f*; *gute ~se in etw haben* avoir de bonnes connaissances *od* sur qc; ~ *haben von* avoir connaissance de; ~ *nehmen* *von* prendre connaissance de; *etw zur ~ nehmen* prendre note de qc; *j-n von etw in ~ setzen* porter qc à la connaissance de qn

'Kenn|wort *n* mot *m* de passe; '**~zeichen** *n* marque *f* (distinctive), caractéristique *f*; *auto* numéro *m* en minéralogique; **2zeichnen** (*h*) caractériser

kentern ['kɛntərn] (*sn*) chavirer, sombrer

Keramik [ke'raːmik] *f* céramique *f* (-; -en)

Kerl [kɛrl] *m* (-s; -e) type *m*, gaillard *m*

Kern [kɛrn] *m* (-[e]s; -e) noyau *m* (*a phys*); *Kernobst* pépin *m*; *Problem* fond *m*; *Reaktor* cœur *m*

'Kern|energie *f* énergie *f* nucléaire; '**~forschung** *f* recherche *f* nucléaire; **2gesund** plein de santé; '**~fusion** *f* fusion *f* nucléaire; '**~kraft** énergie *f* nucléaire; '**~kraftgegner** *m* adversaire *m* de l'énergie nucléaire, antinucléaire *m*; '**~kraftwerk** *m* centrale *f* nucléaire; **2los** *Obst* sans pépins; '**~obst** *n* fruits *m/pl* à pépins; '**~physik** *f* physique *f* nucléaire; '**~physiker** *m* atomiste *m*; '**~punkt** *m* point *m* central; '**~reaktor** *m* réacteur *m* nucléaire; '**~seife** *f* savon *m* de Marseille; '**~spaltung** *phys* fission *f* nucléaire; '**~technik** *f* technique *f* nucléaire; '**~waffen** *mil f/pl* armes *f/pl* nucléaires; **2waffenfrei** dénucléarisé

Kerze ['kɛrtsə] *f* (-; -n) bougie *f*; *Kirchen2* cierge *m*

Kessel [kɛsəl] *m* (-s; -) chaudron *m*; *großer* chaudière *f*; *Tee2* bouilloire *f*; *géogr* cuvette *f*

Kette['kɛtə] *f*(-; -n) chaîne *f*; *Halsband* collier *m*

'Ketten|fahrzeug *n* véhicule *m* à chenilles; '**~raucher** *m* fumeur invétéré; '**~reaktion** *f* réaction *f* en chaîne

keuch|en ['kɔyçən] (*h*) haleter; '**2husten** *méd* coqueluche *f*

Keule ['kɔylə] *f* (-; -n) massue *f*; *Geflügel2* cuisse *f*; *Hammel2* gigot *m*

Kfz [kaːɛf'tseːt] *n abr* = Kraftfahrzeug *n*

Kiefer¹['kiːfər] *m* (-s; -) mâchoire *f*

'Kiefer²*bot f* (-; -n) pin *m*

Kiel [kiːl] *mar m* (-[e]s; -e) quille *f*; '**~wasser** *n* sillage *m*

Kiemen[kiːmən] *biol f/pl* branchies *f/pl*

Kies[kiːs] *m* (-es; -e) gravier; F *fig Geld* fric *m*

Kiesel ['kiːzəl] *m* (-s; -) caillou *m*

Kilo ['kiːlo] *n* (-s; -[s]), '**~gramm** *n* kilo(gramme) *m*; '**~hertz** *n* kilohertz *m*; '**~meter** *m* kilomètre *m*; '**~meterzähler** *m* compteur *m* kilométrique; '**~watt** *n* kilowatt *m*

Kind [kint] *n* (-[e]s; -er) enfant *m*, *f*

Kinder|arzt ['kɪndər-] *m*, '**~ärztin** *f* pédiatre *m*, *f*; '**~betreuung** *f* garde *f* d'enfants; '**~fahrkarte** *f* billet/ticket *m* demi-tarif; '**~freibetrag** *m* abattement *m* pour enfants à charge (*od* pour charges familiales); '**2freundlich** adapté pour les enfants; '**~garten** *m* jardin *m* d'enfants; école *f* maternelle; '**~gärtnerin** *f* jardinière *f* d'enfants; institutrice *f* d'école maternelle; '**~geld** *n* allocations *f/pl* familiales; '**~krankheiten** *f/pl* maladies *f/pl* infantiles; '**~lähmung** *méd f* poliomyélite *f*; '**~mädchen** *n* bonne *f* d'enfants; '**2reich** *e-e ~ Familie* une famille nombreuse; '**~spiel** *n fig* jeu *m* d'enfant, bagatelle *f*; '**~spielplatz** *m* aire *f* de jeux; '**~wagen** *m* voiture *f* d'enfant; landau *m*; poussette *f*; '**~zimmer** *n* chambre *f* d'enfant(s)

Kindes|alter ['kɪndəs-] *n* enfance *f*, bas âge *m*; '**~beine** *n/pl von ~n an* dès la plus tendre enfance; '**~entführung** *f* enlèvement *m* d'enfant; '**~misshandlung** *f* mauvais traitement *m* infligé à un enfant

Kind|heit ['kɪnt-] *f* (-; - sans pl) enfance *f*; '**2isch** ['kɪndɪʃ] puéril; *~ werden* retomber en enfance; '**2lich** enfantin; naïf; *Liebe* filial

Kinn [kɪn] *n* (-[e]s; -e) menton *m*; '**~haken** *Sport m* crochet *m* à la mâchoire, uppercut *m*

Kino['kiːno] *n* (-s; -s) cinéma *m*, ciné *m* F; '**~besucher(in** *f*) *m* spectateur *m*, -trice *f*; '**~vorstellung** *f* séance *f* de cinéma

Kiosk [kjɔsk] *m* (-[e]s; -e) kiosque *m*

Kirche ['kɪrçə] *f* (-; -n) église *f*

Kirchen|fenster*n* vitrail *m* (*pl* vitraux); '**~gemeinde** *f* paroisse *f*; '**~lied** *n* cantique *m*; '**~musik** *f* musique *f* sacrée; '**~schiff** *arch n* nef *f*; '**~steuer** *f* impôt *m* destiné à l'Église; *in Frankreich etwa* denier *m* du culte; '**~tag** *m* congrès *m* ecclésiastique

'kirch|lich ecclésiastique; *Trauung,*

Feiertag religieux; '**2turm** *m* clocher *m*; '**2weih** ['-vai] *f* (-; -en) kermesse *f*

Kirmes ['kirməs] *f* (-; -sen) kermesse *f*, fête *f* foraine, foire *f*

Kirschbaum ['kirʃ-] cerisier *m*

'**Kirsche** *f* (-; -n) cerise *f*

Kissen ['kisən] *n* (-s; -) coussin *m*; *Kopf2* oreiller *m*

Kiste ['kistə] *f* (-; -n) caisse *f*

Kitsch [kitʃ] *m* (-es; *sans pl*) toc *m*, kitsch *m*; *Film* navet *m*; *Schund* pacotille *f*; '**2ig** de mauvais goût, kitsch, tocard *F*

Kitt [kit] *m* (-/e/s; -e) mastic *m*; *fig* ciment *m*; '**2en** (*h*) mastiquer; *fig* cimenter

kitz|eln ['kitsəln] (*h*) chatouiller; '**~(e)lig** chatouilleux; *fig* délicat

kläffen ['klɛfən] (*h*) japper, glapir

klaffend ['klafənt] béant

Klage ['kla:gə] *f* (-; -n) plainte *f*; *jur* action *f* (en justice); '**~geschrei** *n* lamentations *f/pl*

klagen ['kla:gən] (*h*) se plaindre (*über* de); *jammern* se lamenter; *jur* intenter une action en justice

Kläger ['klɛ:gər] *m* (-s; -); '**~in** *f* (-; -nen) *jur* demandeur *m*, -deresse *f*, plaignant *m*, -e *f*

kläglich ['klekliç] *Stimme* plaintif; *péj* lamentable, déplorable, minable

klamm [klam] *erstarrt* engourdi

'**Klamm** *géogr f* (-; -en) gorge *f*

Klammer ['klamər] *f* (-; -n) *tech* crampon *m*; *Büro2* trombone *m*; *Heft2* attache *f*; *Wäsche2, Haar2* pince *f*; '**~affe** *m* EDV (@-Zeichen) arrobe *f*; '**~n** *pl im Text* parenthèses *f/pl*; *eckige* crochets *m/pl*; *in ~n* entre parenthèses

'**klammern** (*h*) *sich ~* se cramponner (*an* à)

Klang [klaŋ] *m* (-/e/s; ⁼e) son *m*

Klappbett ['klap-] lit *m* pliant

Klappe ['klapə] *f* (-; -n) *tech* clapet *m*; *Herz2* valvule *f*; *Blasinstrument* clé *f*; *Filmaufnahme* claquette *f*; *Mund* F gueule *f*

'**klappen** (*h*) F *gelingen* marcher; *nach oben ~* relever; *nach unten ~* rabattre; F *das klappt* ça va bien, ça gaze F

'**klappern** (*h*) claquer, cliqueter; *mit den Zähnen ~* claquer des dents; **2schlange** *f* serpent *m* à sonnettes

'**Klapp|(fahr)rad** *n* bicyclette *f* pliante;

'**~fenster** *n* fenêtre *f* rabattante; '**~messer** *n* couteau *m* pliant; '**~sitz** *m* strapontin *m*; '**~stuhl** *m* pliant *m*; '**~tisch** *m* table *f* pliante

klar [kla:r] clair; *Flüssigkeit a* limpide; *~ sehen* voir clair; (*na*) *~!* bien sûr!; *alles ~!* tout va bien!; *das ist ~* c'est évident; *das ist mir nicht ~* je ne comprends pas bien; *sich über etw im 2en sein* se rendre compte de qc

Kläranlage ['klɛr-] *f* station *f* d'épuration

klären ['klɛ:rən] (*h*) *Angelegenheit* (*sich ~* s')éclaircir; *Frage* clarifier; *Wasser* traiter, épurer

Klarheit *f* (-; *sans pl*) clarté *f*

Klarinette [klari'nɛtə] *mus f* (-; -n) clarinette *f*

'**klar|kommen** (*irr, sép, -ge-, sn, →kommen*) s'en sortir; *ich komme da nicht klar* je m'y perds; '**~machen** (*sép, -ge-*, *h*) *j-m etw ~* expliquer, faire comprendre qc à qn

'**Klärung** *f* (-; -en) *Wasser* traitement *m*; épuration *f*; *fig Frage* clarification *f*

Klasse ['klasə] *f* (-; -n) classe *f*; *Sport* catégorie *f*; *~! super!*, formidable!

'**Klassen|arbeit** *f* composition *f*; '**~kamerad** *m* camarade *m* de classe; '**~kampf** *m* lutte *f* des classes

klassifizieren [klasifi'tsi:rən] (*pas de -ge-*, *h*) classer, classifier

Klassi|k ['klasik] *f* (-; *sans pl*) classicisme *m*; '**~ker** *m* (-s; -) classique *m*; '**2sch** classique

Klatsch [klatʃ] *m* (-es; -e) commérage *m*, cancans *m/pl*; '**~base** *f* commère *f*, concierge *f*

'**klatschen** (*h*) *Beifall* applaudir; F *schwätzen* cancaner, caqueter; *in die Hände ~* battre des mains

Klaue ['klauə] *f* (-; -n) griffe *f*; *Raubvögel* serre *f*; *fig schlechte Schrift* écriture *f* illisible

'**klauen** (*h*) F piquer, chiper

Klausel ['klauzəl] *jur f* (-; -n) clause *f*

Klausur [klau'zu:r] *f* (-; -en) *Schule* épreuve *f* écrite; *rel* clôture *f*; *fig* isolement *m*; '**~tagung** *f* à huis clos

Klavier [kla'vi:r] *n* (-s; -e) piano *m*; *~ spielen* jouer du piano; '**~konzert** *n* concerto *m* pour piano; '**~spieler(in** *f*) *m* pianiste *m*, *f*

Klebeband ['kle:bə-] *n* ruban *m* adhésif

kleb|en ['kle:bən] (h) coller; *fig* F *j-m eine ~* coller une gifle à qn; '**~rig** ['-bric] gluant, collant; '**2stoff** ['kle:p-] m colle f, adhésif m

kleckern ['klɛkərn] (h) faire des taches

Klecks [klɛks] m (-es; -e) tache f; '**2en** (h) faire des taches

Klee [kle:] bot m (-s; sans pl) trèfle m

Kleid [klait] n (-es; -er) robe f; '**2en** ['-dən] (h) (**sich ~** s')habiller

Kleider ['klaidər] pl habits m/pl, vêtements m/pl; '**~ablage** f vestiaire m; '**~bügel** m cintre m; '**~bürste** f brosse f à habits; '**~haken** m patère f; '**~schrank** m garde-robe f; '**~ständer** m portemanteau m

Kleidung ['-duŋ] f (-; sans pl) habillement m, habits m/pl, vêtements m/pl; '**~stück** n vêtement m

Kleie ['klaiə] bot f (-; -n) son m

klein [klain] petit; *Buchstabe* minuscule; *von ~ auf* depuis son plus jeune âge; *der ~e Mann* l'homme de la rue; *ein ~ wenig* un petit peu; '**2anzeige** f petite annonce f; '**2asien** n l'Asie Mineure f; '**2geld** n (petite) monnaie f; '**2händ-ler** m détaillant m; '**2holz** n petit bois m

Kleinigkeit ['-iç-] f (-; -en) bagatelle f

'**Klein|kind** n petit enfant m; '**~kram** m babioles f/pl; '**~krieg** m guérilla f, petite guerre f; '**2lich** knickerig mesquin; *genau* pointilleux, minutieux

Kleinod ['klainɔ:t] n (-[e]s; -e) bijou m, joyau m

'**Kleinstadt** f petite ville f; '**2städtisch** provincial

Kleister ['klaistər] m (-s; -) colle f (d'amidon)

Klemme ['klɛmə] f (-; -n) pince f; *tech* serre-fils m; F *fig* embarras f

'**klemmen** (h) coincer, serrer; *Tür* être coincé; *sich ~* se pincer; *fig sich hinter etw ~* s'atteler à qc

Klempner ['klɛmpnər] m (-s;-) plombier m

Klette ['klɛtə] f (-; -n) bot bardane f; F *Person* pot m de colle

klettern ['klɛtərn] (sn) grimper (**auf**sur)

'**Klettverschluss** m bande f agrippante

Klient [kli'ɛnt] m (-en; -en) client m, -e f; '**~in** f (-; -nen) cliente f

Klima ['kli:ma] n (-s; -s, -te) climat m; '**~anlage** f climatisation f, climatiseur

m; '**~katastrophe** f catastrophe f climatologique; '**2tisch** [-'ma:tiʃ] climatique; '**~veränderung** f changement m du climat

Klinge ['kliŋə] f (-; -n) lame f

Klingel ['kliŋəl] f (-; -n) sonnette f; sonnerie f; '**2n** (h) sonner (*j-m* qn); *es klingelt* on sonne

klingen ['kliŋən] (klang, geklungen, h) sonner; *Glas* tinter; *das klingt selt-sam* cela paraît étrange

Klini|k ['kli:nik] f (-; -en) clinique f, hôpital m; '**2sch** clinique

'**Klinke** ['kliŋkə] f (-; -n) *Tür* poignée f, bouton m

klipp [klip] **~ und klar** clair et net

Klippe ['klipə] f (-; -n) écueil m (a *fig*); *Steilküste* falaise f

klirren ['kliːrən] (h) *Ketten* cliqueter; *Gläser* tinter

Klischee [kli'ʃe:] n (-s; -s) cliché m; '**~vorstellung** f lieu m commun; re-présentation f stéréotype

Klo [klo:] n (-s; -s) toilettes f/pl, WC m/pl

klobig ['klo:biç] massif, mastoc F

klopfen ['klɔpfən] (h) frapper; battre (a *Herz*); *es klopft* on frappe; *j-m auf die Schulter ~* taper sur l'épaule de qn

Klops [klɔps] *cuis* m (-es; -e) boulette f de viande

Klosett [klo'zɛt] n (-s; -s) WC m/pl, cabinets m/pl; **~papier** n papier m hygiénique

Kloß [klo:s] m (-es; ¨e) boulette f

Kloster ['klo:stər] n (-s; ¨) couvent m, monastère

Klotz [klɔts] m (-es; ¨e) bloc m de bois; *fig Mensch* lourdaud m

Klub [klup] m (-s; -s) club m

Kluft [kluft] f **1.** (-; ¨e) *Spalt* fente f, *tief u breit* gouffre m; *fig* fossé m (**zwischen** entre); **2.** (-; -en) F *Kleidung* frusques f/pl P; *Uniform* uniforme m

klug [klu:k] intelligent; *vernünftig* sensé; *daraus werde ich nicht ~* je n'y comprends rien; '**2heit** f (-; sans pl) intelligence f; *Vorsicht* prudence f

Klumpen ['klumpən] m (-s; -) masse f, *rund* boule f; *Gold* pépite f; *cuis* gru-meau m

knabbern ['knabərn] (h) grignoter (**an etw** qc)

Knabe ['kna:bə] m (-n; -n) garçon m

knacken ['knakən] (h) craquer; *Nuss* casser; *Tresor* forcer; *fig* **j hat an etw** **zu ~** qc donne du fil à retordre à qn

Knacks [knaks] m (-es; -e) *Sprung* fêlure f

Knall [knal] m (-[e]s; -e) détonation f; *Überschall* **2** bang m; *fig* **e-n ~ haben** F être cinglé *od* toqué *od* marteau; '**~effekt** m coup m de théâtre; '**2en** (h) éclater, détoner; *Tür, Peitsche* claquer; *Korken* sauter; *fig* F **j-m e-e ~** donner une gifle *od* une baffe à qn; '**~körper** m pétard m

knapp [knap] *Kleidung* serré, juste; *Geld, Vorräte* rare; *Mahlzeit* maigre; *Mehrheit* faible; *Stil* concis; **e-e ~e** **Stunde** une petite heure; **~ gewinnen** gagner de justesse; '**2heit** f (-; *sans pl*) pénurie f, manque m; *Stil* concision f

knarren ['knarən] (h) grincer

Knäuel ['knɔʏəl] n od m (-s; -) pelote f; *Personen* grappe f

knauser|ig ['knauzəriç] radin; '**~n** (h) **mit etw ~** lésiner sur qc

knautsch|en ['knautʃən] (h) friper, froisser; '**2zone** f auto zone f rétractable

Knebel ['kne:bəl] m (-s; -) bâillon m; '**2n** (h) bâillonner (a fig)

Knecht [knεçt] m (-[e]s; -e) valet m; '**~schaft** f (-; *sans pl*) servitude f

kneifen ['knaifən] (kniff, gekniffen, h) pincer; *fig* F se dégonfler

Kneipe ['knaipə] f (-; -n) bistro(t) m

kneten ['kne:tən] (h) pétrir

Knick [knik] m (-[e]s; -e) in *Papier* pli m; *Biegung* coude m; '**2en** (h) *Papier* plier; *Zweig* (a) casser, (se) briser; *fig* **geknickt sein** être déprimé

Knie [kni:] n (-s; - ['kni:ə]) genou m; *tech* coude m; *fig* **etw übers ~ brechen** expédier qc; '**2n** [kni:n, 'kni:ən] (h) être à genoux; **sich ~** se mettre à genoux; '**~scheibe** f rotule f

Kniff [knif] m (-[e]s; -e) *Falte* pli m; *fig* truc m; '**2lig** difficile, délicat

'**knipsen** [knipsən] (h) *Foto* photographier, prendre en photo; prendre des photos; *Fahrkarte* poinçonner

Knirps [knirps] m (-es; -e) *Kind* petit bonhomme m; gosse m, mioche m; *kleiner Mensch* nabot m

knirschen ['knirʃən] (h) crisser, craquer; **mit den Zähnen ~** grincer des dents

knistern ['knistərn] (h) *Feuer* crépiter; *Papier* faire un bruit de froissement

Knoblauch ['kno:plaux] bot m (-[e]s; *sans pl*) ail m

Knöchel ['knœçəl] m (-s; -) *Fuß* **2** cheville f; *Finger* **2** phalange f

Knochen ['knɔxən] m (-s; -) os m; '**~bruch** m fracture f

Knödel ['knø:dəl] cuis m (-s; -) boulette f

Knolle ['knɔlə] bot f (-; -n) tubercule m; *Zwiebel* bulbe m

Knopf [knɔpf] m (-[e]s; ⁐e) bouton m

knöpfen ['knœpfən] (h) boutonner

'**Knopfloch** n boutonnière f

Knorpel ['knɔrpəl] biol m (-s; -) cartilage m

knorrig ['knɔriç] noueux

Knospe ['knɔspə] f (-; -n) bourgeon m, bouton m; '**2n** (h) bourgeonner, boutonner

Knoten ['kno:tən] **1.** m (-s; -) nœud m (a *mar*); *Haar* **2** chignon m; *Nerven* **2** ganglion m; **2.** **2** (h) nouer; '**~punkt** m *Verkehr* nœud m routier od ferroviaire

knüpfen ['knypfən] (h) nouer; *fig* **e-e** **Bedingung an etw ~** mettre une condition à qc

Knüppel ['knypəl] m (-s; -) bâton m, gourdin m; *Polizei* **2** matraque f; *aviat* *Steuer* **2** manche m à balai

knurren ['knurən] (h) gronder, grogner; *Magen* gargouiller

knusp|rig ['knusp(ə)riç] croquant, croustillant

k.o. [ka:'o:] m (-[s]; -s) *Sport* K-O; *fig* **~** **sein** F être complètement crevé

koal|ieren [koa'li:rən] (pas de -ge-, h) former une coalition; **2ition** [-i'tsjo:n] f (-; -en) coalition f

Koch [kɔx] m (-[e]s; ⁐e), '**Köchin** ['kœçin] f (-; -nen) cuisinier m, -ière f

'**Kochbuch** n livre m de cuisine

kochen ['kɔxən] (h) faire la cuisine; (faire) cuire; *Wasser, Milch* (faire) bouillir; *fig* **vor Wut ~** bouillir de rage

Koch|er m (-s; -) réchaud m; '**~löffel** m cuiller f de bois; '**~kunst** f art m culinaire; '**~nische** f coin m cuisine; '**~platte** f réchaud m; '**~salz** n sel m de cuisine; '**~topf** m cocotte f, marmite f, casserole f

Köder ['kø:dər] m (-s; -) appât m

Koffein [kɔfe'i:n] n (-s; sans pl) caféine f; **≈frei** décaféiné

Koffer [kɔfər] m (-s; -) valise f; großer Reise≈ malle f; '**⌣kuli** m porte-bagages m; '**⌣radio** n transistor m; '**⌣raum** auto m coffre m

Kohl [ko:l] bot m chou m

Kohle ['ko:lə] f (-; -n) charbon m; Stein≈ houille f; F Geld fric m; '**⌣hydrate** ['-hydra:tə] n/pl hydrates m/pl de carbone, glucides m/pl

'**Kohlen|bergwerk** n mine f de charbon; '**⌣dioxid**, '**⌣dioxyd** n gaz m carbonique; '**⌣monoxid**, '**⌣monoxyd** n oxyde m de carbone; '**⌣säure** f acide m carbonique; '**≈säurehaltig** Getränk gazeux; '**⌣wasserstoffe** m/pl hydrocarbures m/pl

'**Kohlepapier** n papier m carbone

'**Kohl|kopf** bot m chou m; **⌣rabi** [ko:l-'ra:bi] bot m (-[s]; -/s/) chou-rave m

Koje ['ko:jə] mar f (-; -n) couchette f

Kokain [koka'i:n] n (-s; sans pl) cocaïne f

Kokosnuss ['ko:kɔs-] bot f noix f de coco

Kolben ['kɔlbən] m (-s; -) Motor piston m; chim ballon m; Mais épi m; Gewehr crosse f

Kolik ['ko:lik] méd f (-; -en) colique f

Kollaps ['kɔlaps] méd m (-es; -e) collapsus m

Kolleg [kɔ'le:k] n (-s; -s, -ien) cours m

Kolleg|e [kɔ'le:gə] m (-n; -n), **⌣in** f (-; -nen) Arbeits≈ collègue m, f; Fach≈ confrère m; Amts≈ homologue m

Kollegium [kɔ'le:gjum] n (-s; -ien) Lehrer≈ corps m des professeurs

Kollekt|ion [kɔlɛk'tsjo:n] f (-; -en) collection f; **≈iv** [-'ti:f] collectif

kolli|dieren [kɔli'di:rən] (pas de -ge-, h) entrer en collision; zeitlich coïncider; **≈sion** [-'zjo:n] f (-; -en) collision f, fig conflit m

Kolonie [kolo'ni:] f (-; -n) colonie f

Kolonne [ko'lɔnə] f (-; -n) colonne f; Fahrzeug≈ convoi m; Autoschlange file f; Arbeits≈ équipe f

Kombi ['kɔmbi] auto m (-s; -s) voiture f commerciale, fourgonnette f, break m

Kombin|ation [kɔmbina'tsjo:n] f (-; -en) combinaison f; Kleidung en-

semble m; gedankliche déduction f; Ski alpine, nordische **⌣** combiné m alpin, nordique; **≈ieren** (pas de -ge-, h) combiner; gedanklich déduire

Komfort [kɔm'fo:r] m (-s; sans pl) confort m; **≈abel** [-fɔr'ta:bəl] confortable

Komi|k ['ko:mik] f (-; sans pl) comique m; '**⌣ker** m (-s; -) comique m; '**≈sch** comique; sonderbar drôle (de)

Komitee [komi'te:] n (-s; -s) comité m

Komma ['kɔma] n (-s; -s, -ta) virgule f

Kommand|ant [kɔman'dant] m (-en; -en) commandant m; **⌣eur** [-'dø:r] m (-s; -e) commandant m; **≈ieren** (pas de -ge-, h) commander

Kommando [kɔ'mando] n (-s; -s) Befehl commandement m; Sondergruppe commando m; **auf ⌣** sur commandement

kommen ['kɔmən] (kam, gekommen, sn) venir; an⌣, geschehen arriver; **⌣ lassen** faire venir, envoyer chercher; **⌣ durch e-n Ort** passer par ...; **nach Hause ⌣** rentrer; **teuer zu stehen ⌣** revenir cher; **hinter etw ⌣** découvrir qc; **um etw ⌣** perdre qc; **wieder zu sich ⌣** reprendre connaissance; **es kommt daher, dass ...** cela vient du fait que ...; **wie kommt es, dass ...** comment se fait-il que ...; '**⌣d ⌣e Woche** la semaine prochaine

Komment|ar [kɔmən'ta:r] m (-s; -e) commentaire m; **≈ieren** (pas de -ge-, h) commenter

Kommerz [kɔ'mɛrts] m (-es; sans pl) commerce m; **≈ialisieren** [-jali'zi:rən] (pas de -ge-, h) commercialiser; **⌣iell** [-'jɛl] commercial

Kommissar [kɔmi'sa:r] m (-s; -e) commissaire m

Kommission [kɔmi'sjo:n] f (-; -en) commission f

Kommun|e [kɔ'mu:nə] f (-; -n) Gemeinde commune f; Wohngemeinschaft communauté f; **≈al** [-'na:l] municipal, communal; **⌣alpolitik** f politique f municipale; **⌣alwahl** f élections f/pl municipales

Kommunikation [kɔmunika'tsjo:n] f (-; -en) communication f

Kommunis|mus [kɔmu'nismus] m (-; sans pl) communisme m; **⌣t** [-'nist] m (-en; -en), **⌣tin** f (-; -nen) communiste

K

m, f; **⌾tisch** comuniste

Komödie [kɔ'møːdjə] *f (-; -n)* comédie *f*

Kompanie [kɔmpa'niː] *f (-; -n)* compagnie *f*

Kompass ['kɔmpas] *m (-es; -e)* boussole *f*

kompatibel [kɔmpa'tiːbəl] compatible

Kompensation [kɔmpenza'tsjoːn] *f (-; -en)*; **⌾ieren** *(pas de -ge-, h)* compenser

Kompetenz [kɔmpe'tɛnts] *f (-; -en)*; **⌾bereich** *m* domaine *m* de compétence

komplett [kɔm'plɛt] complet

Komplex [kɔm'plɛks] *m (-es; -e)* complexe *m (a psych)*; *Gebäude* ⌾, *Fragen* ⌾ ensemble *m*

Kompliment [kɔmpli'mɛnt] *n (-[e]s; -e)* compliment *m*

Komplize [kɔm'pliːtsə] *m (-n; -n)* complice *m*

komplizier|en [kɔmpli'tsiːrən] *(pas de -ge-, h)* compliquer; **⌾t** compliqué

Komplott [kɔm'plɔt] *n (-[e]s; -e)* complot *m*

kompon|ieren [kɔmpo'niːrən] *(pas de -ge-, h)* composer; **⌾ist** *m (-en; -en)* compositeur *m*

komprimieren [kɔmpri'miːrən] *(pas de -ge-, h)* comprimer

Kompro|miss [kɔmpro'mis] *m (-es; -e)* compromis *m*; **⌾missios** [-lɔːs] intransigeant; **⌾mittieren** [-mi'tiːrən] *(pas de -ge-, h) (sich ~* se) compromettre

Konden|sator [kɔndɛn'zaːtɔr] *m (-s; -en)* condensateur *m*; **⌾milch** [kɔn'dɛns-] *f* lait *m* condensé

Kondition [kɔndi'tsjoːn] *f (-; -en)* condition *f*

Konditor [kɔn'diːtɔr] *m (-s; -en [-di'toːrən])* pâtissier *m*; **⌾ei** [-'rai] (-; -en) pâtisserie *f*

kondolieren [kɔndo'liːrən] *(pas de -ge-, h)* présenter ses condoléances *(j-m à* qn)

Kondom [kɔn'doːm] *n (-s; -e)* préservatif *m*

Konfekt [kɔn'fɛkt] *n (-[e]s; -e)* confiserie *f*, chocolats *m/pl*

Konfektions|anzug [kɔnfɛk'tsjoːns-] *m* costume *m* prêt-à-porter; **⌾geschäft** *n* magasin *m* de confection

Konferenz [kɔnfe'rɛnts] *f (-; -en)* conférence *f*

Konfession [kɔnfe'sjoːn] *rel f (-; -en)* confession *f*, religion *f*; **⌾ell** [-o'nɛl] confessionnel

konfiszieren [kɔnfis'tsiːrən] *(pas de -ge-, h)* confisquer

Konfitüre [kɔnfi'tyːrə] *f (-; -n)* confiture *f*

Konflikt [kɔn'flikt] *m (-[e]s; -e)* conflit *m*

konfrontieren [kɔnfrɔn'tiːrən] *(pas de -ge-, h)* confronter *(mit* à)

konfus [kɔn'fuːs] confus; *Person* dérouté

Kongress [kɔn'grɛs] *m (-es; -e)* congrès; **⌾teilnehmer** *m* congressiste *m*

König ['køːniç] *m (-s; -e)* roi *m*; **⌾'shaus** ['-iks-] *n* dynastie *f*; **⌾'in** ['-gin] *f (-; -nen)* reine *f*; **⌾'lich** ['-nik-] *f*, royal; **⌾reich** *n* ['nik-] royaume *m*

Konjunktur [kɔnjuŋk'tuːr] *écon (-; -en)* conjoncture *f*

konkret [kɔn'kreːt] concret

Konkurr|ent [kɔnku'rɛnt] *m (-en; -en)* concurrent *m*; **⌾enz** [-'ɛnts] *f (-; -en)* concurrence *f*; *j-m ~ machen* faire concurrence à qn; **⌾enzfähig** compétitif; **⌾enzkampf** *m* concurrence *f*, compétition *f*; **⌾enzlos** défiant toute concurrence; **⌾ieren** *(pas de -ge-, h) mit j-m ~* concurrencer qn

Konkurs [kɔn'kurs] *m (-es; -e)* faillite *f*; *in ~ gehen, ~ machen* faire faillite; **⌾masse** *f* actif *m* de la faillite; **⌾verwalter** *m* syndic *m* (de la faillite)

könn|en ['kœnən] *(konnte, gekonnt, h)* pouvoir; *gelernt haben* savoir; *e-e Sprache ~* savoir une langue; *schwimmen ~* savoir nager; *du kannst gehen* tu peux partir; *ich kann nicht mehr* je n'en peux plus; *es kann sein* c'est possible; **⌾en** *n (-s; sans pl)* savoir(-faire) *m*; capacités *f/pl*; **⌾er** *m (-s; -)* spécialiste *m*; *Sport* as *m*

konsequen|t [kɔnze'kvɛnt] logique; conséquent; *~ handeln* agir avec logique; **⌾z** [-'ɛnts] *f (-; -en)* conséquence *f*; esprit *m* de suite

konservativ [kɔnzerva'tiːf] conservateur; **⌾e** [-'tiːvə] *m, f (-n; -n)* conservateur *m*, -trice *f*

Konserv|e [kɔn'zɛrvə] *f (-; -n)* conserve *f*; **⌾endose** *f* boîte *f* de conserve; **⌾enfabrik** *f* conserverie *f*; **⌾ieren** *(pas de -ge, h)* conserver; **⌾ierung** *f (-; sans* *pl*) conservation *f*; **~ierungsmittel** *n* substance *f* de conservation

konstant [kɔn'stant] constant; *adv* constamment

konstruieren [kɔnstru'iːrən] (*pas de -ge-*, *h*) construire

Konstruk|teur [kɔnstruk'tøːr] *m* (*-s*; *-e*) constructeur *m*; **~tion** [-'tsjoːn] *f* (*-*; *-en*) construction *f*

Konsul ['kɔnzul] *m* (*-s*; *-n*) consul *m*

konsultieren [kɔnzul'tiːrən] (*pas de -ge-*, *h*) consulter

Konsum [kɔn'zuːm] *m* (*-s*; *sans pl*) consommation *f*; **~artikel** *m* article *m* de consommation courante; **~ent** [-'mɛnt] *m* (*-en*; *-en*) consommateur *m*; **~gesellschaft** *f* société *f* de consommation; **2ieren** (*pas de -ge-*, *h*) consommer; **~verhalten** *n* **umweltfreundliches ~** comportement *m* de consommation écologique

Kontakt [kɔn'takt] *m* (*-[e]s*; *-e*) contact *m*; **in ~ stehen** être en contact (*mit* avec); **~linsen** *f/pl* lentilles *f/pl* od verres *m/pl* de contact

Kontinent ['kɔntinɛnt] *m* (*-[e]s*; *-e*) continent *m*; **2al** [-'taːl] continental; **~alklima** *n* climat *m* continental

kontinuierlich [kɔntinu'iːrlɪç] continu

Konto ['kɔnto] *n* (*-s*; *-ten*) compte *m*; **~auszug** *m* relevé *m* de compte; **~stand** *m* solde *m* du compte

Kontrast [kɔn'trast] *m* (*-[e]s*; *-e*) contraste *m*

Kontroll|e [kɔn'trɔlə] *f* (*-*; *-n*) contrôle *m*; **2ieren** (*pas de -ge-*, *h*) contrôler

Konventionalstrafe *f* [kɔnvɛntsjo-'naːl-] peine *f* conventionnelle

Konvergenz [kɔnvɛr'gɛnts] *f* (*-*; *-en*) convergence *f*; **~kriterien** *n/pl* critères *m/pl* de convergence

Konversation [kɔnvɛrza'tsjoːn] *f* (*-*; *-en*) conversation *f*

konvertier|bar [kɔnvɛr'tiːr-] *écon* convertible; **2barkeit** *f* (*-*; *sans pl*) convertibilité; **~en** (*pas de -ge-*, *h*) convertir; **2ung** *f* conversion *f*

Konzentration [kɔntsɛntra'tsjoːn] *f* (*-*; *sans pl*) concentration *f*; **~slager** *n* camp *m* de concentration

konzen'trieren (*pas de -ge-*, *h*) (**sich ~** se) concentrer

Konzept [kɔn'tsɛpt] *n* (*-[e]s*; *-e*) Entwurf brouillon *m*; *Plan* plan *m*, conception *f*, *fig* **j-n aus dem ~ bringen** embrouiller qn

Konzern [kɔn'tsɛrn] *écon m* (*-s*; *-e*) groupe *m*; groupement *m* (industriel *od* d'entreprises)

Konzert [kɔn'tsɛrt] *n* (*-[e]s*; *-e*) concert *m*; *Solo*2 récital *m*; **2iert** [-'tiːrt] concerté

Konzession [kɔntsɛ'sjoːn] *f* (*-*; *-en*) concession *f*; *comm a* licence *f*

konzipieren [kɔntsi'piːrən] (*pas de -ge-*, *h*) concevoir

Kooper|ation [ko'ʔopera'tsjoːn] *f* (*-*; *sans pl*) coopération *f*; **2ativ** [-a'tiːf] coopératif; **2ieren** (*pas de -ge-*, *h*) coopérer

koordinier|en [ko'ʔordi'niːrən] (*pas de -ge-*, *h*) coordonner; **2ung** *f* (*-*; *-en*) coordination *f*

Kopf [kɔpf] *m* (*-[e]s*; *ᵉe*) tête *f* (*a fig*); **~hoch!** du courage!; **pro ~** par personne; **im ~ rechnen** calculer de tête; *fig* **j-m über den ~ wachsen** dépasser qn; **sich den ~ zerbrechen** se casser la tête; **~an ~** coude à coude; '**~bahnhof** *m* tête *f* de ligne; '**~hörer** *m* casque *m*; '**~kissen** *n* oreiller *m*; '**~rechnen** *n* calcul *m* mental; '**~salat** *m* laitue *f*; '**~schmerzen** *m/pl* mal *m* de tête; '**~tuch** *n* foulard *m*; '**~zerbrechen** **j-m ~ machen** poser des problèmes à qn

Kopie [ko'piː] *f* (*-*; *-n*) copie *f*; **2ren** (*pas de -ge-*, *h*) copier; **~rer** *m* (*-s*; *-*), **~rgerät** *n* duplicateur *m*; photocopieuse *f*

Kopilot ['koː-] *m* copilote *m*

koppeln ['kɔpəln] (*h*) *tech* coupler; *fig* combiner

Korb [kɔrp] *m* (*-[e]s*; *ᵉe*) panier *m*, corbeille *f*; '**~möbel** *n* meuble *m* en osier od en rotin

Kord [kɔrt] *m* (*-[e]s*; *-e*) velours *m* côtelé; '**~hose** *f* pantalon *m* en velours

Korea [ko'reːa] (*-s*; *sans pl*) la Corée

Kork [kɔrk] *m* (*-[e]s*; *-e*) liège *m*; '**~en** *m* (*-s*; *-*) bouchon *m*; '**~enzieher** *m* tire-bouchon *m*

Korn [kɔrn] *n* **1.** (*-[e]s*; *ᵉer*) grain *m*, céréales *f/pl*, blé *m*; **2.** (*sans pl*) *Visier*2 guidon *m*; '**~blume** *f* bleuet *m*

körnig ['kœrnɪç] granuleux

Körper ['kœrpər] *m* (*-s*; *-*) corps *m*; '**~bau** *m* constitution *f*, stature *f*; '**~behinderte** *m*, *f* (*-n*; *-n*) handicapé *m* physique; '**~größe** *f* taille *f*; '**~haltung** *f* tenue f; **'⤳kraft** f force f physique; **'⤳Ɂlich** physique, corporel; **'⤳pflege** f hygiène f corporelle; **'⤳schaft** f (-; -en) corps m, corporation f; **'⤳schafts-steuer** f impôt m sur les sociétés; **'⤳teil** m partie f du corps; **'⤳verletzung** jur f coups m/pl et blessures

korrekt [kɔ'rɛkt] correct

Korrektur [-'tu:r] f (-; -en) correction; **⤳fahne** f épreuve f en placard

Korrespond|ent [kɔrɛspɔn'dɛnt] m (-en; -en), **⤳'entin** f (-; -nen) correspondant m; -e f; -e-r Firma correspondancier m, -ière f; **⤳enz** [-'ɛnts] f (-; -en) correspondance f; **Ɂ'ieren** (pas de -ge-, h) **mit j-m ⤳** correspondre avec qn

Korridor ['kɔridoːr] m (-s; -e) couloir m, corridor m

korrigieren [kɔri'giːrən] (pas de -ge-, h) corriger

korrumpieren [kɔrum'piːrən] (pas de -ge-, h) corrompre

korrupt [kɔ'rupt] corrompu; **Ɂion** [-'tsjoːn] f (-; sans pl) corruption f

Kosmeti|k [kɔs'meːtik] f (-; sans pl) cosmétique f, soins m/pl de beauté; **⤳kerin** f (-; -nen) esthéticienne f, **⤳ksalon** m salon m de beauté; **Ɂsch** cosmétique; **⤳e Chirurgie** chirurgie plastique

kosm|isch ['kɔsmiʃ] cosmique; **Ɂonaut** [-mo'naut] m (-en; -en) cosmonaute m

Kost [kɔst] f (-; sans pl) nourriture f; **gute ⤳** bonne chère f; **Ɂbar** précieux; **⤳barkeit** f (-; -en) Gegenstand objet m précieux od de valeur

'kosten [kɔstən] (h) coûter; **was od wie viel kostet ...?** combien coûte ...?; **viel ⤳** coûter cher

'kosten² Speisen goûter, déguster

'Kosten pl frais m/pl, coût m, dépenses f/pl; **auf ⤳ von** aux frais de; fig aux dépens de; **'⤳dämpfung** f réduction f des frais; **'Ɂdeckend** qui couvre les frais; **'⤳erstattung** f restitution f des frais; **'⤳faktor** m facteur m de coût; **'Ɂgünstig** bon marché; **'Ɂlos** gratuit (ement); **'⤳voranschlag** m devis m

köstlich ['kœstliç] délicieux, savoureux; fig amusant

'Kost|probe f échantillon m; **'Ɂspielig** ['-ʃpiːliç] coûteux

Kostüm [kɔs'tyːm] n (-s; -e) costume m; Damen Ɂ tailleur m

Kot [koːt] m (-[e]s; sans pl) excréments m/pl

Kotelett [kɔt(ə)'lɛt] n (-s; -s) côtelette f

'Kotflügel auto m aile f, garde-boue m

Krabbe ['krabə] f (-; -n) Garnele crevette f; Krebs crabe m

krabbeln ['krabəln] (sn) Kind marcher à quatre pattes; Insekten courir, grouiller

Krach [krax] m (-[e]s; ̈e) fracas m; Lärm vacarme m, F tapage m, boucan m; Zerwürfnis différend m, brouille f; **Ɂen** (h) craquer; (sn) **gegen etw ⤳** heurter qc avec fracas

Kraft [kraft] f (-; ̈e) force f; Rüstigkeit vigueur f; Person aide m, f, collaborateur m, -trice f; **in ⤳ treten (sein)** entrer (être) en vigueur

kraft prép (gén) en vertu de

'Kraftfahrer (in f) m automobiliste m, f; **'⤳fahrzeug** n véhicule m automobile; **'⤳fahrzeugbrief** m; **'⤳fahrzeugschein** m carte f grise; **'⤳fahrzeugsteuer** f vignette f automobile; **'⤳fahrzeugversicherung** f assurance-auto f; **'⤳fahrzeugwerkstatt** f garage m

kräftig ['krɛftiç] fort, vigoureux; nahrhaft substantiel

'Kraft|probe f épreuve f de force; **'⤳stoff** m carburant m; **'⤳wagen** m automobile f; **'⤳werk** n centrale f électrique

Kragen ['kraːgən] m (-s; ̈, -) col m

Krähe ['krɛːə] zo f (-; -n) corneille f; **Ɂn** (h) Hahn chanter

Kralle ['kralə] f (-; -n) griffe f

Kram [kraːm] m (-[e]s; sans pl) affaires f/pl, F fourbi m; Plunder fatras m; **'Ɂen** (h) fouiller (**in** dans)

Krampf [krampf] méd m (-[e]s; ̈e) crampe f, spasme m; **'⤳ader** f varice f; **'Ɂhaft** convulsif, spasmodique

Kran [kraːn] tech m (-[e]s; ̈e) grue f

Kranich ['kraːniç] zo m (-s; -e) grue f

krank [krank] malade; **⤳ werden** tomber malade; **Ɂe m**, f (-n; -n) malade m, f

kränken ['krɛnkən] (h) offenser, blesser, vexer

'Kranken|bett n lit m de malade; **'⤳geld** n indemnité f journalière; **'⤳haus** n hôpital m; **'⤳kasse** f caisse f (de) maladie; **'⤳pfleger** m infirmier m; **'⤳schein** m etwa feuille f de maladie; **'⤳schwester** f infirmière f; **'⤳versiche-**

rung f assurance f maladie; **~wagen** m ambulance f; **~zimmer** n chambre f de malade od d'hôpital

'**krankhaft** maladif

'**Krankheit** f (-; -en) maladie f; **~serreger** m agent m pathogène

'**krankmelden** v/r **sich ~** se faire porter malade

'**Kränkung** f (-; -en) offense f, vexation f

Kranz [krants] m (-es; ̈e) couronne f

krass [kras] extrême, frappant; **sich ~ ausdrücken** s'exprimer crûment

Krater ['kra:tər] m (-s; -) cratère m

kratz|en ['kratsən] (h) (**sich ~** se) gratter; fig F **das kratzt mich nicht** ça ne me touche pas; '**2er** m (-s; -) égratignure f, éraflure f; **die Platte hat e-n ~** le disque est rayé

kraus [kraus] Haar crépu, frisé

kräuseln ['krɔyzəln] (h) Haar friser; Stoff crêper, froncer; **sich ~** Haar friser; Wasser se rider

Kraut [kraut] n (-[e]s; ̈er) herbe f; Blätter fanes f/pl; Kohl chou m

Krawall [kra'val] m (-s; -e) échauffourée f, tumulte m, bagarre f; Lärm tapage m

Krawatte [kra'vatə] f (-; -n) cravate f

Krebs [kre:ps] m (-es; -e) zo écrevisse f; méd cancer m; astr Cancer m; **~erregend** cancérigène; '**2artig** méd cancéreux; '**~geschwulst** f tumeur f cancéreuse; '**2krank** malade du cancer, cancéreux; '**~vorsorge** f dépistage m du cancer; '**~vorsorgeuntersuchung** f examen m de dépistage du cancer

Kredit [kre'di:t] écon m (-[e]s; -e) crédit m; **~institut** n institut m de crédit; **~karte** f carte f de crédit; **2würdig** solide

Kreide ['kraidə] f (-; -n) craie f

Kreis [krais] m (-es; -e) cercle m; Verwaltungs2 district m, canton m, arrondissement m

'**Kreisel** ['kraizəl] m (-s; -) Spielzeug toupie f; phys gyrostat m

kreisen ['kraizən] (h) tourner (**um** autour de); Blut circuler

'**kreis|förmig** circulaire; '**2lauf** m circuit m, cycle m, circulation f; '**2laufstörungen** méd f/pl troubles m/pl circulatoires; '**~rund** rond, en forme de cercle

'**Kreisverkehr** m sens m giratoire

Krempel ['krɛmpəl] m (-s; sans pl) F

fatras m, fourbi m, bataclan m

krepieren [kre'pi:rən] (pas de -ge-, h) Granate éclater, exploser; Tier, P Mensch crever

Kresse ['krɛsə] bot f (-; -n) cresson m

Kreuz [krɔyts] n (-es; -e) croix f; Körperteil reins m/pl; Kartenspiel trèfle m; mus dièse m; **über ~** en croix; '**2en** (h) (**sich ~** se) croiser; '**~er** mar m (-s; -) croiseur m; '**~fahrt** f croisière f; '**~feuer** n fig ins ~ geraten être attaqué de tous côtés; '**~gang** arch m cloître m; '**2igen** (h) crucifier; '**~igung** f (-; -en) crucifixion f; '**~otter** f vipère f; '**~schmerzen** m/pl mal de reins; '**~ung** f (-; -en) croisement m; Straßen2 carrefour m; '**~worträtsel** n mots m/pl croisés; '**~zug** hist m croisade f

kriech|en ['kri:çən] (kroch, gekrochen, sn) ramper; péj faire de la lèche (**vor j-m** à qn); '**2spur** auto f file f destinée aux véhicules lents

Krieg [kri:k] m (-[e]s; -e) guerre f; **mit j-m ~ führen** faire la guerre à qn; **in den ~ ziehen** partir en guerre (**gegen** contre)

kriegen ['kri:gən] (h) F avoir, recevoir; Krankheit attraper

Krieger ['kri:gər] m (-s; -) guerrier m; '**~denkmal** n monument m aux morts; '**2isch** belliqueux, guerrier

Kriegs|beschädigte ['kri:ks-] m (-n; -n) mutilé m de guerre; '**~dienst** m service m militaire; '**~dienstverweigerer** m objecteur m de conscience; '**~dienstverweigerung** f objection f de conscience; '**~erklärung** f déclaration f de guerre; '**~gefangene** m prisonnier m de guerre; '**~gefangenschaft** f captivité f; '**~gericht** n cour f martiale; '**~schauplatz** m théâtre m des opérations; '**~schiff** n vaisseau m od bâtiment m od navire m de guerre; '**~verbrecher** m criminel m de guerre; '**~zustand** m état m de guerre

Krimi ['krimi] m (-[s/]; -[s]) Roman (roman m) policier m, F polar m; Film film m policier

Kriminal|beamte [krimi'na:l-] m agent m de la police judiciaire; **~ität** [-i'tɛːt] f (-; sans pl) criminalité f, délinquance f; **~polizei** f police f judiciaire, brigade f criminelle; **~roman** m roman m policier

K

kriminell [krimi'nɛl] criminel; **2e** m, f (-n; -n) criminel m

Kripo ['kri:po] f (-; -s) P.J. f (= police f judiciaire)

Krippe ['kripə] f (-; -n) crèche f; Futter2 mangeoire f

Krise ['kri:zə] f (-; -n) crise f; **2ln** ['-zəln] (h) **es kriselt** une crise menace; **'.nstab** m cabinet m de crise

Kristall [kris'tal] m u n (-[e]s; -e) cristal m

Kriterium [kri'te:rjum] n (-s; -rien) critère m

Kriti|k [kri'ti:k] f (-; -en) critique f; **'.ker** m (-s; -) critique m; **2sch** critique; **2sieren** ['-'zi:rən] (pas de -ge-, h) critiquer

kritzeln ['kritsəln] (h) griffonner, gribouiller

Krokodil [kroko'di:l] zo n (-s; -e) crocodile m

Krone ['kro:nə] f (-; -n) couronne f

Krönung ['krø:nuŋ] f (-; -en) couronnement m

Kropf [krɔpf] m (-[e]s; ⁓e) méd goître m; zo jabot m

Kröte ['krø:tə] zo f (-; -n) crapaud m

Krücke ['krykə] f (-; -n) béquille f

Krug [kru:k] m (-[e]s; ⁓e) cruche f, pichet m; Bier2 chope f

krumm [krum] courbe; gebogen courbé; verbogen tordu; fig louche

'krümm|en [kryman] (h) courber; biegen plier; **sich ⁓** se tordre

Krüppel ['krypəl] m (-s; -) estropié m, infirme m

Kruste ['krustə] f (-; -n) croûte f

Kübel ['ky:bəl] m (-s; -) baquet m; Eimer seau m

Kubikmeter [ku'bi:k] m mètre m cube

Küche ['kyçə] f (-; -n) cuisine f

Kuchen ['ku:xən] m (-s; -) gâteau m; Obst2 tarte f

'Küchen|geräte n/pl ustensiles m/pl de cuisine; **'.herd** m fourneau m de cuisine, cuisinière f; **'.maschine** f mixer m, robot m ménager; **'.schrank** m buffet m de cuisine

Kuckuck ['kukuk] zo m (-s; -e) coucou m

Kugel ['ku:gəl] f (-; -n) boule f; math sphère f; Billard2 bille f; Gewehr2 balle f; Kanonen2 boulet m; Sport poids m; **'.kopf** m rotule f; boule f

(Schreibmaschine); **'.lager** tech n roulement m à billes; **'.schreiber** m stylo m (à) bille; **2sicher** pare-balles

Kuh [ku:] f (-; ⁓e) vache f; **'.handel** m péj marchandage m

kühl [ky:l] frais; fig froid; **'2anlage** f installation f frigorifique; **'2box** f glacière f

'Kühle f (-; sans pl) fraîcheur f; fig froideur f

'kühl|en (h) rafraîchir; Lebensmittel réfrigérer, Motor refroidir; **'2er** m (-s; -) auto radiateur m; **'2erhaube** f capot m; **'2flüssigkeit** f réfrigérant m; **'2schrank** m réfrigérateur m, frigo F m; **'2tasche** f sac m réfrigérant; **'2truhe** f congélateur m; **'2wasser** n eau f de refroidissement

kühn [ky:n] hardi

kulant [ku'lant] arrangeant, coulant en affaires

Kuli ['ku:li] m (-s; -s) coolie m; F stylo m

kulinarisch [kuli'na:riʃ] culinaire

Kulisse [ku'lisə] f (-; -n) Bühnenbild décor m; fig Rahmen cadre m; **hinter den ⁓n** dans les coulisses

Kult [kult] m (-[e]s; -e) culte m

kultivieren [kulti'vi:rən] (pas de -ge-, h) cultiver

Kultur [kul'tu:r] f (-; -en) Bildung, agr culture f; e-s Volkes civilisation f; **.abkommen** n accord m culturel; **.austausch** m échange m culturel; **.beutel** m trousse f de toilette; **2ell** ['-'rɛl] culturel; **.programm** n programme m culturel; **.schock** m choc m culturel; **.zentrum** n centre m culturel

Kultusminister ['kultus-] ministre m de l'Éducation

Kümmel ['kyməl] bot m (-s; -) cumin m

Kummer ['kumər] m (-s; sans pl) chagrin m, affliction f, peine f, soucis m/pl

'kümmer|lich [kymərliç] misérable; **'.n** (h) **sich ⁓ um** s'occuper de; **was kümmert mich das** je ne m'en soucie guère

Kumpel ['kumpəl] m (-s; -) Bergmann mineur m; F Freund copain m, copine f

kündbar ['kyntba:r] résiliable; Geld remboursable

Kund|e ['kundə] m (-n; -n), **'.in** f (-; -nen) client m, -e f; **'.endienst** m service m après-vente; auto service m entretien

Kundgebung ['kunt-] *f* (-; *-en*) manifestation *f*

kündigen ['kyndigən] (*h*) donner congé à, donner son préavis à, congédier; *Vertrag* résilier, dénoncer; **'₂ung** *f* (-; *-en*) congé *m*, préavis *m*; **₂ungsfrist** *f* (délai *m* de) préavis *m*

Kundschaft ['kunt-] *f* (-; *sans pl*) clientèle *f*

künftig ['kynftiç] à venir, futur; *adv* à l'avenir

Kunst [kunst] *f* (-; ⁻*e*) art *m*; *das ist keine* ∼ ce n'est pas difficile; **'∼akademie** *f* École *f* des beaux-arts; **'∼ausstellung** *f* exposition *f* d'œuvres d'art; **'∼faser** *f* fibre *f* synthétique; **'∼geschichte** *f* histoire *f* de l'art; **'∼gewerbe** *n* arts *m*/pl décoratifs; **'∼griff** *m* artifice *m*

Künstler ['kynstlər] *m* (-s; -); **'∼in** *f* (-; *-nen*) artiste *m*, *f*; **₂isch** artistique

'künstlich artificiel, factice

'Kunst|liebhaber(in *f*) *m* amateur *m* d'art; **'∼sammlung** *f* collection *f* d'objets d'art; **'∼stoff** *m* matière *f* plastique; **'∼stück** *n* tour *m* d'adresse; *das ist kein* ∼ ce n'est pas sorcier; **'∼werk** *n* œuvre *f* d'art

Kupfer ['kupfər] *n* (-s; *sans pl*) cuivre *m*; **'∼stich** *m* estampe *f*, gravure *f* (en taille-douce)

Kuppe ['kupə] *f* (-; *-n*) *Berg* sommet *m*; *Finger* bout *m*

Kuppel ['kupəl] *f* (-; *-n*) *innen* coupole *f*; *äußere* dôme *m*

Kuppelei [kupə'lai] *jur* *f* (-; *-en*) proxénétisme *m*

'kuppeln (*h*) *auto* embrayer; **'₂lung** *f* (-; *-en*) *auto* embrayage *m*; *Zug, Anhänger* attelage *m*

Kur [ku:r] *f* (-; *-en*) cure *f*

'Kur|aufenthalt *m* séjour *m* thermal; **'∼bad** *n* bain *m* thermal

Kurbel ['kurbəl] *f* (-; *-n*) manivelle *f*; **'∼welle** *f* vilebrequin *m*

Kürbis ['kyrbis] *bot m* (-ses; -se) courge *f*, potiron *m*, citrouille *f*

'Kur|gast *m* curiste *m*; **'∼haus** *n* casino *m*; **₂ieren** (*pas de -ge-*, *h*) guérir

kurios [kur'jo:s] curieux, bizarre, singulier, drôle

Kurort *m* station *f* thermale

Kurs [kurs] *m* (-es; -e) *Geld, Lehrgang* cours *m*; *mar, aviat* route *f*, cap *m*; *pol*

orientation *f*; *hoch im* ∼ *stehen* être à la mode; **'∼abfall** *m* baisse *f* des cours; **'∼anstieg** *m* hausse *f* des cours; **'∼buch** *n* indicateur *m* (des chemins de fer); **'∼gewinn** *m* bénéfice *m* sur le cours

kursieren [kur'zi:rən] (*pas de -ge-*, *h*) *Geld* circuler; *Gerücht* courir

'Kurswagen *m* *Zug* voiture *f* directe

'Kurtaxe *f* taxe *f* de séjour

Kurve ['kurvə] *f* (-; *-n*) courbe *f*; *auto* virage *m*; **₂nreich** sinueux

kurz [kurts] court; *Zeit* bref; ∼ *und gut* bref, en un mot; *vor* ∼*em* récemment; ∼ *vorher* peu avant; *sich* ∼ *fassen* être bref; *zu* ∼ *kommen* ne pas avoir son compte; **'∼arbeit** *f* chômage *m* partiel; **'₂arbeiter** *m* chômeur *m* partiel

Kürze ['kyrtsə] *f* (-; *sans pl*) brièveté *f*; *in* ∼ sous peu; **'₂n** (*h*) raccourcir, abréger

'kurzfristig à bref délai; *comm* à court terme

kürzlich ['kyrtsliç] récemment, dernièrement

'Kurz|parkzone *f* zone *f* à durée de stationnement limitée; **'∼schluss** *tech m* court-circuit *m*; **'∼schlusshandlung** *psych f* coup *m* de tête; **'∼schrift** *f* sténographie *f*; **'₂sichtig** myope

'Kürzung *f* (-; *-en*) raccourcissement *m*, réduction *f*, diminution *f*; *math* simplification *f*

'Kurzwahl *n* (-; *sans pl*) composition *f* rapide; **'∼taste** *f* (-; *-en*) touche *f* de composition rapide

'Kurz|waren(geschäft *n*) *f*/pl mercerie *f*; **'∼welle** *Radio f* ondes *f*/pl courtes

Kusine [ku'zi:nə] *f* (-; *-n*) cousine *f*

Kuss [kus] *m* (-es; ⁻*e*) baiser *m*

küssen ['kysən] (*h*) (*sich* ∼ s')embrasser; *Hand* baiser

Küste ['kystə] *f* (-; *-n*) côte *f*; rivage *m*; littoral *m*; **'∼ngewässer** *n*/pl eaux *f*/pl territoriales; **'∼nschifffahrt** *f* cabotage *m*, navigation *f* côtière

Kutteln ['kutəln] *pl* tripes *f*/pl

Kutter ['kutər] *mar m* (-s; -) cotre *m*; *Fisch₂* chalutier *m*

Kuvert [ku'vɛ:r] *n* (-s; -s) *Brief₂* enveloppe *f*

Kybernetik [kyber'ne:tik] *f* (-; *sans pl*) cybernétique *f*

KZ [ka:'tsɛt] *n* (-[*s*]; -[*s*]) *abr* camp *m* de concentration

L

labil [la'bi:l] instable

Labor [la'bo:r] *n* ⟨-s; -s⟩ laboratoire *m*, F labo *m*; **~ant** [-'rant] *m* ⟨-en; -en⟩, **~antin** *f* ⟨-; -nen⟩ laborantin *m*, -ine *f*

'lächeln [lɛçəln] ⟨h⟩ **1.** sourire (*über* de, *zu* à); **2.** ⟨sans *pl*⟩ sourire *m*

lachen ['laxən] ⟨h⟩ **1.** rire (*über* de); **laut ~** rire aux éclats; **gezwungen ~** rire du bout des lèvres; **2.** ⟨sans *pl*⟩ rire *m*; *j-n zum ~ bringen* faire rire qn

lächerlich ['lɛçərliç] ridicule; *j-n machen* ridiculiser qn; *sich ~ machen* se rendre ridicule

Lachs [laks] *m* ⟨-es; -e⟩ saumon *m*

Lack [lak] *m* ⟨-[e]s; -e⟩ laque *f*, vernis *m*; *auto* peinture *f*; **2ieren** (*pas de -ge-*, *h*) laquer, vernir

Lade|fläche ['la:də-] *f* surface *f* de chargement; **~gewicht** *n* poids *m* de chargement; **~hemmung** *mil f* enrayage *m*

laden ['la:dən] ⟨lud, geladen, h⟩ charger (*a Batterie u mil*); *jur* citer en justice

'Laden *m* ⟨-s; ⸚⟩ boutique *f*, grand magasin *m*; *Fenster⸘* volet *m*; **~dieb** *m* voleur *m* à l'étalage; **~diebstahl** *m* vol *m* à l'étalage; **~preis** *m* prix *m* de vente; **~schluss** *m* heure *f* de fermeture; **~schlussgesetz** *n* loi *f* sur la fermeture des magasins

'Lade|rampe *f* rampe *f* de chargement; **~raum** *m* Schiff cale *f*

'Ladung *f* ⟨-; -en⟩ *Fracht* chargement *m*, cargaison *f*; *Spreng⸘*, *elektrische* charge *f*; *jur* citation *f*

Lage ['la:gə] *f* ⟨-; -n⟩ situation *f*; position *f*; *Sach⸘* état *m* de choses; *Schicht* couche *f*; *in schöner ~ Haus* bien situé; *in der ~ sein*, *etw zu tun* être en mesure *od* à même *od* en état de faire qc

Lager ['la:gər] *n* ⟨-s; -, *comm a* ⸚⟩ camp *m* (*a pol*); *comm* entrepôt *m*, dépôt *m*; *Bett* lit *m*; *tech* palier *m*; *auf ~ haben* avoir en réserve; **~bestand** *m* stock *m*; **~feuer** *n* feu *m* de camp; **~haltung** *f* stockage *m*; **~haltungskosten** *pl* frais *m/pl* de stockage; **~haus** *n* entrepôt *m*

'lager|n ⟨h⟩ *hinlegen* coucher; *comm* stocker, emmagasiner; être stocké; *ruhen* être couché; *kampieren* camper; *kühl ~* conserver au frais; **2raum** *m* entrepôt *m*; **2ung** *f* ⟨-; *sans pl*⟩ *comm* stockage *m*

Lagune [la'gu:nə] *f* ⟨-; -n⟩ lagune *f*

lahm [la:m] paralysé; *hinkend* boiteux; *fig* faible, apathique

lähmen ['lɛ:mən] ⟨h⟩ paralyser

'Lähmung *méd f* ⟨-; -en⟩ paralysie *f*

Laich [laiç] *m* ⟨-[e]s; -e⟩ frai *m*; **'2en** ⟨h⟩ frayer

Laie ['laiə] *m* ⟨-n; -n⟩ profane *m*, amateur *m*; *rel* laïque *od* laïc *m*; **2nhaft** en amateur

Laken ['la:kən] *n* ⟨-s; -⟩ drap *m*

Lamm [lam] *n* ⟨-[e]s; ⸚er⟩ agneau *m*

Lampe ['lampə] *f* ⟨-; -n⟩ lampe *f*; **~nschirm** *m* abat-jour *m*

Land [lant] *n* ⟨-[e]s; Fest⸘ terre *f*; *Erdboden* sol *m*; *géogr u pol* pays *m*; *Gegensatz zu Stadt* campagne *f*; *auf dem ~* à la campagne; **~arbeiter** *m* ouvrier *m* agricole; **~besitz** *m* propriété *f* foncière; **~bevölkerung** *f* population *f* rurale; **~bewohner** *m* campagnard *m*; **~ebahn** ['landə-] *f* piste *f* d'atterrissage; **~eerlaubnis** ['landə-] *f* autorisation *f* d'atterrir

'landen ['landən] *v/i* ⟨*sn*⟩, *v/t* ⟨h⟩ *mar* accoster; *mil* débarquer; *aviat* atterrir, se poser

Land|enge ['lant-] *n* isthme *m*; **~eplatz** [landə-] *aviat m* terrain *m* d'atterrissage

Landes|grenze ['landəs-] *f* frontière *f*; **~innere** *n* intérieur *m*; **~sprache** *f* langue *f* nationale; **~verteidigung** *f* défense *f* nationale

'Land|flucht *f* exode *m* rural; **~gericht** *n* tribunal *m* de grande instance; **~haus** *n* maison *f* de campagne; *kleines* cottage *m*; **~karte** *f* carte *f* (géographique); **~kreis** *m* arrondissement *m*

ländlich ['lɛntliç] champêtre, rural; *einfach* rustique

'Landschaft *f* ⟨-; -en⟩ paysage *m*, région

f, contrée *f*; '**2lich** du paysage; **~ sehr
schön** très pittoresque

'**Lands|mann** [lants-] *m* (-[e]s; -leute);
'**~männin** *f* (-; -nen) compatriote *m, f*

'**Land|straße** *f* route *f*; '**~streicher** *m*
(-s; -), '**~streicherin** *f* (-; -nen) vagabond *m*, -e *f*; '**~streitkräfte** *mil f/pl*
forces *f/pl* terrestres; '**~tag** *m* landtag
m, Parlement *m* d'un land; '**~tagsab-
geordnete** *m, f* député *m*, femme *f*
député au landtag

Landung ['landuŋ] *f mil* (-; -en) débarquement *m*; *aviat* atterrissage *m*;
'**~brücke** *f*, '**~ssteg** *m* débarcadère *m*

'**Land|vermessung** *f* arpentage *m*;
'**~weg** *m auf dem ~* par voie de terre;
'**~wirt** *m* agriculteur, cultivateur *m*;
'**~wirtschaft** *f* agriculture *f*; '**2wirt-
schaftlich** agricole

lang [laŋ] long; *drei Meter ~ sein* avoir
trois mètres de longueur, être long de
trois mètres; *drei Jahre ~* pendant trois
années; *den ganzen Tag ~* pendant
toute la journée; *seit ~em* depuis
longtemps; *vor ~er Zeit* il y a longtemps de cela; *über kurz oder ~* tôt ou
tard

'**lange** longtemps, longuement; *wie ~?*
combien de temps?; *es ist schon ~ her*
il y a bien longtemps de cela

'**Länge** ['lɛŋə] *f* (-; -n) longueur *f*; *géogr*
longitude *f*; *in die ~ ziehen* (faire)
traîner en longueur

langen ['laŋən] (*h*) *ausreichen* suffire;
mir langt es! F j'en ai marre!

'**Längen|grad** *m* degré *m* de longitude;
'**~maß** *n* mesure *f* de longueur

'**Lang|eweile** *f* (-; *sans pl*) ennui *m*; *~
haben* s'ennuyer; *aus ~* par ennui,
pour passer le temps; '**2fristig** ['-fris-
tiç] à long terme; '**~lauf** *Schi m* course *f*
de fond; '**~läufer** *Schi m* skieur *m* de
fond; '**2lebig** ['-le:biç] **1.** qui vit
longtemps; **2.** *~e Gebrauchsgüter* qui
restent longtemps fonctionnels; '**~le-
bigkeit** *f* (-; *sans pl*) longévité *f*

länglich ['lɛŋliç] oblong, allongé

längs [lɛŋs] *prép* (*gén, dat*) le long de;
adv dans le sens de la longueur

langsam ['laŋza:m] lent; *~er werden*
ralentir; '**2keit** *f* (-; *sans pl*) lenteur *f*

'**Langspielplatte** *f* disque *m* microsillon, 33 tours *m*

längst [lɛŋst] depuis longtemps; '**~ens**

au plus tard

'**Langstreckenlauf** *m* course *f* de fond

lang|weilen (*h*) (*sich ~* s')ennuyer;
'**~weilig** ennuyeux; '**2welle** *Radio f*
grandes ondes *f/pl*, ondes *f/pl* longues;
'**~wierig** ['-vi:riç] long, laborieux; *~e
longue haleine

langzeitarbeitslos au chômage de
longue durée; '**2igkeit** *f* chômage *m* de
longue durée

Lappen ['lapən] *m* (-s; -) chiffon *m*

Lappland ['lap-] *n* (-s; *sans pl*) la Laponie

Lärche ['lɛrçə] *bot* (-; -n) mélèze *m*

Lärm [lɛrm] *m* (-[e]s; *sans pl*) bruit *m*,
vacarme *m*, tapage *m*; '**~schutz** *m*
protection *f* contre le bruit; '**~schutz-
wall** *m* écran *m* antibruit

lasch [laʃ] mou (molle); *Geschmack*
fade

Laserstrahl ['le:zər-] *m* rayon *m* laser

lassen ['lasən] (*ließ, gelassen, h*) *zulassen* laisser; *veranlassen* faire; *etw
machen* faire faire qc; *j-n grüßen ~*
donner le bonjour à qn; *er kann das
Rauchen nicht ~* il ne peut pas s'arrêter de fumer; *lass das!* arrête-toi!

lässig ['lɛsiç] nonchalant, désinvolte, F
relax(e); '**2keit** *f* (-; *sans pl*) non-
chalance *f*, désinvolture *f*, P je-m'en-
-foutisme *m*

Last [last] *f* (-; -en) charge *f*, fardeau *m*;
j-m zur ~ fallen être à charge à qn,
importuner qn; *j-m etw zur ~ legen*
imputer qc à qn; *comm zu ~en von ...*
au débit de ...; '**~auto** *n* camion *m*; '**2en**
(*h*) *~ auf* peser sur; '**~enaufzug** *m*
monte-charges *m*

Laster[1] ['lastər] *n* (-s; -) vice *m*

'**Laster**[2] *m* (-s; -) *Lkw* camion *m*

'**lasterhaft** vicieux, dépravé

lästern ['lɛstərn] (*h*) *über j-n ~* médire
de qn, diffamer qn

lästig ['lɛstiç] importun, désagréable;
j-m ~ werden od fallen importuner qn

'**Last|kraftwagen** *m* poids *m* lourd,
camion *m*; '**~schrift** *comm f* poste *m*
débiteur, débit *m*; '**~wagen** *m* camion
m; '**~wagenfahrer** *m* conducteur *m* de
camion

Latein [la'tain] *n* (-s; *sans pl*) latin *m*;
'**2isch** latin; *~e Buchstaben* caractères
m/pl romains

latent [la'tɛnt] latent

Laterne [la'tɛrnə] f (-; -n) lanterne f; *Straßen≳* réverbère m; *~npfahl* m lampadaire m

lau [lau] tiède; *Luft, Wetter* doux; *fig* indifférent

Laub [laup] n (-[e]s; *sans pl*) feuillage m, feuilles f/pl

Laube ['laubə] f (-; -n) tonnelle f; *~nkolonie* f jardins m/pl ouvriers

Lauch [laux] bot m (-[e]s; -e) poireau m

Lauer ['lauər] f (-; *sans pl*) auf der *~ liegen* se tenir aux aguets; *'2n* (h) guetter (*auf j-n, etw* qn, qc)

Lauf [lauf] m (-[e]s; ⸚e) course f; *Ver≳, Fluss≳* cours m; *Gewehr≳* canon m; *im ~e der Zeit* à la longue; *'~bahn* f carrière f

laufen ['laufən] (lief, gelaufen, sn) courir; *zu Fuß gehen* marcher; *fließen* couler; *Maschinen* marcher; fonctionner; *'~d auf dem ≳en sein* être au courant od à jour od à la page F; *am ≳en Band* sans arrêt

Läufer ['lɔyfər] m (-s; -) *Sport* coureur m; *Schach* fou m; *'~in* f (-; -nen) coureuse f

'Lauf|feuer n *wie ein ~* comme une traînée de poudre; *'~pass* m *j-m den ~ geben* envoyer promener qn; *'~schritt* m pas m de gymnastique; *'~steg* m passerelle f; *'~stall* m *für Kinder* parc m; *'~werk* n mécanique f; *EDV* lecteur m (de disquette); *'~zeit* f *Sport* temps m du parcours; *Film* durée f de projection

Laun|e ['launə] f (-; -n) *Stimmung* humeur f; *Einfall* caprice m; *'2enhaft, '2isch* capricieux

Laus [laus] zo f (-; ⸚e) pou m;

lauschen ['lauʃən] (h) écouter (attentivement)

laut [laut] **1.** haut; fort; bruyant; *~ sprechen* parler à haute voix; *~er bitte!* parlez plus fort, s'il vous plaît!; **2.** *prép* (*gén, dat*) suivant, d'après; **3.** ≳ m (-[e]s; -e) son m

läuten ['lɔytən] (h) sonner; *es läutet* on sonne

lauter ['lautər] pur; *fig* sincère; *~ Unsinn erzählen* ne raconter que des bêtises

'laut|los silencieux; *gehen* à pas feutrés; *'2malerei* f onomatopée f; *'2schrift* f écriture f phonétique; *'2sprecher* m haut-parleur m; *'2stärke* f volume m; intensité f du son

Lava ['la:va] *géol* f (-; *Laven*) lave f

Lavendel [la'vɛndəl] bot m (-s; -) lavende f

lavieren ['la'vi:rən] (*pas de -ge-, h*) louvoyer (*a fig*)

Lawine [la'vi:nə] f (-; -n) avalanche f

lax [laks] relâché; *~e Moral a* morale facile

Lazarett [latsa'rɛt] n (-[e]s; -e) hôpital m militaire

'leben n (-s; -) vie f; *am ~ sein* être en vie; *sich das ~ nehmen* se suicider; *das tägliche ~* la vie de tous les jours; *mein ~ lang* toute ma vie

'leben (h) vivre; *von etw ~* vivre de qc; *'~d* vivant; *'~dig* [le'bɛndiç] vivant; *lebhaft* vif; *2digkeit* f (-; *sans pl*) vivacité f

'Lebens|abend m vieillesse f, déclin m de la vie; *'~alter* n âge m; *'~art* f manière f de vivre; *gute* savoir-vivre m; *'~bedingungen* f/pl conditions f/pl de vie; *'~dauer* f durée f de vie, longévité f; *'~erfahrung* f expérience f de la vie; *'~erwartung* f espérance f de vie; *'2fähig* viable; *'~gefahr* f danger m de mort; *unter ~* au péril de ma (sa *etc*) vie; *'2gefährlich* très dangereux, mortel; *'~gefährte* m, *'~gefährtin* f compagnon m, compagne f; *'~haltungskosten* pl coût m de la vie; *'2länglich* *Strafe* à perpétuité; *'~lauf* m curriculum m vitae; *'~mittel* n/pl vivres m/pl, denrées f/pl alimentaires; *'~mittelabteilung* f rayon m alimentation; *'~mittelgeschäft* n épicerie f, magasin m d'alimentation; *'~mittelhändler* m épicier m; *'~mittelvergiftung* f intoxication f alimentaire; *'~notwendigkeit* f nécessité f vitale; *'~qualität* f qualité f de la vie; *'~retter* m sauveteur m; *'~standard* m niveau m de vie; *'~stellung* f fonction f, nomination f à la vie; *'~unterhalt* m subsistance f; *seinen ~ verdienen* gagner sa vie; *'~versicherung* f assurance f vie; *'~weise* f manière f de vivre; *'~zeichen* n signe m de vie; *'~zeit* f durée f de la vie; *auf ~* à vie

Leber ['le:bər] f (-; -n) foie m

'Lebe|wesen n être m vivant; *'~wohl* n (-[e]s; -e, -s) adieu m

lebhaft ['le:phaft] vif; *Verkehr* intense; *'2igkeit* f (-; *sans pl*) vivacité f

'**Leb|kuchen** m pain m d'épice; '**2los**
inanime; '**zeiten** pl zu seinen ~ de son
vivant; **zu ~ seines Vaters** du vivant de
son père

Leck [lεk] n (-/e/s; -e) fuite f; mar voie f
d'eau

lecken ['lεkən] (h) 1. leck sein avoir une
fuite, fuir; 2. mit der Zunge (sich ~ se)
lécher

lecker ['lεkər] délicieux, appétissant;
'**2bissen** m friandise f

Leder ['le:dər] n (-s; -) cuir m; weiches
peau f; '**hose** f culotte f de cuir od de
peau

ledig ['le:dıç] célibataire; **lich** ['-k-]
uniquement, seulement

Lee [le:] côté m sous le vent

leer [le:r] vide; ~ stehend Wohnung
vide, vacant

Leere ['le:rə] f (-; sans pl) vide m

leer|en ['le:rən] (h) (sich ~ se) vider;
räumen évacuer; den Briefkasten ~
faire la levée du courrier; '**2gut** m
emballage m; '**2lauf** m tech marche f à
vide; auto point m mort; '**taste** f barre
f d'espacement; '**2ung** f (-; -en) Post
levée f

legal [le'ga:l] légal; **isieren** [-i'zi:rən]
(pas de -ge- ge-, h) légaliser; **2isierung** f
(-; -en) légalisation f; **2ität** [-i'tε:t] f (-;
sans pl) légalité f

legen ['le:gən] (h) mettre; bedächtig
poser; flach coucher; (Eier) ~ pondre
(des œufs); sich schlafen ~ se coucher;
sich ~ Person s'allonger; Gewitter
s'arrêter; Schmerzen se calmer

Legende [le'gεndə] f (-; -n) légende f

leger [le'ʒe:r] décontracté, F relax(e)

Legierung [le'gi:ruŋ] f (-; -en) alliage m

Legislative [le:gisla'ti:və] f (-; -n)
(pouvoir m) législatif m

Legislaturperiode [legisla'tu:r] f lé-
gislature f

legitim [legi'ti:m] légitime; **2ität** [-mi'-
tε:t] f (-; -en) légitimité f; **2ation**
[-a'tsjo:n] f (-; -en) légitimation f

Lehm [le:m] m (-/e/s; -e) glaise f; '**2ig**
glaiseux

Lehn|e ['le:nə] f (-; -n) Rücken2 dos m;
dossier m; '**2en** (h) appuyer (an
contre), adosser (à); sich ~ an s'appuyer contre, s'adosser à; sich aus
dem Fenster ~ se pencher par la
fenêtre

Lehrbuch ['le:r-] n manuel m, méthode
f, traité m

Lehre ['le:rə] f (-; -n) Belehrung leçon f;
System doctrine f; Lehrzeit apprentissage m; Messinstrument calibre m,
jauge f

'**lehren** ['le:rən] (h) j-n etw ~ enseigner
od apprendre qc à qn

'**Lehrer** m (-s; -), '**in** f (-; -nen) professeur m (a von Frauen), maître m,
-sse f; Grundschul2 institueur m, -trice
f

'**Lehr|gang** m cours m; stage m; ~**kraft** f
enseignant m; 'Lehr-'lin] m (-s; -e)
apprenti m, -e f; '**plan** m programme
m scolaire; '**2reich** instructif; '**stelle** f
place f d'apprentissage; '**stuhl** m
chaire f; '**vertrag** m contrat m d'apprentissage; '**zeit** f apprentissage m

Leib [laip] m (-/e/s; -er) Bauch
ventre m; bei lebendigem ~ tout vivant; mit ~ und Seele corps et âme

Leibes|kräfte ['laibəs-] f/pl aus ~n
schreien crier à tue-tête; '**visitation** f
fouille f à corps

'**Leib|gericht** n plat m préféré; '**2haftig**
en personne, en chair et en os, incarné;
'**2lich** corporel, physique; '**rente** f
rente f viagère; '**wächter** m garde m
du corps; '**wäsche** f linge m de corps

Leiche ['laiçə] f (-; -n) mort m, corps m
mort, cadavre m

'**leichen|blass** blanc comme un linge,
blême, livide; '**2feier** f obsèques f/pl;
'**2rede** f oraison f funèbre; '**2schau-
haus** n morgue f; '**2verbrennung** f
crémation f; '**2wagen** m corbillard m;
'**2zug** m cortège m od convoi m funèbre

Leichnam ['laiçna:m] m (-/e/s; -e) corps
m, cadavre m

leicht [laiçt] Gewicht léger; zu tun facile; es fällt mir ~ zu ... je n'ai pas de
peine à ...; ~ nehmen prendre à la
légère; nimms ~! ne t'en fais pas!;
'**2athletik** f athlétisme m; '**2metall** n
métal m léger; '**2sinn** m (-/e/s; sans pl)
étourderie f, légèreté f; '**sinnig**
étourdi, F tête en l'air, insouciant

Leid [lait] n (-/e/s; sans pl) chagrin m,
douleur f, malheur m; es tut mir ~,
dass od zu je regrette que (+ subj) od
de (+ inf); das tut mir ~ j'en suis
désolé; du tust mir ~ tu me fais pitié

leiden ['laidən] **1.** (*litt, gelitten*, h) souffrir (**an**, **unter** de); **ich kann ihn nicht** ~ je ne peux pas le souffrir; **2.** 2̃ (*-s; -*) souffrance *f*, douleur *f*; *méd* affection *f*; '**2schaft** *f* (*-; -en*) passion *f*; '**~schaftlich** passionné

leider ['laidər] malheureusement; ~**!** *a* hélas!

'**Leih|bibliothek** *f*, '**~bücherei** *f* bibliothèque *f* de prêt; **2en** (*lieh, geliehen*, h) *j-m etw* ~ prêter qc à qn; *etw von j-m* ~ emprunter qc à qn; '**~gebühr** *f* frais *m/pl* de location; '**~haus** *n* mont-de-piété *m*; '**~mutter** *f* mère *f* porteuse; '**~wagen** *m* voiture *f* de location; '**2weise** à titre de prêt

Leim [laim] *m* (*-[e]s; -e*) colle *f*; **2en** (h) coller

Leine ['lainə] *f* (*-; -n*) corde *f*; *Hunde*2 laisse *f*

Lein|en ['lainən] *n* (*-s; -*) toile *f*, lin *m*; *in ~ gebunden* relié en toile; **2en** de *od* en toile; '**~samen** *bot m* graine *f* de lin; '**~wand** *f* toile *f*; *Film* écran *m*

leise ['laizə] bas; *schwach* faible, léger; **mit ~r Stimme** à voix basse

Leiste ['laistə] *f* (*-; -n*) *Holz*2 liteau *m*; *Zier*2 baguette *f*; *Körpergegend* aine *f*

leisten ['laistən] (h) faire; *vollbringe* accomplir; *Dienst* rendre; *Hilfe* prêter; **sich etw** ~ se payer, s'offrir, s'accorder qc

Leistung ['laistuŋ] *f* (*-; -en*) *große* performance *f*, exploit *m*; *Arbeits*2 travail *m* (accompli); *écon* rendement *m*; *tech* puissance *f*; *in Geld* prestation *f*; '**~bilanz** *f* balance *f* des paiements courants; **2sfähig** performant, efficace, efficient, productif; '**~sfähigkeit** *f* efficacité *f*, productivité *f*, rendement *m*; '**~sgesellschaft** *f* méritocratie *f*; société *f* de prestation; '**~sprinzip** *n* loi *f* de la performance; '**~ssport** *m* sport *m* de compétition

Leitartikel ['lait-] *m* éditorial *m*, article *m* de fond

leiten ['laitən] (h) diriger; *verwalten* gérer; *tech* conduire; *fig* guider; '**~d** *Stellung* dirigeant; '**~er Angestellter** *m* cadre *m* supérieur

Leiter[1] ['laitər] *f* (*-; -n*) échelle *f*

Leiter[2] *m* (*-s; -*), '**~in** *f* (*-; -nen*) directeur *m*, -trice *f*, chef *m*, gérant *m*; *nur m phys* conducteur *m*

'**Leit|gedanke** *m* idée *f* directrice, idée *f* maîtresse; '**~motiv** *mus n* motif *m* dominant; leitmotiv *m* (*a fig*); '**~planke** *f* glissière *f* de sécurité

Leitung ['laituŋ] *f* (*-; -en*) *Führung* direction *f*, *Wasser*2, *Gas*2 conduite *f*; *Strom*2, *tél* ligne *f*

'**Leit|währung** *f* monnaie *f* de compte; '**~zins** *m* **1.** taux *m* d'escompte; **2.** intérêt *m* indicatif

Lektion [lɛk'tsjoːn] *f* (*-; -en*) leçon *f*

Lektüre [lɛk'tyːrə] *f* (*-; -n*) lecture *f*

Lende ['lɛndə] *f* (*-; -n*) *Rind* longe *f*, filet *m*; 2̃ *pl Körpergegend* lombes *m/pl*, reins *m/pl*

lenk|en ['lɛŋkən] (h) diriger, guider; *auto* conduire, piloter; **2er** *m* (*-s; -*), '**2erin** *f* (*-; -nen*) conducteur *m*, -trice *f*; *nur m Lenkstange* guidon *m*; *Lenkrad* volant *m*; '**2rad** *n* volant *m*; '**2stange** *f Fahrrad* guidon *m*; '**2ung** *f* (*-; -en*) *auto* direction *f*

Leopard [leo'part] *zo m* (*-en; -en*) léopard *m*

Lerche ['lɛrçə] *zo f* (*-; -n*) alouette *f*

lernen ['lɛrnən] (h) apprendre; **schwimmen** ~ apprendre à nager

lesbar ['leːsbaːr] lisible

Lesb|ierin ['lɛsbjərin] *neg f* (*-; -nen*) lesbienne *f*; '**2isch** lesbien

lesen ['leːzən] (*las, gelesen*, h) lire; *Ähren* ~ glaner

Leser ['leːzər] *m* (*-s; -*), '**~in** *f* (*-; -nen*) lecteur *m*, -trice *f*

'**Lese|ratte** *f* F rat *m* de bibliothèque; '**~rbriefe** *m/pl* courrier *m* des lecteurs; '**2rlich** lisible

Lesung ['leːzuŋ] *f* (*-; -en*) lecture *f*; *pol in erster* ~ en première lecture

letzt [lɛtst] dernier; **zum ~en Mal(e)** pour la dernière fois; **in ~er Zeit** récemment; F **das ist das 2e!** c'est impossible!; '**~lich** en fin de compte

Leuchte ['lɔyçtə] *f* (*-; -n*) lampe *f*, *fig er ist keine* ~ ce n'est pas une lumière; **2en** (h) luire, briller; *éclairer* (*j-m* qn); **2end** lumineux *a* (*a fig*); '**~er** *m* (*-s; -*) chandelier *m*, bougeoir *m*, *mehrarmiger* flambeau *m*; '**~feuer** *n aviat* balise *f*; *mar* fanal *m*; '**~reklame** *f* réclame *f* lumineuse; '**~röhre** *f* tube *m* néon; '**~turm** *m* phare *m*; '**~zifferblatt** *n* cadran *m* lumineux

leugnen ['lɔygnən] (h) nier

Leukämie [lɔykɛ'mi:] *méd f* (-; -n) leucémie *f*

Leukoplast [lɔyko'plast] *n* (-s; *sans pl*) sparadrap *m*

Leute ['lɔytə] *pl* gens *m/pl* (*vorangehendes adj f/pl*), monde *m*; **junge ~** des jeunes gens

Leutnant ['lɔytnant] *m* (-s; -s) sous--lieutenant *m*

Lexikon ['lɛksikɔn] *n* (-s; -ka) dictionnaire *m*

Libanon ['li:banɔn] *m* (-s; *sans pl*) **der ~** le Liban

Libelle [li'bɛlə] *zo f* (-; -n) libellule *f*

liberal [libe'ra:l] libéral; **2e** *m*, *f* (-n; -n) membre *m*, adhérent *m* du parti libéral; **2ismus** [-'ismus] *m* (-; *sans pl*) libéralisme *m*

Licht [liçt] *n* (-[e]s; -er) lumière *f*; *Tages*2 jour *m*; **~ machen** allumer la lumière; *fig* **j-n hinters ~ führen** mystifier qn; **grünes ~ geben** donner le feu vert

'**Licht|bild** *n* photo(graphie) *f*, *Dia* diapo(sitive) *f*; '**~bildervortrag** *m* conférence *f* avec projections; '**~blick** *m fig* lueur *f* d'espoir, éclaircie *f*

lichten ['liçtən] (*h*) *Anker* lever; *Wald* éclaircir; **sich ~** *Haare etc* s'éclaircir

'**Licht|geschwindigkeit** *phys f* vitesse *f* de la lumière; '**~hupe** *f* **die ~ betätigen** faire un appel de phares; '**~jahr** *astr n* année-lumière *f*; '**~maschine** *f auto* dynamo *f*; '**~reklame** *f* réclame *f* lumineuse; '**~schutzfaktor** *m* indice *m* de protection; '**~strahl** *m* rayon *m* de lumière

'**Lichtung** *f* (-; -en) *im Wald* clairière *f*

Lid [li:t] *n* (-[e]s; -er) paupière *f*; '**~schatten** *m* ombre *f* à paupières

lieb [li:p] cher; *geliebt* chéri; *nett, artig* gentil; **~ gewinnen** prendre en affection; **~ haben** aimer, *der ~e Gott* le bon Dieu; **sei bitte so ~ und ...** sois gentil et ... (*od* de + *inf*); *Brief* **~er Paul** cher Paul

Liebe ['li:bə] *f* (-; -n) amour *m* (*pl oft f*, **zu** de); **~ auf den ersten Blick** coup *m* de foudre

lieben ['li:bən] (*h*) (**sich ~** s')aimer; *sexuell* faire l'amour (avec qn)

'**liebenswürdig** aimable; '**2keit** *f* (-; -en) amabilité *f*

lieber ['li:bər] plutôt; **~ haben** *od* **mögen** aimer mieux (**als** que), préférer (**als** à); *etw* **~ tun** aimer mieux *od* préférer faire qc; **du solltest ~ ...** tu ferais mieux de (+ *inf*)

'**Liebes|erklärung** ['li:bəs-] *f* déclaration *f* (d'amour); '**~kummer** *m* **~ haben** avoir un chagrin d'amour; '**~paar** *n* couple *m* d'amoureux

'**Lieb|haber** ['-ha:bər] *m* (-s; -) *e-r Frau* amoureux *m*, amant *m*; *e-r Kunst* amateur *m*; '**~haberei** ['-rai] *f* (-; -en) violon *m* d'Ingres, F dada *m*

lieb|kosen (*pas de* -ge-, *h*) caresser

'**lieblich** *adj* gracieux, agréable; *Gegend* charmant

'**Lieb|ling** *m* (-s; -e) favori *m*, -te *f*; préféré *m*, -e *f*; chouchou *m*, -te *f* F; *Anrede* chéri *m*, -e *f*; '**~lingsbeschäftigung** *f* passe-temps *m* favori, violon *m* d'Ingres; '**~schaft** *f* (-; -en) liaison *f*

Lied [li:t] *n* (-[e]s; -er) chanson *f*, chant *m*; *Kirchen*2 cantique *m*

Liederabend ['li:dər-] *m* récital *m* de chant

Liefer|ant [li:fə'rant] *m* (-en; -en) fournisseur *m*; '**2bar** disponible; '**~frist** *f* délai *m* de livraison

liefer|n ['li:fərn] (*h*) livrer; fournir (*a Beweis*); '**2ung** *f* (-; -en) livraison *f*; '**2wagen** *m* camionnette *f*, fourgonnette *f*

Liege ['li:gə] *f* (-; -n) divan *m*

liegen ['li:gən] (*lag, gelegen, h*) *Lebewesen* être couché; *Ort* être situé; *Sache* se trouver; **~ bleiben** *Person* rester couché; *Ware* ne pas se vendre; *Arbeit* rester en souffrance; **~ lassen** laisser; *vergessen* oublier; *fig* **j-n links ~ lassen** ignorer qn, *es liegt Schnee* il y a de la neige; *mir liegt viel daran* j'y tiens beaucoup;

'**Liege|stuhl** *m* chaise *f* longue, transatlantique *m*; '**~wagen** *m* voiture--couchettes *f*

Liga ['li:ga] *f* (-; *Ligen*) ligue *f*; *Sport* division *f*

Likör [li'kø:r] *m* (-s; -e) liqueur *f*

lila ['li:la] lilas, mauve

Lilie ['li:ljə] *bot f* (-; -n) lis *m*, a lys *m*

Limonade [limo'na:də] *f* (-; -n) limonade *f*

Linde ['lində] *bot f* (-; -n) tilleul *m*

linder|n ['lindərn] (*h*) soulager, apaiser, adoucir; '**2ung** *f* (-; *sans pl*) soulagement m, apaisement m, adoucissement m

Lineal [line'a:l] n (-s; e) règle f

Linie ['li:njə] f (-; -n) ligne f; **auf seine ~ achten** faire attention à sa ligne; **'~nbus** m autobus m de ligne; **'~nflug** aviat m vol m régulier; **'~nmaschine** f avion m de ligne; **2ntreu** pol fidèle à la ligne du parti.

Linke ['liŋkə] **die ~** la (main) gauche; pol la gauche

'linke(r, -s) gauche; **'2e** pol m, f (-n; -n) partisan m de la gauche; **'~isch** maladroit, gauche, F empoté

links [liŋks] à gauche; **~ von** à gauche de; **von ~ nach rechts** de gauche à droite; pol **~ stehen** être à gauche; **'~extrem** de l'extrême gauche; **'2extremismus** m extrémisme m de gauche; **'~radikal → ~extrem**; **'2verkehr** m circulation f à gauche; **'2händer** ['-hɛndər] m (-s; -), **'2händerin** f (-; -nen) gaucher m, -ère f

Linse ['linzə] f (-; -n) bot, Optik lentille f

Lippe ['lipə] f (-; -n) lèvre f; **'~nstift** m bâton m de rouge, rouge m à lèvres

lispeln ['lispəln] (h) zézayer, zozoter f

List [list] f (-; -en) ruse f, astuce f

Liste ['listə] f (-; -n) liste f

listig ['listiç] rusé, astucieux, finaud

Liter ['li:tər] n od m (-s; -) litre m

literarisch [lite'ra:riʃ] littéraire; **2tur** [-a'tu:r] f (-; -en) littérature f

Litfaßsäule ['litfas-] f colonne f d'affiches, colonne f Morris

live [laif] TV en direct

Lizenz [li'tsɛnts] f (-; -en) licence f

Lkw ['elkave:] m (-s; -[s]) camion m, poids m lourd; **'~-Fahrer** m → **Lastwagenfahrer**

Lob [lo:p] n (-[e]s; sans pl) louange f, éloge m; **'2en** ['lo:bən] (h) faire l'éloge de, louer; **'2enswert** ['-bəns-] digne de louanges, louable

Loch [lɔx] n (-[e]s; ̈er) trou m; fig Elendswohnung taudis m; **'~er** m (-s; -) perforatrice f

locken ['lɔkən] (h) **1.** Haar (**sich ~** se) boucler; **2.** an sich ziehen attirer; **'2wickler** ['-viklər] m (-s; -) bigoudi m

locker ['lɔkər] lâche; relâché (a fig Moral); entspannt relax(e) F; **'~ern** (h) (**sich ~** se) relâcher; Sport (s')assouplir; Schraube, Knoten (se) desserrer;

'~ig bouclé; **'2mittel** n appât m, leurre m

Löffel ['lœfəl] m (-s; -) cuiller f od cuillère f; **'2n** (h) manger à la cuiller; **'~voll** m (-; -) cuillerée f

Logbuch ['lɔk-] mar n journal m od livre m de bord

Logik ['lo:gik] f (-; sans pl) logique f; **'2sch** logique; **'2scherweise** logiquement

Lohn [lo:n] m (-[e]s; ̈e) salaire m, paye od paie f; Belohnung récompense f; **'~empfänger** ['-ʔɛm-] m salarié m; **'2en** (h) être payant od rentable; valoir la peine od F le coup; **das lohnt sich** cela vaut la peine; **'2end** payant, rentable, rémunérateur, profitable; **'~erhöhung** f augmentation f (de salaire); **'~gruppe** f catégorie f salariale; **'~steuer** f impôt m sur le revenu; **'~steuerjahresausgleich** m réajustement m des impôts sur le revenu; **'~steuerkarte** f carte f d'impôt (in Deutschland); **'~stopp** m blocage m des salaires

Loipe ['lɔypə] f (-; -n) piste f de ski de fond, loipe f

Lokal [lo'ka:l] **1.** n (-s; -e) Gaststätte restaurant m, café m; **2.** 2 adj local; **~blatt** n journal m local; **~presse** f presse f locale; **~verbot** n interdiction f d'accès dans un café

Lokomotive [lokomo'ti:və] f (-; -n) locomotive f; **~führer** ['-ti:f-] m mécanicien m

London ['lɔndən] n Londres

Lorbeer ['lɔrbe:r] bot m (-s; -en) laurier m

Los [lo:s] n (-es; -e) Schicksal sort m, destin m, destinée f; Lotterie2 billet m de loterie; **das große ~ ziehen** gagner le gros lot (a fig)

los [-] abgetrennt détaché; **~!** allez!; allons(-y)!; **was ist ~?** qu'est-ce qu'il y a?; **etw. j-n ~ sein** être débarrassé de qc, qn; **was ist mit dir ~?** qu'est-ce qui t'arrive?; **hier ist nicht viel ~** il ne se passe pas grand-chose ici

Lösch|apparat ['lœʃ-] m extincteur m; **'2en** (h) éteindre; Tonband effacer; Durst étancher, apaiser; **den Durst ~ a** se désaltérer; **~papier** n buvard m

lose ['lo:zə] lâche; beweglich mobile; leichtfertig frivole

Lösegeld ['løːzə-] n rançon f

'**losen** [loːzən] (h) tirer au sort (**um etw qc**)

lösen ['løːzən] (h) (**sich ~** se) détacher (**von** de); *lockern* (**sich ~** se) desserrer; *schmelzen* (**sich ~** se) dissoudre; *Vertrag* annuler; *Aufgabe* résoudre; *Rätsel* deviner; *Fahrkarte* prendre, acheter

'**los|fahren** (*irr, sép, -ge-, sn,* → **fahren**) démarrer, partir; '**~gehen** (*irr, sép, -ge-, sn,* → **gehen**) *aufbrechen* s'en aller, partir; *anfangen* commencer; *Feuerwaffe* partir; **auf j-n ~** aller droit *od* foncer sur qn; '**~lassen** (*irr, sép, -ge-, h,* → **lassen**) lâcher

löslich ['løːsliç] soluble

'**los|machen** (*sép, -ge-, h*) défaire, détacher; '**~reißen** (*irr, sép, -ge-, h,* → **reißen**) arracher; '**~sagen** (*sép, -ge-, h*) **sich ~ von** se détacher de, rompre avec; '**~stürzen** (*sép, -ge-, sn*) partir en vitesse; **auf j-n ~** se précipiter sur qn

Lösung ['løːzuŋ] f (-; -en) solution f (a *chim*); '**~smittel** n solvant m

'**los|werden** (*irr, sép, -ge-, sn,* → **werden**) se débarrasser de; '**~ziehen** (*irr, sép, -ge-, sn,* → **ziehen**) *weggehen* s'en aller, partir; *mit Worten* se déchaîner (**über, gegen** contre)

löten ['løːtən] (h) souder

Lothring|en ['loːtriŋən] n (-s; *sans pl*) Lorraine; '**~er** m (-s; -), '**~erin** f (-; -nen) Lorrain m, -e f; '**2isch** lorrain

Lotion [lo'tsjoːn] f (-; -en) lotion f

Lötkolben ['løːt-] m fer m à souder

Lotse ['loːtsə] m (-n; -n) pilote m; *Flug2* aiguilleur m du ciel

Lotterie [lɔtə'riː] f (-; -n) loterie f

Lotto ['lɔto] n (-s; -s) loto m; **im ~ spielen** jouer au loto; '**~schein** m billet m de loto

Löw|e ['løːvə] zo m (-n; -n) lion m (*astr* Lion m); '**~in** f (-; -nen) lionne f; '**~enzahn** bot m pissenlit m

Luchs [luks] zo m (-es; -e) lynx m

Lücke ['lykə] f (-; -n) lacune f; *fig a* vide m; *Zahn2* brèche f; '**~nbüßer** m bouche-trou m; '**2nhaft** plein de lacunes, incomplet; *Gedächtnis* défaillant; '**2nlos** sans lacunes, complet

Ludwig ['luːtviç] m (-s; -s) Louis m

Luft [luft] f (-; ⁓e) air m; **an der frischen ~** au grand air, en plein air; **die ~ anhalten** retenir sa respiration; *fri-*

sche ~ schöpfen prendre l'air; **j-n an die ~ setzen** flanquer qn à la porte; '**~angriff** m raid m aérien, attaque f aérienne; '**~ballon** m ballon m; '**2dicht** hermétique; '**~druck** m pression f atmosphérique

lüften ['lyftən] (h) aérer; *fig Geheimnis* dévoiler

'**Luft|fahrt** f (-; *sans pl*) aviation f, aéronautique f; '**~feuchtigkeit** f humidité f de l'air; '**~fracht** f fret m aérien; '**~gewehr** n carabine f à air comprimé; '**2ig** bien aéré; *Kleidung* léger; '**~kissenboot** n, '**~kissenfahrzeug** n aéroglisseur m; '**~kurort** m station f climatique; '**~linie** f **50 km ~** 50 km à vol d'oiseau; '**~loch** n trou m d'air; '**~matratze** f matelas m pneumatique; '**~post** f poste f aérienne; **mit ~** par avion; '**~pumpe** f pompe f (à pneus); '**~röhre** f trachée(-artère) f; '**~spiegelung** f mirage m

'**Lüftung** f (-; -en) ventilation f, aération f

'**Luft|veränderung** f changement m d'air; '**~verkehr** m trafic m aérien; '**~verschmutzung** f pollution f de l'air; '**~waffe** mil f armée f de l'air; '**~zug** m courant m d'air

Lüge ['lyːgə] f (-; -n) mensonge m

lügen ['lyːgən] (*log, gelogen, h*) mentir; **das ist gelogen** c'est un mensonge

Lügner ['lyːgnər] m (-s; -); '**~in** f (-; -nen) menteur m, -euse f

Luke ['luːkə] f (-; -n) *Fenster* lucarne f; *mar* écoutille f

Lump [lump] m (-en; -en) gredin m, vaurien m

Lump|en ['lumpən] m (-s; -) chiffon m; *pl zerlumpte Kleider* guenilles f/pl, haillons m/pl

Lunch [lanʃ] m (-[e]s; -s) déjeuner m; '**~paket** n casse-croûte m

Lunge ['luŋə] f (-; -n) poumon m; '**~nentzündung** f pneumonie f

Lupe ['luːpə] f (-; -n) loupe f; *fig* **unter die ~ nehmen** examiner sur toutes les coutures

Lust [lust] f (-; ⁓e) *Freude* plaisir m; *Verlangen* envie f; *sinnliche* désir m; **~ auf** *od* **zu etw haben** avoir envie de qc; **~ haben, etw zu tun** avoir envie de faire qc; **zu nichts ~ haben** n'avoir goût à rien

L

Lüster ['lystər] *m* (*-s*; *-*) lustre *m*

lüstern ['lystərn] lascif, lubrique; '**2heit** *f* (*-*; *sans pl*) lascivité *f*

lustig [lustiç] gai, joyeux, amusant, drôle; *sich ~ machen über* se moquer de

'**lust|los** sans entrain; '**2spiel** *n* comédie *f*

'**lutsch|en** [lutʃən] (*h*) sucer; '**2er** *m* (*-s*; *-*) sucette *f*

Lüttich ['lytiç] *n* (*-s*; *sans pl*) Liège

Luv ['lu:f] *mar n* (*-s*; *sans pl*) côte *m* du vent

Luxemburg ['luksəmburk] *n* (*-s*; *sans pl*) (le) Luxembourg; '**2isch** ['-giʃ] luxembourgeois

luxuriös [luksu'rjø:s] luxueux

Luxus ['luksus] *m* (*-*; *sans pl*) luxe *m*; '**-artikel** *m* article *m* de luxe; '**-hotel** *n* hôtel *m* de luxe

Lymphknoten *m* ganglion *m* lymphatique

lynchen ['lynçən] (*h*) lyncher

Lyrik ['ly:rik] *f* (*-*; *sans pl*) poésie *f* lyrique; *Ausdrucksart* lyrisme *m*

'**lyrisch** lyrique

M

Mach|art ['max-] *f* façon *f*; '**2bar** faisable; *Plan* réalisable

mach|en ['maxən] (*h*) faire; *Prüfung* passer; *mit adj* rendre; *j-n glücklich ~* rendre qn heureux; *was od wie viel macht das?* ça fait combien?; *das macht nichts* cela ne fait rien; *nach Entschuldigung* il n'y a pas de mal; *mach dir nichts daraus!* ne t'en fais pas!; *da kann man nichts ~* on ne peut rien y faire; tant pis!; *mach mal od schon!* vas-y!; *mach's gut!* bonne chance!, bon courage!; '**2er** *m* (*-s*; *-*) homme *m* énergique, leader *m*

Macht [maxt] *f* (*-*; *̈e*) pouvoir *m*; *Staat* puissance *f*; *an der ~ sein* être au pouvoir; '**-apparat** *m* appareil *m* du pouvoir; '**-befugnis** *f* pouvoir *m*; autorité *f*; '**-haber** ['-ha:bər] *m* (*-s*; *-*) détenteur *m* du pouvoir, dirigeant *m*

mächtig ['mɛçtiç] puissant; *fig* énorme, massif

'**Macht|kampf** *m* lutte *f* pour le pouvoir; '**2los** impuissant; '**-probe** *f* épreuve *f* de force; '**-übernahme** *pol f* prise *f* du pouvoir; '**-wechsel** *pol m* changement *m* de gouvernement

Mädchen ['mɛ:tçən] *n* (*-s*; *-*) jeune fille *f*; *Gegensatz zu Junge* fille *f*; *kleines ~* petite fille *f*, fillette *f*; '**-name** *m* nom *m* de jeune fille

made in ['mɛidin] fabriqué à

Madonna [ma'dɔna] *f* (*-*; *-nnen*) Vierge *f*

Magazin [maga'tsi:n] *n* (*-s*; *-e*) magasin *m*, dépôt *m*; *Zeitschrift* magazine *m*

Magen ['ma:gən] *m* (*-s*; *̈*, *-*) estomac *m*; '**-beschwerden** *pl* indigestion *f*, embarras *m* gastrique; '**~'Darm-Infektion** *méd f* gastro-entérite *f*; '**-geschwür** *méd n* ulcère *m* d'estomac; '**-krebs** *méd m* cancer *m* de l'estomac; '**-schmerzen** *m/pl* maux *m/pl* d'estomac; F mal *m* au ventre

mager ['ma:gər] maigre

Mag|ie [ma'gi:] *f* (*-*; *sans pl*) magie *f*; '**2isch** magique

Magistrat [magis'tra:t] *m* (*-[e]s*; *-e*) conseil *m* municipal

Magnet [ma'gne:t] *m* (*-[e]s*, *-en*; *-e[n]*) aimant *m* (*a fig*); '**-band** *n* (enregistreur *m* à) ruban *m* magnétique; '**2isch** magnétique; '**-nadel** *f* aiguille *f* aimantée; '**-platte** *f* disque *m* magnétique

Mahagoni [maha'go:ni] *n* (*-s*; *sans pl*) acajou *m*

mäh|en ['mɛ:ən] (*h*) *Gras* faucher; *Rasen* tondre; *Getreide* moissonner; '**2drescher** *m* moissonneuse-batteuse *f*

mahlen ['ma:lən] (*mahlte, gemahlen, h*) moudre

Mahlzeit ['ma:l-] *f* (*-*; *-en*) repas *m*; *~!* bon appétit!

Mähne ['mɛ:nə] *f* (*-*; *-n*) crinière *f*; *von Menschen* tignasse *f*

Mahn|bescheid ['ma:n-] *m* sommation *f*; '**2en** (*h*) *j-n an etw ~* rappeler qc à qn; *zu etw ~* exhorter à qc; '**-gebühr** *f* frais *m/pl* de sommation; '**~mal** *n* mémorial *m*; '**~ung** *f* avertissement *m*; exhortation *f*; *comm* sommation *f*

Mai [mai] *m* (-s; -e) mai *m*; *der Erste~* le Premier Mai; '**~glöckchen** *bot n* muguet *m*; '**~käfer** *zo m* hanneton *m*

Mailand ['mailant] *n* Milan

Mainz [maints] *n* (-; *sans pl*) Mayence

Mais [mais] *bot m* (-es; *sans pl*) maïs *m*; '**~kolben** *m* épi *m* de maïs

Major [ma'joːr] *mil m* (-s; -e) commandant *m*

Majoran [majo'raːn] *bot m* (-s; *sans pl*) marjolaine *f*

makaber [ma'kaːbər] macabre

Makel ['maːkəl] *m* (-s; -) tache *f*, défaut *m*

'**makellos** sans défaut, parfait, irréprochable

Makler ['maːklər] *comm m* (-s; -) courtier *m*; *Börse* agent *m* de change; *Immobilien* agent *m* immobilier; '**~gebühr** *f* droit *m* de courtage

Makrele [ma'kreːlə] *zo f* (-; -n) maquereau *m*

Mal[1] [maːl] **1.** *n* (-[e]s; -e) fois *f*; *zum ersten* (*letzten*) *~* pour la première (dernière) fois; *das nächste ~* la prochaine fois; *mit ein~* tout d'un coup; **2.** $\geq$ *math* fois; *zwei ~ fünf ist zehn* deux fois cinq font dix

Mal[2][-] *n* (-[e]s; -e) *Zeichen* marque *f*

mal F → *einmal*; *wird meist nicht übersetzt*

malen ['maːlən] (h) peindre

'**Maler** *m* (-s; -); '**~in** *f* (-; -nen) peintre *m* (femme *f* peintre); '**~ei** [-'rai] *f* (-; -en) peinture *f*; '**~isch** pittoresque

Malz [malts] *n* (-es; *sans pl*) malt *m*; '**~kaffee** *m* (café *m* de) malt *m*

Mama ['mama, ma'maː] *f* (-; -s) maman *f*

man [man] on

'**Manag|ement** *n* ['mɛnidʒmənt] *n* (-s; *sans pl*) management *m*; '**~en** (h) diriger, organiser, gérer; '**~er** *m* (-s; -) manager *m*; '**~erkrankheit** *f* surmenage *m* intellectuel

manch [manç] plus d'un, maint; *~e* *pl* certains, *nur adj* quelques; bien des ...; '**~erlei** ['-ərlai] divers, toutes sortes de; '**~mal** quelquefois

Mandant [man'dant] *jur m* (-en; -en) client *m*, mandant *m*

Mandat [man'daːt] *jur, pol n* (-[e]s; -e) mandat *m*

Mandel ['mandəl] *f* (-; -n) *bot* amande *f*; *Organ* amygdale *f*

Mangel ['maŋəl] *m* (-s; ⁓) *Fehler* défaut *m*; *Fehlen* absence *f* (*an* de); *Knappheit* manque *m* (*an* de), pénurie *f* (*an* de); *aus ~* à faute de; '**~beruf** *m* métier *m* déficitaire; '**~erscheinung** *f* symptôme *m* de carence; '**~haft** défectueux; *Schulnote* médiocre

'**mangeln** (h) *es mangelt mir an etw* je manque de qc; qc me manque

'**mangels** *prép* (*gén*) à défaut de, faute de

'**Mangelware** *f* marchandise *f* rare

Manie [ma'niː] *f* (-; -n) manie *f*

Manier [ma'niːr] *f* (-; -en) manière *f*; *gute ~en* bonnes manières, savoir-vivre *m*; *schlechte ~en* mauvaises manières

Manifest [mani'fɛst] *n* (-[e]s; -e) manifeste *m*

Maniküre [mani'kyːrə] *f* (-; -n) manucure *f*

Manipul|ation [manipula'tsjoːn] *f* (-; -en) manipulation *f*; $\geq$**ieren** (*pas de -ge-*, h) manipuler

Manko ['maŋko] *n* (-s; -s) *comm* déficit *m*; *fig* manque *m*

Mann [man] *m* (-[e]s; ⁓er) homme *m*; *Ehe* $\geq$ mari *m*; *alter ~* vieillard *m*

Männchen ['mɛnçən] *n* (-s; -) petit homme *m*, bonhomme *m*; *Tier* mâle *m*

mannig|fach ['maniç-], '**~faltig** varié, divers

männlich ['mɛnliç] mâle; *gr* masculin

'**Mannschaft** *f* (-; -en) *Sport, fig* équipe *f*; *mar, aviat* équipage *m*; '**~sgeist** *Sport m* esprit *m* d'équipe

Manöv|er [ma'nøːvər] *n* (-s; -) manœuvre *f*; $\geq$**rieren** [-'vriːrən] (*pas de -ge-*, h) manœuvrer

Mansarde [man'zardə] *f* (-; -n) mansarde *f*; '**~nfenster** *n* lucarne *f*

Mantel ['mantəl] *m* (-s; ⁓) manteau *m*; *Überzieher* pardessus *m*; *Fahrrad* enveloppe *f*, bandage *m*; '**~tarif** *m* tarif *m* collectif

manu|ell [manu'ɛl] manuel, à la main; $\geq$**faktur** [-fak'tuːr] *f* (-; -en) manufacture *f*; $\geq$**skript** [-'skript] *n* (-[e]s; -e) manuscrit *m*

Mappe ['mapə] f (-; -n) Aktentasche serviette f; Schul☾ cartable m; Ablege☾ classeur m, chemise f

Märchen ['mɛːrçən] n (-s; -) conte m (de fée); fig ~ **erzählen** raconter des histoires; '☾**haft** fabuleux, féerique; F fantastique

Marder ['mardər] m (-s; -) martre f

Margarine [marga'riːnə] f (-; -n) margarine f

Marienkäfer [ma'riːən-] zo m coccinelle f

Marine [ma'riːnə] f (-; -n) marine f

Marionette [mario'nɛtə] f (-; -n) marionnette f

Mark¹ [mark] f (-; -) Geld mark m

Mark² n (-[e]s; sans pl) Knochen☾ moelle f; Frucht☾ pulpe f

Marke ['markə] f (-; -n) comm marque f; Spiel☾, Kontroll☾ jeton m; Essens☾ ticket m; Brief☾ timbre m; '~**nartikel** comm m article m de marque; '~**nerzeugnis** n produit m de marque; '~**nimage** n image f de marque; '~**treue** f fidélité f à une marque; '~**zeichen** n logo m

Marketing ['markətiŋ] n (-s; sans pl) marketing m

markier|en [mar'kiːrən] (pas de -ge-, h) marquer, repérer; vortäuschen jouer, simuler; ☾**ung** f (-; -en) marquage m, repérage m

Markt [markt] m (-[e]s; ¨e) marché m; auf den ~ **bringen** mettre sur le marché, lancer; '~**anteil** m part f de marché; '~**forschung** écon f étude f de marché; '~**lage** f situation f du marché; conjoncture f; '~**lücke** f créneau m de vente; '~**platz** m place f du marché; '~**wert** m valeur f marchande; '~**wirtschaft** f économie f de marché; **freie** ~ économie libre

Marmelade [marmə'laːdə] f (-; -n) confiture f, marmelade f

Marmor ['marmɔr] m (-s; -e) marbre m

Marokkan|er [marɔ'kaːnər] m (-s; -); ~**erin** f (-; -nen) Marocain m, -e f; ☾**isch** marocain

Marokko [ma'rɔkɔ] n (-s; sans pl) le Maroc

Marsch [marʃ] m (-es; ¨e) marche f (a mus)

'**Marsch|befehl** m ordre m de marche; '~**flugkörper** mil m missile m de

croisière; ☾'**ieren** (pas de -ge-, h) marcher

Marter ['martər] f (-; -n) tourment m, torture f

Märtyrer ['mɛrtyrər] m (-s; -), '~**in** f (-; -nen) martyr m, -e f

Marxis|mus [mar'ksismus] m (-; sans pl) marxisme m; ~**t** (-en; -en), ~**tin** f (-; -nen) m marxiste m, f; ☾**tisch** marxiste

März [mɛrts] m (-es; -e) mars m

Masche ['maʃə] f (-; -n) maille f; F **die neueste** ~ le nouveau dada

Maschin|e [ma'ʃiːnə] f (-; -n) machine f (auch Lok, Motorrad); Motor moteur m; Flugzeug appareil m; **mit der** ~ **schreiben** taper à la machine, dactylographier; ☾**ell** [-'nɛl] mécanique, à la machine

Ma'schinen|bau m (-[e]s; sans pl) construction f de machines, construction f mécanique; ~**bauer** m (-s; -) ingénieur m mécanicien; ~**fabrik** f ateliers m/pl de construction de machines; ~**gewehr** n mitrailleuse f; ~**pistole** f mitraillette f; ~**schaden** m avarie f de machine; ~**schreiben** n (-s; sans pl) dactylographie f

Maschinist [-'nist] m (-en; -en) mécanicien m, conducteur m

Masern ['maːzərn] méd pl rougeole f

Maserung ['maːzəruŋ] f (-; -en) madrure f

Maske ['maskə] f (-; -n) masque m; ☾'**ieren** (pas de -ge-, h) masquer, **sich** ~ se déguiser (**als** en)

Maß [maːs] n (-es; -e) mesure f; Mäßigung modération f; **~e und Gewichte** poids et mesures; **nach** ~ sur mesure; **in dem ~e wie** dans la mesure où; **in hohem ~e** dans une large mesure; **in zunehmendem ~e** de plus en plus

Massage [ma'saːʒə] f (-; -n) massage m

Massaker ['masakər] n (-s; -) massacre m

'**Masse** [masə] f (-; -n) masse f; Menschen☾ foule f; **die breite** ~ le grand public

'**Maßeinheit** f unité f de mesure

'**Massen|abfertigung** f expédition f, enregistrement m en masse; '~**absatz** m vente f en grandes quantités; '~**andrang** m grande affluence f; '~**entlassung** f débauchage m collectif;

'**2haft** en masse; '**_karambolage** *f* carambolage *m* en série; '**_medien** *n/pl* mass media *m/pl*; '**_mord** *m* massacre *m*; '**_tierhaltung** *f* élevage *m* en batterie; '**_tourismus** *m* tourisme *m* de masse; '**_verkehrsmittel** *n* transports *m/pl* de masse; **2weise** en masse(s)

'**maß|gebend, _geblich** ['ge:pliç] qui fait autorité, déterminant, décisif

massieren [ma'si:rən] (*pas de -ge-*, *h*) masser

mäßig ['mɛ:siç] modéré; *im Essen* frugal, sobre; *Geldsumme* modique; *dürftig* médiocre; '**_gen** ['-gən] (*h*) (*sich ~ se*) modérer; *mildern* tempérer; *Tempo* ralentir; '**2ung** ['-guŋ] *f* (*-; -en*) modération *f*

massiv [ma'si:f] **1.** massif, solide; *fig* énergique, grossier; **2.** 2 *n* (*-s; -e*) *Gebirge* massif *m*

'**Maß|krug** *m* chope *f*; '**2los** démesuré, sans mesure; '**_nahme** ['-na:mə] *f* (*-; -n*) mesure *f*; **_n ergreifen** prendre des mesures; '**_stab** *m Karte* échelle *f*; *fig* norme *f*, critère *m*; '**2voll** modéré, mesuré

Mast¹ [mast] *m* (*-[e]s; -e[n]*) mât *m* (*a mar*); *Strom*2 pylône *m*

Mast² *f* (*-; -en*) *agr* engraissement *m*

mästen ['mɛstən] (*h*) engraisser

Masturb|ation [masturba'tsjo:n] masturbation *f*; **2ieren** (*pas de -ge-*, *h*) masturber

Material [mater'ja:l] *n* (*-s; -ien*) Werkstoff matériau *m*; *für geistige Arbeit* matériaux *m/pl*; *Stoff* matière *f*; *Ausrüstung* matériel *m*; **_fehler** *m* défaut *m* de matériel; **_ismus** [-a'lismus] *m* (*-; sans pl*) matérialisme *m*; **_ist** *m* (*-en; -en*) matérialiste *m*; **2istisch** matérialiste

Materie [ma'te:rjə] *f* (*-; -n*) matière *f*

materiell [mater'jɛl] matériel

Mathemati|k [matema'ti:k] *f* (*-; sans pl*) mathématiques *f/pl*, maths *f/pl* F; **_ker** ['-ma'tikər] *m* (*-s; -*) mathématicien *m*; **2sch** mathématique

Matratze [ma'tratsə] *f* (*-; -n*) matelas *m*

Matrize [ma'tritsə] *f* stencil *m*

Matrose [ma'tro:zə] *m* (*-n; -n*) matelot *m*, marin *m*

Matsch [matʃ] *m* (*-[e]s; sans pl*) boue *f*, gadoue *f*

matt [mat] épuisé, abattu, faible; *Farbe,*

Foto mat; *Glas* dépoli; *Schach* mat

Matte ['matə] *f* (*-; -n*) natte *f*; *Fuß*2 paillasson *m*; *Sport* tapis *m*

'**Mattigkeit** *f* (*-; sans pl*) épuisement *m*, abattement *m*

Mauer ['mauər] *f* (*-; -n*) mur *m*; '**2n** (*h*) maçonner; '**_werk** *n* maçonnerie *f*

Maul [maul] *n* (*-[e]s; "er*) gueule *f*; *Pferd* bouche *f*; P *halts _!* ferme ta gueule!

'**Maul|esel(in** *f*) *m* mulet *m*, mule *f*; '**_korb** *m* muselière *f*; '**_tier** *n* mulet *m*, mule *f*

'**Maulwurf** *m* taupe *f*; '**_shaufen** *m*, '**_shügel** *m* taupinière *f*

Maurer ['maurər] *m* (*-s; -*) maçon *m*; '**_kelle** *f* truelle *f*

Maus [maus] *f* (*-; "e*) *zo u EDV* souris *f*; '**_cursor** *m EDV* curseur *m* de la souris; '**_efalle** ['-zə-] *f* souricière *f*; **_klick** *m EDV* clic *m* avec la souris; **per ~** en cliquant sur la souris

Maut(gebühr) ['maut-] *östr f* (*-; sans pl*) péage *m*; '**_stelle** *f* poste *m* de péage; '**_straße** *f* route *f* à péage

maxim|al [maksi'ma:l] maximum, maximal; *adv au* maximum; **_ieren** (*pas de -ge-*, *h*) maximiser; **2um** ['-mum] *n* (*-s; -ma*) maximum *m*

Mäzen [mɛ'tse:n] *m* (*-s; -e*) mécène *m*

Mechan|ik [me'ça:nik] *f* (*-; sans pl*) mécanique *f*; **_iker** *m* (*-s; -*) mécanicien *m*; **2isch** mécanique; *gedankenlos* machinal; **2isieren** [-ni'zi:rən] (*pas de -ge-*, *h*) mécaniser; **_i'sierung** *f* (*-; -en*) mécanisation *f*; **_ismus** ['-nismus] *m* (*-; -men*) mécanisme *m*

Medaille [me'daljə] *f* (*-; -n*)

Medikament [medika'mɛnt] *n* (*-[e]s; -e*) médicament *m*

meditieren [medi'ti:rən] (*pas de -ge-*, *h*) méditer (**über** sur)

Medium ['me:djum] *n* (*-s; -ien*) *zur Information* média *m*; *phys* milieu *m*

Medizin [medi'tsi:n] *f* (*-; -en*) médecine *f*; *Arznei* remède *m*; **2isch** médical; **_technische Assistentin** *f* laborantine *f*

Meer [me:r] *n* (*-[e]s; -e*) mer *f*; '**_blick** *m* vue *f* sur la mer; '**_enge** *f* détroit *m*

Meeres|früchte ['me:rəs-] *cuis f/pl* fruits *m/pl* de mer; '**_spiegel** *m* niveau *m* de la mer

'**Meer|rettich** *bot m* raifort *m*; '**_schweinchen** *zo n* cobaye *m*;

'**~wasser** n eau f de mer

Mehl [me:l] n (-[e]s; -e) farine f; '**2ig** farineux; '**~speise** östr f entremets m

mehr [me:r] plus, davantage; **noch ~** encore plus; **immer ~** de plus en plus; ~ **oder weniger** plus ou moins; **nicht ~** ne ... plus; ~ **als** plus que; vor Zahl plus de; '**2arbeit** f travail m supplémentaire; '**2aufwand** m surcroît m de dépenses; '**~deutig** ambigu, équivoque; '**2einnahme** f excédent m de recettes; '**~ere** plusieurs; '**~fach** multiple; wiederholt réitéré; adv à différentes reprises; '**2heit** f (-; -en) majorité f; '**2heitswahl** f, '**2heitswahlrecht** n scrutin m majoritaire; '**2kosten** pl frais m/pl supplémentaires; '**~mals** plusieurs fois; '**2parteiensystem** n système m pluripartite; '**2wert** m plus-value f; '**2wertsteuer** f taxe f à la valeur ajoutée (abr T.V.A.); '**2zahl** gr f pluriel m; **die ~ der Leute** la plupart des gens (+ Verb im pl); '**2zweck...** in Zssgn à usages multiples; '**2zweckhalle** f salle f polyvalente

meiden ['maidən] (mied, gemieden, h) éviter

Meile ['mailə] f (-; -n) mille m; hist lieue f

mein [main] mon, ma, pl mes; **~er**, **~e**, **~es, der, die, das ~** od **~ige** le mien, la mienne

Meineid ['main?-] jur m parjure m, faux serment m

meinen ['mainən] (h) être d'avis; glauben croire; denken penser; sagen wollen vouloir dire; **wie ~ Sie das?** qu'est-ce que vous entendez par là?; **ich habe es nicht so gemeint** ce n'est pas là ma pensée

meinetwegen ['mainət-] à cause de moi; pour moi; quant à moi; **~!** soit!, je le veux bien

'**Meinung** f (-; -en) opinion f; avis m; **meiner ~ nach** à mon avis; **der ~ sein, dass ...** être d'avis que ...; **seine ~ ändern** changer d'avis; **ich bin ganz Ihrer ~** je suis entièrement de votre avis; **j-m seine ~ sagen** dire sa façon de penser à qn

Meinungs|austausch m échange m de vues; '**~forschung** f sondage m d'opinion; '**~freiheit** f liberté f d'opinion; '**~umfrage** f sondage m d'opinion; '**~verschiedenheit** f divergence f de vues, désaccord m

'**Meise** ['maizə] zo f (-; -n) mésange f

meist [maist] la plupart de; le plus de; **(die) ~(e Zeit)** la plupart du temps; **die ~e Arbeit** le plus grand travail; **die ~en (Arbeiter)** la plupart des (ouvriers); **am ~en** le plus; '**2begünstigungsklausel** f clause f de la nation la plus favorisée; '**~bietend** ['-bi:tənt] le plus offrant; '**~ens** ['-əns] le plus souvent, la plupart du temps, généralement

Meister ['maistər] m (-s; -), '**~in** f (-; -nen) maître m, -sse f; Sport champion m, -ne f; '**~schaft** f (-; -en) maîtrise f; Sport championnat m; '**~stück** n, '**~werk** n chef-d'œuvre m

Melde|behörde ['meldə-] f bureau m des déclarations; '**2n** (h) annoncer, rapporter, déclarer, signaler; **sich ~** se présenter (bei qn); brieflich donner signe de vie; tél répondre; **sich zu Wort ~** demander la parole; '**~pflicht** f déclaration f obligatoire

Meldung ['meldʊŋ] f (-; -en) annonce f, rapport m, déclaration f; Nachricht information f; An2 inscription f

melken ['melkən] (melkte/molk, gemelkt/gemolken, h) traire

Melodie [melo'di:] f (-; -n) mélodie f; **2isch** [-'lo:dɪʃ] mélodieux

Melone [me'lo:nə] bot f (-; -n) melon m

Memoiren [memo'a:rən] pl mémoires m/pl

Menge ['mɛŋə] f (-; -n) quantité f; große multitude f; Menschen2 foule f; math ensemble m; F **e-e Menge ...** beaucoup de, F pas mal de, un tas de; '**~nlehre** math f théorie f des ensembles; '**~nrabatt** m rabais m de quantité

Mensch [mɛnʃ] m (-en; -en) homme m; être m humain; **~en** pl gens m/pl; **kein ~** personne (+ ne)

'**Menschen|alter** n génération f; '**~handel** m traite f des esclaves; '**~hass** m misanthropie f; '**~kenntnis** f **~ haben** être bon psychologue; '**~leben** n vie f humaine; '**2leer** désert; '**~liebe** f philanthropie f; '**~menge** f foule f; '**~rechte** n/pl droits m/pl de l'homme; '**2scheu** farouche; '**2unwürdig** indigne d'un être humain, dégradant; '**~verstand** m **gesunder ~** bon sens m, sens m commun; '**~würde** f dignité f humaine

'Mensch|heit f (-; sans pl) humanité f, genre m humain; **'2lich** humain; **'_lichkeit** f (-; sans pl) humanité f

Mentalität [mentali'tɛːt] f (-; -en) mentalité f

Menü [me'nyː] n (-s; -s) menu m

Meridian [meri'djaːn] m (-s; -e) méridien m

Merkblatt ['mɛrk-] notice f

merk|en ['mɛrkən] (h) remarquer, s'apercevoir de; **sich etw ~** retenir qc; **'_lich** sensible; sichtlich visible; **'2mal** ['-maːl] n (-[e]s; -e) marque f, signe m; Anzeichen indice m; Eigenart caractéristique f; **'_würdig** étrange, curieux, bizarre; **'_würdigerweise** curieusement

messbar ['mɛsbaːr] mesurable

Messe ['mɛsə] f (-; -n) rel messe f; Ausstellung foire f, exposition f, salon f; **'_gelände** n terrain m de foire; **'2n** (maß, gemessen, h) mesurer; **sich mit j-m ~** se mesurer avec qn à qn; **'_neuheit** f nouveauté f de la foire

Messer ['mɛsər] n (-s; -) couteau m; **auf des _s Schneide stehen** ne tenir qu'à un fil; **'_stich** m coup m de couteau

'Messestand m stand m

Messing ['mɛsɪŋ] n (-s; sans pl) laiton m, cuivre m jaune

'Messinstrument n instrument m de mesure

Messung ['mɛsʊŋ] f (-; -en) mesurage m

Metall [me'tal] n (-s; -e) métal m; **~ verarbeitend** métallurgique; **_arbeiter** m ouvrier m métallurgiste, métallo f; **_industrie** f industrie f métallurgique; **2isch** métallique; **_waren** f/pl objets m/pl en métal

Meteor [mete'oːr] m (-s) météore m, météorite f; **_ologe** [-oro'loːgə] m (-n; -n) météorologiste m; **_ologie** [-oro'logiː] f (-; sans pl) météorologie f

Meter ['meːtər] n od m (-s; -) mètre m; **'_maß** n mètre m

Method|e [me'toːdə] f (-; -n) méthode f; **2isch** méthodique

metrisch ['metrɪʃ] métrique; **_es Maßsystem** système m métrique

Metro ['meːtro] f métro m; **_pole** [-'poːlə] f (-; -n) métropole f

Metzger ['mɛtsgər] m (-s; -) boucher m; **_ei** [-'rai] f (-; -en) boucherie f

MEZ f heure f de l'Europe centrale

Meuter|ei [mɔytə'rai] f (-; -en) mutinerie f; **'_er** m (-s; -) mutiné m, mutin m; **'2n** (h) se mutiner (**gegen** contre)

Mexikan|er [mɛksi'kaːnər] m (-s; -), **_erin** f (-; -nen) Mexicain m, -e f; **2isch** mexicain

Mexiko ['mɛksiko] (-s; sans pl) le Mexique; Stadt Mexico

mich [mɪç] me (vor Vokal m'); moi

Miene ['miːnə] f (-; -n) air m, mine f

mies [miːs] mauvais; F moche; **'2macher** ['-maxər] m (-s; -) défaitiste m, pessimiste m

Miet|dauer ['miːt-] f durée f du bail; **'_e** f (-; -n) location f; Preis loyer m, (prix m de) location f

'miet|en (h) louer; **2er** m (-s; -), **2erin** f (-; -nen) locataire m, f

'Miet|preis m loyer m; **_shaus** n maison f de rapport; **'_kauf** m location-vente f; **_vertrag** m contrat m de location; **_wagen** m voiture f de louage; **_wohnung** f appartement m loué

Migräne [mi'grɛːnə] f (-; -n) migraine f

Mikro|chip ['mikrotʃɪp] m (-s; -s) puce f; **_computer** m micro-ordinateur m; **_elektronik** f micro-électronique f; **_film** m microfilm m; **_fon, phon** [-'foːn] n (-s; -e) microphone m, F micro m; **_skop** [-'skoːp] n (-s; -e) microscope m; **2skopisch** microscopique; **_welle** f micro-onde f; **_wellenherd** m four m à micro-ondes

Milch [mɪlç] f (-; sans pl) lait m; **'_flasche** f bouteille f à lait; Baby 2 biberon m; **'_kaffee** m café m au lait; **'_mixgetränk** n milk-shake m; **'_produkte** n/pl produits m/pl laitiers; **'_pulver** n lait m en poudre; **'_straße** astr f Voie f lactée, galaxie f; **'_zahn** m dent f de lait

mild [mɪlt] doux; nachsichtig indulgent; Strafe léger

Mild|e ['mɪldə] f (-; sans pl) douceur f, indulgence f; **'2ern** ['mɪldərn] (h) adoucir; **'2ernd** jur **_e Umstände** circonstances atténuantes; **_erung** f (-; -en) adoucissement m

Milieu [mil'jøː] n (-s; -s) milieu m (social)

Militär [mili'tɛːr] n (-s; sans pl) troupes f/pl, armée f; **_dienst** m service m militaire; **_diktatur** f dictature f mili-

         M

taire; **2isch** militaire

Militaris|mus [milita'rismus] m (-; sans pl) militarisme m; **2tisch** militariste

Milliarde [mil'jardə] f (-; -n) milliard m

Millimeter [mili-] n od m (-s; -) millimètre m

Million [mil'jo:n] f (-; -en) million m; **~är** [-o'nε:r] m (-s; -e), **~'ärin** f (-; -nen) millionnaire m, f

Milz [milts] f (-; -en) rate f

Mimik ['mi:mik] f (-; sans pl) mimique f

'**minder** [mindər] moindre; weniger wert inférieur; adv moins; '**2einnahme** f moins-perçu m; '**2heit** f (-; -en) minorité f; '**2heitsregierung** f gouvernement m minoritaire; '**~jährig** ['-jε:riç] mineur; **2jährige** ['-jε:rigə] m, f (-n; -n) mineur m, -e f

'**minder|n** (h) diminuer, amoindrir; '**2ung** f (-; -en) diminution f; '**~wertig** d'une valeur od qualité inférieure; '**2wertigkeitskomplex** psych m complexe m d'infériorité

mindest ['mindəst] le od la moindre; **nicht das 2e** pas la moindre chose; **nicht im 2en** pas le moins du monde; '**2alter** n âge m minimum; '**2betrag** m minimum m; '**~ens** au moins; '**2gebot** n enchère f minimum; '**2lohn** m salaire m minimum; '**2maß** n minimum m (**an** de)

Mine ['mi:nə] f (-; -n) mine f

Mineral [minə'ra:l] n (-s; -e, -ien) minéral m; **2isch** minéral; '**~öl** n huile f minérale; '**~wasser** n eau f minérale

Minigolf ['mini-] n golf m miniature

minim|al [mini'ma:l] minime; '**2um** ['-mum] n (-s; -ma) minimum m

Minister [mi'nistər] m (-s; -) ministre m

Ministerium [mini'ste:rjum] n (-s; -rien) ministère m

Mi'nister|präsident m président m du Conseil (des ministres), Premier ministre m; **~rat** m Conseil m des ministres

minus ['mi:nus] **1.** moins; **2.** 2 n (-; -) Fehlbetrag déficit m; Nachteil désavantage m; '**2betrag** m déficit m; '**2pol** m pôle m négatif; '**2zeichen** n signe m moins

Minute [mi'nu:tə] f (-; -n) minute f; '**~nzeiger** m aiguille f des minutes, grande aiguille f

mir [mi:r] me (vor Vokal m'); moi, à moi

'**Misch|batterie** f robinets m/pl mitigeurs; '**~brot** n pain m bis; '**2en** (h) (**sich ~** se) mêler, mélanger; '**~gemüse** n macédoine f de légumes; '**~ling** ['-liŋ] m (-s; -e) métis m, -se f; '**~pult** n pupitre m de mixage; '**~ung** f (-; -en) mélange m

miserabel [mize'ra:bəl] F minable; **ich fühle mich ~** je me sens mal en point

miss|achten [mis'-] (pas de -ge-, h) Vorfahrt etc ne pas respecter; verachten dédaigner; '**2achtung** f Nichtbeachtung nonrespect m; Verachtung dédain m; '**~billigen** (pas de -ge-, h) désapprouver; '**2billigung** f désapprobation f; '**2brauch** m abus m; '**~brauchen** (pas de -ge-, h) abuser de; '**~bräuchlich** abusif

'**Miss|erfolg** m échec m; '**~ernte** f mauvaise récolte f

miss|'fallen (irr, pas de -ge-, h, → **fallen**) **j-m ~** déplaire à qn; '**2fallen** n (-s; sans pl) déplaisir m; '**2geburt** f monstre m; '**2geschick** n infortune f, malchance f, adversité f; '**~glücken** (pas de -ge-, sn) ne pas réussir, échouer; '**2griff** m erreur f, méprise f; '**~günstig** jaloux; '**~handeln** (pas de -ge-, h) maltraiter; '**2handlungen** f/pl mauvais traitements m/pl, sévices m/pl

Mission [mis'jo:n] f (-; -en) Auftrag mission f; rel missions f/pl; '**~ar** [-o'na:r] m (-s; -e) missionnaire m

'**Miss|kredit** m discrédit m; **in ~ bringen** discréditer; '**2lich** fâcheux; '**2lingen** [-'liŋən] (misslang, misslungen, sn) ne pas réussir, échouer, rater; '**~stand** m abus m; '**2trauen** (pas de -ge-, h) se méfier de; '**~trauen** n (-s; sans pl) méfiance f (**gegenüber** à l'égard de); '**~trauensvotum** n vote m de défiance; '**2trauisch** méfiant; '**~verhältnis** n disproportion f; '**~verständnis** n malentendu m; '**2verstehen** (missverstand, missverstanden, h) mal entendre od comprendre; '**~wirtschaft** f mauvaise gérance f

Mist [mist] m (-[e]s; sans pl) fumier m; F fig Quatsch bêtises f/pl; Schund F saloperie f

Mistel ['mistəl] bot f (-; -n) gui m

mit [mit] **1.** präp avec; **~ Gewalt** par la force; **~ Absicht** intentionnellement; **~ dem Auto** en voiture; **~ 20 Jahren** à 20 ans; **~ 100 Stundenkilometern** à 100 à l'heure; **~ einem Mal** tout à coup; **~ lauter Stimme** à haute voix; **2.** *adv* **~ der Grund dafür, dass ...** une des raisons pour laquelle ...; **~ der Beste** parmi les meilleurs; **~ dabei sein** y assister; **~ anfassen** prêter la main

'**Mit|arbeit** *f* (-; *sans pl*) coopération *f*, collaboration *f*; **2arbeiten** (*sép, -ge-, h*) coopérer, collaborer (**an** *à*); '**~arbeiter(in** *f*) *m* collaborateur *m*, -trice *f*; '**~arbeiterstab** *m* équipe *f* de collaborateurs; '**~bestimmung** *f* (-; *sans pl*) cogestion *f*, participation *f*; **2bringen** (*irr, sép, -ge-, h; → bringen*) amener; *Sache* apporter; '**~bringsel** ['-brɪŋzəl] *n* (-s; -) petit cadeau *m*; souvenir *m* de voyage; '**~bürger(in** *f*) *m* concitoyen *m*, -ne *f*; '**~eigentümer** *m* copropriétaire *m*; **2einander** ensemble; **2erleben** (*sép, pas de -ge-, h*) assister à; *Krieg etc* vivre; '**~gefühl** *n* compassion *f*; **2gehen** (*irr, sép, -ge-, sn, → gehen*) **mit j-m ~** aller avec qn, accompagner qn

'**Mitglied** *n* membre *m*; '**~sausweis** *m* carte *f* de membre; '**~sbeitrag** *m* cotisation *f*; '**~sland** *n* pays *m* membre; '**~schaft** *f* (-; -*en*) affiliation *f*

'**mit|haben** (*irr, sép, -ge-, h, → haben*) **ich habe kein Geld mit** je n'ai pas d'argent sur moi; '**~hilfe** *f* (-; *sans pl*) assistance *f*, aide *f*; *péj* complicité *f*; '**~hören** (*sép, -ge-, h*) écouter; *zufällig* surprendre une conversation; **2läufer** *pol m* sympathisant *m*

'**Mitleid** *n* (-[*e*]*s*; *sans pl*) pitié *f*; '**~enschaft** *f* **in ~ gezogen werden** être affecté également par; avoir à subir les suites fâcheuses de; **2ig** ['-laidiç] plein de pitié, compatissant; **2slos** ['-ts-] sans pitié

'**mit|machen** (*sép, -ge-, h*) prendre part à, suivre; *erleben* vivre, voir; '**2mensch** *m* prochain *m*; '**~nehmen** (*irr, sép, -ge-, h, → nehmen*) emmener; *Sache* emporter; '**~reden** (*sép, -ge-, h*) prendre part à la conversation; *mitzureden haben* avoir son mot à dire, avoir voix au chapitre; '**2reisende** *m* (-*n*; -*n*) compagnon *m* de voyage; '**~schneiden** (*irr, sép, -ge-, h, → schneiden*) *Radio, TV* enregistrer; '**2schuld** *f* (-; *sans pl*) complicité *f*; '**~schuldig** complice (**an** de); '**2schüler(in** *f*) *m* camarade *m, f* de

classe; '**~spielen** (*sép, -ge-, h*) prendre part au jeu; *fig F* **ich spiele nicht mehr mit!** j'en ai marre!; '**2spracherecht** *n* (-[*e*]*s*; *sans pl*) droit *m* d'intervention

Mittag ['mɪta:k] *m* (-[*e*]*s*; -*e*) midi *m*; **heute ~** ce midi; **morgen ~** demain (à) midi; (**zu**) **~ essen** déjeuner; '**~essen** *n* déjeuner *m*, repas *m* de midi

'**mittags** à midi; '**2schlaf** *m* sieste *f*

Mitte ['mɪtə] *f* (-; -*n*) milieu *m*; centre *m*; **~ März** à la mi-mars; **~ dreißig** au milieu de la trentaine

'**mitteil|en** (*sép, -ge-, h*) communiquer, faire savoir; '**2ung** *f* (-; -*en*) communication *f*, message *m*, information *f*

Mittel ['mɪtəl] *n* (-s; -) moyen *m*; *Heil2* remède *m*; *Reinigungs2 etc* produit *m*; *math* moyenne *f*; *pl Geld2* moyens *m/pl*, ressources *f/pl*; '**~alter** *n* Moyen Âge *m*; '**2alterlich** médiéval, moyenâgeux; '**~amerika** *n* l'Amérique *f* centrale; '**~ding** *n* chose *f* intermédiaire (**zwischen** entre); '**~finger** *m* majeur *m*; '**2fristig** à moyen terme; '**~klasse** *f* *auto etc* catégorie *f* moyenne; '**2los** sans ressources; '**2mäßig** moyen, médiocre; '**~mäßigkeit** *f* (-; *sans pl*) médiocrité *f*; '**~meer** *n* (-s; *sans pl*) Méditerranée *f*; '**~meerländer** *m/pl* pays *m/pl* méditerranéens; '**~punkt** *m* centre *m*

'**mittels** *prép* (*gén*) moyennant

'**Mittel|smann** *m* intermédiaire *m, f*; '**~stand** *m* classe *f* moyenne; '**~streckenrakete** *mil f* missile *m* à moyenne portée; '**~streifen** *m* *Straße* ligne *f* médiane; *Autobahn* bande *f* médiane; '**~weg** *m* **der goldene ~** le juste milieu; '**~welle** *f* *Radio* ondes *f/pl* moyennes, petites ondes *f/pl*

mitten ['mɪtən] **~ in, ~ auf, ~ unter** au milieu de; **~ im Sommer** (**Winter**) en plein été (hiver); **~ in Paris** en plein Paris; '**~drin** *F* en plein milieu, au beau milieu

Mitternacht ['mɪtər-] *f* minuit *m*

Mittler ['mɪtlər] *m* (-s; -); '**~in** *f* (-; -*nen*) médiateur *m*, -trice *f*

'**mittler|e** du milieu; *durchschnittlich* moyen; '**~weile** en attendant

Mittwoch ['mɪtvɔx] *m* (-[*e*]*s*; -*e*) mercredi *m*

'**mit|verantwortlich** coresponsable; '**2verantwortung** *f* coresponsabilité *f*;

M

mitwirken

'**~wirken** (*sép, -ge-, h*) coopérer (*bei* à), prendre part (*bei* à); '**~wirkung** *f* coopération *f*, participation *f*; '**~wissenser** ['-visər] *m* (*-s; -*); '**~wisserin** *f* (*-; -nen*) complice *m, f*; confident *m, -e f*

mix|en ['miksən] (*h*) mélanger; '**~er** (*-s; -*) *Gerät* mixe(u)r *m*; '**~getränk** *n* cocktail *m*

Mobbing ['mɔbiŋ] *n* (*-s; sans pl*) harcèlement *m*; mobbing *m*

Möbel ['møːbəl] *n* (*-s; -*), '**~stück** *n* meuble *m*; '**~wagen** *m* camion de déménagement

mobil [moˈbiːl] *beweglich* mobile; *rüstig* alerte; '**2(funk)netz** *n* réseau *m* de radiotéléphonie

Mobiliar [mobiˈljaːr] *n* (*-s; sans pl*) mobilier *m*

mobilisieren [mobiliˈziːrən] (*pas de -ge-, h*) mobiliser

möblieren [møˈbliːrən] (*pas de -ge-, h*) meubler; *möbliertes Zimmer* chambre *f* meublée

Mode ['moːdə] *f* mode *f*; *die neueste ~* la derniere mode, le dernier cri; *mit der ~ gehen* suivre la mode; *in ~ kommen* venir en vogue; '**~artikel** *m* article *m* de mode; '**~geschäft** *n* magasin *m* de mode

Modell [moˈdɛl] *n* (*-s; e*) modèle *m*, *verkleinertes* maquette *f*; ~ *stehen* od *sitzen* poser comme modèle; '**~bau** *m* construction *f* de modèles réduits; '**~eisenbahn** *f* modèle *m* réduit de chemin de fer; **2'ieren** (*pas de -ge-, h*) modeler

'**Modemacher** *m* couturier *m*

'**Modenschau** *f* présentation *f* des collections, défilé *m* de mode

Moderator [modeˈraːtɔr] *m* (*-s; -en*), **~in** *f* [-aˈtoːrin] *f* (*-; -nen*) *TV* présentateur *m, -trice f*

moderieren [modeˈriːrən] (*pas de -ge-, h*) *TV* présenter

modern [moˈdɛrn] moderne, à la mode; **~isieren** [-iˈziːrən] (*pas de -ge-, h*) moderniser, mettre au goût du jour

'**Mode|schmuck** *m* bijoux *m/pl* fantaisie; '**~schöpfer** *m* couturier *m*; '**~zeitschrift** *f* revue f de mode

modisch ['moːdiʃ] à la mode

Modul [moˈduːl] *tech n* (*-s; -n*) module *m*; **~bauweise** *f* construction *f* modulaire

Modus ['modus] *m* (*-; Modi*) mode *m*

Mofa ['moːfa] *n* (*-s; -s*) cyclomoteur *m*

mögen ['møːgən] (*mochte, gemocht, h*) aimer; *es mag sein* c'est possible, cela se peut; *ich möchte* je voudrais (*etw* qc, *etw tun* faire qc, *dass ...* que + *subj*); *ich möchte gern* j'aimerais bien

möglich ['møːkliç] possible; *alle ~en* toutes sortes de; *sein 2stes tun* faire tout son possible; *nicht ~!* pas possible!; *so bald wie ~* aussitôt que possible, le plus tôt possible; '**~erweise** peut-être; '**2keit** *f* (*-; -en*) possibilité *f*; **nach ~** si possible; '**~st schnell** le plus vite possible

Mohammedaner [mohameˈdaːnər] *neg m* (*-s; -*), **~in** *f* musulman *m, -e f*; **2'anisch** musulman

Mohn [moːn] *bot m* (*-[e]s; -e*) pavot *m*

Möhre ['møːrə] *bot f* (*-; -n*) carotte *f*

Mole ['moːlə] *f* (*-; -n*) môle *m*

Molekül [moleˈkyːl] *n* (*-s; -e*) molécule *f*

Molkerei [mɔlkəˈrai] *f* (*-; -en*) laiterie *f*

Moll [mɔl] *mus n* (*-; -*) mineur; *a-Moll* la mineur

mollig ['mɔliç] *warm* agréable, chaud; *dicklich* potelé, grassouillet

Moment [moˈmɛnt] *m* (*-[e]s; -e*) moment *m*, instant *m*; *im ~* actuellement; ~ *bitte!* un instant, s'il vous plaît; **2an** [-ˈtaːn] momentané; *adv* pour le moment

Monarch [moˈnarç] *m* (*-en; -en*) monarque *m*, souverain *m, -e f*; **~ie** *f* (*-; -en*) monarchie *f*

Monat ['moːnat] *m* (*-[e]s; -e*) mois *m*; **2lich** mensuel; *adv* tous les mois; '**~seinkommen** *n* revenu *m* mensuel; '**~skarte** *f* carte *f* mensuelle; '**~srate** *f* mensualité *f*

Mönch [mœnç] *m* (*-[e]s; -e*) moine *m*

Mond [moːnt] *m* (*-[e]s; -e*) lune *f*; '**~finsternis** *f* éclipse *f* de lune; '**~landefähre** *f* module *m* lunaire; '**~landung** *f* débarquement *m* od atterrissage *m* sur la lune; '**~schein** *m* (*-[e]s; sans pl*) clair *m* de lune; '**2süchtig** somnambule

monetär [moneˈtɛːr] monétaire

Monitor ['moːnitɔr] *m* (*-s; -en* [-ˈtoːrən]) *TV, Computer* moniteur *m*

Monolog [monoˈloːk] *m* (*-s; -e*) monologue *m*

Monopol [monoˈpoːl] *n* (*-s; -e*) monopole m; **2isieren** [-oli'zi:rən] (pas de -ge-, h) monopoliser

monoton [mono'to:n] monotone; **2ie** (-; -n) monotonie f

Monster ['monstər] n (-s; -) monstre m

Montag ['mo:n-] m lundi m

Montage [mon'ta:ʒə] f (-; -n) montage m, assemblage f; **'.band** n chaîne f de montage

Montan|industrie [mon'ta:n-] f industrie f minière et métallurgique; **.union** f Communauté f Européenne du Charbon et de l'Acier

Monteur [mon'tø:r] m (-s; -e) monteur m

montieren [mon'ti:rən] (pas de -ge-, h) monter

Moor n marais m

Moos [mo:s] bot n (-es; -e) mousse f

Moped ['mo:pɛt] n (-s; -s) mobylette f

Moral [mo'ra:l] f (-; sans pl) morale f; a e-r Fabel moralité f; seelische Verfassung moral m; **2isch** moral

Morast [mo'rast] m (-[e]s; -e) bourbe f

Mord [mort] m (-[e]s; -e) meurtre m, assassinat m

Mörder ['mœrdər] m (-s; -); **.in** f (-; -nen) meurtrier m, -ière f, assassin m

'Mordkommission f police f judiciaire

Mords|angst ['morts-] f F **e-e ~ haben** avoir une peur bleue; **'.glück** F n chance f inouïe; **'.kerl** m F fameux gaillard m, as m

'Mord|verdacht m **unter ~ stehen** être soupçonné de meurtre; **'.versuch** m tentative f de meurtre

morgen ['morgən] demain; **~ Abend** demain soir; **~ früh** demain matin; **~ um diese Zeit** demain même heure

'Morgen m (-s; -) matin m; *-zeit* matinée f; **guten ~!** bonjour!; **am nächsten ~** le lendemain matin; **heute ~** ce matin; **gestern ~** hier matin; **'.gymnastik** f **seine ~ machen** faire sa gymnastique matinale; **'.rock** m peignoir m; **'.röte** f aurore f

'morgens le matin; **um fünf Uhr ~** à cinq heures du matin; **von ~ bis abends** du matin au soir

morgig ['morgiç] de demain

Morphium ['morfium] n (-s; sans pl) morphine f

morsch [morʃ] pourri, vermoulu

'Morse|alphabet [morzə-] n alphabet m

morse; **'.zeichen** n signal m od caractère m morse

Mörtel ['mœrtəl] m (-s; -) mortier m

Mosaik [moza'i:k] n (-s; -en) mosaïque f

Moschee [mo'ʃe:] f (-; -n) mosquée f

Moskau ['moskau] n Moscou; **'.er** (-s; -), **.erin** f (-; -nen) Moscovite m, f

Moskito [mos'ki:to] m (-s) moustique m; **.netz** n moustiquaire f

Moslem ['mosləm] m (-s; -s) musulman m

Motel ['mo:təl] m (-s; -s) motel m

Motiv [mo'ti:f] n (-s; -e) motif m; Beweggrund mobile m; **.ation** f (-; -en) motivation f; **2ieren** [-'vi:rən] (pas de -ge-, h) motiver

Motor ['mo:tor] m (-s; -en[-'to:rən]) moteur m; **'.boot** n bateau m od canot m à moteur; **'.haube** f capot m; **'.öl** n huile f pour moteur; **'.rad** n moto f; **'.radfahrer** m motocycliste m; **'.roller** m scooter m; **'.schaden** m avarie f de moteur

Motte ['motə] zo f (-; -n) mite f

Motto ['moto] n (-s; -s) devise f

Möwe ['mø:və] zo f (-; -n) mouette f

Mücke ['mykə] zo f (-; -n) moucheron m; Stech2 moustique m; fig **aus e-r ~ e-n Elefanten machen** faire une montagne de qc; **.nstich** m piqûre f de moustique

müde ['my:də] fatigué; **2igkeit** f (-; sans pl) fatigue f

muffig ['mufiç] **~ riechen** sentir le renfermé

Mühe ['my:ə] f (-; -n) peine f, effort m; **sich ~ geben** se donner de la peine od du mal (**zu** pour); **der ~ wert sein** valoir la peine; **mit ~ und Not** à grand-peine; **'2los** sans peine, sans effort; **'2voll** pénible, laborieux

Mühle ['my:lə] f (-; -n) moulin m

'müh|sam, '.selig pénible

Müll [myl] m (-s; sans pl) ordures f/pl (ménagères); **'.abfuhr** f enlèvement m des ordures; *Leute* éboueurs m/pl

Mullbinde ['mul-] f bande f de gaze

'Müll|deponie f décharge f; **'.eimer** m seau m à ordures, poubelle f

Müller ['mylər] m (-s; -), **.in** f (-; -nen) meunier m, -ière f

'Müll|fahrer m éboueur m, F boueux m; **'.haufen** m tas m d'ordures; **'.schlucker** m vide-ordures m; **'.ton-**

M

ne f poubelle f; **'~trennung** f triage m des déchets; **'~verbrennung** f incinération f d'ordures

multi- ['multi] *in Zssgn* multi-; **♀kulti** m multiculturel m, -le f; pluriculturel m -le f; **♀kultigesellschaft** f société f multiculturelle; société f pluriculturelle; **'~kulturell** multiculturel; **'~national** multinational

Multipli|kation [-plika'tsjo:n] *math* f (-; -en) multiplication f; **♀zieren** [-'tsi:rən] (*pas de -ge-, h*) multiplier

Mumie ['mu:mjə] f (-; -n) momie f

München ['mynçən] n Munich

Mund ['munt] m (-[e]s; ⁻er) bouche f; **den ~ halten** se taire; **halt den ~!** tais-toi!, (ferme) ta bouche!, F ferme ton bec!; **'~art** f dialecte m

münden ['myndən] (*sn*) ~ **in Fluss** se jeter dans; *Straße* déboucher dans

'Mund|geruch m mauvaise haleine f; **'~harmonika** f harmonica m

mündig ['myndiç] *jur* majeur; *fig* émancipé; **♀keit** f (-; *sans pl*) majorité f

mündlich ['myntliç] verbal, oral; **~e Prüfung** oral m

M-und-S-Reifen ['ɛmuntɛs-] m pneu-neige m

'Mundstück n *Zigarette* bout m; *mus* embouchure f

'Mündung f (-; -en) embouchure f

'Mund|werk n (-[e]s; *sans pl*) F *fig* langue f; *ein loses ~ haben* avoir la langue bien pendue; **'~-zu-Mund-Beatmung** *méd* f bouche-à-bouche m

Munition [muni'tsjo:n] f (-; -en) munitions f/pl

munter ['muntər] vif, éveillé; **♀keit** f (-; *sans pl*) vivacité f

Münz|e ['myntsə] f (-; -n) (pièce f de) monnaie f; *Denk♀* médaille f; **'~fernsprecher** m taxiphone m; **'~sammlung** f médaillier m, collection f de pièces de monnaie; **'~tankstelle** f station-service f à monnaie

mürbe ['myrbə] tendre; friable

murmel|n ['murməln] (h) murmurer; **♀tier** *zo* n marmotte f

murren ['murən] (h) murmurer, gronder

mürrisch ['myriʃ] de mauvaise humeur, morose, maussade, grincheux

Mus [mu:s] n (-es; -e) marmelade f; *Apfel♀* compote f; *Kartoffel♀* purée f

Muschel ['muʃəl] f (-; -n) *Mies♀* moule f; **~schale** coquillage m; coquille f

Museum [mu'ze:um] n (-s; *Museen*) musée m

Musik [mu'zi:k] f (-; *sans pl*) musique f; **♀alisch** [-'ka:liʃ] musical; **~ sein** être musicien *od* doué pour la musique; **~automat** m, **~box** f juke-box m

Musik|er [muzikər] m (-s; -); **'~erin** f (-; -nen) musicien m, -ne f; **'~instrument** [mu'zi:k-] n instrument m de musique; **~kapelle** [mu'zi:k-] f orchestre m, fanfare f; *mil* musique f; **~kassette** [mu'zi:k-] f musicassette f

musisch ['muziʃ] sensible *od* ouvert aux arts

musizieren [muzi'tsi:rən] (*pas de -ge-, h*) faire de la musique

Muskel ['muskəl] m (-s; -n) muscle m; **'~kater** F m courbatures f/pl; **'~kraft** f force f musculaire; **'~zerrung** *méd* f claquage m

muskulös [musku'lø:s] musclé

Muss [mus] n (-; *sans pl*) nécessité f absolue; F must m

Muße ['mu:sə] f (-; *sans pl*) loisir m

müssen ['mysən] (*musste, müssen, h*) devoir; *du musst den Film sehen* il faut que tu voies le film; *ich muss arbeiten* je dois travailler, il faut que je travaille; *sie muss krank sein* elle doit être malade; *sie müsste zu Hause sein* elle devrait être chez elle; *du hättest ihm helfen ~* tu aurais dû l'aider

müßig ['my:siç] *untätig* oisif; *nutzlos* oiseux, inutile; **♀gang** m (-[e]s; *sans pl*) oisiveté f

Muster ['mustər] n (-s; -) modèle m; *Warenprobe* échantillon m; *Tapeten♀* dessin m; **♀gültig** exemplaire, modèle, parfait; **'~kollektion** f échantillonnage m

muster|n ['mustərn] (h) examiner, toiser; *mil gemustert werden* passer au conseil de révision; **♀ung** *mil* f (-; -en) conseil m de révision

Mut [mu:t] m (-[e]s; *sans pl*) courage m; *j-m ~ machen* encourager qn; *den ~ verlieren* perdre courage

'mut|ig courageux; **'~los** découragé

mutmaßen ['mu:tma:sən] (h) présumer; spéculer; **'~lich** présumé

Mutter ['mutər] f **1.** (-; ⁻) mère f; **2.** *tech*

(-; -n) *Schrauben*&2; écrou *m*; '**~boden** *m*, '**~erde** *f* terreau *m*

mütterlich ['mʏtərlɪç] maternel

'**Mutter|liebe** *f* amour *m* maternel; '**~mal** *m* envie *f*; '**~schaft** *f* (-; *sans pl*) maternité *f*; '**~schaftsurlaub** *m* congé *m* de maternité; '**~schutz** *jur m* protection *f* légale de la mère; '**~sprache** *f* langue *f* maternelle; '**~tag** *m* fête *f* des mères

'**mutwillig** volontairement, de propos délibéré

Mütze ['mʏtsə] *f* (-; -n) *mit Schirm* casquette *f*; *ohne* bonnet *m*; *Basken*&2; béret *m*

mysteriös [mʏste'rjøːs] mystérieux; &2**ium** [-'teːrjum] *n* (-s; *Mysterien*) mystère *m*

Myrrhe ['mʏrə] *f* (-; -n) myrrhe *f*

Mystik ['mʏstik] *f* (-; *sans pl*) mystique *f*; &2**isch** mystique

myth|isch ['myːtɪʃ] mythique; &2**ologie** [mytolo'giː] *f* (-; -n) mythologie *f*; '&2**os** ['-ɔs] *m* (-; *Mythen*) mythe *m*

N

na! [na] eh bien!; allons!; ~ *und?* et puis après?; ~ *gut!* d'accord!; ~ *ja!* allons!; ~ *so (et)was!* ça alors!; ~ *dann nicht!* alors n'y pensons plus!; ~ *also!* tu vois; ~, *warte!* attends un peu!

Nabe ['naːbə] *tech f* (-; -n) moyeu *m*

Nabel ['naːbəl] *m* (-s; -) nombril *m*

nach [naːx] **1.** *prép (dat) Richtung* à, vers; *zeitlich, Reihenfolge* après; *gemäß* d'après, selon, suivant; *er fährt ~ Paris (~ Frankreich)* il va à Paris (en France); ~ *Hause* à la maison, chez soi; ~ *rechts (Süden)* vers la droite (le sud); ~ *oben* en haut; ~ *unten* en bas; ~ *vorn* en avant; ~ *hinten* en arrière; *(immer) der Reihe* ~ chacun son tour; ~ *meiner Uhr* à ma montre; ~ *Gewicht* au poids; **2.** *adv nur ~!* suivez-moi!; ~ *und* ~ peu à peu, petit à petit; ~ *wie vor* toujours

nachahm|en ['naːxˀaːmən] (*sép*, -ge-, h) imiter, copier; *parodieren* parodier; *fälschen* contrefaire; '&2**ung** *f* (-; -en) imitation *f*; *Fälschung* contrefaçon *f*

Nachbar ['naxbaːr] *m* (-n; -n); '**~in** *f* (-; -nen) voisin *m*, -e *f*; '**~schaft** *f* (-; -en) voisinage *m*

'**nach|bestellen** (*sép*, *pas de* -ge-, h) faire une seconde commande; '&2**bildung** *f* (-; -en) imitation *f*, copie *f*; *genaue* réplique *f*

nachdem [naːx'deːm] après que ... (+ *ind*); *bei gleichem Subjekt im Haupt- und Nebensatz* après ... (+ *inf passé*); *je* ~ c'est selon, cela dépend

'**nachdenk|en** (*irr*, *sép*, -ge-, h, → *denken*) réfléchir (*über* à *od* sur); '&2**en** *n* (-s; *sans pl*) réflexion *f*; '**~lich** pensif

'**Nachdruck** *m* **1.** (-[e]s; *sans pl*) énergie *f*, fermeté *f*; **2.** (-[e]s; -e) *Buch* reproduction *f*; '&2**en** (*sép*, -ge-, h) reproduire

nachdrücklich ['-drʏklɪç] énergique; *j-m* ~ *raten* conseiller vivement à qn

'**nacheinander** [naːx'aiˀnandər] l'un après l'autre; successivement; *2 Jahre* ~ deux années de suite

'**Nachfolge** *f* (-; *sans pl*) succession *f*; '&2**n** (*sép*, -ge-, sn) suivre (*j-m* qn); *im Amt* succéder (a qn); '**~r** *m* (-s; -); '**~rin** *f* (-; -nen) successeur *m*

'**nachforsch|en** (*sép*, -ge-, h) faire des enquêtes; '&2**ung** *f* (-; -en) enquête *f*, recherches *f/pl*

'**Nachfrage** *f* demande *f* (*a écon*); &2**n** (*sép*, -ge-, h) demander des nouvelles (de), demander des précisions (sur)

'**nach|füllen** (*sép*, -ge-, h) remplir à nouveau, recharger; '**~geben** (*irr*, *sép*, -ge-, h, → *geben*) céder; '&2**gebühr** *f Post* surtaxe *f*; '**~gehen** (*irr*, *sép*, -ge-, sn, → *gehen*) suivre (*j-m* qn); *Uhr* être en retard; *e-r Sache* ~ faire des recherches sur une affaire; *seiner Arbeit* ~ vaquer à ses occupations, faire son travail; '&2**geschmack** *m* arrière-goût *m* (*a fig*)

nachgiebig ['naːxgiːbiç] souple, flexible, conciliant

nachhaltig *Wachstum, Nutzung von Rohstoffen* durable

nach'her plus tard, ensuite, après; **bis ~!** à tout à l'heure!

'**nachholen** (*sép, -ge-, h*) rattraper, récupérer

'**Nachkomme** *m* (*-n; -n*) descendant *m*; '**2n** (*irr, sép, -ge, sn, → kommen*) venir plus tard; **e-m Wunsch ~** répondre à un désir

'**Nachkriegs...** *in Zssgn* d'après-guerre; '**2zeit** *f* après-guerre *m*

Nachlass ['-las] *m* (*-es; ⁔e*) *comm* remise *f*, réduction *f*; *Erbe* succession *f*; '**2verwalter** *m* curateur *m*

'**nachlassen** (*irr, sép, -ge-, h, → lassen*) diminuer; *Sturm* s'apaiser; *Schmerz* se calmer; *Wirkung* faiblir; *leistungsmäßig* être en baisse

'**nachlässig** négligent; '**2keit** *f* (*-; sans pl*) négligence *f*

'**nach|laufen** (*irr, sép, -ge-, sn, → laufen*) *j-m ~* courir après qn; '**~liefern** (*sép, -ge-, h*) livrer plus tard; '**~lösen** (*sép, -ge-, h*) prendre un supplément; '**~machen** (*sép, -ge-, h*) imiter; *fälschen* falsifier; *Foto ~ lassen* faire refaire

'**Nachmittag** *m* après-midi *m od f*; *heute ~* cet après-midi; **2s** l'après-midi

Nach|nahme ['na:xna:mə] *f* (*-; -en*) remboursement *m*; *per ~ schicken* envoyer contre remboursement; '**~name** *m* nom *m* de famille; '**~porto** *n* surtaxe *f*; '**2prüfen** (*sép, -ge-, h*) contrôler, vérifier; '**2rechnen** (*sép, -ge-, h*) vérifier; '**~reisen** (*sép, -ge-, sn*) rejoindre

Nachricht ['na:xrɪçt] *f* (*-; -en*) nouvelle *f*, *Botschaft* message *m*; *Mitteilung* information *f*; *e-e gute (schlechte) ~* une bonne (mauvaise) nouvelle; '**~en** *pl Radio* bulletin *m* d'informations; *TV* journal *m* télévisé; '**~endienst** *m* service *m* d'informations; *mil, pol* renseignements *m/pl* généraux (*abr* R.G.); '**~ensprecher(in** *f) m* présentateur *m*, -trice *f* du journal; '**~entechnik** *f* télécommunications *f/pl*

'**Nach|ruf** *m* (*-[e]s; -e*) nécrologie *f*; '**2sagen** (*sép, -ge-, h*) *j-m Schlechtes ~* dire du mal de qn; *man sagt ihm nach, dass er ...* on prétend de lui qu'il ...; '**~saison** *f* arrière-saison *f*;

'**2schicken** (*sép, -ge-, h*) *Brief* faire suivre

'**nachschlage|n** (*irr, sép, -ge-, h, → schlagen*) *Wort* chercher, vérifier; *in e-m Buch ~* consulter un livre; '**2werk** *n* ouvrage *m* de référence

'**Nach|schub** *mil m* (*-[e]s; sans pl*) ravitaillement *m*; '**2sehen** (*irr, sép, -ge-, h, → sehen*) prüfen (aller) voir (*ob* si), vérifier; *j-m ~* suivre qn des yeux; *j-m etw ~* passer qc à qn; '**2senden** (*sép, -ge-, h*) faire suivre; '**~sicht** *f* indulgence *f*; '**~speise** *f* dessert *m*; '**~spiel** *m fig* conséquences *f/pl*, suites *f/pl*

nächst [nɛːçst] *räumlich* le *od* la plus proche; *folgend* prochain, suivant; *in den ~en Tagen* un de ces prochains jours; *in ~er Zeit* prochainement

'**Nächste** *m* (*-n; -n*) prochain *m*; *der ~ bitte!* au suivant, s'il vous plaît!

Nacht [naxt] *f* (*-; ⁔e*) nuit *f*; *in der od bei ~* la *od* de nuit; *Tag und ~* jour et nuit; *die ganze ~* toute la nuit; *heute ~ letzte* la nuit passée *od* dernière; *kommende* cette nuit; '**~dienst** *m* garde *f od* service *m* de nuit; '**~flug** *m* vol *m* de nuit

'**Nachteil** *m* (*-[e]s; -e*) inconvénient *m*, désavantage *m*; *im ~ sein* être désavantagé; '**2ig** désavantageux

'**Nachthemd** *n* chemise *f* de nuit

Nachtigall ['naxtigal] *zo f* (*-; -en*) rossignol *m*

'**Nachtisch** *m* (*-[e]s; -e*) dessert *m*

'**Nachtleben** *n* vie *f* nocturne

nächtlich ['nɛçtlɪç] nocturne

'**Nachtlokal** *n* boîte *f* de nuit, night-club *m*

Nachtrag ['na:xtra:k] *m* (*-[e]s; ⁔e*) supplément *m*; '**2en** ['-gən] (*irr, sép, -ge-, h, → tragen*) ajouter; *fig j-m etw ~* garder rancune à qn de qc; '**2end** ['-gənt] rancunier

nachträglich ['na:xtrɛːklɪç] ultérieur

nachts [naxts] la *od* de nuit

'**Nacht|schicht** *f* équipe *f* de nuit; *~ haben* être de nuit; '**~tisch** *m* table *f* de chevet; '**~tischlampe** *f* lampe *f* de chevet; '**~wächter** *m* veilleur *m* de nuit

'**Nachuntersuchung** *méd f* contrôle *m* medical

Nachweis ['na:xvais] *m* (*-es; -e*) preuve *f*; '**2bar** démontrable; *chim* décelable; '**2en** ['-vaizən] (*irr, sép, -ge-, h, → weisen*) *beweisen* prouver, démontrer;

Spuren déceler; **˜lich** *adv* comme on peut le prouver

'**Nach|welt** *f* (-; *sans pl*) postérité *f*; '**˜wirkung** *f* répercussion *f*; **˜en** *a* séquelles *f/pl*; '**˜wort** *n* (-*[e]s*; -*e*) épilogue *m*; '**˜wuchs** *m* (-*es*; *sans pl*) Familie progéniture *f*; Beruf relève *f*, nouvelle génération *f*; '**˜zahlen** (*sép*, -*ge-*, *h*) payer un supplément; '**˜zählen** (*sép*, -*ge-*, *h*) recompter; '**˜zahlung** *f* rappel *m*; '**˜zügler** ['-tsy:klər] *m* (-*s*; -); '**˜züglerin** *f* (-; -*nen*) retardataire *m*, *f*

Nacken ['nakən] *m* (-*s*; -) nuque *f*

nackt [nakt] nu; **mit ˜en Füßen** (les) pieds nus *od* nu-pieds; **sich ˜ ausziehen** se déshabiller complètement; **˜ baden** se baigner nu; '**˜badestrand** *m* plage *f* pour nudistes; '**˜heit** *f* (-; *sans pl*) nudité *f*

Nadel ['na:dəl] *f* (-; -*n*) aiguille *f*; Steck˜ épingle *f*; '**˜baum** *m* conifère *m*; '**˜stich** *m* fig coup *m* d'épingle; '**˜wald** *m* forêt *f* de conifères

Nagel ['na:gəl] *m* (-*s*; ˜) clou *m*; Finger˜ ongle *m*; '**˜feile** *f* lime *f* à ongles; '**˜lack** *m* vernis *m* à ongles; '**˜n** (*h*) clouer; '**˜neu** flambant neuf

'**nage|n** ['na:gən] (*h*) ronger; '**˜tier** *zo n* rongeur *m*

nah(e) ['na:(ə)] **1.** *adj* proche; **ganz ˜ sein** être tout près; **2.** *prép* (*dat*) ˜ (**an, bei**) près de; **˜ liegend** évident; **j-m ˜ stehen** être intime avec qn

'**Nahaufnahme** *f* gros plan *m*

Nähe ['nɛ:ə] *f* (-; *sans pl*) proximité *f*, voisinage *m*; **in der ˜ des Bahnhofs** près de la gare, à proximité de la gare; **ganz in der ˜** tout près; **aus der ˜** de près; **in deiner ˜** près de toi

nähen ['nɛ:ən] (*h*) coudre

näher ['nɛ:ər] plus proche, plus près; **sich ˜ kommen** se rapprocher; '**˜es** *n* **˜ bei ...** pour plus de détails voir ...

'**Naherholungsgebiet** *n* parc de récréation près de la ville

nähern ['nɛ:ərn] (*h*) **sich ˜** (s')approcher (de)

'**nahezu** presque

'**Näh|maschine** *f* machine *f* à coudre; '**˜nadel** *f* aiguille *f* (à coudre)

nähren ['nɛ:rən] (*h*) (**sich ˜** se) nourrir (**von** de)

nahrhaft ['na:rhaft] nourrissant, nutritif, substantiel

'**Nahrung** *f* (-; *sans pl*) nourriture *f*; **˜smittel** *n/pl* produits *m/pl* od denrées *f/pl* alimentaires, vivres *m/pl* od aliments *m/pl*

'**Nährwert** *m* valeur *f* nutritive

Naht [na:t] *f* (-; ˜e) couture *f*; méd suture *f*

'**Nahverkehr** *m* trafic *m* à courte distance; '**˜szug** *m* train *m* de banlieue

'**Nähzeug** *n* trousse *f* od nécessaire *m* de couture

naiv [na'i:f] naïf; **˜ität** [naivi'tɛ:t] *f* (-; *sans pl*) naïveté *f*

Name ['na:mə] *m* (-*n*; -*n*) nom *m*; **im ˜en von** au nom de; **(nur) dem ˜n nach** (uniquement) de nom

namentlich ['na:məntliç] *Aufruf* nominal; *adv* **mit Namen** nommément; *besonders* notamment

'**namhaft** renommé

nämlich ['nɛ:mliç] *und zwar* à savoir, c'est-à-dire; *denn* car; **er ist ˜ krank** c'est qu'il est malade

Narbe ['narbə] *f* (-; -*n*) cicatrice *f*

Narkose [nar'ko:zə] *méd f* (-; -*n*) anesthésie *f* (générale)

Narr [nar] *m* (-*en*; -*en*) fou *m*; **j-n zum ˜en halten** se moquer de qn, duper *od* berner qn; '**˜heit** *f* (-; -*en*) folie *f*

Narzisse [nar'tsisə] *bot f* (-; -*n*) narcisse *m*; *gelbe* jonquille *f*

naschen ['naʃən] (*h*) manger par gourmandise; **gern ˜** aimer les sucreries; '**˜haft** gourmand

Nase ['na:zə] *f* (-; -*n*) **der Bus ist mir vor der ˜ weggefahren** le bus m'est passé sous le nez; **sich die ˜ putzen** se moucher; *fig* **die ˜ voll haben** en avoir plein le dos, en avoir par-dessus la tête

'**Nasen|bluten** *n* saignement *m* de nez; **er hat ˜** il saigne du nez; '**˜loch** *n* narine *f*, trou *m* de nez

Nashorn ['na:s-] *zo n* rhinocéros *m*

nass [nas] mouillé; **triefend ˜** dégoulinant

Nässe ['nɛsə] *f* (-; *sans pl*) humidité *f*; '**˜n** (*h*) suinter

Nation [na'tsjo:n] *f* (-; -*en*) nation *f*

national [natsjo'na:l] national; **˜feiertag** *m* fête *f* nationale; **˜gericht** *n* plat *m* national; **˜getränk** *n* boisson *f* nationale; **˜hymne** *f* hymne *m* national; **˜ismus** [-'ismus] *m* (-; *sans pl*) nationalisme *m*; **˜istisch** [-'istiʃ] na-

N

tionaliste; **2ität** [-ali'tɛːt] f (-; -en) nationalité f; **2mannschaft** f équipe f nationale; **2park** m parc m national; **2sozialismus** m nationalsocialisme m

NATO ['naːto] f O.T.A.N. f

Natrium ['naːtrjum] chim n (-; sans pl) sodium m

Natur [na'tuːr] f (-; sans pl) nature f; **von ~ aus ...** d'un naturel ...; **2alisieren** [-turali'ziːrən] (pas de -ge-, h) naturaliser

Natur|gesetz n loi f de la nature; **2getreu** naturel, pris sur le vif; **~katastrophe** f catastrophe f naturelle

natürlich [na'tyːrliç] naturel; adv naturellement

Na'tur|park m parc m naturel; **~schutz** m protection f de la nature; **unter ~** classé site protégé; **~schützer(in)** f(m) écologiste m, f; **~schutzgebiet** n site m protégé, reserve f naturelle, parc m national; **~volk** n peuple m primitif; **~wissenschaft(en)** f(pl) sciences f/pl (naturelles); **~wissenschaftler(in)** f(m) scientifique m, f

Nazi ['naːtsi] m (-s; -s) nazi m; **2stisch** [-'tsistiʃ] nazi

Neapel [ne'aːpəl] n Naples

Nebel ['neːbəl] m (-s; -) brouillard m; Dunst brume f; **~scheinwerfer** m phare m antibrouillard m; **~schlussleuchte** f feu m arrière de brouillard

neben ['neːbən] prép (wo? dat; wohin? acc) à côté de; **~ anderem** entre autres; **setz dich ~ mich** assieds-toi près de moi; **~'an** à côté; **~bei** beiläufig en passant; außerdem en outre; **2beruf** m occupation f accessoire; **~beruflich** à côté od en dehors de son travail; **2beschäftigung** f occupation f, emploi m accessoire; **2buhler** ['-buːlər] (-s; -) m rival m, -e f; **2buhlerin** f (-; -nen) rival m, -e f; **2einkünfte** pl, **2einnahmen** pl revenus m/pl accessoires; **2fluss** m affluent m; **2gebäude** n annexe f; **2geräusch** n bruit m parasite; **~'her** à côté; **2kosten** pl faux frais m/pl; Miete charges f/pl; **2produkt** n sous-produit m; **2sache** f accessoire m, chose f de moindre importance; **das ist ~** c'est sans importance; **~sächlich** secondaire, accessoire; **2straße** f rue f latérale; Landstraße route f secondaire; **2strecke** f ligne f secondaire; **2wir-**

kung f effet m secondaire; **2zimmer** n pièce f voisine od attenante

nebeneinander adv l'un à côté de l'autre; **~ bestehen** coexister

neblig ['neːbliç] brumeux

necken ['nɛkən] (h) (sich ~ se) taquiner

Neffe ['nɛfə] m (-n; -n) neveu m

negativ ['neːgatiːf] **1.** négatif; **2.** 2 n (-s; -e) Foto négatif m

Neger ['neːgər] neg m (-s; -), **~in** f (-; -nen) Noir m, -e f; péj nègre m, négresse f

nehmen ['neːmən] (nahm, genommen, h) prendre; mit sich ~ emmener, Sache emporter; **an die Hand ~** prendre par la main; **in die Hand ~** prendre en main

Neid [nait] m (-[e]s; sans pl) envie f, jalousie f; **2isch** ['-diʃ] jaloux (auf de), envieux (de)

neigen ['naigən] (h) pencher, incliner; **zu etw ~** pencher à qc, incliner à qc, être enlin à qc; **2ung** f schiefe Ebene inclinaison f; Vorliebe penchant m (zu od pour), inclination f (pour)

nein [nain] non

Nelke ['nɛlkə] bot f (-; -n) œillet m; Gewürz 2 clou m de girofle

nennen ['nɛnən] (nannte, genannt, h) appeler, nommer; **sich ~** s'appeler; **man nennt ihn ...** on l'appelle ...; **das nenne ich ...!** c'est ce que j'appelle ...! 'Nenn|er math m (-s; -) dénominateur m; '-wert écon n valeur f nominale

Neo..., neo... ['neo-] in Zssgn néo...

Neon ['neːɔn] n (-s; sans pl) néon m; '-beleuchtung f éclairage m au néon; '-reklame f enseigne f au néon; '-röhre f tube m au néon

Nepp [nɛp] m (-s; sans pl) F poudre f aux yeux, camelote f; **2en** (h) estamper; étriller

Nerv [nɛrf] m (-s; -en) nerf m; **j-m auf die ~en fallen** agacer od énerver qn; **die ~en behalten (verlieren)** conserver (perdre) son calme; **2en** (h) j-n ~ énerver qn, F casser les pieds à qn

Nerven|arzt m neurologue m; **2aufreibend** énervant; **~heilanstalt** f maison f de santé, hôpital m psychiatrique; **~säge** F f casse-pieds m; **~system** n système m nerveux; **~zusammenbruch** m dépression f nerveuse

nerv|ös [nɛr'vøːs] nerveux; erregt

énervé; **2osität** [-vozi'tɛːt] f (-; *sans pl*) nervosité f

Nerz [nɛrts] *zo* m (-es; -e) vison m (*a* *Mantel*)

Nessel ['nɛsəl] *bot* f (-; -n) ortie f

Nest [nɛst] n (-[e]s; -er) nid m; *Ort* F trou m, patelin m

Netikette *EDV* [neti'kɛtə] f (-; *sans pl*) nétiquette f

nett [nɛt] *hübsch* joli; *freundlich* gentil; *angenehm* agréable; *das ist ~ von Ihnen* c'est gentil à vous; *so ~ sein und etw tun* avoir la gentillesse de faire qc

netto ['nɛto] *écon* net; '**2...** net, nette

Netz [nɛts] n (-es; -e) filet m; *fig* réseau m; *Strom2* secteur m; '**~haut** f *Auge* rétine f; '**~karte** f carte f valable sur un réseau; '**~werk** n réseau m; circuit m

neu [nɔy] nouveau (*vor subst = ein anderer, nach subst kürzlich entstanden*); neuf (*stets nach subst = fabrikneu, noch nicht benutzt*); *~zeitlich* moderne; *~este Nachrichten* f/pl dernières nouvelles f/pl; *von ~em* de nouveau; *was gibt es 2es?* quoi de neuf?, quelles nouvelles?

neu|artig d'un genre nouveau; '**2bau** m immeuble m récemment construit; '**2baugebiet** n, '**2bauviertel** n nouveau quartier m; '**2bauwohnung** f appartement m nouvellement construit; '**~erdings** [nɔyərdɪŋs] *seit kurzem* depuis peu; *erneut* de nouveau; '**2erung** ['-ərʊŋ] f (-; -en) innovation f; '**2gestaltung** f réorganisation f, refonte f

Neugier|(de ['-giːr(də)] f (-; *sans pl*) curiosité f; '**2ig** curieux (*auf etw* de savoir qc); *ich bin ~, ob ...* je suis curieux de savoir si ...

'**Neu|heit** f (-; -en) nouveauté f; '**~igkeit** f (-; -en) nouvelle f; '**~jahr** n jour m de l'an, nouvel an m; '**2lich** l'autre jour; '**~ling** (-s; -e) novice m, f, débutant m, -e f

neun [nɔyn] neuf; '**~te** neuvième; '**2tel** ['-təl] n (-s; -) neuvième m; '**~zehn** dix-neuf; '**~zehnte** dix-neuvième; '**~zig** ['-tsɪç] quatre-vingt-dix; '**~zigste** quatre-vingt-dixième

Neuro|se [nɔy'roːzə] *méd* f (-; -n) névrose f; **~tiker** [-'roːtikər] m (-s; -) névrosé f

neutr|al [nɔy'traːl] neutre; **2alität**

[-ali'tɛːt] f (-; *sans pl*) neutralité f; **2on** ['-ɔn] *phys* n (-s; -onen) neutron m

'**neu|wertig** à l'état neuf, comme neuf; '**2zeit** f (-; *sans pl*) temps m/pl modernes

nicht [nɪçt] pas; *beim Verb* ne ... pas; *ich ~!* moi pas!; *ich auch ~* moi non plus; *durchaus ~, gar ~, überhaupt ~* pas du tout; *noch ~* pas encore; *~ mehr* ne ...plus; *~ (wahr)?* n'est-ce pas?; *bitte ~!* je vous en prie, ne faites pas ça!

Nicht... *in Zssgn oft* non-...

Nichte ['nɪçtə] f (-; -n) nièce f

Nichteinmischung *pol* f non-intervention f

'**nichtig** vain, futile; *jur* nul; '**2keit** f (-; -en) futilité f; *jur* nullité f

'**Nichtraucher** m *Abteil* non fumeurs

nichts [nɪçts] **1.** rien (*mit ne beim Verb*); *gar ~* rien du tout; *~ mehr* (ne ...) plus rien; *~ (anderes) als* rien (d'autre) que; *weiter ~?* rien de plus?; *~ sagend* vide de sens; *unbedeutend* insignifiant; **2.** 2 n (-; *sans pl*) néant m

'**Nichtschwimmer** m non-nageur m

'**nichts|destoweniger** néanmoins; '**2nutz** ['-nʊts] m (-es; -e) vaurien m; '**2tuer** ['-tuːər] m (-s; -), '**2tuerin** f (-; -en) fainéant m, -e f

nicken ['nɪkən] (h) faire un signe de tête

nie [niː] ne ... jamais; *ohne Verb* jamais; *~ mehr* (ne ...) plus jamais; *~ und nimmer!* jamais de la vie!

nieder ['niːdər] **1.** *adj* bas; inférieur; **2.** *adv* **~ mit ...!** à bas ...!

'**Nieder|gang** m (-[e]s; *sans pl*) déclin m; '**2geschlagen** abattu, déprimé; '**~lage** f (-; -n) *mil* défaite f; '**~lande** *die* **~** *pl* les Pays-Bas m/pl; '**~länder** ['-lɛndər] m (-s; -), '**~länderin** f (-; -nen) Néerlandais m, -e f; '**2ländisch** néerlandais; '**2lassen** (*irr, sép, -ge-, h, →* **lassen**) *sich ~* sich setzen s'asseoir; *Wohnsitz, comm* s'établir; '**~lassung** f (-; -en) *comm* établissement m, succursale f; '**2legen** (*sép, -ge-, h*) poser à terre; *sein Amt ~* se démettre de ses fonctions; *die Arbeit ~* cesser le travail, faire grève; '**~sachsen** n (-s; *sans pl*) la Basse-Saxe; '**~schlag** m *Wetter* précipitations f/pl; *chim* précipité m; *radioaktiver ~* retombées f/pl radioactives; '**2schlagen** (*irr, sép, -ge-, h, →* **schlagen**) *Gegner* terrasser, abattre;

N

Augen baisser; *Aufstand* écraser, *jur Verfahren* arrêter; '**~ung** *f* (-; *-en*) terrain *m* bas

niedlich ['ni:tliç] gentil, mignon, charmant

niedrig ['ni:triç] bas; *Strafe* faible

niemals ['ni:ma:ls] → nie

niemand ['ni:mant] personne ne ...; ne ... personne; *ohne Verb* personne, aucun; **~ mehr** plus personne; **~ sonst** personne d'autre, nul autre

Niere ['ni:rə] *f* (-; *-n*) rein *m*; *cuis* rognon *m*

niesel|n ['ni:zəln] (*h*) **es nieselt** il bruine *od* brouillasse; '**2regen** *m* bruine *f*

niesen ['ni:zən] (*h*) éternuer

Niete ['ni:tə] *f* (-; *-n*) *tech* rivet *m*; *Lotterie* billet *m* non gagnant; *fig Versager* zéro *m*, nullité *f*

Nikotin [niko'ti:n] *n* (-s; *sans pl*) nicotine *f*

Nil [ni:l] *m* **der** ~ le Nil; '**~pferd** *zo n* hippopotame *m*

nirgend|s ['nirgənts] *f* (-; *-n*) niche *f*

Nische ['ni:ʃə] *f* (-; *-n*) niche *f*

nisten ['nistən] (*h*) nicher

Niveau [ni'vo:] *n* (-s; *-s*) niveau *m*

Nizza ['nitsa] *n* Nice *m*

Nobelpreis [no'bɛl-] *m* prix *m* Nobel (**für** *de*)

noch [nɔx] **1.** *adv* encore; **~ nicht** pas encore; **~ immer** toujours; **~ heute** aujourd'hui même; (**sei er**) **so klein** quelque petit qu'il soit; **er hat nur ~ 10 Mark** il ne lui reste plus que 10 marks; **sonst ~ etwas?** vous désirez autre chose?; **2.** *conj* **weder ... ~ ...** ni ... ni ... (*mit ne beim Verb*); '**~malig** ['-ma:liç] réitéré; '**~mals** ['-ma:ls] encore une fois

Nomade [no'ma:də] *m* (-*n*; *-n*) nomade *m*

Nomin|aleinkommen [nomi'na:l-] *n* produit *m* nominal; **~wert** *m* valeur *f* nominale; **2ieren** (*pas de -ge-, h*) nommer

Nonne ['nɔnə] *f* (-; *-n*) religieuse *f*

nonstop [nɔn'stɔp-] ... non-stop

Nord|(en) ['nɔrt, '-dən] *m* (-s; *sans pl*) nord *m*; '**2isch** nordique; *Ski* **~e Kombination** *f* combiné *m* nordique

nördlich ['nœrtliç] septentrional, du nord; **~ von** au nord de

Nord|'ost(en) *m* nord-est *m*; '**~pol** *m* pôle *m* Nord; '**~rhein-Westfalen** *n* la Rhénanie-du-Nord-Westphalie; '**~see** *f* mer *f* du Nord; **~'west(en)** *m* nordouest *m*

nörgeln ['nœrgəln] (*h*) trouver à redire, ergoter, chicaner

Norm [nɔrm] *f* (-; *-en*) norme *f*, standard *m*

normal [nɔr'ma:l] normal; **2benzin** *n* essence *f* ordinaire; **~erweise** normalement; **~isieren** [-ali'zi:rən] (*pas de -ge-, h*) **sich** ~ se normaliser

Norweg|en ['nɔrve:gən] *n* (-s; *sans pl*) la Norvège; **~er** *m* (-s; -), **~erin** *f* (-; *-en*) Norvégien *m*, -ne *f*; '**2isch** norvégien

Not [no:t] *f* (-; *¨e*) *Notwendigkeit* nécessité *f*; *Notlage, Gefahr* détresse *f*; *Armut* pauvreté *f*; *Elend* misère *f*; **in ~ sein** être dans le besoin; **zur ~** à la rigueur; **ohne ~** sans nécessité

Notar [no'ta:r] *m* (-s; *-e*) notaire *m*

'**Not|arzt** *m* médecin *m* de service; '**~arztwagen** *m* ambulance *f* de secours; '**~ausgang** *m* sortie *f* de secours; '**~behelf** *m* expédient *m*; '**~bremse** *f* *Zug* signal *m* d'alarme; '**~dienst** *m* service *m* de secours; **2dürftig** *behelfsmäßig* de fortune, provisoire, temporaire

'**Note** ['no:tə] *f* (-; *-n*) note *f* (*a Schule, mus*); *Bank2* billet *m*; **~n lesen** faire du solfège

'**Not|fall** *m* urgence *f*; **im ~** au besoin; **2gedrungen** forcément, par nécessité

notie|ren [no'ti:rən] (*pas de -ge-, h*) noter, marquer; '**2ung** *f* (-; *-en*) *comm* cotation *f*, cote *f*

'**nötig** [nø:tiç] nécessaire; **etw ~ haben** avoir besoin de qc; **das 2ste** le strict nécessaire; **~en** ['-gən] (*h*) *j-n* ~ forcer qn, contraindre qn (**etw zu tun** à faire qc)

Notiz [no'ti:ts] *f* (-; *-en*) note *f*; **~ nehmen von** prêter attention à; **keine ~ nehmen von** *a* ignorer; **sich ~en machen** prendre des notes; **~block** *m* bloc-notes *m*; **~buch** *n* carnet *m*, agenda *m*

'**Not|lage** *f* détresse *f*, situation *f* difficile, embarras *m*; **2landen** (*-ge-, sn*) *aviat* faire un atterrissage forcé; '**~landung** *f* atterrissage *m* forcé;

obere

'**∼lösung** f expédient m, solution f de fortune; '**∼lüge** f pieux mensonge m

notorisch [no'to:rɪʃ] notoire

'**Not|ruf** tel m appel m d'urgence; '**∼rufnummer** f numéro m de secours; '**∼rufsäule** f poste m d'appel d'urgence; '**∼signal** n signal m de détresse; '**∼stand** m état m d'urgence; '**∼standsgebiet** n région f sinistrée; '**∼wehr** jur f (-; sans pl) légitime défense f; **Qwendig** nécessaire; '**∼wendigkeit** f (-; -en) nécessité f

Novelle [no'vɛlə] f (-; -n) Literatur nouvelle f, jur amendement m

November [no'vɛmbər] m (-s; -) novembre m

Nu [nu:] im ∼ en un clin d'œil

nüchtern ['nyçtərn] à jeun; fig Mensch positif; Stil sobre; péj prosaïque; **auf ∼en Magen** à jeun; **Qheit** f (-; sans pl) sobriété f

'**Nudeln** [nu:dəln] f/pl nouilles f/pl

null [nul] **1.** zéro; **∼ und nichtig** nul et non avenu; **∼ Grad** zéro degré; **2.** 2 f (-; -en) zéro m, fig Person nullité f, zéro m; **Qpunkt** m zéro m; **Qtarif** m zum ∼ gratuitement; **Qwachstum** n croissance f zéro

Nummer ['numər] f (-; -n) numéro m

nummerieren [numə'ri:rən] (pas de -ge-, h) numéroter

'**Nummern|konto** n compte m anonyme; '**∼schild** auto n plaque f miné-

ralogique, plaque f d'immatriculation

nun [nu:n] à présent, maintenant; dann alors; **∼!** eh bien!, F eh ben!; **von ∼ an** dorénavant; seitdem dés lors; **∼ aber** or; **∼, wo ...** maintenant que ...

nur [nu:r] seulement; ne ... que; **∼ noch** ne ... plus que; **wenn ∼** pourvu que (+ subj); **nicht ∼ ..., sondern auch** non seulement ..., mais aussi od mais encore

Nürnberg ['nyrnbɛrk] n Nuremberg

Nuss [nus] f (-; ∵e) noix f; '**∼baum** m noyer m; '**∼knacker** m casse-noisettes m

Nutte ['nutə] f (-; -n) péj grue f

nutz|bar ['nuts-] utilisable, exploitable; **∼ machen** utiliser, exploiter; '**∼bringend** productif, profitable

nütze ['nytsə] **zu nichts ∼** bon à rien

Nutzen ['nutsən] m (-s; sans pl) utilité f; Gewinn profit m; Vorteil avantage m; **von ∼ sein** être utile

nützen ['nytsən] (h) servir, être utile (j-m à qn); **etw ∼ verwerten** utiliser qc; **nichts ∼** ne servir à rien

'**Nutzlast** f charge f utile

nützlich ['nytslɪç] utile (für j-n à qn); **sich ∼ machen** se rendre utile; **Qkeit** f (-; sans pl) utilité f

'**nutz|los** inutile; **Qlosigkeit** f (-; sans pl) inutilité f; **Qnießer** ['-ni:sər] m (-s; -) bénéficiaire m; **Qung** f (-; -en) utilisation f, mise f à profit

O

o! [o:] **o ja!** ah oui!; o weh! aïe!, mon Dieu!

Oase [o'a:zə] f (-; -n) oasis f od m

ob [ɔp] si; **als ∼** comme si; **so tun als ∼** faire semblant de (+ inf); **und ∼!** et comment!, tu penses!

Obdach ['ɔpdax] n (-[e]s; sans pl) abri m; '**Qlos** sans abri; '**∼lose** ['-lo:zə] m, f (-n; -n) sans-abri m, f; '**∼losenasyl** n foyer m d'hébergement

Obdu|ktion [ɔpdʊk'tsjo:n] méd f (-; -en) autopsie f; **Qzieren** ['-tsi:rən] (pas de -ge-, h) autopsier

oben ['o:bən] en haut; **nach ∼** en haut, vers le haut; **von ∼ bis unten** du haut jusqu'en bas; **links ∼** en haut à gauche; **siehe ∼** voir plus haut; **von ∼ herab** d'en haut (a fig); **∼ ohne** seins nus; **∼drein** ['-'drain] par-dessus le marché

Ober ['o:bər] m (-s; -) Kellner garçon m; '**∼arm** m haut m du bras; '**∼befehl** mil m commandement m en chef; '**∼begriff** m terme m générique; '**∼bürgermeister** m maire m (d'une grande ville), premier bourgmestre m

'**ober|e** de dessus, d'en haut, supérieur;

'**2deck** m pont m supérieur; '**2fläche** f surface f; '**flächlich** superficiel; '**halb** au-dessus de; '**2hand** f fig **die ~ gewinnen** prendre le dessus; '**2hemd** n chemise f

'**ober|irdisch** au-dessus du sol, aérien; '**2kiefer** m mâchoire f supérieure; '**2körper** m torse m; **den ~ freimachen** se mettre torse nu; '**2leitung** f direction f générale; tech caténaire f; '**2lippe** f lèvre f supérieure

'**Ober|schenkel** m cuisse f

Oberst ['o:bərst] mil m (-en; -en) colonel m

'**oberste** le plus haut, suprême

'**Oberteil** n haut m

obgleich [ɔp'glaiç] quoique, bien que (beide + subj)

Obhut ['ɔphu:t] f (-; sans pl) garde f; **in j-s ~** sous la garde de qn

obig ['o:biç] (mentionné) ci-dessus

Objekt [ɔp'jɛkt] n (-[e]s, -e) objet m

objektiv [ɔpjɛk'ti:f] **1.** objectif; **2. 2** n (-s; -e) objectif m; **2ität** f [-ivi'tɛ:t] f (-; sans pl) objectivité f, impartialité f

obligatorisch [ɔbliga'to:riʃ] obligatoire

Oboe [o'bo:ə] mus f (-; -n) hautbois m

Observatorium [ɔpzɛrva'to:rjum] n (-s; -torien) astr observatoire m

Obst [o:pst] n (-[e]s; sans pl) fruits m/pl; '**baum** m arbre m fruitier; '**garten** m verger m; '**kuchen** m **~torte**; '**saft** m jus m de fruits; '**torte** f tarte f aux fruits

obszön [ɔps'tsø:n] obscène

ob'wohl quoique, bien que (beide + subj)

Ochse ['ɔksə] m (-n; -n) bœuf m

öde ['ø:də] **1.** Gegend désert, désertique; fig ennuyeux; **2. 2** f (-; -n) désert m; Leere vide m

oder ['o:dər] ou; **~ so** ou comme ça; **er kommt doch, ~?** il viendra, n'est-ce pas?

Ofen ['o:fən] m (-s; ⁓) Zimmer2 poêle m; Back2 four m

offen ['ɔfən] ouvert; freimütig franc; **~e Stelle** place f vacante; **~ gesagt** pour parler franchement; **~ stehen** être ouvert (j-m à qn)

'**offenbar** évident, manifeste, apparent; adv apparemment **~en** [-'ba:rən] (pas de -ge-, h) (**sich ~** se) manifester, révéler (a rel); Geheimnis dévoiler;

2ung [-'ba:ruŋ] f (-; -en) révélation f (a rel)

Offenheit f (-; sans pl) franchise f

'**offensichtlich** évident; adv évidemment

offensiv [ɔfɛn'zi:f] offensif; **2e** [-və] f (-; -n) offensive f

öffentlich ['œfəntliç] public; **~e Verkehrsmittel** transports m/pl publics od en commun; **~ auftreten** apparaître en public; '**2keit** f (-; sans pl) public m; **in aller ~** publiquement; **an die ~ bringen** rendre public; '**2keitsarbeit** f relations f/pl publiques

Offerte [ɔ'fɛrtə] f (-; -n) offre f

offiziell [ɔfi'tsjɛl] officiel

Offizier [ɔfi'tsi:r] m (-s; -e) officier m

öffn|en ['œfnən] (h) (**sich ~** s')ouvrir; '**2er** m (-s; -) Flaschen2 ouvre-bouteilles m; Dosen2 ouvre-boîtes m; '**2ung** f (-; -en) ouverture f; '**2ungszeiten** f/pl heures f/pl d'ouverture

oft [ɔft] souvent, fréquemment

oh [o:] oh!, ah!

ohne ['o:nə] **1.** prép (acc) sans; **~ mich!** ne comptez pas sur moi!; **2. conj ~ dass ...** sans que (+ subj); **~ zu ...** sans (+ inf)

'**Ohnmacht** f (-; -en) impuissance f; méd évanouissement m; **in ~ fallen** s'évanouir

'**ohnmächtig** impuissant; méd évanoui; **~ werden** s'évanouir

Ohr [o:r] n (-[e]s, -en) oreille f; F **j-n übers ~ hauen** rouler qn

'**Ohren|arzt** m oto-rhino m; '**2betäubend** assourdissant

'**Ohr|feige** f gifle f, claque f, taloche F f; '**2feigen** (h) gifler; '**läppchen** n lobe m de l'oreille; '**ring** m boucle f d'oreille

'**Öko|bewegung** [ø:ko-] f; '**laden** m magasin m de produits biologiques; '**loge** [øko'lo:gə] m (-n; -n) écologiste m; '**logie** [-lo'gi:] f (-; sans pl) écologie f; **2'logisch** écologique; '**nomie** [-no'mi:] f (-; -n) économie f; **2'nomisch** [-no'mi:ʃ] économique; '**system** n écosystème m

Oktober [ɔk'to:bər] m (-[s]; -) octobre m

Öl [ø:l] n (-[e]s; -e) huile f; Erd2 pétrole m; Heiz2 fuel m, mazout m

ölen ['ø:lən] (h) huiler, lubrifier

'**Öl|farbe** f, '**gemälde** n peinture f à

l'huile; '**~heizung** f chauffage m au mazout; '**2ig** huileux

Olive [o'li:və] f (-; -n) olive f

O'liven|baum bot m olivier m; **~öl** n huile f d'olives

'Öl|leitung f oléoduc m, pipe-line m; '**~malerei** f peinture f à l'huile; '**~pest** f marée f noire; '**~quelle** f puits m de pétrole; '**~sardinen** f/pl sardines f/pl à l'huile; '**~stand** m niveau m d'huile; '**~teppich** m nappe f de pétrole; '**~verschmutzung** f pollution f par le pétrole; '**~vorkommen** n gisement m pétrolifère; '**~wechsel** auto m vidange f; '**~zeug** mar n ciré m

Olympiade [olym'pja:də] f (-; -n) jeux m/pl Olympiques

Olympiamannschaft [o'lympja-] f équipe f olympique

olympisch [o'lympiʃ] **2e Spiele** n/pl jeux m/pl Olympiques

Om|a ['o:ma] F f (-; -s) grand-mère f, F mémé f; **~i** ['o:mi] F f (-; -s) mamie f

Omnibus ['omnibus] m (-ses; -se) autobus m; **Reise2** autocar m

onanieren [ona'ni:rən] (pas de -ge-, h) se masturber

'Onkel ['ɔŋkəl] m (-s; -) oncle m

online EDV ['ɔnlain] en ligne

'Online-Dienst EDV m (-es; -e) service m en ligne

Opa ['o:pa] F m (-s; -s) grand-père m, F pépé m, enf papi m

Oper ['o:pər] mus f (-; -n) opéra m

Operation [opəra'tsjo:n] f (-; -en) opération f

Operette [opə'rɛtə] mus f (-; -n) opérette f

operieren [opə'ri:rən] (pas de -ge-, h) méd opérer (**an** de); **operiert werden** subir une intervention chirurgicale; **sich (am Fuß** etc) **~ lassen** se faire opérer (du pied etc)

Opfer ['ɔpfər] n (-s; -) Verzicht sacrifice m; bei Unglück victime f; **ein ~ bringen** faire un sacrifice; **zum ~ fallen** être victime de

'opfern (h) (**sich ~** se) sacrifier

Opium ['o:pjum] n (-s; sans pl) opium m

Opportunismus [ɔpɔrtu'nismus] m (-; sans pl) opportunisme m

Opposition [ɔpozi'tsjo:n] f (-; -en) opposition f; **2nell** [-tsjo'nɛl] de l'oppo-

sition; **~spartei** f parti m d'opposition

'Optik ['ɔptik] f (-; sans pl) optique f; '**~er** (-s; -) opticien m

optim|al [ɔpti'ma:l] optimum, optimal; **2ismus** [-'ismus] m (-; sans pl) optimisme m; **2'ist** (-en; -en), **2'istin** f (-; -nen) optimiste m, f; **~'istisch** optimiste

optisch ['ɔptiʃ] optique

Orange [o'rã:ʒə] f (-; -n) orange f

Orchester [ɔr'kɛstər] n (-s; -) orchestre m

Orden ['ɔrdən] m (-s; -) ordre m (a rel); Auszeichnung décoration f, médaille f

'ordentlich [ɔrdəntliç] Person, Zimmer etc propre, ordonné; richtig, sorgfältig soigné; gründlich comme il faut; anständig honnête; Leute convenable; Mitglied à part entière; Professor titulaire; Gericht ordinaire; Leistung bon; **seine Sache ~ machen** faire son travail comme il faut; **sich ~ be-nehmen** bien se tenir

'Order ['ɔrdər] f (-; -s, -n) ordre m; commande f; '**2n** (h) commander

ordinär [ɔrdi'nɛ:r] vulgaire

ordn|en ['ɔrdnən] (h) mettre de l'ordre dans, ordonner, classer, ranger; regeln régler; '**2er** m (-s; -) Fest2 ordonnateur m, organisateur m; Akten2 classeur m

'Ordnung f (-; sans pl) ordre m; Vorschriften règlement m; **in ~** en ordre; **etw ist nicht in ~** qc ne marche pas

'ordnungs|gemäß réglementaire, régulier; adv en bonne et due forme; '**2strafe** f amende f

Organ [ɔr'ga:n] n (-s; -e) organe m; **~isation** [-aniza'tsjo:n] f (-; -en) **~isa-tor** [-ani'za:tɔr] m (-s; -en) organisateur m; **2isa'torisch** [-iza'to:riʃ] d'organi-sation; d'organisateur; **2isch** orga-nique

organisieren [ɔrgani'zi:rən] (pas de -ge-, h) (**sich ~** s')organiser

Organ|ismus [ɔrga'nismus] m (-; -men) organisme m; **~'ist** m (-en; -en), **~'istin** f (-; -nen) mus organiste m, f; **~spender** [ɔr'ga:n-] méd m donneur m d'organes; **~verpflanzung** [ɔr'ga:n-] méd f trans-plantation f d'organes

Orgasmus [ɔr'gasmus] m (-; -men) orgasme m

Orgel ['ɔrgəl] f (-; -n) orgue m

Orient ['o:riɛnt] m (-s; sans pl) Orient m; **Ꝿalisch** [-'ta:liʃ] oriental

orien'tier|en (pas de -ge-, h) **sich** ~ s'orienter; **Ꝿung** f (-; sans pl) orientation f; **die ~ verlieren** être désorienté; **zur ~** à titre indicatif; **Ꝿungssinn** m sens m de l'orientation

original [origi'na:l] **1.** original; **2.** Ꝿ n (-s; -e) original m; **Ꝿausgabe** f édition f originale; **Ꝿverpackung** f emballage m d'origine

originell [origi'nɛl] original

Orkan [ɔr'ka:n] m (-[e]s; -e) ouragan m

Ort [ɔrt] m (-[e]s; -e) lieu m, endroit m; Ortschaft localité f; **an ~ und Stelle** sur place; **vor ~** sur les lieux

Orthografie, Orthographie [ɔrto-gra'fi:] f (-; -n) orthographe f

Orthopäde [ɔrto'pɛ:də] m (-n; -n) orthopédiste m

'**örtlich** ['œrtliç] local

'**ortsansässig** résident, établi dans la localité

'**Ortschaft** f (-; -en) localité f

'**Orts|gespräch** tél n communication f urbaine od locale; '**~kenntnis** f connaissance f des lieux; '**~netz** tél n réseau m local; '**~tarif** m tarif m local; '**~zeit** f heure f locale

Ost(en) ['ɔst(ən)] m (-s; sans pl) est m

'**Ostblock** pol m pays m/pl de l'Est

Ostern ['o:stərn] n (-; -) Pâques f/pl; **zu** ~ à Pâques; **frohe ~!** joyeuses Pâques!

Österreich ['ø:stəraiç] n (-s; sans pl) l'Autriche f; **~er** m (-s; -), '**~erin** f (-; -nen) Autrichien m, -ne f; '**Ꝿisch** autrichien

östlich ['œstliç] oriental, de l'est, d'est; ~ **von** à l'est de

'**Ostsee** f mer f Baltique

outen [autən] (-ge-, h) révéler l'homosexualité de; **sich ~** révéler son homosexualité

oval [o'va:l] ovale

Oxid, Oxyd [ɔ'ksi:t] chim m (-[e]s; -e) oxyde m; **Ꝿieren** [-'di:rən] (pas de -ge-, h) s'oxyder

Ozean ['o:tsea:n] m (-s; -e) océan m

Ozon [o'tso:n] n (-s; sans pl) ozone m; **~alarm** m alarme f d'ozone; **~loch** n trou m d'ozone; **~schicht** f couche f d'ozone

P

Paar [pa:r] **1.** n (-[e]s; -e) paire f; Personen, Tiere couple m; **2. ein Ꝿ** quelques; **ein Ꝿ Mal** plusieurs fois; '**~ung** zo f (-; -en) accouplement m; '**Ꝿweise** par couples

Pacht [paxt] f (-; -en) bail m; agr fermage m; '**Ꝿen** (h) prendre à bail od à ferme; '**~vertrag** m contrat m de fermage; contrat m de bail

Pächter ['pɛçtər] jur m (-s; -), '**~in** f (-; -nen) preneur m à bail, fermier m, -ière f

Päckchen ['pɛkçən] n (-s; -) petit paquet m

Pack|en ['pakən] **1.** (-s; -) (gros) paquet m; Briefe, Papiere liasse f; '**Ꝿen** (h) Koffer, Paket faire; Waren emballer; ergreifen saisir (**an** par); fig mitreißen captiver; '**~papier** n papier m d'emballage; '**~ung** f (-; -en) paquet m, boîte f

Pädagogik [pɛda'go:gik] f (-; sans pl) pédagogie f; **Ꝿisch** pédagogique

Paddel ['padəl] n (-s; -) pagaie f; '**~boot** n Faltboot canot m pliant; Kanu canoë m; Kajak kayak m; '**Ꝿn** (h) pagayer

Paket [pa'ke:t] n (-[e]s; -e) paquet m; colis m postal; '**~annahme** f réception f des colis; '**~karte** f bulletin m d'expédition; '**~post** f service m des colis postaux; '**~zustellung** f distribution f des colis

Pakt [pakt] m (-[e]s; -e) pacte m

Palast [pa'last] m (-[e]s; ¨-e) palais m

Palästina [palɛ'sti:na] n (-s; sans pl) la Palestine

Palme ['palmə] f (-; -n) bot palmier m; F fig **j-n auf die ~ bringen** exaspérer qn, F faire monter au cocotier

Pampelmuse [pampəl'mu:zə] bot f (-; -n) pamplemousse m

panier|t [pa'niːrt] pané; **2mehl** *n* chapelure *f*

Panik ['paːnik] *f* (-; *-en*) panique *f*; *in ~ geraten* s'affoler; '**2isch** *~e Angst* peur *f* panique

Panne ['panə] *f* (-; *-n*) *tech* panne *f*; *Missgeschick* incident *m* fâcheux, gaffe *f f*; *e-e ~ haben* être *o* tomber en panne; '**~ndienst** *m* service *m* de dépannage; '**~nhilfe** *auto f* dépannage *m*

Panther ['pantər] *zo m* (-s; -) panthère *f*

Pantoffel [pan'tɔfəl] *m* (-s; *-n*) pantoufle *f*

Pantomim|e [panto'miːmə] **1.** *f* (-; *-n*) pantomime *f*, **2.** *m* (-n; *-n*) mime *m*; **2isch** pantomimique

Panzer ['pantsər] *mil* blindé *m*, char *m*, *von Tieren* carapace *f*; *hist od fig* cuirasse *f*; '**~glas** *n* verre *m* pare-balles; '**2n** (*h*) blinder; '**~schrank** *m* coffre-fort *m*

Papa ['papa] *m* (-s; -s) F papa *m*

Papagei [papa'gai] *zo m* (-en; -e[n]) perroquet *m*

Papier [pa'piːr] *m* (-s; -e) papier *m*; *~e pl* papiers *m/pl*; **~geld** *n* billets *m/pl* de banque; **~korb** *m* corbeille *f* à papier; **~krieg** *m* paperasserie *f* administrative; **~taschentuch** *n* mouchoir *m* en papier; **~waren** *f/pl* articles *m/pl* de papeterie; **~warengeschäft** *n* papeterie *f*

Pappe ['papə] *f* (-; *-n*) carton *m*

Pappel ['papəl] *bot f* (-; *-n*) peuplier *m*

Paprika ['paprika] *bot m* (-s; *-[s]*) poivron *m*; *Gewürz* piment *m*; paprika *m*

Papst [paːpst] *m* (-[e]s; ⸚e) pape *m*

päpstlich ['pɛːpstliç] papal, pontifical

Parabel [pa'raːbəl] *f* (-; *-n*) parabole *f*

Parade [pa'raːdə] *mil f* (-; *-n*) revue *f*, défilé *m*; *die ~ abnehmen* passer (les troupes) en revue

Paradies [para'diːs] *n* (-es; -e) paradis *m*; **2isch** paradisiaque

paradox [para'dɔks] paradoxal

Paragraph [para'graːf] *m* (-en; *-en*) article *m*; *Absatz* paragraphe *m*

parallel [para'leːl] parallèle; **2e** (-; *-n*) *math* parallèle *f* (*wenn fig, dann m*)

Parasit [para'ziːt] *m* (*-en*; *-en*) parasite *m*

Pärchen ['pɛːrçən] *n* (-s; -) couple *m*

Pardon [par'dõ] *m* (-s; -) *Verzeihung* pardon *m*; *Begnadigung* grâce *f*

Parfüm [par'fyːm] *n* (-s; -e, -s) parfum

m; **~erie** [-ymə'riː] *f* (-; *-n*) parfumerie *f*; **2'ieren** (*pas de* -ge-, *h*) (*sich ~* se) parfumer

Park [park] *m* (-s; -s) parc *m*; **~anlagen** *f/pl* parc *m*; **~en** *n* (-s; *sans pl*) stationnement *m*; *~ verboten!* stationnement interdit!; '**2en** (*h*) stationner, se garer; *sein Auto ~* garer sa voiture

Parkett [par'kɛt] *n* (-s; -e) parquet *m*; *Theater* orchestre *m*

'**Park|gebühren** *f/pl* taxe *f* de stationnement; '**~haus** *n* parking *m* à étages; **2ieren** (*pas de* -ge-, *h*) *Schweiz* → *parken*; **~kralle** *f* sabot *m* de Denver; '**~lücke** *f* créneau *m*; '**~platz** *m* parking *m*, parc *m* de stationnement; *e-n ~ suchen* chercher une place pour stationner; '**~scheibe** *f* disque *m* de stationnement; '**~uhr** *f* parcmètre *m*; '**~verbot** *n* défense *f* de stationner; '**~wächter** *m* gardien *m*

Parlament [parla'mɛnt] *n* (-[e]s; -e) Parlement *m*; **2arisch** [-'aːriʃ] parlementaire

Parole [pa'roːlə] *f* (-; *-n*) *mil* mot *m* de passe; *pol* slogan *m*

Partei [par'tai] *f* (-; *-en*) *pol* parti *m*; *jur* partie *f*; *für j-n ~ ergreifen* prendre parti pour qn; **2isch** partial; **2los** *pol* indépendant, non-inscrit; **~mitglied** *n* membre *m* d'un parti; **~tag** *m* congrès *m*, convention *f* (d'un parti)

Parterre [par'tɛrə] *n* (-s; -s) *Theater* parterre *m*; *Erdgeschoss* rez-de-chaussée *m*

Partie [par'tiː] *f*; *Heirats*2 (-; *-n*); parti *m*; *mit von der ~* être de la partie

Partisan [parti'zaːn] *mil m* (-s; *-en*) partisan *m*

Partitur [parti'tuːr] *mus f* (-; *-en*) partition *f*

Partner ['partnər] *m* (-s; -), '**~in** *f* (-; *-nen*) partenaire *m*, *f*; *comm* associé *m*, -e *f*; '**~schaft** *f* (-; *-en*) association *f*; *Städte*2 jumelage *m*; '**~stadt** *f* ville *f* jumelée

Party ['paːrti] *f* (-; *-ties*) surprise-partie *f*, F boum *f*; **~service** *m* (-s; -s) traiteur *m*

Pass [pas] *m* (-es; ⸚e) *Gebirgs*2 col *m*; *Reise*2 passeport *m*; *Sport* passe *f*

Passage [pa'zaːʒə] *f* (-; *-n*) passage *m*

Passagier [pasa'ʒiːr] *m* (-s; -e) passager *m*; **~flugzeug** *n* avion *m* de transport de passagers, avion *m* de ligne

Passant [pa'sant] *m* (*-en; -en*), **_in** *f* (*-; -nen*) passant *m*, -e *f*, piéton *m*, -ne *f*

'**Passbild** *n* photo *f* d'identité

passen [pasən] (*h*) *das bestimmte Maß haben* être juste, aller (bien); *genehm sein* convenir (*j-m à* qn); **~ zu** aller avec; *sie* **~ gut zueinander** ils vont bien ensemble; *passt es Ihnen morgen?* est-ce que cela vous convient demain?; *das passt mir gar nicht* ça ne me va *od* convient pas du tout; *das passt nicht zu ihm* ce n'est pas son genre; '**_d** juste; convenable, approprié, opportun

passieren [pa'si:rən] **1.** *v/t* (*h*) *Ort* passer; **2.** *v/i* (*sn*) *sich ereignen* se passer, se produire, arriver

Passion [pa'sjo:n] *f* (*-; -en*) passion *f*; *rel* Passion *f*

passiv [pasi:f] **1.** passif; **2.** **Ω** *gr n* (*-s; -e*) passif *m*; **Ωität** [-ivi'tɛ:t] *f* (*-; sans pl*) passivité *f*

'**Pass|kontrolle** *f* contrôle *m* des passeports; '**_straße** *f* route *f* de col; **_wort** *n* mot *m* de passe

'**Paste** [pastə] *f* (*-; -n*) pâte *f*

Pastell [pa'stɛl] *n* (*-[e]s; -e*) pastel *m*

Pastete [pa'ste:tə] *f* (*-; -n*) pâté *m*

Pastor [pasto:r] *égl m* (*-s; -en*) pasteur *m*

Pat|e ['pa:tə] *m* (*-n; -n*), '**_in** *f* (*-; -nen*) parrain *m*, marraine *f*; '**_enkind** *n* filleul *m*, -e *f*; '**_enschaft** *f* (*-; -en*) parrainage *m*; *die* **~ für etw übernehmen** parrainer qc

Patent [pa'tɛnt] *n* (*-[e]s; -e*) brevet *m*; **_amt** *n* office *m* des brevets; **Ω'ieren** (*pas de -ge-, h*) breveter

Pater ['pa:tər] *égl m* (*-s; -, Patres*) père *m*

pathetisch [pa'te:tiʃ] pompeux, solennel

Patient [pa'tsjɛnt] *m* (*-en; -en*), **_in** *f* (*-; -nen*) malade *m, f*, client *m*, -e *f*, patient *m*, -e *f*

Patriarch [patri'arç] *m* (*-en; -en*) patriarche *m*; **Ωalisch** [-'ça:liʃ] patriarcal

Patriot [patri'o:t] *m* (*-en; -en*), **_in** *f* (*-; -nen*) patriote *m, f*; **Ωisch** patriotique; *Person* patriote; **_ismus** [-'tismus] *m* (*-; sans pl*) patriotisme *m*

Patrone [pa'tro:nə] *f* (*-; -n*) cartouche *f*

Patrouill|e [pa'truljə] *f* (*-; -n*) patrouille *f*; **Ω'ieren** (*pas de -ge-, h*) patrouiller

Pauke ['paukə] *mus f* (*-; -n*) timbale *f*

pauschal [pau'ʃa:l] *comm* forfaitaire; *fig* global; *adv* à forfait; *fig* globalement, en bloc; **Ωe** *f* (*-; -n*) somme *f* forfaitaire; **Ωreise** *f* voyage *m* à forfait; **Ωurteil** *n* jugement *m* sommaire

Pause ['pauzə] *f* (*-; -n*) pause *f*; *Schule* récréation *f*; *Theater* entracte *m*; '**Ωlos** ininter rompu, sans cesse

Pavian ['pa:via:n] *zo m* (*-s; -e*) babouin *m*

Pazifi|k [pa'tsi:fik] *m* (*-s; sans pl*) Pacifique *m*; **_sch** *der* **_e Ozean** l'océan *m* Pacifique

Pazifis|mus [patsi'fismus] *m* (*-; sans pl*) pacifisme *m*; **_t** *m* (*-en; -en*), **_tin** *f* (*-; -nen*) *m* pacifiste *m, f*; **Ωtisch** pacifiste

Pech [pɛç] *n* (*-s; -e*) poix *f*; *Unglück* malchance *f*, poisse *f* F, guigne *f* F

Pedal [pe'da:l] *n* (*-s; -e*) pédale *f*

Pedant [pe'dant] *m* (*-en; -en*) homme *m* tatillon, F coupeur *m* de cheveux en quatre; **Ωisch** pointilleux, tatillon, formaliste

Pegel ['pe:gəl] *m* (*-s; -*) échelle *f* fluviale; '**_stand** *m* niveau *m* de l'eau

peilen ['pailən] (*h*) relever; *Wassertiefe* sonder

pein|igen ['painigən] (*h*) tourmenter, torturer; '**_lich** fâcheux, embarrassant, gênant; **~ genau** méticuleux; *es war mir* **~** j'avais honte

Peitsche ['paitʃə] *f* (*-; -n*) fouet *m*

Pell|e ['pɛlə] *f* (*-; -n*) *Frucht* pelure *f*; *Wurst* peau *f*; **Ωen** (*h*) éplucher, peler; '**_kartoffeln** *f/pl* pommes de terre *f/pl* en robe de chambre *od* en robe des champs

Pelz [pɛlts] *m* (*-es; -e*) fourrure *f*; '**_geschäft** *n* pelleterie *f*; '**_mantel** *m* manteau *m* de fourrure

Pendel ['pɛndəl] *n* (*-s; -*) pendule *m*; *Uhr* balancier *m*; **Ωn** (*h*) osciller; *Bus, Person* faire la navette; '**_verkehr** *m* navette *f*

Pendler ['pɛndlər] *m* (*-s; -*) personne *f* qui fait la navette entre son domicile et son lieu de travail

penetrant [pene'trant] *Geruch* pénétrant; *Person* gênant, agaçant

Penis ['pe:nis] *m* (*-; -se*) pénis *m*

Penizillin [penitsi'li:n] *phm n* (*-s; -e*) pénicilline *f*

penn|en ['pɛnən] (h) F roupiller, pioncer; **'_er** m (-s; -) F clochard m

Pension [pɛn'zjoːn] f (-; -en) pension f; *Ruhegehalt a* retraite f; **_är** [-'nɛːr] m (-s; -e), **_'ärin** f (-; -nen) retraité m, -e f; pensionné m, -e f; **_'ieren** (*pas de -ge-*, h) mettre à la retraite; **sich _ lassen** demander sa mise à la retraite; **_'ierung** f (-; -en) mise f à la retraite; **_'iert** en retraite, retraité; **_sgast** m hôte m d'une pension, pensionnaire m, f

per [pɛr] *prép* (acc) par

perfekt 1. [pɛr'fɛkt] parfait; *die Sache ist _* l'affaire est dans le sac; **2.** **_** ['pɛrfɛkt] gr n (-s; -e) passé m composé; *historisches _* passé m simple

Period|e [per'joːdə] f (-; -n) période f; *der Frau* règles f/pl; **_isch** périodique

Peripherie [perife'riː] f (-;-n) périphérie f; **_geräte** n/pl EDV périphériques m/pl

Perl|e ['pɛrlə] f (-; -n) perle f (*a fig*); **_enkette** f collier m de perles; **_mutt** [-'mut] n (-s; *sans pl*) nacre f

Pers|er ['pɛrzər] m (-s; -) Persan m; *hist* Perse m; *Teppich* tapis m de Perse; **_ien** [-'zjən] n (-s *sans pl*) la Perse; **'_isch** persan; *hist* perse; *géogr* **der _e Golf** le golfe Persique

Person [pɛr'zoːn] f (-; -en) personne f; *Theater* personnage m; **ich für meine _** quant à moi; **ein Tisch für drei _en** une table pour trois (personnes)

Personal [pɛrzo'naːl] n (-s; *sans pl*) personnel m; **_abbau** m réduction f du personnel; **_abteilung** f service m du personnel; **_ausweis** m carte f d'identité; **_chef** m chef m du personnel; **_ien** [-jən] f/ identité f; **_mangel** m manque m de personnel; **_vertretung** f représentation f des employés

Per'sonen|(kraft)wagen (*abr PKW*) m voiture f particulière *od* de tourisme; **_zug** m train m de voyageurs, omnibus m

persönlich [pɛr'zøːnliç] personnel; *leibhaftig* en personne; **Qkeit** f (-; -en) personnalité f; *bedeutender Mensch* personnage m

Perspektive [pɛrspɛk'tiːvə] f (-; -n) perspective f

Perücke [pɛ'rykə] f (-; -n) perruque f

Pessimis|mus [pɛsi'mismus] m (-; *sans*

pl) pessimisme m; **_t** m (-en; -en), **_tin** f (-; -nen) pessimiste m, f; **Qtisch** pessimiste

Peter ['peːtər] m (-s; -s) Pierre m

Petersilie [peːtər'ziːljə] bot f (-; -n) persil m

Petrochemie ['petro-] f pétrochimie f

Petroleum [pe'troːleum] n (-s; *sans pl*) pétrole m

Pfad [pfaːt] m (-[e]s; -e) sentier m; **'_finder** m (-s; -), **'_finderin** f (-; -nen) scout m, guide f, éclaireur m, -euse f

Pfahl [pfaːl] m (-[e]s; ̈-e) pieu m, poteau m

Pfalz [pfalts] f (-; *sans pl*) **die _** le Palatinat

Pfand [pfant] n (-[e]s; ̈-er) gage m; *comm* consigne f; **'_brief** *écon* m obligation f hypothécaire

pfänden ['pfɛndən] (h) saisir

Pfand|flasche f bouteille f consignée; **'_haus** n mont-de-piété m

Pfändung ['pfɛnduŋ] *jur* f (-; -en) saisie f

Pfann|e ['pfanə] f (-; -n) poêle f; **'_kuchen** m crêpe f; *Berliner _* beignet m (à la confiture)

Pfarr|bezirk ['pfar-] m paroisse f; **'_er** m (-s; -) *katholischer* curé m; *evangelischer* pasteur m

Pfau [pfau] m (-[e]s; -en; -[e]n) paon m

Pfeffer ['pfɛfər] m (-s; -) poivre m; **'_minze** [mintsə] bot f (-; *sans pl*) menthe f

Pfeife ['pfaifə] f (-; -n) sifflet m; *Tabaks_* pipe f; *Orgel_* tuyau m; **'_n** (*pfiff, gepfiffen*, h) siffler; F **_ auf** se moquer de, se ficher de

Pfeil [pfail] m (-[e]s; -e) flèche f

Pfeiler ['pfailər] *arch* m (-s; -) pilier m

Pfennig ['pfɛniç] m (-s; -e) pfennig m; **keinen _ haben** n'avoir pas le sou, être sans le sou

Pferd [pfert] m (-[e]s; -e) cheval m; *Turnen* cheval m d'arçons; **zu _** à cheval; **aufs _ steigen** monter à cheval

Pferde|rennen ['pferdə-] n course f de chevaux; **'_schwanz** m queue f de cheval (*a Frisur*); **'_sport** m hippisme m; **'_stall** m écurie f; **'_stärke** *tech* f (*abr PS*) cheval-vapeur m (*abr Ch*)

Pfifferling ['pfifərliŋ] bot m (-s; -e) chanterelle f, girolle f

Pfingst|en ['pfiŋstən] n (-; -) la Pentecôte; '**~rose** bot f pivoine f

'**Pfirsich** [pfɪrzɪç] bot m (-s; -e) pêche f; '**~baum** m pêcher m

'**Pflanze** [pflantsə] f (-; -n) plante f; '**~n** (h) planter

pflanz|lich [ˈpflantslɪç] végétal; '**~ung** f (-; -en) plantation f

Pflaster [ˈpflastər] n (-s; -) méd pansement m (adhésif); Straßen~ pavé m; '**~n** (h) Straße paver; '**~stein** m pavé m

Pflaume [pflaumə] bot f (-; -n) prune f; **~nbaum** bot m prunier m

Pflege [ˈpfleːgə] f (-; sans pl) soins m/pl (a méd); von Gegenständen entretien m; der Künste culture f; **in ~ nehmen** se charger de; '**~bedürftig** qui réclame des soins; '**~fall** m malade m nécessitant des soins constants; '**~heim** n hospice m; '**~leicht** d'un entretien facile; '**~mutter** f nourrice f

pfleg|en [ˈpfleːgən] (h) soigner; Gegenstand, Beziehungen entretenir; Begabung, Künste cultiver; **etw zu tun ~** avoir l'habitude de faire qc; '**~er** m (-s; -), '**~erin** f (-; -nen) Kranken~ infirmier m, -ière f

Pflicht [pflɪçt] f (-; -en) devoir m (**gegenüber** envers); **es ist meine ~ zu ...** il est de mon devoir de ...; '**~bewusst** conscient de son devoir; '**~erfüllung** f accomplissement m de son devoir; '**~gemäß** conforme, fidèle au devoir; '**~umtausch** m obligation f de change; '**~versicherung** f assurance f obligatoire

pflücken [ˈpflʏkən] (h) cueillir

Pflug [pfluːk] m (-[e]s; ⁓e) charrue f

pflügen [ˈpflyːgən] (h) labourer

Pforte [ˈpfɔrtə] f (-; -n) porte f

Pförtner [ˈpfœrtnər] m (-s; -), '**~in** f (-; -nen) portier m, concierge m f

Pfosten [ˈpfɔstən] m (-s; -) poteau m

Pfote [ˈpfoːtə] f (-; -n) patte f

Pfropf|en [ˈpfrɔpf(ən)] m (-[e]s; -e/-s; -) bouchon m, tampon m

'**pfropfen** (h) Baum greffer; stopfen fourer (**in** dans); **gepfropft voll** bondé

pfui [ˈpfuːi] pouah!; '**~rufe** m/pl huées f/pl

Pfund [pfʊnt] n (-[e]s; -e) livre f (a Währung)

'**pfuschen** [pfuʃən] (h) F bâcler, bousiller

Phänomen [fɛnoˈmeːn] n (-s; -e) phénomène m; '**~al** [-eˈnaːl] phénoménal

Phantasie → **Fantasie**

Phantast → **Fantast**

pharmazeutisch [farmaˈtsɔʏtɪʃ] pharmaceutique

Phase [ˈfaːzə] f (-; -n) phase f

Philosoph [filoˈzoːf] m (-en; -en), '**~in** f (-; -nen) philosophe m; '**~ie** [-oˈfiː] f (-; -n) philosophie f; '**~ieren** (pas de ge-, h) philosopher; '**~isch** philosophique

Phlegma [ˈflɛgma] n (-s; sans pl) flegme m; '**~tisch** [-ˈmaːtɪʃ] flegmatique, lymphatique

Phon|etik [foˈneːtɪk] f (-; sans pl) phonétique f; '**~etisch** phonétique; '**~stärke** [ˈfon-] f niveau m acoustique

Phosphor [ˈfɔsfɔr] chim m (-s; sans pl) phosphore m

Photo(...) [ˈfoːto] → **Foto(...)**

Phrase [ˈfraːzə] f (-; -n) phrase f (a péj)

Physik [fyˈziːk] f (-; sans pl) physique f; '**~alisch** [-iˈkaːlɪʃ] physique, de (la) physique; '**~er** m (-s; -), '**~erin** f (-; -nen) physicien m, -ne f

physisch [ˈfyːzɪʃ] physique

Pianist [piaˈnɪst] m (-en; -en), '**~in** f (-; -nen) pianiste m, f

Pickel [ˈpɪkəl] m (-s; -) méd bouton m; Werkzeug pic m; Eis~ piolet m

picken [ˈpɪkən] (h) becqueter, picoter, picorer

Picknick [ˈpɪknɪk] n (-s; -s) pique-nique m; '**~en** (h) pique-niquer

Pietät [pieˈtɛt] f (-; sans pl) piété f, respect m

Pik [piːk] n (-s; -s) Karten pique m

pikant [piˈkant] cuis épicé, relevé; fig croustillant, osé

Pilger [ˈpɪlgər] m (-s; -) pèlerin m; '**~fahrt** f pèlerinage m; '**~n** (h) aller en pèlerinage

Pille [ˈpɪlə] f (-; -n) pilule f

Pilot [piˈloːt] aviat m (-en; -en) pilote m

Pilz [pɪlts] m (-es; -e) champignon m

pingelig [ˈpɪŋəlɪç] F tatillon, pointilleux

Pinguin [ˈpɪŋguiːn] zo m (-s; -e) manchot m, pingouin m

Pinie [ˈpiːnjə] bot f (-; -n) pin m (parasol)

pinkeln [ˈpɪŋkəln] (h) F faire pipi, pisser

Pinsel [ˈpɪnzəl] m (-s; -) pinceau m

Pinzette [pin'tsetə] f (-; -n) pince f (à épiler)

Pionier [pio'ni:r] m (-s; -e) soldat m du génie; fig pionnier m

Pirat [pi'ra:t] m (-en; -en) pirate m

Piste ['pistə] f (-; -n) piste f

Pistole [pis'to:lə] f (-; -n) pistolet m

PKW ['pe:kave:] m (-s; -s) voiture f de tourisme

placieren → **platzieren**

Plackerei [plakə'rai] f (-; -en) F corvée f

plädieren [plɛ'di:rən] (pas de -ge-, h) plaider (**für** pour)

Plädoyer [plɛdoa'je:] n (-s; -s) jur plaidoirie f; des Staatsanwalts réquisitoire m; fig plaidoyer m

Plage ['pla:gə] f (-; -n) fléau m; '**2n** (h) tourmenter, tracasser; **sich ~** s'esquinter, s'échiner

Plakat [pla'ka:t] n (-[e]s; -e) affiche f

Plan [pla:n] m (-[e]s; ˆe) plan m; Vorhaben projet m

Plane ['pla:nə] f (-; -n) bâche f

plan|en ['pla:nən] (h) projeter; écon planifier; '**2er** m (-s; -) plannificateur m; projeteur m

Planet [pla'ne:t] m (-en; -en) planète f

planier|en [pla'ni:rən] (pas de -ge-, h) aplanir, niveler; **2raupe** f bulldozer m

plan|los sans méthode, sans but, irréfléchi; '**.mäßig** méthodique, systématique; Ankunft comme prévu; Zug régulier

Plansch|becken ['planʃ-] n bassin m pour enfants; '**2en** (h) barboter, patauger

Plantage [plan'ta:ʒə] f (-; -n) plantation f

Plan|ung ['pla:nuŋ] f (-; -en) planification f; '**.wirtschaft** f dirigisme m, économie f dirigée od planifiée

Plastik [ˈplastik] f (-; -en) Kunstwerk sculpture f; Bildhauerkunst plastique f

Plastik² n (-s; sans pl) plastique m; '**.tüte** f sac m en plastique

plastisch ['plastiʃ] plastique; en relief, à trois dimensions; bildhaft imagé

Platane [pla'ta:nə] bot f (-; -n) platane m

Platin ['pla:tin] n (-s; sans pl) platine m

platt [plat] (a fig geistlos); aplati; Reifen crevé, à plat; F **e-n 2en haben** avoir crevé; F **da war er ~** il en est resté baba

'Plattdeutsch n bas allemand m

Platte ['platə] f (-; -n) Metall, Glas plaque f; Stein dalle f; Schall2 disque m; cuis plat m; **kalte ~** assiette f anglaise

'Platten|spieler m tourne-disque m; '**.teller** m platine f

'Plattform f plate-forme f

Platz [plats] m (-es; ˆe) place f; Sport2 terrain m; **~ nehmen** prendre place; **nehmen Sie ~!** veuillez vous asseoir!; **~ machen für** céder la place à; '**.anweiserin** f (-; -nen) ouvreuse f

Plätzchen ['plɛtsçən] n (-s; -) petite place f; Gebäck petit gâteau m; biscuit m

platz|en ['platsən] (sn) éclater, crever; fig Vorhaben rater; **vor Neid ~** crever de jalousie; **2karte** f réservation f; '**2patrone** f cartouche f à blanc; '**2regen** m pluie f battante; '**2verweis** m Sport expulsion f; **2wunde** f plaie f

platzieren [pla'tsi:rən] (pas de -ge-, h) Sport (**sich ~** se) placer; **2ung** f (-; -en) placement m

plaudern ['plaudərn] (h) causer

Pleite ['plaitə] **1.** f (-; -n) faillite f; fig échec m, fiasco m; **2.** **2** en faillite; F **ohne Geld** fauché

Plombe ['plɔmbə] f (-; -n) plomb m; Zahn2 plombage m, obturation f; **2ieren** (pas de -ge-, h) plomber

plötzlich ['plœtsliç] soudain, subit; adv tout à coup, soudain(ement), brusquement

plump [plump] grossier, lourdaud

Plural [plu'ra:l] gr m (-s; sans pl) pluriel m; **2istisch** pol pluraliste

plus [plus] **1.** plus; **2.** **2** n (-; -) Mehrbetrag excédent m; Gewinn bénéfice m; Vorteil avantage m

Plusquamperfekt ['pluskvamperfɛkt] gr n (-s; -e) plus-que-parfait m

Po [po:] F m (-s; -s) derrière m

Pöbel['pø:bəl] m (-s; sans pl) populace f

pochen ['pɔxən] (h) Herz battre (vio-lemment); fig **auf etw ~** se prévaloir de qc

'Pocken [pɔkən] med pl variole f; '**.(schutz)impfung** f vaccination f antivariolique

Podium ['po:dium] n (-s; -dien) podium m, estrade f; '**.sgespräch** n débat m en public

P

Poesie [poe'zi:] f (-; -n) poésie f

Poet [po'e:t] m (-en; -en) poète m; **2isch** poétique

Pointe [pŏ'ɛ̃tə] f (-; -n) sel m, piquant m

Pokal [po'ka:l] m (-s; -e) coupe f

Poker ['po:kər] n (-s; sans pl) poker m; **2n** (h) jouer au poker

Pol [po:l] m (-s; -e) pôle m; **2ar** [po'la:r] polaire

Pol|e ['po:lə] m (-n; -n), **'~in** f (-; -nen) Polonais m, -e f

Polemi|k [po'le:mik] f (-; -en) polémique f; **2sch** polémique; **2sieren** [-emi'zi:rən] (pas de -ge-, h) polémiquer

Polen ['po:lən] n (-s; sans pl) la Pologne

polieren [po'li:rən] (pas de -ge-, h) faire briller, astiquer

Politesse [poli'tɛsə] f (-; -n) contractuelle f

Polit|ik [poli'ti:k] f (-; sans pl) politique f; **~iker** [po'li:tikər] m (-s; -), **~ikerin** f (-; -nen) homme m politique, politicien m, -ne f; **2isch** [-'li:tiʃ] politique; **2isieren** [-iti'zi:rən] (pas de -ge-, h) parler politique; Angelegenheit politiser

Politur [poli'tu:r] f (-; -en) Glanz poli m; Pflegemittel encaustique f

Polizei [poli'tsai] f (-; -en) police f; **~beamte** m agent m de police; **2lich** (par mesure) de police; **~es Kennzeichen** numéro m minéralogique; **~präsident** m préfet m de police; **~revier** n commissariat m de police; **~schutz** m unter ~ sous la protection de la police; **~staat** m État m policier; **~streife** f patrouille f de police; **~stunde** f heure f de clôture; **~wache** f commissariat m de police

Polizist [poli'tsist] m (-en; -en) agent m de police, policier m, F flic m; **~in** f (-; -nen) femme f agent de police

polnisch ['pɔlniʃ] polonais

Polster ['pɔlstər] n (-s; -) rembourrage m; **'~er** m (-s; -) tapissier m; **'~möbel** pl meubles m/pl rembourrés; **2n** (h) rembourrer, capitonner

Pommes frites [pɔm'frit] pl frites f/pl

pompös [pɔm'pø:s] pompeux, fastueux

Pony¹ ['pɔni] zo n (-s; -s) poney m

'Pony² m (-s; -s) Frisur frange f

Pool [pu:l] m (-s; -s) pool m; groupement m; **~billard** n billard m américain

Pop|musik ['pɔp-] f musique f pop; **'~sänger(in** f) m chanteur m pop, chanteuse f pop

popul|är [popu'lɛ:r] populaire; **2arität** [-ari'tɛːt] f (-; sans pl) popularité f

Porno ['pɔrno-] in Zssgn ... porno

porös [po'rø:s] poreux

Porree ['pɔre] bot m (-s; -s) poireau m

Portal [pɔr'ta:l] n (-s; -e) portail m

Portemonnaie [pɔrtmɔ'ne:] n (-s; -s) porte-monnaie m, bourse f

Portion [pɔr'tsjo:n] f (-; en) portion f; dose f

Porto ['pɔrto] n (-s; -s, Porti) port m; **2frei** franc(o) de port

Porträt [pɔr'trɛ:] n (-s; -s) portrait m; **2ieren** [-ɛ'ti:rən] (pas de -ge-, h) faire le portrait de

Portugal ['pɔrtugal] n (-s; sans pl) le Portugal; **~iese** [-u'gi:zə] m (-n; -n); **~iesin** f (-; -nen) Portugais m, -e f; **2'iesisch** portugais

Portwein ['pɔrt-] m porto m

Porzellan [pɔrtse'la:n] n (-s; -e) porcelaine f

Posaune [po'zaunə] mus f (-; -n) trombone m

Position [pozi'tsjo:n] f (-; -en) position f; beruflich situation f

positiv ['po:zitiːf] positif

Post [pɔst] f (-; sans pl) poste f; Briefe courrier m; **zur ~ bringen** poster; **2alisch** [-'ta:liʃ] postal

Post|amt n bureau m de poste; **'~anweisung** f mandat-poste m; **'~beamte** m, **'~beamtin** f employé m, -e f des postes; **'~bote** m (-s; -n) facteur m, factrice f; offiziell préposé m, -e f

Posten ['pɔstən] m (-s; -) berufliche Stellung poste m, situation f, emploi m; Amt charge f; mil sentinelle f; Streik**2** piquet m de grève; Waren lot m; fig **auf dem ~ sein** être en forme; wachsam être sur le qui-vive

'Postfach n boîte f postale

'Post|karte f carte f postale; **2lagernd** poste f restante; **'~leitzahl** f code m postal; **'~scheck** m chèque m postal; **'~scheckkonto** n compte m chèque postal; **'~sparbuch** n livret m d'épargne postal; **'~sparkasse** f caisse f nationale d'épargne; **'~stempel** m cachet m de la poste; **Datum des ~s** date f de la poste; **2wendend** par retour du

P

courrier; **'-wertzeichen** n timbreposte m; **'-wurfsendung** f envoi m postal collectif

Potenz [po'tɛnts] f (-; -en) math puissance f; männliche virilité f

Pracht [praxt] f (-; sans pl) magnificence f, splendeur f, somptuosité f

prächtig ['prɛctiç] magnifique, splendide, somptueux

Prädikat [prɛdi'ka:t] n (-[e]s; -e) gr verbe m; Auszeichnung mention f, distinction f

Präfekt [prɛ'fɛkt] m (-en; -en) préfet m; **-ur** [-ɛk'tu:r] f (-; -en) préfecture f

prägen ['prɛ:gən] (h) Münzen frapper; fig marquer de son empreinte, empreindre; Wort créer

prahl|en ['pra:lən] (h) se vanter (mit de); **2erei** [-ə'rai] f (-; -en) vantardise f, fanfaronnade f; **'-erisch** vantard, fanfaron

Prakti|kant [prakti'kant] m (-en; -en), **~'kantin** f (-; -nen) stagiaire m, f; **'-ken** ['-kən] f/pl pratiques f/pl; **'-kum** ['-kum] n (-s; -ka) stage m; **2sch** pratique; der Arzt (médecin m) généraliste m; **2zieren** [-'tsi:rən] (pas de ge-, h) pratiquer, mettre en pratique; Arzt exercer

Praline [pra'li:nə] f (-; -n) (crotte f en) chocolat m

prallen ['pralən] (sn) gegen etw ~ se heurter contre qc

Prämie ['prɛ:mjə] f (-; -n) prime f

Präparat [prɛpa'ra:t] n (-[e]s; -e) préparation f

Präposition [prɛpozi'tsjo:n] gr f (-; -en) préposition f

Präsens ['prɛzəns] gr n (-; Präsentia [prɛ'zɛntsja]) présent m

präsentieren [prɛzɛn'ti:rən] (pas de ge-, h) (sich ~ se) présenter

Präservativ [prɛzɛrva'ti:f] n (-s; -e) préservatif m

Präsident [prɛzi'dɛnt] m (-en; -en), **~in** f (-; -nen) président m, -e f; **-schaft** f (-; -en) présidence f

präsid|ieren [prɛzi'di:rən] (pas de ge-, h) présider (in e-r Versammlung une assemblée); **2ium** [-'zidjum] n (-s; -dien) Gremium comité m directeur; Vorsitz présidence f

Praxis ['praksis] f (-; Praxen) praktische Erfahrung pratique f; Arzt- u An-

walts2 cabinet m; Kundenkreis clientèle f

Präzedenzfall [prɛtse'dɛnts-] m précédent m

präzis [prɛ'tsi:s] précis; **2ion** [-i'zjo:n] f (-; sans pl) précision f

predig|en ['pre:digən] (h) prêcher; **'2t** ['-diçt] f (-; -en) sermon m

Preis [prais] m (-es, -e) prix m; um jeden (keinen) ~ à tout (aucun) prix; **'-ausschreiben** n concours m

Preiselbeere ['praizəl-] bot f airelle f rouge

preisen ['praizən] (pries, gepriesen, h) vanter, louer

Preis|erhöhung ['prais²-] f majoration f des prix; **'-ermäßigung** f réduction f od diminution f des prix; **2geben** (irr, sép, -ge-, h, → **geben**) abandonner, livrer (a Geheimnis); **'-günstig** (à un prix) avantageux; **'-index** m indice m des prix; **'-lage** f in dieser ~ dans ces prix; **'-liste** f liste f des prix; **'-nachlass** m rabais m, remise f; **'-richter** m juge m d'un concours; **'-senkung** f baisse f des prix; **'-stabilität** f stabilité f des prix; **'-stopp** m blocage m od gel m des prix; **'-träger(in** f) m lauréat m, -e f; **2wert** bon marché, avantageux

Prellung ['prɛlʊŋ] méd f (-; -en) contusion f

Premier|e [prəm'je:rə] f (-; -n) première f; **~minister** [prəm'je:-] m Premier ministre m

Presse ['prɛsə] f 1. (-; -n) Frucht2 pressoir m; 2. (-; sans pl) presse f; **'-freiheit** f liberté f de la presse; **'-konferenz** f conférence f de presse; **'-meldung** f communiqué m de presse

pressen ['prɛsən] (h) presser

Pressluft ['prɛs-] tech f air m comprimé; **'-hammer** m marteau m piqueur

Prestige [prɛs'ti:ʒ(ə)] n (-s; sans pl) prestige m

Preuß|en ['prɔysən] n (-s; sans pl) la Prusse; **2isch** prussien

Priester ['pri:stər] m (-s; -), **'-in** f (-; -nen) prêtre m, -sse f

prima ['pri:ma] F chic, super

primär [pri'mɛ:r] primaire, primordial; adv en premier lieu

Primel ['pri:məl] bot f (-; -n) primevère f

primitiv [primi'ti:f] primitif

'Prinz [prints] m (-en; -en) prince m;

~essin [-'tsɛsin] f (-; -nen) princesse f

Prinzip [prin'tsi:p] n (-s; -ien) principe m; **2iell** [-tsi'pjel] de principe, adv: **aus Prinzip** par principe; **im Prinzip** en principe; **e-e ~e Frage** une question de principe

Priorität [priori'tɛ:t] f (-; -en) priorité f

Prise ['pri:zə] f (-; -n) **e-e ~ Salz** etc une pincée de sel, etc

privat [pri'va:t] nicht öffentlich privé; persönlich particulier, personnel; **2besitz** m, **2eigentum** n propriété f privée; **2leben** n vie f privée; **2schule** f école f libre; **2stunde** f leçon f particulière; **2wirtschaft** f économie f privée

Privileg [privi'le:k] n (-[e]s; -ien [-gjən]) privilège m; **2iert** [-'gi:rt] privilégié

pro [pro:] **1.** prép par; **2 Mark ~ Stück** 2 marks (m) la pièce; **2. das 2 und Kontra** le pour et le contre

Probe ['pro:bə] f (-; -n) essai m, épreuve f; Theater répétition f; comm échantillon m; math preuve f; **auf ~** à l'essai; **auf die ~ stellen** mettre à l'épreuve; **'~fahrt** f essai m; **'2n** (h) Theater répéter; **'~zeit** f période f d'essai

probieren [pro'bi:rən] (pas de -ge-, h) essayer; Speisen goûter, déguster

Problem [pro'ble:m] n (-s; -e) problème m; **2atisch** [-e'ma:tiʃ] problématique

Produkt [pro'dukt] n (-[e]s; -e) produit m; **~ion** [-'tsjo:n] f (-; -en) production f; **2iv** [-'ti:f] productif; **2ivität** [-tivi'tɛ:t] f (-; sans pl) productivité f

Produz|ent [produ'tsɛnt] m (-en; -en) producteur m; **2'ieren** (pas de -ge-, h) produire

professionell [profesio'nel] professionnel

Profess|or [pro'fɛsɔr] m (-s; -en), **~in** [-'so:rin] f (-; -nen) professeur m (d'université od de faculté); **~ur** [-'su:r] f (-; -en) Lehrstuhl chaire f; Amt professorat m

Profi ['pro:fi] Sport m (-s; -s) professionnel m, F pro m

Profil [pro'fi:l] n (-s; -e) Seitenansicht profil m; fig personnalité f; Reifen sculptures f/pl

Profit [pro'fi:t] m (-[e]s; -e) profit m; **2abel** [-i'ta:bəl] profitable; **2'ieren** (pas de -ge-, h) profiter (**von** de); **2orientiert** orienté vers le gain

Prognose [pro'gno:zə] f (-; -n) pronostic m

Programm [pro'gram] n (-s; -e) programme m; TV **Erstes** etc **~** première etc chaîne f; **2ieren** (pas de -ge-, h) EDV programmer; **~ierer** m (-s; -), **~iererin** f (-; -nen) programmeur m, -euse f; **2iersprache** f langage m de programmation

Projekt [pro'jɛkt] n (-[e]s; -e) projet m; **~ion** [projɛk'tsjo:n] f (-; -en) projection f; **~or** [-'jɛktɔr] m (-s; -en) projecteur m

projizieren [proji'tsi:rən] (pas de -ge-, h) projeter

proklamieren [prokla'mi:rən] (pas de -ge-, h) proclamer

Prokurist [proku'rist] m (-en; -en) fondé m de pouvoir

Prolet|ariat [proleta'rja:t] n (-[e]s; -e) prolétariat m; **2arisch** [-e'ta:riʃ] prolétarien

Promille [pro'milə] n (-[s]; -) math pour mille; auto **1,6 ~** 1 gramme 6 d'alcoolémie; **~grenze** f taux m (légal) d'alcoolémie

prominen|t [promi'nɛnt] de marque, en vedette, célèbre; **2z** [-nɛnts] f (-; -en) notables m/pl, célébrités f/pl, haute société f

prompt [prɔmpt] rapide, immédiat, prompt

Propaganda [propa'ganda] pol f (-; sans pl) propagande f

Propeller [pro'pɛlər] aviat m (-s; -) hélice f

prophezei|en [profe'tsaiən] (pas de -ge-, h) prophétiser; **2ung** f (-; -en) prophétie f

Proportion [propɔr'tsjo:n] f (-; -en) proportion f; **2al** [-o'na:l] proportionnel (**zu** à)

Prospekt [pro'spɛkt] m (-[e]s; -e) prospectus m; Falt2 dépliant m

prost! [pro:st] à votre santé!, à la vôtre!; **~ Neujahr!** bonne année!

Prostitu|ierte [prostitu'i:rtə] f (-n; -n) prostituée f; **~tion** [-'tsjo:n] f (-; sans pl) prostitution f

Protest [pro'tɛst] m (-[e]s; -e) protestation f; pol contestation f

Protestant [protɛs'tant] m (-en; -en), **~in** f (-; -nen) protestant m, -e f; **2isch** protestant

protes'tieren (pas de -ge-, h) protester

(*gegen* contre)

Prothese [pro'te:zə] *méd f* (-; -*n*) prothèse *f*

Protokoll [proto'kɔl] *n* (-*s*; -*e*) procès- -verbal *m*, constat *m*; *Diplomatie* protocole *m*; 2'**ieren** (*pas de* -ge-, *h*) dresser un procès-verbal de

Proviant [pro'vjant] *m* (-*s*; -*e*) provisions *f/pl*

Provinz [pro'vints] *f* (-; -*en*) province *f*; 2**iell** [-'tsjɛl] provincial

Provis|ion [provi'zjo:n] *comm f* (-; -*en*) commission *f*; 2**orisch** [-'zo:rɪʃ] provisoire

provozieren [provo'tsi:rən] (*pas de* -ge-, *h*) provoquer

Prozent [pro'tsɛnt] *n* (-[*e*]*s*; -*e*) pour cent; *fünf ~* cinq pour cent; ~*satz m* pourcentage *m*; 2**ual** [-u'a:l] en pourcentage; ~*er Anteil* pourcentage *m*

Prozess [pro'tsɛs] *m* (-*es*; -*e*) *jur* procès *m*; *Ablauf, Vorgang* processus *m*

prozessieren [protse'si:rən] (*pas de* -ge-, *h*) être en procès (*gegen*, *mit* avec), intenter un procès (à), plaider (contre)

Prozession [protse'sjo:n] *f* (-; -*en*) procession *f*

prüde ['pry:də] prude

prüf|en ['pry:fən] (*h*) examiner, tester; *nach-* vérifier, contrôler; *Prüfling* interroger; 2**er** *m* (-*s*; -) examinateur *m*; '2**ling** *m* (-*s*; -*e*) candidat *m*, -*e f*; '2**ung** *f* (-; -*en*) examen *m*; *Heimsuchung* épreuve *f*; *e-e ~ bestehen* réussir un examen, être reçu (à un examen); *e-e ~ machen* passer un examen

Prügel ['pry:gəl] *m* (-*s*; -) bâton *m*, gourdin *m*; *pl* (*Tracht*) ~ correction *f*, raclée *f* F, rossée *f* F; ~*ei* [-'-] (-; -*en*) bagarre *f*; 2**n** (*h*) (*sich*) se battre

Prunk [prʊŋk] *m* (-[*e*]*s*; *sans pl*) faste *m*, pompe *f*; 2**en** (*h*) *mit etw ~* faire parade de qc; 2**voll** fastueux, somptueux

PS [pe:?'ɛs] *n* (-; -) ch (= cheval-vapeur *m*; *pl* chevaux-vapeur)

Psychiat|er [psyçi'a:tər] *m* (-*s*; -) psychiatre *m*; 2**risch** [-'a:trɪʃ] psychiatrique

psychisch ['psyçɪʃ] psychique

Psycho|ana'lyse [psyço-] *f* psychanalyse *f*; ~*ana'lytiker m* psychanalyste *m*; ~*loge* [-'lo:gə] *m* (-*n*; -*n*),

~*login* [-'lo:gin] *f* (-; -*nen*) psychologue *m*, *f*; ~*logie* [-lo'gi:] *f* (-; *sans pl*) psychologie *f*; 2'**logisch** psychologique; ~*se* [psy'ço:zə] *f* (-; -*n*) psychose *f*

Pubertät [puber'tɛ:t] *f* (-; *sans pl*) puberté *f*

Publikum ['pu:blikum] *n* (-*s*; *sans pl*) public *m*

publizieren [publi'tsi:rən] (*pas de* -ge-, *h*) publier

Pudding ['pudiŋ] *m* (-*s*; -*e*) flan *m*

Pudel ['pu:dəl] *zo m* (-*s*; -) caniche *m*

Puder ['pu:dər] *m* (-*s*; -) poudre *f*; '~*zucker m* sucre *m* glace

Pull|i ['puli] *m* (-*s*; -*s*) F pull *m*; ~*over* [pu'lo:vər] *m* (-*s*; -) pull-over *m*

Puls [puls] *m* (-*es*; -*e*) pouls *m*; '~*ader f* artère *f*

Pult [pult] *n* (-[*e*]*s*; -*e*) pupitre *m*

Pulver ['pulvər] *n* (-*s*; -) poudre *f*; '~*fass n fig* poudrière *f*; '~*kaffee m* café *m* en poudre; '~*schnee m* neige *f* poudreuse

Pumpe ['pumpə] *f* (-; -*n*) pompe *f*; 2**n** (*h*) pomper; F (*sich*) *von j-m etw ~* emprunter qc à qn; *Geld* taper qn de qc F; *j-m etw ~* prêter qc à qn

Punker ['paŋkər] *m* (-*s*; -), ~*in f* (-; -*nen*) punk *m*, *f*

Punkt [pʊŋkt] *m* (-[*e*]*s*; -*e*) point *m*; ~ *acht Uhr* à huit heures précises; *Sieger m nach ~en* vainqueur *m* aux points; 2**ieren** (*pas de* -ge-, *h*) pointiller; *mus* pointer; *méd* ponctionner

pünktlich ['pyŋktlɪç] ponctuel; ~ *sein* (*ankommen*) être (arriver) à l'heure; '2**keit** *f* (-; *sans pl*) ponctualité *f*

Pupille [pu'pilə] *f* (-; -*n*) pupille *f*

Puppe ['pupə] *f* (-; -*n*) poupée *f* (*a* F *Mädchen*); *für das Puppenspiel* marionnette *f*; *zo* chrysalide *f*; '~*nspiel n* marionnettes *f/pl*; '~*nstube f* maison *f* de poupée

pur [pu:r] pur

Purpur ['purpur] *m* (-*s*; *sans pl*) pourpre *f*, *als Farbe m*

Purzel|baum ['purtsəl-] *m* culbute *f*, galipette *f* F; *e-n ~ schlagen a* faire une roulade; '2**n** (*sn*) F dégringoler

pusten ['pu:stən] (*h*) souffler

Pute ['pu:tə] *zo f* (-; -*n*) dinde *f* (*a fig*); '~*r zo m* (-*s*; -) dindon *m*

Putsch [putʃ] *pol m* (-[*e*]*s*; -*e*) coup *m* d'État, putsch *m*

Putz [puts] *m* (-*es*; *sans pl*) enduit *m*;

Rau⊇ crépi *m*; '⊇**en** (*h*) nettoyer; *Zähne* laver; *Schuhe* cirer; *Gemüse* éplucher; **sich die Nase** ⊇ se moucher; '⊇**frau** *f* femme *f* de ménage; '⊇**lappen**

m chiffon *m*

Pyramide [pyra'mi:də] *f* (-; -n) pyramide *f*

Pyrenäen [pyre'nɛən] *pl* Pyrénées *f/pl*

Q

Quadrat [kva'dra:t] *n* (-*[e]s*; -e) carré *m*; **ins** ⊇ **erheben** élever au carré; ⊇**isch** carré; *Gleichung* quadratique; ⊇**meter** *m* mètre *m* carré; ⊇**wurzel** *math f* racine *f* carrée

quaken ['kva:kən] (*h*) *Ente* cancaner, faire coin-coin; *Frosch* coasser

Qual [kva:l] *f* (-; -en) tourment *m*, supplice *m*, torture *f*

quälen ['kvɛ:lən] (*h*) tourmenter, torturer; **sich** ⊇ *abmühen* se donner bien du mal (**mit** avec)

Qualifi|kation [kvalifika'tsjo:n] *f* (-; -en) qualification *f* (*a Sport*); ⊇**zieren** [-'tsi:rən] (*pas de -ge-*, *h*) (**sich** ⊇ se) qualifier; ⊇**ziert** [-'tsi:rt] qualifié

Qualit|ät [kvali'tɛ:t] *f* (-; -en) qualité *f*; ⊇**ativ** [-ta'ti:f] qualitatif; ⊇**ätskontrolle** *f* contrôle *m* de qualité; ⊇**ätsmanagement** *n* gestion *f* de qualité

Qualitäts|marke *f* label *m* de qualité; ⊇**sicherung** *f* qualité *f* garantie; ⊇**steigerung** *f* augmentation *f* de qualité; ⊇**ware** *f* marchandise *f* de choix

Qualm [kvalm] *m* (-*[e]s*; *sans pl*) fumée *f*; '⊇**en** (*h*) fumer, répandre une épaisse fumée; F *Raucher* fumer (à grosses bouffées)

'**qualvoll** atroce, douloureux, insupportable

Quantit|ät [kvanti'tɛ:t] *f* (-; -en) quantité *f*; ⊇**ativ** [-ta'ti:f] quantitatif

Quarantäne [karan'tɛ:nə] *f* (-; -n) quarantaine *f*

Quark [kvark] *m* (-*s*; *sans pl*) fromage *m* blanc

Quartal [kvar'ta:l] *n* (-*s*; -e) trimestre *m*

Quartett [kvar'tɛt] *n* (-*[e]s*; -e) *mus* quatuor *m*; *Kartenspiel* jeu *m* des sept familles

Quartier [kvar'ti:r] *n* (-*s*; -e) *Unterkunft* logement *m*, gîte *m*; *Schweiz*: *Stadtviertel* quartier *m*

Quarz [kvarts] *m* (-es; -e) quartz *m*; '⊇**uhr** *f* montre *f* à quartz

Quatsch [kvatʃ] F *m* (-es; *sans pl*) bêtises *f/pl*; '⊇**en** (*h*) F bavarder, jaser; *von sich geben* débiter

Quecksilber ['kvɛk-] *n* mercure *m*

Quelle ['kvɛlə] *f* (-; -n) source *f* (*a fig*); '⊇**n** (*quoll, gequollen, sn*) jaillir (**aus** de); *schwellen* gonfler

quer [kve:r] en travers, transversalement; ⊇ **über etw** en travers de qc; ⊇ **durch etw** à travers qc; **kreuz und** ⊇ **durch Deutschland fahren** parcourir l'Allemagne en tous sens; '⊇**flöte** *f* flûte *f* traversière; '⊇**schnitt** *m* coupe *f* transversale; '⊇**schnitt(s)gelähmt** *méd* paraplégique; '⊇**straße** *f* rue *f* transversale

quetsch|en ['kvɛtʃən] (*h*) écraser; *méd* contusionner; ⊇**ung** *méd f* (-; -en) contusion *f*

quietschen ['kvi:tʃən] (*h*) *Bremsen, Reifen, Tür* grincer

quitt [kvit] **mit j-m** ⊇ **sein** être quitte envers qn

Quitte ['kvitə] *bot f* (-; -n) coing *m*

quitt|ieren [kvi'ti:rən] (*pas de -ge-*, *h*) acquitter, donner quittance de; *Dienst* abandonner; ⊇**ung** *f* (-; -en) reçu *m*, quittance *f*

Quiz [kviz] *n* (-; -) jeu *m* de questions et de réponses, quiz *m*

Quote ['kvo:tə] *f* (-; -n) quote-part *f*, quota *m*, contingent *m*, taux *m*

Quotient [kvo'tsjɛnt] *math m* (-en; -en) quotient *m*

R

Rabatt [ra'bat] *comm m* (-*[e]s;* -e) remise *f*, rabais *m*

Rabe ['ra:bə] *zo m* (-*n;* -*n*) corbeau *m*

rabiat [ra'bja:t] furieux; brutal

Rache ['raxə] *f* (-*; sans pl*) vengeance *f*

Rachen ['raxən] *m* (-*s;* -) gorge *f*, pharynx *m; fig* gueule *f*

rächen ['rεçən] (*h*) venger; **sich ~** se venger (*an j-m* de qn; *an j-m für etw* de qc sur qn)

Rad [ra:t] *n* (-*[e]s;* ⁀er) roue *f; Fahr~* vélo *m*, bicyclette *f; mit dem ~ fahren* aller à bicyclette *od* en vélo; **~ fahren** faire du vélo; '**~fahrer(in** *f*) *m* cycliste *m*, *f*

Radar [ra'da:r] *m, n* (-*s; sans pl*) radar *m;* **~gerät** *n* radar *m;* **~kontrolle** *f* contrôle-radar *m;* **~schirm** *m* écran *m* radar

Radau [ra'dau] F *m* (-*s; sans pl*) chahut *m*, vacarme *m*, tapage *m*

radebrechen ['ra:də-] (*h*) *e-e Sprache* écorcher, baragouiner

Rädelsführer ['rε:dəls-] *m* meneur *m*

'**radfahren → Rad**

radier|en [ra'di:rən] (*pas de -ge-, h*) *aus*gommer, effacer; *Radierkunst* graver à l'eau-forte; **~gummi** *m* gomme *f;* **~ung** *f* (-*; -en*) (gravure *f* à l')eau-forte *f*

Radieschen [ra'di:sçən] *bot n* (-*s;* -) radis *m*

radikal [radi'ka:l] radical; *pol* extrémiste; **~ismus** [-'lismus] *m* (-*; -men*) extrémisme *m*

Radio ['ra:djo] *n* (-*s; -s*) radio *f; im ~* à la radio; **~ hören** écouter la radio; **~aktiv** [radjoak'ti:f] *phys* radioactif; **~aktivität** [radjoaktivi'tε:t] *f* (-*; sans pl*) radioactivité *f;* '**~apparat** *m* poste *m* de raio *od* de T.S.F.; '**~kassette** *f* radiocassette *f;* '**~rekorder** *m* radiocassette *f;* '**~sendung** *f* émission *f* radiophonique; '**~wecker** *m* radio-réveil *m*

Radius ['ra:djus] *math m* (-*; Radien*) rayon *m*

'**Rad**|**kappe** *f auto* chapeau *m* de roue, enjoliveur *m;* '**~rennen** *n* course *f* cycliste; '**~sport** *m* cyclisme *m*, sport *m*

cycliste; '**~tour** *f,* '**~wanderung** *f* randonnée *f* en vélo; '**~weg** *m* piste *f* cyclable

raffen ['rafən] (*h*) **an sich ~** rafler

Raffinerie [rafinə'ri:] *f* (-*; -n*) raffinerie *f*

raffiniert [rafi'ni:rt] *durchtrieben* rusé, astucieux; *verfeinert* raffiné

ragen ['ra:gən] (*h*) s'élever, se dresser

Rahm [ra:m] *m* (-*[e]s; sans pl*) crème *f*

Rahmen ['ra:mən] **1.** *m* (-*s;* -) cadre *m; fig aus dem ~ fallen* sortir de l'ordinaire; **2.** ⌂ (*h*) *Bild* encadrer; '**~bedingungen** *f/pl* conditions *f/pl* générales; '**~gesetz** *n* loi-cadre *f*

räkeln ['rε:kəln] (*h*) → **rekeln**

Rakete [ra'ke:tə] *f* (-*; -n*) fusée *f; mil a* missile *m;* **~ngeschoss** roquette *f; ferngelenkte ~** missile télécommandé; **dreistufige ~** fusée à trois étages; **~nabschussrampe** *f* rampe *f* de lancement de fusées; **~nantrieb** *m* propulsion *f* par fusées

Rallye ['rali, 'reli] *f* (-*; -s*) rallye *m*

rammen ['ramən] (*h*) *Pfahl* enfoncer; *Fahrzeug* entrer en collision avec, tamponner

Rampe ['rampə] *f* (-*; -n*) rampe *f*

Rand [rant] *m* (-*[e]s;* ⁀er) bord *m; Wald~* lisière *f; Buch etc* marge *f;* **damit zu ~e kommen** en venir à bout; **am ~e des Ruins** au bord de la ruine

randalier|en [randa'li:rən] (*pas de -ge-, h*) faire du tapage, chahuter; **⌂er** *m* (-*s;* -) chahuteur *m*, casseur *m*

'**Rand**|**bemerkung** *f* note *f* marginale; '**~erscheinung** *f* phénomène *m* marginal; '**~gruppe** *f* groupe *m* marginal; '**~streifen** *m Straße* accotement *m*

Rang [raŋ] *m* (-*[e]s;* ⁀e) *Stellung* rang *m; Stand* condition *f; mil* grade *m; Theater* balcon *m*, galeries *f/pl; fig von ~* de premier ordre

rangieren [rã'ʒi:rən] (*pas de -ge-, h*) *Züge* faire des manœuvres; *fig* se placer, se situer

'**Rangordnung** *f* ordre *m* hiérarchique

Ranke ['raŋkə] *bot f* (-*; -n*) vrille *f; Wein~* sarment *m*

ranzig ['rantsiç] rance

Raps [raps] *bot* m (-es; -e) colza m

rar [raːr] rare; **2ität** [rariˈtɛːt] f (-; -en) rareté f, objet m de curiosité

rasch [raʃ] rapide; *adv* vite

Rasen [ˈraːzən] m (-s; -) gazon m, pelouse f

rasen 1. (*sn*) faire de la vitesse, foncer (à toute allure); **2.** (*h*) **vor Wut ~** être fou de colère

'**rasend** furieux; *Tempo* fou; **~e Kopfschmerzen** de violents maux de tête

Rasenmäher [ˈ-mɛːər] m (-s; -) tondeuse f à gazon

Raserei [raːzəˈrai] f (-; -en) *auto* vitesse f folle; *Wut* rage f, fureur f

Rasier|apparat [raˈziːr-] m rasoir m; **~creme** f mousse f à raser; **2en** (*pas de -ge-*, *h*) (*sich ~*) se raser; **~klinge** f lame f de rasoir; **~messer** n rasoir m; **~pinsel** m blaireau m; **~seife** f savon m à barbe; **~wasser** n lotion f après-rasage; after-shave m

Rasse [ˈrasə] f (-; -n) race f

rasseln [ˈrasəln] (*h*) faire un bruit de ferraille, cliqueter

'**Rassen|diskriminierung** f discrimination f raciale; '**~trennung** f ségrégation f raciale

rass|ig racé; '**~isch** racial; **2ismus** [raˈsismus] m (-; *sans pl*) racisme m; **~istisch** [-ˈistiʃ] raciste

Rast [rast] f (-; -en) halte f; **2en** (*h*) faire une halte; '**~haus** n, '**~stätte** f restaurant m d'autoroute, relais m; '**~platz** m *Autobahn* aire f de repos

Rasur [raˈzuːr] f (-; -en) rasage m

Rat [raːt] m **1.** (-[e]s; *sans pl*) **~schlag** conseil m; *j-n um ~ fragen* demander conseil à qn; **2.** (-[e]s; -e) *Person* conseiller m; *Kollegium* conseil m

Rate [ˈraːtə] f (-; -n) *Abzahlung* traite f; *Geburten* 2 etc taux m; **monatliche ~** mensualité f; *auf ~n kaufen* acheter à tempérament

'**raten** (*riet, geraten, h*) conseiller (*etw od zu etw* qc); *Rätsel* deviner

'**Raten|kauf** m achat m à tempérament; '**~zahlung** f paiement m à tempérament

Rat|geber [ˈ-geːbər] m (-s; -), '**~geberin** f (-; *-nen*) conseiller m, -ère f; '**~haus** n hôtel m de ville; *in kleineren Orten* mairie f

ratifizieren [ratifiˈtsiːrən] (*pas de -ge-*, *h*) ratifier

Ration [raˈtsjoːn] f (-; -en) ration f; **2al** [-ˈnaːl] rationnel, raisonnable

rationalisier|en [ratsjonaliˈziːrən] (*pas de -ge-*, *h*) rationaliser; **2ung** f (-; -en) rationalisation f

rationell [ratsjoˈnɛl] rationnel; *sparsam* économique

rationieren [ratsjoˈniːrən] (*pas de -ge-*, *h*) rationner

rat|los [ˈraːt-] perplexe, désemparé; '**~sam** indiqué, conseillé, à propos, opportun; '**2schlag** m conseil m

Rätsel [ˈrɛːtsəl] n (-s; -) énigme f; **~aufgabe** devinette f; **2haft** énigmatique

Ratte [ˈratə] *zo* f (-; -n) rat m

rattern [ˈratərn] (*h*) faire du bruit; *tech* brouter

rau [rau] *Oberfläche* rugueux; *Haut* rêche; *Klima* rude; *Stimme* rauque; *Gegend* sauvage; *Sitte* grossier

Raub [raup] m (-[e]s; *sans pl*) vol m (à main armée); *Menschen* 2 rapt m; *Beute* proie f, butin m; '**~bau** m (-[e]s; *sans pl*) exploitation f abusive; **2en** [ˈraubən] (*h*) voler, enlever

'**Raub|gier** f rapacité f; '**~mord** m assassinat m suivi de vol; '**~mörder** m assassin m; '**~tier** n fauve m, bête f féroce; '**~überfall** m hold-up m, attaque f à main armée; '**~vogel** m rapace m, oiseau m de proie

Rauch [raux] m (-[e]s; *sans pl*) fumée f; **2en** (*h*) fumer; **2 verboten!** interdit de fumer!; *Pfeife ~* fumer la pipe; '**~er** m (-s; -), '**~erin** f (-; *-nen*) fumeur m, -euse f; '**~erabteil** n compartiment m de fumeurs

räuchern [ˈrɔyçərn] (*h*) fumer

Rauch|fleisch n viande f fumée; '**2ig** fumeux; *voll Rauch* enfumé; '**~verbot** n défense f de fumer; '**~waren** f/pl tabacs m/pl; *Pelze* fourrures f/pl

rauf|en [ˈraufən] (*h*) se battre, se bagarrer; *fig sich die Haare ~* s'arracher les cheveux; **2e'rei** f bagarre f, rixe f

rauh [rau] → **rau**

Raum [raum] m (-[e]s; *-e*) espace m; *Platz* place f; *Räumlichkeit* local m; *Zimmer* pièce f; *im ~ Stuttgart* dans la région de Stuttgart

räumen [ˈrɔymən] (*h*) *Ort* évacuer; *weg~* enlever

'**Raum|fähre** f navette f spatiale; '**~fahrer(in** f) m astronaute m, f, cosmonaute m, f; '**~fahrt** f astronautique f, navigation f spatiale; '**~flug** m vol m spatial; '**~forschung** f recherche f spatiale; '**~inhalt** m volume m, capacité f

räumlich ['rɔymliç] de od dans l'espace; *dreidimensional* à trois dimensions; '**2keiten** f/pl locaux m/pl

'**Raum|pflegerin** f femme f de ménage; '**~schiff** n vaisseau m spatial; '**~station** f station f orbitale

Räumung ['rɔymuŋ] f (-; -en) évacuation f; '**~sverkauf** m liquidation f totale

Raupe ['raupə] zo f (-; -n) chenille f

Raureif m (-[e]s; sans pl) givre m

raus [raus] ~! dehors!, sors od sortez (d'ici)!; → a **heraus** u **hinaus**

Rausch [rauʃ] m (-es; ⁻e) ivresse f; **e-n ~ haben** être ivre od soûl; '**2en** (h) Bach murmurer; Blätter frémir; Radio grésiller; '**2end** Applaus bruyant

'**Rauschgift** n stupéfiant m; '**~handel** m trafic m de drogues od de stupéfiants; '**~händler** m trafiquant m de stupéfiants; '**2süchtig** drogué

räuspern ['rɔyspərn] (h) **sich ~** se racler la gorge, s'éclaircir la voix

'**Razzia** [ratsja] f (-; Razzien) rafle f

reagieren [rea'giːrən] (pas de -ge-, h) réagir (auf à)

Reaktion [reak'tsjoːn] f (-; -en) réaction f (auf à); **2är** [-o'nɛːr] pol réactionnaire

Reaktor [re'aktɔr] tech m (-s; -en) réacteur m

real [re'aːl] réel, effectif; **2einkommen** n produit m réel; **~isieren** [reali'ziːrən] (pas de -ge-, h) réaliser; **2ismus** [-'lismus] m (-; sans pl) réalisme m; **~istisch** [-a'listiʃ] réaliste; **2ität** [-li'tɛːt] f (-; -en) réalité f; **2schule** collège m d'enseignement secondaire (abr C.E.S.)

Rebe ['reːbə] f (-; -n) vigne f

Rebell [re'bɛl] m (-en; -en), '**~in** f(-; -nen) rebelle m, f; **2ieren** [-'liːrən] (pas de -ge-, h) se rebeller (gegen contre); **2ion** [-'ljoːn] f (-; -en) rébellion f; **2isch** rebelle

Reb|huhn ['rep-] zo n perdrix f; '**~stock** ['reːp-] m cep m (de vigne)

Rechen ['rɛçən] **1.** m (-s; -) râteau m; **2.** 2 (h) ratisser

'**Rechen|maschine** f machine f à calculer, calculatrice f; '**~schaft** f (-; sans pl) ~ ablegen od geben rendre compte (j-m über etw de qc à qn); **j-n zur ~ ziehen** demander des comptes à qn; '**~schaftsbericht** m compte rendu m, rapport m de gestion

rechnen ['rɛçnən] (h) **1.** calculer; **mit mir kannst du ~** tu peux compter sur moi; **2.** 2 n (-s; sans pl) calcul m

'**Rechner** m (-s; -) Taschen2 calculatrice f; Computer ordinateur m; '**2isch** par voie de calcul

'**Rechnung** f (-; -en) compte m; math calcul m; comm facture f; Hotel note f; Restaurant addition f; '**~sablage** f classement m des factures; '**~sjahr** écon n exercice m; '**~sprüfung** f vérification f des comptes

recht [rɛçt] Hand, Winkel droit; richtig juste; passend convenable; adv bien, fort, très; **zur ~en Zeit** à temps; **das ist ~** c'est bien; **es geschieht ihm ~** c'est bien fait pour lui; **du kommst gerade ~** tu arrives à point; **~ und schlecht** tant bien que mal; **erst ~** plus que jamais

Recht n (-[e]s;-e) droit m (auf à); **~ haben** avoir raison; **j-m ~ geben** donner raison à qn; **~ sprechen** rendre la justice, **mit vollem ~** à bon droit, à juste titre; **mit welchem ~!** de quel droit!; **im ~ sein** être dans son droit, **von ~s wegen** de par la loi

'**Recht|e** f (-n; -n) (main f) droite f; pol droite f; '**~eck** n rectangle m; '**2eckig** rectangulaire; '**2fertigen** (h) (sich ~ se) justifier; '**~fertigung** f (-; -en) justification f; '**2lich** juridique; '**2mäßig** légal, légitime

rechts [rɛçts] à droite

'**Rechts|abbieger** m automobiliste m cycliste m tournant à droite; '**~anspruch** m droit m (auf à); '**~anwalt** m, '**~anwältin** f avocat m, -e f

'**Rechtschreib|(prüf)programm** n (-[e]s; -e) programme m de correction orthographique; '**~reform** f réforme f orthographique

'**Rechtschreibung** f orthographe f

'**Rechts|extremismus** m extrémisme m de droite; '**~fall** m cas m juridique; '**2kräftig** qui a force de loi; '**~lage** f situation f juridique; '**~pflege** f justice f

'**Rechtsprechung** f (-; -en) juridiction f

R

'rechts|radikal *pol* d'extrême droite;
'**2schutz** *m* protection *f* juridique;
'**2schutzversicherung** *f* assistance *f*
juridique; '**2staat** *m* État *m* de droit;
'**2streit** *m* litige *m*; '**2verkehr** *m* circulation *f* à droite; '**2weg** *m* voie *f*
judiciaire; '**~widrig** illégal; '**2wissen-
schaft** *f* droit *m*

'recht|wink(e)lig rectangulaire; '**~zeitig**
à temps

Redakteur [redak'tø:r] *m* (-s; -e), **~in** *f*
(-; -nen) rédacteur *m*, -trice *f*

Redaktion [redak'tsjo:n] *f* (-; -en) rédaction *f*

Rede ['re:də] *f* (-; -n) discours *m*; **e-e ~
halten** faire *od* prononcer un discours;
das ist nicht der ~ wert ça ne vaut pas
la peine d'en parler

reden ['re:dən] (*h*) parler (**von, über** de;
mit à, avec); **ich möchte mit dir ~** je
voudrais te parler

Rede|nsart ['re:dəns?-] *f* sprichwörtli-
che dicton *m*; leere façon *f* de parler;
'**~wendung** *f* tournure *f*, locution *f*,
expression *f*

redlich ['re:tliç] honnête

Redner ['re:dnər] *m* (-s; -) orateur *m*

redselig ['re:tze:liç] loquace

reduzieren [redu'tsi:rən] (*pas de -ge-,
h*) réduire (**auf** à)

Reede|r ['re:dər] *m* (-s; -) armateur *m*;
~'rei *f* (-; -en) société *f* d'armateurs,
compagnie *f* de transports maritimes

reell [re'ɛl] *comm* honnête, correct;
Firma de confiance

Refer|at [refe'ra:t] *n* (-[e]s; -e) exposé
m; **~ent** [-'rɛnt] *m* (-en; -en) Vor-
tragender conférencier *m*; Sachbear-
beiter chef *m* de service; **~enzen**
[-'rɛntsən] *f/pl* références *f/pl*; **2'ieren**
(*pas de -ge-, h*) **~ über etw** faire un
exposé *od* sur qc

reflektieren [reflɛk'ti:rən] (*pas de -ge-,
h*) réfléchir (*Licht u* **über** sur); F **~ auf**
avoir des visées sur

Reflex [re'flɛks] *m* (-es; -e) *Licht* 2 reflet
m; *biol* réflexe *m*

Reform [re'fɔrm] *f* (-; -en) réforme *f*;
~ation [-a'tsjo:n] *rel f* (*; sans pl*) Réforme *f*; **~ator** [-'ma:tər] *rel m* (-s; -en),
~er *m* (-s; -) réformateur *m*; **~haus** *n*
magasin *m* de produits diététiques;
2ieren [-'mi:rən] (*pas de -ge-, h*) ré-
former

Regal [re'ga:l] *n* (-s; -e) étagère *f*

Regatta [re'gata] *f* (-; -tten) régates *f/pl*

rege ['re:gə] actif; *Geist* vif, alerte; *belebt* animé

Regel ['re:gəl] *f* (-; -n) règle *f*; *méd*
règles *f/pl*; **in der ~** en règle générale;
'**2mäßig** régulier; '**~mäßigkeit** *f* (-;
sans pl) régularité *f*; '**2n** (*h*) (**sich ~** se)
régler; **2recht** correct, dans les règles;
fig en règle; '**~ung** *f* (-; -en) Steuerung
régulation *f*; *e-r Angelegenheit* règlement *m*

regen ['re:gən] (*h*) Glieder bouger; **sich
~** bouger, remuer; *tätig werden* devenir
actif; *Gefühle* naître

Regen ['re:gən] *m* (-s; -) pluie *f*; '**~bo-
gen** *m* arc-en-ciel *m*; '**~mantel** *m* imperméable *m*; '**~schauer** *m* averse *f*;
'**~schirm** *m* parapluie *m*; '**~wetter** *n*
temps *m* pluvieux; '**~wurm** *m* ver *m* de
terre; '**~zeit** *f* saison *f* des pluies

Regie [re'ʒi:] *f* (-; -n) Theater mise *f* en
scène

regier|en [re'gi:rən] (*pas de -ge-, h*)
gouverner; Herrscher régner; **2ung** *f*
(-; -en) gouvernement *m*

Re'gierungs|bezirk *m* subdivision *f*
administrative d'un land; **~form** *f* forme *f* de gouvernement, régime *m*;
~partei *f* parti *m* gouvernemental;
~sprecher *m* porte-parole *m* du gouvernement

Regime [re'ʒi:m] *pol n* (-[s]; -) régime *m*

Regiment [regi'mɛnt] *mil n* (-[e]s; -er)
régiment *m*

Region [re'gjo:n] *f* (-; -en) région *f*; **2al**
[-'na:l] régional

Regisseur [reʒi'sør] *m* (-s; -e) Theater,
Film metteur *m* en scène; Film a
réalisateur *m*

Regist|er [re'gistər] *n* (-s; -) registre *m*
(*a mus*); *in Büchern* index *m*; **2rieren**
[-s'tri:rən] (*pas de -ge-, h*) enregistrer;
~rierkasse [-s'tri:r-] *f* caisse *f* enre-
gistreuse

Regler ['re:glər] *tech m* (-s; -) régulateur
m

regne|n ['re:gnən] (*h*) pleuvoir; **es
regnet** il pleut; '**~risch** pluvieux

Regress [re'grɛs] *comm m* (-es; -e)
recours *m*; **2pflichtig** civilement responsable

regulär [regu'lɛ:r] régulier; Preis normal

R

regulieren [regu'li:rən] (*pas de -ge-*, *h*) *tech* régler; *Fluss* régulariser

Regung ['re:gun] *f* (-; *-en*) Bewegung mouvement *m*; *Gemüts*⌂ émotion *f*; ⌂slos immobile

Reh [re:] *zo* *n* (-*[e]s*; *-e*) chevreuil *m*

Rehabilitation [rehabilita'tsjo:n] *f* (-; *-en*) *jur* réhabilitation *f*; *méd* rééducation *f*

reib|en ['raibən] (rieb, gerieben, *h*) frotter; *cuis* râper; *sich die Augen* ⌀ se frotter les yeux; ⌂ung *f* (-; *-en*) frottement *m*, friction *f* (*a fig*); ⌂ungslos *fig* sans difficulté

reich [raiç] riche (*an* en); *die* ⌂en les riches *m/pl*

Reich [raiç] *n* (-*[e]s*; *-e*) empire *m*; *fig* royaume *m*; *das Dritte* ⌀ le troisième Reich

reichen ['raiçən] (*h*) *sich erstrecken* aller, s'étendre (*bis* jusqu'à); geben donner, tendre, passer, offrir; *genügen* suffire; *mir reichts!* j'en ai assez!

reich|haltig ['raiçhaltiç] abondant, riche; '⌀lich abondant; *Essen* copieux

'Reichtum *m* (-*s*; *⸚er*) richesse *f* (*an* en)

'Reichweite *f* portée *f*; *außer* ⌀ hors de portée

reif [raif] mûr

Reif *m* (-*[e]s*; *sans pl*) gelée *f* blanche; Rau⌂ givre *m*

Reife ['raifə] *f* (-; *sans pl*) maturité *f* (*a fig*)

reifen ['raifən] (*sn*) mûrir

'Reifen *m* (-*s*; -) cerceau *m*; *auto* pneu *m*; '⌀druck *m* pression *f* de gonflage; '⌀panne *f* crevaison *f*; '⌀wechsel *m* changement *m* de pneu(s)

'Reifeprüfung *f* baccalauréat *m*, bac *m* F

'reiflich mûr; *etw* ⌀ überlegen réfléchir mûrement à qc

Reihe ['raiə] *f* (-; *-n*) nebeneinander rang *m*, rangée *f*; *hintereinander* file *f*; *Aufeinanderfolge* suite *f*, série *f*; *ich bin an der* ⌀ c'est mon tour; *der* ⌀ *nach* l'un après l'autre, chacun son tour

'Reihen|folge *f* suite *f*, ordre *m*; '⌀haus *n* maison *f* de lotissement; '⌂weise en série

Reiher ['raiər] *zo* *m* (-*s*; -) héron *m*

Reim [raim] (-*[e]s*; *-e*) rime *f*; '⌂en (*h*) (*a sich* ⌀) rimer (*auf* avec)

rein¹ [rain] pur; *sauber* propre

rein² → *herein* u *hinein*

'Rein|fall F *m* échec *m*, fiasco *m*; '⌀gewinn *m* bénéfice *m* net; '⌀heit *f* (-; *sans pl*) pureté *f*

reinig|en ['rainigən] (*h*) nettoyer; '⌂ung *f* (-; *-en*) nettoyage *m*; *chemische* ⌀ nettoyage *m* à sec; *Geschäft* teinturerie *f*; '⌂ungsmittel *n* détergent *m*

Reis [rais] *m* (-*es*; *sans pl*) riz *m*

Reise ['raizə] *f* (-; *-n*) voyage *m*; *auf* ⌀*n* en voyage; *gute* ⌀! bon voyage!; '⌀andenken *n* souvenir *m*; '⌀apotheke *f* nécessaire *m* de pharmacie; '⌀büro *n* agence *f* de voyages; '⌀fieber *n* fièvre *f* de départ; '⌀führer *m* guide *m*; '⌀gepäck *n* bagages *m/pl*; '⌀gesellschaft *f* groupe *m*; '⌀leiter *m* guide *m*, accompagnateur *m*

reisen ['raizən] (*sn*) voyager; *durch Frankreich* ⌀ traverser la France; *ins Ausland* ⌀ aller à l'étranger; ⌂de *m*, *f* (-*n*; *-n*) voyageur *m*, -euse *f*; *Handlungs*⌂ commis *m* voyageur

'Reise|pass *m* passeport *m*; '⌀route *f* itinéraire *m*; '⌀ruf *m* Radio message *m* personnel; '⌀scheck *m* chèque *m* de voyage; '⌀spesen *pl* frais *m/pl* de déplacement; '⌀tasche *f* sac *m* de voyage; '⌀versicherung *f* assurance *f* mauvais temps villégiature; '⌀ziel *n* destination *f*

Reißbrett ['rais-] *n* planche *f* à dessin

reiß|en ['raisən] (riss, gerissen) **1.** *v/i* (*sn*) *Seil etc* se déchirer; **2.** *v/t* (*h*) *in Stücke* ⌀ déchirer en morceaux; *j-m etw aus den Händen* ⌀ arracher qc des mains de qn; *etw an sich* ⌀ s'emparer de qc; *sich um etw* ⌀ s'arracher qc; '⌀end *Strom* rapide; *Tier* féroce; *den Absatz finden* se vendre comme des petits pains; '⌀erisch tapageur; ⌂nagel *m* punaise *f*; ⌂verschluss *m* fermeture *f* éclair; ⌂zwecke *f* punaise *f*

reiten ['raitən] **1.** (*ritt*, *geritten*, *v/t* *h*, *v/i* *sn*) monter à cheval; *Sport* faire du cheval; *irgendwohin* aller à cheval; **2.** ⌂ *n* (-*s*; *sans pl*) équitation *f*

Reiter ['raitər] *m* (-*s*; -), '⌀in *f* (-; *-nen*) cavalier *m*, -ière *f*

'Reit|pferd *n* cheval *m* de selle, monture *f*; '⌀sport *m* hippisme *m*, sport *m* équestre; '⌀stiefel *m* botte *f* d'équitation

Reiz [raits] *m* (*-es; -e*) attrait *m*, charme *m*; *biol* stimulus *m*; **²bar** irritable, excitable; **²en** (*h*) irriter, exciter, stimuler; *verlocken* attirer, séduire, tenter; **²end** charmant; **klima** *n* climat *m* vivifiant; **²los** fade, peu attrayant; **mittel** *n* stimulant *m*; **ung** *f* (*-; -en*) *méd* irritation *f*; *biol* stimulation *f*; **²voll** attrayant

rekeln ['re:kəln] (*h*) F **sich ~** se prélasser

Reklamation [reklama'tsjo:n] *f* (*-; -en*) réclamation *f*

Reklame [re'kla:mə] *f* (*-; -n*) réclame *f*, publicité *f*; **~ machen für** faire de la publicité pour

reklamieren [-kla'mi:rən] (*pas de -ge-, h*) réclamer

rekonstruieren [rekɔnstru'i:rən] (*pas de -ge-, h*) *Ereignis* reconstituer

Rekord [re'kɔrt] *m* (*-[e]s; -e*) record *m*; **e-n ~ aufstellen** établir un record

Rekrut [re'kru:t] *mil m* (*-en; -en*) recrue *f*, conscrit *m*; **²ieren** (*pas de -ge-, h*) (**sich ~**) se recruter (**aus** dans, parmi)

relativ [rela'ti:f] relatif

Relief [rel'jɛf] *n* (*-s; -s, -e*) relief *m*

Religion [reli'gjo:n] *f* (*-; -en*) religion *f*

religiös [reli'gjøs] religieux; *fromm* pieux

Reling ['re:liŋ] *mar f* (*-; -s, -e*) bastingage *m*, rambarde *f*

Reliquie [re'li:kviə] *f* (*-; -n*) relique *f*

Rendite [rɛn'di:tə] *f* (*-; -n*) taux *m* de capitalisation

Renn|bahn ['rɛn-] *f Pferde* champ *m* de courses, hippodrome *m*; *Fahrrad* vélodrome *m*; *allg* a piste *f*; **²en** (*rannte, gerannt, sn*) courir; **en** *n* (*-s; -*) course *f*; **fahrer** *m auto* pilote *m*; *Motor-, Fahrrad* coureur *m*; **rad** *n* vélo *m* de course; **sport** *m allg* course *f*; **stall** *m* écurie *f*; **strecke** *f* parcours *m*; **wagen** *m* voiture *f* de course, bolide *m*

renommiert [renɔ'mi:rt] renommé

renovier|en [reno'vi:rən] (*pas de -ge-, h*) remettre à neuf, rénover; **²ung** (*-; -en*) rénovation *f*

rentab|el [rɛn'ta:bəl] rentable, profitable; **²ilität** [-abili'tɛ:t] *f* (*-; sans pl*)

Rente ['rɛntə] *f* (*-; -n*) retraite *f*, pension *f*; *Kapital²* rente *f*; **nversicherung** *f* assurance - retraite *f*

Rentier ['rɛn-] *zo n* renne *m*

rentieren [rɛn'ti:rən] (*pas de -ge-, h*) **sich ~** valoir la peine; *comm* rapporter

Rentner ['rɛntnər] *m* (*-s; -*), **in** *f* (*-; -nen*) retraité *m*, -e *f*

Reparatur [repara'tu:r] *f* (*-; -en*) réparation *f*; **werkstatt** *f* atelier *m* de réparation; *auto* garage *m*

reparieren [-pa'ri:rən] (*pas de -ge-, h*) réparer

Report|age [repɔr'ta:ʒə] *f* (*-; -en*) reportage *m*; **er** [re'pɔrtər] *m* (*-s; -*) reporter *m*

Repräsent|ant [reprɛzɛn'tant] *m* (*-en; -en*) représentant *m*; **²ativ** [-ta'ti:f] représentatif; *ansehnlich* qui présente bien, prestigieux; **ieren** (*pas de -ge-, h*) représenter

Repressalien [reprɛ'sa:ljən] *f/pl* représailles *f/pl*

Reprodu|ktion [reprɔduk'tsjo:n] *f* (*-; -en*) reproduction *f*; **²zieren** [-'tsi:rən] (*pas de -ge-, h*) reproduire

Reptil [rɛp'ti:l] *n* reptile *m*

reprivatisier|en [reprivati'zi:rən] (*pas de -ge-, h*) dénationaliser

Republik [repu'bli:k] *f* (*-; -en*) république *f*; **aner** [-i'ka:nər] *m* (*-s; -*), **anerin** *f* (*-; -nen*) *m* républicain *m*; -e *f*; **²anisch** [-i'ka:niʃ] républicain

Reserve [re'zɛrvə] *f* (*-; -n*) réserve *f* (*a mil*); **kanister** *m* bidon *m* de réserve; **rad** *n* roue *f* de secours

reservier|en [rezɛr'vi:rən] (*pas de -ge-, h*) réserver, retenir; **²ung** *f* (*-; -en*) réservation *f*

Residenz [rezi'dɛnts] *f* (*-; -en*) résidence *f*

Resign|ation [rezigna'tsjo:n] *f* (*-; sans pl*) résignation *f*; **²ieren** (*pas de -ge-, h*) se résigner

Resolution [rezolu'tsjo:n] *f* (*-; -en*) résolution *f*

Resonanz [rezo'nants] *f* (*-; -en*) résonance *f*; *fig* écho *m*

Resozialisierung [rezotsjali'zi:ruŋ] *f* réinsertion *f* dans la société

Respekt [re'spɛkt] *m* (*-[e]s; sans pl*) respect *m* (**vor** pour)

respekt|ieren [-'ti:rən] (*pas de -ge-, h*) respecter; **los** ['-spɛkt-] sans respect, irrévérencieux; **voll** ['-spɛkt-] respectueux

Ressort [rɛ'so:r] *n* (*-s; -s*) ressort *m*

Rest [rɛst] *m* (*-es; -e*) reste *m*

Restaurant [rɛstoˈrãː] n (-s; -s) restaurant m

restaurieren [rɛstauˈriːrən] (pas de -ge-, h) restaurer

'**Rest**|**betrag** m restant m; '**~bestand** m reste m, reliquat m; '**2lich** restant, qui reste; '**2los** totalement, complètement; '**~zahlung** f paiement m d'un reliquat

Resultat [rezulˈtaːt] n (-[e]s; -e) résultat m

rett|**en** [ˈrɛtən] (h) (**sich ~** se sauver (**aus, vor** de); **2er** m (-s; -) sauveteur m; fig sauveur m

Rettich [ˈrɛtiç] bot m (-s; -e) radis m

'**Rettung** f (-; -en) sauvetage m; Heil salut m

'**Rettungs**|**aktion** f opération f de sauvetage; '**~boot** n canot m de sauvetage; '**~mannschaft** f sauveteurs m/pl; '**~ring** m bouée f de sauvetage; '**~schwimmer** m sauveteur m; '**~weste** f gilet m de sauvetage

Reu|**e** [ˈrɔyə] f (-; sans pl) repentir m; **2en** (h) **etw reut mich** je le regrette qc; **2evoll**, **2ig**, **2mütig** repentant, contrit

revanchieren [revãˈʃiːrən] (pas de -ge-, h) **sich ~** prendre sa revanche; für e-n Dienst rendre la pareille; für e-e Einladung inviter qn à son tour

revidieren [reviˈdiːrən] (pas de -ge-, h) réviser

Revier [reˈviːr] n (-s; -e) district m; e-s Tieres territoire m; Jagd2 chasse f gardée; Polizei2 commissariat m

Revision [reviˈzjoːn] f (-; -en) révision f; jur ~ **einlegen** se pourvoir en cassation

Revolt|**e** [reˈvɔltə] f (-; -n) révolte f; **2ieren** (pas de -ge-, h) se révolter

Revolution [revoluˈtsjoːn] f (-; -en) révolution f; **2är** [-oˈnɛːr] révolutionnaire m; **~är** m (-s; -e), **~ärin** f (-; -nen) révolutionnaire m, f

Revolver [reˈvɔlvər] m (-s; -) revolver m

Rezept [reˈtsɛpt] n (-[e]s; -e) cuis recette f; méd ordonnance f; **2frei** délivré sans ordonnance; **2pflichtig** délivré uniquement sur ordonnance

Rezession [retseˈsjoːn] f (-; -en) récession f

R-Gespräch [ˈɛr-] n tel communication f PCV

Rhabarber [raˈbarbər] m (-s; sans pl) rhubarbe f

Rhein [rain] m (-[e]s; sans pl) **der ~** le Rhin; '**2isch** rhénan; '**~land-Pfalz** n la Rhénanie-Palatinat

rhetorisch [reˈtoːriʃ] rhétorique

Rheuma [ˈrɔyma] med n (-s; sans pl) rhumatisme m

rhythm|**isch** [ˈrytmiʃ] rythmique; '**2us** [ˈ-mus] m (-; -men) rythme m

richten [ˈriçtən] (h) ordnen ajuster, arranger; vor-, zubereiten préparer; reparieren réparer; jur (**über**) **j-n ~** juger qn; **~ an** adresser à; **~ auf** diriger od braquer sur; **~ gegen** diriger contre; **sich ~ nach** se régler sur; **ich richte mich nach dir** je prends exemple sur toi

Richter m (-s; -), '**~in** f (-; -nen) juge m femme f juge

'**Richtgeschwindigkeit** f vitesse f conseillée

'**richtig** juste, correct, exact, bon; **meine Uhr geht ~** ma montre est à l'heure; **~ nett** (**böse**) vraiment gentil (méchant); **~ stellen** corriger, rectifier; '**2keit** f (-; sans pl) justesse f, correction f, exactitude f

'**Richt**|**linie** f directive f, ligne f de conduite; '**~preis** m prix m conseillé; '**~schnur** f fig règle f de conduite

'**Richtung** f (-; -en) direction f, sens m; Tendenz tendance f, orientation f

riechen [ˈriːçən] (roch, gerochen, h) sentir; **gut ~** sentir bon; **nach etw ~** sentir qc; **an etw ~** respirer l'odeur de qc; fig **ich kann ihn nicht ~** je ne peux pas le sentir

Riegel [ˈriːɡəl] m (-s; -) verrou m

Riemen [ˈriːmən] m (-s; -) courroie f, lanière f; Ruder aviron m, rame f

Ries|**e** [ˈriːzə] m (-n; -n), '**~in** f (-; -nen) géant m, -e f

rieseln [ˈriːzəln] (h) couler, ruisseler; Schnee tomber doucement

riesenhaft [ˈriːzən-] gigantesque, colossal

riesig [ˈriːziç] énorme, gigantesque

Riff [rif] n (-[e]s; -e) récif m

Rille [ˈrilə] f (-; -n) rainure f; Schallplatte sillon m

Rind [rint] zo n (-[e]s; -er) bœuf m; **~er** pl bovins m/pl

Rinde [ˈrində] f (-; -n) Baum écorce f; Brot croûte f

R

'Rinder|braten *m* rôti *m* de bœuf; '**~wahn(sinn)** *m* maladie *f* de la vache folle; encéphalite *f* spongiforme bovine (ESB)

'Rind|fleisch *n* (du) bœuf *m*; **~vieh** *n* bétail *m*; F *fig* imbécile *m*, corniaud *m* F

Ring [riŋ] *m* (-[e]s, -e) anneau *m*; *Finger*& bague *f*; *Kreis* cercle *m*; *Boxkampf* ring *m*; *Straße* périphérique *m*; *Bahn* ceinture *f*; *Rennstrecke* circuit *m*; *Vereinigung* association *f*; **~buch** *n* classeur *m*

ringel|n ['riŋəln] (*h*) **sich ~** s'enrouler; '**&natter** *zo f* couleuvre *f* à collier

ring|en ['riŋən] (*rang, gerungen, h*) lutter (**um etw** pour qc); **nach Luft ~** suffoquer; '**&er** *m* (-*s*, -) lutteur *m*; '**&finger** *m* annulaire *m*; '**&kampf** *m* lutte *f*; '**&richter** *m* arbitre *m* de boxe

rings [riŋs] **~ um ...** tout autour de ...; '**~um(her)** tout autour

Rinn|e ['rinə] *f* (-; -*n*) rigole *f*; *Dach*& gouttière *f*; '**&en** (*rann, geronnen, sn*) couler; *Gefäß* fuir; '**~stein** *m* caniveau *m*

Rippe ['ripə] *f* (-; -*n*) côte *f*.

Risiko ['ri:ziko] *n* (-*s*, -*s*, -*ken*) risque *m*; **ein ~ eingehen** courir un risque; **auf eigenes ~** à ses risques et périls

risk|ant[ris'kant] risqué; **~ieren** (*pas de -ge-, h*) risquer

Riss [ris] *m* (-*es*, -*e*) fente *f*, fissure *f*, crevasse *f*; *in Mauer a* lézarde *f*, *in Haut a* gerçure *f*; *in Stoff* déchirure *f*

rissig ['risiç] fissuré, crevassé; *Mauer a* lézardé; *Haut a* gercé

Ritt [rit] *m* (-[e]s, -e) chevauchée *f*, course *f* à cheval

'Ritter *m* (-*s*; -) chevalier *m*; '**&lich** chevaleresque

Ritus ['ri:tus] *m* (-; -*ten*) rite *m*

Ritze ['ritsə] *f* (-; -*n*) fente *f*

'ritzen (*h*) entailler; **~ in** graver dans

Rival|e [ri'va:lə] *m* (-*n*; -*n*), **~in** *f* (-; -*nen*) rival *m*, -e *f*; **&isieren** [-ali'zi:rən] (*pas de -ge-, h*) rivaliser *f*

Robbe ['rɔbə] *f* (-; -*n*) phoque *m*

Robe ['ro:bə] *f* (-; -*n*) robe *f* de soirée; *jur* robe *f* de magistrat

Roboter ['rɔbɔtər] *m* (-*s*; -) robot *m*

robust [ro'bust] robuste

röcheln ['rœçəln] (*h*) râler

Rock¹ [rɔk] *m* (-[e]s, ¨-e) jupe *f*

Rock² *mus m* (-[*s*]; *sans pl*) rock *m*

'Rocker *m* (-*s*; -) loubar(d) *m* F

rodeln ['ro:dəln] (*h*) faire de la luge

Rogen ['ro:gən] *m* (-*s*; -) œufs *m/pl* de poisson

Roggen ['rɔgən] *bot m* (-*s*; -) seigle *m*

roh [ro:] *ungekocht* cru; *noch nicht verarbeitet* brut; *ungesittet* grossier, rude; **mit ~er Gewalt** de vive force; '**&bau** *m* (-[e]s, -*ten*) gros œuvre *m*

Rohheit ['ro:hait] *f* (-; -*en*) brutalité *f*, rudesse *f*, grosièrete *f*

'Roh|kost *f* crudités *f/pl*; '**~material** *n* matières *f/pl* premières; '**~öl** *n* pétrole *m* brut

Rohr [ro:r] *n* (-[e]s, -e) tuyau *m*, tube *m*; *Leitungs*& conduit *m*; *bot* canne *f*; *Schilf* roseau *m*; '**~bruch** *m* rupture *f* de tuyau

Röhre ['rø:rə] *f* (-; -*n*) tuyau *m*; *Radio* lampe *f*; *TV* tube *m*; *Back*& four *m*

'Rohr|leitung *f* conduit *m*, pipe-line *m*; '**~zucker** *m* sucre *m* de canne

'Roh|seide *f* soie *f* grège; '**~stoff** *m* matière *f* première; '**&stoffarm** pauvre en matières premières

'Rollbahn *aviat f* piste *f*

Rolle ['rɔlə] *f* (-; -*n*) rouleau *m*; *unter Möbeln* roulette *f*; *Faden*& bobine *f*, *fig* rôle *m*; **das spielt keine ~** cela ne joue aucun rôle

'rollen (*v/tr h*; *v/itr str sn*) rouler; *Donner* gronder

'Roller *m* (-*s*; -) *Kinder*& trottinette *f*; *Motor*& scooter *m*

Rollladen ['rɔlla:dən] *m* (-*s*; ¨-, -) volet *m* roulant

Rollo [rɔ'lo:] *m* (-*s*; -*s*) store *m*

'Roll|schuh *m* patin *m* à roulettes; **~ laufen** faire du patin à roulettes; '**~stuhl** *m* fauteuil *m* roulant; '**~treppe** *f* escalier *m* roulant

Roman [ro'ma:n] *m* (-*s*; -e) roman *m*; **~ik** *f* (-; *sans pl*) roman *m*, style *m* roman; **&isch** *Kunst, Sprachen* roman; *Völker, Länder* latin; **~schriftsteller(in** *f*) *m* romancier *m*, -ière *f*

Romanti|k [ro'mantik] *f* (-; *sans pl*) romantisme *m*; **&sch** romantique; *schwärmerisch* romanesque

Röm|er ['rø:mər] *m* (-*s*; -), '**~erin** *f* (-; -*nen*) Romain *m*, -e *f*; '**&isch** romain

röntgen ['rœntgən] (*h*) radiographier; '**&apparat** *m* appareil *m* de radiographie; '**2aufnahme** *f*, '**2bild** *n* radiographie *f*, radio *f* F; '**2strahlen** *m/pl* rayons X *m/pl*

rosa ['roːza] rose

Rose ['roːzə] *bot f* (-; -n) rose *f*; **wilde ~** églantine *f*; *Strauch* eglantier *m*

'**Rosen|kohl** *bot m* chou *m* de Bruxelles; '**~stock** *m* rosier *m*

Rosette [roˈzɛtə] *arch f* (-; -n) rosace *f*

'**rosig** rose

Rosine [roˈziːnə] *f* (-; -n) raisin *m* sec

Rost [rɔst] *m* **1.** (-*[e]s*; *sans pl*) rouille *f*; **2.** (-*[e]s*; -e) *Brat2* gril *m*; *Gitter* grille *f*

'**rosten** (*h*) rouiller

rösten ['rœːstən] (*h*) griller; *Kartoffeln* faire sauter; *Kaffee* torréfier

'**rost|frei** inoxydable; '**~ig** rouillé

rot [roːt] **1.** rouge (*a pol*); *Haar* roux; **~ werden** rougir; **in den ~en Zahlen stecken** être en déficit; **2.** 2 *n* (-*s*; -) rouge *m*; **die Ampel steht auf ~** le feu est au rouge

Rotation [rotaˈtsjoːn] *f* (-; -en) rotation *f*

Röte ['røːtə] *f* (-; *sans pl*) rougeur *f*

Röteln ['røːtəln] *méd pl* rubéole *f*

'**röten** (*h*) (**sich ~**) rougir

'**rothaarig** roux

rotieren [roˈtiːrən] (*pas de -ge-, h*) tourner (sur son axe); F *fig* être surmené *od* débordé de travail

Rot|käppchen ['-kɛpçən] *n* (-*s*; -) Petit Chaperon *m* rouge; '**~kehlchen** *zo n* (-*s*; -) rouge-gorge *m*; '**~kohl** *bot m* chou *m* rouge

rötlich ['røːtlɪç] rougeâtre

'**Rot|stift** *m* crayon *m* rouge; '**~wein** *m* vin *m* rouge

Route ['ruːtə] *f* (-; -n) itinéraire *m*, route *f*

Routin|e [ruˈtiːnə] *f* (-; *sans pl*) routine *f*, expérience *f*; **~ekontrolle** *f* contrôle *m* de routine; **~esache** *f das ist reine ~** c'est de la pure routine; 2**iert** [-iˈniːrt] expérimenté; rompu (*auf-e-m Gebiet* à un domaine)

Rübe ['ryːbə] *bot f* (-; -n) rave *f*; **weiße ~** navet *m*; **rote ~** betterave *f*; **gelbe ~** carotte *f*

Rubin [ruˈbiːn] *m* (-*s*; -e) rubis *m*

Ruck [rʊk] *m* (-*[e]s*; -e) saccade *f*, secousse *f*; **sich e-n ~ geben** se forcer (à faire qc)

Rückantwort ['ryk-] *f Post* **~ bezahlt**

réponse *f* payée; '**~karte** *f* carte-réponse *f*

'**ruckartig** saccadé; *adv* tout à coup

'**Rück|blick** *m* rétrospective *f* (*auf* de), retour *m* en arrière; '**2datieren** (*pas de -ge-, h*) antidate

rücken ['rʏkən] *v/i* (*h*), *v/t* (*sn*) déplacer, bouger; **näher ~** approcher; **zur Seite ~** se pousser

'**Rücken** *m* (-*s*; -) dos *m*; '**~deckung** *f fig* soutien *m*, appui *m*; '**~lehne** *f* dossier *m*; '**~mark** *n* moelle *f* épinière; '**~schmerzen** *m/pl* mal *m* au dos, douleurs *f/pl* dorsales; '**~wind** *m* vent *m* arrière

rück|erstatten ['rykʔ-] (*pas de -ge-, h*) restituer; '**2erstattung** *f* restitution *f*; *von Kosten* remboursement *m*; '**2fahrkarte** *f* billet *m* aller et retour; '**2fahrscheinwerfer** *m* feu *m* de recul; '**2fahrt** *f* retour *m*; '**2fall** *m jur u fig* récidive *f*; *méd* rechute *f*; '**~fällig ~ werden** récidiver (*jur u fig*); '**2flug** *m* (vol *m* de) retour *m*; '**2frage** *f* demande *f* d'instructions supplémentaires; '**2gabe** *f* restitution *f*; '**2gang** *m* diminution *f*, déclin *m*, baisse *f*; '**~gängig ~ machen** annuler; '**2gewinnung** *tech f* récupération *f*; '**2grat** *n* épine *f* dorsale, colonne *f* vertébrale; *fig* **~ haben** avoir le courage de ses opinions; '**2halt** *m fig* soutien *m*; '**~haltlos** sans réserve; '**2kauf** *m* rachat *m*; '**2kehr** *f* retour *m*; '**2koppelung** *f* feed-back *m*, couplage *m* par réaction; '**2lage** *f* réserve *f*; '**~läufig** rétrograde, en baisse; '**2licht** *n/pl* feux *m/pl* arrière; '**2nahme** *f comm* reprise *f*; *Zurückziehung* retrait *m*; '**2porto** *n* port *m* de retour; '**2reise** *f* (voyage *m* de) retour *m*

'**Rucksack** *m* sac *m* à dos

'**Rück|schlag** *m fig* revers *m*; '**2schrittlich** réactionnaire; '**~seite** *f* revers *m*; *e-r Buchseite* verso *m*; '**~sendung** *f* renvoi *m*, retour *m*

'**Rücksicht** *f* (-; -en) considération *f*; **aus ~ auf** au égard à, par égard pour; **~ nehmen auf** avoir égard à; '**~nahme** ['-naːmə] *f* (-; *sans pl*) égards *m/pl*; *Schonung* ménagement *m*; *Höflichkeit* politesse *f*; '**2slos** sans égards, sans scrupules, brutal; '**~slosigkeit** *f* (-; -en) manque *m* d'égards *od* de scrupules, brutalité f; '**⊆svoll** plein d'égards (*gegenüber* pour)

'**Rück|sitz** *auto* m siège m arrière; '**⸗spiegel** *auto* m rétroviseur m; '**⸗stand** m retard m; *chim* résidu m; *im ⸗ sein* être en retard (*gegenüber* sur); '**⸗ständig** arrière (*a Zahlung*), retardataire; '**⸗stau** m trop-plein m; '**⸗tausch** m rechange m; '**⸗tritt** n démission f; *von Wettbewerb etc* retrait m; '**⸗vergütung** f ristourne f; '**⸗versicherung** f réassurance f; '**⸗wärts** en arrière; '**⸗wärtsgang** *auto* m marche f arrière; '**⸗weg** m retour m

'**rück|wirkend** *jur* rétroactif; '**⸗wirkung** f répercussion f; '**⸗zahlung** f remboursement m; '**⸗zieher** m *e-n ⸗ machen* revenir sur sa décision; '**⸗zug** m retraite f

Rudel ['ru:dəl] n (-s; -) bande f

Ruder ['ru:dər] *mar* n (-s; -) rame f, aviron m; *Steuer⸗* gouvernail m; '**⸗boot** n canot m à rames; '**⸗er** m (-s; -), '**⸗in** f (-; -nen) rameur m, -euse f; '**⸗n** (h) ramer; *Sport* faire de l'aviron

Ruf [ru:f] m (-[e]s; -e) appel m (*a fig*); *Schrei* cri m; *Ansehen* réputation f; '**⸗en** (*rief, gerufen, h*) appeler, crier; *den Arzt ⸗* appeler le médecin; *um Hilfe ⸗* crier au secours

'**Rufnummer** f numéro m de téléphone

Ruhe ['ru:ə] f (-; *sans pl*) repos m, calme m, tranquillité f; *Stille* silence m; *j-n in ⸗ lassen* laisser qn tranquille; *lass mich in ⸗!* F fiche-moi la paix!; *die ⸗ bewahren* conserver son calme; *sich zur ⸗ setzen* se retirer des affaires, prendre sa retraite; *⸗ bitte!* silence, s'il vous plaît!

ruhen ['ru:ən] (h) *Person* se reposer; *Tätigkeit* être suspendu; *⸗ auf* reposer sur; *hier ruht* ici repose, ci-gît

'**Ruhe|pause** f pause f; '**⸗stand** m (-[e]s; *sans pl*) retraite f; '**⸗stätte** f *fig letzte ⸗* dernière demeure f; '**⸗störung** f (-; -en) perturbation f (*de l'ordre public*); '**⸗tag** m jour m de repos; *Montag ⸗* fermé le lundi

'**ruhig** calme, tranquille; *still* silencieux

Ruhm [ru:m] m (-[e]s; *sans pl*) gloire f

rühmen ['ry:mən] (h) glorifier, vanter; *sich e-r Sache ⸗* se vanter de qc

'**ruhm|los** sans gloire; '**⸗reich** glorieux

Ruhr [ru:r] *méd* f (-; *sans pl*) dysenterie f

rüh|ren ['ry:rən] (h) *bewegen, um⸗* remuer; *innerlich* toucher, émouvoir; *⸗ an* toucher à; *sich ⸗* bouger; *mil rührt euch!* repos!; '**⸗end** touchant, émouvant; '**⸗ig** agile, remuant, entreprenant; '**⸗ung** f (-; *sans pl*) émotion f

Ruin [ru'i:n] m (-s; *sans pl*), '**⸗e** f (-; -n) ruine f; **⸗ieren** (*pas de -ge-, h*) (*sich ⸗*) se) ruiner

rülpsen ['rylpsən] (h) roter

Rum [rum] m (-s; -s) rhum m

Rumän|e [ru'mɛ:nə] m (-n; -n), '**⸗in** f (-; -nen) Roumain m, -e f; **⸗ien** [-jən] n (-; *sans pl*) la Roumanie; **⸗isch** roumain

Rumpf [rumpf] m (-[e]s; ⸗e) *biol* tronc m; *aviat* fuselage m; *mar* coque f

rümpfen ['rympfən] (h) *die Nase ⸗* faire la grimace

rund [runt] rond, arrondi; *ungefähr* environ; *⸗ um etw* tout autour de qc

Runde ['rundə] f (-; -en) *Umkreis, Rundgang* ronde f; *Bier* tournée f; *Sport* tour m; *Boxen* round m; *Gesellschaft* compagnie f

'**Rund|fahrt** f circuit m; '**⸗flug** m circuit m aérien

'**Rundfunk** m (-[e]s; *sans pl*) radio f, T.S.F. f; *im ⸗* à la radio; *im ⸗ übertragen* radiodiffuser; '**⸗empfang** m réception f radiophonique; '**⸗gerät** n poste m od récepteur m de radio; '**⸗sender** m station f od émetteur m de radio; '**⸗sendung** f émission f de radio

'**Rund|gang** m tour m (*durch* de); **⸗lich** arrondi; *Person* rondelet; '**⸗reise** f tournée f, tour m, circuit m (*durch* de); '**⸗schreiben** n circulaire f; **⸗um** à la ronde, tout autour; '**⸗ung** f (-; -en) arrondi m; *des Körpers* rondeur f

Runzel ['runtsəl] f (-; -en) ride f; '**⸗(e)lig** ridé; **⸗eln** (h) *die Stirn ⸗* froncer les sourcils

Rüpel ['ry:pəl] m (-s; -) mufle m, malotru m, rustre m, grossier personnage m; '**⸗haft** grossier, malotru

rupfen ['rupfən] (h) *Federvieh* plumer (*a fig*); *Unkraut* arracher

Ruß [ru:s] m (-es; *sans pl*) suie f

Russe ['rusə] m (-n; -n), '**⸗in** f (-; -nen) Russe m, f

Rüssel ['rysəl] m (-s; -) trompe f;

Schweins⊇ groin *m*
rußig ['ruːsɪç] noirci de suie
russisch ['rʊsɪʃ] russe
Russland ['rʊs-] *n* (*-s*; *sans pl*) la Russie
rüsten ['rʏstən] (*h*) *mil* armer; *st/s* **sich** ~ **se préparer** (*zu* à)
'**rüstig** vert, vigoureux
rustikal [rʊsti'kaːl] rustique
'**Rüstung** *f* (*-*; *-en*) *mil* armements *m/pl*;

Ritter⊇ armure *f*; '~**sindustrie** *f* industrie *f* d'armement; '~**swettlauf** *m* course *f* aux armements
Rute ['ruːtə] *f* (*-*; *-en*) verge *f*, baguette *f*
Rutsch|bahn ['rʊtʃ] *f für Kinder* toboggan *m*; *fig* patinoire *f*; '⊇**en** (*h*) glisser; *auto a* déraper; '⊇**ig** glissant; '⊇**sicher** antidérapant
rütteln ['rʏtəln] (*h*) secouer

S

Saal [zaːl] *m* (*-[e]s*; *Säle*) salle *f*
Saar [zaːr] *f* (*-*; *sans pl*) Sarre *f*; '~**land** *n* (*-[e]s*; *sans pl*) Sarre *f*; ⊇**ländisch** sarrois
Saat [zaːt] *f* (*-*; *-en*) semence *f*; *Säen* semailles *f/pl*
Säbel ['zɛːbəl] *m* (*-s*; *-*) sabre *m*
Sabot|age [zabo'taːʒə] *f* (*-*; *-n*) sabotage *m*; ~**eur** [-'tøːr] *m* (*-s*; *-e*) saboteur *m*; ⊇**ieren** (*pas de -ge-*, *h*) saboter
Sach|bearbeiter ['zax-] *m* (*-s*; *-*), '~**bearbeiterin** *f* (*-*; *-nen*) personne *f* compétente, responsable *m*; '~**beschädigung** *jur f* détérioration *f* volontaire; '~**buch** *n* livre *m* spécialisé *od* documentaire
Sache ['zaxə] *f* (*-*; *-n*) chose *f*; *Angelegenheit* affaire *f*; *jur* cause *f*; *meine* ~*n pl* mes affaires; *zur* ~ *kommen* en venir au fait; *nicht zur* ~ *gehören* ne pas faire partie de l'affaire
'**sach|gemäß** adéquat, approprié; '⊇**kenntnis** *f* connaissance *f* des faits, compétence *f*; '~**kundig** compétent, expert; '⊇**lage** *f* état *m* de fait *od* des choses; '~**lich** objectif; *dinglich* matériel
'**Sach|lichkeit** *f* (*-*; *sans pl*) objectivité *f*; '~**schaden** *m* dégâts *m/pl* matériels
Sachse ['zaksə] *m* (*-n*; *-n*), **Sächsin** ['zɛksɪn] *f* (*-*; *-nen*) Saxon *m*, -ne *f*
'**Sachsen** *n* (*-s*; *sans pl*) la Saxe
'**sächsisch** saxon
Sach|verhalt ['zaxferhalt] *m* (*-[e]s*; *-e*) état *m* des choses; faits *m/pl*; '~**verständige** *m*, *f* (*-n*; *-n*) expert *m*; '~**wert** *m* valeur *f* réelle

Sack [zak] *m* (*-[e]s*; *ꞏe*) sac *m*; '~**gasse** *f* cul-de-sac *m*, impasse *f* (*a fig*)
Sadis|mus [za'dɪsmʊs] *m* (*-*; *sans pl*) sadisme *m*; ⊇**tisch** sadique
säen ['zɛːən] (*h*) semer
Safe [seːf] *m* (*-s*; *-s*) coffre-fort *m*
Saft [zaft] *m* (*-[e]s*; *ꞏe*) jus *m*; *biol* suc *m*; *der Pflanzen* sève *f*; ⊇**ig** juteux; *Preis*, *Witz* salé
Sage ['zaːgə] *f* (*-*; *-n*) légende *f*, mythe *m*
Säge ['zɛːgə] *f* (*-*; *-n*) scie *f*; '~**mehl** *n* sciure *f*
sagen ['zaːgən] (*h*) dire; *er lässt sich nichts* ~ il ne veut rien entendre; *unter uns gesagt* entre nous soit dit
sägen ['zɛːgən] (*h*) scier
'**sagenhaft** légendaire, mythique; F formidable
'**Sägewerk** *n* scierie *f*
Sahne ['zaːnə] *f* (*-*; *sans pl*) crème *f*
Saison [zɛ'zõː] *f* (*-*; *-s*) saison *f*; ~**al** [-o'naːl] saisonnier; ~**arbeiter** *m* saisonnier *m*; ⊇**bedingt** saisonnier; ⊇**bereinigt** *Arbeitslosenzahl* avec/ après correction des variations saisonnières
Saite ['zaitə] *mus f* (*-*; *-n*) corde *f*; '~**ninstrument** *n* instrument *m* à cordes
Sakko ['zako] *m*, *n* (*-s*; *-s*) veston *m*
Salat [za'laːt] *m* (*-[e]s*; *-e*) salade *f*; *Kopf*⊇ laitue *f*; *fig* *da haben wir den* ~*!* ça y est!, nous voilà propres! F; '~**soße** *f* vinaigrette *f*
Salb|e ['zalbə] *f* (*-*; *-n*) pommade *f*, crème *f*, onguent *m*; '⊇**ungsvoll** onctueux

S

Saldo ['zaldo] m (-s; -den, -s, -di) solde m; **'~übertrag** m report m du solde à nouveau

Salmiak ['zalmjak] chim m, n (-s; sans pl) sel m ammoniac; **'~geist** chim m ammoniaque f

Salmonellen [zalmo'nɛlən] f/pl méd salmonella(s) f

Salon [za'lõː] m (-s; -s) salon m; **2fähig** présentable

salopp ['zalɔp] négligé, relax(e)

Salpeter [zal'peːtər] chim m (-s; sans pl) salpêtre m; **~säure** chim f acide m nitrique

Salto ['zalto] m (-s; -s, -ti) saut m périlleux

Salve ['zalvə] mil f (-; -n) salve f, décharge f

Salz [zalts] n (-es; -e) sel m; **'~bergwerk** n mine f de sel; (salzte, gesalzen, h) saler; **'2ig** salé; **'~kartoffeln** f/pl pommes de terre f/pl à l'eau; **'~säure** chim f acide m chlorhydrique; **'~stange** f stick m salé; **'~wasser** n eau f salée

Samen ['zaːmən] m (-s; -) semence f, graine f; männlicher sperme m; **'~korn** bot n graine f

sammeln ['zameln] (h) Pilze ramasser; Beweise rassembler; Briefmarken etc collectionner; Geld, Spenden collecter; faire une collecte od faire la quête (**für** pour); **sich ~** se rassembler, se réunir; fig se concentrer, rassembler ses idées

'Sammel|punkt m lieu m de rassemblement; **'~stelle** f centre m de ramassage

Sammler ['zamlər] m (-s; -), **'~erin** f (-; -nen) collectionneur m, -euse f; **'~ung** f (-; -en) collection f; rassemblement m (a pol); von Geld, Spenden collecte f, quête f

Samstag ['zams-] m samedi m

samt [zamt] **1. ~ und sonders** tous sans exception; **2.** prép (dat) avec

Samt m (-/e/s; -e) velours m

sämtliche ['zɛmtlɪçə] tous les ... (sans exception)

Sanatorium [zana'toːrjum] m (-s; -rien) maison f de repos

Sand [zant] m (-/e/s; -e) sable m; ~ **streuen** sabler (**auf etw** qc)

Sandale [zan'daːlə] f (-; -n) sandale f

'Sand|bank f banc m de sable; **'~burg** f château m de sable; **'2ig** sablonneux; **'~kasten** m für Kinder bac m à sable; **'~papier** n papier m de verre; **'~stein** m grès m; **'~strand** m plage f de sable; **'~uhr** f sablier m

sanft [zanft] doux; **er ruhe ~** qu'il repose en paix; **'~mütig** doux

Sänger ['zɛŋər] m (-s; -), **'~in** f (-; -nen) chanteur m, -euse f; Opernsängerin cantatrice f

sanier|en [za'niːrən] (pas de -ge-, h) écon redresser; Haus assainir; **2ung** f (-; -en) redressement m; assainissement m; **2ungsgebiet** n quartier m en rénovation

sanitär [zani'tɛːr] sanitaire; **2anlagen** f/pl installations f/pl sanitaires

Sanität|er [zani'tɛːtər] m (-s; -) infirmier m; **2sauto** n ambulance f

Sankt [zaŋkt] saint (abr St)

Sanktio|n [zaŋk'tsjoːn] f sanction f; **2'nieren** (pas de -ge-, h) sanctionner

Sard|elle [zar'dɛlə] f (-; -n) anchois m; **~ine** [-'diːnə] f (-; -n) sardine f

Sarg [zark] m (-/e/s; -¨e) cercueil m

Satan ['zaːtan] m (-s; -e) Satan m; fig diable m

Satellit [zatɛ'liːt] m (-en; -en) satellite m; **~enfernsehen** n télévision f par satellite; **~enstaat** m pays m satellite

Satire [za'tiːrə] f (-; -n) satire f (**auf** contre)

satt [zat] rassasié; **sich ~ essen** se rassasier (**an** de); manger à sa faim; fig **F j-n (etw) ~ haben** en avoir marre de qn (qc)

Sattel ['zatəl] m (-s; -¨) selle f; **'~schlepper** m semi-remorque m

sättig|en ['zɛtɪgən] (h) rassasier; phys, chim, Markt saturer; **2ung** f (-; -en) rassasiement m; fig saturation f

Sattler ['zatlər] m (-s; -) sellier m

Satz [zats] m (-es; -¨e) phrase f; gr proposition f; Sprung saut m; Tennis set m; Briefmarken série f; Kaffee2 marc m; von Geschirr, Werkzeugen etc jeu m

'Satzung f (-; -en) statuts m/pl

'Satzzeichen n signe m de ponctuation

Sau [zau] f **1.** zo (-; -¨e) truie f; P fig cochon m; **2.** (-; -en) Wild2 laie f

sauber ['zaubər] propre (a fig); ~ **machen** nettoyer; **2keit** f (-; sans pl) propreté f

'**säuber|n** ['zɔybərn] (*h*) nettoyer; *pol* purger, épurer; **~ von** débarrasser de; '**Ωung** *pol f* purge *f*, épuration *f*

sauer ['zauər] aigre; *chim* acide; F *ver-ärgert* fâché (**auf** *j-n* contre *od* F après qn), *saurer Regen* pluies *f/pl* acides; F *fig* ~ *werden* se fâcher

Sauerei [zauə'rai] F *f* (-; -en) co-chonnerie *f*

'**Sauer|kirsche** *f* griotte *f*; '**~kohl** *m* (-[e]s, *sans pl*); '**~kraut** *n* (-[e]s, *sans pl*) choucroute *f*

'**Sauerstoff** *chim m* (-[e]s; *sans pl*) oxygène *m*

saufen ['zaufən] (soff, gesoffen, h) *Tier u* P *Mensch* boire

saugen ['zaugən] (sog, gesogen, h, *tech nur*: saugte, gesaugt) sucer; *Kind u Säugetier* téter; *tech* aspirer

säuge|n ['zɔygən] (*h*) allaiter; **Ωtier** *n* mammifère *m*

saugfähig ['zaukfɛːiç] absorbant

Säugling ['zɔyklɪŋ] *m* (-s; -e) nourris-son *m*; '**~spflege** *f* puériculture *f*; '**~ssterblichkeit** *f* mortalité *f* infantile

Säule ['zɔylə] *f* (-; -n) colonne *f*

Saum [zaum] *m* (-[e]s; *̈e*) *Kleider* ourlet *m*

Sauna ['zauna] *f* (-; -nen, -s) sauna *m*

Säure ['zɔyrə] *f* (-; -n) *chim* acide *m*; *Geschmack* acidité *f*, aigreur *f*

Saurier ['zaurjər] *zo m/pl* sauriens *m/pl*

sausen ['zauzən] (*h*) *Wind etc* siffler; *Ohren* bourdonner; (*sn*) *flitzen* filer (comme une flèche) F; *auto* foncer

'**Saustall** *m* P *fig* porcherie *f*, bordel *m*

S-Bahn ['ɛs-] *f*, '**~netz** *n etwa* R.E.R. *m* (= Réseau *m* express régional)

schaben ['ʃaːbən] (*h*) gratter, racler

schäbig ['ʃɛːbiç] *Kleidung* râpé, usé; *ärmlich* miteux; *Haltung* mesquin

Schablone [ʃa'bloːnə] *f* (-; -n) patron *m*, pochoir *m*, modèle *m*

Schach [ʃax] *n* (-s; -s) échecs *m/pl*; ~ **spielen** jouer aux échecs; *fig* **in ~ halten** tenir en respect; '**~brett** *n* échiquier *m*; '**Ωmatt** échec et mat; '**~spiel** *n* jeu *m* d'échecs

Schacht [ʃaxt] *Bergbau m* (-[e]s; *̈e*) puits *m*

Schachtel ['ʃaxtəl] *f* (-; -n) boîte *f*; *e-e* ~

Zigaretten un paquet de cigarettes

'**Schachzug** *m* coup *m*; *fig* **ein ge-schickter** ~ une bonne tactique

schade ['ʃaːdə] **es ist** ~ c'est dommage; **zu** ~ **für etw** trop bon pour qc; **wie** ~, **dass ...!** quel dommage que (+ *subj*)!

Schädel ['ʃɛːdəl] *m* (-s; -) crâne *m*; '**~bruch** *méd m* fracture *f* du crâne

schaden ['ʃaːdən] (*h*) nuire (*j-m* à qn); **das schadet nichts** il n'y a pas de mal; **es könnte ihm nicht ~** ça ne pourrait pas lui faire de mal

'**Schaden** *m* (-s; *̈*) dommage *m*, dégâts *m/pl*; *Nachteil* préjudice *m*; **zum ~ von** au préjudice de, au détriment de; *j-m* ~ **zufügen** causer du tort à qn, porter préjudice à qn; '**~ersatz** *m* indemnité *f*, dommages-intérêts *m/pl*; '**~freiheits-rabatt** *m* bonus *m*; '**~freude** *f* joie *f* maligne; '**~sfall** *m* cas *m* de dom-mage

schadhaft ['ʃaːthaft] endommagé, dé-térioré, défectueux

schäd|igen ['ʃɛːdigən] (*h*) nuire (*j-n* à qn), porter préjudice (à qn), léser (qn; *a méd*); '**~lich** ['ʃɛːtliç] nuisible, nocif

'**Schädling** *m* (-s; -e) plante *f od* insecte *m* nuisible; parasite *m*; '**~sbekämp-fung** *f* lutte *f* contre les parasites; '**~sbekämpfungsmittel** *n* pesticide *m*

'**Schadstoff** *m* polluant *m*, toxique *m*; '**Ωarm** peu polluant; '**Ωfrei** non pol-luant

Schaf [ʃaːf] *zo n* (-[e]s; -e) mouton *m*; *Mutter*Ω brebis *f*

Schäfer ['ʃɛːfər] *m* (-s; -), '**~in** *f* (-; -nen) berger *m*, -ère *f*; '**~hund** *m* chien *m* de berger

schaffen ['ʃafən] **1.** (schuf, geschaffen, h) *erschaffen* créer; *hervorbringen* produire; *Ordnung, Platz* faire; **2.** (*h*) *arbeiten* travailler; **aus dem Weg ~** écarter; *j-m zu ~ machen* donner du mal à qn; **sich an etw zu ~ machen** toucher à qc; **es ~** y arriver

Schaffner ['ʃafnər] *m* (-s; -), '**~in** *f* (-; -nen) *Zug* contrôleur *m*, -euse *f*; *Bus* receveur *m*, -euse *f*

'**Schafzucht** *f* élevage *m* de moutons

Schal [ʃaːl] *m* (-s; -s, -e) cache-nez *m*; *Seiden*Ω foulard *m*

Schale ['ʃaːlə] *f* (-; -n) *zum Trinken* bol *m*; *Hülle* enveloppe *f*; *Früchte, Gemüse* peau *f*; *Orange* écorce *f*; *abgeschälte*

S

pelure f, épluchure f (meist pl); Eier, Nuss, Muschel coquille f; fig das Äußere apparences f/pl

schälen ['ʃɛːlən] (h) Obst, Kartoffeln éplucher, peler; Eier, Nüsse écaler; Haut sich ~ peler

Schall [ʃal] m (-[e]s, ̈e) son m; '2dämpfer m auto silencieux m; '2dicht insonorisé; '~mauer f mur m du son; '~platte f disque m

schalten ['ʃaltən] (h) Elektrotechnik coupler, monter; auto changer de vitesse; F verstehen piger F; in den dritten (Gang) ~ passer en troisième; '2er m (-s, -) Post, Bank guichet m; Strom interrupteur m; oft bouton m; '2erbeamte m, f guichetier m, guichetière f; employé(e f) m du guichet; '2hebel m levier m de commande (a fig); auto levier m de changement de vitesse; '2jahr n année f bissextile; '2ung f (-, -en) elektrische montage m, couplage m; auto changement m de vitesse

Scham [ʃaːm] f (-, sans pl) pudeur f, honte f; Genitalien parties f/pl génitales

schämen ['ʃɛːmən] (h) sich ~ avoir honte

'Scham|gefühl n pudeur f; '~haare n/pl poils m/pl du pubis; '2haft pudique; '2los sans pudeur, impudent, éhonté

Schande ['ʃandə] f (-, sans pl) honte f

schändlich ['ʃɛntliç] honteux, infâme

Schandtat f action f infâme; infamie f

Schanze ['ʃantsə] f (-, -n) Sprung2 tremplin m

Schar [ʃaːr] f (-, -en) groupe m, troupe f, bande f; Menge foule f; Vögel volée f; in ~en en foule; '2en (h) um sich ~ rallier

scharf [ʃarf] Klinge tranchant; Verstand pénétrant, perçant; Foto, Umrisse net; Kritik caustique; Hund méchant; Essen épicé; Bombe amorcé; F auf etw ~ sein vouloir absolument posséder qc

'Scharfblick m perspicacité f

Schärfe ['ʃɛrfə] f (-, -n) Messer tranchant m; Verstandes2 pénétration f; Deutlichkeit netteté f; der Kritik causticité f

'schärfen (h) Messer aiguiser (a fig)

'Scharf|schütze m tireur m d'élite; '2sinnig sagace, perspicace

Scharlach ['ʃarlax] méd m (-; sans pl) scarlatine f

Scharnier [ʃar'niːr] n (-s, -e) charnière f

scharren ['ʃarən] (h) gratter

Schaschlik ['ʃaʃlik] cuis m od n (-s; -s) brochette f

Schatten ['ʃatən] m (-s; -) ombre f; '~kabinett n cabinet m fantôme

Schattierung [ʃa'tiːruŋ] f (-; -en) Malerei dégradé m, nuance f (a fig)

'schattig ombragé

Schatz [ʃats] m (-es; ̈e) trésor m (a fig)

schätzen ['ʃɛtsən] (h) évaluer; a hoch~ estimer, apprécier

'Schatzmeister m trésorier m

'Schätz|preis m prix m d'estimation; '~ung f (-; -en) évaluation f, estimation f; '2ungsweise approximativement, à peu près; '~wert m prix m d'estimation

Schau [ʃau] f (-; -en) spectacle; Ausstellung exposition f; zur ~ stellen étaler, faire étalage de

Schauder ['ʃaudər] m (-s; -) frisson m; '2haft horrible, épouvantable; '2n (h) frémir, frissonner (vor de)

schauen ['ʃauən] (h) regarder

Schauer ['ʃauər] m (-s; -) Regen2 averse f; Graupel2 giboulée f; Schauder frisson m; '2lich horrible, horrifiant

Schaufel ['ʃaufəl] f (-; -n) pelle f; '2n (h) pelleter; Grab creuser

'Schaufenster n vitrine f, devanture f, étalage m; '~bummel m e-n ~ machen faire du lèche-vitrines

Schaukel ['ʃaukəl] f (-; -n) balançoire f; Wippe bascule f; '2n (h) (selber se) balancer; '~stuhl m fauteuil m à bascule, rocking-chair m

'Schaulustige pl curieux m/pl, F badauds m/pl

Schaum [ʃaum] m (-[e]s; ̈e) écume f; Bier2, Seifen2 mousse f

schäumen ['ʃɔymən] (h) écumer (a fig vor Wut de rage); Bier, Seife mousser

'Schaum|stoff m mousse f; '~wein m (vin m) mousseux m

'Schauplatz m scène f, théâtre m

'Schauspiel n spectacle m; drame m; '~er m (-s; -), '~erin f (-; -nen) acteur m, actrice f

'Schausteller m (-s; -) forain m

Scheck [ʃɛk] comm m (-s; -s) chèque m; '~gebühr f taxe f sur les chèques; '~heft *n* chéquier *m*, carnet *m* de chèques; '**~karte** *f* carte *f* chèque

scheffeln ['ʃɛfəln] (h) *Geld* ~ amasser de l'argent

Scheibe ['ʃaibə] *f* (-; -*n*) disque *m*; *Brot, Fleisch* tranche *f*; *Fenster*2 carreau *m*, vitre *f*; *Schieß*2 cible 2

'**Scheiben|bremse** *f* frein *m* à disque; '**~waschanlage** *f* lave-glace *m*; '**~wischer** *m* essuie-glace *m*

Scheich [ʃaiç] *m* (-*s*; -*s*, -*e*) cheik *m*

Scheide ['ʃaidə] *f* (-; -*n*) weibliche vagin *m*

'**scheid|en** (*schied, geschieden*) 1. *v/t* (*h*) *sich ~ lassen* divorcer (*von* d'avec); 2. *v/i* (*sn*) *aus dem Amt ~* se retirer; '**2ung** *f* (-; -*en*) divorce *m*

Schein [ʃain] *m* 1. (-*[e]s*; -*e*) *Bescheinigung* certificat *m*; *Geld*2 billet *m* (de banque); 2. (-*[e]s*; *sans pl*) *Licht*2 lueur *f*, lumière *f*; *Anschein* apparence *f*; *zum ~ etw tun* faire semblant de faire qc; '**~asylant** *m* faux réfugié *m*; '**2bar** apparent; '**2en** (*schien, geschienen, h*) briller, luire; *den Anschein haben* paraître, sembler; '**2heilig** hypocrite; '**~werfer** *m* (-*s*; -) projecteur *m*; *auto* phare *m*

Scheiß|e ['ʃaisə] *f* (-; *sans pl*) P merde *f*; '**2en** (*schiss, geschissen, h*) P chier; '**~haus** *n* P chiottes *f/pl*; '**~kerl** *m* P salaud *m*

Scheitel ['ʃaitəl] *m* (-*s*; -) *Haar*2 raie *f*; *höchster Punkt* sommet *m* (*a math*)

scheitern ['ʃaitərn] (*sn*) échouer

Schellfisch ['ʃɛl-] *zo m* églefin *od* aiglefin *m*

schelten ['ʃɛltən] (*schalt, gescholten, h*) *bes Kinder* gronder

Schema ['ʃeːma] *n* (-*s*; -*s*, -*ta*) schéma *m*; '**2tisch** [ʃeˈmaːtiʃ] schématique

Schemel ['ʃeːməl] *m* (-*s*; -) tabouret *m*

Schenkel ['ʃɛŋkəl] *m* (-*s*; -) cuisse *f*; *math* côté *m*

schenk|en ['ʃɛŋkən] (*h*) offrir; faire cadeau de; '**2ung** *f* (-; -*en*) don *m*; *jur* donation *f*

Scherbe ['ʃɛrbə] *f* (-; -*n*) tesson *n*; **~n** *pl* meist débris *m/pl*

Schere ['ʃeːrə] *f* (-; -*n*) ciseaux *m/pl*; *e-e* ~ une paire de ciseaux

'**scheren** (*schor, geschoren, h*) tondre; *sich nicht um etw* ~ se ficher de qc *f*

Scherereien [ʃeːrəˈraiən] F *f/pl* ennuis

m/pl, embêtements *m/pl* F

Scherz [ʃɛrts] *m* (-*es*; -*e*) plaisanterie *f*; *zum* ~ pour rire; '**~artikel** *m/pl* (farces *f/pl* et) attrapes *f/pl*; '**2en** (*h*) plaisanter; '**2haft** ~ *gemeint* dit pour rire

scheu [ʃɔy] 1. timide, craintif; *Tier, Kind* sauvage; ~ *machen* effaroucher; 2. 2 *f* (-; *sans pl*) timidité *f*, crainte *f*; *Ehrfurcht* respect *m*

'**scheuen** (*h*) craindre; *Pferd* s'emballer; *sich ~ etw zu tun* avoir peur de faire qc

scheuern ['ʃɔyərn] (*h*) *Geschirr, Boden* récurer; *reiben* frotter

'**Scheuklappe** *f* œillère *f* (*a fig*)

Scheune ['ʃɔynə] *f* (-; -*n*) grange *f*

Scheusal ['ʃɔyzaːl] *n* (-*s*; -*e*) monstre *m*

scheußlich ['ʃɔyslɪç] épouvantable, atroce, hideux, horrible; '**2keit** *f* (-; -*en*) atrocité *f*

Schi(...) [ʃiː] → *Ski*(...)

Schicht [ʃɪçt] *f* (-; -*en*) couche *f* (*a fig*); *Arbeits*2 équipe *f*, poste *m*; '**~arbeit** *f* travail *m* par équipes, travail *m* posté; '**2en** (*h*) disposer par couches, empiler

schick [ʃɪk] 1. élégant, chic; 2. 2 *m* (-*[e]s*; *sans pl*) chic *m*, élégance *f*

schicken ['ʃɪkən] (*h*) envoyer; *versenden* expédier; *sich ~ in* s'accommoder de, se résigner à

Schickeria [ʃɪkaˈriːja] *f* (-; *sans pl*) F jet-set *m*; les B.C.B.G. (= bon chic bon genre)

Schicksal ['ʃɪkzaːl] *n* (-*s*; -*e*) destin *m*, sort *m*

Schiebedach ['ʃiːbə-] *auto n* toit *m* ouvrant

schieben ['ʃiːbən] (*schob, geschoben, h*) pousser; *die Schuld ~ auf* rejeter la faute sur; *beiseite* ~ écarter; *comm péj mit etw* ~ faire le trafic de qc

'**Schieb|er** *m* (-*s*; -) *tech* coulisseau *m*; *Läufer* curseur *m*; *comm péj* trafiquant *m*; '**~etür** *f* porte *f* coulissante; '**~ung** *f* (-; -*en*) *comm* trafic *m* (*mit* de); *Betrug* manœuvre *f* frauduleuse

Schieds|gericht ['ʃiːts-] *n* tribunal *m* arbitral; '**~richter** *m* arbitre *m*; '**~spruch** *m* jugement *m* arbitral; '**~verfahren** *n* procédure *f* arbitrale

schief [ʃiːf] *schräg* oblique, de travers; *geneigt* incliné, en pente; *Turm* penché; *fig* faux

S

Schiefer ['ʃiːfər] *m* (-s; -) ardoise *f; géol* schiste *m*

schielen ['ʃiːlən] (h) loucher

Schienbein ['ʃiːn-] *n anat* tibia *m*

Schiene ['ʃiːnə] *f* (-; -n) *Bahn* rail *m; méd* attelle *f*, éclisse *f*; '**⁓nverkehr** *m* trafic *m* ferroviaire

schieß|en ['ʃiːsən] (schoss, geschossen) **1.** (h) tirer (**auf** *j-n* sur qn); faire feu; **2.** (sn) *Flüssigkeit* jaillir; *stürzen* se précipiter; **2en** *n* (-s; -) tir *m*; '**2erei** [ʃiːsə'rai] (-; -en) fusillade *f*, coups *m/pl* de feu; '**2pulver** *n* poudre *f* à canon; '**2scheibe** *f* cible *f*; '**2stand** *m* stand *m* de tir

Schiff [ʃif] *n* (-[e]s; -e) bateau *m; großes See2* navire *m*, bâtiment *m; Passagier2* paquebot *m; Kirchen2* nef *f; mit dem ⁓* par bateau

Schifffahrt ['ʃiffaːrt] *f* (-; sans pl) navigation *f*

'**schiffbar** navigable

'**Schiff|bau** *mar m* (-[e]s; sans pl) construction *f* navale; '**⁓bruch** *m* naufrage *m; ⁓ erleiden* faire naufrage; '**2brüchig** naufragé; '**⁓er** *m* (-s; -) *Binnen2* batelier *m*

'**Schiffs|ladung** *f* cargaison *f*; '**⁓reise** *f* voyage *m* en bateau; '**⁓werft** *f* chantier *m* naval

Schikan|e [ʃiˈkaːnə] *f* (-; -n) tracasserie *f*, vexation *f*, brimade *f; fig mit allen ⁓n* muni de tous les raffinements; '**2ieren** [-kaˈniːrən] (*pas de -ge-*, h) brimer, faire des tracasseries à

Schild¹ [ʃilt] *n* (-[e]s; -er) *mit Aufschrift* pancarte *f; Namens2* plaque *f; Verkehrs2* panneau *m; Firmen2, Aushänge2* enseigne *f*

Schild² *m* (-[e]s; -e) *zum Schutz* bouclier *m*; '**⁓drüse** *f* (glande *f*) thyroïde *f*

schilder|n ['ʃildərn] (h) décrire, peindre, présenter; '**2ung** *f* (-; -en) description *f*

'**Schildkröte** *zo f* tortue *f*

Schilf [ʃilf] *bot n* (-[e]s; -e), '**⁓rohr** *n* roseau *m*

schillern ['ʃilərn] (h) chatoyer, miroiter

Schimmel ['ʃiməl] *m* (-s; -) *Pferd* cheval *m* blanc; *bot* (sans pl) moisissure *f*, moisi *m*; '**2ig** moisi; '**2n** (h) moisir

Schimmer ['ʃimər] *m* (-s; sans pl) lueur *f*

Schimpanse [ʃimˈpanzə] *zo m* (-n; -n) chimpanzé *m*

schimpf|en ['ʃimpfən] (h) gronder (*mit j-m* qn); pester (*auf* qc) sur; rouspéter F, râler F; '**2wort** *n* injure *f*

schinden ['ʃindən] (schindete, geschunden, h) maltraiter; **sich ⁓** s'éreinter, s'équinter

Schinken ['ʃiŋkən] *m* (-s; -) jambon *m*

Schirm [ʃirm] *m* (-[e]s; -e) *Regen2* parapluie *m; Sonnen2* parasol *m; Bild2* écran *m*; '**⁓herrschaft** *f* patronage *m*; '**⁓ständer** *m* porte-parapluies *m*

Schiss [ʃis] P *m* (-es; sans pl) **⁓ haben** avoir la trouille P

Schlacht [ʃlaxt] *f* (-; -en) bataille *f*

'**schlacht|en** (h) tuer, abattre; '**2en-bummler** *m Sport* supporter *m*; '**2er** *m* (-s; -) boucher *m*; **2erei** [-əˈrai] (-; -en) boucherie *f*; '**2feld** *mil n* champ *m* de bataille; '**2haus** *n*; '**2hof** *m* abattoir *m*; '**2schiff** *n* cuirassé *m*

Schlaf [ʃlaːf] *m* (-[e]s; sans pl) sommeil *m*; '**⁓anzug** *m* pyjama *m*

Schläfe ['ʃlɛːfə] *f* (-; -n) tempe *f*

schlafen ['ʃlaːfən] (schlief, geschlafen, h) dormir; **⁓ gehen** *od* **sich ⁓ legen** (aller) se coucher, se mettre au lit; *mit j-m ⁓* coucher avec qn

schlaff [ʃlaf] lâche; *Haut, Muskel* flasque; *kraftlos* mou (molle); épuisé

'**Schlaf|gelegenheit** *f* endroit *m* où dormir, lit *m*; '**⁓krankheit** *méd f* maladie *f* du sommeil; '**⁓losigkeit** *f* (-; sans pl) insomnie *f*; '**⁓mittel** *phm n* somnifère *m*

schläfrig ['ʃlɛːfriç] qui a sommeil, somnolent

'**Schlaf|saal** *m* dortoir *m*; '**⁓sack** *m* sac *m* de couchage; '**⁓stadt** *f* cité-dortoir *f*; '**⁓tablette** *phm f* comprimé *m* pour dormir; '**⁓wagen** *Bahn m* wagon-lit *m*; '**⁓wandler** ['-vandlər] *m* (-s; -), '**⁓wandlerin** *f* (-; -nen) somnambule *m*, *f*; '**⁓zimmer** *n* chambre *f* à coucher

Schlag [ʃlaːk] *m* (-[e]s; ⁓e) coup *m; méd* (attaque) *f* d'apoplexie *f; Art* espèce *f*; '**⁓ader** *f* artère *f*; '**⁓anfall** *méd m* attaque *f* (d'apoplexie); '**2artig** brusque (-ment), (tout) d'un coup; '**⁓bohrer** *m* perceuse *f* à percussion

schlagen ['ʃlaːgən] (schlug, geschlagen, h) battre (*a im Sport, Herz*); frapper; *Uhr* sonner; **sich ⁓** se battre; **um sich ⁓** se débattre; '**⁓d** *Beweis etc* convaincant

Schlager ['ʃlaːgər] m (-s; -) mus chanson f à succès, air m à la mode od en vogue; péj rengaine f; comm Verkaufs⌾ article m choc

Schläge|r ['ʃlɛːgər] m (-s; -) Tennis raquette f; **~rei** f (-; -en) bagarre f

'schlag|fertig ~ sein riposter du tac au tac, avoir la repartie prompte; **'⌾fertigkeit** f (-; sans pl) esprit m de repartie; **'⌾instrument** mus n instrument m à percussion; **'⌾loch** n Straße nid-de-poule m; **'⌾obers** östr n; **'⌾rahm** m, **'⌾sahne** f crème f fouettée, crème f Chantilly; **'⌾wort** n slogan m; **'⌾zeile** f Zeitung manchette f; **'⌾zeug** mus n batterie f; **'⌾zeuger** mus m (-s; -) batteur m

Schlamm [ʃlam] m (-[e]s; selten -e, ⁓e) boue f, bourbe f, vase f

Schlamp|e ['ʃlampə] f (-; -n) F souillon f; P Schimpfwort salope f; **~erei** [-ə'rai] F f (-; -en) négligence f, laisser-aller m; **'⌾ig** négligé, malpropre; Arbeit bâclé

Schlange ['ʃlaŋə] f (-; -n) zo serpent m; fig file f d'attente; **~ stehen** faire la queue

schlängeln ['ʃlɛŋəln] (h) sich ~ Fluss, Straße serpenter; Person se faufiler

schlank [ʃlaŋk] mince, svelte; **'⌾heit** f (-; sans pl) minceur f, sveltesse f; **'⌾heitskur** f cure f d'amaigrissement

schlapp [ʃlap] F müde épuisé, flapi F; energielos mou (molle); **'⌾e** F f (-; -n) défaite f, échec m; **'~machen** (sép, -ge-, h) F flancher

schlau [ʃlau] rusé, malin, astucieux

Schlauch [ʃlaux] m (-[e]s; ⁓e) tuyau m; Fahrrad⌾ chambre f à air; **'~boot** n canot m pneumatique

schlecht [ʃlɛçt] mauvais; adv mal; böse méchant; **mir ist ~** je me sens mal; **~ aussehen** avoir mauvaise mine; **sich ~ fühlen** se sentir mal; **es geht ihm sehr ~** il va très mal; **~ gelaunt** ['-gəlaunt] de mauvaise humeur; **j-n ~ machen** dire du mal de qn; **'⌾igkeit** f (-; -en) Bosheit méchanceté f

schlecken ['ʃlɛkən] (h) manger des sucreries; lecken lécher

schleich|en ['ʃlaiçən] (schlich, geschlichen, sn) se glisser; **'~end** Krankheit insidieux, sournois; **'⌾werbung** f pu-blicité f déguisée

Schleier ['ʃlaiər] m (-s; -) voile m; **'⌾haft** fig mystérieux, incompréhensible

Schleife ['ʃlaifə] f (-; -n) boucle f; Band⌾ nœud m

'schleif|en 1. (schliff, geschliffen, h) ziehen traîner; schärfen aiguiser; Edelstein, Glas tailler; mit der Schleifscheibe meuler, poncer; **2.** (h) ziehen traîner; F drillen dresser; Kupplung **~ lassen** faire patiner; **'⌾maschine** f ponceuse f; **'⌾scheibe** f, **'⌾stein** m meule f

Schleim [ʃlaim] m (-[e]s; -e) méd mu-cosité f; zäher glaire f; Hafer⌾ crème f (d'avoine); **'~haut** f muqueuse f; **'⌾ig** glaireux; visqueux (a fig)

schlemm|en ['ʃlɛmən] (h) festoyer, faire ripaille F; **'⌾er** m (-s; -) bon vivant m

schlendern ['ʃlɛndərn] (sn) flâner

schlenkern ['ʃlɛŋkərn] (h) balancer; im Gehen mit den Armen ~ marcher les bras ballants

schlepp|en ['ʃlɛpən] (h) traîner; mar, auto remorquer; **sich ~** se traîner; **'~end** Unterhaltung languissant; Ton-fall traînant; **'⌾er** m (-s; -) mar re-morqueur m; auto tracteur m; **'⌾lift** m remonte-pente m, tire-fesses m F

Schlesien ['ʃleːzjən] n (-s; sans pl) la Silésie

Schleuder ['ʃlɔydər] f (-; -n) lance-pierres m, fronde f; Wäsche⌾ esso-reuse f; **'⌾n** (h) lancer; Wäsche essorer; auto déraper; **'~preis** comm m zu ~en à bas prix

schleunigst ['ʃlɔynikst] le plus rapi-dement possible

Schleuse ['ʃlɔyzə] f (-; -n) écluse f

schlicht [ʃlɪçt] simple; **'~en** (h) arran-ger, régler; Tarifstreit arbitrer; **'⌾er** m (-s; -) médiateur m, arbitre m; **'⌾ung** f (-; -en) règlement m, conciliation f, arbitrage m

'schließ|en ['ʃliːsən] (schloss, ge-schlossen, h) fermer; Lücke combler; Sitzung clore; Vertrag conclure; enden se terminer; in die Arme ~ serrer dans ses bras; in sich ~renfermer; Frieden ~ faire la paix; aus etw ~ conclure de qc; **'⌾fach** n Bahn compartiment m de coffre-fort; **'~lich** finalement, enfin, à la fin, en fin de compte, en définitive;

'**2ung** f (-; -en) fermeture f

schlimm [ʃlim] mauvais; adv mal; schwerwiegend grave; **~e Zeiten** des temps difficiles; **das ist nicht so ~** ce n'est pas si grave; **das 2e daran** ce qui est grave; '**~er**, '**~ste** pire; '**~stenfalls** dans le pire des cas

schling|en [ʃliŋən] (schlang, geschlungen, h) beim Essen engloutir; **um etw ~** enrouler, Arme passer autour de qc; **sich um etw ~** s'enrouler od s'entortiller autour de qc; '**2ern** ['-ərn] (h) mar rouler

Schlitt|en [ʃlitən] m (-s; -) traîneau m; Rodel luge f; **~ fahren** faire de la luge; '**2ern** ['-ərn] (sn) glisser, patiner

'**Schlittschuh** m (à glace); **~ laufen** faire du patin; '**~bahn** f patinoire f; '**~laufen** n (-s; sans pl) patinage m; '**~läufer(in** f) m patineur m, -euse f

Schlitz [ʃlits] m (-es; -e) fente f; Hosen2 braguette f

Schloss [ʃlos] n (-es; ⸚er) Bau château m; Tür2 serrure f

'**Schlosser** m (-s; -) serrurier m

'**Schloss|park** m parc m du château; '**~ruine** f ruine f du château

Schlot [ʃlo:t] m (-[e]s; -e, ⸚e) cheminée f; **wie ein ~ rauchen** F fumer comme un sapeur

Schlucht [ʃluxt] f (-; -en) ravin m, gorge(s) f (pl)

schluchzen [ʃluxtsən] (h) sangloter

Schluck [ʃluk] m (-[e]s; -e, ⸚e) gorgée f; **ein ~ Wasser** une gorgée d'eau; '**~auf** m (-s; sans pl) hoquet m; '**2en** (h) avaler (a fig); '**~impfung** méd f vaccination f par voie buccale

Schlummer [ʃlumər] m (-s; sans pl) sommeil m; '**2n** (h) sommeiller

schlüpf|en ['ʃlypfən] (sn) se glisser; **in die Kleidung ~** enfiler ses vêtements; **aus dem Ei ~** éclore; '**2er** m (-s; -) slip m; '**~rig** glissant; fig scabreux, grivois

'**Schlupfwinkel** m cachette f

schlürfen ['ʃlyrfən] (h) boire avec bruit

Schluss [ʃlus] m (-es; ⸚e) fin f; Folgerung conclusion f; **am od zum ~** à la fin; **bis zum ~** jusqu'à la fin; **~ machen mit** en finir avec; **mit j-m ~ machen** rompre avec qn; '**~bilanz** f bilan m de clôture

Schlüssel ['ʃlysəl] m (-s; -) clé f (a tech, mus, fig); '**~bein** n clavicule f; '**~blume** bot f primevère f; '**~bund** m od n (-[e]s; -e) trousseau m de clés; '**~industrie** f industrie-clé f; '**~loch** n trou m de la serrure; '**~stellung** f poste-clé m

'**Schlussfolgerung** f conclusion f

schlüssig ['ʃlysiç] concluant; **sich ~ werden** se résoudre (faire qc)

'**Schluss|kurs** m cours m de clôture; '**~licht** n auto etc feu m arrière; fig lanterne f rouge; '**~notierung** f cote f de clôture; '**~phase** f phase f finale; '**~strich** m fig e-n **~ unter etw ziehen** mettre un point final à qc; '**~verkauf** comm m soldes m/pl

schmächtig ['ʃmɛçtiç] fluet, chétif

schmackhaft ['ʃmakhaft] savoureux, délicieux; **j-m etw ~ machen** faire prendre goût de qc à qn

schmal [ʃma:l] étroit; Taille mince

schmälern ['ʃmɛːlərn] (h) j-s Verdienste etc rabaisser

'**Schmal|film** m film m format réduit, super-huit m; '**~spur** f, '**~spurbahn** f voie f étroite

Schmalz [ʃmalts] n (-es; -e) graisse f fondue; Schweine2 saindoux m

Schmarotzer [ʃmaˈrotsər] m (-s; -) parasite m (biol u fig)

schmatzen [ʃmatsən] (h) manger bruyamment

schmecken ['ʃmɛkən] (h) **bitter ~** avoir un goût amer; **gut ~** avoir bon goût; **nach etw ~** avoir un goût de qc, sentir qc; **es schmeckt nach nichts** ça n'a le goût de rien; **es sich ~ lassen** se régaler

Schmeichel|ei [ʃmaiçəˈlai] f (-; -en) flatterie f; '**2haft** flatteur; '**2n** (h) j-m **~** flatter qn (mit etw od qc)

'**Schmeichler** m (-s; -), '**~in** (-; -nen) flatteur m, -euse f

schmeißen [ʃmaisən] (schmiss, geschmissen, h) F flanquer, balancer

schmelzen ['ʃmɛltsən] (schmolz, geschmolzen, v/t h, v/i sn) fondre

Schmerz [ʃmɛrts] m (-es; -en) douleur f; '**2en** (h) causer de la douleur; '**~ensgeld** n jur pretium doloris m; '**2frei** exempt de douleur; '**2haft** douloureux; '**2lich** douloureux; '**2lindernd** calmant; '**2los** sans douleur, indolore; '**~mittel** phm n analgésique m; '**2stillend** sédatif, analgésique

Schmetterling ['ʃmɛtərliŋ] *zo m* (*-s*; *-e*) papillon *m*

Schmied [ʃmiːt] *m* (*-[e]s*; *-e*) forgeron *m*

Schmiede ['ʃmiːdə] *f* (*-*; *-n*) forge *f*; **~eisen** *n* fer *m* forgé; **'2n** (*h*) forger (*a fig*)

schmieg|en ['ʃmiːgən] (*h*) **sich ~ an** se serrer *od* se blottir contre; **~sam** ['ʃmiːkzaːm] souple

Schmier|e ['ʃmiːrə] *f* (*-*; *-n*) graisse *f*, cambouis *m*; *fig* **~ stehen** faire le guet; **'2en** (*h*) *fetten* graisser, lubrifier; *verstreichen* étaler (*auf* sur); *Brote* tartiner; *schreiben* gribouiller; F *j-n ~ bestechen* graisser la patte à qn; **~geld** *n* pot-de-vin *m*; **'2ig** graisseux, gras, sale; *fig Person* visqueux; **~mittel** *n* lubrifiant *m*

Schminke ['ʃmiŋkə] *f* (*-*; *-n*) fard *m*; **'2n** (*h*) (**sich ~ se**) maquiller (*se*) farder; *Schauspieler* (se) farder

schmirgeln ['ʃmirgəln] (*h*) passer *od* polir à l'émeri

Schmöker ['ʃmøːkər] *m* (*-s*; *-*) F bouquin *m*

schmollen ['ʃmɔlən] (*h*) bouder (*mit j-m* qn)

Schmor|braten ['ʃmoːr-] *m* bœuf *m* mode *od* à l'étuvée; **'2en** (*h*) cuire à petit feu, braiser

Schmuck [ʃmuk] *m* (*-[e]s*; *sans pl*) ornement *m*, décoration *f*; *Juwelen* bijoux *m/pl*

schmücken ['ʃmykən] (*h*) orner, parer, décorer (*mit* de)

'schmuck|los sobre, austère; **'2stück** *n* bijou *m* (*a fig*)

Schmuggel ['ʃmugəl] *m* (*-s*; *sans pl*) contrebande *f*; **'2n** (*h*) faire de la contrebande; *etw* **~** passer qc en fraude

'Schmuggler *m* (*-s*; *-*), **~in** *f* (*-*; *-nen*) contrebandier *m*; -ière *f*

schmunzeln ['ʃmuntsəln] (*h*) sourire

Schmutz [ʃmuts] *m* (*-es*; *sans pl*) saleté *f*; **~fleck** *m* tache *f* de saleté; **'2ig** sale; *fig à* sordide; (**sich**) **~ machen** (se) salir

Schnabel ['ʃnaːbəl] *m* (*-s*; *·*) bec *m*

Schnake ['ʃnaːkə] *zo f* (*-*; *-n*) moustique *m*

schnapp|en ['ʃnapən] (*h*) F *erwischen* attraper; **nach etw ~** chercher à happer qc; **nach Luft ~** étouffer; **Luft ~**

prendre l'air; **'2schuss** *m Foto* instanté *m*

Schnaps [ʃnaps] *m* (*-es*; *·e*) eau-de-vie *f*

schnarchen ['ʃnarçən] (*h*) ronfler

schnattern ['ʃnatərn] (*h*) *Gans* criailler; *Ente* cancaner, nasiller; *fig schwatzen* caqueter

schnauben ['ʃnaubən] (*h*) *Pferd* s'ébrouer

schnaufen ['ʃnaufən] (*h*) souffler (bruyamment), haleter

Schnauze ['ʃnautsə] *f* (*-*; *-n*) *Hund, Katze* museau *m*; *aviat* nez *m*; P *Mund* gueule *f* P; P **die ~ halten** fermer sa gueule

Schnecke ['ʃnɛkə] *zo f* (*-*; *-n*) escargot *m*; *Nacktⵑ* limace *f*; **~nhaus** *n* coquille *f* d'escargot; **~npost** *f* poste *f* d'escargot; **~ntempo** *n im ~* comme un escargot *od* comme une tortue

Schnee [ʃneː] *m* (*-s*; *sans pl*) neige *f*; **~ räumen** déblayer la neige; **~ball** *m* boule *f* de neige; **~ballschlacht** *f* bataille *f* de boules de neige; **~decke** *f* couche *f* de neige; **~fall** *m* chute *f* de neige; **~flocke** *f* flocon *m* de neige; **~gestöber** ['-gəʃtøːbər] *n* (*-s*; *sans pl*) tourbillon *m* de neige; **~glöckchen** *bot n* perce-neige *m*; **~grenze** *f* limite *f* des neiges; **~kette** *f auto* chaîne *f* des neiges; **~mann** *m* bonhomme *m* de neige; **~matsch** *m* neige *f* fondante; **~pflug** *m* chasse-neige *m*; **~regen** *m* pluie *f* mêlée de neige; **~schmelze** ['-ʃmɛltsə] *f* (*-*; *-n*) fonte *f* des neiges; **~sturm** *m* tempête *f* de neige; **~verwehung** ['-fɛrveːuŋ] *f* (*-*; *-en*) congère *f*; **'2weiß** blanc comme neige; **~wittchen** [-'vitçən] *n* (*-s*; *sans pl*) Blanche-Neige *f*

Schneidbrenner ['ʃnaid-] *tech m* (*-s*; *-*) tranchant *m*

Schneide ['ʃnaidə] *f* (*-*;*-n*) tranchant *m*

'schneiden (*schnitt, geschnitten, h*) couper; *auto j-n* **~ faire** une queue de poisson à qn; **~d** tranchant; *Worte* incisif; *Kälte* piquant, perçant

'Schneider *m* (*-s*; *-*) tailleur *m*; **~in** *f* (*-*; *-nen*) couturière *f*; **'2n** (*h*) coudre

'Schneidezahn *anat m* incisive *f*

schneien ['ʃnaiən] (*h*) neiger; *es schneit* il neige

schnell [ʃnɛl] rapide; *adv* vite, rapidement

'Schnell|boot mar n vedette f; '**~gast-stätte** f snack m, fast food m; '**~gericht** n snack m; '**~hefter** m (-s; -) chemise f; '**~igkeit** f (-; sans pl) rapidité f, vitesse f; '**~kochtopf** cuis m cocotte f minute; '**~straße** f voie f express; '**~zug** m train m express, rapide m

schnippisch ['∫nipi∫] pimbêche

Schnitt [∫nit] m (-[e]s; -e) coupe f; Wunde coupure f; méd incision f; **im ~** en moyenne; '**~blumen** f/pl fleurs f/pl coupées

'Schnitt|e f (-; -n) tranche f; bestrichene tartine f; '**~fläche** f coupe f; **2ig** de bonne coupe; auto racé; aérodynamique; '**~lauch** bot m ciboulette f; '**~muster** n patron m; '**~punkt** m intersection f; '**~stelle** f EDV interface f; '**~wunde** méd f coupure f

Schnitz|el [∫nitsəl] n (-s; -) Papier2 petit morceau m; cuis escalope f; Wiener ~ escalope f à la viennoise; **2en** (h) sculpter sur bois; '**~er** m (-s; -) sculpteur m sur bois; F Fehler gaffe f; **~erei** [-ə'rai] f (-; -en) sculpture f sur bois

Schnorchel ['∫nɔrçəl] mar m (-s; -) tuba m; schnorchel m; '**2n** (h) nager avec un tuba

Schnörkel ['∫nœrkəl] m (-s; -) fioriture f, arch volute f

schnüff|eln ['∫nyfəln] (h) renifler, flairer (**an etw** qc); fig F fouiner; '**~ler** m (-s; -) F fouineur m

Schnupfen ['∫nupfən] m (-s; -) rhume f (de cerveau); **e-n ~ bekommen** s'enrhumer; '**~tabak** m tabac m à priser

schnuppern ['∫nupərn] (h) renifler, flairer (**an etw** qc)

Schnur [∫nu:r] f (-; ¨e) ficelle f; Kabel fil m

'schnüren (h) lier, ficeler; Schuhe lacer

'schnurgerade tout droit

Schnurrbart ['∫nur-] m moustache f

'schnurren (h) Katze ronronner

Schnür|schuh ['∫ny:r-] m soulier m à lacets; '**~senkel** [-'seŋkəl] m (-s; -) lacet m

schnurstracks ['∫nu:r∫traks] tout droit

Schock [∫ɔk] m (-[e]s; -s) choc m; **unter ~ stehen** être sous l'effet d'un choc; '**2en** (h), **2ieren** (pas de -ge-, h) choquer

Schöffe ['∫œfə] jur m (-n; -n) juré m

Schokolade [∫oko'la:də] f (-; -n) chocolat m; **e-e Tafel ~** une tablette de chocolat

Scholle ['∫ɔlə] f (-; -n) glèbe f, motte f de terre; zo Fisch plie f, carrelet m

schon [∫o:n] déjà; **jetzt** d'ores et déjà; **~ seit** dès; **~ der Gedanke** la seule pensée; **~ gut!** c'est bon!; **er macht das ~** il va le faire, il le fera bien

schön [∫ø:n] beau (bel, belle); adv bien; **~en Dank!** merci bien! od merci beaucoup!; F **ganz ~ teuer** drôlement cher

schonen ['∫o:nən] (h) (**sich ~** se) ménager; '**~d** avec ménagement; **~ umgehen mit** prendre toutes les précautions avec

'Schön|heit f (-; -en) beauté f (a Person); '**~heitsmittel** n produit m de beauté; '**~heitspflege** f soins m/pl de beauté

'Schonung f (-; sans pl) ménagement m; '**2slos** sans ménagement, impitoyable

Schön'wetterperiode f période f de beau temps

'Schonzeit ch f période f où la chasse est fermée

schöpf|en ['∫œpfən] (h) puiser (**aus** à od dans); '**2er** m (-s; -), **2erin** f (-; -nen) créateur m, -trice f; '**~erisch** créateur; '**2löffel** cuis m louche f; '**2ung** f (-; -en) création f

Schornstein ['∫ɔrn-] m cheminée f; '**~feger** m (-s; -) ramoneur m

Schoß [∫o:s] m (-es; ¨e) Mutter2 sein m (a fig)

Schott|e ['∫ɔtə] m (-n; -n), '**~in** f (-; -nen) Écossais m, -e f

Schotter ['∫ɔtər] m (-s; -) pierraille f, galets m/pl; Bahn ballast m

'schott|isch écossais; **2land** n (-s; sans pl) l'Écosse f

schräg [∫rɛ:k] oblique; geneigt incliné, penché; adv en biais; **~ gegenüber** presque en face

Schramme ['∫ramə] f (-; -n) éraflure f

Schrank [∫raŋk] m (-[e]s; ¨e) armoire f; Wand2 placard m

'Schranke f (-; -n) barrière f (a fig); Gericht barre f

Schraube ['∫raubə] f (-; -n) vis f; mar hélice f; '**2n** (h) visser

'Schrauben|mutter f (-; -n) écrou m;

'**schlüssel** m clé f; '**zieher** m (-s; -) tournevis m

Schraubstock ['ʃraup-] m (-/e/s; ⁺e) étau m

Schrebergarten ['ʃreːbər-] m jardin m ouvrier

Schreck m [ʃrɛk] m (-/e/s; -e), **en** m (-s; -) terreur f, effroi m, frayeur f; '**ensherrschaft** f régime m de la terreur; '**ensnachricht** f nouvelle f terrible; '**haft** peureux; '**lich** terrible, effroyable, effrayant

Schrei [ʃrai] m (-/e/s; -) cri m

Schreibarbeit ['ʃraip-] f travail m d'écriture

schreiben ['ʃraibən] **1.** (schrieb, geschrieben, h) écrire; **wie schreibt man das?** comment est-ce que ça s'écrit?; **2.** ⌾ n (-s; -) lettre f

schreib|faul ['ʃraip-] qui n'aime pas écrire; '**⌾fehler** m faute f d'orthographe; '**⌾kraft** f dactylo f; '**⌾maschine** f machine f à écrire; '**⌾material** n fournitures f/pl de bureau; '**⌾tisch** m bureau m; '**⌾tischlampe** f lampe f de bureau; '**⌾ung** f [-buŋ] f (-; -en) orthographe f; '**⌾unterlage** f sous-main f; '**⌾waren** f/pl articles m/pl de papeterie; '**⌾warengeschäft** n papeterie f

schrei|en ['ʃraiən] (schrie, geschrie[e]n, h) crier, brailler; '**end** Farben criard; Unrecht criant, flagrant

Schreiner ['ʃrainər] m (-s; -) menuisier m, ébéniste m

Schrift [ʃrift] f (-; -en) écriture f; Werk écrit m; **die Heilige ~** l'Écriture sainte; '**⌾lich** écrit; adv par écrit; '**sprache** f langue f écrite; '**steller** m (-s; -), '**stellerin** f (-; -nen) auteur m (femme f auteur), écrivain m (femme f écrivain); '**⌾stellerisch** littéraire; '**stück** n écrit m; '**verkehr** m, '**wechsel** m correspondance f

schrill [ʃril] aigu, strident, perçant

Schritt [ʃrit] m (-/e/s; -e) pas m; fig démarche f; **im ~** au pas; '**macher** m (-s; -) méd pace-maker m; Radsport entraîneur m; '**⌾weise** pas à pas

schroff [ʃrɔf] brusque; steil raide

schröpfen ['ʃrœpfən] (h) fig saigner, plumer

Schrot [ʃroːt] m, n (-/e/s; -e) Blei grenaille f de plomb; Mehl farine f complète

Schrott [ʃrɔt] m (-/e/s; -e) ferraille f; '**⌾reif ~er Wagen** voiture f bonne pour la casse

schrubb|en ['ʃrubən] (h) frotter (avec un balai-brosse); '**⌾er** m (-s; -) balai-brosse m

Schrulle ['ʃrulə] f (-; -n) lubie f

schrumpfen ['ʃrumpfən] (sn) rétrécir, se ratatiner

Schub|fach ['ʃuːp-] n tiroir m; '**karre(n** m n) f brouette f; '**kraft** phys f poussée f; '**lade** f (-; -n) tiroir m

schüchtern ['ʃyçtərn] timide; '**⌾heit** f (-; sans pl) timidité f

Schuft [ʃuft] m (-/e/s; -e) canaille f, fripouille f; '**⌾en** (h) F boulonner, travailler d'arrache-pied

Schuh [ʃuː] m (-/e/s; -e) chaussure f, soulier m; fig **j-m etw in die ~e schieben** mettre qc sur le dos de qn; '**bürste** f brosse f à chaussures; '**creme** f cirage m; '**geschäft** n magasin m de chaussures; '**löffel** m chausse-pied m; '**macher** m (-s; -) cordonnier m; '**putzer** m (-s; -) cireur m; '**sohle** f semelle f

Schul|abschluss ['ʃuːl-] m diplôme m de l'enseignement secondaire; '**abgänger** f [-apɡɛŋər] m (-s; -) élève m, f ayant terminé sa scolarité; '**amt** n administration f scolaire; '**anfang** m nach den Ferien rentrée f des classes; '**arbeit** f travail m scolaire; Hausaufgabe devoir m; '**besuch** m fréquentation f scolaire, scolarisation f; Schulzeit scolarité f; '**bildung** f éducation f od formation f scolaire; '**buch** n livre m de classe, manuel m scolaire; '**bus** m car m de ramassage scolaire

Schuld [ʃult] f (-; -en) Geld⌾ dette f; Fehler faute f; jur culpabilité f; **es ist deine ~ od du bist ⌾ daran** c'est (de) ta faute; **ich habe keine ~** je n'y suis pour rien; **j-m die ~ (an etw) geben** rejeter la faute (de qc) sur qn; '**en haben** avoir des dettes

schulden ['ʃuldən] (h) **j-m etw ~** devoir qc à qn; '**⌾berg** m dette f démesurée; '**frei** quitte de dettes

'**Schuldienst** m enseignement m

'**schuldig** bes jur coupable; bes comm **j-m etw ~ sein** devoir qc à qn, être redevable de qc à qn; ⌾**e** ['-igə] m, f(-n;

-n) coupable m, f; '**2keit** f (-; sans pl) devoir m

'**schuld**|**los** non coupable, innocent; '**2ner** ['-nər] m (-s; -), '**2nerin** f (-; -nen) débiteur m, -trice f; '**2schein** m reconnaissance f de dette; titre m de créance

Schule ['ʃuːlə] f (-; -n) école f; **in der ~** à l'école, en classe; **in die ~ gehen** aller à l'école

'**schulen** (h) former, entraîner, éduquer

'**Schulenglisch** n (-en; sans pl) anglais m scolaire

Schüler ['ʃyːlər] m (-s; -), '**-in** f (-; -nen) élève m, f, écolier m, -ière f; '**-aus-tausch** m échange m d'élèves

'**Schul**|**ferien** pl vacances f/pl scolaires; '**-französisch** n (-en; sans pl) français m scolaire; '**2frei ~ haben** avoir congé; '**-funk** m radio f scolaire; '**-gebäude** n bâtiment m scolaire; '**-heft** n cahier m; '**-hof** m cour f de l'école; überdacht préau m; '**-jahr** n année f scolaire; '**-kamerad**(**in** f) m camarade m, f d'école; F copain m (copine f) de classe; '**-leiter**(**in** f) m directeur m, -trice f d'école; Gymnasium proviseur m; Mittelstufe principal m; '**-pflicht** f (-; sans pl) scolarité f obligatoire; '**2pflichtig** scolarisable, en âge d'aller à l'école; '**-reform** f réforme f scolaire; '**-schiff** mar n navire-école m; '**-schluss** m (-es; sans pl) sortie f des classes; '**-stunde** f cours m, leçon f, heure f de classe; '**-system** n système m d'enseignement; '**-tasche** f serviette f, cartable m

Schulter ['ʃultər] f (-; -n) épaule f; '**-blatt** n omoplate f; '**2frei** Kleid décolleté

Schulung ['ʃuːluŋ] f (-; -en) formation f, entraînement m, éducation f

'**Schul**|**wesen** n (-s; sans pl) enseignement m; '**-zeit** f scolarité f; '**-zeugnis** n bulletin m scolaire

Schund [ʃunt] m (-[e]s; sans pl) péj pacotille f, camelote f, cochonnerie f

Schuppe ['ʃupə] f (-; -n) zo, bot écaille f; **-n** pl im Haar pellicules f/pl

Schuppen m (-s; -) remise f, hangar m

schüren ['ʃyːrən] (h) attiser (a fig)

Schürfwunde ['ʃyrf-] méd f éraflure f

Schurke ['ʃurkə] m (-n; -n) canaille f, coquin m

Schurwolle ['ʃuːr-] comm reine ~ pure laine f vierge

Schürze ['ʃyrtsə] f (-; -n) tablier m

Schuss [ʃus] m (-es; ¨e) coup m de feu; Fußball tir m, shoot m; Flüssigkeit coup m, doigt m; F **in ~ sein** être en ordre

Schüssel ['ʃysəl] f (-; -n) Salat2 sala-dier m; Suppen2 soupière f; große bassine f; flache plat m

'**Schuss**|**waffe** f arme f à feu; '**-wunde** f blessure f par balle

Schuster ['ʃuːstər] m (-s; -) cordonnier m

Schutt [ʃut] m (-[e]s; sans pl) décombres m/pl, gravats m/pl

schütteln ['ʃytəln] (h) (**sich ~** se) se-couer; Hand serrer; Kopf a hocher

schütten ['ʃytən] (h) verser; **es schüttet** il pleut à torrents

Schutz [ʃuts] m (-es; sans pl) protection f (**vor, gegen** contre); **j-n in ~ nehmen** prendre la défense de qn; '**-blech** n garde-boue m; '**-brief** m sauf-conduit m; '**-dach** n auvent m, abri m

Schütze ['ʃytsə] m (-n; -n) tireur m; astr Sagittaire m; Tor2 marqueur m

'**schützen** (h) (**sich ~** se) protéger (**gegen, vor** contre od de), (s')abriter (de), (se) préserver (de), garantir (de)

'**Schutz**|**gebiet** n pol protectorat m; Landschafts2 site m protégé; '**-imp-fung** méd f vaccination f préventive

'**Schützling** m (-s; -e) protégé m, -e f

'**schutz**|**los** sans protection, sans dé-fense; '**2maßnahme** f mesure f de protection; '**2patron** ['-patroːn] m (-s; -e), '**2patronin** f (-; -nen) patron m, -onne f; '**2umschlag** m Buch jaquette f

Schwabe ['ʃvaːbə] m (-n; -n), **Schwä-bin** ['ʃvɛːbin] f (-; -nen) Souabe m, f

schwäbisch ['ʃvɛːbiʃ] souabe

schwach [ʃvax] faible; leistungsmäßig médiocre; Tee léger; Gedächtnis mau-vais; **schwächer werden** s'affaiblir

Schwäche ['ʃvɛçə] f (-; -n) faiblesse f; **e-e ~ haben für** avoir un faible pour; '**2n** (h) affaiblir

'**Schwach**|**sinn** m (-[e]s; sans pl) im-bécillité f, débilité f; '**2sinnig** imbécile, débile; '**-strom** m (-[e]s; sans pl) courant m à basse tension

Schwächung ['ʃvɛçuŋ] f (-; -en) affaiblissement m

Schwager ['ʃvaːgər] m (-s; ⸚) beau--frère m

Schwägerin ['ʃvɛːgərin] f (-; -nen) belle-sœur f

Schwalbe ['ʃvalbə] zo f (-; -n) hirondelle f

Schwamm [ʃvam] m (-[e]s; ⸚e) éponge f; **2ig** spongieux; Person bouffi; fig vague

Schwan [ʃvaːn] zo m (-[e]s; ⸚e) cygne m

schwanger ['ʃvaŋər] enceinte

'Schwangerschaft f (-; -en) grossesse f; **'.sabbruch** méd m interruption f (volontaire) de grossesse (abr I.V.G.)

schwank|en ['ʃvaŋkən] (h u sn) chanceler; Person a tituber; fig varier; **'2ung** f (-; -en) fig variation f

Schwanz [ʃvants] m (-es; ⸚e) queue f

schwänzen ['ʃvɛntsən] (h) **die Schule** ~ faire l'école buissonnière; **e-e Stunde** ~ sécher un cours

Schwarm [ʃvarm] m (-[e]s; ⸚e) Insekten essaim m; Vögel volée f; Fische banc m; Menschen bande f, troupe f; fig Idol idole f; **du bist ihr ~** f elle a le béguin pour toi

schwärm|en ['ʃvɛrmən] (h) Bienen essaimer; **~ für** s'enthousiasmer pour, raffoler de, s'engouer pour, être entiché de; **'.erisch** exalté, enthousiaste

Schwarte ['ʃvartə] f (-; -n) Speck2 couenne f

schwarz [ʃvarts] noir; **~ auf weiß** noir sur blanc; **.er Markt** marché m noir; **.e Zahlen** solde m positif; **~ tauschen** changer au noir; **2arbeit** f travail m (au) noir; **2arbeiter(in** f) m travailleur m, -euse f non déclaré(e); **2brot** m pain m bis od noir

Schwärze ['ʃvɛrtsə] f (-; sans pl) noirceur f; **2n** noircir

'Schwarze m, f (-n; -n) Noir m, -e f

'schwarz|fahren (irr, sép, -ge-, sn, → **fahren**) voyager sans ticket; resquiller F; **'2fahrer** m resquilleur m F; **'2handel** m marché m noir; **'2händler** m trafiquant m du marché noir; **'2markt** m marché m noir; **'2marktpreise** m/pl prix m/pl du marché noir

schwärzlich ['ʃvɛrtslɪç] noirâtre

Schwarz|seher ['-zeːər] m (-s; -) pessimiste m; TV téléspectateur m clandestin; **'.wald** m (-[e]s; sans pl) Forêt-

Noire f; **'.weißfilm** m film m en noir et blanc

schwatzen ['ʃvatsən] (h), **'schwätzen** ['ʃvɛtsən] (h) bavarder

Schwätzer ['ʃvɛtsər] m (-s; -), **'.in** f (-; -nen) bavard m, -e f

'schwatzhaft bavard

Schwebe ['ʃveːbə] f (-; sans pl) **in der** ~ fig en suspens; **'.bahn** f Seil2 téléférique m; **'2n** (h) planer

Schwed|e ['ʃveːdə] m (-n; -n), **'.in** f (-; -nen) Suédois m, -e f; **'.en** n (-; sans pl) la Suède; **'2isch** suédois

Schwefel ['ʃveːfəl] m (-s; sans pl) soufre m; **'.säure** f acide m sulfurique

schweigen ['ʃvaɪgən] **1.** (schwieg, geschwiegen, h) se taire; **ganz zu ~ von** sans parler de; **2.** **2** n (-s; sans pl) silence m; **'.d** silencieux

schweigsam ['ʃvaɪkzaːm] taciturne, silencieux

Schwein [ʃvaɪn] n (-[e]s; -e) cochon m, porc m (beide a péj); fig F **~ haben** avoir de la veine od du pot F

'Schweine|braten m rôti m de porc; **'.fleisch** n (viande f de) porc m; **'.rei** [-ə'raɪ] f (-; -en) cochonnerie f; **'.stall** m porcherie f

'Schweinsleder n peau f od cuir m de porc

Schweiß [ʃvaɪs] m (-es; -e) sueur f, transpiration f; **2en** (h) tech souder; **'.er** tech m (-s; -) soudeur m

Schweiz [ʃvaɪts] f (-; sans pl) **die ~** la Suisse

'Schweizer 1. m (-s; -), **'.in** f (-; -nen) Suisse m, f; **2.** adj suisse; **~ Käse** gruyère m; **2isch** suisse

schwelen ['ʃveːlən] (h) couver (a fig)

Schwell|e ['ʃvɛlə] f (-; -n) Tür seuil m (a fig); Bahn traverse f; **2en** (v/t h; v/i schwoll, geschwollen, sn) enfler; **'.enland** pays m du seuil; **'.ung** méd f (-; -en) enflure f

Schwemme ['ʃvɛmə] écon f (-; -n) abondance f

schwenken ['ʃvɛŋkən] (h) Arme etc agiter; Kamera tourner; cuis faire sauter; spülen rincer

schwer [ʃveːr] im Gewicht lourd; schwierig difficile; Krankheit grave; **es ~ haben** avoir bien du mal (mit avec); **50 Kilo ~ sein** peser 50 kilos; **~ arbeiten** travailler dur; **j-m ~ fallen** être

S

difficile pour qn; *es fällt mir ~ zu* (+ *inf*) j'ai du mal à (+ *inf*); *sich ~ tun* avoir des difficultés (*mit* avec); *~ behindert* gravement handicapé; *~ krank* gravement malade; *~ verdaulich* indigeste, lourd; *~ verletzt* grièvement blessé; *~ verständlich* difficile à comprendre; *~ wiegend* ['-vi:gənt] grave, très sérieux; '**2e** f (-; *sans pl*) *phys* pesanteur f; *fig* gravité f, poids m; '**2elosigkeit** f (-; *sans pl*) apesanteur f; '**-fällig** ['-fɛliç] lourd; '**-hörig** ['-hø:riç] sourd; '**2industrie** f industrie f lourde; '**2kraft** *phys* f (-; *sans pl*) gravité f; '**-lich** avec peine, difficilement, ne ... guère; '**2metall** n métal m lourd; '**2mut** f (-; *sans pl*) mélancolie f; '**-mütig** ['-my:tiç] mélancolique; '**2punkt** *phys* centre m de gravité; *fig* centre m; **2verbrecher** m grand criminel

Schwester ['∫vɛstər] f (-; -n) sœur f; *Kranken2* infirmière; *Ordens2* a religieuse f

Schwieger|eltern ['∫vi:gər-] *pl* beaux--parents *m/pl*; '**-mutter** f belle-mère f; '**-sohn** m gendre m, beau-fils m; '**-tochter** f belle-fille f; '**-vater** m beau--père m

schwierig ['∫vi:riç] difficile; '**2keit** f (-; -en) difficulté f

Schwimm|bad ['∫vim-] n piscine f; '**-becken** n bassin m; '**2en** (*schwamm, geschwommen, sn*) nager; *im Wasser treiben* flotter; '**-en** n (-s; *sans pl*) natation f; '**-er** m (-s; -), '**-erin** f (-; -nen) nageur m, -euse f; '**-sport** m natation f; '**-weste** f gilet m de sauvetage

Schwindel ['∫vindəl] m (-s; *sans pl*) *méd* vertige m; *Betrug* escroquerie f; *Täuschung* bidon m F; *Lüge* mensonge m; F *der ganze ~* tout le bataclan F; '**-erregend** vertigineux

schwindeln ['∫vindəln] (h) *lügen* mentir, dire des mensonges; *mir schwindelt* j'ai le vertige

schwinden ['∫vindən] (*schwand, geschwunden, sn*) diminuer; *Kräfte* a décliner

'**Schwindl|er** m (-s; -), '**-erin** f (-; -nen) *Lügner* menteur m, -euse f; *Betrüger* escroc m; '**2ig mir ist ~** j'ai le vertige

schwing|en ['∫viŋən] (*v/t und v/i*) (*schwang, geschwungen, h*) *hin u her* balancer; *drohend* brandir; *pendeln* se balancer; *phys* osciller; *vibrieren* vibrer; '**2ung** *phys* f (-; -en) oscillation f, vibration f

schwitzen ['∫vitsən] (h) suer, transpirer

schwören ['∫vø:rən] (*schwor, geschworen, h*) jurer (*bei* par)

schwul F ['∫vu:l] homosexuel, F pédé

schwül ['∫vy:l] lourd, étouffant; '**2e** f (-; *sans pl*) chaleur f étouffante

Schwund [∫vunt] m (-[e]s; *sans pl*) perte f, diminution f

Schwung [∫vuŋ] m (-[e]s; ⁴e) élan m; *fig* a entrain m, dynamisme m, verve f; *in ~ kommen* se mettre en train; '**2haft** *comm* florissant; '**2voll** plein d'entrain; *Musik* entraînant

Schwur [∫vu:r] m (-[e]s; ⁴e) serment m; '**-gericht** *jur* n cour f d'assises

Science-fiction ['saiənsfik∫ən] f (-; -s) science-fiction f

sechs [zɛks] six; '**2eck** n (-[e]s; -e) hexagone m; '**-eckig** hexagonal; '**2erpack** m (-s; -s) emballage m à six unités; '**-fach** ['-fax] sextuple; '**-hundert** six cents; '**-mal** six fois; **2'tagerennen** n six jours *m/pl*

sechste ['zɛkstə] sixième; '**2l** n sixième m; '**-ns** sixièmement

sechzehn ['zɛç-] seize; '**-te** seizième

sechzig ['zɛçtsiç] soixante; *etwa ~* une soixantaine; '**2er** ['zɛçtsigər] m (-s; -), '**2erin** f (-; -nen) sexagénaire m, f; '**-ste** soixantième

See[1] [ze:] m (-s; -en) lac m

See[2] f (-; *sans pl*) mer f; *auf ~* en mer; *auf hoher ~* en haute *od* pleine mer, au large; *an der ~* au bord de la mer; *in ~ stechen* prendre la mer; *zur ~ gehen* se faire marin; *zur ~ fahren* naviguer

'**See|bad** n station f balnéaire; '**-blick** m vue f sur la mer; '**-gang** m houle f; *hoher ~* grosse mer f; '**-hafen** m port m de mer; '**-handel** m commerce m maritime; '**-hund** *zo* m phoque m; '**-igel** *zo* m oursin m; '**-karte** f carte f marine; '**2krank ~ sein** avoir le mal de mer; '**-krankheit** *méd* f (-; *sans pl*) mal m de mer, nausée f

Seele ['ze:lə] f (-; -n) âme f (*a fig*)

seelisch ['ze:li∫] psychique

'**Seelsorge** f (-; sans pl) charge f d'âmes; '**.r** m (-s; -) père m spirituel; pasteur m

'**See**|**luft** f (-; sans pl) air m marin; '**.macht** f puissance f maritime; '**.mann** m (-[e]s; -leute) marin m; '**.meile** f mille m marin; '**.not** f (-; sans pl) **in ~** en détresse; '**.räuber** m pirate m, corsaire m; '**.recht** n droit m maritime; '**.reise** f voyage m par mer; '**.rose** bot f nénuphar m; '**.schlacht** f bataille f navale; '**.stern** zo m étoile f de mer; '**.streitkräfte** f/pl forces f/pl navales; '**2tüchtig** Schiff en état de naviguer; '**.weg** m voie f maritime; **auf dem ~** par mer; '**.zunge** zo f sole f

Segel ['ze:gəl] n (-s; -) voile f; '**.boot** n bateau m à voiles; '**.flieger(in** f) m vélivole m, f; '**.flug** m vol m à voile; '**.flugzeug** n planeur m; '**2n** v/i (ge-) faire voile (**nach** pour); Sport faire de la voile; '**.schiff** n voilier m, bateau m à voiles

Segen ['ze:gən] m (-s; -) bénédiction f

Segler ['ze:glər] m (-s; -) Sport2 plaisancier m; Schiff voilier m

segnen ['ze:gnən] (h) bénir

sehen ['ze:ən] (sah, gesehen, h) voir; **auf etw ~** regarder qc; **nach etw ~** avoir soin de qc; **sich ~ lassen** se montrer; **siehe Seite 10** voir page 10

'**sehens**|**wert** qui vaut la peine d'être vu, digne d'être vu; '**2würdigkeit** f (-; -en) curiosité f

'**Sehkraft** f vue f

Sehne ['ze:nə] f (-; -n) tendon m

'**sehnen** (h) **sich ~ nach** s'ennuyer de, regretter, aspirer à

'**Sehnerv** m nerf m optique

'**sehnig** nerveux; Fleisch a filandreux

'**Sehn**|**sucht** f (-; ¨e) désir m ardent, nostalgie f (**nach** de); '**2süchtig** nostalgique; adv avec impatience

sehr [ze:r] très, bien, fort; vor Verben beaucoup, bien

'**Seh**|**störungen** méd f/pl troubles m/pl visuels; '**.test** m test m visuel

seicht [zaiçt] Wasser peu profond; fig superficiel, plat, fade

Seide ['zaidə] f (-; -n) soie f

seidig ['zaidiç] soyeux

Seife ['zaifə] f (-; -n) savon m

'**Seifen**|**blase** f bulle f de savon; '**.lauge** f eau f savonneuse

Seil [zail] n (-[e]s; -e) corde f; '**.bahn** f téléférique m; Stand2 funiculaire m; '**.schaft** f (-; -en) cordée f; '**.tänzer** (**-in** f) m funambule m, f; danseur m, -euse f de corde

sein[1] [zain] **1.** (war, gewesen, sn) être; **es ist kalt** il fait froid; **er ist zwanzig Jahre alt** il a vingt ans; F **etw ~ lassen** ne pas faire qc, s'abstenir de faire qc; **2. 2** n (-s; sans pl) phil être m; Dasein existence f

sein[2] Possessivpronomen son, sa, pl ses; **.er, .e, .es; der, die, das .e** od **.ige** le sien, la sienne

seiner|**seits** ['zainərzaits] de sa part, de son côté; '**.zeit** alors, à l'époque

'**seinesgleichen** mon pareil; **j-n wie ~ behandeln** traiter qn d'égal à égal

'**seinetwegen** à cause de lui, pour lui

seit [zait] **1.** prép (dat) depuis; **schon ~** dès; **~ drei Jahren** depuis trois ans; **~ langem** depuis longtemps; **2.** conj depuis que (+ ind); '**.dem 1.** adv depuis (ce temps-là), depuis od dès lors; **2.** conj depuis que (+ ind)

Seite ['zaitə] f (-; -n) côté m; Schrift2 page f; **auf j-s ~ treten** se ranger du côté de qn; **auf der linken ~** du côté gauche; fig **auf der anderen ~** d'un autre côté

'**Seiten**|**hieb** m fig coup m de griffe; '**2s** prép (gén) de la part de; '**.sprung** m fig écart m de conduite, escapade f; '**.stechen** méd n (-s; sans pl) point m de côté; '**.straße** f rue f latérale; '**.streifen** m accotement m

'**seit**|**lich** latéral; '**.wärts** ['-verts] de côté

Sekret|**är** [zekre'tɛːr] m (-s; -e), **.ärin** f (-; -nen) secrétaire m, f; '**.ariat** [-tari'aːt] n (-[e]s; -e) secrétariat m

Sekt [zɛkt] m (-[e]s; -e) (vin m) mousseux m

'**Sekte** rel f (-; -n) secte f

Sektion [zɛk'tsjoːn] f (-; -en) Abteilung section f; e-r Leiche dissection f

Sektor ['zɛktɔr] m (-s; -toren) secteur m

Sekunde [ze'kundə] f (-; -n) seconde f; '**.nzeiger** m trotteuse f

selber ['zɛlbər] → **selbst**

selbst [zɛlpst] même; **ich** (du, er etc) **~** moi-même (toi-même, lui-même etc); **sie hat es ~ gesagt** elle l'a dit elle-même; **sie ist die Güte ~** elle est la bonté *même*; **~** *seine Freunde* même ses amis, ses amis même(s); *es läuft von ~* ça marche tout seul; **~** *wenn* même si

'Selbst|auslöser *Foto m* déclencheur *m* automatique; '**~bedienung** *f* (-; *sans pl*) libre-service *m*; '**~bedienungsrestaurant** *n* (restaurant) self-service *m*; '**~befriedigung** *f* masturbation *f*; '**~beherrschung** *f* maîtrise *f* de soi; '**~bestimmungsrecht** *n* droit *m* à l'auto-détermination; **2bewusst** sûr de soi; '**~bewusstsein** *n* confiance *f* en soi; '**~erhaltungstrieb** *m* instinct *m* de conservation; '**~erkenntnis** *f* connaissance *f* de soi-même; **2gefällig** infatué de soi-même; '**~gespräch** *n* monologue *m*; '**~kosten** *pl*, '**~kostenpreis** *m* prix *m* coûtant, prix *m* de revient; '**~kritik** *f* autocritique *f*; '**~mord** *m* suicide *m*; '**~mörder(in** *f*) *m* suicidé *m*, -e *f*; **2sicher** sûr de soi; '**~sicherheit** *f* aplomb *m*; '**~versorger** (-; -) *m* réservataire *m*; '**~versorgung** *f* autosubsistance *f*; **2verständlich** évident, naturel; *adv* bien entendu; *das ist ~* cela va de soi, cela va sans dire; '**~vertrauen** *n* confiance *f* en soi; '**~verwaltung** *f* administration *f* autonome; '**~verwirklichung** *f* épanouissement *m* personnel; **2zufrieden** satisfait de soi; '**~zweck** *m* fin *f* en soi

selbstständig ['zɛlpʃtɛndiç] indépendant; **2keit** *f* (-; *sans pl*) indépendance *f*

selig ['zeːliç] heureux; *égl* bienheureux; *verstorben* défunt

Sellerie ['zɛləri:] *bot m* (-s; -[s]) *od f* (-; -rien) céleri *m*

selten ['zɛltən] rare; *adv* rarement; **2heit** *f* (-; -en) rareté *f*

Selters(wasser) ['zɛltɐs-] *n* eau *f* de Seltz

seltsam ['zɛltzaːm] étrange, curieux, bizarre; **2keit** *f* étrangeté *f*

Semester [ze'mɛstɐ] *n* (-s; -) semestre *m*; **~ferien** *pl* vacances *f/pl* semestrielles

Seminar [zemi'naːr] *n* (-s; -e, -ien) séminaire *m*; *Universität* institut *m*, département *m*

Semmel ['zɛməl] *f* (-; -n) petit pain *m*

Senat [ze'naːt] *m* (-[e]s; -e) sénat *m*; **~or** [-tɔr] *m* (-s; -ren) sénateur *m*

'**Sendegebiet** *n* zone *f* d'émission

sende|n ['zɛndən] (h) envoyer (*mit der Post* par la poste); *über Funk* émettre, diffuser; **2r** *m* (-s; -) émetteur *m*, station *f*

'**Sende|reihe** *f* feuilleton *m*, série *f*; '**~schluss** *m* fin *f* des émissions

'**Sendung** *f* (-; -en) envoi *m*; *fig* mission *f*; *Radio, TV* émission *f*

Senf [zɛnf] *m* (-[e]s; -e) moutarde *f*

senil [ze'niːl] sénile; **2ität** [-ili'tɛːt] *f* (-; *sans pl*) sénilité *f*

senior ['zeːniɔr] **1.** *adj Herr L.* **~** monsieur L. père; **2.** **2en** [zeni'oːrən] *pl alte Leute* le troisième âge; **2enheim** *n* maison *f* du troisième âge, maison *f* de retraite; **2enpass** *m* carte *f* de réduction pour personnes âgées

senk|en ['zɛŋkən] (h) (a)baisser; *sich ~* s'abaisser; *Boden* s'affaisser; **2recht** vertical, perpendiculaire (*zu, auf* à); '**2ung** *f* (-; -en) abaissement *m*; *Preis* réduction *f*, baisse *f*; *Boden* affaissement *m*

Sensation [zɛnza'tsjoːn] *f* (-; -en) sensation *f*; **2ell** [-ɔ'nɛl] sensationnel

Sense ['zɛnzə] *f* (-; -n) faux *f*

sensib|el [zɛn'ziːbəl] sensible; **2ilität** [-ibili'tɛːt] *f* (-; *sans pl*) sensibilité *f*

sentimental [zɛntimɛn'taːl] sentimental; **2ität** [-ali'tɛːt] *f* (-; -en) sentimentalité *f*

Separatismus [zepara'tismus] *m* (-; *sans pl*) séparatisme *m*

September [zɛp'tɛmbɐr] *m* (-[s]; -) septembre *m*

Serie ['zeːrjə] *f* (-; -n) série *f*; *TV* feuilleton *m*; '**~nanfertigung** *f* fabrication *f* en série; **2nmäßig** en série; '**~nnummer** *f* numéro *m* de série; '**~nproduktion** *f* production *f* en série; **2nreif** prêt à être fabriqué en série; '**~nreife** *f* stade *m* industriel

seriös [ze'rjøːs] sérieux

Serpentine [zɛrpɛn'tiːnə] *f* (-; -n) lacet *m*

Service 1. ['zœrvis] *m, n* (-; -s); **2.** [zɛr'vis] *n* (-s; -) service *m*

servier|en [zɛr'viːrən] (*pas de -ge-*, h) servir (à table); **2erin** *f* (-; -nen) serveuse *f*

Serviette [zɛr'vjɛtə] *f* (-; -n) serviette *f*

Servolenkung ['zɛrvo-] *auto f* direction *f* assistée

Servus! ['zɛrvus] F salut!

Sessel ['zɛsəl] *m* (-*s*; -) fauteuil *m*; '**~lift** *m* télésiège *m*

sesshaft ['zɛshaft] sédentaire

setzen ['zɛtsən] (*h*) mettre; *e-n Platz anweisen* placer; *Baum etc* planter; *wetten* miser (*auf* sur); *Text* composer; *sich ~* s'asseoir; *Vogel* se percher; *Niederschlag* se déposer; *Erdreich* se tasser; *über etw ~* sauter qc; *über e-n Fluss ~* traverser *od* passer une rivière

Setzer *m* (-*s*, -), '**~in** *f* (-; -*nen*) typographe *m, f*

Seuche ['zɔʏçə] *f* (-; -*n*) épidémie *f*

seufzen ['zɔʏftsən] (*h*) soupirer

Sex [zɛks] *m* (-[*e*]*s*; *sans pl*) sexe *m*

Sexualität [zɛksualiˈtɛːt] *f* (-; *sans pl*) sexualité *f*; **~leben** [zɛksuˈaːl-] *n* vie *f* sexuelle; **~verbrechen** [zɛksuˈaːl-] *n* crime *m* sadique

sexuell [zɛksuˈɛl] sexuel; '**~y** [zɛksi] sexy

sich [ziç] se (*vor Vokal* s'); *nach prép allg* soi, *personenbezogen* lui, elle, *pl* eux, elles; *jeder für ~* chacun pour soi; *er denkt nur an ~* il ne pense qu'à lui

Sichel [ˈzɪçəl] *f* (-; -*n*) faucille *f*; *Mond*♫ croissant *m*

sicher [ˈzɪçər] **1.** *adj* sûr; *gewiss a* certain; *geschützt a* à l'abri (*vor* de); *ich bin ..., dass ...* je suis sûr que ...; *seiner Sache ~ sein* être sûr de son fait; **2.** *adv* sûrement, certainement, assurément, bien sûr, sans doute

'**Sicherheit** *f* (-; -*en*) sûreté *f*; *Gewissheit a* certitude *f*; *Gefahrlosigkeit a* sécurité *f*; *Selbst*♫ assurance *f*; *comm* garantie *f*, caution *f*; *mit ~* à coup sûr, avec certitude; *in ~ bringen* mettre en sûreté *od* en sécurité *od* à l'abri *od* en lieu sûr

'**Sicherheits**|**gurt** *aviat, auto m* ceinture *f* de sécurité; '**~kopie** *f* copie *f* de sécurité; '**~leistung** *f* garantie *f*, caution *f*; '**~nadel** *f* épingle *f* de sûreté *od* de nourrice; '**~rat** *pol m* (-[*e*]*s*; *sans pl*) Conseil *m* de Sécurité

sicher|**n** [ˈzɪçərn] (*h*) assurer; (*sich*) *vor od gegen etw ~* (se) garantir *od* (se) protéger de *od* contre qc; '**~ung** *f* (-; -*en*) *electr* fusible *m*, plomb *m*; *an Waffe etc* sûreté *f*; *~ der Arbeitsplätze* sauvegarde *f* des emplois;

'**~ungsdiskette** *f* disquette *f* de sauvegarde

Sicht [zɪçt] *f* (-; *sans pl*) vue *f*; *Sichtweite* visibilité *f*; *in ~* en vue; *auf lange ~* à long terme; '**~bar** visible; '**~weite** *f in (außer) ~* en (hors de) vue

sickern [ˈzɪkərn] (*sn*) suinter, filtrer

sie [ziː] **1.** *f/sg allg:* *Akkusativ beim Verb* la, l'; **2.** *pl* ils, elles; *Akkusativ beim Verb* les; *betont u nach prép* eux, elles; **3.** ♫ *Anrede* vous

Sieb [ziːp] *n* (-[*e*]*s*; -*e*) crible *m*; *cuis* passoire *f*

sieben[1] [ˈziːbən] (*h*) passer (au crible), filtrer (*a fig*)

'**sieben**[2] sept; '**~hundert** sept cents

sieb(en)te [ˈziːbəntə, ˈziːptə] septième

sieb|**zehn** [ˈziːp-] dix-sept; '**~zehnte** dix-septième; '**~zig** [ˈziːptsɪç] soixante-dix; '**~zigste** soixante-dixième

sieden [ˈziːdən] *v/t* (*h*) *u v/i* ([*sott, gesotten*], *h*) bouillir

Siedler [ˈziːdlər] *m* (-*s*; -) colon *m*

'**Siedlung** *f* (-; -*en*) agglomération *f*; cité *f*

Sieg [ziːk] *m* (-[*e*]*s*; -*e*) victoire *f*

Siegel [ˈziːgəl] *n* (-*s*; -) sceau *m*, cachet *m*

sieg|**en** [ˈziːgən] (*h*) vaincre (*über j-n* qn), l'emporter (*über* sur); *Sport a* gagner; '**~er** *m* (-*s*; -), '**~erin** *f* (-; -*nen*) vainqueur *m*, gagnant *m*, -*e f*; '**~reich** victorieux

siezen [ˈziːtsən] (*h*) vouvoyer

Signal [zɪˈgnaːl] *n* (-*s*; -*e*) signal *m*; **~isieren** [-aliˈziːrən] (*pas de -ge-*, *h*) signaler

signieren [zɪˈgniːrən] signer

Silbe [ˈzɪlbə] *f* (-; -*n*) syllabe *f*

Silber [ˈzɪlbər] *n* (-*s*; *sans pl*) argent *m*; '**~n** d'argent

Silhouette [zɪluˈɛtə] *f* (-; -*n*) silhouette *f*

Silo [ˈziːlo] *m, n* (-*s*; -*s*) silo *m*

Silvester [zɪlˈvɛstər] *n* (-*s*; -) la Saint-Sylvestre

Sims [zɪms] *m, n* (-*es*; -*e*) *arch* corniche *f*, *Fenster*♫ rebord *m*

Simul|**ant** [zimuˈlant] *m* (-*en*; -*en*) simulateur *m*; '**~ieren** (*pas de -ge-*, *h*) simuler

simultan [zimulˈtaːn] simultané; **~dolmetscher** *m* interprète *m* simultané

Sinfonie [zɪnfoˈniː] *f* (-; -*n*) symphonie *f*

singen ['ziŋən] (*sang, gesungen, h*) chanter; *falsch* ~ chanter faux

Singular ['ziŋgulaːr] *gr m* (*-s; -e*) singulier *m*

sinken ['ziŋkən] (*sank, gesunken, sn*) *Schiff* couler; *Preise etc* baisser

Sinn [zin] *m* (*-[e]s; -e*) sens *m* (*für etw* de qc); *im* ~ *haben* avoir en tête; *es hat keinen* ~ c'est absurde, ça ne rime à rien

Sinnes|täuschung *f* hallucination *f*; '~**wahrnehmung** *f* perception *f* sensorielle; '~**wandel** *m* changement *m* d'avis

'**sinn|lich** sensuel; **2lichkeit** *f* (*-; sans pl*) sensualité *f*; '~**los** insensé, absurde; **2losigkeit** *f* (*-; -en*) absurdité *f*; '~**voll** sensé, judicieux

Sintflut ['zintfluːt] *f* (*-; sans pl*) déluge *m*

Sirene [zi'reːnə] *f* (*-; -n*) sirène *f*

Sitte ['zitə] *f* (*-; -n*) coutume *f*; ~*n pl* mœurs *f/pl*; **2nwidrig** contraire aux bonnes mœurs

'**sittlich** moral; **2keit** *f* (*-; sans pl*) moralité *f*; **2keitsverbrechen** *n* attentat *m* aux mœurs *od* à la pudeur

Situation [zitua'tsjoːn] *f* (*-; -en*) situation *f*

Sitz [zits] *m* (*-es; -e*) siège *m*

'**sitzen** (*saß, gesessen, h*) être assis; *Vogel* être perché; *von Kleidern* aller bien; *F im Gefängnis* faire de la prison; ~ *bleiben* rester assis; *Schule* redoubler (une classe); *comm* ~ *auf* ne pas parvenir à vendre; ~ *lassen Frau* laisser tomber; plaquer F; *Wartenden* F poser un lapin à; *etw nicht auf sich* ~ *lassen* ne pas avaler *od* encaisser qc

'**Sitz|gelegenheit** *f* place *f*, siège *m*; '~**ordnung** *f* disposition *f* des places; '~**platz** *m* place *f* assise

'**Sitzung** *f* (*-; -en*) séance *f*, réunion *f*; '~**speriode** *f* session *f*; '~**sprotokoll** *n* procès-verbal *m* de séance; '~**ssaal** *m* salle *f* de séance; *jur* salle *f* d'audience

Sizilien [zi'tsiːljən] *n* (*-s; sans pl*) la Sicile

Skala ['skaːla] *f* (*-; -s, -len*) échelle *f*

Skandal [skan'daːl] *m* (*-s; -e*) scandale *m*; **2ös** [-'løːs] scandaleux

Skandinavien [skandi'naːvjən] *n* (*-s; sans pl*) la Scandinavie

Skelett [ske'lɛt] *n* (*-[e]s; -e*) squelette *m*

Skep|tiker ['skɛptikər] *m* (*-s; -*), '~**tikerin** *f* (*-; -nen*) sceptique *m, f*; '2**tisch** sceptique

Ski [ʃiː] *m* (*-s; -, er*) ski *m*; *auf* ~*ern* en ski; ~ *fahren od laufen* faire du ski; skier; '~**gebiet** *n* région *f* de sports d'hiver; '~**hose** *f* pantalon *m* de ski; '~**kurs** *m* classe *f* de neige; '~**laufen** *n* (*-s; sans pl*) ski *m*; '~**läufer(in** *f*) *m* skieur *m*, -euse *f*; '~**lehrer** *m* moniteur *m* de ski; '~**lift** *m* remonte-pente *m*, téléski *m*; '~**stiefel** *m* chaussure *f* de ski; '~**springen** *n* (*-s; sans pl*) saut *m* à skis; '~**urlaub** *m* vacances *f/pl* de neige

Skizze ['skitsə] *f* (*-; -n*) esquisse *f*; **2ieren** (*pas de -ge-, h*) esquisser

Sklav|e ['sklaːvə] *m* (*-n; -n*), '~**in** *f* (*-; -nen*) esclave *m, f*; **2isch** servile; en esclave

skont|ieren [skɔn'tiːrən] (*pas de -ge-, h*) *comm* escompter; '2**o** *m od n* (*-s; -s, -ti*) escompte *m*

Skorpion [skɔr'pjoːn] *m* (*-s; -e*) scorpion *m*; *astr* Scorpion *m*

Skrupel ['skruːpəl] *m* (*-s; -*) scrupule *m*; '2**los** sans scrupules

Skulptur [skulp'tuːr] *f* (*-; -en*) sculpture *f*

Slalom ['slaːlɔm] *m* (*-s; -s*) slalom *m*

Slaw|e ['slaːvə] *m* (*-n; -n*), '~**in** *f* (*-; -nen*) Slave *m, f*; **2isch** slave

Slogan ['slougən] *m* (*-s; -s*) slogan *m*

Slum [slam] *m* (*-s; -s*) quartier *m* pauvre, bidonville *m*

Smaragd [sma'rakt] *m* (*-[e]s; -e*) émeraude *f*

Smog [smɔk] *m* (*-[s]; -s*) smog *m*

Snob [snɔp] *m* (*-s; -s*) snob *m, f*; '~**ismus** [-'bismus] *m* (*-; -men*) snobisme *m*; **2istisch** snob

so [zoː] ainsi, comme cela, de cette manière, de la sorte; ~ *dass* si bien que (*+ ind*), de (telle) sorte que (*+ subj*); ~ *genannt* soi-disant; ~ *groß wie* aussi grand que; *nicht* ~ *schnell!* pas si vite!; ~ (*sehr*) tellement; *ein Mensch* un tel homme; *ach* ~*!* ah, c'est ça!; ah bon!; ~ *viel ich weiß*, ... (pour) autant que je sache ..., à ce que je sais ...; **2.** *adv* (au)tant (*wie* que); *dreimal* ~ *viel* trois fois autant; ~ *viel er kann* autant qu'il peut; ~ *weit wie od als möglich* autant que possible; *es geht ihm* ~

sorgen

weit gut il va assez bien; **wir sind ~ weit** nous y sommes, nous sommes prêts

sobald [zo'-] aussitôt que, dès que

Socke ['zɔkə] f (-; -n) chaussette f

Sockel ['zɔkəl] m (-s; -) socle m

sodass si bien que (+ ind), de (telle) sorte que (+ subj)

Sodbrennen ['zo:t-] méd n (-s; sans pl) brûlures f/pl d'estomac

soeben [zo'?-] tout à l'heure; **~ etw getan haben** venir de faire qc

Sofa ['zo:fa] n (-s; -s) canapé m, divan m

sofern [zo'-] à condition que ... (+ subj), pourvu que ... (+ subj)

sofort [zo'-] tout de suite, immédiatement, aussitôt, sur-le-champ

Software ['sɔftwe:r] EDV f (-; -s) logiciel m

sogar [zo'-] même

'**sogenannt** soi-disant → **so**

sogleich [zo'-] → **sofort**

Sohle ['zo:lə] f (-; -n) Schuh♀ semelle f; Fuß♀ plante f (du pied); Tal♀ fond m

Sohn [zo:n] m (-[e]s; ⸚e) fils m

solange [zo'-] tant que

Solarenergie [zo'la:r-] f énergie f solaire

solch [zɔlç] tel, pareil

Soldat [zɔl'da:t] m (-en; -en) soldat m

solidarisch [zoli'da:riʃ] solidaire; ♀ität [-dari'tε:t] f (-; sans pl) solidarité f

solide [zo'li:də] solide; Person sérieux

Solist [zo'list] m (-en; -en), **~in** f (-; -nen) mus soliste m, f

Soll [zɔl] n (-[s]; -[s]) comm débit m; Plan♀ objectif m; '**~seite** f côté m débiteur; '**~zinsen** m/pl intérêts m/pl débiteurs

'**sollen** (h) **1.** v/i (ge-); **2.** v/aux (pas de ge-) devoir; **ich soll ...?** est-ce que je dois...?; **du solltest ...** tu devrais ..., il te faudrait ...; **er soll reich sein** on dit od il paraît qu'il est riche; **er soll ermordet worden sein** il aurait été assassiné; **was soll das?** qu'est-ce que ça veut dire?

Solo ['zo:lo] mus n (-s; -s, Soli) solo m

somit [zo'-] donc, ainsi

Sommer ['zɔmər] m (-s; -) été m f; '**~anfang** m début m de l'été; '**~fahr-plan** m horaire m d'été; '**~ferien** pl vacances f/pl d'été; ♀**lich** estival; '**~schlussverkauf** m soldes m/pl de fin

d'été; '**~sprossen** f/pl taches f/pl de rousseur; '**~urlaub** m vacances f/pl d'été; '**~zeit** f Uhr heure f d'été

Sonate [zo'na:tə] mus f (-; -n) sonate f

Sonderangebot ['zɔndər-] offre f spéciale; **im ~** en réclame; '**2bar** curieux, étrange; '**~fahrt** f trajet m extraordinaire; '**~genehmigung** f autorisation f spéciale; '**2lich nicht ~** pas spécialement

'**sondern** mais

'**Sonderpreis** m prix m réduit; '**~recht** n privilège m; '**~schule** f école f pour handicapés; '**~zeichen** n caractère m spécial

sondieren [zɔn'di:rən] (pas de -ge-, h) sonder; fig tâter le terrain

Sonnabend ['zɔn?-] m (-s; -e) samedi m

Sonne ['zɔnə] f (-; -n) soleil m; **in der ~** au soleil; '**2n** (h) **sich ~** prendre un bain de soleil

'**Sonnenaufgang** m lever m du soleil; '**~bad** n bain m de soleil; '**~blume** f tournesol m, soleil m; '**~brand** m coup m de soleil; '**~brille** f lunettes f/pl de soleil; '**~creme** f crème f solaire; '**~deck** n pont m supérieur; '**~energie** f énergie f solaire; '**~finsternis** f éclipse f de soleil; '**~kollektor** tech m capteur m solaire; '**~licht** n lumière f solaire; '**~öl** n huile f solaire; '**~schein** m ensoleillement m; **bei ~** quand il fait du soleil; '**~schirm** m parasol m; '**~stich** méd m insolation f; '**~strahl** m rayon m de soleil; '**~uhr** f cadran m solaire; '**~untergang** m coucher m du soleil

'**sonnig** ensoleillé; fig gai

'**Sonntag** m dimanche m; '**2s** le dimanche

sonst [zɔnst] andernfalls autrement, sinon; für gewöhnlich d'habitude; außerdem à part cela; **~ noch etw** quelque chose d'autre; **~ nichts** rien d'autre; **~ überall** partout ailleurs; '**~ig** autre

sooft [zo'?-] toutes les fois od tant que ...

Sopran [zo'pra:n] mus m (-s; -e) soprano m

Sorge ['zɔrgə] f (-; -n) souci m; **sich ~n machen** se faire des soucis (**wegen**, **um** pour)

'**sorgen** (h) **~ für** s'occuper de; **zur Folge haben** causer; **dafür ~, dass ...** veiller à ce que ... (+ subj); **sich ~ um** se soucier de, s'inquiéter de; '**voll** soucieux

Sorg|**falt** ['zɔrkfalt] f (-; *sans pl*) soin m; **2fältig** ['-fɛltiç] soigneux; **2los** insoucient; '**losigkeit** f (-; *sans pl*) insouciance f

Sort|**e** ['zɔrtə] f (-; -n) sorte f, espèce f; **2ieren** (*pas de -ge-, h*) trier, classer

Sortiment [zɔrti'mɛnt] n (-[e]s; -e) assortiment m

Soße [zo:sə] f (-; -n) sauce f

Soundkarte f [saʊndkartə] carte f son

souverän [zuvə'rɛ:n] *pol* souverain; *fig* supérieur; **2ität** [-ɛni'tɛ:t] f (-; *sans pl*) souveraineté f

so|**viel** [zo'-] **1.** *conj* (pour) autant que ... (+ *subj*); → **so**; '**weit** *conj* dans la mesure où ... (+ *ind*); (pour) autant que ... (+ *subj*); → **so**; '**wie** *und* ainsi que; *sobald* aussitôt que, dès que; tant que; '**wieso** [zovi'zo:] en tout cas

sowjet|**isch** [zɔ'vjɛtiʃ] soviétique; '**2s** *hist m/pl* Soviétiques m/pl; '**2union** *hist* f Union f soviétique

sowohl [zo'-] '**... als auch** aussi bien que

sozial [zo'tsja:l] social; '**2abbau** m diminution f des prestations sociales; '**2abgaben** f/pl charges f/pl sociales; **2amt** n bureau m d'aide sociale; **2arbeiter** m travailleur m social; **2demokrat(in** f) m social-démocrate m, f; '**2demokratisch** social-démocrate; **2hilfe** f aide f sociale; **2hilfe-empfänger(in** f) m bénéficiaire m, f de l'aide sociale; '**isieren** [-ali'zi:rən] (*pas de -ge-, h*) socialiser; **2ismus** [-a'lismus] m (-; *sans pl*) socialisme m; '**2ist** m (-en; -en), '**2istin** f (-; -nen) socialiste m, f; '**istisch** socialiste; **2kunde** f instruction f od éducation f civique; **2lasten** f/pl charges f/pl sociales; **2leistungen** f/pl prestations f/pl sociales; **2politik** f politique f sociale; **2produkt** n: *Brutto2~* produit m national; **2versicherung** f Sécurité f sociale

Soziolog|**e** [zotsjo'lo:gə] m (-n; -n), '**in** f (-; -nen) sociologue m, f; **ie** [-'gi:] f (-; *sans pl*) sociologie f; **2isch** sociologique

sozusagen [zotsu'za:gən] pour ainsi dire

Spachtel ['ʃpaxtəl] m (-s; -) od f (-; -n) spatule f

spähen ['ʃpɛ:ən] (h) épier

Spalt [ʃpalt] m (-[e]s; -e) fente f; '**e** f (-; -n) fente f, fissure f; *Gletscher2* crevasse f; *Zeitung* colonne f; **2en** (*spaltete, gespaltet u gespalten, h*) (*sich* ~ *se*) fendre; *fig Partei etc* (se) diviser, (se) scinder; '**ung** f (-; -en) *fig* division f, scission f; *phys Kern2* fission f

Span [ʃpa:n] m (-[e]s; ̈e) copeau m; '**ferkel** n cochon m de lait

Spange ['ʃpaŋə] f (-; -n) agrafe f; *Haar2* barrette f; *Arm2* bracelet m

Span|**ien** ['ʃpa:njən] n (-; *sans pl*) l'Espagne f; '**ier** ['-jər] m (-s; -), '**ierin** f (-; -nen) Espagnol m, -e f; '**2isch** espagnol

Spann|**e** ['ʃpanə] f (-; -n) *Zeit2* laps m de temps; '**2en** (h) tendre; *Kleidung* serrer (qn); '**2end** *fig* captivant, attachant, palpitant; '**ung** f (-; -en) tension f (*a pol, elektrisch*); *in Filmen etc* suspense m; '**weite** f *aviat, Vogel* envergure f

'**Spanplatte** f aggloméré m

Spar|**buch** ['ʃpa:r-] n livret m de caisse d'épargne; '**büchse** f tirelire f; '**2en** (h) économiser (*an* sur); épargner; '**er** m (-s; -) épargnant m

Spargel ['ʃpargəl] *bot* m (-s; -) asperge f

'**Spar**|**kasse** f caisse f d'épargne; '**konto** n compte m d'épargne

spärlich ['ʃpɛ:rliç] maigre; *Haar, Publikum* clairsemé

'**Sparpolitik** f politique f d'austérité

'**sparsam** économe; *Gerät* ~ (*im Verbrauch*) économique; *mit etw* ~ *umgehen* économiser qc; '**2keit** f (-; *sans pl*) économie f

Sparte ['ʃpartə] f (-; -n) section f, catégorie f; *Zeitung* rubrique f

'**Sparzins** m intérêts m/pl d'épargne

Spaß [ʃpa:s] m (-es; ̈e) plaisanterie f; *Freude* plaisir m; *aus* od *zum* ~ pour rire; *es macht mir viel* ~ cela m'amuse beaucoup; *keinen* ~ *verstehen* n'avoir aucun sens de l'humour; '**2en** (h) plaisanter; '**2haft**, '**2ig** plaisant, drôle

spät [ʃpɛ:t] tard; ~ *eintretend* tardif; *wie* ~ *ist es?* quelle heure est-il?; *es wird* ~ il se fait tard; *zu* ~ *kommen* arriver trop tard, arriver en retard

Spaten ['ʃpa:tən] m (-s; -) bêche f

spät|**er** ['ʃpɛ:tər] plus tard; *adj* ultérieur; *früher oder* ~ tôt ou tard; *bis* ~*!* à plus tard!; '**~estens** ['-əstəns] au plus tard

Spatz [ʃpats] *zo m* (*-en, -es; -en*) moineau *m*

spazieren [ʃpa'tsi:rən] (*pas de -ge-, sn*) se promener; **~ fahren** se promener en voiture; **~ gehen** se promener (à pied)

Spazier|gang [ʃpa'tsi:r-] *m* promenade *f;* **~gänger** [-gɛŋər] *m* (*-s; -*), **~gängerin** *f* (*-; -nen*) promeneur *m*, -euse *f*

Specht [ʃpɛçt] *zo m* (*-[e]s; -e*) pivert *m*

Speck [ʃpɛk] *m* (*-[e]s; -e*) lard *m;* '**2ig** gras

Spedit|eur [ʃpedi'tø:r] *m* (*-s; -e*) transporteur *m; Möbel2* déménageur *m;* **~ion** [-'tsjo:n] expédition *f*

Speiche ['ʃpaiçə] *f* (*-; -n*) rayon *m*

Speichel ['ʃpaiçəl] *m* (*-s; sans pl*) salive *f*

Speicher ['ʃpaiçər] *m* (*-s; -*) magasin *m; Dachboden* grenier *m; Wasser2* réservoir *m; Computer* mémoire *f;* '**~kapazität** *f EDV* capacité *f* de mémoire; capacité *f* de stockage; '**2n** (*h*) emmagasiner, stocker; *Daten* enregistrer, mettre en mémoire

Speise ['ʃpaizə] *f* (*-; -n*) *Gericht* mets *m*, plat *m; Nahrung* nourriture *f;* '**~eis** *n* glaces *f/pl;* '**~karte** *f* menu *m*, carte *f;* '**~lokal** *n* restaurant *m;* '**2n** (*h*) prendre son repas, être à table; *tech* alimenter; '**~röhre** *f* œsophage *m;* '**~saal** *m* réfectoire *m; Hotel* salle *f* à manger; '**~wagen** *m* wagon-restaurant *m*

Spektakel [ʃpɛk'ta:kəl] *m* (*-s; -*) F boucan *m*, chahut *m*, tapage *m*

Spekul|ant [ʃpeku'lant] *m* (*-en; -en*), **~antin** *f* (*-; -nen*) spéculateur *m*, -trice *f;* **~ation** [-a'tsjo:n] *f* (*-; -en*) spéculation *f; Börse* agiotage *m;* **2ieren** (*pas de -ge-, h*) *comm* spéculer (**mit, auf** sur)

Spende ['ʃpɛndə] *f* (*-; -n*) don *m;* '**2n** (*h*) donner; '**~r** *m* (*-s; -*), '**~rin** *f* (*-; -nen*) *m*, bienfaiteur *m*, -trice *f;* donateur *m*, -trice *f; Organ2* donneur *m; Behälter* doseur *m*, distributeur *m*

spendieren [ʃpɛn'di:rən] (*pas de -ge-, h*) F *j-m etw* **~** offrir qc à qn

Spengler ['ʃpɛŋlər] *m* (*-s; -*) plombier *m*

Sperling ['ʃpɛrlıŋ] *zo m* (*-s; -e*) moineau *m*

Sperr|e ['ʃpɛrə] *f* (*-; -n*) barrage *m*, barrière *f; tech, phys* blocage *m; Handels2* blocus *m*, embargo *m; Ver-*

---

bot interdiction *f;* '**2en** (*h*) *Straße* barrer; *Hafen, Konto* bloquer; *Strom* couper; **~ in** enfermer dans; '**~gebiet** *n* zone *f* interdite; '**~holz** *n* contre-plaqué *m;* '**~konto** *n* compte *m* bloqué

Spesen ['ʃpe:zən] *pl* frais *m/pl*

Spezial|ausbildung [ʃpe'tsja:l?-] formation *f* spécialisée; '**~gebiet** *n* domaine *m* spécial, spécialité *f;* '**~geschäft** *n* magasin *m* spécialisé; **2isieren** [-ali'zi:rən] (*pas de -ge-, h*) *sich* **~** se spécialiser (**auf** dans); '**~ist** [-a'list] *m* (*-en; -en*), **~istin** *f* (*-; -nen*) spécialiste *m, f;* **~ität** [-ali'te:t] *f* (*-; -en*) specialité *f*

speziell [ʃpe'tsjɛl] spécial, particulier

spezifisch [ʃpe'tsi:fıʃ] spécifique

Sphäre ['sfɛ:rə] *f* (*-; -n*) sphère *f* (*a fig*)

Spiegel ['ʃpi:gəl] *m* (*-s; -*) miroir *m*, glace *f; Schuh2* œuf *m* sur le plat; '**~ei** ['-?-] *n* œuf au plat; **2n** (*h*) glänzen briller; *wider~* refléter; *sich* **~** se refléter (*in* dans); '**~ung** *f* (*-; -en*) réflexion *f*, reflet *m*

Spiel [ʃpi:l] *n* (*-[e]s; -e*) jeu *m; Wett~ a* match *m;* **aufs ~ setzen** risquer; **auf dem ~ stehen** être en jeu; '**~bank** *f* (*-; -en*) maison *f* de jeu; casino *m;* '**2en** (*h*) jouer (*Musikinstrument* de; *Regelspiel* à); '**2end** facilement, sans peine; '**~er** *m* (*-s; -*), '**~erin** *f* (*-; -nen*) joueur *m*, -euse *f*

'**Spiel|feld** *n Sport* terrain *m;* '**~film** *m* long métrage *m;* '**~halle** *f* salle *f* de jeux; '**~kasino** *n* → **Spielbank**; '**~leiter** *m* metteur *m* en scène; '**~leitung** *f* (*-; -en*) mise *f* en scène; '**~platz** *m* terrain *m* de jeu; '**~raum** *m* marge *f*, liberté *f* de mouvement; latitude *f;* '**~regel** *f* règle *f* du jeu; '**~uhr** *f* boîte *f* à musique; '**~verderber** *m* (*-s; -*) rabat-joie *m*, trouble-fête *m;* '**~waren** *f/pl* jouets *m/pl;* '**~zeit** *f* saison *f;* '**~zeug** *n* jouet *m*

Spieß [ʃpi:s] *m* (*-es; -e*) pique *f; Brat2* broche *f;* '**~bürger** *m*, '**~er** *m* (*-s; -*) *péj* petit bourgeois *m*, béotien *m*, philistin *m;* '**2ig** borné, obtus

Spinat [ʃpi'na:t] *bot m* épinards *m/pl*

Spinn|e ['ʃpinə] *zo f* (*-; -n*) araignée *f;* '**2en** (*spann, gesponnen, h*) filer; F *fig* être cinglé (toqué, timbré, loufoque, mabou!), avoir un grain; '**~er** *m* (*-s; -*) F *fig* cinglé *m*, loufoque *m; Fantast* rêveur *m;* '**~erei** [-ə'rai] *f* (*-; -en*) filature *f;*

F *fig* folie f, loufoquerie f F; **'~webe** f (-; -n) toile f d'araignée

Spion [ʃpi'oːn] m (-s; -e), **~in** f (-; -nen) espion m, -ne f; **~age** [-o'naːʒə] f (-; *sans pl*) espionnage m; **2ieren** (*pas de* -ge-, h) espionner

Spirale [ʃpi'raːlə] f (-; -n) spirale f; *méd* stérilet m

Spirituosen [ʃpiritu'oːzən] *pl* spiritueux m/pl

spitz [ʃpits] pointu; *Winkel* aigu; *Bemerkung* piquant

'Spitze f (-; -n) pointe f (*a fig Stichelei*); *Berg2* sommet m; *Gewebe* dentelle f, F **~!** super!; **an der ~ stehen** être en tête

Spitzel ['ʃpitsəl] m (-s; -) mouchard m

'spitzen (h) *Bleistift* tailler; *Ohren* dresser; **'2geschwindigkeit** f vitesse f de pointe; **'2leistung** f rendement m maximum; *Sport* record m; **'2produkt** n produit m haut de gamme; **'2technik** f technologie f de pointe

'spitz|findig subtil; **'2findigkeit** f (-; -en) subtilité f; **2name** m sobriquet m, surnom m

Splitter ['ʃplitər] m (-s; -) éclat m; *in der Haut* écharde f; **'2n** (h) voler en éclats; **'2nackt** su comme un ver

spons|ern ['ʃpɔnsərn] (h) sponsoriser; **'2or** ['-ɔr] m (-s; -oren) sponsor m

spontan [ʃpɔn'taːn] spontané

Sport [ʃpɔrt] m (-[e]s; *sans pl*) sport m; **~ treiben** faire du sport; **e-n ~ ausüben** pratiquer un sport; **'~geschäft** n magasin m d'articles de sport; **'~halle** f salle f des sports; **'~kleidung** f vêtements m/pl de sport; **'~lehrer(in** f) m professeur m d'éducation physique; **'~ler** ['-lər] m (-s; -), **'~lerin** f (-; -nen) sportif m, -ive f; **'2lich** sportif; *Kleidung* sport; **'~nachrichten** pl nouvelles f/pl sportives; **'~platz** m terrain m de sport, stade m; **'~verein** m club m sportif, association f sportive; **'~wagen** m voiture f de sport

Spott [ʃpɔt] m (-[e]s; *sans pl*) moquerie f, raillerie f; **2en** (h) se moquer (**über** de)

Spött|er ['ʃpœtər] m (-s; -), **'~erin** f (-; -nen) moqueur m, -euse f; **'2isch** railleur, moqueur

'Spottpreis m prix m dérisoire

Sprach|e ['ʃpraːxə] f (-; -n) langue f;

Ausdrucksweise langage m; *Gabe* parole f; **'~enschule** f école f de langues; **'~erkennung** f *EDV* reconnaissance f vocale; **'~gebrauch** m usage m; **'~kurs** m cours m de langue; **'~lehrer(in** f) m professeur m de langues; **'2lich** concernant la langue; linguistique; **'2los** *fig* interdit, stupéfait, sidéré F; **'~reise** f séjour m linguistique; **'~unterricht** m enseignement m d'une langue *od* des langues; **'~wissenschaft** f linguistique f

sprech|en ['ʃprɛçən] (sprach, gesprochen, h) parler (**über** *od* **von** de; **j-n** *od* **mit j-m** à *od* avec qn); **'2er** m (-s; -), **'2erin** f (-; -nen) *Wortführer* porte-parole m; *Radio, TV* speaker m, speakerine f; présentateur m, -trice f; **'2stunde** f heure(s) f (pl) de consultation; **'2stundenhilfe** f assistante f médicale; **'2zimmer** n parloir m; e-s *Arztes* cabinet m (de consultation)

spreizen ['ʃpraitsən] (h) écarter

spreng|en ['ʃprɛŋən] (h) *Brücke etc* faire sauter; *Rasen etc* arroser; **'2kopf** mil m explosif; **'2körper** m engin m explosif; **'2stoff** m explosif m

Sprich|wort ['ʃpriç-] n (-[e]s; ⁀er) proverbe m; **'2wörtlich** proverbial

Spring|brunnen ['ʃpriŋ-] m fontaine f, jet m d'eau; **'2en** (sprang, gesprungen, sn) sauter, bondir; **'~er** m (-s; -), **'~erin** f (-; -nen) *Schwimmsport* plongeur m, -euse f; *nur m Schach* cavalier m

Sprinter ['ʃprintər] *Sport* m (-s; -) sprinter m

Spritz|e ['ʃpritsə] f (-; -n) *méd* piqûre f; *Instrument* seringue f; *Garten2* a pulvérisateur m; *Feuer2* pompe f à incendie; **'2en** (h) éclabousser; *Blut* jaillir, gicler; *besprengen* arroser, asperger; *spritzlackieren* peindre au pistolet; *méd* injecter; F **j-n ~** faire une piqûre à qn; **'~er** m (-s; -) éclaboussure f; *Lackspritz* f pistolet m pour peinture; *Spielzeug* pistolet m à eau; **'~tour** F f petit tour m, virée f

spröde ['ʃprøːdə] cassant; *Haut* sec, gercé; *fig Person* revêche, prude

Spross [ʃprɔs] m (-es; -e) *bot* pousse f, jet m; *Nachkomme* descendant m

Sprosse ['ʃprɔsə] f (-; -n) échelon m, barreau m

Sprössling ['ʃprœsliŋ] m (-s; -e) F *Kind* rejeton m

Spruch [ʃprux] m (-[e]s; ·̈e) *Sprichwort* dicton m; *Gerichts≈* verdict m

Sprudel ['ʃpruːdəl] m (-s; -) eau f minérale gazeuse; **'≈n** (h) bouillonner; *fig* déborder (**vor** de)

Sprüh|dose ['ʃpryː-] f atomiseur m, bombe f; **'≈en** (h) vaporiser, pulvériser; *fig* **vor Witz** ~ être pétillant d'esprit; **'~regen** m pluie f fine; bruine f

Sprung [ʃpruŋ] m (-[e]s; ·̈e) saut m, bond m; *in Glas etc* fêlure f, fissure f; **'~brett** n plongeoir m; tremplin (a fig); **'~schanze** f tremplin m

Spucke ['ʃpukə] F f (-; *sans pl*) salive f; **'≈n** (h) cracher; F *brechen* vomir

Spule ['ʃpuːlə] f (-; -n) bobine f

Spül|e|n ['ʃpyːlə] f (-; -n) évier m; **'≈en** (h) *Geschirr* laver; *Gläser, Mund* rincer; *WC* tirer la chasse; **'~maschine** f lave-vaisselle m

Spur [ʃpuːr] f (-; -en) trace f, piste f; *fig a* vestige m; *Fahr≈* voie f, file f

spür|bar ['ʃpyːrbaːr] sensible; **'~en** (h) sentir, éprouver, ressentir

'spurlos sans laisser de trace

Spurt [ʃpurt] *Sport* m (-[e]s; -s, -e) sprint m

Staat [ʃtaːt] m (-[e]s; -en) État m

Staaten|bund m (-[e]s; ·̈e) confédération f (d'États); **≈los** apatride, sans nationalité

'staatlich de l'État, national, public, étatique

'Staats|angehörige m, f (-n; -n) ressortissant m, -e f; **'~angehörigkeit** f (-; -en) nationalité f; **'~anwalt** m procureur m (de la République); **'~besuch** m visite f officielle; **'~bürger(in** f) m citoyen m, -ne f; **'~chef** m chef m de l'État; **'~dienst** m fonction f publique; **'≈feindlich** subversif; **'~gelder** n/pl fonds m/pl publics; **'~haushalt** m budget m de l'État; **'~kasse** f Trésor m (public); **'~mann** m homme m d'État; **'~oberhaupt** m chef m de l'État; **'~rä-son** ['-rɛːzõ] f (-; *sans pl*) raison f d'État; **'~sekretär** m secrétaire m d'État; **'~streich** m coup m d'État; **'~vertrag** m traité m (politique)

Stab [ʃtaːp] m (-[e]s; ·̈e) bâton m; *Gitter≈* barreau m; *Dirigenten≈* baguette f; *~hochsprung* perche f; *von Menschen*

équipe f; *mil* état-major m

'Stabhochsprung m (-[e]s; *sans pl*) saut m à la perche

stabil [ʃtaˈbiːl] stable; *robust* solide, F costaud; **'~isieren** [-biliˈziːrən] (*pas de ge-*, h) stabiliser; **≈ität** [-iliˈtɛːt] f (-; *sans pl*) stabilité f

Stachel ['ʃtaxəl] m (-s; -n) épine f, pointe f; *bot, Igel* piquant m; *Insekt* dard m; **'~beere** f groseille f à maquereau; **'~draht** m (fil m de fer) barbelé m

'stachlig épineux, piquant

Stadion ['ʃtaːdjɔn] n (-s; *Stadien*) stade m

Stadium ['ʃtaːdjum] n (-s; *Stadien*) phase f, stade m

Stadt [ʃtat] f (-; ·̈e) ville f; **die ~ Berlin** la ville de Berlin; **'~autobahn** f autoroute f urbaine; **'~bild** n (-[e]s; *sans pl*) paysage m urbain; **'~bummel** m balade f en ville

Städt|ebau ['ʃtɛtə-] m (-[e]s; *sans pl*) urbanisme m; **'~epartnerschaft** f jumelage m; **'~er** m (-s; -), **'~erin** f (-; -nen) m citadin m, -e f; **'≈isch** de (la) ville, urbain, citadin, municipal

'Stadt|mitte f centre m de la ville; **'~plan** m plan m de la ville; **'~rand** m banlieue f; **'~rat** m (-[e]s; ·̈e) conseil m municipal; *Person* conseiller m municipal; **'~rundfahrt** f excursion f od tour m à travers la ville; **'~teil** m, **'~viertel** m quartier m; **'~zentrum** n centre m de la ville

Stagn|ation [ʃtagnaˈtsjoːn] f (-; -en) stagnation f; **≈ieren** (*pas de ge-*, h) croupir; stagner

Stahl [ʃtaːl] m (-[e]s; ·̈e, -e) acier m; **'~rohr** n tube m d'acier; **'~werk** n aciérie f

Stall [ʃtal] m (-[e]s; ·̈) *Vieh≈* étable f; *Pferde≈* écurie f; *Schweine≈* porcherie f; *Schaf≈* bergerie f; *Kaninchen≈* clapier m; *Hühner≈* poulailler m

Stamm [ʃtam] m (-[e]s; ·̈e) *Baum≈* tronc m; *Volks≈* tribu f; *Geschlecht* souche f, race f; *gr* radical m; **'~aktie** f action f ordinaire; **'~baum** m arbre m généalogique

'stammen (h) ~ **von** od **aus** (pro)venir de, être originaire de

'Stamm|gast m habitué m; **'~kunde** m client m habituel od attitré

S

stampfen ['ʃtampfən] (h) *mit dem Fuß* piétiner; *fest~* fouler; *tech* pilonner, damer

Stand ['ʃtant] *m (-[e]s; ̈e) Zustand* état *m*; *Lage* situation *f*; *Stellung* position *f*; *sozialer* classe *f*, condition *f*; *Beruf* profession *f*; *Wasser~* etc niveau *m*; *Spiel~* score *m*; *Messe~* stand *m*; *Verkaufs~* échoppe *f*, étalage *m*; **auf den neuesten ~ bringen** actualiser; **e-n schweren ~ haben** être dans une situation délicate

Standard ['ʃtandart] *m (-s; -s) Norm* standard *m*; *erreichte Höhe* niveau *m*

Standes|amt *n* (bureau *m* de l')état *m* civil; **'2amtlich ~e Trauung** mariage *m* civil; **'~beamte** *m* officier *m* d'état civil; **'~gemäß** selon son rang

'stand|haft ferme; **2haftigkeit** *f (-; sans pl)* fermeté *f*; **2halten** (*irr, sép, -ge-, h,* **→ halten**) résister (à)

ständig ['ʃtendiç] permanent, constant, continuel

Stand|licht *n auto* feux *m/pl* de position, veilleuse *f*; **'~ort** *m* emplacement *m*, place *f*; *mar, aviat* position *f*; **'~punkt** *m* point *m* de vue; **'~recht** *mil n* loi *f* martiale; **'~spur** *f* bande *f* d'arrêt d'urgence

Stange ['ʃtaŋə] *f (-; -n)* barre *f*, tige *f*, perche *f*; **e-e ~ Zigaretten** une cartouche de cigarettes

Stängel *bot* ['ʃtɛŋəl] *m (-s; -)* tige *f*

stanzen ['ʃtantsən] (h) *tech* poinçonner, estamper

Stapel ['ʃtaːpəl] *m (-s; -)* pile *f*; *mar* **vom ~ laufen** être lancé; **'~lauf** *mar m* mise *f* à l'eau, lancement *m*; **2n** (h) empiler

Star [ʃtaːr] *m (-[e]s; -e)* **1.** *zo* étourneau *m*; **2.** *méd* **grauer ~** cataracte *f*; **grüner ~** glaucome *m*; **3.** *(-s; -s)* Film, TV *etc* vedette *f*; **Film2** a star *f*

stark [ʃtark] fort; *kräftig* vigoureux; *mächtig* puissant; *intensiv* intense; *Raucher, Esser* gros

Stärke ['ʃtɛrkə] *f (-; -n)* force *f*, vigueur *f*, puissance *f*, intensité *f*; *cuis* fécule *f*; *für Wäsche* amidon *m*; **'2n** (h) fortifier; renforcer; *Wäsche* empeser, amidonner; **sich ~** se restaurer

'Starkstrom *m* courant *m* à haute tension

'Stärkung *f (-; -en)* renforcement *m*; *Imbiss* collation *f*; *Trost* réconfort *m*

starr [ʃtar] *Blick* fixe; *steif* raide (*a fig*), rigide; **'~ vor Kälte** engourdi par le froid; **'~en** (h) **~ auf** regarder fixement; **vor Schmutz ~** être couvert de crasse; **'~köpfig** ['-kœpfiç] entêté, têtu, obstiné; **'2sinn** *m (-[e]s; sans pl)* entêtement *m*, obstination *f*

Start [ʃtart] *m (-[e]s; -s)* départ *m*; *aviat* a envol *m*, décollage *m*; *auto* démarrage *m*; **2en** (*v/t h; v/i sn*) partir; *aviat* décoller; *auto* démarrer (*a fig*); **'~-und-Lande-Bahn** *aviat f* piste *f* de décollage et d'atterrissage

Statik ['ʃtaːtik] *f (-; sans pl)* statique *f*

Station [ʃtaˈtsjoːn] *f (-; -en)* station *f*; *Krankenhaus* service *m*; **2är** [-ɔ'nɛːr] stationnaire; **2ieren** [-ɔ'niːrən] (*pas de -ge-, h*) stationner; *Raketen* déployer

Statist [ʃtaˈtist] *m (-en; -en)*, **~in** *f (-; -nen)* figurant *m, -e f*

Statist|ik [ʃtaˈtistik] *f (-; -en)* statistique *f*, **~iker** *m (-s; -)* statisticien *m*; **2isch** statistique

Stativ [ʃtaˈtiːf] *n (-s; -e)* pied *m*, trépied *m*

statt [ʃtat] au lieu de

Stätte ['ʃtɛtə] *f (-; -n)* lieu *m*, site *m*

'stattfinden (*irr, sép, -ge-, h,* **→ finden**) avoir lieu

'stattlich imposant, considérable

Statue ['ʃtaːtuə] *f (-; -n)* statue *f*

Status ['ʃtaːtus] *m (-; -)* état *m*, statut *m*; **'~symbol** *n* marque *f* de standing

Statut [ʃtaˈtuːt] *n (-[e]s; -en)* statut *m*

Stau [ʃtau] *m (-[e]s; -e, -s)* auto bouchon *m*, embouteillage *m*

Staub [ʃtaup] *m (-[e]s; sans pl, ̈e)* poussière *f*; **~ saugen** passer l'aspirateur; **2en** ['-bən] (h) faire de la poussière; **2ig** poussiéreux; **'~sauger** *m (-s; -)* aspirateur *m*

'Staudamm *m* barrage *m*

stauen ['ʃtauən] (h) *Wasser* retenir; **sich ~** s'accumuler, s'amasser

staunen ['ʃtaunən] (h) s'étonner (**über** de)

'Stausee *m* lac *m* de retenue

Steak [ʃteːk] *n (-s; -s)* bifteck *m*

stech|en ['ʃtɛçən] (*stach, gestochen, h*) piquer; *Sonne* brûler, taper; **'~end** *Blick* perçant; *Schmerz* lancinant; **'2mücke** *f* moustique *m*; **'2uhr** *f* appareil *m* de pointage

Steck|brief ['ʃtɛk-] *jur m* signalement

m; '*⁓dose* *f* prise *f* (de courant)

stecken ['ʃtɛkən] **1.** *v/t* (*h*) mettre (*in* dans), fourrer F; **2.** *v/i* (*stak od steckte, gesteckt, h*) *sich befinden* être, se trouver; *tief in Schulden* ⁓ être criblé de dettes; *⁓ bleiben* rester bloqué; *einsinken* s'enfoncer; *im Schlamm* s'embourber; '**⁓pferd** *n* dada *m*; *fig* a passe-temps *m* favori, violon *m* d'Ingres

'**Steck|er** *m* (*-s*; *-*) fiche *f* (électrique); '**⁓nadel** *f* épingle *f*

Steg [ʃteːk] *m* (*-[e]s*; *-e*) passerelle *f*

stehen ['ʃteːən] (*stand, gestanden, h*) *nicht liegen* être *od* se tenir debout; *sich befinden* être, se trouver; *geschrieben* ⁓ *a* être écrit; *⁓ bleiben* s'arrêter; *wo sind wir ⁓ geblieben?* où en sommes-nous restés?; *⁓ lassen* laisser; *Schirm etc* oublier; *j-n ⁓ lassen* plaquer qn; *j-m (gut) ⁓* aller (bien) à qn; *wo steht das?* où est-ce que cela se trouve?; *wie stehts mit ihm?* comment va-t-il?; *wie stehst du zu ...?* quel est ton point de vue sur ...?; F *das steht mir bis hierher!* j'en ai ras le bol! F; '**⁓d** debout; *Gewässer* stagnant; *Heer* permanent; F

'**Steh|lampe** *f* lampe *f* à pied; *große* lampadaire *m*; '**⁓leiter** *f* échelle *f* double

stehlen ['ʃteːlən] (*stahl, gestohlen, h*) voler

'**Stehplatz** *m* place *f* debout

steif [ʃtaif] raide (*a fig*); '**⁓heit** *f* (*-*; *sans pl*) raideur *f*

steig|en ['ʃtaigən] (*stieg, gestiegen, sn*) monter; *in den (aus dem) Wagen* ⁓ monter en (descendre de) voiture; *⁓ern* ['-ərn] (*h*) augmenter, accroître; *verstärken* renforcer; *verbessern* améliorer; '**⁓erung** *f* (*-*; *-en*) augmentation *f*, accroissement *m*; *gr* comparaison *f*; '**⁓erungsrate** *f* taux *m* de croissance; '**⁓ung** *f* (*-*; *-en*) montée *f*

steil [ʃtail] raide, escarpé; '**⁓hang** *m* pente *f* escarpée; '**⁓küste** *f* falaise *f*; '**⁓wandzelt** *n* tente *f* canadienne

Stein [ʃtain] *m* (*-[e]s*; *-e*) pierre *f*; '**⁓bock** *m zo* bouquetin *m*; *astr* Capricorne *m*; '**⁓bruch** ['-brux] *m* (*-[e]s*; *⁓e*) carrière *f*; '**⁓gut** *n* (*-[e]s*; *-e*) faïence *f*; '**⁓ig** pierreux; '**⁓kohle** *f* houille *f*; '**⁓metz** ['-mɛts] *m* (*-en*; *-en*) tailleur *m* de

---

pierre(s); '**⁓zeit** *f* (*-*; *sans pl*) âge *m* de la pierre

Stelle ['ʃtɛlə] *f* (*-*; *-n*) place *f*; *Ort* lieu *m*; *bestimmte* endroit *m*; *Arbeits*⁓ place *f*, emploi *m*; *Dienst*⁓ service *m*; *Text*⁓ passage *m*; *auf der ⁓* sofort sur-le-champ; *an erster ⁓ stehen* être au premier plan; *ich an deiner ⁓* moi à ta place

stellen ['ʃtɛlən] (*h*) mettre, poser, placer; *nicht legen* mettre debout; *Uhr* régler; *Falle* tendre; *Frage* poser; *sich ⁓ irgendwohin* se mettre, se poster; *der Polizei* se constituer prisonnier

'**Stellen|abbau** *m* réduction *f* d'emploi; '**⁓angebot** *n* offre *f* d'emploi; '**⁓gesuch** *n* demande *f* d'emploi; '**⁓vermittlung** *f* bureau *m* de placement; '**⁓weise** par endroits

'**Stellplatz** *m* place *f* (pour la voiture)

'**Stellung** *f* (*-*; *-en*) position *f*; *berufliche* situation *f*; *⁓ nehmen* prendre position (*zu* sur); '**⁓nahme** ['-naːmə] *f* (*-*; *-n*) prise *f* de position; '**⁓(s)suche** *f* recherche *f* d'un emploi; '**⁓(s)suchende** ['-zuːxəndə] *m*, *f* (*-n*; *-n*) demandeur *m* d'emploi

'**Stellvertreter(in** *f*) *m* remplaçant *m*, -e *f*

Stempel ['ʃtɛmpəl] *m* (*-s*; *-*) tampon *m*, timbre *m*; *bot* pistil *m*; *⁓n* (*h*) tamponner, timbrer; *Post* oblitérer; *an der Stempeluhr* pointer; F *⁓ gehen* être au chômage

Stengel → **Stängel**

Steno ['ʃteno] F *f* (*-*; *sans pl*) sténographie *f*; '**⁓gramm** *n* (*-s*; *-e*) sténogramme *m*; '**⁓graf** ['-graːf] *m* (*-en*; *-en*), *⁓grafin* *f* (*-*; *-nen*) sténographe *m*, *f*; *⁓grafie* [-graˈfiː] *f* (*-*; *-n*) sténographie *f*; *⁓graˈfieren* (*pas de -ge-*, *h*) sténographier, prendre en sténo; '**⁓typistin** [-tyˈpistin] *f* (*-*; *-nen*) sténodactylo *f*

Steppe ['ʃtɛpə] *f* (*-*; *-n*) steppe *f*

sterb|en ['ʃtɛrbən] (*starb, gestorben, sn*) mourir (*an* de); '**⁓lich** ['ʃtɛrp-] mortel

Stereo ['ʃteːreo] *n* (*-s*; *sans pl*) stéréo *f*; *in ⁓* en stéréo; '**⁓anlage** *f* chaîne *f* stéréo *od* hi-fi; **⁓typ** ['-tyːp] stéréotypé

steril [ʃteˈriːl] stérile, infertile; *⁓isieren* [-riliˈziːrən] (*pas de -ge-*, *h*) stériliser

Stern [ʃtɛrn] *m* (*-[e]s*; *-e*) étoile *f*; '**⁓bild** *n* constellation *f*; '**⁓chen** *n* (*-s*; *-*) as-

S

térisque *m*; **~schnuppe** ['-ʃnupə] *f* (-; *-n*) étoile *f* filante; **~system** *n* galaxie *f*; **~warte** ['-vartə] *f* (-; *-n*) observatoire *m*

stetig ['ʃteːtiç] continu, continuel, constant, permanent

stets [ʃteːts] toujours

Steuer[1]['ʃtɔʏər] *n* (-s; -) auto volant *m*; *mar* barre *f*; gouvernail *m* (*a fig*)

Steuer[2] *f* (-; *-n*) impôt *m* (**auf** sur), taxe *f*; **~aufkommen** ['-aufkɔmən] *n* (-s; -) rendement *m* fiscal; **~beamte** *m* fonctionnaire *m* des contributions; **~befreiung** *f* (-; *-en*) exonération *f* fiscale; **~berater** (-s; -) conseiller *m* fiscal; **~bord** *mar n* (-*[e]s*; *-e*) tribord *m*; **~erklärung** *f* déclaration *f* des impôts; **~ermäßigung** *f* allégement *m* fiscal; **2frei** exempt d'impôts; **~freibetrag** *m* montant *m* exempt d'impôts; **~hinterziehung** *f* fraude *f* fiscale; **~mann** *m* (-*[e]s*; *-männer*, *-leute*) Ruderboot barreur *m*

steuer|pflichtig ['-pfliçtiç] imposable; **2rückvergütung** *f* remboursement *m* fiscal; **2senkung** *f* reduction *f* d'impôts; **2ung** *f* (-; *-en*) pilotage *m*; tech commande *f*, direction *f*; **2vergünstigung** *f* privilège *m* fiscal; **2vorauszahlung** *f* acompte *m* d'impôts; **2zahler** *m* (-s; -) contribuable *m*

Steward ['stjuərt] *aviat m* (-s; -s) steward *m*; **~ess** *f* (-; *-en*) hôtesse *f* de l'air

Stich [ʃtiç] *m* (-*[e]s*; *-e*) Insekten2 piqûre *f*; Messer2 coup *m*; Näh2 point *m*; Kupfer2 gravure *f*; Kartenspiel pli *m*, levée *f*; *im ~ lassen* abandonner; **2eln** ['-əln] (*h*) *fig* lancer des coups d'épingles *od* des pointes (*gegen* à); **2haltig** ['-haltiç] valable, concluant; *nicht ~* peu sérieux; **~probe** *f* contrôle *m* fait au hasard; Statistik échantillon *m*; **~tag** *m* jour *m* fixé *od* de référence; *~ zur Einführung des Euro* jour *m* fixe *od* de référence de l'introduction de l'euro; **~wahl** *f* (scrutin *m* de) ballottage *m*; **~wort** *n* **1.** (-*[e]s*; ⸚*er*) Lexikon entrée *f*, article *m*; **2.** (-*[e]s*; *-e*) Theater réplique *f*

stick|en ['ʃtikən] (*h*) broder; **~ig** Luft étouffant; **2stoff** *chim m* (-*[e]s*; sans *pl*) azote *m*

Stiefel ['ʃtiːfəl] *m* (-s; -) botte *f*

Stief[1]**mutter** *f* (-; ⸚) belle-mère *f*; **~mütterchen** ['-mʏtərçən] *bot n* (-s; -) pensée *f*; **~sohn** *m* beau-fils *m*; **~tochter** *f* belle-fille *f*; **~vater** *m* beau-père *m*

Stiel [ʃtiːl] *m* (-*[e]s*; *-e*) Werkzeug manche *m*; Pfanne, Kirschen queue *f*; Stengel tige *f*

Stier [ʃtiːr] *m* (-*[e]s*; *-e*) *zo* taureau *m*; *astr* Taureau *m*; **2en** (*h*) regarder fixement (*auf etw* qc); **~kampf** *m* course *f* de taureaux, corrida *f*; **~kämpfer** *m* toréador *m*

Stift [ʃtift] *m* (-*[e]s*; *-e*) Blei2 crayon *m*; Lippen2 bâton *m* (de rouge); *tech* goupille *f*, goujon *m*; **2en** (*h*) *gründen* fonder; *spenden* donner; **~er** *m* (-s; -), **~erin** *f* (-; *-nen*) fondateur *m*, *-trice f*; Spender donateur *m*, *-trice f*; **~ung** *f* (-; *-en*) fondation *f*

Stil [ʃtiːl] *m* (-*[e]s*; *-e*) style *m*, *fig in großem ~* de grand style; **2isiert** [-ʃtiliˈziːrt] stylisé; **2istisch** [ʃtiˈlistiʃ] stylistique

still [ʃtil] tranquille, calme; *geräuschlos* silencieux; **~!** silence!; *der 2e Ozean* l'océan *m* Pacifique; *2er Teilhaber comm* bailleur *m* de fonds; commanditaire *m*

Stille *f* (-; sans *pl*) tranquillité *f*, calme *m*, silence *m*; *in aller ~* Beisetzung dans l'intimité; *heimlich* secrètement

Stilleben ['ʃtilleːbən] *n* (-s; -) Malerei nature *f* morte

stillegen ['ʃtilleːgən] (*sép*, *-ge-*, *h*) Betrieb fermer

stillen ['ʃtilən] (*h*) Blut arrêter; Schmerz, Hunger, Durst apaiser; Neugier, a Hunger, Durst assouvir; Kind nourrir au sein, allaiter

stillhalten (*irr*, *sép*, *-ge-*, *h*, → *halten*) se tenir tranquille

Still|schweigen *n* (-s; sans *pl*) silence *m*; **2schweigend** tacite; **~stand** *m* (-*[e]s*; sans *pl*) arrêt *m*; *fig* stagnation *f*; **2stehen** s'arrêter, ne pas bouger, rester en place

Still|möbel *pl* meubles *m/pl* de style; **2voll** qui a du style

stimmberechtigt ['ʃtimbərɛçtiçt] qui a droit de vote

'Stimme f (-; -n) voix f; Wahl≗ a suffrage m, vote m

'stimmen (h) être exact od juste; Instrument accorder; es stimmt c'est juste; es stimmt mich traurig cela me rend triste; ~ für (gegen) voter pour (contre)

Stimm|enthaltung ['ʃtimʔɛnt-] f abstention f; '~recht n droit m de vote

'Stimmung f (-; -en) état m d'âme, humeur f; Atmosphäre atmosphère f, ambiance f; alle waren in ~ tous étaient de bonne humeur; ≗svoll plein d'ambiance; Bild qui a de l'atmosphère

'Stimmzettel m bulletin m de vote

stinken (stank, gestunken, h) puer (nach etw qc); fig es stinkt mir j'en ai marre F

Stipendi|at [ʃtipɛndiˈaːt] m (-en; -en), ~atin f (-; -nen) boursier m, boursière f, ~um [-ˈpɛndjum] n (-s; -dien) bourse f

Stirn [ʃtirn] f (-; -en) front m

stochern ['ʃtɔxərn] (h) in den Zähnen ~ se curer les dents; im Essen ~ chipoter

Stock [ʃtɔk] m 1. (-/e/s; ⸚e) bâton m; Spazier≗ canne f; Bienen≗ ruche f; bot pied m; 2. (-/e/s; - u Stockwerke) ~werk étage m; im ersten ~ au premier étage; ≗dunkel es ist ~ il fait noir comme dans un four

'stocken (h) s'arrêter; langsamer werden se ralentir; Redner hésiter; '~d Stimme hésitant; Verkehr ralenti

'Stockwerk n étage m

Stoff [ʃtɔf] m (-/e/s; -e) tissu m, étoffe f; Materie matière f; '≗lich matériel; '~wechsel m biol métabolisme m

stöhnen ['ʃtøːnən] (h) gémir

stolpern ['ʃtɔlpərn] (sn) trébucher; fig über ein Wort ~ buter sur un mot

stolz [ʃtɔlts] 1. fier (auf de); 2. ♀ m (-es; sans pl) fierté f

stopfen ['ʃtɔpfən] (h) hinein~ fourrer (in dans); Pfeife bourrer; Loch boucher; Strümpfe repriser; Speise (sättigen) bourrer

Stoppel ['ʃtɔpəl] f (-; -n) chaume m; Bart≗ poil m raide; '≗ig mal rasé

stopp|en ['ʃtɔpən] (h) stopper; Zeit chronométrer; '≗schild n stop m; '≗uhr f chrono(mètre) m

Stöpsel ['ʃtœpsəl] m (-s; -) bouchon m

Storch [ʃtɔrç] zo m (-/e/s; ⸚e) cigogne f

stör|en ['ʃtøːrən] (h) déranger, gêner, perturber; Radiosendung brouiller; lassen Sie sich nicht ~ ne vous dérangez pas; '~end gênant; ≗enfried ['-friːt] m (-/e/s; -e) gêneur m, perturbateur m

storn|ieren [ʃtɔrˈniːrən] (pas de ge-, h) ristourner; ≗ierungsgebühr f frais m/pl de ristourne; '≗o ['ʃtɔrno] m u n (-s; -ni) comm ristourne f; '≗obuchung f écriture f de contrepassement

'Störung f (-; -en) dérangement m; perturbation f (a Tiefdruckgebiet)

Stoß [ʃtoːs] m (-es; ⸚e) coup m, poussée f, secousse f; Haufen pile f, tas m; von Papieren liasse f; '~dämpfer auto m amortisseur m

'stoßen (stieß, gestoßen) 1. v/t (h) pousser; sich ~ an se heurter od se cogner contre; fig être choqué par, se formaliser od se scandaliser de; 2. v/i (sn) auf j-n tomber sur qn; auf Schwierigkeiten ~ se heurter à des difficultés

'Stoßstange auto f pare-chocs m; '~zeit f heure f de pointe

stottern ['ʃtɔtərn] (h) bégayer

Straf|anstalt ['ʃtraːfʔ-] f maison f de correction; '≗bar ~e Handlung acte m punissable od répréhensible; sich ~ machen être passible d'une peine

'Strafe f (-; -n) punition f; jur peine f; Geld≗ amende f; zur ~ für en punition de; '≗n (h) punir

straff [ʃtraf] tendu, raide; Stil serré; Disziplin sévère

straffällig ['ʃtraːfɛliç] ~ werden commettre un délit

straffen ['ʃtrafən] (h) (sich ~ se) raidir

straffrei ['ʃtraːf-] ~ ausgehen rester impuni; '≗heit f (-; sans pl) impunité f

'Strafgefangene m (-n; -n) prisonnier m de droit commun; '~gesetzbuch n Code m pénal

sträf|lich ['ʃtrɛːfliç] répréhensible; ~er Leichtsinn légèreté f impardonnable; '≗ling m (-s; -e) prisonnier m, détenu m

'Straf|prozess m procès m pénal od criminel; '~raum Sport m surface f de réparation; '~recht n droit m pénal; '~tat f délit m, acte m criminel; '~täter

S

m délinquant *m*; '~**zettel** *m* contravention *f*; F P.-V. *m* (= procès-verbal)

Strahl [ʃtraːl] *m* (-[e]s; -en) rayon *m*; *Wasser*♎, *Gas*♎ jet *m*; '**2en** (h) rayonner (*a fig*); briller; '~**enschutz** *m* protection *f* contre les radiations; '**2ensicher** à l'épreuve des radiations; '~**ung** *f* (-; -en) rayonnement *m*, (ir) radiation *f*

Strähne ['ʃtrɛːnə] *f* (-; -n) mèche *f*

stramm [ʃtram] tendu; *Haltung* rigide

strampeln ['ʃtrampəln] (h) *Baby* gigoter; *Radler* pédaler

Strand [ʃtrant] *m* (-[e]s; ⁼e) plage *f*; *am* ~ sur la plage; '~**bad** *n* plage *f*; '**2en** (*sn*) *mar* échouer (*a fig*); '~**gut** *n* épave *f*; '~**korb** *m* fauteuil-cabine *m* en osier; '~**nähe** *f in* ~ près de la plage

Strang [ʃtraŋ] *m* (-[e]s; ⁼e) corde *f*; *fig* ligne *f*; *Bündel* faisceau *m*

Strapaz|e [ʃtra'paːtsə] *f* (-; -n) fatigue *f*; **2ieren** [-a'tsiːrən] (*pas de -ge-*, h) (*sich* ~ se) fatiguer; **2ierfähig** résistant, solide, robuste; **2iös** [-a'tsjøːs] fatigant, épuisant, harassant

Straße ['ʃtraːsə] *f* (-; -n) rue *f*; *Fahr*♎, *Land*♎ route *f*; *Meerenge* détroit *m*; *die* ~ *von Dover* le pas de Calais; *auf der* ~ dans la rue; sur la route

'**Straßen|arbeiten** *f/pl* travaux *m/pl* de voirie; '~**bahn** *f* tramway *m*; '~**bahnhaltestelle** *f* arrêt *m* du tram; '~**café** *n* café *m* en plein air; '~**karte** *f* carte *f* routière; '~**kehrer** *m* (-s; -) balayeur *m*; '~**kreuzung** *f* carrefour *m*; '~**lage** *auto f* tenue *f* de route; '~**laterne** *f* réverbère *m*; '~**rand** *m* bas-côté *m*, accotement *m*; '~**reinigung** *f* nettoyage *m* des rues; *Amt* voirie *f*; '~**schild** *n* plaque *f* de rue; '~**verhältnisse** *n/pl* état *m* des routes; '~**verkehr** *m* circulation *f* routière; '~**verkehrsordnung** *f* (-; *sans pl*) code *m* de la route; '~**zustand** *m* état *m* des routes

Strategi|e [ʃtrate'giː] *f* (-; -n) stratégie *f*; **2isch** [-'teːgi̯-] stratégique

sträuben ['ʃtrɔybən] (h) *sich* ~ se hérisser; *fig* être récalcitrant (*gegen* contre)

Strauß [ʃtraus] **1.** *zo* (-es; ⁼e) autruche *f*; **2.** (-es; ⁼e) *Blumen*♎ bouquet *m*

streb|en ['ʃtreːbən] (h) *nach etw* ~ chercher à atteindre qc; tendre *od* aspirer à qc; '**2en** *n* (-s; *sans pl*) ten-

dance *f*, aspiration *f* (*nach* à); '~**sam** ['ʃtreːpzaːm] zélé, assidu; ambitieux

Strecke ['ʃtrɛkə] *f* (-; -n) distance *f*, parcours *m*, trajet *m*; *Bahn* ligne *f*

'**strecken** (h) étendre, allonger, étirer; *sich* ~ s'étirer

Streich [ʃtraiç] *m* (-[e]s; -e) (mauvais) tour *m*; *dummer* ~ sottise *f*, bêtise *f*; *j-m e-n* (*üblen*) ~ *spielen* jouer un (mauvais) tour à qn; *auf einen* ~ d'un seul coup

streicheln ['ʃtraiçəln] (h) caresser

streichen ['ʃtraiçən] (*strich, gestrichen*) **1.** *v/t* (h) *an*~ peindre; *auftragen* étaler, étendre; *auf e-e Brotschnitte* tartiner; *durch*~ barrer, rayer, radier, biffer; *Auftrag, Plan* annuler; *Subventionen, Stellen* supprimer; *mit der Hand über etw* ~ passer la main sur qc; **2.** *v/i* (*sn*) *durch die Straßen* ~ rôder dans les rues

'**Streich|holz** *n* allumette *f*; '~**instrument** *mus n* instrument *m* à cordes; '~**ung** *f* (-; -en) *im Text* rature *f*; *fig* annulation *f*, suppression *f*

Streife ['ʃtraifə] *f* (-; -n) patrouille *f*

'**streifen 1.** *v/t* (h) effleurer (*a fig Thema*); **2.** *v/i* (*sn*) *umher*~ rôder

'**Streif|en** *m* (-s; -) bande *f*; '~**enwagen** *m* voiture *f* de police; '~**zug** *m* excursion *f*; *fig* aperçu *m*

Streik [ʃtraik] *m* (-[e]s; -s) grève *f*; *wilder* ~ grève sauvage; '~**brecher** *m* (-s; -) briseur *m* de grève; '**2en** (h) faire grève, être en grève; '~**ende** ['-əndə] *m*, *f* (-n; -n) gréviste *m*, *f*; '~**posten** *m* piquet *m* de grève; '~**recht** *n* droit *m* de grève

Streit [ʃtrait] *m* (-[e]s; -e) querelle *f*; *Wort*♎ dispute *f*; '**2en** (*stritt, gestritten*, h) (*sich*) ~ se quereller *od* se disputer (*mit* avec); *für etw* ~ lutter pour qc; '~**frage** *f* affaire *f* litigieuse; '~**gespräch** *n* débat *m*, discussion *f*; '~**igkeiten** *f/pl* querelles *f/pl*, conflits *m/pl*; '~**kräfte** *mil f/pl* forces *f/pl* (armées)

streng [ʃtrɛŋ] sévère, rigoureux, strict; *Sitte* austère; ~ *verboten* formellement interdit; '**2e** *f* (-; *sans pl*) sévérité *f*, rigueur *f*

Stress [ʃtrɛs] *m* (-es; -e) stress *m*; *im* ~ stressé

stress|en ['ʃtrɛsən] (h) surmener;

stresser; **~ig** stressant

streuen ['ʃtrɔʏən] (h) répandre; *Zucker etc auf etw ~* saupoudrer qc de sucre, etc

'**Streuung** *phys f* (-; -en) dispersion f, diffusion f

Strich [ʃtriç] m (-[e]s; -e) trait m; *Linie* ligne f; *gegen den ~* à rebours; F *auf den ~ gehen* faire le trottoir; '**~code** m code m (à) barres; '**~junge** m prostitué m; '**~punkt** m point-virgule m; '**~weise** par endroits

Strick [ʃtrik] m (-[e]s; -e) corde f; '**~en** (h) tricoter; '**~jacke** f gilet m, tricot m; '**~waren** f/pl articles m/pl tricotés; '**~zeug** n tricot m

strittig ['ʃtritiç] contesté, contestable, controversé; **~er Punkt** point m litigieux

Stroh [ʃtroː] n (-[e]s; *sans pl*) paille f; '**~dach** n toit m de chaume; '**~halm** m brin m de paille; *Trinkhalm* paille f

Strolch [ʃtrɔlç] m (-[e]s; -e) voyou m

Strom [ʃtroːm] m (-[e]s; ⁻e) fleuve m; *Elektrizität* courant m (électrique); *fig ein ~ von* un flot od un torrent de; *es gießt in Strömen* il pleut à torrents; 2**ab(wärts)** en aval; '**~anschluss** m prise f de courant; 2**auf(wärts)** en amont; '**~ausfall** m panne f d'électricité

strömen ['ʃtrøːmən] (sn) couler; *Menschen* affluer

'**Strom|kreis** m circuit m (électrique); '**~stärke** f ampérage m, intensité f du courant

'**Strömung** f (-; -en) courant m (a fig)

'**Stromverbrauch** m consommation f de courant

Strophe ['ʃtroːfə] f (-; -n) *Gedicht* strophe f; *Lied* couplet m

Struktur [ʃtrukˈtuːr] f (-; -en) structure f

Strumpf [ʃtrumpf] m (-[e]s; ⁻e) bas m; '**~hose** f collant m

Stube ['ʃtuːbə] f (-; -n) chambre f

Stück [ʃtyk] n (-[e]s; -e) *als Bruchteil* morceau m (a mus); *als selbstständiges Ganzes* pièce f (a Theater 2); *Exemplar* exemplaire m; *5 Mark pro ~* 5 marks (la) pièce; *ein ~ Kuchen* un morceau de gâteau; *in ~e reißen* mettre en morceaux od pièces; '**~chen** ['-çən] n (-s; -) petit morceau m, bout m; '2**weise** pièce par pièce, à la pièce;

'**~werk** n (-[e]s; *sans pl*) *fig* ouvrage m décousu

Student [ʃtuˈdɛnt] m (-en; -en), '**~in** f (-; -nen) étudiant m, -e f; '**~enausweis** m carte f d'étudiant; '**~enheim** n foyer m d'étudiants

Studie ['ʃtuːdjə] f (-; -n) étude f; '**~nabschluss** m fin f d'études; diplôme m de ...; '**~naufenthalt** m vacances f/pl studieuses; '**~nplatz** m place f dans une université

studieren [ʃtuˈdiːrən] (*pas de -ge-*, h) étudier (*etw* qc); faire des études

Studio ['ʃtuːdjo] n (-s; -s) studio m

Studium ['ʃtuːdjum] n (-s; -ien) études f/pl; *das ~ der Medizin* les études de médecine

Stufe ['ʃtuːfə] f (-; -n) *Treppen* 2 marche f; *fig* échelon m, *Entwicklungs* 2 stade m; *Raketen* 2 étage m

Stuhl [ʃtuːl] m (-[e]s; ⁻e) chaise f; '**~gang** *méd* m (-[e]s; *sans pl*) selles f/pl

stülpen ['ʃtʏlpən] (h) *umdrehen* retourner; *über~* recouvrir (*etw über etw* qc de qc); *Hut* enfoncer (*auf* sur)

stumm [ʃtum] muet

Stummel ['ʃtuməl] m (-s; -) bout m; *Zigaretten* 2 mégot m F

'**Stummfilm** m film m muet

Stumpf [ʃtumpf] m (-[e]s; ⁻e) *Arm* 2, *Bein* 2 moignon m, *Baum* 2 souche f

stumpf *Messer* émoussé (a fig); *Nase* plat; *Winkel* obtus; *glanzlos* terne; *teilnahmslos* hébété, apathique; '2**sinn** m (-[e]s; *sans pl*) abrutissement m, stupidité f; '**~sinnig** hébété, abruti, stupide

Stunde ['ʃtundə] f (-; -n) heure f; *Lehr* 2 leçon f, cours m

'**Stunden|kilometer** m/pl kilomètres-heure m/pl; '2**lang** pendant des heures; '**~lohn** m salaire m horaire; '**~plan** m emploi m du temps; '**~zeiger** m aiguille f des heures

stündlich ['ʃtʏnt-] par heure; toutes les heures

'**Stundung** f (-; -en) *comm* délai m od sursis m de paiement; moratoire m

Stuntman ['stantmɛn] m (-s; -men) cascadeur m

stur [ʃtuːr] F *Person* obstiné, têtu; *Arbeit* abrutissant

Sturm [ʃturm] m (-[e]s; ⁻e) tempête f; *Sport* attaque f; *mil* assaut m (*auf* de)

stürm|en ['ʃtyrmən] (h) *sich stürzen* s'élancer; *Sport* attaquer; *mil* prendre d'assaut (*a fig*); **es stürmt** il fait de la tempête; **ℒer** *m* (-*s*; -) *Sport* avant *m*; '**~isch** *Wetter* de tempête; *fig* impétueux, fougueux; *Beifall* frénétique; *Debatte* orageux

Sturz [ʃturts] *m* (-*es*; ⁀e) chute *f* (*a fig u pol*)

stürzen ['ʃtyrtsən] (*v/t h*, *v/i sn*) tomber, chuter F; *rennen* se précipiter (**zur Tür** *à la porte*); *sich* **~** se jeter *od* se précipiter (**auf** *a fig* sur *qn*; **aus dem Fenster** par la fenêtre); *fig* **die Regierung ~** renverser le gouvernement; **j-n ins Verderben ~** ruiner, perdre qn

'Sturzhelm *m* casque *m* (de protection)

Stute ['ʃtu:tə] *zo f* (-; -*n*) jument *f*

Stütze ['ʃtytsə] *f* (-; -*n*) appui *m*, soutien *m* (*a fig Person*), support *m*; *fig* a aide *f*

'stützen (h) appuyer, soutenir; *sich* **~ auf** s'appuyer sur (*a fig*)

'stutzig **j-n ~ machen** surprendre qn; éveiller les soupçons de qn; **~ werden** s'étonner; commencer à se méfier

'Stützpunkt *mil* *m* base *f* militaire

Styropor [ʃtyro'po:r] *n* (-*s*; *sans pl*) polystyrène *m* (expansé)

Subjekt [zup'jekt] *n* (-*[e]s*; -*e*) gr sujet *m*; *péj* individu *m*; **ℒiv** [-'ti:f] subjectif; **~ivität** [-ivi'tɛ:t] *f* (-; *sans pl*) subjectivité *f*

Substantiv ['zupstanti:f] gr *n* (-*s*; -*e*) nom *m*, substantif *m*

Substanz [zup'stants] *f* (-; -*en*) substance *f*

subtrahieren [zuptra'hi:rən] (*pas de -ge-, h*) *math* soustraire

Subunternehmer ['zupˀ-] *m* sous-traitant *m*

Subvention [zupvɛn'tsjo:n] *f* (-; -*en*) subvention *f*; **ℒieren** [-ɔ'ni:rən] (*pas de -ge-, h*) *écon* subventionner

Suche ['zu:xə] *f* (-; *sans pl*) recherche *f* (**nach** de); '**ℒn** (h) chercher; *intensiv* rechercher; **er hat hier nichts zu ~** il n'a rien à faire ici; '**~r** *Foto m* (-*s*; -) viseur *m*

Suchmaschine *f* (-; -*n*) *EDV* moteur *m* de recherche

Sucht [zuxt] *f* (-; ⁀e) manie *f*, passion *f* (**nach** de); *Drogenℒ* toxicomanie *f*

'süchtig **~ sein** être toxicomane

Süd [zy:t] *m* (-*[e]s*; *selten* -*e*), '**~en**

['zy:dən] *m* (-*s*; *sans pl*) sud *m*, midi *m*

Süd|früchte ['zy:tfryçtə] *f/pl* fruits *m/pl* des pays chauds; '**ℒich** méridional, du sud; **~ von** au sud de; **~'ost(en)** *m* (-*s*; *sans pl*) sud-est *m*; '**~pol** *m* (-*s*; *sans pl*) pôle *m* Sud; **~'west(en)** *m* (-*s*; *sans pl*) sud-ouest *m*

suggerieren [zuge'ri:rən] (*pas de -ge-, h*) suggérer

Sülze ['zyltsə] *cuis f* (-; -*n*) gelée *f*; viande *f* en gelée

Summe ['zumə] *f* (-; -*n*) somme *f*, total *m*

'summen (h) *Insekten* bourdonner; *Melodie* fredonner

summieren [zu'mi:rən] (*pas de -ge-, h*) *sich* **~** s'additionner

Sumpf [zumpf] *m* (-*[e]s*; ⁀e) marais *m*, marécage *m*

Sünd|e ['zyndə] *f* (-; -*n*) péché *m*; '**~enbock** *m* *fig* bouc *m* émissaire; '**ℒigen** (h) pécher

super [zu:pər] F super

'Super *n* (-*s*; *sans pl*) *Benzin* super *m*; '**ℒlativ** [-'lati:f] gr *m* (-*s*; -*e*) superlatif *m*; '**~markt** *m* supermarché *m*

Suppe ['zupə] *f* (-; -*n*) potage *m*, soupe *f*

'Suppen|kelle *f* louche *f*; '**ℒlöffel** *m* cuiller *f* à soupe; '**~schüssel** *f* soupière *f*; '**~teller** *m* assiette *f* à soupe

Surf|brett ['sœrf-] *n* planche *f* à voile; '**ℒen** (h) faire de la planche à voile; **im Internet ~** surfer, naviguer sur Internet; '**~er** *m* (-*s*; -), '**~erin** *f* (-; -*nen*) planchiste *m, f*

süß [zy:s] sucré; *fig* doux; *niedlich* mignon; '**ℒen** (h) sucrer; '**ℒigkeiten** *f/pl* sucreries *f/pl*, friandises *f/pl*; '**ℒspeise** *f* entremets *m*; '**ℒstoff** *m* (-*[e]s*; *sans pl*) saccharine *f*; '**ℒwasser** *n* (-*s*; -) eau *f* douce

Swimmingpool ['svimiŋpu:l] *m* (-*s*; -*s*) piscine *f*

Symbol [zym'bo:l] *n* (-*s*; -*e*) symbole *m*; '**~ik** *f* (-; *sans pl*) symbolisme *m*; **ℒisch** symbolique; **ℒisieren** [-oli'zi:rən] (*pas de -ge-, h*) symboliser

Symmetr|ie [zyme'tri:] *f* (-; -*n*) symétrie *f*; **ℒisch** [-'me:triʃ] symétrique

Sympath|ie [zympa'ti:] *f* (-; -*n*) sympathie *f* (**für** pour); **~isant** [-pati'zant] *m* (-*en*, -*en*), **~i'santin** *f* (-; -*nen*) sympathisant *m*, -e *f*; **ℒisch** [-'pa:tiʃ] sympathique; **ℒisieren** [-i'zi:rən] (*pas* *de -ge-*, *h*) sympathiser (**mit** avec)

Symphonie [zymfoˈniː] *mus f* (-; *-n*) symphonie *f*

Symptom [zympˈtoːm] *n* (-*s*; *-e*) symptôme *m*

synchronisier|en [zynkroniˈziːrən] (*pas de -ge-*, *h*) synchroniser; *Film* doubler; **2ung** *f* (-; *-en*) synchronisation *f*; *Film* doublage *m*

Synonym [zynoˈnyːm] *ling n* (-*s*; *-e*) synonyme *m*

Synthe|se [zynˈteːzə] *f* (-; *-n*) synthèse *f*; **2tisch** [-ˈteːtiʃ] synthétique

Syrien [ˈzyrjən] *n* (-*s*; *sans pl*) la Syrie

System [zysˈteːm] *n* (-*s*; *-e*) système *m*; **2atisch** [-eˈmaːtiʃ] systématique

Szene [ˈstseːnə] *f* (-; *-n*) *Theater u fig* scène *f*; *Milieu* milieux *m/pl*

T

Tabak[ˈtabak, taˈbak] *m* (-*s*; *-e*) tabac *m*; **'.geschäft** *n*, **'.laden** *m* débit *m* de tabac; **'.waren** *f/pl* tabacs *m/pl*

tabell|arisch [tabeˈlaːriʃ] sous forme de tableau; **2e** [taˈbelə] *f* (-; *-n*) barème *m*, table *f*, tableau *m*; *Sport* classement *m*

Tablett [taˈblet] *n* (-[*e*]*s*; *-e*, *-s*) plateau *m*; **.e** *f* (-; *-en*) comprimé *m*

Tabu [taˈbuː] **1.** *n* (-*s*; *-s*) tabou *m*; **2.** *adj* tabou

Tacho(**meter**) [taxo(ˈ-)] *auto m* (-*s*; -) compteur *m*

Tadel [ˈtaːdəl] *m* (-*s*; -) blâme *m*, réprimande *f*; **'2los** irréprochable; **'2n** (*h*) blâmer (**wegen** *de od* pour), reprendre, réprimander

Tafel [ˈtaːfəl] *f* (-; *-n*) *Schule* tableau *m* (noir); *Gedenk2* plaque *f*; *in Büchern* planche *f*; *Schokolade* tablette *f*; *Tisch* table *f*; **'.wein** *m* vin *m* de table

täfel|n [ˈteːfəln] (*h*) lambrisser; **2ung** *f* (-; *-en*) lambris(sage) *m*, boiserie *f*

Tag [taːk] *m* (-[*e*]*s*; *-e*) jour *m*; *Dauer* journée *f*; *es ist ~* il fait jour; *am ~e* le *od* de jour; *am helllichten ~* en plein jour; *den ganzen ~* toute la journée; *e-s ~es* un jour; *welchen ~ haben wir heute?* nous sommes quel jour aujourd'hui?; *heute in 14 ~en* aujourd'hui en quinze; *guten ~ (sagen)* (dire) bonjour; *(ich wünsche e-n) schönen ~!* bonne journée!; *F sie hat ihre ~e* elle a ses règles; *unter ~e Bergbau* au fond

Tage|bau [ˈtaːgəbau] *m* (-[*e*]*s*; *-e*) *Bergbau* exploitation *f* à ciel ouvert;

'.buch *n* journal *m*

'tagen (*h*) *Versammlung* siéger

'Tages|anbruch *m* pointe *f* du jour; **'.fahrt** *f* excursion *f* d'une journée; **'.gericht** *n* plat *m* du jour; **'.karte** *f* carte *f* pour la journée; *Restaurant* menu *m* du jour; **'.kurs** *m* cours *m* du jour; **'.licht** *n* (-[*e*]*s*; *sans pl*) lumière *f* du jour; **'.ordnung** *f* ordre *m* du jour; **'.zeit** *f* heure *f* du jour; *zu jeder ~* à toute heure; **'.zeitung** *f* quotidien *m*

'täglich [ˈteːkliç] (*de*) tous les jours, quotidien

'Tagschicht *f* équipe *f* de jour

tagsüber [ˈtaːks-] pendant la journée

Tagung [ˈtaːguŋ] *f* (-; *-en*) congrès *m*, assises *f/pl*

Taifun [taiˈfuːn] *m* (-*s*; *-e*) typhon *m*

Taill|e [ˈtaljə] *f* (-; *-n*) taille *f*; **2iert** [taˈjiːrt] cintré

Takt [takt] *m* (-[*e*]*s*; *-e*) *mus* mesure *f*; *Motor* temps *m*; *fig* (*sans pl*) tact *m*; **'.gefühl** *n* (-[*e*]*s*; *sans pl*) tact *m*

Takti|k [ˈtaktik] *f* (-; *-en*) *mil u fig* tactique *f*; **'.ker** *m* (-*s*; -) tacticien *m*; **2sch** tactique

'takt|los sans tact, indiscret; **'.voll** plein de tact, discret

Tal [taːl] *n* (-[*e*]*s*; ¨-*er*) vallée *f*; *kleines ~* vallon *m*

Talent [taˈlent] *n* (-[*e*]*s*; *-e*) talent *m* (**für** pour); **2iert** [-ˈtiːrt] talentueux, doué

'Talsperre *f* barrage *m*

Tang [taŋ] *bot n* (-[*e*]*s*; *-e*) varech *m*

Tangente [taŋˈgentə] *math f* (-; *-n*) tangente *f*

tangieren [taŋ'giːrən] (*pas de -ge-, h*) toucher, concerner

Tank [taŋk] *m* (*-s; -s*) réservoir *m*, citerne *f*; *mar* Öltank tank *m*; '**2en** (*h*) prendre de l'essence; '**er** *mar m* (*-s; -*) pétrolier *m*; '**stelle** *f* poste *m* d'essence, station-service *f*; '**wagen** *m* camion-citerne *m*; '**wart** ['-vart] *m* (*-[e]s; -e*) pompiste *m*

Tanne ['tanə] *bot f* (*-; -n*) sapin *m*

Tannenbaum *m* sapin *m*; *bes* arbre *m* de Noël

Tante ['tantə] *f* (*-; -n*) tante *f*

Tanz [tants] *m/pl* (*-es; ⸚e*) danse *f*; '**2en** (*h*) danser

Tänzer ['tɛntsər] *m* (*-s; -*), '**in** *f* (*-; -nen*) danseur *m*, -euse *f*

'Tanz|lokal *n* dancing *m*; '**musik** *f* musique *f* de danse

Tape|te [ta'peːtə] *f* (*-; -n*) papier *m* peint; **2zieren** [-e'tsiːrən] (*pas de -ge-, h*) poser du papier peint, tapisser (*a fig* **mit** de)

tapfer ['tapfər] courageux, brave; **2keit** (*-; sans pl*) courage *m*, bravoure *f*

Tarif [ta'riːf] *m* (*-s; -e*) tarif *m*; '**autonomie** *f* autonomie *f* tarifaire; '**erhöhung** *f* majoration *f* du tarif; '**konflikt** *m* conflit *m* tarifaire; '**lohn** *m* salaire *m* tarifaire; '**partner** *m* partie *f* à la convention collective; '**verhandlungen** *f/pl* negociations *f/pl* salariales; '**vertrag** *m* convention *f* collective

tarnen ['tarnən] (*h*) camoufler

Tasche ['taʃə] *f* (*-; -n*) *in Kleidung* poche *f*; *Einkaufs*2, *Hand*2 sac *m*

'Taschen|buch *n* livre *m* de poche; '**dieb** *m* voleur *m* à la tire, pickpocket *m*; '**geld** *n* argent *m* de poche; '**lampe** *f* lampe *f* de poche; '**messer** *n* canif *m*; '**rechner** *m* calculatrice *f* de poche; '**tuch** *n* (*-[e]s; ⸚er*) mouchoir *m*

Tasse ['tasə] *f* (*-; -n*) tasse *f*

Tastatur [tasta'tuːr] *f* (*-; -en*) clavier *m*

Tast|e ['tastə] *f* (*-; -n*) touche *f*; '**2en** tâtonner; *nach etw* **~** chercher qc à tâtons; '**entelefon** *n* téléphone *m* à touches

Tat [taːt] *f* (*-; -en*) action *f*, acte *m*; *Verbrechen* crime *m*

Täter ['tɛːtər] *m* (*-s; -*), '**in** *f* (*-; -nen*) auteur *m* (du crime), coupable *m*, *f*

tätig ['tɛːtiç] actif; **~ sein bei** être employé chez; '**2keit** *f* (*-; -en*) activité *f*

tätlich ['tɛːtliç] violent; **~ werden** se livrer à des voies de fait; '**2keiten** *f/pl* violences *f/pl*; *jur* voies *f/pl* de fait

Tatort ['taːtˀ-] *m* (*-[e]s; -e*) lieu *m* od scène *f* du crime

tätowier|en [tɛto'viːrən] (*pas de -ge-, h*) tatouer; **2ung** *f* (*-; -en*) tatouage *m*

'Tat|sache *f* fait *m*; *vor vollendete* **~n** *gestellt werden* être mis devant le fait accompli; '**2sächlich** réel, vrai, effectif; *adv* vraiment, réellement, effectivement, en fait

Tau [tau] *m* (*-[e]s; sans pl*) rosée *f*

Tau[2] *n* (*-[e]s; -e*) cordage *m*, câble *m*

taub [taup] sourd (*a fig* **gegen** à)

Taube ['taubə] *zo f* (*-; -n*) pigeon *m*

'Taub|heit *f* (*-; sans pl*) surdité *f*; '**2stumm** sourd-muet

tauchen ['tauxən] (*v/t h; v/i sn*) plonger; '**2er** *m* (*-s; -*), '**erin** *f* (*-; -nen*) plongeur *m*, -euse *f*; *mit Taucheranzug* scaphandrier *m*

tauen ['tauən] (*h*) *Eis, Schnee* fondre; *es taut* il dégèle

Tauf|e ['taufə] *f* (*-; -n*) baptême *m*; '**2en** (*h*) baptiser

taug|en ['taugən] (*h*) être bon *od* apte (*zu, für* à); *nichts* **~** ne rien valoir; '**2enichts** *m* (*-[es]; -e*) vaurien *m*; '**lich** ['tauk-] bon, apte (*zu, für* à); '**2lichkeit** *f* (*-; sans pl*) aptitude *f*

Taumel ['tauməl] *m* (*-s; sans pl*) vertige *m*; *fig* ivresse *f*; '**2n** (*h*) chanceler, tituber

Tausch [tauʃ] *m* (*-[e]s; -e*) échange *m*; '**2en** (*h*) échanger (*gegen* contre); *Geld* changer

täuschen ['tɔyʃən] (*h*) (*sich* **~** se) tromper; '**d** *e-e* **~e** *Ähnlichkeit* une ressemblance frappante

'Tausch|geschäft *n* opération *f* d'échange; troc *m*; '**handel** *m* (économie *f* de) troc *m*

'Täuschung *f* (*-; -en*) tromperie *f*; *beim Examen* fraude *f*; *Sinnes*2 illusion *f*

tausend ['tauzənt] **1.** mille; **2.** 2 *n* (*-s; -e*) millier *m*; '**jährig** millénaire; '**ste** millième *m* *f*; '**2stel** *n* (*-s; -*) millième *m*

'Tauwetter *n* (*-s; sans pl*) dégel *m*

Taxi ['taksi] *n* (*-[s]; -[s]/-[s]*) taxi *m*

taxieren [ta'ksiːrən] (*pas de -ge-, h*) évaluer, estimer

'Taxi|fahrer *m* chauffeur *m* de taxi; '~stand *m* station *f* de taxis

Team [ti:m] *n* (-s; -s) équipe *f*

Techn|ik ['tɛçnik] *f* (-; -en) technique *f*; '~iker *m* (-s; -), '~ikerin *f* (-; -nen) technicien *m*, -ne *f*; 2isch technique

Technolog|ie [tɛçnolo'gi:] *f* (-; -n) technologie *f*; '~iepark *m* centre *m* technologique; '2isch [-'lo:gif] technologique

Tee [te:] *m* (-s; -s) thé *m*; Kräuter2 tisane *f*, infusion *f*; '~beutel *m* sachet *m* de thé; '~kanne *f* théière *f*; '~löffel *m* petite cuiller *f*

Teer [te:r] *m* (-[e]s; -e) goudron *m*; '2en (h) goudronner

Teich [taiç] *m* (-[e]s; -e) étang *m*

Teig [taik] *m* (-[e]s; -e) pâte *f*; '~waren *f/pl* pâtes *f/pl* (alimentaires)

Teil [tail] *m*, *n* (-[e]s; -e) partie *f*; An2 part *f*; *zum* ~en partie; '2bar divisible; '~chen *n* (-s; -) particule *f*; '2en (*sich* ~se) diviser (*in* en; *a math*); *auf*~partager (*mit j-m* avec qn); *j-s Ansichten* ~ partager les idées de qn

'teil|haben (*irr, sép, -ge-, h,* → *haben*) avoir part (*an* à); '2haber ['-ha:bər] *m* (-s; -), '2haberin *f* (-; -nen) écon associé *m*, -e *f*; 2kaskoversicherung *f* assurance *f* au tiers; '2nahme ['-na:mə] *f* (-; *sans pl*) participation *f* (*an* à); An2 sympathie *f*; '~nahmslos ['-na:mslo:s] indifférent, apathique; '~nehmen (*irr, sép, -ge-, h,* → *nehmen*) participer (*an* à); 2nehmer ['-ne:mər] *m* (-s; -), 2nehmerin *f* (-; -nen) participant *m*, -e *f*

teil|s [tails] en partie; '2strecke *f* section *f*; '2ung (-; -en) division *f*; partage *m*; '~weise en partie, partiellement; '2zahlung *f* paiement *m* à tempérament; '2zeitarbeit *f* (-; *sans pl*) travail *m* à temps partiel

Telefon [tele'fo:n] *n* (-s; -e) téléphone *m*; *am* ~ au téléphone; ~ *haben* avoir le téléphone; ~anruf *m* appel *m* téléphonique, coup *m* de téléphone; '~anschluss *m* raccord *m*, abonnement *m* au téléphone; ~at [-'o'na:t] *n* (-[e]s; -e) conversation *f* téléphonique, coup *m* de fil *F*; ~buch *n* annuaire *m* du téléphone, bottin *m*; ~gebühr *f* taxe *f* téléphonique; ~gespräch *n* communication *f* téléphonique; 2ieren

[-o'ni:rən] (*pas de -ge-, h*) téléphoner (*mit j-m* à qn); 2isch par téléphone; ~karte *f* télécarte *f*; ~konferenz *f* téléconférence *f*; ~leitung *f* ligne *f* téléphonique; ~marke *f* jeton *m* de téléphone; ~netz *n* réseau *m* téléphonique; ~nummer *f* numéro *m* de téléphone; ~zelle *f* cabine *f* téléphonique; ~zentrale *f* central *m* téléphonique, standard *m*

telegraf|ieren [telegra'fi:rən] (*pas de -ge-, h*) télégraphier; ~isch [-'gra:tif] par télégramme

Telegramm [-'gram] *n* (-s; -e) télégramme *m*

'Telekommunikation *f* (-; *sans pl*) télecommunication *f*

Teleobjektiv ['tele?-] *n* téléobjectif *m*

Teller ['tɛlər] *m* (-s; -) assiette *f*

Tempel ['tɛmpəl] *m* (-s; -) temple *m*

Temperament [tɛmpəra'mɛnt] *n* (-[e]s; -e) *Lebhaftigkeit* entrain *m*, vivacité *f*; *Gemütsart* tempérament *m*; ~ *haben* être plein d'entrain; 2voll dynamique, plein d'entrain

Temperatur [tɛmpəra'tu:r] *f* (-; -en) température *f*

Tempo ['tɛmpo] *n* (-s; -s, -pi) vitesse *f*, allure *f*, rythme *m*; *mus* tempo *m*; '~limit *n* (-s; -s) limitation *f* de vitesse; '~taschentuch *n* mouchoir *m* en papier, kleenex *m*

Tendenz [tɛn'dɛnts] *f* (-; -en) tendance *f*; 2iös [-'tsjø:s] tendancieux

tendieren [tɛn'di:rən] (*pas de -ge-, h*) tendre (*zu* à)

Tennis ['tɛnis] *n* (-; *sans pl*) tennis *m*; '~platz *m* court *m* (de tennis); '~schläger *m* raquette *f* (de tennis); '~spieler(in *f*) *m* joueur *m*, -euse *f* de tennis

Tenor [te'no:r] *mus m* (-s; -̈e) ténor *m*

Teppich ['tɛpiç] *m* (-s; -e) tapis *m*; '~boden *m* moquette *f*

Termin [tɛr'mi:n] *m* (-s; -e) date *f*; *beim Arzt etc* rendez-vous *m*; *e-n* ~ *vereinbaren* prendre rendez-vous; ~kalender *m* agenda *m*

Terrasse [tɛ'rasə] *f* (-; -n) terrasse *f*

Territorium [tɛri'to:rjum] *n* (-s; -rien) territoire *m*

Terror [tɛ'ro:r] *m* (-s; *sans pl*) terreur *f*; 2isieren [-ori'zi:rən] (*pas de -ge-, h*) terroriser; ~ismus [ɔ'rismus] *m* (-; *sans pl)* terrorisme *m*; **~'ist** *m (-en; -en)*, **~'istin** *f (-; -nen)* terroriste *m, f*; **Ջ'istisch** terroriste

Test [tɛst] *m (-[e]s; -s, -e)* test *m*

Testament [tɛsta'mɛnt] *n (-[e]s; -e)* testament *m*; **~arisch** [-'ta:rɪʃ] testamentaire; **~ vermachen** léguer par testament

testen ['tɛstən] *(h)* tester

teuer ['tɔyər] cher; **~ bezahlen** payer cher; **wie ~ ist es?** cela coûte combien?; **Ջung** *f (-; -en)* hausse *f* des prix; **Ջungsrate** *f* taux *m* d'inflation

Teufel ['tɔyfəl] *m (-s; -)* diable *m*

Text [tɛkst] *m (-[e]s; -e)* texte *m*; *Lieder-Ջ* paroles *f/pl*

Textil|ien [tɛksti:ljən] *pl* textiles *m/pl*; **~industrie** *f* industrie *f* textile

'Text|stelle *f* passage *m*; **~verarbeitung** *f* traitement *m* de texte; **~verarbeitungssystem** *n* système *m* de traitement de texte

Theater [te'a:tər] *n (-s; -)* théâtre *m*; **F so ein ~!** quelle comédie!; **F das ist doch nur ~** c'est du cinéma; **~aufführung** *f → ~vorstellung*; **~karte** *f* billet *m* de théâtre; **~kasse** *f* bureau *m* de location; **~stück** *n* pièce *f* de théâtre; **~vorstellung** *f* représentation *f* théâtrale

theatralisch [tea'tra:lɪʃ] théâtral

Theke ['te:kə] *f (-; -n)* bar *m*, comptoir *m*

Thema ['te:ma] *n (-s; -men, -mata)* sujet *m*, thème *m*; **das ~ wechseln** changer de sujet

Theolog|e [teo'lo:gə] *m (-n; -n)*, **~in** *f (-; -nen)* théologien *m*, -ne *f*; **~ie** [-o'gi:] *f (-; -n)* **Ջisch** théologique

theoretisch [teo're:tɪʃ] théorique

Theorie [teo'ri:] *f (-; -n)* théorie *f*

Therap|eut [tera'pɔyt] *m (-en; -en)*, **~eutin** *f (-; -nen)* thérapeute *m, f*; **Ջeutisch** thérapeutique; **~ie** *f* thérapeutique *f*, thérapie *f*

Thermalbad [tɛr'ma:l-] *n* station *f* thermale

Thermometer [tɛrmo'-] *n (-s; -)* thermomètre *m*

Thermosflasche ['tɛrmɔs-] *f* bouteille *f* thermos

Thermostat [tɛrmo'sta:t] *tech m (-s, -en; -e[n])* thermostat *m*

These ['te:zə] *f (-; -n)* thèse *f*

Thrombose [trɔm'bo:zə] *méd f (-; -n)* thrombose *f*

Thunfisch ['tu:n-] *zo m* thon *m*

Tick [tɪk] *m (-[e]s; -s)* med *u fig* tic *m*; *fig* a manie *f*, marotte *f*

tief [ti:f] profond; bas; *Stimme* grave; **3 Meter ~** profond de 3 mètres; **bis ~ in die Nacht** jusque tard dans la nuit; **~ schlafen** dormir profondément; **Ջ** *n (-s; -s)* zone *f* de basse pression

'Tief|bau *m (-[e]s; sans pl)* travaux *m/pl* publics; **~druckgebiet** *n → Tief* **fig**

'Tief|e *f (-; -n)* profondeur *f*; *mus* gravité *f*; **~ebene** *f* plaine *f*; **~flug** *aviat m* rase-mottes *m*; **~gang** *mar m (-[e]s; sans pl)* tirant *m* d'eau; **~garage** *f* garage *m* souterrain; **Ջgekühlt** surgelé; **~kühltruhe** *f* congélateur *m*; **~punkt** *m fig* point *m* le plus bas; **~stand** *m (-[e]s; sans pl)* Wasser étiage *m*; *fig* le plus bas niveau

Tier [ti:r] *n (-[e]s; -e)* animal *m*, bête *f*; *fig* **ein großes** *od* **hohes ~** F une grosse légume; **~art** *f* espèce *f* animale; **~arzt** *m*, **~ärztin** *f* vétérinaire *m, f*; **Ջisch** animal; *von Menschen* bestial; **~kreis** *astr m (-es; sans pl)* zodiaque *m*; **~liebe** *f (-; sans pl)* amour *f* pour l'animal, amour *m* des animaux; **~quälerei** [-kvɛ:lə'rai] *f (-; -en)* cruauté *f* envers les animaux; **~schutzverein** *m* Société *f* protectrice des animaux; **~versuch** *m* expérimentation *f* animale

Tiger ['ti:gər] *zo m (-s; -)*, **~in** *f (-; -nen)* tigre *m*, -sse *f*

tilgen ['tɪlgən] *(h) Spuren* effacer; *Schulden, Anleihe* amortir, rembourser

'Tilgungsfonds *m* fonds *m* d'amortissement

Tinte ['tɪntə] *f (-; -n)* encre *f*; **~nfisch** *zo m* seiche *f*

Tipp [tɪp] *m (-s; -s)* F *Hinweis* tuyau *m*, rancard *m* F

tipp|en ['tɪpən] *(h) auf der Schreibmaschine* taper; *berühren* toucher (*an etw* qc); *raten* deviner; *im Lotto ~* jouer au loto; **'Ջfehler** *m* faute *f* de frappe

Tirol [ti'ro:l] *n (-s; sans pl)* le Tyrol

Tisch [tɪʃ] *m (-es; -e)* table *f*; **bei ~ sitzen** être à table; **den ~ decken** mettre le couvert *od* la table; **~decke** *f* nappe *f*

Tischler ['tɪʃlər] *m (-s; -)* menuisier *m*; **~ei** [-'rai] *f (-; -en)* menuiserie *f*

'Tisch|tennis n ping-pong m; '~tuch n (-[e]s; ¨er) nappe f

Titel ['tiːtəl] m (-s; -) titre m; '~blatt n Buch frontispice m; '~seite f Zeitschrift couverture f

Toast [toːst] m (-es; -e, -s) toast m; Röstbrot a pain m grillé; **e-n ~ auf j-n ausbringen** porter un toast à qn; '~brot n pain m de mie; '2en (h) faire griller; '~er m (-; -) grille-pain m

toben ['toːbən] (h) Kampf, Elemente faire rage; Kinder, Publikum être déchaîné

Tochter ['tɔxtər] f (-; ¨) fille f; '~gesellschaft comm f filiale f

Tod [toːt] m (-[e]s; -e) mort f; jur décès m; **j-n zum ~e verurteilen** condamner qn à mort; 2ernst ['toːt?-] très sérieux; iron sérieux comme un pape

Todes|anzeige ['toːdəs?-] faire-part m de décès; '~fall m décès m; '~opfer n mort m; '~stoß m coup m de grâce (bes fig); '~strafe f peine f capitale od de mort; '~ursache f cause f de la mort; '~urteil jur n arrêt m de mort, sentence f capitale

'Todfeind m ennemi m mortel

tödlich ['tøːtliç] mortel

'tod|müde mort de fatigue; '~sicher F absolument sûr

Toilette [toaˈlɛtə] f (-n; -) toilettes f/pl, cabinets m/pl, W.-C. m/pl; '~npapier n papier m hygiénique

toler|ant [toleˈrant] tolérant; 2'anz [-eˈrants] f (-; sans pl, tech -en) tolérance f; ~'ieren (pas de -ge-, h) tolérer

toll [tɔl] verrückt fou (folle); F großartig formidable, super; F **ein ~er Bursche** un rude gaillard; ~kühn téméraire; '2wut méd f rage f; ~wütig ['-vyːtiç] enragé

Tomate [toˈmaːtə] bot f (-; -n) tomate f

Ton [toːn] 1. (-[e]s; -e) Erde argile f; 2. (-[e]s; ¨e) mus u fig ton m; Schall son m; **in e-m humoristischen ~** sur un ton plaisant, **der gute ~** le bon ton; '~abnehmer tech m tête f de lecture, pickup m; '~art mus f mode m; '~band n (-[e]s; ¨er) bande f magnétique; '~bandgerät n magnétophone m

tönen ['tøːnən] (h) sonner; prahlerisch reden claironner; Haare teindre

'Ton|fall m (-[e]s; sans pl) intonation f; '~film m film m sonore; '~ingenieur m ingénieur m du son; '~leiter mus f (-; -n) gamme f

Tonne ['tɔnə] f (-; -n) tonneau m; Maß tonne f

'Tönung f (-; -en) teinte f

Topf [tɔpf] m (-[e]s; ¨e) pot m; Koch2 marmite f; Stiel2 casserole f

Töpfer ['tœpfər] m (-s; -) potier m; ~ei [-ˈrai] f (-; -en) poterie f; '~scheibe f tour m de potier; '~ware f poterie f

Tor [toːr] n (-[e]s; -e) porte f; portail m; porche m; Sport but m; **ein ~ schießen** marquer un but; **im ~ stehen** être dans les buts

Torf [tɔrf] m (-[e]s; sans pl) tourbe f; '~moor n tourbière f; '~mull ['-mul] m (-s; sans pl) poussier m de tourbe

Tor|heit ['toːrhait] f (-; -en) sottise f; '~hüter m gardien m (de but)

töricht ['tøːriçt] insensé, sot

'Torjäger m Fußball buteur m

torkeln ['tɔrkəln] (h, sn) chanceler, tituber

torpedieren [tɔrpeˈdiːrən] (pas de -ge-, h) torpiller

Torpedo [tɔrˈpeːdo] m (-s; -s) torpille f; '~boot n torpilleur m

Torte ['tɔrtə] f (-; -n) gâteau m (à la crème); Obst2 tarte f

Torwart ['toːrvart] Sport m (-[e]s; -e) gardien m (de but)

tosen ['toːzən] (h, sn) Wasser, Sturm être déchaîné, mugir

tot [toːt] mort; ~ **geboren** mort-né; **sich ~ stellen** faire le mort; ~ **umfallen** tomber mort

total [toˈtaːl] total, complet; adv complètement; 2ausverkauf m liquidation f totale; ~itär [-aliˈtɛːr] pol totalitaire; 2itarismus [-alitaˈrismus] pol m (-; sans pl) totalitarisme m; '2schaden m perte f totale

Tote ['toːtə] m, f (-n; -n) mort m, morte f; **die Toten** les morts

töten ['toːtən] (h) tuer

'Toten|bett n lit m de mort; '2blass livide; '~gräber ['-grɛːbər] m (-s; -) fossoyeur m (a fig); '~kopf m tête f de mort; '~schädel m crâne m; '~schein m (-[e]s; -e) certificat m de décès; '~stille f silence m de mort

'totlachen (sép, -ge-, h) F **sich ~** mourir de rire

Toto ['toːto] m od n (s; -s) loto m sportif

'tot|schießen (*irr, sép, -ge-, h,* → **schießen**) abattre d'un coup de feu; '**Qschlag** *jur m* (-*[e]s;* ⸚*e*) homicide *m*, meurtre *m;* '**schlagen** (*irr, sép, -ge-, h,* → **schlagen**) assommer, tuer (*a Zeit*); '**schweigen** (*irr, sép, -ge-, h,* → **schweigen**) passer sous silence

Tötung ['tø:tuŋ] *jur f* (-; -*en*) homicide *m*

Toupet [tu'pe:] *n* (-*s;* -*s*) postiche *m*

Tour [tu:r] *f* (-; -*en*) randonnée *f*, excursion *f*, tour *m;* **auf ~ kommen** *fig* battre son plein; **krumme ~en machen** faire de sales coups

Touris|mus [tu'rismus] *m* (-; *sans pl*) tourisme *m;* **~t** *m* (-*en;* -*en*), **~tin** *f* (-; -*nen*) touriste *m/f;* **~tenklasse** *f* classe *f* touriste; **Qtisch** touristique

Tournee [tur'ne:] *f* (-; -*n*) tournée *f*

toxisch ['tɔksiʃ] toxique

Trab [tra:p] *m* (-*[e]s; sans pl*) trot *m*

Trabantenstadt [tra'bantən-] *f* ville *f* satellite

trab|en ['tra:bən] trotter; **Qrennen** ['tra:p-] *n* course *f* au trot

Tracht [traxt] *f* (-; -*en*) costume *m;* ~ **Prügel** volée *f* (de coups de bâton); '**~enanzug** *m* costume *m* régional; '**~engruppe** *f* groupe *m* de folklore régional

Tradition [tradi'tsjo:n] *f* (-; -*en*) tradition *f;* **Qell** [-o'nel] traditionnel

Trag|bahre ['tra:k-] *f* brancard *m;* '**Qbar** *Gerät* portatif; *Kleidung* portable; *erträglich* supportable; *zulässig* admissible

träge ['trε:gə] paresseux; *phys* inerte

tragen ['tra:gən] (*trug, getragen, h*) porter

Träger ['trε:gər] *m* (-*s;* -) porteur *m;* am *Kleid* bretelle *f;* arch poutre *f;* fig ~ Idee représentant *m;* '**~rakete** *f* fusée *f* porteuse

Tragetasche ['tra:gə-] *f* sac *m;* poche *f*

Trag|fähigkeit ['tra:k-] *f* (-; *sans pl*) capacité *f* de charge; '**~fläche** *aviat f* aile *f*

Trägheit ['trε:khait] *f* (-; *sans pl*) paresse *f; phys* inertie *f*

tragisch ['tra:giʃ] tragique

Tragödie [tra'gø:djə] *f* (-; -*n*) tragédie *f*

Tragweite ['tra:k-] *f* (-; *sans pl*) portée *f* (*a fig*)

Train|er ['trε:nər] *m* entraîneur *m;* **Q'ieren** (*pas de -ge-, h*) s'entraîner; *j-n* entraîner; **~ing** ['-iŋ] *n* (-*s;* -*s*) entraînement *m;* '**~ingsanzug** *m* survêtement *m*

Traktor ['traktɔr] *m* (-*s;* -*en*) tracteur *m*

tramp|en ['trεmpən] (*h*) faire de l'auto-stop; '**Qer** *m* (-*s;* -), '**Qerin** *f* (-; -*nen*) auto-stoppeur *m,* -euse *f*

Träne ['trε:nə] *f* (-; -*n*) larme *f; in ~n ausbrechen* fondre en larmes; '**Qn** (*h*) *mir ~ die Augen* mes yeux pleurent; '**~ngas** (-*es; sans pl*) gaz *m* lacrymogène

Transaktion [trans?-] *f* transaction *f*

Trans|fer [trans'fe:r] *m* (-*s;* -*s*) transfert *m;* **~formator** [-fɔr'ma:tɔr] *tech m* (-*s;* -*toren*) transformateur *m;* **~fusion** [-fu'zjo:n] *méd f* (-; -*en*) transfusion *f;* **Qgen** transgénique

Transistor [tran'zistɔr] *tech m* (-*s;* -*toren*) transistor *m*

Transit [tran'zit] *m* (-*s;* -*e*) transit *m*

transparent [transpa'rεnt] **1.** transparent; **2.** Q *n* (-*s;* -*e*) *Spruchband* banderole *f*

Transplant|ation [transplanta'tsjo:n] *méd f* (-; -*en*) greffe *f*, transplantation *f;* **Q'ieren** (*pas de -ge-, h*) transplanter, greffer

Transport [trans'pɔrt] *m* (-*[e]s;* -*e*) transport *m;* **Qfähig** transportable; **~ieren** (*pas de -ge-, h*) transporter; **~kosten** *pl* frais *m/pl* de transport; **~unternehmen** *n* entreprise *f* de transport; **~unternehmer** *m* entrepreneur *m* de transports; **~wesen** *n* (-*s; sans pl*) transports *m/pl*

Traube ['traubə] *f* (-; -*n*) *Wein* Q raisin *m; bot* grappe *f;* **~n essen** manger du raisin; '**~nsaft** *m* jus *m* de raisin

trauen ['trauən] (*h*) *j-m* (**e-r Sache**) ~ avoir confiance en qn (en qc); *ich traute meinen Ohren nicht* je n'en croyais pas mes oreilles; *sich ~ zu* oser (+ *inf*); **2.** *Ehepaar* unir, marier; *sich ~ lassen* se marier

Trauer ['trauər] *f* (-; *sans pl*) *Traurigkeit* tristesse *f; um Tote* deuil *m;* '**~fall** *m* deuil *m,* décès *m;* '**~gottesdienst** *m* service *m* funèbre; '**~n** (*h*) *um j-n ~* porter le deuil de qn, pleurer (la mort de) qn; '**~zug** *m* cortège *m* funèbre

Traum [traum] *m* (-*[e]s;* ⸚*e*) rêve *m* (*a fig*)

träumen ['trɔʏmən] (*h*) rêver (**von** de; *a fig*)

Träum|er ['trɔʏmər] *m* (-*s*; -), '~in *f* (-; -*nen*) rêveur *m*, -euse *f*; '~ei [-'raɪ] *f* (-; -*en*) rêverie *f*; '2isch rêveur

traurig ['traʊrɪç] triste (**über** de); '2keit *f* (-; *sans pl*) tristesse *f*

'Trau|ring *m* alliance *f*; '~ung *f* (-; -*en*) mariage *m*; '~zeuge *m* témoin *m*

Travellerscheck ['trɛvələr-] *m* chèque *m* de voyage

Treff [trɛf] *m* (-*s*; -*s*) F rencontre *f*; rendez-vous *m* (*a* Ort)

treffen ['trɛfən] **1.** (*traf, getroffen*) *v/t* (*h*) Ziel *etc* toucher; *begegnen* (**sich** ~ se) rencontrer; *Maßnahme, Entscheidung* prendre; *Vorbereitungen* faire; *fig* **das trifft sich gut** cela tombe bien; *v/i* (*sn*) **auf j-n** ~ tomber sur qn; **2.** 2 (-*s*; -) rencontre *f*; '~d juste; *Wort a* propre

'Treff|er *m* (-*s*; -) coup *m* réussi; *Lotterie* billet *m* gagnant; *Fußball* but *m*; '~punkt *m* (-*e*;) lieu *m* de rendez-vous *m*

treiben ['traɪbən] **1.** (*trieb, getrieben*) *v/i* (*sn*) *im Wasser* flotter; (*h*) pousser (*a wachsen*); *Studien, Sport, Handel* faire; *tech an*~ entraîner, actionner; *j-n zu etw*~ pousser qn à (faire) qc; *Knospen* ~ bourgeonner; **was treibst du denn so?** qu'est-ce que tu deviens?; *sich* ~ *lassen* se laisser emporter par le courant; **2.** 2 *n* (-*s*; *sans pl*) activité *f*; *in den Straßen* animation *f*

Treib|haus ['traɪp-] *n* serre *f*; '~hauseffekt *m* effet *m* de serre; '~stoff *m* carburant *m*

Trend [trɛnt] *m* (-*s*; -*s*) tendance *f*

trenn|en ['trɛnən] (*h*) (**sich** ~ se) séparer (**von** de); '2ung *f* (-; -*en*) séparation *f*; '2wand *f* cloison *f*

Treppe ['trɛpə] *f* (-; -*n*) escalier *m*; *auf der* ~ dans l'escalier; '~absatz *m* palier *m*; '~ngeländer *n* rampe *f*; '~nhaus *n* cage *f* d'escalier

Tresor [tre'zoːr] *m* (-*s*; -*e*) coffre-fort *m*; *Bank* chambre *f* forte; '~raum *m* salle *f* des coffres-forts

Tretboot ['treːt-] *n* pédalo *m*

treten ['treːtən] (*trat, getreten*) **1.** (*sn*) *ins Zimmer* ~ entrer dans la pièce; marcher (*auf* sur); **2.** (*h*) *beim Radfahren* pédaler; *j-n* ~ donner un coup de pied à qn; *auf die Bremse* ~ appuyer sur le frein; *fig mit Füßen* ~

fouler aux pieds

treu [trɔʏ] fidèle, loyal

'Treu|e *f* (-; *sans pl*) fidélité *f*, loyauté *f*; '~hand... tutelle *f*; fidéicommis *m*; '~händer *jur m* fiduciaire *m*; '2herzig ['-hɛrtsɪç] candide; '2los infidèle, déloyal

Tribüne [tri'byːnə] *f* (-; -*n*) tribune *f*

Trichter ['trɪçtər] *m* (-*s*; -) entonnoir *m*

Trick [trɪk] *m* (-*s*; -*s*, -*e*) truc *m*, ficelle *f*, combine *f* F; '~aufnahmen *f/pl* effets *m/pl* spéciaux

Trieb [triːp] *m* (-[*e*]*s*; -*e*) *bot* pousse *f*; *Natur*2 instinct *m*; *Neigung* penchant *m*; '~kraft *f fig* moteur *m*; '~wagen *m* *elektrischer* automotrice *f*; *Diesel*2 autorail *m*; '~werk *n* moteur *m*; *aviat* réacteur *m*

Trier [triːr] *n* Trèves

triftig ['trɪftɪç] *Grund* valable

Trikot [tri'koːt] *n* (-*s*; -*s*) *Sport* maillot *m*; *Tanz* justaucorps *m*

trink|bar ['trɪŋk-] buvable; *Wasser* potable; '~en (*trank, getrunken, h*) boire; '2er *m* (-*s*; -), '2erin *f* (-; -*nen*) buveur *m*, -euse *f*; '2geld *n* pourboire *m*; '2wasser *n* (-*s*; *sans pl*) eau *f* potable

Trio ['triːo] *n* (-*s*; -*s*) trio *m* (*a fig*)

Tritt [trɪt] *m* (-[*e*]*s*; -*e*) pas *m*; *Fuß*2 coup *m* de pied; '~brett *n* marchepied *m*; '~leiter *f* escabeau *m*

Triumph [tri'ʊmf] *m* (-[*e*]*s*; -*e*) triomphe *m*; 2al [-'faːl] triomphal; '~bogen *m* arc *m* de triomphe; 2ieren (*pas de -ge-, h*) triompher (**über** de)

trocken ['trɔkən] sec (*a fig Stil, Wein*); '2dock *mar n* cale *f* sèche; '2haube *f* casque *m* sèche-cheveux; '2heit *f* (-; -*en*) sécheresse *f* (*a fig*); '~legen (*sép, -ge-, h*) *Sumpf* assécher; *Baby* changer

trocknen ['trɔknən] *v/i* (*sn*); *v/t* (*h*) sécher

Tröd|el ['trøːdəl] *m* (-*s*; *sans pl*) bric-à-brac *m*; '~elmarkt *m* marché *m* aux puces; '~ler *m* (-*s*; -), '~lerin *f* (-; -*nen*) brocanteur *m*, -euse *f*; *langsamer Mensch* F lambin *m*, -e *f*

Trog [troːk] *m* (-[*e*]*s*; ⁓e) auge *f*

Trommel ['trɔməl] *f* (-; -*n*) tambour *m*; '~fell *n* *im Ohr* tympan *m*; '2n (-; -) jouer du tambour; tambouriner (*a fig*)

'Trommler *m* (-*s*; -) tambour *m*

Trompete [trɔm'peːtə] *f* (-; -*n*) trompette *f*; 2n (*pas de -ge-, h*) jouer *od*

T

sonner de la trompette; *Elefant* barrir; *~r m (-s; -)* trompettiste *m*

Tropen ['tro:pən] *pl* tropiques *m/pl*; **in den ~** sous les tropiques

tropfen ['trɔpfən] **1.** *(h od sn)* tomber goutte à goutte, (dé)goutter, dégouliner; **2.** *2 m (-s; -)* goutte *f; fig* **es ist ein ~ auf den heißen Stein** c'est une goutte d'eau dans la mer

Trophäe [tro'fɛ:ə] *f (-; -n)* trophée *m*

tropisch [tro:pif] tropical

Trost [tro:st] *m (-es; sans pl)* consolation *f*

tröst|en ['trø:stən] *(h)* **(sich ~** se) consoler; **'~lich** rassurant

'trost|los désolant; **2preis** *m* prix *m* de consolation

Trott [trɔt] *m (-[e]s; -e)* **der alltägliche ~** le traintrain quotidien; **der alte ~** la routine

Trottel ['trɔtəl] *m (-s; -) péj* crétin *m*, idiot *m*; **2ig** stupide; *F* gaga

Trotz [trɔts] *m (-es; sans pl)* entêtement *m*; **aus ~** par dépit; **meinen Ratschlägen zum ~** en dépit de mes conseils

trotz *prép (gén)* malgré; **'~dem** ['-de:m] quand même, néanmoins, malgré tout; **'~en** *(h) j-m (e-r Sache)* ~ affronter *od* braver qn (qc); **'~ig** entêté

trüb(e) [try:p, 'try:bə] *Flüssigkeit* trouble; *glanzlos* terne; *Wetter* sombre; *fig* triste

Trubel ['tru:bəl] *m (-; sans pl)* animation *f*, tumulte *m*

trüb|en ['try:bən] *(h)* **(sich ~** se) troubler *(a fig)*; **2sal** ['try:pza:l] *f (-; -e)* affliction *f*; **'~selig** ['-p-] triste, morne; **'2sinn** ['-p-] *(-[e]s; sans pl)* mélancolie *f*; **'~sinnig** ['-p-] mélancolique, triste

Trüffel ['tryfəl] *bot f (-; -n) od F m (-s; -)* truffe *f*

trüg|en ['try:gən] *(trog, getrogen, h)* tromper; **der Schein trügt** les apparences sont trompeuses; **'~erisch** ['-ərif] trompeur

Trugschluss ['tru:k-] *m* fausse conclusion *f*

Trümmer ['trymər] *pl* décombres *m/pl*, débris *m/pl*

Trumpf [trumpf] *m (-[e]s; -̈e)* atout *m (a fig)*

Trunkenheit ['truŋkən-] *f (-; sans pl)*

ivresse *f*; **~ am Steuer** *jur* conduite *f* en état d'ivresse *od* d'ébriété

Trupp [trup] *m (-s; -s)* troupe *f*, bande *f*; *Arbeits2* équipe *f*

'Truppe *f (-; -n)* troupe *f (a mil u Theater)*; *Theater a* compagnie *f*; **~n** *pl mil* troupes *f/pl*; **'~ngattung** *mil f* arme *f*; **'~nübungsplatz** *m* camp *m* militaire

Trust [trast] *m (-[e]s; -e, -s)* trust *m*

Trut|hahn ['tru:t-] dindon *m*; **'~henne** *f* dinde *f*

Tschech|e ['tʃɛçə] *m (-n; -n)*, **'~in** *f (-; -nen)* Tchèque *m, f*; **'2isch** tchèque

Tschechoslowakei [tʃɛçoslova'kai] *f (-; sans pl)* **die ~** la Tchécoslovaquie

tschüs [tʃys] *F* salut!

Tube [tu:bə] *f (-; -n)* tube *m*

Tuberkulose [tubərku'lo:zə] *méd f (-; -n)* tuberculose *f*

Tuch [tu:x] *n (-[e]s; -e u -̈er)* drap *m*; *Kopf2, Hals2* foulard *m*; *Umschlag2* châle *m*; *Staub2* chiffon *m*

tüchtig ['tyçtiç] bon; *fähig* capable; *fleißig* travailleur; *F adv* beaucoup; **'2keit** *f (-; sans pl)* capacité *f*, aptitude *f*, valeur *f*

Tück|e ['tykə] *f (-; -n)* perfidie *f*; **'2isch** perfide; *Sache a* traître

Tugend ['tu:gənt] *f (-; -en)* vertu *f*; **'2haft** vertueux

Tulpe ['tulpə] *bot f (-; -n)* tulipe *f*

Tumor ['tu:mor] *méd m (-s; -moren)* tumeur *f*

Tumult [tu'mult] *m (-[e]s; -e)* tumulte *m*

tun [tu:n] *(tat, getan, h)* faire; *F legen etc* mettre; *F* **das tuts auch** ça va aussi; **es tut sich etw** il se passe qc; **(sich) wichtig ~** faire l'important; **ich weiß nicht, was ich ~ soll** je ne sais que faire; **so ~, als ob** faire comme si, faire semblant de *(+ inf)*; **das tut gut** cela fait du bien; **Sie ~ gut daran, zu ...** vous faites bien de *(+ inf)*; **ich habe viel zu ~** j'ai beaucoup à faire *od* de travail; **damit habe ich nichts zu ~** je n'ai rien à faire avec cela; **mit j-m zu ~ bekommen** avoir affaire à qn

Tünche ['tynçə] *f (-; -n)* badigeon *m*, *fig* vernis *m*; **'2n** *(h)* blanchir à la chaux, badigeonner

Tunes|ien [tu'ne:zjən] *n (-s; sans pl)* la Tunisie; **'2isch** tunisien

Tunnel ['tunəl] *m (-s; -u -s)* tunnel *m*

tupfen ['tupfən] *(h)* toucher légèrement; *mit Watte* tamponner

Tür [ty:r] *f* (-; *-en*) porte *f*; *vor die ~ setzen* mettre à la porte; *Tag der offenen ~* journée *f* portes ouvertes; **'~angel** *f* gond *m*

Turbine [tur'bi:nǝ] *tech f* (-; *-n*) turbine *f*

turbulent [turbu'lɛnt] tumultueux; *Versammlung a* houleux

Tür|flügel *m* battant *m*; **'~griff** *m* poignée *f* de porte

Türk|e ['tyrkǝ] *m* (*-n*; *-n*), **'~in** *f* (-; *-nen*) Turc *m*, Turque *f*; **~ei** *f* (-; *sans pl*) *die ~* la Turquie; **~is** [-'ki:s] *m* (*-es*; *-e*) *Schmuckstein* turquoise *f*; **'2isch** turc (*f* turque)

'Türklinke *f* poignée *f* de porte

Turm [turm] *m* (*-[e]s*; *⁔e*) tour *f*

'Turm|spitze *f* flèche *f* (d'un clocher); **'~uhr** *f* horloge *f*

turn|en ['turnǝn] (*h*) faire de la gymnastique; **'2 ~** *n* (*-s*; *sans pl*) gymnastique *f*; **'2er** *m* (*-s*; -), **'2erin** *f* (-; *-nen*) gymnaste *m*, *f*; **'2geräte** *n/pl* agrès *m/pl*; **'2halle** *f* gymnase *m*

'Turn|lehrer(in *f*) *m* professeur *m* d'éducation physique *od* de gymnastique; **'~schuh** *m* chaussure *f* de gymnastique

turnusmäßig ['turnus-] *a* tour de rôle

'Turnverein *m* club *m* de gymnastique

'Tür|öffner *m* dispositif *m* ouvre-porte; **'~pfosten** *m* montant *m* de porte; **'~schwelle** *f* seuil *m* (de la porte); **'~vorleger** ['-vo:rle:gǝr] *m* (*-s*; -) paillasson *m*

Tusche ['tuʃǝ] *f* (-; *-n*) encre *f* de Chine

tuscheln ['tuʃǝln] (*h*) chuchoter

Tussi ['tusi] *f* F nana *f*

Tütchen ['ty:tçǝn] *n* (*-s*; -) sachet *m*, pochette *f*; *Eis2* cornet *m*

Tüte ['ty:tǝ] *f* (-; *-n*) sac *m*; *spitze* cornet *m*

TÜV [tyf] *m* (*-s*; *-s*) *etwa* service *m* des Mines

Typ [ty:p] *m* (*-s*; *-en*) type *m* (*a* F *Kerl*)

Type ['ty:pǝ] *f* (-; *-n*) *Druck2* type *m*; *Mensch* F drôle *m* d'oiseau

Typhus ['tyfus] *méd m* (-; *sans pl*) (fièvre *f*) typhoïde

'typisch typique, caractéristique, représentatif (*alle **für*** de)

Tyrann [ty'ran] *m* (*-en*; *-en*) tyran *m*; **2isch** tyrannique; **2isieren** [-i'zi:rǝn] (*pas de -ge-*, *h*) tyranniser

U

U-Bahn ['u:-] *f* métro *m*; **'~-Fahrschein** *m* ticket *m* de métro; **'~hof** *m* station *f* de métro; **'~netz** *n* réseau *m* de métro

übel ['y:bǝl] **1.** mauvais; *adv* mal; *mir ist ~* je me sens mal, j'ai mal au cœur; *ich nehme es ihm nicht ~* je ne lui en veux pas; **2.** 2 ~ *n* (*-s*; -) mal *m*

'Übel|keit *f* (-; *-en*) envie *f* de vomir; nausée *f*

üben ['y:bǝn] (*h*) s'exercer; *Musikstück* étudier; *etw ~ od* **sich in etw ~** s'exercer à (faire) qc

über ['y:bǝr] sur, au-dessus de; *mehr als* plus de (+ *Zahl*); *~ etw hinweg* par-dessus qc; *~ München nach Rom fahren* passer par Munich pour se rendre à Rome; *lachen ~* rire de; *sich ärgern ~* se mettre en colère à propos de; *~ Nacht* pendant la nuit; *~ und ~*

entièrement

überall [-ʔ'al] partout

'Über|angebot *n* surabondance *f*; **2'anstrengen** (*pas de -ge-*, *h*) (*sich ~* se) surmener

überarbeiten [-ʔ'ar-] (*pas de -ge-*, *h*) *Buch etc* remanier; *sich ~* se surmener

überaus ['y:bǝrʔ-] extrêmement, infiniment

über|bieten [-'bi:-] (*irr, pas de -ge-*, *h*, → *bieten*) *j-n ~* enchérir sur qn; **'2bleibsel** ['-blaipsǝl] *n* (*-s*; -) reste *m*

'Überblick *m* vue *f* d'ensemble; *Darstellung* tour *m* d'horizon, résumé *m*, exposé *m*; **2en** [-'bl-] (*pas de -ge-*, *h*) embrasser du regard; *fig* avoir une vue d'ensemble de *od* sur

über|bringen [-'-] (*irr, pas de -ge-*, *h*, → *bringen*) remettre; **~'dacht** [-'daxt] couvert; *von überdenken* réfléchi

'**Über|dosis** *f Droge* overdose *f*; '**~druss** *m* dégoût *m*; '**~drüssig** dégoûté (*e-r Sache* de qc); '**~durchschnittlich** au-dessus de la moyenne

übereinander [y:bər?ai'nandɐ] l'un sur l'autre

überein|kommen [-?'ain-] (*irr, sép, -ge-, sn, → kommen*) convenir (*zu* de; *dass* que), tomber d'accord (pour); **2kommen** *n* (*-s; -*), **2kunft** *f* (*-; ~e*) convention *f*; accord *m* (*über* sur); '**~stimmen** (*sép, -ge-, h*) être d'accord (*mit j-m* avec qn); *Dinge* correspondre (*mit* à *od* avec), concorder (avec); **2stimmung** *f* (*-; -en*) accord *m*; *in ~ mit* en accord avec

über|fahren [-'-] (*irr, pas de -ge-, h, → fahren*) *Lebewesen* écraser; *Verkehrszeichen* griller; '**2fahrt** *f mar* traversée *f*; '**2fall** *m* attaque *f* (par surprise), agression *f*; '**~fallen** (*irr, pas de -ge-, h, → fallen*) attaquer (par surprise), agresser; '**~fällig** ['-feliç] en retard; '**2fluss** *m* (*-es; sans pl*) abondance *f* (*an* de); '**2flussgesellschaft** *f* société *f* d'abondance; '**~flüssig** superflu; '**~fordern** (*pas de -ge-, h*) *j-n ~* demander *od* exiger trop de qn

überführ|en [-'-] (*pas de -ge-, h*) *Leiche* transférer; *Täter* convaincre (*e-r Sache* de qc); **2ung** *f* (*-; -en*) transfert *m*; *Brücke* passage *m* supérieur

überfüllt [y:bər'fylt] surchargé; *Verkehrsmittel* bondé

'**Übergabe** *f* remise *f*; *mil* reddition *f*

'**Übergang** *m* passage *m*; *fig* transition *f*; '**~slösung** *f* solution *f* provisoire *od* de transition; '**~sphase** *f* période *f* de transition

über|geben [-'-] (*irr, pas de -ge-, h, → geben*) remettre, passer, *sich ~ erbrechen* vomir; '**~gehen** (*irr, pas de -ge-, h, → gehen*) sauter, omettre, oublier; ['-ge:ən] (*irr, sép, -ge-, sn, → gehen*) *~ zu* passer à; *~ in* se transformer en; '**2gepäck** *n* excédent *m* de bagages; '**2gewicht** *n* excédent *m* de poids; *fig* prépondérance *f*; '**~greifen** (*irr, sép, -ge-, h, → greifen*) *~ auf* envahir (qc), empiéter sur; '**2griff** *m* empiétement *m* (*auf* su); *Gewaltakt* acte *m* de violence; '**2größe** *f* grande taille *f*

überhand *adv ~ nehmen* augmenter trop, devenir envahissant

überhaupt [-'haupt] en général; *schließlich* après tout; *~ nicht* pas du tout

überheblich [-'he:pliç] arrogant

über|höht [-'hø:t] excessif; **~'holen** (*pas de -ge-, h*) dépasser, doubler; *tech* réviser, **2'holspur** *f* piste *f* de dépassement; **2'holverbot** *n* défense *f* de doubler; **~'holt** [-'ho:lt] dépassé, périmé, suranné; **~'hören** (*pas de -ge-, h*) (faire semblant de) ne pas entendre

überlassen [-'-] (*irr, pas de -ge-, h, → lassen*) laisser, céder (*j-m etw* qc à qn); *j-n sich selbst ~* livrer qn à lui-même; *j-n seinem Schicksal ~* abandonner qn à son sort; *das überlasse ich Ihnen* je m'en remets à vous

überleben [-'-] (*pas de -ge-, h*) *j-n (etw) ~* survivre à qn (à qc); **2de** *m, f* (*-n; -n*) survivant *m*, -e *f*

überleg|en [-'le:gən] **1.** *adj* supérieur (*j-m, e-r Sache* à qn, à qc); **2.** *Verb* (*pas de -ge-, h*) réfléchir (*etw* à *od* sur qc); *ich habe es mir anders überlegt* j'ai changé d'avis; **2enheit** *f* (*-; sans pl*) supériorité *f*; **~t** réfléchi; **2ung** *f* (*-; -en*) réflexion *f*

überliefer|n [-'-] (*pas de -ge-, h*) transmettre; **2ung** *f* (*-; -en*) tradition *f*

'**Über|macht** *f* (*-; sans pl*) supériorité *f* (numérique); '**2mächtig** trop puissant; '**~maß** *n* (*-es; sans pl*) excès *m*; '**2mäßig** excessif

übermitt|eln [-'-] (*pas de -ge-, h*) transmettre; **2lung** *f* (*-; -en*) transmission *f*

'**übermorgen** après-demain

übermüdet [-'my:dət] trop fatigué, mort de fatigue

'**Übermut** *m* pétulance *f*, exubérance *f*, démesure *f*; '**2mütig** [-'my:tiç] exubérant, pétulant

'**übernächst** *der ~e Tag* le surlendemain; '**~es Jahr** dans deux ans

übernacht|en [-'naxtən] (*pas de -ge-, h*) passer la nuit; **2ung** *f* (*-; -en*) nuit *f*, nuitée *f*; '**~ und Frühstück** chambre *f* et petit déjeuner *m*

'**Über|nahme** ['y:bərna:mə] *f* (*-; -n*) prise *f* en charge; *e-r Idee* adoption *f*; '**~nahmeangebot** *n* offre *f* publique d'achat (OPA); '**₂national** su-pranational; **₂**'**nehmen** (irr, pas de -ge-, h, → **nehmen**) Aufgabe se charger de; Kosten prendre en charge; Amt, Verantwortung assumer; Idee, Methode etc adopter; '**∼produktion** f sur-production f

über'**prüf|en** (pas de -ge-, h) contrôler, vérifier, examiner, réviser; **₂ung** f ['-'] (-; -en) contrôle f, vérification f, examen m, révision f

über'**queren** (pas de -ge-, h) traverser

über'**ragen** (pas de -ge-, h) dépasser; **∼d** supérieur, éminent

über'**rasch|en** [yːbərˈraʃən] (pas de -ge-, h) surprendre; **∼end** [-ənt] sur-prenant; **₂ung** (-; -en) surprise f

über'**reden** (pas de -ge-, h) j-n zu etw ∼, j-n ∼, etw zu tun persuader qn de faire qc

'**überregional** suprarégional; Presse national

über'**reichen** (pas de -ge-, h) présenter, remettre

'**Überreste** m/pl restes m/pl, débris m/pl, vestiges m/pl

'**Überschallflug** aviat m vol m super-sonique; '**∼zeug** n avion m super-sonique

über'**schätzen** (pas de -ge-, h) sures-timer; **∼**'**schlagen** (irr, pas de -ge-, h, → **schlagen**) berechnen estimer, évaluer; beim Lesen sauter; **sich** ∼ culbuter; auto, aviat capoter; auto a faire un tonneau; **sich mehrmals** ∼ faire plu-sieurs tonneaux; **∼**'**schneiden** (irr, pas de -ge-, h, → **schneiden**) **sich** ∼ coïn-cider, interférer; **∼**'**schreiten** (irr, pas de -ge-, h, → **schreiten**) Straße tra-verser; Grenze franchir; Anzahl dé-passer, excéder; Befugnisse outre-passer

'**Über|schrift** f titre m; '**∼schuss** m excédent m, surplus m; '**∼schuss-produktion** f production f excé-dentaire; '**₂schüssig** ['-fysiç] excé-dentaire

über'**schwemm|en** [yːbərˈʃvɛmən] (pas de -ge-, h) inonder; **₂ung** f (-; -en) inondation f

'**Übersee** nach ∼ gehen partir outre-mer; **aus** od **in** ∼ d'outre-mer

über'**sehen** (irr, pas de -ge-, h, → **sehen**) überblicken embrasser du re-gard; fig avoir une vue d'ensemble de od sur, voir l'ampleur de; Fehler ne pas voir, omettre; absichtlich fermer l'œil (etw sur qc); **das habe ich** ∼ cela m'a échappé; **∼**'**senden** (irr, pas de -ge-, h, → **senden**) envoyer, faire parvenir

über'**setz|en 1.** [yːbərˈsɛtsən] (pas de -ge-, h) traduire (**aus dem Deutschen ins Französische** de l'allemand en français); **2.** ['yːbər-] (sép, -ge-, sn) passer sur l'autre rive; (sép, -ge-, h) conduire sur l'autre rive; **₂er** ['-'] m (-s; -), **₂erin** f (-; -nen) traducteur m, -trice f

Übersetzung ['-'] (-; -en) traduction f; tech multiplication f; **₂büro** n bureau m de traduction; **₂sdienst** m service m de traduction; **₂sprogramm** n pro-gramme m de traduction; **₂ssoftware** f logiciel m de traduction

'**Übersicht** f (-; -en) vue f d'ensemble, aperçu m, précis m, résumé m; '**₂lich** clair, bien disposé; Gelände dégagé

über'**spitzt** [yːbərˈʃpitst] exagéré, ou-tré; **∼**'**stehen** (irr, pas de -ge-, h, → **stehen**) surmonter; überleben sur-vivre; **∼**'**steigen** (irr, pas de -ge-, h, → **steigen**) franchir; fig dépasser; **das übersteigt meine Kräfte** c'est au-dessus de mes forces; **∼**'**stimmen** (pas de -ge-, h) mettre en minorité

'**Überstunden** f/pl heures f/pl sup-plémentaires; '**∼zuschlag** m complé-ment m de salaire pour heures sup-plémentaires

überstürzt [-ˈʃtyrtst] précipité

über|'**teuert** [yːbərˈtɔyərt] trop cher; '**∼tönen** (pas de -ge-, h) Lärm couvrir

Übertrag ['yːbərtraːk] comm m (-[e]s, ⁓e) report m

über'**trag|bar** transmissible (a méd); **∼en** [-gən] (irr, pas de -ge-, h, → **tragen**) transmettre (**auf** à); Radio, TV a dif-fuser; Aufgabe confier (j-m à qn); übersetzen traduire; **∼e Bedeutung** sens m figuré; **₂ung** f (-; -en) trans-mission f; Radio, TV a diffusion f

über'**treffen** (irr, pas de -ge-, h, → **treffen**) dépasser, surpasser (**an** en), l'emporter sur

über'**treib|en** (irr, pas de -ge-, h, → **treiben**) exagérer; **₂ung** f (-; -en) exagération f

übertret|en 1. ['yːbər-] (irr, sép, -ge-, sn,

U

→ **treten**) *zur anderen Partei* passer (**zu** à); *rel* se convertir (**zu** à); **2.** [y:bər'-] (*irr, pas de -ge-*, *h*, → **treten**) *Sport* mordre sur la ligne; *Gesetz, Regel* enfreindre, transgresser; **2ung** *f* [-'-] (*-; -en*) infraction *f* (à), transgression *f* (de)

über**trieben** [-'tri:bən] exagéré

über**völker|t** [-'fœlkərt] surpeuplé; **2ung** *f* (*-; sans pl*) surpeuplement *m*, surpopulation *f*

über**vorteilen** [-'fɔrtailən] (*pas de -ge-*, *h*) exploiter, rouler *F*

über'**wach|en** (*pas de -ge-*, *h*) surveiller; **2ung** *f* (*-; sans pl*) surveillance *f*

über**wältigen** [-'vɛltigən] (*pas de -ge-*, *h*) vaincre, maîtriser; ~**d** grandiose; ~**e Mehrheit** majorité *f* écrasante

über'**weis|en** (*irr, pas de -ge-*, *h*, → **weisen**) *Geld* virer; *méd* envoyer (**zu, an** à); **2ung** *f* (*-; -en*) virement *m*, **2ungsformular** *n* bulletin *m* de virement

über'**wiegen** (*irr, pas de -ge-*, *h*, → **wiegen**) prédominer

über'**winden** (*irr, pas de -ge-*, *h*, → **winden**) vaincre, surmonter; **sich ~ zu** se forcer à

'Über**zahl** *f* (*-; sans pl*) majorité *f*, supériorité *f* numerique; **in der ~ sein** être majoritaire

über'**zeug|en** (*pas de -ge-*, *h*) convaincre, persuader (**j-n von etw** qn de qc); **sich von etw ~** se persuader de qc; ~**t** convaincu, persuadé; **2ung** *f* (*-; -en*) conviction *f*

über**ziehen 1.** [-'tsi:ən] (*irr, pas de -ge-*, *h*, → **ziehen**) recouvrir *od* revêtir (**mit** de); *Bett* changer les draps (de); *Konto* mettre à découvert; **2.** ['-tsi:ən] (*irr, sép, -ge-*, *h*, → **ziehen**) *Kleid* mettre, enfiler

'Über**zug** *m* couverture *f*, revêtement *m*

üblich ['y:pliç] usuel, habituel, d'usage; **es ist ~** c'est la coutume *od* l'usage, **wie ~** comme d'habitude

'**U-Boot** ['u:-] *n* sous-marin *m*

übrig ['y:briç] de reste; restant; ~ **bleiben** rester; **es bleibt mir nichts anderes ~ als ...** je n'ai rien d'autre à faire que ...; ~ **lassen** ['-ç-] laisser; **zu wünschen ~ lassen** laisser à désirer; **die 2en** les autres; **während der ~en Zeit** le reste du temps

übrigens ['y:brigəns] d'ailleurs, du reste

Übung ['y:buŋ] *f* (*-; -en*) exercice *m*; *mus* étude *f*

UdSSR [u:de:ɛsɛs'ɛr] *hist* (*-; sans pl*) **die ~** l'U.R.S.S. *f*

Ufer ['u:fər] *n* (*-s; -*) bord *m*, rive *f*; *Meer* a rivage *m*; '~**straße** *f* route *f* riveraine

Uhr [u:r] *f* (*-; -en*) *Armband* 2, *Taschen* 2 montre *f*; *öffentliche, Turm* 2 horloge *f*; *Pendel* 2, *Wand* 2, *Tisch* 2 pendule *f*; **um 1 ~** à une heure; **um 12 ~** à midi; **wie viel ~ ist es?** quelle heure est-il?; **um wie viel ~?** à quelle heure?; **rund um die ~** vingt-quatre heures sur vingt-quatre; '~**macher** *m* (*-s; -*), '~**macherin** *f* (*-; -nen*) horloger *m*, -ère *f*; '~**werk** *n* mécanisme *m*, mouvement *f*; '~**zeiger** *m* aiguille *f*; '~**zeigersinn** *m* (*-[e]s; sans pl*) **im ~** dans le sens des aiguilles d'une montre; **entgegen dem ~** en sens inverse des aiguilles d'une montre; '~**zeit** *f* heure *f*

Uhu ['u:hu:] *zo m* (*-s; -s*) grand-duc *m*

UKW [u:ka've:] *pl Radio* F.M. (= fréquence *f* modulée), modulation *f* de fréquence

Ulme ['ulmə] *bot f* (*-; -n*) orme *m*

Ultimatum [ulti'ma:tum] *n* (*-s; -ten, -s*) ultimatum *m*

Ultraschall ['ultra-] *m* (*-[e]s; sans pl*) ultra-son *m*

um [um] **1.** *prép* (*acc*) *örtlich* ~ (*... herum*) autour de; *zeitlich* aux environs de, autour de F; *Uhrzeit* à; *ungefähr* environ, autour de F; *Bezug, Grund* pour; ~ **3 Uhr** à 3 heures; ~ **2 Ostern** aux environs de Pâques; ~ **2 Mark billiger** de 2 marks meilleur marché; **2.** *prép* (*gén*) ~ **... willen** pour l'amour de, en considération de; ~ **zu** (*+ inf*) pour (*+ inf*), afin de (*+ inf*) **3.** ~ **umso**

umarmen [um'?-] (*pas de -ge-*, *h*) serrer dans ses bras, étreindre, enlacer; ~ **und küssen** embrasser

'**Umbau** *m* (*-[e]s; -ten*) transformation *f*, aménagement *m*; '~**2en** (*sép, -ge-*, *h*) transformer, aménager (**zu** en)

'**um|bilden** (*sép, -ge-*, *h*) transformer; *Regierung* remanier; '~**bringen** (*irr, sép, -ge-*, *h*, → **bringen**) tuer; '~**buchen** (*sép, -ge-*, *h*) transférer, virer; **2bu- chung** *f* (*-; -en*) transfert *m*, virement *m*; '**⸚datieren** (*sép, pas de -ge-, h*) antidater *od* postdater; '**⸚denken** (*irr, sép, -ge-, h, → denken*) changer sa façon de voir les choses; '**⸚disponieren** (*sép, pas de -ge-, h*) modifier ses projets

'**umdreh|en** (*sép, -ge-, h*) (re)tourner; *sich ⸚* se retourner; **⸚ung** [um'-] *f* (*-; -en*) *Motor* tour *m*; *um e-e Achse* rotation *f*, révolution *f*

'**umfallen** (*irr, sép, -ge-, sn, → fallen*) tomber, se renverser; *tot ⸚* tomber mort

'**Umfang** *m* (*-[e]s; sans pl*) *math* circonférence *f*; *Größe* étendue *f*, ampleur *f*, envergure *f*; *Menge* volume *m*; *in großem ⸚* dans une large mesure; '**⸚reich** étendu, vaste, ample, volumineux

um'**fassen** (*pas de -ge-, h*) *fig* embrasser, comporter, comprendre; **⸚d** vaste, étendu; *Geständnis* complet

'**Um|feld** *n* (*-[e]s; sans pl*) contexte *m*; '**⸚frage** *f* enquête *f*, sondage *m* d'opinion; '**⸚gang** *m* (*-[e]s; sans pl*) relations *f/pl*; *mit j-m ⸚ haben* fréquenter qn; **⸚gänglich** ['-gɛŋlɪç] sociable

'**Umgangssprach|e** *f* langage *m* familier; '**⸚lich** familier

um'**geb|en** (*irr, pas de -ge-, h, → geben*) (*sich ⸚* s')entourer (*mit* de); *adj* entouré (*von* de); **⸚ung** *f* (*-; -en*) *e-r Person* entourage *m*; *e-s Ortes* environs *m/pl*

um**geh|en 1.** [um'-] (*irr, pas de -ge-, h, → gehen*) *vermeiden* contourner, éviter; **2.** ['um-] (*irr, sép, -ge-, sn, → gehen*) *mit j-m ⸚* fréquenter qn; *mit j-m ⸚ können* savoir s'y prendre avec qn; *mit etw ⸚* manier qc; *mit etw sparsam ⸚* économiser qc; **⸚end** immédiat (ement); **⸚ungsstraße** [um-'geːʊŋs-] *f* route *f* de contournement, rocade *f*

um**gekehrt** ['ʊmgəkeːrt] renversé, à l'envers, inverse(ment)

um**herziehen** [um'heːr-] (*irr, sép, -ge-, sn, → ziehen*) courir le pays

um**hin** [um'hɪn] *nicht ⸚ können, etw zu tun* ne (pas) pouvoir s'empêcher de faire qc

'**Umkehr** ['umkeːr] *f* (*-; sans pl*) retour *m*; *fig a* conversion *f*; '**⸚en 1.** *v/i* (*sép, -ge-, sn*) retourner en arrière, faire demi-tour, s'en retourner, revenir sur ses

pas; **2.** *v/t* (*sép, -ge-, h*) *Taschen* retourner; *math Bruch* renverser; *Wortfolge* inverser; '**⸚ung** *f* (*-; -en*) renversement *m*, inversion *f*

'**um|kippen** (*sép, -ge-, sn*) perdre l'équilibre, se renverser; *der See ist umgekippt* l'équilibre biologique du lac est rompu; '**⸚klammern** [um'-] (*pas de -ge-, h*) étreindre

'**Umkleideraum** *m* vestiaire *m*

'**umkommen** (*irr, sép, -ge-, sn, → kommen*) être tué, mourir, périr (*bei* dans); F *⸚ vor* crever de F

'**Umkreis** *m* (*-es; sans pl*) *im ⸚ von* dans un rayon de

'**Umland** *n* (*-[e]s; sans pl*) environs *m/pl*

'**Umlauf** *m* circulation *f*; *Rundschreiben* circulaire *f*; *in ⸚ bringen* mettre en circulation; '**⸚bahn** *f* orbite *f*; '**⸚en** (*irr, sép, -ge-, sn, → laufen*) circuler; *Gerücht* courir

'**umlegen** (*sép, -ge-, h*) *Schal etc* mettre; *verlegen* déplacer; *Kosten* répartir (*auf* entre); F *töten* descendre F

'**umleit|en** (*sép, -ge-, h*) *Verkehr* dévier; *Fluss* détourner; '**⸚ung** *f* (*-; -en*) déviation *f*

'**umliegend** environnant

'**um|quartieren** (*pas de -ge-, h*) loger ailleurs; *evakuieren* évacuer; '**⸚räumen** (*sép, -ge-, h*) changer les meubles de place

'**umrechn|en** (*sép, -ge-, h*) convertir (*in* en); '**⸚ung** *f* (*-; -en*) conversion *f*; '**⸚ungskurs** *m* cours *m* du change

um'**ringen** (*pas de -ge-, h*) entourer; '**⸚riss** *m* contour *m*; '**⸚rühren** (*sép, -ge-, h*) remuer; '**⸚satz** *écon m* chiffre *m* d'affaires; '**⸚satzrückgang** *m* diminution *f* du chiffre d'affaires; '**⸚satzsteigerung** *f* accroissement *m* du chiffre d'affaires; '**⸚satzsteuer** *f* impôt *m* sur le chiffre d'affaires

'**umschauen** (*sép, -ge-, h*) *sich ⸚ → umsehen*

'**Umschlag** *m* *Brief⸚* enveloppe *f*; *Buch⸚* jaquette *f*; *méd* compresse *f*; *comm* transbordement *m*; *Änderung* changement *m*, revirement *m*; '**⸚en** (*irr, sép, -ge-, → schlagen*) **1.** *v/i* (*sn*) *Wetter* changer subitement; **2.** *v/t* (*h*) *Waren* transborder; *Buchseite* tourner; '**⸚platz** *m* *fig* plaque *f* tournante

um'**schließen** (*irr, pas de -ge-, h, →*

schließen) entourer

um'schreib|en [um'-] (*irr, pas de -ge-, h,* → **schreiben**) *Begriff* exprimer par une périphrase; **2ung** *f* (-; *-en*) périphrase *f*

'Um|schrift *f* **phonetische** ~ transcription *f* phonétique; **2schulden** (*sép, -ge-, h*) convertir des dettes; **~schuldung** *f* (-; *-en*) conversion *f* de dettes; **2schulen** (*sép, -ge-, h*) se reconvertir; **~schulung** *f* reconversion; **~schulungsmaßnahme** *f* mesure *f* de reconversion; **~schwung** *m* changement *m* brusque, revirement *m*; **2sehen** (*irr, sép, -ge-, h,* → **sehen**) *sich* ~ tourner la tête; *nach allen Seiten* regarder autour de soi; *sich in der Stadt* ~ faire un tour en ville; *sich nach etw* ~ chercher qc; **2seitig** ['-zaitiç] au verso, à la page suivante

'Umsicht *f* (-; *sans pl*) circonspection *f*; **2ig** circonspect

'umso *conj* ~ **besser!** tant mieux!; ~ **größer** *etc* d'autant plus grand, *etc*; ~ **mehr als** d'autant plus que

umsonst [-'-] *vergeblich* en vain, inutilement; *kostenlos* gratuitement

'Um|stand *m* circonstance *f*; *unter allen Umständen* en tous cas; *jur mildernde Umstände* circonstances atténuantes; *keine Umstände machen* ne pas faire de façons; *sie ist in anderen Umständen* elle est enceinte; **2ständlich** ['-ʃtɛntliç] compliqué

'umsteigen (*irr, sép, -ge-, sn,* → **steigen**) changer (de train)

'umstell|en (*sép, -ge-, h*) changer (de place); *Betrieb etc* réorganiser, regrouper; *auf EDV* ~ informatiser; *sich* ~ s'adapter (*auf* à); **2ung** *f* (-; *-en*) changement *m*; réorganisation *f*, regroupement *m*; adaptation *f*

'um|stimmen (*sép, -ge-, h*) *j-n* ~ faire changer qn d'avis; **~stritten** [-'ʃtritən] contesté, controversé; **~strukturieren** ['-ʃtruktu'ri:rən] (*sép, pas de -ge-, h*) restructurer

'Um|sturz *pol m* (-*es;* ⸚*e*) subversion *f*, renversement *m*, révolution *f*; **2stürzen** (*sép, -ge-, v/i, sn*) se renverser; *Fahrzeug a* verser; (*v/t, h*) *etw* ~ renverser qc

'Umtausch *m* (-*es; [-ɐ]*) échange *m*; *von Geld* change *m*; **2en** (*sép, -ge-, h*)

échanger (**gegen** contre); *Geld* changer

'umwälz|end ['umvɛltsənt] révolutionnaire; **2ung** *f* (-; *-en*) bouleversement *m*, révolution *f*

'umwand|eln (*sép, -ge-, h*) transformer (*in* en); **2lung** *f* (-; *-en*) transformation *f*

'Umweg *m* détour *m*

'Umwelt *f* (-; *sans pl*) environnement *m*; **2bedingt** déterminé par l'environnement; **~belastung** *f* incidence *f* sur l'environnement; **~bewusstsein** *n* sensibilisation *f* aux problèmes de l'environnement; **~einfluss** *m* influences *f/pl* ambiantes; **2feindlich** polluant; **2freundlich** non-polluant; **~schäden** *m/pl* pollution *f*; ravages *m/pl* à la nature; **2schädlich** polluant; **~schutz** *m* protection *f* de l'environnement; **~schützer** *m* protecteur *m* de l'environnement, écologiste *m*; **~verschmutzer** *m* pollueur *m*; **~verschmutzung** *f* pollution *f*; **2verträglich** respectueux de l'environnement; non-polluant

'um|wenden (*irr, sép, -ge-, h,* → **wenden**) (*sich* ~ se) retourner; **~werfen** (*irr, sép, -ge-, h,* → **werfen**) renverser; *Mantel* jeter sur ses épaules; **~ziehen** (*irr, sép, -ge-, sn,* → **ziehen**) déménager; (*h*) *sich* ~ se changer

'Umzug *m* *Wohnungswechsel* déménagement *m*; *in den Straßen* cortège *m*

unabhängig ['un²apheɲiç] indépendant (*von* de); ~ *davon, ob* indépendamment du fait que; **2keit** *f* (-; *sans pl*) indépendance *f*

'unab|lässig continuel, incessant; *adv* sans cesse; **~sichtlich** involontaire

unachtsam ['un²-] inattentif

unan|fechtbar ['un²anfɛçtba:r] incontestable; **~gebracht** déplacé, inopportun; **~gefochten** incontesté; **~gemessen** inadéquat; **~genehm** désagréable; **~nehmbar** inacceptable; **2nehmlichkeit** *f* (-; *-en*) désagrément *m*; **~ständig** indécent

unappetitlich ['un²-] peu appétissant

unauf|dringlich ['un²auf-] discret; **~fällig** discret; *Person* effacé; **~hörlich** incessant; *adv* sans cesse; **~merksam** inattentif; **~richtig** menteur, faux

unausstehlich ['un?-] insupportable
'unbarmherzig impitoyable

unbe|absichtigt ['unbə?apzïçtiçt] involontaire, non intentionnel; **'~denklich** sans inconvénient, sans danger; **'~deutend** insignifiant; **'~dingt** absolu; *adv* absolument; **'~fangen** non prévenu, impartial; naïf, ingénu; **'~friedigend** peu satisfaisant, insuffisant; **~friedigt** ['-içt] insatisfait, mécontent; **'~fugt** non autorisé; **~gabt** sans talents, peu doué; **'~greiflich** incompréhensible; **'~grenzt** illimité; **'~gründet** mal fondé, non fondé; **2hagen** ['unbəha:gən] *n* (-s; *sans pl*) malaise *m*; **'~haglich** *sich ~ fühlen* se sentir mal à l'aise; **'~kannt** inconnu; **'~kümmert** insouciant; **'~lehrbar** incorrigible; **'~liebt** impopulaire; **'~mannt** *Raumfahrzeug* non habité; **'~merkt** inaperçu; **'~nutzt** inutilisé; **'~quem** inconfortable; **'~rechenbar** incalculable; *Person* imprévisible; **'~rechtigt** non autorisé; *Forderung etc* injustifié; **'~rührt** *,* **~schädigt** ['-içt] intact; **~schränkt** illimité; **'~schreiblich** indescriptible; **'~ständig** inconstant; *Wetter* instable; **'~stechlich** incorruptible; **'~stimmt** indéfini; *unsicher* incertain; **'~streitbar** incontestable, indiscutable; **'~stritten** incontesté; **'~teiligt** étranger (*an* à); *gleichgültig* indifférent

'unbe|wacht *Parkplatz* non gardé; **'~weglich** immobile; *jur* **~e Güter** biens *m/pl* immeubles; **'~wohnt** inhabité; *Haus a* inoccupé; **'~wusst** inconscient, involontaire; **'~zahlbar** impayable (*a* F *köstlich*)

'unbrauchbar inutilisable; *Mensch* inapte (*für* à)

und [unt] et; *~ so weiter* et ainsi de suite, et cetera

'Undank *m* ingratitude *f*; **'2bar** ingrat (*gegen* envers)

'un|definierbar indéfinissable; **'~denkbar** inimaginable, impensable; **'~deutlich** indistinct, vague; *Sprache* inarticulé; **'~dicht** qui fuit; **~ sein** fuir

'undurch|führbar irréalisable; **'~lässig** imperméable; **'~sichtig** opaque; *fig* mystérieux, louche

uneben ['un?-] inégal; *Gelände a* accidenté; **'2heit** *f* (-; -en) inégalité *f*; *im*

un|echt ['un?-] faux; **~ehelich** ['un?-] illégitime; *Kind a* naturel; **~ehrlich** ['un?-] malhonnête; **~eigennützig** ['un?-] désintéressé; **~einig** ['un?-] désuni, en désaccord (*mit j-m über etw* avec qn sur qc); **~empfindlich** ['un?-] insensible (*für* à); **~endlich** ['un?-] infini (*a math, Foto*); *~ groß, weit* immense

unent|behrlich ['un?-] indispensable; **~geltlich** ['-entgeltlïç] gratuit; *Tätigkeit* bénévole; **'~schieden** indécis; *Sport ~ spielen* faire match nul; **'~schlossen** irrésolu, indécis

uner|bittlich ['un?erbitliç] inexorable; **'~fahren** inexpérimenté; **'~freulich** désagréable; **'~giebig** improductif; **'~heblich** insignifiant; **~hört** ['-hø:rt] inouï; **'~klärlich** inexplicable; **'~lässlich** ['-lesliç] indispensable; **'~laubt** défendu; *adv* sans la permission de qn; **~ledigt** ['-le:diçt] non fait, inachevé; **~messlich** ['-mesliç] immense; **~müdlich** ['-my:tliç] infatigable, inlassable; **'~reichbar** inaccessible; **~sättlich** ['-zetliç] insatiable; **'~schöpflich** inépuisable, intarissable; **'~schwinglich** inabordable; **'~setzlich** irremplaçable; **'~träglich** insupportable; **'~wartet** inattendu; **'~wünscht** indésirable

'unfähig incapable (*zu* de); **'2keit** *f* (-; -en) incapacité *f*

'unfair déloyal

'Unfall *m* accident *m*; **'~flucht** *f* délit *m* de fuite; **'~station** *f* poste *m* de secours; **'~stelle** *f* lieu *m* de l'accident; **'~verhütung** *f* prévention *f* des accidents; **'~versicherung** *f* assurance *f* accidents

'unfassbar ['unfasba:r] inconcevable
'unfehlbar ['unfe:l-] infaillible
'unfrankiert non affranchi
'unfreiwillig involontaire; *adv* malgré soi
'unfreundlich peu aimable, désagréable; *Wetter* maussade
'unfruchtbar stérile

Ungar ['unga:r] *m* (-n; -n), **'~in** *f* (-; -nen) Hongrois *m, -e f*; **'2isch** hongrois; **'~n** *n* (-s; *sans pl*) la Hongrie

'ungastlich inhospitalier
unge|achtet ['ungə?axtət] *prép* (*gén*) malgré, en dépit de; **'~ahnt** ['un-

U

gə'?a:nt] inespéré, insoupçonné; '**~be-ten** non invité; **~er Gast** intrus m; '**~bildet** inculte, sans éducation; '**~bräuchlich** peu usité, inusité; '**~braucht** tout neuf; **~bührlich** ['ungəby:rliç] inconvenant; '**~deckt** *Scheck* sans provision

'**Ungeduld** f impatience f; **~ig** impatient

'**unge|eignet** impropre (*für* à); *Person* inapte (*für* à); '**~fähr** ['ungəfɛ:r] à peu près, environ; *adj* approximatif; '**~fährlich** inoffensif, sans danger

ungeheuer ['ungəhɔyər] **1.** énorme; *adv* énormément, **2.** ♀ n (-s, -) monstre m; **~lich** [ungə'hɔyərliç] monstrueux

'**unge|hindert** libre, sans être empêché; '**~horsam 1.** désobéissant; **2.** ♀ m (-s; *sans pl*) désobéissance f

'**ungenau** inexact; '**♀igkeit** f (-; -en) inexactitude f

ungeniert ['unʒeni:rt] sans gêne

'**unge|nießbar** ['ungəni:sba:r] immangeable; *Getränk* imbuvable (a F *fig Person*); '**~nügend** insuffisant; '**~pflegt** négligé, peu soigné; '**~rade** *Zahl* impair

'**ungerecht** injuste; '**~fertigt** non justifié, injustifié; '**♀igkeit** f (-; -en) injustice f

'**Ungeschick** n (-[e]s; *sans pl*), '**~lich-keit** f (-; -en) maladresse f; '**♀t** maladroit

'**unge|setzlich** illégal; '**~spritzt** *Obst* non traité; '**~stört** tranquille; '**~straft** impuni; *adv* impunément; '**~sund** malsain, insalubre; **er sieht ~ aus** il a l'air malade

Ungetüm ['ungəty:m] n (-[e]s; -e) monstre m

'**ungewiss** incertain; '**♀heit** f (-; -en) incertitude f

'**unge|wöhnlich** extraordinaire; '**~wohnt** inaccoutumé, inhabituel; '**♀ziefer** n vermine f; '**~zwungen** désinvolte, décontracté, relax(e) F

'**ungläubig** incrédule; *rel* incroyant, infidèle

unglaub|lich [un'glaupliç] incroyable; '**~würdig** peu digne de foi; *zweifelhaft* douteux

'**ungleich** inégal; '**♀heit** f (-; -en) inégalité f; '**~mäßig** inégal, irrégulier

'**Unglück** n (-[e]s; -e) malheur m; *Unfall* accident m; '**♀lich** malheureux; '**♀li-cherweise** malheureusement

'**ungültig** non valable, nul; *Ausweis* périmé; **für ~ erklären** annuler, invalider; **~ werden** se périmer; '**♀keit** f (-; *sans pl*) nullité f

'**ungünstig** défavorable

'**unhaltbar** *Zustände* intenable; *Be-hauptung* insoutenable

'**Unheil** n malheur m, désastre m; '**♀bar** incurable

'**unheimlich** inquiétant, sinistre; **~ gut** F vachement bon *od* bien

'**unhöflich** impoli; '**♀keit** f impolitesse f

'**un|hörbar** inaudible; '**~hygienisch** peu hygiénique

Uniform [uni'fɔrm] f (-; -en) uniforme m

uninteress|ant ['un?-] sans intérêt, dépourvu d'intérêt; '**~iert** qui ne s'intéresse pas (**an** à)

univers|al [univer'za:l] universel; '**♀ität** [-zi'tɛːt] f (-; -en) université f; '**♀um** [-'verzum] n (-s; *sans pl*) univers m

'**unkennt|lich** méconnaissable; '**♀nis** f (-; *sans pl*) ignorance f

'**unklar** confus, vague, peu clair, indistinct; '**♀heit** f manque m de clarté, confusion f

'**un|klug** imprudent; '**♀kosten** pl frais m/pl; '**♀kraut** n mauvaise herbe f; **~ jäten** sarcler; '**~kündbar** ['-kyntbaːr] *Stelle* permanent; *Vertrag* non résiliable; '**~lauter** *adj jur* **~er Wettbewerb** concurrence déloyale; '**~leserlich** illisible; '**~logisch** illogique

'**unlös|bar** *Problem* insoluble; '**~lich** *chim* insoluble

'**unmäßig** immodéré, démesuré; *im Essen u Trinken* intempérant

'**Unmenge** f quantité f énorme (**von** de)

'**unmenschlich** inhumain; '**♀keit** f inhumanité f

'**un|missverständlich** sans équivoque; '**~mittelbar** immédiat, direct; '**~mo-dern** passé de mode, démodé

'**unmöglich** impossible; '**♀keit** f impossibilité f

'**unmoralisch** immoral

'unmündig *jur* mineur; '**keit** *f* (-; *sans pl*) minorité *f*

'unnach|ahmlich inimitable; '**giebig** intransigeant, inflexible; '**sichtig** sévère, sans indulgence, impitoyable

'un|natürlich peu naturel; *geziert* affecté; '**nötig** inutile

UNO ['uːnoː] *f* (-; *sans pl*) O.N.U. *f*

unord|entlich ['un'-] désordonné, négligé, en désordre; '**nung** *f* (-; *sans pl*) désordre *m*

'unpartei|isch impartial; '**lichkeit** *f* (-; *sans pl*) impartialité *f*

'un|passend impropre, peu convenable, déplacé; '**persönlich** impersonnel; '**politisch** apolitique; '**populär** impopulaire; '**praktisch** peu pratique; *Person* maladroit; '**produktiv** improductif; '**pünktlich** inexact

'unrecht 1. mauvais; 2. **2** *n* (-*[e]s*; *sans pl*) injustice *f*, tort *m*; **zu ~** à tort; '**mäßig** illégitime, illégal

'unregelmäßig irrégulier; '**keit** *f* (-; -*en*) irrégularité *f*

'unreif peu mûr (*a fig*); *Obst a* vert; '**rentabel** non rentable

'unrichtig incorrect, inexact, faux

'Unruh|e *f* (-; -*n*) inquiétude *f*; **~n** *pl* *pl* troubles *m/pl*; '**2ig** inquiet; *Leben, Meer* agité

uns [uns] nous, à nous

'unsach|gemäß non *od* mal approprié; '**lich** subjectif, non fondé

'un|sauber malpropre; **~e Methoden** méthodes malhonnêtes; '**schädlich** inoffensif; '**scheinbar** insignifiant; *Mensch* effacé; '**schlüssig** ['un'lysiç] irrésolu, indécis

'Unschuld *f* (-; *sans pl*) innocence *f*; '**2ig** innocent

'unselbstständig qui manque d'indépendance *od* d'iniative *od* de personnalité; *beruflich* salarié

unser ['unzər] notre, *pl* nos; '**er, ~e, ~es, der, die, das ~e** *od* **uns(e)rige** le (la) nôtre; '**einer, ~eins** nous autres, des gens comme nous

'unsicher incertain; *Person* qui manque d'assurance; '**2heit** *f* (-; -*en*) incertitude *f*; *e-r Person* manque *m* d'assurance; *e-r Gegend* insécurité *f*

'unsichtbar invisible

'Unsinn *m* (-*[e]s*; *sans pl*) bêtises *f/pl*,

absurdité(s) *f(pl)*; '**2ig** insensé, absurde

'Unsitt|e *f* mauvaise habitude *f*; *Missstand* abus *m*; '**2lich** immoral

'un|sozial antisocial; '**sportlich** peu sportif; *unfair* antisportif

'unsterblich immortel

Un|stimmigkeit ['un'timiçkait] *f* (-; -*en*) désaccord *m*, divergence *f*, différend *m*; '**2sympathisch** antipathique

'untätig inactif; '**2keit** *f* (-; *sans pl*) inactivité *f*

'untauglich inapte (**für** à)

'unteilbar indivisible

unten ['untən] en bas, en dessous; *nach* **~** en bas, vers le bas; *siehe* **~** voir cidessous; *auf Seite 5* **~** en bas de la page 5

unter ['untər] *prép* (*wo? dat*; *wohin? acc*) sous; *unterhalb* au-dessous de; *zwischen* parmi; **~ anderem** entre autres; *einige* **~ uns** certains d'entre nous *od* parmi nous; *das bleibt* **~ uns** que cela reste entre nous; **~ dieser Bedingung** à cette condition; *j-n* **~ sich haben** avoir qn sous ses ordres

'Unter|bewusstsein *n* subconscient *m*; '**2bieten** [-'biːtən] (*irr, pas de -ge-, h,* → *bieten*) vendre moins cher (*j-n* que qn); *Rekord* battre; '**2binden** (*irr, pas de -ge-, h,* → *binden*) empêcher, mettre un terme à

unter'brech|en (*irr, pas de -ge-, h,* → *brechen*) interrompre; **2ung** *f* (-; -*en*) interruption *f*

'unterbring|en (*irr, sép, -ge-, h,* → *bringen*) *Gast* loger; *verstauen, Person in Stellung* caser; '**2ung** *f* (-; -*en*) logement *m*; placement *m*

unter'drück|en (*pas de -ge-, h*) *Gefühle, Aufstand* réprimer, étouffer; *Volk* opprimer; **2ung** *f* (-; -*en*) répression *f*; oppression *f*

'untere (-*n*; -*n*) inférieur (*a fig*), bas, d'en bas

untereinander ['untər'ainandər] l'un sous l'autre; *unter sich (uns etc)* entre eux (nous, *etc*); *gegenseitig* mutuellement, réciproquement

unterentwick|elt ['-'-] sous-développé; '**2lung** *f* (-; -*en*) sous-développement *m*

unterernährt ['untər'-] sous-alimenté

Unter'|führung *f* (-; -*en*) (passage *m*)

U

souterrain *m*; '**~gang** *m* (-*[e]s*; ¨*e*) ruine *f*, perte *f*; *mar* naufrage *m*; *Sonne* coucher *m*; **~'gebene** *m*, *f* (-*n*; -*n*) subordonné *m*, -e *f*; **2gehen** (*irr, sép, -ge-, sn,* → *gehen*) périr; *mar* couler, faire naufrage; *Sonne* se coucher; '**2geordnet** ['untərgə'?ordnət] subordonné; *zweitrangig* secondaire

'**Untergrundbahn** *f* métro *m*

'**unterhalb** *prép* (*gén*) au-dessous de

Unter'halt *m* (-*[e]s*; *sans pl*) entretien *m*; **2en** ['haltən] (*irr, pas de -ge-, h,* → *halten*) *Familie, Gebäude etc* entretenir; *belustigen* divertir, distraire, amuser; *sich ~* s'entretenir (*mit j-m über etw* avec qn de qc); *sich belustigen* se divertir, s'amuser; **2end** ['-'-], **2sam** ['-'-] divertissant, distrayant, amusant; **~ung** ['-'halt-] *f* (-; -*en*) entretien *m*; *Gespräch a* conversation *f*; *Vergnügen* divertissement *m*, amusement *m*

Unter|händler ['untərhɛndlər] *m* négociateur *m*; '**~hemd** *n* maillot *m od* gilet *m* de corps; '**~hose** *f* caleçon *m*; *kurze slip m*; '**2irdisch** souterrain; '**2kommen** (*irr, sép, -ge-, sn,* → *kommen*) trouver une place, se caser F; '**~kunft** ['-kunft] *f* (-; ¨*e*) abri *m*, gîte *m*, logement *m*; *~ und Verpflegung* le gîte et le couvert; '**~lage** *f Schreib* 2 sousmain *m*; *tech* support *m*; *Schriftstück* pièce *f*, document *m*

unter'lassen (*irr, pas de -ge-, h,* → *lassen*) *etw ~* s'abstenir de qc; *es ~, etw zu tun* omettre de faire qc

unterlegen ['-'le:gən] inférieur (*j-m, e-r Sache à* qc, à qc); **2heit** *f* (-; *sans pl*) infériorité *f*

'**Unter|leib** *m* bas-ventre *m*, abdomen *m*; **2'liegen** (*irr, pas de; -ge-, sn,* → *liegen*) *besiegt werden* être vaincu (*j-m* par qn), succomber (à); *der Kontrolle, Mode etc* être soumis à; '**~mieter(in)** *f) m* sous-locataire *m, f*

unter'nehm|en (*irr, pas de -ge-, h,* → *nehmen*) entreprendre; **2en** *n* (-*s*; -) entreprise *f* (*a écon*); *ein gewagtes ~* une entreprise osée; **2ensberater** *m* conseiller *m* en gestion; **2er** *m* (-*s*; -), **2erin** *f* (-; -*nen*) entrepreneur *m*, -euse *f*; **~ungslustig** entreprenant

Unterredung [untər're:duŋ] *f* (-; -*en*) entretien *m*

Unterricht ['untərrɪçt] *m* (-*[e]s*; *selten -e*) enseignement *m*, cours *m/pl*; **2en** ['-'-] (*pas de -ge-, h*) *etw ~* enseigner qc; *j-n in etw ~* enseigner qc à qn; *j-n über etw ~* renseigner qn sur qc, informer qn de qc

unter'sagen (*pas de -ge-, h*) interdire (*j-m etw* qc à qn); '**~satz** *m* dessous *m* de plat, rond *m*; **2'schätzen** (*pas de -ge-, h*) sous-estimer

unter'scheid|en (*irr, pas de -ge-, h,* → *scheiden*) distinguer (*von* de; *zwischen* entre); *sich ~* se distinguer, différer (*von* de; *durch* par); **2ung** *f* (-; -*en*) distinction *f*

Unterschied ['untərʃi:t] *m* (-*[e]s*; -*e*) différence *f*; *im ~ zu* à la différence de; **2lich** différent

unter'schlag|en (*irr, pas de -ge-, h,* → *schlagen*) *Geld* détourner; *Dokumente etc* soustraire; *fig* cacher, taire; **2ung** *jur f* (-; -*en*) soustraction *f*; *~ von Geldern* détournement *m* de fonds

unter'schreiben (*irr, pas de -ge-, h,* → *schreiben*) signer; '**2schrift** *f* signature *f*; '**2seeboot** *n* sous-marin *m*

unterste ['untərstə] le plus bas

unter'|stehen (*irr, pas de -ge-, h,* → *stehen*) *j-m ~* être subordonné à qn, être sous les ordres de qn; *sich ~, etw zu tun* oser faire qc; '**~stellen 1.** (*sép, -ge-, h*) (*sich ~* se) mettre à l'abri; **2.** [-'ʃtɛlən] (*pas de -ge-, h*) *j-n j-m ~* subordonner qn à qn; *etw ~ annehmen* supposer qc; *j-m etw ~* attribuer *od* imputer (faussement) qc à qn; *j-m bestimmte Absichten ~* faire un procès d'intention à qn; **2'streichen** (*irr, pas de -ge-, h,* → *streichen*) souligner (*a fig*)

unter'stütz|en (*pas de -ge-, h*) aider, assister, secourir, soutenir, appuyer; **2ung** *f* (-; -*en*) aide *f*, assistance *f*, secours *m*, soutien *m*, appui *m*

unter'such|en (*pas de -ge-, h*) examiner; *ermitteln* enquêter sur; *chim* analyser

Unter'suchung *f* (-; -*en*) examen *m* (*a méd*); enquête *f* (*a jur*); *jur* instruction *f*; *chim* analyse *f*; **~shaft** *f* détention *f* préventive

'**Unter|tasse** *f* soucoupe *f*; **2'tauchen** (*sép, -ge-, sn*) plonger; *fig* disparaître

'**Unterteil** *n* bas *m*, partie *f* inférieure; **2en** ['-'tailən] (*pas de -ge-, h*) subdiviser; **~ung** [-'-] f (-; -en) subdivision f

'**Unter|titel** m sous-titre m; '**~treibung** f (-; -en) minimisation f; '**2vermieten** (pas de -ge-, h) sous-louer; **2'wandern** (pas de -ge-, h) pol noyauter; '**~wäsche** f (-; sans pl) sous-vêtements m/pl, linge m (de corps)

unterwegs [untər'veːks] en route, en chemin, chemin faisant

'**Unterwelt** f Totenreich enfers m/pl; der Verbrecher pègre f, milieu m

unter'werfen (irr, pas de -ge-, h, → **werfen**) (**sich ~**) se soumettre

unterwürfig [untər'vyrfiç] péj servile

unter'zeichn|en (pas de -ge-, h) signer; **2ung** f (-; -en) signature f

unter'ziehen (pas de -ge-, h): **sich e-r Sache ~** se soumettre à qc, subir qc

'**untragbar** intolérable

'**untreu** infidèle; '**2e** f infidélité f

'**untröstlich** inconsolable

unüber|legt ['un^əy:bərleːkt] irréfléchi; '**~sehbar** immense; '**~trefflich** insurpassable, incomparable; **~windlich** ['-vintliç] insurmontable, invincible, infranchissable

unum|gänglich ['un^əumgeŋliç] inévitable; '**~schränkt** [-ʃreŋkt] pol absolu

ununterbrochen ['un^əuntərbrɔxən] ininterrompu; adv sans interruption, sans cesse

unver|änderlich invariable (a gr); '**~antwortlich** irresponsable; '**~besserlich** incorrigible; '**~bindlich** qui n'engage à rien, sans obligation; '**~bleit** ['unferblait] sans plomb; '**~einbar** incompatible (**mit** avec); '**~fälscht** authentique, non falsifié; '**~fänglich** ['-feŋliç] anodin; '**~gänglich** impérissable, immortel; '**~gesslich** inoubliable; '**~gleichlich** incomparable; '**~heiratet** célibataire; **~hofft** ['-hɔft] adj inespéré; adv à l'improviste; '**~käuflich** invendable; '**~kennbar** indubitable, évident; '**~letzt** sans blessure(s), indemne, sain et sauf; **~meidlich** ['-maitliç] inévitable; '**~mittelt** soudain, brusque(ment)

'**Unvermögen** n (-s; sans pl) incapacité f, impuissance f

'**unver|mutet** inattendu; '**2nunft** f déraison f; '**~nünftig** déraisonnable; **~richtet** ['unferriçtət] **~er Dinge zurückkehren** revenir bredouille

'**unverschämt** insolent, impertinent, effronté; '**2heit** f (-; -en) insolence f, impertinence f, effronterie f

unver|sehens ['unferzeːəns] à l'improviste; **~sehrt** ['-zeːrt] intact; Person indemne, sain et sauf; '**~söhnlich** irréconciliable; '**~standen** **sich ~ fühlen** se sentir incompris; '**~ständlich** incompréhensible, inintelligible; **es ist mir ~** j'ai du mal à comprendre cela; '**~sucht nichts ~ lassen** ne rien négliger (pour ...); **~wundbar** ['-vuntbaːr] invulnérable; **~wüstlich** ['-vyːstliç] Stoff inusable; **~e Gesundheit** santé f à toute épreuve od de fer; '**~zeihlich** impardonnable; **~züglich** ['-tsyːkliç] immédiat; adv sans délai

'**unvollendet** inachevé

'**unvollkommen** imparfait; '**2heit** f (-; -en) imperfection f

'**unvollständig** incomplet

'**unvoreingenommen** sans préjugés

'**unvorher|gesehen** imprévu; '**~sehbar** imprévisible

'**unvorsichtig** imprudent; '**2keit** f imprudence f

'**unvorstellbar** inimaginable

'**unwahr** faux; lügenhaft mensonger; '**2heit** f mensonge m; '**~scheinlich** invraisemblable, improbable; F incroyable(ment)

unweigerlich ['unvaigərliç] inévitable(ment), immanquable(ment)

'**unwesentlich** non essentiel, peu important

'**Unwetter** n tempête f

'**unwichtig** sans importance

unwider|legbar ['unviːdərleːkbaːr] irréfutable; '**~ruflich** irrévocable, sans appel; **~stehlich** [-viːdərʃteːliç] irrésistible

'**Unwill|e** m (-ns; sans pl) indignation f; '**2ig** indigné (**über** de); widerwillig à contrecœur; '**2kürlich** involontaire

'**unwirk|lich** irréel; '**~sam** inefficace; jur nul

'**unwirtschaftlich** peu économique, non rentable

'**unwissen|d** ignorant; '**2heit** f (-; sans pl) ignorance f

'**unwürdig** indigne (**j-s, e-r Sache** de qn, de qc)

unzählig ['untsɛːliç] innombrable

'**unzeitgemäß** inactuel, démodé

'unzer|brechlich incassable; '~trenn-
lich inséparable
'unzufrieden mécontent, insatisfait;
'~heit f mécontentement m, in-
satisfaction f
'unzu|gänglich inaccessible, inabor-
dable (*beide a Person*); '~lässig inadmissible; '~mutbar inacceptable;
'~rechnungsfähig *jur* irresponsable;
'~sammenhängend incohérent; '~ver-
lässig sur qui (*od sur* quoi) on ne peut
compter; *Quelle* incertain, peu sûr
'unzweifelhaft indubitable
üppig ['ypig] *Vegetation* luxuriant;
Mahlzeit, Busen plantureux
uralt ['u:r'alt] vieux comme le monde
Uran [u'ra:n] *chim* n (-*s; sans pl*) uranium *m*
'Ur|bevölkerung f, '~einwohner *m/pl*
population f primitive, autochtones
m/pl, aborigènes *m/pl*; '~enkel(in f) *m*
arrière-petit-fils *m*, arrière-petite-fille
f; '~großmutter f arrière-grand-mère f;
'~großvater *m* arrière-grand-père *m*;
'~heber ['-he:bər] *m* (-*s; -*) '~heberin f
(-*; -nen*) auteur *m*; '~heberrechte *n/pl*
droits *m/pl* d'auteur
Urin [u'ri:n] *m*, (-*s; -e*) urine f; 2'ieren
(*pas de -ge-, h*) uriner

'Urkunde ['u:rkundə] f (-*; -n*) acte *m*,
document *m*; '~nfälschung *jur* f faux
m en écriture
Urlaub ['u:rlaup] *m* (-*[e]s; -e*) vacances
f/pl, congé(s) *m* (*pl*); *mil* permission f;
in ~ sein être en vacances; *e-n Tag ~
nehmen* prendre un jour de congé;
'~er *m* (-*s; -*), '~erin f (-*, -nen*) *m*
vacancier *m*, -ière f; *mil* per-
missionnaire *m*; '~sanschrift f adresse
f de vacances; '~sgeld *n* prime f de
vacances; '~sort *m* villégiature f;
'~svertretung f intérim *m*, intérimaire
m pendant la période des vacances
'Ur|sache f cause f; *Grund* raison f;
keine ~! il n'y a pas de quoi!;
'~sächlich causal; '~sprung *m* origine
f; 2sprünglich d'origine, originaire,
originel; *adv* à l'origine
Urteil [u'rtail] *n* (-*s; -e*) jugement *m*; *jur* a
sentence f, arrêt *m*, verdict *m*; *ein ~
fällen* rendre un jugement; *ein ~ abgeben über* porter un jugement sur;
sich ein ~ bilden se faire une opinion;
'2en (*h*) juger (*über* de)
'Ur|wald *m* forêt f vierge; '~zustand *m*
état *m* primitif
Utop|ie [uto'pi:] f (-*; -n*) utopie f; 2isch
[u'to:piʃ] utopique

V

vage ['va:gə] vague
Vakuum ['va:ku°um] *n* (-*s; -kua, kuen*)
vide *m*; '~verpackt emballé sous vide
Valuta [va'lu:ta] *comm* f (-*; -ten*) monnaie f étrangère
Vanille [va'nil(j)ə] f (-*; sans pl*) vanille f
vari|abel [vari'a:bəl] variable; 2ante
[vari'antə] f (-*; -n*) variante f
variieren [vari'i:rən] (*pas de -ge-, h*)
varier
Vase ['va:zə] f (-*; -n*) vase *m*
Vater ['fa:tər] *m* (-*s; ¨*) père *m*; '~land *n*
(-*[e]s; ¨er*) patrie f
väterlich ['fɛ:tərliç] paternel
'Vater|schaft f (-*; sans pl*) paternité f;
'~unser *rel n* (-*s; -*) Notre Père *m*, Pater
m

Vatikan [vati'ka:n] *m* (-*s; sans pl*) Vatican *m*
Veget|arier [vege'ta:rjər] *m* (-*s; -*),
'~arierin f (-*; -nen*) végétarien, -ne f;
2'arisch végétarien; '~ation [-ta'ts-
jo:n] f (-*; -en*) végétation f; 2'ieren (*pas
de -ge-, h*) végéter, vivoter
Veilchen ['failçən] *bot n* (-*s;-*) violette f
Vene ['ve:nə] f (-*; -n*) veine f
Venedig [ve'ne:diç] *n* Venise f
Ventil [ven'ti:l] *n* (-*s; -e*) *tech* soupape f;
am Luftschlauch valve f; '~ator [-i'la:-
tɔr] *m* (-*s; -toren*) ventilateur *m*
verabred|en [fer'?ap-] (*pas de -ge-, h*)
etw ~ convenir de qc; *sich ~* se donner
rendez-vous; *sich mit j-m ~* se donner
rendez-vous à qn; 2ung (-*; -en*) ren-

dez-vous *m*

verabscheuen [fɛrʔ'ap-] (*pas de -ge-, h*) détester

verabschieden [fɛrʔ'apʃiːdən] (*pas de -ge-, h*) congédier; *Gesetz* voter, adopter; *sich ~* prendre congé (*von* de)

ver|'achten (*pas de -ge-, h*) mépriser, dédaigner; **~ächtlich** [-ʔ'ɛçtlɪç] méprisant, dédaigneux; *verachtenswert* méprisable; **2'achtung** *f* (-; *sans pl*) mépris *m*, dédain *m*; **~allgemeinern** [fɛrʔalgə'mainərn] (*pas de -ge-, h*) généraliser; **~altet** [-ʔ'altət] vieilli, suranné, désuet

veränder|lich [fɛrʔ'ɛndərlɪç] variable; **~n** (*pas de -ge-, h*) changer, modifier; *sich ~* changer, **2ung** *f* (-; *-en*) changement *m*, modification *f*

veranlag|en [fɛrʔ'anlaːgən] (*pas de -ge-, h*) *j-n steuerlich ~* établir l'assiette de l'impôt de qn; *~t musisch ~* doué pour les arts; *praktisch ~ sein* avoir un sens pratique; **2ung** *f* (-; *-en*) prédisposition *f*

veranlassen [-ʔ'an-] (*pas de -ge-, h*) *etw ~* occasionner qc; faire faire qc, ordonner qc; *j-n zu etw ~* amener *od* déterminer qn à (faire) qc

veranschlagen [fɛrʔ'an-] (*pas de -ge-, h*) estimer, évaluer (*auf* à)

ver'anstalt|en (*pas de -ge-, h*) organiser; **2er** *m* (-*s*; -) organisateur *m*; **2ung** *f* (-; *-en*) manifestation *f*

ver'antwort|en (*pas de -ge-, h*) *etw ~* répondre de qc; **~lich** responsable (*für* de); **2ung** *f* (-; *-en*) responsabilité *f*; *die ~ für etw übernehmen* assumer *od* prendre la responsabilité de qc; *j-n zur ~ ziehen* demander des comptes à qn; **2ungsbewusstsein** *n*, **2ungsgefühl** *n* sentiment *m* de responsabilité; **~ungslos** irresponsable

ver'arbeiten (*pas de -ge-, h*) travailler, usiner, transformer (*zu* en); *geistig* digérer, assimiler; **~d** *~e Industrie* industrie *f* de transformation

ver'ärgern (*pas de -ge-, h*) irriter, fâcher

Verb [vɛrp] *gr n* (-*s*; *-en*) verbe *m*

Verband [fɛr'bant] *m* (-[*e*]*s*; *~e*) association *f*; *méd* pansement *m*; *mil* formation *f*, **~(s)kasten** *m* trousse *f* de premiers soins

ver'bergen (*irr, pas de -ge-, h*, → **ber-**

gen) cacher, dissimuler (*etw vor j-m* qc à qn); *sich vor j-m ~* se cacher de qn

ver'besser|n (*pas de -ge-, h*) (*sich ~* s')améliorer; *berichtigen* corriger; **2ung** *f* (-; *-en*) amélioration *f*; correction *f*

ver|'bieten (*irr, pas de -ge-, h*, → **bieten**) défendre, interdire; **~'billigt** [-'bɪlɪçt] à prix réduit, au rabais

ver'binden (*irr, pas de -ge-, h*, → **binden**) lier (*mit* avec *od* à), joindre (à), (ré)unir (à); *Wunde* panser; *Augen* bander; *tech* raccorder (à); *elektrisch* connecter (à); *chim* combiner; *tél ~ mit* donner la communication avec

verbindlich [-'bɪntlɪç] *bindend* obligatoire; *gefällig* obligeant; **2keit** *f* (-; *-en*) *e-s Gesetzes* caractère *m* obligatoire; *e-r Person* obligeance *f*; *comm* obligation *f*

Ver'bindung *f* (-; *-en*) liaison *f*, communication *f* (*a tél, Verkehrs* 2); contact *m*, relation *f*; *tech* raccord *m*; *chim* combinaison *f*, composé *m*; *mit j-m in ~ stehen* (*treten*) être (entrer) en contact *od* relation(s) avec qn

verbitter|t [fɛr'bɪtərt] aigri; **2ung** *f* (-; *-en*) amertume *f*

Verbleib [fɛr'blaip] *m* (-[*e*]*s*; *sans pl*) *über seinen ~ weiß man nichts* on ne sait pas ou il se trouve; **2en** [-bən] (*irr, pas de -ge-, sn*, → **bleiben**) rester, demeurer

verbleit [fɛr'blait] contenant du plomb

verblüff|en [fɛr'blyfən] (*pas de -ge-, h*) ébahir, stupéfier; **~t** stupéfait, ébahi; **2ung** *f* (-; *-en*) stupéfaction *f*, ébahissement *m*

ver|bohrt [fɛr'boːrt] obstiné; **~'borgen** [fɛr'bɔrgən] caché; *im ~en* en secret, en cachette

Verbot [fɛr'boːt] *n* (-[*e*]*s*; -*e*) interdiction *f*, défense *f*; **2en** *Rauchen ~* interdit de fumer

Verbrauch [fɛr'braux] *m* (-[*e*]*s*; *selten* *~e*) consommation *f* (*an* de); **2en** (*pas de -ge-, h*) consommer; *Kräfte* dépenser; **~er** *m* (-*s*; -) consommateur *m*; **~erschutz** *m* défense *f* des consommateurs; **~erzentrale** *f* association *f* des comsommateurs; **~sgüter** *n/pl* biens *m/pl* de consommation; **~ssteuer** *f* taxe *f* de la consommation; **2t** usé

Verbrech|en [fɛr'brɛçən] *n* (-s; -) crime *m;* **ein ~ begehen** commettre un crime; **~er** *m* (-s; -), **~erin** *f* (-; -nen) criminel *m,* -le *f,* **2erisch** criminel

ver'breit|en (*pas de -ge-, h*) (**sich ~** se) répandre; *Lehre, Nachricht a* (se) propager; **~ern** (*pas de -ge-, h*) élargir

ver'brenn|en (*irr, pas de -ge-,* → **brennen**) (*v/t, h; v/i, sn*) brûler; *Tote* incinérer; **2ung** *f* (-; -en) combustion *f;* *Tote* crémation *f,* incinération *f;* *méd* brûlure *f;* **2ungsmotor** *m* moteur à combustion interne

ver'bringen (*irr, pas de -ge-, h,* → **bringen**) *Zeit* passer

verbrüdern [fɛr'bry:dərn] (*pas de -ge-, h*) **sich ~** fraterniser

ver'buchen (*pas de -ge-, h*) enregistrer, comptabiliser

Verbund [fɛr'bʊnt] *m* (-[e]s; *sans pl*) *tech* assemblage *m;* raccordement *m;* *écon* association *f*

ver'bünde|n [fɛr'byndən] (*pas de -ge-, h*) **sich ~** s'allier (**mit** à); **2te** *m, f* (-n; -n) allié *m,* -e *f*

ver|'bürgen (*pas de -ge-, h*) **sich ~ für** se porter garant de, répondre de; **~'büßen** (*pas de -ge-, h*) *e-e Strafe ~* purger une peine; **~'chromt** [-'kro:mt] chromé

Verdacht [fɛr'daxt] *m* (-[e]s; *sans pl*) soupçon *m;* **gegen j-n ~ schöpfen** commencer à soupçonner qn; *im ~ stehen* être soupçonné (**zu** de + *inf*)

verdächtig [-'dɛçtiç] suspect; **sich ~ machen** se rendre suspect; **~en** (*pas de -ge-, h*) soupçonner (**j-n e-r Sache** qn de qc); **2ung** *f* (-; -en) soupçon *m*

verdamm|en [fɛr'damən] (*pas de -ge-, h*) condamner; *rel* damner; **~t** maudit, sacré F; F **~ noch mal!** zut alors!; F **~ gut** drôlement bon

ver'danken (*pas de -ge-, h*) **j-m etw ~** devoir qc à qn

verdau|en [fɛr'dauən] (*pas de -ge-, h*) digérer (*a fig*); **~lich leicht ~** digeste, facile à digérer; **schwer ~** indigeste, lourd; **2ung** *f* (-; *sans pl*) digestion *f;* **2ungsstörungen** *f/pl* troubles *m/pl* digestifs

Verdeck [fɛr'dɛk] *n* (-[e]s; -e) *auto* capote *f; mar* pont *m;* **2en** (*pas de -ge-, h*) couvrir (*a fig*); *verbergen* cacher

verderb|en [fɛr'dɛrbən] (*verdarb, ver-*

dorben) **1.** *v/i* (*sn*) *Lebensmittel* s'abîmer; *etw* abîmer; **2.** *v/t* (*h*) *Spaß, Preise etc* gâcher; *sittlich* corrompre; **sich die Augen ~** s'abîmer la vue; **sich den Magen ~** se détraquer l'estomac; **es mit j-m ~** perdre les bonnes grâces de qn; **2en** *n* (-s; *sans pl*) perte *f,* ruine *f;* **~lich** [-pliç] *Lebensmittel* périssable; *schädlich* pernicieux

ver'dien|en (*pas de -ge-, h*) *Geld* gagner; *Lob, Tadel* mériter; **2er** *m* (-s; -) gagneur *m;* **2st** (-es; -e) **1.** *m* gain *m;* **2.** *n* mérite *m;* **~t** (*bien*) mérité; *Person* de mérite; **sich ~ machen um** bien mériter de

ver|doppeln (*pas de -ge-, h*) (**sich**) **~** doubler; **~dorben** [-'dɔrbən] abîmé; *fig* gâché; *Lebensmittel a* avarié; *sittlich* corrompu, dépravé; **~dorren** [-'dɔrən] (*pas de -ge-, sn*) se dessécher

ver'dräng|en (*pas de -ge-, h*) *ersetzen* supplanter; *psych* refouler; **2ung** *psych f* (-; -en) refoulement *m*

ver|'drehen (*pas de -ge-, h*) tordre; *Augen* rouler; *fig Tatsachen, Wahrheit* dénaturer, altérer; *fig* **j-m den Kopf ~** tourner la tête à qn; **~'dreifachen** (*pas de -ge-, h*) (**sich**) **~** tripler

ver|drießlich [fɛr'driːsliç], **~drossen** [-'drɔsən] maussade, renfrogné

Verdruss [fɛr'drus] *m* (-es; -e) dépit *m,* contrariété *f,* ennuis *m/pl*

ver'dunkeln (*pas de -ge-, h*) (**sich ~**) s'obscurcir

ver|'dünnen (*pas de -ge-, h*) diluer (**mit Wasser** avec de l'eau); **~'dunsten** (*pas de -ge-, sn*) s'évaporer

ver'ehr|en (*pas de -ge-, h*) *rel* vénérer; *fig* adorer; **2er** *m* (-s; -), **2erin** *f* (-; -nen) admirateur *m,* -trice *f; m e-s Mädchens* soupirant *m;* **2ung** *f* (-; -en) vénération *f; fig* admiration *f,* adoration *f*

vereidigen [fɛrʔ'aidigən] (*pas de -ge-, h*) faire prêter serment à, assermenter

Verein [fɛrʔ'ain] *m* (-[e]s; -e) association *f,* club *m*

ver'einbar compatible (**mit** avec); **~en** (*pas de -ge-, h*) convenir de; **sich ~ lassen mit** se concilier avec; **2ung** *f* (-; -en) accord *m,* convention *f*

vereinen [fɛrʔ'ainən] (*pas de -ge-, h*)

547 **Vergessenheit**

ver'einfach|en (*pas de -ge-*, h) simplifier; **2ung** f (-; -en) simplification f

ver'einheitlich|en (*pas de -ge-*, h) uniformiser, standardiser; **2ung** f (-; -en) uniformisation f

ver'einig|en (*pas de -ge-*, h) (**sich ~** se) réunir, (s')unir; **~t** (ré)uni; **die 2en Staaten** les États-Unis m/pl; **2ung** f (-; -en) (ré-)union f; *Verein* association f

ver'ein|t uni; **die 2en Nationen** les Nations f/pl Unies; **~zelt** [fɛrʔˈaintsəlt] isolé

verenge(r)n [fɛrʔˈɛŋə(r)n] (*pas de -ge-*, h) (**sich ~** se) rétrécir

ver'erb|en (*pas de -ge-*, h) laisser (en mourant); *testamentarisch* léguer; *biol* transmettre; **sich ~ auf** se transmettre à; **2ung** *biol* f (-; -en) hérédité f

ver'fahren 1. (*irr, pas de -ge-*, → *fahren*) (v/i, sn) procéder; **~ mit** traiter; (v/t, h) **sich ~** se tromper de route, s'égarer; 2. **2** n (-s; -) procédé m; *jur* procédure f

Ver'fall m (-[e]s; *sans pl*) décadence f, déclin m; *Gebäude* ruine f; *comm* échéance f; **2en** (*irr, pas de -ge-*, sn, → *fallen*) *Gebäude* tomber en ruine, se délabrer; *comm* échoir, venir à échéance; **auf etw ~** avoir l'idée de qc; **in etw ~** (re)tomber dans qc; **j-m ~ sein** être l'esclave de qn; **~sdatum** n date f limite de consommation

ver'fälschen (*pas de -ge-*, h) falsifier

ver'fass|en (*pas de -ge-*, h) rédiger; **2er** m (-s; -), **2erin** f (-; -nen) auteur m, femme f auteur

Ver'fassung f (-; -en) *Staats2* constitution f; *Zustand* état m; **körperliche ~** condition f physique; **2sgemäß** selon la constitution; **2smäßig** constitutionnel; **2swidrig** anticonstitutionnel

ver'faulen (*pas de -ge-*, sn) pourrir

ver'fecht|en (*irr, pas de -ge-*, h, → *fechten*) défendre; **2er** m (-s; -) défenseur m, champion m, avocat m

verfeinden [fɛrˈfaindən] (*pas de -ge-*, h) **sich ~** se brouiller

verfeinern [fɛrˈfainərn] (*pas de -ge-*, h) raffiner, améliorer

ver'film|en (*pas de -ge-*, h) porter à l'écran, tirer un film de; **2ung** f (-; -en) adaptation f cinématographique

Ver'flechtung [fɛrˈflɛçtuŋ] f (-; -en) interdépendance f; **2'fluchen** (*pas de*

-ge-, h) maudire; **2flüchtigen** [-ˈflyç-tigən] (*pas de -ge-*, h) **sich ~** se volatiliser (a *fig*)

verflüssig|en [fɛrˈflysigən] (*pas de -ge-*, h) liquéfier; **2ung** f (-; -en) liquéfaction f

ver'folg|en (*pas de -ge-*, h) poursuivre (a *jur*); *grausam od ungerecht* persécuter; *gerichtlich* ~ poursuivre en justice; **2er** m (-s; -) poursuivant m; *pol, rel* persécuteur m; **2ung** f (-; -en) poursuite f; *pol, rel* persécution f; **gerichtliche ~** poursuites f/pl judiciaires; **2ungswahn** *psych* m délire m od manie f de la persécution

ver'früht [fɛrˈfryːt] prématuré

ver'füg|bar [fɛrˈfyːkbaːr] disponible; **~en** [-gən] (*pas de -ge-*, h) anordnen ordonner; **~ über** disposer de; **2ung** f (-; -en) disposition f; *Anordnung* ordonnance f; **j-m zur ~ stellen (stehen)** mettre (être) à la disposition de qn

ver'führ|en (*pas de -ge-*, h) séduire; **2er** m (-s; -), **2erin** f (-; -nen) séducteur m, -trice f; **~erisch** séduisant, tentant, attrayant; **2ung** f (-; -en) séduction f

vergangen [fɛrˈgaŋən] passé; **im ~en Jahr** l'année dernière od passée; **2heit** f (-; -en) passé m (a *gr*)

vergänglich [fɛrˈgɛŋliç] passager, éphémère, fugitif

Vergaser [fɛrˈgaːzər] m (-s; -) *auto* carburateur m

ver'geb|en (*irr, pas de -ge-*, h, → *geben*) Stelle, Aufträge etc donner, attribuer; *verzeihen* pardonner; **~ens** [-s] en vain; **~lich** [-ˈgeːpliç] inutile, vain; *adv* en vain; **2ung** f (-; -en) pardon m

vergegenwärtigen [fɛrgeːgənˈvɛrti-gən] (*pas de -ge-*, h) **sich etw ~** se représenter qc, se remémorer qc

vergehen [fɛrˈgeːən] 1. (*irr, pas de -ge-*, → *gehen*) (v/i, sn) Zeit, Schmerz passer; *vor Angst* ~ mourir de peur; **mir ist die Lust dazu vergangen** j'en ai perdu l'envie; (v/t, h) **sich an j-m ~** porter la main sur qn; *an e-r Frau* violer qn; 2. **2** *jur* n (-s; -) délit m

ver'gelt|en (*irr, pas de -ge-*, h, → *gelten*) rendre; **Gleiches mit Gleichem ~** rendre la pareille à qn; **2ung** f (-; -en) vengeance f, revanche f

vergessen [fɛrˈgɛsən] (*vergaß, vergessen*) oublier; **2heit** f (-; *sans pl*) oubli

V

m; **in ~ geraten** tomber dans l'oubli

vergesslich [fɛr'gɛsliç] étourdi, distrait

vergeud|en [fɛr'gɔydən] (*pas de -ge-, h*) gaspiller; **&ung** *f* (*-; -en*) gaspillage *m*

vergewaltig|en [fɛrgə'valtigən] (*pas de -ge-, h*) violer; **&ung** *f* (*-; -en*) viol *m*

vergewissern [fɛrgə'visərn] (*pas de -ge-, h*) **sich ~** s'assurer (**e-r Sache** de qc; **ob** si)

ver'gift|en (*pas de -ge-, h*) (**sich ~** s')empoisonner, (s')intoxiquer; **&ung** *f* (*-; -en*) empoisonnement *m*, intoxication *f*

Vergleich [fɛr'glaiç] *m* (*-[e]s; -e*) comparaison *f* (**mit** à, avec); *jur nach Streit* compromis *m*; *statt Konkurs* règlement *m* judiciaire; **im ~ zu** par rapport à; **&bar** comparable (**mit** à, avec); **&en** (*irr, pas de -ge-, h, → gleichen*) comparer (**mit** à, avec); **~sverfahren** *n* écon procédure *f* de conciliation

vergnüg|en [fɛr'gnyːgən] **1.** (*pas de -ge-, h*) **sich ~** s'amuser (**mit** à + *inf*), se divertir; **2.** **&** *n* (*-s; -*) plaisir *m*; **mit ~** avec plaisir; **viel ~!** amusez-vous bien!; → a **&ung**; **&t** joyeux, gai; **&ung** *f* (*-; -en*) amusement *m*, divertissement *m*; **&ungspark** *m* parc *m* d'attractions; **&ungsviertel** *n* quartier *m* des attractions

ver'|graben (*irr, pas de -ge-, h, → graben*) enterrer, enfouir; **~'griffen** [-'grifən] *Buch* épuisé

vergrößer|n [fɛr'grøːsərn] (*pas de -ge-, h*) agrandir (*a Foto*), grossir (*a Lupe etc*), augmenter; **&ung** *f* (*-; -en*) agrandissement *m* (*a Foto*), grossissement *m*, augmentation *f*; **&ungsglas** *n* loupe *f*

Vergünstigung [fɛr'gynstigʊŋ] *f* (*-; -en*) avantage *m*

vergüt|en [fɛr'gyːtən] (*pas de -ge-, h*) **j-m etw ~** indemniser qn de qc; **j-m seine Auslagen ~** rembourser qn de ses frais; **&ung** *f* (*-; -en*) indemnité *f*

ver'haft|en (*pas de -ge-, h*) arrêter; **&ung** *f* (*-; -en*) arrestation *f*

ver'halten 1. (*irr, pas de -ge-, h, → halten*) **sich ~** se conduire, se comporter; **sich ruhig ~** garder son calme; **es verhält sich so** il en est ainsi; **2.** **&** *n* (*-s; sans pl*) comportement *m*, conduite *f*

Verhältnis [fɛr'hɛltnis] *n* (*-ses; -se*) relation *f*; *Größen&* proportion *f*; *persönliches* rapports *m/pl* (**zu** avec); *Liebes&* liaison *f*; **~se** *pl* conditions *f/pl*, situation *f*, circonstances *f/pl*; **im ~ zu** par rapport à; **über seine ~se leben** vivre au-dessus de ses moyens; **&mäßig** relatif; *adv* relativement; **~wahl** *f* scrutin *m* proportionnel; **~wahlrecht** *n* représentation *f* proportionnelle

ver'hand|eln (*pas de -ge-, h*) négocier (**über etw** qc); **&lung** *f* (*-; -en*) négociation *f*; *jur* audience *f*, débats *m/pl*

ver'hängen (*pas de -ge-, h*) couvrir (d'un rideau); *Strafe* infliger (**gegen** à); *Blockade* décréter; **~nisvoll** fatal, néfaste, funeste

verheerend [fɛr'heːrənt] désastreux, catastrophique

verheimlich|en [fɛr'haimliçən] (*pas de -ge-, h*) dissimuler; **&ung** *f* (*-; -en*) dissimulation *f*

ver'heirat|en (*pas de -ge-, h*) **sich ~** se marier (**mit** avec); *j-n mit j-m ~* marier qn à *od* avec qn; **~et** marié

ver'heiß|en (*irr, pas de -ge-, h, → heißen*) promettre; **&ung** *st/s f* (*-; -en*) promesse *f*; **~ungsvoll** prometteur

ver'helfen (*irr, pas de -ge-, h, → helfen*) **j-m zu etw ~** aider qn à obtenir qc

ver'herrlich|en (*pas de -ge-, h*) glorifier; **&ung** *f* (*-; -en*) glorification *f*

ver'hinder|n (*pas de -ge-, h*) empêcher; **~t ~ sein** être empêché, être retenu; **ein ~er Künstler** un artiste manqué; **&ung** *f* (*-; -en*) empêchement *m*

verhöhnen [fɛr'høːnən] (*pas de -ge-, h*) bafouer, tourner en dérision

Verhör [fɛr'høːr] *jur* *n* (*-[e]s; -e*) interrogatoire *m*; **&en** (*pas de -ge-, h*) interroger; **sich ~** mal entendre

ver'|hüllen [fɛr'hylən] (*pas de -ge-, h*) voiler; **~'hungern** (*pas de -ge-, sn*) mourir de faim

ver'hüt|en (*pas de -ge-, h*) empêcher, prévenir; **&ung** *f* (*-; -en*) prévention *f*; **&ungsmittel** *méd n* contraceptif *m*

ver'irr|en (*pas de -ge-, h*) **sich ~** s'égarer, se perdre; **&ung** *f* (*-; -en*) aberration *f*

Verjährung [fɛr'jɛːrʊŋ] *jur* *f* (*-; -en*) prescription *f*; **~sfrist** *f* délai *m* de prescription

verjüngen [fɛrˈjyŋən] *(pas de -ge-, h)* rajeunir; **sich ~** rajeunir; *Säule* s'amincir

ver'kabeln *(pas de -ge-, h)* TV câbler

ver'kalk|en *(pas de -ge-, -sn) méd u fig* se scléroser; *Rohr* s'entartrer; **~t** *fig* sclérosé, gaga F

verkannt [fɛrˈkant] méconnu

Ver'kauf *m* vente *f*; **2en** *(pas de -ge-, h)* (**sich ~** se) vendre; **zu ~** à vendre

Ver'käuf|er *m* (-*s*; -), **~erin** *f* (-; -*nen*) vendeur *m*, -euse *f*; **2lich** à vendre; **leicht ~** facile à écouler

Ver'kaufs|leiter *m* chef *m* de vente; **~preis** *m* prix *m* de vente

Verkehr [fɛrˈkeːr] *m* (-*s*; -*e*) circulation *f*, trafic *m*; *Geschlechts*2 rapports *m/pl*; **aus dem ~ ziehen** retirer de la circulation; **2en** *(pas de -ge-, h) Bus* etc circuler; **mit j-m ~** être en relations avec qn; *sexuell* avoir des rapports avec qn; **bei j-m ~** fréquenter qn; **ins Gegenteil ~** transformer en son contraire

Ver'kehrs|ader *f* axe *m* routier, artère *f*; **~ampel** *f* feux *m/pl* (de signalisation); **~amt** *n* office *m* de tourisme; **~aufkommen** *n* importance *f* de la circulation; **2beruhigt** à circulation réduite; **~büro** *n* → **~amt**; **~delikt** *n* infraction *f* au code de la route; **~flugzeug** *n* avion *m* de ligne; **~funk** *m* radioguidage *m*; **~hindernis** *n* obstacle *m* à la circulation; **~meldung** *f* information *f* sur le trafic; **~minister** *m* ministre *m* des Transports; **~mittel** *n* moyen *m* de transport; **öffentliche ~** *pl* transports *m/pl* publics *od* en commun; **~opfer** *n* victime *f* de la circulation; **~polizei** *f* police *f* routière; **~regeln** *f/pl* code *m* de la route; **~schild** *n* panneau *m* de signalisation; **~sicherheit** *f* sécurité *f* routière; **~stau** *m* bouchon *m*, embouteillage *m*; **~teilnehmer** *m* usager *m* de la circulation *od* de la route; **~verbindungen** *f/pl* voies *f/pl* de communication; **~verein** *m* syndicat *m* d'initiative; **2widrig** contraire au code de la route; **~zeichen** *n* panneau *m* de signalisation

verkehrt [fɛrˈkeːrt] à l'envers; *falsch* mauvais, faux; *adv* de travers

ver'kennen *(irr, pas de -ge-, h, → ken-*

nen) méconnaître, se méprendre sur

ver'klagen *(pas de -ge-, h) j-n ~* intenter une action contre qn

ver'kleid|en *(pas de -ge-, h)* (**sich ~** se) déguiser (*als* en); *tech* revêtir; **2ung** *f* (-; -*en*) déguisement *m*; *tech* revêtement *m*

verkleiner|n [fɛrˈklaɪnərn] *(pas de -ge-, h)* rapetisser, réduire; **2ung** *f* (-; -*en*) rapetissement *m*, réduction *f* (*a Foto*)

verklapp|en [fɛrˈklapən] *(pas de -ge-, h)* évacuer en mer; **2ung** *f* (-; -*en*) évacuation *f* en mer

ver'klemmt [fɛrˈklɛmt] *psych* complexé; **~'knüpfen** *(pas de -ge-, h)* attacher; *fig* lier, joindre, associer (*alle* **mit** à)

ver'kommen 1. *(irr, pas de -ge-, sn, →* **kommen**) *Haus* etc être laissé à l'abandon; *Mensch* tomber bien bas; **2.** *adj* moralisch dépravé

ver'körper|n *(pas de -ge-, h)* personnifier; **2ung** *f* (-; -*en*) personnification *f*

ver'krüppelt [fɛrˈkrypəlt] estropié; *Pflanze* rabougri; **~'kümmern** *(pas de -ge-, sn) Lebewesen* dépérir; *Muskel, fig Begabung* s'atrophier; *Pflanze a* s'étioler (*a fig*), se rabougrir

verkünd|(ig)en [fɛrˈkynd(ig)ən] *(pas de -ge-, h)* annoncer, proclamer; *Gesetz* promulger; *Evangelium* prêcher; *das Urteil verkünden* prononcer la sentence; **2ung** *f* (-; -*en*) proclamation *f*

ver'kürz|en *(pas de -ge-, h)* raccourcir; *Arbeitszeit* réduire; **2ung** *f* (-; -*en*) raccourcissement *m*, réduction *f*

ver'laden *(irr, pas de -ge-, h, →* **laden**) charger; *mar* embarquer

Verlag [fɛrˈlaːk] *m* (-[*e*]*s*; -*e*) maison *f* d'édition

verlangen [fɛrˈlaŋən] **1.** *(pas de -ge-, h)* demander (*etw von j-m* qc à qn), exiger (*qc de qn*), réclamer (*qc de qn*); *nach j-m ~* réclamer qn; **2.** 2 *n* (-*s*; -) désir *m* (*nach* de); *auf ~ von* sur *od* à la demande de

verlänger|n [fɛrˈlɛŋərn] *(pas de -ge-, h)* prolonger; **2ung** *f* (-; -*en*) *zeitlich* prolongation *f*; *räumlich* prolongement *m*; **2ungsschnur** *f* rallonge *f*

ver'langsamen *(pas de -ge-, h)* (**sich ~** se) ralentir

ver'lassen 1. (*irr, pas de -ge-, h,* → *lassen*) quitter; *im Stich lassen* abandonner; *sich ~ auf* compter sur, se fier à; 2. *adj* abandonné

Ver'lauf *m* (*-[e]s; sans pl*) déroulement *m*, cours *m; e-r Straße, Grenze* tracé *m*, 2en (*irr, pas de -ge-,* → *laufen*) 1. *v/i* (*sn*) *Ereignis, Entwicklung* se dérouler, se passer; *Straße* aller; 2. (*h*) *sich ~ sich verirren* se perdre, s'égarer; *Menschenmenge* s'écouler

ver'leben (*pas de -ge-, h*) *Zeit* passer

ver'legen 1. (*pas de -ge-, h*) *räumlich* déplacer; *Wohnsitz* transférer; *Brille* égarer; *zeitlich* remettre, ajourner (*auf* à); *Leitung* poser; *Bücher* éditer; 2. *adj* embarrassé, gêné; 2heit *f* (-; -en) embarras *m*, gêne *f; j-n in ~ bringen* embarrasser qn

Verleg|er [fɛr'le:gər] *m* (-s; -) éditeur *m;* ~ung *f* (-; -en) déplacement *m*, transfert *m; zeitlich* ajournement *m; tech* pose *f*

Verleih [fɛr'lai] *m* (*-[e]s; -e*) location *f; Film* 2 distribution *f;* 2en (*irr, pas de -ge-, h,* → *leihen*) prêter, louer; *Preis* décerner; *Rechte, Titel* conférer; ~ung *f* (-; -en) *Preis* décernement *m*

ver'leiten (*pas de -ge-, h*) *j-n zu etw ~* inciter qn à qc

verletz|bar [fɛr'lɛtsba:r] vulnérable; ~en (*pas de -ge-, h*) (*sich ~* se) blesser; *fig a* offenser; ~end blessant; 2te *m, f* (-n; -n) blessé *m,* -e *f,* 2ung *f* (-; -en) blessure *f*

ver'leugnen (*pas de -ge-, h*) renier

verleumd|en [fɛr'lɔymdən] (*pas de -ge-, h*) calomnier, diffamer; 2er *m* (-s; -), 2erin *f* (-; -nen) calomniateur *m,* -trice *f,* diffamateur *m,* -trice *f;* 2ung *f* (-; -en) calomnie *f,* diffamation *f*

ver'lieb|en (*pas de -ge-, h*) *sich ~* tomber amoureux (*in j-n* de qn); ~t [-pt] amoureux

verlier|en [fɛr'li:rən] (*verlor, verloren, h*) perdre; 2er *m* (-s; -), 2erin *f* (-; -nen) perdant *m,* -e *f; verloren gehen* se perdre, s'égarer

ver'lob|en (*pas de -ge-, h*) *sich ~* se fiancer (*mit* avec); 2te [-ptə] *m, f* (-n; -n) fiancé *m,* -e *f,* 2ung *f* (-; -en) fiançailles *f/pl*

ver'lock|en (*pas de -ge-, h*) séduire, tenter; ~end tentant, séduisant; 2ung *f*

(-; -en) séduction *f,* tentation *f*

ver'logen [fɛr'lo:gən] *Person* menteur; *Sache* mensonger

verloren [fɛr'lo:rən] → *verlieren*

Verlust [fɛr'lust] *m* (-s; -e) perte *f*

vermarkt|en [fɛr'marktən] (*pas de -ge-, h*) commercialiser; ~ung *f* (-; -en) commercialisation *f*

vermehr|en [fɛr'me:rən] (*pas de -ge-, h*) augmenter, accroître, multiplier (*a biol*); *sich ~* augmenter; *biol* se multiplier; 2ung *f* (-; selten -en) augmentation *f,* accroissement *m; biol* multiplication *f*

vermeid|bar [fɛr'maitba:r] évitable; ~en [-den] (*irr, pas de -ge-, h,* → *meiden*) éviter

Vermerk [fɛr'mɛrk] *m* (*-[e]s; -e*) note *f,* mention *f;* 2en (*pas de -ge-, h*) noter

ver'mess|en 1. (*irr, pas de -ge-, h,* → *messen*) mesurer; *Gelände* arpenter; 2. *adj* téméraire; *überheblich* présomptueux; 2ung *f* (-; -en) mesurage *m;* arpentage *m*

ver'miet|en (*pas de -ge-, h*) louer; *Zimmer zu ~* chambre à louer; 2er *m* (-s; -), 2erin *f* (-; -nen) loueur *m,* -euse *f; Zimmer* 2 logeur *m;* -euse *f; Wohnungs* 2 propriétaire *m f;* 2ung *f* (-; -en) location *f*

ver'minder|n [fɛr'mindərn] (*pas de -ge-, h*) diminuer, (s')amoindrir; 2ung *f* (-; -en) diminution *f,* réduction *f*

ver'misch|en (*pas de -ge-, h*) (*sich ~* se) mêler (*mit* avec *od* à), (se) mélanger (avec *od* à)

vermissen [fɛr'misən] (*pas de -ge-, h*) ne pas retrouver; *schmerzlich* regretter; *ich vermisse j-n* (*etw*) *a* qn (qc) me manque

ver'mitt|eln [fɛr'mitəln] (*pas de -ge-, h*) *Stelle etc* procurer; *Wissen* communiquer; *bei Konflikt* servir de médiateur (*zwischen* entre; *bei od in* dans), intervenir, s'interposer; 2ler *m* (-s; -), 2lerin *f* (-; -nen) intermédiaire *m, f; bei Konflikt* médiateur *m,* -trice *f;* 2lung *f* (-; -en) *Schlichtung* médiation *f; Eingreifen* intervention *f; Stelle, Büro* agence *f; tél* standard *m,* central *m; durch j-s ~* par l'intermédiaire de qn

Vermögen [fɛr'møːgən] *n* (-s; -) *Besitz* fortune *f; Fähigkeit* faculté *f;* 2d fortuné, riche; **~sberatung** f conseil m en investissement; **~ssteuer** f impôt m sur la fortune; **~swerte** m/pl valeurs f/pl en capital

vermut|en [fɛrˈmuːtən] (pas de -ge-, h) supposer, présumer; **~lich** présumé; probable(ment); **2ung** f (-; -en) supposition f, présomption f

ver|nachlässigen [fɛrˈnaːxlɛsigən] (pas de -ge-, h) (**sich ~** se) négliger; **~narben** [-ˈnarbən] (pas de -ge-, sn) se cicatriser (a fig)

ver'nehm|en (irr, pas de -ge-, h, → **nehmen**) hören entendre; erfahren apprendre; jur interroger; **2ung** f (-; -en) interrogatoire m; von Zeugen audition f

verneinen [fɛrˈnainən] (pas de -ge-, h) dire (que) non, répondre négativement; gr mettre à la forme négative

vernicht|en [fɛrˈniçtən] (pas de -ge-, h) anéantir, détruire, exterminer; **2ung** f (-; -en) anéantissement m, destruction f, extermination f

Vernunft [fɛrˈnunft] f (-; sans pl) raison f; **~ annehmen** entendre raison; **j-n zur ~ bringen** ramener qn à la raison

vernünftig [fɛrˈnynftiç] raisonnable

ver'öffentlich|en (pas de -ge-, h) publier; **2ung** f (-; -en) publication f

verordn|en [fɛrˈɔrdnən] (pas de -ge-, h) décréter; méd prescrire; **2ung** f (-; -en) jur décret m; méd prescription f

verpacht|en [fɛrˈpaxtən] (pas de -ge-, h) affermer, donner à bail; **2ung** f (-; -en) affermage m

ver'pack|en (pas de -ge-, h) emballer; **2ung** f (-; -en) emballage m; comm a conditionnement m

ver''passen (pas de -ge-, h) Gelegenheit laisser échapper; Zug manquer, rater; **~'pesten** (pas de -ge-, h) empester, empoisonner

ver'pflanz|en (pas de -ge-, h) transplanter (a fig u méd); méd meist greffer; **2ung** f (-; -en) transplantation f (a fig u méd); méd meist greffe f

ver'pfleg|en (pas de -ge-, h) nourrir; **sich ~** s'approvisionner, se ravitailler; **2ung** f (-; -en) nourriture f

verpflicht|en [fɛrˈpfliçtən] (pas de -ge-, h) **j-n ~** obliger od engager qn (**zu** à); **sich ~** s'engager (**zu** à); **~et ~ sein**, etw **zu tun** être obligé de faire qc; **2ung** f

(-; -en) obligation f, engagement m (**gegenüber j-m** envers qn)

verpönt [fɛrˈpøːnt] mal vu, unanimement réprouvé

ver'prügeln (pas de -ge-, h) rosser; F passer à tabac

Verputz [fɛrˈputs] m (-es; sans pl) crépi m; **2en** (pas de -ge-, h) crépir; F essen dévorer, engloutir

Verrat [fɛrˈraːt] m (-[e]s; sans pl) trahison f; **2en** (irr, pas de -ge-, h, → **raten**) trahir; **sich ~** se trahir

Verräter [fɛrˈrɛːtər] m (-s; -), **~in** f (-; -nen) traître m, traîtresse f; **2isch** traître

ver'rechn|en (pas de -ge-, h) compenser, faire le compte de; **sich ~** se tromper dans ses calculs; **sich um e-e Mark ~** se tromper od faire une erreur d'un mark; **2ung** f comm f (-; -en) compensation f, clearing m; **2ungsscheck** m chèque m barré

ver'reis|en (pas de -ge-, h) partir en voyage (**nach** pour); **~t** (parti) en voyage

verrenk|en [fɛrˈrɛŋkən] (pas de -ge-, h) verdrehen tordre; ausrenken **sich etw ~** se luxer qc; **2ung** f méd f (-; -en) luxation f

ver''richten (pas de -ge-, h) faire, exécuter; **~'riegeln** (pas de -ge-, h) verrouiller

verringer|n [fɛrˈriŋərn] (pas de -ge-, h) (**sich ~** s')amoindrir, diminuer; **2ung** f (-; -en) amoindrissement m, diminution f, réduction f

ver'rosten (pas de -ge-, sn) rouiller

verrückt [fɛrˈrykt] fou (**auf, nach** de); **~ werden** devenir fou; **2e** m, f (-n; -n) fou m, folle f; **2heit** f (-; -en) folie f

Verruf [fɛrˈruːf] m (-[e]s; sans pl) **in ~ bringen** jeter le discrédit sur, discréditer; **in ~ geraten** tomber dans le discrédit, se discréditer; **2en** adj mal famé

Vers [fɛrs] m (-es; -e) vers m; Bibel verset m

ver'sag|en (pas de -ge-, h) Hilfe etc refuser; tech tomber en panne; Bremsen lâcher; Schusswaffe rater; Person échouer, ne pas être à la hauteur; **2en** n (-s; sans pl) défaillance f (a tech); **menschliches ~** défaillance humaine; **2er** m (-s; -) Person, Schuss raté m

V

ver'salzen (*versalzte, versalzt u versalzen*) trop saler

ver'samm|eln (*pas de -ge-*, h) (**sich** ~ se) réunir, (se) rassembler; &lung *f* (-; -en) réunion *f*, assemblée *f*

Versand [fɛr'zant] *m* -[e]s; *sans pl*) expédition *f*; ~abteilung *f* service *m* d'expédition; ~handel *comm m* vente *f* par correspondance; ~haus *n* maison *f* d'expédition

ver'säum|en [fɛr'zɔʏmən] (*pas de -ge-*, h) manquer; ~, *etw zu tun* négliger de faire qc; &nis *n* (-ses; -se) négligence *f*; *Schule* absence *f*

ver|'schaffen (*pas de -ge-*, h) *j-m etw* ~ procurer qc à qn; *sich etw* ~ se procurer qc; ~'schärfen (*pas de -ge-*, h) aggraver; *Kontrolle* renforcer; *sich* ~ *Lage* s'aggraver; ~'schätzen (*pas de -ge-*, h) *sich* ~ commettre une erreur d'appréciation; ~'schenken (*pas de -ge-*, h) donner (en cadeau); ~scheuchen (*pas de -ge-*, h) chasser (*a fig*); ~'schicken (*pas de -ge-*, h) expédier

ver|schieb|en (*irr, pas de -ge-*, h, → *schieben*) déplacer; *zeitlich* remettre, reporter, ajouter; *sich* ~ se déplacer; *Termin* être reporté à une date ultérieure; &ung *f* (-; -en) déplacement *m*; *zeitliche* ajournement *m*

verschieden [fɛr'ʃiːdn̩] différent (**von** de), divers; ~artig hétérogène; ~e *pl* plusieurs; &es *n* différentes choses *f/pl*; *Zeitung* faits *m/pl* divers; ~tlich *adv* à plusieurs *od* différentes reprises

ver|'schiffen (*pas de -ge-*, h) transporter par bateau; *verladen* embarquer; ~'schlafen **1.** (*irr, pas de -ge-*, h, → *schlafen*) se lever trop tard; *Tag* passer à dormir; F *fig* oublier; **2.** *adj* endormi (*a fig*)

Ver'schlag *m* réduit *m*, cagibi *m*

verschlechter|n [fɛr'ʃlɛçtərn] (*pas de -ge-*, h) empirer; *sich* ~ empirer, se détériorer; *Lage* se dégrader, s'aggraver; *Wetter* se gâter; &ung *f* (-; -en) détérioration *f*, dégradation *f*

Verschleiß [fɛr'ʃlaɪs] *m* (-es; -e) usure *f*; &en (*verschliss, verschlissen*) (**sich**) ~ s'user

ver|'schleppen (*pas de -ge-*, h) *Menschen* déporter, déplacer; *zeitlich* faire traîner en longueur; *Krankheit* traîner;

~'schleudern (*pas de -ge-*, h) *comm* vendre à perte, brader, bazarder F; *fig* dissiper; ~'schließen (*irr, pas de -ge-*, h, → *schließen*) fermer à clé; *fig* **sich** ~ **e-r Sache** ~ se fermer à qc

verschlimmer|n [fɛr'ʃlimərn] (*pas de -ge-*, h) (**sich**) ~ empirer, (se) détériorer; *Krankheit* (s')aggraver; &ung *f* (-; -en) aggravation *f*, détérioration *f*

verschlossen [fɛr'ʃlɔsən] *Person* renfermé, taciturne

ver|'schlucken (*pas de -ge-*, h) avaler; **sich** ~ avaler de travers

Ver'schluss *m* (-es; =e) fermeture *f*; *Foto* obturateur *m*; **unter** ~ **halten** garder sous clé

ver|schlüsseln [fɛr'ʃlysəln] (*pas de -ge-*, h) chiffrer, coder; ~schmähen [-'ʃmɛːən] (*pas de -ge-*, h) dédaigner

ver|schmelzen (*irr, pas de -ge-*, h, → *schmelzen*) *v/t* (h), *v/i* (sn) fondre (**mit** avec *od* dans); *écon Firmen* fusionner; &ung *f* (-; -en) fusion *f*

ver|schmutzen [fɛr'ʃmutsən] (*pas de -ge-*, h) salir; *Umwelt* polluer; ~schneit [fɛr'ʃnaɪt] enneigé; ~schnupft [-'ʃnupft] *zu sein* être enrhumé; *fig* être vexé; ~'schonen (*pas de -ge-*, h) épargner (*a j-n mit* qc à qn)

verschöner|n [fɛr'ʃøːnərn] (*pas de -ge-*, h) embellir; &ung *f* (-; -en) embellissement *m*

ver|'schreib|en (*irr, pas de -ge-*, h, → *schreiben*) *Medikament* prescrire; **sich** ~ faire une faute (en écrivant); *fig* **sich e-r Sache** ~ se consacrer *od* se donner entièrement à qc; &ung *méd f* (-; -en) prescription *f*; &ungspflichtig *phm* soumis à une ordonnance

ver|schroben [fɛr'ʃroːbən] bizarre, extravagant, farfelu F; ~schrotten [-'ʃrɔtən] (*pas de -ge-*, h) mettre à la ferraille

ver|'schuld|en (*pas de -ge-*, h) *etw* ~ se rendre coupable de qc; **sich** ~ s'endetter; ~et endetté; &ung *f* (-; *sans pl*) endettement *m*

ver|'schweigen (*irr, pas de -ge-*, h, → *schweigen*) passer sous silence

verschwend|en [fɛr'ʃvɛndən] (*pas de -ge-*, h) gaspiller; *Geld, Vermögen a* dissiper, dilapider; ~erisch gaspilleur, dépensier, prodigue; &ung *f* (-; *sans pl*) gaspillage *m*, dissipation *f*

ver'schwiegen [fɛr'ʃviːɡən] discret;
♀heit f (-; sans pl) discrétion f
ver'schwinden (irr, pas de -ge-, sn, →
schwinden) 1. disparaître; 2. **♀** n (-s;
sans pl) disparition f
verschwommen [fɛr'ʃvɔmən] vague,
flou, diffus
ver'schwör|en [fɛr'ʃvøː] **sich ~** conspirer (**gegen**
contre); **♀er** m (-s; -), **♀erin** f (-; -nen)
conspirateur m, -trice f, conjuré m, -e f;
♀ung f (-; -en) conspiration f, conju-
ration f, complot m
verschwunden [fɛr'ʃvundən] disparu
ver'sehen 1. (irr, pas de -ge-, h, →
sehen) Dienst faire; Haushalt s'occuper de; **mit etw ~** munir de qc; **j-n mit
etw ~ a** pourvoir qn de qc; **sich ~** se
tromper; 2. **♀** n (-s; -) erreur f, méprise
f; **aus ~ = ~tlich** par inadvertance, par
mégarde
ver'senden (irr, pas de -ge-, h, →
senden) expédier; **~'senken** (pas de
-ge-, h) Schiff couler; fig **sich ~** s'absorber, se plonger (**in** dans)
ver'setz|en (pas de -ge-, h) déplacer;
Beamte a muter; Schüler faire passer
dans la classe supérieure; Schlag, Tritt
donner, flanquer F; Pflanze trans-
planter; als Pfand mettre en gage;
erwidern répliquer; fig **j-n ~** vergeblich
warten lassen F poser un lapin à qn;
sich in j-s Lage ~ se mettre à la place
de qn; **♀ung** f (-; -en) Schule passage m
dans la classe supérieure; dienstliche
déplacement m, mutation f
verseuchen [fɛr'zɔyçən] (pas de -ge-, h)
contaminer
Ver'sicher|er m (-s; -) assureur m; **♀n**
(pas de -ge-, h) (**sich ~**) s'assurer
(**gegen** contre); **j-m ~, dass ...** assurer
à qn que ...; **~te** m, f (-n, -n) assuré m, -e
f
Ver'sicherung f (-; -en) assurance f;
~sagent m courtier m d'assurances;
~sgesellschaft f compagnie f d'assurances; **~skarte** f **grüne ~** carte f verte;
~snehmer m (-s; -) assuré m; **~spolice**
f police f (d'assurance)
ver'sickern (pas de -ge-, sn) s'infiltrer
(**in** dans); **~'sinken** (irr, pas de -ge-, sn,
→ **sinken**) s'enfoncer (**in** dans)
Version [vɛr'zjoːn] f (-; -en) version f
versöhn|en [fɛr'zøːnən] (pas de -ge-, h)

(**sich ~** se) réconcilier (**mit** avec); **~lich**
conciliant; **♀ung** f (-; -en) réconciliation f
ver'sorg|en (pas de -ge-, h) ap-
provisionner (**mit** en), fournir (en);
pourvoir (de); bes tech alimenter (en);
Familie entretenir; Heizung etc s'occuper de; **♀ung** f (-; -en) approvi-
visionnement m (**mit** en); bes tech
alimentation f (en); Unterhalt entretien m; **♀ungslücke** f difficultés f/pl
d'approvisionnement
ver'spät|en (pas de -ge-, h) **sich ~** être
en retard; **~et** en retard, retardé; **♀ung**
f (-; -en) retard m; **~ haben** être en
retard
ver'sperren (pas de -ge-, h) barrer;
Sicht boucher; **~'spotten** (pas de -ge-,
h) **j-n** (**etw**) **~** se moquer de qn (qc),
railler qn (qc)
ver'sprech|en (irr, pas de -ge-, h, →
sprechen) promettre; **sich zu viel ~**
attendre trop (**von** de); **sich ~** se
tromper en parlant; **er hat sich ver-
sprochen** la langue lui a fourché; **♀en**
n (-s; -) promesse f; **♀ungen** f/pl **leere
~** promesses f/pl en l'air
ver'staatlich|en (pas de -ge-, h) natio-
naliser, étatiser; **♀ung** f (-; -en) na-
tionalisation f
Verstädterung [fɛr'ʃtɛːtərʊŋ] f (-; sans
pl) urbanisation f
Verstand [fɛr'ʃtant] m (-[e]s; sans pl)
intelligence f, raison f, **♀esmäßig** logique, rationnel
verständ|ig [fɛr'ʃtɛndiç] raisonnable;
~igen [-ɡən] (pas de -ge-, h) **j-n von etw
~** informer qn de qc, communiquer qc à
qn, faire savoir qc à qn; **sich mit j-m ~
einigen** se mettre d'accord avec qn
(**über** sur); **♀igung** f (-; sans pl)
Kontakt communication f; Informie-
rung information f; Einvernehmen
entente f; **~lich** compréhensible, intelligible; **schwer** (**leicht**) **~** difficile
(facile) à comprendre; **j-m etw ~ machen** faire comprendre qc à qn; **sich ~
machen** se faire comprendre
Verständnis [fɛr'ʃtɛntnis] n (-ses; sans
pl) compréhension f, intelligence f,
entendement m; **♀los** qui ne com-
prend pas; **♀voll** compréhensif
ver'stärk|en (pas de -ge-, h) renforcer,
intensifier; tech amplifier; **sich ~** aug-

V

menter; **Qer** m (-s; -) tech amplificateur m; **Qung** f (-; -en) renforcement m, intensification f; tech amplification f; mil renfort m

ver'stauch|en [fɛrˈʃtauxən] (pas de -ge-, h) sich den Fuß ~ se fouler le pied; **Qung** méd f (-; -en) entorse f, foulure f

ver'stauen (pas de -ge-, h) mettre, placer, caser

Versteck [fɛrˈʃtɛk] n (-[e]s; -e) cachette f; **Qen** (pas de -ge-, h) cacher (**etw vor j-m** qc à qn); **sich ~** se cacher (**vor j-m** de qn)

ver'stehen (irr, pas de -ge-, h, → **stehen**) comprendre; gelernt haben entendre, savoir; **sich ~** s'entendre (**mit j-m** avec qn; **auf etw** à qc); **zu ~ geben** donner à entendre; **was ~ Sie unter ...?** qu'est-ce que vous entendez par ...?; **es versteht sich von selbst** cela va de soi

ver'steiger|n (pas de -ge-, h) vendre aux enchères; **Qung** f (-; -en) vente f aux enchères

ver'stell|bar tech réglable; drehbar orientable; **Qen** (pas de -ge-, h) einstellen régler, ajuster; falsch einstellen dérégler; Weg barrer; Stimme déguiser; **sich ~** jouer la comédie; **Qung** f (-; -en) Heuchelei f dissimulation f

ver'steuern (pas de -ge-, h) payer l'impôt sur

verstimm|t [fɛrˈʃtimt] mus désaccordé; Magen dérangé; fig verärgert fâché, contrarié; **Qung** f (-; -en) mauvaise humeur f

ver'stopf|en (pas de -ge-, h) boucher; méd constiper; **Qung** f (-; -en) méd constipation f

verstorben [fɛrˈʃtɔrbən] mort; jur décédé; **Qe** m, f (-n; -n) défunt m, -e f

verstört [fɛrˈʃtøːrt] troublé, bouleversé, effaré

Ver'stoß m faute f; jur infraction f (**gegen** à); **Qen** (irr, pas de -ge-, h, → **stoßen**) expulser; **gegen etw ~** pécher contre qc; jur contrevenir à qc

ver'streichen (irr, pas de -ge-, → **streichen**) 1. v/i (sn) Zeit passer, s'écouler; Frist expirer; 2. v/t (h) Creme etc étaler; **~'streuen** (pas de -ge-, h) répandre, éparpiller

verstümmel|n [fɛrˈʃtymǝln] (pas de -ge-, h) mutiler; fig à estropier; **Qung** f (-; -en) mutilation f (a fig)

Versuch [fɛrˈzuːx] m (-[e]s; -e) essai m, épreuve f (beide a tech); tentative f (a jur); Experiment expérience f; **Qen** (pas de -ge-, h) essayer (**zu** de + inf); Schwieriges tenter; Essen goûter; **sich an** od **in etw ~** s'essayer à (faire) qc; **ich werde es ~** je vais essayer; **~skaninchen** n fig cobaye m; **~sstadium** n état m expérimental; **Qsweise** à titre d'essai; **~ung** f (-; -en) tentation f; **j-n in ~ führen** tenter qn

ver'tag|en (pas de -ge-, h) ajourner; **Qung** f (-; -en) ajournement m

ver'tauschen (pas de -ge-, h) échanger (par erreur) (**mit gegen** contre)

verteidig|en [fɛrˈtaidigən] (pas de -ge-, h) (**sich ~** se) défendre; **Qer** m (-s; -) défenseur m (a jur); Sport arrière m; **Qung** f (-; selten -en) défense f (a Sport); **Qungsminister** m ministre m de la Défense

ver'teil|en (pas de -ge-, h) distribuer, répartir; **sich ~** se répartir; **Qung** f (-; selten -en) distribution f, répartition f

Ver'teuerung f (-; selten -en) renchérissement m

ver'tief|en (pas de -ge-, h) approfondir (a fig); **sich ~ in** se plonger dans; **Qung** f (-; -en) creux m, renfoncement m; fig approfondissement m

vertikal [vɛrtiˈkaːl] vertical

ver'tilg|en (pas de -ge-, h) exterminer, détruire; plais essen bouffer F

Vertrag [fɛrˈtraːk] m (-[e]s; =e) contrat m; zwischen Staaten traité m; **Qen** [-gən] (irr, pas de -ge-, h → **tragen**) supporter; **sich** (**gut, schlecht**) **~** (bien, mal) s'accorder, s'entendre (**mit j-m** avec qn); **Qlich** [-kliç] contractuel; adv par contrat

verträglich [fɛrˈtrɛːkliç] accommodant, conciliant; Essen **gut ~** digeste

Ver'trags|händler m concessionnaire; **~werkstatt** f garage m de concessionnaire

ver'trauen 1. (pas de -ge-, h) avoir confiance (**auf** en; **j-m** en qn); **j-m ~** a faire confiance à qn; 2. **Q** n (-s; sans pl) confiance f (**zu, auf, in** en od dans); **im ~ gesagt** dit confidentiellement

Ver'trauens|frage pol f question f de confiance; **~sache** f affaire f de confiance; **~stellung** f place f de con-

fiance; 2**würdig** digne de confiance
ver'**traulich** confidentiel; 2**keit** f (-; -en)
caractère m confidentiel; *péj* ~**en** pl
familiarités f/pl
ver'**traut** familier, intime; *mit etw* ~
sein connaître qc à fond; *sich mit etw*
~ *machen od mit etw* ~ *werden* se
familiariser avec qc; 2**e** m, f (-n; -n)
confident m, -e f; 2**heit** f (-; selten -en)
familiarité f (*mit* avec), intimité f
ver'**treib|en** (*irr, pas de -ge-, h*, → *trei-*
ben) chasser; *aus Land* expulser;
comm débiter, vendre, écouler; *sich*
die Zeit mit etw ~ passer son temps à
faire qc; 2**ung** f (-; -en) expulsion f
(*aus* de)
ver'**tret|en** (*irr, pas de -ge-, h*, → *treten*)
j-n remplacer; *Firma, Land* représenter; *Interessen* défendre; *Meinung* soutenir; 2**er** m (-s; -), 2**erin** f (-;
-nen) remplaçant m, -e f; *pol u comm*
représentant m, -e f; *e-r Ansicht* dé-
fenseur m; 2**ung** f (-; -en) *pol u comm*
représentation f; *Stell*2 remplacement
m; *Person* remplaçant m, -e f
Ver'**trieb** [fer'tri:p] m (-/e/s; -e) *comm*
débit m, vente f, écoulement m
Ver'**triebene** [fer'tri:bənə] m, f (-n; -n)
réfugié m, -e f
Ver'**triebs|abteilung** f département m
de vente, de distribution; ~**leiter** m chef
m de vente
ver|'**tuschen** (*pas de -ge-, h*) cacher,
dissimuler; *Skandal* étouffer; ~'**üben**
(*pas de -ge-, h*) commettre; *Attentat*
perpétrer
ver'**unglück|en** (*pas de -ge-, sn*) avoir
un accident; 2**te** m, f (-n; -n) accidenté
m, -e f
ver|un|**reinigen** [fer'ʔunrainigən] (*pas*
de -ge-, h) salir; *Luft, Wasser* polluer;
~**sichern** (*pas de -ge-, h*) déconcerter;
~**treuen** [-'ʔuntrɔyən] *Geld* détourner
ver'**ursachen** (*pas de -ge-, h*) causer
ver'**urteil|en** (*pas de -ge-, h*) condamner
(*zu* à) (*a fig*); 2**ung** f (-; -en) con-
damnation f (*a fig*)
ver'**viel|fachen** (*pas de -ge-, h*) multi-
plier; ~**fältigen** [fer'fi:lfεltigən] (*pas de*
-ge-, h) *Text* polycopier
ver**voll|kommnen** [fer'fɔlkɔmnən] (*pas*
de -ge-, h) (*sich* ~ se) perfectionner (*in*
en); ~**ständigen** [-ʃtεndigən] compléter

ver'**walt|en** [fer'valtən] (*pas de -ge-, h*)
administrer, gérer; 2**er** m (-s; -), 2**erin** f
(-; -nen) administrateur m, -trice f; *von*
Gebäuden etc gérant m, -e f; 2**ung** f (-;
-en) administration f
ver'**wandeln** (*pas de -ge-, h*) (*sich* ~ se)
changer (*in* en), (se) transformer (en)
ver**wandt** [fer'vant] parent (*mit* de *od*
avec); *fig* apparenté; 2**e** m, f (-n; -n)
parent m, -e f; 2**schaft** f (-; -en)
parenté f; *fig* a affinité f
ver'**warn|en** (*pas de -ge-, h*) avertir;
2**ung** f (-; -en) avertissement m
ver'**wechs|eln** (*pas de -ge-, h*) confon-
dre (*mit* avec); 2**lung** f (-; -en) confusion f
ver**wegen** [fer've:gən] téméraire
ver'**weiger|n** (*pas de -ge-, h*) refuser;
2**ung** f (-; -en) refus m
Ver**weis** [fer'vais] m (-/e/s; -e) *Rüge*
réprimande f, remontrance f; *in Text*
renvoi m (*auf* à); 2**en** [-zən] (*irr, pas de*
-ge-, h, → *weisen*) ~ *auf od an* renvoyer à
ver'**welken** (*pas de -ge-, sn*) se faner
ver**wend|bar** [fer'vent-] utilisable; ~**en**
[-ndən] (*irr*, → *wenden, pas de -ge-, h*)
employer, utiliser; 2**ung** f (-; -en)
emploi m, utilisation f
ver'**werf|en** (*irr, pas de -ge-, h*, → *wer-*
fen) rejeter; ~**lich** répréhensible, ré-
prouvable
ver'**wert|en** [fer've:rtən] (*pas de -ge-, h*)
utiliser; *wieder* ~ récupérer
ver**wes|en** [fer've:zən] (*pas de -ge-*,
sn) se putréfier, se décomposer; 2**ung**
f (-; -en) décomposition f, putréfaction
f
ver'**wick|eln** (*pas de -ge-, h*) *j-n in etw* ~
impliquer, F embarquer qn dans qc;
sich ~ *in* s'empêtrer od s'enchevêtrer
dans; ~**elt** compliqué; *in etw* ~ *sein* être
impliqué dans qc; 2**(e)lung** f (-; -en)
complication f; ~ *in etw* implication f
dans qc
ver'**wirklich|en** (*pas de -ge-, h*) (*sich* ~
se) réaliser; 2**ung** f (-; -en) réalisation f
ver'**wirr|en** (-; -en) *Fäden* embrouiller;
j-n déconcerter, dérouter, troubler; ~**t**
confus, déconcerté, troublé; 2**ung** f (-;
-en) confusion f
ver|'**wischen** (*pas de -ge-, h*) effacer,
estomper (*a fig*); ~**wittern** [fer'vitərn]
(*pas de -ge-, sn*) s'effriter, se dégrader;

~witwet [fɛr'vitvət] veuf (veuve); **~wöhnen** [-'vøːnən] (*pas de -ge-, h*) gâter; **~worren** [fɛr'vɔrən] confus, embrouillé

verwund|bar [fɛr'vuntbaːr] vulnérable (*a fig*); **~en** [-dən] (*pas de -ge-, h*) blesser

ver'wunder|lich étonnant, surprenant; (*-; -en*) **2ung** *f* (*-; -en*) étonnement *m*, surprise *f*

Verwund|ete [fɛr'vundətə] *m, f* (*-n; -n*) blessé e, -e *f*; **~ung** *f* (*-; -en*) blessure *f*

ver'wünschen (*pas de -ge-, h*) maudire

verwurzelt [fɛr'vurtsəlt] *fig* enraciné (*in* dans)

verwüst|en [fɛr'vyːstən] (*pas de -ge-, h*) dévaster, ravager; **2ung** *f* (*-; -en*) dévastation *f*, ravage *m*

ver'|zählen (*pas de -ge-, h*) **sich ~** se tromper (*en comptant*); **~zaubern** (*pas de -ge-, h*) *fig* enchanter; **~'zehren** (*pas de -ge-, h*) manger, consommer

verzeich|nen (*pas de -ge-, h*) enregistrer (*a fig Erfolge etc*); **2is** *n* (*-ses; -se*) liste *f*, registre *m*, relevé *m*; *in Büchern* index *m*

verzeih|en [fɛr'tsaiən] (*verzieh, verziehen, h*) pardonner (*j-m etw* qc à qn); **~lich** pardonnable; **2ung** *f* (*-; sans pl*) pardon *m*; **um ~ bitten** demander pardon (*j-n* à qn); **~!** (je vous demande) pardon

ver'zerr|en (*pas de -ge-, h*) *Bild, Ton* déformer; *fig a* défigurer; *Gesicht* crisper; **2ung** *f* (*-; -en*) déformation *f* (*a fig*); *tél etc* distorsion *f*

Verzicht [fɛr'tsiçt] *m* (*-[e]s; -e*) renonciation *f* (*auf* à); **2en** (*pas de -ge-, h*) renoncer (*auf* à)

ver'|ziehen (*irr, pas de -ge-, h, → ziehen*) *Kind* gâter, mal élever; *das Gesicht ~* grimacer; **sich ~** *Holz* gauchir, se déformer; *F verschwinden* disparaître

ver'zier|en (*pas de -ge-, h*) orner (*mit* de); décorer (*de*); enjoliver; **2ung** *f* (*-; -en*) ornement *m*, décoration *f*, enjolivure *f*

verzins|en [fɛr'tsinzən] (*pas de -ge-, h*) payer les intérêts de; **sich ~** produire *od* rapporter des intérêts; **2ung** *f* (*-; -en*) rapport *m*, intérêts *m/pl*

ver'zöger|n (*pas de -ge-, h*) retarder; **sich ~** avoir du retard; **2ung** *f* (*-; -en*) retard *m*

ver'zollen (*pas de -ge-, h*) dédouaner; **haben Sie etw zu ~?** avez-vous qc à déclarer?

ver'zweif|eln (*pas de -ge-, h, sn*) désespérer (*an* de); **~elt** désespéré; **2ung** *f* (*-; -en*) désespoir *m*; *j-n zur ~ bringen* désespérer qn, faire le désespoir de qn

verzwickt [fɛr'tsvikt] compliqué

Veterinär [veteri'nɛːr] *m* (*-s; -e*) vétérinaire *m*

Veto ['veːto] *n* (*-s; -s*) veto *m*; *sein ~ gegen etw einlegen* opposer son veto à qc

Vetter ['fɛtər] *m* (*-s; -n*) cousin *m*; **~nwirtschaft** *f* (*-; sans pl*) népotisme *m*

Video ['viːdeo] *n* (*-s; -s*) vidéo *f*; *auf ~ aufnehmen* enregistrer en vidéo; **~band** *n* bande *f* vidéo; **~film** *m* film *m* vidéo; **~kamera** *f* caméra *f* vidéo; **~kassette** *f* videocassette *f*; **~rekorder** *m* magnétoscope *m*; **~thek** [-'teːk] *f* (*-; -en*) vidéothèque *f*

Vieh [fiː] *n* (*-[e]s; sans pl*) bétail *m*, bestiaux *m/pl*; **~futter** *n* fourrage *m*; **2isch** brutal, bestial; **~zucht** *f* élevage *m*; **~züchter** *m* éleveur *m* de bétail

viel [fiːl] beaucoup (de); **~ größer** (de) beaucoup plus grand, **~ zu wenig** beaucoup trop peu; **~ essen** manger beaucoup; **~ Geld** beaucoup d'argent; **~e Kinder** beaucoup d'enfants; **~e sagen ...** il y en a beaucoup qui disent ...; **sehr ~** beaucoup (de), énormément (de); **sehr ~e ...** bien des ...; **ziemlich ~(e)** pas mal (de); **~ beschäftigt** affairé, fort occupé; **~ sagend** qui en dit long; **~ versprechend** prometteur; **~deutig** ['-dɔytiç] ambigu

vielerlei ['fiːlərlai] toutes sortes de

viel|fach ['-fax] multiple; **auf ~en Wunsch** à la demande générale; **2falt** ['-falt] *f* (*-; sans pl*) variété *f*, multiplicité *f*; **~farbig** multicolore

vielleicht [fi'laiçt] peut-être

viel|mals ['-mals] bien des fois; *danke ~* merci beaucoup *od* bien; **~mehr** [-'meːr] plutôt; **~seitig** ['-zaitiç] *fig* varié, étendu, vaste; *Mensch* aux dons multiples; **2völkerstaat** *m* pays *m* multiracial

vier [fiːr] **1.** quatre; *unter ~ Augen* en tête à tête, entre quatre yeux; *auf allen*

~en à quatre pattes; **2.** ♫ f (-; *-en*) quatre *m*; *Schulnote* passable; '**♫eck** n (*-s; -e*) quadrilatère *m*; '**~eckig** quadrangulaire; *quadratisch* carré; '**~fach** ['-fax] quadruple; '**~jährig** ['-jɛːriç] âgé de quatre ans; '**~mal** quatre fois; '**~spurig** ['-ʃpuːriç] *Straße* à quatre voies; '**~stöckig** ['-ʃtœkiç] à quatre étages; '**♫taktmotor** *m* moteur *m* à quatre temps

vierte ['fiːrtə] quatrième

Viertel ['firtəl] n (*-s; -*) quart *m*; *e-r Stadt, des Mondes* quartier *m*; '**~jahr** n trois mois *m/pl*, trimestre *m*; '**♫jährlich** trimestriel; *adv* par trimestre; '**~pfund** n quart *m* (de livre); '**~stunde** f quart *m* d'heure

vier|tens ['fiːrtəns] quatrièmement; ♫ '**~vierteltakt** *mus m* mesure f à quatre temps

Vierwaldstätter See ['fiːrvaltʃtɛtər-] *m* lac *m* des Quatre-Cantons

vierzehn ['firtseːn] quatorze; **~ Tage** quinze jours; '**~te** quatorzième

vierzig ['firtsiç] quarante; '**~jährig** quadragénaire; '**~ste** quarantième

Villa ['vila] f (-; *-llen*) villa f

violett [vio'lɛt] violet

Violine [vio'liːnə] *mus* f (-; *-n*) violon *m*

virtuos [virtu'oːs] de virtuose; *adv* avec virtuosité; ♫**e** [-zə] *m* (*-n; -n*); ♫**in** [-zin] f (-; *-nen*) virtuose *m*, f; ♫**ität** [-ozi'tɛːt] f (-; *sans pl*) virtuosité f

Virus ['viːrus] *méd m od* n (-; *Viren*) virus *m*

Vision [vi'zjoːn] f (-; *-en*) vision f

Visum ['viːzum] n (*-s; Visa, Visen*) visa *m*

vital [vi'taːl] *Person* plein de vitalité; *lebenswichtig* vital; ♫**ität** [-tali'tɛːt] f (-; *sans pl*) vitalité f

Vitamin [vita'miːn] n (*-s; -e*) vitamine f

Vitrine [vi'triːnə] f (-; *-n*) vitrine f

Vogel ['foːgəln] *m* (*-s;* ⁓) oiseau *m fig* **e-n ~ haben** F être timbré, cinglé; '**♫frei** hors la loi; '**~futter** n graines *f/pl* pour les oiseaux; '**~käfig** *m* cage f à oiseaux; *großer* volière f

vögeln ['føːgəln] (h) *vulgär* baiser

Vogel|nest n nid *m* d'oiseau; '**~perspektive** f; '**~schau** f (-; *sans pl*) *aus der* **~** à vol d'oiseau; '**~scheuche** f (-; *-n*) épouvantail *m*; '**~schutzgebiet** n réserve f d'oiseaux

Vogesen [vo'geːzən] *pl* Vosges *f/pl*

Vokab|el [vo'kaːbəl] f (-; *-n*) mot *n*, vocable *m*; '**~ular** [-kabu'laːr] n (*-s; -e*) vocabulaire *m*

Vokal [vo'kaːl] *m* (*-s; -e*) voyelle f

Volk [fɔlk] n (*-[e]s; ⁓er*) peuple *m*, nation f

'**Völker|kunde** f (-; *sans pl*) ethnologie f; '**~mord** *m* génocide *m*; '**~recht** n (*-[e]s; sans pl*) droit *m* international *od* des gens; '**♫rechtlich** de droit international; '**~wanderung** f (-; *-en*) *hist* grandes invasions *f/pl* (des barbares); *fig* exode *m*

'**Volks|abstimmung** *pol* f référendum *m*; '**~charakter** *m* caractère *m* national; '**~fest** n kermesse f; '**~hochschule** f université f populaire; '**~lied** n chanson f folklorique; '**~schule** f école f primaire; '**~schullehrer(in** f) *m* instituteur *m*, -trice f; '**~stamm** m tribu f; '**~tum** n (*-s; sans pl*) nationalité f; '**♫tümlich** [-'tyːmliç] populaire; '**~vertreter(in** f) *m* représentant *m*, -e f du peuple; '**~wirt** *m* économiste *m*; '**~wirtschaft** f *e-s Landes* économie f nationale; *Wissenschaft* économie *f* politique; '**~wirtschaftler** ['-tlər] *m* (*-s; -*) économiste *m*; '**~zählung** f recensement *m*

voll [fɔl] plein; *gefüllt* rempli; *ganz entier*; *betrunken* Frond; **~ füllen** remplir, faire le plein; **~ machen** remplir, **~ tanken** faire le plein; **~er Bewunderung** plein d'admiration; **~ (und ganz)** entièrement, pleinement; *nicht für ~ nehmen* ne pas prendre au sérieux; '**~auf** largement, entièrement, complètement; '**~automatisch** entièrement automatique; '**♫bart** *m* grande barbe f; '**♫beschäftigung** f plein emploi *m*; **~bringen** ['-briŋən] (*irr, pas de -ge-, h,* → **bringen**) réaliser, accomplir

voll|ende|n (*pas de -ge-, h*) achever, terminer; **~t** achevé, parfait; **~e Tatsache** fait *m* accompli

'**vollends** ['fɔlɛnts] entièrement, complètement

Voll|endung [fɔl'ɛnduŋ] f (-; *-en*) achèvement *m*; *Vollkommenheit* perfection f; '**~gas** *auto* n (*-es; sans pl*) *mit ~ fahren* rouler à pleins gaz; **~ geben** appuyer sur le champignon F

völlig ['fœliç] complet, entier, total; *adv*

complètement, entièrement, totalement

volljährig ['fɔljɛːriç] majeur; **2keit** f (-; sans pl) majorité f

Vollkaskoversicherung ['fɔlkasko-] f auto assurance f tous risques

'**vollkommen** parfait; → **völlig**, **2heit** [fɔl'kɔmən] f (-; -en) perfection f

'**Voll|kornbrot** n pain m complet; '**~macht** f (-; -en) procuration f, pleins pouvoirs m/pl; '**~milch** f lait m entier; '**~mond** m pleine lune f; '**~pension** f pension f complète; '**2ständig** complet, intégral; → **völlig**

vollstreck|en [-'ʃtrɛkən] (pas de -ge-, h) jur exécuter; **2ung** f (-; -en) exécution f

'**Voll|text** m EDV texte m complet; '**~textsuche** f EDV recherche f par texte complet; '**~versammlung** f assemblée f plénière; **UNO** assemblée f générale; **2wertig** ['fɔlˈveːrtiç] qui a toute sa valeur, complet; **2zählig** ['-tseːliç] au complet; **2zug** ['-tsuk] m (-[e]s; sans pl) exécution f

Volontär [vɔlɔnˈtɛːr] m (-s; -e) stagiaire m

Volt [vɔlt] n (- u -[e]s; -) volt m; '**~zahl** f voltage m

Volumen [voˈluːmən] n (-s; - u -mina) volume m

von [fɔn] prép (dat) de; beim Passiv par; **~ ... bis** de ... à; **ein Freund ~ mir** un ami à moi; **ein Kind ~ 10 Jahren** un enfant de 10 ans; **es ist nett ~ dir** c'est gentil de ta part; **reden ~** parler de; **~ mir aus!** je veux bien!; '**~einander** l'un de l'autre; '**~statten** [-'ʃtatən] **~ gehen** avoir lieu; **gut ~ gehen** bien avancer

vor [foːr] **1.** prép (wo? dat; wohin? acc) räumlich devant; zeitlich u Reihenfolge avant; zeitlich rückblickend il y a; **Grund** de; **~ der Tür** devant la porte; **~ Weihnachten** avant Noël; **ich habe Ihnen ~ 14 Tagen geschrieben** je vous ai écrit il y a quinze jours; **fünf ~ zwei (Uhr)** deux heures moins cinq; **sich fürchten ~** avoir peur de; **~ Freude** de joie; **~ allem** avant tout; **~ sich gehen** se passer, avoir lieu; **2.** adv **nach wie ~** après comme avant

Vorabend ['foːrˀ-] m veille f

voran [foˈran] en avant; **~gehen** (irr, sép, -ge-, sn, → **gehen**) précéder (**j-m,**

e-r Sache qn, qc); **Arbeit** avancer; **~kommen** (irr, sép, -ge-, sn, → **kommen**) avancer

Voran|meldung ['foːrˀan-] f préavis m; '**~schlag** m Kosten**2** devis m; '**~zeige** f préavis m; Film bande f d'annonce

Vorarbeit ['foːrˀ-] f travail m préparatoire; '**~er** m contremaître f

voraus [foˈraus] en avant, devant; **im 2** d'avance; **à l'avance**; **seiner Zeit ~ sein** être en avance sur son temps; '**~datieren** (sép, pas de -ge-, h) postdater; **~gehen** (irr, sép, -ge-, sn, → **gehen**) aller devant; zeitlich précéder (**e-r Sache** qc); **~gesetzt** [-gezetst] **~, dass** à condition que; '**~sagen** (sép, -ge-, h) prédire; **~sehen** (irr, sép, -ge-, h, → **sehen**) prévoir; **~setzen** (sép, -ge-, h) supposer; **2setzung** f (-; -en) Vorbedingung condition f; Annahme supposition f; **2sicht** f prévoyance f; **aller ~ nach** selon toute probabilité; '**~sichtlich** probable(ment); **2zahlung** f paiement m anticipé; avance f

'**Vorbedingung** f condition f préalable

Vorbehalt ['foːrbehalt] m (-[e]s; -e) réserve f; **unter ~** sous toutes réserves; '**2en** (irr, sép, pas de -ge-, h, → **halten**) réserver; **sich etw ~** se réserver qc

vorbei [fɔrˈbai] zeitlich passé, fini; räumlich mit passer; '**~fahren** (irr, sép, -ge-, sn, → **fahren**), **~gehen** (irr, sép, -ge-, sn, → **gehen**) passer (**an** od **vor** devant, **hinter** derrière); **~kommen** (irr, sép, -ge-, sn, → **kommen**) passer; besuchen faire un saut (**bei** chez); '**~lassen** (irr, sép, -ge-, h, → **lassen**) laisser passer

'**Vorbemerkung** f remarque f préliminaire; **Buch** avertissement m

'**vorbereit|en** (sép, pas de -ge-, h) (**sich ~** se) préparer (**auf** à); '**2ung** f (-; -en) préparation f; **~en** pl préparatifs m/pl

'**vorbestell|en** (sép, pas de -ge-, h) réserver, retenir; '**2ung** f réservation f

'**vorbestraft ~ sein** avoir un casier judiciaire chargé

'**vorbeug|en** (sép, -ge-, h) prévenir (**e-r Sache** qc); **sich ~** se pencher en avant; '**~end** préventif; méd prophylactique; '**2ungsmaßnahme** f mesure f préventive

'**Vorbild** n modèle m; '**2lich** exemplaire

'**vorbringen** (*irr, sép, -ge-, h,* → **bringen**) présenter; *Gründe* produire, alléguer; *Vorschlag* avancer

'**vordatieren** (*sép, pas de -ge-, h*) postdater, antidater

'**Vorder|achse** *f* ['fɔrdər-] essieu *m* avant; '**ansicht** *f* vue *f* de face

'**vordere** de devant, avant

'**Vorder|grund** *m* premier plan *m* (*a fig*); *im ~* au premier plan; '**rad** *n* roue *f* avant; '**radantrieb** ['fɔrdərraːtʔ-] *auto m* traction *f* avant; '**seite** *arch f* façade *f*, devant *m*

'**vordring|en** (*irr, sép, -ge-, sn,* → **dringen**) avancer; '**lich** urgent; *etw ~ behandeln* donner la priorité à qc

'**Vordruck** *m* (-[*e*]*s; -e*) formulaire *m*, formule *f*

'**voreilig** ['fɔːr-] prématuré

'**voreingenommen** ['fɔːrʔ-] prévenu; '**heit** *f* (-; *sans pl*) parti *m* pris

'**vor|enthalten** ['fɔːrʔ-] *j-m etw ~* priver qn de qc; '**erst** ['fɔːrʔ-] pour le moment

'**Vorfahren** ['fɔːrfaːrən] *pl* ancêtres *m/pl*

'**Vorfahrt** *f* (-; *sans pl*) priorité *f*; **haben** avoir priorité (**vor** sur); '**straße** *f* route *f* de priorité

'**vor|führen** (*sép, -ge-, h*) présenter; *Film, Dias* projeter; *dem Richter* amener; '**raum** *m* salle *f* de projection; '**ung** *f* (-; -*en*) présentation *f*, démonstration *f*; *Film* projection *f*

'**Vor|gang** *m* processus *m* (*a tech, biol etc*); *Ereignis* événement *m*; *Akten* dossier *m*; *den ~ schildern* décrire ce qui s'est passé; '**gänger** ['-gɛŋər] *m* (-*s; -*); '**gängerin** *f* (-; -*nen*) devancier m.-ière *f*; *im Amt* prédécesseur *m*; '**garten** *m* jardin *m* devant la maison; '**geben** (*irr, sép, -ge-, h,* → **geben**) prétendre (*zu sein* être), prétexter; **gefasst** ['-gefast] *~e Meinung* opinion *f* préconçue; **gefertigt** ['-gefertiçt] préfabriqué; '**gefühl** *n* pressentiment *m*

'**vorgehen 1.** (*irr, sép, -ge-, sn,* → **gehen**) avancer (*a Uhr*); *Vorrang haben* avoir la priorité; *verfahren* procéder; *geschehen* se passer; **2.** ♀ *n* (-*s; sans pl*) manière *f* d'agir, action *f*

'**Vorgeschicht|e** *f* (-; *sans pl*) préhistoire *f*; *e-r Angelegenheit* antécédents *m/pl*; '**lich** préhistorique

'**Vor|geschmack** *m* (-[*e*]*s; sans pl*) avant-goût *m* (**auf** de); '**gesetzte** ['-gezetstə] *m, f* (-*n; -n*) supérieur *m*, -e *f*

'**vorgestern** avant-hier

'**vorgreifen** (*irr, sép, -ge-, h,* → **greifen**) *e-r Sache ~* anticiper sur qc; *j-m* devancer les intentions de qn

'**vorhaben 1.** (*irr, sép, -ge-, h,* → **haben**) projeter, avoir l'intention de (+ *inf*); **haben Sie heute Abend etw vor?** est-ce que vous avez qc de prévu ce soir?; **2.** ♀ *n* (-*s; -*) projet *m*

vorhanden [for'handən] existant; *verfügbar* disponible; ♀**sein** *n* (-*s; sans pl*) existence *f*, présence *f*

Vorhang ['foːrhaŋ] *m* (-[*e*]*s; ̈e*) rideau *m*

'**Vorhängeschloss** *n* cadenas *m*

vorher [foːr'heːr] auparavant, avant; *im Voraus* d'avance; '**gehen** [foːr'heːr-] (*irr, sép, -ge-, sn,* → **gehen**) précéder (**e-r Sache** qc); '**ig** précédent

'**Vorherrschaft** *f* suprématie *f*, hégémonie *f*; *allg* prédominance *f*

'**Vorhersage** [foːr'heːr-] *f* (-; -*n*) prédiction *f*; *Wetter* prévisions *f/pl*; ♀*n* (*sép, -ge-, h*) prédire

vorherseh|bar [foːr'heːrzeːbaːr] prévisible; '**en** (*irr, sép, -ge-, h,* → **sehen**) prévoir

'**vor|hin** tout à l'heure, à l'instant; '**hinein** *im ~* d'avance

'**vor|ig** dernier, précédent, antérieur; ♀*jahr n* année *f* précédente; '♀**kasse** *f* à payer à l'avance; ♀**kehrungen** ['-keːruŋən] *f/pl ~ treffen* prendre des mesures *od* des dispositions; '♀**kenntnisse** *f/pl* notions *f/pl* préalables

'**vorkomm|en** (*irr, sép, -ge-, sn,* → **kommen**) *geschehen* arriver; *sich finden* se trouver; *im Text* figurer; *j-m erscheinen* paraître, sembler; '♀**en** *n* (-*s; -*) *von Öl etc* gisement *m*; '♀**nis** *n* (-*ses; -se*) événement *m*

'**Vorkriegs|...** d'avant-guerre; '**zeit** *f* avant-guerre *m od f*

'**vorlad|en** (*irr, sép, -ge-, h,* → **laden**) *jur* convoquer, citer; '♀**ung** *jur f* (-; -*en*) convocation *f*, citation *f* (en justice)

'**Vor|lage** *f* modèle *m*; *Gesetzes*♀ projet *m* de loi; *Fußball* passe *f*; '♀**lassen** (*irr, sép, -ge-, h,* → **lassen**) laisser passer

V

(devant); *empfangen* recevoir, laisser entrer; '~**läufer** m précurseur m; **Qläufig** provisoire

'**vorlegen** (*sép, -ge-, h*) présenter; *Frage, Plan etc* soumettre

'**vorles|en** (*irr, sép, -ge-, h, → lesen*) *j-m etw ~* lire qc à qn; **Qung** f (*-; -en*) conférence f, cours m (*halten* faire)

'**vorletzte** avant-dernier

'**Vor|liebe** f (*-; -n*) prédilection f, préférence f (*für* pour); **Qliegend** présent; *im ~en Falle* en l'occurrence; '**Qmachen** (*sép, -ge-, h*) *j-m etw ~* montrer qc à qn; *fig* en faire accroire à qn; *wir wollen uns nichts ~!* parlons franchement!; '~**machtstellung** f suprématie f, prépondérance f, hégémonie f; '**Qmerken** (*sép, -ge-, h*) prendre note de

'**Vormittag** m matin m, matinée f; *heute ~* ce matin; **Qs** le matin

'**Vormund** jur m (*-[e]s; -e, "er*) tuteur m, -trice f; '**Qschaft** f (*-; -en*) tutelle f

vorn(e) (*[ˈfɔrn(ə)]*) devant, en avant, en tête; *nach ~* en avant; *von ~* de face; *neu anfangend* de nouveau; *noch einmal von ~ anfangen* recommencer à zéro

'**Vorname** m prénom m

vornehm (*[ˈfoːrneːm]*) distingué; '~**en** (*irr, sép, -ge-, h, → nehmen*) effectuer, faire; *sich ~* se proposer de faire qc; *sich j-n ~* faire la leçon à qn

'**vornherein** *von ~* dès le début, a priori, par principe

Vorort (*[ˈfoːrʔ-]*) m (*-[e]s; -e*) commune f de banlieue; '~**e** *pl* banlieue f; '~**zug** m train m de banlieue

'**Vor|rang** m (*-[e]s; sans pl*) priorité f, préséance f; *~ haben* avoir la priorité (*vor* sur); *vor etw den ~ haben* a primer sur; '~**rat** m (*-[e]s; "e*) provision f (*an* de), stock m, réserve f; **Qrätig** (*[ˈrɛːtɪç]*) en stock; '~**recht** n privilège m; '~**richtung** f dispositif m; '~**ruhestand** m préretraite f; '~**saison** f avant-saison f; '~**satz** m (*-es; "e*) résolution f; *Absicht* intention f; jur préméditation f; **Qsätzlich** (*[ˈzɛtslɪç]*) intentionnel; *adv* à dessein; jur avec préméditation; '~**schein** bis *zum ~ bringen* faire apparaître; *zum ~ kommen* apparaître

'**Vorschlag** m proposition f, **Qen** (*[ˈgən]*)

(*irr, sép, -ge-, h, → schlagen*) proposer

'**vorschreiben** (*irr, sép, -ge-, h, → schreiben*) prescrire; *ich lasse mir nichts ~* je n'ai d'ordres à recevoir de personne

'**Vorschrift** f prescription f, règlement m; *tech* instruction f; *Dienst m nach ~* grève f du zèle; '**Qsmäßig** réglementaire; '**Qswidrig** contraire au règlement

Vorschul|alter (*[ˈʃuːlʔ-]*) n (*-s; sans pl*) âge m préscolaire; '~**e** f école maternelle

'**Vorschuss** m avance f

'**vorsehen** (*irr, sép, -ge-, h, → sehen*) prévoir; *sich ~* prendre garde (*vor* à); *wie vorgesehen* comme prévu

'**Vorsicht** f (*-; sans pl*) prudence f, précaution f; *~!* attention!, prenez garde!; '**Qig** prudent, précautionneux, circonspect; '**Qshalber** par précaution; '~**smaßnahme** f, '~**smaßregel** f précaution f

'**Vor|silbe** gr f préfixe m; '**Qsintflutlich** (*[ˈzɪntfluːtlɪç]*) *fig* antédiluvien

'**Vorsitz** m (*-es; sans pl*) présidence f; *den ~ führen* présider (*bei etw* qc); '~**ende** m, f (*-n; -n*) président m, -e f

'**Vorsorg|e** (*[ˈ-zɔrgə]*) f prévoyance f; *~ treffen* prendre toutes les précautions nécessaires; **Qlich** (*[ˈklɪç]*) prévoyant; *adv* par précaution

'**Vorspeise** f hors-d'œuvre m, entrée f

'**vorspringen** (*irr, sép, -ge-, sn, → springen*) *arch* faire saillie, saillir, avancer; '~**d** *arch* en saillie; *Kinn* saillant

'**Vor|sprung** m *arch* saillie f; *fig* avance f (*vor j-m* sur qn); '~**stadt** f faubourg m; '~**stand** m (*-[e]s; "e*) conseil m d'administration, direction f; *Person* président m, directeur m; '~**standsvorsitzende** m président m

'**vorsteh|en** (*irr, sép, -ge-, h, → stehen*) avancer, saillir; *e-r Sache ~* diriger qc; '~**end** saillant; *Zähne etc* proéminent

'**vorstell|bar** imaginable, concevable; '~**en** (*sép, -ge-, h*) présenter (*j-n j-m* qn à qn; *sich* se); *Uhr* avancer; *bedeuten* signifier, représenter; *sich etw ~* (s')imaginer qc, se figurer qc, se représenter qc; '**Qung** f *Bekanntmachen* présentation f; *Theater* représentation f, spectacle m; *Kino* séance f; *ge-*

dankliche idée *f*, notion *f*; **sich e-e ~ von etw machen** se faire une idée de qc; '**2ungsgespräch** *n* entretien *m*; '**2ungskraft** *f* (-; *sans pl*); '**2ungsvermögen** *n* (-*s*; *sans pl*) imagination *f*

'Vor|strafe *f* condamnation *f* antérieure; '**2täuschen** (*sép*, -*ge*-, *h*) simuler, feindre

Vorteil ['fɔrtail] *m* avantage *m*; '**2haft** avantageux

Vortrag ['foːrtraːk] *m* (-[*e*]*s*; ⁈*e*) conférence *f*; **e-n ~ halten** faire une conférence; **2en** ['-gən] (*irr*, *sép*, -*ge*-, *h*, → tragen) *Sachverhalt* exposer; *Wunsch* présenter; *Gedicht* réciter; *mus* exécuter

vortrefflich [foːr'treflɪç] excellent

vorüber [fo'ryːbər] passé; **~gehen** (*irr*, *sép*, -*ge*-, *sn*, → gehen) passer; **~gehend** passager, temporaire; **~ziehen** (*irr*, *sép*, -*ge*-, *sn*, → ziehen) passer

Vorurteil ['foːrʔ-] *n* préjugé *m*; '**2slos** sans préjugé

'Vorver|kauf *m* location *f*; '**2legen** (*sép*, *pas de* -*ge*-, *h*) *Termin* avancer

'Vor|wahl *f*, '**~wählnummer** *f* tél indicatif *m*

'Vorwand *m* (-[*e*]*s*; ⁈*e*) prétexte *m*

vorwärts ['foːrverts] en avant; **~!** en avant!, allez!; **~ kommen** avancer, faire des progrès

vorweg [for'vɛk] d'avance, auparavant;

2nahme *f* (-; *sans pl*) anticipation *f*; **~nehmen** (*irr*, *sép*, -*ge*-, *h*, → **nehmen**) **etw ~** anticiper sur qc

'vor|werfen (*irr*, *sép*, -*ge*-, *h*, → **werfen**) **j-m etw ~** reprocher qc à qn; '**~wiegend** ['-viːgənt] principalement; '**2wort** *n* (-[*e*]*s*; -*e*) préface *f*, avant-propos *m*

Vorwurf *m* reproche *m*; '**2svoll** plein de reproches; *Ton* réprobateur

'Vor|zeichen *n* présage *m*; *Anzeichen* indice *m*, signe *m* précurseur; **ein gutes (böses) ~ sein** être de bon (mauvais) augure; '**2zeigen** (*sép*, -*ge*-, *h*) montrer; *Ausweis a* produire; '**2zeitig** prématuré, anticipé; '**2ziehen** (*irr*, *sép*, -*ge*-, *h*, → **ziehen**) *Vorhang* tirer, fermer; *Termin* avancer; *fig* préférer

'Vorzug *m* préférence *f*; *Vorteil* avantage *m*; *e-r Person* mérite *m*; **j-m (e-r Sache) den ~ geben** donner la préférence à qn (à qc); *Vorzüge bieten* présenter des avantages

vorzüglich [for'tsyːklɪç] excellent, supérieur; exquis

'vorzugsweise de préférence

vulgär [vul'gɛːr] vulgaire, trivial

Vulkan [vul'kaːn] *m* (-*s*; -*e*) volcan *m*; **~ausbruch** *m* éruption *f* volcanique; **2isch** volcanique

VW [fau've:] *m* (-*s*; -*s*) Volkswagen *f*

W

Waage ['vaːgə] *f* (-; -*n*) balance *f*; *astr* Balance *f*; **sich die ~ halten** se contrebalancer; '**2recht** horizontal

wach [vax] réveillé, éveillé (*a fig*); **~ bleiben** veiller; **~ werden** se réveiller

'Wach|e *f* (-; -*n*) garde *f* (*Person m*); *mil* **~ halten** monter la garde; '**2en** (*h*) veiller (**über** sur)

Wacholder [va'xɔldər] *bot m* (-*s*; -) genévrier *m*

'wachrufen (*irr*, *sép*, -*ge*-, *h*, → **rufen**) *Erinnerung* évoquer; *Gefühle* susciter

Wachs [vaks] *n* (-*es*; -*e*) cire *f*; *Ski* 2 fart *m*

wachsam ['vaxzaːm] vigilant; '**2keit** *f* (-; *sans pl*) vigilance *f*

wachsen ['vaksən] **1.** (*wuchs*, *gewachsen*, *sn*) pousser, croître; *Personen* grandir; *zunehmen* augmenter; **2.** (*h*) *Boden* cirer; *Skier* farter

'Wachstuch *n* toile *f* cirée

'Wachstum *n* (-*s*; *sans pl*) croissance *f* (*a écon*); '**~srate** *f* taux *m* d'accroissement

Wachtel ['vaxtəl] *zo f* (-; -*n*) caille *f*

Wächter ['veçtər] *m* garde *m*, gardien *m*

'Wach(t)turm *m* mirador *m*

wackel|ig ['vakəlɪç] branlant; *Möbel* boiteux; '**2kontakt** *m* mauvais contact *m*; '~n (h) branler

Wade ['vaːdə] *f* (-; -n) mollet *m*

Waffe ['vafə] *f* (-; -n) arme *f*

Waffel ['vafəl] *f* (-; -n) gaufre *f*

'**Waffen|gattung** *f* arme *f*; '~**gewalt** *f* (-; *sans g*) **mit** ~ par la force des armes; '~**schein** *m* permis *m* de port d'armes; '~**stillstand** *m* armistice *m*, trêve *f*

wagen ['vaːgən] (h) oser (*etw zu tun* faire qc), risquer (*etw* qc)

Wagen ['vaːgən] *m* (-s; -, ·) voiture *f* (*bes Pkw*); *Bahn* wagon *m*; ~**heber** ['-heːbər] *m* (-s; -) cric *m*

Wag(g)on ['vaˈgõ] *m* (-s; -s) wagon *m*

Wagnis ['vaːknis] *n* (-ses; -se) entreprise *f* risquée, risque *m*

Wahl [vaːl] *f* (-; -en) *Auswahl* choix *m*; *pol* élection *f*, vote *m*, scrutin *m*; **die** ~ **haben** avoir le choix

wahl|berechtigt ['-bərɛçtiçt] qui a le droit de vote; '2**beteiligung** *f* participation *f* électorale (*hohe* forte; *niedrige* faible)

wähl|en ['vɛːlən] (h) *aus*~ choisir; *tél* composer *od* faire un numéro; *pol* élire (*j-n* qn), voter; '2**er** *m* (-s; -), 2**erin** *f* (-; -nen) électeur *m*, -trice *f*

'**Wahlergebnis** *n* résultat *m* des élections

'**wähler|isch** difficile (*in* sur); '2**schaft** *f* (-; -en) électeurs *m/pl*

'**Wahl|kabine** *f* isoloir *m*; '~**kampf** *m* campagne *f* électorale; '~**kreis** *m* circonscription *f* électorale; '~**lokal** *n* bureau *m* de vote; '2**los** au hasard, sans discernement; '~**programm** *n* plate-forme *f* électorale; '~**recht** *n* (-[e]s; *sans pl*) droit *m* de vote; '~**sieg** *m* victoire *f* électorale; '~**versammlung** *f* réunion *f* électorale; '~**zettel** *m* bulletin *m* de vote

Wahn|sinn ['vaːn-] *m* (-[e]s; *sans pl*) folie *f*; '2**sinnig** fou (folle) (*a fig Tempo etc*); *fig Schmerzen, Angst* effroyable; F ~ *viel zu tun haben* avoir un travail fou; '~**vorstellung** *f* hallucination *f*

wahr [vaːr] vrai, véritable

'**wahren** (h) *Interessen* préserver; *Rechte* défendre; **den Schein** ~ sauver les apparences

während ['vɛːrənt] **1.** *prép* (*gén*) pendant; **2.** *conj* pendant que; *wohingegen* tandis que, alors que

'**wahrhaft** vrai; ~**ig** [-'haftiç] *adv* vraiment

'**Wahrheit** *f* (-; -en) vérité *f*; '2**sgemäß**, '2**sgetreu** fidèle à la vérité

wahrnehm|bar ['vaːrneːmbaːr] perceptible; '~**en** (*irr, sép, -ge-, h,* → *nehmen*) (a)percevoir, s'apercevoir de, remarquer, observer; *Gelegenheit* profiter de; *Interessen* veiller à; '2**ung** *f* (-; -en) perception *f*

'**wahrsage|n** (*sép, -ge-, h*) prédire; *j-m* ~ dire la bonne aventure à qn; '2**rin** *f* (-; -nen) diseuse *f* de bonne aventure

wahrscheinlich [vaːr'ʃainliç] probable, vraisemblabe; *adv* probablement, vraisemblablement; 2**keit** *f* (-; -en) probabilité *f*, vraisemblance *f*; 2**keitsrechnung** *f* calcul *m* des probabilités

Währung ['vɛːruŋ] *f* (-; -en) monnaie *f*; '~**sbuchhaltung** *f* **doppelte** ~ comptabilité *f* monétaire double; '~**sfonds** *m* fonds *m* monétaire; '~**skurs** *m* cours *m* de change; '~**sordnung** *f* système *m* monétaire; '~**spolitik** *f* politique *f* monétaire; '~**sreform** *f* réforme *f* monétaire; '~**ssystem** *n* système *m* monétaire; '~**sumstellung** *f* conversion *f* monétaire; '~**sunion** *f* union *f* monétaire

'**Wahrzeichen** *n* emblème *m*, symbole *m*

Waise ['vaizə] *f* (-; -n) orphelin *m*, -e *f*

Wal [vaːl] *zo m* (-[e]s; -e) baleine *f*

Wald [valt] *m* (-[e]s; ·e) forêt *f*; *kleiner* bois *m*; '~**brand** *m* incendie *m* de forêt; '~**lauf** *m* course *f* en forêt, cross-country *m*; '~**sterben** *n* (-s; *sans pl*) dépérissement *m od* mort *f* des forêts

'**Wal|fang** *m* (-[e]s; *sans pl*) pêche *f* à la baleine; '~**fänger** *m* (-s; -) baleinier *m*

Walkman ['wɔːkmən] *m* (-s; -s) walkman *m*

Wall [val] *m* (-[e]s; ·e) rempart *m* (*a fig*); *Lärmschutz* mur *m*

'**Wallfahr|er(in** *f*) *m* pèlerin *m*; '~**t** *f* pèlerinage *m*

Walnuss ['val-] *f* noix *f*

Walze ['valtsə] *f* (-; -n) rouleau *m*, cylindre *m*; *Straßen2* rouleau *m* compresseur; '2**n** (h) passer au rouleau, cylindrer; *Metall* laminer

wälzen ['vɛltsən] (h) (*sich* ~ se) rouler

Walzer ['valtsər] *mus m* (-s; -) valse *f*

Walzwerk *n* laminoir *m*

Wand [vant] *f* (-; ⁈e) mur *m*, paroi *f* (*a Fels⌂*)

Wandel ['vandəl] *m* (-s; *sans pl*) changement *m*, transformation *f*, modification *f*; **⌂n 1.** *v/t* (*h*) *ändern* changer; **sich** ~ changer, se transformer, se modifier; **2.** *v/i* (*sn*) *gehen* déambuler, se promener

Wander|er ['vandərər] *m* (-s; -), *⌂in f* (-; -nen) randonneur *m*, -euse *f*, promeneur *m*, -euse *f*; **⌂n** (*sn*) faire une randonnée (à pied); *umherziehen* cheminer, errer, se déplacer; **⌂karte** *f* carte *f* routière; **⌂ung** *f* (-; -en) randonnée *f* (pédestre); *von Bevölkerung, Tieren* migration *f*; **⌂weg** *m* sentier *m* pédestre *od* de randonnée

Wand|gemälde *n* peinture *f* murale; **⌂lung** ['vandluŋ] *f* (-; -en) changement *m*, transformation *f*; *égl Messe* consécration *f*; **⌂schrank** *m* placard *m*

Wange ['vaŋə] *f* (-; -n) joue *f*

wanken ['vaŋkən] (*h u sn*) chanceler (*a fig*), vaciller

wann [van] quand; **seit** ~? depuis quand?

Wanne ['vanə] *f* (-; -n) cuve *f*; *Bade⌂* baignoire *f*

Wanze ['vantsə] *f* (-; -n) *zo* punaise *f*; *fig* micro *m* espion

Wappen ['vapən] *n* (-s; -) armoiries *f/pl*, armes *f/pl*; **⌂schild** blason *m*

Ware ['va:rə] *f* (-; -n) marchandise *f*

Waren|haus *n* grand magasin *m*; **⌂lager** *n* entrepôt *m*, stocks *m/pl*; **⌂probe** *f* échantillon *m*; **⌂test** *m* test *m* de marchandises; **⌂zeichen** *n* marque *f* déposée

warm [varm] chaud; **es ist** ~ il fait chaud; **schön** ~ bien chaud; *Essen* ~ **stellen** tenir au chaud; ~ **machen** faire chauffer; **sich** ~ **laufen** s'échauffer

Wärme ['vɛrmə] *f* (-; *sans pl*) chaleur *f*; **⌂isolierung** *f* isolation *f* thermique; **⌂n** (*h*) chauffer; **sich** ~ se (ré)chauffer; **⌂pumpe** *f* pompe *f* à chaleur

Wärmflasche *f* bouillotte *f*

warmherzig chaleureux

Warm|wasser|bereiter *m* (-s; -) chauffe-eau *m*; **⌂heizung** *f* chauffage *m* à eau chaude; **⌂versorgung** *f* alimentation *f* en eau chaude

Warn|blinkanlage *f* feux *m/pl* de détresse; **⌂dreieck** *n* triangle *m* de signalisation

warn|en ['varnən] (*h*) avertir (**vor** de), mettre en garde (contre); **⌂schild** *n* signal *m* de danger; **⌂signal** *n* signal *m* avertisseur; **⌂streik** *m* grève *f* d'avertissement; **⌂ung** *f* (-; -en) avertissement *m*, mise *f* en garde

Warschau ['varʃau] *n* Varsovie

warten ['vartən] (*h*) attendre (**auf j-n** qn; **bis** que + *subj*); *tech Maschine* entretenir

Wärter ['vɛrtər] *m* (-s; -), *⌂in f* (-; -nen) gardien *m*, -ne *f*; *bei Kranken* garde-malade *m, f*

Warte|saal *m*, **⌂zimmer** *n* salle *f* d'attente

Wartung *tech f* (-; -en) entretien *m*

warum [va'rum] pourquoi

was [vas] **1.** *fragend* que; *meist* qu'est-ce que (*Subjekt* qu'est-ce qui); *allein stehend u nach präp* quoi; ~? *überrascht* quoi?; *wie bitte?* F quoi?; ~ **gibts?** qu'est-ce qu'il y a?; ~ **solls?** qu'est-ce que ça fait?; ~ **machen Sie?** qu'est-ce que vous faites?; ~ **kostet ...?** combien coûte?; ~ **für ein(e) ...?** quel(le) ...?; ~ **für eine Farbe (Größe)?** quelle couleur (taille)?; ~ **für ein Unsinn!** quelle bêtise!; **2.** *relativ* ce que (*Subjekt* ce qui); ~ **auch immer** quoi que (+ *subj*); **alles,** ~ **ich habe** tout ce que j'ai; **ich weiß nicht,** ~ **ich tun (sagen) soll** je ne sais pas ce que je dois faire (dire); ~ **mich ärgerte ...** ce qui m'énervait ...; **3.** F *etwas* quelque chose

Wasch|anlage *f* laverie *f*; **⌂bar** lavable; **⌂becken** *n* lavabo *m*

Wäsche ['vɛʃə] *f* (-; *selten* -n) *Wäschestücke* linge *m*; *Waschen* lavage *m* (*a tech*), blanchissage *m*; *große* ~ lessive *f*; **⌂klammer** *f* épingle *f od* pince *f* à linge

waschen ['vaʃən] (*wusch, gewaschen, h*) laver; *Wäsche* faire la lessive; **sich** ~ se laver

Wäscherei [vɛʃə'rai] *f* (-; -en) blanchisserie *f*

Wäschetrockner *m* séchoir *m*

Wasch|küche *f* buanderie *f*; **⌂lappen** *m* gant *m* de toilette; **⌂maschine** *f* machine *f* à laver; **⌂mittel** *n*, **⌂pulver** *n* lessive *f*; **⌂raum** *m* lavabo *m*, cabinet *m* de toilette; '**~salon** *m* blanchisserie *f*

Wasser ['vasər] *n* (-*s*; - *u* ¨) eau *f*; '**~ball** *m* water-polo *m*; '**~becken** *n* bassin *m*; '**2dicht** imperméable; *tech* étanche; '**~fall** *m* chute *f* d'eau, cascade *f*; '**~farbe** *f* peinture *f* à l'eau; '**~hahn** *m* robinet *m*

'**Wasser|kessel** *m* bouilloire *f*; '**~kraft** *f* énergie *f* hydraulique; '**~kraftwerk** *n* centrale *f* hydro-électrique; '**~kühlung** *auto f* refroidissement *m* par eau; '**~lauf** *m* cours d'eau; '**~leitung** *f* conduite *f* d'eau; '**~mangel** *m* manque *m* od pénurie *f* d'eau

wässern ['vɛsərn] (h) *be~* arroser; *Hering* dessaler; *Foto* laver

'**Wasser|rohr** *n* conduite *f* d'eau; '**~schaden** *m* dégâts *m/pl* des eaux; '**2scheu** qui craint l'eau; '**~ski** *m* ski *m* nautique; '**~fahren** faire du ski nautique; '**~spiegel** *m* niveau *m* d'eau; '**~sport** *m* sport *m* nautique; '**~spülung** *f* chasse *f* d'eau; '**~stand** *m* niveau *m* d'eau; '**~stoff** *chim m* (-*[e]s*; *sans pl*) hydrogène *m*; '**~stoffbombe** *f* bombe *f* H; '**~straße** *f* voie *f* navigable; '**~verdrängung** *mar f* déplacement *m*; '**~verschmutzung** *f* pollution *f* de l'eau; '**~versorgung** *f* alimentation *f* en eau; '**~waage** *tech f* niveau *m* à bulle (d'air); '**~weg** *m* auf dem ~ par voie d'eau; '**~welle** *f* Frisur mise *f* en plis

waten ['vaːtən] (*sn*) patauger

watscheln ['vaːtʃəln] (*sn, h*) se dandiner

Watt [vat] *n* **1.** (-*[e]s*; *-en*) am Meer sable *m* mouillé, laisse *f* nue, estuaire *m* à marée basse; **2.** (-*s*; *-*) *Maßeinheit* watt *m*

Watt|e ['vatə] *f* (-; *-n*) ouate *f*; **2ieren** (*pas de -ge-*, *h*) ouater

WC [veːˈtseː] *n* (-*[s]*; *-[s]*) W.-C. *m/pl*

web|en ['veːbən] (*h*) tisser; '**2er** *m* (-*s*; *-*), '**~in** *f* (-; *-nen*) tisserand *m*, -*e f*; **2erei** [-ə'rai] (-; *-en*) (atelier *m* de) tissage *m*; '**2stuhl** ['veːpʃtuːl] *m* métier *m* à tisser

Wechsel ['vɛksəl] *m* (-*s*; *-*) changement *m*, variation *f*; *regelmäßiger* alternance *f*; *von Geld* change *m*; *comm* lettre *f* de change; *gezogener ~* traite *f*; '**~geld** *n* monnaie *f*; '**2haft** changeant; '**~jahre** *n/pl der Frau* ménopause *f*, retour *m* d'âge; '**~kurs** *m* cours *m* du change; '**~kursmechanismus** *m* mécanisme *m* de cours du change; '**~kursrisiko** *n*

risque *m* sur le cours du change; '**~kursschwankungen** *f/pl* fluctuations *f/pl* de cours du change

wechseln ['vɛksəln] (*h*) *sich verändern* changer; *ab~* alterner (*mit* avec); *etw ~* changer de qc; *Blicke, Briefe* échanger; **100 Mark ~ umtauschen** changer 100 marks; *in Kleingeld* faire la monnaie de 100 marks; '**~d** changeant, variable; *mit ~em Erfolg* avec des fortunes diverses

wechsel|seitig [-'zaitiç] mutuel, réciproque; '**2strom** *m* courant *m* alternatif; '**2stube** *f* bureau *m* de change

weck|en ['vɛkən] (*h*) réveiller; *Interesse, Neugier etc* éveiller; '**2dienst** *m* service *m* de réveil automatique; '**2er** *m* (-*s*; *-*) réveil *m*, réveille-matin *m*

weder ['veːdər] ~ ... **noch** ... ni ... ni ... (*bei Verb* ne ...)

Weg [veːk] *m* (-*[e]s*; *-e*) chemin *m*; *fig* voie *f*; *auf dem ~ nach* ... sur le chemin de ..., en route pour ...; *auf halbem ~* à mi-chemin; *auf friedlichem ~e* par des moyens pacifiques; *fig j-m aus dem ~ gehen* éviter qn; *aus dem ~ räumen* se débarrasser de, écarter; *sich auf den ~ machen* se mettre en route

weg [vɛk] fort parti; *verschwunden* disparu; *fig über etw ~ sein* avoir surmonté qc; *weit ~* éloigné; *~ da!* ôtez-vous de là; *Hände ~!* n'y touchez pas!; *~ damit!* enlevez-moi ça!

'**wegbringen** (*irr, sép, -ge-, h, → bringen*) emporter, *a j-n* emmener

wegen ['veːgən] *prép* (*gén*) à cause de ..., pour; *bezüglich* au sujet de; F *von ~!* penses-tu! *od* pensez-vous! F

weg|fahren ['vɛk-] (*irr, sép, -ge-, → fahren*) **1.** *v/i* (*sn*) partir (en voiture, etc); **2.** *v/t* (*h*) *etw* enlever (en voiture); '**~fallen** (*irr, sép, -ge-, sn, → fallen*) être supprimé; '**~gehen** (*irr, sép, -ge-, sn, → gehen*) s'en aller, partir (*a Schmerz, Fleck, Ware*); '**~kommen** (*irr, sép, -ge-, sn, → kommen*) partir, s'en aller; *abhanden kommen* s'égarer; *gut dabei ~* s'en tirer bien; F *mach, dass du wegkommst!* va-t-en!, F tire-toi de là!; '**~lassen** (*irr, sép, -ge-, h, → lassen*) laisser de côté, supprimer, omettre; '**~laufen** (*irr, sép, -ge-, sn, → laufen*) se sauver; '**~legen** (*sép, -ge-, h*) mettre de côté; '**~müssen** (*irr, sép, -ge-, h, →*

müssen) F devoir partir; *ich muss jetzt weg* il faut que je parte; '**.neh-men** (*irr, sép, -ge-, h, → nehmen*) ôter, enlever (*a stehlen*); '**.räumen** (*sép, -ge-, h*) ranger, enlever; *Hindernis* écarter; '**.schaffen** (*sép, -ge-, h*) enlever; '**.schicken** (*sép, -ge-, h*) renvoyer; '**.sehen** (*irr, sép, -ge-, h, → sehen*) détourner les yeux

Wegweiser ['veːkvaizər] *m* (*-s; -*) poteau *m* indicateur

Wegwerf|... ['vɛkvɛrf] *in Zssgn* jetable; '**.en** (*irr, sép, -ge-, h, → werfen*) jeter

'**.wegziehen** (*irr, sép, -ge-, h*) **1.** *v/t* (*h*) retirer; **2.** *v/i* (*sn*) *umziehen* déménager

weh [veː] *j-m ~ tun* faire mal à qn

wehen ['veːən] *Wind* souffler; *Fahnen, Haare* flotter

'**Wehen** [-] *f/pl Geburt* douleurs *f/pl*

'**Weh|klage** *f* lamentation *f*; '**2leidig** ['-laidiç] pleurnicheur, geignard F; '**2mütig** ['-myːtiç] nostalgique

Wehr[1] [veːr] *n* (*-[e]s; -e*) *in Flüssen* barrage *m*

Wehr[2][-] *f* (*-; -en*) *sich zur ~ setzen* se défendre; '**.dienst** *mil m* service *m* militaire; '**.dienstverweigerer** *m* objecteur *m* de conscience; '**.dienstverweigerung** *f* objection *f* de conscience; '**2en** (*h*) *sich ~* se défendre (*gegen* contre); '**2los** sans défense; '**.pflicht** *f* (*-; sans pl*) *allgemeine ~* service *m* militaire obligatoire; '**2pflichtig** *mil* mobilisable, astreint au service militaire; '**.pflichtige** *m* (*-n; -n*) conscrit *m*

Weib [vaip] *n* (*-[e]s; -er*) femme *f*; '**.chen** *zo n* (*-s; -*) femelle *f*; '**2lich** féminin

weich [vaiç] mou (molle), doux, tendre; *Ei* à la coque; *~ gekocht Ei* à la coque; *~ werden* ramollir; *fig* se laisser attendrir

Weiche ['vaiçə] *Bahn f* (*-; -n*) aiguillage *m*

weichen ['vaiçən] (*wich, gewichen, sn*) céder (*dem Feind* devant l'ennemi)

Weichheit *f* (*-; sans pl*) mollesse *f*, douceur *f*; '**2käse** *m* fromage *m* à pâte molle; '**.lich** mou, douillet, efféminé

Weichsel ['vaiksəl] *géogr f* Vistule *f*

'**Weichtiere** *zo n/pl* mollusques *m/pl*

Weide ['vaidə] *f* (*-; -n*) *bot* saule *m*;

*Korb*2 osier *m*; *Vieh*2 pâturage *m*; '**2n** (*h*) paître, brouter; *fig sich ~ an* se repaître de; '**.nkorb** *m* panier *m* d'osier

weiger|n ['vaigərn] (*h*) *sich ~* refuser (*etw zu tun* de faire qc); '**2ung** *f* (*-; -en*) refus *m*

Weihnachten ['vainaxtən] *n* (*-s; sans pl*) Noël *m*; (*an od zu*) ~ à Noël

'**Weihnachts|abend** *m* veille *f* de Noël; '**.baum** *m* arbre *m* de Noël; '**.feiertag** *m* *erster ~* jour *m* de Noël; *zweiter ~* lendemain *m* de Noël; '**.ferien** *pl* vacances *f/pl* de Noël; '**.geld** *n* prime *f* de Noël; '**.geschenk** *n* cadeau *m* de Noël; '**.lied** *n* chanson *f od* chant *m* de Noël; '**.mann** *m* père *m* Noël; '**.markt** *m* foire *f od* marché *m* de Noël

weil [vail] parce que; *da ja* puisque

Weil|chen ['vailçən] *n* (*-s; -*) *ein ~* un petit moment; **.e** *f* (*-; sans pl*) *e-e ~* quelque temps, un certain (laps de) temps; *e-e ganze ~* un bon bout de temps

Wein [vain] *m* (*-[e]s; -e*) vin *m*; *bot* vigne *f*; '**.bau** *m* (*-[e]s; sans pl*) viticulture *f*; '**.berg** *m* vigne *f*, vignoble *m*; '**.brand** *m* (*-s; ⸚e*) eau-de-vie *f* de vin, cognac *m*

weinen ['vainən] (*h*) pleurer (*vor* de; *wegen* à cause de)

'**Wein|ernte** *f* vendange *f*; '**.flasche** *f* bouteille *f* à vin; '**.gegend** *f* région *f* viticole; '**.gut** *n* domaine *m* viticole; '**.händler** *m* négociant *m* en vins; '**.karte** *f* carte *f* des vins; '**.keller** *m* cave *f* à vin; cellier *m*; '**.kellerei** *f* cave *f*; '**.kenner** *m* connaisseur *m* en vins; '**.lese** *f* vendange *f*; '**.lokal** *n* cave *f* à vin; '**.probe** *f* dégustation *f* de vins; '**.rebe** *bot f* vigne *f*; '**.stock** *m* cep *m* (de vigne); '**.traube(n)** *f* (*pl*) raisin *m*

weise ['vaizə] sage

'**Weise**[-] *f* (*-; -n*) manière *f*, façon *f*; *mus* air *m*; *auf diese ~* de cette façon; *auf meine ~* à ma manière

Weisheit ['vaishait] *f* (*-; -en*) sagesse *f*; *mit seiner ~ am Ende sein* y perdre son latin; '**.szahn** *m* dent *f* de sagesse

'**weismachen** (*sép, -ge-, h*) *j-m etw ~* faire croire qc à qn, en faire accroire à qn; *du kannst mir nichts ~!* ne me raconte pas d'histoires!

weiß [vais] blanc; '**2brot** *n* pain *m*

blanc; '**≈e** *m*, *f* (-*n*; -*n*) Blanc *m*, Blanche *f*; '**≈en** (*h*) blanchir; '**≈kohl** *m*, '**≈kraut** *n* (-[*e*]*s*; *sans pl*) chou *m* blanc; '**≈lich** blanchâtre; '**≈wein** *m* vin *m* blanc

Weisung ['vaizuŋ] *f* (-; -*en*) instruction *f*, directive *f*, consigne *f*

weit [vait] *adj ausgedehnt* large; *Kleidung a* ample; *Reise, Weg* long; ~ (**weg** *od* **entfernt**) loin; ~ **größer** bien plus grand; **von ~em** de loin; **bei ~em nicht** loin s'en faut; *fig* **zu ~ gehen** aller trop loin, exagérer; **es ~ bringen** faire son chemin; **wir haben es ~ gebracht** nous avons bien réussi; ~ **reichend** étendu, de grande envergure; ~ **verbreitet** très répandu; **~aus** de loin, de beaucoup; '**≈blick** *m* (-[*e*]*s*; *sans pl*) clairvoyance *f*, prévoyance *f*

Weite ['vaitə] *f* (-; -*n*) largeur *f*, étendue *f*; *von Kleidung* ampleur *f*; *Sport* distance *f*

'**weiter** ~*!* continue! *od* continuez!; ~ **oben** plus haut; *im Text* ci-dessus; ~ **weg** *od* **entfernt** plus loin; **und so ~** et ainsi de suite, et cetera; ~ **nichts** rien d'autre; '**≈bilden** (*sép, -ge-, h*) **sich** ~ se recycler; '**≈bildung** *f* (-; -*en*) formation *f* complémentaire

weitere ['vaitərə] *n* (-*n*; *sans pl*) *sonstige* autre; *spätere* ultérieur; *alles* ≈ le reste; **ohne** ~**s** aisément; sans façon

'**Weiter|fahrt** *f* (-; *sans pl*) continuation *f* de la course/*du chemin*; '**≈geben** (*irr, sép, -ge-, h,* → **geben**) transmettre, faire passer; '**≈gehen** (*irr, sép, -ge-, sn,* → **gehen**) poursuivre son chemin, continuer; '**≈hin** en outre; ~ **etw tun** continuer à *od* de faire qc; '**≈kommen** (*irr, sép, -ge-, sn,* → **kommen**) avancer; '**≈leben** (*sép, -ge-, h*) continuer à vivre; '**≈machen** (*sép, -ge-, h*) continuer; '**≈reise** *f* (-; *sans pl*) continuation *f* du voyage

'**weit|gehend** considérable(ment), large(ment); ~**sichtig** *méd* presbyte; *fig* prévoyant; '**≈sprung** *m* saut *m* en longueur; '**≈winkelobjektiv** *Foto n* objectif *m* grand angle

Weizen ['vaitsən] *m* (-*s*; -) blé *m*, froment *m*

welche(r, -s) ['vɛlçə(r, -s)] **1.** *fragend* quel(le); *allein stehend* lequel (la-

quelle); **welcher von beiden?** lequel des deux?; **2.** *relativ* qui (*Akkusativ* que); **3.** F *einige(s)* en; **ich geb' dir welche(s)** je t'en donne

welk [vɛlk] fané; '**≈en** (*sn*) se faner

Wellblech *n* tôle *f* ondulée

Welle ['vɛlə] *f* (-; -*n*) vague *f* (*a fig*); *phys* onde *f*; *fig* **grüne ~** feux *m/pl* coordonnés

'**Wellen|brecher** *m* (-*s*; -) brise-lames *m*; '**≈länge** *f* longueur *f* d'ondes; '**≈linie** *f* ligne *f* ondulée; '**≈sittich** [-'zitiç] *zo m* (-*s*; -*e*) perruche *f*

Welt [vɛlt] *f* (-; -*en*) monde *m*; **auf der ganzen** ~ dans le monde entier; **die Alte** (**Neue**) ~ l'ancien (le nouveau) monde; **die Dritte** ~ le tiers monde; **alle** ~ *jeder* tout le monde; **zur** ~ **kommen** venir au monde; **zur** ~ **bringen** donner le jour à, donner naissance à; '**≈all** *n* univers *m*; '**≈anschauung** *f* vision *f* du monde, idéologie *f*; '**≈ausstellung** *f* exposition *f* universelle; '**≈bank** *f* (-; *sans pl*) Banque *f* mondiale; '**≈berühmt** célèbre dans le monde entier; '**≈fremd** naïf, peu réaliste; '**≈geschichte** *f* (-; *sans pl*) histoire *f* universelle; '**≈handel** *m* commerce *m* mondial; '**≈herrschaft** *f* (-; *sans pl*) hégémonie *f* mondiale; '**≈krieg** *m* guerre *f* mondiale; **der Erste** (**Zweite**) ~ la Première (Seconde) Guerre mondiale; '**≈macht** *f* puissance *f* mondiale; '**≈markt** *m* (-[*e*]*s*; *sans pl*) marché *m* mondial; '**≈meister(in** *f*) *m* champion *m*, -ne *f* du monde; '**≈raum** *m* (-[*e*]*s*; *sans pl*) espace *m*; '**≈raumforschung** *f* recherche *f* spatiale; '**≈reich** *n* empire *m*; '**≈reise** *f* tour *m* du monde; '**≈rekord** *m* record *m* du monde; '**≈sprache** *f* langue *f* universelle; '**≈stadt** *f* métropole *f*; '**≈weit** mondial, planétaire, universel; '**≈wirtschaft** *f* (-; *sans pl*) économie *f* mondiale; '**≈wunder** *n* merveille *f* du monde

wem [ve:m] à qui; **von ~?** de qui?

wen [ve:n] qui, qui est-ce que; **für ~?** pour qui?

Wende ['vɛndə] *f* (-; -*n*) tournant *m*; '**≈kreis** *m géogr* tropique *m*; *auto* rayon *m* de braquage

Wendeltreppe ['vɛndəl-] *f* escalier *m* tournant *od* en colimaçon

wenden ['vɛndən] (h) *auto* faire demi-tour; *mar* virer de bord; (*a irr wandte, gewandt*) (re)tourner; (*nur irr*) **sich ~ an** s'adresser à

'**wend|ig** *Auto* maniable, manœuvrable; *Person* débrouillard, habile, souple; '**₂ung** f (-; -en) tour m; *Umschwung* tournure f, revirement m; *Rede*₂ locution f, tournure f

wenig ['ve:nɪç] peu (de); **~er** moins (de); **am ~sten** le moins; **ein ~** un peu (de); **einer der ~en, die ...** un des rares qui (+ *subj*); '**~stens** ['-stəns] au moins, du moins

wenn [vɛn] *falls* si; *zeitlich* quand, lorsque; **~ auch** bien que, quoique (*beide* + *subj*); **selbst ~** même si; **außer ~** à moins que ... ne (+ *subj*); **~ ich nur ... wäre!** si seulement j'étais ...!; **~ schon!** qu'importe!

wer [ve:r] **1.** qui, qui est-ce qui; **~ von beiden?** lequel des deux?; **2.** *derjenige, welcher* celui qui; **~ auch immer** quiconque; **~ es auch sei** qui que ce soit; **3.** F *jemand* quelqu'un

Werbe|agentur ['vɛrbə-] f agence f de publicité; '**~fernsehen** n publicité f télévisée; '**~film** m film m publicitaire; '**~funk** m publicité f radiodiffusée; '**~geschenk** n cadeau m publicitaire

'**werben** (*warb, geworben, h*) faire de la publicité (**für** pour); **~ um** *Frau* faire la cour à; *Gunst* solliciter; **Kunden ~** prospecter la clientèle

'**Werbe|sendung** f émission f publicitaire; '**~slogan** m slogan m publicitaire; '**~spot** m (-s; -s) spot m publicitaire

'**Werbung** f (-; -en) publicité f, F pub f; '**~skosten** pl frais m/pl de publicité

werden ['ve:rdən] (*wurde, geworden, sn*) devenir; *durch eigenes Zutun se* faire; *Arzt*, *Lehrer* ~ devenir *od* se faire médecin, professeur; **mir wird schlecht!** j'en suis malade!; F **es wird schon wieder ~** ça va aller mieux; *Futur* **er wird kommen** il viendra, il va venir; *Konditional* **er würde kommen** il viendrait; *Passiv* **verkauft ~** être vendu

werfen ['vɛrfən] (*warf, geworfen, h*) (**sich ~** se) jeter; lancer

Werft [vɛrft] *mar* f (-; -en) chantier m naval

Werk [vɛrk] n (-[e]s; -e) ouvrage m; e-s *Dichters, Künstlers* œuvre f; *Arbeit* travail m; *Uhr*₂ mouvement m; *Mechanismus* mécanisme m; *Fabrik* usine f, ateliers m/pl, établissement m; '**~bank** f établi m; '**~statt** ['-ʃtat] f (-; -en) atelier m; '**~tag** m jour m ouvrable; '**₂tags** en semaine; '**~zeug** n (-s; -e) outil m

wert [ve:rt] **~ sein** valoir (**etw** qc); **der Mühe ~ sein** valoir la peine

Wert [-] m (-[e]s; -e) valeur f; **~ legen auf** tenir à; **großen ~ legen auf** tenir beaucoup à, attacher un grand prix à; F **das hat keinen ~** ça ne sert à rien; '**₂en** (h) évaluer, estimer; *beurteilen* juger; '**~gegenstand** m objet m de valeur; '**₂los** sans valeur; '**~papier** n valeur f, effet m, titre m; '**~papiermärkte** m/pl marchés m/pl de titres; '**~sachen** f/pl objets m/pl de valeur; '**~ung** f (-; -en) évaluation f; *Sport* classement m; '**~urteil** n jugement m de valeur; '**₂voll** précieux

Wesen ['ve:zən] n (-s; -) *Lebe*₂ être m; *Eigenart* nature f, caractère m; e-r *Person a* naturel m; *philos* essence f; '**₂tlich** essentiel; **im ~en** in substance; '**~ größer** beaucoup od bien plus grand

weshalb [vɛs'halp] pourquoi

Wespe ['vɛspə] *zo* f (-; -n) guêpe f

Weste ['vɛstə] f (-; -n) gilet m

West|en ['vɛstən] m (-s; sans pl) ouest m; *pol* **der ~** l'Ouest m, l'Occident m; **der Wilde ~** le Far-West; '**₂lich** occidental, de l'ouest, d'ouest; **~ von** à l'ouest de; '**~wind** m vent m d'ouest

weswegen [vɛs've:gən] pourquoi

Wettbewerb ['vɛtbəvɛrp] m (-[e]s; -e) concours m, compétition f, *bes écon* concurrence f; '**~sfähigkeit** f compétitivité f; '**~snachteil** m inconvénient m compétitif; '**~svorteil** m avantage m compétitif

'**Wett|e** ['vɛtə] f (-; -n) pari m; **um die ~** à qui mieux mieux; **e-e ~ abschließen** od **eingehen** faire un pari; '**₂eifern** (h) rivaliser (**mit** avec; **um** de); '**₂en** (h) parier; **um 100 Franc ~** parier cent francs

Wetter ['vɛtər] n (-s; -) temps m; **es ist schönes ~** il fait beau (temps); **bei**

diesem ~ par ce temps; '**~bericht** *m* bulletin *m* météorologique, F météo *f*; '**2fest** résistant aux intempéries; '**2fühlig** sensible aux changements du temps; '**~karte** *f* carte *f* météorologique; '**~lage** *f* conditions *f/pl* atmosphériques; '**~vorhersage** *f* prévisions *f/pl* météorologiques; '**~warte** *f* station *f* météorologique

'**Wett|kampf** *m* compétition *f*, épreuve *f*, match *m*; '**~lauf** *m* course *f* (*a fig*); '**~rennen** *n* course *f*; '**~rüsten** *n* (*-s*; *sans pl*) course *f* aux armements; '**~streit** *m* concours *m*, compétition *f*, émulation *f*

wetzen ['vɛtsən] (*h*) aiguiser

wichtig ['vɪçtɪç] important; ~ **nehmen** prendre au sérieux; *sich* ~ **machen** faire l'important; '**2keit** *f* (*-*; *-en*) importance *f*

wickeln ['vɪkəln] (*h*) enrouler (*um* autour de; *in* dans), envelopper (*in* dans); *Kind* langer, emmailloter

Widder ['vɪdər] *m* (*-s*; *-*) *zo* bélier *m*; *astr* Bélier *m*

wider ['vi:dər] *prép* (*acc*) contre; ~ (*meinen*) *Willen* malgré moi; ~ *Erwarten* contre toute attente; **~legen** [-'le:gən] (*pas de -ge-*, *h*) réfuter

'**widerlich** répugnant, repoussant, dégoûtant, écœurant, rebutant

'**wider|rechtlich** illégal; '**2rede** *f* contradiction *f*; *keine* ~! pas de discussion!; **~rufen** (*irr*, *pas de -ge-*, *h*, → *rufen*) *Anordnung* révoquer; *Behauptung*, *Geständnis* rétracter; **~setzen** (*pas de -ge-*, *h*) *sich* ~ s'opposer (*j-m*, *e-r Sache* à à qc); '**~spenstig** ['-ʃpɛnstɪç] récalcitrant, rétif, rebelle; **~sprechen** (*irr*, *pas de -ge-*, *h*, → *sprechen*) contredire (*j-m*, *e-r Sache* qn, qc); '**2spruch** *m* contradiction *f*; *im* ~ *stehen* être en contradiction (*zu* avec); '**~sprüchlich** ['-ʃpryçlɪç] contradictoire; '**2stand** *m* résistance *f* (*a pol u elektrischer*); ~ *leisten* résister; '**~standsfähig** résistant; '**~stehen** (*irr*, *pas de -ge-*, *h*, → *stehen*) résister (à); '**~wärtig** ['-vɛrtɪç] répugnant; '**2wille** *m* répugnance *f* (*gegen* pour), aversion *f* (pour), dégoût *m* (pour); '**~willig** à contrecœur

widm|en ['vɪtmən] (*h*) (*sich* ~ se) consacrer (à), (se) vouer (à); *Buch* dédier;

'**2ung** *f* (*-*; *-en*) dédicace *f*

widrig ['vi:drɪç] contraire, adverse

wie [vi:] *fragend* comment; *in Ausrufen* que, comme, combien; *vergleichend* comme; ~ *ein Hund* comme un chien; ~ *üblich* comme d'habitude; *so groß* ~ aussi grand que; ~ *alt sind Sie?* quel âge avez-vous?; ~ *spät ist es?* quelle heure est-il?; ~ *lange?* combien de temps?; ~ *froh bin ich!* que (comme, combien) je suis heureux!; ~ *viel* combien (de); *um* ~ *viel Uhr?* à quelle heure?

wieder ['vi:dər] de nouveau, encore; *oft re... in Zssgn*; *da bin ich* ~ me revoilà; ~ *einmal* une fois de plus; ~ *anfangen* recommencer; **~aufbereiten** retraiter; ~ *erkennen* reconnaître (*an* à); ~ *finden* retrouver; ~ *sehen* revoir; '**2aufbau** *m* (*-[e]s*; *sans pl*) reconstruction *f* **2'aufbereitungsanlage** *f Kerntechnik* usine *f* de retraitement; '**~bekommen** (*irr*, *sép*, *pas de -ge-*, *h*, → *bekommen*) recouvrer, rentrer en possession de; '**2belebung** *f* (*-*; *-en*) *méd* réanimation *f*; *écon* reprise *f*, relance *f*; '**~bringen** (*irr*, *sép*, *-ge-*, *h*, → *bringen*) rapporter; *zurückgeben* rendre; '**2gabe** *f* (*-*; *-n*) reproduction *f*; '**~geben** (*irr*, *sép*, *-ge-*, *h*, → *geben*) *zurückgeben* rendre, restituer; *nachbilden* reproduire; *beschreiben* décrire; **2'gutmachung** *f* (*-*; *-en*) réparation *f*; '**~herstellen** (*sép*, *-ge-*, *h*) rétablir, restaurer; '**~holen** [-'ho:lən] (*pas de -ge-*, *h*) (*sich* ~ se) répéter; *Lernstoff* réviser; '**~holt** répété; '**2holung** *f* (*-*; *-en*) répétition *f*; *von Lernstoff* révision *f*; *TV etc* rediffusion *f*; '**2hören** *n* (*-s*; *sans pl*) *tél auf* ~! au revoir!; '**~kommen** (*irr*, *sép*, *-ge-*, *sn*, → *kommen*) revenir; '**2sehen** *n auf* ~! au revoir!; '**~um** de nouveau; *andererseits* d'autre part, d'un autre côté; '**2vereinigung** *f pol* réunification *f*; '**2verwendung** *f* réutilisation *f*; '**2verwertung** *f* recyclage *m*; '**2wahl** *f* réélection *f*

wiegen ['vi:gən] (*wog*, *gewogen*, *h*) peser

Wien [vi:n] *n* Vienne

Wiese ['vi:zə] *f* (*-*; *-n*) pré *m*, prairie *f*

wieso [vi'zo:] pourquoi

wie viel [vi'fi:l] → **wie**

wievielte combientième F; *den* **2n**

haben wir heute? le combien sommes-nous aujourd'hui?

wild [vilt] **1.** sauvage (*a bot u zo*); *Blick etc* farouche; *wütend* furieux; *Kind* turbulent; **~es Tier** bête *f* féroce; *fig* **~er Streik** grève *f* sauvage; F **~ sein auf** raffoler de; **2.** ♀ *n ch u cuis* gibier *m*; '♀bach *m* torrent *m*; '♀ente *z f* canard *m* sauvage; ♀e ['vildə] *m*, *f* (-*n*; -*n*) sauvage *m*, *f*; F **wie ein Wilder** comme un fou; ♀erer ['vildərər] *m* (-*s*; -) braconnier *m*; '♀hüter *m* garde-chasse *m*; '♀leder *n* daim *m*; '♀nis *f* (-; -*se*) désert *m*; '♀schwein *n* sanglier *m*; ♀'westfilm *m* western *m*

Wilhelm ['vilhɛlm] *m* (-*s*; *sans pl*) Guillaume *m*

Wille ['vilə] *m* (-*ns*; *sans pl*) volonté *f*; **gegen meinen ~n** malgré moi; **seinen ~n durchsetzen** imposer sa volonté; '♀n *prép* (*gén*) **um … ~** pour (l'amour de)

Willens|freiheit *f* (-; *sans pl*) libre arbitre *m*; '**~kraft** *f* (-; *sans pl*) volonté *f*, énergie *f*

will|ig ['viliç] de bonne volonté; *folgsam* docile; **~kommen** bienvenu; *herzlich* **~!** soyez le (la) bienvenu(e)!; *j-n* **~ heißen** souhaiter la bienvenue à qn; '**~kürlich** ['-ky:rliç] arbitraire

wimmeln ['viməln] (*h*) fourmiller, grouiller (**von** de); **es wimmelt von etw** *a* qc pullule

Wimper ['vimpər] *f* (-; -*n*) cil *m*; '**~ntusche** *f* mascara *m*

Wind [vint] *m* (-[*e*]*s*; -*e*) vent *m*

Winde ['vində] *f* (-; -*n*) *tech* treuil *m*; *mar* cabestan *m*; *bot* liseron *m*, volubilis *m*

Windel ['vindəl] *f* (-; -*n*) couche *f*, lange *f*

winden ['vindən] (*wand, gewunden, h*) *Kranz* tresser; **sich ~** *Weg etc* serpenter; **sich um etw ~** s'enrouler autour de qc; **sich vor Schmerz ~** se tordre de douleur

wind|ig ['vindiç] *Ort* éventé; *fig* louche; **es ist ~** il fait du vent; '♀mühle *f* moulin *m* à vent; '♀pocken *méd f/pl* varicelle *f*; '♀rad *n* éolienne *f*; '♀schutzscheibe *auto f* pare-brise *m*; '♀stärke *f* force *f od* intensité *f* du vent; '♀stoß *m* rafale *f*; '♀surfen *Sport n* planche *f* à voile

Windung ['vindʊŋ] *f* (-; -*en*) *Krümmung* sinuosité *f*; *Drehung* tour *m*; **~en** *e-s*

Wegs a lacets *m/pl*

Winkel ['viŋkəl] *m* (-*s*; -) *math* angle *m*; *Gerät* équerre *f*; *Ecke* coin *m*

winken ['viŋkən] (*h*) faire signe (*j-m* à qn)

Winter ['vintər] *m* (-*s*; -) hiver *m*; '**~anfang** *m* début *m* de l'hiver; '**~einbruch** *m* offensive *f* de l'hiver; '♀lich hivernal; '**~reifen** *auto m* pneu *m* neige; '**~schlaf** *zo m* hibernation *f*; '**~schlussverkauf** *m* soldes *m/pl* d'hiver; '**~spiele** *n/pl* jeux *m/pl* Olympiques d'hiver; '**~sport** *m* sport(s) *m(pl)* d'hiver

Winzer ['vintsər] *m* (-*s*; -), '**~in** *f* (-; -*nen*) vigneron *m*, -ne *f*, viticulteur *m*

winzig ['vintsiç] minuscule

wir [vir] nous; **~ drei** nous trois; **~ sind's** c'est nous

Wirbel ['virbəl] *m* (-*s*; -) tourbillon *m*; *fig a* remous *m/pl*; *anat* vertèbre *f*; *Haar* épi *m*; '**~säule** *f* colonne *f* vertébrale; '**~sturm** *m* cyclone *m*; '**~tiere** *n/pl* vertébrés *m/pl*

wirk|en ['virkən] (*h*) agir (**auf** sur), faire son effet, opérer; *Wunder* faire; **~ wie** faire l'effet de; *jung* (*hübsch etc*) **~** faire jeune (joli, *etc*); '**~lich** réel, effectif; *echt* vrai, véritable; '♀lichkeit *f* (-; -*en*) réalité *f*; **in ~** en réalité; '**~sam** efficace

Wirkung ['virkʊŋ] *f* (-; -*en*) effet *m*; '**~sgrad** *tech m* (degré *m* d')efficacité *f*; rendement *m*; '♀slos sans effet, inopérant; '♀svoll efficace

wirr [vir] confus, embrouillé; *Haar* en désordre; '♀en *pol pl* troubles *m/pl*

Wirsing ['virziŋ] *bot m* (-*s*; *sans pl*), '**~kohl** *m* (-[*e*]*s*; *sans pl*) chou *m* frisé *od* de Milan

Wirt [virt] *m* (-[*e*]*s*; -*e*), '**~in** *f* (-; -*nen*) *Gast*♀ patron *m*, -ne *f*, aubergiste *m*; *Hotel*♀ hôtelier *m*, -ière *f*; *Haus*♀ propriétaire *m*, *f*

'**Wirtschaft** *f* (-; -*en*) économie *f*; *Gast*♀ restaurant *m*, auberge *f*; *Bahnhofs*♀ buffet *m*; **freie ~** économie *f* libérale; **gelenkte ~** économie *f* dirigée, dirigisme *m*; '♀en (*h*) **gut, schlecht ~** bien, mal gérer ses affaires; **gut ~** être économe; '♀lich économique; '**~lichkeit** *f* (-; *sans pl*) économie *f*; rentabilité *f*

'**Wirtschafts|…** *écon in Zssgn* économique; '**~abkommen** n accord m économique; '**~beziehungen** f/pl relations f/pl économiques; '**~gemeinschaft** f Europäische ~ Communauté f économique européenne (abr C.E.E.); '**~krise** f crise f économique; '**~politik** f politique f économique; '**~system** n système m économique; '**~wissenschaft(en)** f (pl) sciences f/pl économiques

'**Wirtshaus** n auberge f

wischen ['viʃən] (h) essuyer

wissen ['visən] 1. (wusste, gewusst, h) savoir; **nicht ~** ne pas savoir, ignorer; **sehr wohl ~** ne pas ignorer; **ich möchte ~** j'aimerais savoir; **soviel ich weiß** autant que je sache; **weißt du noch?** tu te rappelles? od tu t'en souviens?; **woher weißt du das?** d'où tiens-tu cela?; **man kann nie ~** on ne peut jamais savoir; **ich will davon (von ihm) nichts ~** je ne veux pas entendre parler de cela (de lui); 2. **2** n (-s; sans pl) savoir m, connaissances f/pl

'**Wissenschaft** f (-; -en) science f; '**~ler** m (-s; -), '**~lerin** f (-; -nen) scientifique m, f; '**2lich** scientifique

'**wissenswert** qui vaut la peine de savoir connu, intéressant

'**Witterung** f (-; -en) temps m qu'il fait; Spürsinn flair m; '**~sverhältnisse** n/pl conditions f/pl atmosphériques

Witwe ['vitvə] f (-; -n) veuve f; '**~r** m (-s; -) veuf m

Witz [vits] m (-es; -e) plaisanterie f, histoire f (drôle), blague f F; bon mot m, mot m d'esprit; Wortspiel calembour m; '**~e reißen** raconter de bonnes blagues; '**2ig** geistreich spirituel; lustig drôle, amusant

wo [voː] où; '**~anders** [-'andərs] ailleurs; '**~bei** [-'bai] à l'occasion de quoi; **~ mir einfällt** ce qui me rappelle

Woche ['vɔxə] f (-; -n) semaine f; **in der letzten ~** la semaine passée od dernière; **in der nächsten ~** la semaine prochaine

'**Wochen|arbeitszeit** f heures f/pl de travail hebdomadaire; '**~ende** n fin f de semaine, week-end m; '**~karte** f carte f hebdomadaire; '**2lang** (pendant) des semaines entières; '**~tag** m jour m de semaine; Werktag jour m ouvrable

wöchentlich ['vœçəntliç] hebdomadaire; **einmal ~** une fois par semaine

wo|durch [voː'durç] par quoi; '**~für** pour quoi

wo|her [voː'heːr] d'où; '**~hin** où; '**~hingegen** [voːhin'geːgən] tandis que, alors que

wohl [voːl] 1. bien; wahrscheinlich sans doute; **mir ist nicht ~** je ne me sens pas bien; **~ oder übel** bon gré mal gré; 2. **2** n (-[e]s; sans pl) bien, santé m; **zum ~!** à votre santé!, à la vôtre! F

'**Wohl|befinden** n bien-être m; '**2behalten** sain et sauf; '**~fahrtsstaat** m État-providence f; '**2gemerkt** ['-gə-mɛrkt] bien entendu; '**2habend** ['-haːbənt] aisé; '**~stand** m (-[e]s; sans pl) aisance f, prospérité f; '**~standsgesellschaft** f société f d'abondance; '**~tat** f bienfait m; '**~täter(in** f) m bienfaiteur m, -trice f; '**2tuend** ['-tuːənt] bienfaisant; '**2verdient** bien mérité; '**~wollen** n (-s; sans pl) bienveillance f; '**2wollend** bienveillant

wohn|en ['voːnən] (h) habiter, demeurer, loger; **in Paris ~** habiter (à) Paris; **im Hotel ~** loger à l'hôtel; '**2gebiet** n quartier m résidentiel; '**2gemeinschaft** f communauté f d'habitat, domicile m en commun; '**~haft** domicilié (in à); '**2mobil** n camping-car m; '**2ort** m domicile m; '**2sitz** m domicile m, résidence f

'**Wohnung** f (-; -en) logement m, habitation f, appartement m; '**~sbau** m (-[e]s; sans pl) construction f de logements; '**~snot** f crise f du logement

'**Wohn|wagen** m roulotte f, Camping caravane f; '**~zimmer** n salle f de séjour, salon m, living m

wölben ['vœlbən] (h) (**sich ~** se) voûter, (se) bomber

Wolf [vɔlf] zo m (-[e]s; ⸚e) loup m

Wolke ['vɔlkə] f (-; -n) nuage m

'**Wolken|bruch** m pluie f torrentielle; '**~kratzer** m (-s; -) gratte-ciel m; '**2los** sans nuages

wolkig ['vɔlkiç] nuageux

Wolle ['vɔlə] f (-; -n) laine f; '**2n** de od en laine

wollen ['vɔlən] (v/aux pas de -ge-, h) vouloir; im Begriff sein aller; **lieber ~** aimer mieux; **sie will, dass ich komme** elle veut que je vienne; **ich wollte**

gerade anfangen j'allais commencer; *er will mich gesehen haben* il prétend m'avoir vu; *ich wollte, ich wäre ...* si seulement j'étais ...

Wollust ['vɔlust] *f* (-; ÷e) volupté *f*

wo'**mit** avec quoi; '**möglich** peut-être

wor|**an** [vo:'ran] ~ *denkst du?* à quoi penses-tu?; ~ *liegt es, dass ...?* d'où vient que ...?; *fig* ~ *man ist* où l'on en est; ~'*auf* sur quoi; *zeitlich* après quoi; ~ *wartest du?* qu'est-ce que tu attends?; ~'*aus* de quoi, d'où; ~ *ist es?* en quoi est-ce?; ~*in* [-'rin] en quoi, dans quoi, où

Wort [vɔrt] *n* **1.** (-[*e*]*s*; ÷er) mot *m*; **2.** (-[*e*]*s*; -*e*) *gesprochenes* parole *f*; *Ausdruck* terme *m*; ~*e pl* à propos *m/pl*; *mit anderen ~en* en d'autres termes; *sein ~ geben* donner sa parole; *~ halten* tenir parole; *sein ~ brechen* manquer à sa parole; *j-n beim ~ nehmen* prendre qn au mot; *j-m ins ~ fallen* couper la parole à qn; *sich zu ~ melden* demander la parole

Wörterbuch ['vœrtər-] *n* dictionnaire *m*

'**Wort**|**führer** *m* porte-parole *m*; '~**laut** *m* (-[*e*]*s*; *sans pl*) texte *m*, teneur *f*, termes *m/pl*

wörtlich ['vœrtliç] littéral, textuel

'**Wort**|**schatz** *m* (-*es*; *sans pl*) vocabulaire *m*; '~**spiel** *n* jeu *m* de mots; *mit Homonymen* calembour *m*; '~**wechsel** *m* altercation *f*

wor|**über** [vo:'ry:bər] sur quoi; ~ *lachst du?* de quoi ris-tu?; ~**um** [-'rum] à quoi; ~ *geht es?* de quoi s'agit-il?

wo|'**von** de quoi; ~ *sprichst du?* de quoi parles-tu?; ~'**vor** ~ *fürchtest du dich?* de quoi as-tu peur?; ~'*zu* à quoi; ~ *(eigentlich)?* à quoi bon?

Wrack [vrak] *n* (-[*e*]*s*; -*s*) épave *f* (*a fig Mensch*); *auto* carcasse *f*

Wucher ['vu:xər] *m* (-*s*; *sans pl*) usure *f*; '~**er** *m* (-*s*; -) usurier *m*; '**2n** (*h*) *biol* proliférer, foisonner; '~**preis** *m* prix *m* usuraire; '~**ung** *méd f* (-; -*en*) excroissance *f*, végétation *f*; '~**zinsen** *m/pl* intérêts *m/pl* usuraires

Wuchs [vu:ks] *m* (-*es*; *sans pl*) *Wachsen* croissance *f*; *Gestalt* taille *f*

Wucht [vuxt] *f* (-; *sans pl*) force *f*, élan *m*; *mit voller ~* de plein fouet; '**2ig** imposant, massif; *Schlag* violent

wühlen ['vy:lən] (*h*) fouiller

wund [vunt] écorché; *sich ~ liegen* od *reiben* s'écorcher; *fig* ~*er Punkt* point *m* faible od névralgique

Wunde ['vundə] *f* (-; -*n*) blessure *f*

Wunder ['vundər] *n* (-*s*; -) miracle *m* (*a rel*), prodige *m*; ~*werk* merveille *f*; (*es ist*) *kein ~, dass du müde bist* il n'y a rien d'étonnant à ce que tu sois fatigué; '**2bar** merveilleux, admirable; *übernatürlich* miraculeux; '~**kind** *n* enfant *m* prodige; '**2lich** bizarre, étrange, singulier; '**2n** (*h*) étonner; *sich ~* s'étonner (*über* de); '**2schön** ravissant, merveilleusement beau; '**2voll** merveilleux

'**Wundstarrkrampf** *méd m* tétanos *m*

Wunsch [vunʃ] *m* (-*es*; ÷e) *Begehren* désir *m* (*nach* de); *Glück2* souhait *m*, vœu *m*; *auf j-s ~* à la demande de qn; *nach ~* à souhait; *nach Wahl* au choix; *beste Wünsche!* meilleurs vœux!

wünschen ['vynʃən] (*h*) désirer; *j-m etw* souhaiter; *sich etw ~* désirer qc; *was ~ Sie?* que désirez-vous?; *j-m gute Reise ~* souhaiter bon voyage à qn; '~**swert** désirable, souhaitable

Würde ['vyrdə] *f* (-; -*n*) dignité *f*; '**2los** indigne

würdig ['vyrdiç] digne (*e-r Sache* de qc); '~**en** ['vyrdigən] (*h*) apprécier; *j-n keines Blickes ~* ne pas daigner regarder qn, ignorer qn; **2ung** ['-guŋ] *f* (-; -*en*) appréciation *f*

Wurf [vurf] *m* (-[*e*]*s*; ÷e) jet *m*; *Sport* lancer *m*; *junge Tiere* portée *f*

Würfel ['vyrfəl] *m* (-*s*; -) cube *m* (*a math*); *Spiel2* dé *m*; '**2n** (*h*) jeter le(s) dé(s); *jouer aux dés*; *e-e Sechs ~* faire un six; '~**spiel** *n* jeu *m* de dés; '~**zucker** *m* sucre *m* en morceaux

würgen ['vyrgən] (*h*) *j-n* étrangler; *mühsam schlucken* s'étouffer; *Brechreiz haben* avoir des nausées

Wurm [vurm] *m* (-[*e*]*s*; ÷er) ver *m*; '**2stichig** ['-ʃtiçiç] *Holz* vermoulu; *Früchte* véreux

Wurst [vurst] *f* (-; ÷e) saucisson *m*

Würstchen ['vyrstçən] *n* (-*s*; -) saucisse *f*

Würze ['vyrtsə] *f* (-; -*n*) assaisonnement *m*, épice *f*; *fig* sel *m*, saveur *f*

Wurzel ['vurtsəl] *f* (-; -*n*) racine *f* (*a fig*); *math e-e ~ ziehen* extraire une racine

würz|**en** ['vyrtsən] (*h*) assaisonner,

épicer (*beide a fig* **mit** de); '**~ig** aromatique

wüst [vy:st] *Gegend* désert; *unordentlich* en désordre; *ausschweifend* déréglé

Wüste ['vy:stə] *f* (-; -*n*) désert *m*

Wut [vu:t] *f* (-; *sans pl*) fureur *f*, rage *f*; **e-e ~ haben** être furieux (**auf** contre)

wüten ['vy:tən] (*h*) se déchaîner; *Sturm a* faire rage; '**~d** furieux (**auf** contre)

X

X-Beine ['iks-] *n/pl* jambes *f/pl* cagneuses

x-beinig ['bainiç] cagneux

'**x-beliebig** *ein* **~er ...** n'importe quel ...; *jeder* **x-Beliebige** n'importe qui

x-fach multiple

'**x-mal** F *ich habe es* **~** *gesagt* je l'ai dit cent fois

x-te ['ikstə] *zum* **~n Male** pour la énième fois

Xylophon [ksylo'fo:n] *mus n* (-*s*; -*e*) xylophone *m*

Y

Yacht [jaxt] *mar f* (-; -*en*) yacht *m*

Yen [jɛn] *écon m* (-*s*; -) yen *m*

Yeti ['je:ti] *m* (-*s*; -*s*) yéti *m*

Ypsilon ['ypsilɔn] *n* (-/*e*/*s*; -*s*) i *m* grec

Z

Zacke ['tsakə] *f* (-; -*n*), '**~n** *m* (-*s*; -) *Spitze* pointe *f*; *Gabel, Säge etc* dent *f*

zaghaft ['tsa:khaft] craintif, timide

zäh [tsɛ:] *Fleisch* coriace; *Person a* robuste; '**~flüssig** visqueux; **~er Verkehr** ralentissements *m/pl*; '**Ωigkeit** *f* (-; *sans pl*) ténacité *f*

Zahl [tsa:l] *f* (-; -*en*) nombre *m*; *Ziffer* chiffre *m*; '**Ωbar** payable

zahlen ['tsa:lən] (*h*) payer; **~**, *bitte!* l'addition, s'il vous plaît!

zählen ['tsɛ:lən] (*h*) compter (*zu* parmi; *fig* **auf** sur)

'**Zähler** *m* (-*s*; -) *Apparat* compteur *m*; *math* numérateur *m*

'**Zahl|grenze** *f* limite *f* de tarif; '**~karte** *f* mandat *m* de versement à un compte

courant postal; '**Ωlos** innombrable; '**Ωreich** nombreux; '**~ung** *f* (-; -*en*) paiement *od* payement *m*; '**~ungsverkehr** *m* **elektronischer ~** opérations *f/pl* financières électroniques

'**Zahlungs|anweisung** *f* mandat *m* de paiement; '**~aufforderung** *f* sommation *f* de paiement; '**~aufschub** *m* sursis *m* de paiement; moratoire *m*; '**~bedingungen** *f/pl* conditions *f/pl* de paiement; '**~befehl** *jur m* sommation *f*; '**~bilanz** *f* balance *f* des comptes *od* des paiements; '**~frist** *f* délai *m* de paiement; '**~mittel** *n* moyen *m* de paiement; *gesetzliches* **~** monnaie *f* légale; '**Ωunfähig** insolvable; '**~unfähigkeit** *f* insolvabilité *f*

zahm [tsa:m] *Tier* apprivoisé; *fig* docile
zähmen ['tsɛːmən] (*h*) *Tier* apprivoiser; *fig* dompter
Zahn [tsaːn] *m* (-[e]s; *∵*e) dent *f*; **~arzt** *m*, **~ärztin** *f* dentiste *m, f*; **~bürste** *f* brosse *f* à dents; **~creme** *f* dentifrice *m*; **~ersatz** *m* prothèse *f* dentaire; **~fleisch** *n* gencive(s *pl*) *f*; **~pasta** ['-pasta] *f* (-; -pasten) dentifrice *m*; **~plombe** *f* plombage *m*; **~rad** *tech n* roue *f* dentée; **~radbahn** *f* chemin *m* de fer à crémaillère; **~schmerzen** *m/pl* **~ haben** avoir mal aux dents; **~stocher** [-ʃtɔxər] *m* (-s; -) cure-dent *m*; **~weh** *n* → **Zahnschmerzen**
Zange ['tsaŋə] *f* (-; -n) pince *f*, tenailles *f/pl*
Zank [tsaŋk] *m* (-[e]s; *sans pl*) querelle *f*
Zäpfchen ['tsɛpfçən] *n* (-s; -) *Hals* luette *f*; *phm* suppositoire *m*
Zapfen ['tsapfən] *m* (-s; -) *Verschluss* bouchon *m*; *bot* cône *m*; *tech* pivot *m*
'zapfen [-] (*h*) *Wein etc* tirer
'**Zapfsäule** *f* für Benzin pompe *f* à essence
zappeln ['tsapəln] (*h*) frétiller (*a Fische*), gigoter *F*
zart [tsaːrt] tendre (*a Fleisch*); délicat (*a Gesundheit*); **2gefühl** *n* (-[e]s; *sans pl*) délicatesse *f*
zärtlich ['tsɛːrtliç] tendre; **2keit** *f* **1.** (-; *sans pl*) tendresse *f*; **2.** **~en** *pl* caresses *f/pl*
Zauber ['tsaubər] *m* (-s; -) charme *m*, magie *f* (*beide a fig*); sortilège *m*; **~ei** [-'rai] *f* (-; -en) magie *f*, sorcellerie *f*; **2haft** *fig* ravissant, enchanteur; **~künstler** *m* prestidigitateur *m*; **~kunststück** *n* tour *m* de prestidigitateur; **2n** (*h*) pratiquer la magie
zaudern ['tsaudərn] (*h*) hésiter, tarder
Zaum [tsaum] *m* (-[e]s; *∵*e) bride *f*, *fig* **im ~ halten** contrôler, mettre un frein à
Zaun [tsaun] *m* (-[e]s; *∵*e) clôture *f*; *Draht2* grillage *m*; **~pfahl** *m* *fig* **ein Wink mit dem ~** un appel du pied
z. B. = **zum Beispiel** [tsum'baiʃpiːl] p.ex. (= par exemple)
ZDF [tsetdeː'ɛf] *n* (-[s]; *sans pl*) Deuxième chaîne *f* de la télévision allemande
Zebra ['tseːbra] *zo n* (-s; -s) zèbre *m*; **~streifen** *m* passage *m* pour piétons
Zeche ['tsɛçə] *f* (-; -n) *Rechnung* addi-

tion *f*; *Bergbau* mine *f*; *fig* **die ~ bezahlen** payer les pots cassés
Zecke ['tsɛkə] *zo f* (-; -n) tique *f*
Zeder ['tseːdər] *bot f* (-; -n) cèdre *m*
Zeh [tseː] *m* (-s; -en), **~e** *f* (-; -n) doigt *m* de pied, orteil *m*; **große ~** gros orteil *m*; **~enspitze** *f* **auf ~n gehen** marcher sur la pointe des pieds
zehn [tseːn] dix; **etwa ~** une dizaine; **2er** *math m* (-s; -) dizaine *f*; **~fach** ['-fax] dix fois autant; **~jährig** [-'jɛːriç] âgé de dix ans; **~mal** dix fois; **~te** ['-tə] dixième *f*; **2tel** ['-təl] *n* (-s; -) dixième *m*; **~tens** ['-təns] dixièmement
Zeichen ['tsaiçən] *n* (-s; -) signe *m*; *Kenn2* marque *f*, indice *m*; **j-m ein ~ geben** faire signe à qn; **als ~ der Dankbarkeit** en signe de reconnaissance; **~brett** *n* planche *f* à dessin; **~sprache** *f* langage *m* par signes *od* par gestes; **~trickfilm** *m* dessin *m* animé
zeichn|en ['tsaiçnən] (*h*) dessiner; *kenn~* marquer; *unter~* signer; *Anleihe* souscrire à; **2er** *m* (-s; -), **2erin** *f* (-; -nen) dessinateur *m*, -trice *f*; *comm* souscripteur *m*; **2ung** *f* (-; -en) dessin *m*; **~ungsberechtigt** autorisé à signer
Zeigefinger ['tsaigə-] *m* index *m*
zeigen ['tsaigən] (*h*) (**sich ~** se) montrer; faire voir; **auf etw ~** montrer *od* indiquer qc; **es zeigt sich, dass** il s'avère que
Zeiger ['tsaigər] *m* (-s; -) aiguille *f*
Zeile ['tsailə] *f* (-; -n) ligne *f* (*a TV*); **in paar ~n** *kurze Mitteilung* un (petit) mot
Zeit [tsait] *f* (-; -en) temps *m*; *~alter* époque *f*, âge *m*; *Uhr2* heure *f*; **die gute alte ~** le bon vieux temps; **die ganze ~** tout le temps; **mit der ~** avec le temps; **von ~ zu ~** de temps en temps, de temps à autre; **vor einiger ~** il y a un certain temps de cela; **zur ~** en ce moment; à l'heure actuelle; **zur ~ Napoleons** à l'époque de Napoléon; **in letzter ~** ces derniers temps; **die ~ ist um** le délai est écoulé; **sich ~ lassen** prendre (tout) son temps; **es wird ~, dass ...**, **es ist höchste ~** il est grand temps (de + *inf*); **mit der ~ gehen** être de son époque; **e-e ~ lang** pour un certain temps
'Zeit|abschnitt *m* période *f*; **~alter** *n*

époque f, âge m, siècle m; '**~arbeit** f travail m intérimaire; '**~druck** m (-[e]s; sans pl) **unter ~ stehen** être pressé par le temps; '**~geist** m (-[e]s; sans pl) esprit m du temps od du siècle; **≈gemäß** moderne, actuel; '**~genosse** m, '**~genossin** f contemporain m, -e f; '**~geschichte** f (-; sans pl) histoire f contemporaine; '**~karte** f abonnement m; **≈lebens** sa vie durant; **≈lich** rel irdisch temporel; **~ begrenzt** limité dans le temps, temporaire; **~e Reihenfolge** ordre m chronologique; **≈los** Kleidung, Stil classique, non conditionné par le mode; '**~lupe** f (-; sans pl) ralenti m (in au); '**~mangel** m aus **~** faute de temps; '**~not** f (-; sans pl) manque m de temps; '**~plan** m emploi m du temps; '**~punkt** m moment m; '**~raubend** qui prend beaucoup de temps; '**~raum** m période f, laps m de temps; '**~rechnung** f chronologie f; **christliche ~** ère f chrétienne; '**~schrift** f revue f; '**~spanne** f laps m de temps

Zeitung ['tsaituŋ] f (-; -en) journal m

'Zeitungs|abonnement n abonnement m à un journal; '**~anzeige** f annonce f; '**~artikel** m article m de journal; '**~ausschnitt** m coupure f de journal; '**~kiosk** m kiosque m à journaux; '**~notiz** f nouvelle f de presse; '**~papier** n papier m journal

'Zeit|unterschied m décalage m horaire; '**~verlust** m perte f de temps; '**~verschwendung** f gaspillage m de temps; '**~vertreib** ['~fɛrtraip] m (-[e]s; -e) passe-temps m; **≈weilig** ['~vailiç] temporaire; einstweilig provisoire; **≈weise** de temps en temps

Zelle ['tsɛlə] f (-; -n) cellule f; tél cabine f

'Zellstoff m cellulose f

Zelt [tsɛlt] n (-[e]s; -e) tente f; **ein ~ aufschlagen** dresser (planter, monter) une tente; **im ~** sous la tente; **≈en** (h) camper, faire du camping; '**~platz** m terrain m de camping

Zement [tse'mɛnt] m (-[e]s; -e) ciment m; **≈ieren** (pas de -ge-, h) cimenter

zens|ieren [tsɛn'ziːrən] (pas de -ge-, h) Schule noter; staatlich soumettre à la censure; **≈ur** [-'zuːr] f (-; -en) Zeugnisnote note f; staatliche Kontrolle censure f

Zentimeter ['tsɛnti-] n od m centimètre m

Zentner ['tsɛntnər] m (-s; -) cinquante kilos m/pl

zentral [tsɛn'traːl] central; **≈bankpräsident** m EU Président m de la Banque Centrale; **≈e** f (-; -n) bureau m central, direction f centrale; tél standard m; **≈heizung** f chauffage m central; **~isieren** [-ali'ziːrən] (pas de -ge-, h) centraliser; **≈ismus** [-'ismus] m (-; sans pl) centralisme m

Zentrum ['tsɛntrum] n (-s; -tren) centre m

zerbrech|en [tsɛr'brɛçən] (irr, pas de -ge-, → **brechen**) 1. v/i (sn) se casser; 2. v/t (h) etw casser; **~lich** fragile

Zeremon|ie [tseremo'niː, -'moːnjə] f (-; -n) cérémonie f; **~iell** [-o'njɛl] n (-s; -e) cérémonial m; ~iell cérémonieux

Zer'fall m (-[e]s; sans pl) désagrégation f, désintégration f (a Kernphysik); **≈en** (irr, pas de -ge-, sn, → **fallen**) se désagréger, se désintégrer (a Atomkern); **in sich gliedern in** se diviser en

zer|'fetzen (pas de -ge-, h), **~'fleischen** (pas de -ge-, h) déchiqueter; **~'kleinern** (pas de -ge-, h) broyer, concasser, hacher

zerknirscht [tsɛr'knirʃt] contrit

zer|'knittern (pas de -ge-, h), **~'knüllen** (pas de -ge-, h) froisser; **~'kratzen** (pas de -ge-, h) égratigner, rayer; **~'legen** (pas de -ge-, h) décomposer; tech démonter; Fleisch découper; **~'lumpt** [-'lumpt] déguenillé; **~'mürben** [-'myrbən] (pas de -ge-, h) décourager, démoraliser; **~'platzen** (pas de -ge-, sn) crever, éclater; **~'quetschen** (pas de -ge-, h) écraser

Zerrbild ['tsɛr-] n caricature f

zer'reißen (irr, pas de -ge-, → **reißen**) 1. v/i (sn) se déchirer; 2. v/t (h) etw déchirer

zerren ['tsɛrən] (h) tirer (avec violence) (**an** sur)

Zerrissenheit [tsɛr'risən-] f (-; sans pl) fig déchirements m/pl

Zerrung ['tsɛruŋ] méd f (-; -en) claquage m

zerrütt|en [tsɛr'rytən] (pas de -ge-, h) désorganiser; Gesundheit ruiner, ébranler; Nerven détraquer; **~et Ehe** désuni; **~e Familienverhältnisse** fa-

Zimmernummer

mille f à problèmes; **2ung** f (-; -en) désorganisation f, ruine f; désunion f

2er'sägen (pas de -ge-, h) scier; **~schlagen** (irr, pas de -ge-, h, ~ **schlagen**) casser; *Spionagenetz* démanteler; *Hoffnungen etc* **sich ~** s'anéantir, s'effondrer; *fig* **wie ~ sein** être moulu od rompu de fatigue; **~schneiden** (irr, pas de -ge-, h, ~ **schneiden**) couper en morceaux

zer'setz|en (pas de -ge-, h) (**sich ~ se**) décomposer, (se) désagréger; *fig* miner, détruire; **2ung** f (-; -en) décomposition f; *fig* destruction f

zer'springen (irr, pas de -ge-, sn, ~ **springen**) se briser, se casser, voler en éclats

zer'stör|en (pas de -ge-, h) détruire; **2er** m (-s; -) destructeur m; *Kriegsschiff* destroyer m, contre-torpilleur m; **~erisch** destructeur, destructif; **2ung** f (-; -en) destruction f

zer'streu|en (pas de -ge-, h ~ se) disperser; *fig ablenken* (se) distraire; *Bedenken etc* dissiper; **~t** *fig* distrait; **2ung** f (-; -en) *fig* distraction f

zerstückeln [tsɛr'ʃtykəln] (pas de -ge-, h) morceler, dépecer, démembrer, déchiqueter

Zertifikat [tsɛrtifi'kaːt] n (-[e]s; -e) certificat m

zer'trümmern (pas de -ge-, h) détruire, casser, fracasser; *Atomkern* désintégrer

Zerwürfnis [tsɛr'vyrfnis] n (-ses; -se) désaccord m, brouille f

Zettel ['tsɛtəl] m (-s; -) bout m de papier; *Notiz* 2 fiche f

Zeug [tsɔʏk] n (-[e]s; -e) *Sachen* choses f/pl, trucs m/pl F; *Ausrüstung* équipement m, attirail m F; *dummes ~* des bêtises f/pl; *fig das ~ zu etw haben* avoir l'étoffe de qc; *sich ins ~ legen* s'atteler au travail

Zeug|e ['tsɔʏgə] m (-n; -n), **~in** f (-; -nen) témoin m

zeugen ['tsɔʏgən] (h) *Kind* engendrer, procréer *st/s*; *jur* témoigner, déposer; *fig* **von etw ~** témoigner de qc; **2aussage** f déposition f, **2vernehmung** f audition f des témoins

Zeugnis ['tsɔʏknis] n (-ses; -se) *Bescheinigung* attestation f, certificat m; *Schule* bulletin m (trimestriel), livret m

scolaire; *Prüfungs* 2 diplôme m

Zeugung ['tsɔʏguŋ] *biol* f (-; -en) engendrement m, procréation f

z. H. (*abr zu Händen von*) à l'attention de

Ziege ['tsiːgə] zo f (-; -n) chèvre f

Ziegel ['tsiːgəl] m (-s; -) brique f; *Dach* 2 tuile f

'Ziegen|bock zo m bouc m; **'~käse** m fromage m de chèvre

ziehen ['tsiːən] (zog, gezogen) **1.** v/t (h) tirer; *heraus~* retirer (*aus* de); *Zahn* extraire, arracher; *Linie* tracer; *Pflanzen* cultiver; **2!** Tirez!; *fig* **sich in die Länge ~** traîner en longueur; *auf sich ~* attirer; *nach sich ~* entraîner; *es zieht* il y a un courant d'air; **2.** v/i (sn) *sich bewegen* (s'en) aller, partir, passer; *nach Berlin ~* aller habiter (à) Berlin

Zieh|harmonika f accordéon m; **'~ung** f (-; -en) *Lotterie* tirage m

Ziel ['tsiːl] n (-[e]s; -e) but m, objectif m; *Reise* 2 destination f; *Sport* arrivée f; **~scheibe** cible f; **2en** (h) viser (*auf j-n* qn, *auf etw* qc); **'~fernrohr** n lunette f de tir; **'~gruppe** f public m, marché m; **'~hafen** m port m cible; **2los** sans but; **'~scheibe** f cible f (*a fig*); **2strebig** ['ʃtreːbiç] ambitieux, qui poursuit son but résolument, déterminé

ziemlich ['tsiːmliç] *adv* assez; *adj* F assez grand

Zier|de ['tsiːrdə] f (-; -n) **zur ~** comme décor; **'2en** (h) orner, décorer; **sich ~** faire des façons *od* des chichis *od* des simagrées; **'2lich** gracile, fin

Ziffer ['tsifər] f (-; -n) chiffre m; **'~blatt** n cadran m

Zigarette [tsiga'rɛtə] f (-; -n) cigarette f; **~nautomat** m distributeur m automatique de cigarettes

Zigarillo [tsiga'rilo] n (-s; -s) cigarillo m

Zigarre [tsi'garə] f (-; -n) cigare m

Zigeuner [tsi'gɔʏnər] neg m (-s; -), **~in** f (-; -nen) bohémien m, -ne f, gitan m, -e f, tsigane m, f, romanichel m, -le f

Zimmer ['tsimər] n (-s; -) pièce f; *mit Bett* chambre f; *großes a* salle f; **~ frei** chambre à louer; **'~kellner** m garçon m d'étage; **'~mädchen** n femme f de chambre; **'~mann** m (-[e]s; -leute) charpentier m; **'~nachweis** m liste f des logements; **'~nummer** f numéro m

Z

de chambre; **~vermieter(in** f) m logeur m, -euse f

Zimt [tsimt] m (-[e]s; -e) cannelle f

Zink [tsiŋk] n (-[e]s; sans pl) zinc m

Zinn [tsin] n (-[e]s; sans pl) étain m

Zinne ['tsinə] f (-; -n) créneau m

Zins [tsins] écon m (-es, -en) intérêt m; **5 Prozent ~en bringen** produire od rapporter des intérêts de 5 pour cent; **~eszinsen** ['-zəs-] m/pl intérêts m/pl composés; **~los** sans intérêt, exempt d'intérêts; **~satz** m taux m d'intérêt

Zipfel ['tsipfəl] m (-s; -) bout m, coin m

zirka ['tsirka] environ

Zirkel ['tsirkəl] m (-s; -) math compas m; **Kreis, Gruppe** cercle m

zirkulieren [tsirku'li:rən] (pas de -ge-, h) circuler

Zirkus ['tsirkus] m (-; -se) cirque m

zischen ['tsiʃən] (h) siffler

Zitat [tsi'ta:t] n (-[e]s; -e) citation f

zitieren [tsi'ti:rən] (pas de -ge-, h) citer (**aus e-m Buch** un passage d'un livre); **zu j-m zitiert werden** être convoqué chez qn

Zitrone [tsi'tro:nə] f (-; -n) citron m; **~npresse** f presse-citron m

zittern ['tsitərn] (h) trembler (**vor Wut** etc de colère, etc; **vor j-m** devant qn); grelotter (**vor Kälte** de froid)

zivil [tsi'vi:l] **1.** civil; **Preise** raisonnable; **2.** 2 n (-s; sans pl) **~tragen** en civil; **Polizist in** = policier m en civil; 2**bevölkerung** f population f civile; 2**dienst** m service m civil (pour les objecteurs de conscience); 2**isation** [-iliza'tsjo:n] f (-; -en) civilisation f; **~isieren** [-ili'zi:rən] (pas de -ge-, h) civiliser; 2**recht** n (-[e]s; sans pl) droit m civil; 2**schutz** m protection f civile

zögern ['tsø:gərn] (h) **1.** hésiter (**zu** à + inf), tarder (à); **2.** 2 n (-s; sans pl) hésitation f

Zoll [tsɔl] m (-[e]s; ⸚e) **Behörde** douane f; **Abgabe** (droit m de) douane f; **altes Maß** pouce m; **~abfertigung** f accomplissement m des formalités douanières; **~amt** n (bureau m de) douane f; **~beamte** m douanier m; **~erklärung** f déclaration f en douane; 2**frei** exempt de droits de douane, en franchise, hors taxes; **~kontrolle** f contrôle m douanier; 2**pflichtig** soumis à la douane, passible d'un droit de

douane; **~schranken** f/pl barrières f/pl douanières; **~stock** m mètre m pliant; **~union** f union f douanière

Zone ['tso:nə] f (-; -n) zone f

Zoo [tso:] m (-s; -s) zoo m

Zoolog|e [tso'o:logə] m (-n; -n), **~in** f (-; -nen) zoologue m, f, zoologiste m, f; **~ie** [-o'gi:] f (-; sans pl) zoologie f; 2**isch** ['-lo:giʃ] zoologique

Zopf [tsɔpf] m (-[e]s; ⸚e) natte f, tresse f

Zorn [tsɔrn] m (-[e]s; sans pl) colère f; 2**ig** en colère

zu [tsu:] **1.** prép (dat) à; **auf etw** od **j-n ~** vers qc od qn; **~ Hause** à la maison, chez moi (toi, etc); **~ viel** trop (de); **~ wenig** trop peu (de); **zum Friseur gehen** aller chez le coiffeur; **zum Fenster hinauswerfen** jeter par la fenêtre; **Wasser zum Trinken** de l'eau à boire; **~ Weihnachten** à Noël; **~ Fuß** à pied; **~ meiner Überraschung** à ma surprise; **wir sind ~ dritt** nous sommes (à) trois; **~ Hunderten** par centaines; **2 ~ 1 gewinnen** gagner par deux à un; **2 ~ 2** deux partout; **2.** mit inf od ohne prép; **er versprach ~ kommen** il promit de venir; **3.** adv trop; **~ teuer** trop cher; **4.** geschlossen fermé; **Tür ~!** fermez la porte!; **~ sein** être fermé

Zubehör ['tsu:bəhø:r] n (-[e]s; -e) accessoires m/pl

zubereit|en (sép, pas de -ge-, h) préparer; 2**ung** f (-; -en) préparation f

Zubringer ['tsu:briŋər] m (-s; -) **zur Autobahn** bretelle f (de raccordement); **~dienst** m für Flughafen etc desserte f; **~straße** f route f d'accès

Zucht [tsuxt] f (-; sans pl) **von Tieren** élevage m; **von Pflanzen** culture f; **Disziplin** discipline f

züchtlen ['tsyçtən] (h) **Tiere** élever; **Pflanzen** cultiver; **~er** m (-s; -), **~erin** f (-; -nen) éleveur m, -euse f

Zuchthaus n maison f centrale, pénitencier m; **Strafe** réclusion f

Zuchtperle f perle f de culture

Züchtung ['tsyçtuŋ] f (-; -en) zo élevage m; bot culture f

zucken ['tsukən] (h) tressaillir, palpiter; **die Achseln ~** hausser les épaules

Zucker ['tsukər] m (-s; sans pl) sucre m; **~dose** f sucrier m; **~fabrik** f sucrerie f; 2**krank** méd diabétique; **~kranke** m, f, diabétique m, f; **~krankheit** f diabète *m*; '**~n** (*h*) sucrer; '**~rohr** *bot n* canne *f* à sucre; '**~rübe** *bot f* betterave *f* sucrière; '**~watte** *f* barbe *f* à papa; '**~zange** *f* pince *f* à sucre

'**zudecken** (*sép*, *-ge-*, *h*) couvrir (**mit** de)

'**zudrehen** (*sép*, *-ge-*, *h*) fermer; **j-m den Rücken ~** tourner le dos à qn

'**zudringlich** importun; '**~keit** *f* (*-*; *-en*) importunité *f*

'**zudrücken** (*sép*, *-ge-*, *h*) fermer; *fig* **ein Auge ~** fermer les yeux

zueinander ['tsu:ʔainandər] l'un envers l'autre; **sie passen gut ~** ils vont bien ensemble

zuerkennen (*irr*, *sép*, *pas de -ge-*, *h*, → **erkennen**) *Preis* décerner

zuerst [tsu'ʔe:rst] d'abord; *als erste(r)* le premier, la première; **~ etw tun ~** commencer par faire qc

'**Zufahrt** *f* accès *m*; '**~sstraße** *f* voie *f* d'accès

'**Zufall** *m* hasard *m*; '**~en** (*irr*, *sép*, *-ge-*, *sn*, → **fallen**) *Tür etc* se fermer brusquement; *Anteil etc* **j-m ~** échoir à qn

'**zufällig** accidentel, fortuit; *adv* par hasard

'**Zuflucht** *f* (*-*; *sans pl*) refuge *m*

zufolge [tsu'fɔlɡə] *prép* (*gén*, *dat*) d'après, suivant (*gén*)

zufrieden [tsu'-] content (**mit** de), satisfait (de); **sich ~ geben** se contenter (**mit** de); '**~stellen** contenter, satisfaire; '**~heit** *f* (*-*; *sans pl*) contentement *m*, satisfaction *f*

'**zufügen** (*sép*, *-ge-*, *h*) *Schaden etc* causer; '**~fuhr** ['-fu:r] *f* (*-*; *-en*) approvisionnement *m* (**von** en)

Zug [tsu:k] *m* (*-[e]s*; *̈-e*) *Eisenbahn* train *m*; *U-Bahn* rame *f*; *von Menschen* cortège *m*; *Schule* section *f*; *Gesichts-*, *Charakter~* trait *m*; *Schach* coup *m*; *Rauchen* bouffée *f*; *Luft~* courant *m* d'air; *tech* traction *f*; **mit dem ~ fahren** aller en train; **in einem ~e** d'une seule traite, d'un coup; **in groben Zügen** à grands traits

'**Zu|gang** *m* accès *m* (*a fig*); **~ haben** avoir accès (**zu** à); '**~gänglich** ['-ɡɛŋliç] accessible (**für** à; *a fig*); *Person* abordable, d'un abord facile

'**Zuganschluss** *m* correspondance *f*

'**zugeben** (*irr*, *sép*, *-ge-*, *h*, → **geben**) ajouter; *gestehen* avouer

'**zugehen** (*irr*, *sép*, *-ge-*, *sn*, → **gehen**)

Schloss etc fermer (**schwer** mal); **~ auf** se diriger vers; **es geht lustig zu** on s'amuse bien

'**Zugehörigkeit** *f* (*-*; *sans pl*) appartenance *f* (**zu** à)

'**Zügel** ['tsy:ɡəl] *m* (*-s*; *-*) bride *f*; **~ pl** rênes *f/pl* (*a fig*); '**~n** (*h*) tenir en bride (*a fig*)

'**Zugereiste** ['tsu:ɡəraistə] *m*, *f* (*-n*; *-n*) nouveau venu *m*, nouvelle venue *f*

'**Zuge|ständnis** *n* concession *f*; '**~stehen** (*irr*, *sép*, *-ge-*, *h*, → **stehen**) concéder

'**Zugführer** *m* chef *m* de train

zügig ['tsy:ɡiç] rapide(ment), sans interruption

zugkräftig ['-k-] qui attire le public

zugleich [tsu'-] en même temps (**mit** que), à la fois

'**Zug|maschine** *f* tracteur *m*; '**~personal** *n* personnel *m* du train

'**zugreifen** (*irr*, *sép*, *-ge-*, *h*, → **greifen**) profiter de *od* saisir l'occasion; **greifen Sie zu!** *bei Tisch* servez-vous!; *Werbung* c'est le moment d'acheter!

zugrunde [tsu'ɡrundə] **~ gehen** périr; **~ legen** prendre pour base; **e-r Sache ~ liegen** être à la base de qc; **~ richten** ruiner

'**Zug|schaffner** *m* contrôleur *m*; '**~telefon** *n* téléphone *m* dans le train

zugunsten [tsu'ɡunstən] *prép* (*gén*) en faveur de

'**Zug|verbindung** *f* correspondance *f*; '**~vogel** *m* oiseau *m* migrateur *od* de passage

Zu|hälter ['tsu:hɛltər] *m* (*-s*; *-*) souteneur *m*, maquereau *m* F; '**~hause** [tsu'hauzə] *n* (*-s*; *sans pl*) chez-soi *m* (*chez-moi m etc*)

'**zuhören** (*sép*, *-ge-*, *h*) écouter (**j-m** qn); '**~er(in** *f*) *m* auditeur *m*, *-trice f*; *Zuhörer pl a* auditoire *m*

'**zukommen** (*irr*, *sép*, *-ge-*, *sn*, → **kommen**) **auf j-n ~** s'avancer vers qn; *Ereignisse* attendre qn; **j-m etw ~ lassen** faire parvenir qc à qn

'**Zu|kunft** ['tsu:kunft] *f* (*-*; *sans pl*) avenir *m*; *gr* futur *m*; **in ~** à l'avenir; '**~kunftsindustrie** *f* industrie *f* d'avenir; '**~künftig** futur

'**Zu|lage** *f* prime *f*, indemnité *f*; '**~lassen** (*irr*, *sép*, *-ge-*, *h*, → **lassen**) *Tür* laisser fermé; *erlauben* permettre; *auto* immatriculer; *j-n zu etw* ~ admettre qn à qc; *'₂lässig* admissible, permis; *'~lassung f (-; -en)* admission *f (zu à); auto* immatriculation *f*

zu|letzt [tsu'lɛtst] en dernier lieu, finalement; *zum letzten Mal* pour la dernière fois; *als letze(r)* le dernier, la dernière; *~'liebe j-m* ~ pour faire plaisir à qn

Zulieferindustrie ['tsu:li:fər-] *f* industrie *f* de sous-traitance

'zumachen *(sép, -ge-, h)* fermer

zu|mal [tsu'-] *adv* surtout, particulièrement; *conj* d'autant plus que; *~'meist* le plus souvent; *~'mindest* pour le moins, du moins

zumut|bar ['tsu:mu:t-] acceptable; *'~en (sép, -ge-, h) j-m etw* ~ exiger qc de qn; *j-m zu viel* ~ demander trop à qn; *'₂ung f (-; -en)* exigence *f; Unverschämtheit* impudence *f; so e-e ~!* quel culot!

zu|nächst [tsu'-] d'abord, en premier lieu; *₂nahme* ['-na:mə] *f (-; -n)* augmentation *f; ₂name m* nom *m* de famille

zünden ['tsyndən] *(h)* s'allumer; *etw* ~ allumer

Zünd|er ['tsyndər] *m (-s; -)* fusée *f; '~flamme* ['tsynt-] *f* veilleuse *f; '~holz* ['tsynt-] *n* allumette *f; ~kerze* ['tsynt-] *auto f* bougie *f* (d'allumage); *~schloss* ['tsynt-] *n* contact *m; ~schlüssel auto* ['tsynt-] *m* clé *f* de contact; *~schnur* ['tsynt-] *f* mèche *f; ~ung* ['tsyndʊŋ] *auto f (-; -en)* allumage *m*

'zunehmen ['tsu:-] *(irr, sép, -ge-, h, → nehmen)* augmenter; *Person* grossir *([um] ein Kilo* d'un kilo)

'Zuneigung *f (-; -en)* affection *f*

Zunge ['tsʊŋə] *f (-; -n)* langue *f; es liegt mir auf der* ~ je l'ai sur le bout de la langue

zu|nichte [tsu'niçtə] ~ *machen* Hoffnungen *etc* réduire à néant, anéantir; *~nutze* [tsu'nʊtsə] *sich etw* ~ *machen* tirer profit de qc

'zurechnungsfähig *jur* responsable de ses actes; *geistig* capable de discerner; *nicht mehr* ~ *sein* ne plus jouir de toutes ses facultés mentales

zurecht|finden [tsu'-] *(irr, sép, -ge-, h, → finden) sich* ~ s'y retrouver, s'orienter; *~kommen (irr, sép, -ge-, sn,*

→ kommen) mit etw ~ se débrouiller avec qc, venir à bout de qc; *~legen (sép, -ge-, h)* préparer

'zu|reden *(sép, -ge-, h) j-m* ~ encourager qn *(zu* à + *inf*); *'~richten (sép, -ge-, h)* apprêter; *j-n übel* ~ F abîmer *od* arranger qn

Zürich ['tsy:riç] *n* Zurich

zurück [tsu'ryk] en arrière; *~gekehrt* de retour; *im Rückstand* en retard; *~bekommen (irr, sép, pas de -ge-, h, → bekommen)* ravoir, récupérer; *ich bekomme noch Geld zurück* vous me devez encore de l'argent; *~bleiben (irr, sép, -ge-, sn, → bleiben)* rester en arrière; *Arbeit, Schule* être en retard; *~blicken (sép, -ge-, h)* regarder en arrière *(a fig); ~bringen (irr, sép, -ge-, h, → bringen)* rapporter; *j-n* ramener; *~drängen (sép, -ge-, h)* repousser; *~erstatten (sép, pas de -ge-, h)* restituer; *~fahren (irr, sép, -ge- → fahren) (v/i sn, v/t h)* retourner; *rückwärts* reculer; *~fordern (sép, -ge-, h)* redemander, réclamer; *~führen (sép, -ge-, h)* ramener; *etw auf etw* ~ attribuer *od* imputer qc à qc; *~geben (sép, -ge-, h, → geben)* rendre; *~geblieben* [-gəbli:bən] *geistig* arriéré, retardé; *~gehen (irr, sép, -ge-, sn, → gehen)* retourner; *fig Temperatur, Geschäfte etc* baisser; *~ auf* remonter à; *~gezogen* [-gətso:gən] retiré, solitaire; *~greifen (irr, sép, -ge-, h, → greifen) ~ auf* avoir recours à, recourir à; *~halten (irr, sép, -ge-, h, → halten) (sich* ~ se) retenir; *~haltend* réservé; *₂haltung f (-; -en)* réserve *f; ~kehren (sép, -ge-, sn)* retourner; *~kommen (irr, sép, -ge-, sn, → kommen)* revenir; *fig auf etw* ~ revenir à *od* sur qc; *~lassen (irr, sép, -ge-, h, → lassen)* laisser; *~legen (sép, -ge-, h) an s-n Platz* remettre; *Geld* mettre de côté; *Weg* parcourir, couvrir; *~nehmen (irr, sép, -ge-, h, → nehmen)* reprendre; *Behauptung* rétracter; *Verbot etc* retirer; *~rufen (irr, sép, -ge-, h, → rufen)* rappeler *(a tél); sich etw ins Gedächtnis* ~ se remémorer qc; *~schicken (sép, -ge-, h)* renvoyer; *~schrecken (irr, sép, -ge-, sn, → schrecken)* reculer *(vor* devant); *vor nichts* ~ ne reculer devant rien; *~stellen (sép, -ge-, h) an s-n Platz* remettre; *Uhr* retarder (*um* de); *Vorhaben* renvoyer à plus tard; **zurückgestellt werden** *z.B. vom Wehrdienst* obtenir un sursis; **~stoßen** (*irr, sép, -ge-, h,* → **stoßen**) repousser; **~treten** (*irr, sép, -ge-, sn,* → **treten**) reculer; *vom Amt* démissionner; **~weisen** (*irr, sép, -ge-, h,* → **weisen**) refuser, rejeter, repousser (*a Person*); **~werfen** (*irr, sép, -ge-, h,* → **werfen**) rejeter; *Strahlen* réfléchir; **~zahlen** (*sép, -ge-, h*) rembourser; **~ziehen** (*irr, sép, -ge-, h,* → **ziehen**) (**sich** ~ se) retirer

'**zurufen** (*irr, sép, -ge-, h,* → **rufen**) *j-m etw* ~ crier qc à qn

'**Zusage** *f* acceptation *f*; *Versprechen* promesse *f*; **2n** (*sép, -ge-, h*) *bei Einladung* accepter; *j-m etw* ~ promettre qc à qn; *j-m* ~ *gefallen* plaire *od* convenir à qn

zusammen [tsu'zamən] ensemble; *im Ganzen* au total; **2arbeit** *f* (*-; sans pl*) collaboration *f*, coopération *f*; **~arbeiten** (*sép, -ge-, h*) collaborer; **~brechen** (*irr, sép, -ge-, sn,* → **brechen**) s'écrouler, s'effondrer (*a fig*); *der Verkehr bricht zusammen* la circulation est bloquée; **2bruch** *m* (*-[e]s; ≃e*) *fig* effondrement *m*, écroulement *m*, débâcle *f*; **~fallen** (*irr, sép, -ge-, sn,* → **fallen**) s'écrouler; *zeitlich* coïncider (*mit* avec); **~fassen** (*sép, -ge-, h*) résumer; **2fassung** *f* (*-; -en*) résumé *m*, sommaire *m*; **2fluss** *m* confluent *m*; **~gesetzt** [-gəzɛtst] composé; **~halten** (*irr, sép, -ge-, h,* → **halten**) *fig* être solidaires; **2hang** *m* (*-[e]s; ≃e*) rapport *m*, liaison *f*, connexion *f* (*mit* avec); *Text*2 contexte *m*; *im* ~ *stehen mit* être en rapport avec; **~hängen** (*irr, sép, -ge-, h,* → **hängen**) être en rapport (*mit* avec), être lié (à); **~hängend** cohérent; **~hanglos** incohérent; **~kommen** (*irr, sép, -ge-, sn,* → **kommen**) se réunir; **2kunft** [-kunft] *f* (*-; ≃e*) réunion *f*, rencontre *f*; **~legen** (*sép, -ge-, h*) vereinigen regrouper; *falten* plier; **~nehmen** (*irr, sép, -ge-, h,* → **nehmen**) *Kräfte, Mut* rassembler; **sich** ~ se contenir, se ressaisir; **~passen** (*sép, -ge-, h*) s'accorder, aller bien ensemble, s'harmoniser; **~reißen** (*irr, sép, -ge-, h,* → **reißen**) **sich** ~ se ressaisir; **~schlagen** (*irr, sép, -ge-, h,* → **schlagen**)

démolir (*a F j-n*); **~schließen** (*irr, sép, -ge-, h,* → **schließen**) **sich** ~ s'associer; *écon* fusionner; **2schluss** *m* association *f*; *écon* fusion *f*; **~setzen** (*sép, -ge-, h*) composer; *tech* assembler; **sich** ~ *aus* se composer de; **2setzung** *f* (*-; -en*) composition *f*, composé *m*; *tech* assemblage *m*; **~stellen** (*sép, -ge-, h*) composer; *Material* rassembler, réunir; **2stoß** *m* collision *f* (*a fig*), tamponnement *m*, télescopage *m*; *fig a* heurt *m*; **~stoßen** (*irr, sép, -ge-, sn,* → **stoßen**) entrer en collision (*mit* avec), se tamponner, se télescoper, se heurter (*a fig*); **~treffen** (*irr, sép, -ge-, sn,* → **treffen**) *zeitlich* coïncider; *sich begegnen* se rencontrer; *mit j-m* ~ rencontrer qn; **2treffen** *n* rencontre *f*; *zeitlich* coïncidence *f*; **~ziehen** (*irr, sép, -ge-, h,* → **ziehen**) contracter; *Truppen* concentrer; **sich** ~ se contracter

'**Zusatz** *m* supplément *m*; addition *f*; **~mittel** additif *m*

zusätzlich ['tsu:zɛtsliç] supplémentaire

'**zuschauen** (*sép, -ge-, h*) regarder (*bei etw* qc); *j-m* ~ regarder faire qn; '**2er** *m* (*-s; -*), '**2erin** *f* (*-; -nen*) spectateur *m*, -trice *f*

'**Zuschlag** *m* supplément *m* (*a Bahn*); *Versteigerung* adjudication *f*; *Gebühren*2 surtaxe *f*; **2en** [*'*-] (*irr, sép, -ge-,* → **schlagen**) *v/i sn, v/t h*) *Tür* claquer; *Buch* fermer; *Person* frapper; '**2pflichtig** *Zug* à supplément

'**zuschließen** (*irr, sép, -ge-, h,* → **schließen**) fermer à clé; **~'schulden** [tsu'-] *sich etw* ~ *kommen lassen* se rendre coupable de qc; '**2schuss** *m* Beihilfe allocation *f*; *staatlicher* subvention *f*

'**zusehen** (*irr, sép, -ge-, h,* → **sehen**) → **zuschauen**; **~, dass ...** veiller à ce que (*+ subj*); **~ds** ['-ts] à vue d'œil

'**zusenden** (*irr, sép, -ge-, h,* → **senden**) envoyer; '**~setzen** (*sép, -ge-, h*) hinzufügen ajouter; *Geld* perdre (de l'argent); *j-m* ~ importuner qn; *mit Fragen etc* harceler qn; *Krankheit* éprouver qn

'**zusichern** (*sép, -ge-, h*) *j-m etw* ~ assurer qc à qn; '**2ung** *f* (*-; -en*) assurance *f*

'**zuspitzen** (*sép, -ge-, h*) *die Lage spitzt*

sich zu la situation devient critique

'**Zustand** *m* état *m*; *Lage* situation *f*

zustande [tsu:'ʃtandə] ~ *bringen* parvenir à, réaliser; ~ *kommen* se faire, se réaliser, avoir lieu

'**zuständig** compétent; '**2keit** *f* (-; *-en*) compétence *f*

'**zustell**|**en** (*sép, -ge-, h*) *Post* distribuer; *überbringen* remettre; *jur* notifier; '**2ung** *f* (-; *-en*) distribution *f*, remise *f*

'**zustimm**|**en** (*sép, -ge-, h*) consentir (à); '**2ung** *f* (-; *-en*) consentement *m*, accord *m*

zustoßen (*irr, sép, -ge-, sn,* → *stoßen*) *j-m* ~ arriver à qn

zutage [tsu:'ta:gə] ~ *bringen od fördern* mettre au jour; ~ *kommen od treten* se révéler

Zutaten ['tsu:ta:tən] *cuis f/pl* ingrédients *m/pl*

zuteil|**en** (*sép, -ge-, h*) attribuer, assigner (*j-m etw* qc à qn)

zutragen (*irr, sép, -ge-, h,* → *tragen*) *j-m etw* ~ rapporter qc à qn; *sich* ~ arriver, se produire

zutrauen (*sép, -ge-, h*) *j-m etw* ~ croire qn capable de qc; *sich zu viel* ~ présumer de ses forces; **2** *n* (-*s; sans pl*) confiance *f* (*zu* en *od* dans)

zutreffen (*irr, sép, -ge-, h,* → *treffen*) être juste *od* exact; ~ *auf* s'appliquer à

'**Zutritt** *m* (-[*e*]*s; sans pl*) accès *m*, entrée *f*

zuungunsten [tsu:'ungunstən] *prép* (*gén*) au préjudice de

zuverlässig [tsu:'fɛrlɛsɪç] sur qui *od* sur lequel on peut compter, sûr; *Person* a sérieux; *tech* fiable; '**2keit** *f* (-; *sans pl*) e-r *Person* sérieux *m*; *tech* fiabilité *f*

Zuversicht ['tsu:fɛrzɪçt] *f* (-; *sans pl*) confiance *f*, optimisme *m*; '**2lich** plein de confiance, optimiste

zuviel [tsu:'-] → *zu*

zuvor [tsu:'-] *früher* auparavant; *zuerst* d'abord; ~*kommen* (*irr, sép, -ge-, sn,* → *kommen*) *j-m* ~ devancer qn; *e-r Sache* ~ prévenir qc; ~*kommend* prévenant

Zuwachs ['tsu:vaks] *m* (-*es; -̈e*) accroissement *m*

zuwege [tsu:'ve:gə] *etw* ~ *bringen* réussir (à faire) qc

zuweilen [tsu:'vailən] parfois

'**zuweisen** (*irr, sép, -ge-, h,* → *weisen*)

j-m etw ~ assigner qc à qn

'**zuwend**|**en** (*sép, -ge-, h, irr* → *wenden*) *Blick etc j-m* ~ tourner vers qn; *sich j-m* (*e-r Sache*) ~ se tourner vers qn (qc), *fig a* s'occuper de qn (qc), se consacrer à qn (qc); '**2ung** *f* (-; *-en*) *finanzielle* aide *f* financière, don *m*; *menschliche* affection *f*

zuwenig [tsu:'-] → *zu*

zuwider [tsu:'-] *prép* (*dat*) *j-m* ~ *sein* dégoûter qn, répugner (à) qn; ~*han*-**deln** (*sép, -ge-, h*) contrevenir à, enfreindre; **2handlung** *f* infraction *f*, contravention *f*

'**zuziehen** (*irr, sép, -ge-,* → *ziehen*) **1.** *v/t* (*h*) *Vorhang* fermer, tirer; *Knoten* serrer; *j-n* ~ faire appel à qn; *sich e-e Krankheit* ~ contracter une maladie; **2.** *v/i* (*sn*) *an e-n Ort* s'établir

zuzüglich ['tsu:tsy:k-] (*en*) plus

Zwang [tsvaŋ] *m* (-[*e*]*s; -̈e*) contrainte *f*

zwängen ['tsvɛŋən] (*h*) *in etw* ~ faire rentrer de force dans qc

zwanglos décontracté, sans façon, sans cérémonie

'**Zwangs**|**arbeit** *f* travaux *m/pl* forcés; '~**herrschaft** *f* tyrannie *f*, despotisme *m*; '**2läufig** ['-lɔyfɪç] forcé(ment), inévitable(ment); *adv a* par la force des choses, obligatoirement; '~**verstei**-**gerung** *f* enchères *f/pl* forcées; '~**vollstreckung** *jur f* exécution *f* forcée; '~**vorstellung** *psych f* obsession *f*; '**2weise** de *od* par force, par contrainte

zwanzig ['tsvantsɪç] vingt; *etwa* ~ une vingtaine; '~**ste** ['-stə] vingtième

zwar [tsva:r] il est vrai, à la vérité; *und* ~ c'est-à-dire

Zweck [tsvɛk] *m* (-[*e*]*s; -e*) but *m*, fin *f*; *für e-n wissenschaftlichen* ~ dans un but scientifique; *zu diesem* ~ à cet effet, à cette fin; *seinen* ~ *erfüllen* remplir sa fonction; *es hat keinen* ~ cela ne sert à rien; '**2los** inutile; '**2mäßig** fonctionnel, pratique, adéquat, approprié

zwecks [tsvɛks] *prép* (*gén*) en vue de

zwei [tsvai] **1.** deux; **2.** **2** *f* (-; *-en*) deux *m*; *Note* bien; '~**bettzimmer** *n* chambre *f* à deux lits; '~**deutig** ['-dɔytɪç] ambigu, équivoque (*a fig*); '**2deutig**-**keit** *f* (-; *-en*) ambiguïté *f*, équivoque *f*; '~**erlei** ['-ərlai] de deux sortes; *das ist* ~

ce sont deux choses différentes, F ça fait deux; '**∼fach** ['-fax] double

Zweifel ['tsvaifəl] m (-s; -) doute m; **ohne ∼** sans aucun doute; '**Ωhaft** douteux; '**Ωlos** sans aucun doute; '**Ωn** (h) douter (**an** de); '**∼sfall** m **im∼** en cas de doute

Zweig [tsvaik] m (-[e]s; -e) branche f (a fig), rameau m

'**Zweig|niederlassung** f, '**∼stelle** f succursale f

'**zwei|hundert** deux cents; '**Ωkampf** m duel m; '**∼mal** deux fois; '**∼seitig** bilatéral; '**∼sprachig** bilingue; '**∼spurig Straße** à deux voies; '**∼stöckig** ['-ʃtœkiç] à deux étages; '**∼stündig** ['-ʃtyndiç] de deux heures; '**Ωtakt-motor** m moteur m à deux temps

zweite ['tsvaitə] second, deuxième; **aus ∼r Hand** de seconde main; **wir sind zu zweit** nous sommes à deux

zweitens ['tsvaitəns] deuxièmement

'**zweit|rangig** secondaire; '**Ωwagen** m deuxième voiture f

'**Zweizimmerwohnung** f deux-pièces m

Zwerchfell ['tsverç-] n diaphragme m

Zwerg [tsverk] m (-[e]s; -e) nain m

Zwetsch(g)e ['tsvetʃ(g)ə] bot f (-; -n) quetsche f

zwicken ['tsvikən] (h) pincer

Zwieback ['tsviːbak] m (-[e]s; ¨-e, -e) biscotte f

Zwiebel ['tsviːbəl] bot f (-; -n) oignon m; **Blumen**Ω bulbe m

Zwie|licht ['tsviː-] n (-[e]s; sans pl) demi-jour m; **ins ∼ geraten** s'attirer les soupçons (de); '**Ωlichtig** louche; '**∼spalt** m (-[e]s; selten -e, ¨-e) conflit m; '**Ωspältig** ['-ʃpeltiç] contradictoire

Zwilling ['tsvilin] m (-s; -e) jumeau m, **Mädchen** jumelle f; **∼e** pl jumeaux m/pl

od jumelles f/pl; astr Gémeaux m/pl

zwing|en ['tsviŋən] (**zwang, gezwungen, h**) forcer (**zu etw** à qc; **etw zu tun** à faire qc), obliger (à), contraindre (à); **sich ∼** se forcer (**etw zu tun** à faire qc); **gezwungen sein zu ...** être forcé od obligé de (+ inf); '**∼end Grund, Notwendigkeit** impérieux; '**Ωer** m (-s; -) Hunde Ω chenil m

zwinkern ['tsviŋkərn] (h) **mit den Augen ∼** cligner des yeux

Zwirn ['tsvirn] m (-[e]s; -e) fil m

zwischen ['tsviʃən] prép (wo? dat; wohin? acc) entre

'**Zwischen|aufenthalt** m arrêt m intermédiaire; '**∼deck** mar n entrepont m; '**Ωdurch** inzwischen entre-temps; **von Zeit zu Zeit** de temps en temps; '**∼fall** m incident m; '**∼händler** m intermédiaire m; '**Ωlanden** (sép, -ge-, sn) aviat faire escale; '**∼landung** aviat f escale f; '**∼raum** m intervalle m; '**∼ruf** m interruption f; '**∼spiel** n intermède m, interlude m; '**∼stecker** m adaptateur m; '**∼wand** f cloison f; '**∼zeit** f **in der ∼** entre-temps, pendant ce temps

zwitschern ['tsvitʃərn] (h) gazouiller

zwölf [tsvœlf] douze; (**um**) **∼ Uhr** (à) midi, **nachts** (à) minuit; '**∼te** ['-tə] douzième

Zyankali [tsyan'kaːli] chim n (-s; sans pl) cyanure m de potassium

Zyklus ['tsyklus] m (-; -klen) cycle m

Zylind|er [tsy'lindər] m (-s; -) tech, math cylindre m; Hut haut-de-forme m; **Ωrisch** [-driʃ] cylindrique

Zyn|iker ['tsyːnikər] m (-s; -) cynique m; '**Ωisch** cynique; '**∼ismus** [tsy'nismus] m (-; -men) cynisme m

Zypern ['tsyːpərn] n Chypre

Zypresse [tsy'presə] bot f (-; -n) cyprès m

Anhang
Appendice

Inhaltsverzeichnis

Französische geographische Namen

A

Adige [a'di:ʒ] *m*: *l'*~ die Etsch
Adriatique [adrija'tik] *f*: *l'*~ die Adria
Afghanistan [afganis'tã] *m*: *l'*~ Afghanistan *n*
Afrique [a'frik] *f*: *l'*~ Afrika *n*
Aix-la-Chapelle [ɛkslaʃa'pɛl] Aachen *n*
Albanie [alba'ni] *f*: *l'*~ Albanien *n*
Alger [al'ʒe] Algier *n*
Algérie [alʒe'ri] *f*: *l'*~ Algerien *n*
Allemagne [al'maɲ] *f*: *l'*~ Deutschland *n*
Alpes [alp] *f/pl*: *les* ~ die Alpen *f/pl*
Alsace [al'zas] *f*: *l'*~ das Elsass *n*
Amazone [ama'zon] *m*: *l'*~ der Amazonas
Amérique [ame'rik] *f*: *l'*~ Amerika *n*
Amsterdam [amstɛr'dam] Amsterdam *n*
Andes [ãd] *f/pl*: *les* ~ die Anden *pl*
Andorre [ã'dɔr] *f*: *l'*~ Andorra *n*
Angleterre [ãglə'tɛːr] *f*: *l'*~ England *n*
Angola [ãgɔ'la] *m*: *l'*~ Angola *n*
Antarct|ide, ~ique [ãtark'tid, ~'tik] *f*: *l'*~ die Antarktis
Antilles [ã'tij] *f/pl*: *les* ~ die Antillen *pl*
Anvers [ã'vɛːr] Antwerpen *n*
Arabie [ara'bi] *f*: *l'*~ Arabien *n*; *l'*~ **Saoudite** (*od* **Séoudite**) Saudi-Arabien *n*
Arctique [ark'tik] *m*: *l'*~ die Arktis
Argentine [arʒã'tin] *f*: *l'*~ Argentinien *n*
Argovie [argɔ'vi] *f*: *l'*~ der Aargau
Asie [a'zi] *f*: *l'*~ Asien *n*; *l'*~ **Mineure** Kleinasien *n*
Athènes [a'tɛn] Athen *n*
Atlantique [atlã'tik] *l'*~ *m od* *l'océan* *m* ~ der Atlantik, der Atlantische Ozean
Australie [ostra'li] *f*: *l'*~ Australien *n*
Autriche [o'triʃ] *f*: *l'*~ Österreich *n*

B

Bade [bad] *le* (*pays de*) ~ Baden *n*
Bâle [baːl] Basel *n*
Balkans [bal'kã] *m/pl*: *les* ~ der Balkan
Baltique [bal'tik] *la mer* ~ die Ostsee
Barcelone [barsə'lɔn] Barcelona *n*
Basque [bask] *le Pays* ~ das Baskenland

Basse-Saxe [bɑs'saks] *la* ~ Niedersachsen *n*
Bavière [ba'vjɛːr] *la* ~ Bayern *n*
Belgique [bɛl'ʒik] *la* ~ Belgien *n*
Berlin [bɛr'lɛ̃] Berlin *n*: ~**Est** Ost-Berlin *n*; ~**Quest** West-Berlin *n*
Berne [bɛrn] Bern *n*
Bienne [bjɛn] Biel *n*
Birmanie [birma'ni] *la* ~ Birma *n*
Bohême [bɔ'ɛm] *la* ~ Böhmen *n*; *la* **forêt de** ~ der Böhmerwald
Bolivie [bɔli'vi] *la* ~ Bolivien *n*
Bordeaux [bɔr'do] Bordeaux *n*
Bosnie-Herzégovine [bɔsnierzego-'vin] *la* ~ Bosnien-Herzegowina *n*
Bourgogne [bur'gɔɲ] *la* ~ Burgund *n*
Brême [brɛm] Bremen *n*
Brésil [bre'zil] *le* ~ Brasilien *n*
Bretagne [brə'taɲ] *la* ~ die Bretagne
Bruges [bryːʒ] Brügge *n*
Brunswick [brɛ̃-, brœs'vik] Braunschweig *n*
Bruxelles [bry'sɛl] Brüssel *n*
Bulgarie [bylga'ri] *la* ~ Bulgarien *n*

C

Caire [kɛːr] *Le* ~ Kairo *n*
Cameroun [kam'run] *le* ~ Kamerun *n*
Canada [kana'da] *le* ~ Kanada *n*
Cap [kap] *Le* ~ Kapstadt *n*
Carinthie [karɛ̃'ti] *la* ~ Kärnten *n*
Caspienne [kasp'jɛn] *la mer* ~ das Kaspische Meer
Catalogne [kata'lɔɲə] *la* ~ Katalonien *n*
Centre ['sãtrə] *le* ~ Mittelfrankreich *n*
Cervin [sɛr'vɛ̃] *le mont* ~ das Matterhorn
Champagne [ʃã'paɲ] *la* ~ die Champagne
Chili [ʃi'li] *le* ~ Chili *n*
Chine [ʃin] *la* ~ China *n*
Chypre ['ʃiprə] Zypern *n*
Coblence [kɔ'blaːs] Koblenz *n*
Coire [kwaːr] Chur *n*
Cologne [kɔ'lɔɲ] Köln *n*
Colombie [kɔlɔ̃'bi] *la* ~ Kolumbien *n*
Congo [kɔ̃'go] *le* ~ der Kongo
Constance [kɔ̃'stãːs] Konstanz *n*: *le lac de* ~ der Bodensee

Copenhague [kɔpeˈnag] Kopenhagen *n*
Corée [kɔˈre] *la ~* Korea *n*
Cornouailles [kɔrˈnwaːj] *f/pl: les ~* Cornwall *n*
Corse [kɔrs] *la ~* Korsika *n*
Costa Rica [kɔstariˈka] *le ~* Costa Rica *n*
Côte-d'Ivoire [kotdiˈvwaːr] *la ~* die Elfenbeinküste
Cracovie [krakɔˈvi] Krakau *n*
Crète [krɛːt] *la ~* Kreta *n*
Crimée [kriˈme] *la ~* die Krim
Croatie [krɔaˈsi] *la ~* Kroatien *n*
Cuba [kyˈba] Kuba *n*

D

Damas [daˈmɑːs] Damaskus *n*
Danemark [danˈmark] *le ~* Dänemark *n*
Danube [daˈnyb] *le ~* die Donau
Deux-Ponts [døˈpɔ̃] Zweibrücken *n*
Dominicaine [dɔminiˈkɛn] *la République ~* die Dominikanische Republik
Douvres [ˈduːvrə] Dover *n*
Dresde [drɛsd] Dresden *n*
Dublin [dybˈlɛ̃] Dublin *n*
Dunkerque [dɛ̃-, dœˈkɛrk] Dünkirchen *n*

E

Écosse [eˈkɔs] *f: l'~* Schottland *n*
Égypte [eˈʒipt] *f: l'~* Ägypten *n*
Elbe [ɛlb] *f:* 1. *l'~* die Elbe; 2. *l'île d'~* Elba *n*
Équateur [ekwaˈtɛːr] *m: l'~* Ecuador *n*
Escaut [ɛsˈko] *m: l'~* die Schelde
Espagne [ɛsˈpaɲ] *f: l'~* Spanien *n*
Estonie [ɛstɔˈni] *f: l'~* Estland *n*
Etats-Unis [etazyˈni] *m/pl: les ~* die Vereinigten Staaten *m/pl*
Éthiopie [etjɔˈpi] *f: l'~* Äthiopien *n*
Etna [ɛtˈna] *m: l'~* der Ätna
Europe [œˈrɔp] *f: l'~* Europa *n*
Extrême-Orient [ɛkstrɛmɔˈrjɑ̃] *m: l'~* der Ferne Osten, Ostasien *n*

F

Finlande [fɛ̃ˈlɑ̃ːd] *la ~* Finnland *n*
Flandre [ˈflɑ̃ːdrə] *la ~ od les ~s pl* Flandern *n*
Florence [flɔˈrɑ̃ːs] Florenz *n*
Forêt-Noir [fɔrɛˈnwaːr] *la ~* der Schwarzwald
France [fraːs] *la ~* Frankreich *n*

Francfort [frɑ̃ˈfɔːr] 1. *~-sur-le-Main* Frankfurt *n* am Main; 2. *~-sur-l'Oder* Frankfurt *n* an der Oder
Franconie [frɑ̃kɔˈni] *la ~* Franken *n*
Fribourg [friˈbuːr] 1. *Schweiz:* Freiburg *n*; 2. *~-en-Brisgau* Freiburg *n* im Breisgau
Frisonnes [friˈzɔn]: *les îles f/pl ~* die Friesischen Inseln *f/pl*

G

Gabon [gaˈbɔ̃] *le ~* Gabun *n*
Galles [gal] *le pays de ~* Wales *n*
Gambie [gɑ̃ˈbi] *la ~ Staat:* Gambia *n; Fluss:* der Gambia
Gand [gɑ̃] Gent *n*
Gange [gɑ̃ːʒ] *le ~* der Ganges
Garde [gard] *le lac de ~* der Gardasee
Gascogne [gasˈkɔɲ] *la ~* die Gascogne; *le golfe de ~* die Biskaya, der Golf von Biskara
Gaule [goːl] *hist: la ~* Gallien *n*
Gênes [ʒɛn] Genua *n*
Genève [ʒəˈnɛːv] Genf *n*
Germanie [ʒɛrmaˈni] *hist: la ~* Germanien *n*
Ghana [gaˈna] *le ~* Ghana *n*
Grande-Bretagne [grɑ̃dbrəˈtaɲ] *la ~* Großbritannien *n*
Granges [grɑ̃ːʒ] Grenchen *n*
Grèce [grɛs] *la ~* Griechenland *n*
Grisons [griˈzɔ̃] *m/pl: les ~* Graubünden
Groenland [grɔɛnˈlɑ̃ːd] *le ~* Grönland *n*
Guatemala [gwatemaˈla] *le ~* Guatemala *n*
Guinée [giˈne] *la ~* Guinea *n*
Golf Stream [gɔlfˈstrim] *le ~* der Golfstrom
Guyane [gɥiˈjan] *la ~* Guayana *n*

H

'Hambourg [ɑ̃ˈbuːr] Hamburg *n*
'Hanovre [aˈnɔvrə] Hannover *n*
'Haute-Volta [otvɔlˈta] *hist: la ~* Obervolta *n*
'Havane [aˈvan] *La ~* Havanna *n*
'Haye [ɛ] *La ~* Den Haag *n*
Helsinki [ɛlsiɲˈki] Helsinki *n*
Helvétie [ɛlveˈsi] *hist: l'~* Helvetien *n*
'Hesse [ɛs] *la ~* Hessen *n*
'Hollande [ɔˈlɑ̃ːd] *la ~* Holland *n*

'Honduras [ɔ̃dy'ras] *le* ~ Honduras *n*

'Hongrie [ɔ̃'gri] *la* ~ Ungarn *n*

I

Inde [ɛ̃:d] *f; l'*~ (*ehm les* ~*s pl*) Indien *n*

Indochine [ɛ̃dɔ'ʃin] *hist f; l'*~ Indochina *n*

Indonésie [ɛ̃dɔne'zi] *f; l'*~ Indonesien *n*

Irak [i'rak] *s Iraq*

Iran [i'rã] *m; l'*~ Iran *n od* der Iran

Iraq [i'rak] *m; l'*~ Irak *n od* der Irak

Irlande [ir'lã:d] *f; l'*~ Irland *n; l'*~ *du Nord* Nordirland *n*

Islande [is'lã:d] *f; l'*~ Island *n*

Israël [isra'ɛl] *m* Israel *n*

Istanbul [istã'bul] Istanbul *n*

Italie [ita'li] *f; l'*~ Italien *n*

J

Jamaïque [ʒama'ik] *la* ~ Jamaika *n*

Japon [ʒa'põ] *le* ~ Japan *n*

Jérusalem [ʒeryza'lɛm] Jerusalem *n*

Jordanie [ʒɔrda'ni] *la* ~ Jordanien *n*

Jourdain [ʒur'dɛ̃] *le* ~ der Jordan

Jura [ʒy'ra] *le* ~ 1. der Jura (*Gebirge*); 2. *franz. Departement*; 3. *le* ~ *suisse* der Kanton Jura

K

Kenya [ke'nja] *le* ~ Kenia *n*

Koweït [kɔ'weit] *le* ~ Kuwait *n*

Kremlin [krɛm'lɛ̃] *le* ~ der Kreml

L

Laos [la'os, ~'ɔs] *le* ~ Laos *n*

Laponie [lapɔ'ni] *la* ~ Lappland *n*

Léman [le'mã] *le* (*lac*) ~der Genfer See

Lettonie [lɛtɔ'ni] *la* ~ Lettland *n*

Liban [li'bã] *le* ~ der Libanon (*Staat u Gebirge*); *Staat a* Libanon *n*

Libéria *od* **Liberia** [libe'rja] *le* ~ Liberia *n*

Libye [li'bi] *la* ~ Libyen *n*

Liechtenstein [liçtɛn'stajn] *le* ~ Liechtenstein *n*

Liège [lje:ʒ] Lüttich *n*

Lisbonne [lis'bɔn] Lissabon *n*

Lituanie [litɥa'ni] *la* ~ Litauen *n*

Londres ['lɔ̃:drə] London *n*

Lorraine [lɔ'rɛn] *la* ~ Lothringen *n*

Lucerne [ly'sɛrn] Luzern *n*

Lusace [ly'zas] *la* ~ die Lausitz

Luxembourg [lyksã'bu:r] *le* ~ Luxemburg *n*

Lyon [ljõ] Lyon *n*

M

Madagascar [madagas'ka:r] Madagaskar *n*

Madère [ma'dɛ:r] Madeira *n*

Madrid [mad'rid] Madrid *n*

Main [mɛ̃] *le* ~ der Main

Majeur [ma'ʒœ:r] *le lac* ~ der Lago Maggiore ['dʒɔ:re]

Majorque [ma'ʒɔrk] Mallorca *n*

Malaysia [male'zja] *la* ~ Malaysia *n*

Mali [ma'li] *le* ~ Mali *n*

Malines [ma'lin] Mecheln *n*

Malouines [mal'win] *f/pl; les* ~ die Falklandinseln *pl*

Malte [malt] Malta *n*

Manche [mã:ʃ] *la* ~ der Ärmelkanal

Maroc [ma'rɔk] *le* ~ Marokko *n*

Marseille [mar'sɛj] Marseille *n*

Maurice [mɔ'ris] *l'île f* ~ Mauritius *n*

Mauritanie [mɔrita'ni] *la* ~Mauretanien *n*

Mayence [ma'jã:s] Mainz *n*

Mecklembourg [mɛklɛ̃-, mɛklã'bu:r] *le* ~ Mecklenburg *n*

Mecque [mɛk] *La* ~ Mekka *n*

Médine [me'din] Medina *n*

Méditerranée [meditɛra'ne] *la* ~ das Mittelmeer

Métallifères [metali'fɛ:r] *les monts m/pl* ~ das Erzgebirge

Meuse [mø:z] *la* ~ die Maas

Mexico [mɛksi'ko] Mexiko *n* (*Stadt*)

Mexique [mɛ'ksik] *le* ~ Mexiko *n* (*Land*)

Midi [mi'di] *le* ~ Südfrankreich *n*

Milan [mi'lã] Mailand *n*

Minorque [mi'nɔrk] Menorca *n*

Monaco [mɔna'ko] *le* ~ Monaco *n*

Mongolie [mõgɔ'li] *la* ~ die Mongolei

Moravie [mɔra'vi] *la* ~ Mähren *n*

Moscou [mɔs'ku] Moskau *n*

Moselle [mɔ'zɛl] *la* ~ die Mosel

Moutier [mut'tje] Münster *n* (*in der Schweiz*)

Moyen-Orient [mwajenɔ'rjã] *le* ~ der Mittlere Osten

Mozambique [mo-, mɔzã'bik] *le* ~ Moçambique *od* Mosambik *n*

Mulhouse [my'lu:z] Mülhausen *n*

Munich [my'nik] München *n*

N

Namibie [nami'bi] *la* ~ Namibia *n*
Naples ['naplə] Neapel *n*
Nicaragua [nikara'gwa] *le* ~ Nicaragua *n*
Nice [nis] Nizza *n*
Niger [ni'ʒɛːr] *le* ~ *Staat*: Niger *n*; *Fluss*: der Niger
Nigeria [niʒe'rja] *le od la* ~ Nigeria *n*
Nil [nil] *le* ~ der Nil
Noire [nwar] *la mer* ~ das Schwarze Meer
Nord [nɔːr] *la mer du* ~ die Nordsee
Normandie [nɔrmã'di] *la* ~ die Normandie
Norvège [nɔr'vɛːʒ] *la* ~ Norwegen *n*
Nouvelle-Zélande [nuvelze'lãːd] *la* ~ Neuseeland *n*
Nuremberg [nyrɛ̃-, nyrã'bɛːr] Nürnberg *n*

O

Océanie [ɔsea'ni] *f*: *l'*~ Ozeanien *n*
Oder [ɔ'deːr] *m*: *l'*~ die Oder
Oman [ɔ'mã] *m*: *l'*~ Oman *n*; *le golfe d'*~ der Golf von Oman; *la mer d'*~ das Arabische Meer
Orient [ɔr'jã] *m*: *l'*~ der Orient
Ouganda [ugã'da] *m*: *l'*~ Uganda *n*

P

Pacifique [pasi'fik] *le* ~ *od l'océan* *m* ~ der Pazifik, der Pazifische (*od* Stille) Ozean
Pakistan [pakis'tã] *le* ~ Pakistan *n*
Palatinat [palati'na] *le* ~ die Pfalz
Palestine [palɛs'tin] *la* ~ Palästina *n*
Panamá [pana'ma] *le* ~ Panama *n*; *le canal de* ~ der Panamakanal
Paraguay [para'gwe] *le* ~ Paraguay *n*
Paris [pa'ri] Paris [-'riːs] *n*
Pays-Bas [pei'ba] *m/pl*: *les* ~ die Niederlande *n/pl*
Pékin [pe'kɛ̃] Peking *n*
Pérou [pe'ru] *le* ~ Peru *n*
Perse [pɛrs] *hist*: *la* ~ Persien *n*
Persique [pɛr'sik] *le golfe* ~ der Persische Golf
Philippines [fili'pin] *f/pl*: *les* ~ die Philippinen *pl*
Pologne [pɔ'lɔɲ] *la* ~ Polen *n*
Polynésie [poline'zi] *la* ~ Polynesien *n*
Poméranie [pɔmera'ni] *la* ~ Pommern *n*
Portugal [pɔrty'gal] *le* ~ Portugal *n*

Prague [prag] Prag *n*
Proche-Orient [prɔʃɔ'rjã] *le* ~ der Nahe Osten, Nahost *n*
Provence [prɔ'vãːs] *la* ~ die Provence
Prusse [prys] *hist*: *la* ~ Preußen *n*
Pyrénées [pire'ne] *f/pl*: *les* ~ die Pyrenäen *pl*

Q

Quatre-Cantons [katrəkã'tõ] *m/pl*: *le lac des* ~ der Vierwaldstätter See

R

Ratisbonne [ratis'bɔn] Regensburg *n*
Rhénanie [rena'ni] *la* ~ das Rheinland
Rhin [rɛ̃] *le* ~ der Rhein
Rhodésie [rɔde'zi] *hist* *la* ~ Rhodesien *n*
Rhône [roːn] *le* ~ die Rhone
Rome [rɔm] Rom *n*
Roumanie [ruma'ni] *la* ~ Rumänien *n*
Ruanda [rwã'da, rwan'da] *le* ~ Ruanda *n*
Ruhr [ruːr] *la* ~ das Ruhrgebiet; *Fluss*: die Ruhr
Russie [ry'si] *la* ~ Russland *n*

S

Sahara [saa'ra] *le* ~ die Sahara
Sainte-Hélène [sɛ̃te'lɛn] Sankt Helena *n*
Saint-Gall [sɛ̃'gal] Sankt Gallen *n*
Saint-Gothard [sɛ̃gɔ'taːr] *le* ~ der Sankt Gotthard
Saint-Marin [sɛ̃ma'rɛ̃] San Marino *n*
Salvador [salva'dɔːr] *le* ~ El Salvador *n*
Salzbourg [salz'buːr] Salzburg *n*
Saône [soːn] *la* ~ die Saône
Sardaigne [sar'dɛɲ] *la* ~ Sardinien *n*
Sarre [saːr] *la* ~ das Saarland; *Fluss*: die Saar
Sarrebruck [sar'bryk] Saarbrücken *n*
Savoie [sa'vwa] *la* ~ Savoyen *n*
Saxe [saks] *la* ~ Sachsen *n*
Scandinavie [skãdina'vi] *la* ~ Skandinavien *n*
Schaffhouse [ʃa'fuːz] Schaffhausen *n*
Seine [sɛːn] *la* ~ die Seine
Sénégal [sene'gal] *le* ~ Senegal *n*; *Fluss*: der Senegal
Serbie [sɛr'bi] *la* ~ Serbien *n*
Sibérie [sibe'ri] *la* ~ Sibirien *n*
Sicile [si'sil] *la* ~ Sizilien *n*
Silésie [sile'zi] *la* ~ Schlesien *n*

Sion [sjɔ̃] **1.** Zion *n* (*Jerusalem*) *u m* (*Berg*); **2.** Sitten *n* (*in der Schweiz*)
Slovaquie [slɔva'ki] *la* ~ die Slowakei
Slovénie [slɔve'ni] *la* ~ Slowenien *n*
Soleure [sɔ'lœːr] Solothurn *n*
Somalie [sɔma'li] *la* ~ Somalia *n*
Souabe [swab] *la* ~ Schwaben *n*
Soudan [su'da] *le* ~ Sudan
Spire [spiːr] Speyer *n*
Stockholm [stɔ'kɔlm] Stockholm *n*
Strasbourg [stras'buːr] Straßburg *n*
Styrie [sti'ri] *la* ~ die Steiermark
Suède [sɥɛd] *la* ~ Schweden *n*
Suez [sɥeːz] Suez *n*; *le canal de* ~ der Suezkanal
Suisse [sɥis] *la* ~ die Schweiz
Syrie [si'ri] *la* ~ Syrien *n*

T

Tamise [ta'miːz] *la* ~ die Themse
Tanzanie [tɑ̃za'ni] *la* ~ Tansania *n*
Taunus [to'nys] *le* ~ der Taunus
Tchad [tʃad] *le* ~ der Tchad, Tchad *n*
Tchécoslovaquie [tʃekɔslɔva'ki] *hist*: *la* ~ die Tschechoslowakei
Téhéran [tee'rɑ̃] Teheran *n*
Tel-Aviv [tɛla'viːv] Tel Aviv *n*
Terre de Feu [tɛrdə'fø] *la* ~ Feuerland *n*
Terre-Neuve [tɛr'nœːv] Neufundland *n*
Thaïlande [tai'lɑ̃ːd] *la* ~ Thailand *n*
Thoune [tun] Thun *n*; *le lac de* ~ der Thuner See
Thurgovie [tyrgɔ'vi] *la* ~ der Thurgau
Thuringe [ty'rɛ̃ːʒ] *la* ~ Thüringen *n*
Tibet [ti'bɛ] *le* ~ Tibet *n*
Togo [tɔ'go] *le* ~ Togo *n*
Tokyo [tɔ'kjo] Tokio *n*
Transylvanie [trɑ̃silva'ni] *la* ~ Siebenbürgen *n*
Trentin-Haut-Adige [trɑ̃tɛ̃ota'diːʒ] *le* ~ Südtirol *n*
Trèves [trɛːv] Trier *n*
Tunis [ty'nis] Tunis *n*
Tunisie [tyni'zi] *la* ~ Tunesien *n*
Turin [ty're] Turin *n*
Turquie [tyr'ki] *la* ~ die Türkei
Tyrol [ti'rɔl] *le* ~ Tirol *n*

U

Ukraine [y'krɛn] *f*: *l'* ~ die Ukraine
Union soviétique [ynjɔ̃sɔvje'tik] *hist f*: *l'* ~ die Sowjetunion
Uruguay [yry'gwe] *m*: *l'* ~ Uruguay *n*

V

Valais [va'lɛ] *le* ~ das Wallis
Varsovie [varsɔ'vi] Warschau *n*
Vatican [vati'kɑ̃] *le* ~ der Vatikan; *la cité du* ~ die Vatikanstadt
Vaud [vo] *le canton de* ~ die Waadt, der Kanton Waadt
Venezuela [venezɥe'la] *le* ~ Venezuela *n*
Venise [və'niːz] Venedig *n*
Versailles [vɛr'saj] Versailles *n*
Vésuve [ve'zyːv] *le* ~ der Vesuv
Vienne [vjɛn] **1.** Wien *n* (*in Österreich*); **2.** *Stadt, Fluss u Departement in Frankreich*
Viêt-nam [vjɛt'nam] *le* ~ Vietnam *n*
Vistule [vis'tyl] *la* ~ die Weichsel
Volga [vɔl'ga] *la* ~ die Wolga
Vosges [voːʒ] *f/pl*: *les* ~ die Vogesen *pl*

W

Wallonie [walɔ'ni] *la* ~ Wallonien *n*
Westphalie [vɛstfa'li] *la* ~ Westfalen *n*
Wurtemberg [vyrtɛ̃'bɛːr] *le* ~ Württemberg *n*
Wurtzbourg [vyrts'buːr] Würzburg *n*

Y

Yémen [je'mɛn] *le* ~ der Jemen, Jemen *n*
Yougoslavie [jugɔsla'vi] *hist*: *la* ~ Jugoslawien *n*

Z

Zaïre [za'iːr] *le* ~ Zaire *n*
Zambèse [zɑ̃'bɛːz] *le* ~ der Sambesi
Zambie [zɑ̃'bi] *la* ~ Sambia *n*
Zimbabwe [zimbabwe] *le* ~ Zimbabwe *n*
Zurich [zy'rik] Zürich *n*; *le lac de* ~ der Zürichsee

Deutsche geographische Namen

A

Aachen ['ɑːxən] n Aix-la-Chapelle

Aargau (der) ['ɑːrgaʊ] Argovie (l') f

Abendland (das) ['ɑːbəntlant] n Occident (l') m

Abessinien [abɛ'siːniən] n hist Abyssinie (l') f, s a **Äthiopien**

Adriatische Meer (das) [adri'ɑːtiʃə meːr] mer Adriatique (la)

Afghanistan [af'gɑːnistɑːn] n Afghanistan (l') m

Afrika ['ɑːfrika, 'af-] n Afrique (l') f

Ägäis (die) [ɛ'gɛːis], **Ägäische Meer** (das) [ɛ'gɛːiʃə meːr] mer Égée (la)

Ägypten [ɛ'gyptən] n Égypte (l') f

Albanien [al'bɑːniən] n Albanie (l') f

Algerien [al'geːriən] n Algérie (l') f

Algier ['alʒiːr] n Alger

Alpen (die) ['alpən] f/pl Alpes (les) f/pl

Amazonas (der) [ama'tsoːnas] Amazone (l') m

Amerika [a'meːrika] n Amérique (l') f

Anden (die) ['andən] pl Andes (les) f/pl

Andorra [an'dɔra] n Andorre (l') f

Antarktis (die) [ant'ʔarktis] Antarctique (l') m

Antillen (die) [an'tilən] pl Antilles (les) f/pl

Antwerpen [ant'vɛrpən] n Anvers

Apenninen (die) [apɛ'niːnən] pl les Apennins (l')

Äquatorialguinea [ɛkvɑːtoːri'ɑːlgineːa] n Guinée équatoriale (la)

Arabien [a'rɑːbiən] n Arabie (l') f

Aragonien [ara'goːniən] n Aragon (l') m

Ardennen (die) [ar'dɛnən] pl Ardennes (les) f/pl

Argentinien [argɛn'tiːniən] n Argentine (l') f

Arktis (die) ['arktis] Arctique (l') m

Ärmelkanal (der) ['ɛrməlkanɑːl] Manche (la)

Armenien [ar'meːniən] n Arménie (l') f

Asien ['ɑːziən] n Asie (l') f

Athen [a'teːn] n Athènes

Äthiopien [ɛ'tjoːpiən] n Éthiopie (l') f

Atlantik (der) [at'lantik] Atlantique (l') m

Augsburg ['aʊksburk] n Augsbourg

Australien [aʊs'trɑːliən] n Australie (l') f

Azoren (die) [a'tsoːrən] pl Açores (les) f/pl

B

Baden ['bɑːdən] n (pays de) Bade (le)

Baden-Württemberg ['bɑːdən 'vyrtəmbɛrk] n Bade-Wurtemberg (le)

Bahamas (die) [ba'hɑːmas] f/pl Bahamas (les)

Balearen (die) [bale'ɑːrən] pl Baleares (les) f/pl

Balkan (der) ['balkɑːn, bal'kɑːn] Balkans (les) f/pl

Baltikum (des) ['baltikum] pays Baltes (les) m/pl

Bangladesh(c)h [baŋla'dɛʃ] n Bangla Desh od Bangladesh (le)

Barbados [bar'bɑːdɔs] n Barbade (la)

Basel ['bɑːzəl] n Bâle

Baskenland (das) ['baskənlant] Pays basque (le)

Bayern ['baiərn] n Bavière (la)

Beirut [bai'ruːt, 'bai-] n Beyrouth

Belgien ['bɛlgiən] n Belgique (la)

Belgrad ['bɛlgrɑːt] n Belgrade

Beneluxstaaten (die) [bene'luksʃtɑːtən] m/pl Benelux (le)

Berlin [bɛr'liːn] n Berlin

Bern [bɛrn] n Berne

Bethlehem ['beːtlehem] n Bethléem

Birma ['birma] n Birmanie (la)

Biskaya (die) [bis'kɑːja] Biscaye (la); **Golf von Biskaya** (der) [gɔlf fɔn bis'kɑːja] golfe de Gascogne (le)

Bodensee (der) ['boːdənzeː] lac de Constance (le)

Böhmen ['bøːmən] n Bohême (la)

Bolivien [bo'liːviən] n Bolivie (la)

Bordeaux [bɔr'doː] n Bordeaux

Bosnien-Herzegowina [bɔsniən hɛrtse'goːvina] n Bosnie-Herzégovine (la)

Bosporus (der) ['bɔsporus] Bosphore (le)

Bottnische Meerbusen (der) ['bɔtniʃə'meːrbuːzən] golfe de Botnie (le)

Brandenburg ['brandənburk] n Brandebourg (le)

594

Brasilien [bra'ziːliən] *n* Brésil (le)
Braunschweig ['braonʃvaɪk] *n* Brunswick
Breisgau (*der*) ['braɪsgao] Brisgau (le)
Bremen ['breːmən] *n* Brême
Bretagne (*die*) [brə'tanə] Bretagne (la)
Brügge ['brygə] *n* Bruges
Brüssel ['brysəl] *n* Bruxelles
Bulgarien ['bul'gɑːriən] *n* Bulgarie (la)
Bundesrepublik Deutschland (*die*) ['bundəsrepubliːk 'dɔytʃlant] *f* République fédérale d'Allemagne (la)
Burgdorf ['burkdɔrf] *n* Berthoud
Burgund [bur'gunt] *n* Bourgogne (la)

C

Ceylon ['tsaɪlɔn] *n* Ceylan
Chile ['tʃiːle, 'çiː-] *n* Chile (le)
China ['çiːna, *östr u schweiz* 'kiːna] *n* Chine (la)
Chur [kuːr] *n* Coire
Córdoba ['kɔrdoba] *n* Cordoue
Cornwall ['kɔrnval] *n* Cornouailles (les)
Côte d'Azur (*die*) [kotda'zyːr] Côte d'Azur (la)

D

Dalmatien [dal'mɑːtsiən] *n* Dalmatie (la)
Damaskus [da'maskus] *n* Damas
Dänemark ['dɛːnəmark] *n* Danemark (le)
Dardanellen (*die*) [darda'nɛlən] *pl* Dardanelles (les)
Den Haag [den 'hɑːk] *m* La Haye
Deutsche Demokratische Republik *hist* (*die*) ['dɔytʃə demo'krɑːtiʃə repu'bliːk] République démocratique allemande (la)
Deutschland ['dɔytʃlant] *n* Allemagne (l') *f*
Dominikanische Republik (*die*) [domini'kɑːniʃə repu'bliːk] République Dominicaine (la)
Donau (*die*) ['doːnao] Danube (le)
Dover ['doːvər] *n* Douvres; **die Straße von** ~ le pas de Calais
Dresden ['dreːsdən] *n* Dresde
Dünkirchen ['dyːnkirçən] *n* Dunkerque

E

Ebro (*der*) ['eːbro] Èbre (l') *m*
Ecuador [ekua'doːr] *n* Équateur (l') *m*
Edinburg ['eːdɪnburk] *n* Édimbourg

Eismeer ['aɪsmeːr]: *das Nördliche* ~ l'océan glacial Arctique *m*; *das Südliche* ~ l'océan glacial Antarctique *m*
Elba ['ɛlba] *n* île d'Elbe (l') *f*
Elbe ['ɛlbe] *n* Elbe (l')
Elfenbeinküste (*die*) ['ɛlfənbaɪnkystə] Côte-d'Ivoire (la)
El Salvador [ɛl zalva'doːr] *n* Salvador (le)
Elsass (*das*) ['ɛlzas] Alsace (l') *f*
England ['ɛŋlant] *n* Angleterre (l') *f*
Eritrea [eri'treːa] *n* Érythrée (l')
Estland ['eːstlant] *n* Estonie (l') *f*
Etsch (*die*) [ɛtʃ] Adige (l') *m*
Europa [ɔy'roːpa] *n* Europe (l') *f*

F

Ferne Osten (*der*) ['fɛrnə'ɔstən] Extrême-Orient (l') *m*
Feuerland ['fɔyərlant] *n* Terre de Feu (la)
Finnland ['finlant] *n* Finlande (la)
Flandern ['flandərn] *n* Flandre (la); Flandres (les) *f/pl*
Florenz [flo'rɛnts] *n* Florence
Frankfurt ['fraŋkfurt] *n* Francfort
Franken ['fraŋkən] *n* Franconie (la)
Frankreich ['fraŋkraɪç] *n* France (la)
Freiburg ['fraɪburk] *n* Fribourg
Friesland ['friːslant] *n* Frise (la)

G

Gabun [ga'buːn] *n* Gabon (le)
Galizien [ga'liːtsiən] *n* Galicie (la)
Gallien ['galiən] *n hist* Gaule (la)
Gambia ['gambia] *n* Gambie (la)
Garonne (*die*) [ga'rɔnə] Garonne (la)
Gascogne (*die*) [gas'kɔɲe] Gascogne (la)
Genf [gɛnf] *n* Genève; *der* ~*er See* le Lac Léman
Gent [gɛnt] *n* Gand
Genua ['geːnua] *n* Gênes
Georgien [ge'ɔrgiən] *n* Géorgie (la)
Golfstrom (*der*) ['gɔlfʃtroːm] Gulf Stream (le)
Gotthard (*der*) ['gɔthart] col du Saint-Gothard (le)
Graubünden [grao'byndən] *n* Grisons (les) *m/pl*
Griechenland ['griːçənlant] *n* Grèce (la)
Grönland [grø:nlant] *n* Groenland (le)

Großbritannien [groːsbriˈtaniən] *n* Grand-Bretagne (la)
Guinea [giˈneːa] *n* Guinée (la)
Guyana [guˈjaːna] *n* Guyane (la)

H

Haiti [haˈiːti] *n* Haïti
Hamburg [ˈhamburk] *n* Hambourg
Hannover [haˈnoːfər] *n* Hanovre
Havanna [haˈvana] *n* La Havane
Helgoland [ˈhɛlɡolant] *n* Helgoland
Hessen [ˈhɛsən] *n* Hesse (la)
Himalaja (*der*) [hiˈmɑːlaja] Himalaya (l') *m*
Holland [ˈhɔlant] *n* Hollande (la)
Honduras [hɔnˈduːras] *n* Honduras (le)

I

Iberische Halbinsel (*die*) [iˈbeːrɪʃə ˈhalpʔɪnzəl] péninsule Ibérique (la)
Indien [ˈindiən] *n* Inde l' *f*; *hist* Indes (les) *f/pl*
Indische Ozean (*der*) [ˈindiʃəˈoːtseaːn] océan Indien (l') *m*
Indochina [indoˈçiːna] *hist n* Indochine (l') *f*
Indonesien [indoˈneːziən] *n* Indonésie (l')
Ionische Meer (*das*) [iˈoːnɪʃəmeːr] mer Ionienne (la)
Irak (*der*) [iˈraːk] Iraq (l') *m*
Iran (*der*) [iˈraːn] Iran (l') *m*
Irische See (*die*) [ˈiːrɪʃə zeː] mer d'Irlande (la)
Irland [ˈirlant] *n* Irlande (l') *f*
Island [ˈiːslant] *n* Islande (l') *f*
Israel [ˈisraɛl] *n* Israel *m*
Istanbul [ˈɪstambuːl] *n* Istanbul
Italien [iˈtɑːliən] *n* Italie (l') *f*

J

Jamaika [jaˈmaika] *n* Jamaïque (la)
Japan [ˈjaːpan] *n* Japon (le)
Jemen (*der*) [ˈjeːmən] Yémen (le)
Jerusalem [jeˈruːzalɛm] *n* Jérusalem
Jordan (*der*) [ˈjordan] Jourdain (le)
Jordanien [jɔrˈdɑːniən] *n* Jordanie (la)
Jugoslawien [jugoˈslaːviən] *n hist* Yougoslavie (la)

K

Kairo [ˈkairo] *n* Le Caire
Kalifornien [kaliˈfɔrniən] *n* Californie (la)

Kambodscha [kamˈbɔdʒa] *n* Cambodge (le)
Kamerun [kaməˈruːn] *n* Cameroun (le)
Kanada [ˈkanada] *n* Canada (le)
Kanalinseln (*die*) [kaˈnaːlʔinzəln] îles Anglo-Normandes (les) *f/pl*
Kanarischen Inseln (*die*) [kaˈnaːrɪʃən ˈinzəln] *f/pl* îles Canaries (les) *f/pl*
Kap der guten Hoffnung (*das*) [kap dɛr ˈɡuːtən ˈhɔfnʊŋ] cap de la Bonne-Espérance (le)
Kap Horn (*das*) [kap ˈhɔrn] cap Horn (le)
Kapstadt [ˈkapʃtat] *n* Le Cap
Karibik (*die*) [kaˈriːbik] Caraïbe (la)
Kärnten [ˈkɛrntən] *n* Carinthie (la)
Karpaten (*die*) [karˈpaːtən] *pl* Carpates (les)
Kaspische Meer (*das*) [ˈkaspiʃə meːr] mer Caspienne (la)
Kastilien [kasˈtiːliən] *n* Castille (la)
Katalonien [kataˈloːniən] *n* Catalogne (la)
Kaukasus (*der*) [ˈkaukazus] Caucase (le)
Kenia [ˈkeːnia] *n* Kenya (le)
Kleinasien [klainˈʔaːziən] *n* Asie Mineure (l') *f*
Koblenz [ˈkoːblɛnts] *n* Coblence
Köln [kœln] *n* Cologne
Kolumbien [koˈlumbiən] *n* Colombie (la)
Kongo (*der*) [ˈkɔŋɡo] Congo (le)
Konstanz [ˈkɔnstants] *n* Constance
Kopenhagen [kopənˈhaːɡən] *n* Copenhague
Kordilleren (*die*) [kɔrdilˈjeːrən] *pl* Cordillère des Andes (la)
Korea [koˈreːa] *n* Corée (la)
Korfu [ˈkɔrfu] *n* Corfou *f u m*
Korinth [koˈrint] *n* Corinthe (la)
Korsika [ˈkɔrzika] *n* Corse (la)
Krakau [ˈkraːkau] *n* Cracovie (la)
Kreml (*der*) [ˈkrɛml] Kremlin (le)
Kreta [ˈkreːta] *n* Crète (la)
Krim (*die*) [krim] Crimée (la)
Kroatien [kroˈaːtsiən] *n* Croatie (la)
Kuba [ˈkuːba] *n* Cuba *f u m*
Kuwait [kuˈvait, ˈkuːvait] *n* Koweït *od* Kuwait (*m od* le)

L

Lago Maggiore (*der*) [ˈlaːɡo maˈdʒoːrə] lac Majeur (le)

596

Lappland ['laplant] *n* Laponie (la)
Lateinamerika [la'taɪnˀameːrika] *n* Amérique latine *od* du Sud (l') *f*
Leiden ['laɪdən] *n* Leyde
Lettland ['lɛtlant] *n* Lettonie (la)
Libanon (*der*) ['liːbanɔn] Liban (le)
Libyen ['liːbyən] *n* Libye (la)
Liechtenstein ['lɪçtənʃtaɪn] *n* Liechtenstein (le)
Lissabon ['lisabɔn] *n* Lisbonne
Litauen ['litaʊən] *n* Lituanie (la)
Lombardei (*die*) [lɔmbar'daɪ] Lombardie (la)
London ['lɔndɔn] *n* Londres
Lothringen ['lotrɪŋən] *n* Lorraine (la)
Löwen ['løːvən] *n* Louvain
Lüttich ['lytɪç] *n* Liège
Luxemburg ['luksəmburk] *n* Luxembourg (*als Land* le)
Luzern [lu'tsɛrn] *n* Lucerne

M

Maas (*die*) [maːs] Meuse (la)
Madeira [ma'deːra] *n* Madère
Mähren ['mɛːrən] *n* Moravie (la)
Mailand ['maɪlant] *n* Milan
Mainz [maɪnts] *n* Mayence
Malediven (*die*) [male'diːvən] *pl* îles Maldives (les) *f/pl*
Mali ['maːli] *n* Mali (le)
Mallorca [ma'lɔrka, ma'ʎɔrka] *n* Majorque
Malta ['malta] *n* Malte
Marokko ['maˈrɔko] *n* Maroc (le)
Marseille [mar'sɛːj] *n* Marseille
Matterhorn (*das*) ['matərhɔrn] (mont) Cervin (le)
Mauritius [maʊ'riːtsius] île Maurice (l') *f*
Mazedonien [matse'doːniən] *n* Macédoine (la)
Mecklenburg-Vorpommern['meːklənburk 'foːrpɔmərn] *n* Mecklembourg *m* et Poméranie occidentale
Mekka ['mɛka] *n* La Mecque *od* Mekke
Memel (*die*) ['meːməl] Niémen (le)
Menorca [me'nɔrka] *n* Minorque
Mexiko ['mɛksiko] *n* Land Mexique (le): *Stadt* Mexico
Mittelamerika ['mitəlˀameːrika] *n* Amérique centrale (l') *f*
Mittelmeer (*das*) ['mitəlmeːr] Méditerranée (la)

Mittlere Osten (*der*) ['mitlərə 'ɔstən] Moyen-Orient (le)
Moldau (*die*) ['mɔldaʊ] Moldau (la)
Monaco ['moːnako] *n* Monaco
Mongolei (*die*) [mɔŋgo'laɪ] Mongolie (la)
Montenegro [mɔntə'neːgro] *n* Monténégro (le)
Morgenland (*das*) ['mɔrgənlant] Levant (le); Orient (l') *m*
Mosel (*die*) ['moːzəl] Moselle (la)
Moskau ['mɔskaʊ] *n* Moscou
Mülhausen [myːl'haʊzən] *n* Mulhouse
München ['mynçən] *n* Munich

N

Nahe Osten (*der*) ['naːə'ɔstən] Proche-Orient (le)
Namibia [na'miːbia] *n* Namibie (la)
Neapel [ne'aːpəl] *n* Naples
Nepal [ne'paːl] *n* Népal (le)
Neuenburg ['nɔyənburk] *n* Neuchâtel
Neufundland [nɔy'funtlant] *n* Terre-Neuve
Neuguinea [nɔygi'neːa] *n* Nouvelle-Guinée (la)
Neuseeland [nɔy'zeːlant] *n* Nouvelle-Zélande (la)
New Orleans [njuːˈɔːˈliːnz] *n* Nouvelle-Orléans (la)
New York [nuːˈjɔrk] *n* New York
Nicaragua [nika'raːgua] *n* Nicaragua (le)
Niederlande (*die*) ['niːdərlandə] *n/pl* Pays-Bas (les) *m/pl*
Niedersachsen ['niːdərzaksən] *n* Basse-Saxe (la)
Niger ['niːgər] *n* Niger (le)
Nigeria [ni'geːria] *n* Nigéria (le)
Nil (*der*) [niːl] Nil (le)
Nizza ['nitsa] *n* Nice
Nordafrika ['nɔrtˀaːfrika] *n* Afrique du Nord (l') *f*
Nordamerika ['nɔrtˀameːrika] *n* Amérique du Nord (l') *f*
Norddeutschland ['nɔrtdɔytʃlant] *n* Allemagne du Nord (l') *f*
Nordeuropa ['nɔrtˀɔyroːpa] *n* Europe du Nord *od* Septentrionale (l') *f*
Nordirland ['nɔrtˀirlant] *n* Irlande du Nord (l') *f*
Nordrhein-Westfalen ['nɔrtraɪnvɛst-'faːlən] *n* Rhénanie-du-Nord-Westphalie (la)

Nordsee (*die*) ['nɔrtzeː] mer du Nord (la)

Normandie (*die*) [nɔrmãˈdiː] Normandie (la)

Norwegen ['nɔrveːgən] *n* Norvège (la)

Nürnberg ['nyrnberk] *n* Nuremberg

O

Obervolta [oːbərˈvɔlta] *hist n* Haute Volta (la)

Orkney-Inseln (*die*) ['ɔːkniˈʔinzəln] *f/pl* Orcades (les) *f/pl*

Ostafrika ['ɔstˈʔɑːfrika] *n* Afrique orientale (l') *f*

Ostasien ['ɔstˈʔɑːziən] *n* Asie orientale (l') *f*

Ost-Berlin ['ɔstberliːn] *n hist* Berlin-Est

Ostdeutschland ['ɔstdɔytʃlant] *n* Allemagne de l'Est (l') *f*

Osten ['ɔstən] *n* Orient (l') *m*; *Naher ~* Proche-Orient (le)

Österreich ['øːstəraiç] *n* Autriche (l') *f*

Osteuropa ['ɔstˈʔɔyroːpa] *n* Europe orientale (l') *f*

Ostsee (*die*) ['ɔstzeː] (mer) Baltique (la)

Ozeanien [otseˈɑːniən] *n* Océanie (l') *f*

P

Pakistan ['pɑːkistɑːn] *n* Pakistan (le)

Palästina [palɛˈstiːna] *n* Palestine (la)

Panama [panamaː] *n* Panama (le)

Papua-Neuguinea ['puːpua nɔygiˈneːa] *n* Papouasie-Nouvelle-Guinée (la)

Paraguay ['paragvai] *n* Paraguay (le)

Paris [paˈriːs] *n* Paris

Pazifik (*der*) [paˈtsːfik] Pacifique (le)

Peking ['peːkiŋ] *n* Pékin

Persien ['pɛrziən] *n* Perse (la)

Peru [pe'ru] *n* Pérou (le)

Perugia [peˈruːdʒa] *n* Pérouse

Pfalz (*die*) [pfalts] Palatinat (le)

Philippinen (*die*) [filɪˈpiːnən] *pl* Philippines (les)

Pilatus (*der*) [piˈlɑːtus] mont Pilate (le)

Polen ['poːlən] *n* Pologne (la)

Polynesien [polyˈneːziən] *n* Polynésie (la)

Pommern ['pɔmərn] *n* Poméranie (la)

Portugal ['pɔrtugal] *n* Portugal (le)

Prag [prɑːk] *n* Prague

Preußen ['prɔysən] *n hist* Prusse (la)

Provence (*die*) [proˈvɑ̃ːs] Provence (la)

Pyrenäen (*die*) [pyreˈnɛːən] *pl* Pyré-

nées (les) *f/pl*

Pyrenäenhalbinsel (*die*) [pyreˈnɛːənhalpˈʔinzəl] Péninsule Ibérique (la)

R

Regensburg (*die*) ['reːgənsburk] *n* Ratisbonne

Rhein (*der*) [rain] Rhin (le)

Rheinland (*das*) ['rainlant] Rhénanie (la)

Rheinland-Pfalz ['rainlantˈpfalts] *n* Rhénanie-Palatinat *la*

Rhodesien [roˈdeːziən] *n hist* Rhodésie (la)

Rhodos ['roːdɔs] *n* Rhodes

Rhone (*die*) ['roːnə] Rhône (le)

Riviera (*die*) [riviˈeːra] *französische* Côte d'Azur (la); *italienische* Riviera (la)

Rocky Mountains (*die*) ['rɔki ˈmauntənz] *pl* Montagnes Rocheuses (les) *f/pl*

Rom [roːm] *n* Rome

Rotes Meer (*das*) ['roːtə meːr] mer Rouge (la)

Rumänien [ruˈmɛːniən] *n* Roumanie (la)

Russland ['ruslant] *n* Russie (la)

S

Saar (*die*) [zɑːr] Sarre (la)

Saarbrücken [zɑːrˈbrykən] *n* Sarrebruck

Saarland (*das*) ['zɑːrlant] Sarre (la)

Sachsen ['zaksən] *n* Saxe (la)

Sachsen-Anhalt [zaksənˈʔanhalt] *n* Saxe-Anhalt (la)

Sahara (*die*) [zaˈhaːra] Sahara (le)

Salzburg ['zaltsburk] *n* Salzbourg

Sambesie (*der*) [zamˈbeːzi] Zambèze (le)

Sambia ['zambia] *n* Zambie (la)

Sankt Gallen [zaŋkt ˈgalən] *n* Saint-Gall

Sankt Helena [zaŋkt ˈheːlena] Sainte-Hélène

Sankt-Lorenz-Strom (*der*) [zaŋktˈloːrɛntsʃtroːm] Saint-Laurent (le)

Sardinien [zarˈdiːniən] *n* Sardaigne (la)

Saudi-Arabien [zaudiˈʔaraːbiən] *n* Arabie Saoudite *od* Séoudite (l') *f*

Savoyen [zaˈvɔyən] *n* Savoie (la)

Schaffhausen [ʃafˈhauzən] *n* Schaffhouse

Schlesien ['ʃleːziən] *n* Silésie (la)
Schottland ['ʃɔtlant] *n* Écosse (l') *f*
Schwaben ['ʃvɑːbən] *n* Souabe (la)
Schwarze Meer (*das*) ['ʃvartsə meːr] mer Noire (la)
Schwarzwald (*der*) ['ʃvartsvalt] Forêt-Noire (la)
Schweden ['ʃveːdən] *n* Suède (la)
Schweiz (*die*) [ʃvaɪts] Suisse (la)
Seine ['zeːnə] Seine (la)
Serbien ['zɛrbiən] *n* Serbie (la)
Sibirien [ziˈbiːriən] *n* Sibérie (la)
Siebenbürgen [ziːbənˈbyrgən] *n* Transylvanie (la)
Simbabwe [zimˈbabve] *n* Zimbabwe (le)
Singapur ['ziŋgapuːr] *n* Singapour
Sizilien [ziˈtsiːliən] *n* Sicile (la)
Skandinavien [skandiˈnɑːviən] *n* Scandinavie (la)
Slowakei (*die*) [slovaˈkaɪ] Slovaquie (la)
Slowenien [sloˈveːniən] *n* Slovénie (la)
Somalia [zoˈmɑːlia] *n* Somalie (la)
Sowjetunion (*die*) *hist* [zɔˈvjɛtˈunioːn] Union soviétique (l') *f*
Spanien ['ʃpɑːniən] *n* Espagne (l') *f*
Steiermark (*die*) ['ʃtaɪərmark] Styrie (la)
Stille Ozean (*der*) ['ʃtɪləˈoːtseaːn] océan Pacifique (l') *m*
Stockholm ['ʃtɔkhɔlm] *n* Stockholm
Straßburg ['ʃtraːsburk] *n* Strasbourg
Südafrika ['zyːtˈɑːfrika] *n* Afrique du Sud (l') *f*; *die Republik* ~ la République sud-africaine
Südamerika ['zyːtʔameˈrika] *n* Amérique du Sud *od* latine (l') *f*
Sudan (*der*) [zuˈdɑːn] *n* Soudan (le)
Süddeutschland ['zyːtdɔʏtʃlant] *n* Allemagne du Sud (l') *f*
Sudeten (*die*) [zuˈdeːtən] *pl* monts des Sudètes (les) *m/pl*
Südeuropa ['zyːtʔɔyroːpa] *n* Europe méridionale (l') *f*
Südfrankreich ['zyːtfraŋkraɪç] *n* Midi de la France (le)
Südsee (*die*) ['zyːtzeː] *n* mer du Sud (la)
Südtirol [zyːttiroːl] *n* Tyrol méridional (le), Sud-Tyrol (le), Trentin-Haut-Adige (le)
Suezkanal (*der*) ['zuːetskanɑːl] canal de Suez (le)
Syrien ['zyːriən] *n* Syrie (la)

T

Tanger ['taŋər] *n* Tanger
Tansania [tanˈzɑːnia, tanzaˈniːa] *n* Tanzanie (la)
Tasmanien [tasˈmɑːniən] *n* Tasmanie (la)
Teneriffa [teneˈrifa] *n* Ténériffe
Tessin (*das*) [tɛˈsiːn] *n* Tessin (le)
Texas ['tɛksas] *n* Texas (le)
Thailand ['taɪlant] *n* Thaïlande (la)
Theben ['teːbən] *n* Thèbes *m*
Themse (*die*) ['tɛmzə] Tamise (la)
Thüringen ['tyːriŋən] *n* Thuringe (la)
Tiber (*der*) ['tiːbər] Tiber (le)
Tirol [tiˈroːl] *n* Tyrol *od* Tirol (la)
Tote Meer (*das*) ['toːtə meːr] mer Morte (la)
Trient [triˈent] *n* Trente
Trier [triːr] *n* Trèves
Trinidad ['trinidat] *n* Trinité (la)
Tschad [tʃaːd] *n* Tchad (le)
Tschechische Republik (*die*) ['tʃɛçɪʃə repubˈlik] République Tchèque (la)
Tschechoslowakei (*die*) ['tʃɛçoslovaˈkaɪ] Tchécoslovaquie (la)
Tunesien [tuˈneːziən] *n* Tunisie (la)
Tunis ['tuːnis] *n* Tunis
Türkei (*die*) [tyrˈkaɪ] Turquie (la)

U

Uganda [uˈganda] *n* Ouganda (l') *m*
Ukraine (*die*) [ukraˈiːnə] Ukraine (l') *f*
Ungarn ['uŋgarn] *n* Hongrie (la)

V

Vatikanstadt [vatiˈkɑːnʃtat] (*die*) Etat de la Cité du Vatican (l') *m*
Venedig [veˈneːdiç] *n* Venise
Venezuela [venetsuˈela] *n* Vénézuela (le)
Vereinigten Staaten (**von Amerika**) (*die*) [fɛrˈʔaɪnɪçtən ˈʃtɑːtən (fɔn aˈmeːrika)] *m/pl* États-Unis (d'Amérique) (les) *m/pl*
Versailles [verˈzaj] *n* Versailles
Vesuv (*der*) [veˈzuːf] Vésuve (le)
Vierwaldstätter See (*der*) [fiːrˈvaltʃtetər zeː] lac des Quatre-Cantons (le)
Vietnam [viˈetnam] *n* Viêt-nam (le)
Vogesen (*die*) [voˈgeːzən] *pl* Vosges (les) *f/pl*
Vorderasien ['fɔrdərʔaːziən] *n* Asie antérieure *od* occidentale (l') *f*

W

Wales [veːls] *n* pays de Galles (le)
Wallis [valis] *n* Valais (le)
Warschau ['varʃaʊ] *n* Varsovie
Weichsel (*die*) ['vaɪksəl] Vistule (la)
Westafrika ['vɛstˀɑːfrika] *n* Afrique occidentale (l') *f*
West-Berlin ['vɛstbɛrliːn] *n hist* Berlin-Ouest
Westdeutschland ['vɛstdɔʏtʃlant] *n* Allemagne occidentale *od* de l'Ouest (l') *f*
Westeuropa ['vɛstˀɔʏroːpa] *n* Europe occidentale (l') *f*
Westfalen *n* → Nordrhein-Westfalen

Westindien [vɛstˀindiən] *n* Indes occidentales (les) *f/pl*
Wien [viːn] *n* Vienne
Wolga (*die*) ['vɔlga] Volga (la)
Württemberg *n* → Baden-Württemberg

Z

Zaire [tsaˈir] *n* Zaïre *m*
Zentralafrika [tsɛntˈrɑːlˈafrika] *n* Afrique centrale (l') *f*
Zürich ['tsyːriç] *n* Zurich
Zweibrücken ['tsvaɪbrykən] *n* Deux-Ponts
Zypern ['tsyːpərn] *n* Chypre

Französische Abkürzungen

A

A 2 *Antenne deux* „Zweites Programm" (des französischen Fernsehens)

A.C.F. *Automobile Club de France* Französischer Automobilklub

A.C.T.I.M. *Agence pour la coopération technique, industrielle et économique* Agentur für technische, industrielle und wirtschaftliche Zusammenarbeit

A.E.A. *Association des étudiants allemands* Vereinigung der deutschen Studenten

A.E.L.E. *Association européene de libre-échange* Europäische Freihandelsgemeinschaft, Freihandelszone

A.F.E.F. *Association française des enseignants de français* Verband der Lehrkräfte der französischen Sprache

A.F.N.O.R. *Association française de normalisation* Französischer Verband für Normengebung

A.F.P. *Agence France-Press* AFP *(franz. Nachrichtenagentur)*

A.I.E.A. *Agence internationale de l'énergie atomique* Internationale Agentur für Atomenergie

A.I.T. *Alliance internationale du tourisme* Internationale Allianz für Touristik

A.J. *auberge de la jeunesse* Jugendherberge

A.J.P. *Accueil des jeunes en France* Aufnahmestelle für junge Menschen in Frankreich

A.M.S. *Assemblée mondiale de la santé* Weltgesundheitskongress

A.N.P.E. *Agence nationale pour l'emploi* Nationale Agentur für Stellenvermittlung *(etwa:* Arbeitsamt*)*

Arr. *arrondissement* (Pariser) Stadtbezirk

A.S. *association sportive* Sportverein

A.S.S.U. *Association sportive scolaire et universitaire* Schul- und Universitätssportverband

Av. *avenue* Avenue

A.V.E.L. *Association de vacances éducatives et linguistiques* Verband für Feriengestaltung auf dem Bildungs- und Fremdsprachensektor

B

B.A.S. *Bureau d'aide sociale* Sozialamt

Bd, bd *boulevard* Boulevard

BCBG *bon chic bon genre* schick; elegant

B.C.E. *Banque centrale européenne* Europäische Zentralbank (EZB)

B.E.I. *Banque européenne d'investissement* Europäische Investitionsbank (EIB)

B.E.P. *brevet d'études professionelles* Berufsfachschulabschluss

B.E.P.C. *brevet d'études du premier cycle etwa* mittlere Reife

B.I.T. *Bureau international du travail* Internationales Arbeitsamt

B.O. *Bulletin officiel* Amtsblatt

B.P. *boîte postale* Postfach

B.P.F. *bon pour francs* gut für ... Franc *(auf Schecks, Wechseln usw.)*

B.V.P. *Bureau de vérification de la publicité* Amt für Werbungskontrolle

C

C.A.D. *Comité d'aide au développement* Hilfsausschuss für Entwicklung

c.-à-d. *c'est-à-dire* das heißt

C.A.F. *caisse d'allocations familiales* Kasse für Familienbeihilfe, Kindergeldkasse

C.A.P. *certificat d'aptitude professionelle etwa* Facharbeiterprüfung

C.A.P.E.S. *certificat d'aptitude pédagogique à l'enseignement secondaire* Bescheinigung über die pädagogische Befähigung zum Unterricht an höheren Schulen

C.C. *Corps consulaire* Konsularisches Korps; *compte courant* laufendes Konto, Girokonto

C.C.I. *Chambre de commerce internationale* Internationale Handelskammer

C.C.P. *compte chèques postaux* Postscheckkonto

C.D. *Corps diplomatique* Diplomatisches Korps

C.E.C.A. *Communauté européenne du charbon et de l'acier* Europäische Gemeinschaft für Kohle und Stahl, Montanunion

C.E.D. *Communauté européenne de défense* Europäische Verteidigungsgemeinschaft

Cedex, *a* **Cédex** *Courrier d'entreprises à distribution exceptionnelle* Sonderbüro für die Posteingänge von Großbetrieben

C.E.E. *Communauté économique européenne* Europäische (Wirtschafts-)Gemeinschaft, E(W)G

C.E.G. *Collège d'enseignement général Fr Art* Realschule

C.E.I. *Communauté des États indépendants* Gemeinschaft Unabhängiger Staaten (GUS)

C.E.S. *Collège d'enseignement secondaire Fr* Gymnasium der 6.–3. Klasse

C.E.S.C. *Conférence européenne de sécurité et de coopération* KSZE, Konferenz für Sicherheit und Zusammenarbeit in Europa

C.E.T. *Collège d'enseignement technique Fr* Gymnasium mit technischer Oberstufe von 2 bzw. 3 Jahren

cf. *confer, comparez* vergleiche

C.G.C. *Confédération générale des cadres* Allgemeiner Bund der (leitenden) Angestellten (*Angestelltengewerkschaft*)

C.G.T.-F.O. *Confédération générale du travail – Force ouvrière* Französischer Gewerkschaftsverband

C.H. *centre hospitalier* Krankenhauszentrum

C.I.C.R. *Comité international de la Croix-Rouge* Internationales Komitee des Roten Kreuzes

C.I.O. *Comité international olympique* Internationales Olympisches Komitee

C.L.I.F. *Centre de liaison interfamiliale* Zentralstelle für Verbindungen zwischen den Familien

C.N.A.J.E.P. *Comité national des associations de jeunesse et d'éducation populaire* Nationalausschuss der Jugend- und Volksbildungsvereine

C.N.E.S. *Centre national d'études spatiales* Nationales Raumfor-

schungszentrum

C.N.O.S.F. *Comité national olympique du sport français* Olympischer Nationalausschuss des französischen Sports

C.N.P.F. *Conseil national du patronat français* Nationalrat der französischen Arbeitgeberschaft

C.N.R.S. *Centre national de la recherche scientifique* Staatliche Zentrale für wissenschaftliche Forschung

CP *cours préparatoire* Vorbereitungsklasse; erste Grundschulklasse

C.-R.F. *Croix-Rouge française* Französisches Rotes Kreuz

C.-R.I. *Croix-Rouge internationale* Internationales Rotes Kreuz

C.R.L. *Centre des Républicains libres* Zentrum der freien Republikaner

C.R.O.U.S. *centre régional des œuvres universitaires et scolaires etwa* Studentenwerk

C.R.S. *Compagnie républicaine de sécurité* Republikanische Sicherheitskompanie; Bereitschaftspolizei; *un C.R.S.* ein Bereitschaftspolizist

C.S.C.E. *Conférence sur la sécurité et la coopération en Europe* Konferenz über die Sicherheit und Zusammenarbeit in Europa, KSZE (*Helsinki, 1975*)

C.V. *curriculum vitae* Lebenslauf

D

D.A.F.U. *Direction de l'aménagement foncier et de l'urbanisme* Direktion für Boden- und Stadtplanung

dép. *départ* Abfahrt; *député* Abgeordneter

D.E.U.G. *Diplôme d'études universitaires générales* Diplom über allgemeine Universitätsstudien

D.P.L.G. *diplômé par le gouvernement* von der Regierung diplomiert (*etwa*: staatlich geprüft)

D.S.T. *Direction de la surveillance du territoire* Direktion der Landesüberwachung (*Geheimdienst*)

E

E.D.F. *Electricité de France* Französische Elektrizitätsgesellschaft

E.E.E. *Espace économique européen* Europäischer Wirtschaftsraum (EWR)

E.N.A. *Ecole nationale d'administration* Staatliche Verwaltungsschule

E.N.S. *Ecole normale supérieure* Hochschule zur Ausbildung von Lehrern an höheren Schulen

E.N.S.E.P.S. *Ecole normale supérieure d'éducation physique et sportive* Hochschule für Leibesübungen

E.U.A. *Etats-Unis d'Amérique* USA, Vereinigte Staaten von Amerika

exp. *expéditeur* Absender (Abs.)

F

F.E.D. *Fonds européen de développement* Europäischer Entwicklungsfonds

F.F.A. *Forces françaises en Allemagne* Französische Streitkräfte in Deutschland

F.F.F. *Fédération française de football* Französischer Fußballbund

F.I.A.N.E. *Fonds d'intervention et d'action pour la nature et l'environnement* Interventions- und Aktionsfonds für die Natur und die Umwelt

F.I.C.T.A.D. *Fonds international de coopération technique et d'aide au développement* Internationaler Fonds für technische Zusammenarbeit und Entwicklungshilfe

F.I.F.A. *Fédération internationale de football association* Internationaler Fußballverband

F.I.P.F. *Fédération internationale des professeurs de français* Internationaler Verband der Lehrkräfte der französischen Sprache

F.I.T. *Fédération internationale des traducteurs* Internationaler Übersetzerverband

F.M.I. *Fonds monétaire international* Internationaler Währungsfonds (IWF)

F.O. *Force ouvrière* Arbeitsmacht (*e-e Gewerkschaft*)

F.S. *faire suivre!* nachsenden!

F.S.M. *Fédération syndicale mondiale* Weltgewerkschaftsbund

G

G.A.E.C. *Groupement agricole d'exploitation en commun* Landwirtschaftlicher Zusammenschluss für gemeinsame Nutzung

G.D.F. *Gaz de France* Französische Gasgesellschaft

GO *grandes ondes* Langwelle (LW)

G.V. *grande vitesse* Eilgut

H

H.E.C. *Hautes études commerciales* höhere Handelsstudien

H.L.M. (*mst abus. m*) *habitation à loyer modéré* Wohnung zu mäßiger Miete, Sozialwohnung

H.L.R. *habitation à loyer réduit* (*neuer als H.L.M.*) Wohnung zu herabgesetzter Miete

I

I.D.I. *Institut de développement industriel* Institut für industrielle Entwicklung

I.F. *Institut de France* Französisches Institut

I.F.O.P. *Institut français d'opinion publique* Französisches Institut für Meinungsforschung

I.G.A.M.E. *od* **igame** *Inspecteur général de l'Administration en mission extraordinaire* Generalinspektor der Verwaltung mit einem Sonderauftrag, *Art* Oberpräfekt

I.M.E. *Institut monétaire européen* Europäisches Währungsinstitut (EWI)

I.N.E.D. *Institut national d'études démographiques* Staatliches Institut für demographische Studien

I.N.S. *Institut national du sport* Staatliches Sportinstitut

I.N.S.E.E. *Institut national de la statistique et des études économiques* Staatliches Institut für Statistik und Wirtschaftsstudien

I.P.E.S. *Institut de préparation à l'enseignement secondaire* Institut zur Vorbereitung auf den Lehrdienst an höheren Schulen

J

J.E.C. *Jeunesse étudiante chrétienne* Christliche studentische Jugend

J.M.F. *Jeunesses musicales de France* Musik-Jugend Frankreichs (*Bewegung zur Förderung der Musikerziehung*)

J.O. *Jeux Olympiques* Olympische Spiele; *Journal officiel* Amtsblatt

J.O.C. *Jeunesse ouvrière chrétienne* Christliche Arbeiterjugend

K

kg/cm² *kilogramme par centimètre carré* Kilogramm pro Quadratzentimeter (atü)

km/h *kilomètre(s)-heure od kilomètre(s) à l'heure* Stundenkilometer, Kilometer je Stunde

L

L.D.H. *Ligue des droits de l'homme* Liga für Menschenrechte

M

M. *Monsieur* Herr(n)
Me *maître* Rechtsanwalt
M.I.J.E. *Maisons internationales de la jeunesse et des étudiants* Internationale Häuser der Jugend und der Studenten
M.J.C. *Maison de jeunes et de culture* Kulturhaus der Jugend
M.L.F. *Mouvement de libération des femmes* Bewegung für die Befreiung der Frauen
Mlle *Mademoiselle* Fräulein
Mlles *Mesdemoiselles* Fräulein *pl*
MM. *Messieurs* (an) die Herren
Mme *Madame* Frau
Mmes *Mesdames pl als Adresse*: *Mmes X et Y* Frau X und Frau Y
M.O. *Moyen-Orient* Mittlerer Osten
M.R.G. *Mouvement des radicaux de gauche* französische Mitte-Links-Partei
M.R.P. *Mouvement républicain populaire ehm* Republikanische Volksbewegung

N

N.B. *nota bene* Anmerkung (Anm.)
N.-D. *Notre-Dame* Unsere Liebe Frau
N.D.L.R. *note de la rédaction* Anmerkung der Redaktion
N.I. *non-inscrits* Parteilose *pl*
no. *numéro* Nummer
N/Réf. *notre référence* unser Zeichen
N.U. *Nations Unies* Vereinte Nationen

O

O.A.C.I. *Organisation de l'aviation civile internationale* Internationale Organisation der Zivilluftfahrt
O.C.D.E. *Organisation de coopération et de développement économiques* Organisation für wirtschaftliche Zusammenarbeit und Entwicklung
O.E.A. *Organisation des Etats américains* Organisation der amerikanischen Staaten
O.F.A.J. *Office franco-allemand pour la jeunesse* Französisch-deutsches Jugendwerk
O.I.E.A. *Organisation internationale de l'énergie atomique* Internationale Atomenergiebehörde
O.I.P.C. *Organisation internationale de police criminelle* Internationale Organisation der Kriminalpolizei
O.L.P. *Organisation de libération palestinienne* Palästinensische Befreiungsfront (PLO)
O.M.S. *Organisation mondiale de la santé* Weltgesundheitsorganisation
O.N.M. *Office national météorologique* Staatliches Amt für den Wetterdienst
O.N.T. *Office national du tourisme* Staatliches Touristenbüro
O.N.U. *Organisation des Nations Unies* UNO, Organisation der Vereinten Nationen
O.P.A. *offre publique d'achat* öffentliches Aktienkaufangebot
O.P.E.P. *Organisation des pays exportateurs de pétrole* Organisation Öl exportierender Länder
O.R.T.F. *Office de radiodiffusion-télévision française* (*bis 7.8.1974*) Amt für französische Rundfunk- und Fernsehsendungen (*seit 1974: T.F.*)
O.T.A.N. *Organisation du Traité de l'Atlantique-Nord* NATO *od* Nato (*seit 4.4.1949*)
O.U.A. *Organisation de l'unité africaine* Organisation für die Einheit Afrikas (*seit 25.5.1963*)
O.V.N.I. *od ovni m objet volant non identifié* unbekanntes Flugobjekt, Ufo *od* UFO

P

p. *page(s)* Seite(n); *pour* für
P.C. *Parti communiste* Kommunistische Partei

P.C.C. *pour copie conforme* für die Richtigkeit der Abschrift

P.-D.G. *od* **P.D.G.** *président-directeur général* Generaldirektor; Aufsichtsratsvorsitzender; Industriemanager

p.ex. *par exemple* zum Beispiel

P.I.B. *produit intérieur brut* Bruttoinlandsprodukt

P.J. *Police judiciaire* Kriminalpolizei; *pièce(s) jointe(s)* Anlage(n)

P.M.E. *Petites et moyennes entreprises* kleine und mittlere Betriebe

P.M.U. *Parti mutuel urbain* Pferdetoto

P.N.B. *produit national brut* Bruttosozialprodukt

P.S. *Parti socialiste* Sozialistische Partei

P.S.U. *Parti socialiste unifié Fr, seit 1960* Sozialistische Einheitspartei

P.T. *Postes et Télécommunications* (*so genannt seit 1960*) Post und Fernmeldewesen

P.T.T. (*neu*) *Postes, Télécommunications, Télédiffusion* Post- und Fernmeldewesen

P.U.F. *Presses universitaires de France* Französische Universitätsdruckerei (*Verlag*)

P.V. *petite vitesse* Frachtgut

Q

Q.G. *quartier général* Stabsquartier

Q.I. *quotient intellectuel od quotient d'intelligence* Intelligenzquotient

R

R. *recommandé* Einschreiben

r. *rue* Straße

R.A.T.P. *Régie autonome des transports parisiens* Autonome Regie der Pariser Verkehrsbetriebe

R.C. *registre du commerce* Handelsregister

R.D.A. *hist République démocratique allemande* Deutsche Demokratische Republik (DDR)

R.E.R. *Réseau express régional* Regionales Schnellbahnnetz (Paris)

R.F. *République française* Französische Republik

R.F.A. *République fédérale d'Allemagne* Bundesrepublik Deutschland (BRD)

R.N. *route nationale* Nationalstraße; *in*

der BRD: Bundesstraße

R.P. *réponse payée* Antwort bezahlt

R.P.R. *Rassemblement pour la République* (*seit dem 5.12.1976*) Sammlungsbewegung für die Republik (*unter Chirac*)

R.S.V.P. *répondez, s'il vous plaît* um Antwort wird gebeten

S

S.A. *Société anonyme* Aktiengesellschaft (AG)

S.A.M.U. *service d'aide médicale d'urgence* Dienststelle für ärztliche Soforthilfe; *etwa*: Notarzt, Rettungsdienst

S.A.R.L. *Société à responsabilité limitée* Gesellschaft mit beschränkter Haftung (GmbH)

S.E.O. *sauf erreur ou omission* Irrtum oder Auslassung vorbehalten

S.I. *syndicat d'initiative* Fremdenverkehrsamt

SIDA *syndrome d'immunodéficience acquise* Aids

S.M.I.C. *salaire minimum interprofessionnel de croissance* dynamischer Mindestlohn für alle Berufssparten

S.M.I.G. *salaire minimum interprofessionnel garanti* garantierter Mindestlohn für alle Berufssparten

S.N.C.F. *Société nationale des chemins de fer français* Staatliche französische Eisenbahngesellschaft

S.N.E.C.M.A. *Société nationale d'étude et de construction de moteurs d'aviation* Staatliche Gesellschaft für das Studium und den Bau von Flugzeugmotoren

S.O.F.R.E.S. *Société française d'enquête par sondage* Französische Gesellschaft für Untersuchungen durch Meinungsbefragung

S.P.A. *Société protectrice des animaux* Tierschutzverein

s.v.p. *s'il vous plaît* bitte

T

T.E.E. *Trans-Europ-Express hist* Trans-Europ-Express

TF 1 *Télévision française un* Französisches Fernsehen – erstes Programm

T.G.V. *train à grande vitesse* Hochgeschwindigkeitszug

T.N.P. *Théâtre national populaire* Nationales Volkstheater (*Theater in Paris*)

T.T.C. *toutes taxes comprises* einschließlich aller Gebühren

T.V.A. *taxe à la valeur ajoutée* Mehrwertsteuer

U

u.c. *unité de compte* Verrechnungseinheit

U.D.F. *Union pour la démocratie française* Union für die französische Demokratie

U.D.R. *Union pour la défense de la République* (*seit Mai 1968*) Union für die Verteidigung der Republik

U.E. *Union européenne* Europäische Union (EU)

U.E.M. *Union économique et monétaire* Europäische Wirtschafts- und Währungsunion (EWWU)

U.E.O. *Union de l'Europe occidentale* Westeuropäische Union

U.E.P. *Union européenne de paiements* Europäische Zahlungsunion

U.N.R. *Union pour la Nouvelle République* (*1962–1968*; *jetzt*: *U.D.R.*) Union für die Neue Republik

U.P.U. *Union postale universelle* Weltpostverein

U.R.S.S. *hist* **Union des Républiques socialistes soviétiques** Union der Sozialistischen Sowjetrepubliken (UdSSR)

V

v. *voir* siehe

V.A.C. *vin d'appellation contrôlée* kontrollierter Markenwein

V.I.P. *f* **very important person** (= *personnage très important*) sehr bedeutende Persönlichkeit

V/REF *votre référence* Ihr Zeichen

V.T.T. *vélo tout-terrain* Mountainbike

W

W.-C. *water-closet* Toilette (WC)

X

X.P. *exprès payé* Eilbote bezahlt

Z

Z.U.P. *Zone à urbaniser en priorité* Zone für vorrangige Stadtplanung

Deutsche Abkürzungen

A

AA *Auswärtiges Amt* ministère des Affaires étrangères

Abb. *Abbildung* image

Abf. *Abfahrt* départ

Abk. *Abkürzung* abréviation

Abs. *Absender* expéditeur; *Absatz* alinéa

ABS *Antiblockiersystem* système anti-blocage

Abschn. *Abschnitt* paragraphe

Abt. *Abteilung* département; subdivision

a.d. *an der* (*bei Ortsnamen*) sur le *bzw.* la

a.D. *außer Dienst* en retraite

ADAC *Allgemeiner Deutscher Automobil-Club* Automobile-Club général d'Allemagne

ADN *hist Allgemeiner Deutscher Nachrichtendienst* Agence générale allemande d'information

Adr. *Adresse* adresse

AG *Aktiengesellschaft* Société anonyme (par actions)

allg. *allgemein* général(ement)

a.M. *am Main* sur-le-Main

Anh. *Anhang* appendice

Ank. *Ankunft* arrivée

Anl. *Anlage* pièce jointe

Anm. *Anmerkung* remarque; note

AOK *Allgemeine Ortskrankenkasse* caisse générale locale de maladie

ARD *Arbeitsgemeinschaft der Rundfunkanstalten Deutschlands* Association des radios de la République fédérale d'Allemagne; Première chaîne de télévision allemande

a.Rh. *am Rhein* sur-le-Rhin

Art. *Artikel* article

AstA ['asta] *Allgemeiner Studentenausschuss* Comité général des étudiants

Aufl. *Auflage* tirage; édition

Ausg. *Ausgabe* édition

Az. *Aktenzeichen* référence

B

b. *bei* chez; *bei Ortsangaben* près de

B *Bundesstraße* route nationale

Bd. *Band* volume

BDI *Bundesverband der Deutschen Industrie* Union fédérale de l'industrie allemande

bes. *besonders* particulièrement

Best.-Nr. *Bestellnummer* numéro de commande

Betr. *Betreff* objet

bez. *bezahlt* payé

BGB *Bürgerliches Gesetzbuch* Code civil allemand

BH *Büstenhalter* soutien-gorge

Bhf. *Bahnhof* gare

BLZ *Bankleitzahl* code (de) banque

BP *Bundespost* Postes de la République fédérale d'Allemagne

BRD *Bundesrepulbik Deutschland* République fédérale d'Allemagne

b.w. *bitte wenden* tournez, s'il vous plaît!

bzw. *beziehungsweise* ou bien; respectivement

C

C *Celsius* Celsius

ca. *circa, ungefähr* environ

cbm *Kubikmeter* mètre cube

ccm *Kubikzentimeter* centimètre cube

CD *Compact Disk* disque Compact

CDU *Christlich-Demokratische Union* Union chrétienne-démocrate

CH *Confoederatio Helvetica* Confédération helvétique

cl *Zentiliter* centilitre

cm *Zentimeter* centimètre

Co. [ko:] *Kompanie* compagnie

CSU *Christlich-Soziale Union* Union chrétienne-sociale

D

DAG *Deutsche Angestellten-Gewerkschaft* Syndicat des employés allemands

DB *Deutsche Bahn* Chemins de fer de la République fédérale d'Allemagne

DDR *hist Deutsche Demokratische Republik* République démocratique allemande (*R.D.A.*)

DER *Deutsches Reisebüro* Agence de

voyages allemande

DFB *Deutscher Fußballbund* Fédération allemande de football

DGB *Deutscher Gewerkschaftsbund* Fédération des syndicats ouvriers allemands

dgl. *dergleichen* et cætera

d.h. *das heißt* c'est-à-dire

DIN [di:n] *Deutsche Industrie-Norm* (*-en*) norme(s) technique(s) de l'industrie allemande

Dipl.-Ing. *Diplomingenieur* ingénieur diplômé

d.J. *dieses Jahres* de cette année

DKP *Deutsche Kommunistische Partei* parti communiste allemand

DLRG *Deutsche Lebensrettungsgesellschaft* Société allemande de sauvetage

DM *Deutsche Mark* mark allemand

d.M. *dieses Monats* de ce mois

dpa *Deutsche Presse-Agentur* Agence allemande de presse

Dr. *Doktor* docteur

DRK *Deutsches Rotes Kreuz* Croix-Rouge allemande

Dr. med. *Doktor der Medizin* docteur en médecine

Dr. phil. *Doktor der Philosophie* docteur ès lettres

dt. *deutsch* allemand

Dtz(d). *Dutzend* douzaine

D-Zug *Durchgangszug; Schnellzug* rapide

E

Ed. *Edition, Ausgabe* édition

EDV *Elektronische Datenverarbeitung* traitement électronique de l'information

EFTA (*European Free Trade Association*) *Europäische Freihandelszone* Association européenne de libre-échange

EG *hist Europäische Gemeinschaft* Communauté européenne (C.E.)

EIB *Europäische Investitionsbank* Banque européenne d'investissement

EKG *Elektrokardiogramm* électrocardiogramme

entspr. *entsprechend* correspondant

EU *Europäische Union* Union européenne

EUR *Euro* euro

EURATOM *Europäische Atomgemeinschaft* Communauté européenne de l'énergie atomique

ev. *evangelisch* protestant

e.V. *eingetragener Verein* association enregistrée

evtl. *eventuell* éventuel(lement)

EWI *Europäisches Währungsinstitut* Institut monétaire européen

EWS *Europäisches Währungssystem* Système monétaire européen

exkl. *exklusive* exclusivement

Expl. *Exemplar* exemplaire

EZB *Europäische Zentralbank* Banque centrale européenne

F

f. *folgende Seite* page suivante

Fa. *Firma* maison; firme

FDJ *hist Freie Deutsche Jugend* Jeunesse allemande libre

FDP *Freie Demokratische Partei* Parti démocrate libre

ff. *folgende Seiten* pages suivantes

FKK *Freikörperkultur* nudisme

Forts. *Fortsetzung* suite

Fr. *Frau* Madame; *Franken* franc (F)

frdl. *freundlich* aimable

Frl. *Fräulein* Mademoiselle

frz. *französisch* français

G

g *Gramm* gramme

geb. *geboren(e)* né(e)

Gebr. *Gebrüder* frères

gegr. *gegründet* fondé

Ges. *Gesellschaft* société

ges. gesch. *gesetzlich geschützt* protégé par la loi

gesch. *geschieden* divorcé(e)

gest. *gestorben* mort(e); décédé(e)

gez. *gezeichnet* signé

ggf. *gegebenenfalls* le cas échéant

GmbH *Gesellschaft mit beschränkter Haftung* société à responsabilité limitée (S.A.R.L.)

GUS *Gemeinschaft Unabhängiger Staaten* Communauté des États Indépendants

H

ha *Hektar* hectare

Hbf. *Hauptbahnhof* gare centrale *od* principale

h.c. *honoris causa* honoris causa
HIV (*Human Immundeficiency Virus*) *Aids-Erreger* virus de l'immunodépression humaine
hl. *heilig(er)* saint(e)

I

i.A. *im Auftrag* par ordre; par autorisation
IAO *Internationale Arbeitsorganisation* Organisation internationale du travail
IATA (*International Air Transport Association*) *Internationaler Luftverkehrsverband* IATA
IC *Intercity-Zug* intercity (*train rapide intervilles*)
ICE *Intercity-Express* etwa TGV
IG *Industriegewerkschaft* syndicat ouvrier
IHK *Industrie- und Handelskammer* Chambre de commerce et d'industrie
i.J. *im Jahre* en l'an
Ing. *Ingenieur* ingénieur
Inh. *Inhaber* propriétaire
inkl. *inklusive, einschließlich* inclus; inclusivement
IOK *Internationales Olympisches Komitee* Comité international olympique
i.R. *im Ruhestand* en retraite
i.V. *in Vertretung* par intérim; par délégation
IWF *Internationaler Währungsfonds* Fonds monétaire international

J

Jg. *Jahrgang* année
Jh. *Jahrhundert* siècle
jr., jun. *junior* junior; fils (*commerce*)
Juso *Jugendsozialist* jeune socialiste

K

Kap. *Kapitel* chapitre
kath. *katholisch* catholique
kfm. *kaufmännisch* commercial
Kfz. *Kraftfahrzeug* automobile; véhicule à moteur
kg *Kilogramm* kilogramme
KG *Kommanditgesellschaft* société en commandite
Kl. *Klasse* classe
km *Kilometer* kilomètre
KP(D) *Kommunistische Partei*

(*Deutschlands*) Parti communiste (allemand)
Kripo *Kriminalpolizei* police judiciaire
KSZE *Konferenz für Sicherheit und Zusammenarbeit in Europa* Conférence sur la sécurité et la coopération en Europe
Kto. *Konto* compte
KZ *Konzentrationslager* camp de concentration

L

l *Liter* litre
led. *ledig* célibataire
lfd. *laufend* courant
Lkw *Lastkraftwagen* camion; poids lourd
LP *Langspielplatte* disque à microsillon
lt. *laut* conformément à

M

m *Meter* mètre
M.d.B. *Mitglied des Bundestages* membre du Bundestag
m.E. *meines Erachtens* à mon avis
MEZ *Mitteleuropäische Zeit* heure de l'Europe centrale (H.E.C.)
mg *Milligramm* milligramme
MG *Maschinengewehr* mitrailleuse
Min. *Minute* minute
Mio *Millionen* millions
mm *Millimeter* millimètre
möbl. *möbliert* meublé
Mrd. *Milliarde* milliard
mtl. *monatlich* mensuel(lement)
MwSt *Mehrwertsteuer* taxe sur la valeur ajoutée

N

N *Norden* nord (N)
Nachf. *Nachfolger* successeur
nachm. *nachmittags* (de) l'après-midi
NATO ['naːto] *Nordatlantikpakt-Organisation* Organisation du traité de l'Atlantique Nord (O.T.A.N.)
NB *nota bene* nota bene
n.Chr. *nach Christus* après Jésus-Christ
NOK *Nationales Olympisches Komitee* Comité olympique national
NPD *Nationaldemokratische Partei Deutschlands* Parti national-démo-

crate d'Allemagne

Nr. *Nummer* numéro

NS *nationalsozialistisch* nazi; *Nachschrift* post-scriptum

O

O *Osten* est (E)

o. *ohne* sans; *oben* en haut

o.Ä. *oder Ähnliches* et des choses semblables

o.B. *ohne Befund* symptômes néant

OB *Oberbürgermeister* maire; premier bourgmestre

od. *oder* ou

OECD (*Organization for Economic Cooperation and Development*) *Organisation für wirtschaftliche Zusammenarbeit und Entwicklung* Organisation de coopération et de développement économiques

OHG *Offene Handelsgesellschaft* société en nom collectif

OP *Operationssaal* salle d'opération

ÖTV *Öffentliche Dienste, Transport und Verkehr* syndicat (des ouvriers) des services et transports publics

P

p.A. *per Adresse* aux soins de

PC *Personalcomputer* microordinateur

PDS *Partei des Demokratischen Sozialismus* parti du socialisme démocratique

Pf. *Pfennig* pfennig

Pfd. *Pfund* livre

Pkt. *Punkt* point

Pkw *Personenkraftwagen* voiture particulière

PLZ *Postleitzahl* code postal

pp., ppa. *per procura* par procuration

Prof. *Professor* professeur

PS *Pferdestärke* cheval-vapeur (ch); *Postskriptum* post-scriptum

Q

qkm *Quadratkilometer* kilomètre carré

qm *Quadratmeter* mètre carré

R

rd. *rund* environ; en chiffres ronds

rh. RH *Rhesusfaktor* facteur rhésus

S

S *Süden* sud (S); *Schilling* schilling

S. *Seite* page

s. *siehe* voir

S-Bahn *Schnellbahn* Réseau express régional (R.E.R.)

SED *hist DDR* *Sozialistische Einheitspartei Deutschlands* Parti socialiste unifié d'Allemagne

Sek. *Sekunde* seconde

sen. *senior* senior; père (*commerce*)

s.o. *siehe oben* voir ci-dessus *od* plus haut

sog. *so genannt* dit; prétendu; soi-disant

SPD *Sozialdemokratische Partei Deutschlands* Parti social-démocrate d'Allemagne

Std. *Stunde* heure

StGB *Strafgesetzbuch* code pénal

Str. *Straße* rue; avenue; route

StVo *Straßenverkehrsordnung* code de la route

s.u. *siehe unten* voir ci-dessous *od* plus bas

T

t *Tonne* tonne

tägl. *täglich* quotidien(nement)

Tel. *Telefon* téléphone

TU *Technische Universität* université technique

TÜV [tyf] *Technischer Überwachungsverein* Association pour la surveillance technique

U

u. *und* et

u.a. *unter anderem* entre autres

u.Ä. *und Ähnliches* et (d')autres (choses) semblables

u.a.m. *und andere(s) mehr* etc

u.A.w.g. *um Antwort wird gebeten* Répondez s'il vous plaît

U-Bahn *Untergrundbahn* (chemin de fer) métropolitain, métro

ü.d.M. *über dem Meeresspiegel* au-dessus du niveau de la mer

UdSSR *hist* *Union der Sozialistischen Sowjetrepubliken* Union des républiques socialistes soviétiques (U.R.S.S.)

u.E. *unseres Erachtens* selon nous

UFO *Unbekanntes Flugobjekt* objet

volant non identifié

UKW *Ultrakurzwelle* ondes ultra-courtes

UNO ['uːno] *Organisation der Vereinten Nationen* Organisation des Nations Unies (O.N.U.)

USA *Vereinigte Staaten von Amerika* Etats-Unis d'Amérique

usw. *und so weiter* etc

u.U. *unter Umständen* éventuellement; selon les circonstances

V

v. *von* de

V. *Volt* volt

v.Chr. *vor Christus* avant Jésus-Christ

VEB *hist DDR Volkseigener Betrieb* entreprise collectivisée

VHS *Volkshochschule* université populaire

Verf. *Verfasser* auteur

verh. *verheiratet* marié(e)

verw. *verwitwet* veuf, veuve

vgl. *vergleiche* voir

vorm. *vormals* autrefois; *vormittags* le (du) matin

Vors. *Vorsitzender* président

VW *Volkswagen* Volkswagen

W

W *Westen* ouest (O)

WEZ *Westeuropäische Zeit* heure de l'Europe occidentale

Wwe. *Witwe* veuve

Z

z.B. *zum Beispiel* par exemple

ZDF *Zweites Deutsches Fernsehen* Deuxième chaîne de télévision allemande

z.H. *zu Händen* à l'attention de

z.T. *zum Teil* en partie

Ztr. *Zentner* 50 kilos

zus. *zusammen* ensemble; *in Rechnungen* en tout

zw. *zwischen* entre

z.Z(t). *zur Zeit* en ce moment; actuellement

Konjugation der französischen Verben

Die in der folgenden Zusammenstellung angeführten Verben sind als Musterbeispiele zu betrachten. Im Wörterbuch sind hinter jedem Verb Nummer und Buchstabe *(1a)*, *(2b)*, *(3c)*, *(4d)* usw. angegeben, die auf diese Musterbeispiele hinweisen.

Alphabetisches Verzeichnis
der aufgeführten Konjugationsmuster

abréger 1g	couvrir 2f	haïr 2m	recevoir 3a
acheter 1e	croire 4v		régner 1f
acquérir 2l	croître 4w	lire 4x	résoudre 4bb
aimer 1b	cueillir 2c		rire 4r
aller 1o		manger 1l	
appeler 1c	déchoir 3m	menacer 1k	saluer 1n
asseoir 3l	dire 4m	mettre 4p	savoir 3g
avoir 1		moudre 4y	sentir 2b
	échoir 3m	mourir 2k	seoir 3k
blâmer 1a	écrire 4f	mouvoir 3d	suivre 4h
boire 4u	employer 1h		
bouillir 2e	envoyer 1p	naître 4g	traire 4s
	être 1		
clore 4k		paraître 4z	vaincre 4i
conclure 4l	faillir 2n	payer 1i	valoir 3h
conduire 4c	faire 4n	peindre 4b	vendre 4a
confire 4o	falloir 3c	plaire 4aa	venir 2h
conjuguer 1m	fuir 2d	pleuvoir 3e	vêtir 2g
coudre 4d		pouvoir 3f	vivre 4e
courir 2i	geler 1d	prendre 4q	voir 3b
		punir 2a	vouloir 3i

Man beachte besonders:

1. Das *Imparfait* und das *Participe présent* können stets aus der 1. Person Plural des Indicatif présent abgeleitet werden, z.B.
   nous trou**vons**: je trou**vais** *usw.*, trou**vant**.
2. Das *Passé simple* wird heute in der gesprochenen Sprache meist durch das *Passé composé* ersetzt.
3. Das *Imparfait du subjonctif* wird heute auch in der Schriftsprache höchstens noch in der 3. Person Singular gebraucht. Gewöhnlich wird es durch das *Présent du subjonctif* ersetzt.

(1) avoir

Hilfsverben

A. Indicatif

I. Einfache Formen

Présent

sg. j'ai
tu *as*
il *a*

pl. nous avons
vous avez
ils *ont*

Imparfait

sg. j'avais
tu avais
il avait

pl. nous avions
vous aviez
ils avaient

Passé simple

sg. j'eus
tu eus
il eur

pl. nous eûmes
vous eûtes
ils eurent

Futur simple

sg. j'aurai
tu auras
il aura

pl. nous aurons
vous aurez
ils auront

Conditionnel présent

sg. j'aurais
tu aurais
il aurait

pl. nous aurions
vous auriez
ils auraient

Participe présent

ayant

Participe passé

eu (*f* eue)

II. Zusammengesetzte Formen

Passé composé

j'ai eu

Plus-que-parfait

j'avais eu

Passé antérieur

j'eus eu

Futur antérieur

j'aurai eu

Conditionnel passé

j'aurais eu

Participe composé

ayant eu

Infinitif passé

avoir eu

B. Subjonctif

I. Einfache Formen

Présent

sg. que j'aie
que tu aies
qu'il ait

pl. que nous ayons
que vous ayez
qu'ils aient

Imparfait

sg. que j'eusse
que tu eusses
qu'il eût

pl. que nous eussions
que vous eussiez
qu'ils eussent

Impératif

aie – ayons – ayez

II. Zusammengesetzte Formen

Passé

que j'aie eu

Plus-que-parfait

que j'eusse eu

Hilfsverben

(1) être

A. Indicatif

I. Einfache Formen

Présent

sg. je suis
tu es
il est

pl. nous sommes
vous êtes
ils sont

Imparfait

sg. j'étais
tu étais
il était

pl. nous étions
vous étiez
ils étaient

Passé simple

sg. je fus
tu fus
il fut

pl. nous fûmes
vous fûtes
ils furent

Futur simple

sg. je serai
tu seras
il sera

pl. nous serons
vous serez
ils seront

Conditionnel présent

sg. je serais
tu serais
il serait

pl. nous serions
vous seriez
ils seraient

Participe présent

étant

Participe passé

été

II. Zusammengesetzte Formen

Passé composé

j'ai été

Plus-que-parfait

j'avais été

Passé antérieur

j'eus été

Futur antérieur

j'aurai été

Conditionnel passé

j'aurais été

Participe composé

ayant été

Infinitif passé

avoir été

B. Subjonctif

I. Einfache Formen

Présent

sg. que je sois
que tu sois
qu'il soit

pl. que nous soyons
que vous soyez
qu'ils soient

Imparfait

sg. que je fusse
que tu fusses
qu'il fût

pl. que nous fussions
que vous fussiez
qu'ils fussent

Impératif

sois – soyons – soyez

II. Zusammengesetzte Formen

Passé

que j'aie été

Plus-que-parfait

que j'eusse été

(1a) blâmer

II. Zusammengesetzte Formen
(Vom *Participe passé* mit Hilfe von **avoir** und **être**)

1. Das Aktiv

Passé composé: j'ai blâmé
Plus-que-parfait: j'avais blâmé
Passé antérieur: j'eus blâmé
Futur II: j'aurai blâmé
Conditionnel II: j'aurais blâmé

2. Das Passiv

Présent: je suis blâmé
Imparfait: j'étais blâmé
Passé simple: je fus blâmé
Passé composé: j'ai été blâmé
Plus-que-part.: j'avais été blâmé
Passé antérieur: j'eus été blâmé
Futur I: je serai blâmé
Futur II: j'aurai été blâmé
Conditionnel I: je serais blâmé
Conditionnel II: j'aurais été blâmé
Impératif: sois blâmé
Participe présent: étant blâmé
Participe passé: ayant été blâmé
Infinitif présent: être blâmé
Infinitif passé: avoir été blâmé

Erste Konjugation

I. Einfache Formen

Présent

sg. je blâme
tu blâmes
il blâme[1]

pl. nous blâmons
vous blâmez
ils blâment

Passé simple

sg. je blâmai
tu blâmas
il blâma

pl. nous blâmâmes
vous blâmâtes
ils blâmèrent

Participe passé

blâmé(e)

Infinitif présent

blâmer

[1] blâme-t-il?

Impératif

blâme
blâmons
blâmez
NB. blâmes-en (-y)

Imparfait

sg. je blâmais
tu blâmais
il blâmait

pl. nous blâmions
vous blâmiez
ils blâmaient

Participe présent

blâmant

Futur I

sg. je blâmerai
tu blâmeras
il blâmera

pl. nous blâmerons
vous blâmerez
ils blâmeront

Conditionnel I

sg. je blâmerais
tu blâmerais
il blâmerait

pl. nous blâmerions
vous blâmeriez
ils blâmeraient

Subjonctif présent

sg. que je blâme
que tu blâmes
qu'il blâme

pl. que nous blâmions
que vous blâmiez
qu'ils blâment

Subjonctif imparfait

sg. que je blâmasse
que tu blâmasses
qu'il blâmât

pl. que nous blâmassions
que vous blâmassiez
qu'ils blâmassent

Zeichen	Infinitif	Bemerkungen	Présent de l'indicatif	Présent du subjonctif	Passé simple	Futur	Impératif	Participe passé
(1b)	aimer	Der vortonige [ε]-Laut wird oft wie [e] gesprochen: **aime** [εm] aber **aimons** [emõ]	aime aimes aime aimons aimez aiment	aime aimes aime aimions aimiez aiment	aimai aimas aima aimâmes aimâtes aimèrent	aimerai aimeras aimera aimerons aimerez aimeront	aime aimons aimez	aimé(e)
(1c)	appeler	Der Schlusskonsonant des Stammes verdoppelt sich unter dem Ton (auch im *fut.* und *cond.*, da Nebenton)	appelle appelles appelle appelons appelez appellent	appelle appelles appelle appelions appeliez appellent	appelai appelas appela appelâmes appelâtes appelèrent	appellerai appelleras appellera appellerons appellerez appelleront	appelle appelons appelez	appelé(e)
(1d)	geler	Das **e** des Stammes wird **è** unter dem Ton (auch im *fut.* und *cond.*, da Nebenton)	gèle gèles gèle gelons gelez gèlent	gèle gèles gèle gelions geliez gèlent	gelai gelas gela gelâmes gelâtes gelèrent	gèlerai gèleras gèlera gèlerons gèlerez gèleront	gèle gelons gelez	gelé(e)
(1e)	acheter	**èt** unter dem Ton (auch im *fut.* und *cond.*, da Nebenton)	achète achètes achète achetons achetez achètent	achète achètes achète achetions achetiez achètent	achetai achetas acheta achetâmes achetâtes achetèrent	achèterai achèteras achètera achèterons achèterez achèteront	achète achetons achetez	acheté(e)

Zeichen	Infinitif	Bemerkungen	Présent de l'indicatif	Présent du subjonctif	Passé simple	Futur	Impératif	Participe passé
(1f)	régner	Das é des Stammes wird unter dem Ton **nur** im *prés.* und *im-pér.*, nicht im *fut.* und *cond.*	règne règnes règne régnons régnez règnent	règne règnes règne régnions régniez règnent	régnai régnas régna régnâmes régnâtes régnèrent	régnerai régneras régnera régnerons régnerez régneront	règne régnons régnez	régné (*inv.*)
(1g)	abréger	Das é des Stammes wird unter dem Ton **nur** im *prés.* und *im-pér.*, nicht im *fut.* u. *cond.* Nach **g** Ein-schiebung eines stummen **e** vor **a** u. **o**	abrège abrèges abrège abrégeons abrégez abrègent	abrège abrèges abrège abrégions abrégiez abrègent	abrégeai abrégeas abrégea abrégeâmes abrégeâtes abrégèrent	abrégerai abrégeras abrégera abrégerons abrégerez abrégeront	abrège abrégeons abrégez	abrégé(e)
(1h)	employer	Das **y** des Stammes wird unter dem Ton **i** (auch im *fut.* und *cond.*, da Nebenton)	emploie emploies emploie employons employez emploient	emploie emploies emploie employions employiez emploient	employai employas employa employâmes employâtes employèrent	emploierai emploieras emploiera emploierons emploierez emploieront	emploie employons employez	employé(e)
(1i)	payer	Für das **y** des Stammes wird unter dem Ton (auch im *fut.* u. *cond.*, da Nebenton) die Schreibung mit **i** be-vorzugt	paie, paye paies, payes paie, paye payons payez paient, -yent	paie, paye paies, payes paie, paye payions payiez paient, -yent	payai payas paya payâmes payâtes payèrent	paierai, paye-. paieras paiera paierons paierez paieront	paie, paye payons payez	payé(e)

Zeichen	Infinitif	Bemerkungen	Présent de l'indicatif	Présent du subjonctif	Passé simple	Futur	Impératif	Participe passé
(1k)	menacer	c erhält eine Cedille (ç) vor a und o, damit dem c der [s]-Laut erhalten bleibt	menace menaces menace menaçons menacez menacent	menace menaces menace menacions menaciez menacent	menaçai menaças menaça menaçâmes menaçâtes menacèrent	menacerai menaceras menacera menacerons menacerez menaceront	menace menaçons menacez	menacé(e)
(1l)	manger	Einschiebung eines stummen e zwischen Stamm und mit a oder o beginnender Endung, damit das g den [ʒ]-Laut behält	mange manges mange mangeons mangez mangent	mange manges mange mangions mangiez mangent	mangeai mangeas mangea mangeâmes mangeâtes mangèrent	mangerai mangeras mangera mangerons mangerez mangeront	mange mangeons mangez	mangé(e)
(1m)	conjuguer	Das stumme u am Ende des Stammes bleibt überall, auch vor a und o	conjugue conjugues conjugue conjuguons conjuguez conjuguent	conjugue conjugues conjugue conjuguions conjuguiez conjuguent	conjuguai conjuguas conjugua conjuguâmes conjuguâtes conjuguèrent	conjuguerai conjugueras conjuguera conjuguerons conjuguerez conjugueront	conjugue conjuguons conjuguez	conjugué(e)
(1n)	saluer	u wird vortonig als Gleitlaut [ɥ] gesprochen: salue [saly] aber saluons [salɥõ]	salue salues salue saluons saluez saluent	salue salues salue saluions saluiez saluent	saluai saluas salua saluâmes saluâtes saluèrent	saluerai salueras saluera saluerons saluerez salueront	salue saluons saluez	salué(e)

Zeichen	Infinitif	Bemerkungen	Présent de l'indicatif	Présent du subjonctif	Passé simple	Futur	Impératif	Participe passé
(1o)	aller	Wechsel des Stammes **all** mit den Stämmen von lateinisch **vadere** und **ire**.	vais vas va allons allez vont	aille ailles aille allions alliez aillent	allai allas alla allâmes allâtes allèrent	irai iras ira irons irez iront	va (vas-y, *aber:* va-t'en) allons allez	allé(e)
(1p)	envoyer	Nach (1h), hat aber unregelmäßiges *fut.* und *cond.*	envoie envoies envoie envoyons envoyez envoient	envoie envoies envoie envoyions envoyiez envoient	envoyai envoyas envoya envoyâmes envoyâtes envoyèrent	enverrai enverras enverra enverrons enverrez enverront	envoie envoyons envoyez	envoyé(e)

(2a) punir*

Zweite Konjugation

Zweite regelmäßige Konjugation, deren Kennzeichen die Stammerweiterung durch **...iss...** ist

I. Einfache Formen

Présent

sg. je punis
tu punis
il punit

pl. nous punissons
vous punissez
ils punissent

Passé simple

sg. je punis
tu punis
il punit

pl. nous punîmes
vous punîtes
ils punirent

Participe passé

puni(e)

Infinitif présent

punir

Impératif

punis
punissons
punissez

Imparfait

sg. je punissais
tu punissais
il punissait

pl. nous punissions
vous punissiez
ils punissaient

Participe présent

punissant

Futur I

sg. je punirai
tu puniras
il punira

pl. nous punirons
vous punirez
ils puniront

Conditionnel I

sg. je punirais
tu punirais
il punirait

pl. nous punirions
vous puniriez
ils puniraient

Subjonctif présent

sg. que je punisse
que tu punisses
qu'il punisse

pl. que nous punissions
que vous punissiez
qu'ils punissent

Subjonctif imparfait

sg. que je punisse
que tu punisses
qu'il punît

pl. que nous punissions
que vous punissiez
qu'ils punissent

II. Zusammengesetzte Formen

Vom *Participe passé* mit Hilfe von **avoir** und **être**; s. (1a)

*****fleurir** im bildlichen Sinne hat im *Participe présent* meist **florissant**, im *Imparfait* meist **florissait**

Zeichen	Infinitif	Bemerkungen	Présent de l'indicatif	Présent du subjonctif	Passé simple	Futur	Impératif	Participe passé
(2b)	sentir	Keine Stamm-erweiterung durch ...iss...	sens sens sent sentons sentez sentent	sente sentes sente sentions sentiez sentent	sentis sentis sentit sentîmes sentîtes sentirent	sentirai sentiras sentira sentirons sentirez sentiront	 sens sentons sentez	senti(e)
(2c)	cueillir	prés., fut. und cond. nach der 1. Konjuga-tion	cueille cueilles cueille cueillons cueillez cueillent	cueille cueilles cueille cueillions cueilliez cueillent	cueillis cueillis cueillit cueillîmes cueillîtes cueillirent	cueillerai cueilleras cueillera cueillerons cueillerez cueilleront	 cueille cueillons cueillez	cueilli(e)
(2d)	fuir	Keine Stamm-erweiterung durch ...iss... Wechsel zwi-schen y und i je nach End- o. Stamm-betonung	fuis fuis fuit fuyons fuyez fuient	fuie fuies fuie fuyions fuyiez fuient	fuis fuis fuit fuîmes fuîtes fuirent	fuirai fuiras fuira fuirons fuirez fuiront	 fuis fuyons fuyez	fui(e)
(2e)	bouillir	prés. ind. und Ab-leitungen nach der 4. Konjugation	bous bous bout bouillons bouillez bouillent	bouille bouilles bouille bouillions bouilliez bouillent	bouillis bouillis bouillit bouillîmes bouillîtes bouillirent	bouillirai bouilliras bouillira bouillirons bouillirez bouilliront	 bous bouillons bouillez	bouilli(e)

Zeichen	Infinitif	Bemerkungen	Présent de l'indicatif	Présent du subjonctif	Passé simple	Futur	Impératif	Participe passé
(2f)	couvrir	*prés. ind.* und Ableitungen nach der 1. Konjugation; *p.p.* auf **-ert**	couvre couvres couvre couvrons couvrez couvrent	couvre couvres couvre couvrions couvriez couvrent	couvris couvris couvrit couvrîmes couvrîtes couvrirent	couvrirai couvriras couvrira couvrirons couvrirez couvriront	couvre couvrons couvrez	couvert(e)
(2g)	vêtir	Geht nach (2b), außer im *p.p.* Abgesehen von **vêtu** wird **vêtir** kaum noch gebraucht.	vêts vêts vêt vêtons vêtez vêtent	vête vêtes vête vêtions vêtiez vêtent	vêtis vêtis vêtit vêtîmes vêtîtes vêtirent	vêtirai vêtiras vêtira vêtirons vêtirez vêtiront	vêts vêtons vêtez	vêtu(e)
(2h)	venir	*prés. ind., fut., p.p.* u. Ableitungen nach der 4. Konjugation. Im *passé simple* Umlaut [ẽ]; man beachte das eingeschobene **-d-** im *fut.* und *cond.*	viens viens vient venons venez viennent	vienne viennes vienne venions veniez viennent	vins vins vint vînmes vîntes vinrent	viendrai viendras viendra viendrons viendrez viendront	viens venons venez	venu(e)
(2i)	courir	*prés. ind., p.p., fut.* u. Ableitungen nach der 4., *passé simple* nach der 3. Konjugation; **-rr-** im *fut.* und *cond.*	cours cours court courons courez courent	coure coures coure courions couriez courent	courus courus courut courûmes courûtes coururent	courrai courras courra courrons courrez courront	cours courons courez	couru(e)

Zeichen	Infinitif	Bemerkungen	Présent de l'indicatif	Présent du subjonctif	Passé simple	Futur	Impératif	Participe passé
(2k)	mourir	*prés. ind., fut.* und Ableitungen nach der 4. Konjugation, doch Umlaut **eu** neben **ou**; *passé simple* nach der 3. Konjugation.	meurs meurs meurt mourons mourez meurent	meure meures meure mourions mouriez meurent	mourus mourus mourut mourûmes mourûtes moururent	mourrai mourras mourra mourrons mourrez mourront	meurs mourons mourez	mort(*e*)
(2l)	acquérir	*prés. ind.* und Ableitungen nach der 4. Konjugation mit Einschiebung von **i** vor **e**; *p.p.* mit **-s**; **-err-** im *fut.* u. *cond.*	acquiers acquiers acquiert acquérons acquérez acquièrent	acquière acquières acquière acquérions acquériez acquièrent	acquis acquis acquit acquîmes acquîtes acquirent	acquerrai acquerras acquerra acquerrons acquerrez acquerront	acquiers acquérons acquérez	acquis(*e*)
(2m)	haïr	Geht nach (2a); aber es verliert im *sg. prés. ind.* und *impér.* das Trema auf dem **i**.	hais [ɛ] hais haït haïssons haïssez haïssent	haïsse haïsses haïsse haïssions haïssiez haïssent	haïs [a'i] haïs haït haïmes haïtes haïrent	haïrai haïras haïra haïrons haïrez haïront	hais haïssons haïssez	haï(*e*)
(2n)	faillir	Defektiv			faillis faillis faillit faillîmes faillîtes faillirent	faillirai failliras faillira faillirons faillirez failliront		failli

(3a) **recevoir**

Dritte Konjugation

I. Einfache Formen

Présent

sg. je reçois
tu reçois
il reçoit

pl. nous recevons
vous recevez
ils reçoivent

Passé simple

sg. je reçus
tu reçus
il reçut

pl. nous reçûmes
vous reçûtes
ils reçurent

Participe passé

reçu(e)

Infinitif présent

Recevoir

Impératif

reçois
recevons
recevez

Imparfait

sg. je recevais
tu recevais
il recevait

pl. nous recevions
vous receviez
ils recevaient

Participe présent

recevant

Futur I

sg. je recevrai
tu recevras
il recevra

pl. nous recevrons
vous recevrez
ils recevront

Conditionnel I

sg. je recevrais
tu recevrais
il recevrait

pl. nous recevrions
vous recevriez
ils recevraient

Subjonctif présent

sg. que je reçoive
que tu reçoives
qu'il reçoive

pl. que nous recevions
que vous receviez
qu'ils reçoivent

Subjonctif imparfait

sg. que je reçusse
que tu reçusses
qu'il reçût

pl. que nous reçussions
que vous reçussiez
qu'ils reçussent

II. Zusammengesetzte Formen

Vom *Participe passé* mit Hilfe von **avoir** und **être**; s. (1a)

Zeichen	Infinitif	Bemerkungen	Présent de l'indicatif	Présent du subjonctif	Passé simple	Futur	Impératif	Participe passé
(3b)	voir	Wechsel zwischen **i** und **y** wie in (2d). Ableitungen regelmäßig, jedoch im *fut.* und *cond.* **-err-** (statt **-oir-**)	vois vois voit voyons voyez voient	voie voies voie voyions voyiez voient	vis	verrai *pourvoir:* je pourvoirai; *prévoir:* je prévoirai	vois voyons voyez	vu(e)
(3c)	falloir	Nur gebräuchlich in der 3. P. sg.	il faut	qu'il faille	il fallut	il faudra		fallu (*inv.*)
(3d)	mouvoir	Tonsilbe: **meu-**	meus meus meut mouvons mouvez meuvent	meuve meuves meuve mouvions mouviez meuvent	mus mus mut mûmes mûtes murent	mouvrai mouvras mouvra mouvrons mouvrez mouvront	meus mouvons mouvez	mû, mue
(3e)	pleuvoir		il pleut	qu'il pleuve	il plut	il pleuvra		plu (*inv.*)
(3f)	pouvoir	Im *prés. ind.* manchmal auch **je puis**; fragend **puis-je**	peux peux peut pouvons pouvez peuvent	puisse puisses puisse puissions puissiez puissent	pus pus put pûmes pûtes purent	pourrai pourras pourra pourrons pourrez pourront		pu (*inv.*)

Zeichen	Infinitif	Bemerkungen	Présent de l'indicatif	Présent du subjonctif	Passé simple	Futur	Impératif	Participe passé
(3g)	savoir	*p. pr.* **sachant**	sais sais sait savons savez savent	sache saches sache sachions sachiez sachent	sus sus sut sûmes sûtes surent	saurai sauras saura saurons saurez sauront	sache sachons sachez	su(e)
(3h)	valoir	**prévaloir** bildet das *prés. subj.* regelmäßig: **que je prévale,** etc.	vaux vaux vaut valons valez valent	vaille vailles vaille valions valiez vaillent	valus valus valut valûmes valûtes valurent	vaudrai vaudras vaudra vaudrons vaudrez vaudront		valu(e)
(3i)	vouloir	Tonsilbe: **veu-.** Im *fut.* Einschiebung von **-d-.**	veux veux veut voulons voulez veulent	veuille veuilles veuille voulions vouliez veuillent	voulus voulus voulut voulûmes voulûtes voulurent	voudrai voudras voudra voudrons voudrez voudront	veuille veuillons veuillez	voulu(e)
(3k)	seoir	Nur in wenigen Formen gebräuchlich: *p. pr.* **seyant;** *impf.* **seyait;** *cond.* **siérait**	il sied					failli

Zeichen	Infinitif	Bemerkungen	Présent de l'indicatif	Présent du subjonctif	Passé simple	Futur	Impératif	Participe passé
(31)	asseoir	Hat, außer im *passé simple* und *p. p.* (assis), doppelte Formen. *Impf.* asseyais od. assoyais	assieds assieds assied asseyons asseyez asseyent *od.* assois assois assoit assoyons assoyez assoient	asseye asseyes asseye asseyions asseyiez asseyent *od.* assoie assoies assoie assoyions assoyiez assoient	assis assis assit assîmes assîtes assirent	assiérai assiéras assiéra assiérons assiérez assiéront *od.* assoirai assoiras assoira assoirons assoirez assoiront	assieds asseyons asseyez *od.* assois assoyons assoyez	assis(e)
		surseoir bildet je sursois, nous sursoyons usw. *fut.* **je surseoirai**						
(3m)	déchoir		déchois déchois déchoit déchoyons déchoyez déchoient	déchoie déchoies déchoie déchoyions déchoyiez déchoient	déchus déchus déchut déchûmes déchûtes déchurent	déchoirai déchoiras déchoira déchoirons déchoirez déchoiront		déchu(e)
	échoir	Defektiv	il échoit ils échoient	qu'il échoie qu'ils échoient	il échut ils échurent	il échoira ils échoiront		échu(e)

Vierte Konjugation

Vierte regelmäßige Konjugation mit unverändertem Stamm

(4a) **vendre**

I. Einfache Formen

Présent	*Impératif*	*Futur I*	*Subjonctif présent*
sg. je vends* tu vends* il vend*	vends vendons vendez	*sg.* je vendrai tu vendras il vendra	*sg.* que je vende que tu vendes qu'il vende
pl. nous vendons vous vendez ils vendent		*pl.* nous vendrons vous vendrez ils vendront	*pl.* que nous vendions que vous vendiez qu'ils vendent

Passé simple	*Imparfait*	*Conditionnel I*	*Subjonctif imparfait*
sg. je vendis tu vendis il vendit	*sg.* je vendais tu vendais il vendait	*sg.* je vendrais tu vendrais il vendrait	*sg.* que je vendisse que tu vendisses qu'il vendît
pl. nous vendîmes vous vendîtes ils vendirent	*pl.* nous vendions vous vendiez ils vendaient	*pl.* nous vendrions vous vendriez ils vendraient	*pl.* que nous vendissions que vous vendissiez qu'ils vendissent

Participe passé
vendu(*e*)

Participe présent
vendant

Infinitif présent
vendre

*rompre bildet: il rompt; **battre** bildet: je bats, il bat; **foutre** bildet: je (tu) fous

II. Zusammengesetzte Formen

Vom *Participe passé* mit Hilfe von **avoir** und **être**; s. (1a)

Zeichen	Infinitif	Bemerkungen	Présent de l'indicatif	Présent du subjonctif	Passé simple	Futur	Impératif	Participe passé
(4b)	peindre	Wechsel zwischen nasalem **n** und moulliertem **n** (**gn**); **-d-** nur vor **r**, also im *inf.*, *fut.* und *cond.*	peins peins peint peignons peignez peignent	peigne peignes peigne peignions peigniez peignent	peignis peignis peignit peignîmes peignîtes peignirent	peindrai peindras peindra peindrons peindrez peindront	peins peignons peignez	peint(e)
(4c)	conduire	**Luire, reluire, nuire** haben im *p. p.* kein **t**	conduis conduis conduit conduisons conduisez conduisent	conduise conduises conduise conduisions conduisiez conduisent	conduisis conduisis conduisit conduisîmes conduisîtes conduisirent	conduirai conduiras conduira conduirons conduirez conduiront	conduis conduisons conduisez	conduit(e)
(4d)	coudre	Vor den mit Vokal beginnenden Endungen wird **-d-** durch **-s-** ersetzt	couds couds coud cousons cousez cousent	couse couses couse cousions cousiez cousent	cousis cousis cousit cousîmes cousîtes cousirent	coudrai coudras coudra coudrons coudrez coudront	couds cousons cousez	cousu(u)
(4e)	vivre	Wegfall des End-**v** des Stammes im *sg. prés. ind*; *passé simple* **vécus**; *p. p.* **vécu**	vis vis vit vivons vivez vivent	vive vives vive vivions viviez vivent	vécus vécus vécut vécûmes vécûtes vécurent	vivrai vivras vivra vivrons vivrez vivront	vis vivons vivez	vécu(e)

Zeichen	Infinitif	Bemerkungen	Présent de l'indicatif	Présent du subjonctif	Passé simple	Futur	Impératif	Participe passé
(4f)	écrire	Vor Vokal bleibt **v** aus lateinisch **b** erhalten	écris écris écrit écrivons écrivez écrivent	écrive écrives écrive écrivions écriviez écrivent	écrivis écrivis écrivit écrivîmes écrivîtes écrivirent	écrirai écriras écrira écrirons écrirez écriront	écris écrivons écrivez	écrit(e)
(4g)	naître	**-ss-** im *pl. prés. ind.* u. dessen Ableitungen; im *sg. prés. ind.* erscheint i vor t als î	nais nais naît naissons naissez naissent	naisse naisses naisse naissions naissiez naissent	naquis naquis naquit naquîmes naquîtes naquirent	naîtrai naîtras naîtra naîtrons naîtrez naîtront	nais naissons naissez	né(e)
(4h)	suivre	*p. p.* nach der 2. Konjugation	suis suis suit suivons suivez suivent	suive suives suive suivions suiviez suivent	suivis suivis suivit suivîmes suivîtes suivirent	suivrai suivras suivra suivrons suivrez suivront	suis suivons suivez	suivi(e)
(4i)	vaincre	Kein t in der 3. P. *sg. prés. ind.*; Umwandlung des **c** in **qu** vor Vokalen (jedoch: **vaincu**)	vaincs vaincs vainc vainquons vainquez vainquent	vainque vainques vainque vainquions vainquiez vainquent	vainquis vainquis vainquit vainquîmes vainquîtes vainquirent	vaincrai vaincras vaincra vaincrons vaincrez vaincront	vaincs vainquons vainquez	vaincu(e)

Zeichen	Infinitif	Bemerkungen	Présent de l'indicatif	Présent du subjonctif	Passé simple	Futur	Impératif	Participe passé
(4k)	clore	*prés.* 3. P. *pl.* **closent**; entsprechend *prés. subj.* 3. P. *sg. prés. ind.* auf ...**ôt**	je clos tu clos il clôt ils closent	que je close		je clorai	clos	clos(*e*)
	éclore	Nur in der 3. P. gebräuchlich	il éclôt ils éclosent	qu'il éclose qu'ils éclosent		il éclora ils écloront		éclos(*e*)
(4l)	conclure	*passé simple* geht nach der 3. Konjugation. **Reclure** hat im *p. p.* **reclus(e)**; ebenso: **inclus(e)**; aber: **exclu(e)**.	conclus conclus conclut concluons concluez concluent	conclue conclues conclue concluions concluiez concluent	conclus conclus conclut conclûmes conclûtes conclurent	conclurai concluras conclura conclurons conclurez concluront	conclus concluons concluez	conclu(*e*)
(4m)	dire	**Redire** wird wie **dire** konjugiert. Die anderen Komposita haben im *prés.* ...**disez** mit Ausnahme v. **maudire**, das nach der 2. Konjugation geht, aber im *p. p.* **maudit** hat.	dis dis dit disons dites disent	dise dises dise disions disiez disent	dis dis dit dîmes dîtes dirent	dirai diras dira dirons direz diront	dis disons dites	dit(*e*)

Zeichen	Infinitif	Bemerkungen	Présent de l'indicatif	Présent du subjonctif	Passé simple	Futur	Impératif	Participe passé
(4n)	faire	Vielfacher Wechsel des Stammvokals	fais [fe] fais fait faisons [fəzõ] faites [fet] font	fasse fasses fasse fassions fassiez fassent	fis fis fit fîmes fîtes firent	ferai feras fera } [fə-] ferons ferez feront	fais faisons faites	fait(e)
(4o)	confire	**suffire** hat im p. p. **suffi** (inv.)	confis confis confit confisez confisent	confise confises confise confisiez confisent	confis confis confit confîmes confîtes confirent	confirai confiras confira confirons confirez confiront	confis confisons confisez	confit(e)
(4p)	mettre	Abwerfung des einen **t** im sg. prés. ind. in den stammbetonten Formen	mets mets met mettons mettez mettent	mette mettes mette mettions mettiez mettent	mis mis mit mîmes mîtes mirent	mettrai mettras mettra mettrons mettrez mettront	mets mettons mettez	mis(e)
(4q)	prendre	Einige Formen werfen **d** ab	prends prends prend prenons prenez prennent	prenne prennes prenne prenions preniez prennent	pris pris prit prîmes prîtes prirent	prendrai prendras prendra prendrons prendrez prendront	prends prenons prenez	pris(e)

Zeichen	Infinitif	Bemerkungen	Présent de l'indicatif	Présent du subjonctif	Passé simple	Futur	Impératif	Participe passé
(4r)	rire	*p. p.* nach der 2. Konjugation	ris ris rit rions riez rient	rie ries rie riions riiez rient	ris ris rit rîmes rîtes rirent	rirai riras rira rirons rirez riront	ris rions riez	ri (*inv*)
(4s)	traire	*passé simple* fehlt	trais trais trait trayons trayez traient	traie traies traie trayions trayiez traient		trairai trairas traira trairons trairez trairont	trais trayons trayez	trait(e)
(4u)	boire	Vor Vokal bleibt v aus lat. **b** erhalten. *passé simple* nach der 3. Konjugation	bois bois boit buvons buvez boivent	boive boives boive buvions buviez boivent	bus bus but bûmes bûtes burent	boirai boiras boira boirons boirez boiront	bois buvons buvez	bu(e)

Zeichen	Infinitif	Bemerkungen	Présent de l'indicatif	Présent du subjonctif	Passé simple	Futur	Impératif	Participe passé
(4v)	croire	*passé simple* nach der 3. Konjugation	crois crois croit croyons croyez croient	croie croies croie croyions croyiez croient	crus crus crut crûmes crûtes crurent	croirai croiras croira croirons croirez croiront	crois croyons croyez	cru(e)
(4w)	croître	î im *sg. prés ind.* und im *sg. impér*, *passé simple* nach der 3. Konjugation	croîs croîs croît croissons croissez croissent	croisse croisses croisse croissions croissiez croissent	crûs crûs crût crûmes crûtes crûrent	croîtrai croîtras croîtra croîtrons croîtrez croîtront	croîs croissons croissez	crû, crue
(4x)	lire	*passé simple* nach der 3. Konjugation	lis lis lit lisons lisez lisent	lise lises lise lisions lisiez lisent	lus lus lut lûmes lûtes lurent	lirai liras lira lirons lirez liront	lis lisons lisez	lu(e)
(4y)	moudre	*passé simple* nach der 3. Konjugation	mouds mouds moud moulons moulez moulent	moule moules moule moulions mouliez moulent	moulus moulus moulut moulûmes moulûtes moulurent	moudrai moudras moudra moudrons moudrez moudront	mouds moulons moulez	moulu(e)

Zeichen	Infinitif	Bemerkungen	Présent de l'indicatif	Présent du subjonctif	Passé simple	Futur	Impératif	Participe passé
(4z)	paraître	i vor t; *passé simple* nach der 3. Konjugation	parais parais paraît paraissons paraissez paraissent	paraisse paraisses paraisse paraissions paraissiez paraissent	parus parus parut parûmes parûtes parurent	paraîtrai paraîtras paraîtra paraîtrons paraîtrez paraîtront	parais paraissons paraissez	paru(e)
(4aa)	plaire	*passé simple* nach der 3. Konjugation; **taire** bildet **il tait** (ohne ˆ)	plais plais plaît plaisons plaisez plaisent	plaise plaises plaise plaisions plaisiez plaisent	plus plus plut plûmes plûtes plurent	plairai plairas plaira plairons plairez plairont	plais plaisons plaisez	plu (*inv.*)
(4bb)	résoudre	**absoudre** hat kein *passé simple,* als *participe passé* **absous, absoute**	résous résous résout résolvons résolvez résolvent	résolve résolves résolve résolvions résolviez résolvent	résolus résolus résolut résolûmes résolûtes résolurent	résoudrai résoudras résoudra résoudrons résoudrez résoudront	résous résolvons résolvez	résolu(e)

Deutsche unregelmäßige Verben
Les verbes allemands irréguliers

Infinitif — Prétérit — Participe passé

backen – backte (buk) – gebacken
bedingen – bedang (bedingte) – bedungen (*conditionnel:* bedingt)
befehlen – befahl – befohlen
beginnen – begann – begonnen
beißen – biss – gebissen
bergen – barg – geborgen
bersten – barst – geborsten
bewegen – bewog – bewogen
biegen – bog – gebogen
bieten – bot – geboten
binden – band – gebunden
bitten – bat – gebeten
blasen – blies – geblasen
bleiben – blieb – geblieben
bleichen – blich – geblichen
braten – briet – gebraten
brauchen – brauchte – gebraucht (*v/aux* brauchen)
brechen – brach – gebrochen
brennen – brannte – gebrannt
bringen – brachte – gebracht
denken – dachte – gedacht
dreschen – drosch – gedroschen
dringen – drang – gedrungen
dürfen – durfte – gedurft (*v/aux* dürfen)
empfehlen – empfahl – empfohlen
erlöschen – erlosch – erloschen
erschrecken – erschrak – erschrocken
essen – aß – gegessen
fahren – fuhr – gefahren
fallen – fiel – gefallen
fangen – fing – gefangen
fechten – focht – gefochten
finden – fand – gefunden
flechten – flocht – geflochten
fliegen – flog – geflogen
fliehen – floh – geflohen
fließen – floss – geflossen
fressen – fraß – gefressen
frieren – fror – gefroren
gären – gor (*fig* gärte) – gegoren (*fig* gegärt)
gebären – gebar – geboren
geben – gab – gegeben
gedeihen – gedieh – gediehen
gehen – ging – gegangen

gelingen – gelang – gelungen
gelten – galt – gegolten
genesen – genas – genesen
genießen – genoss – genossen
geschehen – geschah – geschehen
gewinnen – gewann – gewonnen
gießen – goss – gegossen
gleichen – glich – geglichen
gleiten – glitt – geglitten
glimmen – glomm – geglommen
graben – grub – gegraben
greifen – griff – gegriffen
haben – hatte – gehabt
halten – hielt – gehalten
hängen – hing – gehangen
hauen – haute (hieb) – gehauen
heben – hob – gehoben
heißen – hieß – geheißen
helfen – half – geholfen
kennen – kannte – gekannt
klingen – klang – geklungen
kneifen – kniff – gekniffen
kommen – kam – gekommen
können – konnte – gekonnt (*v/aux* können)
kriechen – kroch – gekrochen
laden – lud – geladen
lassen – ließ – gelassen (*v/aux* lassen)
laufen – lief – gelaufen
leiden – litt – gelitten
leihen – lieh – geliehen
lesen – las – gelesen
liegen – lag – gelegen
lügen – log – gelogen
mahlen – mahlte – gemahlen
meiden – mied – gemieden
melken – melkte (molk) – gemolken (gemelkt)
messen – maß – gemessen
misslingen – misslang – misslungen
mögen – mochte – gemocht (*v/aux* mögen)
müssen – musste – gemusst (*v/aux* müssen)
nehmen – nahm – genommen
nennen – nannte – genannt
pfeifen – pfiff – gepfiffen

preisen – pries – gepriesen
quellen – quoll – gequollen
raten – riet – geraten
reiben – rieb – gerieben
reißen – riss – gerissen
reiten – ritt – geritten
rennen – rannte – gerannt
riechen – roch – gerochen
ringen – rang – gerungen
rinnen – rann – geronnen
rufen – rief – gerufen
salzen – salzte – gesalzen (gesalzt)
saufen – soff – gesoffen
saugen – sog – gesogen
schaffen – schuf – geschaffen
schallen – schallte (scholl) – geschallt
scheiden – schied – geschieden
scheinen – schien – geschienen
schelten – schalt – gescholten
scheren – schor – geschoren
schieben – schob – geschoben
schießen – schoss – geschossen
schinden – schund – geschunden
schlafen – schlief – geschlafen
schlagen – schlug – geschlagen
schleichen – schlich – geschlichen
schleifen – schliff – geschliffen
schließen – schloss – geschlossen
schlingen – schlang – geschlungen
schmeißen – schmiss – geschmissen
schmelzen – schmolz – geschmolzen
schneiden – schnitt – geschnitten
schreiben – schrieb – geschrieben
schreien – schrie – geschrie(e)n
schreiten – schritt – geschritten
schweigen – schwieg – geschwiegen
schwellen – schwoll – geschwollen
schwimmen – schwamm – geschwommen
schwinden – schwand – geschwunden
schwingen – schwang – geschwungen
schwören – schwor – geschworen
sehen – sah – gesehen
sein – war – gewesen
senden – sandte – gesandt
sieden – sott – gesotten (gesiedet)
singen – sang – gesungen
sinken – sank – gesunken
sinnen – sann – gesonnen
sitzen – saß – gesessen

sollen – sollte – gesollt (*v/aux* sollen)
spalten – spaltete – gespalten (gespaltet)
speien – spie – gespie(e)n
spinnen – spann – gesponnen
sprechen – sprach – gesprochen
sprießen – spross – gesprossen
springen – sprang – gesprungen
stechen – stach – gestochen
stecken – steckte (stak) – gesteckt
stehen – stand – gestanden
stehlen – stahl – gestohlen
steigen – stieg – gestiegen
sterben – starb – gestorben
stieben – stob – gestoben
stinken – stank – gestunken
stoßen – stieß – gestoßen
streichen – strich – gestrichen
streiten – stritt – gestritten
tragen – trug – getragen
treffen – traf – getroffen
treiben – trieb – getrieben
treten – trat – getreten
triefen – triefte (troff) – getrieft
trinken – trank – getrunken
trügen – trog – getrogen
tun – tat – getan
verderben – verdarb – verdorben
verdrießen – verdross – verdrossen
vergessen – vergaß – vergessen
verlieren – verlor – verloren
verschleißen – verschliss – verschlissen
verzeihen – verzieh – verziehen
wachsen – wuchs – gewachsen
wägen – wog – gewogen
waschen – wusch – gewaschen
weben – wob – gewoben
weichen – wich – gewichen
weisen – wies – gewiesen
wenden – wandte – gewandt
werben – warb – geworben
werden – wurde – geworden
werfen – warf – geworfen
wiegen – wog – gewogen
winden – wand – gewunden
wissen – wusste – gewusst
wollen – wollte – gewollt (*v/aux* wollen)
wringen – wrang – gewrungen
ziehen – zog – gezogen
zwingen – zwang – gezwungen

Konjugationsmuster
Modèle de la conjugaison

a) Conjugaison faible

loben

| *prés. ind.* | lobe | lobst | lobt |
| | loben | lobt | loben |

| *prés. subj.* | lobe | lobest | lobe |
| | loben | lobet | loben |

| *impf. ind.* *et subj.* | lobte | lobtest | lobte |
| | lobten | lobtet | lobten |

impér. sg. lob(e), *pl.* lob(e)t, loben Sie; *inf. prés.* loben; *inf. passé* gelobt haben; *part. prés.* lobend; *p.p.* gelobt

reden

| *prés. ind.* | rede | redest | redet |
| | reden | redet | reden |

| *prés. subj.* | rede | redest | rede |
| | reden | redet | reden |

| *impf. ind.* *et subj.* | redete | redetest | redete |
| | redeten | redetet | redeten |

impér. sg. rede, *pl.* redet, reden Sie; *inf. prés.* reden; *inf. passé* geredet haben; *part. prés.* redend; *p.p.* geredet

reisen

| *prés. ind.* | reise | rei(se)st | reist |
| | reisen | reist | reisen |

| *prés. subj.* | reise | reisest | reise |
| | reisen | reiset | reisen |

| *impf. ind.* *et subj.* | reiste | reistest | reiste |
| | reisten | reistet | reisten |

impér. sg. reise, *pl.* reist, reisen Sie; *inf. prés.* reisen; *inf. passé* gereist sein *od* haben; *part. prés.* reisend; *p.p.* gereist

fassen

| *prés. ind.* | fasse fassest (gefasst) fasst |
| | fassen fasst fassen |

| *prés. subj.* | fasse | fassest | fasse |
| | fassen | fasset | fassen |

| *impf. ind.* *et subj.* | fasste | fasstest | fasste |
| | fassten | fasstet | fassten |

impér. sg. fasse (fass), *pl.* fasst, fassen Sie; *inf. prés.* fassen; *inf. passé* gefasst haben; *part. prés.* fassend; *p.p.* gefasst

handeln

prés. ind.

| handle* | handelst | handelt |
| handeln | handelt | handeln |

prés. subj.

| handle* | handelst | handle* |
| handeln | handelt | handeln |

impf. ind. et subj.

| handelte | handeltest | handelte |
| handelten | handeltet | handelten |

imp. sg. handle*, *pl.* handelt, handeln Sie; *inf. prés.* handeln; *inf. passé* gehandelt haben; *part. prés.* handelnd; *p.p.* gehandelt

*Avec ou sans «e» intercalé: wandern, wand(e)re; *mais* bessern, bessere.

**Sans ge, *si la première syllabe est atone p. ex.* be'grüßen, be'grüßt; ent'stehen, ent'standen, stu'dieren, stu'diert (*pas* gestudiert); trom'peten, trom'petet; *également si un préfixe accentué se trouve au commencement, par ex.* 'austrompeten, 'austrompetet, *pas* 'ausgetrompetet. *Quelques verbes «faibles» ont leur p.p. en* en *au lieu de* t, *p. ex.* mahlen – gemahlen. *Dans les verbes* brauchen, dürfen, heißen, hören, können, lassen, mögen, müssen, sehen, sollen, wollen *le p.p. prend la forme de l'inf.* (*sans* ge) *si un autre infinitif le suit, p. ex.* ich habe ihn singen hören, du hättest es tun können, er hat gehen müssen, ich hätte ihn laufen lassen sollen.

b) Conjugaison forte

fahren

| *prés. ind.* | { fahre | fährst | fährt | *impf. ind.* | { fuhr | fuhr(e)st | fuhr |
| | { fahren | fahrt | fahren | | { fuhren | fuhrt | fuhren |

| *prés. subj.* | { fahre | fahrest | fahre | *impf. subj.* | { führe | führest | führe |
| | { fahren | fahret | fahren | | { führen | führet | führe |

impér. sg. fahr(e), *pl.* fahr(e)t, fahren Sie; *inf. prés.* fahren; *inf. passé* gefahren haben *ou* sein; *part. prés.* fahrend; *p.p.* gefahren

Zahlwörter

Grundzahlen

0	zéro [zero]	
1	un, une f [ɛ̃ od œ̃, yn]	
2	deux [dø, døz_]	
3	trois [trwa, trwaz_]	
4	quatre [katrə, kat]	
5	cinq [sɛ̃k, sɛ̃]	
6	six [sis, si, siz_]	
7	sept [sɛt]	
8	huit [ɥit, ɥi]	
9	neuf [nœf, nœv_]	
10	dix [dis, di, diz_]	
11	onze [ɔ̃z]	
12	douze [duz]	
13	treize [trɛz]	
14	quatorze [katɔrz]	
15	quinze [kɛ̃z]	
16	seize [sɛz]	
17	dix-sept [disɛt]	
18	dix-huit [dizɥit, dizɥi]	
19	dix-neuf [diznœf, diznœv_]	
20	vingt [vɛ̃]	
21	vingt et un [vɛ̃teɛ̃]	
22	vingt-deux [vɛ̃tdø]	
23	vingt-trois [vɛ̃trwa]	
24	vingt-quatre [vɛ̃tkatrə]	
30	trente [trɑ̃t]	
40	quarante [karɑ̃t]	
50	cinquante [sɛ̃kɑ̃t]	
60	soixante [swasɑ̃t]	
70	soixante-dix [swasɑ̃tdis]	
71	soixante et onze [swasɑ̃teɔ̃z]	
72	soixante-douze [swasɑ̃tduz]	
80	quatre-vingt(s) [katrəvɛ̃]	
81	quatre-vingt-un [katrəvɛ̃ɛ̃]	
90	quatre-vingt-dix [katrəvɛ̃dis]	
91	quatre-vingt-onze [katrəvɛ̃ɔ̃z]	
100	cent [sɑ̃]	
101	cent un [sɑ̃ɛ̃]	
200	deux cent(s) [døsɑ̃]	
211	deux cent onze [døsɑ̃ɔ̃z]	
1000	mille [mil]	
1001	mille un [milɛ̃]	
1002	mille deux [mildø]	
1100	onze cents [ɔ̃zsɑ̃]	
1308	treize cent huit [trɛzsɑ̃ɥit]	
2000	deux mille [dømil]	
100 000	cent mille [sɑ̃mi]	
le million [miljɔ̃] die Million		
le milliard [miljar] die Milliarde		

Ordnungszahlen

1er	le premier [prəmje] der Erste	
1re	la première [prəmjɛr] die Erste	
2e	le deuxième [døzjɛm] der Zweite	
	la deuxième [døzjɛm] die Zweite	
	le second [zgɔ̃] der Zweite	
	la seconde [zgɔ̃d] die Zweite	
3e	le od la troisième [trwazjɛm]	
4e	quatrième [katrijɛm]	
5e	cinquième [sɛ̃kjɛm]	
6e	sixième [sizjɛm]	
7e	septième [sɛtjɛm]	
8e	huitième [ɥitjɛm]	
9e	neuvième [nœvjɛm]	
10e	dixième [dizjɛm]	
11e	onzième [ɔ̃zjɛm]	
12e	douzième [duzjɛm]	
13e	treizième [trɛzjɛm]	
14e	quatorzième [katɔrzjɛm]	
15e	quinzième [kɛ̃zjɛm]	
16e	seizième [sɛzjɛm]	
17e	dix-septième [disɛtjɛm]	
18e	dix-huitième [dizɥitjɛm]	
19e	dix-neuvième [diznœvjɛm]	
20e	vingtième [vɛ̃tjɛm]	
21e	vingt et unième [vɛ̃teynjɛm]	
22e	vingt-deuxième [vɛ̃tdøzjɛm]	
30e	trentième [trɑ̃tjɛm]	
40e	quarantième [karɑ̃tjɛm]	
50e	cinquantième [sɛ̃kɑ̃tjɛm]	
60e	soixantième [swasɑ̃tjɛm]	
70e	soixante-dixième [swasɑ̃tdizjɛm]	
71e	soixante et onzième [swasɑ̃teɔ̃zjɛm]	
80e	quatre-vingtième [katrəvɛ̃tjɛm]	
81e	quatre-vingt-unième [katrəvɛ̃ynjɛm]	
90e	quatre-vingt-dixième [katrəvɛ̃dizjɛm]	
91e	quatre-vingt-onzième [katrəvɛ̃ɔ̃zjɛm]	
100e	centième [sɑ̃tjɛm]	
101e	cent unième [sɑ̃ynjɛm]	
200e	deux centième [døsɑ̃tjɛm]	
500e	cinq centième [sɛ̃sɑ̃tjɛm]	
1000e	millième [miljɛm]	
1 000 000e	millionième [miljɔnjɛm]	

Zahladverbien

1° *premièrement* [prəmjɛrmã], *primo* [primo] erstens

2° *deuxièmement* [døzjɛmmã], *secundo* [zgõda] zweitens

3° *troisièmement* [trwazjɛmmã], *tertio* [tɛrsjo] drittens

4° *quatrièmement* [katrijɛmmã] viertens

5° *cinquièmement* [sɛ̃kjɛmmã] fünftens

Außerdem ist noch gebräuchlich:
en premier lieu [ãprəmjeljø] an erster Stelle = erstens,
en second lieu, en troisième lieu usw.;
en dernier lieu = letztens.

Bruchzahlen

¹/₂ *(un) demi* [(ɛ̃)dəmi] (ein) halb

1¹/₂ *un et demi* [ɛ̃edmi] eineinhalb, anderthalb

¹/₃ *un tiers* [ɛ̃tjɛr]

²/₃ *(les) deux tiers* [(le)døtjɛr]

¹/₄ *un quart* [ɛ̃kar]

³/₄ *(les) trois quarts* [(le)trwakar]

¹/₅ *un cinquième* [ɛ̃sɛ̃kjɛm]

⁹/₁₀ *(les) neuf dixièmes* [(le)nœfdizjɛm]

0,5 *zéro virgule cinq* [zerovirgylsɛ̃k] null Komma fünf

7,35 *sept virgule trente-cinq*

Vervielfältigungszahlen

fois autant [fwaotã] ...fach *od*
fois plus [fwaplys] ...mal mehr
deux fois autant zweifach
cinq fois autant fünffach
vingt fois plus zwanzigmal mehr
une quantité sept fois plus grande que ...das Siebenfache von ... *usw.*

Daneben sind gebräuchlich:
simple [sɛ̃plə] einfach
double [dublə] doppelt
triple [triplə] dreifach
quadruple [kwadryplə] vierfach
quintuple [kɛ̃typlə] fünffach
sextuple [sɛkstyplə] sechsfach
centuple [sãtyplə] hundertfach

Sammelzahlen

une douzaine ein Dutzend
une huitaine etwa 8 (*auch* 8 Tage)
une dizaine etwa 10
une quinzaine etwa 15 (*auch* 14 Tage)
une vingtaine etwa 20
une trentaine etwa 30

une quarantaine etwa 40
une cinquantaine etwa 50
une soixantaine etwa 60
une centaine etwa 100
un millier etwa 100

Maße und Gewichte

Längenmaße

1 mm	Millimeter	
1 cm	Zentimeter	
1 m	Meter	
1 km	Kilometer	
1 sm	Seemeile (= 1852 m)	

Mesures de longueur

1 mm	millimètre
1 cm	centimètre
1 m	mètre
1 km	kilomètre
1 mille marin	

Flächenmaße

1 mm²	*od.* **qmm**	Quadratmillimeter
1 cm²	*od.* **qcm**	Quadratzentimeter
1 m²	*od.* **qm**	Quadratmeter
1 km²	*od.* **qkm**	Quadratkilometer
1 a	Ar (= 100 m²)	
1 ha	Hektar	

Mesures de surface

1 mm²	millimètre carré
1 cm²	centimètre carré
1 m²	mètre carré
1 km²	kilomètre carré
1 a	are
1 ha	hectare

Raummaße

1 mm³	*od.* **cmm**	Kubikmillimeter
1 cm³	*od.* **ccm**	Kubikzentimeter
1 m³	*od.* **cbm**	Kubikmeter

Mesures de volume

1 mm³	millimètre cube
1 cm³	centimètre cube
1 m³	mètre cube

Hohlmaße

1 ml	Milliliter
1 cl	Zentiliter
1 l	Liter
1 hl	Hektoliter

Mesures de capacité

1 ml	millilitre
1 cl	centilitre
1 l	litre
1 hl	hectolitre

Gewichte

1 mg	Milligramm
1 g	Gramm
1 Pfd.	Pfund
1 kg	Kilogramm
1 Ztr.	Zentner
1 dz	Doppelzentner
1 t	Tonne

Poids

1 mg	milligramme
1 g	gramme
1 livre	
1 kg	kilogramme
50 kg	
1 q	quintal
1 t	tonne

Die französischen Départements

01* **Ain** [ɛ̃] (*l' m*)
02 **Aisne** [ɛn] (*l' f*)
03 **Allier** [alje] (*l' m*)
04 **Alpes-de-Haute-Provence** (*les f/pl*)
05 **Hautes-Alpes** [otzalp] (*les f/pl*)
06 **Alpes-Maritimes** (*les f/pl*)
07 **Ardèche** (*l' f*)
08 **Ardennes** (*les f/pl*)
09 **Ariège** (*l' f*)
10 **Aube** (*l' f*)
11 **Aude** (*l' m*)
12 **Aveyron** [averõ] (*l' m*)
13 **Bouches-du-Rhône** (*les f/pl*)
14 **Calvados** [-os] (*le*)
15 **Chantal** (*le*)
16 **Charente** (*la*)
17 **Charente-Maritime** (*la*)
18 **Cher** [ʃɛr] (*le*)
19 **Corrèze** (*la*)
2A **Corse-du-Sud** (*la*)
2B **Haute-Corse** (*la*)
21 **Côte-d'Or** (*la*)
22 **Côtes-d'Armor** (*les f/pl*)
23 **Creuse** (*la*)
24 **Dordogne** (*la*)
25 **Doubs** [du] (*le*)
26 **Drôme** (*la*)
27 **Eure** [œr] (*l' f*)
28 **Eure-et-Loir** (*l' m*)
29 **Finistère** (*le*)
30 **Gard** (*le*)
31 **Haute-Garonne** (*la*)
32 **Gers** [ʒɛrs] (*le*)
33 **Gironde** (*la*)
34 **Hérault** [ero] (*l' m*)
35 **Ille-et-Vilaine** (*l' f*)
36 **Indre** (*l' f*)
37 **Indre-et-Loire** (*l' f*)
38 **Isère** (*l' f*)
39 **Jura** (*le*)
40 **Landes** (*les f/pl*)
41 **Loir-et-Cher** (*le*)

42 **Loire** (*la*)
43 **Haute-Loire** (*la*)
44 **Loire-Atlantique** (*la*)
45 **Loiret** (*le*)
46 **Lot** [lɔt] (*le*)
47 **Lot-et-Garonne** (*le*)
48 **Lozère** (*la*)
49 **Maine-et-Loire** (*le*)
50 **Manche** (*la*)
51 **Marne** (*la*)
52 **Haute-Marne** (*la*)
53 **Mayenne** [majɛn] (*la*)
54 **Meurthe-et-Moselle** (*la*)
55 **Meuse** (*la*)
56 **Morbihan** [mɔrbiã] (*le*)
57 **Moselle** (*la*)
58 **Nièvre** (*la*)
59 **Nord** (*le*)
60 **Oise** (*l' f*)
61 **Orne** (*l' f*)
62 **Pas-de-Calais** (*le*)
63 **Puy-de-Dôme** (*le*)
64 **Pyrénées-Atlantiques** (*les f/pl*)
65 **Hautes-Pyrénées** (*les f/pl*)
66 **Pyrénées-Orientales** (*les f/pl*)
67 **Bas-Rhin** (*le*)
68 **Haut-Rhin** (*le*)
69 **Rhône** (*le*)
70 **Haute-Saône** (*la*)
71 **Saône-et-Loire** [son-] (*la*)
72 **Sarthe** (*la*)
73 **Savoie** (*la*)
74 **Haute-Savoie** (*la*)
75 **Ville de Paris** (*la*)
76 **Seine-Maritime** (*la*)
77 **Seine-et-Marne** (*la*)
78 **Yvelines** (*les f/pl*)
79 **Deux-Sèvres** (*les f/pl*)
80 **Somme** (*la*)
81 **Tarn** (*le*)
82 **Tarn-et-Garonne** (*le*)
83 **Var** (*le*)

84 **Vaucluse** (*le*)
85 **Vendée** (*la*)
86 **Vienne** (*la*)
87 **Haute-Vienne** (*la*)
88 **Vosges** [voʒ] (*les* f/pl)
89 **Yonne** (*l'* f)

90 **Territoire-de-Belfort** (*le*)
91 **Essonne** (*l'* f)
92 **Hauts-de-Seine** [odsɛn] (*les* m/pl)
93 **Seine-Saint-Denis** (*la*)
94 **Val-de-Marne** (*le*)
95 **Val-d'Oise** (*le*)

---

* Die Kennziffer des Départements erscheint in den beiden letzten Ziffern der
französischen Autonummern (z. B. *3471 CN 91*) sowie in den beiden ersten Ziffern
der fünfstelligen französischen Postleitzahlen (z. B. *Abbeville 80100*).

Euro und europäische Währungen

Euro-Banknoten und Euro-Münzen

Die Euro-Banknotenserie besteht aus sieben Stückelungen (5, 10, 20, 50, 100, 200 und 500 Euro), die acht Euro-Münzen verteilen sich auf 1, 2, 5, 10, 20 und 50 Cent sowie 1 und 2 Euro. Die folgenden Abbildungen der Euro-Geldscheine entsprechen den Gestaltungsentwürfen vom Juni 1997. Aus Sicherheitsgründen sind in den Darstellungen nicht alle Einzelheiten enthalten, die in die endgültigen Euro-Banknoten eingearbeitet werden.

Die **Euro-Geldscheine** sind das Ergebnis eines 1996 ausgeschriebenen Gestaltungswettbewerbs, der Vorauswahl durch eine Jury und einer öffentlichen Befragung von ca. 2000 Personen in der gesamten Europäischen Union. Sie werden spätestens am 1. Januar 2002 in Umlauf gebracht. Die vom Rat des Europäischen Währungsinstituts (EWI) ausgewählten Entwürfe für die Banknoten behandeln das Thema „Zeitalter und Stile in Europa". Sie stammen von dem österreichischen Grafiker Robert Kalina. Auf den Geldscheinen wird der vorherrschende Baustil aus sieben Epochen der europäischen Kulturgeschichte – Klassik, Romanik, Gotik, Renaissance, Barock und Rokoko, Eisen- und Glasarchitektur sowie moderne Architektur des 20. Jahrhunderts dargestellt. Das Schwergewicht liegt auf Fenstern und Toren (Vorderseite) sowie Brücken (Rückseite) in ihrer gegenständlichen und symbolhaften Darstellungskraft.

Jede Stückelung erhält eine eigene Größe und Hauptfarbe:

Stückelung	Abmessung	Farbe
5 Euro	120 mm x 62 mm	Grau
10 Euro	127 mm x 67 mm	Rot
20 Euro	133 mm x 72 mm	Blau
50 Euro	140 mm x 77 mm	Orange
100 Euro	147 mm x 82 mm	Grün
200 Euro	153 mm x 82 mm	Gelbbraun
500 Euro	160 mm x 82 mm	Lila

Die Gestaltung der **Euro-Münzen** geht auf einen Entwurf des Belgiers Luc Luycx zurück. Die Geldstücke sehen auf ihrer Vorderseite in allen europäischen Ländern, die den Euro als Zahlungsmittel einführen, einheitlich aus. Auf der Rückseite der Münzen, die von den Mitgliedsländern selbst gestaltet wird, sind dagegen landesspezifische Motive zu sehen. Die Einteilung sieht so aus: 1-, 2-, 5-, 10-, 20- und 50-Cent-Münzen sowie 1- und 2-Euro-Stücke. Das Logo für den Euro: €.

Die Euro-Banknoten

Verkleinerte Abbildungen

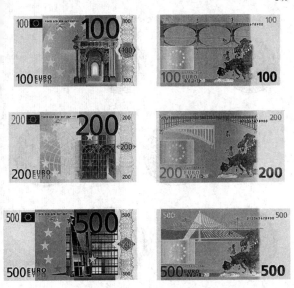

Verkleinerte Abbildungen

© Europäisches Währungsinstitut, Frankfurt 1997

Aus Sicherheitsgründen sind in den abgebildeten Entwürfen nicht sämtliche Einzelheiten und Sicherheits-
merkmale wiedergegeben, die die endgültigen Euro-Banknoten und Euro-Münzen aufweisen werden.

Die Euro-Münzen

Verkleinerte Abbildungen
links: Vorderseite der Münze – rechts: Rückseite der Münze

Verkleinerte Abbildungen
links: Vorderseite der Münze – rechts: Rückseite der Münze

Aus Sicherheitsgründen sind in den abgebildeten Entwürfen nicht sämtliche Einzelheiten und Sicherheits-
merkmale wiedergegeben, die die endgültigen Euro-Banknoten und Euro-Münzen aufweisen werden.

Europäische Währungen

EU-Staaten — Les États membres de l'UE

Land	pays	Hauptstadt	capitale	Währung	monnaie
Belgien	la Belgique	Brüssel	Bruxelles	Belgischer Franc	le franc belge
Dänemark	le Danemark	Kopenhagen	Copenhague	Dänische Krone	la couronne danoise
Deutschland	l'Allemagne *f*	Berlin	Berlin	Deutsche Mark	le mark allemand
Finnland	la Finlande	Helsinki	Helsinki	Finnmark	le mark finlandais
Frankreich	la France	Paris	Paris	Französischer Franc	le franc français
Griechenland	la Grèce	Athen	Athènes	Griechische Drachme	la drachme grecque
Großbritannien	la Grande-Bretagne	London	Londres	Pfund Sterling	la livre sterling
Irland	l'Irlande *f*	Dublin	Dublin	Irisches Pfund	la livre irlandaise
Italien	l'Italie *f*	Rom	Rome	Italienische Lira	la lire italienne
Luxemburg	le Luxembourg	Luxemburg	Luxembourg	Luxemburgischer Franc	le franc luxembourgeois
Niederlande	les Pays-Bas *m/pl*	Amsterdam	Amsterdam	Gulden	le florin
Österreich	l'Autriche *f*	Wien	Vienne	Österreichischer Schilling	le schilling autrichien
Portugal	le Portugal	Lissabon	Lisbonne	Escudo	l'escudo *m*
Schweden	la Suède	Stockholm	Stockholm	Schwedische Krone	la couronne suédoise
Spanien	l'Espagne *f*	Madrid	Madrid	Peseta	la peseta

Die äußere Form des französischen Geschäftsbriefes

Obwohl die äußere Form des französischen Geschäftsbriefes seit 1982 keinerlei Normen bzw. Vorschriften unterliegt, haben sich bis heute viele Konventionen behauptet, die dazu führen, dass sich der französische Geschäftsbrief in mancher Hinsicht vom deutschen unterscheidet, und zwar hauptsächlich in Anrede und Schlussformel. Abweichungen von diesen Normen wird man in erster Linie bei E-Mails und Fax-Nachrichten feststellen.

Die zurzeit bevorzugte Form des französischen Geschäftsbriefes besteht aus folgenden Teilen:

1. Briefkopf (l'en-tête)
2. Anschrift des Empfängers (la vedette)
3. Bezugszeichen (les références)
4. Datum (la date)
5. Betreff (l'objet)
6. Anrede (l'appel)
7. Brieftext (le corps de la lettre)
8. Schlussformel (la formule de politesse)
9. Unterschrift (la signature)
10. Anlagen (les pièces jointes)
11. Postskriptum (le post-scriptum)

Bestandteile des Briefes

1. Briefkopf (l'en-tête)

Der Briefkopf ist in der Regel auf dem Briefbogen als Vordruck vorhanden oder er wird bei der Arbeit mit dem Computer ins Schreibprogramm eingespeichert. Neben zwingend vorgeschriebenen Vermerken enthält er eine ganze Reihe von praktischen Angaben über den Absender.

Zu den obligatorischen Vermerken gehören:

– Firmenname (*la raison sociale*);
– Ort und Nummer der Handelsregistereintragung (*le lieu et le numéro de l'immatriculation au registre du commerce*);
– Rechtsform des Unternehmens (*le montant du juridique de l'entreprise*) sowie Höhe des Grundkapitals (*le montant du capital social*) bei Handelsgesellschaften.

Darüber hinaus bietet der Briefkopf Platz für zahlreiche weitere Informationen wie z. B. Adresse (*l'adresse*), Postfach (*B. P.: la boîte postale*), Telexnummer (*le numéro de télex*), Telefon- bzw. Faxnummer (*Tél.: le numéro de téléphone ou le numéro de fax/télécopie*), ja sogar Postscheckkonto (*C. C. P.: Compte chèque postal*) und E-Mail-Adresse.
Manche dieser Angaben können statt im Briefkopf auch unten auf dem Briefbogen (meist klein gedruckt) stehen.

Briefmuster

saniblock

S.A. au capital de 465 000 F
R.C. Paris B 702 010 760
Siret 702010760 000 16 – A P E 4901   **l'en-tête**

Siège: 20, rue Jules-Vallès – 75011 Paris

Tél.: 01 43 71 91 41
Téléfax: 01 43 71 92 14

Société RENITEX
8, rue Chopin   **la vedette**

57320 Bouzonville

Paris, le 20 mars ...   **la date**

N/Réf: RG / ld   **la référence**
Objet: notre commande n° 4340   **l'objet**

Madame,   **l'appel**

Lors de la passation de notre commande, nous
avions convenu que vous nous livreriez le solde,
soit 150 feuilles de RENITEX blanc 2222, pour le
début du mois de mai.   **le corps de la lettre**

Ayant impérativement besoin de cette marchandise avant la date prévue, pourriez-vous nous la
livrer dans la semaine du 15 avril?

Vous remerciant à l'avance, nous vous prions de   **la formule de**
croire, Madame, à l'assurance de nos sentiments   **politesse**
les meilleurs.

G. de Baudy   **la signature**

G. de Baudy
Directeur des Ventes

P.-S.: Le RENITEX marron est-il disponible en feuil-   **le post-scriptum**
les? Voir échantillon couleur ci-joint.

P.J.: 1 échantillon   **la pièce jointe**

. Anschrift des Empfängers (la vedette)

Bei der Anschrift sind folgende Merkmale zu beachten:

– Monsieur, Madame, Mademoiselle werden stets ausgeschrieben.
 *Madame Jacqueline Grangier, à l'attention de (z. H. von) Monsieur Jacques
 Hermand*

– Die Hausnummer steht vor dem Straßennamen und wird durch ein Komma
 abgetrennt.

– Im Straßennamen wird das Grundwort (*rue place* usw.) mit kleinem, das
 Bestimmungswort dagegen mit großem Anfangsbuchstaben geschrieben. Während *rue* grundsätzlich ausgeschrieben wird, sind für andere Bezeichnungen
 folgende Abkürzungen möglich: *av.* (*avenue*), *bd* (*boulevard*), *pl.* (*place*), *rte*
 (*route*).

 Beispiel: *COPRAL S.A.R.L., 38, rue Froissard*

 aber, bei fehlender Hausnummer:
  Centre de congrès Auguste Renoir, Place Saint-Maixent

– In Frankreich sind sämtliche Postleitzahlen fünfstellig, wobei die ersten zwei
 Ziffern dem jeweiligen Departement entsprechen: *44000 Nantes*

– Bei einigen Großstädten (*Paris, Lyon, Marseille*) wird der Bezirk (*l'arrondissement*) in der Postleitzahl angegeben: *75008 Paris* (= 8. Bezirk).

– Der Hinweis *Cedex* hinter dem Bestimmungsort bedeutet, dass die Firmenpost des
 Empfängers gesondert zugestellt wird.

– Der Zustellungsort kann mit großem Anfangsbuchstaben (Beispiel: *Metz*) oder in
 Versalien (*METZ*) geschrieben werden.

– Bei den meisten europäischen Ländern wird das Bestimmungsland durch den
 entsprechenden internationalen Großbuchstaben vor der Postleitzahl angegeben:
 F-57000 Metz.

3. Die Bezugszeichen (les références)

Die Bezugszeichen bestehen gewöhnlich aus den Initialen des für den Brief
verantwortlich Zeichnenden sowie aus denen der Schreibkraft. Sie können gegebenenfalls durch andere Angaben (wie z. B. Aktennummer) ergänzt werden. Neben
V/Réf. bzw. *N/réf.* findet man auch *Vos Réf.* und *Nos Réf.*

658

4. Datum (la date)

Hinter dem Ortsnamen steht grundsätzlich ein Komma, dann (auf derselben Zeile) das eigentliche Datum: *Oyonnax, le 23 septembre ...*

Hinter dem Monatstag steht (im Unterschied zum Deutschen) kein Punkt.

Die Ordinalzahl wird nur für den Monatsersten benutzt (*le 1er = le premier*), ansonsten verwendet man die Kardinalzahl (*le 2 avril, le 3 mai* usw.).

Der Monatsname wird ausgeschrieben, und zwar mit kleinem Anfangsbuchstaben.

5. Betreff (l'objet)

Der Gegenstand bzw. Inhalt des Briefes steht gelegentlich in Form einer kurz zusammengefassten Überschrift, wobei das deutsche „Betreff" durch das Wort „*Objet: ...*" wiedergegeben wird: *Objet: votre commande du 5 février.*

6. Die Anrede (l'appel)

Schreibt man an eine bekannte Einzelperson, so wird man sich in der Anrede gewöhnlich nur eines Wortes bedienen: *Monsieur* bzw. *Madame,* oder bei persönlichen bzw. regelmäßigen Kontakten *Cher Monsieur* bzw. *Chère Madame,* (letztere Formulierungen sind auch in Werbebriefen durchaus üblich).

Bei Briefen an Unternehmen gebraucht man, wenn der Ansprechpartner nicht bekannt ist, Anreden wie: Madame, Monsieur,
Mesdames, Messieurs,
Messieurs.

Danach steht prinzipiell ein Komma. Die Höflichkeitsformeln wie „Sehr geehrter" usw. dürfen auf keinen Fall übersetzt werden. Man beachte, dass der Name in der Anrede unerwähnt bleibt. Dafür werden Dienstbezeichnungen in einigen Fällen angegeben: *Monsieur le Président, Directeur Général, Madame la Directrice, Monsieur le Directeur des ressources humaines.* Bei Anwälten verwendet man die Anrede *Maître.*

7. Brieftext (le corps de la lettre)

Obwohl die Anrede mit einem Komma endet, beginnt der Brieftext mit einem Großbuchstaben. Bei dem Brieftext ist in erster Linie auf die richtige Verteilung des verfügbaren Raumes sowie auf die Gliederung des Textes in einzelne Abschnitte zu achten. Fängt man einen Brief in der Ich-Form an, so muss man bis zum Briefende (inklusive Schlussformel) bei der ersten Person Einzahl bleiben. Zu vermeiden sind Briefe, bei denen der Text die ganze Seite füllt und nur die Schlussformel auf der nächsten Seite steht.

8. Schlussformel (la formule de politesse)

Für den Briefschluss gibt es im Französischen zahlreiche Formeln. Die als Briefbeginn verwendete Anrede ist Bestandteil der Schlussformel und darf dort (zwischen Kommata) nicht fehlen.

Je vous prie d'agréer, Monsieur, l'expression de mes sentiments les meilleurs.
Nous vous prions de croire, Messieurs, à l'assurance de nos sentiments dévoués.
Veuillez agréer, Madame, l'expression de mes salutations distinguées.

Da zwischen den einzelnen Formulierungen des Öfteren Unterschiede bzw. Nuancen (je nach Beziehung zwischen Absender und Empfänger) bestehen, die nur schwer zu definieren sind, ist es ratsam, einer neutralen Schlussformel wie z.B. *Nous vous prions d'agréer, Monsieur, l'expression de nos salutations distinguées* oder *Veuillez croire, Madame, à l'assurance de nos sentiments les meilleurs* den Vorzug zu geben.

Bei Telefaxen und E-Mails sind andere, kürzere und unkomplizierte Formeln wie *Avec nos salutations distinguées, Avec nos sentiments les meilleurs* oder schlicht *Salutations* anzutreffen.

9. Unterschrift (la signature)

Da die Unterschrift (unter der Schlussformel rechts) häufig unleserlich ist, wird es immer gebräuchlicher, den Namen und gegebenenfalls die Berufsbezeichnung bzw. Funktion darunter zu schreiben.

Man beachte folgende Abkürzungen: *p.p. (par procuration* – per procura); *p.o. (par ordre* – im Auftrag) sowie *parti après dictée* (nach Diktat verreist).

10. Anlagen (les pièces jointes)

Der Hinweis auf die Anlagen steht wie im Deutschen unter der Unterschrift am linken Rand, z.B. *P.J.: 1 devis.*

Diese *pièces jointes* können auch weiter oben, nach dem Betreff bzw. nach den Bezugszeichen angegeben werden. Gelegentlich trifft man statt auf *P.J.* auf die Bezeichnung *Annexe* bzw. *Annexes.*

Besteht ein Brief aus mehreren Seiten, so wird dies am Ende einer jeden Seite folgendermaßen gekennzeichnet: .../...

11. Postskriptum (le post-scriptum)

Dies dient wie im Deutschen dazu, noch etwas unter den Brief zu setzen, das man vergessen hat oder besonders hervorheben möchte. Neben der Abkürzung *P.-S.* wird auch *N. B. (Nota Bene)* gebraucht.

Briefumschlag

Die Adresse auf dem Briefumschlag wird verschieden formuliert, je nachdem ob man sich an die Firma im Allgemeinen oder an eine bestimmte Person in der Firma wendet:

Transax
6, quai de la Guibauderie

76500 Le Havre

Monsieur le Directeur des
ressources humaines
Transax
...

S.M.C.
Service commandes
A l'attention de M. Alain Mathieu

01100 Oyonnax

Monsieur André Benteo
Directeur général
S.M.C.

01100 Oyonnax

Die E-Mail

E-Mails dienen nicht nur der privaten Kommunikation, sondern werden auch im Geschäftsverkehr benutzt. In der Regel können dieselben Formulierungen wie für Briefe oder Fax verwendet werden. Allerdings ist der Stil oft nicht so förmlich wie im Geschäftsbrief gehalten.

In der Wirtschaftskorrespondenz werden sie im Allgemeinen bevorzugt benutzt,

– wenn eine Abmachung oder ein Termin, die am Telefon getroffen wurden, bestätigt werden müssen.
– wenn etwas Unvorhergesehenes eintritt.
– bei Bewerbungen
– bei Werbung

E-Mail-Muster

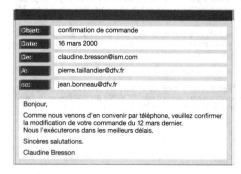

Objet:	confirmation de commande
Date:	16 mars 2000
De:	claudine.bresson@ism.com
A:	pierre.taillandier@dfv.fr
cc:	jean.bonneau@dfv.fr

Bonjour,

Comme nous venons d'en convenir par téléphone, veuillez confirmer la modification de votre commande du 12 mars dernier. Nous l'exécuterons dans les meilleurs délais.

Sincères salutations.

Claudine Bresson

E-Mail-Wendungen

Salut ..., Bonjour ...
A bientôt,
Répondez-moi rapidement
Donnez-moi rapidement confirmation écrite
Je vous tiens au courant de l'évolution de la situation
Merci d'avance de bien vouloir tout faire pour ...
Merci de me tenir au courant
N'hésitez pas à me contacter
Nous regrettons cette situation embarrassante
Etant donné l'urgence, je propose les solutions suivantes:
Avec mes meilleures salutations,
A plus,
Contactez-moi sur mon portable.

Wichtige Vermerke auf Briefen und Briefumschlägen

À l'attention de	zu Händen (von)
À remettre en main propre	Eigenhändig / Persönlich
Chronopost	Kurierdienst, Datapost
(Strictement) Confidentiel	(Streng) Vertraulich
Contre remboursement	Per Nachnahme
Coupon-réponse international	Internationaler Antwortschein
Destinataire	Empfänger
Expéditeur	Absender
(Par) Exprès	Eilzustellung
Faire suivre S.V.P.	Bitte nachsenden
Fragile	Zerbrechlich
Franchise postale	Portofrei
Journaux, Livres, Brochures	Büchersendung
Inconnu	Unbekannt
Lettre	Brief
Lettre recommandée	Einschreibebrief
Ne pas affranchir	Nicht freimachen
Ne pas plier	Nicht knicken
Par avion	(Mit) Luftpost
Petit paquet	Päckchen
Poste restante	Postlagernd
Recommandé (avec AR*)	Einschreiben (mit Rückschein)
Réponse payée	Werbe-Antwort
Retour à l'expéditeur	Zurück an Absender
Si inconnu à l'adresse indiquée, prière de retourner à l'expéditeur	Falls unzustellbar, bitte zurück an Absender
Valeur déclarée	Wertbrief

* AR: accusé de réception

Nützliche Redewendungen zum Telefonieren

C'est de la part de qui?
Pourriez-vous épeler votre nom, s. v. p.?
Voudriez-vous répéter, s. v. p.?
Excusez-moi, je n'ai pas compris.
Ne quittez pas, je vous prie./Un instant, s. v. p.?
Veuillez patienter un moment, s. v. p.?
Je vous passe Monsieur/Madame …
Monsieur/Madame … (Il/Elle) est en réunion.
Il/Elle est malade/en vacances/en déplacement.
Il/Elle n'est pas encore arrivé(e)/n'est pas là aujourd'hui.
Pouvez-vous rappeler un peu plus tard/demain/la semaine prochaine?
Voulez-vous parler à quelqu'un d'autre?
Voulez-vous laisser un message?
Voulez-vous qu'il/elle vous rappelle?
Je n'arrive pas à le joindre.
Désolé(e), mais son poste ne répond pas.
Laissez-moi vos coordonnées, je vous rappellerai.

Musterbriefe in französischer Sprache

1. Bitte um Übersendung von Preislisten und Mustern

Holgers AG
Andreas-Lütkemeyer-Str. 8

D-59065 Hamm

Reims, le 11 février ...

Mesdames, Messieurs,

Acheteurs de grandes quantités de produits
cosmétiques de grande diffusion (essentiellement
destinés à la vente en grandes surfaces), nous
désirons élargir la gamme de produits dont nous
assurons la distribution et cherchons à cet effet
à entrer en contact avec des fabricants allemands
que notre démarche serait susceptible d'intéresser.

Nous avons appris que vous veniez de créer une
nouvelle série de savonnettes de fantaisie parfu-
mées et serions heureux de recevoir votre prix
courant ainsi qu'une ample collection d'échantil-
lons.

Compte tenu de l'importance et de la régularité
des commandes que nous pourrions être appelés
à vous passer, vous voudrez bien nous indiquer
si nous pouvons compter sur un tarif préférentiel
et des conditions de paiement avantageuses com-
parables à celles qui nous sont consenties par nos
fournisseurs habituels.

Nous vous en remercions par avance et vous
prions d'agréer, Mesdames, Messieurs, l'expression de nos salutations distinguées.

Cosmédif S.A.R.L.

diffusion *f*
  Verbreitung
grandes surfaces *f/pl*
  Verbrauchermärkte,
  Supermärkte
élargir erweitern
gamme *f*
  Produktpalette
**assurer la
  distribution de qc**
  etwas vertreiben
échantillon *m* Muster
importance *f*
  Umfang
régularité *f*
  Regelmäßigkeit
indiquer
  angeben, mitteilen
tarif *m* **préférentiel**
  Vorzugstarif
consentir gewähren
fournisseur *m*
  Lieferant

2. Auftrag an einen ausländischen Lieferanten

TOPKOPI GmbH
Hans-Pachtl-Weg 6

D-82110 Germering

Fleurance, le 4 avril ...

Mesdames, Messieurs,

Comme suite à l'entretien que j'ai eu dernièrement avec M. Menzel à votre stand à la foire de Hanovre, je vous prie de m'expédier 10 exemplaires de votre photocopieuse Z-240 au prix de DM 2.250 pièce, franco de port et d'emballage, conformément aux conditions de vente figurant dans le prospectus qui m'a été remis.

Veuillez trouver ci-joint, à titre d'acompte, un chèque de DM 10.000 sur la Société Générale / Elsässische Bank de Munich.

Si, comme je l'espère, ces appareils devaient me donner entière satisfaction, il n'est pas exclu que je vous passe sous peu une commande d'une toute autre importance. Je compte bien que vous m'accorderez alors, outre des tarifs préférentiels, les facilités de paiement d'usage.

Dans l'attente de recevoir l'accusé de réception du chèque susmentionné et l'avis d'expédition, je vous prie d'agréer, Mesdames, Messieurs, mes bien sincères salutations.

Christiane Bastillac

comme suite à
Bezug nehmend auf
entretien *m*
Besprechung
foire *f* Messe
franco de port
frachtfrei
conformément à
gemäß, entsprechend
remettre
aushändigen, überreichen
donner satisfaction
zufrieden stellen
exclu ausgeschlossen
sous peu bald
accorder gewähren
tarif *m* **préférentiel**
Vorzugspreis
les facilités de paiement d'usage
die üblichen Zahlungserleichterungen
susmentionné
oben erwähnt
avis *m* **d'expédition**
Versandanzeige

. Übersendung eines Schecks

Ets Fourrier et Cie
A l'attention de M. Gerval
13, rue de l'Amirauté

F-33000 Bordeaux

Oslo, le 28 mai ...

Monsieur,

Veuillez trouver ci-joint le chèque n° 43.0987 S,
d'un montant de 1.044 € (mille quarante quatre
Euro), chèque tiré sur le Crédit Mutuel de Bordeaux
en règlement de votre facture n° 95 FR 786/5 du
12 mai dernier.

Vous en souhaitant bonne réception, je vous prie
de recevoir, Monsieur, l'expression de mes salutations distinguées.

G. Aamodt

ci-joint beiliegend
d'un montant de
  in Höhe von
tirer ausstellen
en règlement de
  als Zahlung für, zur
  Begleichung

666

4. Mahnschreiben

GRÜNWALD OHG
Auerstr. 4

D-85354 Freising

Nantes, le 15 juillet ...

Objet: premier rappel

Messieurs,

Après examen de nos livres comptables, nous constatons que votre compte reste débiteur de la somme de 49.975,00 €, montant dû au 15 juin dernier.

Veuillez considérer que la perte d'intérêts que nous cause le retard de votre règlement nous prive d'une partie non négligeable du faible bénéfice que nous réalisons sur ces affaires. Nous supposons qu'il s'agit là d'un oubli de votre part et demeurons persuadés que vous ferez le nécessaire pour que le virement de cette somme soit effectué sans retard.

Dans l'attente de votre règlement, nous vous prions d'agréer, Messieurs, nos sincères salutations.

Gaborieau S.A.R.L.

livres *m/pl* **comptables**
  Bücher
votre compte reste débiteur de
  Ihr Konto weist ein Soll von ... auf
intérêts *m/pl* Zinsen
priver quelqu'un de
  j-n um etwas bringen
bénéfice *m* Gewinn
supposer
  annehmen, vermuten
oubli *m* Versehen
persuadé überzeugt
faire le nécessaire
  das Nötige veranlassen

5. Mitteilung über eine Adressenänderung

Romorantin, le ...

Madame, Monsieur,

Nous avons le plaisir de vous informer que le transfert de notre siège social à Poissy (Yvelines) prendra effet le 1er juin prochain, conformément à l'annonce qui vous en avait été faite lors d'un précédent courrier.

A partir de cette date, vous pourrez donc nous joindre à l'adresse suivante:

ARMANVAL S.A., 2, rue Fouqué, F-78300 Poissy
Tél.: 01 30 89 87 93   Fax: 01 30 89 57 88

Vous trouverez par ailleurs, jointe en annexe à cette lettre, une liste des noms et numéros d'appel directs de nos collaborateurs du service export, ceci afin de faciliter la prise de contact avec vos interlocuteurs habituels.

Notre implantation en région parisienne nous permettra de nous rapprocher du marché – c'est-à-dire tant de nos principaux fournisseurs que de nos clients nationaux – tout en bénéficiant d'infrastructures plus propices au développement international de nos activités.

Dans un premier temps, l'essentiel de notre production continuera d'être assuré par notre usine de Romorantin, l'inauguration et la mise en service de notre nouvelle unité de production de Poissy étant prévue, quant à elle, pour la fin de l'année.

Nous vous prions de prendre acte de ce changement d'adresse et espérons avoir bientôt l'occasion de vous accueillir dans nos nouveaux locaux.

ARMANVAL S.A.

---

transfert _m_ **de siège social**
  Verlegung des Firmensitzes
prendre effet
  wirksam werden
annonce _f_
  Ankündigung
joindre erreichen
joint en annexe
  beigefügt
collaborateur _m_
  Mitarbeiter
service _m_ Abteilung
interlocuteur _m_
  Ansprechpartner
bénéficier
  profitieren
propice
  günstig, geeignet
essentiel _m_ Großteil
assurer
  gewährleisten
inauguration _f_
  (feierliche) Eröffnung
mise _f_ **en service**
  Inbetriebnahme
accueillir
  willkommen heißen
locaux _m/pl_
  Geschäftsräume

6. Bewerbung auf ein Stellenangebot hin

Qualitec AG

D-45470 Mülheim an der Ruhr

Paris, le 4 juin ...

Objet: votre annonce parue dans le Monde

Madame, Monsieur,

Vivement intéressé par votre offre d'emploi, je sou-
haiterais par la présente poser ma candidature au
poste actuellement vacant de responsable export
dans votre société.

Du fait de fréquents déplacements professionnels
en Allemagne et d'une carrière essentiellement
menée dans la construction mécanique, le nom de
votre entreprise ainsi que les produits que vous
commercialisez me sont depuis longtemps fami-
liers. Outre les connaissances spécifiques que me
confère mon expérience dans votre secteur d'activité, je pense disposer des qualités de flexibilité et
d'innovation exigées pour ce poste et me permets
donc de vous adresser ci-joint mon curriculum
vitæ.

Dans l'attente de vous rencontrer, je vous prie
d'agréer, Madame, Monsieur, ...

Philippe Berthier

P.J.: 1 curriculum vitæ

offre f **d'emploi**
 Stellenangebot
poser sa candidature
 à un poste vacant
 sich um einen freien
 Posten bewerben
responsable m/f
 Verantwortliche(-r),
 Führungskraft
déplacement m
 Geschäftsreise
construction f **méca-**
nique
 Maschinenbau
familier, -ère
 vertraut
expérience f
 Erfahrung
disposer de
 verfügen über
exigé verlangt
curriculum m **vitæ**
 Lebenslauf

. Teilnahme an einer internationalen Messe

Objet: participation à la foire de Hanovre
Date: 23 janvier
De: jérôme.vandenbroucke@baral.fr
A: regine.frey@wolfert.de

Madame,

Nous avons le plaisir de vous faire savoir que nous exposerons à la Foire de Hanovre du 22 au 27 avril prochain.

Notre première participation à cette prestigieuse manifestation s'inscrit dans le cadre d'une nouvelle politique commerciale visant à développer notre activité sur les marchés européens en général et allemand en particulier.

Nous serions très heureux de vous accueillir à notre stand situé dans le hall 7, niveau 2, stand n°4 et pourrions à cette occasion vous présenter nos tous derniers modèles.

Avec nos sentiments dévoués.

Jérôme Vandenbroucke
Président-Directeur Général

foire *f* Messe
à l'attention de
  zu Händen von
exposer ausstellen
Hanovre Hannover
manifestation *f*
  Veranstaltung
cadre *m* Rahmen
visant à
  mit dem Ziel

8. Bitte um einen Geschäftstermin

MANZ GmbH & Co. KG
A l'attention de M. Manz

D-52074 Aachen

Monsieur,

Suite à notre premier contact téléphonique de ce matin, j'ai le regret de vous confirmer qu'il me sera impossible, en raison d'un emploi du temps particulièrement chargé ce mois-ci, de répondre à votre invitation à venir à Aix-la-Chapelle pour discuter des relations d'affaires que nous pourrions nouer très prochainement.

Permettez-moi cependant, à défaut de pouvoir vous rencontrer, de vous demander si vous pourriez recevoir chez vous un de mes proches collaborateurs, M. Eric Marot, qui sera en déplacement en Allemagne la semaine prochaine. En sa qualité de directeur technique, M. Marot sera certainement à même de vous présenter notre production et de vous soumettre une offre en fonction de vos besoins.

Je vous serais donc reconnaissant, si cette proposition vous agrée, de bien vouloir nous recontacter dans les meilleurs délais pour fixer la date exacte à laquelle M. Marot pourrait se présenter au siège de votre entreprise.

Vous remerciant à l'avance de l'accueil que vous voudrez bien réserver à ma demande, je vous prie d'agréer, Monsieur, ...

MIDUEL S.A.R.L.
Antonin Dourdan
Gérant

en raison de
aufgrund
un emploi du temps chargé
einen vollen Terminplan
Aix-la-Chapelle
Aachen
nouer des relations d'affaires
Geschäftsbeziehungen anknüpfen
à défaut de pouvoir vous rencontrer
da ich Sie nicht treffen kann
collaborateur *m*
Mitarbeiter
en déplacement
dienstlich unterwegs
en sa qualité de als
être à même de
in der Lage sein zu
soumettre une offre
ein Angebot unterbreiten
agréer zusagen
dans les meilleurs délais
baldmöglichst

Notizen

Notizen

Erklärung der im Wörterbuch verwendeten Abkürzungen

Explication des abréviations employées dans le dictionnaire

~ ≗ **die Tilde** (**das Wiederholungszeichen**) ist angewendet, um zusammengehörige und verwandte Wörter zum Zwecke der Raumersparnis zu Gruppen zu vereinigen.

~ ≗ **le tilde** (**le signe de répétition**) Afin d'épargner de la place, le tilde a été employé pour réunir par groupes les mots de la même catégorie et les mots apparentés.

Die Tilde (~) vertritt das ganze voraufgegangene Wort oder den Wortteil vor dem senkrechten Strich (|), z. B.:

Le tilde (~) remplace la totalité du mot précédent ou la partie du mot devant le trait vertical (|), p. ex.:

aiguillon Stachel; **~ner** (= **aiguillonner**) antreiben
contrôl|e Kontrolle; **~er** (= **contrôler**) kontrollieren

Die Tilde vertritt außerdem in den Anwendungsbeispielen das unmittelbar voraufgegangene Stichwort, das auch mithilfe der Tilde gebildet sein kann, z. B.:

Le tilde remplace en outre dans les exemples d'application l'en-tête précédent, parfois représenté à l'aide du tilde, p. ex.:

abandon ... ***laisser à l'~*** verwahrlosen

Die Tilde mit Kreis (≗) weist darauf hin, dass sich die Schreibung des Anfangsbuchstabens des voraufgegangenen Wortes in der Wiederholung ändert (groß in klein oder umgekehrt), z. B.:

Le tilde avec cercle (≗) indique que le mot précédent prend une majuscule ou une minuscule lorsqu'il doit être répété, p. ex.:

français, -e 1. *adj.* französisch; **2.** ≗ (= **Français, -e**) *m, f* Franzose *m*, Französin *f*
collège Gremium; Kollegium; ***Sacré*** ≗ (= ***Sacré Collège***) Kardinalskollegium
Pâques Ostern; ***faire ses*** ≗ (= ***pâques***) zur österlichen Kommunion gehen

Abkürzungen – Abréviations

a	auch, *aussi*
abr	*abréviation*, Abkürzung
acc	*accusatif*, Akkusativ, Wenfall
adj	*adjectif*, Adjektiv
adv	*adverbe*, Adverb
agr	*agriculture*, Landwirtschaft
allg	allgemein, *généralement*
anat	*anatomie*, Anatomie
arch	*architecture*, Architektur
arg	*argot*, Argot, Gaunersprache
astr	*astronomie*, Astronomie
auto	*automobile*, Kraftfahrzeug(wesen)
aviat	*aviation*, Flugwesen
bes	besonders, *particulièrement*
biol	*biologie*, Biologie
bot	*botanique*, Botanik
cf	*confer*, siehe